Walter Erhardt, Erich Götz, Nils Bödeker,
Siegmund Seybold

Zander

Handwörterbuch der Pflanzennamen
Dictionary of plant names
Dictionnaire des noms de plantes

16. Auflage

Übersetzung / Translation / Traduction

Dr. Hilde Fischer, Bindlach, (D) (ICNCP)
Charles Quest-Ritson, Salisbury (GB)
Michael Ashdown, München (D)
Ulla Neumann, Céline Pertuson, Paris (F)
Remerciements pour la relecture et l'adaptation à: Aline Raynal-Roques et Laurent Bray, Paris (F)

Die Deutsche Bibliothek – CIP-Einheitsaufnahme
Ein Titeldatensatz für diese Publikation ist bei der Deutschen Bibliothek erhältlich.

ISBN: 3-8001-5080-8 (deutsch)
ISBN: 1-903257-01-8 (british)
ISBN: 2-84138-120-X (français)

Wollgrasweg 41, 70599 Stuttgart
Printed in Germany
Lektorat: Hermine Tasche
Einbandgestaltung: Atelier Reichert, Stuttgart
Druck und Bindung: Clausen & Bosse GmbH, Leck

Inhaltsverzeichnis
Contents
Table des matières

Vorwort

Taxonomische Klassifikationen sind niemals richtig oder falsch; sie sind lediglich mehr oder weniger sinnvoll und akzeptabel. (übersetzt nach einem Zitat von Peter Yeo, siehe Seite 32)

Man kann behaupten, Taxonomie sei eine Frage des Standpunktes. Deshalb wollen wir unseren hier definieren. Ein wichtiges Kriterium ist die Kompatibilität. Die zunehmende Internationalisierung – auch in der Botanik – zwingt dazu, sich hier anzupassen und allgemein gültige Standards zu akzeptieren. Dies soll nicht heißen, dass die „anderen" immer Recht haben. Doch um Standpunkte zu verstehen und nachvollziehen zu können, braucht man Anknüpfungs- und Vergleichspunkte, wie z. B. die gebräuchlichen Synonyme.

Eine weitere Veränderung, die sich durch die Mehrsprachigkeit ergibt, bezieht sich auf die Ausspracheregeln der lateinischen Pflanzennamen. Trotz aller Bemühungen und der Verwendung von Betonungszeichen ist es bis heute nicht geglückt, eine einheitliche Aussprache der Pflanzennamen durchzusetzen. Erinnert sei hier lediglich an *Erica*, die in der Regel wie der Mädchenname Erika ausgesprochen wird. Völlig abweichend ist die Aussprache der wissenschaftlichen Namen in englisch- oder französischsprachigen Ländern. Als Norm für die wissenschaftlichen Namen gilt allein die geschriebene Form. Vor diesem Hintergrund fiel es uns leicht, auf Betonungs- und Sonderzeichen, die die Aussprache regeln, zu verzichten. Die Regeln hierzu können aber weiterhin im Abschnitt II/6 nachgelesen werden.

Für viele Pflanzenarten sind mehrere Namen im Gebrauch, z. B. weicht die gärtnerische Namengebung oft von der botanischen ab, vor allem, wenn die Umbenennungen noch nicht allzu lange zurückliegen. So ist oft die Gattung *Brugmansia* weiterhin unter der Bezeichnung *Datura* im Handel. Bei der Gattung *Dendranthema* wird sich wohl die Hartnäckigkeit der Gärtner bezahlt machen, denn es gibt Bestrebungen, die ursprüngliche Bezeichnung *Chrysanthemum* wieder einzuführen. Immer dann, wenn uns eine solche Umbenennung sinnvoll erscheint, werden wir sie nachvollziehen, aber nicht in jedem Fall. Vor allem dann nicht, wenn verschiedene Gattungen zu einer einzigen zusammen gefasst werden, diese aber anschließend sofort wieder in verschiedene Untergattungen aufgespalten wird. Etwas Beruhigung in die ständige Umbenennung aufgrund der Prioritätsregel brachte die Tatsache, dass zunehmend Pflanzennamen zum *nomen conservandum* werden, zum geschützten Pflanzennamen.

Da der *Zander – Handwörterbuch der Pflanzennamen* nun erstmals dreisprachig vorliegt, hat dies auch einen gewissen Einfluss auf die Auswahl der aufgenommenen Pflanzen. Es sollen möglichst umfassend nicht nur die in Mitteleuropa kultivierten Pflanzen genannt werden, sondern all diejenigen, die in den europäischen Gärten und botanischen Sammlungen häufig vorhanden sind und im Handel eine Rolle spielen. Eine Erweiterung des Umfangs wird für die kommenden Auflagen wohl nicht zu umgehen sein, doch soll hier stets mit Maß und Ziel vorgegangen werden.

Dass der Zander gegenüber den ersten Auflagen, die Dr. Robert Zander noch selbst herausgab, ständig an Umfang zunahm, ist das Verdienst unserer Vorgänger, Dr. Fritz Encke, der die Pflanzenauswahl zusammenstellte und Dr. Günther Buchheim, der sie nomenklatorisch überprüfte. An dieser Stelle sei ihnen für ihr Engagement gedankt.

Eine wesentliche Erweiterung in dieser Auflage bedeutet die möglichst vollständige Aufnahme aller mitteleuropäischen Wildpflanzenarten, die wir sicher auch noch auf West- und Nordeuropa ausweiten werden. So ist der Stand der Dinge, dass 3 640 Gattungen mit 20 000 Arten aufgeführt werden, hinzu kommen 10 000 Synonyme. Die Liste der deutschen Pflanzennamen wurde beträchtlich erweitert, neu aufgenommen sind die französischen und englischen Bezeichnungen.

Eine weitere wichtige Änderung betrifft die Systematik des Pflanzenreichs, wobei wir uns

in der Übersicht auf Farn- und Blütenpflanzen beschränkt haben. Wir folgen hier CRONQUIST, *The Evolution and Classification of Flowering Plants*, einem System, das nicht mit der Tradition bricht, aber in umfassender Weise alle neueren Erkenntnisse eingearbeitet hat. Da die 2. Auflage dieses Buches aus dem Jahr 1988 stammt, sollen jedoch auch hier neuere Strömungen berücksichtigt werden. Zusätzliche Anregungen entnahmen wir unter anderem MABBERLEY, *The Plant Book* (1997). Einen hervorragenden Überblick über Farne und Farnverwandte bietet KRAMER in KUBITZKI, *The Families and Genera of Vascular Plants* (1990). Weitere Bände, die bereits vorliegen oder noch erscheinen werden, haben sicher Einfluss auf unsere künftige Einteilung.
Die Schreibweise der Pflanzennamen folgt den Regeln des Werkes *Internationaler Code der Botanischen Nomenklatur (ICBN)*. Eine Ausnahme machen wir allerdings bei den Autonymen – wir werden die Regel 26.1 nicht anwenden. Dies bedeutet, dass wir eine einheitliche Sortierung erreichen: Zuerst wird stets die Stammform einer Pflanze beschrieben, danach die Varietäten, Subspecies und Formen.
Da mittlerweile auch der *Internationale Code der Nomenklatur der Kulturpflanzen (ICNCP)* in der neuen Fassung von 1995 vorliegt, nimmt er Einfluss auf die künftige Benennung der Sortennamen. Sie tauchen zwar in diesem Nachschlagewerk nur vereinzelt auf, wir folgen dann aber dieser Regelung. Deshalb sind auch allgemeingültige Bezeichnungen wie Hybriden verschwunden (also *Trollius* 'Helios' statt Trollius-Hybride 'Helios'). Es mag zwar manch einer bedauern, dass nun nicht mehr unterschieden wird zwischen Formen (*Iris sibirica* 'Alba') und Sorten (*Iris sibirica* 'White Swirl' statt *Iris* Sibirica-Hybride 'White Swirl'), doch wiegt hier der Vorteil der internationalen Vereinheitlichung schwerer.
Eine weitere Änderung, die schon lange dem Wunsch vieler Anwender entspricht, ist die Einführung weltweit einheitlicher Abkürzungen für die Autorennamen. Dies ist mit dem Werk von BRUMMITT & POWELL, *Authors of Plant Names* (1992), möglich geworden.
Für die Klärung nomenklatorischer Fragen gilt unser Dank Eike Jablonski, Diekirch (Luxemburg), Dr. Marianne Lauerer, Bayreuth (D), Dr. Sigrid Liede, Bayreuth (D), Alison Rutherford, Helensburgh (GB), Wim Snojier, Gauda (Niederlande), Martin Wettges, Nittenau (D) und Dr. Rolf Wisskirchen, Remagen (D).
Charles Quest-Ritson, Salisbury (GB), schrieb den Abschnitt II/6 „Aussprache und Betonungsregeln" für die englichen Leser neu, da er nicht übertragbar ist. Zudem bearbeitete er die englischen Pflanzennamen. Aline Raynal-Roques, Paris (F), schrieb den Abschnitt II/6 für die französischen Leser neu. Beiden sei für ihr Engagement herzlich gedankt.

Stuttgart, Sommer 1999

I Über die Autoren

1 Prof. Dr. Robert Zander

* 26. 07. 1892, Magdeburg; † 08. 05. 1969, Berlin

Herausgeber folgender Ausgaben des *Handwörterbuchs der Pflanzennamen: 1.Aufl. (1927), hierzu Nachtrag 1928; 2. Aufl. (1932); 3. Aufl. (1936); 4. Aufl. (1938); 5. Aufl. (1938); 6. Aufl. (1940); 7. Aufl. (1954); 8. Aufl. (1955); 9. Aufl. (1964).*

Zwischen Geburt und Tod dieses Mannes liegt ein reiches, der Botanik und dem Gartenbau verschriebenes Leben, dessen Wirken sich am sichtbarsten niedergeschlagen hat in zahlreichen Schriften und dem Aufbau der Bücherei des deutschen Gartenbaues, mit 35 000 Bänden eine der reichhaltigsten Gartenbaubüchereien der Welt. Robert Zander legte seinen Arbeitsschwerpunkt in den letzten Jahren auf die Erfassung des Inhalts gartenbaulicher Zeitschriften. Die Karteikarten, die damals entstanden, zeugen von einer mühsamen Arbeit, deren Ergebnisse noch heute denen zugute kommen, die auf gartenbaulichem Gebiet wissenschaftlich arbeiten.

Das Verzeichnis der wichtigsten Schriften Robert Zanders zeigt seine Vielseitigkeit. Über Jahre prägte er als Schriftleiter einige Zeitschriften, darunter die altberühmte *Gartenflora*, die während des Krieges ihr Erscheinen einstellen musste. Diejenige der Zanderschen Schriften aber, die am stärksten wirkt, ist das *Handwörterbuch der Pflanzennamen*, das heute, wenn auch längst nicht mehr von ihm bearbeitet, in der 16. Auflage vorliegt. Den Anstoß zu dieser Arbeit bekam Zander 1926, als ihn der Reichsverband des deutschen Gartenbaus nach Berlin rief mit dem Auftrag, ein Handwörterbuch der Pflanzennamen als Grundlage für eine einheitliche Benennung gärtnerisch genutzter Pflanzen zu schaffen. Die erste Auflage konnte bereits 1927 erscheinen, ein Nachtrag 1928.

Inzwischen wurde das Handwörterbuch, der *Zander*, wie es von allen seinen Benutzern genannt wird, zum unentbehrlichen Ratgeber für Gärtner, Förster, Pharmazeuten und vieler Botaniker, also all derer, die rasch und sicher den korrekten Namen einer wirtschaftlich oder anders genutzten Pflanze feststellen wollen. Die Arbeit an der gartenbauliche Nomenklatur führte Robert Zander in den Internationalen Gartenbau-Nomenklaturausschuss, dessen Sekretär er auf dem 12. Internationalen Gartenbau-Kongress in Berlin war. Bis zu seinem Tode war er aktives Mitglied des Deutschen Arbeitskreises für Gartenbau-Nomenklatur.

Im Laufe seines Lebens, vor allem als Leiter der heute der Bibliothek der Technischen Universität Berlin angegliederten Gartenbaubücherei, hat er zahllose Menschen an seinem großen Wissen und seiner einzigartigen Literaturkenntnis teilnehmen lassen, sie angeregt und ihnen jede erdenkliche Hilfe bei wissenschaftlichen Arbeiten gegeben.

Liste der wichtigsten Veröffentlichungen:

- *Beitrag zur Kennnis der tertiären Hölzer des Geiseltals.* Dr.-Dissertation, in *Braunkohle* Jahrg. XXII, Nr. 2, 1923.
- *Führer durch den Botanischen Garten der Universität Halle/Saale*, 1925.
- *Handwörterbuch der Pflanzennamen und ihrer Erklärungen.* Gärtnerische Verlagsgesellschaft Berlin, Berlin. Ab der 7. Auflage: Verlag Eugen Ulmer, Stuttgart.
- *Wunder der Blüten* in *Weg zum Wissen* Bd. 76, 1927.
- *Schmarotzende Pflanzen*, 1930.
- *Zanders großes Gartenlexikon*, 1934.
- *Wörterbuch der gärtnerischen Fachausdrücke in vier Sprachen*, 1938.
- *Fachwörterbuch der Konservenindustrie in acht Sprachen*, 1939.

- *Die Kunst des Pflanzenbeschreibens*, 1947.
- *Deutsch-Botanisches Wörterbuch*, 1940, 2. Auflage unter dem Titel *Kleines Botanisches Fremdwörterbuch*, 1947.
- *Die Pflanze im Liebesleben der Völker*, 1951.
- *Geschichte des Gärtnertums*, 1952.
- *Mitarbeit am Leitfaden für den gärtnerischen Berufsschulunterricht*, 1929
- *Mitarbeit bei Kluges Alphabet*, 1934/35.
- In Zusammenarbeit mit Dr. Clara Teschner, *Der Rosengarten, eine geschichtliche Studie durch zwei Jahrtausende*, 1939.
- *Geschichte des Obstbaues* in *Trenkles Lehrbuch des Obstbaus*, 1942 sowie die folgenden Ausgaben.

2 Fritz Encke, Günter Buchheim, Siegmund Seybold

Dr. h.c. Fritz Joseph Encke
* 01. 08. 1904, Köln

Mitherausgeber folgender Ausgaben des *Handwörterbuchs der Pflanzennamen:*
9. Aufl. (1964); 10. Aufl. (1972); 11. Aufl. (1979); 12. Aufl. (1980); 13. Aufl. (1984); 14. Aufl. (1993); 15. Aufl. (1994).
Fritz Joseph Encke arbeitete in den zwanziger Jahren als Gärtner in deutschen und nordamerikanischen Gärtnereien, ab 1929 dann im Palmengarten, Frankfurt, dem er in der Zeit von 1945 bis 1968 als Direktor vorstand. Seinem großen persönlichen Einsatz ist zunächst der Fortbestand des Palmengartens nach dem Zweiten Weltkrieg und später der Aufbau der bedeutenden Pflanzensammlung zu verdanken. 1968 erhielt er die Ehrendoktorwürde, er ist Träger des Bundesverdienstkreuzes 1. Klasse. Sein umfangreiches fachschriftstellerisches Werk macht deutlich, dass er sich der gärtnerisch-botanischen Wissensvermittlung an Fachleute und Pflanzenliebhaber verpflichtet fühlt. Er verfolgte die Entwicklungen der Botanik und prägte das *Handwörterbuch der Pflanzennamen* nach Robert Zander entscheidend. Seinem Kenntnisreichtum und seiner konzentrierten Arbeitsweise ist es zu verdanken, dass die Heimatgebiete sämtlicher Pflanzenarten aufgenommen werden konnten.

Liste der wichtigsten Veröffentlichungen:
- *Pflanzen für Zimmer und Balkon*, 1. Aufl. 1952 bis 8. Aufl. 1964; 9. Aufl. 1973 bis 13. Aufl. 1987 unter dem Titel *Zimmerpflanzen.*
- *Sommerblumen*, 1961.
- *Die schönsten Kalt- und Warmhauspflanzen*, 1968; 2. Aufl. 1987 unter dem Titel *Kalt- und Warmhauspflanzen.*
- *Zwergsteingärten*, 1978.
- *Kletterpflanzen für Haus und Garten*, 1980.
- *Kübelpflanzen*, 1982.

Dr. Arno Fritz Günther Buchheim
* 26. 10. 1924, Döbeln

Mitherausgeber folgender Ausgaben des *Handwörterbuchs der Pflanzennamen*:
9. Aufl. (1964); 10. Aufl. (1972); 11. Aufl. (1979); 12. Aufl. (1980); 13. Aufl. (1984); 14. Aufl. (1993); 15. Aufl. (1994).
Arno Fritz Günther Buchheim ist Botaniker, Bibliograph und Bibliothekar. Er arbeitete zunächst am Botanischen Museum Berlin-Dahlem. Von 1963 bis 1981 war er am Hunt Institute for Botanical Dokumentation, Pittsburgh, Pennsylvania tätig. 1985 wechselte er zur John Carter Brown Library, Providence, Rhode Island und arbeitete dort bis zu seinem Ruhestand 1993. Seine Hauptarbeitsgebiete sind die Taxonomie und Nomen-

klatur mitteleuropäischer Kulturpflanzen sowie die Bibliographie der botanischen Literatur 1730 bis 1840.

Liste der wichtigsten Veröffentlichungen:
- Mitarbeiter am *Syllabus der Pflanzenfamilien*, 12. Aufl., 1968.
- Mitherausgeber des *Botanico-Periodicum-Huntianum*, 1968.

Prof. Dr. Siegmund Gerhard Seybold
* 05. 09. 1939, Stuttgart

Mitherausgeber folgender Ausgaben des *Handwörterbuchs der Pflanzennamen*:
10. Aufl. (1972); 11. Aufl. (1979); 12. Aufl. (1980); 13. Aufl. (1984); 14. Aufl. (1993); 15. Aufl. (1994); 16. Aufl. (2000).
Siegmund Gerhard Seybold ist Botaniker, arbeitet am staatlichen Naturkundemuseum Stuttgart und ist Honorarprofessor der Universität Stuttgart. Sein Hauptarbeitsgebiet ist die Flora von Baden-Württemberg und ihre Kartierung.
Er übernimmt in den zukünftigen wie auch in den vergangenen Auflagen die Aktualisierung der Übersetzungen der Artbezeichnungen sowie die Pflege der Liste der Autorennamen mit deren Kurzbiographien.

Liste der wichtigsten Veröffentlichungen:
- Mitherausgeber von *Die Farn- und Blütenpflanzen Baden-Württembergs* in 8 Bänden, 1990 bis 1998.
- Mitbearbeiter von SCHMEIL und FITSCHEN, *Flora von Deutschland und angrenzender Gebiete*, ab 89. Auflage, 1993.
- Mitarbeit bei *Index Holmiensis*, seit 1988.

3 Walter Erhardt, Erich Götz, Siegmund Seybold, Nils Bödeker

Walter Erhardt
* 19. 02. 1952, Kulmbach

Mitherausgeber der 16. Auflage des *Handwörterbuchs der Pflanzennamen* (2000).
Walter Erhardt ist Lehrer und Gartenschriftsteller. Durch seine intensive Beschäftigung mit Pflanzen und seine fachschriftstellerische Tätigkeit entstand eine umfangreiche botanische Fachbibliothek. Er erfasste die Daten für die 16. Auflage des Handwörterbuchs und überprüfte sie auf ihre nomenklatorische Richtigkeit. Der *Zander – Handwörterbuch der Pflanzennamen* wird auf dieser Basis auch im digitalen Zeitalter ein bedeutendes Nachschlagewerk sein.

Liste der wichtigsten Veröffentlichungen:
- *Hemerocallis* (Taglilien), 1988; Übersetzung ins Englische, 1992.
- *Pflanzen-Einkaufsführer*, 1990; ab der 2. Auflage mehrsprachig unter dem Titel *PPP-Index*: 2. Aufl. 1995; 3. Aufl. 1997.
- *Schöne Usambaraveilchen und andere Gesnerien*, 1993.
- *Narzissen* (Osterglocken – Jonquillen – Tazetten), 1993.
- Mitarbeit an dem von der SOCIÉTÉ NATIONALE D'HORTICULTURE DE FRANCE herausgegebenen Buch *35.000 plantes*, 1997.

Dr. Erich Götz
* 12. 12. 1940

Mitherausgeber der 16. Auflage des *Handwörterbuchs der Pflanzennamen* (2000).
Erich Götz ist Privatdozent an der Universität Hohenheim. Er lehrt und forscht dort am Institut für Botanik und betreut außerdem die sehr umfangreiche Pflanzensammlung. Er gilt als ein hervorragender Systematiker.

Seine Arbeitsgebiete sind die Gartenstauden, Kakteen, europäischen Gehölze und die mitteleuropäischen Wildpflanzen. Er recherchierte vor allem die Angaben über Herkunft und Verwendung der bisherigen und neu aufgenommenen Arten. Ein weiteres wichtiges Anliegen sind ihm die deutschen Pflanzennamen.

Liste der wichtigsten Veröffentlichungen:
- *Die Gehölze der Mittelmeerländer*, 1975.
- Mit H. Knodel: *Erkenntnisgewinnung in der Biologie*, 1980.
- Mit G. Gröner: *Kakteen*, 7. Auflage, 1999.
- sowie eine Reihe von Buchbeiträgen.

Nils Bödeker
* 22. 05. 1966

Mitherausgeber der 16. Auflage des *Handwörterbuchs der Pflanzennamen* (2000).
Nach seinem Studium der Landespflege widmete er sich der Softwareentwicklung in diesem Fachbereich. Leicht bedienbare Programme für den Endanwender zu erstellen ist seine Haupttätigkeit. Auf der Basis seiner gut strukturierten Datenbank war es möglich, die Daten des Handwörterbuchs digital zu erfassen, weiterzuverarbeiten und zu ergänzen.

Liste der wichtigsten Veröffentlichungen:
- *Plantus*, 2. Auflage 1999.
- sowie weitere Veröffentlichungen zum Thema Datenbanken in verschiedenen Gartenfachzeitschriften.

II Einführung in die botanische Namenkunde

1 Allgemeine Regeln für die Namenkunde

Die Benennung der (Wild- und Kultur-) Pflanzen mit wissenschaftlichen Namen (d.h. botanischen Namen in lateinischer Form) wird durch den *„International Code of Botanical Nomenclature" (Tokyo Code)* von 1994, kurz *ICBN*, geregelt. Eine Übertragung ins Deutsche unter dem Titel *„Internationaler Code der botanischen Nomenklatur" (Tokio Code)* wurde von Dr. Werner Greuter, Leitender Direktor, und Dr. Paul Hiepko, Direktor am Botanischen Garten und Museum in Berlin-Dahlem, gefertigt (Englera 15, Berlin 1995). Die Übertragung ins Französische betreuten Aline Paynal-Roques und Laurent Bray, Paris.
Was Dr. Werner Greuter für die deutsche Übersetzung schreibt, gilt gleichermaßen für die französische: „Wie ihr Vorgänger ist diese Übersetzung zwar vollständig und kann ohne weitere Hilfsmittel gebraucht werden. Dennoch ist sie nicht als Surrogat für den offiziellen, englischsprachigen *Code* gedacht. Es ist vielmehr zu empfehlen, sie, wenn möglich, immer zusammen mit der englischen Urfassung zu benutzen." Dem soll hinzugefügt werden, dass das Regelwerk in Abschnitt II/3 nur in Auszügen aufgeführt wird. Bei einer eingehenderen Beschäftigung mit der Materie ist es deshalb unabdingbar, sich mit der Originalliteratur auseinanderzusetzen.
Die Benennung der land-, wald- und gartenbaulichen Sorten wird durch den *„International Code of Nomenclature for Cultivated Plants" (ICNCP)* von 1995 geregelt. Herausgeber ist Piers Trehane. Bislang gibt es hiervon weder eine deutsche noch eine französische Übersetzung, so dass es sich bei den Auszügen, die im Abschnitt II/4 genannt werden, um nicht autorisierte Übersetzungen handelt. Umso wichtiger ist hier ein Heranziehen der Originalquelle.

2 Klassifizierung

Als Grundlage der Einteilung des Pflanzenreichs dient die international festgelegte Reihenfolge der Rangstufen laut Artikel 1–5 des *ICBN*. Sie lautet:

Regnum*		Reich
Subregnum*		Unterreich
Divisio, Phylum	(Endung -phyta)**	Abteilung, Stamm
Subdivisio	(Endung -phytina)	Unterabteilung
Classis	(Endung -opsida)	Klasse
Subclassis	(Endung -idae)	Unterklasse
Ordo	(Endung -ales)	Ordnung
Subordo*	(Endung -ineae)	Unterordnung
Familia	(Endung -aceae)***	Familie
Subfamilia	(Endung -oideae)	Unterfamilie
Tribus*	(Endung -eae)	Zweig
Subtribus*	(Endung -inae)	Unterzweig
Genus		Gattung
Subgenus*		Untergattung

* für die Ausführungen im vorliegenden Buch ohne Bedeutung
** Die Endungen von Divisio bis Subordo sind empfohlene, aber nicht vorgeschriebene Endungen.
*** erlaubte Ausnahmen sind in Artikel 18.5 des *ICBN* geregelt (siehe dort)

Sectio*		Sektion
Subsectio*		Untersektion
Series*		Serie
Subseries*		Unterserie
Species		Art
Subspecies	(Abkürzung subsp.)	Unterart
Varietas	(Abkürzung var.)	Varietät
Subvarietas*	(Abkürzung subvar.)	Untervarietät
Forma	(Abkürzung fo.)	Form
Subforma*	(Abkürzung subf.)	Unterform

Das ×-Zeichen steht für Bastarde. Ein Beispiel dafür ist *Narcissus* × *incomparabilis* (= *N. poeticus* × *N. pseudonarcissus*). Hierbei wird Artname × Artname in alphabetischer Reihenfolge geschrieben.

Als Beispiel für die Einordnung einer Pflanze soll der Moschussteinbrech, *Saxifraga exarata* subsp. *moschata*, dienen, der übrigens in der 14. Auflage noch eine eigene Art war. Auch die Klassifizierung hat sich mittlerweile etwas geändert:

Diviso	*Spermatophyta*	Samenpflanzen
Subdivisio	*Magnoliophytina*	Bedecktsamer
Classis	*Magnoliopsida*	Zweikeimblättrige Pflanzen
Subclassis	*Rosidae*	Rosenähnliche
Ordo	*Saxifragales*	Steinbrechartige
Familia	*Saxifragaceae*	Steinbrechgewächse
Genus	*Saxifraga*	Steinbrech
Sectio	*Saxifraga*	eigentliche Steinbrecharten
Subsectio	*Triplinervium*	dreinervige Steinbrecharten
Series	*Ceratophyllae*	hornblättrige Steinbrecharten
Species	*exarata*	Gefurchter Steinbrech
Subspecies	subsp. *moschata*	Moschus-Steinbrech
Forma	fo. *laxa*	auch 'Laxa' = schlaff
Cultivar	'Cloth of Gold'	Sorte 'Cloth of Gold'

Für die in der Praxis gebräuchlichen Namen kommen meist nur das Genus und die folgenden Unterabteilungen in Frage. Im Wesentlichen handelt es sich um Gattungs- und Artnamen, z. B. *Viola odorata*. *Viola* ist der Gattungsname, *odorata* die Artbezeichnung (= das Epitheton specificum). Diese doppelte Benennung (binäre Nomenklatur) wurde von Linné konsequent durchgeführt, deshalb tragen sehr viele Arten den Autorennamen Linné (L.). In gärtnerischen und anderen Büchern für die Praxis ist der Autorname entbehrlich, jedoch sollte angegeben werden, nach welchem Werk oder Wörterbuch die Namen verwendet worden sind. An dieser Stelle sei noch auf einen Hauptfehler in den Pflanzenverzeichnissen für den Handel hingewiesen. Hier werden häufig die Bezeichnungen einer Varietät oder Form direkt hinter den Gattungsnamen gestellt. Das ist nicht zulässig, weil es zu Verwechslungen führen kann. Oft gibt es nämlich denselben Varietätsnamen unter verschiedenen Arten der gleichen Gattung. So ist von Roxburgh (1751–1815) für eine rote *Nymphaea* das Epitheton *rubra* eingeführt worden; werden nun von anderen Arten rote Varietäten bekannt, so dürfen diese nicht ebenfalls *Nymphaea rubra* heißen, sondern z. B. *Nymphaea odorata* var. *rubra*.

Es empfiehlt sich für die Praxis, in solchen Fällen, wo Namen wie *Azalea*, *Cineraria* usw. zum Begriff geworden sind, die Namen als sogenannte deutsche Bezeichnung beizubehalten und in dem Preisverzeichnis von *Azalea* zu verweisen auf *Rhododendron*; bei *Rhododendron* teilt man dann in Azaleen (*Rhododendron-Azalea*) und Alpenrosen (*Rhododendron*-Echte) usw.. Entsprechend ist zu verweisen: *Cineraria* siehe *Senecio*, und unter *Senecio* ist zu teilen in Cinerarien (*Senecio-Cineraria*), Kreuzkraut (*Senecio*-Echte) usw. Es ist verständlich, dass Änderungen von fest eingebürgerten Namen zuerst lästig empfunden werden, bis sich die Umtaufe (in der aufwachsenden Generation vor allem) durchgesetzt hat. Die Gartenbauliteratur, die sich in allen Fragen der Nomenklatur sonst

an den gegenwärtigen Stand der Wissenschaft hält, pflegt diese Klippen meist zu umgehen, die Schwierigkeiten der Aufnahme bei den Praktikern erwarten lassen. Der obige Hinweis zeigt indessen, welcher gangbare Weg zum Ziel führen kann.
So mag an dem Beispiel *Gloxinia*: *Sinningia* gezeigt werden, worauf die Notwendigkeit einer Umtaufe beruht. Nach den ausführlichen Darlegungen in BAILEY (s. Literaturverzeichnis) wurde das Genus *Gloxinia* von L'HÉRITIER (1785) auf die brasilianische Art *Gloxinia maculata* L'Hérit. gegründet. LODDIGES führte 1817 die verwandte *Gloxinia speciosa* Lodd. ein. Aus dieser sind die Sorten hervorgegangen. Inzwischen hat sich ergeben, dass die Pflanze zu der von NEES VON ESENBECK 1825 gegründeten Gattung *Sinningia* gehört. Nach NEES hieß die Pflanze *Sinningia helleri*; nach den internationalen Regeln muss sie also jetzt heißen: *Sinningia speciosa* (Lodd.) Hiern.. In der Praxis wird also diese *Sinningia speciosa* den „deutschen" Namen Gloxinie (nach dem Colmarer Arzt GLOXIN) tragen und im Gartenbau stets eine Gloxinie sein – mit dem botanischen Namen *Sinningia*. (Über die deutschen Pflanzennamen siehe Kapitel VII) Ein prächtiges Gegenstück für nomenklatorische Bereinigung ist dem inzwischen verstorbenen Prof. Dr. BURRET zu verdanken, der bei seiner Bearbeitung der Palmen folgendem Kuriosum begegnete:
Im Index Kewensis (s. Literaturverzeichnis) steht: *Seaforthia elegans*, siehe *Archontophoenix cunninghamii* H. Wendl. et Drude. Nach der Quellenangabe muss es aber heißen, *Archontophoenix cunninghamiana* (H. Wendl.) H. Wendl. et Drude. Bei *Seaforthia elegans* steht im Index Kewensis als Autor Hook., das muss aber Hook. non R. Br. heißen, denn es liegt eine Beschreibung von ROBERT BROWN vor, die sich nicht mit der von HOOKER deckt und aus der hervorgeht, dass HOOKER Teile von *Archontophoenix* und Teile von *Seaforthia elegans* Hook. benutzte. Da nun aber nach neueren Forschungen die *Seaforthia elegans* R. Br. zur Gattung *Ptychosperma* gehört, heißt sie jetzt *Ptychosperma elegans* (R. Br.) Bl. und führt als Synonym *Seaforthia elegans* R. Br.. Neben ihr besteht *Archontophoenix cunninghamiana* (H. Wendl.) H. Wendl. et Drude.
Im Gartenbau ist dies Nebeneinander zum Durcheinander geworden, d.h. *Archontophoenix cunninghamiana* (H. Wendl.) H. Wendl. et Drude wird häufig als *Ptychosperma* (bzw. als *Seaforthia*) kultiviert, obwohl beide Pflanzen verschiedenen Gattungen angehören.

3 Internationaler Code der Botanischen Nomenklatur (ICBN)

Die Nummerierung bezieht sich auf die Reihenfolge des Originals des ICBN. Da dieser nicht durchgehend zitiert wird, kann es hier deshalb zu Lücken kommen.

Präambel

1. Die Botanik verlangt ein einfaches, klares, von den Botanikern aller Länder befolgtes System der Nomenklatur, das sich einerseits mit den Fachausdrücken beschäftigt, die zur Bezeichnung der Rangstufen der taxonomischen Gruppen oder Einheiten verwendet werden, und andererseits mit den wissenschaftlichen Namen der einzelnen taxonomischen Pflanzengruppen. Diese Namen bezwecken keine Aussage über die Merkmale oder die Geschichte einer taxonomischen Gruppe, sie sollen lediglich zu deren Bezeichnung dienen und ihre taxonomische Rangstufe anzeigen. Dieser *Code* soll feste Richtlinien geben für die Benennung taxonomischer Gruppen und für die Vermeidung und Verwerfung von Namen, die zu Irrtum oder Zweifel Anlass geben oder die Wissenschaft in Verwirrung stürzen. Wichtig ist ferner das Vermeiden der unnützen Aufstellung von Namen. Sonstige Gesichtspunkte, wie völlige grammatische Korrektheit, Regelmäßigkeit oder Wohlklang der Namen, mehr oder weniger allgemein verbreiteter Gebrauch, Rücksicht auf Personen, usw., sind trotz ihres unbestreitbaren Wertes von verhältnismäßig nebensächlicher Bedeutung.
2. Die Grundsätze (Prinzipien) bilden die Basis des Systems der botanischen Nomenklatur.

3. Die Bestimmungen gliedern sich in Regeln, die in den Artikeln dargelegt werden, und in Empfehlungen. Beispiele (Ex.)* sind den Regeln und Empfehlungen beigefügt, um sie zu erläutern.
4. Den Regeln fällt die Aufgabe zu, einerseits in die Nomenklatur der Vergangenheit Ordung zu bringen, andererseits der Nomenklatur der Zukunft den Weg zu weisen; Namen die einer Regel widersprechen, können nicht beibehalten werden.
5. Die Empfehlungen befassen sich mit zusätzlichen Punkten und sollen besonders für die Zukunft mehr Gleichförmigkeit und Klarheit bringen. Namen, die einer Empfehlung widersprechen, können aus diesem Grund nicht verworfen werden, sind aber nicht als Vorbilder anzusehen.
8. Für gewisse Gruppen von Pflanzen sind besondere Bestimmungen notwendig: Der „Internationale Code der Nomenklatur der Kulturpflanzen" von 1995 wurde von der internationalen Kommission für die Nomenklatur der Kulturpflanzen angenommen; Bestimmungen für die Namen von Bastarden finden sich im Anhang I.
9. Die allein maßgeblichen Gründe, einen Namen zu ändern, sind entweder eine gründlichere Kenntnis der Tatsachen, die sich aus sachkundiger taxonomischer Forschung ergibt, oder die Notwendigkeit, eine regelwidrige Benennung aufzugeben.
10. Falls eine einschlägige Regel fehlt oder die Folgen einer Regel zweifelhaft sind, ist der vorherrschende Gebrauch maßgebend.

Abteilung I: Grundsätze

Grundsatz I
Die botanische Nomenklatur ist von der zoologischen und bakteriologischen Nomenklatur unabhängig. Dieser *Code* gilt einheitlich für Namen taxonomischer Gruppen, die als Pflanzen behandelt werden, gleichgütig, ob diese Gruppen ursprünglich als solche betrachtet wurden oder nicht.

Grundsatz II
Die Anwendung der Namen taxonomischer Gruppen wird mit Hilfe nomenklatorischer Typen geregelt.

Grundsatz III
Die Nomenklatur einer taxonomischen Gruppe beruht auf der Priorität der Veröffentlichung.

Grundsatz IV
Jede taxonomische Gruppe mit bestimmter Umgrenzung, Stellung und Rangstufe kann, außer in ausdrücklichen Sonderfällen, nur einen korrekten Namen tragen, nämlich den ältesten, der den Regeln entspricht.

Grundsatz V
Die wissenschaftlichen Namen taxonomischer Gruppen werden ungeachtet ihrer Ableitung wie lateinische Namen behandelt.

Grundsatz VI
Die Regeln der Nomenklatur haben rückwirkende Kraft, wenn nicht ausdrücklich eine Einschränkung gegeben ist.

---

* Auf Empfehlungen und Beispiele wird im vorliegenden Werk verzichtet.

Abteilung II: Regeln und Empfehlungen

Kapitel I: Die Rangstufen der Taxa

1.1 Taxonomische Gruppen jeder beliebigen Rangstufe werden in diesem *Code* als *Taxa* (Singular: *Taxon*) bezeichnet.

2.1. Jede einzelne Pflanze wird als zu einer unbestimmten Anzahl von Taxa gehörig behandelt, deren Rangstufe fortlaufend einander untergeordnet sind; unter diesen ist die Rangstufe der Art (*species*) die Grundrangstufe.

3.1 Die Hauptrangstufen der Taxa sind in absteigender Reihenfolge: Reich (*regnum*), Abteilung oder Stamm (*divisio, phylum*), Klasse (*classis*), Ordnung (*ordo*), Familie (*familia*), Gattung (*genus*) und Art (*species*). Mit Ausnahme einiger fossiler Pflanzen kann somit jede Art eine Gattung zugewiesen werden, jede Gattung einer Familie usw..

3.2 Die Hauptrangstufen der Nothotaxa (Bastard-Taxa) sind Nothogenus und Nothospecies. Diese haben den selben Rang wie Gattung bzw. Art, nur die Rangstufenbezeichnungen sind anders, um den Bastardcharakter anzuzeigen.

4.1 Die Nebenrangstufen der Taxa sind in absteigender Reihenfolge: Tribus (*tribus*) zwischen Familie und Gattung, Sektion (*sectio*) und Serie (*series*) zwischen Gattung und Art sowie Varietät (*varietas*) und Form (*forma*) unterhalb der Art.

Kapitel II: Namen der Taxa (allgemeine Bestimmungen)

Abschnitt 1: Definitionen

6.3 Legitim (regelmäßig) sind Namen, welche den Regeln entsprechen.

6.5 Der korrekte Name eines Taxons mit bestimmter Umgrenzung, Stellung und Rangstufe ist der legitime Name, der nach den Regeln für dieses Taxon angenommen werden muss.

Abschnitt 2: Typisierung

7.1 Die Anwendung der Namen von Taxa auf der Rangstufe der Familie oder darunter wird mittels nomenklatorischer Typen (Typen der Namen von Taxa) geregelt. Die Anwendung der Namen von Taxa höherer Rangstufen ist ebenfalls durch Typen festgelegt, wenn diese Typen letztlich auf Gattungsnamen beruhen.

7.2 Ein nomenklatorischer Typus (*typus*) ist dasjenige Element, woran der Name eines Taxons (korrekter Name oder Synonym) dauernd geknüpft ist. Der nomenklatorische Typus braucht nicht der typischste oder repräsentativste Bestandteil eines Taxons zu sein.

7.10 Für die Belange der Priorität ist die Bezeichnung eins Typus nur durch wirksame Veröffentlichung gegeben.

8.1 Der Typus des Namens einer Art oder eines infraspezifischen Taxons ist ein einzelnes Exemplar oder eine Abbildung, mit folgender Ausnahme: Bei kleinen krautigen Pflanzen und bei den meisten Nicht-Gefäßpflanzen kann der Typus aus mehreren Individuen bestehen, die zusammen auf einem Herbarbogen oder in einem entsprechenden Präparat (z. B. Kapsel, Schachtel, Flasche, mikroskopisches Präparat) dauernd aufzubewahren sind.

9.1 Der Holotypus des Namens einer Art oder eines infraspezifischen Taxons ist das einzelne Exemplar oder die Abbildung, welche(s) der Autor benutzt oder als nomenklatorischen Typus bezeichnet hat. Solange ein Holotypus vorhanden ist, ist durch ihn die Anwendung des betreffenden Namens festgelegt.

10.1 Der Typus des Namens einer Gattung oder einer Gattungs-Unterabteilung ist der Typus eines Artnamens. Für die Bezeichnung und das Zitieren eines Typus ist der Artname allein ausreichend, d. h. er wird als vollwertiges Äquivalent seines Typus betrachtet.

Abschnitt 3: Prioritäten

11.1 Jede Familie oder jedes Taxon niedrigeren Ranges mit bestimmter Umgrenzung, Stellung und Rangstufe kann nur einen korrekten Namen tragen; besondere Ausnahmen werden bei 9 Familien und 1 Unterfamilie gemacht, für die Alternativen zulässig sind (vgl. Art. 18.5). . . .

11.3 Für jedes Taxon von der Familie bis hinunter zur Gattung ist der korrekte Name der älteste legitime auf der Rangstufe des Taxons, außer in Fällen der Prioritätsbeschränkung durch Konservierung (vgl. Art. 14). . . .

11.9 Das Prioritätsprinzip ist für Namen von Taxa oberhalb des Familienranges nicht verbindlich.

Abschnitt 4: Einschränkung des Grundsatzes der Priorität

13.1 Als Ausgangspunkte gültiger Veröffentlichungen von Namen für Pflanzen der verschiedenen Gruppen werden folgende Daten anerkannt: . . . (a) SPERMATOPHYTA und PTERIDOPHYTA, 1. Mai 1753 (Linné, *Species plantarum*, ed.1). . . .

14.1 Um nachteilige Veränderungen in der Nomenklatur von Familien, Gattungen und Arten zu vermeiden, die sich aus einer strengen Anwendung der Regeln ergeben – besonders des Grundsatzes der Priorität ab den in Art. 13 als Ausgangspunkt gegebenen Daten, bringt dieser *Code* in Anh. II und III Listen von Namen, die geschützt sind und als zweckmäßige Ausnahmen beibehalten werden müssen (*nomina conservanda*).** Geschützte Namen sind auch dann legitim, wenn sie ursprünglich illegitim waren.

14.11 Ein Name kann geschützt werden, um eine besondere Schreibweise oder sein Geschlecht zu bewahren. Ein so geschützter Name ist ohne Änderung der Priorität dem Autor zuzuschreiben, der ihn gültig veröffentlichte, nicht dem Autor, der später die geschützte Schreibweise oder das geschützte Geschlecht einführte.

14.12 Die Listen geschützter Namen können ständig ergänzt und geändert werden. Jedem Vorschlag für einen hinzuzufügenden Namen ist eine detaillierte Darlegung der Gründe für und wider die Konservierung beizufügen. Solche Vorschläge sind dem Allgemeinen Ausschuss vorzulegen, der sie zur Prüfung an die Ausschüsse für die verschiedenen taxonomischen Gruppen verweist.

14.13 Der Eintrag eines geschützten Namens darf nicht gelöscht werden.

Kapitel III: Nomenklatur der Taxa nach ihrer Rangstufe

Abschnitt 1: Namen von Taxa oberhalb des Familienranges

16.1 Die Namen von Taxa oberhalb des Familienranges sind automatisch typisiert, wenn sie auf Gattungsnamen gegründet sind; bei solchen automatisch typisierten Namen müssen der Unterabteilungs- oder Unterstammname, der den Typus des angenommenen Abteilungs- oder Stammnamens enthält, der Name der Unterklasse, die den Typus des angenommenen Klassennamens enthält, und der Name der Unterordnung, die den Typus des angenommenen Ordnungsnamens enthält, auf den Gattungsnamen gegründet sein, der das Äquivalent dieses Typus ist.

17.1 Der Name einer Ordnung oder Unterordnung wird entweder von charakteristischen Merkmalen des Taxons abgeleitet (beschreibender Name) oder vom legitimen, auf einen Gattungsnamen gegründeten Namen einer zugehörigen Familie (automatisch typisierter Name). Bei der Bildung eines Ordnungsnamens der zweiten Kategorie wird die Endung *-aceae* durch *-ales* ersetzt. Der Name der Unterordnung der zweiten Kategorie wird entsprechend gebildet, aber mit der Endung *-ineae*.

** siehe hierzu die Originalausgabe des *Codes*.

Abschnitt 2: Namen von Familien und Unterfamilien

18.1 Ein Familienname ist ein substantivisch gebrauchtes Adjektiv im Plural; er wird aus dem Genitiv Singular eines legitimen, zugehörigen Gattungsnamens durch Ersetzen der Endung (im Lateinischen *-ae, -i, -us* oder *-is;* aus dem Griechischen transliteriert: *-ou, -os, -es, -as, -ous* oder dessen äquivalenten *-eos*) durch *-aceae* gebildet. Bei Gattungsnamen nicht-klassischen Ursprungs wird, wenn nicht die Analogie zu klassischen Namen die Ermittlung eines Genitiv Singular gestattet, die Endung *-aceae* an das ganze Wort angefügt. Bei Gattungsnamen mit alternativen Genitivformen muss die vom ursprünglichen Autor implizierte Form beibehalten werden.

18.5 Die folgenden seit langem gebrauchten Namen werden als gültig veröffentlicht angesehen: *Palmae* (*Arecaceae*; Typus *Areca* L.); *Gramineae* (*Poaceae*; Typus *Poa* L.); *Cruciferae* (*Brassicaceae*; Typus *Brassica* L.); *Leguminosae* (*Fabaceae*; Typus *Faba* Mill. [= *Vicia* L.]); *Guttiferae* (*Clusiaceae*; Typus *Clusia* L.); *Umbelliferae* (*Apiaceae*; Typus *Apium* L.); *Labiatae* (*Lamiaceae*; Typus *Lamium* L.); *Compositae* (*Asteraceae*; Typus *Aster* L.). Werden die *Papilionaceae* (*Fabaceae*; Typus *Faba* Mill.) als eine von den übrigen *Leguminosae* verschiedene Familie angesehen, so ist der Name *Papilionaceae* gegenüber dem Namen *Leguminosae* geschützt.

18.6 Der wahlweise Gebrauch der in Art. 18.5 in Klammern aufgeführten Familiennamen ist zulässig.

19.1 Der Name einer Unterfamilie ist ein substantivisch gebrauchtes Adjektiv im Plural, er wird in der gleichen Weise wie ein Familienname gebildet, doch wird die Endung *-oideae* statt *-aceae* verwendet.

19.3 Eine Tribus wird auf ähnliche Weise durch die Endung *-eae*, eine Untertribus durch die Endung *-inae* gekennzeichnet.

Abschnitt 3: Namen von Gattungen und Gattungs-Unterabteilungen

20.1 Ein Gattungsname ist ein Substantiv im Singular oder ein so behandeltes Wort und wird mit großem Anfangsbuchstaben geschrieben. Es kann einen beliebigen Ursprung haben und kann sogar willkürlich gebildet sein.

20.3 Ein Gattungsname darf nicht aus zwei getrennten Wörtern bestehen, wenn diese mit einem Bindestrich verbunden sind.

22.1 Der Name jeder Gattungs-Unterabteilung, die den Typus des angenommenen, legitimen Namens der Gattung einschließt, der sie zugeordnet ist, wird durch die unveränderte Wiederholung des Gattungsnamens als Epithetons gebildet; dabei entfällt das Autorzitat. Solche Namen werden als Autonyme bezeichnet.

Abschnitt 4: Artnamen

23.1 Ein Artname ist die binäre Kombination von Gattungsname und einzelnem, nachgestelltem Art-Epitheton in Form eines Adjektivs, eines Substantivs im Genitiv, einer Apposition oder auch mehrerer Wörter, nicht jedoch einer Phrase aus einem oder mehreren beschreibenden Substantiven und zugehörigen Adjektiven im Ablativ noch gewisser anderer regelwidrig gebildeter Bezeichnungen. Besteht ein Epitheton aus zwei oder mehr Wörtern, so müssen diese zusammengeschrieben oder durch einen Bindestrich verbunden sein. Ein in der Originalveröffentlichung nicht so zusammen gezogenes Epitheton muss nicht verworfen werden, sondern muss bei Gebrauch zusammen geschrieben oder mit Bindestrichen versehen werden.

23.2 Ein Art-Epitheton kann einen ganz beliebigen Ursprung haben und darf sogar willkürlich gebildet sein.

23.4 Ein Art-Epitheton darf den Gattungsnamen nicht unverändert wiederholen (Tautonym), auch nicht bei Zufügung eines durch ein Wort ausgedrückten Symbols.

23.5 Ein Art-Epitheton adjektivischer Form, das nicht als Substantiv gebraucht wird, richtet sich grammatisch nach dem Gattungsnamen.

Abschnitt 5: Namen von Taxa unterhalb der Art (infraspezifische Taxa)

24.1 Der Name eines infraspezifischen Taxons ist eine Kombination von Artname und infraspezifischem Epitheton, verbunden durch eine Rangstufenbezeichnung.

24.2 Infraspezifische Epitheta werden wie Art-Epitheta gebildet; sind sie adjektivischer Form und werden nicht als Substantive gebraucht, so richten sie sich grammatisch nach dem Gattungsnamen.

26.1 Der Name jedes infraspezifischen Taxons, das den Typus des angenommenen, legitimen Namens der Art einschließt, der es zugeordnet ist, wird durch die unveränderte Wiederholung des Art-Epithetons als seines letzten Epithetons gebildet; dabei entfällt das Autorzitat. Solche Namen werden als Autonyme bezeichnet.

27.1 Das letzte Epitheton im Namen eines infraspezifischen Taxons darf nicht das Epitheton des korrekten Namens der Art, der das Taxon zugewiesen ist, unverändert wiederholen, wenn nicht die beiden Namen den selben Typus haben.

Kapitel IV: Wirksame und gültige Veröffentlichungen

Abschnitt 1: Bedingungen und Daten wirksamer Veröffentlichungen

29.1 Veröffentlichung ist im Sinne dieses *Codes* nur wirksam bei Verteilung von gedrucktem Material (durch Verkauf, Tausch oder Schenkung) an die Öffentlichkeit oder zumindest an botanische Institutionen mit Bibliotheken, die Botanikern allgemein zugänglich sind. Sie ist nicht wirksam bei Mitteilung neuer Namen in einer öffentlichen Sitzung, bei Anbringen von Namen in öffentlich zugänglichen Sammlungen oder Gärten, oder bei Ausgabe von Mikrofilmen, die Manuskripte, maschinengeschriebene Texte oder anderes unveröffentlichte Material wiedergeben.

Abschnitt 3: Autorzitate

46.1 Damit die Angabe des Namens eines Taxons genau und vollständig ist und um sein Publikationsdatum leicht feststellen zu können, muss man die Namen des Autors oder der Autoren zitieren, die den betreffenden Namen gültig veröffentlichten, falls nicht die Bestimmungen für Autonyme Anwendung finden.

46.2 Der Name eines neuen Taxons muss dem Autor oder den Autoren zugeordnet werden, denen sowohl der Name selbst als auch die validierende Beschreibung oder Diagnose zugeschrieben wurden, auch bei abweichender Autorschaft der Veröffentlichung. Neue Kombinationen oder *nomina nova* müssen dann dem Autor oder den Autoren zugeordnet werden, denen sie zugeschrieben wurden, wenn in der Veröffentlichung, in der sie erschienen, dessen bzw. deren wie immer gearteter Beitrag ausdrücklich vermerkt ist. ... Für das Autorzitat eines neuen Namens oder einer neuen Kombination gilt die zugeschriebene Autorschaft, auch wenn sie sich von der Autorschaft der Veröffentlichung selbst unterscheidet, wenn wenigstens ein Autor beiden gemeinsam ist.

46.5 Die Zitierung eines Autors, der den Namen vor dem nomenklatorischen Ausgangspunkt der betreffenden Gruppe veröffentlichte, darf durch den Gebrauch des Wortes „ex" angezeigt werden. Wurde bei Gruppen, deren Ausgangspunkt nach 1753 liegt, ein vor dem Ausgangspunkt veröffentlichter Name, vom ersten Autor, der ihn gültig veröffentlichte, in der Rangstufe oder taxonomischen Stellung verändert, dann darf der Name des ursprünglichen Autors in Klammern beigefügt werden, gefolgt vom Wort „ex".

49.1 Ändert eine Gattung oder ein Taxon niedrigeren Ranges die Rangstufe, behält aber den Namen oder das letzte Epitheton seines Namens bei, dann muss der Autor des früheren, das Epitheton liefernden legitimen Namens (der Basionym-Autor) in Klammern genannt werden, und danach der Autor, der die Änderung vorgenommen hat (der Autor des neuen Namens). Dasselbe gilt bei der Versetzung eines Taxons niedrigerer Rangstufe als der Gattung in eine andere Gattung oder Art, mit oder ohne Änderung der Rangstufe.

Kapitel V: Verwerfung von Namen

51.1 Legitime Namen dürfen nicht lediglich deshalb verworfen werden, weil sie oder ihre Epitheta ungeeignet oder nicht angenehm sind, weil andere den Vorzug verdienen oder besser bekannt sind, weil sie ihren ursprünglichen Sinn verloren haben oder weil ein Gattungsname nicht zu der durch den Typus repräsentierten Morphe passt.

52.1 Ein Name, der nicht geschützt oder sanktioniert ist, ist illegitim und muss verworfen werden, wenn er bei seiner Veröffentlichung nomenklatorisch überflüssig war, d.h. wenn das betreffende Taxon, in der Umgrenzung durch den Autor, ausdrücklich den Typus eines Namens einschloss, der (bzw. dessen Epitheton) nach den Regeln hätte aufgenommen werden müssen.

53.1 Der Name einer Familie, Gattung oder Art, der nicht geschützt oder sanktioniert ist, ist illegitim, wenn er ein jüngeres Homonym ist, d.h. wenn er genau so geschrieben wird wie ein älterer, auf einen anderen Typus gegründeter, gültig veröffentlichter Name eines Taxons der selben Rangstufe.

Kapitel VII: Rechtschreibung der Namen und Epitheta und Geschlecht der Gattungsnamen

Abschnitt 1: Rechtschreibung der Namen und Epitheta

60.1 Die ursprüngliche Schreibweise eines Namens oder Epithetons muss beibehalten werden, außer bei der Berichtigung von Druck und Rechtschreibfehlern sowie den vorgeschriebenen Standardisierungen: austauschbarer Gebrauch von *u*/*v* und *i*/*j*, diakritische Zeichen und Ligaturen, Verbindungsformen, Bindestriche, Apostrophe und Endungen.

60.2 Der Ausdruck „ursprüngliche Schreibweise" in diesem Artikel bedeutet die Schreibweise des Namens bei der gültigen Veröffentlichung. Er bezieht sich nicht auf den Gebrauch großer oder kleiner Anfangsbuchstaben; dies ist eine Frage der Typographie.

60.3 Von der Erlaubnis, einen Namen zu berichtigen, ist zurückhaltender Gebrauch zu machen, insbesondere, wenn die Veränderung die erste Silbe, oder gar den ersten Buchstaben eines Namens betrifft.

60.4 Die Buchstaben *w* und *y*, die dem klassischen Latein fremd sind, sowie *k*, der in dieser Sprache selten auftritt, sind in lateinischen Pflanzennamen zulässig. Andere, dem klassischen Latein fremde Buchstaben und Ligaturen, wie das deutsche *ß* (ss), müssen umschrieben werden.

60.5 Wurde ein Name in einem Werk veröffentlicht, in dem die Buchstaben *u* und *v* sowie *i* und *j* austauschbar oder anderweitig mit der modernen Praxis unvereinbar verwendet wurden (indem einer von ihnen gar nicht oder nur als Versalie auftritt), so müssen diese Buchstaben neuerem botanischen Gebrauch entsprechend umgeschrieben werden.

60.6 Diakritische Zeichen werden in lateinischen Pflanzennamen nicht gebraucht. In neuen oder bestehenden Namen, die von Wörtern hergeleitet sind, in denen solche Zeichen auftreten, sind diese fortzulassen und die betroffenen Buchstaben soweit nötig umzuschreiben: z.B. *ä*, *ö*, *ü* in *ae*, *oe*, *ue*; *é*, *è*, *ê* in *e* oder zuweilen *ae*; *ñ* in *n*; *ø* in *oe*; *å* in *ao*; das Trennungszeichen, das anzeigt, dass ein Vokal von dem vorhergehenden Vokal getrennt ausgesprochen wird (wie in *Cephaëlis* und *Isoëtes*) ist gestattet;*** die Ligaturen -*æ*- und -*œ*-, die anzeigen, dass die Buchstaben eine

*** Wir verzichten aus den im Vorwort genannten Gründen hierauf.

Klangeinheit bilden, sind durch die getrennten Buchstaben *-ae-* und *-oe-* zu ersetzen.

60.7 Sind Änderungen der Schreibweise, die frühere Autoren bei der Aufnahme von Personennamen, geographischen oder Volksnamen in die Nomenklatur vorgenommen haben, absichtliche Latinisierungen, so sind sie beizubehalten.

Abschnitt 2: Geschlecht der Gattungsnamen

62.1 Ein Gattungsname behält ohne Rücksicht auf den klassischen Gebrauch oder die Behandlung durch den ursprünglichen Autor das Geschlecht bei, das die botanische Tradition ihm zugewiesen hat. Ein Gattungsname ohne botanische Tradition behält das Geschlecht bei, das sein Autor ihm zugewiesen hat.

62.2 Zusammengesetzte Gattungsnamen haben das gleiche Geschlecht wie der letzte im Nominativ stehende Wortteil. Wird jedoch dessen Endung abgeändert, so ändert sich das Geschlecht entsprechend.

(a) Zusammensetzungen, die mit *-codon, -myces, -odon, -panax, -pogon, -stemon* und anderen Maskulina enden, sind Maskulina.
(b) Zusammensetzungen, die mit *-achne, -chlamys, -daphne, -mecon, -osma* (die moderne Transkription des griechischen Femininums *osmê*) und anderen Feminina enden, sind Feminina. Eine Ausnahme wird bei den mit *-gaster* endenden Namen gemacht, die genau genommen Feminina sein müssten, aber in Übereinstimmung mit der botanischen Tradition als Maskulina behandelt werden.
(c) Zusammensetzungen, die mit *-ceras, -dendron, -nema, -stigma, -stoma* und anderen Neutra enden, sind Neutra. Eine Ausnahme wird bei den mit *-anthos* (oder *-anthus*) und *-chilos* (*-chilus* oder *cheilos*) endenden Namen gemacht, die Neutra sein müssten, da die griechischen Wörter *anthos* und *cheilos* Neutra sind, aber in Übereinstimmung mit der botanischen Tradition als Maskulina behandelt werden.

Anhang 1: Namen der Bastarde

H.1.1 Bastardnatur wird durch den Gebrauch des Malzeichens × gekennzeichnet oder dadurch, dass das Präfix *-notho* (vom griechischen *-nothos*, d.h. Bastard) der Bezeichnung der Rangstufe des Taxons beigefügt wird.

H.2.1 Einen Bastard zwischen benannten Taxa kann man dadurch bezeichnen, dass man zwischen die Namen der Taxa ein Malzeichen setzt; die gesamte Bezeichnung wird dann Bastardformel genannt.

H.3.1 Bastarde zwischen Vertretern zweier oder mehrerer Taxa können Namen enthalten. Die Bastardnatur eines Taxons zeigt man nomenklatorisch dadurch an, dass man vor den Namen eines intergenerischen Bastards oder vor das Epitheton im Namen eines interspezifischen Bastards das Malzeichen × setzt, oder dadurch, dass man das Präfix *-notho* (oder abgekürzt *-n*) der Bezeichnung der Rangstufe des Taxons voranstellt. Alle Bastard-Taxa werden als Nothotaxa bezeichnet.

H.6.1 Ein nothogenerischer Name (d.h. der Name im Gattungsrang für Bastarde zwischen Vertretern zweier oder mehrerer Gattungen) ist eine zusammengezogene Formel oder entspricht einer solchen Formel.

H.6.2 Der nothogenerische Name eines bigenerischen Bastards ist eine zusammengezogene Formel, in welcher die angenommenen Namen der Elterngattungen zu einem einzigen Wort kombiniert werden, indem man den ersten Teil oder das Ganze des einen und den letzten Teil oder das ganze des anderen Namens (aber nicht beide volle Namen), sowie, wenn erwünscht, einen Verbindungsvokal verwendet.

H.11.1 Der Name einer Nothospecies, deren postulierte oder bekannte Elternarten zu verschiedenen Gattungen gehören, ist die Kombination eines nothospezifischen (Sammel-) Epithetons mit einem nothogenerischen Namen.

4 Internationaler Code der Nomenklatur der Kulturpflanzen (ICNCP)

Abteilung I: Grundsätze

Grundsatz 1
Ein klares, beständiges, international anerkanntes System der Benennung von Kulturpflanzen ist unerlässlich für eine weltweite Verständigung und einen funktionierenden Informationsaustausch. Mit dem vorliegenden Code, dem *Internationalen Code der Nomenklatur der Kulturpflanzen (ICNCP, „Kulturpflanzen-Code")*, soll Einheitlichkeit, Genauigkeit und Stabilität bei der Benennung von landwirtschaftlich, forstlich und gartenbaulich genutzten Pflanzen gefördert werden.

Grundsatz 2
Der *Internationale Code der Botanischen Nomenklatur (ICBN, „Botanischer Code")* regelt die botanischen Namen in lateinischer Form sowohl für Kultur- als auch für Wildpflanzen, nicht aber für Pfropfchimären; letztere unterliegen vollständig dem *ICNCP*. Unterscheidbare Gruppen von Kulturpflanzen, deren Ursprung oder Auslese hauptsächlich auf gezieltes Eingreifen des Menschen zurückgeht, sind mit Epitheta* nach den Regeln und Bestimmungen dieses Codes zu versehen.
Die Kulturpflanzen, die unter diesen Code fallen, können entstanden sein durch gezielte Hybridisierung, durch zufällige Hybridisierung in Kultur oder durch Selektion aus einem Kulturbestand; es kann sich aber auch um Auslesen von Varianten aus wilden Populationen handeln, die lediglich durch fortgesetzte Vermehrung als erkennbare Einheit erhalten bleiben.

Grundsatz 3
Um den zuverlässigen Gebrauch von Sorten-Epitheta zu gewährleisten, ist die Auswahl, Verwahrung und Veröffentlichung eigens bezeichneter Muster wichtig. Jedes Muster ist mit einem Sorten-Epitheton verknüpft, um den korrekten Gebrauch des Namens klarzustellen und Doppelbenennungen vorzubeugen. Das Bezeichnen eines solchen Musters ist für die Festlegung eines Sorten-Epithetons nicht unbedingt notwendig, sollte aber entschieden gefördert werden.

Grundsatz 4
Abgesehen von bestimmten Ausnahmen richtet sich die Nomenklatur von Sorten nach der jeweiligen Erstveröffentlichung.

Grundsatz 5
Jede taxonomische Gruppe von Kulturpflanzen mit einer bestimmten Abgrenzung kann nur ein einziges anerkanntes Epitheton tragen, nämlich – abgesehen von bestimmten Ausnahmen – das älteste den Regeln entsprechende.

Grundsatz 6
Epitheta für Sorten und Sortengruppen müssen uneingeschränkt in allen Ländern jedermann zur Bezeichnung einer bestimmten Sorte oder Sortengruppe verfügbar sein.
In einigen Ländern werden Pflanzen unter Warenzeichen vermarktet. Warenzeichen sind jedoch Eigentum natürlicher oder juristischer Personen und stehen daher nicht uneingeschränkt zur Benutzung frei; sie können daher nicht als Sorten-Epitheta betrachtet werden. Prägung und Verwendung von Warenzeichen sind nicht Gegenstand dieses Codes.

* Häufig wird zwischen Sortennamen und Sorten-Epitheton (Mehrzahl Epitheta) nicht unterschieden. Ein Epitheton (griech. Epithetos = hinzugefügt) ist jedoch nur ein Teil des vollständigen Namens, siehe Art. 17.

Grundsatz 7
Dieser Code enthält Begriffsbestimmungen im Zusammenhang mit taxonomischen Gruppen von Kulturpflanzen und regelt die Anwendung von Epitheta für die einzelnen taxonomischen Gruppen.
In manchen Fällen unterliegt die Zuweisung von Sorten-Epitheta nationalem oder internationalem Recht mit jeweils eigener Terminologie. Dieser Code regelt weder den Gebrauch solcher Terminologien noch die Prägung entsprechender Epitheta; die gesetzlich geregelten Benennungen haben Vorrang vor den Epitheta im Sinne dieses Codes.

Grundsatz 8
Die Praxis, Handelsnamen als Ersatz für Sorten-Epitheta zu verwenden, wird durch diesen Code nicht befürwortet. Derartige Handelsnamen sind nicht als Sorten-Epitheta anzuerkennen.

Grundsatz 9
Die Prägung und Verwendung von Pflanzennamen aus Jargon, Alltags- und Umgangssprache wird durch diesen Code nicht geregelt.

Grundsatz 10
Um Einheitlichkeit, Genauigkeit und Beständigkeit in der Benennung von Kulturpflanzen zu fördern, ist die Registrierung von Sorten- und Sortengruppen-Epitheta von größter Wichtigkeit. Dies geschieht vorzugsweise auf internationaler Ebene; die Register sind zu veröffentlichen.

Grundsatz 11
Dieser Code hat keine Gesetzeskraft; seine bindende Wirkung beruht ausschließlich auf der freiwilligen Zustimmung all derer, die mit Kulturpflanzen befasst sind. Jedem für Prägung und Verwendung von Kulturpflanzennamen Verantwortlichen, auch auf staatlicher Seite, wird dringend geraten, die Regeln und Empfehlungen dieses Codes zu übernehmen und anzuwenden.

Abteilung II: Regeln und Empfehlungen

Kapitel I: Allgemeines

Artikel 1: Verbindung mit dem Internationalen Code der Botanischen Nomenklatur (ICBN)

1.1 Kulturpflanzen werden mindestens bis zur Gattungsebene in Einklang mit dem *ICBN* benannt. Bis zur Artebene oder darunter geschieht dies nur, wenn und insofern als die betreffenden Pflanzen mit botanischen Taxa dieser Rangstufen gleichzusetzen sind. Auch können Kulturpflanzen einem oder mehreren Kulturpflanzentaxa zugeordnet werden.

Kapitel II: Definitionen

Artikel 2: Die Sorte

2.1 Die Sorte ist das grundlegende Taxon der Kulturpflanzen.

2.2 Eine Sorte ist ein Taxon, das im Hinblick auf eine bestimmte Eigenschaft oder eine Kombination von Eigenschaften ausgelesen wurde; es ist eindeutig umgrenzt, einheitlich und merkmalsstabil und behält seine Merkmale bei geeigneten Vermehrungsmethoden bei.

2.3 Die Begriffe „Varietät“ und „Form“ (oder ihre Entsprechungen in anderen Sprachen) dürfen weder bei der Anwendung der Artikel dieses Codes noch in Übersetzungen synonym mit dem Begriff „Sorte“ gebraucht werden.

2.5 Der Gebrauch des Begriffes „Stamm“ oder seiner Entsprechungen in anderen Sprachen wird unter diesem Code nicht anerkannt. Das Wort ist so oft in unterschiedlicher Bedeutung verwendet worden, dass nun Unklarheit hinsichtlich seiner Anwendung herrscht.

2.7 Klone (die aus jedem Teil der Pflanze ungeschlechtlich vermehrt werden können) können Sortennamen erhalten.

2.11 Pfropfchimären (die eine enge Verbindung von Geweben zweier oder mehrerer Pflanzen darstellen und die durch Pfropfen erzeugt wurden) können Sortennamen erhalten.

2.12 Sortennamen können auch Beständen von Individuen erteilt werden, die aus Samen gezogen worden sind, welche nach unkontrollierter Bestäubung gebildet wurden. Voraussetzung dafür ist, dass sie die Bedingungen nach Art. 2.2 erfüllen und dauerhaft durch ein oder mehrere Merkmale kenntlich sind, obwohl solche Individuen nicht unbedingt genetisch einheitlich sind.

2.13 Eine Linie (hervorgehend aus wiederholter Selbstbestäubung oder Inzucht) kann einen Sortennamen erhalten.

2.15 F_1-Hybriden (hervorgehend aus einer einzigen wiederholbaren Kreuzung zweier reiner Linien) können Sortennamen erhalten.

2.17 Ein Bestand gentechnisch veränderter Pflanzen, der nach dem Einführen des fremden Erbmaterials neue Merkmale zeigt, kann als neue Sorte behandelt und entsprechend benannt werden.

Artikel 3: Auslese und Erhaltungszucht

3.1 Aus Samen gezogene Individuen einer Sorte können in ihren Merkmalen etwas variieren; diesen Varianten fehlt zwar die für eine Sortenanerkennung notwendige Unterscheidbarkeit, Einheitlichkeit oder Beständigkeit, sie sind aber möglicherweise von praktischer Bedeutung. In solchen Fällen können die einzelnen Bestände mit „Auslese“, „Erhaltungszucht“ oder einem gleichbedeutenden, den ortsüblichen gesetzlichen Vorschriften genügenden Begriff bezeichnet werden.

Artikel 4: Die Sortengruppe

4.1 Zwei oder mehrere ähnliche, benannte Sorten innerhalb einer Gattung oder einer Art (die jeweils auch Hybriden oder sonstigen Ursprungs sein kann), können insgesamt als Sortengruppe bezeichnet werden.

4.2 Wird der Name einer Sortengruppe in Verbindung mit einem Sorten-Epitheton gebraucht, dann ist er kein Bestandteil des Sortennamens, sondern eine Zusatzinformation; er steht in runden oder eckigen Klammern nach dem Sorten-Epitheton.

Artikel 7: Internationale Registerstellen

7.1 Aufgabe der Internationalen Registerstellen ist die Registrierung, gegebenenfalls auch die Inkraftsetzung, von Sorten- und Sortengruppen-Epitheta nach den Vorschriften dieses Codes. (Eine Liste Internationaler Registerstellen findet sich im Anhang II.)

7.2 Registrierung im Sinne dieses Codes ist die Anerkennung eines Epithetons für eine Sorte oder Sortengruppe durch eine Internationale Registerstelle und seine Aufnahme in ein Register, das – soweit verfügbar – Angaben zu Datum und Ort seiner Festsetzung enthält.

Artikel 12: Muster

12.1 Das Muster für eine Sorte ist der jeweils angegebene Herbarbeleg oder ein gleichwertiges Objekt, mit dem das Sorten-Epitheton verknüpft ist; dabei kann es sich um ein anerkanntes Epitheton oder ein nomenklatorisches oder taxonomisches Synonym handeln. Das Muster sollte die Merkmale zeigen, aufgrund derer die Abgrenzung getroffen wurde.

Kapitel III: Einschränkung der Prioritätsregel

Artikel 14: Konservierung und Beibehaltung von Sorten-Epitheta

14.1 Die Konservierung eines Sorten-Epithetons gegenüber einem oder mehreren anderen wird erreicht durch Tätigwerden und veröffentlichten Beschluss der Internationalen Kommission für die Nomenklatur der Kulturpflanzen (in diesem Artikel „die Kommission" genannt) und ist nicht abhängig davon, dass das Epitheton den Vorschriften dieses Codes genügt.

14.3 Wenn es für eine Sorte zwei oder mehr Epitheta gibt, hat die zuständige Internationale Registerstelle dasjenige auszuwählen und festzuschreiben, das der gängigen Verwendung am besten gerecht wird, unabhängig von der Prioritätsregel und auch davon, für welche Rangstufe diese Epitheta festgesetzt worden waren. Auf entsprechenden Antrag hin wird es von der Kommission als das anerkannte Epitheton konserviert.

Kapitel IV: Nomenklatur von Kulturpflanzen-Taxa

Artikel 16: Namen von Wildpflanzen in Kultur

16.1 Werden Pflanzen aus der Natur entnommen und in Kultur gebracht, dann behalten sie den Namen, den das betreffende Taxon in der Natur trägt.

16.3 Werden Pflanzen einer Art oder eines Taxons unterhalb der Art in Kultur genommen, zeigen sie möglicherweise eine geringere Variationsbreite als von diesem Taxon in der Natur zu erwarten wäre und sind demnach nicht damit deckungsgleich. Weist eine Sammlung solcher Einzelpflanzen Merkmale auf, die eine Unterscheidung von anderen rechtfertigen, dann kann sie einen Sortennamen erhalten.

Artikel 17: Namen und Epitheta** von Sorten

17.1 Der vollständige Name einer Sorte besteht aus dem anerkannten botanischen Namen des Taxons in lateinischer Form, gefolgt vom Epitheton für diese Sorte.

17.3 Wird ein Taxon auf oder unterhalb der Artebene als Sorte reklassifiziert, dann übernimmt es sein ursprüngliches lateinisches Epitheton als Sorten-Epitheton, sofern es gültig veröffentlicht und ansonsten legitim im Sinne des *ICBN* ist.

17.6 Jedes Wort in einem Sorten-Epitheton muß mit einem Großbuchstaben beginnen, wenn der Sprachgebrauch es nicht anders vorschreibt. Ausgenommen sind Konjunktionen und Präpositionen – es sei denn, sie bilden das erste Wort des Epithetons –, Wörter nach Bindestrichen und das Partikel "no" in transliterierten japanischen Namen.

17.7 Der Sortenstatus ist durch einfache Anführungszeichen (' ... ') oder nach Belieben senkrechte Striche (' ... ') (oben) um das Epitheton anzuzeigen. Doppelte Anführungszeichen (" ...") sowie die Abkürzungen „cv." und „var." sind nicht zur Kennzeichnung des Sorten-Epithetons im Namen zu verwenden; wo dies geschah, ist es zu berichtigen.

17.8 Sorten hybriden Ursprungs sind nicht als solche mit dem Multiplikationszeichen vor dem Sorten-Epitheton zu kennzeichnen.

17.9 Ein neues Sorten-Epitheton, das am oder vor dem 1. Januar 1959 veröffentlicht wurde, ist nur dann gültig, wenn es aus einem oder mehreren Wörtern in einer lebenden Sprache besteht. Lateinische Wörter oder solche, die dafür gehalten werden und dadurch Verwirrung stiften können, dürfen nicht verwendet werden, es sei denn, es handelt sich um klassische Namen antiker Personen und Orte.

17.10 Ein neues Sorten-Epitheton, das am oder vor dem 1. Januar 1996 veröffentlicht wurde, ist nur dann gültig, wenn es höchstens zehn Silben und insgesamt höch-

** siehe Fußnote zu Grundsatz 2

stens dreißig Buchstaben oder Zeichen enthält, Leerzeichen und Anführungszeichen nicht mitgerechnet.

17.11 Gültige Sorten-Epitheta dürfen nicht nur aus allgemein beschreibenden Wörtern (Adjektiven) einer lebenden Sprache bestehen, es sei denn, eines der Wörter kann als Substantiv aufgefasst werden oder das Epitheton ist eine allgemein bekannte Farbbezeichnung.

Artikel 19: Namen und Epitheta von Sortengruppen

19.1 Der vollständige Name einer Sortengruppe besteht aus dem anerkannten botanischen Namen des Taxons in lateinischer Form, gefolgt vom Epitheton für die Sortengruppe.

19.3 Das Epitheton für eine Sortengruppe wird nicht in einfache oder doppelte Anführungszeichen gesetzt, sondern innerhalb des vollständigen Namens des Taxons durch runde oder eckige Klammern kenntlich gemacht.

19.4 Jedes Wort eines Sortengruppen-Epithetons, einschließlich des Wortes „Gruppe" (Grp.), muss mit einem Großbuchstaben beginnen, wenn der Sprachgebrauch es nicht anders vorschreibt. Ausgenommen davon sind Konjunktionen und Präpositionen – es sei denn, sie bilden das erste Wort des Epithetons –, Wörter nach Bindestrichen und das Partikel „no" in transliterierten japanischen Namen.

19.5 Muss das Wort „Gruppe" aus irgendeinem Grund abgekürzt werden, so ist die übliche Zusammenziehung „Grp." zu verwenden, ungeachtet etwaiger Entsprechungen des Wortes „Gruppe" in anderen Sprachen.

19.10 Gültige Epitheta für Sortengruppen dürfen nicht die folgenden Wörter (bzw. ihre Entsprechungen in anderen Sprachen) enthalten: „Kreuzung", „Form", „grex", „Gruppe" (außer als letztes Wort), „Hybride", „Mutante", „Sämling", „Auslese", „Spielart", „Stamm", „Varietät", die Pluralformen dieser Wörter, sowie die Begriffe „verbessert" und „transformiert".

Kapitel V: Veröffentlichung und Festsetzung

Artikel 21: Bedingungen für eine gültige Veröffentlichung

21.1 Als Veröffentlichung im Sinne dieses Codes gilt nur die Verbreitung von gedrucktem oder ähnlich vervielfältigtem Material (durch Verkauf, Tausch oder Schenkung) in der Öffentlichkeit oder zumindest in botanischen, acker-, forst- oder gartenbaulichen Einrichtungen mit Bibliotheken, die allgemein zugänglich für Fachleute der genannten Richtungen sind. Nicht gültig ist die Mitteilung neuer „Namen" bei öffentlichen Veranstaltungen, die Aufschrift von „Namen" auf Etiketten in öffentlich zugänglichen Sammlungen und Gärten, die Herausgabe mikroverfilmter Manuskripte oder ähnlichen unveröffentlichten Materials, die Veröffentlichung in elektronischen Medien und die Veröffentlichung (Nennung) in vertraulich gehandhabten Katalogen, die der Allgemeinheit nicht zur Verfügung stehen.

Artikel 24: Zitieren von Autoren

24.2 Soll der Autor eines Sorten- oder Sortengruppen-Epithetons zitiert werden, so kann sein Name dem Taxon-Namen nachgestellt werden; in diesem Fall sollte der Name desjenigen Autors zitiert werden, der das Epitheton festsetzte, ungeachtet der ursprünglichen taxonomischen Einordnung des Epithetons.

Kapitel VII: Übersetzung und Transliteration

Artikel 28: Übersetzung und Transliteration von Epitheta

28.1 Wenn das Epitheton einer Sorte in einer fremdsprachigen Veröffentlichung erscheint und diese Sprache das gleiche Alphabet benutzt wie die Sprache der

Originalveröffentlichung dieses Epithetons, dann darf es nicht übersetzt werden.

28.2 Wenn das Epitheton einer Sortengruppe in einer anderssprachigen Veröffentlichung erscheint und diese Sprache das gleiche Alphabet benutzt wie die der Originalveröffentlichung dieses Epithetons, dann darf es übersetzt werden.

28.3 Muss ein Sorten- oder Sortengruppen-Epitheton in einer lebenden Sprache in einer anderen Schrift dargestellt werden, so ist eine Transliteration erlaubt.

Kapitel VIII: Schreibung, grammatikalisches Geschlecht, Schrifttypen

Artikel 29: Schreibung von Epitheta

29.1 Die Schreibung lateinischer Wörter, die als Epitheta für Sorten und Sortengruppen verwendet werden, sollte sich an die Vorgaben des *ICBN* halten.

29.2 Etymologische Irrtümer in Epitheta für Sorten und Sortengruppen sind zu berichtigen.

29.4 Sorten- und Sortengruppen-Epitheta dürfen nicht – auch nicht teilweise – abgekürzt werden. Erlaubte Ausnahmen sind Anredewörter oder -formen, die nach den jeweiligen nationalen Gepflogenheiten normalerweise abgekürzt werden. Der Gebrauch solcher Abkürzungen ist freigestellt, das abgekürzte Wort kann nach Wunsch auch ausgeschrieben werden; beide Schreibweisen werden dann als ein und dasselbe Epitheton behandelt.

29.5 Kommen in der ursprünglichen Festsetzung eines Sorten- und Sortengruppen-Epithetons Initialen von Personennamen vor, dürfen diese Namen nicht ausgeschrieben werden; dies gilt gleichermaßen für Akronyme und ähnliche Abkürzungen. Art. 29.4 bleibt davon unberührt.

29.10 Die Zeichen für Hybride (Multiplikationszeichen ×) und Pfropfchimären (Pluszeichen +) sind nicht unmittelbar vor oder innerhalb der Begrenzungen von Sorten-Epitheta zu verwenden; wo dies bisher der Fall ist, sind sie zu entfernen.

Artikel 30: Geschlecht von Namen und Epitheta

30.1 Sorten- und Sortengruppen-Epitheta müssen, wenn sie von latinisierten Epitheta abgeleitete Adjektive sind, in ihrem grammatikalischen Geschlecht mit dem der Gattung übereinstimmen.

Artikel 31: Schrifttypen für Namen und Epitheta

31.1 Sorten- und Sortengruppen-Epitheta werden typographisch von den botanischen Namen in lateinischer Form abgesetzt; zum Beispiel werden sie nicht kursiv gesetzt in Arbeiten, in denen – wie weithin üblich – die botanischen Namen kursiv gedruckt sind.

Kapitel IX: Muster

Artikel 32: Bezeichnen von Mustern

32.1 Ein Muster wird mit direktem Verweis auf das Herbarium bestimmt, bei dem das Muster hinterlegt wurde.

32.2 Als Muster kann ein Herbarbeleg dienen; dieser kann ursprünglich als Beleg- oder Typusexemplar nach den Regeln des *ICBN* benannt worden sein.

32.3 Wenn diagnostische Merkmale am besten aus einer geeigneten Zeichnung hervorgehen, dann kann statt eines getrockneten Exemplars auch eine Illustration als Muster verwendet werden.

5 Bedeutung und sprachliche Behandlung der Gattungsnamen und der spezifischen Epitheta (Artbezeichnungen)

Grundsätzlich sollte man sich daran halten, dass die Pflanzennamen lediglich Bezeichnungsmittel sind, die wie andere Wörter manchen Bedeutungswandel erfahren haben. Die erste als *Chrysanthemum* bezeichnete Blume war offenbar gelbblühend (chrysos = Gold, anthemon = Blume). Später wurde das Wort zum Gattungsnamen. Mit einer beträchtlichen Anzahl Ausnahmen lässt sich feststellen, dass die Namen etwas aussagen über:

1. die Beschaffenheit der Pflanze oder ihrer Teile, z. B. *Adiantum* = das Unbenetzbare (a = nicht, diainein = benetzen), *tuberosus* = knollig (tuber = Knolle);
2. die Herkunft der Pflanze, z. B. *Castanea* = die aus Kastana in Thessalien stammende Pflanze, *bogorensis* = aus Buitenzorg (Java) stammend (holländisch Buitenzorg heißt zu deutsch „Ohne Sorge“ bzw. „Außer Sorge“; die Ansiedlung heißt javanisch Bogor);
3. die Ähnlichkeit mit einer anderen Pflanze, mit Tieren oder irgendwelchen Gegenständen: *Bellis* – *Bellidiastrum* (-astrum deutet die Ähnlichkeit an), *Artemisia* – *artemisiifolius* (artemisiablättrig);
4. die Ehrung eines Forschers, Heiligen usw: *Robinia* (nach dem Gärtner ROBIN, der *englerianus* (nach dem Botaniker ENGLER), *Dianthus* (wörtlich „Zeusblume“), *mariae* (der heiligen Maria geweiht);
5. die Verwendung der Pflanze: *Aristolochia* (= das Beste für die Geburt), *torminalis* (= koliklindernd) usw..

Die *Gattungsnamen* bilden das Hauptwort und tragen ein bestimmtes Geschlecht; männlich (-m-), weiblich (-f-) oder sächlich (-n-). Die Regeln, nach denen sich das Geschlecht richtet, sind mit vielerlei Ausnahmen verbunden, so dass es günstiger für das Buch erschien, das Geschlecht jedes Gattungsnamens in der alphabetischen Liste anzugeben, als hier die Regeln mit all ihren Ausnahmen aufzuzählen. Bäume sind für gewöhnlich weiblich, obwohl sie auf -us enden, daher die (nicht der) *Taxus*, die *Buxus*, aber das *Acer* als einzige Ausnahme. Die spezifischen Epitheta (in der Umgangssprache meist „Artnamen“ genannt, obgleich diese Bezeichnung falsch ist, da ein Artname aus der Kombination eines Gattungsnamens mit einem spezifischen Epitheton besteht), stellen meistens Eigenschaftswörter dar, deren Endungen sich je nach dem Geschlecht der Gattung, zu der sie gestellt werden, ändern.
Die Abänderung für Geschlechter in nachstehender Reihenfolge (von links nach rechts) ist:

männlich	weiblich	sächlich
-us	-a	-um
-er	-a	-um
-er	-is	-e
-is	-is	-e
-or	-or	-us

Alle mit einer dieser fünf Endungen versehenen Wörter werden stets in männlicher Form angegeben. Daneben gibt es Endungen, die für alle drei Geschlechter gleich sind:

1. die auf -as, -es, -ys, und die auf s mit vorausgehenden Konsonanten.
2. wenn ein Gattungsname als spezifisches Epitheton zu einer anderen Gattung gestellt wird, bleibt er unverändert, z. B. wurde zu TOURNEFORTS Gattung *Cichorium* (-n-) die Art hinzugestellt, die BAUHIN als eigene Gattung *Endivia* (-f-) und die HERMANN als *Intybus* (-m-) aufführt. Es heißt also: *Cichorium endivia* (nicht C. endivium), *Cichorium intybus* (nicht C. intybum), *Schinus molle* (nicht mollis), denn *Molle* war bei TOURNEFORT und LINNÉ Gattungsname.

3. unverändert bleiben die Personennamen im zweiten Fall der Einzahl und Mehrzahl, z. B. *engleri* (dagegen wird z. B. *englerianus, dielsianus* regelmäßig mit [-a, -um] gebildet.
4. Hauptwörter im ersten Fall.
5. Alle spezifischen Epitheta fremder Sprachen, die keine lateinischen Endungen haben, z. B. *mono* bei *Acer mono.*
6. Spezifische Epitheta, die aus zwei Wörtern bestehen, z. B. *agnus-castus.* Die Epitheta der *Unterarten* (subsp. . . . .), *Varietäten* (var. . . . .), *Formen* (fo. . . . .) usw. tragen dasselbe Geschlecht wie der Gattungsname, z. B.: *Androsace carnea* subsp. *brigantiaca, Capsicum barbaratum* var. *pendulum, Hydrangea macrophylla* fo. *coerulea.* Dies gilt auch, wenn das spezifische Epitheton ein früherer Gattungsname ist und ein anderes Geschlecht hat als der Gattungsname, z. B. *Daphne* (-f-) *mezéreum* var. *alba.*

6 Aussprache- und Betonungsregeln

Alle wissenschaftlichen Pflanzennamen werden, abgesehen von den Sortennamen, nach den jetzt gültigen Regeln für die lateinische Sprache behandelt, auch wenn sie rein griechische oder neusprachige Form behalten haben.
Für den allgemeinen Gebrauch ist es als ausreichend erkannt worden, durch ein einheitliches Zeichen die zu betonende Silbe zu markieren.
Für eingehendere Studien bedarf es der Unterscheidung von kurz oder lang zu bewertenden Vokalen, wie es im Folgenden erläutert wird.
Zur Erleichterung der Unterschiede, ob ein Vokal kurz oder lang zu sprechen ist (vgl. Betonungsregeln Seite 30), werden hier nur in diesem Abschnitt (sonst nicht!) zwei verschiedene Akzente verwendet: Der Akut (á) gibt den kurzen Vokal an, der Gravis (à) den langen.
Es ist also zu sprechen:

1 **kurz und betont**	2 **lang und betont**
á wie Apfel	à wie in Dahlie
é wie in Kelch	è wie in Reseda
í wie in Himbeere	ì wie in Primel
ó wie in Hopfen	ò wie in Mohn
ú wie in Tulpe	ù wie in Blume

Für die Aussprache galten früher *„Die Richtlinien für die Lehrpläne der höheren Schulen"*, Weidmannsche Taschenausgabe, 19. Heft, 1. Band, 8. Aufl., Stand vom 1. Januar 1931. Neuerdings wird die Aussprache in den deutschen Schulen nicht mehr einheitlich gelehrt. Das c wird zum Teil wieder vor e, i, y, ae, oe wie z gesprochen, sonst wie k.

Selbstlaute (Vokale)
(a) Alle Selbstlaute werden getrennt gesprochen, z. B. *le-i-ánthus* (glattblütig), nicht *lei-ánthus.* Im täglichen gärtnerischen Gebrauch ist gegen die Annäherung an unsere Umgangssprache kaum etwas einzuwenden, also z. B. *lei-ánthus* zu sprechen. In diesem Sinn ist auch für diese Auflage die Konzession gemacht worden, die Umlaute ae, oe, ue usw. als einen einzigen Vokal zu werten. Wie bereits im Vorwort gesagt wurde, ist dies einer der Gründe, auf die Betonungszeichen in diesem Buch zu verzichten, denn bewirkt haben sie bislang nicht viel. Der ausschlaggebendere Punkt ist jedoch der, dass in den wissenschaftlichen Pflanzennamen keine Betonungszeichen verwendet und in der lateinischen Sprache auch nicht vorgesehen sind. Außerdem würden solche Sonderzeichen die Verwendung der Datenbank sehr erschweren, denn wer kommt schon auf die Idee, bei Suchabfragen Akzente oder Sonderzeichen einzugeben?
(b) Das i wird stets i, nie wie j gesprochen, z. B. *ionánthus* (veilchenblütig), nicht *jonanthus.*
(c) Das zu den Selbstlauten gezählte Y wird am Wortanfang und wenn ein Vokal folgt oder wenn es zwischen zwei Vokalen steht wie j, sonst aber wie ü gesprochen, z. B. *yúlan*

(Artbezeichnung einer Magnolie), sprich juhlan; *scotophýllus*, sprich skotofül-lus (dunkelblättrig) – nicht zu verwechseln mit *scotóphilus*, sprich skotofilus (schattenliebend).

Mitlaute (Konsonanten)

a) Alle c vor ae, e, i, oe, y wie z, sonst wie k, z. B. *Caesalpínia*, *Ácer*, *Círsium*, *Coelógyne*, *Cydónia*, *Cacália*, *Cúcumis*, sprich Zäsalpinia, Azer, Zirsium, Zölogyne, Züdonia, Kakalia, Kukumis; cc stets wie kz, *coccíneus*, sprich kokzine-us (scharlachrot). (Dem steht noch unentschieden die – wohlbegründete – Lehrmeinung gegenüber, dass alle c wie k zu sprechen sind.)
b) Das sch in rein griechischen Wörtern stets wie sk; in lateinischen wie sch (beachte: alle Pflanzennamen werden nach lateinischen Regeln behandelt!). Für ch allein besteht keine Regel. (Vgl. die übliche Aussprache des ch in den drei deutschen Namen Eiche, Buche Buchsbaum!)
c) Alle ti stets wie ti, nie wie zi; z. B. *lutetiánus* (pariserisch), sprich lutetianus (nicht lutezianus!).
d) gu, qu, su vor Selbstlauten stets wie gw, qw, sw; z. B. *guineénsis*, *Quércus*, *suécicus*, sprich gwine-ehnsis, Kwerkus, swezikus oder swekikus.
e) v stets wie w; z. B. *Víola*, sprich Wiola.
f) alle Doppelmitlaute sind als zwei Laute zu sprechen; z. B. *Scílla*, sprich Szil-la, *serrátus*, sprich ser-ratus.

Der Unterschied in der Aussprache zwischen Erika (Mädchenname) und *Eríca* (Pflanzenname) möge als Muster dafür dienen, dass wir durch die verdeutschte Aussprache ursprünglicher Fremdwörter häufig dazu verleitet werden, auch für die unveränderten Fremdwörter deutsche Betonungsregeln anzuwenden. Einige weitere Beispiele mögen dies zeigen:

Balsamìne	aber *balsàmina*	Fòlie	aber *fólius*
Gladiòle	aber *Gladíolus*	ròsig	aber *róseus*
Platàne	aber *Plátanus*	Kámmer	aber *càmmarus*
Textìlien	aber *téxtilis*	Glósse	aber *glòssa*
sterìl	aber *stérilis*	Tùba	aber *túba*
barbàrisch	aber *bárbarus*	Thỳmian	aber *Thýmus*

Die für uns meist entbehrliche Angabe für lang oder kurz ist andererseits durchaus nicht so unwesentlich, wie sie zuerst erscheinen mag, denn es ergibt sich zuweilen aus anderer Aussprache ein anderer Sinn. Lateinisch pòpulus ist die Pappel, aber pópulus ist das Volk; àpis = Stier, ápis = Biene; làbrum = Wanne, Becken, lábrum = Lippe; làtus = breit, látus = Seite; òs = Antlitz, Gesicht, ós = Knochen, Gerippe. In der griechischen Sprache ist es genauso, z. B. heißt hèlos der Nagel, hélos dagegen der Sumpf. Endlich gibt auch die Verlegung des Tons auf eine andere Silbe einen anderen Sinn; so bedeutet frigère von frígeo = ich friere; frígere von frìgo = ich röste; nómos = Gesetz, nomós = Bezirk; bíos = Leben, biós = Bogen, usw. Das ist auch in der deutschen Sprache so. Gründung mit kurzem „ü" kommt von gründen, mit langem „ü" dagegen bedeutet es Düngung mit grünen Pflanzenteilen; Pàris ist Pflanzenname (nach dem Sohn des Priamos und der Hekabe), Parìs ist Städtename; umgràben (= um etwas herumgraben), úmgraben (= untergraben); úntergraben (= in die Erde versenken), untergràben (= schädigen, z. B. die Gesundheit).

Alle diese Unterschiede, die vielen Regeln und noch häufigeren Ausnahmen können selbst bei humanistischer Schulbildung nicht vorausgesetzt werden; schreiben doch sogar Sprachwissenschaftler, dass oft langdauerndes Quellenstudium nötig ist, um die naturwissenschaftlichen Fremdwörter sprachlich zu klären. Dies mögen einige Beispiele zeigen, die Dr. ZICKGRAF in seinem Artikel *„Schreibweise und Aussprache der botanischen Namen"* (Seite 228 f.) bringt.

inodòrus	aber *echinódorus*	caerúleus	aber *colossèus*
opàcus	aber *Dìpsacus*	*Juníperus*	aber *Cypèrus*
cardíaca	aber *Portulàca*	*seguièri*	aber *sprèngeri*
chartàceus	aber *chalybèus*	*sempèrvirens*	aber *Sempervìvum*
Hòrdeum	aber *Heraclèum*	*Ácorus*	aber *decòrus*
gramíneus	aber *gingatèus*	*Cànnabis*	aber *Sinàpis*

Endlich ist zu beobachten, dass einige griechische Wörter anders ausgesprochen werden, als buchstabenmäßig übertragen zu erwarten wäre. Griechisch άγχω (übertragen ágcho) spricht sich áncho; γόγγυλόσ (goggylos) spricht sich gongylos usw. Wir haben deshalb die Übertragung stets so gewählt, wie es die Aussprache erfordert. (Vgl. die moderne zoologische Nomenklatur, die z. B. heute für „Ancistron“ die von Amerika eingeführte Form „Agkistron“ vorschreibt, usw.).

Als Zweifelsfall tritt immer wieder die Aussprache solcher Pflanzennamen auf, die latinisierte Wörter und Namen lebender Sprachen sind, wie *Deca͞isnea*, *Pluméria*, *Deschàmpsia*, *Micha͞uxia*, *Duchèsnea*, *Leje͞unia*, *Forsýthia*, *Cattle͞ya*, *Downìngia*, *Húmea*, *Leycestéria* usw. An sich muss die lateinische Aussprache gelten, weil diese Pflanzennamen nach lateinischen Sprachregeln zu behandeln sind. Wer aber z. B. „Dekähnea“ aussprechen will, muss auch „Forsseissie“ oder „Lestrie“ für *Forsýthia* und *Leycestéria* sagen.

Die Regeln für die Betonung richten sich nach der Länge der Vokale. In der lateinischen Sprache unterscheidet man Selbstlaute mit sogenannter Naturlänge und andere (durch Position lange), die nur dann lang sind, wenn auf sie ein Doppelmitlaut oder zwei oder mehrere andere Mitlaute (ausgenommen h) folgen. Jedoch zählen hier nicht b, c, d, f, g, k, p, t, ch, ph, th mit nachfolgenden l oder r, z. B. hat nígra ein kurzes i, da es vor gr steht.

Die Länge der Vokale ist deswegen entscheidend für die Betonung, weil nach der Hauptregel die vorletzte Silbe betont wird; wenn sie jedoch bei drei- und mehrsilbigen Wörtern einen kurzen Vokal enthält, wird der Ton auf die drittletzte Silbe zurückverlegt, z. B. sempervìvum (weil in vìvus = lebend das i lang ist), aber sempèrvirens (weil in vìrens = grünend das i kurz ist).

Ob ein Vokal naturlang ist, lässt sich nicht durch einfache Regeln angeben. Auch ist es häufig notwendig, die Ableitung aus dem Griechischen zu kennen. Stand im griechischen Stammwort ein Doppelvokal (z. B. ei), der im latinisierten Wort zu einem einzigen Vikal (z. B. e) geworden ist, so ist er lang, z. B. wird aus griechisch gigánteios = riesenhaft im Lateinischen notwendig gigantèus. Die griechische Sprache unterscheidet auch zwischen kurzem ĕ (ε = epsilon) und langem ē (η = eta), kurzem ŏ (o = omikron) und langem ō (ω = omega). Die langen griechischen Vokale bedingen ebenfalls Naturlänge im latinisierten Wort. Anthēros = blühend, hat ein langes ē, daher heißt es im Lateinischen anthèra (Staubbeutel). Polygònus (-a, -um) heißt vielkantig (von griechisch gōnia = Kante, Winkel usw.), polýgonus (-a, -um) heißt vielknieig, vielknotig (von griechisch gōny = Knie). Da aber im Griechischen gelegentlich aus einem langen ē (η) oder einem ō (ω) ein kurzes ĕ (ε) bzw. ŏ (o) werden kann, kommen dadurch neue Fehlerquellen der Betonung hinzu. Typisch hierfür sind Fälle wie *Arrhenátherum*. in einigen Büchern wird die vorletzte, in anderen die drittvorletzte Silbe mit Betonung angegeben. Der Name ist nach der Eigenschaft der Pflanze gewählt, bei der die männliche (àrrhen) Blüte eine Granne (athèr) trägt; ather hat ein langes ē (η), aber der Genitiv atheros (daraus latinisiert atherum) hat ein kurzes ĕ (ε). Es zählt also nicht das lange ē von ather, sondern das kurze von atheros. Die vorletzte Silbe ist also kurz und mithin muss es *Arrhenátherum* heißen. Im Lateinischen heißt compònere zusammensetzen, aber das davon abgeleitete compósitus hat ein kurzes o usw..

Solche und ähnliche Beispiele zeigen, dass die Regeln allein nicht helfen können, die richtige Betonung zu finden, wenn man nicht gleichzeitig den Wortschatz der fraglichen Sprachen genau kennt. Für den praktischen Gebrauch ergibt sich daher als sicherstes Mittel die Gewöhnung an richtige Betonung.

Leider muss gesagt werden, dass es trotz über 150jähriger Bemühungen im deutschen Gartenbau bisher nicht geglückt ist, die richtige Betonung zu erreichen, wie sie z. B. schon in BOSSES Blumengärtnerei, fünf Bände, 1840 und früher angegeben worden ist. Schon dort stand *Làthyrus, Erìca, Urtìca, Aspáragus, gigantèus, Clèmatis* usw..
(Vgl. hierzu die Ausführungen von ROBERT ZANDER in Heft 56 und 57 der Schriftenreihe „Grundlagen und Fortschritte im Garten- und Weinbau“, Verlag Eugen Ulmer.)

Foreword

Taxonomic classifications are never right or wrong; they are merely more or less wise and acceptable. (Peter F. Yeo)

It could be said that taxonomy is all about having a point of view. We would like to define ours here and now. Compatibility is an important criterion. Even in botany, increasing internationalization requires us to work with others to establish acceptable universal standards. This does not mean that those others are always in the right. But we need to bring together all these points of view to establish our common ground, such as commonly used synonyms.

Another change of attitude, the direct result of multilingualism, concerns the rules governing the pronunciation of Latin plant names. There have been many attempts to establish a standard pronunciation for plant names, but this has so far been impossible to achieve, despite such helpful devices as the use of accent marks. We need only to think of *Erica*, which is usually pronounced like the female Christian name Erica. Scientific names are pronounced completely differently in English-speaking countries and French-speaking countries. Hence, only the written form of scientific names can be held up as a standard. Against this background, we have no problem in dropping the accent marks and other symbols that regulate pronunciation. The rules governing the use of these are, however, still outlined in Section II/6.

Many plants exist under more than one name. For example, the horticultural naming is sometimes different from the botanical, especially if the name changes are comparatively recent. Hence, in the trade, the genus *Brugmansia* is often still known as *Datura*. In the case of the genus *Dendranthema*, the horticulturists' tenacity may eventually pay off, for there are now moves to reintroduce the original designation, *Chrysanthemum*. Whenever such a name change seems wise, we will follow it, though this is not always possible, especially when different genera are combined into a single genus which is then immediately subdivided into different subgenera. The fact that plant names are increasingly becoming nomen conservandum – meaning a conserved plant name – has brought some easing off to the continual name changes being made on the basis of the priority rule.

The fact that *Zander – Dictionary of plant names* is now being issued in three languages for the first time has had a certain influence on the selection of the plants included. We have tried to include, so far as possible, not only the plants which are cultivated in central Europe, but all the many other plants which are grown in European gardens and botanical collections, and are available in the trade. A further expansion of scope will probably be unavoidable in future editions, but always with a clear goal in mind.

Compared with the first editions that Dr. Robert Zander edited himself, Zander has steadily grown in scope. This is due to the efforts of our predecessors Dr. Fritz Encke, who compiled the plant selection, and Dr. Günther Buchheim, who verified the nomenclature. It is appropriate that we should thank them here.

A significant improvement to this edition has been its expansion to include, so far as possible, all plants native to Central Europe. We will most certainly be extending this list in future to include those of western and northern Europe. To date, 3,640 genera with 20,000 species, including 10,000 synonyms, have been listed. The number of German plant names has been considerably expanded, while French and English designations have been included for the first time.

Another important change concerns the systematics of the plant kingdom, where we have restricted ourselves to an overview of vascular plants. Here, we follow Cronquist, *The Evolution and Classification of Flowering Plants*, a system which does not break with tradition, but nevertheless incorporates all the more recent findings. However, the most recent (second) edition of Cronquist dates from 1988, so newer ideas have also been taken into account. We have taken additional ideas from MABBERLEY, *The Plant Book* (1997), amongst others. KRAMER gives an excellent overview of ferns and their allies in KUBITZKI, *The Families and Genera of Vascular Plants* (1990). New works and further editions of existing works will doubtless influence our future classification.

The spelling of plant names is in accordance with the rules of *the International Code of Botanical Nomenclature (ICBN)*. Nevertheless, we have made an exception in the case of autonyms: we do not apply rule 26.1. This means that we attain a standardized classification: we always describe the type species of a plant first, followed by its varieties, subspecies, and forms. Since the *International Code of Nomenclature for Cultivated Plants* became available in the new 1995 edition, it too has affected the current naming of cultivars. Admittedly, these occur only sporadically in this Handbook, but where they do occur we employ this Code. Thus, generally accepted designations such as hybrids have also been dispensed with (hence *Trollius* 'Helios' instead of *Trollius* hybrid 'Helios'). Some may regret that a distinction is no longer made between forms (*Iris sibirica* 'Alba') and varieties (*Iris sibirica* 'White Swirl' instead of *Iris sibirica* hybrid 'White Swirl') but the advantages of an international standardization weigh more heavily. An additional change, in accordance with the wishes of many users, is the introduction of international, standardized abbreviations for authors' names. This has been made possible by BRUMMITT & POWELL'S *Authors of Plant Names* (1992).

We would like to thank the following persons for their help in clarifying questions of nomenclature: Eike Jablonski, Diekirch (Luxembourg), Dr. Marianne Lauerer, Bayreuth (Germany), Dr. Sigrid Liede, Bayreuth (Germany), Alison Rutherford, Helensburgh (Great Britain), Wim Snojier, Gauda (The Netherlands), Martin Wettges, Nittenau (Germany), and Dr. Rolf Wisskirchen, Remagen (Germany). Charles Quest-Ritson, Salisbury (Great Britain), has rewritten Section II/6 'Rules of pronunciation and accentuation for English-language readers'. He also worked on the common plant names. Aline Raynal-Roques, Paris (France), has written the Section II/6 for French-language readers. Our thanks to both.

Stuttgart, Summer 1999

I About the authors

1 Professor Dr. Robert Zander

* 26. 07. 1892 Magdeburg, † 08. 05. 1969 Berlin

Editor of the following editions of the *Dictionary of plant names: 1st ed. (1927), with supplement 1928; 2nd ed. (1932); 3rd ed. (1936); 4th ed. (1938); 5th ed. (1938); 6th ed. (1940); 7th ed. (1954); 8th ed. (1955); 9th ed. (1964).*

Between his birth and death, Robert Zander led a rich life in the service of botany and horticulture. His work is reflected most conspicuously in his numerous publications and in the establishment of the Bücherei des deutschen Gartenbaus (German Horticultural Library) with 35,000 volumes, one of the most extensive horticultural libraries in the world. In his final working years, Robert Zander concentrated on recording the contents of horticultural journals. His index cards from the time bear witness to a laborious task, the results of which still benefit specialists working in the horticultural field today.

Robert Zander's breadth of interest is evident in the list of his most important publications. For years, he had a formative influence on a number of journals as editor, including the renowned *Gartenflora*, whose publication had to be discontinued during the Second World War. However, Zander's most influential publication is the *Handbook of Plant Names*, which today – although it has long since been revised and edited without his further participation – is now available in the fifteenth edition. Zander had the impetus for this work in 1926, when the Reichsverband des deutschen Gartenbaus (Imperial German Horticultural Union) summoned him to Berlin to produce a handbook of plant names as the basis for a standardized naming of plants used in horticulture. The first edition was published in 1927, with a supplement in 1928.

Since then, the *Dictionary* – "the *Zander*", as it is known by all its users – has become an indispensable reference for horticulturists, foresters, pharmacists, and many botanists, i.e., all those wishing to find the correct name of a plant quickly and reliably, whether used economically or otherwise. Robert Zander's work on horticultural nomenclature led to his joining the International Commission for the Nomenclature of Cultivated Plants, for which he served as Secretary at the 12th International Horticultural Congress in Berlin. He was an active member of the Deutscher Arbeitskreis für Gartenbau-Nomenklatur (German Committee of Horticultural Nomenclature) right up to his death.

During his life, in particular as head of the horticultural library that today is affiliated to the Bibliothek der Technischen Universität Berlin (Library of the Technical University of Berlin), he let countless people share his great knowledge, including his unique grasp of botanical literature, stimulating them, and giving them every possible assistance in their scientific work.

List of most important publications:

- *Beitrag zur Kennnis der tertiären Hölzer des Geiseltals.* Doctoral dissertation, in *Braunkohle* Vol. XXII, No. 2, 1923.
- *Führer durch den Botanischen-Garten der Universität Halle/Saale*, 1925.
- *Handwörterbuch der Pflanzennamen und ihrer Erklärungen.* Gärtnerische Verlagsgesellschaft Berlin, Berlin. From the 7th edition on: Verlag Eugen Ulmer, Stuttgart.
- *Wunder der Blüten* in *Weg zum Wissen* Vol. 76, 1927.
- *Schmarotzende Pflanzen*, 1930.
- *Zanders großes Gartenlexikon*, 1934.
- *Wörterbuch der gärtnerischen Fachausdrücke in vier Sprachen*, 1938.
- *Fachwörterbuch der Konservenindustrie in acht Sprachen*, 1939.

- *Die Kunst des Pflanzenbeschreibens*, 1947.
- *Deutsch-Botanisches Wörterbuch*, 1940, 2nd edition, *Kleines Botanisches Fremdwörterbuch*, 1947.
- *Die Pflanze im Liebesleben der Völker*, 1951.
- *Geschichte des Gärtnertums*, 1952.
- *Mitarbeit am Leitfaden für den gärtnerischen Berufsschulunterricht*, 1929.
- *Mitarbeit bei Kluges Alphabet*, 1934/35.
- In collaboration with Dr. Clara Teschner, *Der Rosengarten, eine geschichtliche Studie durch zwei Jahrtausende*, 1939.
- *Geschichte des Obstbaues in Trenkles Lehrbuch des Obstbaus*, 1942, and also subsequent editions.

2 Fritz Encke, Günter Buchheim, Siegmund Seybold

Dr. h.c. Fritz Joseph Encke
*01. 08. 1904, Cologne

Co-editor of the following editions of the *Dictionary of plant names: 9th ed. (1964); 10th ed. (1972); 11th ed. (1979); 12th ed. (1980); 13th ed. (1984); 14th ed. (1993); 15th ed. (1994).* In the 1920s, Fritz Joseph Encke worked as a horticulturist in German and American nurseries, and from 1929 in the Palmengarten in Frankfurt, where he was to serve as director from 1945 to 1968. The continued existence of the Palmengarten following the Second World War and the later establishment of the important plant collections there were due to his considerable personal efforts. In 1968, he was awarded an honorary doctorate, and he holds the Order of the Federal Republic of Germany, 1st Class. It is clear from his extensive literary output that he is committed to imparting horticultural and botanical knowledge to specialists and plant enthusiasts. He keeps abreast of developments in botany and has had a crucial influence on the *Dictionary of plant names* in the years after Robert Zander. His abundant knowledge and concentrated working method have made it possible to include the home territories of all the plant species in this *Dictionary*.

List of most important publications:
- *Pflanzen für Zimmer und Balkon*, 1st ed. 1952 until 8th ed. 1964; 9th ed. 1973 until 13th ed. 1987, entitled *Zimmerpflanzen*.
  Sommerblumen, 1961.
- *Die schönsten Kalt- und Warmhauspflanzen*, 1968; 2nd ed. 1987, entitled *Kalt- und Warmhauspflanzen*.
- *Zwergsteingärten*, 1978.
- *Kletterpflanzen für Haus und Garten*, 1980.
- *Kübelpflanzen*, 1982.

Dr. Arno Fritz Günther Buchheim
*26. 10. 1924, Döbeln

Co-editor of the following editions of the *Dictionary of plant names: 9th ed. (1964); 10th ed. (1972); 11th ed. (1979); 12th ed. (1980); 13th ed. (1984); 14th ed. (1993); 15th ed. (1994).* Arno Fritz Günther Buchheim is a botanist, bibliographer, and librarian. He worked for a time at the Botanischen Museum Berlin-Dahlem, and from 1963 to 1981 he was at the Hunt Institute for Botanical Documentation in Pittsburgh, Pennsylvania. In 1985, he moved to the John Carter Brown Library in Providence, Rhode Island, where he worked until his retirement in 1993. His main areas of work are the taxonomy and nomenclature of central European cultivated plants and the bibliography of botanical literature from 1730 to 1840.

List of most important publications:
- Contributor to the *Syllabus der Pflanzenfamilien*, 12th ed., 1968.
- Co-editor of the *Botanico-Periodicum-Huntianum*, 1968.

Professor Dr. Siegmund Gerhard Seybold
*05. 09. 1939, Stuttgart

Co-editor of the following editions of the *Dictionary of plant names: 10th ed. (1972); 11th ed. (1979); 12th ed. (1980); 13th ed. (1984); 14th ed. (1993); 15th ed. (1994); 16th ed. (2000).*
Siegmund Gerhard Seybold is a botanist. He works at the Staatliches Naturkundemuseum in Stuttgart, and is an Honorary Professor at the University of Stuttgart. His work focuses on the flora of the German federal state of Baden-Württemberg, and its surveying.
As in the past, he will continue to be responsible for updating the translations of species designations in future editions, as well as maintaining the list of authors' names, including the short biographies.

List of most important publications:
- Co-editor of *Die Farn- und Blütenpflanzen Baden-Württembergs* in eight volumes, 1990 to 1998.
- Contributor to SCHMEIL und FITSCHEN, *Flora von Deutschland und angrenzender Gebiete*, from the 89th edition, 1993.
- Contribution to the *Index Holmiensis*, from 1988.

3 Walter Erhardt, Erich Götz, Siegmund Seybold, Nils Bödeker

Walter Erhardt
* 19. 02. 1952, Kulmbach

Co-editor of the 16th edition of the *Dictionary of plant names* (2000).
Walter Erhardt is a teacher and horticultural writer. His intensive study of plants and botanical literature led to the establishment of an extensive botanical library. He compiled the data for the 16th edition of the *Handbook* and verified their nomenclatural accuracy. On this basis, *Zander – Dictionary of plant names* will remain an important reference work in the digital age.

List of most important publications:
- *Hemerocallis* (day-lilies), 1988; translation into English, 1992.
- *Pflanzen-Einkaufsführer*, 1990; published in several languages from the 2nd edition on, entitled *PPP-Index*: 2nd ed. 1995; 3rd ed. 1997.
- *Schöne Usambaraveilchen und andere Gesnerien*, 1993.
- *Narzissen* (narcissi, daffodils), 1993.
- Contribution to the book *35.000 plantes* (published by the SOCIÉTÉ NATIONALE D'HORTICULTURE DE FRANCE), 1997.

Dr. Erich Götz
* 12. 12. 1940

Co-editor of the 16th edition of the *Dictionary of plant names* (2000).
Erich Götz is lecturer at the University of Hohenheim. He teaches and researches there at the Institute of Botany, where he is also in charge of a very extensive plant collection. He is considered to be an excellent systematist.
His areas of work include the garden perennial shrubs, cacti, European trees and shrubs, and central European wild plants. In particular, he has researched the entries concerning the origin and use of both hitherto and newly included species. He is also an expert on German plant names.

List of most important publications:
- *Die Gehölze der Mittelmeerländer*, 1975.
- With H. Knodel: *Erkenntnisgewinnung in der Biologie*, 1980.
- With G. Gröner: *Kakteen*, 7th edition, 1999.
- Additionally, a series of book contributions.

Nils Bödeker
* 22. 05. 1966

Co-editor of the 16th edition of the *Dictionary of plant names* (2000).
Since qualifying in landscape studies, Nils Bödecker has dedicated himself to software development in this specialist field. His main work has been to develop easy-to-use programs for the end user. On the basis of his well-structured database, it has been possible digitally to compile, process, and supplement the data in the *Dictionary*.

List of most important publications:
- *Plantus*, 2nd edition, 1999.
- Additional publications on the topic of databases, in various specialist horticultural journals.

II An introduction to botanical nomenclature

1 General rules of naming

The naming of both wild and cultivated plants with scientific names (i.e., botanical names in Latin) is regulated by the *"International Code of Botanical Nomenclature" (Tokyo Code)* of 1994 (abbreviated as *ICBN*). Foreign translations should always, if possible, be used in conjunction with the original English version. It should in any case be added that only excerpts of the Rules are given in Section II/3. For a more detailed study of the material, reference to the original literature remains essential.
The naming of agricultural, forestry and horticultural plants is regulated by the *"International Code of Nomenclature for Cultivated Plants" (ICNCP)* of 1995, published by Piers Trehane.

2 Classification

The order of rank as internationally laid down in Articles 1–5 of the *ICBN* serves as the basis for the classification of the plant kingdom, and is as follows:

Regnum*		Kingdom
Subregnum*		Subkingdom
Divisio, Phylum	(ending -phyta)**	Division, Phylum
Subdivisio	(ending -phytina)	Subdivision
Classis	(ending -opsida)	Class
Subclassis	(ending -idae)	Subclass
Ordo	(ending -ales)	Order
Subordo*	(ending -ineae)	Suborder
Familia	(ending -aceae)***	Family
Subfamilia	(ending -oideae)	Subfamily
Tribus*	(ending -eae)	Tribe
Subtribus*	(ending -inae)	Subtribe
Genus		Genus
Subgenus*		Subgenus
Sectio*		Section
Subsectio*		Subsection
Series*		Series
Subseries*		Subseries
Species		Species
Subspecies	(abbreviated subsp.)	Subspecies
Varietas	(abbreviated var.)	Variety
Subvarietas*	(abbreviated subvar.)	Subvariety
Forma	(abbreviated fo.)	Form
Subforma*	(abbreviated subf.)	Subform

The × symbol stands for hybrids. An example is *Narcissus* × *incomparabilis* (= *N. poeticus* × *N. pseudonarcissus*). Here, "species name × species name" is written in alphabetical order.

* not relevant for the explanations in this volume
** the endings from divisio to subordo are recommended, but not prescribed endings.
*** permitted exceptions are regulated by Article 18.5 of the ICBN (cf. this Article)

The Musk Saxifrage, *Saxifraga exarata* subsp. *moschata*, which incidentally was still listed as a separate species in the 14th edition, is given below as an example of how a plant is classified. The classification itself has also changed somewhat in the meantime:

Divisio	*Spermatophyta*	Seed plants
Subdivisio	*Magnoliophytina*	Angiosperms
Classis	*Magnoliopsida*	Dicotyledenous plants
Subclassis	*Rosidae*	Rose-like plants
Ordo	*Saxifragales*	Saxifrage order
Familia	*Saxifragaceae*	Saxifrage family
Genus	*Saxifraga*	Saxifrage
Sectio	*Saxifraga*	True saxifrage species
Subsectio	*Triplinervium*	Trinervate saxifrage species
Series	*Ceratophyllae*	Horn-leaved saxifrage species
Species	*exarata*	Wrinkled saxifrage
Subspecies	subsp. *moschata*	Musk saxifrage
Forma	fo. *laxa*	also 'Laxa' = limp
Cultivar	'Cloth of Gold'	Cultivar 'Cloth of Gold'

For most names commonly used in practice, only the genus and the ranks below it are of importance. Essentially, these are the generic and species names, e. g., *Víola odoràta*. *Víola* is the generic name, *odoràta* the species designation (= the epitheton specificum). This double naming (binary nomenclature) was consistently used by LINNÉ; as a consequence, a great many species bear the author's name LINNÉ (L.). In horticultural and other books for practical use, the author's name can be dispensed with; however, it should be stated according to which work or index the names have been authorised. Here, we should point out a major error in commercial plant lists. In these, designations for variety or form are often given directly after the generic name. This is not permissible, since it can lead to confusion; often, the same varietal names can exist for different species of the same genus. For example, ROXBURGH (1751–1815) introduced the epithet *rubra* for a red *Nymphaea*; should red varieties of other species be identified, these may not likewise be called *Nymphaea rubra*, but instead, e. g., *Nymphaea odorata* var. *rubra*.

In practice, it is best in cases where such names as *Azalea*, *Cineraria* etc. have become established, to retain the names as so-called vernacular designations: i. e., in a price list for *Azalea* to refer to *Rhododendron*; under *Rhododendron* a distinction is then made between azaleas (*Rhododendron* (*Azalea*)) and rhododendrons (*Rhododendron* (true)), etc. Likewise, for *Cineraria*, there would be a reference to *Senecio*, and under *Senecio* a distinction would be made between cinerarias (*Senecio-Cineraria*), groundsels (*Senecio*-true), etc. It is understandable that changes to firmly established names give rise to considerable irritation, especially among the older generation, until such time as the new name prevails. Horticultural literature, which in all other problems of nomenclature keeps well abreast of current scientific developments, tends rather to avoid these issues, which leads to difficulties of acceptance on the part of practitioners. The above example illustrates a practical way of attaining the goal.

The example *Gloxinia: Sinningia* illustrates the necessity for renaming. According to the detailed explanations in BAILEY (cf. Bibliography), L'HÉRITIER (1785) established the genus *Gloxínia* on the basis of the Brazilian species *Gloxinia maculata* L'Hérit.. LODDIGES established the related species *Gloxinia speciosa* Lodd., in 1817. All the varieties of gloxinia originate from this species. In the meantime, it has become clear that the plant belongs to the genus *Sinningia*, established by NEES VON ESENBECK in 1825. NEES named the plant *Sinningia helieri*; according to the international rules, it must now therefore be called *Sinningia speciosa* (Lodd.) Hiern. In practice, *Sinningia speciosa* therefore bears the "vernacular" name gloxinia (after the Colmar physician GLOXIN) and in horticulture it would always be referred to as a gloxinia – with the botanical name *Sinningia*. (On the vernacular English names, see Chapter VIII.)

An excellent, contrasting example of nomenclatural resolution can be attributed to the late Prof. BURRET who, in examining palms, encountered the following curiosity. In the Index Kewensis (see Bibliography) may be found: *Seaforthia elegans*, see *Archontophoenix cunninghámii* H. Wendl. et Drude. According to the literature reference however, the plant is called *Archontophoenix cunninghamiana* (H. Wendl.) H. Wendl. et Drude. In the case of *Seaforthia elegans*, the author given in the Index Kewensis is Hook. However, this must be Hook. non R. Br., since there is a description by ROBERT BROWN that does not correspond to that of HOOKER, and from which it can be seen that HOOKER used a combination of parts of *Archontophoenix* and *Seaforthia* (leaves and fruits) as the basis for his plate of *Seaforthia elegans* Hook. Since, however, according to more recent research, *Seaforthia elegans* R. Br. belongs to the genus *Ptychosperma*, it is now called *Ptychosperma elegans* (R. Br.) Bl., with the synonym *Seaforthia elegans* R. Br. In addition, there also exists *Archontophoenix cunninghamiana* (H. Wendl.) H. Wendl. et Drude.
In horticulture, this coexistence has become a muddle, with *Archontophoenix cunninghamiana* (H. Wendl.) H. Wendl. et Drude frequently cultivated as *Ptychosperma* (or as *Seaforthia*), although in fact these plants belong to different genera.

3 International Code of Botanical Nomenclature (ICBN)

Preamble

1. Botany requires a precise and simple system of nomenclature used by botanists in all countries, dealing on the one hand with the terms which denote the ranks of taxonomic groups or units, and on the other hand with the scientific names which are applied to the individual taxonomic groups of plants[1]. The purpose of giving a name to a taxonomic group is not to indicate its characters or history, but to supply a means of referring to it and to indicate its taxonomic rank. This *Code* aims at the provision of a stable method of naming taxonomic groups, avoiding and rejecting the use of names which may cause error or ambiguity or throw science into confusion. Next in importance is the avoidance of the useless creation of names. Other considerations, such as absolute grammatical correctness, regularity or euphony of names, more or less prevailing custom, regard for persons, etc., notwithstanding their undeniable importance, are relatively accessory.
2. The Principles form the basis of the system of botanical nomenclature.
3. The detailed Provisions are divided into Rules, set out in the Articles, and Recommendations. Examples (Ex.)* are added to the rules and recommendations to illustrate them.
4. The object of the Rules is to put the nomenclature of the past into order and to provide for that of the future; names contrary to a rule cannot be maintained.
5. The Recommendations deal with subsidiary points, their object being to bring about greater uniformity and clearness, especially in future nomenclature; names contrary to a recommendation cannot, on that account, be rejected, but they are not examples to be followed.
8. Special provisions are needed for certain groups of plants: The *International code of nomenclature for cultivated plants 1980* was adopted by the International Commission for the Nomenclature of Cultivated Plants; provisions for the names of hybrids appear in App. I.
9. The only proper reasons for changing a name are either a more profound knowledge of the facts resulting from adequate taxonomic study or the necessity of giving up a nomenclature that is contrary to the rules.

* No examples or recommendations are included.

10. In the absence of a relevant rule or where the consequences of rules are doubtful, established custom is followed.

Division I: Principles

Principle I
Botanical nomenclature is independent of zoological and bacteriological nomenclature. The *Code* applies equally to names of taxonomic groups treated as plants whether or not these groups were originally so treated.

Principle II
The application of names of taxonomic groups is determined by means of nomenclatural types.

Principle III
The nomenclature of a taxonomic group is based upon priority of publication.

Principle IV
Each taxonomic group with a particular circumscription, position, and rank can bear only one correct name, the earliest that is in accordance with the Rules, except in specified cases.

Principle V
Scientific names of taxonomic groups are treated as Latin regardless of their derivation.

Principle VI
The Rules of nomenclature are retroactive unless expressly limited.

Division II: Rules and redcommendations

Chapter I: Ranks of Taxa

1.1 Taxonomic groups of any rank will, in this *Code*, be referred to as *taxa* (singular: *taxon*).
2.1 Every individual plant is treated as belonging to an indefinite number of taxa of consecutively subordinate rank, among which the rank of species (*species*) is basic.
3.1 The principal ranks of taxa in descending sequence are: kingdom *(regnum)*, division or phylum *(divisio, phylum)*, class *(classis)*, order *(ordo)*, family *(familia)*, genus *(genus)*, and species *(species)*. Thus, except for some fossil plants, each species is assignable to a genus, each genus to a family, etc.
3.2 The principal ranks of nothotaxa (hybrid taxa) are nothogenus and nothospecies. These are the same ranks as genus and species, only the terms denoting the ranks differing in order to indicate the hybrid character.
4.1 The secondary ranks of taxa in descending sequence are tribe *(tribus)* between family and genus, section *(sectio)* and series *(series)* between genus and species, and variety *(varietas)* and form *(forma)* below species.

Chapter II: Names of Taxa (General Provisions)

Section: Definitions
6.3 A legitimate name is one that is in accordance with the rules.
6.5 The correct name of a taxon with a particular circumscription, position, and rank is the legitimate name which must be adopted for it under the rules.

Section 2: Typification

7.1 The application of names of taxa of the rank of family or below is determined by means of nomenclatural types (types of names of taxa). The application of names of taxa in the higher ranks is also determined by means of types when the names are ultimately based on generic names.

7.2 A nomenclatural type *(typus)* is that element to which the name of a taxon is permanently attached, whether as a correct name or as a synonym. The nomenclatural type is not necessarily the most typical or representative element of a taxon.

7.10 For purposes of priority, designation of a type is achieved only by effective publication.

8.1 The type of a name of a species or infraspecific taxon is a single specimen or illustration except in the following case: for small herbaceous plants and for most non-vascular plants, the type may consist of more than one individual, which ought to be conserved permanently on one herbarium sheet or in one equivalent preparation (e. g., box, packet, jar, microscope slide).

9.1 A holotype of a name of a species or infraspecific taxon is the one specimen used by the author, or designated by the author as the nomenclatural type. As long as a holotype is extant, it fixes the application of the name concerned.

10.1 The type of a name of a genus or of any subdivision of a genus is the type of a name of a species. For purposes of designation or citation of a type, the species name alone suffices, i. e., it is considered as the full equivalent of its type.

Section 3: Priority

11.1 Each family or taxon of lower rank with a particular circumscription, position, and rank can bear only one correct name, special exceptions being made for 9 families and 1 subfamily for which alternative names are permitted (see Art. 18.5). . . .

11.3 For any taxon from family to genus inclusive, the correct name is the earliest legitimate one with the same rank, except in cases of limitation of priority by conservation (see Art. 14). . . .

11.9 The principle of priority is not mandatory for names of taxa above the rank of family.

Section 4: Limitation of the principle of priority

13.1 Valid publication of names of plants of the different groups is treated as beginning at the following dates . . . *(a)* SPERMATOPHYTA and PTERIDOPHYTA, 1 May 1753 (Linnaeus, *Species plantarum*, ed. 1).

14.1 In order to avoid disadvantageous changes in the nomenclature of families, genera, and species entailed by the strict application of the rules, and especially of the principle of priority in starting from the dates given in Art. 13, this *Code* provides, in App. II and III, lists of names that are conserved *(nomina conservanda)*** and must be retained as useful exceptions. Conserved names are legitimate even though initially they may have been illegitimate.

14.11 A name may be conserved in order to preserve a particular orthography or gender. A name so conserved is to be attributed without change of priority to the author who validly published it, not to an author who later introduced the conserved spelling or gender.

14.12 The lists of conserved names will remain permanently open for additions and changes. Any proposal of an additional name must be accompanied by a detailed statement of the cases both for and against its conservation. Such proposals must be submitted to the General Committee, which will refer them for examination to the committees for the various taxonomic groups.

14.13 Entries of conserved names may not be deleted.

** See the original edition of the *Code*.

Chapter III: Nomenclature of taxa according to their rank

Section 1: Names of taxa above the rank of family

16.1 Names of taxa above the rank of family are automatically typified if they are based on generic names; for such automatically typified names, the name of a subdivision or subphylum which includes the type of the adopted name of a division or phylum, the name of a subclass which includes the type of the adopted name of a class, and the name of a suborder which includes the type of the adopted name of an order, are to be based on the generic name equivalent to that type.

17.1 The name of an order or suborder is taken either from distinctive characters of the taxon (descriptive name) or from a legitimate name of an included family based on a generic name (automatically typified name). An ordinal name of the second category is formed by replacing the termination *-aceae* by *-ales*. A subordinal name of the second category is similarly formed, with the termination *-ineae*.

Section 2: Names of families and subfamilies, tribes and subtribes

18.1 The name of a family is a plural adjective used as a substantive; it is formed from the genitive singular of a legitimate name of an included genus by replacing the genitive singular inflection (Latin *-ae, -i, -us, -is;* transliterated Greek *-ou, -os, -es, -as*, or *-ous,* including the latter's equivalent *-eos*) with the termination *-aceae*. For generic names of non-classical origin, when analogy with classical names is insufficient to determine the genitive singular, *-aceae* is added to the full word. For generic names with alternative genitives the one implicitly used by the original author must be maintained.

18.5 The following names, of long usage, are treated as validly published: *Palmae* (*Arecaceae*; type, *Areca* L.); *Graminae* (*Poaceae*; type, *Poa* L.); *Cruciferae* (*Brassicaceae*; type, *Brassica* L.); *Leguminosae* (*Fabaceae*; type, *Faba* Mill. [= *Vicia* L.]); *Guttiferae* (*Clusiaceae*; type, *Clusia* L.); *Umbelliferae* (*Apiaceae*; type, *Apium* L.); *Labiatae* (*Lamiaceae*; type, *Lamium* L.); *Compositae* (*Asteraceae*; type, *Aster* L.). When the *Papilionaceae* (*Fabaceae*; type, *Faba* Mill.) are regarded as a family distinct from the remainder of the *Leguminosae*, the name *Papilionaceae* is conserved against *Leguminosae*.

18.6 The use, as alternatives, of the names indicated in parentheses in Art. 18.5 is authorized.

19.1 The name of a subfamily is a plural adjective used as a substantive; it is formed in the same manner as the name of a family but by using the termination *-oideae* instead of *-aceae*.

19.3 A tribe is designated in a similar manner, with the termination *-eae*, and a subtribe similarly with the termination *-inae*.

Section 3: Names of genera and subdivisions of genera

20.1 The name of a genus is a substantive in the singular, or a word treated as such, and is written with a capital initial letter. It may be taken from any source whatever, and may even be composed in an absolutely arbitrary manner.

20.3 The name of a genus may not consist of two words, unless these words are joined by a hyphen.

22.1 The name of any subdivision of a genus that includes the type of the adopted, legitimate name of the genus to which is is assigned is to repeat that generic name unaltered as its epithet, but not followed by an author's name. Such names are termed autonyms.

Section 4: Names of species

23.1 The name of a species is a binary combination consisting of the name of the genus followed by a single specific epithet in the form of an adjective, a noun in the genitive, or a word in apposition, or several words, but not a phrase name of one or more descriptive substantives and associated adjectives in the ablative, nor certain other irregularly formed designations. If an epithet consists of two or more words, these are to be united or hyphenated. An epithet not so joined when originally published is not to be rejected but, when used, is to be united or hyphenated.

23.2 The epithet in the name of a species may be taken from any source whatever, and may even be composed arbitrarily.

23.4 The specific epithet may not exactly repeat the generic name with or without the addition of a transcribed symbol (tautonym).

23.5 The specific epithet, when adjectival in form and not used as a substantive, agrees grammatically with the generic name.

Section 5: Names of taxa below the rank of species (infraspecific taxa)

24.1 The name of an infraspecific taxon is a combination of the name of a species and an infraspecific epithet connected by a term denoting its rank.

24.2 Infraspecific epithets are formed like specific epithets and, when adjectival in form and not used as substantives, they agree grammatically with the generic name.

26.1 The name of any infraspecific taxon that includes the type of the adopted, legitimate name of the species to which it is assigned is to repeat the specific epithet unaltered as its final epithet, but not followed by an author's name. Such names are termed autonyms.

27.1 The final epithet in the name of an infraspecific taxon may not repeat unchanged the epithet of the correct name of the species to which the taxon is assigned unless the two names have the same type.

Chapter IV: Effective and valid publications

Section 1: Conditions and dates of effective publications

29.1 Publication is effected, under this *Code*, only by distribution of printed matter (through sale, exchange, or gift) to the general public or at least to botanical institutions with libraries accessible to botanists generally. It is not effected by communication of new names at a public meeting, by the placing of names in collections or gardens open to the public, or by the issue of microfilm made from manuscripts, type-scripts or other unpublished material.

Section 3: Citations of authors' names for purposes of precision

46.1 For the indication of the name of a taxon to be accurate and complete, and in order that the date may be readily verified, it is necessary to cite the name of the author(s) who validly published the name concerned unless the provisions for autonyms apply (Art. 22.1 and 26.1).

46.2 The name of a new taxon must be attributed to the author or authors to whom both the name and the validating description or diagnosis were ascribed, even when authorship of the publication is different. A new combination or a *nomen novum* must be attributed to the author or authors to whom it was ascribed when, in the publication in which it appears, it is explicitly stated that they contributed in some way to that publication. Art. 46.4 notwithstanding, authorship of a new name or combination must always be accepted as ascribed, even when it differs from authorship of the publication, when at least one author is common to both.

46.5 The citation of an author who published the name before the starting point of the group concerned may be indicated by the use of the word "ex". For groups with a starting point later than 1753, when a pre-starting point name was changed in rank or taxonomic position by the first author who validly published it, the name of the pre-starting point author may be added in parentheses, followed by "ex".

49.1 When a genus or taxon of lower rank is altered in rank but retains its name or the final epithet in its name, the author of the earlier, name- or epithet-bringing legitimate name (the author of the basionym) must be cited in parentheses, followed by the name of the author who effected the alteration (the author of the new name). The same holds when a taxon of lower rank than genus is transferred to another genus or species, with or without alteration of rank.

Chapter V: Rejection of names

51.1 A legitimate name must not be rejected merely because it, or its epithet, is inappropriate or disagreeable, or because another is preferable or better known, or because it has lost its original meaning, or because the generic name does not accord with the morph represented by its type.

52.1 A name, unless conserved or sanctioned, is illegitimate and is to be rejected if it was nomenclaturally superfluous when published, i.e. if the taxon to which it was applied, as circumscribed by its author, definitely included the type of a name which ought to have been adopted, or whose epithet ought to have been adopted, under the rules.

53.1 A name of a family, genus or species, unless conserved or sanctioned, is illegitimate if it is a later homonym, that is, if it is spelled exactly like a name based on a different type that was previously and validly published for a taxon of the same rank.

Chapter VII: Orthography of names and epithets and gender of generic names.

Section 1: Orthography of names and epithets

60.1 The original spelling of a name or epithet is to be retained, except for the correction of typographical or orthographical errors and the standardizations: *u*/*v* or *i*/*j* used interchangeably, diacritical signs and ligatures, compounding forms, hyphens, apostrophes, and terminations.

60.2 The words "original spelling" in this Article mean the spelling employed when the name was validly published. They do not refer to the use of an initial capital or small letter, this being a matter of typography.

60.3 The liberty of correcting a name is to be used with reserve, especially if the change affects the first syllable and, above all, the first letter of the name.

60.4 The letters *w* and *y*, foreign to classical Latin, and *k*, rare in that language, are permissible in Latin plant names. Other letters and ligatures foreign to classical Latin that may appear in Latin plant names, such as the German ß (double *s*), are to be transcribed.

60.5 When a name has been published in a work where the letters *u*, *v* or *i*, *j* are used interchangeably or in any other way incompatible with modern practices (one of those letters is not used or only in capitals), those letters are to be transcribed in conformity with modern botanical usage.

60.6 Diacritical signs are not used in Latin plant names. In names (either new or old) drawn from words in which such signs appear, the signs are to be suppressed with the necessary transcription of the letters so modified; for example *ä*, *ö*, *ü* become respectively *ae*, *oe*, *ue*; *é*, *è*, *ê* become *e*, or sometimes *ae*; *ñ* becomes *n*; *ø* becomes *oe*; *å* becomes *ao*. The diaresis, indicating that a vowel is to be pronounced separately from the preceding vowel (as in *Cephaëlis*, *Isoëtes*), is permissible***; the ligatures -*æ*- and -*œ*-, indicating that the letters are pronounced together, are to be replaced by the separate letters -*ae*- and -*oe*-.

60.7 When changes made in orthography by earlier authors who adopt personal,

*** Not included, for reasons given in the introduction.

geographic, or vernacular names in nomenclature are intentional latinizations, they are to be preserved. . . .

Section 2: Gender of generic names

62.1 A generic name retains the gender assigned by botanical tradition, irrespective of classical usage or the author's original usage. A generic name without a botanical tradition retains the gender assigned by its author.

62.2 Compound generic names take the gender of the last word in the nominative case in the compound. If the termination is altered, however, the gender is altered accordingly.

(a) Compounds ending in *-codon*, *-myces*, *-odon*, *-panax*, *-pogon*, *-stemon*, and other masculine words, are masculine.
(b) Compounds ending in *-achne*, *-chlamys*, *-daphne*, *-mecon*, *-osma* (the modern transcription of the feminine Greek word *osmê*), and other feminine words, are feminine. An exception is made in the case of names ending in *-gaster*, which strictly speaking ought to be feminine, but which are treated as masculine in accordance with botanical tradition.
(c) Compounds ending in *-ceras*, *-dendron*, *-nema*, *-stigma*, *-stoma*, and other neuter words, are neuter. An exception is made for names ending in *-anthos* (or *-anthus*) and *-chilos* (*-chilus* or *-cheilos*), which ought to be neuter, since that is the gender of the Greek words *anthos* and *cheilos*, but are treated as masculine in accordance with botanical tradition.

Appendix 1

Names of hybrids

H.1.1 Hybridity is indicated by the use of the multiplication sign ×, or by the addition of the prefix "notho-" (from the Greek *nothos*, meaning hybrid) to the term denoting the rank of the taxon.

H.2.1 A hybrid between named taxa may be indicated by placing the multiplication sign between the names of the taxa; the whole expression is then called a hybrid formula.

H.3.1 Hybrids between representative of two or more taxa may receive a name. For nomenclatural purposes, the hybrid nature of a taxon is indicated by placing the multiplication sign × before the name of an intergeneric hybrid or before the epithet in the name of an interspecific hybrid, or by prefixing the term "notho-" (optionally abbreviated "n-") to the term denoting the rank of the taxon. All such taxa are denoted nothotaxa.

H.6.1 A nothogeneric name (i.e. the name at generic rank for a hybrid between representatives of two or more genera) is a condensed formula or is equivalent to a condensed formula.

H.6.2 The nothogeneric name of a bigeneric hybrid is a condensed formula in which the names adopted for the parental genera are combined into a single word, using the first part or the whole of one, the last part or the whole of the other (but not the whole of both) and, optionally, a connecting vowel.

H.11.1 The name of a nothospecies of which the postulated or known parent species belong to different genera is a combination of a nothospecific (collective) epithet with a nothogeneric name.

4 International Code of Nomenclature for Cultivated Plants (ICNCP)

Division 1: Principles

Principle 1

A precise, stable and internationally recognized system for the naming of cultivated plants is essential for international understanding and communication. The aim of this *Code*, the *International code of nomenclature for cultivated plants* (*ICNCP*), also known as the Cultivated Plant Code, is to promote uniformity, accuracy and stability in the naming of agricultural, forestry and horticultural plants.

Principle 2

The *International code of botanical nomenclature* (*ICBN* or *Botanical Code*) governs the botanical names in Latin form for both cultivated and wild plants, except for graft-chimaeras which are entirely governed by this *Code*. Distinguishable groups of cultivated plants, whose origin or selection is primarily due to the international actions of mankind, are to be given epithets* formed according to the Rules and provisions of this *Code*.
The cultivated plants covered by this *Code* may arise by deliberate hybridization or by accidental hybridization in cultivation, by selection from existing cultivated stock, or may be a selection from variants within a wild population and maintained as a recognizable entity solely by continued propagation.

Principle 3

The selection, preservation and publication of designations of Standards is important in stabilizing the application of cultivar epithets. Particular cultivar epithets are attached to Standards to make clear the precise application of the name and to help avoid duplication of such epithets. Although not a requirement for the establishment of a cultivar epithet, the designation of such Standards is strongly to be encouraged.

Principle 4

The nomenclature of cultivars is based upon precedence of publication except in specified cases.

Principle 5

Each taxonomic group of cultivated plants with a particular circumscription can only bear one accepted epithet, the earliest that is in accordance with the Rules, except in specified cases.

Principle 6

Cultivar and cultivar-group epithets must be universally available in all countries for use by any person to denote a particular cultivar or cultivar-group.
In some countries, plants are marketed using trade-marks. Such marks are assigned to a person or some corporate body and are not therefore universally available for any person to use; consequently, they cannot be considered cultivar epithets. The formation and use of trade-marks are not governed by this *Code*.

Principle 7

This *Code* regulates the terminology to be used for taxonomic groups of cultivated plants and the epithets to be applied to individual taxonomic groups.
Under some national and international legislation, epithets may be denominated for cultivars using terminology peculiar to such legislation. This *Code* does not regulate the

* Frequently no distinction is made between cultivar names and cultivar epithets. An epithet (Gk Epithetos = added) is however only part of the complete name (see Article 17).

use of such terminology or the formation of such epithets but recognizes that, under such legislation, these statutory denominations take precedence over epithets formed under the provisions of this *Code*.

Principle 8
The practice of applying trade designations as replacements for cultivar epithets is not supported by this *Code*. Such trade designations are not to be recognized as cultivar epithets.

Principle 9
The formation and use of common, colloquial or vernacular names of plants are not regulated by this *Code*.

Principle 10
Registration, preferably on an international basis, of cultivar and cultivar-group epithets and the publication of registers are of the greatest importance for promoting uniformity, accuracy and stability in the naming of cultivated plants.

Principle 11
This *Code* has no force beyond that deriving from the free assent of those concerned with cultivated plants. It is strongly urged that the Rules and Recommendations of this *Code* be endorsed and applied by all those responsible for the formation and use of names of cultivated plants including those responsible for statutory denominations.

Division II: Rules and Recommendations

Chapter I: General Provisions

Article 1: Relationship with the International Code of Botanical Nomenclature (*ICBN*)

1.1 Cultivated plants are named in accordance with the *ICBN* at least to the level of genus, or else to the level of species or below, if, and only in so far as, they are identifiable with botanical taxa in these ranks. In addition, cultivated plants may be assigned to one or more cultivated plant taxa.

Chapter II: Definitions

Article 2: The cultivar

2.1 The cultivar is the basic taxon of cultivated plants.

2.2 A cultivar is a taxon that has been selected for a particular attribute or combination or attributes, and that is clearly distinct, uniform and stable in its characteristics and that, when propagated by appropriate means, retains those characteristics.

2.3 The words "variety" and "form" (or their equivalent in other languages) must not be used as synonyms for the word cultivar when fulfilling the Articles of this *Code*, nor in translations of this *Code*.

2.5 The use of the term "strain" or its equivalent in other languages, is not recognized under this *Code*, the term having been widely used in different senses so that its application is now confused.

2.7 Clones (which are asexually propagated from any part of a plant) may be given cultivar names.

2.11 Graft-chimaeras (which are composed of tissues from two or more different plants in intimate association and which originate by grafting) may be given cultivar names.

2.12 Assemblages of individuals grown from seed derived from uncontrolled pollination may be given cultivar names when they meet the criteria laid down in Art. 2.2 and when they can be consistently distinguished by one or more characters, even though such individuals may not necessarily be genetically uniform.

2.13 A line (resulting from repeated self-fertilization or inbreeding) may be given a cultivar name.

2.15 F_1 hybrids (the result of a repeatable single cross between two pure-bred lines) may be given a cultivar name.

2.17 An assemblage of genetically modified plants which shows new characteristics following the implantation of alien genetic material, may be treated as new cultivars and named accordingly.

Article 3: Selections and maintenances

3.1 A stock of a seed-raised cultivar may exhibit slight variations in its characteristics; these variants, although not sufficiently distinct, uniform or stable to warrant cultivar recognition, may be of practical importance. In such cases, individual stocks may be designated as selections or maintenances or by equivalent terms under locally prevailing statutory provisions.

Article 4: The cultivar-group

4.1 Assemblages of two or more similar, named cultivars within a genus, species, nothogenus (hybrid genus), nothospecies (hybrid species) or other denomination class may be designated as cultivar-groups.

4.2 When used in conjunction with a cultivar epithet, a cultivar-group designation is not part of that cultivar name but is added for information; it is placed within round brackets (parentheses) or square brackets next to the cultivar epithet.

Article 7: International registration authorities

7.1 An International Registration Authority is an organization charged with the registration of cultivar and cultivar-group epithets as provided for by this *Code* and with ensuring their establishment when this is necessary. (See Appendix II for a list of International Registration Authorities)

7.2 Registration for the purposes of this *Code* is the acceptance of a cultivar or cultivar-group epithet by an International Registration Authority and the inclusion of that epithet in a register with details of the date and place of its establishment when that information is available.

Article 12: Standards

12.1 The Standard for a cultivar is the designated herbarium specimen or equivalent element to which a cultivar epithet is attached, whether it is an accepted epithet or a nomenclatural or taxonomic synonym, and which should show the characters upon which its circumscription is based.

Chapter III: Limitation of the principle of precedence

Article 14: Conservation and retention of cultivar epithets

14.1 Conservation of one cultivar epithet over another or others, whether or not the epithet to be conserved has been established as provided for under the Rules of this *Code*, is effected by the action and published decision of the International Commission for the Nomenclature of Cultivated Plants (in this Article referred to as "the Commission").

14.3 When there are two or more epithets in use for the same cultivar, the epithet that best preserves existing usage is to be chosen and sanctioned by the appropriate International Registration Authority without regard to any rank in which those epithets might have been established or to the principle of precedence. Such an epithet becomes conserved as the accepted epithet by application to, and action of, the Commission.

Chapter IV: Nomenclature of taxa of cultivated plants

Article 16: Names of wild plants brought into cultivation

16.1 Plants brought from the wild into cultivation retain the names that are applied to the same taxa growing in nature.

16.3 Plants of a species or other infraspecific taxon brought into cultivation may not demonstrate the range of variation associated with that taxon in the wild and therefore cannot be said to be coextensive; if an assemblage of those individual plants has one or more attributes that make it worthwhile distinguishing, it may be given a cultivar name.

Article 17: Names and epithets** of cultivars

17.1 The full name of a cultivar is the accepted botanical name in Latin form of the taxon to which it is assigned, followed by the cultivar epithet.

17.3 A Latin epithet at the rank of species or below which is validly published (established) and otherwise legitimate (acceptable) in conformity with the *ICBN* for a taxon subsequently reclassified as a cultivar, is to be retained as a cultivar epithet.

17.6 Each word of a cultivar epithet must start with an initial capital letter unless linguistic custom determines otherwise. Exceptions are words after a hyphen, conjunctions and prepositions other than those in the first word of the epithet, and in transliterated Japanese names, the particle "no".

17.7 Cultivar status is to be indicated by enclosing the cultivar epithet within demarcating single quotation marks (' . . . ') or, if preferred, within single vertical (downward) marks (' . . . '). Double quotation marks (" . . . ") and the abbreviations "cv." and "var." are not to be used within a name to distinguish cultivar epithets; such use is to be corrected.

17.8 Cultivars of hybrid origin are not to be so indicated by use of the multiplication sign before the cultivar epithet.

17.9 To be established, a new cultivar epithet published on or after 1st January 1959 must be a word or words in a modern language; Latin words or words which may be considered to be Latin, and thus are liable to cause confusion, may not be used unless they are the classical name of an ancient Roman person, or of a place.

17.10 To be established on or after 1st January 1996, new cultivar epithets must consist of no more than 10 syllables and no more than 30 letters or characters overall, excluding spaces and the demarcating marks.

17.11 To be established, cultivar epithets may not consist solely of common descriptive (adjectival) words in a modern language unless one of the words used may be considered a substantive, or unless the epithet is a recognized name of a colour.

Article 19: Names and epithets of cultivar-groups

19.1 The full name of a cultivar-group is the accepted botanical name in Latin form of the taxon to which it is assigned, followed by the cultivar-group epithet.

19.3 A cultivar-group epithet is not enclosed in single or double quotation marks, but, when included in the full name of the taxon, is demarcated by round brackets (parentheses) or square brackets.

19.4 Each word of a cultivar-group epithet, including the word Group (Grp.), must start with an initial capital letter unless linguistic custom determines otherwise. Exceptions are words after a hyphen, conjunctions and prepositions other than those in the first word of the epithet, and, in transliterated Japanese names, the particle "no".

19.5 If the word Group has to be abbreviated for any reason, the standard contraction Grp. is to be employed, irrespective of translated equivalents of the word Group.

** see Note 1 to Principle 2

19.10 To be established, cultivar-group epithets may not contain the following words (or their equivalents in any language): cross, form, grex, group (except as the final word), hybrid, mutant, seedling, selection, sport, strain, variety, the plural form of these words, or the words improved and transformed.

Chapter V: Publication and establishment

Article 21: Conditions of publication

21.1 Publication is effected under this *Code* only by distribution of printed or similarly duplicated matter (through sale, exchange, or gift) to the general public or at least to botanical, agricultural, forestry or horticultural institutions with libraries accessible to botanists, agriculturalists, foresters or horticulturists generally. It is not effected by communication of new "names" at a public meeting, by the placing of "names" on labels in collections or gardens open to the public, by the issue of microfilm made from manuscripts, typescripts or other unpublished material, publication via electronic media, or by publication in confidential trade lists which are not made generally available.

Article 24: Citation of authors' names

24.2 If citation of the author of a cultivar or cultivar-group epithet is desirable this may be placed after the name, in which case the name of the author attributed with its establishment should be cited without regard to the original taxonomic position of that epithet.

Chapter VII: Translation and transliteration

Article 28: Translation and transliteration of epithets

28.1 When a cultivar epithet appears in a publication using a different language to that of its original publication but with the same alphabet, the epithet must not be translated.

28.2 When a cultivar-group epithet is used in a publication using a different language to that of its original publication but with the same alphabet, the epithet may be translated.

28.3 When a cultivar or cultivar-group epithet in a modern language needs to be rendered in another script, it may be transliterated.

Chapter VIII: Orthography, gender and typography

Article 29: Orthography of epithets

29.1 The orthography of words in Latin form which are used as cultivar or cultivar-group epithets should be maintained in accordance with the provisions of the *ICBN*.

29.2 An unintentional etymological error in a cultivar or cultivar-group is to be corrected.

29.4 Cultivar and cultivar-group epithets, or parts of such epithets, must not be abbreviated. An exception is allowed for such epithets which include words and forms of address that are normally abbreviated in accordance with the national custom. The use of such abbreviations is optional and, if desired, the abbreviated word may be spelled in full in which case the two orthographical variants are treated as the same epithet.

29.5 Notwithstanding Art. 29.4, a cultivar or cultivar-group epithet originally established using the initials of personal names may not have those initials spelled out in full, nor may epithets which include an acronym or other such abbreviations have the acronym or abbreviation spelled out in full.

29.10 The hybrid (multiplication) sign (×) or the graft-chimaera (addition) sign (+) is not to be used before or within the demarcating marks of a cultivar epithet and if used previously, is to be deleted.

Article 30: Gender of names and epithets

30.1 Cultivar and cultivar-group epithets, when adjectival in form and when derived from epithets in Latin form, must agree in gender with that of the genus concerned.

Article 31: Typography of names and epithets

31.1 Cultivar and cultivar-group epithets are distinguished typographically from botanical names in Latin form; for example, they are not printed in italic typeface if the widespread convention of using italics for botanical names is adopted in the work.

Chapter IX: Standards

Article 32: Designation of Standards

32.1 The designation of a Standard is made by direct reference to the Herbarium holding the Standard.

32.2 A standard may be an herbarium specimen and may have been originally nominated as a voucher specimen or as the type specimen under the provisions of the *ICBN*.

32.3 A Standard may be an illustration designated in place of a dried specimen when diagnostic characteristics are best recognized from a suitable illustration.

5 Significance and linguistic treatment of generic names and specific epithets (species designations)

It should be remembered that plant names are merely a means of designation. Like other words, they have been subject to changes in meaning. The first flower to be designated *Chrysanthemum* was evidently yellow-flowered (chrysos = gold, anthemon = flower). Later, the word became the generic name. Subject to many exceptions, it can be said that plant names tend to refer to:

1. the qualities of the plant, or parts of it, e.g., *Adiantum* = cannot be moistened (a = not, diainein = to moisten), *tuberosus* = bulbous (tuber = tuber or bulb);
2. the home territory of the plant, e.g., *Castanea* = the plant from Kastana in Thessalia, *bogorensis* = from Buitenzorg in Java (Buitenzorg is a Dutch name which means "without worry" or "beyond worry"; the Javanese name for the settlement is Bogor);
3. the similarity to another plant, to animals, or to certain objects: *Bellis* – *Bellidiastrum* (-ástrum indicates the similarity), *Artemisia* – *artemisiifolius* (artemisia-leaved);
4. important people, like saints or scientists, after whom the plant is named: *Robínia* (after the gardener ROBIN, who imported the plant around 1600), *englerianus* (after the botanist ENGLER), *Diánthus* (literally "flower of the Gods"), *mariae* (dedicated to the Virgin Mary);
5. the use of the plant: *Aristolochia* (= the best for giving birth), *torminalis* (= for the alleviation of colic), etc.

The *generic names* make up the noun and have a particular gender: masculine (-m-), feminine (-f-), or neuter (-n-). There are however many exceptions to the rules for determining the gender, that we have decided to specify the gender of each generic name in the alphabetical list, rather than itemizing the rules here with all their exceptions. Trees are usually feminine, even if they end in *-us*, hence *Taxus* (-f-), *Buxus* (-f-), (but *Acer* is neuter, the only exception to the rule). The *specific epithets* (colloquially referred to as

"species names", although this designation is incorrect, since the name of a species is made up of the combination of a generic name with a specific epithet) are mostly adjectives, the endings of which are modified according to the gender of the genus with which they are associated.
The modification of gender in the following order (from left to right) is:

masculine	feminine	neuter
-us	-a	-um
-er	-a	-um
-er	-is	-e
-is	-is	-e
-or	-or	-us

All words with one of these five endings are always given in the masculine form. Additionally, there are endings that are the same for all three genders:

1. -as, -es, and -ys, as well as s preceded by consonants.
2. when a generic name is used as a specific epithet for another genus, it remains unchanged: e. g., for TOURNEFORT's genus *Cichórium* (-n-), a species was identified that BAUHIN lists as a separate genus, *Endívia* (-f-), and that Hermann lists as *Íntybus* (-m-). It is therefore called: *Cichorium endivia* (not C. endivium) *Cichorium intybus* (not C. intybum). A further example is that of *Schinus molle* (not *mollis*), since TOURNEFORT and LINNÉ used *Molle* as a generic name.
3. proper names remain unchanged in the second case, singular and plural, e. g. *engleri*. By contrast, other names such as *englerianus* and *dielsianus* are regularly formed with (-a, -um).
4. nouns in the first case.
5. all specific epithets of foreign languages that do not have Latin endings, e. g., *mono* in the case of *Acer mono*.
6. specific epithets that consist of two words, e. g. *ágnus-cástus*. The epithets of *subspecies* (subsp.. . . .), *varieties* (var. . . ..), and *forms* (fo. . . .) etc. have the same gender as the generic name, e. g.: *Androsace carnea* ssp. *brigantiaca*, *Capsicum barbatum* var. *pendulum*, *Hydrangea macrophylla* f. *coerulea*.

This rule also applies if the specific epithet is a former generic name and has a different gender to that of the generic name, e. g., *Daphne* (-f-) *mezéreum* var. *alba*.

6 Rules of pronunciation and accentuation

Botanical Latin is principally a written language, but there are occasions when Latin words – particularly plant names – have to be spoken, and this may cause quite unnecessary anxiety or criticism. Latin is spoken by different people in so many different ways, that the English-speaking world has tended to adopt a relaxed attitude to the whole problem. There are no hard-and-fast rules of pronunciation or accentuation: the important things is to be able to understand and be understood. Latin-speakers tend to apply the rules of pronunciation which apply to their own mother-tongue: hence the Italians, Spanish, French and Germans each have idiosyncrasies which sound strange to our ears when they speak Latin. Church Latin offers further rules and complications. And within the English-speaking world there is a division between traditional pronunciation and the academic pronunciation which is taught in the classics faculties of our universities. In practice, the every-day pronunciation of plant names tends more towards the traditional pronunciation than the academic, but it cannot be emphasised too strongly that there are no rules for pronouncing botanical Latin – speakers should concentrate instead upon making themselves understood.
That said, there are a number of generally accepted conventions which help to ensure that people do not have problems when they pronounce botanical names. One is that, with the exception of varietal names, all scientific plant names should be pronounced

consistently, even if they derive from ancient Greek or a modern language: there is in fact a high degree of unanimity on the correct pronunciation of words derived from ancient languages. But the convention on pronunciation is full of exceptions, largely because nearly 80 per cent of generic names and 30 per cent of specific epithets are derived from languages other than Latin and Greek – often from proper names. Different nationalities pronounce letters in different ways. For example, generic names like *Choisya*, *Decaisnea*, *Deschampsia*, *Duchesnea*, *Lejeunia* and *Michauxia* are all derived from French surnames, and will be pronounced differently by native French-speakers than English-speakers. Likewise Germans will tend to pronounce such names as *Deutzia*, *Fuchsia*, *Heuchera* and *Weigela* according to the rules of German pronunciation, while botanists from the Slavonic world can be expected to pronounce such epithets as *przewalskii*, *warscewiczii* and *warshenewskiana* in ways that seem strange to the rest of us. They have the same problem with English names: it is sometimes difficult for them to know how we pronounce such names as *Forsythia*, *Cattleya*, *Downingia*, and *Humea*. And there is a further problem which is that, of all European languages, English is the least phonetic, so that it becomes difficult even for a native English-speaker to know how to pronounce such names as, *Leycesteria*, *Mahonia* and *Menziesia*. Botanists in such countries as Germany and Austria have for many years tried to impose a uniform formula for the pronunciation of all botanic Latin. The English-speaking world is much more pragmatic, and insists that there can be no correct system of pronunciation. There is much to be said in favour of uniformity, but the worlds of botany and horticulture have a long way to go before any rules of pronunciation are universally accepted in principle, let alone practised in everyday usage.

All pronunciation is governed by three variables: the length of the vowels, the actual sound of a spoken letter, and the incidence of stress. In order to make it easier to recognize whether a vowel is pronounced short or long (this is also important for the rules of accentuation – see page 55), we use two different accent marks in this Section (but not in the rest of the book!). The acute accent (á) indicates a short vowel, the grave (à) a long vowel. Pronunciation is therefore as follows:

1. **short and stressed**
   á like **a** in marigold
   é like **e** in cress
   í like **i** in ch**i**cory
   ó like **o** in h**o**ps
   ú like **u** in b**u**sh

2. **long and stressed**
   à like **a** in grass
   è like **a** in h**a**y
   ì like **ee** in s**ee**d
   ò like **o** in cr**o**cus
   ù like **oo** in bl**oo**m

Guide-lines for vowels:

(a) all vowels are pronounced separately, e. g., 'del-to-id-es' (= *deltoides*), not 'del-toi-des'. Purists sometimes place a diacritic mark (a dieresis or umlaut) over the second vowel, to make this distinction: hence *Aizoön*, *Aloë* and, of course, *deltoïdes*. In daily horticultural use however, there is no objection to colloquial pronunciations: thus, *Cotoneaster* is generally pronounced 'co-to-ne-a-ster' by botanists, but not infrequently 'co-to-nee-ster' by gardeners. And, since German vowels with umlauts, **ä**, **ö** and **ü** are often transcribed in ordinary German writing as **ae**, **oe** and **ue**, they are treated as one vowel, not two, when they occur in this volume.

(b) **i** is pronounced like **ee** in 'seed' at the beginning of a word, never like **j** or **y**: thus *ionánthus* (= violet-like leaves) is 'ee-o-nan-thus', not 'jonánthus' or 'yonánthus'. It is worth noting here that all languages except English invariably pronounce the long **i** as **ee**: thus we often refer to *Víola* as 'V-eye-ola', and the ending **ii** attached to a specific epithet is usually pronounced 'i-eye' by English-speakers (but no-one else). Likewise, the dipthong -**ae** is usually pronounced **ee** (as in seed), e. g. *graecus* ('greek-us') but as 'eye' when it occurs after **i** at the end of a specific epithet, e. g. *banksiae* ('banks-i-eye').

(c) **y** is pronounced like **y** in **y**acht at the beginning of a word, or when it is between two vowels (*delava***y***i*). Otherwise it is pronounced like a short **í** (see above) as in *scotophýllus*, (sko-to-fill-us) (=dark-leaved) or like 'eye', as in *scotóphyllus*, pronounced sko-to-fye-lus (=growing in shade).

Guide-lines for consonants:

English-speakers pronounce Latin consonants as if they were English. Thus:

(a) **c** is normally hard before **a**, **o** and **u** ('cat', 'cot', 'cut') and soft before **e**, **i** and **y** ('cell', 'city', 'cyst'). The same is true of **g**, which is normally hard before **a**, **o** and **u** ('gate', 'got', 'gut') and soft before **e**, **i** and **y** ('gem', 'gin', 'gyre'). These conventions do not apply to native-speakers of other languages. The hard **c** is pronounced **ts** by Slavs, while the soft **c** is pronounced **ts** by Germans, **ch** by Italians and **th** by Spaniards.

(b) **ch** has a hard pronunciation in German and Italian, but soft in English and Spanish.

(c) **ti** is pronounced 'ti', not 'tsi': *lutetianus* (=Parisian) is pronounced 'lu-te-ti-a-nus' not 'lu-tet-si-a-nus'. But Italian-speakers pronounce **ti** as 'tsi'. And there are many similar anomalies which one hears, and learns to recognise. For example, some Italians pronounce **gu** (e.g., *guineénsis*) as 'gw', some Spaniards pronounce **qu** (e.g., *Quércus*) as a **k**; and some Germans pronounce *Scílla* as 'stsil-la' (giving it a hard German **s**, and enunciating every consonant separately). Italians, on the other hand, pronounce it like the girl's name 'Sheila'.

Germans, in particular, tend to use different stresses and vowel lengths, and insist that their usage is correct. Thus, they refer to *Erìca*, *balsàmina*, *fólius*, *Gladíolus*, *róseus*, *glòssa* and *túba*.

They point out that a different pronunciation may change the meaning of a word and cite many examples: *àpis* = bull, *ápis* = bee; *làbrum* = tub, basin, *lábrum* = lip; *làtus* = wide, *látus* = side; *òs* = face, *ós* = bone. They insist that *pòpulus* is a poplar, but *pópulus* is the people. Nevertheless, English speakers invariably refer to the tree as *pópulus*. German authorities point out that transferring the accent to another syllable may result in a different meaning: e.g., *bíos* = life, *biós* = bow/arch. And they point out that these differences exist in English (e.g., contént/cóntent). But stress is less of a problem for English and American speakers of Latin. Ultimately, the anglophones insist that Latin is a written language and that the principal aim when speaking it should be to ensure that the audience recognises the name of the plant in question: too many rules of pronunciation dissuade people from trying to use it at all.

Part of the problem, in the English-speaking world, is the difference between the traditional pronunciation of Latin, and the academic pronunciation set out by such writers as Allen, W. S., *Vox Latina* [London, 1978]. The academics pronounce **v** as **w**, **oe** as **oi**, **ei** as **ay**, and **ch** as **k**. Moreover, **c** and **g** are always hard, so that Cicero is pronounced 'Kikero'. Some botanists and horticulturists in the English-speaking world adopt some elements of the academic pronunciation for some words or on some occasions. But the traditional pronunciation prevails in almost every English-speaking country, institute and organisation.

The same is true of accentuation: in English there are no rules. As a general guide, however, the stress should be put on the penultimate syllable. If the word has more than two syllables, and the penultimate syllable contains a short vowel, then the accent is shifted back to the previous syllable. How does one discover whether that penultimate syllable is short or long? Here the English speakers part company again with the foreign authorities. The English generally apply the traditions of English pronunciation, and then put the stress where it would be in English. Thus the German authorities argue that *Sempervivum* should be pronounced 'sem-per-vì-vum' (since the **i** in *vìvum* [=living] is long), but *sempervirens* should be pronounced 'sem-pèr-vi-rens' (since the **i** in *vìrens* [=greening] is short). The English tend to put the stress in *Sempervivum* upon the penultimate **i** because they pronounce it 'sem-per-**vee**-vum' or 'sem-per-**vye**-vum' (i.e. with a long English vowel). But they invariably refer not to'sem-pèr-vi-rens' but to'sem-per-vì-rens' for exactly the same reason, i.e. because they put a long vowel on the penultimate syllable and refer to 'sem-per-**veer**-ens' or 'sem-per-**vye**-rens'.

The classical authorities sometimes look to the original Greek to determine where the stress should lie. Thus they distinguish a short ĕ (ε = epsilon) from a long ē (η = eta), and a short ŏ (ο = omicron) and long ō (ω = omega), and maintain that knowing the original Greek word helps us to decide where to put the stress. However, they are the first to point out that such rules have many exceptions (not least because a long vowel may become a short one when a noun is declined or a verb is conjugated). Likewise, the Latin verb*compònere* means to compose or assemble, but the word *compósitus* that is derived from it has a short ŏ. It follows that that knowing where to put the stress within a word depends upon a detailed knowledge of Latin and Greek vocabulary. Professor William Stearne sums up the best approach in his *Botanical Latin* [4th edition, 1992]: 'whichever system is adopted, the word will sound best and be least objectionable to scholars if a distinction is made between long and short vowels and the stress put in the right place according to classical Latin procedure'. For practical purposes, therefore, the most reliable solution is to become familiar with the usual accentuation, so that speakers have a better chance of making themselves understood.

Préface

Les classifications taxonomiques ne sont jamais vraies ou fausses; elles sont simplement plus ou moins fondées et acceptable. (traduit d'après Peter Yeo, voir citation p. 32)

On peut affirmer que la taxonomie est une question de point de vue, c'est pourquoi nous voulons préciser le nôtre. Un des critères importants est la compatibilité. L'internationalisation croissante qui touche également la botanique oblige à s'adapter et à accepter des standards universellement reconnus. Cela ne veut pas dire que "les autres" ont toujours raison, mais que pour comprendre les différents points de vue, nous avons besoin de comparaisons et de repères comme par exemple les symboles courants.
L'internationalisation entraîne également des changements dans la prononciation des noms latins de plantes. Il n'a pas été possible d'imposer une prononciation uniforme malgré l'utilisation des symboles de phonétique. Prenons l'exemple d'*Erica*, qui est prononcé différemment en allemand, en français et en anglais. Seule la forme écrite est valable en ce qui concerne la prononciation des noms de plantes. Nous avons donc préféré renoncer à utiliser des symboles de prononciation, mais nous en indiquons les règles dans le chapitre II/6.
On utilise souvent des noms différents pour désigner une seule et même espèce. Il est par exemple fréquent que l'appellation horticole diffère de l'appellation botanique, surtout si cette appellation a changé récemment. On trouve par exemple toujours le genre *Brugmansia* sous l'appellation *Datura* dans le commerce. En ce qui concerne le genre *Dendranthema*, l'obstination des horticulteurs finira sans doute par vaincre puisqu'on parle de réintroduire l'appellation *Chrysanthemum*. Nous n'utiliserons les nouvelles appellations que lorsqu'elles nous sembleront utiles. Nous les ignorerons en particulier lorsque différents genres sont réunis en un seul pour être ensuite à nouveau subdivisés en sous-genres. Heureusement, de plus en plus de noms de plantes deviennent *nomen conservandum*; ils sont alors protégés et il y a moins de changements d'appellations.
C'est la première fois que le Dictionnaire des Noms de Plantes est édité en trois langues, et nous avons tenu compte de cet aspect dans le choix des plantes que nous avons retenues. Nous souhaitons présenter de façon la plus exhaustive possible non seulement les plantes cultivées en Europe Centrale, mais également toutes celles que l'on rencontre fréquemment dans les collections et les jardins européens et qui jouent un rôle important dans le commerce.
Depuis que Dr. Robert Zander a publié sa première édition du Dictionnaire des Noms de Plantes, le volume de cet ouvrage n'a cessé d'augmenter. C'est à nos prédécesseurs, Dr. Fritz Encke qui a fait le choix des plantes et Dr. Günther Buchheim qui en a vérifié la nomenclature, que nous le devons. Nous les remercions de leur engagement.
Cette édition présente un élargissement majeur dans la mesure où nous avons essayé d'y intégrer toutes les espèces de plantes sauvages d'Europe Centrale; nous pensons étendre par la suite notre recherche à l'Europe Occidentale et du Nord. Nous présentons 3640 genres et 20000 espèces auquels se rajoutent 10000 synonymes. La liste des noms de plantes allemands a été largement complétée, tandis que les appellations françaises et anglaises apparaissent pour la première fois.
Une autre grande nouveauté de cette édition concerne la systématique du règne végétal où nous nous en tenons à distinguer les plantes à fleurs et les fougères dans le tableau récapitulatif. Nous suivons par là Cronquist, *The Evolution and Classification of Flowering Plants*, un système qui sans rompre avec la tradition a intégré toutes les nouvelles découvertes. La seconde édition de cet ouvrage date cependant de 1988, et pour compléter nos informations, nous avons entre autres consulté *The Plant Book* (1997) de Mabberley. Kramer donne une excellente présentation des fougères et alliées dans le

livre de KUBITZKI, *The Families and Genera of Vascular Plants*, 1990; les volumes suivants auront certainement une influence sur nos prochaines classifications.
L'orthographe des noms de plantes suit les règles du *Code International de Nomenclature Botanique (ICBN)* à l'exception près des autonymes pour lesquels nous n'appliquons pas la règle 26.1 Ceci nous permet d'obtenir une classification homogène: on décrit tout d'abord la forme originale d'une plante, puis les variétés, les sous-espèces et les formes.
Le Code International de Nomenclature des Plantes Cultivées (ICNCP) est disponible dans sa nouvelle version de 1995, et il influence les appellations des cultivars. Nous suivrons ses règles dans notre Dictionnaire. L'appellation "hybride" disparaît (on écrit *Trollius* 'Helio' et non plus Trollius-hybride 'Helios'). Certains regretteront que la distinction entre les formes (*Iris sibirica* 'Alba') et les sortes (*Iris sibirica* 'White Swirl' à la place de *Iris* Sibirica-hybride 'White Swirl') disparaisse, mais il est plus important d'obtenir une simplification au niveau international.
Nous avons également répondu au désir de nombreux utilisateurs en introduisant une uniformisation internationale des abréviations des noms d'auteurs. Nous nous appuyons ici sur *Authors of Plant Names*, BRUMMITT & POWELL (1992).
Nous remercions également pour leur aide sur les questions de nomenclature Eike Jablonski, Diekich (Luxembourg), Dr. Marianne Lauerer, Bayreuth (BRD), Dr. Sigrid Liede, Bayreuth (BRD), Alison Rutherford, Helensburgh (GB), Wim Snojier, Gauda (NL), Martin Wettges, Nittenau (BRD), Dr. Rolf Wisskirchen, Remagen (BRD). Charles Quest-Ritson, Salisbury, a réécrit le paragraphe II/6 sur les "Règles le pronuciation et d'accentuation" á l'usage du public anglais. Aline Raynal-Roques en a fait de même pour public français. Qu'ils en soient tous deux ici remercies.

Stuttgart, été 1999

I A propos des auteurs

1 Prof. Dr. Robert Zander

* Magdebourg le 26. 07. 1892, † Berlin le 08. 05. 1969

Auteur des éditions suivantes du Dictionnaire des noms de plantes:
1ère édition (1927), complétée en 1928; 2ème édition (1923); 3ème édition (1936); 4ème édition (1938); 6ème édition (1940); 8ème édition (1955); 9ème édition (1964).
La vie de cet homme a été dédiée à la botanique et à l'horticulture. Ses effets les plus marquants sont les très nombreuses publications qu'il laisse ainsi que la Bibliothèque de l'horticulture allemande qui, avec ses 35000 volumes est l'une des plus importantes du monde. Robert Zander a consacré ses dernières années à enregistrer le contenu des revues horticoles. Ses fiches témoignent d'un travail minutieux, et sont aujourd'hui encore utiles à tous ceux qui font des recherches scientifiques dans le domaine de l'horticulture.
Le relevé des publications les plus importantes de Robert Zander montre leur diversité. En tant qu'auteur, il a longtemps marqué plusieurs revues dont la très célèbre *Gartenflora* dont la publication a dû être interrompue pendant la guerre. La publication essentielle de Robert Zander reste cependant son Dictionnaire des Noms de Plantes, dont la 15ème édition est aujourd'hui disponible, même s'il lui-même n'y travaille plus depuis bien longtemps. C'est à la demande de l'association de l'horticulture allemande que Zander a été appelé à Berlin afin de rédiger un dictionnaire des noms de plantes permettant d'uniformiser les appellations des plantes cultivées. Cette première édition est parue en 1927 et a été complétée dès 1928.
Entre-temps, le Zander, comme l'appellent ses utilisateurs, est devenu un ouvrage de référence irremplaçable pour les horticulteurs, les gardes forestiers, les pharmaciens et de nombreux botanistes, pour tous ceux donc qui ont besoin de rapidement s'assurer du nom d'une plante. Robert Zander a réalisé ses travaux concernant la nomenclature horticole dans le cadre de la commission internationale de nomenclature horticole, dont il a été le secrétaire au cours du 12ème congrès international d'horticulture de Berlin. Il est resté toute sa vie un membre actif du groupe de travail allemand sur la nomenclature horticole.
Par ses recherches et surtout en tant que directeur de la bibliothèque horticole (dépendant aujourd'hui de l'université technique de Berlin), il a permis à de nombreuses personnes de partager son savoir et ses connaissances bibliographiques, il a été une source d'inspiration et une aide précieuse à beaucoup de travaux scientifiques.

Liste de ses principales publications:

- *Beitrag zur Kenntnis der tertiären Hölzer des Geiseltals.* Thèse de doctorat dans *Braunkohle* XXII, Nr. 2, 1923.
- *Führer durch den Botanischen Garten der Universität Halle/Saale*,1925.
- *Handwörterbuch der Pflanzennamen und ihrer Erklärungen*, Gärtnerische Verlagsgesellschaft Berlin, Berlin. A partir de la 7ème édition: Verlag Eugen Ulmer, Stuttgart.
- *Wunder der Blüten* dans *Weg zum Wissen*, Nr. 76, 1927.
- *Schmarotzende Pflanzen*, 1930.
- *Zanders großes Gartenlexikon*, 1934.
- *Wörterbuch der gärtnerischen Fachausdrücke in vier Sprachen*, 1938.
- *Fachwörterbuch der Konservenindustrie in acht Sprachen*, 1939.
- *Die Kunst des Pflanzenbeschreibens*, 1947.
- *Deutsch-Botanisches Wörterbuch*, 1940, *Kleines Botanisches Fremdwörterbuch,* 2ème édition, 1947.

- *Die Pflanze im Liebesleben der Völker*, 1951.
- *Geschichte des Gärtnertums*, 1952.
- *Mitarbeit am Leitfaden für den gärtnerischen Berufsschulunterricht*, 1929.
- *Mitarbeit bei Kluges Alphabet*, 1934/35.
- *Der Rosengarten, eine geschichtliche Studie durch zwei Jahrtausende*, 1939, en coopération avec Dr. CLARA TESCHNER.
- *Geschichte des Obstbaues in Trenkles Lehrbuch des Obstbaus*, 1942 et éditions suivantes.

2 Fritz Encke, Günther Buchheim, Siegmund Seybold

Dr. h. c. Fritz Joseph Encke
* 01. 08. 1904 à Cologne

Co-auteur des éditions suivantes du Dictionnaire des Noms de Plantes: *9ème édition (1964); 10ème édition (1972); 11ème édition (1979); 12ème édition (1980); 13ème édition (1984); 14ème édition (1993); 15ème édition (1994).*
Dans les années 20, Fritz Joseph Encke a travaillé dans des exploitations horticoles en Allemagne et en Amérique du Nord; en 1929, il a rejoint le Palmengarten de Francfort dont il a assuré la direction entre 1945 et 1968. C'est à son grand engagement personnel que l'on doit dès l'après-guerre les arbres du Palmengarten, et par la suite, son importante collection de plantes. Il est élevé à la dignité de docteur honoris causa en 1968 et a également été décoré par l'Etat allemand. L'important volume de ses publications professionnelles montre à quel point il se sent le devoir de faire partager ses connaissances botaniques et horticoles à la profession et aux amateurs de plantes. Il se tient au courant des évolutions de la botanique et a considérablement influencé le Dictionnaire des Noms de Plantes. C'est à la richesse de ses connaissances et à son travail minutieux que l'on doit d'avoir pu enregistrer les origines géographiques de toutes les espèces.

Liste de ses principales publications:
- *Pflanzen für Zimmer und Balkon*, 1ère édition en 1952 à 8ème édition en 1964; 9ème édition (1973) à 13ème édition (1987) sous le titre *Zimmerpflanzen.*
- *Sommerblumen* (1961).
- *Die schönsten Kalt- und Warmhauspflanzen*, 1968; 2ème édition en 1987 sous le titre *Kalt- und Warmhauspflanzen.*
- *Zwergsteingärten*, 1978.
- *Kletterpflanzen für Haus und Garten*, 1980.
- *Kübelpflanzen*, 1982.

Dr. Arno Fritz Günther Buchheim
* 26. 10. 1924 à Döbeln

Co-auteur des éditions suivantes du Dictionnaire des Noms de Plantes: *9ème édition (1964); 10ème édition (1972); 11ème édition (1979); 12ème édition (1980); 13ème édition (1984); 14ème édition (1993); 15ème édition (1994).*
Arno Fritz Günther Buchheim est botaniste, bibliographe et bibliothécaire. Il a tout d'abord travaillé au musée botanique de Berlin-Dahlem. Entre 1963 et 1981, il travaille à Pittsburgh en Pennsylvanie, auprès du Hunt Institute for Botanical Documentation. Il termine sa carrière au John Carter Brown Library de Providence, Rhode Island. Ses principaux domaines d'étude sont la taxonomie et la nomenclature des plantes cultivées d'Europe Centrale ainsi que la bibliographie botanique entre 1730 et 1840.

Liste de ses principales publications:
- Co-auteur de *Syllabus des Pflanzenfamilien*, 12ème édition, 1968.
- Co-auteur du *Botanico-Periodicum-Huntianum*, 1968.

Prof. Dr. Siegmund Gerhard Seybold
* 05. 09. 1939 à Stuttgart

Co-auteur des éditions suivantes du Dictionnaire des Noms de Plantes: *10ème édition (1972); 11ème édition (1979); 12ème édition (1980); 13ème édition (1984); 14ème édition (1993); 15ème édition (1994); 16ème édition (2000).*
Siegmund Gerhard Seybold est botaniste et travaille au musée des sciences de la nature de Stuttgart. Il est également professeur honoraire de l'université de Stuttgart. Son principal domaine de travail concerne la flore du Bade-Wurtemberg et sa cartographie. Il se charge d'actualiser la traduction des appellations d'espèces et de tenir à jour la liste des auteurs.

Liste de ses principales publications:
- Co-auteur de *Die Farn- und Blütenpflanzen Baden-Württembergs*, en 8 volumes, 1990 à 1998.
- Participation à *Flora von Deutschland und angrenzender Gebiete*, SCHMEIL et FITSCHEN, à partir de la 89ème édition, 1993.
- Participation à *Index Holmiensis*, depuis 1988.

3 Walter Erhardt, Erich Götz, Siegmund Seybold, Nils Bödeker

Walter Erhardt
* 19. 02. 1952 à Kulmbach

Co-auteur de la *16ème édition du Dictionnaire des Noms de Plantes (2000).*
Walter Erhardt est botaniste, pédagogue, professeur et auteur de livres sur les jardins. Ses activités lui ont permis de réunir une importante bibliothèque spécialisée. C'est lui qui a rassemblé les données de la 16ème édition et s'est chargé d'en vérifier la nomenclature. Ce travail permettra au Dictionnaire des Noms de Plantes de toujours rester un ouvrage de référence d'actualité.

Liste de ses principales publications:
- *Hemerocallis* (Taglilien), 1988; traduction en anglais en 1992.
- *Pflanzen-Einkaufsführer*, 1990; version internationale à partir de la seconde édition sous le titre PPP-index, en 1995; 3ème édition en 1997.
- *Schöne Usambaraveilchen und andere Gesnerien*, 1993.
- *Narzissen* (Osterglocken – Jonquillen – Tazetten), 1993.
- Participation à l'ouvrage de la SOCIÉTÉ NATIONALE D'HORTICULTURE DE FRANCE *35000 plantes*, 1997.

Dr. Erich Götz
* 12. 12. 1940

Co-auteur de la *16ème édition du Dictionnaire des Noms de Plantes (2000).*
Erich Götz est professeur libre à l'université de Hohenheim. Il y enseigne et y fait de la recherche dans le cadre de l'institut de botanique. Il gère en outre une très importante collection de plantes. Il a la réputation d'être un esprit très méthodique.
Ses domaines de travail sont les plantes vivaces de jardin, les cactus, les plantes ligneuses européennes et les plantes sauvages d'Europe Centrale. Il recherche essentiellement des renseignements sur les origines et les utilisations des espèces nouvellement répertoriées. Il s'intéresse également aux noms de plantes allemands.

Liste de ses principales publications:
- *Die Gehölze der Mittelmeerländer*, 1975.
- En collaboration avec H. KNODEL: *Erkenntnisgewinnung in der Biologie*, 1980.
- En collaboration avec G. GRÖNER: *Kakteen*, 7ème édition, 1999.
- De nombreuses participations à divers ouvrages.

Nils Bödeker
* 22. 05. 1966

Co-auteur de la *16ème édition du Dictionnaire des Noms de Plantes (2000).*
Après ses études d'agronomie, il s'est consacré au développement de logiciels applicables dans ce domaine. Sa base de données permet la gestion et la mise à jour des informations contenues dans le Dictionnaire des Noms de Plantes.

Liste de ses principales publications:
- *Plantus*, 2ème édition 1999.
- Plusieurs articles sur les bases de données dans différentes revues d'horticulture.

II Introduction à la nomenclature botanique

1 Règles générales de la nomenclature

La désignation des plantes (sauvages et cultivées) par des noms scientifiques (c'est-à-dire des noms botaniques de forme latine) est réglée par *"l'International Code of Botanical Nomenclature"* (*Code de Tokyo*, 1994), abrégé en *ICBN*. La traduction effectuée dans la présente édition est suffisante et peut être utilisée comme seul outil. Cependant, elle ne prétend pas remplacer le Code officiel de langue anglaise. Il est recommandé de l'utiliser, si possible, avec l'original anglais. A cela il faut ajouter que le chapitre II/3 du Code ne figure que sous forme d'extraits. Il est donc indispensable, pour un travail plus spécifiquement nomenclatural, de consulter la version originale.
La désignation des cultivars agronomiques, sylviculturaux et horticulturaux est réglée par *"l'International Code of Nomenclature for Cultivated Plants" (ICNCP)*, également traduit dans le présent ouvrage.

2 Classification

Les taxons de rangs hiérarchisés sont classés dans un ordre fixé internationalement (article I-5 de l'ICBN) qui représente la base de la classification végétale, ci-dessous :

désignation en latin des unités hiérarchisées, rangées en ordre progressif de bas en haut	**terminaison du nom latin des unités: la terminaison indique le rang de l'unité dans la classification**	**désignation en français des unités hiérarchisées, rangées en ordre progressif de bas en haut**
Regnum*		Règne
Subregnum*		Sous-règne
Divisio, Phylum	-phyta**	Division
Subdivisio	-phytina	Sous-division
Classis	-opsida	Classe
Subclassis	-idae	Sous-classe
Ordo	-ales	Ordre
Subordo*	-ineae	Sous-ordre
Familia	-aceae***	Famille
Subfamilia	-oideae	Sous-famille
Tribus*	-eae	Tribu
Subtribus*	-inae	Sous-tribu
Genus		Genre
Subgenus*		Sous-genre
Sectio*		Section
Subsectio*		Sous-section
Series*		Série
Subseries*		Sous-série
Species		Espèce
Subspecies	abréviation subsp.	Sous-espèce
Varietas	abréviation var.	Variété

* sans importance pour les explications du présent livre
** Les terminaisons de Divisio et de Subdivisio sont des terminaisons conseillées, mais non obligatoires.
*** Des exceptions sont autorisées par l'article 18.5 de l'*IBCN*.

Subvarietas*	abréviation subvar.	Sous-variété
Forma	abréviation fo.	Forme
Subforma*	abréviation subf.	Sous-forme

Le signe × signale les hybrides; par ex., *Narcissus* × *incomparabilis (N. poeticus* × *N. pseudonarcissus)*. Dans cette seconde façon d'écrire, le premier nom d'espèce est celui de la plante ayant produit la graine (plante "mère"); si on n'a pas cette information, les deux noms sont en ordre alphabétique.

La position de la Saxifrage musquée, *Saxífraga exaráta* subsp. *moscháta* (qui fut d'ailleurs traitée comme espèce dans la 14ème édition) dans la classification peut servir d'exemple.

désignation en français des unités hiérarchisées	**noms latins des unités dans lesquelles se classe la Saxifrage musquée**	**noms français des unités dans lesquelles se classe la Saxifrage musquée**
Division	*Spermatophyta*	Plantes à graines
Sous-division	*Magnoliophytina*	Angiospermes
Classe	*Magnoliopsida*	Dicotylédones
Sous-classe	*Rosidae*	Rosidées
Ordre	*Saxifragales*	Saxifragales
Famille	*Saxifragaceae*	Saxifragacées
Genre	*Saxifraga*	Saxifrage
Section	*Saxifraga*	Saxifrage
Sous-section	*Triplinervium*	Triplinervées
Série	*Ceratophyllae*	Cératophyllées
Espèce	*exarata*	sillonnée
Sous-espèce	subsp. *moschata*	sous-espèce: musquée
Forme	fo. *laxa*	forme: lâche
Cultivar	'Cloth of Gold'	cv. 'Cloth of Gold'

Dans la pratique, on ne prend généralement en compte que le nom de genre et les unités de rangs inférieurs. Essentiellement, il s'agit des noms du genre et de l'espèce, par ex. *Víola odorata*. *Víola* est le nom du genre, *odorata* la désignation de l'espèce (l'épithète spécifique). A la suite de ces deux mots formant le nom de l'espèce, on inscrit le nom de l'auteur qui a crée ce double nom pour désigner la plante dont il est question. Cette double-désignation (nomenclature linnéene) fut strictement appliquée par LINNÉ; voilà pourquoi le nom de l'auteur de très nombreuses espèces est LINNÉ (L.). Dans les livres d'horticulture et autres ouvrages d'intérêt pratique, le nom de l'auteur est facultatif; il serait cependant judicieux d'indiquer l'œuvre ou le dictionnaire qui est la source des noms utilisés. Dans ce contexte, on doit attirer l'attention sur le fait qu'un ensemble de deux mots, le premier étant un nom de genre, peut ne pas toujours désigner une espèce: un cultivar, une forme horticole, peut être désigné par un nom de genre immédiatement suivi du nom du cultivar; la confusion entre ce cas et le nom d'une espèce botanique est évitée par le fait que, selon les règles modernes, un cultivar ne doit pas être un mot latin ou ayant une forme latine, qu'il ne s'écrit pas en caractères italiques et qu'il est entre des guillemets simples; par ex. *Rosa* 'Zéphirine Drouhin' est le nom d'un cultivar dont on ne sait pas de quelles espèces il est issu; *Rosa rugosa* est le nom d'une espèce botanique. Autrefois, on donnait des noms latins à des cultivars; ces noms doivent désormais être écrits en caractères droits et entre des guillemets simples.

Dans des cas où des noms comme *Azalea*, *Cineraria* etc. ont une signification précise, dans l'usage courant, ont peut les garder comme noms vulgaires, en langue vivante. Les catalogues de plantes peuvent citer *Azalea* et renvoyer à *Rhododendron*; sous *Rhododendron*, on pourra distinguer les Azalees (*Rhododendron-Azálea*) et les *Rhododéndron* proprement dits. De la même manière, *Cineraria* peut à renvoyer à *Senecio*, et sous *Senecio* on distingue les Cinéraires (*Senecio-Cineraria*) et les séneçons (*Senecio* proprement dits). On comprend que le changement de noms traditionnellement utilisés soit d'abord perçu comme un phénomène gênant, jusqu'à ce que le nouveau nom soit adopté (par la génération suivante). La littérature horticole, qui se tient généralement au niveau de l'avancement des sciences, évite souvent les difficultés que l'accueil de ces problèmes pourraient susciter auprès des praticiens, ses usagers habituels. Les exemples ci-dessus montrent pourtant qu'on peut admettre les changements de noms, sans pour autant faire disparaître immédiatement les repères utiles aux utilisateurs.

L'exemple de *Gloxinia* = *Sinningia* peut montrer sur quoi se base la nécessité d'un changement de nom. D'après l'exposée détaillée de Bailey (cf. références bibliographiques) le genre *Gloxinia* fut fondé par L'Héritier (1785) sur l'espèce brésilienne *Gloxinia maculata* L'Hér. En 1817, Loddiges créait l'espèce voisine *Gloxinia speciosa* Lodd., espèce d'où proviennent les cultivars. En 1825, Nees von Esenbeck montre que cette espèce appartient au genre *Sinningia* et la nomme *Sinningia helleri*; selon les règles internationales de nomenclature, elle doit s'appeler maintenant *Sinningia speciosa* (Lodd.) Hiern.. Mais en pratique, cette *Sinningia speciosa* va continuer à s'appeler Gloxiniav, d'après le médecin Gloxin de Colmar; ce nom est devenu un nom vulgaire en langue courante, et n'est plus un nom scientifique.

Au cours de son étude des Palmiers, feu le Pr. Dr. Burret a rencontré une curiosité qui est devenue un exemple somptueux de réorganisation nomenclaturale:

Dans l'Index Kewensis (cf. références bibliographiques) on trouve: "*Seaforthia elegans*, voir *Archontophoenix cunninghámii* H. Wendl. et Drude". Cependant, selon les sources, il faut dire *Archontophoenix cunninghamiana* (H. Wendl.) H. Wendl. et Drude. Dans l'Index Kewensis, l'auteur à qui est attribué *Seaforthia elegans* est Hook.; mais il faut comprendre que l'auteur est Hook. non R. Br., car Robert Brown a donné une description différente de celle de Hooker; en effet, Hooker avait basé sa planche de *Seaforthia elegans* sur un mélange de *Archontophoenix* et de *Seaforthia* (feuilles et fruits). On a montré par la suite que *Seaforthia elegans* R. Br. appartient au genre *Ptychosperma*: elle s'appelle désormais *Ptychosperma elegans* (R. Br.) Bl. et est basée sur *Seaforthia elegans* R. Br. L'*Archonophoenix cunninghamiana* (H. Wendl.) H. Wendl. et Drude existe, distinct, à côté.

Dans l'horticulture, la coexistence est devenue une confusion, c'est-à-dire *Archonophoenix cunninghamiana* (H. Wendl.) H. Wendl. et Drude est souvent cultivée sous le nom de *Ptychosperma* bien que les deux plantes appartiennent à des genres différents.

3 Code International de Nomenclature Botanique (ICBN)

Préambule

1. La botanique nécessite un système de nomenclature précis et simple utilisé par les botanistes de tous pays, portant d'une part sur les termes qui indiquent les rangs de groupes ou unités taxonomiques, et d'autre part sur les noms scientifiques qui sont attribués aux groupes taxonomiques individuels de plantes. En donnant un nom à un groupe taxonomique, l'objectif n'est pas d'indiquer ses caractères ou son histoire mais de fournir un moyen de s'y référer et d'indiquer son rang taxonomique. Ce code vise à prévoir une méthode stable d'appellation de groupes taxonomiques, en évitant et en refusant l'utilisation de noms qui pourraient occasionner une erreur, une ambiguïté ou introduire la confusion. Ensuite l'important est d'éviter la création de noms inutiles. Les autres préoccupations, telles que l'exactitude grammaticale, la régularité ou l'euphonie des noms, les coutumes plus ou moins courantes, la considération de personnes, etc., en dépit de leur indéniable importance, sont relativement accessoires.
2. Les Principes constituent la base du système de nomenclature botanique.
3. Les Clauses détaillées sont divisées en Règles, réparties en Articles et en Recommandations. Les exemples* sont ajoutés aux règles et recommandations pour les illustrer.

* Conseils et exemples ne sont pas développés dans le présent ouvrage.

4. L'objectif des Règles est d'agencer la nomenclature du passé et de pourvoir à celle du futur; les noms ne respectant pas une Règle ne peuvent pas être conservés.
5. Les Recommandations portent sur les points accessoires, leur objectif étant d'apporter une plus grande uniformité et clarté, spécialement pour la nomenclature future; les noms ne respectant pas une recommandation ne peuvent pas être pour cette raison rejetés, mais ne sont pas des exemples à suivre.
8. Des clauses spéciales sont nécessaires pour certains groupes de plantes: *le Code international de nomenclature des plantes cultivées-1980* a été adopté par la Commission Internationale pour la Nomenclature des Plantes Cultivées; les clauses pour les noms d'hybrides sont présentées en App. I.
9. Les seules véritables raisons justifiant le changement d'un nom sont soit une plus grande connaissance des faits résultants d'études taxonomiques adéquates soit la nécessité de renoncer à une nomenclature contraire aux règles.
10. En l'absence d'une règle appropriée ou en cas d'application incertaine des règles, c'est la coutume établie qui est suivie.

Division I: Principes

Principe I

La nomenclature botanique est indépendante de la nomenclature zoologique et bactériologique. Le *Code* s'applique de manière égale à tous les noms de groupes taxonomiques de plantes, que ces groupes aient été ou non considérés ainsi auparavant.

Principe II

L'application des noms de groupes taxonomiques est déterminée au moyen de types monenclaturaux.

Principe III

La nomenclature d'un groupe taxinomique est fondée sur l'antériorité de la publication.

Principe IV

Chaque groupe taxonomique avec une description particulière, une position et un rang ne peut porter qu'un seul nom correct, le plus ancien conforme aux Règles, excepté dans des cas spécifiques.

Principe V

Les noms scientifiques de groupes taxonomiques sont considérés en latin quelle que soit leur origine.

Principe VI

Les Règles de la nomenclature sont rétroactives à moins qu'elles soient expressément restreintes.

Division II: Règles et recommandations

Chapitre I: Rangs de taxons

1.1 Les groupes taxonomiques de tout rang, dans ce *Code*, seront appelés des *taxa* (singulier: taxon).

2.1 Chaque plante individuelle est considérée comme appartenant à un nombre indéfini de taxon de rangs consécutivement subordonnés, parmi lesquels le rang de l'espèce (*species*) est fondamental.

3.1 Les principaux rangs taxonomiques dans la séquence décroissante sont: le règne (*regnum*), la division ou phylum (*divisio*, *phylum*), la classe (*classis*), l'ordre (*ordo*), la famille (*familia*), le genre (*genus*) et l'espèce (*species*). Ainsi, excepté pour les plantes fossiles, chaque espèce est assignée à un genre, chaque genre à une famille, etc.

3.2 Les principaux rangs de nothotaxons (taxons hybrides) sont le nothogenre et le nothoespèce. Se sont les mêmes rangs que le genre et l'espèce, seuls les termes les désignant diffèrent pour indiquer le caractère hybride.

4.1 Les rangs taxonomiques secondaires dans la séquence décroissante sont la tribu (*tribus*) entre famille et genre, la section (*sectio*) et série (*series*) entre genre et espèce, et la variété (*varietas*) et la forme (forma) sous l'espèce.

Chapitre II: Noms de taxons (clauses generales)

Section 1: Definitions

6.3 Un nom légitime est celui qui est conforme aux règles.

6.5 Le nom correct d'un taxon avec une description particulière, une position et un rang est le nom légitime qui doit être adopté selon les règles.

&Section 2: Typification

7.1 L'application des noms de taxons du rang de la famille ou d'un rang inférieur est régie au moyen de types nomenclaturaux (les types de noms de taxons). L'application des noms de taxons des rangs supérieurs est également régie au moyen de types lorsque les noms sont fondés sur des noms génériques.

7.2 Un type nomenclatural (*typus*) est l'élément auquel le nom d'un taxon est attribué de façon permanente, qu'il soit sous un nom correct ou sous un synonyme. Le type nomenclatural n'est pas nécessairement l'élément d'un taxon le plus caractéristique ou le plus représentatif.

7.10 Afin de pouvoir appliquer les règles d'antériorité, la désignation d'un type n'est réalisée que par une publication effective.

8.1 Le type d'un nom d'une espèce ou d'un taxon infraspécifique est un unique spécimen ou une illustration excepté dans les cas suivants: les petites plantes herbacées et pour la plupart des plantes non vasculaires, le type peut se composer de plus d'un individu, qui devra être conservé de façon permanente sur une même planche d'herbier ou dans une seule préparation équivalente (e. g., boite, paquet, pot, lame de microscope).

9.1 L'holotype d'un nom d'espèce ou d'un taxon infraspécifique est l'unique spécimen ou illustration utilisé par l'auteur, ou désigné par l'auteur comme le type nomenclatural. Aussi longtemps que l'holotype est existant, il fixe l'application du nom concerné.

10.1 Le type d'un nom de genre ou de toute sous-division d'un genre est le type d'un nom d'une espèce. A des fins de désignation ou de citation d'un type, le nom spécifique seul suffit, i. e., il est considéré comme le plein équivalent à son type.

Section 3: Principe d'anteriorite

11.1 Chaque famille ou taxon de rang inférieur avec une description particulière, une position et un rang ne peut porter qu'un seul nom correct, des exceptions spéciales étant faites pour 9 familles et 1 sous-famille pour lesquelles des noms alternatifs sont autorisés (voir Art. 18.5) . . .

11.3 Pour tout taxon de la famille au genre inclus, le nom correct est le plus ancien nom légitime de même rang, excepté les cas de limitation d'antériorité par conservation (Voir Art. 14) . . .

11.9 Le principe d'antériorité n'est pas obligatoire pour les noms de taxons au-dessus du rang de la famille.

Section 4: Limitation du pricipe d'anteriorite

13.1 La publication valide de noms pour les plantes des différents groupes est censée débuter aux dates suivantes a. SPERMATOPHYTA et PTERIDOPHYTA, 1 mai 1753 (*Linnaeus*, *Species plantarum*, ed. 1).

14.1 Pour éviter les changements désavantageux dans la nomenclature des familles, genres et espèces dus à la stricte application des lois, et spécialement du principe d'antériorité débutant aux dates mentionnées dans l'Art.13, ce *Code* fournit, dans l'App. II et III, les listes de noms qui sont conservés (*nomina conservanda*)** et qui doivent être retenus comme des exceptions utiles. Les noms conservés sont légitimes même si à l'origine ils ont pu être illégitimes.

14.11 Un nom peut être conservé pour préserver une orthographe particulière ou un genre. Un nom ainsi conservé doit être attribué sans changement de priorité à l'auteur qui l'a publié validement et non à un auteur qui a introduit par la suite l'orthographe ou le genre conservé.

14.12 Les listes des noms conservés resteront en permanence ouvertes pour des additions et des changements. Toute proposition de noms supplémentaires doit être accompagnée d'un état détaillé des arguments à la fois pour et contre sa conservation. De telles propositions doivent être soumises au Comité général qui les présentera pour examen aux comités concernés par les divers groupes taxonomiques.

14.13 Les entrées des noms conservés ne peuvent pas être supprimées.

Chapitre III: Nomenclature des taxons selon leur rang

Section 1: Noms de teaxon au-dessus du rang de la famille

16.1 Les noms de taxons au-dessus du rang de la famille sont automatiquement typifiés s'ils sont fondés sur des noms génériques; pour de tels noms automatiquement typifiés, le nom d'une sous-division ou sous-phylum qui comprend le type du nom adopté d'une division ou phylum, le nom d'une sous-classe qui comprend le type du nom adopté d'une classe, et le nom d'un sous-ordre qui comprend le type du nom adopté d'un ordre, doivent être fondés sur le nom générique équivalent à ce type.

17.1 Le nom d'un ordre ou d'un sous-ordre dérive soit du caractère descriptif du taxon (nom descriptif) soit d'un nom légitime d'une famille de l'ordre fondé sur un nom générique (nom automatiquement typifié). Un nom ordinal de la seconde catégorie est formé en remplaçant la terminaison *-aceae* par *-ales*. Un nom sous-ordinal de la seconde catégorie est formé de la même manière avec la terminaison *-ineae*.

Section 2: Noms de familles et sous-Familles, Tribus et sous-tribus

18.1 Le nom d'une famille est un adjectif pluriel utilisé substantivement; il est formé à partir du génitif singulier du nom légitime d'un genre inclus dans la famille en remplaçant l'inflexion du génitif singulier (latin *-ae*, *-i*, *-us*, *-is*, translitéré du grec *-ou*, *-os*, *-es*, *-as* ou *-ous* incluant le dernier équivalent *-eos*) par la terminaison *-aceae*. Pour les noms génériques d'origine non classique, quand l'analogie avec les noms classiques est insuffisante pour déterminer le génitif singulier, *-aceae* est ajouté au mot entier. Pour les noms génériques avec des génitifs alternatifs, celui implicitement utilisé par l'auteur originel doit être conservé.

18.5 Les noms suivants, d'un usage ancien, sont considérés comme publiés validement: *Palmae* (*Arecaceae*; type, *Areca* L.); *Gramineae* (*Poaceae*; type, *Poa* L.); *Cruciferae* (*Brassicaceae*; type, *Brassica* L.): *Leguminosae* (*Fabaceae* type, *Faba* Mill. [=*Vicia* L.]); *Guttiferae* (*Clusiaceae*; type, *Clusia* L.); *Umbelliferae* (*Apiaceae*; type, *Apium* L.); *Labiatae* (*Lamiaceae*; type *Lamium* L.); *Compositae* (*Asteraceae*; type, *Aster* L.). Quand les *Papilionaceae* (*Fabaceae*; type *Faba* Mill.) sont considérées comme une famille distincte du reste des *Leguminosae*, le nom *Papilionaceae* est conservé aux dépens des *Leguminosae*.

** Voir à ce sujet l'édition originale du *Code*.

18.6 L'utilisation, comme alternative, des noms indiqués entre parenthèses dans l'article 18.5 est autorisée.

19.1 Le nom d'une sous-famille est un adjectif pluriel utilisé substantivement; il est formé de la même manière que le nom d'une famille mais en utilisant la terminaison *-oideae* à la place de *-aceae*.

19.3 Une tribu est désignée de la même manière, avec la terminaison *-eae*, et une sous-tribu de la même manière, avec la terminaison *-inae*.

Section 3: Noms des genres et des sous-divisions de genre

20.1 Le nom d'un genre est un substantif au singulier ou un mot considéré comme tel, et écrit avec une initiale en majuscule. Il peut être d'origine quelconque et peut même être constitué de façon absolument arbitraire.

20.3 Le nom d'un genre ne peut se composer de deux mots, à moins que ces mots soient joints par un trait d'union.

22.1 Le nom de toute sous-division d'un genre, qui comprend le type du nom légitime adopté pour le genre auquel il appartient, doit reprendre comme épithète ce nom générique inchangé, mais non suivi par un non d'auteur. De tels noms sont appelés autonymes.

Section 4: ((Artname))

23.1 Le nom d'une espèce est une combinaison binomiale constitué du nom du genre suivi par une unique épithète spécifique sous la forme d'un adjectif, un nom au génitif ou un mot en apposition, ou plusieurs mots, mais pas une expression d'un ou plusieurs substantifs descriptifs et d'adjectifs associés à l'ablatif, ni certaines autres appellations irrégulièrement formées. Si une épithète se compose de deux mots ou plus ceux-ci doivent être unis ou liés par un trait d'union. Une épithète non jointe de cette manière lors de sa publication d'origine n'est pas a rejeter mais lorsqu'elle est utilisée, elle doit être unie ou liée par un trait d'union.

23.2 L'épithète d'un nom d'une espèce peut être d'origine quelconque et peut même être constituée de façon arbitraire.

23.4 L'épithète spécifique peut ne pas reprendre exactement le nom générique qu'il y ait ou non l'addition d'un symbole transcrit (tautonyme).

23.5 L'épithète spécifique, quand elle est sous forme d'adjectif et non utilisée substantivement, s'accorde grammaticalement avec le nom générique.

Section 5: Les noms de taxon sous le rang de l'espèce (taxons infraspécifiques)

24.1 Le nom d'un taxon infraspécifique est une combinaison du nom d'une espèce et d'une épithète infraspécifique liés par un terme indiquant son rang.

24.2 Les épithètes infraspécifiques sont formées comme les épithètes spécifiques et, quand elles sont sous la forme d'un adjectif et non utilisées substantivement, s'accordent grammaticalement avec le nom générique.

26.1 Le nom de tout taxon infraspécifique qui comprend le type du nom légitime adopté pour l'espèce à laquelle il appartient, doit reprendre comme épithète finale l'épithète spécifique inchangée, mais non suivie par un nom d'auteur. De tels noms sont appelés autonymes.

27.1 L'épithète finale dans le nom d'un taxon infraspécifique ne reprendre pas l'épithète inchangée du nom correct de l'espèce à laquelle le taxon appartient à moins que les deux noms se rapportent au même type.

Chapitre IV: Publication effective et valide

Section I: Conditions et dates d'une publication effective

29.1 Une publication est effective, selon ce *Code*, seulement par distribution d'un imprimé (vente, échange ou don) au grand public ou au moins à des instituts botaniques avec des bibliothèques accessibles aux botaniques généralement. Elle n'est pas effectuée par la communication d'un nouveau nom à une assemblée, par le placement de noms dans une collection ou jardins ouverts au public, ou par l'émission de microfilms sous forme de manuscrits, imprimés, ou autres matériels non publiés.

Section 3: Citation des noms d'auteur àtitre de precision

46.1 Pour que l'indication du nom d'un taxon puisse être précise et complète et pour que la date puisse être aisément vérifiée, il est nécessaire de citer le nom de l'auteur, ou des auteurs, qui a publié le nom validement à moins que les clauses pour les autonymes s'appliquent (Art. 22.1 et 26.1).

46.2 Un nom d'un nouveau taxon doit être attribué à l'auteur ou aux auteurs à qui est attribué à la fois le nom et la description valide ou la diagnose, même quand l'auteur de la publication est différent. Une nouvelle combinaison ou un *nomen novum* doit être attribuée à l'auteur ou aux auteurs à qui elle était assignée quand, dans la publication dans laquelle elle apparaît, il est explicitement spécifié qu'ils ont contribués dans une certaine mesure à cette publication. Malgré l'Art. 46.4 la paternité d'un nouveau nom ou combinaison doit être admise comme attribuée, même quand elle diffère de la paternité de la publication, lorsqu'au moins un auteur est commun aux deux.

46.5 La citation d'un auteur, qui a publié un nom avant la date de création du groupe concerné, doit être indiquée par l'utilisation du mot "ex". Pour les groupes ayant une date de création ultérieure à 1753, quand le nom précédant la date de création a été changé dans son rang ou sa position taxonomique défini par le premier auteur qui l'a publié validement, le nom de l'auteur doit être ajouté entre parenthèses suivit par "ex". Ex.: Linnaeus (1754) a attribué le nom *Lupinus* à l'auteur prélinéen Tournefort; le nom peut être cité *Lupinus* Tourn. ex L. (1753) ou *Lupinus* L.

49.1 Quand un genre ou un taxon de rang inférieur est modifié au niveau du rang mais conserve son nom ou l'épithète finale de son nom, l'auteur du nom ou de l'épithète du nom légitime précédent (l'auteur du basionyme) doit être cité entre parenthèses, suivi par le nom de l'auteur qui a effectué la modification (l'auteur du nouveau nom). Le même principe s'applique quand un taxon de rang inférieur au genre est transféré à un autre genre ou à une autre espèce, avec ou sans modification du rang. Ex.: *Medicago polymorpha* var. *orbicularis* L. (1753) élevée au rang d'espèce devient *M. orbicularis* (L.) Bartal. (1776).

Chapitre V: Rejets de noms

51.1 Un nom légitime ne doit pas être rejeté simplement parce qu'il est, ou son épithète, inapproprié, inadapté ou désagréable, ou parce qu'un autre est préférable ou mieux connu, ou parce qu'il a perdu son sens originel, ou parce que le nom générique n'est pas en accord avec la morphologie représenté par son type.

52.1 Un nom, à moins qu'il ne soit conservé ou publié, est illégitime et doit être rejeté s'il était superflu au moment de la nomenclature, i.e., si le taxon auquel il était attribué selon la description de l'auteur, inclus sans aucun doute le type d'un nom qui aurait dû être adopté, ou dont l'épithète aurait dû être adoptée, selon les règles.

53.1 Un nom d'une famille, genre ou espèce, à moins qu'il ne soit conservé ou publié, est illégitime s'il est un homonyme plus récent, c'est à dire s'il est orthographié exactement comme le nom fondé sur un type différent qui était publié validement auparavant pour un taxon de même rang. Ex.: Le nom *Tapeinanthus* Boiss. ex Benth. (1848), donné à un genre de *Labiatae*, est un homonyme plus recent de *Tapeinanthus* Herb. (1837), un nom publié validement auparavant pour un genre de *Amaryllidaceae. Tapeinanthus* Boiss. ex Benth. est donc rejeté. Il a été renommé *Thuspeinanta* T. Durand (1888).

Chapitre VII: Orthographe des noms et épithètes et genre des noms génériques

Section 1: Orthographe des noms et epithetes

60.1 L'orthographe originelle d'un nom ou épithète doit être conservée, excepté pour la correction des erreurs typographiques et orthographiques et celles des standardisations: *u/v* et *i/j* utilisés de façon interchangeable, les signes diacritiques et les ligatures, les formes composées, les traits d'union, les apostrophes et terminaisons.

60.2 Les mots "orthographe originelle" dans cet article signifie l'orthographe employée lorsque le mot fut publié validement. Ils ne font pas allusion à l'utilisation de l'initiale en minuscule ou capitale, ceci étant un problème typographique.

60.3 La liberté de correction d'un nom est à utiliser avec réserve, spécialement si le changement affecte la première syllabe et en particulier la première lettre du mot.

60.4 Les lettres *w* et *y*, étrangères au latin classique, et *k*, rare dans cette langue, sont permis dans les noms latins de plantes. Les autres lettres et ligatures étrangères au latin classique qui pourraient apparaître dans les noms latins de plantes tel que le β allemand (double *s*), doivent être transcrites.

60.5 Quand un nom a été publié validement dans un travail où les lettres *u, v* ou *i, j* sont utilisées de façon interchangeable ou incompatible avec les pratiques modernes (une de ces lettres n'est pas utilisée ou seulement en capital), ces lettres doivent être transcrites en conformité avec l'usage botanique moderne.

60.6 Les signes diacritiques ne sont pas utilisés dans les noms latins de plantes. Dans les noms (nouveaux ou anciens) créés à partir de mots dans lesquels de tels signes apparaissent, les signes doivent être supprimés et avec la transcription des lettres ainsi modifiées: par exemple *ä, ö, ü* deviennent respectivement *ae, oe, ue*; *é, è, ê* deviennent *e* ou quelque fois *ae*; *ñ* devient *n*; *ø* devient *oe*; *å* devient *ao*. Le tréma, indiquant qu'une voyelle doit être prononcée séparément de la voyelle précédente (comme dans *Cephaëlis, Isoëtes)*, est permis***; les ligatures *-æ-* et *-Ï-*, indiquant que les lettres sont prononcées ensembles, doivent être remplacées par les lettres séparées *-ae-* et *-oe-*.

60.7 Quand les changements effectués, par des auteurs antérieurs, dans l'orthographe de noms, présents dans la nomenclature, de personnes, géographiques ou vernaculaires, sont une latinisation intentionnelle, ils doivent être conservés... Ex.: *Valantia* L. (1753), *Gleditsia* L. (1753) et *Clutia* L. (1753), noms commémorant respectivement Vaillant, Gleditsch et Cluyt, ne doivent pas être modifiés en "*Vaillantia*", "*Gledischtia*" et "*Cluytia*" car Linnaeus latinisa intentionnellement le nom de ces botanistes en Valantius, Gleditsius et Clutius.

Section 2: Genre des noms generiques

62.1 Un nom générique conserve le genre attribué par la tradition botanique sans tenir compte de l'usage classique ou de l'usage de l'auteur originel. Un nom générique sans une tradition botanique conserve le genre attribué par son auteur.

62.2 Les noms génériques composés prennent le genre du dernier motau nominatif. Si la terminaison est modifiée, cependant, le genre est modifié en conséquence.

(a) les noms composés finissant par *-codon*, *-myces*, *-odon*, *-panax*, *-pogon*, *-stemon* et d'autres mots masculins, sont masculins.

(b) les noms composés finissant par *-achne*, *-chlamys*, *-daphne*, *-mecom*, *-osma* (transcription moderne du mot grec féminin *osmê*), et d'autres mots féminins, sont féminins. Une exception est faite dans le cas où les noms finissent par *-gaster*, qui strictement parlant

*** Non pris en compte pour les raisons evoquées dans l'avant-propos.

devraient être féminins, mais qui sont considérés comme masculins selon la tradition botanique.
(c) les noms composés finissant par *-ceras*, *-deudron*, *-nema*, *-stigna*, *-stoma*, et autres mots neutres, sont neutres. Une exception est faite pour les mots terminant par *-anthos* (ou *-anthus*) et *-chilos* (*-chilus* ou *-cheilos*), qui devraient être neutres étant donné que c'est le genre des mots grecs *anthos* et *cheilos*, mais sont considérés masculins selon la tradition botanique.

Appendix I: Noms d'hybrides

H.1.1 L'hybridation est indiquée en utilisant le signe de multiplication × ou en ajoutant le préfixe "notho-" (du grec *nothos*, signifiant hybride) au terme dénotant le rang du taxon.

H.2.1 Un hybride entre des taxons nommés peut être indiqué en plaçant le signe de multiplication × entre les noms des taxons; l'expression entière est alors appelée une formule d'hybridation.

H.3.1 Les hybrides entre représentants de deux taxons ou plus peuvent recevoir un nom. A titre nomenclatural, la nature hybride d'un taxon est indiquée en plaçant le signe de multiplication × avant le nom d'un hybride intergénérique ou avant l'épithète dans le nom d'un hybride interspécifique ou en ajoutant le préfixe "notho-" (abrégé optionnellement "n-") au terme indiquant le rang du taxon. Tous ces taxons sont appelés des nothotaxons.

H.6.1 Un nom nothogénérique (i.e., le nom au rang générique pour un hybride entre représentants de deux genres ou plus) est une formule condensée ou est équivalent à une formule condensée.

H.6.2 Les noms nothogénériques d'un hybride bigénérique est une formule condensée dans laquelle les noms adoptés pour les genres parentaux sont combinés en un seul nom, utilisant le début ou la totalité de l'un, la fin ou la totalité de l'autre (mais pas les deux en entier) et, optionnellement, une voyelle de connexion.

H.11.1 Le nom d'une nothoespèce dont les espèces parentales supposées ou connues appartiennent à des genres différents est une combinaison d'une épithète nothospécifique (collectif) avec un nom nothogénérique.

4 Code International de Nomenclature des Plantes Cultivées (ICNCP)

Division I: Principes

Principe 1
Un système d'appellation des plantes cultivées stable, précis et internationalement reconnu est essentiel pour la compréhension et la communication internationale. L'objectif de ce code, le *Code international de nomenclature pour les plantes cultivées (ICNCP)* également connu sous *le Code des Plantes Cultivées*, est de promouvoir l'uniformité, la précision et la stabilité dans l'appellation des plantes agricoles, forestières et horticoles.

Principe 2
Le code international de nomenclature botanique (*ICBN* ou *Code Botanique*) gère les noms botaniques latins des plantes cultivées et sauvages, sauf les plantes chimériques qui sont entièrement gérée par ce *Code*. Les épithètes* des différents groupes de plantes cultivées, dont l'origine ou la sélection essentiellement due à des actions humaines intentionnelles, doivent être déterminées et formées selon les Règles et clauses de ce *Code*.

* Ou ne distingue pas toutes les noms de cultivars des épithètes de cultivars. Un épithète (du grec Epithetos = adjonction) ne constitue cependant qu'une partie du nom complet, voir article 17.

Les plantes cultivées concernées par ce *Code* peuvent provenir d'une hybridation délibérée ou accidentelle lors de la culture, d'une sélection d'un lot de plantes cultivées existantes, ou peuvent être une sélection de variants dans une population sauvage et maintenue comme une entité reconnaissable seulement par multiplication continue.

Principe 3
La sélection, la conservation et la publication de désignations de Standards sont importantes pour la stabilisation de l'application d'épithètes de cultivars. Les épithètes de cultivars particuliers sont affectées aux Standards pour préciser l'application du nom et contribuer à éviter la duplication de telles épithètes. Bien qu'aucune condition ne soit requise pour la création d'une épithète de cultivar, la désignation de tels Standards est fortement à encourager.

Principe 4
La nomenclature des cultivars est fondée sur l'antériorité de la publication exceptée dans des cas spécifiques.

Principe 5
Chaque groupe taxonomique de plantes cultivées avec une description particulière ne peut porter qu'une seule épithète acceptée, la plus ancienne, en accord avec les règles, excepté dans des cas spécifiques.

Principe 6
Les épithètes de cultivar et de groupe de cultivars doivent être universellement reconnues dans tous les pays pour être utilisées par toute personne voulant désigner un cultivar ou groupe de cultivars particulier.
Dans certains pays, les plantes sont commercialisées en utilisant des marques de commerciales. De telles marques sont attribuées à une personne ou une société commerciale et ne sont donc pas universellement reconnues par toutes personnes qui les utilisent. En conséquence, elles ne peuvent pas être considérées comme des épithètes de cultivars. La formation et l'utilisation de marques commerciales ne sont pas gérées par ce *Code*.

Principe 7
Ce *Code* établit la terminologie à utiliser pour les groupes taxonomiques des plantes cultivées et les épithètes à attribuer aux groupes taxonomiques individuels.
Sous certaines législations internationales et nationales, les épithètes peuvent être dénommees pour les cultivars en utilisant une terminologie particulière à ces législations. Ce *Code* ne gère pas l'utilisation d'une telle terminologie ou la formation de telles épithètes mais reconnaît ceux-ci, selon ces législations, ces appellations statutaires ayant alors la priorité sur les épithètes formées sous les clauses de ce *Code*.

Principe 8
L'utilisation de noms commerciaux à la place des épithètes de cultivars n'est pas soutenue par ce *Code*. De telles désignations commerciales ne doivent par être reconnues comme des épithètes de cultivars.

Principe 9
La formation et l'utilisation de noms de plantes communs, familiers ou vernaculaires ne sont pas régie pas ce *Code*.

Principe 10
L'enregistrement, de préférence sur une base internationale, d'épithètes de cultivars et groupes de cultivars ainsi que la publication des registres sont de la plus grande importance pour promouvoir l'uniformité, la précision et la stabilité dans la désignation de plantes cultivées.

Principe 11
Ce *Code* n'a aucun pouvoir au-delà de celui provenant du libre consentement de ceux qui s'occupent des plantes cultivées. Il est fortement recommandé que les règles et recommandations de ce *Code* soient approuvées et appliquées par tous les responsables de la formation et de l'utilisation des noms de plantes cultivées incluant ceux responsables des dénominations légales.

Division II: Regles et recommandations

Chapitre I: Clauses générales

Article 1: Relations avec le code international de nomenclature botanique (ICBN)

1.1 Les plantes cultivées sont nommées conformément à l'*ICBN* au moins au niveau du genre, sinon au niveau de l'espèce ou d'un rang inférieur si, et seulement dans la mesure où, ils sont identifiables avec les taxons botaniques dans ces rangs. De plus, les plantes cultivées peuvent être attribuées à un ou plusieurs taxons de plantes cultivées.

Chapitre II: Definitions

Article 2: Le cultivar

2.1 Le cultivar est le taxon élémentaire des plantes cultivées.

2.2 Un cultivar est un taxon qui a été sélectionné pour une caractéristique particulière ou un ensemble de caractéristiques, et qui est clairement distinct, uniforme et stable dans ses caractéristiques et qui, lorsqu'il est multiplié par des moyens appropriés, conserve ces caractéristiques.

2.3 Les mots "variété" et "forme" (ou leur équivalent dans d'autres langues) ne doivent pas être utilisés en tant que synonymes du mot cultivar si l'on veut respecter les Articles de ce *Code* ou toute traduction de ce *Code*.

2.5 L'utilisation du mot "lignée" ou de son équivalent dans d'autres langues, n'est pas reconnue selon ce *Code*, le terme ayant été largement utilisé dans des sens différents, son utilisation est à présent confuse.

2.7 Les clones (qui sont propagés asexuellement à partir de tous fragments d'une plante) peuvent avoir des noms de cultivar.

2.11 Les chimères (qui sont composées de tissus de deux plantes ou plus en association intime et qui sont crées par greffage) peuvent avoir des noms de cultivar.

2.12 Les ensembles d'individus provenant de semences issues d'une pollinisation non contrôlée peuvent avoir des noms de cultivar lorsqu'ils respectent les caractéristiques exposées dans l'Art. 2.2. et lorsqu'ils peuvent être sans exception distingués par un caractère ou plus, même quand de tels individus peuvent ne pas forcement être génétiquement identiques.

2.13 Une lignée (résultant d'autofécondations ou croisement intra-population) peut avoir des noms de cultivar.

2.15 Les hybrides F1 (résultat d'un simple croisement entre deux lignées pures) peuvent avoir des noms de cultivar.

2.17 Un ensemble de plantes génétiquement modifiées qui présente de nouvelles caractéristiques à la suite de l'introduction du matériel génétique étranger, peut être considéré comme un nouveau cultivar et en conséquence être nommés comme tel.

Article 3: Sélection et entretien ("maintenance" en anglais)

3.1 Un lot de cultivars issus de semences peut montrer de faibles variations dans ses caractéristiques; ces variants, bien que non significativement distincts, uniformes ou stables pour justifier la création de cultivars, peuvent avoir une importance pratique. Dans de tels cas, chacun des lots individuels peut être désigné comme plantes sélectionnées ou d'entretien ou par des termes équivalents dans le respect des règles locales.

Article 4: Les groupes de cultivars

4.1 Les ensembles de deux cultivars ou plusieurs similaires au sein d'un genre, d'une espèce, d'un nothogenre (genre hybride), d'une nothoespèce (espèce hybride) ou d'autres classes d'appellation peuvent être désignés comme des groupes de cultivars.

4.2 Lorsqu'elle est utilisée avec une épithète de cultivar, une désignation de groupe de cultivars ne fait pas partie de ce nom cultivar mais est ajoutée pour information; elle est placée entre parenthèses (parenthèses) ou crochets à côté de l'épithète du cultivar.

Article 7: Les autorités internationales d'enregistrement

7.1 Une Autorité Internationale d'Enregistrement est un organisme chargé de l'enregistrement des épithètes de cultivars et de groupe de cultivars comme prévu par ce *Code* et qui, garantit leur pérennité, si cela est nécessaire, (voir Appendix II pour une liste des Autorités Internationales d'Enregistrement).

7.2 L'enregistrement selon ce *Code* correspond à l'acceptation d'une épithète de cultivars ou d'un groupe de cultivars par une Autorité Internationale d'Enregistrement et à l'introduction de cette épithète dans un registre avec les détails de la date et du lieu de sa création quand cette information est disponible.

Article 12: Les standards

12.1 Le Standard pour un cultivar est un au spécimen désigné d'herbier ou à l'élément équivalent auquel est attribuée une épithète de cultivar, que ce soit une épithète acceptée ou un synonyme nomenclatural ou taxonomique, et qui devra présenter les caractères sur lesquels sa description est fondée.

Chapitre III: Limitation du principe d'anteriorité

Article 14: Conservation et maintien d'épithète cultivar

14.1 La conservation d'une unique épithète de cultivar à la place de telle ou telle autre, que l'épithète à conserver ait été établie comme prévu par les Règles de ce *Code* ou non, est effectuée par l'action et la décision publiée de la Commission Internationale pour la Nomenclature des Plantes Cultivées (appelée la "Commission" dans cet article).

14.3 Quand il y a deux épithètes ou plus pour le même cultivar, l'épithète dont l'utilisation respecte le mieux l'usage, doit être choisie et publiée par l'Autorité Internationale d'Enregistrement appropriée, sans considérer le rang dans lequel ces épithètes avaient pu être établies et sans respecter le principe d'antériorité. Une telle épithète de ce genre est alors conservée en qualité d'épithète acceptée par la demande et par l'action de la Commission.

Chapiter IV: Nomenclature des taxons pour les plantes cultivées

Article 16: Noms de plantes sauvages mises en culture

16.1 Les plantes sauvages mises en culture conservent les noms qui sont attribués aux taxons croissant dans la nature.

16.3 Les plantes d'une espèce ou d'un autre rang infraspécifique mises en culture peuvent ne pas avoir la diversité associée à ce taxon dans la nature et ne peuvent alors être considérées comme coextensives. Si un ensemble de ces plantes individuelles a une ou plusieurs caractéristiques qui peuvent être intéressantes de distinguer, il peut avoir un nom de cultivar.

Article 17: Noms et épithètes de cultivars**

17.1 Le nom entier d'un cultivar est le nom botanique latin accepté du taxon auquel il appartient, suivi de l'épithète de cultivar.

17.3 Une épithète latine du rang de l'espèce ou d'un rang inférieur, qui est publié validement (établie) et, par ailleurs, légitime (acceptable) en conformité avec l'ICBN, pour un taxon par la suite considéré comme cultivar . . . doit être conservé comme une épithète de cultivar.

17.6 Chaque mot d'une épithète de cultivar doit commencer par une initiale en majuscule, à moins que la coutume linguistique en décide autrement. Des exceptions existent pour les mots après un trait d'union, les conjonctions et prépositions autres que celles situées dans le premier mot de l'épithète, et, dans les noms japonais translittérés, la particule "no".

17.7 Le statut de cultivar doit être indiqué en encadrant de l'épithète de cultivars à l'intérieur de simples guillemets ('. . .') ou, si désiré, à l'intérieur de signes verticaux ('. . .'). Les double guillemets (". . .") et les abréviations "cv." et "var." ne doivent pas être utilisés à l'intérieur d'un nom pour distinguer des épithètes de cultivars; Une telle utilisation doit être corrigée.

17.8 Les cultivars d'origine hybride ne doivent pas être indiqués par l'utilisation du signe de multiplication avant l'épithète cultivar.

17.9 Pour être valide, une nouvelle épithète de cultivar, publiée à partir du 1 janvier 1959, doit être un mot ou des mots d'une langue moderne. Les mots en latin ou les mots qui pourraient être considérés en latin, et ainsi passible de semer la confusion, ne devraient pas être utilisés à moins qu'ils ne soient des noms classiques de personnages romains antiques, ou d'un lieu.

17.10 A partir du 1er janvier 1996, pour être valide, les nouvelles épithètes de cultivars doivent être composées de 10 syllabes au plus et de 30 lettres ou caractères au total, à l'exclusion des espaces et des signes de délimitation.

17.11 Pour être valides, les épithètes de cultivars ne doivent pas être composées uniquement de mots communs descriptifs (adjectifs) dans une langue moderne à moins qu'un des mots utilisés puisse être considéré comme au, ou à moins que l'épithète soit un nom reconnu de couleur.

Article 19: Les noms et épithètes de groupes de cultivars

19.1 Le nom entier d'un groupe de cultivars est le nom botanique latin accepté du taxon auquel il est attribué, suivi de l'épithète du groupe de cultivars.

19.3 Une épithète de groupe de cultivars n'est pas encadrée par des guillemets simples ou doubles mais, quand elle est inclue dans le nom entier d'un taxon, elle est délimitée par des parenthèses ou des crochets.

19.4 Chaque mot d'une épithète de groupe de cultivars, incluant le mot Groupe (Grp.), doit commencer avec une initiale en majuscule à moins que les coutumes linguistiques en décident autrement. Des exceptions existent pour les mots situés après un trait d'union, les conjonctions et les prépositions autres que celles situées dans le premier mot de l'épithète et, dans les noms japonais translittérés, la particule "no".

19.5 Si le mot Groupe doit être abrégé pour une raison ou une autre, l'abréviation standard Grp. doit être utilisée, sans tenir compte des équivalents traduits du mot Groupe.

19.10 Pour être valides, les épithètes de groupe de cultivars ne peuvent pas contenir les mots suivants (ou leur équivalent dans d'autres langues): croisement, classe, groupe (excepté en mot final), hybride, mutant, semis, sélection, sport, souche, variété, la forme pluriel de ces mots, ou les mots améliorés et transformés.

** Voir note de bas de page de principe 2.

Chapitre V: Publication et creation

Article 21: Conditions de publication

21.1 La publication est effectuée selon ce *Code* seulement par la distribution d'un imprimé ou un support similaire dupliqué (vente échange, ou don) au grand public ou au moins aux instituts botaniques, agricoles, forestiers ou horticoles avec des bibliothèques accessibles aux botanistes, aux agriculteurs, aux forestiers ou aux horticulteurs généralement. Elle n'est pas effectuée par la communication de nouveaux "noms" à une assemblée, par l'introduction de "noms" sur des étiquettes dans des collections ou des jardins ouverts au public, par l'émission de microfilms à partir de manuscrits, imprimés ou autres matériels non publiés, de publications par un moyen électronique, ou par la publication dans des listes commerciales confidentielles qui ne sont généralement pas mises à la disposition du public.

Article 24: Citation des noms d'auteurs

24.2 Si la citation de l'auteur d'une épithète de cultivar ou groupe de cultivar est souhaitée, celle-ci peut être placée après le nom, dans ce cas le nom de l'auteur assigné avec sa création devra être cité sans considérer la position taxonomique originelle de cette épithète.

Chapitre VII: Traduction et translitération

Article 28: Traduction et translittération des épithètes

28.1 Quand une épithète de cultivar apparaît dans une publication utilisant une langue différente de celle de sa publication originelle mais avec le même alphabet, l'épithète ne doit pas être traduit.

28.2 Quand une épithète de groupe de cultivars est utilisée dans une publication utilisant une langue différente de celle de sa publication originelle mais avec le même alphabet, l'épithète peut être traduit.

28.3 Quand une épithète de cultivar ou de groupe de cultivars dans une langue moderne a besoin d'être interprétée dans un autre alphabet, elle peut être translittéré.

Chapitre VIII: Orthographe, genre et typographie

Article 29: Orthographe des épithètes

29.1 L'orthographe des mots latins utilisés en qualité d'épithètes de cultivar ou groupe de cultivars devra être conservée conformément aux clauses de l'*ICBN*.

29.2 Une erreur étymologique involontaire dans une épithète de cultivar ou groupe de cultivars doit être corrigée.

29.4 Des épithètes de cultivars ou de groupe de cultivars, ou toute partie de telles épithètes, ne doivent pas être abrégées. Une exception est permise pour des épithètes qui incluent des mots ou des titres normalement abrégés conformément à la coutume nationale. L'utilisation de telles abréviations est optionnelle et, le mot abrégé peut être orthographié entièrement, si ceci est souhaité, dans ce cas les deux variantes orthographiques sont considérées comme la même épithète.

29.5 Malgré l'Art. 29.4, une épithète de cultivar ou de groupe de cultivars créée à l'origine en utilisant les initiales des noms personnels ne peuvent pas avoir ces initiales orthographiées entièrement, de même que les épithètes qui incluent un acronyme ou d'autres abréviations de ce genre ne peuvent avoir non plus l'acronyme ou l'abréviation orthographié en entier.

29.10 Le signe (×) d'hybridation (multiplication) ou le signe (+) des chimères de greffe (addition) ne doivent pas être utilisés avant ou à l'intérieur des signes de délimitation d'un épithète de cultivar et s'ils étaient utilisés de cette manière auparavant, ils doivent être supprimés.

Article 30: Genre des noms et épithètes

30.1 Des épithètes de cultivars ou de groupe de cultivars, lorsqu'elles sont sous forme d'adjectifs et quand elles sont issues d'épithètes de forme latine, doivent s'accorder en genre avec celui du genre concerné.

Article 31: Typographie des noms et épithètes

31.1 Des épithètes de cultivars ou de groupe de cultivars sont distinctes typographiquement des noms botaniques de forme latine; par exemple, elles ne sont pas imprimés en italique si l'usage répandu de l'italique pour les noms botaniques est adoptée dans le travail.

Chapitre IX: Standards

Article 32: Désignation de standards

32.1 La désignation d'un Standard est effectuée par une référence directe à l'herbier de référence possédant le Standard.

32.2 Un Standard peut être un spécimen d'herbier et peut avoir été nommé à l'origine comme un spécimen de justification ou comme le spécimen type selon les clauses de l'ICBN.

32.3 Un Standard peut être une illustration désignée à la place d'un spécimen déshydraté quand les caractéristiques de diagnose sont mieux reconnues à partir d'une illustration adéquate.

5 Signification et traitement linguistique des noms de genre et des épithètes spécifiques (désignation des espèces)

En principe, on devrait se tenir au fait que les noms des plantes sont simplement des outils de désignation qui ont subi, comme d'autres mots, des changements de signification. La première plante désignée sous le nom de *Chrysanthemum* avait apparemment des fleurs de couleur jaune (chrysos = or, anthemon = fleur). Ultérieurement, le mot devint le nom du genre. Avec de nombreuses exceptions, on peut constater que les noms témoignent :

1. des caractères de la plante ou de ses parties, par ex. *Adiantum* = non-mouillé (a = non, diainein = mouiller), *tuberosus* = tubérisé (túber = tubercule);
2. de l'origine de la plante, par ex. *Castanea* = la ville de Castane (Castania) en Thessalie, était célèbre pour ses beaux châtaigniers; *bogorensis* = provenant de Bogor (Java, Indonésie);
3. de la ressemblance avec une autre plante, avec un animal ou avec n'importe quel objet: *Bellis*/*Bellidiastrum* (*-astrum* indique la ressemblance), *Artemisia*/*artemisiifolius* (dont la feuille ressemble à celle d'un *Artemisia*);
4. de l'hommage à un chercheur, un saint etc.: *Robinia* (dédié à Jean ROBIN, botaniste et apothicaire, qui le premier cultiva la plante en 1601), *englerianus* (dédié au botaniste ENGLER), *Dianthus* (littéralement "fleur de dieu", "fleur de Zeus"), *mariae* (voué à Sainte-Marie);
5. de l'utilisation d'une plant: *Aristolochia* (= le meilleur pour l'accouchement), *torminalis* (= calmant une colique) etc.

Les noms des genre sont des substantifs auxquels on attribue un genre précis; masculin (-m-), féminin (-f-) ou neutre (-n-). Les règles selon lesquelles le genre (-m-, -f- ou -n-) est attribué souffrent de nombreuses exceptions; il paraissait donc préférable pour ce livre de fournir le genre de chaque nom de genre dans la liste alphabétique plutôt que d'énumérer ici les règles avec toutes leurs exceptions. Les arbres sont généralement féminins, bien que leurs noms se terminent par -us: *Taxus*, *Buxus*, sont féminins; mais *Acer* est neutre et constitue la seule exception. Les *épithètes spécifiques* (dans le langage familier souvent appelées "nom de l'espèce" bien que cette désignation soit erronée car le nom d'une espèce est composé de deux mots, le nom de genre et l'épithète spécifique) présentent souvent des adjectifs dont les terminaisons s'accordent avec le nom du genre dans lequel les espèces sont placées.

Les noms et les adjectifs latins se classent en cinq catégories appelées les *déclinaisons*; chaque déclinaison est caractérisée par la terminaison du mot. Pour chacune des cinq déclinaisons, la terminaison (au nominatif singulier) sera:

déclinaison	masculin	féminin	neutre
1ère	-us	-a	-um
2ème	-er	-a	-um
3ème	-er	-is	-e
4ème	-is	-is	-e
5ème	-or	-or	-us

Tous les noms possédant l'une de ces cinq terminaisons de la colonne 2 sont toujours masculins.

Les noms et les adjectifs latins prennent des formes différentes, en fonction du rôle qu'ils tiennent dans la phrase: ce sont les *cas*; chaque cas peut être, en outre, au singulier ou au pluriel. Parmi les cinq cas (nominatif, accusatif, génitif, datif et ablatif), seuls deux, le nominatif et le génitif, sont utilisés dans les noms de plantes. Les noms des genres sont toujours au nominatif singulier.

Le second mot du nom spécifique, caractérisant l'espèce, peut être de différentes sortes:

1. c'est souvent un adjectif, qui s'accorde au genre du nom du genre:
   - cet adjectif peut être descriptif, par ex.: *longus* dans *Cyperus longus*, nom masculin + adjectif masculin . . .;
   - l'adjectif peut indiquer une origine géographique et se termine alors en *-ensis (-e)*, *-anus (-a, -um)* ou *-icus (-a, -um)*, par ex. *Neillia thibética* (= "tibétain" et non pas "du Tibet") ;
   - l'adjectif peut dériver d'un nom de personne; il s'accorde au genre du nom du genre; par ex. *Ampelopsis davidiana* (*Ampelopsis* et *davidiana* sont tous deux au féminin); il ne faut pas le confondre avec un nom au génitif (dans *Acer davidii*, *Acer* est neutre, *davidii* est un nom au génitif qui ne s'accorde pas avec *Acer*);
2. il peut être un nom, et sera alors toujours invariable; son genre ne s'accorde pas à celui du nom du genre; par ex., une espèce qui fut considérée comme un genre nommé *Endivia* (-f-) par BAUHIN et *Intybus* (-m-) par HERMANN, a été transférée dans le genre *Cichorium* (-n-) de TOURNEFORT. On dit alors: *Cichorium endivia* (et non C. endivium), *Cichorium intybus* (et non C. intybum), *Schinus molle* (et non mollis) car *Molle* fut un nom de genre chez TOURNEFORT et LINNÉ. On trouve divers types d'exemples de ces noms invariables:
   - des noms utilisés en apposition, qui peuvent être:
     - soit le nom latin d'un genre (il est utilisé au nominatif): par ex., *ephemerum* dans *Lysimachia ephemerum*;
     - soit un nom composé, par ex. *agnus-castus* dans *Vitex agnus-castus*: *agnus* est un nom, *castus* est un adjectif;
     - soit un nom dans une autre langue que le latin: par ex. *mono* dans *Acer mono*, *rœtam* dans *Retama roetam*; leur terminaison n'est pas latine, même si elle en a l'apparence, comme *kobus* (transcription d'un nom japonais) dans *Magnolia kobus*;
   - des noms au génitif (c'est le cas grammatical du complément de nom), qui demeurent invariables:
     - ce sont souvent des noms de personnes, par ex. *engleri* (= de ENGLER); on ne doit pas les confondre avec les adjectifs dérivés (par ex. *englerianus*) qui s'accordent au nom du genre;

– ce peuvent être aussi des noms de pays ou de régions, par ex. *novæ-angliæ* dans *Aster novæ-angliæ* (= de Nouvelle-Angleterre).

Les épithètes des sous-espèces (subsp.), des variétés (var.), des formes (fo.) etc. s'accordent avec le nom du genre, par ex. *Androsace carnea* ssp. *brigantiaca, Capsicum barbatum* var. *pendulum*, *Hydrangea macrophylla* fo. *coerulea*.
Ceci est également valable même si le nom d'espèce est un substantif ayant un genre différent de celui du nom du genre, par ex. *Dáphne* (-f-) *mezéreum* (-n-) var. *álba* (-f-).

6 Régles de prononciation et d'accentuation

Tous les noms scientifiques, à l'exception des noms de cultivars, sont traités selon les règles de la langue latine, même s'ils ont gardé la forme grecque ou celle des langues vivantes.
La prononciation des mots latins a suivi des règles impliquant, entre autres, l'accentuation de certaines syllabes. Le respect de ces règles se retrouve parfois dans la tradition botanique allemande, bien que la prononciation ne soit plus enseignée de manière uniforme dans les lycées. Par ailleurs, les habitudes de prononciation diffèrent assez largement d'une communauté linguistique à l'autre, ce qui n'entrave guère la communication entre les personnes. En raison du développement du caractère international des relations qui s'établissent entre les horticulteurs ou les botanistes, le souci de la prononciation du latin tend à perdre de son actualité.
D'une manière générale, toutes les voyelles sont prononcées séparément, par ex. *le-i-ánthus* (à fleur lisse) et non *lei-ánthus*.
Dans la partie principale de cet ouvrage, on a admis de marquer la syllabe à accentuer par un accent.
L'indication de son long ou bref est plus importante qu'il n'y paraît au premier abord. Afin de distinguer les deux sortes de son, deux accents sont utilisés dans la partie II (et nulle part ailleurs dans ce livre). Selon les règles classiques, on doit distinguer des voyelles brièvement accentuées (marquées dans les exemples suivants par un accent aigu) et des voyelles longuement accentuées (marquées par un accent grave). La distinction entre sons longs ou brefs révèle parfois des mots différents, ayant des significations différentes. En latin pòpulus signifie peuplier, mais pópulus signifie peuple; àpis = taureau, ápis = abeille; làbrum = cuve, bassin, lábrum = lèvre; làtus = large, látus = côté; òs = face, visage, ós = os, squelette. C'est pareil pour la langue grecque, par ex. hèlos veut dire le clou, par contre hélos signifie le marais. Finalement, le fait de placer l'accent sur une syllabe ou une autre donne des sens différents; ainsi frigère venant de frígeo signifie je gèle; frígere venant de frìgo = je fais griller; nómos = loi, nomós = district; bíos = vie, biós = arc, etc.
La prononciation des noms de plantes qui sont des mots latinisés de langues vivantes, tels que *Decaisnea*, *Plumèria*, *Deschàmpsia*, *Michauxia*, *Duchèsnea*, *Lejeunia*, *Forsythia*, *Cattleya*, *Downìngia*, *Húmea*, *Leycestéria*, est toujours douteuse. On respecte généralement la prononciation, dans la langue d'origine, du nom qui a servi à créer le mot latin; on peut dire par ex. prononcer "Dekähnea" en allemand, "Dekainea" *(Decaisnea)* dans les autres langues, et il faudra alors dire "Forsseissie" et "Lestrie" en allemand, "Forssaissia" et "Lesteria" dans les autres langues *(Forsythia* et *Leycestéria)*.
Les exemples que nous venons de voir nous ont conduits à renoncer à l'utilisation des deux sortes d'accents dans ce livre. Il est important de noter qu'aucun accent n'est utilisé dans les noms scientifiques des plantes et qu'ils ne sont pas prévus dans la langue latine. En outre, de tels caractères spéciaux compliqueraient beaucoup l'emploi des banques de données.

III Systematische Übersicht über die Farn- und Blütenpflanzen
III Systematic overview of vascular plants
III Vue d'ensemble systématique des ptéridophytes et des spermatophytes

- Eine Übersicht über die verschiedenen Pflanzensystematiken findet man bei BRUMMIT 1992, beginnend mit BENTHAM & HOOKER, *Genera Plantarum* (1862–1883) und endet mit CRONQUIST, *The Evolution and Classification of Flowering Plants* (1988). In den Grundzügen folgen wir letzerem Werk, berücksichtigen jedoch bei den Liliopsida (Monocotyledoneae) DAHLGREN, CLIFFORD & YEO, *The Families of Monocotyledons* (1985). Somit entspricht die Systematik in diesem Werk weitgehend der Einteilung des anfänglich zitierten Werkes von BRUMMITT, *Vascular Plant Families and Genera* (1992). Vor allem die Schreibweise der Gattungsnamen folgt strikt diesem Buch (siehe auch in Kapitel VI: Wichtige Änderungen). So wurde aus *Choenomeles* nun wieder *Chaenomeles.*
  Es bleibt sicher nicht aus, dass sich bei weiteren Auflagen des *Zander – Handwörterbuch der Pflanzennamen* minimale Verschiebungen ergeben, denn neuere Forschungsergebnisse, die wir vor allem KUBITZKI, *The Families and Genera of Vascular Plants* (1990–1998), entnehmen, sollen nicht unberücksichtigt bleiben. Dieses Werk liegt bislang in 4 Bänden vor und die letzten beiden, die Teile der Liliopsida (Monocotyledoneae) behandeln, zeigen bereits wieder leichte Abweichungen zum bisherigen Status einiger Familien. Die Systematik oberhalb der Rangstufe Gattung ist aber bei weitem nicht so maßgeblich wie die Zuordnung der Sippen zu bestimmten Gattungen. Da einige Gattungsnamen in den letzten Jahren ihre Gültigkeit verloren haben, oder Gattungen aufgespalten wurden, vergleichen Sie bitte in Kapitel VI/4: Wichtige Änderungen. So zählt zum Beispiel die bisherige Gattung *Chartolepis* nun zu *Centaurea*, während von der Gattung *Cytisus* die Gattung *Chamaecytisus* abgespalten wurde.

- An overview of the various plant classification systems may be found in BRUMMIT 1992, beginning with BENTHAM & HOOKER, *Genera Plantarum* (1862–1883), and ending with CRONQUIST, *The Evolution and Classification of Flowering Plants* (1988). Basically, we follow the latter work; however, in the case of the Liliopsida (Monocotyledoneae) we take account of DAHLGREN, CLIFFORD & YEO, The Families of Monocotyledons (1985). Hence, the classification system in this volume largely corresponds to the classification of BRUMMITT, *Vascular Plant Families and Genera* (1992), cited above. The spelling of the generic names in particular follows this book strictly (see also Chapter VI: Important Changes). For example, *Choenomeles* has now finally been renamed *Chaenomeles.*
  Further small changes in future editions of *Zander – Dictionary of plant names* cannot be ruled out entirely, since the results of more recent research, which we have taken from KUBITZKI, *The Families and Genera of Vascular Plants* (1990–1998) in particular, should not be disregarded. To date, this work has been available in four volumes, and the last two, which deal with parts of the Liliopsida (Monocotyledoneae), already show slight differences with respect to the previous status of certain families. The classification system above the rank of genus is, however, not nearly as crucial as the assigning of taxa to particular genera. Since some generic names have become invalid in recent years, while other genera have been subdivided, the reader should refer to Chapter VI/4: Important Changes. For example, the former genus *Chartolepis* is now part of

the genus *Centaurea*, while the genus *Chamaecytisus* was split off from the genus *Cytisus*.

- Une vue d'ensemble des différentes classifications systématiques des plantes se trouve chez BRUMMITT, *Vascular Plant Families and Genera* (1992), allant de BENTHAM & HOOKER, *Genera Plantarum* (1862–1883) à CRONQUIST, *The Evolution and Classification of Flowering Plants* (1988). Dans les grandes lignes, nous suivrons ce dernier ouvrage; toutefois, nous tiendrons compte de la classification des Liliopsida (Monocotyledoneae) par DAHLGREN, CLIFFORD & YEO, *The Families of Monocotyledons* (1985). La systématique adoptée ici suit largement la classification de BRUMMITT (1992), cité ci-dessus. L'orthographe des noms de genres suivra strictement cet ouvrage (*cf.* partie VI: Noms de genres modifiés). C'est ainsi que *Choenomeles* devient *Chaenomeles*.
  Il sera sûrement nécessaire d'apporter quelques modifications lors de futures éditions du *Zander – Dictionnaire des noms de plantes*, car des résultats récents devront être pris en compte, surtout ceux de KUBITZKI, *The Families and Genera of Vascular Plants* (1990–1998). Cet ouvrage compte 4 tomes et les deux derniers, traitant des Liliopsida (Monocotyledoneae), montrent déjà de légères différences par rapport à la position actuelle de quelques familles. Mais la systématique au-dessus du rang de genre est beaucoup moins sujette à variation que la classification à l'intérieur de certains genres. Des noms de genres ont perdu leur validité au cours des dernières années, certains genres ont été morcelés (*cf.* partie VI: Noms de genres modifiés). C'est ainsi que le genre jusqu'à présent désigné sous le nom de *Chartolepis* est placé maintenant dans le genre *Centaurea* tandis que le genre *Chamaecytisus* est détaché du genre *Cytisus*.

* = nomen conservandum

1. DIVISIO: PTERIDOPHYTHA

1. CLASSIS: PSILOTOPSIDA

1. Ordo: Psilotales

Psilotaceae [Kanitz 1887]

2. CLASSIS: LYCOPODIOPSIDA

1. Ordo: Isoetales

Isoetaceae [Rchb. 1828]

2. Ordo: Lycopodiales

Lycopodiaceae [P. Beauv. ex. Mirb. 1802]

3. Ordo: Selaginellales

Selaginellaceae [Mett. 1856]

3. CLASSIS: EQUISETOPSIDA

1. Ordo: Equisetales

Equisetaceae [Michx. ex DC. 1804]

4. CLASSIS: PTERIDOPSIDA (FILICES)

1. Ordo: Ophioglossales

Ophioglossaceae [(R. Br.) C. Agardh 1822]

2. Ordo: Marattiales

Marattiaceae [Bercht. et J. Presl 1820]

3. Ordo: Osmundales

Osmundaceae [Gérardin et Desv. 1817]

4. Ordo: Pteridales

Actiniopteridaceae [Pic. Serm. 1962]
Adiantaceae [(C. Presl) Ching 1940]
Aspleniaceae [Mett. ex. A.B. Frank in Leunis 1877]
Blechnaceae [(C. Presl) Copel. 1947]
Cheiropleuriaceae [Nakai 1928]
Cyathaceae [Kaulf. 1827]

Davalliaceae [Mett. ex A. B. Frank in Leunis 1877]
Dennstaedtiaceae [Lotsy 1901]
Dicksoniaceae [(C. Presl) Bower 1908]
Dipteridaceae [(Diels) Seward et E. Dale 1901]
Dryopteridaceae [Ching 1965]
Gleicheniaceae [(R.Br.) C. Presl 1825]
Grammititdaceae [(C. Presl) Ching 1940]
Hymenophyllaceae [Link 1833]
Hymenophyllopsidaceae [C. Chr. ex Pic. Serm. 1970]
Lomariopsidaceae [Alston 1956]
Lophosoriaceae [Pic. Serm. 1970]
Loxsomataceae [C. Presl 1847]
Matoniaceae [C. Presl 1847]
Metaxyaceae [Pic. Serm. 1970]
Monachosoraceae [Ching 1978]
Nephrolepidaceae [Pic. Serm. 1974]
Oleandraceae [(J. Sm.) Ching ex Pic. Serm. 1965]
Parkeriaceae [Hook. 1825]
Plagiogyriaceae [Bower 1926]
Platyzomataceae [Nakai 1950]
Polypodiaceae [Bercht. et J. Presl 1820]
Pteridaceae [Spreng. ex Jameson 1821]
Schizaeaeceae [Kaulf. 1827]
Stromatopteridaceae [(Nakai) Bierh. 1968]
Thelypteridaceae [Pic. Serm. 1970]
Vittariaceae [(C. Presl) Ching 1940]
Woodsiaceae [(Diels) Herter 1949]

5. Ordo: Marsileales
Marsileaceae [Mirb. 1802]

6. Ordo: Salviniales
Azollaceae [Wettst. 1903]
Salviniaceae [T. Lestib. 1826]

2. DIVISIO: SPERMATOPHYTA

1. SUBDIVISIO: CONIFEROPHYTINA

1. Classis: Ginkgoopsida

1. Ordo: Ginkgoales
Ginkgoaceae [Engl. in Engl. et Prantl 1897] *

2. Classis: Pinopsida (Coniferae)

1. Ordo: Pinales
Araucariaceae [Henkel et W. Hochst. 1865] *
Cephalotaxaceae [Neger 1907] *
Cupressaceae [Reich. ex Bartl. 1830] *
Phyllocladaceae [(Pilg.) Keng 1973]
Pinaceae [Lindl. 1836] *
Podocarpaceae [Endl. 1847] *
Sciadopityaceae [Seward 1919]
Taxodiaceae [Warm. 1884] *

2. Ordo: Taxales
Taxaceae [Gray 1821] *

2. SUBDIVISIO: CYCADOPHYTINA

1. Classis: Cycadopsida

1. Ordo: Cycadales
Boweniaceae [D. W. Stev. 1981]
Cycadaceae [Pers. 1807] *

Stangeriaceae [(Pilg.) L. A. S. Johnson 1959]
Zamiaceae [Horan. 1834]

2. Classis: Gnetopsida

1. Ordo: Gnetales
Ephedraceae [Dumort. 1829] *
Gnetaceae [Lindl. 1834] *
Welwitschiaceae [Markgr. in Engl. et Prantl 1926] *

3. SUBDIVISIO: MAGNOLIOPHYTINA (ANGIOSPERMAE)

1. Classis: Magnoliopsida (Dicotyledoneae)

1. Subclassis: Magnoliidae

1. Ordo: Magnoliales
Annonaceae [Juss. 1789] *
Austrobaileyaceae [(Croizat) Croizat 1943] *
Canellaceae [Mart. 1832] *
Degeneriaceae [I. W. Bailey et A. C. Sm. 1942] *
Eupomatiaceae [Endl. 1841] *
Himantandraceae [Diels 1917] *
Lactoridaceae [Engl. in Engl. et Prantl 1888] *
Magnoliaceae [Juss. 1789] *
Myristacaceae [R. Br. 1810] *
Winteraceae [R. Br. ex Lindl. 1830] *

2. Ordo: Laurales
Amborellaceae [Pichon 1948] *
Calycanthaceae [Lindl. 1819] *
Gomortegaceae [Reiche 1896] *
Hernandiaceae [Blume 1826] *
Idiospermaceae [S. T. Blake 1972]
Lauraceae [Juss. 1789] *
Monimiaceae [Juss. 1809] *
Trimeniaceae [(Perkins et Gilg) Gibbs 1917] *

3. Ordo: Piperales
Chloranthaceae [R. Br. ex Lindl. 1821] *
Piperaceae [C. Agardh 1824] *
Saururaceae [Rich. ex E. Mey. 1827] *

4. Ordo: Aristolochiales
Aristolochiaceae [Juss. 1789] *

5. Ordo: Illiciales
Illiciaceae [(DC.) A. C. Sm. 1947] *
Schisandraceae [Blume 1830] *

6. Ordo: Nymphaeales
Cabombaceae [A. Rich. 1828] *
Ceratophyllaceae [Gray 1821] *
Nymphaeaceae [Salisb. 1805] *

7. Ordo: Nelumbonales
Nelumbonaceae [(DC.) Dumort. 1829] *

8. Ordo: Ranunculales
Berberidaceae [Juss. 1789] *
Circeasteraceae [Hutch. 1926] *
Glaucidiaceae [(Himmelb.) Tamura 1972]
Lardizabalaceae [Decne. 1839] *
Menispermaceae [Juss. 1789] *
Ranunculaceae [Juss. 1789] *
Sargentodoxaceae [Stapf ex Hutch. 1926] *

9. Ordo: Papaverales
Fumariaceae [DC. 1821] *
Papaveraceae [Juss. 1789] *

2. Subclassis: Hamamelididae

1. Ordo: Trochodendrales
Tetracentraceae [A.C. Sm. 1945] *
Trochodendraceae [Prantl in Engl. et Prantl 1888] *

2. Ordo: Hamameldiales
Cercidiphyllaceae [Engl. 1909] *
Eupteleaceae [K. Wilh. 1910] *
Hamamelidaceae [R. Br. in Abel 1818] *
Myrothamnaceae [Nied. in Engl. et Prantl 1891] *
Platanaceae [Lestib. ex Dumort. 1829] *

3. Ordo: Daphniphyllales
Daphniphyllaceae [Müll. Arg. in A. DC. 1869] *

4. Ordo: Didymelales
Didymelaceae [Leandri 1937]

5. Ordo: Eucommiales
Eucommiaceae [Engl. 1909] *

6. Ordo: Urticales
Barbeyaceae [Rendle in Oliv. 1916] *
Cannabaceae [Endl. 1837] *
Cecropiaceae [C.C. Berg 1978]
Moraceae [Link 1831] *
Ulmaceae [Mirb. 1815] *
Urticaceae [Juss. 1789] *

7. Ordo: Leitneriales
Leitneriaceae [Benth. et Hook. f. 1880] *

8. Ordo: Juglandales
Juglandaceae [A. Rich. ex Kunth 1824] *
Rhoipteleaceae [Hand.-Mazz. 1932] *

9. Ordo: Myricales
Myricaceae [Blume 1829] *

10. Ordo: Fagales
Balanopaceae [Benth. et Hook. f. 1880] *
Betulaceae [Gray 1821] *
Corylaceae [Mirb. 1815] * *siehe Betulaceae*
Fagaceae [Dumort. 1829] *
Ticodendaceae [Gómez-Laur. et L.D. Gómez 1991]

11. Ordo: Casuarinales
Casuarinaceae [R. Br. in Flinders 1814] *

3. Subclassis: Caryophyllidae

1. Ordo: Caryophyllales
Achatocarpaceae [Heimerl in Engl. et Prantl 1934] *
Agdestidaceae [(Heimerl) Nakai 1942]
Aizoaceae [L.F. Rudolphi 1830] *
Amaranthaceae [Juss. 1789] *
Barbeuiaceae [(H. Walter) Nakai 1942]
Basellaceae [Moq. 1840] *
Cactaceae [Juss. 1789] *
Caryophyllaceae [Juss. 1789] *
Chenopodiaceae [Vent. 1799] *
Didiereaceae [Drake 1903] *
Gisekiaceae [(Endl.) Naikai 1942]
Halophytaceae [Soriano 1984]

Hectorellaceae [Philipson et Skipw. 1961]
Illecebraceae [R. Br. 1810] *
Molluginaceae [Hutch. 1926] *
Nyctaginaceae [Juss. 1789] *
Phytolaccaceae [R. Br. in Tuckey 1818] *
Portulacaceae [Juss. 1789] *
Stegnospermataceae [(A. Rich.) Nakai 1942]

2. Ordo: Polygonales
Polygonaceae [Juss. 1789] *

3. Ordo: Plumbaginales
Plumbaginaceae [Juss. 1789] *

4. SUBCLASSIS: DILLENIIDAE

1. Ordo: Dilleniales
Dilleniaceae [Salisb. 1807] *
Paeoniaceae [F. Rudolphi 1830] *

2. Ordo: Theales
Actinidiaceae [Hutch. 1926] *
Asteropeiaceae [(Szyszyt.) Takht. ex Reveal et Hoogland 1990]
Caryocaraceae [Szyszyt. 1893] *
Clusiaceae [Lindl. 1836] *
Diegodendraceae [Capuron 1964]
Dipterocarpaceae [Blume 1825] *
Elatinaceae [Dumort. 1829] *
Guttiferae [Juss. 1789] *siehe Clusiaceae*
Marcgraviaceae [Choisy in DC. 1824] *
Medusagynaceae [Engl. et Gilg in Engl. 1924] *
Nepenthaceae [Dumort. 1829] *
Ochnaceae [DC. 1811] *
Oncothecaceae [Kobuski ex Airy Shaw 1965]
Paracryphiaceae [Airy Shaw 1965]
Pellicieraceae [(Triana et Planch.) Beauvis. ex Bullock 1959]
Pentaphylacaceae [Engl. 1897] *
Quiinaceae [Choisy ex Engl. in Mart. 1888] *
Sarcolaenaceae [Caruel 1881] *
Scytopetalaceae [Engl. in Engl. et Prantl 1897] *
Sphaerosepalaceae [(Warb.) Tiegh. ex Bullock 1959]
Strasburgeriaceae [Engl. et Gilg in Engl. 1924] *
Tetrameristaceae [Hutch. 1959]
Theaceae [D. Don 1825] *

3. Ordo: Malvales
Bombacaceae [Kunth 1822] *
Elaeocarpaceae [Juss. ex DC. 1824] *
Malvaceae [Juss. 1789] *
Sterculiaceae [(DC.) Bartl. 1830] *
Tiliaceae [Juss. 1789] *

4. Ordo: Lecythidales
Lecythidaceae [Poit. 1825] *

5. Ordo: Sarraceniales
Sarraceniaceae [Dumort. 1829] *

6. Ordo: Droserales
Droseraceae [Salisb. 1808] *

7. Ordo: Violales
Achariaceae [Harms in Engl. et Prantl 1897] *
Ancistrocladaceae [Planch. ex Walp. 1851] *

Begoniaceae [C. Agardh 1824] *
Bixaceae [Link 1831] *
Caricaceae [Dumort. 1829] *
Cistaceae [Juss. 1789] *
Cochlospermaceae [Planch. 1847] * *siehe Bixiaceae*
Cucurbitaceae [Juss. 1789] *
Datiscaceae [R. Br. ex Lindl. 1830] *
Dioncophyllaceae [(Gilg) Airy Shaw 1952] *
Flacourtiaceae [Rich. ex DC. 1824] *
Fouquieriaceae [DC. 1828] *
Frankeniaceae [A. St.-Hil. ex Gray 1821] *
Hoplestigmataceae [Gilg in Engl. 1924] *
Huaceae [A. Chev. 1947]
Lacistemataceae [Mart. 1826] *
Loasaceae [Dumort. 1822] *
Malesherbiaceae [D. Don 1827] *
Passifloraceae [Juss. ex Kunth in Humb. et al. 1817] *
Peridiscaceae [Kuhlm. 1950] *
Plagiopteraceae [Airy Shaw 1965]
Scyphostegiaceae [Hutch. 1926] *
Stachyuraceae [J. Agardh 1858] *
Tamaricaceae [Link 1821] *
Turneraceae [Kunth ex DC. 1828] *
Violaceae [Batsch 1802] *

8. Ordo: Salicales
Salicaceae [Mirb. 1815] *

9. Ordo: Capparales
Brassicaceae [Burnett 1835] *
Capparaceae [Juss. 1789] *
Cruciferae [Juss. 1789] *siehe Brassicaceae*
Moringaceae [R. Br. ex Dumort. 1829] *
Resedaceae [DC. ex Gray 1821] *
Tovariaceae [Pax in Engl. et Prantl 1891] *

10. Ordo: Batales
Bataceae [Mart. ex Meisn. 1842] *
Gyrostemonaceae [Endl. 1841] *

11. Ordo: Ericales
Clethraceae [Klotzsch 1851] *
Cyrillaceae [Endl. 1841] *
Empetraceae [Gray 1821] *
Epacridaceae [R. Br. 1810] *
Ericaceae [Juss. 1789] *
Grubbiaceae [Endl. 1839] *
Monotropaceae [Nutt.] *
Pyrolaceae [Dumort. 1829] *

12. Ordo: Diapensiales
Diapensiaceae [(Link) Lindl. 1836] *

13. Ordo: Ebenales
Ebenaceae [Gürke in Engl. et Prantl 1891] *
Lissocarpaceae [Gilg in Engl. 1924] *
Sapotaceae [Juss. 1789] *
Styracaceae [Dumort. 1829] *
Symplocaceae [Desf. 1820] *

14. Ordo: Primulales
Myrsinaceae [R. Br. 1810] *

Primulaceae [Vent. 1799] *
Theophrastaceae [Link 1829] *

5. Subclassis: Rosidae

1. Ordo: Rosales
Chrysobalanaceae [R. Br. in Tuckey 1818] *
Crossosomataceae [Engl. in Engl. et Prantl 1897] *
Neuradaceae [Link 1831] *
Rhabdodendraceae [(Huber) Prance 1968]
Rosaceae [Juss. 1789] *
Stylobasiaceae [J. Agardh 1858]
Surianaceae [Arn. in Wight et Arn. 1834] *

2. Ordo: Fabales [*Leguminosae* (Juss. 1789)]
Caesalpiniaceae [R. Br.in Flinders 1814] *
Fabaceae [Lindl. 1836] *
Mimosaceae [R. Br. in Flinders 1814] *
Papilionaceae [Giseke 1792] *siehe Fabaceae*

3. Ordo: Proteales
Protaceae [Juss. 1789] *

4. Ordo: Elaeagnales
Elaeagnaceae [Juss. 1789] *

5. Ordo: Podostemales
Podostemaceae [Rich. ex C. Agardh 1822] *

6. Ordo: Haloragales
Gunneraceae [Meisn. 1842] *
Haloragaceae [R. Br. in Flinders 1814] *

7. Ordo: Myrtales
Alzateaceae [S. Graham 1985]
Combretaceae [R. Br. 1810] *
Crypteroniaceae [A. DC. 1868] *
Lythraceae [J. St.-Hil. 1805] *
Melastomataceae [Juss. 1789] *
Myrtaceae [Juss. 1789] *
Oliniaceae [Harv. et Sond. 1862] *
Onagraceae [Juss. 1789] *
Penaeaceae [Sweet ex Guill. 1828] *
Punicaceae [Horan. 1834] *
Rhynchocalycaceae [L. A. S. Johnson et B. G. Briggs 1985]
Sonneratiaceae [Engl. et Gilg in Engl. 1924] *
Thymelaeaceae [Juss. 1789] *
Trapaceae [Dumort. 1829] *

8. Ordo: Rhizophorales
Anisophylleaceae [Ridl. 1922]
Rhizophoraceae [R. Br. in Flinders 1814] *

9. Ordo: Cornales
Alangiaceae [DC. 1828] *
Aralidiaceae [Philipson et B. C. Stone 1980]
Aucubaceae [J. Agardh 1858]
Cornaceae [(Dumort.) Dumort 1829] *
Garryaceae [Lindl. 1834] *
Griseliniaceae [(Wangerin) Takht. 1987]
Helwingiaceae [Decne. 1836]
Melanophyllaceae [Takht. ex Airy Shaw 1972]
Nyssaceae [Juss. ex Dumort. 1829] *
Torricelliaceae [(Wangerin) Hu 1934]

10. Ordo: Santalales
Dipentodontaceae [Merr. 1941] *
Eremolepidaceae [Tiegh. ex Nakai 1952]
Loranthaceae [Juss. 1808] *
Medusandraceae [Brenan 1952] *
Misodendraceae [J. Agardh 1858] *
Olacaceae [Mirb. ex DC. 1824] *
Opiliaceae [(Benth.) Valeton 1886] *
Santalaceae [R. Br. 1810] *
Viscaceae [Batsch 1802]

11. Ordo: Balanophorales
Balanophoraceae [Rich. 1822] *
Cynomoriaceae [(C. Agardh) Endl. ex Lindl. 1833] *

12. Ordo: Rafflesiales
Hydnoraceae [C. Agardh 1821] *
Mitrastemonaceae [Makino 1911] *
Rafflesiaceae [Dumort. 1829] *

13. Ordo: Celastrales
Aextoxicaceae [Engl. et Gilg. in Engl. 1920] *
Aquifoliaceae [Bartl. 1830] *
Canotiaceae [Airy Shaw 1965]
Cardiopteridaceae [Blume 1843] *
Celastraceae [R. Br. in Flinders 1814] *
Corynocarpaceae [Engl. in Engl. et Prantl 1897] *
Dichapetalaceae [Baill. in Mart. 1886] *
Geissolomataceae [Endl. 1841] *
Goupiaceae [Miers 1862]
Hippocrateaceae [Juss. 1811] *
Icacinaceae [(Benth.) Miers 1851] *
Lophopyxidaceae [(Engl.) H. Pfeiff. 1951]
Phelliniaceae [(Loes.) Takht. 1967]
Salvadoraceae [Lindl. 1836] *
Sphenostemonaceae [P. Royen et Airy Shaw 1972]
Stackhousiaceae [R. Br. in Flinders 1814] *
Tepuianthaceae [Maguire et Steyerm. 1981]

14. Ordo: Euphorbiales
Buxaceae [Dumort. 1822] *
Euphorbiaceae [Juss. 1789] *
Pandaceae [Engl. et Gilg in Engl. 1913] *
Simmondsiaceae [(Müll. Arg.) Tiegh. ex Reveal et Hoogland 1990]

15. Ordo: Rhamnales
Leeaceae [(DC.) Dumort. 1829] *
Rhamnaceae [Juss. 1789] *
Vitaceae [Juss. 1789] *

16. Ordo: Polygales
Emblingiaceae [(Pax) Airy Shaw 1965]
Euphroniaceae [Marc.-Berti 1989]
Krameriaceae [Dumort. 1829] *
Malpighiaceae [Juss. 1789] *
Polygalaceae [R. Br. in Flinders 1814] *
Tremandraceae [R. Br. ex DC. 1824] *
Trigoniaceae [Endl. 1841] *
Vochysiaceae [A. St.-Hil. 1820] *
Xanthophyllaceae [(Chodat) Gagnep. Reveal et Hoogland 1990]

17. Ordo: Sapindales
Aceraceae [Juss. 1789] *
Akaniaceae [Stapf 1912] *
Anacardiaceae [Lindl. 1830] *
Balanitaceae [Endl. 1841] *
Bretschneideraceae [Engl. et Gilg 1924] *
Burseraceae [Kunth 1824] *
Cneoraceae [Link 1831] *
Connaraceae [R. Br. in Tuckey 1818] *
Coriariaceae [DC. 1824] *
Hippocastanaceae [DC. 1824] *
Irvingiaceae [(Engl.) Exell et Mendonça 1951] *
Julianiaceae [Hemsl. 1906] *
Meliaceae [Juss. 1789] *
Melianthaceae [Link 1831] *
Meliosmaceae [Endl. 1841] *siehe Sabiaceae*
Physenaceae [Takht. 1985]
Podoonaceae [Baill. ex Franch. 1889]
Ptaeroxylaceae [J.-F. Leroy 1960]
Rutaceae [Juss. 1789] *
Sabiaceae [Blume 1851] *
Sapindaceae [Juss. 1789] *
Simaroubaceae [DC. 1811] *
Staphyleaceae [(DC.) Lindl. 1829] *
Zygophyllaceae [R. Br. in Flinders 1814] *

18. Ordo: Geraniales
Balsaminaceae [A. Rich. 1822] *
Ctenolophonaceae [(H. Winkl.) Exell et Mendoça 1951]
Erythroxylaceae [Kunth in Humb. et al. 1822] *
Geraniaceae [Juss. 1789] *
Humiriaceae [A. Juss. 1829] *
Ixonanthaceae [(Benth. et Hook. f.) Exell et Mendonça 1951] *
Lepidobotryaceae [J. Léonard 1950] *
Limnanthaceae [R. Br. 1833] *
Linaceae [DC. ex Gray 1821] *
Oxalidaceae [R. Br. in Tuckey 1817] *
Tropaeolaceae [Juss. ex DC. 1824] *

19. Ordo: Apiales
Apiaceae [Lindl. 1836] *
Araliaceae [Juss. 1789] *
Umbelliferae [Juss. 1789] *siehe Apiaceae*

20. Ordo: Cunoniales
Bruniaceae [R. Br. ex DC. 1825] *
Cephalotaceae [Dumort. 1829] *
Crassulaceae [DC. in Lam. et DC. 1805] *
Eremosynaceae [Dandy 1959]
Greyiaceae [Hutch. 1926] *
Grossulariaceae [DC. in Lam. et DC. 1805] *
Parnassiaceae [Gray 1821] *
Penthoraceae [Rydb. ex Britton 1901] *
Saxifragaceae [Juss. 1789] *
Vahliaceae [Dandy 1959]

21. Ordo: Cunoniales
Brunelliaceae [Engl. in Engl. et Prantl 1897] *
Cunoniaceae [R. Br. in Flinders 1814] *

Davidsoniaceae [G. G. J. Bange 1952]
Eucryphiaceae [Endl. 1841] *

22. Ordo: Hydrangeales

Alseuosmiaceae [Airy Shaw 1965]
Columelliaceae [D. Don 1828] *
Escalloniaceae [R. Br. ex Dumort. 1829] *
Hydrangeaceae [Dumort. 1829] *
Montiniaceae [Nakai 1943] *
Pterostemonaceae [Small 1905] *

23. Ordo: Pittosporales

Byblidaceae [(Engl. et Gilg) Domin 1922] *
Pittosporaceae [R. Br. in Flinders 1814] *
Roridulaceae [Engl. et Gilg in Engl. 1924] *

6. Subclassis: Asteridae

1. Ordo: Gentianales

Apocynaceae [Juss. 1789] *
Asclepiadaceae [R. Br. 1810] *
Dialypetalanthaceae [Rizzini et Occhioni 1949] *
Gentianaceae [Juss. 1789] *
Loganiaceae [R. Br. ex Mart. 1827] *
Retziaceae [Bart. 1830]
Saccifoliaceae [Maguire et Pires 1978]

2. Ordo: Solanales

Boraginaceae [Juss. 1789] *
Cobaeaceae [D. Don. 1824]
Convolvulaceae [Juss. 1789] *
Cuscutaceae [(Dumort.) Dumort. 1829] *
Duckeodendraceae [Kuhlm. 1950]
Goetzeaceae [Miers ex Airy Shaw 1965]
Hydrophyllaceae [R. Br. 1817] *
Menyanthaceae [(Dumort.) Dumort. 1829] *
Nolanaceae [Dumort. 1829] *
Polemoniaceae [Juss. 1789] *
Solanaceae [Juss. 1789] *

3. Ordo: Lamiales

Avicenniaceae [Endl. 1841] *
Cyclochellaceae [Marais 1981]
Labiatae [Lindl. 1836] *siehe Lamiaceae*
Lamiaceae [Lindl. 1836] *
Lennoaceae [Solms 1870] *
Nesogenaceae [Marais 1981]
Phrymaceae [Schauer 1847] *
Stilbaceae [Kunth 1831] *
Tetrachondraceae [Skottsberg ex Wettst. 1924]
Verbenaceae [J. St.-Hil. 1805] *

4. Ordo: Callitrichales

Callitrichaceae [Link 1821] *
Hippuridaceae [Link 1821] *
Hydrostachyaceae [Engl. 1898] *

5. Ordo: Plantaginales

Plantaginaceae [Juss. 1789] *

6. Ordo: Scrophulariales

Acanthaceae [Juss. 1789] *
Bignoniaceae [Juss. 1789] *
Buddlejaceae [K. Wilh. 1910] *

Gesneriaceae [Dumort. 1822] *
Globulariaceae [DC. in Lam. et DC. 1805] *
Lentibulariaceae [Rich. in Poit. et Turpin 1808] *
Mendonciaceae [Bremek. 1953]
Myoporaceae [R. Br. 1810] *
Oleaceae [Hoffmanns. et Link 1820] *
Orobanchaceae [Vent. 1799] *
Pedaliaceae [R. Br. 1810] *
Scrophulariaceae [Juss. 1789] *

7. Ordo: Campanuales

Brunoniaceae [Dumort. 1829] *
Campanulaceae [Juss. 1789] *
Donatiaceae [(Engl.) B. Chandler 1911] *
Goodeniaceae [R. Br. 1810] *
Pentaphragmataceae [J. Agardh 1858] *
Sphenocleaceae [Mart. ex DC. 1839] *
Stylidiaceae [R. Br. 1810] *

8. Ordo: Rubiales

Rubiaceae [Juss. 1789] *
Theligonaceae [Dumort. 1829] *

9. Ordo: Dipsacales

Adoxaceae [Trautv. 1853] *
Caprifoliaceae [Juss. 1789] *
Carlemanniaceae [Airy Shaw 1965]
Dipsacaceae [Juss. 1789] *
Morinaceae [Raf. 1820]
Triplostegiaceae [(Höck) Bobrov ex Airy Shaw 1965]
Valerianaceae [Batsch 1802] *

10. Ordo: Calycerales

Calyceraceae [R. Br. ex Rich. 1820] *

11. Ordo: Asterales

Asteraceae [Dumort. 1822] *
Compositae [Giseke 1792] *siehe Asteraceae*

2. Classis: Liliopsida (Monocotyledoneae)

1. Subclassis: Alismatidae

1. Ordo: Alismatales

Alismataceae [Vent. 1799] *
Butomaceae [Rich. 1815] *
Limnocharitaceae [Takht. ex Cronquist 1981]

2. Ordo: Hydrocharitales

Hydrocharitaceae [Juss. 1789] *

3. Ordo: Najadales

Aponogetonaceae [J. Agardh 1858] *
Cymodoceaceae [N. Taylor 1909] *
Juncaginaceae [Rich. 1808] *
Lilaeaceae [Dumort. 1829] *
Najadaceae [Juss. 1789] *
Posidoniaceae [Hutch. 1934] *
Potamogetonaceae [Dumort. 1829] *
Ruppiaceae [Horan. ex Hutch. 1934] *
Scheuchzeriaceae [F. Rudolphi 1830] *
Zannichelliaceae [Dumort. 1829] *
Zosteraceae [Dumort. 1829] *

4. Ordo: Triuridales
Petrosaviaceae [Hutch. 1934] *
Triuridaceae [Gardner 1843] *
2. SUBCLASSIS: ARECIDAE
1. Ordo: Arecales
Arecaceae [Sch. Schultz 1832] *
Palmae [Juss. 1789] *siehe Arecaceae*
2. Ordo: Cyclanthales
Cyclanthaceae [Poit. ex A. Rich. 1824] *
3. Ordo: Pandanales
Pandanaceae [R. Br. 1810] *
4. Ordo: Arales
Acoraceae [Martinov 1820]
Araceae [Juss. 1789] *
Lemnaceae [Gray 1821] *
3. SUBCLASSIS: COMMELINIDAE
1. Ordo: Commelinales
Commelinaceae [R. Br. 1810] *
Mayacaceae [Kunth 1842] *
Rapateaceae [Dumort. 1829] *
Xyridaceae [C. Agardh 1823] *
2. Ordo: Eriocaulales
Eriocaulaceae [P. Beauv. ex Desv. 1828] *
3. Ordo: Restionales
Anarthricaceae [D. F. Cutler et Airy Shaw 1965]
Centrolepidaceae [Endl. 1836] *
Ecdeiocoleaceae [D. F. Cutler et Airy Shaw 1965]
Flagellariaceae [Dumort. 1829] *
Joinvilleaceae [Toml. et A. C. Sm. 1970]
Restionaceae [R. Br. 1810] *
4. Ordo: Juncales
Juncaceae [Juss. 1789] *
Thurniaceae [Engl. 1907] *
5. Ordo: Cyperales
Cyperaceae [Juss. 1789] *
6. Ordo: Poales
Gramineae [Juss. 1789] *siehe Poaceae*
Poaceae [(R. Br.) Barnhart 1895] *
7. Ordo: Hydatellales
Hydatellaceae [U. Hamann 1976]
8. Ordo: Typhales
Sparganiaceae [F. Rudolphi 1830] *
Typhaceae [Juss. 1789] *
4. SUBCLASSIS: ZINGIBERIDAE
1. Ordo: Bromeliales
Bromeliaceae [Juss. 1789] *
2. Ordo: Zingiberales
Cannaceae [Juss. 1789] *
Costaceae [(Meisn.) Nakai 1941]
Heliconiaceae [(A. Rich.) Nakai 1941]
Lowiaceae [Ridl. 1924] *
Marantaceae [Petersen in Engl. et Prantl 1888] *
Musaceae [Juss. 1789] *
Strelitziaceae [(K. Schum.) Hutch. 1934] *
Zingiberaceae [Lindl. 1835] *

5. Subclassis: Liliidae

1. Ordo: Liliales

Alstroemeriaceae [Dumort. 1829] *
Colchicaceae [DC. in Lam. et DC. 1805] *
Iridaceae [Juss. 1789] *
Liliaceae [Juss. 1789] *

2. Ordo: Dioscoreales

Dioscoreaceae [R. Br. 1810] *
Petermanniaceae [Hutch. 1934] *
Rhipogonaceae [Conran et Clifford 1985]
Smilacaceae [Vent. 1799] *
Stemonaceae [Engl. in Engl. et Prantl 1887] *
Taccaceae [Dumort. 1829] *
Trichopodaceae [Hutch. 1934] *
Trilliaceae [Lindl. 1846] *

3. Ordo: Melanthiales

Melanthiaceae [Batsch 1802] *

4. Ordo: Pontederiales

Pontederiaceae [Kunth 1816] *

5. Ordo: Philydrales

Philydraceae [Link 1821] *

6. Ordo: Haemodorales

Haemodoraceae [R. Br. 1810] *

7. Ordo: Velloziales

Velloziaceae [Endl. 1841] *

8. Ordo: Asparagales

Agavaceae [Endl. 1841] *
Alliaceae [J. Agardh 1858] *
Aloaceae [Batsch 1802]
Amaryllidaceae [J. St.-Hil. 1805] *
Anthericaceae [J. Agardh 1858]
Aphyllanthaceae [Burnett 1835]
Asparagaceae [Juss. 1789] *
Asphodelaceae [Juss. 1789]
Asteliaceae [Dumort. 1829]
Blandfordiaceae [R. Dahlgren et Clifford 1985]
Calectasiaceae [Endl. 1837]
Convallariaceae [Horan. 1834]
Cyanastraceae [Engl. 1900] *
Dasypogonaceae [Dumort. 1829]
Doryanthaceae [R. Dahlgren et Clifford 1985]
Dracaenaceae [Salisb. 1866] *
Eriospermaceae [Endl. 1841]
Hanguanaceae [Airy Shaw 1965]
Hemerocallidaceae [R. Br. 1810]
Herreriaceae [Endl. 1841]
Hostaceae [B. Mathew 1988]
Hyacinthaceae [Batsch ex Borckh. 1797]
Hypoxidaceae [R. Br. in Flinders 1814] *
Ixioliriaceae [(Pax) Nakai 1943]
Lomandraceae [Lotsy 1911]
Philesiaceae [Dumort. 1829] *
Phormiaceae [J. Agardh 1858]
Ruscaceae [Spreng. ex Hutch. 1934] *
Tecophilaeaceae [Leyb. 1862] *

Xanthorrhoeaceae [Dumort. 1829] *

9. Ordo: Orchidales

Orchidaceae [Juss. 1789] *

10. Ordo: Burmanniales

Burmanniaceae [Blume 1827] *
Corsiaceae [Becc. 1878] *
Geosiridaceae [Jonker 1939] *

IV Familien und Gattungen in alphabetischer Übersicht

IV Alphabetical overview of families and genera

IV Familles et genres par ordre alphabétique

- Hinweise zu den Gattungen finden Sie auch in der Einleitung zum vorherigen Kapitel – zu den Familien vergleiche Artikel 18.5 des *ICBN* (*Tokyo Code*). So finden Sie die *Palmae* unter *Arecaceae*, die *Gramineae* unter *Poaceae*, die *Cruciferae* unter *Brassicaceae*, die *Leguminosae* unter *Fabaceae*, *Caesalpiniaceae* und *Mimosaceae*, die *Guttiferae* unter *Clusiaceae*, die *Umbelliferae* unter *Apiaecae*, die *Labiatae* unter *Lamiaceae* und die *Compositae* unter *Asteraceae*. Laut oben zitierter Regel dürfen aber die Gattungsbezeichnungen alternativ und gleichwertig verwendet werden.
  Die nachfolgende Auflistung ist weder im Hinblick auf die Familien noch auf die der Gattungen komplett, sondern beinhaltet lediglich die Familien- und Gattungsnamen, die in der alphabetischen Pflanzenliste (Abschnitt VI/5) aufgeführt werden. Auch auf die Gattungssynonyme wird nicht eingegangen, da diese ebenfalls aus dem Hauptteil des Buches ersichtlich sind.

- References to genera may also be found in the introduction to the previous chapter. For families, cf. Article 18.5 of the *ICBN* (*Tokyo Code*): e.g., the *Palmae* may be found under *Arecaceae*, the *Graminae* under *Poaceae*, the *Cruciferae* under *Brassicaceae*, the *Leguminosae* under *Fabaceae*, the *Caesalpiniaceae* and the *Mimosaceae*, the *Guttiferae* under *Clusiaceae*, the *Umbelliferae* under *Apiaecae*, the *Labiatae* under *Lamiaceae*, and the *Compositae* under *Asteraceae*. According to the rule cited above, however, these taxonomic designations may be used alternatively and with equal validity.
  The following listing is complete neither with respect to the families nor in relation to the genera, but contains only those family and generic names in the alphabetical plant list (Section VI/5). Similarly, details of generic synonyms have been omitted since these, too, may be found in the main part of the volume.

- Vous trouverez des indications à propos des genres dans l'introduction du chapitre précédent; à propos des familles, *cf.* article 18.5 de l'*ICBN* (*Code de Tokyo*). C'est ainsi que l'on a remplacé les *Palmae* par *Arecaceae*, les *Gramineae* par *Poaceae*, les *Cruciferae* par *Brassicaceae*, les *Leguminosae* par *Fabaceae*, les *Caesalpiniaceae* et les *Mimosaceae*, les *Guttiferae* par *Clusiaceae*, les *Umbelliferae* par *Apiaceae*, les *Labiatae* par *Lamiaceae* et les *Compositae* par *Asteraceae*. Cependant, selon la règle citée ci-dessus, les noms de familles peuvent être utilisés alternativement et d'une manière équivalente.
  La liste suivante est incomplète en ce qui concerne les familles et les genres; elle ne comprend que les noms des familles et des genres qui seront indiqués dans la liste alphabétique des plantes (partie VI/5). Les synonymes des noms des genres ne sont pas traités non plus, car ils figurent dans la partie principale de cet ouvrage.

Acanthaceae: *Acanthus - Aphelandra - Asystasia - Barleria - Brillantaisia - Chamaeranthemum - Crossandra - Dicliptera - Eranthemum - Fittonia - Graptophyllum - Gymnostachyum - Hemigraphis - Hygrophila - Hypoestes - Justicia - Mackaya - Meyenia - Odontonema - Pachystachys - Peristrophe - Pseuderanthemum - Ruellia - Ruspolia - Ruttya - Sanchezia - Schaueria - Stenandrium - Strobilanthes - Thunbergia - Whitfieldia - Xantheranthemum*

Aceraceae: *Acer - Dipteronia*

Acoraceae: *Acorus*

Actinidiaceae: *Actinidia - Clematoclethra - Saurauia*

Actiniopteridaceae: *Actiniopteris*

Adiantaceae: *Adiantopsis - Adiantum - Anogramma - Cheilanthes - Coniogramme - Cryptogramma - Doryopteris - Gymnopteris - Hemionitis - Llavea - Onychium - Pellaea - Pityrogramma*

Adoxaceae: *Adoxa*

Agavaceae: *Agave - Beschorneria - Bravoa - Cordyline - Furcraea - Hesperaloe - Manfreda - Polianthes - Samuela - Yucca*

Aizoaceae: *Acrodon - Aethephyllum - Aloinopsis - Aptenia - Argyroderma - Astridia - Bergeranthus - Carpanthea - Carpobrotus - Carruanthus - Cephalophyllum - Chasmatophyllum - Cheiridopsis - Cleretum - Conicosia - Conophytum - Cylindrophyllum - Delosperma - Dinteranthus - Disphyma - Dorotheanthus - Dracophilus - Drosanthemum - Eberlanzia - Ebracteola - Erepsia - Faucaria - Fenestraria - Gibbaeum - Glottiphyllum - Hereroa - Hymenogyne - Jacobsenia - Jensenobotrya - Juttadinteria - Lampranthus - Lithops - Machairophyllum - Malephora - Mesembryanthemum - Mitrophyllum - Monilaria - Nananthus - Neohenricia - Oophytum - Ophthalmophyllum - Oscularia - Phyllobolus - Pleiospilos - Psammophora - Psilocaulon - Rabiea - Rhinephyllum - Rhombophyllum - Ruschia - Schwantesia - Sesuvium - Skiatophytum - Stomatium - Tanquana - Tetragonia - Titanopsis - Trichodiadema - Vanheerdea - Vanzijlia*

Alangiaceae: *Alangium - Marlea*

Alismataceae: *Alisma - Baldellia - Caldesia - Echinodorus - Luronium - Sagittaria*

Alliaceae: *Agapanthus - Allium - Bessera - Bloomeria - Brodiaea - Dichelostemma - Ipheion - Leucocoryne - Milla - Nectaroscordum - Nothoscordum - Triteleia - Tulbaghia*

Aloaceae: *Aloe - Gasteria - Haworthia - Poellnitzia*

Alstroemeriaceae: *Alstroemeria - Bomarea*

Amaranthaceae: *Achyranthes - Aerva - Alternanthera - Amaranthus - Bosea - Celosia - Froelichia - Gomphrena - Iresine - Ptilotus - Pupalia*

Amaryllidaceae: × *Amarcrinum* - × *Amarygia - Amaryllis - Brunsvigia - Caliphruria - Chlidanthus - Clivia - Crinum - Cyrtanthus - Elisena - Eucharis - Galanthus - Griffinia - Habranthus - Haemanthus* - × *Hippeastrelia - Hippeastrum - Hymenocallis - Leucojum - Lycoris - Narcissus - Nerine - Pancratium - Phaedranassa - Pyrolirion - Rhodophiala - Scadoxus - Sprekelia - Sternbergia - Zephyranthes*

Anacardiaceae: *Anacardium - Astronium - Cotinus - Dracontomelon - Harpephyllum - Lannea - Lithraea - Mangifera - Melanorrhoea - Pachycormus - Pistacia - Rhus - Schinopsis - Schinus - Semecarpus - Spondias - Terebinthus*

Annonaceae: *Annona - Artabotrys - Asimina - Cananga - Cymbopetalum - Monodora - Oxandra - Stelechocarpus - Xylopia*

Anthericaceae: *Anthericum - Arthropodium - Chlorophytum - Thysanotus*

Aphyllanthaceae: *Aphyllanthes*

Apiaceae: *Aciphylla - Aegopodium - Aethusa - Ammi - Ammodaucus - Ammoides - Anethum - Angelica - Anthriscus - Apium - Arracacia - Astrantia - Athamanta - Azorella - Berula - Bifora - Bunium - Bupleurum - Carum - Caucalis - Centella - Chaerophyllum - Cicuta - Cnidium - Conioselinum - Conium - Conopodium - Coriandrum - Crithmum - Cryptotaenia - Cuminum - Daucus - Dorema - Eryngium - Falcaria - Ferula - Ferulago - Foeniculum - Hacquetia - Heracleum - Hydrocotyle - Imperatoria - Lagoecia - Laser - Laserpitium - Levisticum - Ligusticum - Lilaeopsis - Magydaris - Melanoselinum - Meum - Molopospermum - Myrrhis - Myrrhoides - Oenanthe - Opopanax - Orlaya - Pastinaca -*

Petroselinum - Peucedanum - Phellandrium - Pimpinella - Pleurospermum - Ptychotis - Ridolfia - Sanicula - Scandix - Selinum - Seseli - Silaum - Sison - Sium - Smyrnium - Thapsia - Tommasinia - Tordylium - Torilis - Trachymene - Trachyspermum - Trinia - Trochiscanthes - Turgenia - Zizia

Apocynaceae: *Acokanthera - Adenium - Allamanda - Alstonia - Amsonia - Apocynum - Aspidosperma - Beaumontia - Carissa - Catharanthus - Cerbera - Couma - Dyera - Echites - Funtumia - Hancornia - Hunteria - Landolphia - Mandevilla - Nerium - Pachypodium - Peltastes - Plumeria - Prestonia - Rauvolfia - Rhazya - Strophanthus - Tabernaemontana - Thevetia - Trachelospermum - Vinca - Willughbeia*

Aponogetonaceae: *Aponogeton*

Aquifoliaceae: *Ilex - Nemopanthus*

Araceae: *Aglaonema - Alocasia - Amorphophallus - Anthurium - Anubias - Ariopsis - Arisaema - Arisarum - Arum - Caladium - Calla - Callopsis - Colocasia - Cryptocoryne - Culcasia - Cyrtosperma - Dieffenbachia - Dracontium - Dracunculus - Epipremnum - Helicodiceros - Homalomena - Lagenandra - Lasia - Lysichiton - Monstera - Nephthytis - Orontium - Peltandra - Philodendron - Pinellia - Pistia - Pothos - Remusatia - Rhaphidophora - Rhektophyllum - Rhodospatha - Sauromatum - Schismatoglottis - Scindapsus - Spathicarpa - Spathiphyllum - Stenospermation - Steudnera - Symplocarpus - Syngonium - Typhonium - Typhonodorum - Xanthosoma - Zamioculcas - Zantedeschia*

Araliaceae: *- Aralia - Cussonia - Dimorphanthus - Eleutherococcus - × Fatshedera - Fatsia - Hedera - Kalopanax - Meryta - Oplopanax - Oreopanax - Panax - Polyscias - Pseudopanax - Schefflera - Tetrapanax - Trevesia*

Araucariaceae: *Agathis - Araucaria*

Arecaceae: *Acanthophoenix - Acoelorrhaphe - Acrocomia - Aiphanes - Archontophoenix - Areca - Arenga - Astrocaryum - Attalea - Bactris - Bentinckia - Borassus - Brahea - Butia - Calamus - Calyptrogyne - Caryota - Ceroxylon - Chamaedorea - Chamaerops - Chambeyronia - Chrysalidocarpus - Clinostigma - Coccothrinax - Cocos - Copernicia - Corypha - Cryosophila - Cyrtostachys - Daemonorops - Desmoncus - Dictyosperma - Elaeis - Euterpe - Geonoma - Glaziovaÿ - Hedyscepe - Howea - Hyophorbe - Hyphaene - Jessenia - Jubaea - Kentiopsis - Latania - Leopoldinia - Lepidorrhachis - Licuala - Livistona - Lodoicea - Lytocaryum - Mauritia - Metroxylon - Nannorrhops - Neodypsis - Nypa - Orbignya - Phoenicophorium - Phoenix - Phytelephas - Pinanga - Polyandrococos - Pritchardia - Ptychosperma - Raphia - Reinhardtia - Rhapidophyllum - Rhapis - Rhopalostylis - Roystonea - Sabal - Salacca - Scheelea - Serenoa - Syagrus - Synechanthus - Thrinax - Trachycarpus - Trithrinax - Veitchia - Verschaffeltia - Wallichia - Washingtonia*

Aristolochiaceae: *Aristolochia - Asarum*

Asclepiadaceae: *Araujia - Asclepias - Calotropis - Caralluma - Ceropegia - Cionura - Cryptostegia - Cynanchum - Decabelone - Dischidia - Dregea - Duvalia - Echidnopsis - Fockea - Gomphocarpus - Hoodia - Hoya - Huernia - Huerniopsis - Marsdenia - Metaplexis - Orbea - Orbeopsis - Oxypetalum - Pectinaria - Periploca - Piaranthus - Quaqua - Sarcostemma - Schubertia - Stapelia - Stephanotis - Trichocaulon - Tridentea - Tromotriche - Tweedia - Vincetoxicum - Whitesloanea - Xysmalobium*

Asparagaceae: *- Asparagus*

Asphodelaceae: *Asphodeline - Asphodelus - Bulbine - Bulbinella - Eremurus - Kniphofia - Paradisea*

Aspleniaceae: *Asplenium - Camptosorus - Ceterach*

Asteliaceae: *Astelia*

Asteraceae: *- Achillea - Acroclinium - Acroptilon - Adenostyles - Ageratina - Ageratum - Ajania - Amberboa - Ambrosia - Ammobium - Anacyclus - Anaphalis - Andryala - Antennaria - Anthemis - Aposeris - Arctanthemum - Arctium - Arctotheca - Arctotis - Argyranthemum - Arnica - Arnoseris - Artemisia - Aster - Asterago - Asteriscus - Athanasia - Ayapana - Baccharis - Bahia - Barnadesia - Bartlettina - Bellis - Bellium - Berardia - Berkheya - Bidens - Blumea - Boltonia - Brachyglottis - Brachylaena - Brachyscome - Buphthalmum - Calendula - Callistephus - Calocephalus - Calomeria -*

Carduncellus - Carduus - Carlina - Carpesium - Carthamus - Cassinia - Catananche - Celmisia - Centaurea - Cephalipterum - Chaenactis - Chamaemelum - Chiliotrichum - Chondrilla - Chrysanthemoides - Chrysanthemum - Chrysocoma - Chrysogonum - Chrysopsis - Chrysothamnus - Cicerbita - Cichorium - Cineraria - Cirsium - Cladanthus - Cnicus - Coleostephus - Conoclinium - Conyza - Coreopsis - Cosmos - Cotula - Craspedia - Crassocephalum - Crepis - Crupina - Cyanopsis - Cyanus - Cynara - Dahlia - Delairea - Dendranthema - Dimorphotheca - Dittrichia - Doronicum - Dyssodia - Echinacea - Echinops - Edmondia - Emilia - Erechtites - Erigeron - Eriocephalus - Eriophyllum - Eupatorium - Euryops - Farfugium - Felicia - Filago - Fleischmannia - Gaillardia - Galactites - Galinsoga - Gazania - Gerbera - Gnaphalium - Gonospermum - Grindelia - Guizotia - Gynura - Haplopappus - Hebeclinium - Helenium - Helianthella - Helianthus - Helichrysum - Heliopsis - Helipterum - Helminthotheca - Heteranthemis - Heterotheca - Hidalgoa - Hieracium - Homogyne - Hymenostemma - Hymenoxys - Hyoseris - Hypochaeris - Inula - Ismelia - Iva - Jurinea - Jurinella - Kalimeris - Kleinia - Lactuca - Lappa - Lapsana - Lasthenia - Launaea - Layia - Leontodon - Leontopodium - Leptinella - Leucanthemella - Leucanthemopsis - Leucanthemum - Leucogenes - Leucophyta - Leuzea - Liatris - Ligularia - Lindheimera - Linosyris - Lonas - Madia - Marshallia - Matricaria - Melampodium - Microglossa - Micropus - Mikania - Montanoa - Mutisia - Mycelis - Nabalus - Nauplius - Nipponanthemum - Odontospermum - Oldenburgia - Olearia - Omalotheca - Onopordum - Onoseris - Osteospermum - Otanthus - Othonna - Othonnopsis - Ozothamnus - Packera - Palafoxia - Parthenium - Perezia - Pericallis - Pertya - Petasites - Phaenocoma - Picris - Piqueria - Podachaenium - Podolepis - Polymnia - Prenanthes - Pseudognaphalium - Pteronia - Ptilostemon - Pulicaria - Pyrrocoma - Raoulia - Ratibida - Relhania - Rhagadiolus - Rhodanthe - Rhodanthemum - Rhynchospermum - Rudbeckia - Rydbergia - Santolina - Sanvitalia - Saussurea - Schoenia - Scolymus - Scorzonera - Senecio - Serratula - Sigesbeckia - Silphium - Silybum - Sinacalia - Solidago - Solidaster - Sonchus - Spilanthes - Staehelina - Steirodiscus - Stevia - Stoebe - Stokesia - Tagetes - Tanacetum - Taraxacum - Tarchonanthus - Telekia - Tephroseris - Tetraneuris - Thelesperma - Thymophylla - Tithonia - Tolpis - Townsendia - Tragopogon - Tridax - Tripleurospermum - Tussilago - Urospermum - Ursinia - Verbesina - Vernonia - Vittadinia - Waitzia - Wedelia - Willemetia - Wyethia - Xanthium - Xeranthemum - Zinnia

Azollaceae: *Azolla*

Balanitaceae: *Balanites*

Balsaminaceae: *- Hydrocera - Impatiens*

Basellaceae: *Anredera - Basella - Boussingaultia - Ullucus*

Begoniaceae: *Begonia - Hillebrandia*

Berberidaceae: *Aceranthus - Achlys - Berberis - Bongardia - Caulophyllum - Diphylleia - Epimedium - Gymnospermium - Jeffersonia - Leontice - Mahoberberis - Mahonia - Nandina - Plagiorhegma - Podophyllum - Ranzania - Vancouveria*

Betulaceae: *Alnus - Betula - Carpinus - Corylus - Ostrya - Ostryopsis*

Bignoniaceae: *- Anemopaegma - Bignonia - Campsidium - Campsis - Catalpa - Clytostoma - Crescentia - Cybistax - Distictis - Eccremocarpus - Glaziova - Incarvillea - Jacaranda - Kigelia - Macfadyena - Oroxylum - Pandorea - Parmentiera - Pithecoctenium - Podranea - Pyrostegia - Radermachera - Rhigozum - Spathodea - Stereospermum - Tabebuia - Tecoma*

Bixaceae: *Bixa*

Blandfordiaceae: *Blandfordia*

Blechnaceae: *Blechnum - Doodia - Stenochlaena - Woodwardia*

Bombacaceae: *Adansonia - Bombax - Ceiba - Chorisia - Durio - Ochroma - Pachira - Pseudobombax*

Boraginaceae: *- Alkanna - Amsinckia - Anchusa - Arnebia - Asperugo - Borago - Brunnera - Caccinia - Carmona - Cerinthe - Cordia - Cynoglossum - Echium - Ehretia - Eritrichium - Heliotropium - Lappula - Lindelofia - Lithodora - Lithospermum - Lobostemon -*

Mertensia - Moltkia - Myosotis - Nonea - Omphalodes - Onosma - Pentaglottis - Psilostemon - Pulmonaria - Rindera - Solenanthus - Symphytum - Trachystemon
Boweniaceae: *Bowenia*
Brassicaceae: *Aethionema - Alliaria - Alyssoides - Alyssum - Anastatica - Arabis - Armoracia - Aubrieta - Aurinia - Barbarea - Berteroa - Biscutella - Brassica - Braya - Bunias - Cakile - Calepina - Camelina - Capsella - Cardamine - Chorispora - Clypeola - Cochlearia - Coincya - Coluteocarpus - Conringia - Coronopus - Crambe - Degenia - Descurainia - Diplotaxis - Draba - Erophila - Eruca - Erucastrum - Erysimum - Euclidium - Eutrema - Farsetia - Fibigia - Heliophila - Hesperis - Hirschfeldia - Hormathophylla - Hornungia - Hugueninia - Hymenolobus - Iberis - Ionopsidium - Isatis - Jonopsidium - Kernera - Lepidium - Lobularia - Lunaria - Malcolmia - Matthiola - Moricandia - Morisia - Murbeckiella - Myagrum - Neslia - Orychophragmus - Pachyphragma - Parrya - Peltaria - Petrocallis - Phoenicaulis - Pritzelago - Raphanus - Rapistrum - Rorippa - Schivereckia - Schizopetalon - Sinapis - Sisymbrium - Subularia - Succowia - Teesdalia - Thlaspi - Vella - Wasabia*
Bromeliaceae: *Abromeitiella - Acanthostachys - Aechmea - Ananas - Ananassa - Araeococcus - Billbergia - Brocchinia - Bromelia - Canistrum - Catopsis - Cottendorfia - Cryptanthus - Deuterocohnia - Dyckia - Fascicularia - Fosterella - Greigia - Guzmania - Hechtia - Hohenbergia - Lindmania - Neoglaziovia - Neoregelia - Nidularium - Ochagavia - Orthophytum - Pitcairnia - Portea - Pseudananas - Puya - Quesnelia - Ronnbergia - Streptocalyx - Tillandsia - Vriesea - Wittrockia*
Bruniaceae: *Brunia*
Buddlejaceae: *Buddleja*
Burseraceae: *Aucoumea - Boswellia - Bursera - Canarium - Commiphora - Dacryodes*
Butomaceae: *Butomus*
Buxaceae: *Buxus - Pachysandra - Sarcococca*
Byblidaceae: *Byblis*

Cabombaceae: *Brasenia - Cabomba*
Cactaceae: *Acanthocalycium - Aporocactus - Arequipa - Ariocarpus - Arrojadoa - Arthrocereus - Astrophytum - Austrocactus - Austrocephalocereus - Aztekium - Bergerocactus - Blossfeldia - Borzicactus - Browningia - Carnegiea - Cephalocereus - Cereus - Chiapasia - Cleistocactus - Coleocephalocereus - Copiapoa - Corryocactus - Coryphantha - Deamia - Denmoza - Disocactus - Echinocactus - Echinocereus - Echinofossulocactus - Echinopsis - Encephalocarpus - Epiphyllum - Epithelantha - Eriocereus - Eriosyce - Erythrorhipsalis - Escobaria - Espostoa - Eulychnia - Facheiroa - Ferocactus - Frailea - Gymnocalycium - Haageocereus - Harrisia - Hatiora - Heliabravoa - Heliocereus - Hildewintera - Hylocereus - Lepismium - Leuchtenbergia - Lobivia - Lophophora - Machaerocereus - Maihuenia - Mammillaria - Matucana - Melocactus - Micranthocereus - Mila - Monvillea - Myrtillocactus - Neobuxbaumia - Neolloydia - Neoporteria - Neoraimondia - Nopalxochia - Notocactus - Nyctocereus - Obregonia - Opuntia - Oreocereus - Oroya - Pachycereus - Parodia - Pediocactus - Pelecyphora - Peniocereus - Pereskia - Pereskiopsis - Pfeiffera - Pilosocereus - Polaskia - Pseudorhipsalis - Pterocactus - Rebutia - Rhipsalidopsis - Rhipsalis - Schlumbergera - Sclerocactus - Selenicereus - Setiechinopsis - Stenocereus - Stephanocereus - Stetsonia - Strombocactus - Sulcorebutia - Thelocactus - Trichocereus - Turbinicarpus - Uebelmannia - Weberbauerocereus - Weberocereus - Weingartia - Wilcoxia - Wittiocactus*
Caesalpiniaceae: *Afzelia - Amherstia - Bauhinia - Brownea - Caesalpinia - Cassia - Ceratonia - Cercis - Chamaecrista - Copaifera - Delonix - Distemonanthus - Erythrophleum - Gleditsia - Gossweilerodendron - Guibourtia - Gymnocladus - Haematoxylum - Hymenaea - Intsia - Isoberlinia - Parkinsonia - Peltogyne - Peltophorum - Schotia - Senna - Tamarindus*
Callitrichaceae: *Callitriche*
Calycanthaceae: *Calycanthus - Chimonanthus*
Calyceraceae: *Acicarpha*

Campanulaceae: *Adenophora - Asyneuma - Azorina - Campanula - Canarina - Centropogon - Codonopsis - Cyananthus - Diosphaera - Dobrowskya - Downingia - Edraianthus - Hypsela - Jasione - Laurentia - Legousia - Lobelia - Michauxia - Monopsis - Musschia - Ostrowskia - Physoplexis - Phyteuma - Platycodon - Pratia - Siphocampylus - Symphyandra - Trachelium - Triodanis - Wahlenbergia*
Canellaceae: *Canella - Cinnamodendron*
Cannabaceae: *Cannabis - Humulus*
Cannaceae: *Canna*
Capparaceae: *Capparis - Cleome - Crateva - Polanisia*
Caprifoliaceae: *Abelia - Diervilla - Dipelta - Heptacodium - Kolkwitzia - Leycesteria - Linnaea - Lonicera - Macrodiervilla - Sambucus - Symphoricarpos - Triosteum - Viburnum - Weigela*
Caricaceae: *Carica*
Caryocaraceae: *Caryocar*
Caryophyllaceae: *Agrostemma - Arenaria - Bufonia - Cerastium - Cucubalus - Dianthus - Drypis - Gypsophila - Holosteum - Honckenya - Lepyrodiclis - Lychnis - Minuartia - Moehringia - Moenchia - Petrocoptis - Petrorhagia - Phrynella - Polycarpon - Pseudostellaria - Sagina - Saponaria - Silene - Spergula - Spergularia - Stellaria - Vaccaria - Viscaria*
Casuarinaceae: *Casuarina*
Cecropiaceae: *Cecropia - Coussapoa - Musanga*
Celastraceae: *Cassine - Catha - Celastrus - Elaeodendron - Euonymus - Maytenus - Paxistima - Tripterygium*
Cephalotaceae: *Cephalotus*
Cephalotaxaceae: *Cephalotaxus*
Ceratophyllaceae: *Ceratophyllum*
Cercidiphyllaceae: *Cercidiphyllum*
Chenopodiaceae: *Anabasis - Atriplex - Bassia - Beta - Camphorosma - Chenopodium - Corispermum - Cycloloma - Haloxylon - Kochia - Krascheninnikovia - Polycnemum - Salicornia - Salsola - Spinacia - Suaeda - Teloxys*
Chloranthaceae: *Chloranthus*
Chrysobalanaceae: *- Chrysobalanus - Licania - Parinari*
Cistaceae: *Cistus - Fumana - × Halimiocistus - Halimium - Helianthemum - Tuberaria*
Clethraceae: *Clethra*
Clusiaceae: *Calophyllum - Clusia - Garcinia - Harungana - Hypericum - Mammea - Mesua - Platonia*
Cneoraceae: *Cneorum*
Cobaeaceae: *Cobaea*
Colchicaceae: *Bulbocodium - Colchicum - Gloriosa - Littonia - Oakesiella - Sandersonia - Wurmbea*
Combretaceae: *Anogeissus - Combretum - Quisqualis - Terminalia*
Commelinaceae: *Aneilema - Callisia - Coleotrype - Commelina - Cyanotis - Dichorisandra - Geogenanthus - Gibasis - Palisota - Siderasis - Tinantia - Tradescantia - Tripogandra - Weldenia*
Convallariaceae: *Aspidistra - Clintonia - Convallaria - Disporum - Liriope - Maianthemum - Medeola - Ophiopogon - Peliosanthes - Polygonatum - Reineckea - Rohdea - Speirantha - Streptopus - Tricyrtis - Uvularia*
Convolvulaceae: *Argyreia - Calystegia - Convolvulus - Cuscuta - Dichondra - Evolvulus - Falkia - Ipomoea - Jacquemontia - Merremia - Operculina - Porana - Stictocardia*
Coriariaceae: *Coriaria*
Cornaceae: *Aucuba - Cornus - Curtisia - Griselinia - Helwingia*
Corynocarpaceae: *Corynocarpus*
Costaceae: *Costus - Tapeinochilos*
Crassulaceae: *Adromischus - Aeonium - Aichryson - Bryophyllum - Chiastophyllum - Cotyledon - Crassula - Cremneria - Cremnophila - Dudleya - Echeveria - Globulea -*

Graptopetalum - Greenovia - Kalanchoe - Lenophyllum - Monanthes - Orostachys - Pachyphytum - Pachyveria - Pistorinia - Rhodiola - Rosularia - Sedatia - Sedum - Sempervivum - Sinocrassula - Tylecodon - Umbilicus - Villadia
Cucurbitaceae: *Abobra - Acanthosicyos - Alsomitra - Benincasa - Bryonia - Citrullus - Coccinia - Cucumeropsis - Cucumis - Cucurbita - Cyclanthera - Diplocyclos - Ecballium - Echinocystis - Echinopepon - Gurania - Kedrostis - Lagenaria - Luffa - Melothria - Momordica - Mukia - Neoalsomitra - Sechium - Sicana - Sicyos - Telfairia - Thladiantha - Trichosanthes - Xerosicyos - Zehneria*
Cunoniaceae: *Bauera - Ceratopetalum - Cunonia*
Cupressaceae: *- Austrocedrus - Callitris - Calocedrus - Chamaecyparis - × Cupressocyparis - Cupressus - Fitzroya - Fokienia - Juniperus - Libocedrus - Microbiota - Retinispora - Tetraclinis - Thuja - Thujopsis - Widdringtonia*
Cyanastraceae: *Cyanastrum*
Cyatheaceae: *- Cyathea*
Cycadaceae: *Cycas*
Cyclanthaceae: *Carludovica - Cyclanthus - Dicranopygium - Ludovia*
Cyperaceae: *- Blysmus - Bolboschoenus - Carex - Cladium - Cymophyllus - Cyperus - Eleocharis - Eriophorum - Ficinia - Fimbristylis - Isolepis - Kobresia - Lagenocarpus - Lepironia - Mapania - Rhynchospora - Schoenoplectus - Schoenus - Scirpodendron - Scirpoides - Scirpus - Trichophorum*

Daphniphyllaceae: *Daphniphyllum*
Datiscaceae: *Datisca*
Davalliaceae: *Davallia - Humata - Scyphularia*
Dennstaedtiaceae: *Dennstaedtia - Hypolepis - Lonchitis - Microlepia - Pteridium*
Diapensiaceae: *Diapensia - Galax - Schizocodon - Shortia*
Dicksoniaceae: *Cibotium - Culcita - Dicksonia*
Didiereaceae: *Decaryia - Didierea*
Dilleniaceae: *Dillenia - Hibbertia*
Dioscoreaceae: *Dioscorea - Tamus - Testudinaria*
Dipsacaceae: *Cephalaria - Dipsacus - Knautia - Pterocephalus - Scabiosa - Succisa - Succisella*
Dipteridaceae:
Dipterocarpaceae: *Dipterocarpus - Dryobalanops - Hopea - Shorea - Vateria*
Doryanthaceae: *Doryanthes*
Dracaenaceae: *Beaucarnea - Dasylirion - Dracaena - Nolina - Sansevieria*
Droseraceae: *Aldrovanda - Dionaea - Drosera - Drosophyllum*
Dryopteridaceae: *Arachniodes - Cyrtomium - Didymochlaena - Dryopteris - Fadyenia - Olfersia - Phanerophlebia - Polybotrya - Polystichum - Rumohra - Tectaria*

Ebenaceae: *Diospyros*
Elaeagnaceae: *Elaeagnus - Hippophae - Shepherdia*
Elaeocarpaceae: *Aristotelia - Crinodendron - Elaeocarpus*
Elatinaceae: *Elatine*
Empetraceae: *Corema - Empetrum*
Epacridaceae: *Cyathodes - Dracophyllum - Epacris - Leucopogon - Trochocarpa*
Ephedraceae: *Ephedra*
Equisetaceae: *Equisetum*
Ericaceae: *Agapetes - Andromeda - Arbutus - Arctostaphylos - Bejaria - Bruckenthalia - Bryanthus - Calluna - Cassiope - Cavendishia - Chamaedaphne - Cladothamnus - Daboecia - Enkianthus - Epigaea - Erica - Gaultheria - Gaylussacia - Harrimanella - Kalmia - Leiophyllum - Leucothoe - Loiseleuria - Lyonia - Macleania - Menziesia - Monotropa - Oxydendrum - Phylliopsis - Phyllodoce - × Phyllothamnus - Pieris - Rhododendron - Rhodothamnus - Thibaudia - Tripetaleia - Vaccinium - Zenobia*
Eriocaulaceae: *Eriocaulon - Paepalanthus - Syngonanthus*

Erythroxylaceae: *Erythroxylum*
Escalloniaceae: *Brexia - Corokia - Escallonia - Itea*
Eucommiaceae: *Eucommia*
Eucryphiaceae: *Eucryphia*
Euphorbiaceae: *Acalypha - Adelia - Aleurites - Andrachne - Antidesma - Baccaurea - Breynia - Chrozophora - Cnidoscolus - Codiaeum - Croton - Dalechampia - Euphorbia - Excoecaria - Garcia - Hevea - Hippomane - Homalanthus - Hura - Jatropha - Joannesia - Mallotus - Manihot - Mercurialis - Monadenium - Pedilanthus - Phyllanthus - Plukenetia - Reutealis - Ricinodendron - Ricinus - Sapium - Sauropus - Securinega - Stillingia - Synadenium - Tetracarpidium - Vernicia*
Eupteleaceae: *Euptelea*

Fabaceae: *Abrus - Adenocarpus - Adesmia - Aeschynomene - Alhagi - Alysicarpus - Amicia - Ammodendron - Amorpha - Amphicarpaea - Anagyris - Andira - Anthyllis - Apios - Arachis - Argyrocytisus - Aspalathus - Astragalus - Baphia - Baptisia - Bituminaria - Bolusanthus - Bossiaea - Brachysema - Burtonia - Butea - Cajanus - Calicotome - Calophaca - Calopogonium - Campylotropis - Canavalia - Caragana - Carmichaelia - Castanospermum - Centrosema - Chamaecytisus - Chorizema - Christia - Cicer - Cladrastis - Clianthus - Clitoria - Colutea - Coronilla - Crotalaria - Cyamopsis - Cytisophyllum - Cytisus - Dalbergia - Daviesia - Derris - Desmodium - Dillwynia - Dipogon - Dipteryx - Dolichos - Echinospartum - Erinacea - Erythrina - Eutaxia - Flemingia - Galega - Genista - Gliricidia - Glycine - Glycyrrhiza - Gompholobium - Goodia - Halimodendron - Hardenbergia - Hedysarum - Hippocrepis - Hovea - Indigofera - Inocarpus - Kennedia - Kummerowia - Lablab - × Laburnocytisus - Laburnum - Lathyrus - Lens - Lespedeza - Lonchocarpus - Lotononis - Lotus - Lupinus - Maackia - Macroptilium - Macrotyloma - Medicago - Melilotus - Mirbelia - Mucuna - Mundulea - Myroxylon - Neonotonia - Notospartium - Onobrychis - Ononis - Ornithopus - Oxylobium - Oxytropis - Pachyrhizus - Parochetus - Petteria - Phaseolus - Physostigma - Piptanthus - Piscidia - Pisum - Podalyria - Psophocarpus - Psoralea - Pterocarpus - Pueraria - Pultenaea - Retama - Rhynchosia - Robinia - Scorpiurus - Sesbania - Soja - Sophora - Spartium - Sphenostylis - Strongylodon - Stylosanthes - Sutherlandia - Swainsona - Templetonia - Tephrosia - Tetragonolobus - Thermopsis - Tipuana - Toluifera - Trifolium - Trigonella - Ulex - × Vataireopsis - Vicia - Vigna - Virgilia - Wisteria*
Fagaceae: *Castanea - Castanopsis - Chrysolepis - Fagus - Lithocarpus - Nothofagus - Quercus*
Flacourtiaceae: *- Azara - Berberidopsis - Dovyalis - Flacourtia - Hydnocarpus - Idesia - Pangium - Poliothyrsis - Ryania - Xylosma*
Fouquieriaceae: *Fouquieria*
Frankeniaceae: *Frankenia*
Fumariaceae: *Adlumia - Capnoides - Ceratocapnos - Corydalis - Dicentra - Fumaria - Hypecoum - Pseudofumaria - Rupicapnos - Sarcocapnos*

Garryaceae: *Garrya*
Gentianaceae: *Bartonia - Blackstonia - Centaurium - Chironia - Cicendia - Eustoma - Exacum - Gentiana - Gentianella - Halenia - Lomatogonium - Orphium - Sabatia - Swertia*
Geraniaceae: *Biebersteinia - Erodium - Geranium - Pelargonium - Sarcocaulon*
Gesneriaceae: *Achimenes - Aeschynanthus - Alloplectus - Asteranthera - Boea - Briggsia - Chirita - Chrysothemis - Codonantanthus - Codonanthe - Columnea - Conandron - Corallodiscus - Cyrtandra - Diastema - Didymocarpus - Drymonia - Episcia - Eucodonia - Gesneria - Gloxinia - Haberlea - Jancaea - Koellikeria - Kohleria - Mitraria - Moussonia - Nautilocalyx - Nematanthus - Neomortonia - Opithandra - Petrocosmea - Ramonda - Rhabdothamnus - Rhynchoglossum - Rhytidophyllum - Saintpaulia - Sarmienta - Sinningia - Smithiantha - Streptocarpus - Titanotrichum*
Ginkgoaceae: *Ginkgo*
Glaucidiaceae: *Glaucidium*

Gleicheniaceae: *Gleichenia - Sticherus*
Globulariaceae: *Globularia*
Gnetaceae: *Gnetum*
Goodeniaceae: *Goodenia - Leschenaultia - Scaevola - Selliera*
Greyiaceae: *Greyia*
Grossulariaceae: *- Ribes*
Gunneraceae: *Gunnera*

Haemodoraceae: *Anigozanthos - Haemodorum - Macropidia - Wachendorfia - Xiphidium*
Haloragaceae: *Haloragis - Myriophyllum - Proserpinaca*
Hamamelidaceae: *Altingia - Corylopsis - Disanthus - Distylium - Fothergilla - Hamamelis - Liquidambar - Loropetalum - Parrotia - Parrotiopsis - Sinowilsonia - Sycoparrotia - Sycopsis - Trichocladus*
Heliconiaceae: *Heliconia*
Hemerocallidaceae: *Hemerocallis*
Hippocastanaceae: *Aesculus*
Hippuridaceae: *Hippuris*
Hostaceae: *- Hosta*
Hyacinthaceae: *- Albuca - Bellevalia - Bowiea - Brimeura - Camassia - Chionodoxa - × Chionoscilla - Drimia - Drimiopsis - Eucomis - Galtonia - Hyacinthella - Hyacinthoides - Hyacinthus - Lachenalia - Ledebouria - Muscari - Ornithogalum - Puschkinia - Schizobasopsis - Scilla - Urginea - Veltheimia*
Hydrangeaceae: *Carpenteria - Decumaria - Deinanthe - Deutzia - Dichroa - Fendlera - Hydrangea - Jamesia - Kirengeshoma - Philadelphus - Schizophragma*
Hydrocharitaceae: *- Egeria - Elodea - Hydrilla - Hydrocharis - Lagarosiphon - Limnobium - Ottelia - Stratiotes - Vallisneria*
Hydrophyllaceae: *Eriodictyon - Hydrolea - Hydrophyllum - Nemophila - Phacelia - Pholistoma - Romanzoffia - Whitlavia - Wigandia*
Hymenophyllaceae: *Hymenophyllum - Sphaerocionium - Trichomanes*
Hypoxidaceae: *Curculigo - Hypoxis - Rhodohypoxis*

Icacinaceae: *Citronella*
Illecebraceae: *Herniaria Illecebrum Paronychia Scleranthus*
Illiciaceae: *Illicium*
Iridaceae: *- Anomatheca - Antholyza - Aristea - Babiana - Belamcanda - Chasmanthe - Crocosmia - Crocus - Cypella - Dierama - Dietes - Diplarrhena - Ferraria - Freesia - Galaxia - Geissorhiza - Gemmingia - Gladiolus - Gynandriris - Herbertia - Hermodactylus - Hesperantha - Homeria - Iris - Ixia - Lapeirousia - Libertia - Moraea - Neomarica - Nivenia - Olsynium - Orthrosanthus - Pardancanda - Pardanthopsis - Pardanthus - Romulea - Schizostylis - Sisyrinchium - Solenomelus - Sparaxis - Tigridia - Tritonia - Watsonia - Witsenia*
Isoetaceae: *Isoetes*
Ixioliriaceae: *Ixiolirion*

Juglandaceae: *Carya - Juglans - Platycarya - Pterocarya*
Juncaceae: *Juncus - Luzula - Prionium*
Juncaginaceae: *Triglochin*

Krameriaceae: *Krameria*

Lamiaceae: *Acinos - Aeollanthus - Agastache - Ajuga - Amethystea - Ballota - Betonica - Calamintha - Cedronella - Clinopodium - Collinsonia - Dracocephalum - Elsholtzia - Eremostachys - Galeopsis - Glechoma - Hedeoma - Horminum - Hyptis - Hyssopus - Lallemantia - Lamium - Lavandula - Leonotis - Leonurus - Lycopus - Marrubium - Meehania - Melissa - Melittis - Mentha - Micromeria - Moluccella - Monarda -*

Monardella - Nepeta - Ocimum - Origanum - Orthosiphon - Perilla - Perovskia - Phlomis - Physostegia - Plectranthus - Pogostemon - Prostanthera - Prunella - Pycnostachys - Rosmarinus - Salvia - Satureja - Scutellaria - Sideritis - Solenostemon - Stachys - Tetradenia - Teucrium - Thymus - Westringia - Ziziphora

Lardizabalaceae: *Akebia - Decaisnea - Holboellia - Lardizabala - Sinofranchetia - Stauntonia*

Lauraceae: *Apollonias - Cassytha - Cinnamomum - Cryptocarya - Dicypellium - Eusideroxylon - Laurus - Licaria - Lindera - Litsea - Neolitsea - Ocotea - Persea - Phoebe - Sassafras - Umbellularia*

Lecythidaceae: *Barringtonia - Bertholletia - Lecythis*

Leeaceae: *Leea*

Lemnaceae: *Lemna - Spirodela - Wolffia*

Lentibulariaceae: *Pinguicula - Utricularia*

Liliaceae: *Calochortus - Cardiocrinum - Erythronium - Fritillaria - Gagea - Korolkowia - Lilium - Lloydia - Nomocharis - Notholirion - Tulipa*

Limnanthaceae: *Limnanthes*

Limnocharitaceae: *Hydrocleys - Limnocharis*

Linaceae: *Linum - Radiola - Reinwardtia*

Loasaceae: *Blumenbachia - Caiophora - Eucnide - Loasa - Mentzelia - Scyphanthus*

Loganiaceae: *Desfontainia - Fagraea - Gelsemium - Logania - Spigelia - Strychnos*

Lomariopsidaceae: *Bolbitis - Elaphoglossum - Lomariopsis*

Loranthaceae: *Loranthus*

Lowiaceae: *Orchidantha*

Lycopodiaceae: *Diphasiastrum - Huperzia - Lycopodiella - Lycopodium*

Lythraceae: *Cuphea - Lafoensia - Lagerstroemia - Lawsonia - Lythrum*

Magnoliaceae: *Liriodendron - Magnolia - Michelia*

Malpighiaceae: *Banisteriopsis - Bunchosia - Byrsonima - Galphimia - Malpighia - Thryallis*

Malvaceae: *Abelmoschus - Abutilon - Alcea - Althaea - Alyogyne - Anisodontea - Anoda - Callirhoe - Corynabutilon - Goethea - Gossypium - Hibiscus - Hoheria - Kitaibela - Lagunaria - Lavatera - Lawrencia - Malachra - Malope - Malva - Malvastrum - Malvaviscus - Napaea - Palaua - Pavonia - Phymosia - Plagianthus - Sida - Sidalcea - Sphaeralcea - Thespesia - Triplochlamys - Urena - Wercklea - Wissadula*

Marantaceae: *Ataenidia - Calathea - Ctenanthe - Maranta - Phrynium - Stachyphrynium - Stromanthe - Thalia - Thaumatococcus*

Marattiaceae: *Angiopteris - Marattia*

Marcgraviaceae: *Marcgravia*

Marsileaceae: *Marsilea - Pilularia - Regnellidium*

Mayacaceae: *Mayaca*

Melanthiaceae: *Aletris - Chamaelirium - Helonias - Heloniopsis - Melanthium - Narthecium - Sabadilla - Schoenocaulon - Tofieldia - Veratrum - Xerophyllum - Zigadenus*

Melastomataceae: *Amphiblemma - Bertolonia - Bertonerila - Calvoa - Centradenia - Clidemia - Dissotis - Gravesia - Heeriaÿ - Heterocentron - Heterotrichum - Medinilla - Melastoma - Miconia - Monochaetum - Monolena - Osbeckia - Phyllagathis - Rhexia - Sonerila - Tibouchina - Tococa - Triolena*

Meliaceae: *Aglaia - Cabralea - Carapa - Cedrela - Entandrophragma - Guarea - Khaya - Lansium - Melia - Sandoricum - Swietenia - Toona*

Melianthaceae: *Melianthus*

Menispermaceae: *Anamirta - Chondrodendron - Cocculus - Dioscoreophyllum - Jateorhiza - Menispermum - Sinomenium*

Menyanthaceae: *Menyanthes - Nymphoides - Villarsia*

Mimosaceae: *Acacia - Adenanthera - Albizia - Calliandra - Dichrostachys - Entada - Enterolobium - Faidherbia - Inga - Leucaena - Mimosa - Neptunia - Parkia - Pithecellobium - Prosopis - Xylia*

Molluginaceae: *Corrigiola - Mollugo - Telephium*

Monimiaceae: *Peumus*
Moraceae: *Antiaris - Artocarpus - Brosimum - Broussonetia - Castilla - Dorstenia - Ficus - Macludrania - Maclura - Milicia - Morus - Pseudolmedia - Treculia*
Morinaceae: *Morina*
Moringaceae: *Moringa*
Musaceae: *Ensete - Musa*
Myoporaceae: *Myoporum*
Myricaceae: *Comptonia - Myrica*
Myristicaceae: *Myristica - Pycnanthus - Virola*
Myrsinaceae: *Ardisia - Hymenandra - Labisia - Myrsine*
Myrtaceae: *Acca - Agonis - Angophora - Astartea - Baeckea - Beaufortia - Callistemon - Calothamnus - Campomanesia - Chamelaucium - Darwinia - Eucalyptus - Eugenia - Kunzea - Leptospermum - Lophomyrtus - Luma - Melaleuca - Metrosideros - Myrciaria - Myrtus - Pimenta - Psidium - Regelia - Rhodomyrtus - Syzygium - Tristania - Ugni - Verticordia*

Najadaceae: *Najas*
Nelumbonaceae: *Nelumbium - Nelumbo*
Nepenthaceae: *Nepenthes*
Nephrolepidaceae: *Nephrolepis*
Nitrariaceae: *Nitraria*
Nolanaceae: *- Nolana*
Nyctaginaceae: *Abronia - Bougainvillea - Mirabilis - Pisonia*
Nymphaeaceae: *Euryale - Nuphar - Nymphaea - Victoria*
Nyssaceae: *Camptotheca - Davidia - Nyssa*

Ochnaceae: *Lophira - Ochna*
Olacaceae: *Dulacia - Ongokea - Ptychopetalum - Ximenia*
Oleaceae: *Abeliophyllum - Chionanthus - Fontanesia - Forestiera - Forsythia - Fraxinus - Jasminum - Ligustrum - Olea - Osmanthus - Phillyrea - Schrebera - Syringa*
Oleandraceae: *Oleandra*
Onagraceae: *Boisduvalia - Circaea - Clarkia - Epilobium - Fuchsia - Gaura - Lopezia - Ludwigia Oenothera*
Ophioglossaceae: *Botrychium - Ophioglossum*
Orchidaceae: *- Acampe - Acanthephippium - Aceras - Acineta - Ada - × Adaglossum - Adamara - × Adioda - Aerangis - × Aeridachnis - Aerides - × Aeridocentrum - × Aeridofinetia - × Aeridoglossum - × Aeridopsis - Aeridostylis - × Aeridovanda - Aganisia - × Aliceara - Anacamptis - Angraecum - Anguloa - × Angulocaste - Anoectochilus - × Anoectomaria - Ansellia - × Ansidium - Arachnis - × Arachnoglottis - × Arachnopsis - × Arachnostylis - × Aranda - Arandanthe - × Aranthera - Arethusa - × Arizara - Armodachnis - Arpophyllum - Arundina - × Ascocenda - Ascocentrum - × Ascofinetia - × Ascorachnis - Aspasia - × Aspoglossum - Bardendrum - Barkeria - × Bateostylis - Bifrenaria - Bletia - Bletilla - × Bloomara - Bollea - Bonatea - Bothriochilus - × Brapasia - Brassavola - Brassia - × Brassidium - × Brassocattleya - × Brassodiacrium - × Brassoepidendrum - × Brassolaelia - × Brassolaeliocattleya - × Brassotonia - Bratonia - Broughtonia - Broughtopsis - Bulbophyllum - × Burkillara - × Burrageara - Calanthe - Calypso - Catasetum - Cattleya - × Cattleytonia - Caularthron - Caulocattleya - Cephalanthera - Chamaeanthus - Chamorchis - × Charlesworthara - Chiloschista - × Chondrobollea - Chondrorhyncha - Chysis - Cirrhaea - Cleisostoma - Clowesia - Cochleanthes - × Cochlenia - Cochlioda - Coelia - Coeloglossum - Coelogyne - × Colmanara - Comparettia - Corallorrhiza - Coryanthes - Cryptochilus - Cryptophoranthus - Cycnoches - × Cycnodes - Cymbidium - Cypripedium - Cyrtopodium - Cyrtorchis - Dactylorhiza - Dekensara - Dendrobium - Dendrochilum - × Diabroughtonia - × Dialaelia - × Dialaeliocattleya - × Dialaeliopsis - Diaphananthe - Dichaea - Dichromanthus - × Dillonara - Dimorphorchis - Disa - × Domindesmia - × Domliopsis -*

× Doriella - × Doritaenopsis - Doritis - Dossinia - Dracula - Elleanthera - Elleanthus - Encyclia - Epibroughtonia - × Epicattleya - Epidendrum - × Epidiacrium - Epidrobium - Epigeneium - × Epigoa - × Epilaelia - × Epilaeliocattleya - × Epilaeliopsis - Epipactis - × Epiphronitis - Epipogium - × Epitonia - Eria - Eriopsis - Erycina - Esmeralda - Esmeranda - Euanthe - Eulophia - Eulophiella - Eurachnis - × Fujiwarara - Galeandra - Gastrochilus - × Gauntlettara - Gomesa - Gongora - Goodyera - Grammatophyllum - Grobya - Gymnadenia - Habenaria - Hammarbya - × Hartara - × Hawaiiara - Helcia - Herminium - Hexadesmia - Hexisea - Himantoglossum - × Holttumara - × Hookerara - Hormidium - Houlletia - × Huntleanthes - Huntleya - Ionopsis - Isabelia - Isochilus - × Iwanagara - × Kirchara - Lacaena - Laelia - × Laeliocattkeria - × Laeliocattleya - × Laeliopleya - Laeliopsis - × Laelonia - × Laycockara - × Leptolaelia - Leptotes - × Liaopsis - × Limara - Limodorum - Liparis - Listera - Listrostachys - Lockhartia - × Lowara - Ludisia - Lueddemannia - × Luisanda - Luisia - Lycaste - Lycasteria - Macodes - Malaxis - Masdevallia - Maxillaria - Meiracyllium - Mendoncella - Mesospinidium - Miltonia - × Miltonidium - × Miltonioda - Miltoniopsis - Miltonpasia - Miltonpilia - × Mizutara - × Moirara - Mormodes - Mormolyca - Nageliella - × Nakamotoara - Nanodes - Neofinetia - Neogyna - × Neostylis - Neottia - Nigritella - Octomeria - × Odontioda - × Odontobrassia - × Odontocidium - Odontoglossum - × Odontonia - Oeceoclades - × Oncidenia - Oncideza - × Oncidioda - Oncidium - × Oncidpilia - × Onoara - Ophrys - × Opsisanda - Opsisanthe - Orchis - Ornithocephalus - × Osmentara - Otoglossum - Pabstia - Paphinia - Paphiopedilum - Papilionanthe - Paraphalaenopsis - Pecteilis - Peristeria - Pescatoria - × Pescoranthes - × Phaiocalanthe - × Phaiocymbidium - Phaius - Phalaenopsis - × Phalaerianda - × Phalandopsis - × Phalanetia - Pholidota - Phragmipedium - Platanthera - Pleione - Pleurothallis - Polycycnis - Polystachya - Porroglossum - × Potinara - Promenaea - Pseudorchis - Psygmorchis - Pteroceras - Pterostylis - × Recchara - × Renades - × Renancentrum - × Renanetia - × Renanopsis - × Renanstylis - × Renantanda - Renanthera - × Renanthoglossum - × Renanthopsis - Restrepia - × Rhynchocentrum - Rhyncholaelia - × Rhynchonopsis - Rhynchostylis - × Rhynchovanda - × Rhyndoropsis - × Ridleyara - × Rodrassia - × Rodrettia - × Rodricidium - Rodridenta - Rodriguezia - × Rodritonia - × Rolfeara - Rossioglossum - Rudolfiella - Saccolabium - × Sanderara - × Sappanara - Sarcochilus - Sarcorhiza - × Sarcothera - Scaphosepalum - Scaphyglottis - Schoenorchis - × Schombavola - × Schombocattleya - × Schombodiacrium - × Schomboepidendrum - × Schombolaelia - × Schombonia - Schomburgkia - Scuticaria - Sedirea - Serapias - × Shipmanara - Sigmatostalix - Sobralia - × Sophrocattleya - × Sophrolaelia - × Sophrolaeliocattleya - Sophronitella - Sophronitis - Spathoglottis - Spiranthes - Stanhopea - Stenia - Stenoglottis - Stenorrhynchos - Symphyglossum - × Tetraliopsis - Tetramicra - × Tetratonia - Thunia - Traunsteinera - × Trevorara - Trichocentrum - × Trichocidium - Trichopilia - × Trichovanda - Trigonidium - × Vancampe - Vanda - × Vandachnis - × Vandaenopsis - × Vandofinetia - × Vandopsides - Vandopsis - × Vandoritis - Vanilla - × Vascostylis - × Vuylstekeara - × Warneara - Warrea - × Wilsonara - × Withnerara - Xylobium - × Yamadara - × Yapara - × Zygobatemannia - × Zygocaste - × Zygocolax - Zygopetalum - × Zygorhyncha - × Zygostylis

Orobanchaceae: *Orobanche*
Osmundaceae: *Leptopteris - Osmunda - Todea*
Oxalidaceae: *Averrhoa - Biophytum - Oxalis*

Paeoniaceae: *Paeonia*
Pandanaceae: *Freycinetia - Pandanus*
Papaveraceae: *Argemone - Bocconia - Chelidonium - Dendromecon - Dicranostigma - Eomecon - Eschscholzia - Glaucium - Hesperomecon - Hunnemannia - Hylomecon - Macleaya - Meconopsis - Papaver - Platystemon - Roemeria - Romneya - Sanguinaria - Stylophorum*
Papilionaceae: *Cytisanthus*
Parkeriaceae: *Ceratopteris*

Parnassiaceae: *Parnassia*
Passifloraceae: *Adenia - Passiflora*
Pedaliaceae: *Ceratotheca - Craniolaria - Harpagophytum - Ibicella - Martynia - Proboscidea - Sesamum*
Penthoraceae: *Penthorum*
Philesiaceae: *Geitonoplesium - Lapageria - Philesia*
Philydraceae: *Philydrum*
Phormiaceae: *Dianella - Phormium*
Phrymaceae: *Phryma*
Phyllocladaceae: *Phyllocladus*
Phytolaccaceae: *Ercilla - Ledenbergia - Phytolacca - Rivina - Trichostigma*
Pinaceae: *Abies - Cedrus - Keteleeria - Larix - Picea - Pinus - Pseudolarix - Pseudotsuga - Tsuga*
Piperaceae: *- Peperomia - Piper*
Pittosporaceae: *Billardiera - Bursaria - Citriobatus - Hymenosporum - Pittosporum - Sollya*
Plantaginaceae: *Littorella - Plantago - Psyllium*
Platanaceae: *Platanus*
Plumbaginaceae: *Acantholimon - Armeria - Ceratostigma - Goniolimon - Limoniastrum - Limonium - Plumbagella - Plumbago - Psylliostachys*
Poaceae: *- Acroceras - Aegilops - Agropyron - Agrostis - Aira - Alopecurus - Ammophila - Andropogon - Anthoxanthum - Apera - Arrhenatherum - Arundinaria - Arundo - Avena - Axonopus - Bambusa - Beckmannia - Bothriochloa - Bouteloua - Brachiaria - Brachypodium - Briza - Bromus - Buchloe - Calamagrostis - × Calammophila - Catabrosa - Catapodium - Cenchrus - Chasmanthium - Chimonobambusa - Chloris - Chrysopogon - Chusquea - Cinna - Cleistogenes - Coix - Coleanthus - Cortaderia - Corynephorus - Crypsis - Cymbopogon - Cynodon - Cynosurus - Dactylis - Danthonia - Dasypyrum - Dendrocalamus - Deschampsia - Diarrhena - Dichanthium - Digitaria - Dinochloa - Echinaria - Echinochloa - Eleusine - Elymus - Eragrostis - Eulalia - Festuca - Festulolium - Gastridium - Gaudinia - Gigantochloa - Glyceria - Gynerium - Hakonechloa - Helictotrichon - Heteropogon - Hierochloe - Holcus - Hordelymus - Hordeum - Hyparrhenia - Hystrix - Imperata - Indocalamus - Ischaemum - Koeleria - Lagurus - Lamarckia - Leersia - Leymus - Lolium - Lygeum - Melica - Melocanna - Mibora - Micropyrum - Milium - Miscanthus - Molinia - Muhlenbergia - Nardus - Oplismenus - Oreochloa - Oryza - Oryzopsis - Oxytenanthera - Panicum - Parapholis - Paspalum - Pennisetum - Phalaris - Pharus - Phleum - Pholiurus - Phragmites - Phyllorachis - Phyllostachys - Poa - Pogonatherum - Polypogon - Pseudosasa - Psilurus - Puccinellia - Rhynchelytrum - Rostraria - Saccharum - Sasa - Schizachyrium - Sclerochloa - Scolochloa - Secale - Semiarundinaria - Sesleria - Setaria - Shibataea - Sinarundinaria - Sorghastrum - Sorghum - Spartina - Spodiopogon - Sporobolus - Stenotaphrum - Stipa - Taeniatherum - Thamnocalamus - Themeda - Thysanolaena - Tragus - Tricholaena - Tripsacum - Trisetaria - Trisetum - Triticum - Uniola - Ventenata - Vetiveria - Vulpia - Zea - Zizania*
Podocarpaceae: *Afrocarpus - Dacrycarpus - Dacrydium - Microcachrys - Microstrobos - Nageia - Podocarpus - Prumnopitys - Saxegothaea*
Polemoniaceae: *Cantua - Collomia - Eriastrum - Gilia - Ipomopsis - Linanthus - Navarretia - Phlox - Polemonium*
Polygalaceae: *- Polygala - Polygaloides*
Polygonaceae: *- Aconogonon - Antigonon - Atraphaxis - Bistorta - Coccoloba - Emex - Eriogonum - Fagopyrum - Fallopia - Homalocladium - Muehlenbeckia - Oxyria - Persicaria - Polygonum - Rheum - Rumex*
Polypodiaceae: *Aglaomorpha - Arthromeris - Campyloneurum - Drynaria - Goniophlebium - Lemmaphyllum - Microgramma - Microsorum - Niphidium - Phlebodium - Platycerium - Pleopeltis - Polypodium - Pyrrosia - Solanopteris*
Pontederiaceae: *Eichhornia - Heteranthera - Pontederia - Zosterella*
Portulacaceae: *Anacampseros - Calandrinia - Claytonia - Lewisia - Montia - Portulaca - Portulacaria - Talinum*

Posidoniaceae: *Posidonia*
Potamogetonaceae: *Groenlandia - Potamogeton*
Primulaceae: *Anagallis - Androsace - Ardisiandra - Coris - Cortusa - Cyclamen - Dionysia - Dodecatheon - Glaux - Hottonia - Lysimachia - Primula - Samolus - Soldanella - Trientalis - Vitaliana*
Proteaceae: *Aulax - Banksia - Dryandra - Embothrium - Gevuina - Grevillea - Hakea - Helicia - Isopogon - Leucadendron - Leucospermum - Lomatia - Macadamia - Protea - Roupala - Stenocarpus - Stirlingia - Telopea - Xylomelum*
Psilotaceae: *Psilotum*
Pteridaceae: *Acrostichum - Pteris*
Punicaceae: *Punica*
Pyrolaceae: *Chimaphila - Moneses - Orthilia - Pyrola*

Ranunculaceae: *Aconitum - Actaea - Adonis - Anemone - Anemonella - Anemonopsis - Aquilegia - Callianthemum - Caltha - Ceratocephala - Cimicifuga - Clematis - Consolida - Coptis - Delphinium - Eranthis - Helleborus - Hepatica - Hydrastis - Isopyrum - Leptopyrum - Myosurus - Nigella - Pulsatilla - Ranunculus - Semiaquilegia - Thalictrum - Trautvetteria - Trollius - Xanthorhiza - Zanthorhiza*
Resedaceae: *Reseda - Sesamoides*
Restionaceae: *Elegia*
Rhamnaceae: *Berchemia - Ceanothus - Colletia - Frangula - Hovenia - Noltea - Paliurus - Phylica - Pomaderris - Rhamnella - Rhamnus - Sageretia - Ziziphus*
Rhizophoraceae: *Ceriops - Rhizophora*
Roridulaceae: *Roridula*
Rosaceae: *Acaena - Adenostoma - Agrimonia - Alchemilla - Amelanchier - Amelasorbus - Aphanes - Aremonia - Aruncus - Bencomia - Cercocarpus - Chaenomeles - Chamaebatia - Chamaebatiaria - Coluria - Cotoneaster - + Crataegomespilus - Crataegus - Crataemespilus - Cydonia - Dryas - Duchesnea - Eriobotrya - Exochorda - Fallugia - Filipendula - Fragaria - Geum - Gillenia - Hagenia - Holodiscus - Kerria - Luetkea - Maddenia - Malus - Margyricarpus - Mespilus - Neillia - Neviusia - Oemleria - Osteomeles - Pentactina - Peraphyllum - Petrophytum - Photinia - Physocarpus - Potentilla - Prinsepia - Prunus - Pseudocydonia - Purshia - Pyracantha - Pyracomeles - Pyrus - Quillaja - Rhaphiolepis - Rhodotypos - Rosa - Rubus - Sanguisorba - Sarcopoterium - Sibbaldia - Sibbaldiopsis - Sibiraea - Sieversia - Sorbaria - × Sorbaronia - Sorbocotoneaster - × Sorbopyrus - Sorbus - Spenceria - Spiraea - Spiraeanthus - Stephanandra - Ulmaria - Waldsteinia*
Rubiaceae: *Adina - Alibertia - Asperula - Bouvardia - Cephalanthus - Chiococca - Cinchona - Coffea - Coprosma - Corynanthe - Coutarea - Crucianella - Cruciata - Emmenopterys - Galium - Gardenia - Genipa - Hamelia - Hedyotis - Hoffmannia - Houstonia - Hydnophytum - Ixora - Leptodermis - Luculia - Manettia - Mitchella - Morinda - Mussaenda - Myrmecodia - Nertera - Oxyanthus - Paederia - Pausinystalia - Pavetta - Pentas - Phuopsis - Psilanthus - Psychotria - Putoria - Randia - Remijia - Rondeletia - Rothmannia - Rubia - Serissa - Sherardia - Uncaria - Valantia - Vangueria*
Ruppiaceae: *Ruppia*
Ruscaceae: *Danae - Ruscus - Semele*
Rutaceae: *Adenandra - Aegle - Agathosma - Amyris - Boenninghausenia - Boronia - Calodendrum - Casimiroa - Chloroxylon - Choisya - Citrofortunella - Citroncirus - Citropsis - Citrus - Clausena - Coleonema - Correa - Crowea - Cusparia - Dictamnus - Diosma - Eremocitrus - Eriostemon - Erythrochiton - Euodia - Fortunella - Galipea - Glycosmis - Haplophyllum - Limonia - Melicope - Microcitrus - Murraya - Orixa - Phellodendron - Pilocarpus - Poncirus - Ptelea - Ruta - Severinia - Skimmia - Tetradium - Triphasia - Zanthoxylum*

Sabiaceae: *Meliosma*
Salicaceae: *- Populus - Salix*

Salviniaceae: *Salvinia*
Santalaceae: *Pyrularia - Santalum - Thesium*
Sapindaceae: *Alectryon - Blighia - Cardiospermum - Dimocarpus - Dodonaea - Filicium - Harpullia - Koelreuteria - Lepisanthes - Litchi - Melicoccus - Nephelium - Paullinia - Pometia - Sapindus - Schleichera - Serjania - Ungnadia - Xanthoceras*
Sapotaceae: *- Argania - Baillonella - Bumelia - Chrysophyllum - Diploknema - Ecclinusa - Madhuca - Manilkara - Mimusops - Palaquium - Payena - Pouteria - Synsepalum - Tieghemella - Vitellaria*
Sarraceniaceae: *Darlingtonia - Heliamphora - Sarracenia*
Saururaceae: *Anemopsis - Houttuynia - Saururus*
Saxifragaceae: *- Astilbe - Astilboides - Bensoniella - Bergenia - Boykinia - Chrysosplenium - Darmera - Francoa - Heuchera - × Heucherella - Leptarrhena - Mitella - Mukdenia - Peltoboykinia - Rodgersia - Saxifraga - Tanakaea - Tellima - Tiarella - Tolmiea*
Scheuchzeriaceae: *Scheuchzeria*
Schisandraceae: *Kadsura - Schisandra*
Schizaeaceae: *Anemia - Lygodium*
Sciadopityaceae: *Sciadopitys*
Scrophulariaceae: *Aeginetia - Alonsoa - Anarrhinum - Angelonia - Antirrhinum - Asarina - Bacopa - Bartsia - Bowkeria - Calceolaria - Chaenorhinum - Chelone - Collinsia - Cymbalaria - Dermatobotrys - Diascia - Digitalis - Erinus - Euphrasia - Freylinia - Gratiola - Hebe - Hebenstretia - Herpestis - Isoplexis - Jovellana - Kickxia - Lagotis - Lathraea - Leucophyllum - Limnophila - Limosella - Linaria - Lindenbergia - Lindernia - Lophospermum - Manulea - Maurandya - Mazus - Melampyrum - Micranthemum - Mimulus - Misopates - Nemesia - Odontites - Oftia - Otacanthus - Ourisia - Paederota - Parahebe - Parentucellia - Paulownia - Pedicularis - Penstemon - Phelypaea - Phygelius - Picrorhiza - Pseudolysimachion - Rehmannia Rhinanthus Rhodochiton - Russelia - Scrophularia - Sibthorpia - Sutera - Synthyris - Tetranema - Torenia - Tozzia - Verbascum - Veronica - Veronicastrum - Wulfenia - Zaluzianskya*
Selaginellaceae: *Selaginella*
Simaroubaceae: *- Ailanthus - Picramnia - Picrasma - Quassia*
Simmondsiaceae: *Simmondsia*
Smilacaceae: *Smilax*
Solanaceae: *Acnistus - Atropa - Browallia Brugmansia Brunfelsia Capsicum - Cestrum - Cyphomandra - Datura - Duboisia - Fabiana - Hyoscyamus - Iochroma - Juanulloa - Lycianthes - Lycium - Lycopersicon - Mandragora - Nicandra - Nicotiana - Nierembergia - Petunia - Physalis - Physochlaina - Salpichroa - Salpiglossis - Schizanthus - Scopolia - Solandra - Solanum - Streptosolen - Vestia - Withania*
Sonneratiaceae: *Sonneratia*
Sparganiaceae: *Sparganium*
Stachyuraceae: *Stachyurus*
Stangeriaceae: *Stangeria*
Staphyleaceae: *Staphylea*
Sterculiaceae: *Abroma - Brachychiton - Cola - Dombeya - Firmiana - Fremontodendron - Hermannia - Pterygota - Sterculia - Theobroma - Thomasia - Triplochiton*
Strelitziaceae: *Ravenala - Strelitzia*
Stylidiaceae: *Stylidium*
Styracaceae: *Alniphyllum - Halesia - Pterostyrax - Styrax*
Symplocaceae: *Symplocos*

Taccaceae: *- Tacca*
Tamaricaceae: *Myricaria - Reaumuria - Tamarix*
Taxaceae: *Taxus - Torreya*
Taxodiaceae: *Cryptomeria - Cunninghamia - Glyptostrobus - Metasequoia - Sequoia - Sequoiadendron - Taiwania - Taxodium - Wellingtonia*
Tecophilaeaceae: *Tecophilaea*

Tetracentraceae: *Tetracentron*
Theaceae: *Camellia - Cleyera - Eurya - Franklinia - Gordonia - Stewartia - Ternstroemia - Visnea*
Theligonaceae: *Theligonum*
Thelypteridaceae: *Christella - Cyclosorus - Oreopteris - Parathelypteris - Phegopteris - Thelypteris*
Theophrastaceae: *Clavija - Deherainia - Theophrasta*
Thymelaeaceae: *Daphne - Dirca - Edgeworthia - Gnidia - Gonystylus - Passerina - Pimelea - Stellera - Thymelaea*
Tiliaceae: *Clappertonia - Corchorus - Entelea - Grewia - Muntingia - Pentace - Sparrmannia - Tilia - Triumfetta*
Trapaceae: *Trapa*
Trilliaceae: *Paris - Trillium*
Trochodendraceae: *Trochodendron*
Tropaeolaceae: *Tropaeolum*
Turneraceae: *Turnera*
Typhaceae: *Typha*

Ulmaceae: *Aphananthe - Celtis - Hemiptelea - Pteroceltis - Trema - Ulmus - Zelkova*
Urticaceae: *Boehmeria - Debregeasia - Dendrocnide - Elatostema - Laportea - Maoutia - Myriocarpa - Parietaria - Pilea - Soleirolia - Urera - Urtica*

Valerianaceae: *Centranthus - Fedia - Nardostachys - Patrinia - Valeriana - Valerianella*
Velloziaceae: *Barbacenia - Talbotia - Vellozia*
Verbenaceae: *Aloysia - Amasonia - Callicarpa - Caryopteris - Clerodendrum - Duranta - Gmelina - Holmskioldia - Lantana - Lippia - Nyctanthes - Petrea - Phyla - Premna - Rhaphithamnus - Stachytarpheta - Tectona - Verbena - Vitex - Volkameria*
Violaceae: *- Melicytus - Viola*
Viscaceae: *Viscum*
Vitaceae: *Ampelopsis - Cayratia - Cissus - Cyphostemma - Muscadinia - Parthenocissus - Rhoicissus - Tetrastigma - Vitis*
Vittariaceae: *Vittaria*

Welwitschiaceae: *Welwitschia*
Winteraceae: *Drimys*
Woodsiaceae: *Athyrium - Cystopteris - Diplazium - Gymnocarpium - Matteuccia - Onoclea - Woodsia*

Xanthorrhoeaceae: *Xanthorrhoea*
Xyridaceae: *Xyris*

Zamiaceae: *Ceratozamia - Dioon - Encephalartos - Lepidozamia - Macrozamia - Microcycas - Zamia*
Zannichelliaceae: *Zannichellia*
Zingiberaceae: *Aframomum - Alpinia - Amomum - Boesenbergia - Burbidgea - Cautleya - Curcuma - Elettaria - Etlingera - Globba - Hedychium - Kaempferia - Roscoea - Zingiber*
Zosteraceae: *Zostera*
Zygophyllaceae: *Guaiacum - Malacocarpus - Peganum - Porlieria - Tribulus*

V Abkürzung der Heimatgebiete
V Abbreviations of home territories
V Abréviations des régions géographiques d'origine

• Verbreitungsangaben

Die Verbreitungsangaben sind, soweit dies möglich ist, einheitlich angegeben. Weltweit werden acht Großräume unterschieden. Sie werden in der Weltkarte deutlich gekennzeichnet.

N-Am.	=	Nordamerika mit USA, Kanada und Grönland
Lat.-Am.	=	Lateinamerika, von Mexiko bis Feuerland
Eur.	=	Europa und Nordafrika
NE-As.	=	Nord- und Ostasien
M.-East	=	Naher Osten
Afr.	=	Afrika südlich der Sahara
trop.As.	=	Tropisches Asien, von Vorder- und Hinterindien bis zu den Südseeinseln
Austr. NZ	=	Australien und Neuseeland

Die Großräume werden wiederum in Regionen untergliedert. In manchen Fällen entspricht die Abgrenzung den politischen Grenzen eines Landes. Die Regionen werden in der Übersicht unterstrichen dargestellt. Bis zu dieser Ebene wurde versucht, die Verbreitungsangaben möglichst vollständig wiederzugeben.

Bei Arten, deren Verbreitung auf ein kleineres Gebiet beschränkt ist, werden Bundesstaaten, Provinzen oder kleinere Länder genannt. Das Verbreitungsareal von engräumig vorkommenden Endemiten wird mit entsprechend kleinräumigen Gebietsangaben bezeichnet.

Die Verbreitung von Pflanzen nach den politischen Grenzen von Staaten und Provinzen anzugeben, vermittelt oft eine falsche Vorstellung von den tatsächlichen Verbreitungsarealen. Zum Beispiel können Pflanzenarten der Alpen in allen sechs Alpenländern vorkommen. In solch einem Fall wird das Areal zusätzlich eingeschränkt, zum Beispiel durch Alp., Pyr. (Alpen und Pyrenäen). Zu erwarten sind diese Angaben besonders bei Gebirgs- und Küstenarten.

• Distribution entries

As far as possible, the distribution entries have been standardized. Eight major regions are distinguished world-wide. These are clearly demarcated in the world map.

N-Am.	=	North America, including USA, Canada, and Greenland
Lat.-Am.	=	Latin America, from Mexico to Tierra del Fuego
Eur.	=	Europe and northern Africa
NE-As.	=	Northern and eastern Asia
M.-East	=	Middle East
Afr.	=	Africa south of the Sahara
trop. As.	=	Tropical Asia, from western and Southeast Asia to the South Sea islands
Austr. NZ	=	Australia and New Zealand

These major regions are, in turn, subdivided into smaller regions. In some cases, the demarcation corresponds to the political borders of a country. These regions are shown underlined in the overview. Down to this level, we have attempted to list the distribution entries as completely as possible.

In the case of species with small geographic distributions, the names of federal states, provinces, or smaller countries are given. The geographic distributions of endemic species

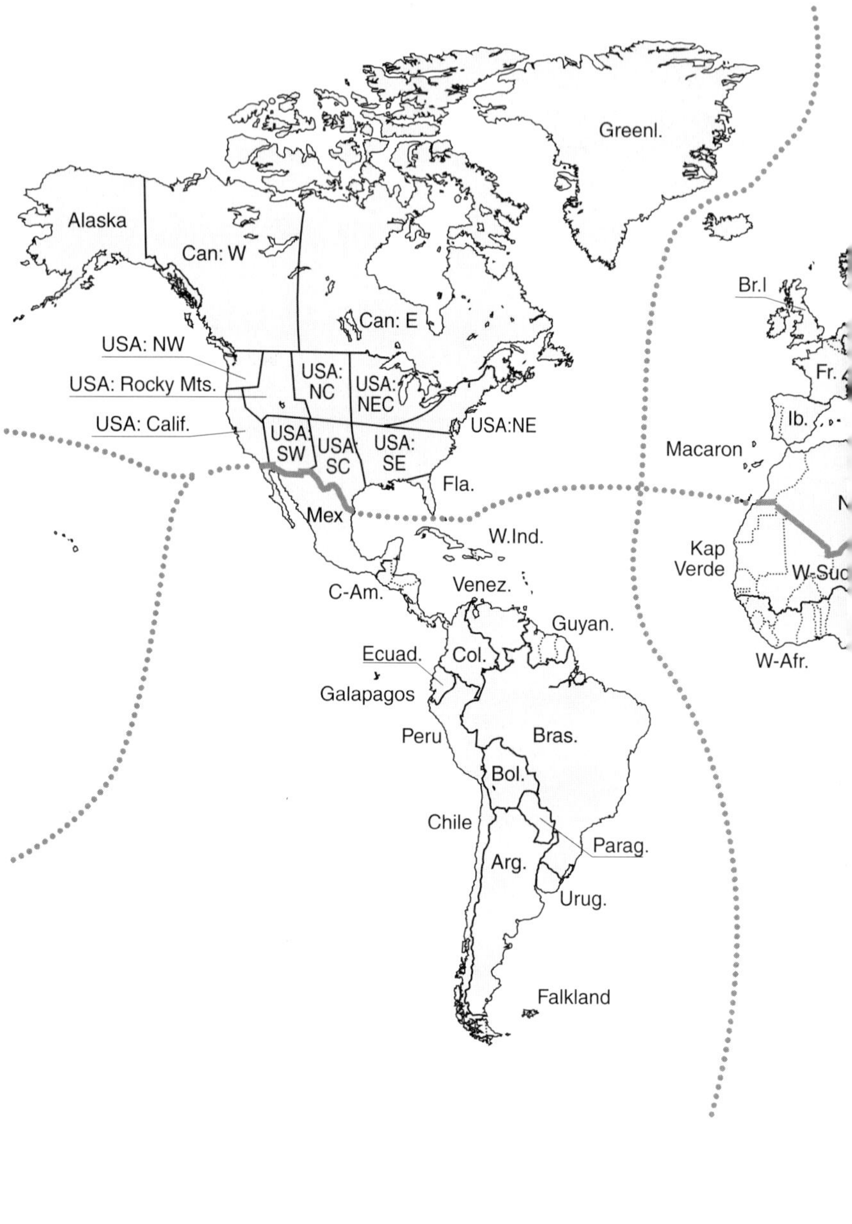
Greenl.
Alaska
Can: W
Can: E
Br.I
USA: NW
USA: Rocky Mts.
USA: Calif.
USA: NC
USA: NEC
USA:NE
USA: SW
USA: SC
USA: SE
Fla.
Fr.
Ib.
Macaron
Mex
W.Ind.
Kap Verde
W-Sud
C-Am.
Venez.
Guyan.
Ecuad.
Col.
Galapagos
W-Afr.
Peru
Bras.
Bol.
Chile
Parag.
Arg.
Urug.
Falkland

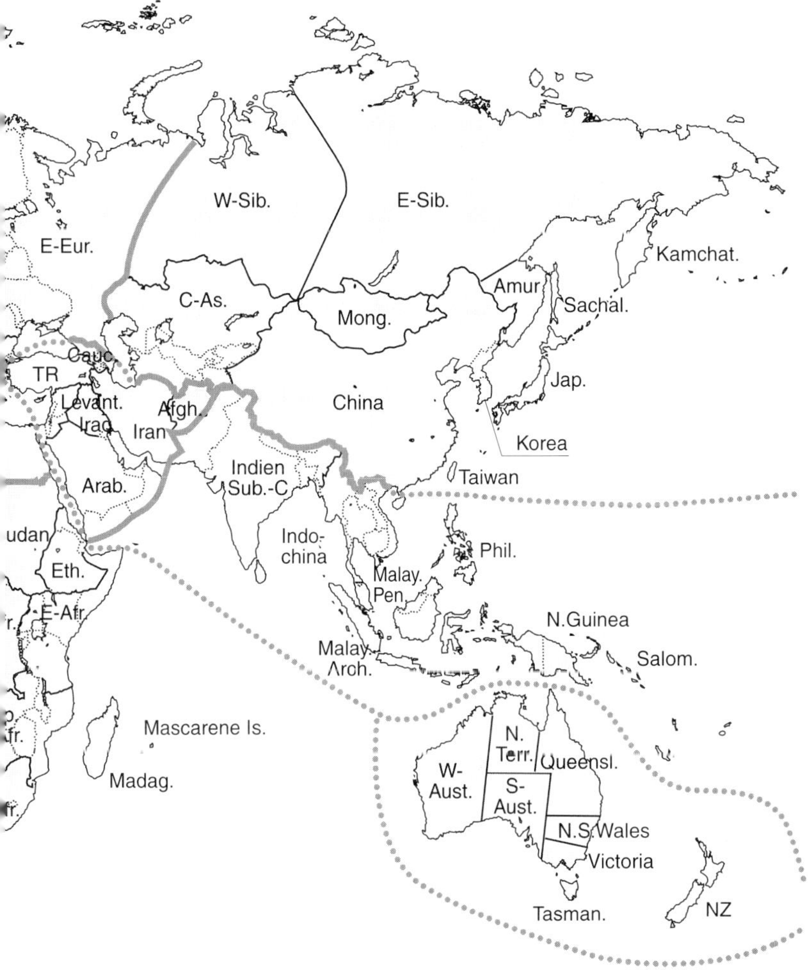
W-Sib.
E-Sib.
E-Eur.
Kamchat.
Amur
C-As.
Sachal.
Mong.
Cauc.
TR
Jap.
Levant.
Afgh.
China
Iraq
Iran
Korea
Indien
Sub.-C
Taiwan
Arab.
udan
Indo-
china
Phil.
Eth.
Malay.
Pen.
E-Afr.
N.Guinea
Malay.
Arch.
Salom.
Mascarene Is.
N.
Terr.
Queensl.
W-
Aust.
S-
Aust.
Madag.
N.S.Wales
Victoria
Tasman.
NZ

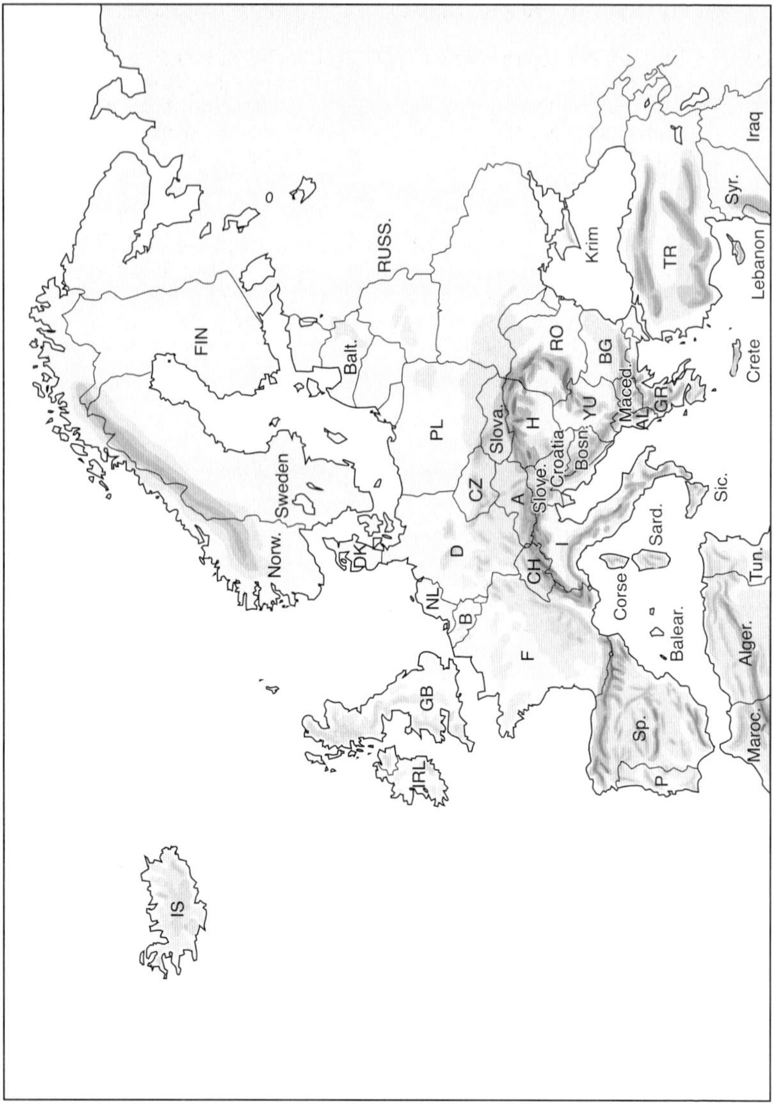
RUSS.
FIN
Balt.
Sweden
Norw.
DK
PL
D
CZ
Slova.
H
RO
Krim
TR
Iraq
Syr.
Lebanon
Crete
BG
YU
Maced.
AL
GR
Bosn.
Croatia
Slove.
A
CH
I
Sic.
Sard.
Corse
Tun.
Balear.
Alger.
Maroc.
Sp.
P
F
B
NL
GB
IRL
IS

occurring over very restricted areas have been designated by correspondingly small-scale geographic entries.
To give the distributions of plants in terms of the political boundaries of countries, states, and provinces often gives a wrong impression of their true geographic distributions. For instance, plant species of the European Alps can occur in all six countries of the region. In such cases, the entry for area has been further restricted in geographic terms, e. g., by Alp. Pyr. (Alps and Pyrenees). Such entries may be expected in the case of alpine and coastal species in particular.

• **Informations sur la répartition géographique des plantes**

Nous avons dans la mesure du possible essayé d'uniformiser les indications concernant la répartition géographique des plantes. On distingue 8 grands domaines dans le monde; ces domaines sont clairement indiqués sur la carte.

N-Am	=	Amérique du Nord, Canada et Groenland
Lat.-Am	=	Amérique Latine, du Mexique à la Terre de Feu
Eur.	=	Europe et Afrique du Nord
NE-As.	=	Asie orientale et Asie du Nord
M.-East	=	Proche Orient
Afr.	=	Afrique au Sud du Sahara
trop. As.	=	Asie tropicale, de l'Inde et l'Indochine jusqu'aux îles des mers du Sud
Austr. NZ	=	Australie et Nouvelle-Zélande

Ces grands domaines sont eux-mêmes subdivisés en régions dont les limites coïncident parfois avec les frontières politiques d'un pays. Dans le tableau suivant, les régions sont soulignées.
Certaines espèces sont répandues dans des zones plus petites, on indiquera alors les Etats, les provinces ou les petits pays dont il s'agit, tout en s'efforçant d'être le plus précis possible.
Indiquer la distribution des plantes par les frontières politiques d'un pays ou d'une province peut parfois donner une idée fausse des étendues concernées: les espèces présentes par exemple dans les Alpes peuvent être répandues dans les 6 pays alpins. Il est dans ce cas utile de préciser par exemple: Alp., Pyr (Alpes et Pyrénées). Ces précisions seront données surtout pour les espèces de montagnes ou de bords de mer.

• Übersicht der Verbreitungsareale

Für die Bundesstaaten Kanadas und der USA werden die amtlich gebräuchlichen, bei europäischen Ländern die international üblichen Abkürzungen verwendet. Für neun größere Regionen Europas mussten besondere Abkürzungen eingeführt werden (siehe Europakarte). Alle Abkürzungen und verwendeten geographischen Bezeichnungen sind in der folgenden Übersicht enthalten.

• Overview of Geographic Distributions

We have used the official abbreviations of the provinces of Canada and the federal states of the USA on the one hand and the international abbreviations for European countries on the other. Additional abbreviations have had to be introduced for nine larger European regions (see Europe map). All abbreviations and geographic designations used are contained in the following overview.

• Tableau récapitulatif des aires de répartition

En ce qui concerne les Etats-Unis et le Canada, nous utiliserons les abréviations officielles, pour les pays européens, nous utiliserons les abréviations internationalement reconnues (cf. carte de l'Europe). Toutes les abréviations et les appellations géographiques se trouvent dans le tableau suivant.

N-Am.		Nordamerika	North America	Amérique du Nord
Greenl.		Grönland	Greenland	Groenland
Alaska		Alaska	Alaska	Alaska
Can.		Kanada	Canada	Canada
Can:W		westl. Kanada	Western Canada	Canada de l'Ouest
	B.C.	British Columbia	British Columbia	Colombie britannique
	Alta.	Alberta	Alberta	Alberta
	Sask.	Saskatchewan	Saskatchewan	Saskatchewan
	Yukon	Yukon	Yukon	Yukon
	Mackenzie	District of Makkenzie	District of Makkenzie	Mackenzie
Can:E		östliches Kanada	Eastern Canada	Canada de l'est
	Man.	Manitoba	Manitoba	Manitoba
	Keewatin	District of Keewatin	District of Keewatin	Keewatin
	Ont.	Ontario	Ontario	Ontario
	Que.	Québec	Quebec	Québec
	Labrador	Labrador	Labrador	Labrador
	Nfld.	Neufundland *(mit St. Pierre und Miquelon)*	Newfoundland *(incl. St. Pierre and Miquelon Island)*	Terre-Neuve
	N.B.	New Brunswick	New Brunswick	Nouveau-Brunswick
	P.E.I.	Prince Edward-Insel	Prince Edward Island	île du Prince Edouard
	N.S.	Nova Scotia	Nova Scotia	Nouvelle-Ecosse
USA:NW		USA: Nordwesten	USA: Northwest	Etats-Unis: Nord-Ouest
	Wash.	Washington	Washington	Washington
	Oreg.	Oregon	Oregon	Oregon
USA:Calif.		USA: Kalifornien	USA: California	Etats-Unis: Californie
	Calif.	Kalifornien	California	Californie
USA:Rocky Mts.		USA: Rocky Mountains	USA: Rocky Mountains	Etats-Unis: Rocheuses
	Mont.	Montana	Montana	Montana
	Idaho	Idaho	Idaho	Idaho
	Wyo.	Wyoming	Wyoming	Wyoming
	Nev.	Nevada	Nevada	Nevada
	Utah	Utah	Utah	Utah
	Colo.	Colorado	Colorado	Colorado

USA:SW		USA: Südwesten	USA: Southwest	Etats-Unis: Sud-Ouest
	Ariz.	Arizona	Arizona	Arizona
	N.Mex.	New Mexico	New Mexico	Nouveau-Mexique
USA:NC		USA: nördl. Prärie-Staaten	USA: Northern prairie states	Etats-Unis: Prairie du Nord
	N.Dak.	North Dakota	North Dakota	Dakota du Nord
	S.Dak.	South Dakota	South Dakota	Dakota du Sud
	Nebr.	Nebraska	Nebraska	Nebraska
	Kans.	Kansas	Kansas	Kansas
USA:SC		USA: südl. Prärie-Staaaten	USA: Southern prairie states	Etats-Unis: Prairie du Sud
	Okla.	Oklahoma	Oklahoma	Oklahoma
	Tex.	Texas	Texas	Texas
USA:NE		USA: Nordosten	USA: Northeast	Etats-Unis: Nord-Est
	Maine	Maine	Maine	Maine
	Vt.	Vermont	Vermont	Vermont
	N. H.	New Hampshire	New Hampshire	New Hampshire
	Mass.	Massachusetts	Massachusetts	Massachusetts
	R. I.	Rhode Island	Rhode Island	Rhode Island
	Conn.	Connecticut	Connecticut	Connecticut
	N. Y.	New York	New York	New York
	N. J.	New Jersey	New Jersey	New Jersey
	Pa.	Pennsylvania	Pennsylvania	Pennsylvanie
	Del.	Delaware	Delaware	Delaware
	Md.	Maryland	Maryland	Maryland
	Va.	Virginia	Virginia	Virginie
	W.Va.	West Virginia	West Virginia	Virginie-Occidentale
	Ky.	Kentucky	Kentucky	Kentucky
USA:NEC		USA: Nordost-Zentral	USA: Northeast-Central	Etats-Unis: Nord-Est-Centre
	Minn.	Minnesota	Minnesota	Minnesota
	Wis.	Wisconsin	Wisconsin	Wisconsin
	Mich.	Michigan	Michigan	Michigan
	Ohio	Ohio	Ohio	Ohio
	Ind.	Indiana	Indiana	Indiana
	Ill.	Illinois	Illinois	Illinois
	Iowa	Iowa	Iowa	Iowa
	Mo.	Missouri	Missouri	Missouri

USA:SE		USA: Südosten	USA: Southeast	Etats-Unis: Sud-Est
	Ark.	Arkansas	Arkansas	Arkansas
	La.	Louisiana	Louisiana	Louisiane
	Miss.	Mississippi	Mississippi	Mississipi
	Tenn.	Tennessee	Tennessee	Tennessee
	Ala.	Alabama	Alabama	Alabama
	Ga.	Georgia	Georgia	Georgie
	N.C.	North Carolina	North Carolina	Caroline du Nord
	S.C.	South Carolina	South Carolina	Caroline du Sud
USA:Fla.		USA: Florida	USA: Florida	Etats-Unis: Floride
	Fla.	Florida	Florida	Floride
Lat.-Am.		**Lateinamerika**	**Latin America**	**Amérique Latine**
Mex.		Mexiko	Mexico	Mexique
C-Am.		Zentralamerika	Central America	Amerique Centrale
	Belize	Belize	Belize	Belize
	Guat.	Guatemala	Guatemala	Guatemala
	Hond.	Honduras	Honduras	Honduras
	El Salv.	El Salvador	El Salvador	(San) Salvador
	Nicar.	Nicaragua	Nicaragua	Nicaragua
	Costa Rica	Costa Rica	Costa Rica	Costa Rica
	Panama	Panama	Panama	Panama
W.Ind.		Westindien	West Indies	Indes occidentales
	Cuba	Kuba	Cuba	Cuba
	Hispaniola	Hispaniola *(Haiti und Dominikanische Republik)*	Hispaniola *(Haiti and Dominican Republic)*	Hispaniola *(Haïti et République Dominicaine)*
	Jamaica	Jamaika	Jamaica	Jamaïque
	Puerto Rico	Puerto Rico	Puerto Rico	Porto Rico
	Bahamas	Bahamas	Bahamas	Bahamas
	Lesser Antilles	Kleine Antillen	Lesser Antilles	Petites Antilles
Venez.		Venezuela	Venezuela	Venezuela
Col.		Kolumbien	Colombia	Colombie
Ecuad.		Ecuador	Ecuador	Equateur
Galapagos		Galapagos	Galapagos Islands	Iles Galapagos
Peru		Peru	Peru	Pérou
Bol.		Bolivien	Bolivia	Bolivie
Chile		Chile	Chile	Chili
Arg.		Argentinien	Argentina	Argentine

	Patag.	Patagonien *(Neuquén, Río Negro, Chubut, Santa Cruz, Tierra del Fuego)*	Patagonia	Patagonie
Falkland		Falklandinseln	Falkland Islands	Iles Falkland
Urug.		Uruguay	Uruguay	Uruguay
Parag.		Paraguay	Paraguay	Paraguay
Bras.		Brasilien	Brazil	Brésil
Amaz.		Amazonien *(Amazonas, Acre, Roraima, Amapá, Pará, Rondônia, Mato Grosso)*	Amazon Region	Amazonie
	Gran Chaco	"Gran Chaco"	Gran Chaco	Gran Chaco
	Rio Grande do Sul	Rio Grande do Sul	Rio Grande do Sul	Rio Grande do Sul
	Bras.:W	„W-Brasilien" *(„Planalto Brasileiro" mit allen übrigen Bundesstaaten)*	West Brazil *("Planalto Brasileiro" incl. all remaining federal states)*	Brésil Ouest *(Planalto Brasileiro et autres Etats)*
Guyanas		Guyanas	Guianas	Guyanes
	Guyana	Guyana	Guyana	Guyane
	Surinam	Surinam	Surinam	Surinam
	French Guiana	Franz. Guyana	French Guiana	Guyane française
Eur.		**Europa und N-Afrika**	**Europe and North Africa**	**Europe et Afrique du Nord**
Sc		Skandinavien	Scandinavia	Péninsule Scandinave
	DK	Dänemark	Denmark	Danemark
	IS	Island	Iceland	Islande
	Norw.	Norwegen	Norway	Norvège
	Sweden	Schweden,	Sweden	Suède
	FIN	Finnland	Finland	Finlande
BrI		Britische Inseln	British Isles	Iles Britanniques
	GB	Großbritannien	Great Britain	Grande-Bretagne
	IRL	Irland	Ireland	Irlande
Ib		Iberische Halbinsel	Iberian Peninsula	Péninsule Ibérique
	P	Portugal *(ohne Azoren und Madeira)*	Portugal *(excluding the Azores and Madeira)*	Portugal *(sans les Açores et Madère)*
	Sp.	Spanien *(mit Balearen, ohne Kanaren)*	Spain *(incl. the Balearics, but excluding the Canary Islands)*	Espagne *(avec les Baléares, sans les Canaries)*

Fr		Frankreich und Benelux-Staaten	France and Benelux countries	France et Bénélux
	F	Frankreich *(ohne Korsika)*	France *(excluding Corsica)*	France *(sans la Corse)*
	NL	Niederlande	The Netherlands	Pays-Bas
	B	Belgien *(mit Luxemburg)*	Belgium *(incl. Luxembourg)*	Belgique *(et Luxembourg)*
Ap		Apenninenhalbinsel	Italian Peninsula	Péninsule des Apennins
	I	Italien	Italy	Italie
	Corse	Korsika	Corsica	Corse
	Sard.	Sardinien	Sardinia	Sardaigne
	Sic.	Sizilien *(mit Malta)*	Sicily *(incl. Malta)*	Sicile (*et Malte)*
C-Eur.		Zentraleuropa	Central Europe	Europe Centrale
	D	Deutschland	Germany	Allemagne
	CH	Schweiz	Switzerland	Suisse
	A	Österreich	Austria	Autriche
EC-Eur.		östliches Mitteleuropa	Eastern Central Europe	Europe Centrale de l'Ouest
	H	Ungarn	Hungary	Hongrie
	Slova.	Slowakei	Slovakia	Slovaquie
	CZ	Tschechien	Czech Republic	République tchèque
	PL	Polen	Poland	Pologne
Ba		Balkanhalbinsel	Balkan Peninsula	Péninsule des Balkans
	Slove.	Slowenien	Slovenia	Slovénie
	Croatia	Kroatien	Croatia	Croatie
	Bosn.	Bosnien-Herzegowina	Bosnia and Herzegovina	Bosnie Herzégovine
	YU	Jugoslawien *(Serbien, Montenegro)*	Yugoslavia *(Serbia, Montenegro)*	Yougoslavie *(Serbie, Montenegro)*
	Maced.	Mazedonien	Macedonia	Macédoine
	AL	Albanien	Albania	Albanie
	GR	Griechenland *(ohne Kreta)*	Greece *(excluding Crete)*	Grèce *(sauf Crète)*
	Crete	Kreta	Crete	Crète
	BG	Bulgarien	Bulgaria	Bulgarie
	Eur.TR	europäische Türkei	European Turkey	Turquie européenne
E-Eur.		Osteuropa	Eastern Europe	Europe orientale

	Balt.	Baltikum *(Litauen, Lettland, Estland, Kaliningrad)*	Baltic States *(Lithuania, Latvia, Estonia, Kaliningrad)*	Pays Baltes
	RUSS.	europ. Russland (*Weißrußland* (BY), *Ukraine* (UA), *Moldawien* (MO) und *Krim*)	European Russia (*Belorussia* (BY), *Ukraine* (UA), *Moldavia* (MO), and *Crimea*)	Russie
	RO	Rumänien	Romania	Roumanie
N-Afr.		N-Afrika	N. Africa	Afrique du Nord
	Maroc.	Marokko	Morocco	Maroc
	Alger.	Algerien	Algeria	Algérie
	Tun.	Tunesien	Tunisia	Tunisie
	Libya	Libyen	Libya	Lybie
	Egypt	Ägypten	Egypt	Egypte
Makaron.		Makaronesien	Macaronesia	Macaronésie
	Azor.	Azoren	Azores	Açores
	Canar.	Kanaren	Canary Islands	Canaries
	Madeira	Madeira	Madeira	Madère
NE-As.		**N- und O-Asien**	**Northern and eastern Asia**	**Asie du Nord et de l'Ouest**
Sib.		Sibirien	Siberia	Sibérie
	W-Sib.	Westsibirien *(bis zum Jenissei)*	Western Siberia *(west of the Yenisei)*	Sibérie occidentale *(jusqu'au Ienisseï)*
	E-Sib.	Ostsibirien	Eastern Siberia	Sibérie orientale
	Kamchat.	Kamtschatka	Kamchatka	Kamtchatka
	Sachal.	Sachalin	Sakhalin	Sakhalin
C-As.		Mittelasien	Central Asia	Asie Centrale
	Kasach.	Kasachstan	Kazakhstan	Kazakhstan
	Turkm.	Turkmenistan	Turkmenistan	Turkménistan
	Usbek.	Usbekistan	Uzbekistan	Ouzbékistan
	Kirgi.	Kirgistan	Kirgizia	Kirghizistan
	Tadschik.	Tadschikistan	Tajikistan	Tadjikistan
Mong.		Mongolei	Mongolia	Mongolie
China		China	China	Chine
	Tibet	Tibet	Tibet	Tibet
	Manch.	Mandschurei	Manchuria	Mandchourie
	Sinkiang	Sinkiang (Xin-Jiang)	Sinkiang	Sin-K'iang
	Sichuan	Setschuan (Si-Chuan)	Szechwan	Se-tchouan

	Yunnan	Yunnan	Yunnan	Yun-Nan
	China:S	Süd-China *(südlich des Tsinglingshan (Qin-lin))*	Southern China *(south of the Qin-lin)*	Chine du Sud *(au sud des monts Tsin-ling)*
	China:N	Nord-China *(nördlich des Qin-lin)*	Northern China *(north of the Qin-lin)*	Chine du Nord *(au nord des monts Tsin-ling)*
	Hainan	Hainan	Hainan	Hai-Nan
Taiwan		Taiwan	Taiwan	Taiwan
Korea		Korea	Korea	Corée
Jap.		Japan	Japan	Japon
M-East		**Naher Osten**	**Middle East**	**Proche Orient**
TR		Türkei *(ohne europ. Türkei)*	Turkey *(except Europ. Turkey)*	Turquie *(sans Turquie européenne)*
Cauc.		Kaukasus *(-länder)*	Caucasus Region *(states)*	Caucase
	Georg.	Georgien,	Georgia	Géorgie
	Armen.	Armenien	Armenia	Arménie
	Azerb.	Aserbeidschan	Azerbaijan	Azerbaïdjan
Levante		Levante	Levant	Levant
	Syr.	Syrien,	Syria	Syrie
	Lebanon	Libanon	Lebanon	Liban
	Palaest.	Israel, Jordanien	Israel, Jordan	Israël, Jordanie
	Cyprus	Zypern	Cyprus	Chypre
Iraq		Irak	Iraq	Irak
Iran		Iran	Iran	Iran
Afgh.		Afghanistan	Afghanistan	Afghanistan
Arab.		Arabien *(mit Kuweit, Arab. Emirate, Oman)*	Arabia *(incl. Kuwait, Arab Emirates, Oman)*	Arabie *(avec Koweït, Emirats Arabes, Oman)*
Yemen		Jemen	Yemen	Yemen
Socotra		Sokotra	Socotra	Socotra
Afr.		**Afrika**	**Africa**	**Afrique**
Cap Verde		Kap Verde	Cape Verde	Cap-Vert
W-Sudan		westl. Sudanländer	Western Sahara	Ouest-Soudan
	Maur.	Mauretanien	Mauritania	Mauritanie
	Seneg.	Senegal *(mit Gambia)*	Senegal *(incl. Gambia)*	Sénégal
	Mali	Mali	Mali	Mali
	Burkina Faso	Burkina Faso	Burkina Faso	Burkina Faso
	Niger	Niger	Niger	Niger

	Chad	Tschad	Chad	Tchad
Sudan		Sudan	Sudan	Soudan
	Sudan	Sudan	Sudan	Soudan
W-Afr.		W-Afrika	West Africa	Afrique Occidentale
	Guinea Bis.	Guinea Bissau	Guinea-Bissau	Guinée-Bissau
	Guinea	Guinea	Guinea	Guinée
	Sierra Leone	Sierra Leone	Sierra Leone	Sierra Leone
	Liberia	Liberia	Liberia	Libéria
	Ivory Coast	Elfenbeinküste	Ivory Coast	Côte d'Ivoire
	Ghana	Ghana	Ghana	Ghana
	Togo	Togo	Togo	Togo
	Benin	Benin	Benin	Bénin
	Nigeria	Nigeria	Nigeria	Nigéria
C-Afr.		Zentralafrika	Central Africa	Afrique Centrale
	Cameroun	Kamerun	Cameroon	Cameroun
	Sao Tome	Sao Tomé und Príncipe	Sao Tome and Principe	Sao Tomé et Prín-cipe
	Equat. Guinea	Äquatorial-Guinea	Equatorial Guinea	Guinea Equatoriale
	Gabon	Gabun	Gabon	Gabon
	Congo	Kongo	Congo	Congo
	Zaire	Zaire	Zaire	Zaïre
	CAfr.Rep.	Zentralafrikanische Republik	Central African Republic	République centra-fricaine
	Eth.	Äthiopien, Eritraea	Ethiopia, Eritraea	Ethiopie, Erythrée
E-Afr.		O-Afrika	East Africa	Afrique Orientale
	Djibouti	Dschibuti	Djibouti	Djibouti
	Somalia	Somalia	Somalia	Somalie
	Kenya	Kenia	Kenya	Kénia
	Uganda	Uganda	Uganda	Ouganda
	Rwanda	Ruanda	Rwanda	Rouanda
	Burundi	Burundi	Burundi	Burundi
	Tanzania	Tansania	Tanzania	Tanzanie
trop. S-Afr.		tropisches Afrika	Tropical Africa	Afrique tropicale
	Angola	Angola	Angola	Angola
	Namibia	Namibia	Namibia	Namibie
	Zambia	Sambia	Zambia	Zambie
	Botswana	Botswana	Botswana	Botswana
	Zimbabwe	Simbabwe	Zimbabwe	Zimbabwe

	Malawi	Malawi	Malawi	Malawi
	Mozamb.	Mosambik	Mozambique	Mozambique
S-Afr.		Südafrika *(mit Lesotho und Swasiland)*	South Africa *(with Lesotho and Swaziland)*	Afrique du Sud *(avec Lesotho et Swaziland)*
Madag.		Madagaskar *(mit Komoren)*	Madagascar *(incl. Comoro Islands*	Madagascar *(avec Comores)*
Seych.		Seychellen	Seychelles	Seychelles
Mascarene Is.		Maskarenen	Mascarene Is.	Iles Mascareignes
St. Helena		St. Helena	St. Helena	Ste Hélène
Ascension		Ascension	Ascension	Ascension
trop. As.		**tropisches Asien**	**tropical Asia**	**Asie tropicale**
Indian sub.-C.		Vorderindien	Indian sub-Continent	Indes
	Pakist.	Pakistan	Pakistan	Pakistan
	Ind.	Indien	India	Inde
	Nepal	Nepal	Nepal	Népal
	Bhutan	Bhutan	Bhutan	Bhoutan
	Bangladesh	Bangladesh	Bangladesh	Bangladesh
	Sri Lanka	Sri Lanka	Sri Lanka	Sri Lanka
Indochina		Hinterindien	Indochina	Indochine
	Myanmar	Myanmar (Birma)	Burma	Birmanie
	Thai.	Thailand	Thailand	Thaïlande
	Laos	Laos	Laos	Laos
	Cambodia	Kambodscha	Cambodia	Cambodge
	Vietn.	Vietnam	Vietnam	Vietnam
Malay Arch.		Malaiischer Archipel	Malay Archipelago	Archipel de la Malaisie
	Malay. Pen.	Malaiische Halbinsel (Malakka)	Malay Peninsula (Malacca)	Péninsule malaise
	Sumat.	Sumatra	Sumatra	Sumatra
	Kalimantan	Kalimantan (Borneo)	Kalimantan (Borneo)	Bornéo
	Sulawesi	Sulawesi (Celebes)	Sulawesi (Celebes)	Célèbes
	Lesser Sunda Is.	Kleine Sundainseln	Lesser Sunda Islands	Iles de la sonde métridionales
	Molucca Is.	Molukken	Moluccas	Moluques
Phil.		Philippinen	Philippines	Philippines
N.Guinea		Neuguinea	New Guinea	Nouvelle Guinée
Salom.		Salomonen	Solomon Islands	Archipel Salomon
Vanuatu		Vanuatu *(Neue Hebriden)*	Vanuatu *(New Hebrides*	Nouvelles Hébrides

N.Caled		Neukaledonien	New Caledonia	Nouvelle Calédonie
Fiji		Fidschi	Fiji	Fidji
Hawaii		Hawaii	Hawaiian Islands	Iles Hawaii
Polyn.		Polynesien *(ohne Hawaii)*	Polynesia *(except Hawaii)*	Polynésie *(sans Hawaii)*
Micron.		Mikronesien	Micronesia	Micronésie
Austr, NZ		**Australien, Neuseeland**	**Australia, New Zealand**	**Australie, Nouvelle-Zélande**
Austr.		Australien	Australia	Australie
	W-Austr	West-Australien	Western Australia	Australie occidentale
	S-Austr.	Süd-Australien	South Australia	Australie du Sud
	N.Terr.	Nord-Territorium	Northern Territory	Territoire du Nord
	Queensl.	Queensland	Queensland	Queensland
	N. S.Wales	Neusüdwales *(mit Bundesdistrikt)*	New South Wales *(with Australian Capital Territory)*	Nouvelle-Galles du Sud
	Victoria	Victoria	Victoria	Victoria
	Tasman.	Tasmanien	Tasmania	Tasmanie
NZ		Neuseeland	New Zealand	Nouvelle-Zélande
	NZ:N	Nordinsel	North Island	Ile du Nord
	NZ:S	Südinsel	South Island	Ile du Sud
	Norfolk	Norfolk-Insel	Norfolk Island	Ile Norfolk
Other abbreviations		**Weitere Angaben**	**Other abbreviations**	**Autres indications indispensables**
N		Nord	North	Nord
S		Süd	South	Sud
E		Ost	East	Est
W		West	West	Ouest
C		Zentral	Central	central
Alp.		Alpen	Alps	Alpes
Pyr.		Pyrenäen	Pyrenees	Pyrénées
Carp. Mts.		Karpaten	Carpathian Mts.	Carpates
Apenn.		Apennin	Apennines	Apennins
Balkan Mts.		Balkan	Balkan Mts.	Balkans
Altai Mts		Altai	Altai Mts	Altaï
Him.		Himalaya	Himalayas	Himalaya
And.		Anden	Andes	Andes
mts.		Gebirge	Mountains	Montagnes
nat. in		eingebürgert in	naturalized	introduit à/en

orig.?		Heimat unbek.	native home unknown	origine inconnue
cult.		Gartenherkunft	horticultural origin	origine en jardin
cosmop.		Kosmopolitisch (alle acht Groß-räume)	Cosmopolitan (all eight major regions)	Cosmopolite (tous les 8 grands domaines)
+		Verbreitung unvollständig	Distribution incomplete	Réparation incomplète
*		alle Gebiete, z. B. Eur.*	all regions, e. g. Eur.*	tous pays par ex. Eur.*
exc.		ohne	except	exclu

VI Gattungen und Arten
VI Genera and species
VI Genres et espèces

• 1 Erläuterungen

- Die wissenschaftlichen Pflanzennamen sind in Kapitel VI alphabetisch nach den Gattungsnamen angeordnet. Die korrekten Namen sind fett, die Verweisungen mager gedruckt.
- Die Artnamen sind innerhalb der Gattungen ebenfalls alphabetisch angeordnet und die korrekten durch Fettdruck hervorgehoben. Die Synonyme sind mager gedruckt, das „="-Zeichen verweist auf den gültigen Pflanzennamen.
- Im Gegensatz zu den vorhergehenden Auflagen werden die Synonyme nicht nochmals in Klammern zu den Artnamen gesetzt.
- Varietäten, Formen und Sorten sind nur in einigen Fällen berücksichtigt worden, und zwar meistens die, für die in Preisverzeichnissen Verwechslungen mit Arten vorliegen. Auch haben sich gelegentlich die Rangstufen geändert, so dass aus Varietäten Formen oder Auslesen wurden, die lediglich durch Hochkommas gekennzeichnet werden.
- Artbastarden, die durch ein Epitheton in lateinischer Form mit vorangehendem (×) Multiplikationszeichen bezeichnet sind, folgt in der Klammer eine Formel, die in alphabetischer Reihenfolge die Namen der Eltern enthält, z. B. *Begonia* × *duchartrei* (*B. echinosepala* × *B. scharffiana*)
- Die Autorennamen werden in der nach Brummitt, *Authors of Plant Names*, gültigen Schreibweise hinzugefügt. Im praktischen Betrieb werden sind sie oft entbehrlich, wenn der korrekte Artname verwendet wird. Allerdings ist darauf zu achten, ob nicht der selbe Name mit einem anderen Autor ein Synonym kennzeichnet, z. B. ist *Dipsacus fullonum* (L.) der jetzt gültige Name für *D. sylvestris* (Huds.), während *D. fullonum* (auct. non L.) seinerseits ein Synonym für *D. sativus* [(L.) Honck.] ist.
- Von den deutschen, englischen und französischen Pflanzennamen werden nur die jeweils gebrauchlichsten aufgenommen, diese finden sich in alphabetischer Reihenfolge der Vulgärnamen und in den Kapiteln VII, VIII und IX.
- In der Kopfzeile jeder Gattung finden sich neben dem Autor auch noch das Geschlecht des Gattungsnamens (-m-, -f- oder -n-) sowie die Pflanzenfamilie.
- Der Kennzeichnung der Winterhärte wurden das Klima Mitteleuropas, vorzüglich Deutschlands, und der Gebiete mit ähnlichem Klima und die entsprechenden Klimazonen der USA zugrunde gelegt.

• 1 Explanations

- In Section VI, the scientific plant names are ordered alphabetically, according to their generic names. The correct names are printed in bold type, references to other names in ordinary type.
- The names of species within the genera are also ordered alphabetically, the correct names emphasized by the use of bold type. Synonyms are printed in ordinary type; the symbol "=" indicates the valid plant names.
- In contrast to previous editions, synonyms are no longer given in parentheses after the names of species.
- Varieties, forms, and cultivars are only specified in certain cases, mostly where confusion with species tends to occur in commerce. Occasionally, the ranks have also changed, so that former varieties become forms or selections. These are denoted by quotation marks.

- In the case of species hybrids, which are denoted by an epithet in Latin form preceded by a multiplication sign (×), the names of the parent species are then given in alphabetical order, e. g. *Begonia × durchartrei* (*B. echinosepala × B. scharffiana*).
- Authors' names are given according to the valid spelling in Brummitt, *Authors of Plant Names.* In practice, these can often be dispensed with if the correct name of the species is used. Nevertheless, it should be ascertained whether the same name with a different author constitutes a synonym, e. g., *Dipsacus fullonum* (L.) is now the valid name for *D. sylvestris* (Huds.), while *D. fullonum* (auct. non L.) has become a synonym for *D. sativus* [(L.) Honck.].
- Only the most commonly used German, English, and French plant names have been included. These may be found in the alphabetical list of vernacular names and in Section VII, VIII and IX.
- In addition to the author, the gender of the generic name (-m-, -f-, or -n-) and the plant family are given in the header for each genus.
- Degrees of winter hardiness are based on the climate of Central Europe – especially that of Germany and areas with a similar climate – and also on the equivalent climatic zones of the USA.

• 1 Explications

- Les noms scientifiques des plantes sont rangés en ordre alphabétique des genres dans la partie VI. Les noms corrects sont imprimés en gras, les renvois en caractère standard.
- Les noms des espèces, au sein des genres, sont également rangés par ordre alphabétique et les noms corrects sont imprimés en gras. Les synonymes sont imprimés en standard, le signe "=" renvoie au nom scientifique des plantes.
- Par rapport aux éditions précédentes, les synonymes ne sont pas ajoutés entre parenthèses après le nom de l'espèce.
- Les variétés, les formes et les cultivars n'ont été pris en compte que dans quelques cas; pour la plupart, ce sont ceux pour lesquels on trouve des confusions avec des espèces dans les listes de prix. Les rangs hiérarchisés ont également changés parfois, de sorte que des variétés sont devenues des formes ou des cultivars, elles sont marquées par des guillemets simples.
- Les hybrides, marqués par une épithète latine précédée d'un signe de multiplication, sont suivis d'une formule entre parenthèses contenant, par ordre alphabétique, les noms de "parents"; par ex. *Begonia × duchartrei (B. echinosepala × B. scharffiana)*.
- L'orthographe des noms d'auteurs est celle utilisée dans Brummit, *Authors of Plant Names.* Dans la pratique, ils sont souvent superflus, si le nom correct de l'espèce est utilisé. Toutefois, il faut faire attention que deux plantes ayant le même nom mais avec des noms d'auteur différents ne soient pas des synonymes, par ex. *Dipsacus fullonum* (L.) est le nom actuel pour *D. sylvestris* (Huds.) tandis que *D. fullonum* (auct. non L.) est un synonyme pour *D. sativus* [(L.) Honck.].
- Concernant les noms vernaculaires allemands, anglais et français des plantes, seuls les plus utilisés seront admis, ils se trouvent par ordre alphabétique et dans la partie VII, VIII et IX.
- Pour chaque nom de genre sont indiqués, en plus de l'auteur, le sexe attribué au nom générique (-m-, -f- ou -n-) ainsi que la famille.
- L'indication de la rigueur hivernale est basée sur les conditions climatiques en Europe centrale, notamment en Allemagne, c'est-à-dire qu'elle s'applique aux régions ayant des conditions climatiques semblables et aux zones climatiques correspondantes des Etats-Unis.

• 2 Zeichen

Die im Abschnitt VI/5 verwendeten Zeichen und Abkürzungen sind fast alle dem Normblatt DIN 11 530 entnommen. Diese Norm wurde vom Gartenbau-Nomenklatur-Ausschuss im Zentralverband des Deutschen Gemüse-, Obst- und Gartenbaues e. V. in Zusammenarbeit mit dem Bund Deutscher Baumschulen entwickelt. „Sie erstreckt sich auf die wichtigsten Zeichen und Abkürzungen, die in Katalogen, Saatzuchtbetrieben sowie sonstigem gärtnerischem Schrifttum verwendet werden. Ihre einheitliche Benutzung soll die Veständigung sowie die Lagerhaltung und Bestellung der Drucktypen für die Zeichen erleichtern." Das Normblatt ist durch den Beuth-Verlag (GmbH), Berlin, zu beziehen.
Nachfolgend werden nur Zeichen und Abkürzungen aufgeführt, die in Abschnitt VI/5 benutzt werden.

• 2 Symbols

The symbols and abbreviations used in Section VI/5 are nearly all taken from the German Industrial Standards Sheet DIN 11 530. This standard was laid down by the *Gartenbau-Nomenklatur-Ausschuss im Zentralverband des Deutschen Gemüse-, Obst- und Gartenbaus e. V.* (The Horticultural Nomenclature Committee of the Central Federation of German Vegetable- and Fruit-Growers and Horticulturists) in collaboration with the *Bund deutscher Baumschulen (BdB)* – The Association of German Tree-Nurseries. They include all the most important symbols and abbreviations used in the catalogues and brochures of market gardens, tree-nurseries, and seedsmen, as well as other horticultural publications. It is intended to set up a system of information with common symbols which will ensure that plants are correctly treated at all stages.
The Standards Sheet DIN 11 530 should be consulted by anyone concerned with the compilation of catalogues, brochures, and price lists, and by any horticultural writer who intends to use symbols in a technical document. The Standards Sheet DIN 11 530 is obtainable from the company Beuth-Verlag, Berlin.
Only those symbols and abbreviations that are used in Section VI/5 of this volume are listed below.

• 2 Symboles

L'utilisation de symboles et d'abréviations est un outil précieux permettant d'économiser de l'espace et ainsi des dépenses, surtout pour des listes de prix et des catalogues, mais également pour d'autres publications. Du reste, des symboles se gravent facilement dans la mémoire. Les symboles et les abréviations utilisés dans la partie VI/5 sont pour la plupart tirés de la norme DIN 11 530. Cette norme a été établie par le Comité de Nomenclature des Architectes Paysagistes de la Fédération Centrale des Exploitants Agricoles (Légumes, Fruits et Plantes Ornementales), Association déclarée („Gartenbau-Nomenklatur-Ausschuß im Zentralverband des Deutschen Gemüse-, Obst- und Gartenbaues e. V.") en collaboration avec la Fédération des Pépinières Allemandes („Bund deutscher Baumschulen" BdB). „Elle s'applique aux principaux symboles et abréviations utilisés dans les catalogues et prospectus de jardinages, de pépinières et de semenciers ainsi que dans d'autres ouvrages de jardinage. Leur utilisation conventionelle doit faciliter la communication ainsi que le stockage et la commande des caractères d'imprimerie des symboles."
Tous ceux qui s'occupent de l'établissement de catalogues, de prospectus et de listes de prix, mais aussi chaque créateur de paysages qui envisage d'utiliser des symboles dans des revues professionnelles devraient posséder la norme DIN 11 530; elle peut être envoyée par la Beuth-Verlag, Berlin.
Ci-dessous seront énumérés les symboles et les abréviations utilisés dans la partie VI de cet ouvrage.

⊙	Einjährige Pflanze	annual plant	plante annuelle
⊙	Zweijährige Pflanze	biennial plant	plante bisannuelle
♃	Staude	perennial	arbrisseau
♄	Halbstrauch	sub-shrub	petit arbuste
♄	Strauch	shrub	arbuste
♄	Baum	tree	arbre
Ψ	Sukkulente	succulents	succulente
×	Bastard (Hybride)	hybrid	hybride
+	Pfropfbastard	graft-chimaera	hybride de greffe (chimère)
≀	Hängepflanze	hanging plant	plante pendante
≀	Kletterpflanze	climbing plant	plante volubile
⤳	Kriechpflanze	creeping plant	plante rampante
▽	Topfpflanze	pot-plant	plante en pot
⁞	Einfassung	border plant	bordure
⌓	Polsterpflanze	cushion plant	plante en forme de coussinet
△	Steingarten	rockery	plante de rocaille
~	Ufer- und Sumpfpflanze	riparian and marsh plant	plante de rive et de marais
≈	Wasserpflanze (♣: Ersatzsymbol für Wasserpflanzen)	aquatic plant (Substituted symbol for aquatics)	plante aquatique (Pictogramme de remplacement pour les plantes aquatiques)
Ⓦ	Warmhaus	hothouse	serre chaude
Ⓚ	Kalthaus	cold house, winter house	serre froide
Ⓐ	Alpinenhaus	alpine house	serre alpine
▭	Kasten	window-box	chassis
∧	Winterschutz	winter protection	protection hivernale
☠	Giftpflanze	toxic plant	plante toxique
♣	Fruchtschmuck	fruit decoration	fruits décoratifs
✂	Schnitt für Vasenschmuck oder Verwendung in der Blumenbinderei	cut flowers for floristry purposes	plantes à couper pour vase ou bouquets
Ⓝ	Nutzpflanze	useful plant	plante cultivée
I–XII	Monatsnamen / Blütezeit	flowering time: month(s) in Roman numerals	époque de floraison (mois en chiffres romains)
D	Duftpflanze	scent	parfum
▽	Nach Bundesartenschutzverordnung (BartSchV) vom 19. 12. 1986 geschützte einheimische, europäische oder außereuropäische Art	protected indigenous, european, or non-European species according to the terms of the *Bundesartenschutzverordnung (BArtSchV)* (German Plant Protection Regulations) of 19 December, 1986 (which apply to both the old and new federal states of Germany)	espèce indigène, européenne ou extra-européenne protégée selon le Décret National de la Protection des Espèces ("Bundesartenschutzverordnung", BArtSchV) du 19. 12. 1986 (valable pour les Bundesländer anciens et nouveaux)
✻	Nach dem Washingtoner Artenschutzübereinkommen geschützte Art (vgl. Gesetz vom 22. Mai 1975)[1].	protected species according to the Convention on International Trade in Engangered Species of Wild Fauna and Flora [CITES] (cf. law of 22 May, 1975)[1]	espèce protégée selon la Convention de la Protection des Espèces de Washington [CITES] (*cf.* loi du 22 mai 1975)[1]

[1] Jeder, der Pflanzen aus Übersee oder aus dem Ausland einführen oder mitbringen will, unterrichte sich vorher, ob sie noch aufgrund des Washingtoner Artenschtuzübereinkommens weder gesammelt noch eingeführt werden dürfen.

[1] Anyone wishing to import or otherwise introduce plants from a foreign country or overseas should first ascertain whether they may be collected or imported according to the terms of CITES

[1] Chaque personne qui veut introduire ou rapporter des plantes d'outre-mer ou de l'étranger, devrait s'informer d'abord qu'il n'est pas interdit de les cueillir ou de les introduire selon la Convention de la Protection des Espèces de Washington.

• 3 Abkürzungen und Fachbegriffe

Wir folgen hier der sehr guten Zusammenstellung in WISSKIRCHEN & HAEUPLER: Die Standardliste der Farn- und Blütenpflanzen der Bundesrepublik Deutschland, pp. 33–36. Zitate werden nicht als solche gekennzeichnet.

• 3 Abbreviations and Technical Terms

We have followed the very good compilation in WISSKIRCHEN & HAEUPLER: *Die Standardliste der Farn- und Blütenpflanzen der Bundesrepublik Deutschland*, pp. 33–36. Citations are not denoted as such.

• 3 Abréviations et termes techniques

Nous suivrons ici les abréviations et termes techniques données dans *La liste standard des Ptéridophytes et des Spermatophytes de la République Fédérale d'Allemagne*, pp. 33–36, de WISSKIRCHEN & HAEUPLER. Les citations tirées de cet ouvrage ne seront pas indiquées comme telles.

agg. (Aggregat / aggregate / agrégat)
- Nomenklatorisch unverbindliche Bezeichnung für eine Artengruppe.
- An informal designation for a group of allied species.
- Désignation d'un groupe d'espèces sans engagement nomenclatural.

alt. (alternus)
- Alternativ zu verwendender Name. Z.B. lässt *Asteraceae* alt.: *Compositae* die Wahl, welcher der beiden Gattungsnamen verwendet wird.
- A name that can be used as an alternative: e.g., in the case of *Asteraceae* alt.: *Compositae*, either family name may be used.
- Nom alternatif: on peut utiliser celui des deux noms que l'on préfère, par ex. '*Asteraceae* alt.: *Compositae*' laisse le choix entre les deux noms.

auct. non (auctorum non)
- Im Sinne von anderen Autoren, aber nicht im Sinne des eigentlichen Autors des Namens – kennzeichnet eine falsche Namensverwendung, den so genannten auct.-Fall. Damit ist die Situation gemeint, dass ein Autor oder viele Autoren einen Namen falsch angewendet haben.
- A reference to other authors, who are not the actual author of the name. This denotes the wrong use of a name, the so-called auct. case. This refers to situations where one or more authors have used a name wrongly.
- Nom appliqué à une plante par certains auteurs, tandis que l'auteur initial de ce nom l'applique à une autre plante – indique une utilisation erronée d'un nom, on dit cas-auct. Il signifie qu'un auteur, ou de nombreux d'auteurs, ont employé un nom par erreur.

Autonym (ein von selbst entstehender Name / a name that arises by itself / nom qui se crée tout seul, qui se désigne lui-même)
- Wird innerhalb einer Art eine abweichende Sippe erkannt und ein entsprechender Name veröffentlicht (z.B. *Salix cinerea* subsp. *oleifolia* (Macreight), dann entsteht gleichzeitig und automatisch, also unabhängig von seiner Nennung ein Autonym (hier: *Salix cinerea* subsp. *cinerea*). Dieses wiederholt das Artepitheton, enthält den Typus des Artnamens, besitzt aber keinen Autor. **Wichtig:** Innerhalb dieses Werkes verwenden wir keine Autonyme, diese können aber vom Benutzer unter Zugrundelegung dieser Regel selbst gebildet werden.

- If, within a species, a distinct taxon is recognized and a distinct name for it is published (e.g., *Salix cinerea* subsp. *oleifolia* [Macreight]), an autonym automatically arises, i.e. independently of the naming (in this case, *Salix cinerea* subsp. *cinerea*). The autonym repeats the specific epithet and contains the nomenclatural type expressed in the name of the species, but has no author. **Please note:** We do not use any autonyms in this volume; the reader can, however, derive them by applying this rule.
- Si au sein d'une espèce un groupe distinct est reconnu et un nom correspondant est publié (par ex. *Salix cinerea* subsp. *oleifolia* Macreight), un autonyme se crée en même temps et automatiquement, donc indépendemment de sa désignation (ici: *Salix cinerea* subsp. *cinerea*). L'autonyme repète l'épithète spécifique, contient le type nomenclatural du nom de l'espèce, mais ne posséde pas d'auteur. **Important**: Dans cet ouvrage, nous n'utilisons pas d'autonymes, mais ils peuvent être créés par les utilisateurs eux-mêmes en se basant sur cette règle.

comb. nov. (combinatio nova)
- Bei Neukombinationen von Sippenbezeichnungen.
- Used for new combinations of taxonomic designations
- Indique une nouvelle combinaison nomenclaturale (qui est faite pour la première fois à l'endroit où cette mention est publiée).

emend. (emendativ)
- Abgeändert durch: z.B. wurde der Name *Adonis autumnalis* L. von William Hudson geändert in *Adonis autumnalis* L. emend. Huds..
- Changed by: e.g., the name *Adonis autumnalis* L. was changed by William Hudson to *Adonis autumnalis* L. emend. Huds..
- Modifié par: Par ex. l'acception du nom *Adonis autumnalis* L. fut modifé par William HUDSON en *Adonis autumnalis* L. emend. Huds..

Epitheton (Beiwort / epithet / mot joint)
- Das zweite Wort bei einem Artnamen oder das letzte Wort bei infraspezifischen (infragenerischen) Namen. Z.B. ist *campestre* das Artepitheton von *Acer campestre*, *Acer* selbst ist der Gattungsname. Gattungsname und Artbeiwort ergeben den Artnamen. Bei einem infraspezifischen Namen kommt ein zweites Epitheton am Ende hinzu. Z.B. ist *leiocarpum* das infraspezifische Epitheton zu dem Namen *Acer campestre* subsp. *leiocarpum*.
- The second word in the name of a species, or the last word in infraspecific (infrageneric) names: e.g., *campestre* is the specific epithet of *Acer campestre*; *Acer* itself is the generic name. Together, the generic name and specific epithet make up the name of a species. In infraspecific names, a second epithet is added at the end: e.g., *leiocarpum* is the infraspecific epithet of *Acer campestre* subsp. *leiocarpum*.
- Deuxième mot d'un nom d'espèce ou dernier mot des noms infraspécifiques. Par ex. *campestre* est l'épithète spécifique d'*Acer campestre*, *Acer* lui-même est le nom de genre. Le nom de genre et l'épithète spécifique donnent le nom de l'espèce. Dans le cas d'un nom infraspécifique, une deuxième epithète s'ajoute à la fin. Par ex. *leiocarpum* est l'épithète infraspécifique du nom *Acer campestre* subsp. *leiocarpum*.

et (und . . . /and . . ./ et . . ..)
- In manchen Büchern wird das „et" (z.B. Humb., Bonpl. et Kunth) auch durch „&" (z.B. Humb., Bonpl. & Kunth) dargestellt.
- In some books, "&" is used in place of "et" (e.g. as in Humb., Bonpl. & Kunth).
- Le „et" (par ex. Humb., Bonpl. et Kunth) est représenté dans de nombreux livres par „&".

ex (aus . . . / from . . ./ de . . .)

- Kennzeichnung einer Validierungsbeziehung (steht zwischen zwei Autoren). Der nach dem ex stehende Autor hat den Namen, den der vor dem ex stehende Autor geprägt oder nur ungültig veröffentlicht hat, gültig veröffentlicht, d. h. validiert. Der vor dem ex stehende Autor ist der sogenannte Ex-Autor.
- Denotes a "validation relationship" (placed between the names of two authors). The person whose name appears after **ex** is the author who published – i.e., validated – a botanical name that had originally been established or published only in an invalid form by the author whose name appears before **ex**. The latter author is the so-called ex-author.
- Désignation d'une relation de validation (placé entre deux auteurs). L'auteur placé après 'ex' a valablement publié, c'est-à-dire a validé, le nom créé ou publié d'une manière non-valable par l'auteur placé devant 'ex'. L'auteur placé devant 'ex' est l'auteur dit ex-auteur.

f. (filius)

- Der Sohn. Dient in einigen Fällen zur Unterscheidung zweier miteinander verwandter Autoren (Vater und Sohn), wobei dann nur der Sohn den Zusatz erhält, z. B. „L." für Linné und „L. f." für Linné filius. Auch bei Reichenbach (Rchb. f.), Hooker (Hook. f.) und anderen Autoren.
- The son. Used in some cases to distinguish between two related authors (father and son), whereby the abbreviation denotes only the son: e. g., "L." for Linné and "L. f." for Linné filius. Also used for Reichenbach (Rchb. f.), Hooker (Hook. f.), and other authors.
- Le fils. Peut servir dans quelques cas pour distinguer deux auteurs apparentés (père et fils); dans ce cas, seulement le fils recoit cette mention, par ex. "L." pour LINNÉ et "L. f." pour LINNÉ filius. Egalement chez REICHENBACH (Rchb. f.), HOOKER (Hook. f.) et d'autres auteurs.

fo. (forma)

- Rangstufe: Form. Oft auch nur durch Hochkommas gekennzeichnet, z. B. „fo. alba" entspricht 'Alba'.
- Rank: form. Often denoted only by quotation marks: e. g., "fo. alba" corresponds to 'Alba'.
- Rang: forme. Souvent simplement marqué par des guillemets simples, par ex. "fo. alba" correspond à 'Alba'.

-f- (femininum)

- Weiblichen Geschlechts, im Lateinischen oft gekennzeichnet durch die Endung -a.
- Female gender, characterized in Latin by the ending -a.
- De sexe féminin, en latin indiqué par la terminaison -a.

Grp. (Gruppe / group / groupe)

- Taxonomische Artengruppe in der englischsprachigen Literatur – entspricht begrifflich dem Aggregat. Der Begriff wird im vorliegenden Werk hauptsächlich verwendet, um gärtnerische Züchtungsgruppen voneinander zu unterscheiden, z. B. *Delphinum* Belladonna-Grp. und *D.* Elatum-Grp.
- This is sometimes used by English language writers to indicate a group of allied species: technically speaking, this corresponds to 'aggregate'. In this volume, however, the term is mainly used to distinguish between horticultural cultivar-groups: e. g., *Delphinium* Belladonna group and *D.* Elatum group.
- Groupe taxonomique d'espèces dans la littérature anglophone – correspond au concept de l'agrégat. Dans le présent ouvrage, le terme est principalement utilisé pour distinguer différents groupes de sélection horticole, par ex. *Delphinium* Belladonna-Grp. et D. *Elatum*-Grp.

Homonym (gleichlautender Name / a name that has the same form or sound as another, but a different meaning / nom homophone)

- Alle jüngeren Homonyme sind illegitim und daher nicht als Namen verwendbar. Das älteste Homonym ist legitim, wenn der Name ansonsten den Regeln entspricht. Nur gültig veröffentlichte Namen werden bei der Homonymie-Regel berücksichtigt. Infraspezifische Namen auf verschiedenen Rangstufen mit dem gleichen, aber heterotypischen Epitheton gelten ebenfalls als Homonyme.
- All the more recent homonyms are illegitimate and hence cannot be used as names. The oldest homonym is legitimate if the name otherwise corresponds to the rules. Only validly published names are considered under the homonym rule. Also considered as homonyms are infraspecific names of different ranks with the same, but heterotypical, epithet.
- Tous homonymes récents sont illégitimes et par conséquent non utilisables comme noms scientifiques. L'homonyme le plus ancien est légitime si il correspond aux règles. Seuls les noms valablement publiés sont pris en considération pour la règle d'homonymie. Des noms infraspécifiques de différents rangs avec toutefois le même épithète hétérotypique comptent également comme homonymes.

hort. (hortulanorum)

- Steht anstelle eines Autors. Der Name ist eine gärtnerische Bezeichnung für eine Sippe ohne einen spezifischen Autor; der Name ist nicht gültig veröffentlicht. Im Englischen wird der Begriff auch oft gleichgesetzt mit „. . . of gardens“. Dies bedeutet, dass eine Pflanze im Handel oft unter falschem Namen kursiert. So wird z. B. die echte *Passiflora antioquiensis* H. Karst kaum angeboten, sondern es handelt sich um die Hybride *P.* × *exoniensis* L. H. Bailey. „*P. antioquiensis* of the gardens“ wird demnach als *P. antioquiensis* hort. bezeichnet.
- This is used instead of the name of an author. It indicates a horticultural designation for a taxon without refernce to an author: the name has not been validly published. In English, the term is often equated with " . . . of gardens". This may mean that a plant appears in the trade under a wrong name: e. g. the true *Passiflora antioquiensis* H. Karst is hardly ever supplied: the hybrid *P.* × *exoniensis* L. H. Bailey usually takes its place. Hence, "*P. antioquiensis* of gardens" is designated *P. antioquiensis* hort.
- Prend la place du nom d'auteur. Le nom est une désignation horticole pour un groupe sans auteur spécifique; le nom n'est pas valablement publié. En anglais, le terme est équivalent de ". . . of gardens". Cela signifie qu'une plante circule sous un nom erroné dans le commerce. C'est ainsi que la véritable *Passiflora antioquiensis* H. Karst est rarement mise en vente: il s'agit de l'hybride *P. exoniensis* L. H. Bailey, que l'on désigne par "*P. antioquiensis* of the gardens" ou *P. antioquiensis* hort.

in (in . . . / en . . .)

- Veröfffentlicht im Werk des nachfolgenden Autors (des sog. In-Autors), der nach den neuen Nomenklaturregeln nicht mehr zum Autorzitat gehört. Das „in“ steht zwischen dem Autor des Namens und dem Autor des Werkes.
- Published in the work of the following author (the so-called "in" author) who, according to the new nomenclatural rules, no longer attaches to the author citation. The "in" appears between the author of the name and the author of the work.
- Indique qu'un texte dû à un auteur est publié dans un ouvrage postérieur, dû à un autre auteur. L'auteur dit in-auteur, selon les nouvelles règles de nomenclature, ne fait plus partie de la citation des auteurs. Le 'in' est placé entre l'auteur du texte et l'auteur de l'ouvrage.

incl. (incluso)

- Einschließlich (eines Synonyms)
- Including (a synonym).
- Inclusivement (à propos d'un synonyme).

Infraspezifisch / infraspecific / infraspécifique

- Eine infraspezifische Sippe ist eine innerartliche Sippe. An infraspezifischen Sippen werden hier hauptsächlich Unterart (subsp.), Varietät (var.) und Form (fo.) unterschieden. *Ballota nigra* subsp. *meridionalis* ist ein infraspezifischer Name; *meridionalis* ein infraspezifisches Epitheton.
- An infraspecific taxon is one that is ordered within a species, i.e., below it in rank. Here, a distinction is mainly made between subspecies (subsp.), variety (var.), and form (fo.). *Ballota nigra* subsp. *meridionalis* is an infraspecific name; *meridionalis* is an infraspecific epithet.
- Un groupe infraspécifique est un groupe au sein d'une espèce. Les principaux groupes infraspécifiques distingués dans cet ouvrage sont: sous-espèce (subsp.), variété (var.) et forme (fo.). *Ballota nigra* subsp. *meridionalis* est un nom infraspécifique; *méridionalis* est une épithète infraspécifique.

-m- (maskulinum)

- Männlichen Geschlechts, im Lateinischen oft gekennzeichnet durch die Endung -us.
- Male gender, characterized in Latin by the ending -us.
- De sexe masculin, en latin indiqué par la terminaison -us.

mult. (multorum)

- ... vieler, z.B. „auct. mult. non ..." bedeutet: im Sinne vieler Autoren, aber nicht im Sinne des Autors des Namens.
- ... of many: e.g., "auct. mult. non ..." means in the sense of many authors, but not in the sense of the author of the name.
- ... de nombreux, par ex., "auct. mult. non ..." signifie: dans le sens de nombreux auteurs mais non dans le sens de l'auteur du nom.

-n- (neutrum)

- Sächlichen Geschlechts, im Lateinischen oft gekennzeichnet durch die Endung -um.
- Neuter gender, characterized in Latin by the ending -um.
- De sexe neutre, en latin indiqué par la terminaison -um.

nec (auch nicht / also not ... / non plus)

- Steht im Zusammenhang mit non-Zitaten, wenn weitere Homonyme erwähnt werden.
- Appears in connection with non-citations, where further homonyms are mentioned.
- Indiqué en rapport avec des non-citations si d'autres homonymes sont mentionnés.

nom. cons. (nomen conservandum)

- Ein nach dem *ICBN* konservierter Name.
- A conserved name (according to the *ICBN*).
- Nom conservé selon l'*ICBN*.

nom. illeg. (nomen illegitimum)

- Ein unrechtmäßiger Name (ein jüngeres Homonym oder ein überflüssiger Name, der einen bereits bestehenden legitimen Namen zu ersetzen versucht).
- An illegitimate name (usually a more recent homonym or a superfluous name that threatens to supersede a legitimate name already in existence).
- Nom illégitime (c'est par ex. un homonyme récent ou un nom superflu attribués à une plante qui a déjà un nom légitime).

nom. nud. (nomen nudum)

- Ein nackter Name, ein Name ohne die nomenklatorisch geforderte Beschreibung.
- A "naked name", without the nomenclaturally required description.
- Nom nu, c'est-à-dire un nom créé dans une publication où il n'est pas accompagné d'une description latine, comme l'exigent les règles de la nomenclature.

nom. rej. (nomen rejiciendum)

- Ein nach dem *ICBN* zu verwerfender Name, gilt auch für alle Namen, die auf diesen Kombinationen beruhen. Bei taxonomischen Synonymen gilt die Verwerfung nur dann, wenn beide als nicht verschieden gewertet werden.
- A name to be rejected (according to the *ICBN*). Also applies to all names that are based on these combinations. In the case of taxonomic synonyms, the rejection applies only if both names are judged not to be different.
- Nom à rejeter selon l'*ICBN*, également valable pour tous les noms basés sur les combinaisons qui l'utilisent. Dans le cas de synonymes taxonomiques, le rejet se fait si les deux noms sont estimés être semblables.

nom. superfl. (nomen superfluum)

- Ein überflüssiger Name liegt vor, wenn ein Autor bei der Veröffentlichung eines Namens einen bereits existierenden (und nach den Regeln anzunehmenden) älteren Namen oder seinen Typus zitiert. Alle Kombinationen, die auf diesem älteren Namen beruhen, also den gleichen Typus besitzen, gelten als mit zitiert.
- A superfluous name exists when an author, in publishing a name, cites an already existing (and, according to the rules, legitimate), older name or its nomenclatural type. All combinations that are based on this older name, i.e., those with the same nomenclatural type, are considered to be cited as well.
- Si un auteur cite, dans le cadre de la publication d'un nom, un nom plus ancien déjà existant (et valable selon les règles) ou son type nomenclatural, alors ce nouveau nom est superflu. Toutes les combinaisons basées sur le même type nomenclatural, sont considérées comme implicitement citées.

non

- Verneinung, die bei auct.-Fällen und bei Homonymen steht (der vor dem non stehende Name ist das jüngere, in der Regel illegitime Homonym, der nach dem non stehende Name ist das ältere Homonym).
- Negation, appearing in connection with auct. cases and homonyms. The name before the non is the more recent (as a rule illegitimate) homonym; the name after the non is the older homonym.
- Négation, également utilisée avec les cas-auct. et en combinaison avec des homonymes (le nom placé devant le 'non' est l'homonyme plus récent, généralement illégitime; le nom placé après le 'non' est l'homonyme plus ancien).

p. p. (pro parte)

- Zum Teil, also bei Namen, die sich auf zwei oder mehr Sippen beziehen – entweder bei Namen, deren Typus noch nicht feststeht und in der Vergangenheit für mehr als eine Sippe verwendet wurde, oder bei Sippennamen, die von bestimmten Autoren in weiterer Umgrenzung verwendet werden, als in der vorliegenden Klassifikation, in der sie als p. p.-Synonyme dargestellt sind.
- In part, i.e., in the case of names that relate to two or more taxa – either in names whose nomenclatural type has not yet been established, or which have been used in the past for more than one taxon. However, a p. p. designation is also used in connection with taxonomic names that have been used by certain authors in a broader definition than in the current classification.
- En partie, donc chez des noms qui se réfèrent à deux ou plusieurs groupes – chez des noms dont l'appartenance du type nomenclatural à un groupe n'est pas déterminée et qui ont été utilisés auparavant pour plus d'un groupe. L'indication 'p. p.' est également donnée pour des noms de groupes qui sont utilisés par d'autres auteurs dans une délimitation plus large que celle de la classification en question; dans cette classification, les groupes sont indiqués comme p. p.-synonymes.

s.l. (sensu lato)

- "In einem weiten Sinn" meint die taxonomisch weite Umgrenzung einer Sippe (jeglicher Rangstufe). Nicht – wie in manchen Floren – als alternative Bezeichnung für eine Artengruppe bzw. „Sammelart" zu verstehen!
- "In a broad sense", i. e., the broad limits of a taxon (of any rank). Not – as in some floras – to be understood as an alternative designation for a species group or aggregate.
- "Dans un sens large" – veut dire la délimitation taxonomique large d'un groupe (de n'importe quel rang) ce qui ne signifie pas un groupe d'espèces ou une "espèce collective", comme il est dit dans quelques flores !

s.str. (sensu stricto)

- „In einem engeren Sinn" ist dies eine Sippe (jeglicher Rangstufe) in taxonomisch enger Umgrenzung.
- "In a narrow sense": a taxon (of any rank) in a taxonomically narrow definition.
- "Dans un sens restreint" indique un groupe (de n'importe quel rang) d'une délimitation taxonomique restreinte.

sensu (im Sinne von / in the sense of / dans le sens de)

- In der taxonomischen Auffassung bzw. Umgrenzung eines (nachfolgend genannten) Autors oder seines Werkes.
- According to the taxonomic interpretation or definition of a (subsequently named) author or his work.
- Dans le sens d'une conception ou d'une délimitation taxonomique donnée par un auteur ou dans un de ses ouvrage (mentionné après).

stat. nov. (Status novus)

- Rangstufenänderung (an dieser Stelle).
- Change in rank (at this level).
- Changement de rang (à l'endroit où figure cette mention).

subsp. (subspecies)

- Rangstufe: Unterart
- Rank: Subspecies.
- Rang: sous-espèce.

Syn. (Synonym / synonym / synonyme)

- Ein gleichbedeutender Name ist ein Name, der nicht gültig veröffentlicht, nicht legitim oder nicht korrekt (der älteste) ist – oder der aufgrund der mit ihm zum Ausdruck gebrachten systematischen Stellung oder Bewertung nicht akzeptiert wird.
- A synonym is a name that is not validly published, or one that is illegitimate or incorrect (the oldest), or one that is not accepted because of the systematic level or value that it expresses.
- Un synonyme, un nom de même sens, est un nom qui n'est pas valablement publié, qui n'est pas légitime ou qui n'est pas correct (qui n'est pas le plus ancien) – ou qui n'est pas acceptable à cause de la position ou de l'évaluation systématique qu'il exprime.

Tautonym / tautonym / tautonyme

- Ein in der botanischen Nomenklatur nicht erlaubter Artname, bei dem das Artbeiwort den Gattungsnamen wiederholt. Wird z. B. *Acer negundo* (L.) in eine eigene Gattung *Negundo* gestellt, darf die Art nicht zu dem Tautonym *Negundo negundo* (L.) umkombiniert werden, sondern heißt in diesem Falle *Negundo aceroides* (Moench).
- A name that is not permitted in botanical nomenclature, one in which the specific epithet repeats the generic name. For example, if *Acer negundo* (L.) is placed into the separate genus *Negundo*, the species name may not be renamed to give the tautonym *Negundo negundo* (L.); in this case, the species is called *Negundo aceroides* (Moench).

- Nom d'espèce illégitime selon la nomenclature botanique chez lequel l'épithète spécifique répète le nom de genre. Si par ex. *Acer negundo* (L.) est placé dans un propre genre *Negundo*, l'espèce ne doit pas porter le tautonyme *Negundo negundo* (L.), mais, dans ce cas, elle est nommée *Negundo aceroides* (Moench).

var. (varietas)
- Rangstufe: Varietät
- Rank: variety
- Rang: variété

vel (auch, aber auch / also, but also / mais, mais également)
- Wenn ein Sippenname im Sinne mehrerer Autoren verwendet wird, z. B. *Philadelphus satsumanus* (sensu Koch vel Rehder).
- Appears when a taxonomic name is used in the sense of several authors: e. g., *Philadelphus satsumanus* (sensu Koch vel Rehder).
- Si le nom d'un groupe est utilisé dans le sens de plusieurs auteurs, par ex. *Philadelphus satsumanus* (sensu Koch vel Rehder).

4 Wichtige Änderungen
4 Important changes
4 Modifications importantes

Nicht mehr gültige Gattungsnamen
Genera that are no longer valid
Genres qui ne sont pas acceptés ici:

Acacallis = Aganisia; **Achnatherum** = Stipa; **Acidanthera** = Gladiolus; **Adelocaryum** = Lindelofia; **Aegonichon** = Lithospermum; **Alona** = Nolana; **Alsobia** = Episcia; **Alsophila** = Cyathea; **Altamiranoa** = Villadia; **Anota** = Rhynchostylis; **Antelaea** = Melia; **Aploleia** = Callisia; **Arecastrum** = Syagrus; **Aspalthium** = Bituminaria; **Avenochloa** = Helictotrichon; **Avenula** = Helictotrichon.
Barosma = Agathosma; **Beloperone** = Justicia; **Blitum** = Chenopodium.
Calonyction = Ipomea; **Campelia** [Rich.] = Tradescantia; **Camptosorus** = Asplenium; **Cathcartia** = Meconopsis; **Celsia** = Verbascum; **Cephaelis** = Psychotria; **Ceterach** = Asplenium; **Chamomilla** = Matricaria; **Chartolepis** = Centaurea; **Cheiranthus** = Erysimum; **Cleistocactus p. p.** = Borzicactus; **Coleus** = Plectranthus & Solenostemon; **Corallobotrys** = Agapetes; **Cotula p. p.** = Leptinella; **Cryptophragmium** = Gymnostachyum; **Currania** = Gymnocarpium; **Cyrtanthera** = Justicia; **Cyrtomium** = Polystichum; **Cytisus p. p.** = Chamaecytisus.
Dentaria = Cardamine; **Desmazeria** = Catapodium; **Didiscus** = Trachymene; **Dipladenia** = Mandevilla; **Dipteracanthus** = Ruellia; **Drymoglossum** = Pyrrosia; **Echinocereus p.p.** = Wilcoxia; **Emblica** = Phyllanthus; **Euchlaena** = Zea; **Eupatroium p. p.** = Ageratina; **Euphorbia p. p.** = Chamaesyce.
Galeobdolon = Lamium; **Gamolepis** = Steirodiscus; × **Gaulnettya** = Gaultheria; **Goldfussia** = Strobilanthes; **Gynandropsis** = Cleome.
Hartia = Stewartia; **Helichrysum p. p.** = Edmondia; **Hippobroma** = Laurentia; **Holoschoenus** = Scirpoides; **Hosta** *bearbeitet nach* Schmid 1991; **Humea** = Calomeria; **Hutchinsia** = Pritzelago.
Ibozoa = Tetradenia; **Idria** = Fouquiera; **Isotoma** = Laurentia.
Jacobinia = Justicia.
Kalanchoe p. p. = Bryophyllum; **Kitchingia** = Bryophyllum; **Kochia** = Bassia.
Lamiastrum = Lamium; **Leptandra** = Veronicastrum; **Libonia** = Justicia; **Lissochilus** = Eulopha.
Macroplectrum = Angraecum; **Mahernia** = Hermannia; **Malachium** = Stellaria; **Micropterum** = Cleretum; **Mina** = Ipomoea; **Myosoton** = Stellaria.

Neopanax = Pseudopanax; **Nothopanax** = Polysicas.
Ophtalmophyllum = Conophytum; **Ornithidium** = Maxillaria.
Pachystegia = Olearia; **Pentacme** = Shorea; **Perilepta** = Strobilanthes; **Pernettya** = Gaultheria; **Phanerophlebia** = Polystichum; **Pharbitis** = Ipomoea; **Phyllitis** = Asplenium; **Piptatherum** = Oryzopsis; **Platystigma** = Hesperomecon; **Polygonum p.p.** = Persicaria; **Porphyrocoma** = Justicia; **Prenanthes p.p.** = Nabalus; **Pseudocinchona** = Corynanthe; **Ptilotrichum** = Alyssum.
Quamoclit = Ipomoea.
Reynoutria = Fallopia; **Rhamnus p.p.** = Frangula; **Rheedia** = Garcinia.
Samanea = Albizia; **Scirpus p.p.** = Schoenoplectus; **Sclerocactus p.p.** = Echinomastus; **Senecio p.p.** = Kleina & Tephroseris; **Solenopsis** = Laurentia; **Sphaeropteris** = Cyathea; **Stranvaesia** = Photinia; **Sympagis** = Strobilanthes.
Thelypteris p.p. = Phegopteris; **Trachomitum** = Apocynum.
Venidium = Arctotis; **Veronica p.p.** = Pseudolysimachion.
Warscewiczella = Cochleanthes.
Zebrina = Tradescantia

Geänderte Schreibweisen
Altered spelling
Orthographes modifiées:

Acanthophippium = Acanthephippium.
Benthamia [Lindl.] = Benthamidia; **Brachycome** = Brachyscome.
Chaenarrhinum = Chaenorhinum; **Choenomeles** = Chaenomeles; **Chevalieria** = Chevaliera; **Chondodendron** = Chondrodendron; **Cumarina** = Cumarinia.
Dracopis = Daracopsis
Gauntlettaria = Gauntlettara; **Geissorrhiza** = Geissorhiza; **Guajacum** = Guaiacum.
Hormatophylla = Hormathophylla.
Lechenaultia = Leschenaultia; **Lepidorhachis** = Lepidorrhachis.
Phyllorhachis = Phyllorachis; **Pterostylix** = Pterostlyis.
Rhinchoglossum = Rhynchoglossum; **Ruttleya** = Ruttya; **Rytidophyllum** = Rhytidophyllum.
Setcreasia = Setcreasea; **Sibthorphia** = Sibthorpia.
Zygopetalon = Zygopetal**um**

Sonstige Anmerkungen / Miscelleaneous / Autres remarques

- Laut Bremer, K. (1994) gehören *Acroclinum* und *Helipterum* zu *Rhodanthe*, wir lassen diese als eigenständige Gattungen stehen.
- According to Bremer, K. (1994), *Acrolinum* and *Helipterum* are part of *Rhodanthe*, but we have kept them as separate genera.
- Selon Bremer, K. (1994) les genres *Acroclinum* et *Helipterum* appartiennent au genre *Rhodanthe*: nous laissons ce dernier apparaître comme genre indépendant.

- Es besteht ein Antrag, auf dem Internationalen Botanischen Kongress, der 1999 in St. Louis (USA) stattfindet, den Namen *Chrysanthemum* mittels Neutypisierung wieder zum korrekten Namen für die Garten-Chrysanthemen werden zu lassen, wobei dann der jetzige Name *Dendranthema* nur noch ein jüngeres Synonym darstellen wird. Für die beiden jetzigen *Chrysanthemum*-Arten müsste dann der Gattungsname *Glebionis* verwendet werden. Solange hier keine endgültige Entscheidung vorliegt, lassen wir es bei *Dendranthema*.

- A proposal has been submitted to the International Botanic Congress due to take place in 1999 to move the genus *Dendranthema* with about 37 species back to *Chrysanthemum*. The two species currently designated as *Chrysanthemum* would then be placed in the new genus *Glebionis*. Until a firm decision has been made, we are keeping it in *Dendranthema*.
- Une demande a été faite au Congrès international de botanique de St Louis (1999, USA) pour réintroduire le nom *Chrysanthemum* comme nom correct des chrysanthèmes horticoles, le nouveau nom actuel, *Dendranthema*, devenant alors un synonyme. On devrait alors utiliser pour les deux espèces actuelles de *Chrysanthemun*, le nom de genre *Glebionis*. Tant qu'aucune décision officielle n'a été prise, nous nous en tenons pour l'instant à *Dendranthema*.

- *Lychnis* muss wohl in nächster Zeit der Gattung *Silene* zugerechnet werden, da eine eindeutige Trennung der beiden Gattungen nicht nachzuvollziehen ist. Dass wir hier trotzdem *Lychnis* beibehalten haben, hat praktische Gründe. Es hat sich nämlich herausgestellt, dass die meisten gärtnerisch interessanten asiatischen *Lychnis*-Arten noch keine korrekten Namen unter *Silene* besitzen. Erst wenn diese vorliegen, können wir die Umbenennung nachvollziehen.
- *Lychnis* must shortly be added to *Silene*, since it is not possible to separate the two genera clearly. As Wisskirchen, R. (1998) renamed only the European species, we shall not show the renaming until the Asiatic species have been regrouped.
- Le genre *Lychnnis* doit, depuis peu, être fondu dans le genre *Silene*, du fait qu'il est impossible d'établir une séparation sans équivoque entre ces deux genres. Nous avons tout de même conservé ici le nom *Lychnis* pour des raisons pratiques: en effet, la plupart espèces asiatiques de *Lychnis* intéressantes pour l'horticulture n'ont pas encore de nom correct sous le nom *Silene*. La correction sera faite quand les nouveaux noms seront donnés.

Beispiel / Example / Exemple

Acer[1] L.[2] -n-[3] *Aceraceae*[4] · Ahorn[5]

. . .

– **campestre**[6] L.[7] · Feld-Ahorn[8] · Field Maple[9] · Erable champêtre[10] |[11] ♄ ♄[12] V[13] N[14]; Eur. *, Kauk., TR, N-Iran, Maroc. Alger.[15]
  – var. *hebecarpum*[16] DC. = [17] Acer campestre
  – var. **tauricum**[18] (Kirchn.) Pax

. . .

[1] Gattungsname / genus / nom de genre
[2] Autor des Gattungsnamens / author of genus / auteur du nom de genre
[3] grammatikalisches Geschlecht des Namens / Latin gender / genre grammatical (m., f., n.)
[4] Pflanzenfamilie / family / famille
[5] deutscher Gattungsname / german name for genus / nom allmand du genre
[6] Artname / species / nom d'espèce
[7] Autor des Gattungsnamens / Author / auteur du nom d'espèce
[8] deutscher Artname / German name / nom allemand de l'espèce
[9] englischer Artname / English name / nom anglais de l'espèce
[10] französischer Artname / French name / nom français de l'espèce
[11] Trennstrich zwischen Name und weiteren Angaben / textbreak / trait de séparation entre le nom et les autres indications
[12] Lebensform / life form / forme de vie
[13] Blütezeit (Monat in röm. Ziffern) / season of flower, month in Roman numerals / époque de floraison (mois en chiffres romains)
[14] zusätzliche Angaben (siehe Zeichentabelle) / additional details / indications supplémentaires
[15] Verbreitungsgebiet / distribution /repartition géographique
[16] Synonym (kursiv) / synonym (italics) / synonymes (italiques)
[17] Synonymverweis auf gültigen Namen / cross reference to correct name / renvoie au nom correct
[18] Varietät (oder Subspecies) der Art (eingerückt) / variety (or subspecies) of the species (indented) / Variété (ou sous-espèce).

Abelia R. Br. -f- *Caprifoliaceae*
– **chinensis** R. Br. | ♄ ⓚ VII-IX; China
– **engleriana** (Graebn.) Rehder · Englers Abelie | ♄ ⓚ VI-VII ∧; China
– **floribunda** (Mart. et Galeotti) Decne. · Reichblütige Abelie · Mexican Abelia | ♄ ⓚ V-VI; Mex.
– **graebneriana** Rehder · Graebners Abelie | ♄ ⓚ VII; C-China
– × **grandiflora** (Rovelli ex André) Rehder (*A. chinensis* × *A. uniflora*) · Großblütige Abelie · Glossy Abelia | ♄ ⓚ VII-X ∧; cult.
– *longituba* Rehder = Abelia schumannii
– **mosanensis** Chung ex Nakai | ♄; Korea +
– *rupestris* hort. Späth = Abelia × grandiflora
  - var. *grandiflora* André = Abelia × grandiflora
– *rupestris* Lindl. = Abelia chinensis
– **schumannii** (Graebn.) Rehder · Schumanns Abelie | ♄ ⓚ VI-IX; W-China
– **spathulata** Siebold et Zucc. | ♄ ⓚ; Jap.
– **triflora** R. Br. ex Wall. | ♄ ⓚ; NW-Him.
– **uniflora** R. Br. ex Wall. | ♄ ⓚ VI-IX; E-China
– **zanderi** (Graebn.) Rehder | ♄ ⓚ; China

Abeliophyllum Nakai -n- *Oleaceae*
– **distichum** Nakai · Schneeforsythie · White Forsythia | ♄ V ∧; C-Korea

Abelmoschus Medik. -m- *Malvaceae*
– **esculentus** (L.) Moench · Gumbo, Lady's Fingers, Okra | ☉ VII-VIII Ⓝ; Ind., NE-Afr., nat. in Trop.
– **manihot** (L.) Medik. · Manioc Hibiscus | ☉ ⊙ ♃ VII-IX Ⓝ; trop. As., nat. in Trop.
– **moschatus** Medik. · Musk Mallow | ☉ ⊙ VII-VIII Ⓝ; Ind., nat. in Trop.

Aberia = Dovyalis E. Mey. ex Arn.
– *caffra* Hook. f. et Harv. = Dovyalis caffra
– *gardneri* Clos = Dovyalis hebecarpa

Abies Mill. -f- *Pinaceae* · Tanne
– **alba** Mill. · Weiß-Tanne · European Silver Fir, Silver Fir | ħ V-VI Ⓝ; Eur.* exc. BrI, Sc
– **amabilis** (Douglas ex Loudon) Douglas ex Forbes · Purpur-Tanne · Pacific Silver Fir, Red Silver Fir | ħ Ⓝ; SE-Alaska, B.C., Wash., Oreg., N-Calif.
– *arizonica* Merriam = Abies lasiocarpa var. arizonica
– **balsamea** (L.) Mill. · Balsam-Tanne · Balm of Gilead, Balsam Fir | ħ D Ⓝ; Can., USA: NE, NCE
  - fo. **hudsonia** (Jacq.) Fernald et Weath. | ħ; USA: New Hampshire
– × **borisii-regis** Mattf. (*A. alba* × *A. cephalonica*) · König-Boris-Tanne | ħ; GR, S-Bulg.
– × **bornmuelleriana** Mattf. (*A. cephalonica* × *A. nordmanniana*) · Bornmüllers Tanne | ħ; N-TR
– *brachyphylla* Maxim. = Abies homolepis
– **bracteata** (D. Don) Poit. | ħ; SW-Calif.
– *candicans* Fisch. ex Henkel et W. Hochst. = Abies nordmanniana
– **cephalonica** Loudon · Griechische Tanne · Grecian Fir, Greek Fir | ħ Ⓝ; Eur.: GR, ?AL; mts., nat. in I
  - var. **apollinis** (Link) Beissn. | ħ
– **chensiensis** Tiegh. | ħ; China: Shaanxi, Hubei, Yunnan
– **cilicica** (Antoine et Kotschy) Carrière · Cilicische Tanne · Cilician Fir | ħ; TR, N-Syr.
– **concolor** (Gordon et Glend.) Lindl. ex Hildebr. · Colorado-Tanne · Colorado Fir, White Fir | ħ V Ⓝ; USA: Oreg., Calif., Rocky Mts., SW; Mex.: Baja Calif., Sonora
  - var. **lowiana** (Gordon) Lemmon | ħ; USA: Oreg., Calif.
– **delavayi** Franch. · Delavays Tanne | ħ; SW-China, NE-Ind., N-Myanmar
  - var. *fabri* (Mast.) Hunt = Abies fabri
  - var. **faxoniana** (Rehder et E.H. Wilson) A.B. Jacks. | ħ; W-China: Sichuan
  - var. *forrestii* (Coltm.-Rog.) A.B. Jacks. = Abies forrestii
  - var. *smithii* (Vig. et Gaussen) T.S. Liu = Abies forrestii
– *excelsa* Poir. = Picea abies
– **fabri** (Mast.) Craib | ħ; Yunnan
– **fargesii** Franch. | ħ; C-China
  - var. **sutchuensis** Franch. | ħ; W-China
– **firma** Siebold et Zucc. · Momi-Tanne · Japanese Fir, Momi Fir | ħ; Jap.
– **forrestii** Craib | ħ; SW-China
– **fraseri** (Pursh) Poir. · Frasers Tanne · Southern Balsam Fir | ħ Ⓝ; USA: Va., W.Va., Tenn., N.C.
– **grandis** (Douglas ex D. Don) Lindl. · Küsten-Tanne · Giant Fir, Grand Fir | ħ V Ⓝ; B.C., USA: NW, Rocky Mts., N-Calif.

– **holophylla** Maxim. · Mandschurische Tanne · Manchurian Fir | †ħ; Korea, Manch.
– **homolepis** Siebold et Zucc. · Nikko-Tanne · Nikko Fir | †ħ Ⓝ; Jap.
  - var. **umbellata** (Mayr) E.H. Wilson | †ħ; Japan: Honshu
– × **insignis** Carrière ex Bailly (*A. nordmanniana* × *A. pinsapo*) | †ħ; cult.
– **kawakamii** (Hayata) Ito | †ħ; Taiwan
– **koreana** E.H. Wilson · Koreanische Tanne · Korean Fir | †ħ ♧ ∧; Korea
– **lasiocarpa** (Hook.) Nutt. · Felsengebirgs-Tanne · Alpine Fir, Subalpine Fir | †ħ Ⓝ; Alaska, Can.: W; USA: NW, Rocky Mts., SW
  - var. **arizonica** (Merriam) Lemmon · Arizona-Tanne | †ħ D; USA: Colo., SW
– *lowiana* (Gordon) A. Murray = Abies concolor
– **magnifica** A. Murray · Prächtige Tanne · California Red Fir, Red Fir | †ħ Ⓝ; Oreg., Calif., Nev.
– **mariesii** Mast. · Maries Tanne · Maries Fir, Shasta Red Fir | †ħ; Jap.
– *nobilis* (Douglas ex D. Don) Lindl. = Abies procera
– *nobilis* A. Dietr. = Abies alba
  - var. *magnifica* (A. Murray) Kellogg = Abies magnifica
– **nordmanniana** (Steven) Spach · Nordmanns-Tanne · Caucasian Fir, Nordmann Fir | †ħ V Ⓝ; Cauc., TR
– **numidica** de Lannoy ex Carrière · Numidische Tanne | †ħ; NE-Alg.
– *pectinata* DC. = Abies alba
– *pichta* Forbes = Abies sibirica
– **pindrow** (Lamb.) Royle · Pindrow-Tanne · Pindrow Fir, West Himalayan Fir | †ħ Ⓝ; Him.: Afgh., Kashmir, NW-Ind., W-Nepal
– **pinsapo** Boiss. · Spanische Tanne | †ħ Ⓝ; S-Sp.., N-Maroc.
– **procera** Rehder · Edle Tanne · Noble Fir | †ħ Ⓝ; USA: Wash., Oreg., N-Calif.
– **recurvata** Mast. | †ħ; W-China: Sichuan
– **sachalinensis** (F. Schmidt) Mast. · Sachalin-Tanne · Sakhalin Fir | †ħ Ⓝ; N-Jap., Sachal.
– **sibirica** Ledeb. · Sibirische Tanne · Siberian Fir | †ħ Ⓝ; Eur.: Russ.; N-As., C-As., Mong., nat. in Sc
– **spectabilis** (D. Don) Spach · Himalaya-Tanne · Himalayan Fir | †ħ Ⓝ; Him.: Afgh., Kashmir, NW-Ind., Nepal, Bhutan
– **squamata** Mast. | †ħ; SW-China: Sichuan
– *subalpina* Engelm. = Abies lasiocarpa
– **veitchii** Lindl. · Veitchs Tanne · Veitch Fir, Veitch's Silver Fir | †ħ; Jap.
  - var. **olivacea** Shiras. | †ħ
  - var. *sachalinensis* Schmidt = Abies sachalinensis
– *venusta* (Douglas) K. Koch = Abies bracteata
– × **vilmorinii** Mast. (*A. cephalonica* × *A. pinsapo*) | †ħ; cult.
– *webbiana* (Wall. ex D. Don) Lindl. = Abies spectabilis

Abobra Naudin -f- *Cucurbitaceae*
– **tenuifolia** (Gillies) Cogn. | ♃ Ⓚ ≹ ♧ ∧; Arg., Urug.

Abroma Jacq. -n- *Sterculiaceae*
– **augustum** (L.) L. f. | †ħ Ⓦ ✗ Ⓝ; SE-As, N-Austr.

Abromeitiella Mez -f- *Bromeliaceae*
– **brevifolia** (Griseb.) A. Cast. | ♃ Ⓚ ⌓; NW-Arg., S-Bol.
– *chlorantha* (Speg.) Mez = Abromeitiella brevifolia
– **lorentziana** (Mez) A. Cast. | ♃ Ⓚ ⌓; NW-Arg.

Abronia Juss. -f- *Nyctaginaceae*
– **umbellata** Lam. · Sandverbene · Pink Sand Verbena | ⊙ ♃ D VII-X; B.C.; USA: Wash., Oreg., Calif.; Mex.: Baja Calif.

Abrus Adans. -m- *Fabaceae*
– **precatorius** L. · Crab's Eye Vine, Indian Liquorice, Rosary Pea | ħ Ⓦ ≹ ✗ Ⓝ; Trop., nat. in S-Fla.

Abutilon Mill. -n- *Malvaceae*
– *avicennae* Gaertn. = Abutilon theophrasti
– **darwinii** Hook. f. | ħ Ⓚ; Bras.
– *globosum* hort. = Abutilon × hybridum
– × **hybridum** hort. (*A. darwinii* × *A. pictum*) ; cult.
– **indicum** (L.) Sweet · Indian Mallow | ⊙ ⊙ ♃ Ⓚ Ⓝ; trop. Afr., trop. As., nat. in Fla., W-Ind., trop. S-Am.
– **insigne** Planch. | ħ Ⓚ; Col., Venez.
– **megapotamicum** (Spreng.) A. St.-Hil. et Naudin | ħ Ⓚ ≹ I-XII; Bras.
– × **ochsenii** (Phil.) Phil. | ħ; Chile
– **pictum** (Gillies ex Hook. et Arn.) Walp. ·

Painted Indian Mallow | ♄ ⓚ VIII-XI; Bras., nat. in C-Am., n S-Am.
- *selloanum* auct. = Abutilon sellowianum
- **sellowianum** (Klotzsch) Regel | ♄ ⓚ VII-IX; Bras.
- *striatum* Dicks. ex Lindl. = Abutilon pictum
- × **suntense** C.D. Brickell | ♄
- **theophrasti** Medik. · Chinesische Samtpappel · China Jute, Velvet Leaf | ⊙ VII-VIII Ⓝ; Ind., China, nat. in Eur.: Ib, F Ap, H, Ba, EC-Eur.; TR, Cauc., C-As., N-Afr., USA, Austr.
- **venosum** Walp. | ♄ ⓚ VIII-XI; ? Bras.
vexillarium E. Morren = Abutilon megapotamicum
- **vitifolium** (Cav.) C. Presl | ♄ ⓚ V-VI; Chile

Acacallis = Aganisia Lindl.
- *cyanea* Lindl. = Aganisia cyanea

Acacia Mill. -f- *Mimosaceae* · Akazie
- **acinacea** Lindl. | ♄; Austr.:N.S.Wales, Victoria, S-Austr.
- **aculeatissima** J.F. Macbr. | ♄ ⓚ I-XII; Austr.: N.S.Wales, Victoria
- **acuminata** Benth. | ♄; Austr.: W-Austr.
- **adunca** A. Cunn. ex G. Don | ♄ ♄; Austr.: N.S.Wales
- **alata** R. Br. · Winged Wattle | ♄; W-Austr.
  - var. **platyptera** Benth. | ♄ ⓚ III-V; W-Austr.
- **aneura** F. Muell. | ♄ ♄; Austr.: Queensl., N.S.Wales, S-Austr., W-Austr., N.Terr.
- *arabica* (Lam.) Willd. = Acacia nilotica
- **argyrophylla** Hook. | ♄; S-Austr.
- *armata* R. Br. = Acacia paradoxa
- **auriculiformis** A. Cunn. ex Benth. | ♄ Ⓝ; N.Guinea
- **baileyana** F. Muell. · Bailey Acacia, Cootamundra Wattle | ♄ ♄ ⓚ III-IV Ⓝ; Austr.: N.S.Wales
- **buxifolia** A. Cunn. | ♄; Austr.:Queensl., N.S.Wales, Victoria
- **caffra** (Thunb.) Willd. | ♄; trop. Afr, S-Afr.
- **calamifolia** Sweet ex Lindl. · Broom Wattle | ♄ ⓚ III-IV; Austr.: N.S.Wales, Victoria
- **cardiophylla** A. Cunn. ex Benth. | ♄; Austr.: N.S.Wales
- **catechu** (L. f.) Willd. · Cachou Acacia | ♄ ⓚ Ⓝ; Eth., Sambia, Pakist., Ind., Myanmar, Thail., Sumat., Java
- **cavenia** (Molina) Molina | ♄; Chile, Arg.
- **cornigera** (L.) Willd. · Bull Horn Acacia | ♄ ♄ ⓦ III; Mex., C-Am., nat. in W.Ind., S-Fla.
- **cultriformis** A. Cunn. ex G. Don · Knife Leaf Wattle | ♄ ⓚ III-IV; Austr.: Queensl., N.S.Wales
- **cyanophylla** Lindl. | ♄ ⓚ II-IV Ⓝ; Austr.: W-Austr., nat. in S-Eur., N-Afr.
- **cyclops** A. Cunn. ex G. Don | ♄ ⓚ Ⓝ; Austr.: W-Austr., nat. in C-P
- **dealbata** Link · Mimosa, Silver Wattle | ♄ ⓚ I-IV Ⓝ; Austr.: Queensl., N.S.Wales, Victoria, Tasman., nat. in S Eur.
- **decora** Rchb. | ♄ ♄; Austr.: Queensl., N.S.Wales, Victoria
- **decurrens** (J.C. Wendl.) Willd. · Early Black Wattle, Green Wattle | ♄ ⓚ I-IV Ⓝ; Austr.: N.S.Wales, nat. in S-Austr., Vict., Tasman.
  - var. *dealbata* (Link) F. Muell. = Acacia dealbata
  - var. *mollis* Lindl. = Acacia mearnsii
- **drummondii** Lindl. · Drummond's Wattle | ♄ ⓚ ◻ III-IV; W-Austr.
- **dunnii** (Maiden) Turrill | ♄ ♄; N-Austr.
- **eburnea** Willd. | ♄; Arab., Ind., Sri Lanka
- **extensa** Lindl. | ♄; Austr.: W-Austr.
- **farnesiana** (L.) Willd. · Scented Wattle, Sweet Acacia | ♄ ♄ ⓚ II-IV Ⓝ; USA: Tex., SW, S-Calif., Fla.; Mex., W.Ind., S-Am., nat. in USA:SE; Sp.
- **fimbriata** A. Cunn. ex G. Don | ♄ ♄; Austr.: Queensl., N.S.Wales
- **floribunda** (Vent.) Willd. | ♄ ♄ ⓚ III
- **glaucoptera** Benth. | ♄; W-Austr.
- **hakeoides** A. Cunn. ex Benth. | ♄; Austr.:Queensl., N.S.Wales, Victoria, S-Austr., W-Austr.
- **hemiteles** Benth. | ♄; Austr.
- **homalophylla** A. Cunn. ex Benth. · Australisches Veilchenholz | ♄ Ⓝ; Austr.
- *horrida* hort. non Willd. = Acacia karroo
- *juniperina* Willd. = Acacia ulicifolia
- **karroo** Hayne · Sweet Thorn | ♄ ♄ ⓚ Ⓝ; S-Afr., nat. in SW-Eur., N-Afr.
- **kirkii** Oliv. | ♄ Ⓝ; W-Sudan, Tanzania, trop. S-Afr.
- **latifolia** Benth. | ♄ ⓚ; NE-Austr.
- *lebbeck* Willd. = Albizia lebbeck
- **ligulata** A. Cunn. ex Benth. | ♄ ♄
- **longifolia** (Andrews) Willd. · Sydney

Golden Wattle | ħ ♄; E-Austr.
- var. *floribunda* (Vent.) F. Muell. = Acacia floribunda
– *lophantha* Willd. = Albizia lophantha
– **mearnsii** De Wild. · Black Wattle | ♄ Ⓚ I-IV Ⓝ; Austr.: Queensl., N.S.Wales, Victoria, Tasman., nat. in P, Sp., I
– **melanoxylon** R. Br. · Black Wood Acacia, Blackwood | ♄ Ⓚ III-IV Ⓝ; Austr.: Queensl., N.S.Wales, Victoria, Tasman., nat. in SW-Eur., N-Afr.
– *mollissima* auct. non Willd. = Acacia mearnsii
– **nilotica** (L.) Willd. ex Delile · Ägyptischer Schotendorn · Babul, Gum Arabic Tree | ♄ Ⓚ Ⓝ; trop. Afr., S-Afr., nat. in Ind.
– **paradoxa** DC. · Hedge Wattle, Kangaroo Thorn | ħ Ⓚ ▽ III-IV Ⓝ
– **podalyriifolia** A. Cunn. ex G. Don · Queensland Silver Wattle | ħ Ⓚ XII-III; Austr.: Queensl., N.S.Wales
– **pubescens** (Vent.) R. Br. | ♄ ħ; Austr.
– **pulchella** R. Br. · Prickly Moses | ħ Ⓚ ▽ IV-V; Austr.: W-Austr.
– **pycnantha** Benth. · Golden Wattle | ħ ♄ Ⓚ III-IV Ⓝ; Austr.: N.S.Wales, Victoria, S-Austr., nat. in S-P, I
– **retinodes** Schltdl. · Water Wattle, Wirilda | ħ ♄ Ⓚ D II-IX; Austr.: Victoria, S-Austr., Tasman., nat. in S-Eur.
– **riceana** Hensl. | ♄ Ⓚ III-IV; Tasman.
– **rigens** A. Cunn. ex G. Don | ♄; Austr.: N.S.Wales, Victoria, S-Austr.
– **saligna** (Labill.) H.L. Wendl. · Blue Leaf Wattle | ħ ♄; W-Austr.
– *saligna* auct. mult. non (Labill.) H.L. Wendl. = Acacia cyanophylla
– **senegal** (L.) Willd. · Gum Arabic Tree, Sudan Gum Arabic | ♄ Ⓚ Off. Ⓝ; W.Sudan, Nigeria, Arab.
– *sentis* F. Muell. = Acacia victoriae
– **seyal** Delile · Seyal-Gummiakazie | ♄ Ⓝ; trop. Afr, Egypt
– *spadicigera* Schltdl. et Cham. = Acacia cornigera
– **spectabilis** A. Cunn. ex Benth. | ♄ ħ; Austr.: Queensl., N.S.Wales
– **sphaerocephala** Schltdl. et Cham. | ħ ♄ Ⓦ; Mex.
– **stenophylla** A. Cunn. ex Benth. | ♄; Austr.
– **suaveolens** (Sm.) Willd. · Sweet Scented Wattle | ♄ Ⓚ III-VIII; Austr.: Queensl., N.S.Wales, Victoria, Tasman.
– **subulata** Bonpl. | ♄; SE-Austr.
– **suma** Kurz | ♄ Ⓚ Ⓝ; trop. Afr., Sri Lanka, Myanmar
– *tenuifolia* F. Muell. non L. = Acacia aculeatissima
– **terminalis** (Salisb.) J.F. Macbr. | ♄ ħ; Austr.: N.S.Wales, Victoria, Tasman.
– **tortilis** (Forssk.) Hayne · Drehfrüchtige Akazie | ♄ ħ Ⓝ; N-Afr., Arab.
– **ulicifolia** (Salisb.) Court · Juniper Wattle | ♄ Ⓚ III-IV; Austr.: Queensl., N.S.Wales, Victoria, Tasman.
– *verek* Guill. et Perrott = Acacia senegal
– **verniciflua** A. Cunn. | ♄ ħ; Austr.: Queensl., N.S.Wales, Victoria, S-Austr., Tasman.
– **verticillata** (L'Hér.) Willd. | ♄ Ⓚ III-IV; Austr.: N.S.Wales, S-Austr., Tasman., Victoria
– **victoriae** Benth. | ♄ ħ; E-Austr.
– **villosa** Willd. | ♄; W.Ind.
– **williamsonii** Court | ♄ ħ; Austr.

Acaena Mutis ex L. -f- *Rosaceae* · Stachelnüßchen
– **adscendens** Vahl | ♃; S-Am., ? Macquarie Is.
– **affinis** Hook. f. | ♃
– **anserinifolia** (J.R. Forst. et G. Forst.) Druce · Bidi Bidi | ♃ ⇝; NZ, nat. in BrI
– **argentea** Ruiz et Pav. | ♃ ⇝; Peru, Chile
– **buchananii** Hook. f. · Blaugrünes Stachelnüsschen | ♃ ⇝; NZ
– **caesiiglauca** (Bitter) Bergmans · Graublaues Stachelnüsschen | ♃ ⇝; NZ
– *glauca* hort. = Acaena caesiiglauca
– *glaucophylla* Bitter = Acaena magellanica
– **lucida** Vahl | ♃ ⇝; Chile, W-Arg., Falkland Is.
– **magellanica** (Lam.) Vahl | ♃ ⇝; Patag., S-Chile
– **microphylla** Hook. f. · Braunblättriges Stachelnüsschen · New Zealand Burr | ♃ ⇝; NZ
- *'Glauca'* = Acaena caesiiglauca
– **novae-zelandiae** Kirk | ♃ ⇝; NZ
– **pinnatifida** Ruiz et Pav. | ♃; Chile, Patag.
– *sanguisorbae* (L. f.) Vahl = Acaena anserinifolia
– **splendens** Hook. et Arn. · Bidi Bidi | ♃ ⌓; Chile, Patag.

Acalypha L. -f- *Euphorbiaceae*
- **godseffiana** hort. Sander ex Mast. | ♄
  - var. **heterophylla** Mast. | ♄
- **hispaniolae** Urb. | ♄ Ⓦ ⦚ ⟿ III-IX; Hispaniola
- **hispida** Burm. f. · Red Hot Cat's Tail | ♄ Ⓦ ⊔ I-X; ? Malay. Arch., cult. Trop., nat. in Trop.
- **indica** L. · Indian Acalypha | ☉ VII-VIII; trop. Afr., trop. As.
- **integrifolia** Willd.; trop. Afr., trop. As.
  - var. **colorata** (Poir.) Pax et K. Hoffm. | ♄ Ⓦ; Maskarene Is.
- *pendula* hort. = Acalypha hispaniolae
- **virginica** L. · Virginisches Nesselblatt | V-VIII; N-Am., nat. in I, CH, A
- **wilkesiana** Müll. Arg. · Beefsteak Plant, Copper Leaf, Jacob's Coat | ♄ Ⓦ; Pacific Is.

Acampe Lindl. -f- *Orchidaceae*
- **rigida** (Sm.) P.F. Hunt | ♃ Ⓦ VII-X ✻; E-Afr., trop. As.

Acanthephippium Blume *Orchidaceae*
- **bicolor** Lindl. | ♃ Ⓦ V-VI; Sri Lanka
- **javanicum** Blume | ♃ Ⓦ III-IV; Malay. Pen., Sumat., Java, Kalimantan

Acanthocalycium Backeb. -n- *Cactaceae*
- *formosum* (Pfeiff.) Backeb. = Trichocereus formosus
- **hyalacanthum** (Speg.) Backeb. | ♆ Ⓚ ✻; Arg.
- **klimpelianum** (Weidlich et Werderm.) Backeb. | ♆ Ⓚ; Arg.
- *peitscherianum* Backeb. = Acanthocalycium spiniflorum
- **spiniflorum** (K. Schum.) Backeb. | ♆ Ⓚ ✻; Arg.
  - **'Violaceum'** | ♆ Ⓚ ✻; Arg.
  - var. *klimpelianum* (Weidlich et Werderm.) = Acanthocalycium klimpelianum
- *violaceum* (Werderm.) Backeb. = Acanthocalycium spiniflorum 'Violaceum'

Acantholimon Boiss. -n- *Plumbaginaceae* · Igelpolster
- *albanicum* hort. = Acantholimon ulicinum
- *androsaceum* (Jaub. et Spach) Boiss. = Acantholimon ulicinum
- **avenaceum** Bunge | ♄; C-As
- **bracteatum** (Girard) Boiss. | ♄; Cauc., Iran
- **caryophyllaceum** Boiss. | ♄; TR, N-Iraq, Cauk., Iran
- *echinus* Boiss. = Acantholimon ulicinum
- **glumaceum** (Jaub. et Spach) Boiss. | ♃ ⌓ △ VII-VIII ∧; TR, Cauc., N-Iran
- **hohenackeri** (Jaub. et Spach) Boiss. | ♄; Cauc., Iran
- **kotschyi** (Jaub. et Spach) Boiss. | ♃ ⌓ △ VII-VIII ∧; Syr.
- **libanoticum** (Fenzl) Boiss. | ♃ ⌓ △ VII-VIII ∧; Lebanon
- **olivieri** (Jaub. et Spach) Boiss. | ♃ ⌓ △ VII VIII ∧; TR: Cilician Taurus
- **ulicinum** (Willd. ex Schult.) Boiss. | ♃ ⌓ △ VII-VIII ∧; Eur.: Ba; TR, Lebanon
- *venustum* Boiss. = Acantholimon olivieri

Acanthopanax = Eleutherococcus Maxim.
- *giraldii* Harms = Eleutherococcus giraldii
- *henryi* (Oliv.) Harms = Eleutherococcus henryi
- *pentaphyllus* (Siebold et Zucc.) Marchal = Eleutherococcus sieboldianus
- *ricinifolius* (Siebold et Zucc.) Seem. = Kalopanax septemlobus
- *senticosus* (Rupr. et Maxim.) Harms = Eleutherococcus senticosus
- *setchuenensis* Harms ex Diels = Eleutherococcus setchuenensis
- *sieboldianus* Makino = Eleutherococcus sieboldianus
- *simonii* C.K. Schneid. = Eleutherococcus simonii
- *spinosus* hort. non (L. f.) Miq. = Eleutherococcus sieboldianus

Acanthophoenix H. Wendl. -f- *Arecaceae*
- **crinita** (Bory) H. Wendl. | ♄ Ⓦ; Maskarene Is.
- **rubra** (Bory) H. Wendl. | ♄ Ⓦ; Maskarene Is

Acanthorrhiza = Cryosophila Blume
- *aculeata* (Liebm.) H. Wendl. = Cryosophila nana
- *warscewiczii* H. Wendl. = Cryosophila warscewiczii

Acanthosicyos Welw. ex Hook. f. -m- *Cucurbitaceae*
- **horridus** Welw. ex Hook. f. | ♃ Ⓚ Ⓝ; Angola, Namibia

Acanthostachys Klotzsch -f- *Bromeliaceae*
– **strobilacea** (Schult. f.) Klotzsch | ♃ ⌂ ≹; Bras., Parag., Arg.

Acanthoxanthium = Xanthium L.
– *spinosum* (L.) Fourr. = Xanthium spinosum

Acanthus L. -m- *Acanthaceae* · Akanthus
– *balcanicus* Heywood et Richardson = Acanthus hungaricus
– *caroli-alexandri* Hausskn. = Acanthus spinosus
– **dioscoridis** L.; TR, Iraq, Iran
 - var. **perringii** Siehe | ♃ △ VI-VII ∧; TR; mts.
– **hungaricus** (Borbás) Baen. · Acanthe de Hongrie | ♃ ⋈ VI-VIII; Eur.: Ba, SW-RO
– **ilicifolius** L. · Bear's Breeches | ħ ⌂ ~ ; SE-Afr., Ind., Sri Lanka, Malay. Arch., Phil., Austr., Polyn.; coasts
– *longifolius* Host non Poir. = Acanthus hungaricus
– **mollis** L. · Bear's Breeches · Acanthe molle | ♃ VII-VIII ∧; Eur.: Ib, Fr, Ap, Croatia, Maced.
– **montanus** (Nees) T. Anderson | ħ ⌂ IX-II; W-Afr.
– *perringii* Siehe = Acanthus dioscoridis var. perringii
– *spinosissimus* Pers. = Acanthus spinosus 'Spinosissimus Grp'
– **spinosus** L. · Stacheliger Bärenklau · Acanthe épineuse | ♃ △ VII-VIII; Eur.: S-I, Ba; TR, Alger.
 - **Spinosissimus Grp** (*A. mollis* × *A. spinosus*) ; cult.

Acca O. Berg -f- *Myrtaceae*
– **sellowiana** (O. Berg) Burret · Feijoa, Pineapple Guava | ħ ⌂ Ⓝ; S-Bras., Parag., Urug., N-Arg.

Acer L. -n- *Aceraceae* · Ahorn
– **acuminatum** Wall. ex D. Don | ħ; N-Indien, Nepal, Sikkim, SE-Tibet
– **argutum** Maxim. · Feinzähniger Ahorn | ħ ħ IV-V; Japan
– **buergerianum** Miq. | ħ; Jap., Taiwan, E-China
– *californicum* (Torr. et A. Gray) D. Dietr. = Acer negundo subsp. californicum
– **campestre** L. · Feld-Ahorn · Field Maple, Hedge Maple · Erable champêtre | ħ ħ V Ⓝ; Eur.*, Cauc., TR, N-Iran, Maroc., Alger.
 - var. *hebecarpum* DC. = Acer campestre
 - var. **tauricum** (Kirchn.) Pax
– **capillipes** Maxim. · Roter Schlangenhaut-Ahorn · Red Snake Bark Maple · Erable oriental rouge | ħ V; Jap.
– **cappadocicum** Gled. · Kolchischer Ahorn · Caucasian Maple · Erable de Colchide | ħ V-VI; Eur.: I; TR, Cauc., N-Iran, W-Him., W-China
 - subsp. **lobelii** (Ten.) de Jong · Italienischer Ahorn · Lobel's Maple · Erable de Lobel | ħ V; I (Neapel)
– **carpinifolium** Siebold et Zucc. · Hainbuchen-Ahorn · Erable à feuilles de charme | ħ ħ V; Jap.
– **caudatifolium** Hayata | ħ; Taiwan
– *caudatum* Nicholls non Wall. ex Rehder = Acer acuminatum
– **circinatum** Pursh · Wein-Ahorn · Vine Maple · Erable à feuilles de vigne | ħ ħ IV-V Ⓝ; Alaska, USA: Wash., Oreg., N-Calif.
– **cissifolium** (Siebold et Zucc.) K. Koch · Cissusblättriger Ahorn · Vine-Leafed Maple | ħ V; Jap.
 - subsp. *henryi* (Pax) E. Murray = Acer henryi
– **crataegifolium** Siebold et Zucc. | ħ ħ V; Japan
– *creticum* L. non F. Schmidt = Acer sempervirens
– *dasycarpum* Ehrh. = Acer saccharinum
– **davidii** Franch. · Davids Ahorn · Père David's Maple, Snakebark Maple · Erable de David | ħ V; China: Hupeh, Yunnan, Sichuan
 - subsp. *grosseri* (Pax) de Jong = Acer grosseri
– **diabolicum** Blume ex Koch | ħ IV-V; Japan
– × **dieckii** Pax (*A. cappadocicum subsp. lobelii* × *A. platanoides*) | ħ; Naturhybride
– **forrestii** Diels · Forrets's Maple | ħ; China: Hupeh, Sichuan
– *ginnala* Maxim. = Acer tataricum subsp. ginnala
 - subsp. *semenowii* Pax = Acer tataricum subsp. semenovii
– **glabrum** Torr. | ħ ħ V; N-USA, Can.: Rocky Mts.
 - subsp. **douglasii** (Hook.) Wesm. · Kahler Ahorn | ħ ħ V; Alaska, Can.: W; USA: NW, Rocky Mts.

– **griseum** (Franch.) Pax · Zimt-Ahorn · Paperbark Maple · Erable à écorce de bouleau | ♄ V; W-China
– **grosseri** Pax · Grossers Ahorn · Erable de Grosser | ♄ ♄ IV-V; C-China
  - var. **hersii** (Rehder) Murray; C-China
– **heldreichii** Orph. ex Boiss. · Griechischer Ahorn | ♄ V Ⓝ; Eur.: Ba; mts.
  - subsp. **trautvetteri** (Medw.) Murray · Kaukasischer Ahorn · Red Bud Maple · Erable de Trautvetter | ♄ V; N-TR, W-Cauc.
– **henryi** Pax · Henrys Ahorn | ♄ V; C-China: Hupeh, Sichuan
– *hersii* Rehder = Acer grosseri var. hersii
– **hybridum** Bosc (*A. opalus* × *A. pseudoplatanus*) | ♄
– **hyrcanum** Fisch. et C.A. Mey. · Balkan-Ahorn · Balkan Maple | ♄ IV-V; Eur.: Ba
– *insigne* Boiss. et Buhse = Acer velutinum
– *insigne* G. Nicholson = Acer heldreichii subsp. trautvetteri
– *italum* Lauth = Acer opalus
– **japonicum** Thunb. · Japanischer Ahorn · Full Moon Maple, Japanese Maple · Erable du Japon | ♄ ♄ V; Jap.
– *kawakamii* Koidz. = Acer caudatifolium
– *laetum* C.A. Mey. non Schwer. = Acer cappadocicum
– *lobelii* Ten. = Acer cappadocicum subsp. lobelii
– **macrophyllum** Pursh · Oregon-Ahorn · Big Leaf Maple, Oregon Maple | ♄ V Ⓝ; SE-Alaska, B.C., Wash., Oreg., Calif.
– **mandshuricum** Maxim. · Mandschurischer Ahorn | ♄ ♄ V; Mandsch., Amur, Korea
– **maximowiczianum** Miq. · Nikko Maple | ♄ V; Jap., C-China
– *maximowiczii* Pax = Acer pectinatum subsp. maximowiczii
– **miyabei** Maxim. · Miyabes Ahorn · Erable de Miyabe | ♄ V; Jap.
– **mono** Maxim. · Nippon-Ahorn | ♄ IV-V; Amur, China, Manch., Korea, Jap., Sachal.
– **monspessulanum** L. · Französischer Ahorn · Montpelier Maple · Erable de Montpellier | ♄ IV Ⓝ; Eur.: Ib, Fr, Ap, Ba, RO, C-Eur.; TR, Syr., NW-Afr.
– *montanum* Aiton = Acer spicatum
– *morrisonense* Hayata = Acer caudatifolium
– × *neglectum* Lange = Acer × zoeschense
– **negundo** L. · Eschen-Ahorn · Ash Leafed Maple, Box Elder · Erable à feuilles de frêne | ♄ IV Ⓝ; USA: NE, NCE, SE, Fla., SC, SW, Calif.; Mex., Guat., nat. in Can.: E; USA: NW, Eur.
  - subsp. **californicum** (Torr. et A. Gray) Wesm. | ♄ IV; Calif.
– *nigrum* F. Michx. = Acer saccharum subsp. nigrum
– *nikoense* (Maxim.) Miq. = Acer maximowiczianum
– **obtusatum** Waldst. et Kit. ex Willd. | ♄ IV Ⓝ; Eur.: Ap, Ba; Alger.
– **oliverianum** Pax | ♄ IV-V; China: Yunnan, Hupeh, Taiwan
– **opalus** Mill. · Schneeballblättriger Ahorn · Italian Maple | ♄ IV-V; Eur.: Ib, Fr, Ap, C-Eur.
  - subsp. *obtusatum* (Willd.) Gams = Acer obtusatum
  - var. *hyrcanum* (Fisch. et C.A. Mey.) Rehder = Acer hyrcanum
  - var. **tomentosum** (Tausch) Rehder; I (Neapel)
– *opulifolium* Vill. = Acer opalus
– *orientale* auct. non L. = Acer sempervirens
– **palmatum** Thunb. ex Murray · Fächer-Ahorn · Japanese Maple · Erable japonais | ♄ ♄ VI; Jap., Korea
  - **Dissectum-Grp.** (Thunb.) Miq.
  - **Linearilobum-Grp.** Miq.
  - var. **heptalobum** Rehder
– *papilio* King = Acer heldreichii subsp. trautvetteri
– **pectinatum** Wall.
  - subsp. **maximowiczii** (Pax) Murray
– **pensylvanicum** L. · Streifen-Ahorn · Moosewood, Snakebark Maple · Erable jaspé | ♄ VI; Can.: E; USA: NE, NCE, SE
– *pictum* Thunb. ex Murray = Acer mono
– **platanoides** L. · Spitz-Ahorn · Norway Maple · Erable plane | ♄ IV-V Ⓝ; Eur.* exc. BrI, Cauc.
– *polymorphum* Siebold et Zucc. = Acer palmatum
– **pseudoplatanus** L. · Berg-Ahorn · Sycamore · Erable sycomore | ♄ V Ⓝ; Eur.* exc. BrI, Sc; TR, Cauc.
– **rubrum** L. · Rot-Ahorn · Red Maple, Scarlet Maple · Erable rouge | ♄ III-IV Ⓝ; Can.: E; USA: NE, NCE, NC, SC, SE, Fla.
  - var. **trilobum** Torr. et A. Gray ex K. Koch; USA: NE, SE, Fla.

- **rufinerve** Siebold et Zucc. · Rotnerviger Ahorn · Erable rufinerve | ħ V; Jap.
- **saccharinum** L. · Silber-Ahorn · Silver Maple · Erable argenté | ħ III-IV Ⓝ; Can.: E; USA: NE, NCE, NC, Okla, SE, Fla.
- **saccharum** Marshall · Zucker-Ahorn · Sugar Maple · Erable à sucre | ħ IV Ⓝ; Can.: E; USA: NE, NCE, SE, SC
  - subsp. **nigrum** (F. Michx.) Desmarais · Schwarzer Zucker-Ahorn | ħ IV
- *semenovii* Regel et Herder = Acer tataricum subsp. semenovii
- **sempervirens** L. · Cretan Maple | ♄ Ⓚ; Eur.: GR, Crete; TR
- *septemlobum* Thunb. ex A. Murray = Acer palmatum
- **shirasawanum** L. · Erable du Japon | ħ; Jap.
- **sieboldianum** Miq. · Siebolds-Ahorn · Siebold's Maple · Erable de Siebold | ♄ ħ V; Jap.
- **spicatum** Lam. · Vermont-Ahorn · Mountain Maple | ♄ ħ V-VI; Can.: E, Sask.; USA: NE, NCE, SE
- *striatum* Du Roi = Acer pensylvanicum
- **tataricum** L. · Tataren-Ahorn · Tatarian Maple · Erable de Tartarie | ħ ♄ V Ⓝ; Eur.: A, EC-Eur., Ba, E-Eur.; TR, Cauc., N-Iran
  - subsp. **ginnala** (Maxim.) Wesm. · Feuer-Ahorn · Amur Maple · Erable du fleuve Amour | ♄ V Ⓝ; E-Sib., Mong., China, Manch., Korea, Jap.
  - subsp. **semenovii** (Regel et Herder) Pax | ħ ♄ V; C-As., Iran, Afgh.
- **tegmentosum** Maxim. | ħ V; Amur, Manch., Korea
- *trautvetteri* Medw. = Acer heldreichii subsp. trautvetteri
- *trifidum* Hook. ex Arn. non Thunb. = Acer buergerianum
- **triflorum** Kom. · Rough-Barked Maple, Three-Flowered Maple · Erable à trois fleurs | ħ V; Korea, NE-China
- **truncatum** Bunge | ħ V Ⓝ; N-China
  - subsp. *mono* (Maxim.) E. Murray = Acer mono
- **velutinum** Boiss. · Erable d'Asie | ħ; Cauc., N-Iran; mts.
  - var. **glabrescens** (Boiss. et Buhse) Rehder · Samt-Ahorn
  - var. **vanvolxemii** (Mast.) Rehder | ħ V; E--Cauc.
- × **zoeschense** Pax (*A. campestre* × *A. lobelii*) · Zöschener Ahorn · Zoeschen Maple · Erable de Zoeschen | ħ IV; cult.

Aceranthus C. Morren et Decne. -m- *Berberidaceae*
- *diphyllus* (Graham) C. Morren et Decne. = Epimedium diphyllum

Aceras R. Br. -n- *Orchidaceae* · Ohnhorn
- **anthropophorum** (L.) R. Br. ex W.T. Aiton · Ohnsporn · Man Orchid | ♃ V-VI ▽ ✻; Eur.: Ib, Fr, Ap, Ba, BrI

Aceriphyllum = Mukdenia Koidz.
- *rossii* (Oliv.) Engelm. = Mukdenia rossii

Acetosa = Rumex L.
- *alpina* (L.) Moench = Rumex pseudoalpinus
- *scutata* (L.) Mill. = Rumex scutatus

Achillea L. -f- *Asteraceae* · Garbe
- **abrotanoides** (Vis.) Vis. | ♃ VI-VIII; Eur.: Ba; mts.
- **aegyptica** L. · Achillée de Grèce | ♃
- **ageratifolia** (Sibth. et Sm.) Boiss. · Greek Yarrow · Achillée à feuilles d'agérate | ♃ ⌓ △ VI-VII; Eur.: Ba; mts.
  - subsp. **aizoon** (Griseb.) Heimerl
  - subsp. **serbica** (Nyman) Heimerl · Achillée de Serbie | ♃ ⌓ △ V-VI
- **ageratum** L. | ♃; Eur.: Ib, Fr, Ap, ? Croatia, ? GR +
- *aizoon* (Griseb.) Halácsy = Achillea ageratifolia subsp. aizoon
- *argentea* hort. = Achillea umbellata
- **aspleniifolia** Vent. · Farn-Schafgarbe | ♃ V-VII; Eur.: A, H, CZ, PL, Bosn., Serb., RO, S-Russ.
- **atrata** L. · Schwarzrandige Schafgarbe | ♃ VII-IX; Eur.: F, I, CH, D, A, Slove.; Alp.
- *aurea* Lam. = Achillea chrysocoma
- **canescens** Forman | ♃ △ VI; Montenegro, AL, GR
- **cartilaginea** Ledeb.
- **chrysocoma** Friv. · Achillée à cheveux dorés | ♃ ⇝ △ VI-VIII; Maced., AL, TR
- **clavennae** L. · Bittere Schafgarbe, Steinraute | ♃ VII-IX; E-Apl., S-Alp., Ba mts.
- **clusiana** Tausch · Ostalpen-Schafgarbe | ♃ VII-VIII; Eur.: A, Ba, ? RO; mts.
- **clypeolata** Sibth. et Sm. non hort. · Goldquirl-Garbe | ♃ VI-VII; Eur.: Ba.

– **collina** Becker ex Rchb. · Hügel-Schafgarbe | ♃ XI-VI; Eur.: C-Eur., Ap, EC-Eur., Ba, RO
– **crithmifolia** Waldst. et Kit. · Meerfenchelblättrige Schafgarbe | ♃ V-VII; Eur.: EC-Eur., Ba, RO; mts.
– *decolorans* Schrad. = Achillea ageratum
– **distans** Waldst. et Kit. ex Willd. · Zahnblatt-Schafgarbe | ♃ X-VI; Eur.: Fr, C-Eur., Ap, EC-Eur., Ba, RO, W-Russ.; Alp., Carp., BG
– **erba-rotta** All.; Eur.: F, I, CH, A, GR; Alp., Apenn., GR
  - subsp. **moschata** (Wulfen) I. Richardson · Moschus-Schafgarbe | ♃ △ VI-IX ▽; Eur.: F, I, CH, A, GR; Alp.
  - subsp. **rupestris** (Porta) I. Richardson | ♃ △ V-VI ▽; I: Apenn.
– *eupatorium* M. Bieb. = Achillea filipendulina
– **filipendulina** Lam. · Gold-Garbe · Fernleaf Yarrow · Achillée jaune | ♃ ✂ VII-IX; TR, Cauc., Iran, Afgh., C-As.
– **grandifolia** Friv. | ♃ VI; Eur.: Ba
– **holosericea** Sibth. et Sm. | ♃ △ V-VIII; Eur.: Ba
– × **jaborneggii** Halácsy (*A. clavenae* × *A. erba-rotta*) | ♃ △ VI-VIII; cult.
– × **kellereri** Sünd. (*A. clypeolata* × *A. pseudopectinata*) | ♃ △ VI-VIII; cult.
– × **kolbiana** Sünd. (*A. clavenae* × *A. umbellata*) | ♃ △ VI-VIII; cult.
– × **lewisii** Ingw. (*A. clavenae* × *A. clypeolata*) | ♃
– **ligustica** All. | ♃; Eur.: Ib, Fr, Ap, Ba +
– **lingulata** Waldst. et Kit. | ♃ △ VI-VII; Eur.: Ba, RO, W-Russ.; Carp., Balkan
– **macrophylla** L. · Großblättrige Schafgarbe | ♃ VII-IX; Eur.: F, I, CH, D, A; Alp., N-Apenn., nat. in EC-Eur.
– **millefolium** L. · Gewöhnliche Schafgarbe · Common Yarrow · Achillée millefeuille | ♃ ✂ Off. X Ⓝ; Eur.*, TR, Cauc., Iran, Him., W-Sib., Amur, C-As., nat. in N-Am., Austr., NZ
– *mongolica* Fisch. = Achillea sibirica
– *moschata* Wulfen = Achillea erba-rotta subsp. moschata
– **nana** L. · Zwerg-Schafgarbe | ♃ VII-VIII; Eur.: I, F, CH; Alp., Appen.
– **nobilis** L. · Edle Schafgarbe | ♃ X-VI; Eur.* exc. BrI, Sc; TR, Cauc.
– × **obristii** Sünd.
– **oxyloba** (DC.) Sch. Bip. · Dolomiten-Schafgarbe | ♃ VII-IX; Eur.: I, A, RO, W-Russ.; SE-Alp., Apenn., Carp.
– **pannonica** Scheele · Ungarische Schafgarbe | ♃ VI-VIII; Eur.: A, EC-Eur., Ba, E-Eur., ? D
– **pratensis** Saukel et Länger · Wiesen-Schafgarbe | ♃ XI-V; Eur.: D, A +
– **ptarmica** L. · Sumpf-Schafgarbe · Sneezewort | ♃ ~ ✂ VII-IX Ⓝ; Eur.*, nat. in N-Am.
  - subsp. *pyrenaica* (Sibth. ex Godr.) Heimerl = Achillea pyrenaica
– **pyrenaica** Sibth. ex Godr. | ♃ VII-IX; Eur.: Sp.(Pyr.), F
– **roseo-alba** Ehrend. · Blassrote Schafgarbe | ♃ VII-IX; Eur.: I, CH, D, A, Slove.
– *rupestris* Porta = Achillea erba-rotta subsp. rupestris
– **salicifolia** Besser · Weidenblättrige Schafgarbe | ♃ VII-IX; Eur.: D, PL, E-Eur. +, nat. in FIN
– *serbica* Nyman = Achillea ageratifolia subsp. serbica
– **setacea** Waldst. et Kit. · Feinblättrige Schafgarbe | ♃ V-VI; Eur.: Ap, C-Eur., EC-Eur., Ba, ?Ib; TR, Cauc., Iran
– **sibirica** Ledeb. · Siberian Yarrow | ♃ ~ ✂ VII-IX; Alaska, Can., Kamchat., E-Sib., Sachal., Jap., Korea, Manch., China
– **stricta** Gremli · Straffe Schafgarbe | ♃ VII-VIII; Eur.: I, C-Eur., EC-Eur., W-Ba, RO, W-Russ.; Alp., Appen., Carp.
– *taygetea* Boiss. et Heldr. = Achillea aegyptica
– × **taygetea** hort. · Griechische Edel-Garbe | ♃ VI-VII; cult.
– **tomentosa** L. · Gelbe Schafgarbe · Woolly Yarrow · Achillée laineuse, Petite achillée d'or | ♃ △ V-VII; Eur.: Sp., F, I, CH
– **umbellata** Sibth. et Sm. | ♃ △ VI-VIII; GR

Achimenes Pers. -f- *Gesneriaceae* · Schiefteller
– *argyrostigma* Hook. = Koellikeria erinoides
– **candida** Lindl. · Weißer Schiefteller | ♃ Ⓦ VI-VIII; C-Am.
– *coccinea* (Scop.) Pers. = Achimenes erecta
– **dulcis** C.V. Morton | ♃ Ⓦ VII-IX; Mex.
– *ehrenbergii* (Hanst.) H.E. Moore = Eucodonia verticillata

– **erecta** (Lam.) H.P. Fuchs | ♃ Ⓦ VII-IX; Mex., C-Am., Jamaica, Col.
– *erinoides* DC. = Koellikeria erinoides
– **flava** C.V. Morton · Gelber Schiefteller | ♃ Ⓦ VII-VIII; Mex.
– *ghiesbreghtii* hort. ex Lindl. = Achimenes grandiflora
– **glabrata** (Zucc.) Fritsch | ♃ Ⓦ VI-VIII; Mex.
– *gloxiniiflora* (Scheidw.) Forkel et Lem. = Achimenes glabrata
– **grandiflora** (Schiede) DC. | ♃ Ⓦ ▽ VII-IX; Mex., C-Am.
– **heterophylla** (Mart.) DC. | ♃ Ⓦ ▽ VII-IX; Mex., Guat.
– *hirsuta* Lindl. non DC. = Achimenes skinneri
– *ignescens* Lem. = Achimenes heterophylla
– *lanata* (Planch. et Lindl. ex Lem.) Hanst. = Eucodonia verticillata
– **longiflora** (Sesse et Moç.) DC. | ♃ Ⓦ ▽ VII-IX; C-Am.
– **mexicana** (Seem.) Benth. et Hook. f. ex Fritsch | ♃ Ⓦ ▽ VII-IX; Mex.
– **misera** Lindl. | ♃ Ⓦ VII-IX; Mex., Guat., Hond.
– **patens** Benth. | ♃ Ⓦ ▽ VII-IX; Mex.
– **pedunculata** Benth. | ♃ Ⓦ ▽ VII-IX; Mex., C-Am., Col., Venez.
– *pulchella* (L'Hér.) Hitchc. = Achimenes erecta
– *rosea* Lindl. = Achimenes erecta
– **skinneri** Lindl. | ♃ Ⓦ ▽ VII-IX; Mex., Guat.
– *tubiflora* (Hook.) Britton = Sinningia tubiflora
– **warszewicziana** (Regel) H.E. Moore | ♃ Ⓦ VII-IX; Mex., Guat., Hond., El Salv.

Achlys DC. -f- *Berberidaceae*
– **triphylla** (Sm.) DC. · Vanilla Leaf | ♃ VII-VIII; B.C., Wash., Oreg., Calif.

Achnatherum = Stipa L.
– *calamagrostis* (L.) P. Beauv. = Stipa calamagrostis
– *pekinense* (Hance) Ohwi = Stipa pekinensis
– *splendens* (Trin.) Nevski = Stipa splendens

Achras = Manilkara Adans.
– *caimito* Ruiz et Pav. = Pouteria caimito
– *lucuma* Ruiz et Pav. = Pouteria lucuma
– *zapota* L. = Manilkara zapota

Achyranthes L. -f- *Amaranthaceae*
– **aspera** L. | ♃; Trop., nat. in Sp., Sic.
– *lindenii* (Van Houtte) hort. = Iresine lindenii
– *verschaffeltii* Lem. = Iresine herbstii

Acicarpha Juss. -f- *Calyceraceae*
– **tribuloides** Juss.; S-Am.

Acidanthera = Gladiolus L.
– *bicolor* Hochst. = Gladiolus callianthus
 - var. *murielae* R.H. Perry = Gladiolus callianthus 'Murielae'

Acineta Lindl. -f- *Orchidaceae*
– **barkeri** (Bateman) Lindl. | ♃ Ⓦ IX-XI ✻; Mex.
– **chrysantha** (C. Morren) Lindl. et Paxton | ♃ Ⓦ IX-X ✻; Costa Rica, Panama, Col.
– *densa* Lindl. et Paxton = Acineta chrysantha
– *humboldtii* Lindl. = Acineta superba
– **superba** (Humb., Bonpl. et Kunth) Rchb. f. | ♃ Ⓦ III-VI ✻; Ecuad., Col., Venez.

Acinos Mill. -m- *Lamiaceae*
– **alpinus** (L.) Moench · Alpen-Steinquendel · Alpine Calamint · Calament des Alpes | ♃ △ VII-IX; Eur.* exc. BrI, Sc; TR, NW-Afr.
– **arvensis** (Lam.) Dandy · Feld-Steinquendel | VI-IX; Eur.*, TR, Cauc., N-Iran
– *thymoides* Moench = Acinos arvensis

Aciphylla J.R. Forst. et G. Forst. -f- *Apiaceae*
– **aurea** W.R.B. Oliv. · Golden Spaniard | ♄ Ⓚ Ⓐ; NZ
– **squarrosa** J.R. Forst. et G. Forst. · Bayonet Plant, Speargrass | ♃ VIII ∧; NZ

Acnistus Schott -m- *Solanaceae*
– **arborescens** (L.) Schltdl.; Mex.
– *australis* (Griseb.) Griseb. = Acnistus arborescens

Acoelorrhaphe H. Wendl. -f- *Arecaceae*
– **wrightii** (Griseb. et H. Wendl.) H. Wendl. | ♄ Ⓦ; S-Fla., Mex., Guat., Hond., Cuba, Bahamas

Acokanthera G. Don -f- *Apocynaceae*
– **oblongifolia** (Hochst.) Codd · African Wintersweet | ♄ ⓦ D II-IV ☠; S-Afr.: Kap, Natal
– **oppositifolia** (Lam.) Codd · Bushman's Poison | ♄ Ⓚ D II-IV ☠; E-Afr., S-Afr.
– *ouabaio* Boiss. = Acokanthera oppositifolia
– **schimperi** (A. DC.) Schweinf. · Arrow Poison Tree | ♄ Ⓚ Off. II-IV ☠; E-Afr., SW-Arab.
– *spectabilis* (Sond.) Hook. f. = Acokanthera oblongifolia
– *venenata* auct. non (Thunb.) G. Don = Acokanthera oppositifolia

Aconitum L. -n- *Ranunculaceae* · Eisenhut
– **anthora** L. · Blassgelber Eisenhut · Pale Aconite, Yellow Monkshood | ♃ VIII ▽ ☠; Eur.* exc. BrI, Sc; TR, Cauc., W-Sib., E-Sib., C-As.
  - fo. *jacquinii* Rchb. = Aconitum anthora
– × *arendsii* hort. = Aconitum carmichaelii 'Arendsii'
– × **cammarum** L. emend. Fr. (*A. napellus* × *A. variegatum*) · Garten-Eisenhut | ♃ ⋈ VII-VIII; Eur.: Sc
– **carmichaelii** Debeaux · Aconite · Aconit d'automne ; C-China, W-China
  - **'Arendsii'** | ♃ ⋈ IX-X ☠; cult.
  - var. *arendsii* hort. = Aconitum carmichaelii 'Arendsii'
  - var. **wilsonii** (Stapf ex Mottet) Munz | ♃ VIII-IX ☠; C-China
– **degenii** Gáyer
  - subsp. **paniculatum** (Arcang.) Mucher · Rispen-Eisenhut | ♃ VII-IX ▽ ☠; Eur.: F, I, C-Eur., Slove., Bosn., Montenegro; mts.
– *fischeri* Forbes et Hemsl. = Aconitum carmichaelii
– **hemsleyanum** E. Pritz. | ♃ ⥉ VII-IX ☠; C-China
– **henryi** E. Pritz. emend. Hand.-Mazz. | ♃ VII-VIII ☠; W-China
– × *intermedium* DC. = Aconitum × cammarum
– *lamarckii* Rchb. ex Spreng. = Aconitum lycoctonum subsp. neapolitanum
– **lycoctonum** L. · Gelber Eisenhut, Wolfs-Eisenhut · Badger's Bane, Wolfsbane | ♃ VI ▽
  - subsp. **moldavicum** (Hacq.) Jalas; Eur.: PL, EC-Eur., RO, W-Russ.
  - subsp. **neapolitanum** (Ten.) Nyman · Hahnenfußblättriger Eisenhut · Aconit des Pyrénées | ♃ VI-VIII ▽ ☠; S-Eur., C-Eur., Maroc.; mts.
  - subsp. **vulparia** (Rchb. ex Spreng.) Nyman · Fuchs-Eisenhut · Monkshood · Aconit tue-loup | ♃ VI-VIII ▽ ☠; Eur.: F, NL, C-Eur., EC-Eur., RO, I, W-Ba
– *moldavicum* Hacq. = Aconitum lycoctonum subsp. moldavicum
– **napellus** L. · Blauer Eisenhut · Friar's Cap, Garden Monkshood · Aconit blanc | ♃ VI-VIII; Eur.*
  - subsp. **pyramidale** (Mill.) Rouy et Foucaud | ♃ VII VIII ▽ ☠; Eur.: C-Eur., S-Alp.
  - subsp. *tauricum* (Wulfen) Gáyer = Aconitum tauricum
– **orientale** Mill. | ♃; TR, Cauc.., Iran
– *paniculatum* auct. non Lam. = Aconitum degenii subsp. paniculatum
– *paniculatum* Lam. = Aconitum × cammarum
– **platanifolium** Degen ex Gáyer | ♃; Eur.: S-Alp., Bosn.
– **plicatum** Köhler ex Rchb. · Klaffender Eisenhut
– *pyramidale* Mill. = Aconitum napellus subsp. pyramidale
– *pyrenaicum* L. p.p. = Aconitum lycoctonum subsp. neapolitanum
– *ranunculifolium* Rchb. = Aconitum lycoctonum subsp. neapolitanum
– *rostratum* Bernh. = Aconitum variegatum
– *septentrionale* Koelle = Aconitum lycoctonum
– × *stoerkianum* Rchb. = Aconitum × cammarum
– **tauricum** Wulfen · Tauern-Eisenhut ; Eur.: E-Alp., Carp.
– **variegatum** L. · Bunter Eisenhut | ♃ VII-VIII ▽ ☠; Eur.* exc. BrI, Sc; Cauc.; mts.
– **volubile** Pall. ex Koelle | ♃ ⥉ VII-VIII ☠; Jap., Korea, Manch., E-Sib.
– *vulparia* Rchb. ex Spreng. = Aconitum lycoctonum subsp. vulparia
– *wilsonii* Stapf ex Mottet = Aconitum carmichaelii var. wilsonii

Aconogonon (Meisn.) Rchb. -n- *Polygonaceae*
– **alpinum** (All.) Schur · Alpen-Knöterich | ♃ VII-IX; Eur.: Ib, Fr, Ap, C-Eur., Ba, EC-Eur.; TR, Cauc., N-Iran, Him., W-

Sib., E-Sib, Amur, C-As., Mong., nat. in BrI, Sc
– **campanulatum** (Hook. f.) H. Hara · Renouée de l'Himalaya ; Him.
– **lichinagense** (W.W. Sm.) Soják | ♃ VIII-X; W-Him.
– **polystachyum** (Wall. ex Meisn.) Small · Himalaya-Bergknöterich, Vielähriger Knöterich | ♃ D X; Him., nat. in BrI, Sc, C-Eur., Fr
– **sericeum** (Pall.) H. Hara | ♃ V-VI; Sib.
– **weyrichii** (F. Schmidt ex Maxim.) H. Hara · Renouée de Weyrich | ♃ VII-VIII; Sachal., Kurilen

Acorus L. -m- *Acoraceae* · Kalmus
– **calamus** L. · Kalmus · Calamus, Flag Root, Sweet Myrtle · Acore odorant | ♃ ~ Off. VI-VII Ⓝ; Him., Ind., Sri Lanka, E-As., nat. in Eur., W-As., N-Am.
– **gramineus** Sol. · Japanese Sweet Flag · Acore à feuilles de graminée | ♃ Ⓚ Ⓐ ~ ∧; Ind., Thail., China, Jap.
 - **'Pusillus'** | ♃ Ⓚ Ⓐ ~ ∧; cult.
 - var. *pusillus* (Siebold) Engl. = Acorus gramineus 'Pusillus'
– *pusillus* Siebold = Acorus gramineus 'Pusillus'

Acroceras Stapf -n- *Poaceae*
– **macrum** Stapf | ♃ Ⓝ; S-Afr., E-Afr.

Acroclinium A. Gray -n- *Asteraceae*
– **roseum** Hook. · Pink Paper Daisy | ⊙ ✂ VII-IX; Austr.

Acrocomia Mart. -f- *Arecaceae*
– **totai** Mart. · Gru Gru Nut | ♄ Ⓚ Ⓝ; Bol., Parag., Arg.
– **vinifera** Oerst. | ♄ Ⓦ Ⓝ; trop. S-Am.

Acrodon N.E. Br. -m- *Aizoaceae*
– **bellidiflorus** (L.) N.E. Br. | ♃ Ψ Ⓚ; Kap

Acroptilon Cass. -n- *Asteraceae*
– **repens** (L.) DC. · Federblume | ♃ VII-IX; Eur.: Russ.; TR, Iraq, Cauc., Iran, Afgh., C-As., Mong., nat. in N-Am.

Acrostichum L. -n- *Pteridaceae*
– **aureum** L. · Leather Fern | ♃ Ⓦ ~ ♠; Trop.; coasts
– *latifolium* Sw. = Elaphoglossum latifolium
– *villosum* Sw. = Elaphoglossum villosum

Actaea L. -f- *Ranunculaceae* · Christophskraut
– *alba* Mack. et Rydb. non (L.) Mill. = Actaea pachypoda
– *nigra* (L.) Gaertn., B. Mey. et Scherb. = Actaea spicata
– **pachypoda** Elliott · White Baneberry · Actée blanche | ♃ ♣ V-VI; Can.: E; USA: NE, NCE, NC, SE, Okla
– **rubra** (Aiton) Willd. · Red Baneberry · Actée rouge | ♃ ♣ V-VI; Alaska, Can., USA: NE, NCE, NC, Rocky Mts., NW, SW, Calif.
– **spicata** L. · Schwarzfrüchtiges Christophskraut · Baneberry · Actée en épis | ♃ ♣ V-VI ☠; Eur.*, Cauc., W-Sib. (Altai)
 - var. *alba* L. = Actaea spicata

Actinea = Hymenoxys Cass.
– *acaulis* (Pursh) Spreng. = Hymenoxys acaulis
– *grandiflora* (Torr. et A. Gray ex A. Gray) Kuntze = Hymenoxys grandiflora
– *herbacea* (Greene) Robins = Hymenoxys acaulis
– *linearifolia* (Hook.) Kuntze = Hymenoxys linearifolia

Actinella = Hymenoxys Cass.
– *grandiflora* Torr. et A. Gray ex A. Gray = Hymenoxys grandiflora
– *lanata* Pursh = Eriophyllum lanatum
– *linearifolia* (Hook.) Torr. et A. Gray = Hymenoxys linearifolia

Actinidia Lindl. -f- *Actinidiaceae*
– **arguta** (Siebold et Zucc.) Planch. ex Miq. · Scharfzähniger Strahlengriffel · Tara Vine | ♄ ≷ D ≷ VI Ⓝ; China, Korea, Jap.
– **callosa** Lindl.
 - var. **henryi** Maxim. | ♄; C-China, W-China
– *chinensis* hort. non Planch. = Actinidia deliciosa
– **coriacea** (Finet et Gagnep.) Dunn | ≷ V-VI; W-China
– **deliciosa** (A. Chev.) C.F. Liang et A.R. Ferguson · Kiwifrucht · Chinese Gooseberry, Kiwi Fruit · Kiwi de Chine | ♄ ≷ V-VI Ⓝ; China, Taiwan
– **kolomikta** (Rupr. et Maxim.) Maxim. · Kolomikta-Strahlengriffel · Kiwi d'ornement | ♄ ≷ D ≷ V Ⓝ; Jap., Korea,

China
- **melanandra** Franch. | ♃ ≩ VI-VII Ⓝ; China
- **polygama** (Siebold et Zucc.) Planch. ex Maxim. · Silver Vine | ♄ ≩ D ≩ VI-VII Ⓝ; Jap., Korea, Sachal., Manch., W-China
- **purpurea** Rehder | ♄ ≩ VI-VII ∧; W-China

Actiniopteris Link -f- *Actiniopteridaceae*
- **australis** (L. f.) Link | ♃ Ⓦ; E-Afr., S-Afr., Arab., Ind.

Actinomeris = Verbesina L.
- *alternifolia* (L.) DC. = Verbesina alternifolia
- *helianthoides* (Michx.) Nutt. = Verbesina helianthoides
- *squarrosa* Nutt. = Verbesina alternifolia

Actinophloeus = Ptychosperma Labill.
- *macarthurii* (H. Wendl.) Becc. = Ptychosperma macarthurii

Ada Lindl. -f- *Orchidaceae*
- **aurantiaca** Lindl. | ♃ Ⓚ II-III ✻; Ecuad., Col., Venez.

× **Adaglossum** Hort. -n- *Orchidaceae* (*Ada* × *Odontoglossum*)

× **Adamara** hort. -f- *Orchidaceae* (*Brassavola* × *Cattleya* × *Epidendrum* × *Laelia*)

Adamsia = Puschkinia Adams
- *scilloides* (Adams) Willd. = Puschkinia scilloides

Adansonia L. -f- *Bombacaceae*
- **digitata** L. · Baobab | ♄ Ⓚ Ⓝ; trop. Afr., Madag.

Adelia L. -f- *Euphorbiaceae*
- *acuminata* Michx. = Forestiera acuminata
- *ligustrina* Michx. = Forestiera ligustrina
- *neomexicana* (A. Gray) Kuntze = Forestiera neomexicana

Adelocaryum = Lindelofia Lehm.
- *anchusoides* (Lindl.) Brand = Lindelofia anchusoides
- *coelestinum* (Lindl.) Brand = Cynoglossum coelestinum

Adenandra Willd. -f- *Rutaceae*
- **fragrans** (Sims) Roem. et Schult. · Breath of Heaven | ♄ Ⓚ D III-IV Ⓝ; Kap

Adenanthera L. -f- *Mimosaceae*
- **pavonina** L. · Bead Tree, Red Sandalwood Tree | ♄ Ⓚ ♧ Ⓝ; Him., Ind., Sri Lanka, Malay. Arch., Phil., China; cult. Trop.

Adenia Forssk. -f- *Passifloraceae*
- **pechuelii** (Engl.) Harms | ♄ Ψ Ⓚ; Namibia

Adenium Roem. et Schult. -n- *Apocynaceae*
- *arabicum* Balf. f. = Adenium obesum
- *namaquanum* Wyley ex Harv. = Pachypodium namaquanum
- **obesum** (Forssk.) Roem. et Schult. · Desert Azalea, Desert Rose | ♄ Ψ Ⓦ ☠; Egypt, Sudan, Eth., E-Afr., Arab.

Adenocarpus DC. -m- *Fabaceae*
- **complicatus** (L.) J. Gay | ♄ Ⓚ V-VII; Eur.: Ib, Fr, Ap, Ba; TR, Syr., Maroc., Alger.
- **decorticans** Boiss. | ♄ Ⓚ V-VI; Eur.: Sp.; Maroc., Alger.
- **foliolosus** (Aiton) DC. | ♄ Ⓚ V-VI; Canar.

Adenophora Fisch. -f- *Campanulaceae* · Schellenblume
- **bulleyana** Diels | ♃ VII-VIII; W-China
- **confusa** Nannf. | ♃ VI-VII; W-China
- **coronopifolia** Fisch. | ♃ VII-VIII; E-Sib., Amur, Mong., N-China
- **divaricata** Franch. et Sav.
- *farreri* hort. = Adenophora confusa
- *himalayana* Feer = Adenophora coronopifolia
- *liliiflora* Schur = Adenophora liliifolia
- **liliifolia** (L.) Ledeb. ex A. DC. · Lilienblättrige Becherglocke | ♃ VII-VIII ▽; Eur.: C-Eur., EC-Eur., I, Ba, E-Eur.; W-Sib., C-As.
- **megalantha** Diels | ♃ VII-VIII; C-China.
- **ornata** Diels | ♃ VII-VIII; W-China
- **palustris** Kom. | ♃ VII-VIII; China, Jap.
- **potaninii** Korsh. · Bush Ladybell | ♃ VII-VIII; W-China
- **tashiroi** (Makino et Nakai) Makino et Nakai | ♃ VII-VIII; Jap.
- **triphylla** (Thunb.) A. DC. · Giant Bellflower | ♃ VII-VIII; E-Sib., China,

Jap., Taiwan
– *verticillata* (Pall.) Fisch. = Adenophora triphylla

Adenostoma Hook. et Arn. -n- *Rosaceae*
– **fasciculatum** Hook. et Arn. · Common Chamise | ♄ Ⓚ V-VI; Calif., Baja Calif.
– **sparsifolium** Torr. · Greasewood, Ribbonwood | ♄ Ⓚ V-VI; S-Calif., Baja Calif.

Adenostyles Cass. -f- Asteraceae
– *albifrons* (L. f.) Rchb. = Adenostyles alliariae
– **alliariae** (Gouan) A. Kern. · Grauer Alpendost · Adenostyles | ♃ △ VII-VIII; Eur.* exc. Brl, Sc ; mts.
– *alpina* (L.) Bluff et Fingerh. = Adenostyles alliariae
– *alpina* hort. = Adenostyles glabra
– **glabra** (Mill.) DC. · Kahler Alpendost | ♃ △ VII-VIII; Eur.: C-Eur., F, Corse, I, Slove., Croatia; Alp., Apenn., Jura, Corse
– **leucophylla** (Willd.) Rchb. · Filziger Alpendost | ♃ VII-VIII; Eur.: I, F, CH, A; Alp.

Adesmia DC. -f- *Fabaceae*
– **boronioides** Hook. | ♄ Ⓚ V; Chile

Adhatoda = Justicia L.
– *cydoniifolia* Nees = Justicia cydoniifolia

Adiantopsis Fee -f- *Adiantaceae*
– **pedata** T. Moore | ♃ Ⓦ; Jamaica, Cuba
– **radiata** (L.) Fée | ♃ Ⓦ; Mex., W-Ind., trop. S-Am.

Adiantum L. -n- *Adiantaceae* · Frauenhaarfarn
– **aethiopicum** L. · Common Maidenhair Fern | ♃ Ⓦ; trop. Afr., trop. As., Austr., NZ, S-Afr.
– *assimile* Sw. = Adiantum aethiopicum
– **bessoniae** Jenman | ♃ Ⓦ; W.Ind.
– **capillus-veneris** L. · Venushaar · Maidenhair Fern, Southern Maidenhair, Venus Maidenhair | ♃ Ⓚ Ⓐ VI-IX; Can.: B.C.; USA*, nat. in B, H
– **caudatum** L. | ♃ Ⓦ ⌇ ⇝; trop. Afr., trop. As.
– *ciliatum* Blume = Adiantum caudatum
– **concinnum** Willd. · Brittle Maidenhair | ♃ Ⓐ; Mex., W.Ind., Venez., Bras., Peru, nat. in Sri Lanka
– *cuneatum* Langsd. et Fisch. = Adiantum raddianum
– **curvatum** Kaulf. | ♃ Ⓦ; Bras.
– *decorum* T. Moore = Adiantum raddianum 'Decorum'
– **diaphanum** Blume | ♃ Ⓦ; trop. As., E-Austr., NZ, Pacific Is., nat. in Sri Lanka
– **dolabriforme** Hook. | ♃ Ⓦ; Panama, Bras.
– **edgeworthii** Hook. | ♃ Ⓦ ⌇ ⇝; Him., China
– **feei** T. Moore | ♃ Ⓦ; Mex., Guat.
– **formosum** R. Br. · Australian Maidenhair Fern | ♃ Ⓦ; Austr., NZ, nat. in Sri Lanka
– *fragrans* L. f. = Cheilanthes pteridioides
– **fulvum** Raoul | ♃ Ⓚ; Austr., NZ, Polyn.
– **hispidulum** Sw. · Rosy Maidenhair, Rough Maidenhair | ♃ Ⓚ; trop. Afr., trop. As., Austr., NZ
– *lunulatum* Burm. = Adiantum philippense
– **macrophyllum** Sw. | ♃ Ⓦ; C-Am., W.Ind., Galapagos, Bol., Bras.
– *monosoratum* Willd. = Adiantum pulverulentum
– **pedatum** L. · Pfauenrad-Farn · American Maidenhair, Five Finger Fern · Capillaire pédalée, Fougère fer-à-cheval ; Can.: E; USA: NE, NCE, NC, SC, SE
  - *'Aleuticum'* = Adiantum pedatum var. aleuticum
  - var. **aleuticum** Rupr. | ♃; Alaska, Can.:E; USA: NW, Rocky Mts., Calif., Ariz., NO; Mex.: Chihuahua
– **peruvianum** Klotzsch · Silver Dollar Maidenhair | ♃ Ⓦ; Ecuad., Peru, Bol.
– **philippense** L. · Walking Maidenhair Fern, Wild Tea-Leaves | ♃ Ⓦ; trop. Afr., trop. As.
– **platyphyllum** Sw. | ♃ Ⓦ; C-Am., Ecuad., Peru, Bol., Bras.
– **polyphyllum** Willd. | ♃ Ⓦ; Col, Venez., Trinidad
– **princeps** T. Moore | ♃ Ⓦ; C-Am., Col.
– **pulverulentum** L. | ♃ Ⓦ; Mex., C-Am., trop. S-Am., nat. in Sri Lanka
– **raddianum** C. Presl · Delta Maidenhair Fern | ♃ Ⓦ ▽ ✂; C-Am., trop. S-Am., nat. in Azor., Sri Lanka
  - **'Decorum'**; cult.
– **reniforme** L. | ♃ Ⓚ; Canar., Madeira
– *rhomboideum* Schkuhr = Adiantum trapeziforme
– **rubellum** T. Moore | ♃ Ⓦ; Bol.
– *seemannii* Hook. = Adiantum platyphyllum

- **tenerum** Sw. · Brittle Maidenhair Fern, Fan Maidenhair | ♃ Ⓦ ⊔; USA: Fla.; Mex., W.Ind., C-Am., trop. S-Am.
  - *'Bessoniae'* = Adiantum bessoniae
- **tetraphyllum** Humb. et Bonpl. ex Willd. · Four Leaf Maidenhair | ♃ Ⓦ; trop. Am., W-Afr.
- **trapeziforme** L. | ♃ Ⓦ; Mex., W-Ind., Venez., Bras., nat. in Sri Lanka
- **venustum** G. Don · Evergreen Maidenhair Fern · Capillaire cheveux de Vénus | ♃ ∧; Him.
- **williamsii** T. Moore | ♃ Ⓦ; Peru

Adina Salisb. -f- *Rubiaceae*
- **cordifolia** (Roxb.) Benth. et Hook. f. ex Brandis | ♄ Ⓦ Ⓝ; Ind., Sri Lanka, Myanmar, Laos, Vietn.

× **Adioda** Hort. -f- *Orchidaceae* (*Ada* × *Cochlioda*)

Adlumia Raf. ex DC. -f- *Fumariaceae*
- **fungosa** (Aiton) Greene ex Britton, Stearn et Poggenb. · Allegheny Vine, Climbing Fumitory, Mountain Fringe | ⊙ ≷ VII-X; Can.: E; USA: NE, NCE, N.C., Tenn

Adonidia = Veitchia H. Wendl.
- *merrillii* (Becc.) Becc. = Veitchia merrillii

Adonis L. -f- *Ranunculaceae* · Adonisröschen
- **aestivalis** L. · Sommer-Adonisröschen · Summer Adonis, Summer Pheasant's Eye | ⊙ ⁞ V-VIII ☠; Eur.* exc. BrI, Sc; TR, Levante, Iraq, Cauc., Iran, Afgh., Pakist., C-As., W-Sib., NW-Afr., Libya
- **aleppica** Boiss. | ⊙ ⁞ IV-VI ☠; TR, Syr., N-Iraq
- **amurensis** Regel et Radde · Amur Pheasant's Eye · Adonis de l'Amour | ♃ △ II-IV; Amur, Manch., Korea, Jap. Sachal.
- **annua** L. emend. Huds. · Herbst-Adonisröschen · Pheasant's Eye | ⊙ ⁞ VI-VIII ☠; Eur.: Ib, Fr, Ap, CH, Ba; TR, Levante, NW-Afr., nat. in BrI
- *autumnalis* L. = Adonis annua
- *dahurica* Ledeb. ex Rchb. = Adonis amurensis
- *davurica* hort. = Adonis amurensis
- **flammea** Jacq. · Flammen-Adonisröschen | ⊙ ⁞ V-VII ☠; Eur.* exc. BrI, Sc; TR, Syr., Cauc., Iran
- **pyrenaica** DC. | ♃ △ VI-VII; Eur.: Sp., F; Cordillera Cantábrica, Pyr., Alp. Maritimes
- **vernalis** L. · Frühlings-Adonisröschen · Spring Adonis, Yellow Pheasant's Eye · Adonis de printemps | ♃ △ Off. IV-V ▽ ☠; Eur.* exc. BrI; Cauc., W-Sib., E-Sib.
- **walziana** Simonk.

Adoxa L. -f- *Adoxaceae* · Moschuskraut
- **moschatellina** L. · Moschuskraut · Muskroot, Town Hall Clock | ♃ III-V; Eur.*, Cauc., W-Sib., E-Sib., Amur, C-As., W-Him., China, Manch., Jap., Alaska, Can., USA: NE, NCE, NC, Rocky Mts

Adromischus Lem. -m- *Crassulaceae* · Kurzstiel
- *clavifolius* (Haw.) Lem. = Adromischus cristatus var. clavifolius
- **cooperi** (Baker) A. Berger · Plover Eggs | ♃ Ψ Ⓚ; Kap
- **cristatus** (Haw.) Lem. | ♃ Ψ Ⓚ; Kap
  - var. **clavifolius** (Haw.) Toelken | ♃ Ψ Ⓚ; Kap
- *festivus* C.A. Sm. = Adromischus cooperi
- **hemisphaericus** (L.) Lem. | ♃ Ψ Ⓚ; Kap, Namibia
- **maculatus** hort. non (Salm-Dyck) Lem. · Calico Hearts | ♃ Ψ Ⓚ; Kap
- **mammillaris** (L. f.) Lem. | ♃ Ψ Ⓚ; Kap, Namibia
- **marianae** (Marloth) A. Berger | ♃ Ψ Ⓚ; Kap
- *rhombifolius* (Baker) Berger = Adromischus rhombifolius var. sphenophyllus
- **rhombifolius** (Haw.) Lem.; Kap
  - var. **sphenophyllus** C.A. Sm. | ♃ Ψ Ⓚ; Kap
- *rotundifolius* (Haw.) Poelln. = Adromischus hemisphaericus
- **sphenophyllus** C.A. Sm. | Ψ
- **trigynus** (Burch.) Poelln. | ♃ Ψ Ⓚ; S-Afr., Namibia
- **umbracticola** C.A. Sm. | ♃ Ψ Ⓚ; Kap
- *vanderheydenii* hort. ex Berger = Adromischus cristatus var. clavifolius

Aechmea Ruiz et Pav. -f- *Bromeliaceae*
- **aquilega** (Salisb.) Griseb. | ♃ Ⓦ; Costa Rica, Venez., Trinidad, Bras.

– *bernoulliana* Wittm. = Aechmea mexicana
– **bicolor** L.B. Sm. | ♃ ⌂K; Bras.: Bahia
– **bracteata** (Sw.) Griseb. | ♃ ⌂W; C-Am., Col.
– **bromeliifolia** (Rudge) Baker | ♃ ⌂W; C-Am., S-Am.
– *caerulescens* (Regel) hort. ex Baker = Aechmea lueddemanniana
– **calyculata** (E. Morren) Baker | ♃ ⌂W; Bras., Arg.
– **candida** E. Morren ex Baker | ♃ ⌂W; Bras.
– **caudata** Lindm. | ♃ ⌂W; Bras.
– **chantinii** (Carrière) Baker | ♃ ⌂W; Col., N-Peru, Bras.: Amazon.
– **coelestis** (K. Koch) E. Morren | ♃ ⌂W; Bras.
– *comata* (Gaudin) Baker = Aechmea lindenii
  - var. *mackoyana* (Mez) L.B. Sm. = Aechmea lindenii var. mackoyana
– *crocophylla* (E. Morren) Baker = Aechmea pectinata
– **cylindrata** Lindm. | ♃ ⌂W; Bras.
– **dealbata** E. Morren ex Baker | ♃ ⌂W; Bras.
– **distichantha** Lem.; Bras., Urug., Parag., Bol., Arg.
  - var. **glaziovii** (Baker) L.B. Sm. | ♃ ⌂W; Bras.
– **farinosa** (Regel) L.B. Sm.; Bras.
  - var. **conglomerata** (Baker) L.B. Sm. | ♃ ⌂W; Bras.
– **fasciata** (Lindl.) Baker · Urn Plant, Vase Plant | ♃ ⌂W VII-IX; Bras.
– **fendleri** André | ♃ ⌂W; Venez.
– **filicaulis** (Griseb.) Mez | ♃ ⌂W; Venez.
– **fosteriana** L.B. Sm. | ♃ ⌂W; Bras.
– **fulgens** Brongn. | ♃ ⌂W; Bras.
  - var. **discolor** (C. Morren) Brongn. ex Baker
– **galeottii** Baker | ♃ ⌂W; Mex.
– **gamosepala** Wittm. | ♃ ⌂W; Bras.
– *glaziovii* Baker = Aechmea distichantha var. glaziovii
– *glomerata* (Beer) Mez = Aechmea farinosa var. conglomerata
  - var. *farinosa* (Regel) Mez = Aechmea farinosa
– **gracilis** Lindm. | ♃ ⌂W; Bras.
– *hystrix* E. Morren = Aechmea ornata
– **kertesziae** Reitz | ♃ ⌂W; Bras.
– *lalindei* Linden et Rodigas = Aechmea mariae-reginae
– *legrelliana* (Baker) Baker = Aechmea recurvata
– **lindenii** (E. Morren) Baker
  - *'Variegata'* = Aechmea lindenii var. mackoyana
  - var. **mackoyana** Mez | ♃ ⌂W
– **lingulata** (L.) Baker | ♃ ⌂W; Lesser Antilles, Trinidad, Venez., Bras.
– **lueddemanniana** (K. Koch) Mez | ♃ ⌂W; S-Mex., Guat., Belize
– **magdalenae** (André) André ex Baker | ♃ ⌂W Ⓝ; Mex., C-Am., Col., Ecuad., Venez.
– **mariae-reginae** H. Wendl. | ♃ ⌂W; Costa Rica, Col.
– *marmorata* (Lem.) Mez = Quesnelia marmorata
– **melinonii** Hook. | ♃ ⌂W; Bras.: Amazon.; Guyana
– **mertensii** (G. Mey.) Schult. f. | ♃ ⌂W; Col., Ecuad., Peru. Venez., Guyan., Trinidad, Venez.
– **mexicana** Baker | ♃ ⌂W; Mex., Guat., Costa Rica, Ecuad.
– **miniata** (Beer) hort. ex Baker | ♃ ⌂W; Bras.
– **nidularioides** L.B. Sm. | ♃ ⌂W; S-Col., N-Peru
– **nudicaulis** (L.) Griseb. | ♃ ⌂W; Mex., C-Am., W.Ind., Ecuad., Venez., Bras.
– **orlandiana** L.B. Sm. | ♃ ⌂W; Bras.
– **ornata** Baker | ♃ ⌂W; Bras.
– **pectinata** Baker | ♃ ⌂W; Bras.
– **penduliflora** André | ♃ ⌂W; C-Am., trop. S-Am.
– **pineliana** (Brongn. ex Planch.) Baker | ♃ ⌂W; Bras.
– **pubescens** Baker | ♃ ⌂W; C-Am., Col.
– **purpureorosea** (Hook.) Wawra | ♃ ⌂W; Bras.
– **racinae** L.B. Sm. | ♃ ⌂W; Bras.
– **ramosa** Mart. ex Schult. f. | ♃ ⌂W; Bras.
– **recurvata** (Klotzsch) L.B. Sm. | ♃ ⌂W; Bras., Urug.
– **saxicola** L.B. Sm. | ♃ ⌂W; E-Bras.
– *schiedeana* Schltdl. = Aechmea bracteata
– *schultesiana* Mez = Aechmea penduliflora
– **spectabilis** Brongn. ex Houllet | ♃ ⌂W; Col., Venez.
– **sphaerocephala** Baker | ♃ ⌂W; Bras.
– *suaveolens* Knowles et Westc. = Aechmea purpureorosea
– **tessmannii** Harms | ♃ ⌂W; Col., Peru
– **tillandsioides** (Mart. ex Schult. f.) Baker | ♃ ⌂W; Mex., C-Am., Col. Venez.,

Guyana, Bras.
- **victoriana** L.B. Sm. | ♃ Ⓦ; Bras.
- **warasii** E. Pereira
- **weilbachii** Didr. | ♃ Ⓦ; Bras.
  - **'Leodiensis'** | ☉; cult.
  - var. *leodiensis* André = Aechmea weilbachii 'Leodiensis'
- **zebrina** L.B. Sm. | ♃ Ⓦ; S-Col., N-Ecuad.

Aegilops L. -f- *Poaceae*
- **cylindrica** Host · Walzenförmiger Walch | V-VII; Eur.: EC-Eur., Ba, E-Eur.; TR, Cauc., C-As., nat. in F, I
- **geniculata** Roth | ☉ ⋊ VI-VIII; Eur.: Ib, Fr, Ap, Ba, RO, Krim; TR, SW-As., N-Afr.
- **neglecta** Req. ex Bertol.; Eur.: Ib, Fr, Ap, Ba, RO, Krim; TR, Cauc., Iran
- *squarrosa* L. = Aegilops triuncialis
- **triuncialis** L. · Langgranniger Walch | ☉ VI-VIII Ⓝ; Eur.: Ib, Fr, Ap, Ba, Krim; TR, Cauc., Iran, C-As., N-Afr.
- **ventricosa** Tausch | ☉ ⋊ VII-VIII Ⓝ; Eur.: Sp., Balear., Sard., I, Slove.; Egypt, NW-Afr., nat. in F

Aeginetia L. -f- *Scrophulariaceae*
- **indica** L. · Indian Broomrape | ♃ Ⓦ VIII-X; Ind., Malay. Pen., Jap.

Aegle Correa -f- *Rutaceae*
- **marmelos** (L.) Corrêa · Bael Tree, Bengal Quince | ⱶ Ⓦ Ⓝ; Ind., Myanmar

Aegonychon = Lithospermum L.
- *purpurocaeruleum* (L.) Holub = Lithospermum purpureocaeruleum

Aegopodium L. -n- *Apiaceae* · Geißfuß
- **podagraria** L. · Geißfuß, Gewöhnlicher Giersch · Bishop's Weed, Ground Elder | ♃ VI-VIII Ⓝ; Eur.* exc. BrI, Sc; TR, Cauc., W-Sib., E-Sib., C-As., nat. in BR, e N-Am.

Aeollanthus Mart. ex Spreng. -m- *Lamiaceae*
- **repens** Oliv. | ♄ Ⓦ IV-V; Cameroun, E-Afr., Sudan

Aeonium Webb et Berthel. -n- *Crassulaceae*
- **arboreum** (L.) Webb et Berthel. | ⱶ Ψ Ⓚ I-II ▽; Maroc., nat. in S-Eur.
- **balsamiferum** Webb et Berthel. | ♄ Ψ Ⓚ D ▽; Canar.
- *caespitosum* (C. Sm. ex Otto) Webb et Berthel. = Aeonium simsii
- **canariense** (L.) Webb et Berthel. · Giant Velvet Rose | ♄ Ψ Ⓚ IV-V ▽; Canar.
- **ciliatum** (Willd.) Webb et Berthel. | ♄ Ψ Ⓚ III-IV ▽; Canar.
- **cuneatum** Webb et Berthel. | ♄ Ψ Ⓚ IV-VI ▽; Canar.: Teneriffa
- **decorum** (H. Christ) Webb ex Bolle | ♄ Ψ Ⓚ IV-VI ▽; Canar.
- × **domesticum** (Praeger) A. Berger | ♄ Ψ Ⓚ VI ▽; cult.
- *giganteum* Webb ex H. Christ = Aeonium canariense
- **glutinosum** (Aiton) Webb et Berthel. | ♄ Ψ Ⓚ VI-VIII ▽; Madeira
- **goochiae** Webb et Berthel. | ♄ Ψ Ⓚ V-VIII ▽; Canar.
- **haworthii** Webb et Berthel. · Pin Wheel | ♄ Ψ Ⓚ IV-V ▽; Canar.
- **hierrense** (Murray) Pit. et Proust | ♄ Ψ Ⓚ IV-V ▽; Canar.
- **holochrysum** Webb et Berthel. | ♄ Ψ Ⓚ XII-III ▽; Canar.
- **lindleyi** Webb et Berthel. | ♄ Ψ Ⓚ VII-IX ▽; Canar.
- *manriqueorum* (H. Christ) Bolle = Aeonium arboreum
- **nobile** Praeger | ☉ Ψ Ⓚ VI ▽; Canar.
- **percarneum** (Murray) Pit. et Proust | ♄ Ψ Ⓚ IV-V ▽; Canar.
- **sedifolium** (Webb) Pit. et Proust | ♄ Ψ Ⓚ V ▽; Canar.
- **simsii** (Sweet) Stearn | ♃ Ψ Ⓚ IV-V ▽; Canar.
- **spathulatum** (Hornem.) Praeger | ♄ Ψ Ⓚ III-V ▽; Canar.
- *strepsicladum* Webb et Berthel. = Aeonium spathulatum
- **tabuliforme** (Haw.) Webb et Berthel. | ☉ Ψ Ⓚ VII-VIII ▽; Canar.
- *tortuosum* (Aiton) Berger = Aichryson tortuosum
- **undulatum** Webb et Berthel. · Saucer Plant | ♄ Ψ Ⓚ IV-V ▽; Canar.
- **urbicum** (C. Sm. ex Hornem.) Webb et Berthel. | ☉ Ψ Ⓚ IV-V ▽; Canar.
- *youngianum* Webb et Berthel. = Aeonium undulatum

Aerangis Rchb. f. -f- *Orchidaceae*
- **articulata** (Rchb. f.) Schltr. | ♃ Ⓦ III-IV; Madag.

– **citrata** (Thouars) Schltr. | ♃ Ⓦ II-IV; Madag.
– **ellisii** (Rchb. f.) Schltr. | ♃ Ⓦ VII-IX ✻; Madag.
– **hyaloides** (Rchb. f.) Schltr. | ♃ Ⓦ II-III ✻; Madag.
– **kotschyana** (Rchb. f.) Schltr. | ♃ Ⓦ IX-X ✻; E-Afr., S-Afr.
– **modesta** (Hook. f.) Schltr. | ♃ Ⓦ IV-V ✻; Madag.

× **Aeridachnis** Hort. -f- *Orchidaceae* (*Aerides* × *Arachnis*)

Aerides Lour. -n- *Orchidaceae*
– *brookei* Bateman = Aerides crispa
– **crassifolia** Parish et Rchb. f. | ♃ Ⓦ V-VI; Myanmar: Moulmein
– **crispa** Lindl. | ♃ Ⓦ V-VI; Malay.Arch.
– *cylindrica* Hook. = Aerides vandara
– **falcata** Lindl. ex Paxton | ♃ Ⓦ V-VI; Myanmar
– *japonica* Linden et Rchb. f. = Sedirea japonica
– *larpentiae* Rchb. f. = Aerides falcata
– **lawrenceae** Rchb. f. | ♃ Ⓦ VI-VIII ✻; Phil.
– **multiflora** Roxb. | ♃ Ⓦ VI-IX; Him., Myanmar, Vietn.
– **odorata** Lour. | ♃ Ⓦ VI-VII; Ind., China, Malay. Arch., Phil.
– *retusum* (L.) Sw. = Rhynchostylis retusa
– **vandara** Rchb. f. | ♃ Ⓦ II-VI; Him.

× **Aeridocentrum** Hort. -n- *Orchidaceae* (*Aerides* × *Ascocentrum*)

× **Aeridofinetia** Hort. -f- *Orchidaceae* (*Aerides* × *Neofinetia*)

× **Aeridoglossum** Hort. -n- *Orchidaceae* (*Aerides* × *Ascoglossum*)

× **Aeridopsis** Hort. -f- *Orchidaceae* (*Aerides* × *Phalaenopsis*)

× **Aeridostylis** A.D. Hawkes -f- *Orchidaceae* (*Aerides* × *Rhynchostylis*)

× **Aeridovanda** Hort. -f- *Orchidaceae* (*Aerides* × *Vanda*)

Aerva Forssk. -f- *Amaranthaceae*
– **scandens** (Roxb.) Wall. | ♃ Ⓦ; W-Afr., Ind., Java

Aesandra = Diploknema Pierre
– *butyracea* (Roxb.) Baehni = Diploknema butyracea

Aeschrion = Picrasma Blume
– *excelsa* (Sw.) Kuntze = Picrasma excelsa

Aeschynanthus Jack -m- *Gesneriaceae*
– **boscheanus** de Vriese | ♄ Ⓦ ⌇ VI-VIII; Sumat.
– **evrardii** Pellegr. | ♄ Ⓦ; Vietn.: Annam
– *grandiflorus* (D. Don) Spreng. = Aeschynanthus parasiticus
– **hildebrandtii** Hemsl. | ♄ Ⓦ ⟿; Myanmar
– *javanicus* hort. = Aeschynanthus radicans
– *lamponga* Miq. = Aeschynanthus boscheanus
– **lobbianus** Hook.
– **marmoratus** T. Moore · Zebra Basket Vine | ♄ Ⓦ ⌇; Thail., Malay. Pen.
– **micranthus** C.B. Clarke | ♄ Ⓦ ⌇ VI-VIII; Him., Myanmar
– **parasiticus** (Roxb.) Wall. | ♄ Ⓦ ⌇ VII-VIII; Ind.: Khasia Hills
– **pulcher** (Blume) G. Don
– **radicans** Jack · Lipstick Plant ; Malay. Pen., Java
– **speciosus** Hook. | ♄ Ⓦ ⌇ VI-IX; Malay. Pen., Java, Kalimantan
– × **splendidus** T. Moore (*A. parasiticus* × *A. speciosus*) | ♄ Ⓦ ⌇; cult.
– **tricolor** Hook. | ♄ Ⓦ ⌇ V-VII; Kalimantan

Aeschynomene L. -f- *Fabaceae*
– **americana** L. | ♄ Ⓝ; trop. Am., nat. in Malay. Arch.
– **aspera** L. | ♄ Ⓦ ∼ Ⓝ; Ind.
– **elaphroxylon** (Guill. et Perr.) Taub. · Ambatsch | ♄ Ⓝ; trop. Afr.
– **indica** L. | ⊙ Ⓦ ∼ VII-IX Ⓝ; Ind.

Aesculus L. -f- *Hippocastanaceae* · Roßkastanie
– *arguta* Buckley = Aesculus glabra var. arguta
– **californica** (Spach) Nutt. | ♄ ♄; Calif.
– × **carnea** Hayne (*A. hippocastaneum* × *A. pavia*) · Rote Rosskastanie · Red Horse Chestnut · Marronnier rouge | ♄ V-VI; cult.
- **'Plantierensis'** | ♄
– **chinensis** Bunge · Chinesische Rosskastanie | ♄; N-China

– **discolor** Pursh · Marronnier bicolore | ♄ ♄ V-VI
– **flava** Sol. · Gelbe Rosskastanie · Sweet Buckeye, Yellow Buckeye · Marronnier jaune | ♄ V-VI ☠ Ⓝ; USA: NE, SE
– *georgiana* Sarg. = Aesculus sylvatica
– **glabra** Willd. · Ohio-Rosskastanie · Ohio Buckeye · Marronnier de l'Ohio | ♄ V ☠ Ⓝ; USA: NE, NCE, NC, SC, SE
- var. **arguta** (Buckley) B.L. Rob. | ♄ V ☠; USA: Kans., SC
- var. *monticola* Sarg. = Aesculus glabra
– **glaucescens** Sarg. · Marronnier aurore
– **hippocastanum** L. · Gewöhnliche Rosskastanie · Horse Chestnut · Marronnier d'Inde | ♄ Off. V Ⓝ; Eur.: Ba; ? Cauc., N-Iran, Him., nat. in Fr, IRL, C-Eur., EC-Eur.
– × **hybrida** DC. (*A. flava* × *A. pavia*) · Bastard-Pavie · Marronnier hybride | ♄ V-VI; cult.
– **indica** (Wall. ex Cambess.) Hook. · Indische Rosskastanie · Marronnier de l'Himalaya | ♄ VI-VII; Afgh., Him.
– *lutea* Wangenh. = Aesculus flava
– *macrostachya* Michx. = Aesculus parviflora
– × **marylandica** Booth (*A. flava* × *A. glabra*) | ♄; cult.
– × **mutabilis** (Spach) Schelle (*A. pavia* × *A. sylvatica*) · Marronnier hybride | ♄ V-VI; cult.
– × **neglecta** Lindl. (*A. flava* × *A. sylvatica*) · Carolina-Rosskastanie · Sunrise Horse Chestnut · Marronnier aurore | ♄ V-VI; USA: Va., SE, Fla.
– *octandra* Marshall = Aesculus flava
– *ohioensis* (F. Michx.) DC. = Aesculus glabra
– **parviflora** Walter · Strauch-Rosskastanie · Dwarf Buckeye, Shrubby Pavia · Pavier blanc | ♄ VII-VIII; USA: SE, Fla.
– **pavia** L. · Pavie · Red Buckeye · Pavier rouge | ♄ ♄ VI ☠; USA: Va., W.Va., SC, SE, Fla.
- var. *dicolor* (Pursh) Torr. et Gray = Aesculus discolor
- var. *humilis* (Lindl.) Rehder = Aesculus pavia
– × *plantierensis* André = Aesculus × carnea 'Plantierensis'
– × *rubicunda* Loisel. = Aesculus × carnea
– *splendens* Sarg. = Aesculus pavia
– **sylvatica** W. Bartram | ♄ ♄
– **turbinata** Blume · Japanische Rosskastanie · Japanese Horse Chestnut · Marronnier du Japon | ♄ V-VI Ⓝ; Jap.
– × *versicolor* (Spach) Wender. = Aesculus × hybrida

Aetheopappus = Centaurea L.
– *pulcherrimus* (Willd.) Cass. = Centaurea pulcherrima

Aethephyllum N.E. Br. -n- *Aizoaceae*
– **pinnatifidum** (L. f.) N.E. Br. | Ⓚ ≷; Kap

Aethionema R. Br. -n- *Brassicaceae* · Steintäschel
– **armenum** Boiss. | ♃ △ V; TR
- **'Warley Rose'**
– **cordatum** (Desf.) Boiss. | ♃ △ V-VI ∧; Eur.: GR; TR, Cauc.
– **coridifolium** DC. · Zierliches Steintäschel · Stonecress | ♄ △ V-VIII ∧; S-TR, Lebanon
– **diastrophis** Bunge | ♃ ♄ △ V-VI ∧; Cauc. (Armen.)
– *graecum* Boiss. et Spruner = Aethionema saxatile
grandiflorum Boiss. et Hohen. · Großblütiges Steintäschel · Persian Stone Cress · Aethionema à grandes fleurs, Aethionema de Perse | ♄ △ VI-VII ∧; TR, N-Iraq, Cauc., Iran
- **Pulchellum Grp.**; cult.
– **iberideum** (Boiss.) Boiss. | ♃ △ V ∧; E-GR, TR, Cauc.
– **oppositifolium** (Pers.) Hedge | ♃ △ IV-V ∧; TR, Cauc., Lebanon
– *pulchellum* Boiss. et A. Huet = Aethionema grandiflorum 'Pulchellum Grp.'
– **saxatile** (L.) R. Br. · Felsen-Steintäschel · Candy Mustard | ⊙ ♃ △ IV-VI; Eur.* exc. Sc, BrI; TR, Alger., Maroc.
– **schistosum** (Boiss. et Kotschy) Kotschy | ♃ △ VI ∧; TR: Cilician Taurus
– **speciosum** Boiss. et A. Huet | ♃ △ ∧; E-TR, Iraq
– **stylosum** DC. | ♃ △ VI ∧; TR: Cilician Taurus, W-Syr.
– **thomasianum** J. Gay; Eur.: F, I, ? CH
– × *warleyense* C.K. Schneid. ex Boom = Aethionema armenum 'Warley Rose'

Aethusa L. -f- *Apiaceae* · Gleiße
– **cynapium** L. · Hundspetersilie · Dog Poison, Fool's Parsley | ⊙ VI-X ☠; Eur.*, Cauc, N-TR, Alger., nat. in N-Am.

Aframomum K. Schum. -n- *Zingiberaceae*
– **angustifolium** (Sonn.) K. Schum. · Kamerun-Kardamon | ♃ Ⓝ; Madag., Seych., Mauritius
– **melegueta** K. Schum. · Grains of Paradise, Guinea Grains | ♃ Ⓦ Ⓝ; W-Afr.

Afrocarpus (Buchholz et N.E. Gray) C.N. Page -m- *Podocarpaceae*
– **falcatus** (Thunb.) Gaussen | ♄; S-Afr.
– **gracilior** (Pilg.) Page · African Fern Pine | ♄ Ⓚ; Eth., Uganda, Kenya

Afzelia Sm. -f- *Caesalpiniaceae*
– **africana** Sm. ex Pers. | ♄ Ⓦ ✂ Ⓝ; W-Afr., C-Afr.

Aganisia Lindl. -f- *Orchidaceae*
– **cyanea** (Lindl.) Rchb. f. | ♃ Ⓦ V-VI *; Col., Venez., Bras.

Agapanthus L'Her. -m- *Alliaceae*
– **africanus** (L.) Hoffmanns. · African Lily | ♃ Ⓚ VII-VIII; Kap
– **campanulatus** Leight. | ♃ Ⓚ VII-VIII; S-Afr.
– **caulescens** Spreng. emend. Leight. | ♃ Ⓚ VIII-IX; S-Afr.
– **comptonii** Leight. | ♃ Ⓚ IX-X; Kap
– **inapertus** P. Beauv. emend. Leight. | ♃ Ⓚ IX-X; S-Afr.: Transvaal
– *orientalis* Leight. = Agapanthus praecox subsp. orientalis
– **praecox** Willd. emend. Leight. | ♃ Ⓚ ✂ VII-VIII; S-Afr.: Kap, Natal
  - subsp. **minimus** (LIndl.) Leight.; S-Afr.
  - subsp. **orientalis** (Leight.) Leight.; S-Afr.
– *umbellatus* L'Hér. = Agapanthus africanus
– *umbellatus* Redoute = Agapanthus praecox

Agapetes D. Don ex G. Don -f- *Ericaceae*
– **acuminata** D. Don ex G. Don | ♄ Ⓚ; Bhutan, Ind.: Khasia Hills
– **buxifolia** Nutt. | ♄ Ⓚ ▽ III-V; Bhutan
– **rugosa** (Hook.) Sleumer | ♄ Ⓚ III-V; Ind.: Khasia Hills
– **serpens** (Wight) Sleumer | ♄ Ⓚ ⌇ I-V; Him.

Agastache Gronov. -f- *Lamiaceae*
– *anethiodora* Britton = Agastache foeniculum
– *anisata* hort. = Agastache foeniculum
– **cana** (Hook.) Wooton et Standl. | ⊙ ♄ VII-VIII; USA: N.Mex., Tex.
– **foeniculum** (Pursh) Kuntze · Duft-Nessel · Hysope anisée | ♃; N-Am.
– **mexicana** (Humb., Bonpl. et Kunth) Linton et Epling · Mexican Giant Hyssop | ⊙ ♄ VII-IX; Mex.
– **urticifolia** (Benth.) Kuntze · Nettle Leaf Giant Hyssop | ⊙ ♃ ✂ VIII; B.C., USA: NW, Mont., Calif.

Agathaea = Felicia Cass.
– *caelestis* Cass. = Felicia amelloides

Agathis Salisb. -f- *Araucariaceae* · Kaurifichte
– *alba* (Blume) Foxw. = Agathis philippinensis
– **australis** (D. Don) Salisb. · Kauri Pine | ♄ Ⓚ Ⓝ; NZ
– *dammara* (Lamb.) Rich. = Agathis philippinensis
– *loranthifolia* Salisb. = Agathis philippinensis
– **philippinensis** Warb. · Pitch Tree | ♄ Ⓚ Ⓝ; Indochina, Malay. Arch., Phil.
– **robusta** (C. Moore ex F. Muell.) F.M. Bailey · Queensland Kauri | ♄ Ⓚ Ⓝ; Austr.: Queensl.

Agathosma Willd. -f- *Rutaceae* · Duftraute
– **betulina** (Bergius) Pillans · Round Buchu | ♄ Ⓚ; Kap
– **ciliata** (L.) Link | ♄ Ⓚ III-V; S-Afr.
– **crenulata** (L.) Pillans · Buchu | ♄ Ⓚ
– **foetidissima** hort. ex Steud. | ♄ Ⓚ III-IV; Kap
– **hirta** (Lam.) Bartl. et H.L. Wendl. | ♄ Ⓚ VI-VII; S-Afr.
– **imbricata** (L.) Willd. | ♄ Ⓚ VI-VII; S-Afr.
– **lanceolata** Engl. | ♄ Ⓚ II-III; S-Afr.: Kap, Natal
– **pulchella** (L.) Link | ♄ Ⓚ II-VI; Kap
– **serratifolia** (Curtis) Spreeth | ♄ Ⓚ IV-V; Kap

Agave L. -f- *Agavaceae* · Agave
– *albicans* Jacobi = Agave celsii var. albicans
– **americana** L. · Agave · Agave, Century Plant | ♆ Ⓚ VII-VIII Ⓝ; Mex., nat. in Trop., Subtrop.

– **angustifolia** Haw. | Ψ Ⓚ
– **applanata** K. Koch | Ψ Ⓚ; Mex.
– **atrovirens** Karw. ex Salm-Dyck | Ψ Ⓚ Ⓝ
  - var. *salmiana* (Otto ex Salm-Dyck) Trel. = Agave salmiana
– **attenuata** Salm-Dyck | Ψ Ⓚ; Mex.
– *beaucarnei* Lem. = Agave kerchovei
– *besseriana* Jacobi = Agave macroacantha
– **bracteosa** S. Watson ex Engelm. | Ψ Ⓚ; NE-Mex.
– *californica* Baker = Agave striata subsp. falcata
– *californica* Jacobi = Yucca whipplei
– **cantala** (Haw.) Roxb. · Cantala | Ψ Ⓚ Ⓝ; ? W-Mex., nat. in SE-As.
– *caroli-schmidtii* Berger = Agave seemanniana
– **celsii** Hook. | Ψ; Mex.
  - var. **albicans** (Jacobi) Gentil | Ⓚ; Mex.
– *cernua* Berger = Agave attenuata
– **chiapensis** Jacobi | Ⓚ; Mex.
– *coccinea* Roezl ex Jacobi = Agave atrovirens
– *concinna* Baker = Agave macroacantha
– *cornuta* hort. = Agave xylonacantha
– *cubensis* Haw. = Furcraea hexapetala
– **dasylirioides** Jacobi et Bouché | Ψ Ⓚ; Guat.
  - var. *dealbata* (Lem. ex Jacobi) Baker = Agave dealbata
– **dealbata** Lem. ex Jacobi | Ψ Ⓚ; Mex.
– **deweana** Trel. | Ψ Ⓝ; Mex.
– *echinoides* Jacobi = Agave striata
– *excelsa* Jacobi = Agave angustifolia
– *falcata* Engelm. = Agave striata subsp. falcata
  - var. *espadina* Berger = Agave striata subsp. falcata
– **fenzliana** Jacobi | Ψ Ⓚ; Mex.
– *ferdinandi-regis* Berger = Agave victoriae-reginae
– **ferox** K. Koch | Ψ Ⓚ; Mex.
– *filamentosa* Salm-Dyck = Agave filifera
– **filifera** Salm-Dyck · Thread Agave | Ψ Ⓚ; Mex.
  - var. *filamentosa* (Salm-Dyck) Baker = Agave filifera
– *foetida* L. = Furcraea foetida
– **fourcroydes** Lem. · Sisal Hemp | Ψ Ⓚ Ⓝ; Mex.: Yucatan
– **franzosinii** Baker | Ψ Ⓚ; Mex.
– **funkiana** K. Koch et Bouché · Jamauvefaser | Ψ Ⓝ; Mex.
– **geminiflora** (Tagl.) Ker-Gawl. | Ψ Ⓚ; ? Mex.
– **ghiesbreghtii** K. Koch | Ψ Ⓚ; Mex.
– *guadelajara* Trel. = Agave megalacantha
– *hexapetala* Jacq. = Furcraea hexapetala
– **horrida** Lem. ex Jacobi | Ⓚ; Mex.
– *ingens* Berger = Agave americana
– *ixtlioides* Hook. f. = Agave angustifolia
– **kerchovei** Lem. | Ψ Ⓚ; Mex.
– *latissima* Jacobi = Agave atrovirens
– **lechuguilla** Torr. · Ixtlefaser | Ψ Ⓝ; Tex., N-Mex.
– **letonae** F.W. Taylor ex Trel. | Ψ Ⓝ; El Salv.
– **lophantha** Schiede · Tula-Ixtle · Lechuguilla | Ψ Ⓚ Ⓝ; Mex.
  - var. *univittata* Trel. = Agave univittata
– **lurida** Aiton | Ψ Ⓚ
– **macroacantha** Zucc. | Ψ; Mex.
– **macroculmis** Tod. | Ψ
– *maculosa* Rose = Manfreda maculosa
– **margaritae** Brandegee | Ψ Ⓚ; Mex.: Baja Calif.
– **marmorata** Roezl | Ψ Ⓚ; Mex.
– **megalacantha** Hemsl. | Ψ Ⓐ ∧; Mex.
– *mexicana* Lam. = Agave lurida
– *mitis* Mart. ex Salm-Dyck = Agave celsii
– **parrasana** A. Berger | Ψ Ⓚ; Mex.
– **parryi** Engelm. · Mescal | Ψ Ⓚ ∧; Ariz., Mex.
– **polyacantha** Haw. | Ψ Ⓚ; E-Mex.
  - var. **xalapensis** (Roezl ex Jacobi) A.H. Gentry | Ψ Ⓚ; Mex.
– **potatorum** Zucc. | Ψ Ⓚ; Mex.
  - var. *verschaffeltii* (Lem.) Berger = Agave potatorum
– *purpusorum* Berger = Agave ghiesbreghtii
– *roezliana* Baker = Agave ghiesbreghtii
– **salmiana** Otto ex Salm-Dyck | Ψ Ⓚ Ⓝ; Mex.
– **scabra** Salm-Dyck | Ψ Ⓚ; Mex.
– **schidigera** Lem. | Ψ Ⓚ; Mex.
– *schnittspahnii* Jacobi = Agave applanata
– *scolymus* Karw. = Agave potatorum
– **seemanniana** Jacobi | Ψ Ⓚ; Guat.
– **sisalana** Perrine · Sisal | Ψ Ⓚ Ⓝ; Mex.
– **striata** Zucc. | Ψ Ⓚ; Mex.
  - subsp. **falcata** (Engelm.) A.H. Gentry | Ψ Ⓚ Ⓝ; Mex.
– **stricta** Salm-Dyck | Ψ Ⓚ; Mex.
– **univittata** Haw. | Ψ Ⓚ; Mex.
– **utahensis** Engelm. · American False Aloe | Ψ Ⓚ; USA: Calif., Utah, Ariz.
  - var. *discreta* M.E. Jones = Agave utahensis
– **vangrolae** Trel. | Ψ Ⓚ; W.Ind.

– *variegata* Jacobi = Manfreda variegata
– *vera-cruz* Mill. = Agave lurida
– *verschaffeltii* Lem. = Agave potatorum
– **victoriae-reginae** T. Moore · Royal Agave | ♆ Ⓚ ✱; Mex.
– **vilmoriniana** A. Berger | Ⓚ; NW-Mex.
– *virginica* L. = Manfreda virginica
– **vivipara** L. | ♆ Ⓚ; Mex.
– *wislizeni* Engelm. = Agave parrasana
– *xalapensis* Roezl ex Jacobi = Agave polyacantha var. xalapensis
– **xylonacantha** Salm-Dyck | ♆ Ⓚ; Mex.
– **yuccifolia** DC. | ♆ Ⓚ; Mex.

Ageratina Spach -f- *Asteraceae*
– **altissima** (L.) R.M. King et H. Rob. · Mist Flower, White Snake Root · Eupatoire à feuilles molles | ♃ VII-IX ☠; Can.: E, Sask.; USA: NE, NC, SE, Fla., SC
– **aromatica** (L.) Spach | ♃ VIII-X; USA: NE, Ohio, SE, Fla.
– **glechonophylla** (Less.) R.M. King et H. Rob. | ♄ Ⓚ VII-X; Chile
– **riparia** (Regel) R.M. King et H. Rob. · Spreading Snakeroot | ♄ ♄ Ⓚ IX-V; Mex., W.Ind.
– **vernalis** (Vatke et Kurtz) R.M. King et H. Rob. | ♄ Ⓚ II-III; Mex.

Ageratum L. -n- *Asteraceae* · Leberbalsam
– **conyzoides** L. · Mexican Ageratum, Tropical Whiteweed | ⊙ VII-IX; C-Am., S-Am., nat. in Trop.
– **corymbosum** Zucc. | ♄ Ⓚ VI-IX; Mex.
– **houstonianum** Mill. · Leberbalsam · Bluemink, Floss Flower | ♄ Ⓚ X; Mex., Guat., Belize
– *mexicanum* Sims = Ageratum houstonianum

Aglaia Lour. -f- *Meliaceae*
– *domestica* (Corrêa emend. Jack) Pellegr. = Lansium domesticum
– *odorata* Lour. = Aglaia pinnata
– **pinnata** (L.) Druce · Chulan | ♄ Ⓦ D Ⓝ; SE-As., Phil

Aglaomorpha Schott -f- *Polypodiaceae*
– **coronans** (Wall.) Copel. | ♃ Ⓦ; S-Him., Indochina
– **heraclea** (Kunze) Copel. | ♃ Ⓦ; Malay.Arch., N.Guinea
– **meyeniana** Schott | ♃ Ⓦ; Phil., Taiwan

Aglaonema Schott -n- *Araceae*
– **brevispathum** (Engl.) Engl.; SE-As.
  - **f. hospitum** (Williams) Nicolson | ♄ Ⓦ; Thail.
– **commutatum** Schott · Aglaonema Aroid | ♄ Ⓦ; Phil., Sulawesi
  - **'Pseudobracteatum'**; cult.
  - **'Treubii'**; cult.
  - **'Tricolor'**; cult.
  - var. **elegans** (Engl.) Nicolson; Phil.: Luzon
  - var. **maculatum** (Hook. f.) Nicolson; Phil.: Luzon
  - var. **robustum** (Alderw.) Nicolson; cult.
– **costatum** N.E. Br. | ♄ Ⓦ; Malay. Pen.: Lankawi
– **crispum** (R. Pitcher et Manda) Nicolson · Painted Drop Tongue | ♄ Ⓚ; Phil.: Luzon
– *elegans* Engl. = Aglaonema commutatum var. elegans
– *hospitum* F.N. Williams = Aglaonema brevispathum f. hospitum
– **marantifolium** Blume
  - var. *maculatum* Hook. f. = Aglaonema commutatum var. maculatum
  - var. *tricolor* hort. = Aglaonema commutatum 'Tricolor'
– **modestum** Schott ex Engl. · Chinese Evergreen | ♄ Ⓦ; N-Thail., N-Laos, S-China
– **nitidum** (Jack) Kunth · Aglaonema Aroid ; Malay. pen., Kalimantan
  - **'Curtisii'** | ♄ Ⓦ; Myanmar, Sumat., Kalimantan
– *oblongifolium* Schott non (Roxb.) Kunth = Aglaonema nitidum
  - var. *curtisii* N.E. Br. = Aglaonema nitidum 'Curtisii'
– **pictum** (Roxb.) Kunth · Aglaonema Aroid | ♄ Ⓦ; Sumat.
– *pseudobracteatum* hort. = Aglaonema commutatum 'Pseudobracteatum'
– *robustum* Alderw. = Aglaonema commutatum var. robustum
– *roebelinii* R. Pitcher et Manda = Aglaonema crispum
– **rotundum** N.E. Br. | ♄ Ⓦ; Sumat.
– **simplex** Blume · Malayan Sword
– *simplex* L.H. Bailey = Aglaonema modestum
– *treubii* hort. non Engl. = Aglaonema commutatum 'Treubii'

Agonis (DC.) Sweet -f- *Myrtaceae*

– **flexuosa** (Willd.) Sweet · Sweet Willow Myrtle, Willow Peppermint | ♄ ♄ ⓚ; W-Austr.
– **perviceps** Schauer | ♄; W-Austr.

Agrimonia L. -f- *Rosaceae* · Odermennig
– **eupatoria** L. · Gewöhnlicher Odermennig · Agrimony, Cocklebur | ♃ Off. VI-VIII; Eur.*, TR, Iran, Levante, N-Afr.
– *odorata* auct. non Mill. = Agrimonia procera
– *odorata* Mill. = Agrimonia repens
– **procera** Wallr. · Großer Odermennig | ♃ Off. VI-VIII; Eur.*
– **repens** L.; TR, Iraq

Agropyron Gaertn. -n- *Poaceae* · Quecke
– *caninum* (L.) P. Beauv. = Elymus caninus
– **cristatum** (L.) Gaertn. · Crested Wheatgrass | ♃ Ⓝ; Eur.: Ib, Ap, C-Eur., EC-Eur., Ba, E-Eur.; TR, Cauc., Iran, Afgh., W-Sib., E-Sib., Amur, C-As., Mong., Tibet, China: Xijiang
  - subsp. **sabulosum** Lavrenko; Eur.: S-Russ.
– *intermedium* (Host) P. Beauv. ex Baumg. = Elymus hispidus
  - subsp. *trichophorum* (Link) Volkart = Elymus hispidus subsp. hispidulus
– *junceiforme* (A. Löve et D. Löve) A. löve et D. Löve = Elymus farctus subsp. boreoatlanticus
– *junceum* (L.) P. Beauv. = Elymus farctus
  - subsp. *borealiatlanticum* Simonet et Guin. = Elymus farctus subsp. boreoatlanticus
– *pauciflorum* (Schwein.) Hitchc. non Schur = Elymus pauciflorus
– *repens* (L.) P. Beauv. = Elymus repens
– *trachycaulum* (Link) Malte ex H.F. Lewis = Elymus pauciflorus
– *trichophorum* (Link) Richt. = Elymus hispidus subsp. hispidulus

Agrostemma L. -n- *Caryophyllaceae* · Kornrade
– *coronaria* L. = Lychnis coronaria
– **githago** L. · Gewöhnliche Kornrade · Corn Cockle | ☉ VI-VIII ☠; Eur.*, TR, Syr., Palaest., Iran, C-As., W-Sib., E-Sib., Amur, N-China, NW-Afr., Libya, nat. in N-Am.
– **gracilis** Boiss.; E-GR, TR

Agrostis L. -f- *Poaceae* · Straußgras
– **agrostiflora** (Beck) Rauschert · Zartes Straußgras | ♃ VII-VIII; Eur.: F, I, CH, D, A, Slove.; Alp., Apenn., ? Pyr.
– *alba* L. = Agrostis gigantea
  - var. *gigantea* (Roth) G. Mey. = Agrostis gigantea
  - var. *stolonifera* (L.) Sm. = Agrostis stolonifera
– **alpina** Scop. · Alpen-Straußgras | ♃ VII-VIII; Eur.: Sp., F, I, C-Eur., EC-Eur., Slove.Croatia, Bosn., RO, W-Russ.; mts.
– *calamagrostis* L. = Stipa calamagrostis
– **canina** L. · Sumpf-Straußgras | ♃ ~ VI-VIII Ⓝ; Eur.*, W-Sib., E-Sib., Amur, Sachal., Kamchat., Mong., nat. in N-Am.
  - subsp. *montana* (Hartm.) Hartm. = Agrostis vinealis
– *capillaris* hort. non L. = Agrostis nebulosa
– **capillaris** L. · Common Bent | ♃ VI-VII Ⓝ; Eur.*, TR, Cauc., N-Iran, W-Sib., E-Sib., Afgh., Pakist., Ind., Tun. Canar., nat. in N-Am., C-Am., S-Am., Greenl., S-Afr., Austr., NZ
– **castellana** Boiss. et Reut. · Kastilisches Straußgras | ♃ VI-VII; Eur.: Ib, Fr, Ap, Ba; TR
– *coarctata* Ehrh. ex Hoffm. = Agrostis vinealis
– **curtisii** Kerguélen · Bristle Bent | ♃ VI-VII; Eur.: BrI, F, Ib
– *elegans* (Willd. ex Gaudin) hort. = Aira elegantissima
– *elegans* Thore ex Loisel. = Agrostis tenerrima
– **gigantea** Roth · Fioringras, Riesen-Straußgras · Black Bent, Redtop | ♃ VI-VIII Ⓝ; Eur.*, TR, Iraq, Cauc., Iran, W-Sib., E-Sib., Afgh., Pakist., NW-Ind., Mong., China, Maroc., Alger., nat. in N-Am., C-Am., S-Am., S-Afr., Austr., NZ
– *miliacea* L. = Oryzopsis miliacea
– **nebulosa** Boiss. et Reut. · Rotes Straußgras · Cloud Grass · Agrostide brouillard | ☉ ♃ ⋈ VI-IX; Ib, Maroc.
– *nigra* With. = Agrostis gigantea
– *palustris* Huds. = Agrostis stolonifera
– *pulchella* hort. = Aira elegantissima
– *pusilla* Dumort. = Agrostis vinealis
– **rupestris** All. · Felsen-Straußgras | ♃ VII-VIII; Eur.* exc. BrI, Sc; mts.
– **scabra** Willd. · Raues Straußgras | ♃ VI-VII; NE-As., N-Am., Greenl., nat. in D, A

– **schleicheri** Jord. et Verl. · Schleichers Straußgras | ♃ VII-IX; Eur.: Sp., F, I, C-Eur.; mts.
– *setacea* Curtis = Agrostis curtisii
– *spica-venti* L. = Apera spica-venti
– **stolonifera** L. · Weißes Straußgras · Creeping Bent, Spreading Bent | ♃ VI-VII Ⓝ; Eur.*, TR, Levante, Iraq, Cauc., Iran, Afgh., Pakist., NW-Ind., W-Sib., E-Sib., Amur, Sachal., Kamchat., Tibet, Him., Mong., China, Korea, N-Afr., nat. in Jap., N-Am., C-Am., S-Am., Austr., NZ
  - var. *palustris* (Huds.) Farw. = Agrostis stolonifera
– *stricta* J.F. Gmel. = Agrostis vinealis
– **tenerrima** Trin. | ⊙ V-VI; Eur.: SW-Eur. +
– *tenuis* Sibth. = Agrostis capillaris
– **vinealis** Schreb. · Sand-Straußgras | ♃ VI-VIII Ⓝ; Eur.* exc. Ib, Ap; TR, Cauc., Iran, W-Sib., E-Sib., Amur, Sachal., Kamchat., Pakist., Him., Mong., NE-China, NW-Afr., Greenl.
– *vulgaris* With. = Agrostis capillaris

Aichryson Webb et Berthel. -n- *Crassulaceae*
– *dichotomum* (DC.) Webb et Berthel. = Aichryson laxum
– × **domesticum** Praeger (*A. punctatum* × *A. tortuosum*) · Youth-and-Old-Age ; cult.
– **laxum** (Haw.) Bramwell | ⊙ ⊙ ♆ Ⓚ V-VI ▽; Canar., nat. in P
– *pygmaeum* C.A. Sm. = Aichryson tortuosum
– *sedifolium* Webb = Aeonium sedifolium
– **tortuosum** (Aiton) Praeger | ♄ ♆ Ⓚ V-VI ▽

Ailanthus Desf. -f- *Simaroubaceae*
– **altissima** (Mill.) Swingle · Chinesischer Götterbaum · Tree of Heaven | ♄ VII Ⓝ; China, nat. in N-Am., Eur.
– **giraldii** Dode | ♄; W-China: Sichuan
– *glandulosa* Desf. = Ailanthus altissima
– *peregrina* (Buc'hoz) F.A. Barkley = Ailanthus altissima
– **vilmoriniana** Dode | ♄; W-China: Sichuan, W-Hupeh

Aiphanes Willd. -f- *Arecaceae*
– **caryotifolia** (Humb., Bonpl. et Kunth) H. Wendl. | ♄ Ⓦ Ⓝ; trop. S-Am.

Aipyanthus = Arnebia Forssk.
– *echioides* (L.) Stev. = Arnebia pulchra

Aira L. -f- *Poaceae* · Schmielenhafer
– *caerulea* L. = Molinia caerulea
– *capillaris* Host = Aira elegantissima
– **caryophyllea** L. · Nelken-Haferschmiele · Silver Hair Grass | ⊙ VI-VII; Eur.*, Canar., Azor., TR, Cauc., N-Iran, NW-Afr., Eth., trop. Afr., S-Afr., nat. in N-Am., S-Am., Austr., NZ
– *cespitosa* L. = Deschampsia cespitosa
– *elegans* (Willd. ex Gaudin) hort. = Aira elegantissima
– **elegantissima** Schur · Haar-Haferschmiele, Schmielen-Hafer, Zierliche Haferschmiele | ⊙ ⋈ V-VIII; Eur.: Ib, Fr, Ap, Ba, RO, Krim, A, CH; TR, Syr., Cyprus, Lebanon, Cauc., Iran, Maroc., Alger., nat. in N-Am.
– *flexuosa* L. = Deschampsia flexuosa
– **multiculmis** Dumort.; Eur.: Ib, F, CH, Cors., Sic.; Alger.
– **praecox** L. · Frühe Haferschmiele · Early Hair Grass | ⊙ V-VI; Eur.* exc. Ba, Ap; Canar., nat. in TR, N-Am.
– *pulchella* Link = Aira tenorei
– **tenorei** Guss. | ⊙ IV-V; Eur.: Ib, Ap, GR, ? Crete; NW-Afr., Libya

Ajania Poljakov -f- *Asteraceae*
– **pacifica** (Nakai) Bremer et Humphries · Gold-and-Silver Chrysanthemum | ♃ ⋈ X; Jap.

Ajuga L. -f- *Lamiaceae* · Günsel
– **chamaepitys** (L.) Schreb. · Gelber Günsel · Ground Pine, Yellow Bugle | ⊙ ⊙ △ V-IX; Eur.* exc. Sc; TR, Levante, N-Iraq, Iran, C-As., NW-Afr., nat. in USA: Va.
– **genevensis** L. · Genfer Günsel, Heide-Günsel · Blue Bugle, Upright Bugle | ♃ △ IV-VI; Eur.: Fr, Ap, C-Eur., EC-Eur., BaE-Eur.; TR, Cauc., nat. in Am.
– × **hybrida** A. Kern. (*A. genevensis* × *A. reptans*)
– **pyramidalis** L. · Pyramiden-Günsel · Pyramid Bugle | ♃ △ V-VII; Eur.*
– **reptans** L. · Kriechender Günsel · Bugle · Bugle rampante | ♃ ⁓→ △ V-VI; Eur.*, TR, Cauc., N-Iran, Alger., Tun., nat. in N-Am.
– *suffrutescens* Willk. = Ajuga chamaepitys

Akebia Decne. -f- *Lardizabalaceae*
– *lobata* Decne. = Akebia trifoliata
– **quinata** (Houtt.) Decne. · Fingerblättrige Akebie · Chocolate Vine, Five Leaf Akebia · Akébie à cinq feuilles | ♄ ≹ IV-V; C-China, Korea, Jap.
– **trifoliata** (Thunb.) Koidz. · Kleeblättrige Akebie · Chocolate Vine, Three Leaf Akebia · Akébie à trois feuilles | ♄ ≹ V; China, Jap.

Alangium Lam. -n- *Alangiaceae*
– **chinense** (Lour.) Harms | ♄ ⓚ ∧; Afr., C-China, SE-As.
– **platanifolium** (Siebold et Zucc.) Harms · Alangium · Alangium à feuilles de platane | ♄ ♄ ⓚ D VI-VII ∧; Jap., Korea
- var. **trilobum** (Miq.) Ohwi | ♄; Jap., Korea, Manch.

Albizia Durazz. -f- *Mimosaceae*
– **adianthifolia** (Schumach.) W. Wight | ♄; trop. Afr.
– **chinensis** (Osbeck) Merr. | ♄ ⓦ Ⓝ; SE-As.
– *distachya* (Vent.) J.F. Macbr. = Albizia lophantha
– *falcata* auct. = Albizia falcataria
– **falcataria** (L.) Fosberg | ♄ ⓦ Ⓝ; Malay. Arch.
– **julibrissin** Durazz. · Seidenakazie · Pink Siris, Silk Tree · Acacia de Constantinople, Arbre de soie | ♄ ⓚ VIII-IX Ⓝ; Iran, Pakist., Him., C-China, Jap., nat. in SE-USA
- **'Rosea'** Mouill. | ♄
– **lebbeck** (L.) Benth. · Siris | ♄ ⓚ Ⓝ; Him., Ind., Sri Lanka, Indochina, S-China, Malay. Arch., NE-Austr., nat. in Afr., W.Ind.
– **lophantha** (Willd.) Benth. · Plume Albizia | ♄ ⓚ III-IV; Austr.
– *moluccana* Miq. = Albizia falcataria
– **procera** (Roxb.) Benth. | ♄; Ind., Myanmar, China, Malay. Arch.
– **saman** F. Muell. · Monkey Pod Tree, Rain Tree | ♄ ⓦ Ⓝ; Mex., C-Am., S-Am., nat. in W.Ind., trop. Afr., trop. As.
– *stipulata* (Roxb.) Boivin = Albizia chinensis

Albuca L. -f- *Hyacinthaceae*
– **nelsonii** N.E. Br. | ♃ ⓚ VII-VIII; S-Afr.: Natal

Alcea L. -f- *Malvaceae* · Stockmalve, Stockrose
– **ficifolia** L. | ♃ ⊙; Sib.
– **pallida** (Willd.) Waldst. et Kit. · Blasse Stockrose | ♃ ⊙ VII-IX; Eur.: A, EC-Eur., Ba, E-Eur.; TR, nat. in I
– **rosea** L. · Chinesische Stockrose, Gewöhnliche Stockrose · Hollyhock · Rose trémière | ⊙ ⊙ ♃ ✂ X-IX Ⓝ; ? Ba, ? SW-As., nat. in Eur.* exc. Sc, cosmop.
– **rugosa** Alef. | ♃; S-Russ. +
– **sulphurea** (Boiss. et Hohen.) Alef. | ♃; Irak, Iran

Alchemilla L. -f- *Rosaceae* · Frauenmantel
– *acutiloba* hort. = Alchemilla mollis
– **alpina** L. · Alpen-Frauenmantel · Alpine Lady's Mantle · Alchémille des Alpes | ♃ △ VI-VIII; Eur.* exc. EC-Eur., Ba
– *arvensis* (L.) Scop. = Aphanes arvensis
– *caucasica* Buser = Alchemilla erythropoda
– **conjuncta** Bab. · Verbundener Frauenmantel | ♃ △ VI-VIII; Eur.: F, CH; SW-Alp., Jura, nat. in GB
– **cuneata** Gaudin · Keilblättriger Frauenmantel | ♃ VII-IX
– **erythropoda** Juz. | ♃ VI-VIII; Eur.: EC-Eur., Ba, Krim; Cauc.
– **fissa** Günther et Schummel · Zerschlitzter Frauenmantel | ♃ △ VI-VIII; Eur.: Sp., F, C-Eur., CZ, PL; Pyr., Alp., Sudeten
– **glaucescens** Wallr. · Graugrüner Frauenmantel | ♃ V-IX; Eur.* exc. Ib
– **hoppeana** (Rchb.) Dalla Torre · Alchémille de Hoppe | ♃ △ VI-VIII; Eur.: CH, D, A; N-Alp., Jura, SW-D
– **mollis** (Buser) Rothm. · Weicher Frauenmantel · Manteau de Notre-Dame | ♃ VI; Eur.: RO, W-Russ.; N-TR, Cauc., N-Iran; mts., nat. in A
– **pentaphyllea** L. · Schneetälchen-Frauenmantel | ♃ VII-IX; Eur.: F, I, CH, A; Alp.
– *pratensis* auct. non Opitz = Alchemilla xanthochlora
– **splendens** H. Christ ex Favrat · Schimmernder Frauenmantel | ♃ △ VI-VIII; Eur.: F, CH; Alp., Jura
– **subsericea** Reut. · Schwachseidiger Frauenmantel | ♃ VII-IX; Eur.: Sp., F, I, CH, A; mts.
– *vulgaris* auct. non L. = Alchemilla xanthochlora
– **xanthochlora** Rothm. · Gelbgrüner

Frauenmantel, Gewöhnlicher Frauenmantel · Lady's Mantle | ♃ V-VIII; Eur.*, nat. in N-Am.

Aldrovanda L. -f- *Droseraceae* · Wasserfalle
- **vesiculosa** L. · Wasserfalle | ♃ ♆ VII-VIII ▽; Eur.: F, I, D, EC-Eur., W-Ba; C-As, S-As., E-As., NE-Afr., Austr: N.Terr., Queensl., N.S.Wales

Alectryon Gaertn. -n- *Sapindaceae*
- **subcerineus** (A. Gray) Radlk. | ♄; E-Austr.

Aletris L. -f- *Melanthiaceae*
- **farinosa** L. · Ague Root, Colic Root, Unicorn Root | ♃ VII-VIII; Can.: E; USA: NE, NCE, SE, Sc, Fla.
- *punicea* Labill. = Blandfordia punicea

Aleurites J.R. Forst. et G. Forst. -f- *Euphorbiaceae*
- **cordata** (Thunb.) R. Br. ex Steud. | ♄ Ⓚ ☠ Ⓝ; China, Jap.
- **fordii** Hemsl. · Tungoil Tree | ♄ Ⓦ ☠ Ⓝ; C-As., W-China, C-China
- **moluccana** (L.) Willd. · Candlenut Tree, Candlenut | ♄ Ⓦ ☠ Ⓝ; Malay. Arch., nat. in Trop.
- **montana** (Lour.) E.H. Wilson | ♄ Ⓚ ☠ Ⓝ; SE-China, N-Myanmar
- *triloba* J.R. Forst. et G. Forst. = Aleurites moluccana
- **trisperma** Blanco · Javillo | ♄ Ⓦ ☠ Ⓝ; Phil.

Alhagi Gagnebin -f- *Fabaceae*
- *camelorum* Fisch. = Alhagi pseudalhagi
- **maurorum** Medik. · Manna Tree | ♄ Ⓚ Ⓝ; TR, Syr., Cyprus, Arab., N-Afr.
- **pseudalhagi** (M. Bieb.) Desv. ex B. Keller et Shap. · Camel Thorn | ♄ Ⓚ Ⓝ; SE-Russ., Cauc. (Armen.), Iran., C-As. (Kasach.), Egypt

Alibertia A. Rich. ex DC. -f- *Rubiaceae*
- **edulis** (Rich.) A. Rich. | ♄ Ⓦ Ⓝ; Mex., C-Am., W.Ind., trop. S-Am.

× **Aliceara** Hort. -f- *Orchidaceae* (*Brassia* × *Miltonia* × *Oncidium*)

Alisma L. -n- *Alismataceae* · Froschlöffel
- *flavum* L. = Limnocharis flava
- **gramineum** Lej. · Grasblättriger Froschlöffel · Narrow Leaf Water Plantain | ♃ ~ ♆ VII-VIII; Eur.* exc. Ib; Cauc., W-Sib., E-Sib., C-As., China, Maroc., Egypt, USA: NE, NCE, NC, Rocky Mts.
- **lanceolatum** With. · Lanzettblättriger Froschlöffel · Plantain d'eau lancéolé | ♃ ~ VI-VII; Eur.*, TR, Levante, Cauc., Iran, C-As., Afgh., Pakist., NW-Afr.
- *loeselii* Górski = Alisma gramineum
- *natans* L. = Luronium natans
- *parnassiifolium* L. = Caldesia parnassiifolia
- **plantago-aquatica** L. · Gewöhnlicher Froschlöffel · Water Plantain · Fluteau, Plantain d'eau | ♃ VII-VIII; Eur.*, TR, Levante, Cauc., Iran, W-Sib., E-Sib., Amur, Sachal., Kamchat., C-As., Afgh., Pakist., China, Jap., Can., USA* exc. Fla.
  - subsp. **brevipes** (Greene) Sam. | ♃ ~ VI-IX; Can., USA: NE, NCE, NC, SW, NW, Rocky Mts., Calif.; Mex.
  - subsp. **orientale** (Sam.) Sam. | ♃ ~ VI-IX; E-Sib., Mong., Sachal., Manch., Korea, Jap.
  - var. *americanum* Schult. et Schult. f. = Alisma plantago-aquatica subsp. brevipes
  - var. **parviflorum** (Pursh) Torr. · Plantain d'eau américain
- *ranunculoides* L. = Baldellia ranunculoides
- *stenophyllum* (Asch. et Graebn.) Sam. = Alisma lanceolatum
- *subcordatum* Raf. = Alisma plantago-aquatica var. parviflorum
- *subulatum* L. = Sagittaria subulata
- *tenellum* Mart. = Echinodorus tenellus
- *triviale* Pursh = Alisma plantago-aquatica subsp. brevipes

Alkanna Tausch -f- *Boraginaceae*
- **graeca** Boiss. et Spruner | ♃; Eur.: Ba
- *tinctoria* (L.) Tausch = Alkanna tuberculata
- **tuberculata** (Forssk.) Meikle · Alkanet | ♃ Ⓚ VI Ⓝ; Eur.: Sp., F, Ap, EC-Eur., Ba, RO; NW-Afr.

Allamanda L. -f- *Apocynaceae*
- **blanchetii** A. DC. | ♄ Ⓦ ≹ IX-X; S-Am.
- **cathartica** L. · Allamanda, Golden Trumpet | Ⓦ V-XI; S-Am.
  - **'Grandiflora'**; cult.

- **'Hendersonii'**; cult.
- **'Nobilis'**; cult.
- var. *schottii* Pohl = Allamanda schottii

– *grandiflora* Lam. = Allamanda cathartica 'Grandiflora'
– *hendersonii* Bull. = Allamanda cathartica 'Hendersonii'
– **neriifolia** Hook. | ♄ ⓦ VI-X; S-Am.
– *nobilis* T. Moore = Allamanda cathartica 'Nobilis'
– **schottii** Pohl | ♄ ≀; trop. S-Am.
– *violacea* Gardner et Fielding = Allamanda blanchetii

Alliaria Heist. ex Fabr. -f- *Brassicaceae* · Lauchkraut
– *officinalis* Andrz. ex M. Bieb. = Alliaria petiolata
– **petiolata** (M. Bieb.) Cavara et Grande · Gewöhnliche Knoblauchsrauke · Hedge Garlic, Jack-by-the-Hedge | ⊙ IV-VI; Eur.*, TR, Cyprus, Syr., Cauc., Iran, W-Sib., C-As., Afgh., Him., Pakist., NW-Afr., nat. in N-Am.

Allium L. n *Alliaceae* · Lauch
– **acuminatum** Hook. · Hooker's Onion, Taper Tip Onion | ♃ △ V-VI; Can.: B.C.; USA: NW, Calif., Rocky Mts., Ariz.
– **aflatunense** B. Fedtsch. | ♃ V; C-As.
– *albopilosum* C.H. Wright = Allium christophii
ampeloprasum L. · Kurrat, Wild Leek | ♃ Ⓝ; Eur.: BrI, Fr, Ib, Ba, RO; TR, Syr., N-Iraq, ? Cauc., Iran, N-Afr., nat. in Va.
– **angulosum** L. · Kantiger Lauch | ♃ VII-VIII
– *angulosum* Lour. non L. = Allium tuberosum
– *ascalonicum* auct. non L. = Allium cepa var. ascalonicum
– **atropurpureum** Waldst. et Kit. · Schwarzpurpurner Lauch | ♃ VI-VII; Eur.: H, Croatia, Serb., BG, RO; TR, nat. in A
– *azureum* Ledeb. = Allium caeruleum
– **beesianum** W.W. Sm. | ♃ △ VI-VII; W-China
- *'hort.'* = Allium cyaneum

– *bulgaricum* (Janka) Prodán = Nectaroscordum siculum subsp. bulgaricum
– **caeruleum** Pall. · Blue Allium · Ail azuré | ♃ ✂ VI-VII; Eur.: E-Russ.; W-Sib., C-As., China: Sinkiang
– **caesium** Schrenk | ♃ ▭ △ V-VI ∧; C-As., Sib.
– *candidissimum* Cav. = Allium neapolitanum
– **carinatum** L. · Gekielter Lauch · Keeled Garlic | ♃ VI-VII; Eur.* exc. BrI, N-TR, nat. in BrI
- subsp. **pulchellum** (G. Don) Bonnier et Layens · Schöner Lauch · Ail à carène élégant | ♃ VII-VIII; Eur.: F, I, C-Eur., Ba, E-Eur.; N-TR, Cauc.

– **cepa** L. · Küchen-Zwiebel · Shallot, Tree Onion | ♃ ⊙ VI-VIII Ⓝ; cult.
- **Aggregatum-Grp.**
- **Cepa-Grp.**
- **Proliferum-Grp.** | ♃ Ⓝ; cult.
- **Proliferum-Grp.'Viviparum'** | ♃ VI-VII Ⓝ; orig. ?
- var. **ascalonicum** Backer · Schalotte | ♃ VI-VII; cult.
- var. *proliferum* (Moench) Alef. = Allium cepa Proliferum-Grp.
- var. *viviparum* (Metzg.) Alef. = Allium cepa Proliferum-Grp. 'Viviparum'

– **cernuum** Roth · Nodding Onion, Wild Onion · Ail penché | ♃ VI-VII Ⓝ; Can., USA* exc. Fla., Calif; Mex.
– **chinense** G. Don | ♃ Ⓝ; China, cult. Austr., Calif.
– **christophii** Trautv. · Sternkugel-Lauch · Star of Persia · Ail à boule étoilée | ♃ VI-VII; TR, Iran
– *cirrhosum* Vand. = Allium carinatum subsp. pulchellum
– *cowanii* Lindl. = Allium neapolitanum 'Cowanii Grp.'
– **crispum** Greene · Crinkled Onion | ♃ V ∧; Calif.
– **cyaneum** Regel · Enzian-Lauch | ♃ △ V-VI; W-China
– **cyathophorum** Bureau et Franch. · Onion ; China
- var. **farreri** (Stearn) Stearn | ♃ VII-VIII; China: Kansu

– **ericetorum** Thore · Gelblichweißer Lauch | ♃ VII-VIII; Eur.* exc. Sc
– *farreri* Stearn = Allium cyathophorum var. farreri
– **fistulosum** L. · Winter-Zwiebel · Japanese Bunching Onion, Welsh Onion | ♃ VI-VIII Ⓝ; cult.
– **flavum** L. · Gelber Lauch · Small Yellow Onion · Ail jaune | ♃ △ VI-VII; Eur.: Fr, Ap, A, EC-Eur., Ba, E-Eur.
- var. *pulchellum* (G. Don) Regel =

Allium carinatum subsp. pulchellum

– **giganteum** Regel · Riesen-Lauch · Giant Allium · Ail géant de l'Himalaya | ♃ ✂ VII-VIII; Him., C-As.

– **insubricum** Boiss. et Reut. | ♃ △ V-VI; I: Alp.

– **jesdianum** Boiss. | ♃ V; Iran, Iraq

– *kansuense* Regel = Allium sikkimense

– **karataviense** Regel · Blauzungen-Lauch · Turkestan Allium · Ail du Turkestan | ♃ △ IV-V; C-As.

– **kurrat** Schweinf. ex K. Krause | ♃ Ⓝ; Arab., ? Sinai , cult. in Egypt

– *lineare* L. = Allium strictum

– **moly** L. · Gold-Lauch · Lily Leek, Moly · Ail doré | ♃ △ V-VI; Sp., SW-F

– *montanum* F.W. Schmidt = Allium senescens subsp. montanum

– *multibulbosum* Jacq. = Allium nigrum

– *murrayanum* auct. non Regel = Allium unifolium

– **narcissiflorum** Vill. | ♃ △ V-VI; Eur.: P, F, I; N-P, SW-Alp.

- var. *insubricum* (Boiss. et Reut.) Fiori = Allium insubricum

– **neapolitanum** Cirillo | ♃ Ⓚ V-VI; Eur.: Ib, Fr, Ap, Ba; TR, Med.

- **Cowanii Grp.**; cult.

– **nigrum** L. · Schwarzer Lauch, Zwiebelreicher Lauch · Black Garlic | ♃ V-III; Eur.: Ib, Fr, Ap, Ba, ? Krim, ? A; TR, Syr, N-Afr

– **nutans** L. | ♃; Sib.

– *odorum* L. = Allium ramosum

– **oleraceum** L. · Kohl-Lauch | ♃ VII-VIII; Eur.* exc. Ib; Cauc.

– **oreophilum** C.A. Mey. · Ail décoratif | ♃ △ VI-VII; Cauc., C-As.

– *ostrowskianum* Regel = Allium oreophilum

– **paradoxum** (M. Bieb.) G. Don · Seltsamer Lauch · Few-flowered Leek | ♃ △ IV-V; Cauc., N-Iran, C-As., nat. in D.EC-Eur.

– **porrum** L. · Porree, Winter-Lauch · Leek | ♃ ⊙ VI-VII Ⓝ; cult.

- var. **sectivum** Lueder | Ⓝ

– × *proliferum* (Moench) Schrad. ex Willd. = Allium cepa Proliferum-Grp.

– *pulchellum* G. Don = Allium carinatum subsp. pulchellum

– *purdomii* W.W. Sm. = Allium cyaneum

– **ramosum** L. · Fragrant Garlic | ♃ VI Ⓝ; C-As.

– **rosenbachianum** Regel | ♃ ✂ V-VI; C-As., Afgh., Pakist.

– **roseum** L. · Rosy Garlic | ♃ V-VI; Eur.: Ib, Fr, Ap, Ba; TR, N-Afr., nat. in Brl

– *rotundum* L. = Allium scorodoprasum subsp. rotundum

– **sativum** L. · Knoblauch · Garlic | ♃ Off. VII-VIII Ⓝ; cult.

- var. **ophioscorodon** (Link) Döll; cult.

– **schoenoprasum** L. · Schnitt-Lauch · Chives · Ciboulette | ♃ VI-VII Ⓝ; Eur.*, TR, Iraq, Cauc., Iran, Pakist., W-Sib., E-Sib., Amur, Kamchat., C-As., Mong., Him., Jap. Ch, Alaska, Can., USA: NE, NCE, Rocky Mts.

– **schubertii** Zucc. | ♃ Ⓚ VI-VII; TR, Syr., Libya

– **scorodoprasum** L. · Schlangen-Lauch · Giant Garlic, Sand Leek | ♃ VI-VII; Eur.*, TR, Cauc.

- subsp. **rotundum** (L.) Stearn · Rundköpfiger Lauch | ♃ VI-VIII; Eur.* exc. Brl, Sc; TR, Levante, Cauc., N-Iran, Maroc., Canar.

– **senescens** L. · German Garlic | ♃

- subsp. **montanum** (Fr.) Holub · Berg-Lauch | ♃ VII-VIII; Eur.

– *senescens* Miq. non L. = Allium tuberosum

– *siculum* Ucria = Nectaroscordum siculum

– **sikkimense** Baker | ♃ △ VI-VII; Him., W-China

– **sphaerocephalon** L. · Kugel-Lauch · Round-headed Leek · Ail à tête ronde | ♃ ✂ VI-VII; Eur.* exc. Sc; TR, N-Afr., Cauc.

– **stipitatum** Regel · Paukenschläger-Lauch | ♃ VII; C-As., Afgh., Pakist.

– **strictum** Schrad. · Steifer Lauch | ♃ VI-VIII; Eur.: F, I, C-Eur., EC-Eur., Russ.; W-Sib., E-Sib., Amur, Sachal., Kamchat., C-As., Mong.

– **suaveolens** Jacq. · Wohlriechender Lauch | ♃ VII-IX; Eur.: F, I, C-Eur., EC-Eur., Russ.

– **subhirsutum** L. | ♃; Eur.: Ib, Fr, Ap, Ba + TR, N-Afr.

– *tibeticum* Rendle = Allium sikkimense

– **triquetrum** L. · Three-cornered Leek | ♃ Ⓚ ▭ △ III-V ∧; Eur.: Ib, F, Ap; N-Afr., Eth., nat. in Brl

– **tuberosum** Rottler ex Spreng. · Chinese Chives, Oriental Garlic | ♃ VIII-IX Ⓝ; Ind., Nepal, China, Jap.

– **unifolium** Kellogg · One-leaf Onion, Wild Onion | ♃; USA: Oreg., Calif.

– *urceolatum* Regel = Allium caesium
– **ursinum** L. · Bär-Lauch · Ramsons, Wood Garlic | ♃ V; Eur.*, Cauc.
– **victorialis** L. · Allermannsharnisch · Alpine Leek | ♃ VII-VIII ▽; Eur.* exc. BrI, Sc; mts.; Cauc., Him., W-Sib., E-Sib., Amur, Sachal., Kamchat., China, Korea, Jap.
– **vineale** L. · Kochs Lauch, Weinbergs-Lauch · Crow Garlic, False Garlic | ♃ VI-VII; Eur.*, TR, Cauc., nat. in E-USA
– **zebdanense** Boiss. et Noë | ♃ △ V; TR, Lebanon

Alloplectus Mart. -m- *Gesneriaceae*
– **capitatus** Hook. | ♄ Ⓦ; Col., Venez.
– *forgetii* Sprague = Nautilocalyx forgetii
– *lynchii* Hook. f. = Nautilocalyx lynchii
– *nummularia* (Hanst.) Wiehler = Nematanthus gregarius
– *pallidus* Sprague = Nautilocalyx pallidus
– *sanguineus* (Pers.) Mart. = Columnea sanguinea
– **schlimii** Planch. et Linden | ♄ Ⓦ; Col., Venez.; And.
– **vittatus** Linden et André | ♄ Ⓦ; E Peru

Allosorus = Cheilanthes Sw.
– *crispus* (L.) Röhl. = Cryptogramma crispa

Alniphyllum Matsum. -n- *Styracaceae*
– **fortunei** (Hemsl.) Perkins | ♄ ♄; W China. Sichuan, Fujian

Alnus Mill. -f- *Betulaceae* · Erle
– **cordata** (Loisel.) Desf. · Herzblättrige Erle · Italian Alder · Aulne de Corse | ♄ III-IV Ⓝ; Eur.: Corse, S-I, nat. in Sp., Azor.
– *cordifolia* Ten. = Alnus cordata
– × **elliptica** Regel | ♄; Corse
– **firma** Siebold et Zucc. · Alder | ♄ IV Ⓝ; Jap.
– **glutinosa** (L.) Gaertn. · Schwarz-Erle · Common Alder, European Alder · Aulne commun, Aulne glutineux | ♄ ♄ III Ⓝ; Eur.*, Cauc., W-Sib., C-As., TR, N-Iran, NW-Afr., nat. in N-Am.
– **hirsuta** (Spach) Rupr. · Färber-Erle · Manchurian Alder | ♄ Ⓝ; Jap., Korea, Sachal., Kamchat., E-Sib.
– **incana** (L.) Moench · Grau-Erle · Grey Alder · Aulne blanc | ♄ ♄ II-IV; Eur.* exc. BrI, Ib; Cauc., W-Sib., nat. in BrI, Ib, N-Am.
- **'Laciniata'** Regel
- subsp. *rugosa* Du Roi = Alnus rugosa
– **japonica** (Thunb.) Steud. · Japanische Erle · Japanese Alder · Aulne du Japon | ♄ IV Ⓝ; Jap., Korea, Manch., Amur
– **jorullensis** Humb., Bonpl. et Kunth | ♄ Ⓚ Ⓝ; Mex., Ecuad., Peru, Bol., Arg., Venez.
– **koehnei** Callier (*A. incana* × *A. subcordata*) | ♄; orig. ?
– **maximowiczii** Callier · Aulne de Maximowicz | ♄ ♄; Jap., Sachal.
– **nitida** (Spach) Endl. | ♄ IX; /Kashmir, Him., W-Nepal
– **oregona** Nutt. · Oregon-Erle · Oregon Alder, Red Alder · Aulne de l'Orégon | ♄ Ⓝ; Alaska, Can.: W, USA: NW, Idaho, Calif.
– **pubescens** Tausch (*A. glutinosa* × *A. incana*) | ♄; Eur.
– *rubra* Bong. = Alnus oregona
– *rubra* Desf. ex Steud. = Alnus serrulata
– **rugosa** (Du Roi) Spreng. · Runzelblättrige Erle · Speckled Alder | ♄ ~ III-IV; Can.: E; USA: NE, NCE, Kans., SC, SE, Fla., nat. in C-Eur.
– **serrulata** (Aiton) Willd. · Hasel-Erle | ♄ ♄; e N-Am.
– **sinuata** (Regel) Rydb. | ♄ ♄ IV-VI; Alaska, B.C., USA: NW, Calif.
– × **spaethii** Callier (*A. japonica* × *A. subcordata*) · Spaeths Erle · Aulne de Späth | ♄; cult.
– **subcordata** C.A. Mey. · Kaukasische Erle · Caucasian Alder | ♄ IV; Cauc., Iran
– *tinctoria* Sarg. = Alnus hirsuta
– **viridis** (Chaix) DC. · Grün-Erle · Green Alder · Aulne vert | ♄ ♄ IV-VI; Eur.: Fr, Ap, C-Eur., EC-Eur., Ba, E-Eur.; W-Sib., E-Sib., Amur, N-Mong.

Alocasia (Schott) G. Don -f- *Araceae*
– × **amazonica** André (*A. lowii* × *A. sanderiana*) | ♃ Ⓦ; cult.
– **cucullata** (Lour.) G. Don | Ⓦ Ⓝ; Ind.: Bengalen; Sri Lanka, Myanmar
– **cuprea** (K. Koch et Bouche) K. Koch | ♃ Ⓦ; Kalimantan
– **indica** (Roxb.) Schott | ♃ Ⓝ; Ind., Malay. Arch.
– **korthalsii** Schott | ♃ Ⓦ; Kalimantan
– *lindenii* Rodigas = Homalomena lindenii
– **lowii** Hook. f. | ♃ Ⓦ; Malay. Pen., Kalimantan

– **macrorrhiza** (L.) G. Don · Giant Taro | ♃ ⓦ Ⓝ; ? Sri Lanka ?
  - **'Variegata'** | ♃ ⓦ; cult.
  - var. *variegata* (K. Koch et Bouché) Furtado = Alocasia macrorrhiza 'Variegata'
– *metallica* (Otto) Hook. f. = Alocasia cucullata
– **micholitziana** Sand. · Elephant's Ear | ♃ ⓦ; Phil.
– **odora** (Lodd.) Spach | ⓦ; NE-Ind., China, Phil.
– **plumbea** K. Koch ex Van Houtte | ♃ ⓦ; Java
– **portei** Schott | ⓦ; Phil.
– **putzeysii** N.E. Br. | ♃ ⓦ; Sumat.
– **sanderiana** W. Bull · Kris Plant | ♃ ⓦ ✻; Phil.: Mindanao
– *thibautiana* Mast. = Alocasia cuprea
– **watsoniana** Mast. | ♃ ⓦ; Sumat.
– **zebrina** K. Koch et Veitch | ♃ ⓦ ✻; Phil.

Aloe L. -f- *Aloaceae* · Aloe
– **abyssinica** Lam. | ♃ Ψ ⓚ I-IV ✻ Ⓝ; Eth.
– **africana** Mill. | ħ Ψ ⓚ Off. III-IV ✻; S-Afr.: Kap, Transvaal
– *africana* Salm-Dyck = Aloe × principis
– *albocincta* Haw. = Aloe striata
– **arborescens** Mill. · Candelabra Aloe, Octopus Plant, Torch Plant | ħ Ψ ⓚ I-IV ✻; S-Afr.: Kap, Natal; Malawi, nat. in S-Sp., S-F, P
– **aristata** Haw. · Lace Aloe | ♃ Ψ ⓚ V-VI ✻; S-Afr.: Orange Free State, Natal
– *atrovirens* DC. = Haworthia herbacea
– **bainesii** Dyer | ħ Ψ ⓚ ✻; S-Afr.
– *barbadensis* Mill. = Aloe vera
– **brevifolia** Mill. · Short-leaved Aloe | ♃ Ψ ⓚ ✻; Kap
– **camperi** Schweinf. | ħ Ψ ⓚ IV-VI ✻; Eth.
– **ciliaris** Haw. | ħ Ψ ⓚ ⌇ I-III ✻; S-Afr.
– **comosa** Marloth et A. Berger | ħ Ψ ⓚ ✻; Kap
– **dichotoma** Masson | ħ Ψ ✻; Namibia, S-Afr.
– **distans** Haw. · Jewelled Aloe | ħ Ψ ⓚ VI-VII ✻; Kap
– *disticha* L. = Gasteria disticha
– *disticha* Mill. = Aloe saponaria
– **divaricata** A. Berger | ħ Ψ ⓚ ✻; W-Madag.
– *eru* A. Berger = Aloe camperi
– **ferox** Mill. · Cape Aloe | ħ Ψ ⓚ Off. III-IV ✻; S-Afr.
– **glauca** Mill. | ♃ Ψ ⓚ ✻; Kap
– **grandidentata** Salm-Dyck | ħ Ψ ⓚ VI-VII ✻; S-Afr.
– **humilis** (L.) Mill. | ♃ ħ Ψ ⓚ III-VI ✻; Kap
– **littoralis** Baker | Ψ; Angola, Namibia
– **longistyla** Baker | ♃ Ψ ⓚ ✻; Kap
– *macowanii* Baker = Aloe striatula
– *maculata* Forssk. = Aloe vera
– *maculata* Ker-Gawl. = Gasteria bicolor
– **marlothii** A. Berger | ħ Ψ ⓚ ✻; S-Afr.: Natal, Transvaal; Botswana
– **mitriformis** Mill. | ħ Ψ ⓚ VI-VIII ✻; Kap
– *nigricans* Haw. = Gasteria nigricans
– *nitida* Salm-Dyck = Gasteria nitida
– *nobilis* Baker = Aloe stans
– *nobilis* Haw. = Aloe mitriformis
– *obliqua* DC. = Gasteria obliqua
– *obliqua* Haw. = Gasteria bicolor
– *obliqua* Jaquet = Gasteria nigricans
– *pentagona* (Willd.) Haw. = Astroloba spiralis subsp. foliolosa 'Pentagona'
– *perfoliata* L. = Aloe mitriformis
  - var. *vera* L. = Aloe vera
– **perryi** Baker | ħ Ψ ⓚ Off. ✻ Ⓝ; Socotra; cult. E-Afr., Arab.
– **plicatilis** (L.) Mill. | ħ ħ Ψ ⓚ V-VI ✻; Kap
– × **principis** (Haw.) Stearn (*A. arborescens* × *A. ferox*) | ħ Ψ ⓚ III-IV ✻; S-Afr.
– *prolifera* Haw. = Aloe brevifolia
– *pseudonigricans* Salm-Dyck = Gasteria pseudonigricans
– *pulchra* Jaquet = Gasteria obliqua
– *rubrolutea* Schinz = Aloe littoralis
– **rubroviolacea** Schweinf. | ħ Ψ ⓚ ✻; Yemen
– × *salmdyckiana* Roem. et Schult. = Aloe × principis
– **saponaria** (Aiton) Haw. · Soap Aloe | ♃ Ψ ⓚ V-VI ✻; S-Afr.: Natal
– *soccotrina* DC. = Aloe succotrina
– **spicata** Baker | ħ Ψ ⓚ Off. ✻; S-Afr.
– *spiralis* Haw. = Astroloba spiralis subsp. foliolosa 'Pentagona'
– *spiralis* L. = Astroloba spiralis
– **stans** A. Berger | ħ Ψ ⓚ ✻; S-Afr.
– **striata** Haw. · Coral Aloe | ♃ Ψ ⓚ IV-V ✻; Kap, Namibia
– **striatula** Haw. | ħ Ψ ⓚ ✻; S-Afr.
– *subcarinata* Salm-Dyck = Gasteria carinata

- *subnigricans* Spreng. = Gasteria pseudonigricans
- **succotrina** All. | ♄ Ψ Ⓚ I-II ✻; Kap, nat. in S-Sp., S-F
- *supralaevis* Haw. = Aloe ferox
- **tenuior** Haw. | ♄ Ψ Ⓚ I-II ✻; S-Afr.
- **thraskii** Baker | ♄ Ψ Ⓚ ✻; S-Afr.
- *umbellata* Salm-Dyck = Aloe saponaria
- **variegata** L. · Partridge Breast Aloe, Tiger Aloe | ♄ Ψ Ⓚ IV-V ✻; Botswana, Kap
- **vera** (L.) Burm. f. · Bitter Aloe | ♄ Ψ Ⓚ Off. I-IV ✻ Ⓝ; NE-Afr, trop. Afr., S-Afr., Arab., Ind., nat. in Eur.: Ib, Ap, GR, Crete; TR
- *verrucosa* Mill. = Gasteria carinata var. verrucosa
- **virens** Haw. | ♃ Ψ Ⓚ IV-VII ✻; orig. ?
- *vulgaris* Lam. = Aloe vera
- **zebrina** Baker | ♃ Ⓚ ✻; Angola, Namibia, Botswana, S-Afr.: Transvaal

Aloinopsis Schwantes -f- *Aizoaceae*
- **orpenii** (N.E. Br.) L. Bolus | ♃ Ψ Ⓚ; Kap

Alona = Nolana L.f.
- *coelestis* Lindl. = Nolana coelestis

Alonsoa Ruiz et Pav. -f- *Scrophulariaceae*
- **acutifolia** Ruiz et Pav. | ⊙ ♄ VII-IX; Peru, Bol.
- **incisifolia** Ruiz et Pav.
- *linearifolia* Steud. = Alonsoa linearis
- **linearis** (Jacq.) Ruiz et Pav. | ⊙ ♄ VII-IX; Peru
- *linifolia* Roezl = Alonsoa linearis
- **meridionalis** (L. f.) Kuntze | ⊙ ⊙ ♃ ♄ VII-IX; Mex., C-Am., S-Am.
- *myrtifolia* Roezl = Alonsoa acutifolia
- **warscewiczii** Regel · Mask Flower

Alopecurus L. -m- *Poaceae* · Fuchsschwanzgras
- **aequalis** Sobol. · Rotgelbes Fuchsschwanzgras | ♃ X-V; Eur.*, TR, Cauc., W-Sib., E-Sib., Amur, Sachal., Kamchat., C-As.
- *agrestis* L. = Alopecurus myosuroides
- **arundinaceus** Poir. · Rohr-Fuchsschwanzgras | ♃ V-VI; Eur.*, TR, N-As.
- **bulbosus** Gouan · Knolliges Fuchsschwanzgras | ♃ V-VII; Eur.: Ib, Fr, BrI, Ap, D, N-Ba; TR, Alger., Tun.
- **geniculatus** L. · Knick-Fuchsschwanzgras · Marsh Foxtail, Marsh Meadow Foxtail | ♃ ~ X-VIII; Eur.*, Iran, Afgh., Ind., W-Sib., China, Jap., nat. in N-Am., Austr., NZ
- **lanatus** Sibth. et Sm. | ♃ △ V ∧; TR
- **myosuroides** Huds. · Acker-Fuchsschwanzgras · Black Grass | ⊙ X-IX; Eur.: Ib, Fr, Ap, Ba, E-Eur., nat. in Sc, C-Eur., EC-Eur., NZ
- **pratensis** L. · Wiesen-Fuchsschwanzgras · Meadow Foxtail | ♃ V-VII Ⓝ; Eur.*, Cauc., W-Sib., E-Sib., C-As., nat. in n N-Am.
- **rendleri** Eig · Aufgeblasenes Fuchsschwanzgras | ⊙ V-VI; Eur.: Ib, Fr, Ap, C-Eur., Ba; TR

Aloysia Juss. -f- *Verbenaceae*
- **chamaedrifolia** Cham. | ♄ Ⓚ VII-VIII; Bras., Arg.
- *citriodora* Ortega ex Pers. = Aloysia triphylla
- **triphylla** (L'Hér.) Britton · Lemon Verbena · Citronnelle verveine | ♄ Ⓚ D VII-IX Ⓝ; Urug., Arg., Chile

Alpinia Roxb. -f- *Zingiberaceae*
- **calcarata** (Haw.) Roscoe · Indian Ginger | ♃ Ⓦ IX-X; Ind.
- **galanga** (L.) Willd. · Galangal | ♃ Ⓦ Ⓝ; Ind., Sri Lanka, Malay. Arch.
- **japonica** (Thunb.) Miq. · Japanese Ginger | ♃ Ⓚ; China, Jap., Taiwan
- **malaccensis** (Burm. f.) Roscoe | ♃ Ⓦ III-V Ⓝ; E-Him., Myanmar, Malay. Arch.
- *nutans* hort. = Alpinia zerumbet
- **officinarum** Hance · Lesser Galangal | ♃ Ⓦ Off. Ⓝ; S-China, Hainan
- **purpurata** (Vieill.) K. Schum. · Red Ginger | ♄ Ⓦ ✂; Pacific Is.
- **rafflesiana** Wall. ex Baker | ♃ Ⓦ; Malay. Pen.
- *sanderae* hort. Sander = Alpinia vittata
- *speciosa* (J.C. Wendl.) Schum. = Alpinia zerumbet
- **vittata** W. Bull · Variegated Ginger | ♄ Ⓦ; Salom.
- **zerumbet** (Pers.) B.L. Burtt et R.M. Sm. · Shell Ginger | ♃ Ⓦ IV-VI; S-As., E-As.
- *zingiberina* Hook. f. = Alpinia galanga

Alsobia = Episcia Mart.
- *dianthiflora* (H.E. Moore et R.G. Wilson) Wiehler = Episcia dianthiflora

– *punctata* (Lindl.) Hanst. = Episcia punctata

Alsomitra (Blume) M. Roem. -f- *Cucurbitaceae*
– *sarcophylla* (Wall.) M. Roem. = Neoalsomitra sarcophylla

Alsophila = Cyathea Sm.
– *australis* R. Br. = Cyathea australis
– *capensis* (L. f.) J. Sm. = Cyathea capensis
– *tricolor* (Colenso) Tryon = Cyathea dealbata

Alstonia R. Br. -f- *Apocynaceae*
– **congensis** Engl. · Bokukabambale, Emien | ♄ Ⓝ; W-Afr., C-Afr., E-Afr.
– **constricta** F. Muell. · Fever Bark | ♄ Ⓚ; Austr.: Queensl., N.S.Wales
– **scholaris** (L.) R. Br. · Devil Tree | ♄ Ⓦ Ⓝ; Him., Ind., Sri Lanka, Malay. Arch., Austr.

Alstroemeria L. -f- *Alstroemeriaceae* · Inkalilie
– *aurantiaca* D. Don = Alstroemeria aurea
– **aurea** Graham · Goldene Inkalilie · Lis des Incas | ♃ VI-VIII ∧; Chile
– **haemantha** Ruiz et Pav. | ♃ VI-VII ∧; Chile
– **ligtu** L. · Inkalilie | ♃ ▭ VI-VII ∧; Arg., Chile
– **pelegrina** L. | ♃ Ⓚ ▭ VI-VIII; Peru, N-Chile
– *peregrina* Pers. = Alstroemeria pelegrina
– **psittacina** Lehm. · Parrot Lily, Peruvian Lily | ♃ ▭ VI-VIII ∧; N-Bras.
– *pulchella* hort. = Alstroemeria versicolor
– **pulchella** L. f.
– *pulchella* Sims = Alstroemeria psittacina
– **versicolor** Ruiz et Pav. | ♃ Ⓚ ▭ VI-VII; Chile

Altamiranoa = Villadia Rose
– *ericoides* (Rose) H. Jacobsen = Villadia imbricata
– *guatemalensis* (Rose) E. Walther = Villadia guatemalensis

Alternanthera Forssk. -f- *Amaranthaceae* · Papageienblatt
– *amoena* (Lem.) Voss = Alternanthera ficoidea 'Amoena'
– **bettzickiana** (Regel) Voss
– **ficoidea** (L.) R. Br. ex Roem. et Schult. | ♃ Ⓦ ⁞ Ⓝ; Mex., C-Am., trop. S-Am.
- **'Amoena'**; cult.
- *'Bettzickiana'* = Alternanthera bettzickiana
– **reineckii** Briq.
- **'Versicolor'**; cult.
– *versicolor* (Lem.) Seub. = Alternanthera reineckii 'Versicolor'

Althaea L. -f- *Malvaceae*
– **cannabina** L. · Hanfblättriger Eibisch · Armenian Mallow | ♃ VII-IX Ⓝ; Eur.: Ib, Fr, Ap, Ba, EC-Eur., E-Eur.; TR, Cauc., Iran, C-As.
– **hirsuta** L. · Rauhaariger Eibisch | VII-VIII; Eur.* exc. BrI, Sc; TR, Levante, Cauc., Iran, C-As., NW-Afr., Libya
– **officinalis** L. · Echter Eibisch · Marsh Mallow, White Mallow | ♃ Off. VII ▽ Ⓝ; Eur.*, TR, Syr., Palaest., Cauc., Iran, Afgh., W-Sib., E-Sib., C-As., Alger., Tun., nat. in N-Am.
– *rosea* (L.) Cav. = Alcea rosea
– *rugostellatum* Czeczott = Alcea rugosa

Altingia Noronha -f- *Hamamelidaceae*
– **excelsa** Noronha · Kindan, Rasamala | ♄ Ⓝ; Malay. Arch. , China: Yunnan

Alyogyne Alef. -f- *Malvaceae*
– **hakeifolia** (Giord.) Alef. | ♄; Austr.: S-Austr., W-Austr.
– **huegelii** (Endl.) Fryxell · Liliac Hibiscus | ♃ Ⓚ IV-XI; Austr.: S-Austr., W-Austr.

Alysicarpus Desv. -m- *Fabaceae*
– **vaginalis** (L.) DC. | ♃ Ⓝ; Trop. Old World

Alyssoides Mill. -f- *Brassicaceae*
– **utriculata** (L.) Medik. · Blasenschötchen | ♃ △ IV-VI; Eur.: F, I, Ba, RO; TR, nat. in D

Alyssum L. -n- *Brassicaceae* · Steinkraut
– **alpestre** L. · Alpen-Steinkraut | ♃ ⤳ △ VII-VI; Eur.: F, I, Ch; Alp.
– **alyssoides** (L.) L. · Kelch-Steinkraut | IV-IX; Eur.* exc. BrI, Sc; Maroc.
– *arduini* Fritsch = Aurinia saxatilis
– **argenteum** All. · Silbergraues Steinkraut | ♄ △ VII-VIII; Eur.: I; SW-Alp.
– *argenteum (hort.)* hort. = Alyssum murale
– **desertorum** Stapf · Steppen-Steinkraut |

IV-V; Eur.: A, EC-Eur., Ba, E-Eur.; TR, Levante, Cauc., Iran, W-Sib., E-Sib., C-As., Him., Mong., Egypt
- **diffusum** Ten. | ♃ ⤳ △ IV-VI; Eur.: Sp., F, I, ? GR; mts.
- *maritimum* (L.) Lam. = Lobularia maritima
- **markgrafii** O.E. Schulz | ♃ △ V-VI ∧; Eur.: W-Ba
- **moellendorfianum** Asch. ex Beck | ♃ △ VI-VII; Eur.: Bosn.
- **montanum** L. · Berg-Steinkraut · Mountain Alyssum · Alysse des montagnes | ♃ ⤳ △ D △ III-VI ▽; Eur.* exc. BrI, Sc
- **murale** Waldst. et Kit. · Mauer-Steinkraut · Alysse des murailles | ♃ △ V-VI; Eur.: Ba, EC-Eur.; TR, Syr., Lebanon, Cauc., Iran, nat. in D, A
- **ovirense** A. Kern. · Karawanken-Steinkraut | ♃ ⤳ △ VI; Eur.: i, A, Slove., Bosn., Montenegro; mts.
- *petraeum* Ard. = Aurinia petraea
- **repens** Baumg. · Kriechendes Steinkraut | ♃ △ IV-VI; Eur.: A, Ba, RO, Krim; Cauc., Syr., N-Iran, C-As.
- **rostratum** Steven | ⊙ ⊙ V-VI; Eur.: W-Ba, RO, Russ.; N-TR, Cauc.
- *rupestre* Ten. = Aurinia rupestris
- *saxatile* L. = Aurinia saxatilis
- **serpyllifolium** Desf. | ♃ △ VI; Eur.: Ib, F; NW-Afr.
- **spinosum** L. · Dorn Steinkraut · Spiny Alyssum | ♄ △ V-VI; Eur.: Sp., F; Maroc., Alger.
- *transsilvanicum* Schur = Alyssum repens
- **wulfenianum** Bernh. · Wulfens Steinkraut | ♃ ⤳ △ V-VIII; Eur.: I, A, Bosn., Montenegro, Maced.; SE-Alp.

Amaracus = Origanum L.
- *dictamnus* (L.) Benth. = Origanum dictamnus
- *pulchellus* (Boiss.) Briq. = Origanum × hybridum
- *pulcher* (Boiss. et Heldr.) Briq. = Origanum scabrum subsp. pulchrum
- *scaber* (Boiss. et Heldr.) Briq. = Origanum scabrum

Amaranthus L. -m- *Amaranthaceae* · Amarant
- **albus** L. · Weißer Fuchsschwanz | X-VII; s N-Am., C-Am, nat. in Eur.* exc. BrI, Sc; Cauc., W-Sib., Amur, C-As., Med., TR, N-Afr
- **blitoides** S. Watson · Westamerikanischer Fuchsschwanz | VII-IX; s N-Am., C-Am., nat. in Eur.* exc. BrI, Sc
- **blitum** L. · Aufsteigender Fuchsschwanz | VII-IX
  - subsp. **emarginatus** (Moq. ex Uline et W.L. Bray) Carretero et al. · Ufer-Fuchsschwanz | X-VI
- **bouchonii** Thell. · Bouchons Fuchsschwanz | X-VI; ? S-USA, nat. in F, C-Eur.
- **caudatus** L. · Garten-Fuchsschwanz · Love Lies Bleeding · Amarante queue-de-renard | ⊙ VII-X Ⓝ; S-Am., nat. in Cauc., C-As., Iran, TR, Med.) ?Eth., ?Tibet
  - subsp. **mantegazzianus** L. | Ⓝ
- *chlorostachys* L. = Amaranthus hybridus
- **crispus** (Lesp. et Thévenau) N. Terracc. · Krauser Fuchsschwanz | VII-IX; Arg., nat. in Eur.: I, A, EC-Eur., Ba, RO
- **cruentus** L. · Rispiger Fuchsschwanz · Red Amaranth | ⊙ VIII-IX Ⓝ; ? S-Mex., ? Guat., nat. in S-Eur.
- **deflexus** L. · Liegender Fuchsschwanz | ♃ X-VI; n S-Am., nat. in Eur.* exc. BrI, ScCauc., C-As.
- **dubius** Mart. et Thell. | Ⓝ; trop. Am.
- *gangeticus* L. = Amaranthus tricolor
- **graecizans** L. · Wilder Fuchsschwanz | VII-IX; Eur.: Ib, Fr, Ap, Ba, A, Krim; TR, Levante, Cauc., C-As., N-Afr., nat. in D, CH, H, RO
- **hybridus** L. · Ausgebreiteter Fuchsschwanz · Purple Amaranth · Amarante queue-de -renard | ⊙ X-VII Ⓝ; trop. Am., nat. in N-Am., Eur., As.
  - subsp. *cruentus* (L.) Thell. = Amaranthus cruentus
  - subsp. *hypochondriacus* (L.) Thell. = Amaranthus hypochondriacus
- **hypochondriacus** L. · Prince's Feather | ⊙ VII-IX Ⓝ; N-Am., nat. in N-Am., Eur., China, Ind.
- *leucocarpus* S. Watson = Amaranthus hypochondriacus
- **lividus** L. | Ⓝ; Eur., trop. As., Am.
- *melancholicus* L. = Amaranthus tricolor
- **muricatus** (Gillies ex Moq.) Hieron. | ♃; S-Am., nat. in Eur.: Ib, Sard., Sic., Gr
- **paniculatus** L. | Ⓝ; trop. As
- **powellii** S. Watson · Grünähriger Fuchsschwanz ; N-Am., S-Am., nat. in Eur.: Sp., F, I, D

- **retroflexus** L. · Zurückgekrümmter Fuchsschwanz · Common Amaranth, Pigweed | ⊙ VII-IX Ⓝ; ? N-Am., nat. in cosmop.
- **standleyanus** Parodi ex Covas · Standleys Fuchsschwanz | X-VII; Arg.
- **tricolor** L. · Chinese Spinach | ⊙ Ⓝ; trop. As.

× **Amarcrinum** Coutts -n- *Amaryllidaceae*
- *howardii* Coutts = × Amarcrinum memoria-corsii
- **memoria-corsii** (Ragion.) H.E. Moore (*Amaryllis bella-donna* × *Crinum moorei*) | ♃ Ⓚ; cult.

× **Amarygia** Cif. et Giacom. -f- *Amaryllidaceae*
- **parkeri** (W. Watson) H.E. Moore (*Amaryllis bella-donna* × *Brunsvigia josephinae*) | ♃ Ⓚ; cult.

Amaryllis L. -f- *Amaryllidaceae* · Ritterstern, Belladonnenlilie
- *aulica* Ker-Gawl. = Hippeastrum aulicum
- *aurea* Ruiz et Pav. = Pyrolirion aureum
- **bella-donna** L. · Belladonna-Lilie · Amaryllis Belle-dame | ♃ Ⓚ ▭ ✂ VIII-IX ∧; Kap
- *bulbisperma* Burm. f. = Crinum bulbispermum
- *formosissima* L. = Sprekelia formosissima
- *pardina* Hook. f. = Hippeastrum pardinum
- *psittacina* Ker-Gawl. = Hippeastrum psittacinum
- *purpurea* Aiton = Cyrtanthus purpureus
- *reginae* L. = Hippeastrum reginae
- *reticulata* L'Hér. = Hippeastrum reticulatum
- *robusta* Otto et A. Dietr. = Hippeastrum aulicum var. robustum
- *tettaui* Topf = Hippeastrum aulicum var. robustum
- *vittata* L'Her. = Hippeastrum vittatum

Amasonia L. f. -f- *Verbenaceae*
- **calycina** Hook. f. | ♄ Ⓦ XI-III; Guyan.
- *punicea* hort. = Amasonia calycina

Amberboa (Pers.) Less. -f- *Asteraceae*
- **moschata** (L.) DC. · Duftende Flockenblume · Sweet Sultan | ⊙ ✂ VII-IX; TR, Cauc.

Ambrosia L. -f- *Asteraceae*
- **artemisiifolia** L. · Beifußblättriges Traubenkraut · Annual Ragweed, Common Ragweed | ⊙ X-VIII; Can., USA*, Mex., nat. in EC-Eur., Ba
- **coronopifolia** Torr. et A. Gray · Ausdauerndes Traubenkraut | ♃ X-VIII; N-Am., nat. in Eur: Sp., Fr, I, C-Eur., Dk, EC-Eur., W-Russ.
- *elatior* L. = Ambrosia artemisiifolia
- **maritima** L. · Strand-Ambrosie | X-VIII; Eur.: Ib, Fr, Ap, Ba; TR, Afr.
- *mexicana* hort. = Chenopodium botrys
- **psilostachya** DC. · Stauden-Ambrosie · Ragweed, Western Ragweed | ♃ X; Can.: Sask.; USA*, nat. in Eur., Cauc., S-Afr., Austr.
- **trifida** L. · Dreilappiges Traubenkraut · Giant Ragweed | ⊙ X-IX; Can., USA*; Mex., nat. in D

Ambulia = Limnophila R. Br.
- *gratioloides* (R. Br.) Baill. = Limnophila indica
- *heterophylla* (Roxb.) Baill. = Limnophila heterophylla
- *sessiliflora* (Blume) Baill. = Limnophila sessiliflora

Amelanchier Medik. -f- *Rosaceae* · Felsenbirne
- **alnifolia** (Nutt.) Nutt. · Erlenblättrige Felsenbirne · Saskatoon Service Berry · Amélanchier à feuilles d'aulne | ♄ ♄ IV-V Ⓝ; Alaska, Can., USA: NCE, NC, Rocky Mts., SW, NW, Calif.
  - var. *florida* (Lindl.) C.K. Schneid. = Amelanchier florida
  - var. *semiintegrifolia* (Hook.) C.L. Hitchc. = Amelanchier florida
- *alnifolia* auct. non (Nutt.) Nutt. = Amelanchier florida
- *amabilis* Wiegand = Amelanchier sanguinea
- **arborea** (F. Michx.) Fernald · Schnee-Felsenbirne · Downy Service Berry, June Berry | ♄ ♄ III-IV Ⓝ; Can.: E; USA: NE, NCE, SC, SE, Fla.
- **asiatica** (Siebold et Zucc.) Endl. ex Walp. · Japanische Felsenbirne | ♄ ♄ V; Jap., Korea
- *botryapium* (L. f.) Borkh. = Amelanchier canadensis
- *botryapium* DC. = Amelanchier lamarckii
- **canadensis** (L.) Medik. · Canadian

Service Berry, Snowy Mespilus | ħ ħ IV Ⓝ; Can.: E; USA: NE, SE
- *canadensis* K. Koch = Amelanchier lamarckii
- **confusa** Hyl.
- *confusa* Schmeil et Fitschen = Amelanchier lamarckii
- **florida** Lindl. · Blütenreiche Felsenbirne · Western Service Berry | ħ ħ V; Alaska, Can.:W; USA: NW, Idaho, Calif.
- *laevis* Clapham, Tutin et Warb. = Amelanchier lamarckii
- **laevis** Wiegand · Kahle Felsenbirne | ħ ħ IV-V Ⓝ; Can.: E; USA: NE, NCE, Kans., SE
- **lamarckii** F.G. Schroed. · Kanadische Felsenbirne, Kupfer-Felsenbirne · Allegheny Service Berry | ħ ħ IV-V; Can.: E; USA: NE, NCE, nat. in D, NL, B
- *oblongifolia* (Torr. et A. Gray) M. Roem. = Amelanchier canadensis
- *ovalis* Borkh. non Medik. = Amelanchier spicata
- **ovalis** Medik. · Gewöhnliche Felsenbirne · Amélanchier des bois | ħ IV-V Ⓝ; Eur.: Ib, Fr.Ap, C-Eur, EC-Eur., Ba, RO, Krim; TR, Lebanon, N-Iraq, Cauc., NW-Afr.
- *oxyodon* Koehne = Amelanchier florida
- *rotundifolia* (Lam.) Dum.-Cours. = Amelanchier ovalis
- *rotundifolia* M. Roem. = Amelanchier sanguinea
- **sanguinea** (Pursh) DC. · Vermont-Felsenbirne · Amélanchier sanguin | ħ V; Can.: E; USA: NE, NCE, Tenn.
- **spicata** (Lam.) K. Koch · Ährige Felsenbirne · Garden Shadblow | ħ IV-V; Can.: E; USA: NE, NCE, N.Dak., nat. in N-Eur., D, A, F
- **stolonifera** Wiegand · Running Service Berry | ħ V Ⓝ; Can.: E; USA: NE, NCE
- **utahensis** Koehne · Utah Service Berry | ħ ħ V; USA: NW, Calif., Rocky Mts., Tex., SW; Mex. , Baja Calif.
- *vulgaris* Moench = Amelanchier ovalis

× **Amelasorbus** Rehder -m- *Rosaceae*
- **jackii** Rehder (*Amelanchier alnifolia var. semiintegrifolia* × *Sorbus scopulina*) | ħ; USA: Idaho, Oreg.

Amethystea L. -f- *Lamiaceae*
- **caerulea** L.; TR, N-As., China, Mandsch., Korea, Japan

Amherstia Wall. -f- *Caesalpiniaceae* · Tohabaum
- **nobilis** Wall. | ħ Ⓦ; Myanmar

Amicia Kunth -f- *Fabaceae*
- **zygomeris** DC. | ħ Ⓚ IX-X; Mex.

Ammi L. -n- *Apiaceae* · Knorpelmöhre
- **majus** L. · Große Knorpelmöhre · False Bishop's Weed | ⊙ VI-X Ⓝ; Eur.: Ib, Fr, Ap, Ba; TR, Cyprus, Syr., Iraq, Iran, N-Afr., Eth., nat. in W-Eur., C-Eur. N-Am., Austr., NZ
- **visnaga** (L.) Lam. · Zahnstocher-Ammei · Pick Tooth | ⊙ ⊙ Off. VII-IX Ⓝ; Eur.: Ib, Fr, Ap, Ba; TR, Cyprus, N-Iraq, Iran; Canar., N-Afr., nat. in N-Am., Mex., Chile, Arg.

Ammobium R. Br. ex Sims -n- *Asteraceae* · Papierknöpfchen
- **alatum** R. Br. · Papier-Knöpfchen · Winged Everlasting | ⊙ ♃ ✂ VII-IX; Austr.: Queensl., N.S.Wales
- *grandiflorum* hort. = Ammobium alatum

Ammodaucus Coss. et Durieu -m- *Apiaceae*
- **leucotrichus** Coss. | Ⓝ; Alger.

Ammodendron Fisch. ex DC. -n- *Fabaceae*
- **conollyi** Bunge | ħ; C-As.

Ammoides Adans. *Apiaceae*
- **pusilla** (Brot.) Breistr.; Eur.: Ib, Ap, Ba, nat. in D, CH

Ammophila Host -f- *Poaceae* · Helmgras
- **arenaria** (L.) Link · Gewöhnlicher Strandhafer · Beach Grass, Marram Grass | ♃ VI-VIII Ⓝ; Eur.*, TR, Cyprus, Palaest., N-Afr.; coasts, nat. in N-Am.
- **breviligulata** Fernald · American Beach Grass | ♃ VII-IX Ⓝ; Can.: E; USA: NE, NCE; N.C.

Amomum Roxb. -n- *Zingiberaceae*
- **aromaticum** Roxb. · Bengal-Kardamon | ♃ Ⓝ; Ind., Pakist.
- *cardamomum* auct. = Amomum compactum
- *cardamomum* L. non Roxb. = Elettaria cardamomum

- **compactum** Sol. ex Maton · Cardamomum | ♃ ⓦ ✂ Ⓝ; Malay. Arch.
- **krervanh** Pierre · Kambodja-Kardamon | ♃ Ⓝ; Cambodia, Thail.
- **subulatum** Roxb. · Nepal-Kardamon | ♃ Ⓝ; trop. As.
- **xanthioides** Wall. · Bastard-Kardamon | ♃ Ⓝ; Myanmar, Thail.

Amorpha L. -f- *Fabaceae*
- **canescens** Pursh · Weißgrauer Bleibusch · Lead Plant | ♄ △ VI-VII Ⓝ; Can.: E, Sask.; USA: NCE, NC, SC, SE, N.Mex.
- **fruticosa** L. · Gewöhnlicher Bastardindigo, Schein-Indigo · Bastard Indigo · Faux indigo | ♄ VI-VIII Ⓝ; Can.: Man., Sask.; USA: NE, NCE, Fla., SC, SW; Mex., nat. in C-Eur., S-Eur.
- *microphylla* Pursh = Amorpha nana
- **nana** Nutt. · Duft-Bleibusch · Fragrant Indigo Bush | ♄ △ VI-VII Ⓝ; Can.: Man., Sask.; USA: NC, NCE, SW

Amorphophallus Blume ex Decne. -m- *Araceae*
- **bulbifer** (Roxb.) Blume | ♃ ⓦ; NE-Ind.
- *campanulatus* (Roxb.) Blume = Amorphophallus paeoniifolius
- **konjac** K. Koch · Devil's Tongue, Umbrella Arum | ♃ ⓦ Ⓝ; cult. SE-As., E-As.
- **paeoniifolius** (Dennst.) Nicolson · Elephant Yam | ♃ ⓦ Ⓝ; NE-Ind., Indochina, Phil., N.Guinea, Polyn.
- *rivieri* Durieu = Amorphophallus konjac
- **titanum** (Becc.) Becc. ex Arcang. | ♃ ⓦ; Sumat.

Ampelopsis Michx. -f- *Vitaceae* · Scheinrebe
- **aconitifolia** Bunge · Sturmhutblättrige Zaunrebe · Vigne vierge à fruits jaunes | ♄ ≹; Mong., N-China
- **bodinieri** (Lév. et Vaniot) Rehder | ≹; C-China
- **brevipedunculata** (Maxim.) Trautv. · Ussuri-Scheinrebe · Blueberry Climber · Vigne vierge à fruits bleus | ≹ VII-VIII; China, Korea, Jap.
  - var. *citrulloides* (Lebasque) Bailey = Ampelopsis brevipedunculata var. maximowiczii 'Citrulloides'
  - var. *elegans* Bailey = Ampelopsis brevipedunculata var. maximowiczii 'Elegans'
  - var. **maximowiczii** (Regel) Rehder | ♄ ⊍ ≹ ♧; E-China
  - var. **maximowiczii'Citrulloides'** | ♄ ⊍ ≹ ♧
  - var. **maximowiczii'Elegans'**
- *hederacea* (Ehrh.) DC. = Parthenocissus quinquefolia
- *henryana* (Hemsl.) Rehder = Parthenocissus henryana
- *heterophylla* (Thunb.) Siebold et Zucc. = Ampelopsis brevipedunculata var. maximowiczii
- **japonica** (Thunb.) Makino · Japanese Pepper Vine · Vigne vierge du Japon | ♄ ⇝ ♧ ∧; Jap., N-China
- **megalophylla** (Veitch) Diels et Gilg · Riesenblättrige Zaunrebe | ♄ ≹ ♧; W-China
- **orientalis** (Lam.) Planch. | ♄ ⓚ ⊍ ≹ ∧; TR, Syr.
- *quinquefolia* (L.) Michx. = Parthenocissus quinquefolia
- *serjaniifolia* Bunge = Ampelopsis japonica
- *tricuspidata* Siebold et Zucc. = Parthenocissus tricuspidata
- *veitchii* hort. = Parthenocissus tricuspidata 'Veitchii'

Amphiblemma Naudin -n- *Melastomataceae*
- **cymosum** (Schrad. et J.C. Wendl.) Naudin | ♄ ⓦ VII-VIII; W-Afr.

Amphicarpaea Elliott ex Nutt. -f- *Fabaceae*
- **bracteata** (L.) Fernald; E-USA, SE-Can.

Amphicome = Incarvillea Juss.
- *arguta* Royle = Incarvillea arguta
- *emodi* Lindl. = Incarvillea delavayi

Amsinckia Lehm. -f- *Boraginaceae*
- **calycina** (Moris) Chater; N-Am., S-Am., nat. in F
- **douglasiana** A. DC.; N-Am.
- **intermedia** Fisch. et C.A. Mey.; N-Am.
- **lycopodioides** (Lehm.) Lehm.; N-Am., nat. in Sc, BrI, Fr
- **menziesii** (Lehm.) A. Nelson et T. Macbr.; N-Am.

Amsonia Walter -f- *Apocynaceae*
- *amsonia* (L.) Britton = Amsonia tabernaemontana

- *angustifolia* Michx. = Amsonia ciliata
- **ciliata** Walter | ♃ IV-V; USA: SC, SE, Fla.
- **orientalis** Decne. | ♃ VII-IX; GR, NW-TR
- **tabernaemontana** Walter · Blue Star | ♃ IV-V; USA: NE, NCE, Kans., SE, Okla., nat. in USA

Amyris P. Browne -f- *Rutaceae*
- **balsamifera** L. · Balsam Torchwood | ♄ ♄ ⓚ Ⓝ; Fla., Mex., W.Ind., C-Am., S-Am.

Anabasis L. -f- *Chenopodiaceae*
- **aphylla** L. · Anabasis | ♄ Ⓝ; Eur.: E-Russ.; Cauc., W-Iran, C-As., Him.

Anacampseros L. -f- *Portulacaceae* · Liebesröschen
- **albissima** Marloth | ♃ ♆ ⓚ ✻; Kap, Namibia
- **alstonii** Schönl. | ♃ ♆ ⓚ ✻; Kap, Namibia
- **arachnoides** (Haw.) Sims | ♃ ♆ ⓚ ✻; S-Afr.: Kap, Transvaal
- *arachnoides* hort. = Anacampseros rufescens
- *avasmontana* Dinter = Anacampseros albissima
- **dinteri** Schinz | ♃ ♆ ⓚ ✻; Namibia
- **filamentosa** (Haw.) Sims | ♃ ♆ ⓚ ✻; Kap
- *filamentosa* De Wild. = Anacampseros rufescens
- **papyracea** E. Mey. ex Sond. | ♃ ♆ ⓚ ✻; Kap, Namibia
- **quinaria** E. Mey. ex Sond. | ♃ ♆ ⓚ ✻; Kap, Namibia
- **rufescens** (Haw.) Sweet | ♃ ♆ ⓚ ✻; Kap
- **telephiastrum** DC. | ♃ ♆ ⓚ ✻; Kap
- **tomentosa** A. Berger | ♃ ♆ ⓚ ✻; Namibia

Anacamptis Rich. -f- *Orchidaceae* · Hundswurz
- **pyramidalis** (L.) Rich. · Hundswurz, Spitzorchis · Pyramid Orchid | ♃ VI-VII ▽ ✻; Eur.*, TR, Cauc., Iran, NW-Afr.

Anacardium L. -n- *Anacardiaceae*
- **occidentale** L. · Cashew | ♄ ⓦ Ⓝ; ? Bras., nat. in Trop.

Anacharis = Elodea Michx.
- *callitrichoides* Rich. = Elodea callitrichoides
- *canadensis* (Michx.) Rich. = Elodea canadensis
- *densa* (Planch.) Vict. = Egeria densa
- *nuttallii* Planch. = Elodea nuttallii
- *occidentalis* (Pursh) Vict. = Elodea nuttallii

Anacyclus L. -m- *Asteraceae*
- **clavatus** (Desf.) Pers. · Bertramwurzel | VI-VII; Eur.: Ib, Fr, Ap, Ba; TR, N-Afr., Canar.
- *depressus* Ball = Anacyclus pyrethrum var. depressus
- **officinarum** Hayne · Apotheacry's Anacyclus | ⊙ Ⓝ; cult.
- **pyrethrum** (L.) Link · Pellitory, Pyrethrum | ⊙ Ⓝ; Eur.:SE-Sp.; Maroc., Alger.
  - var. **depressus** (Ball) Maire · Marokko-Kamille · Mount Atlas Daisy · Camomille marocaine | ♃ △ V-VIII ∧; Alger.; Atlas
- **radiatus** Loisel. | ⊙ VI-VIII; Eur.: Ib, Fr, Ap, Ba; Syr., N-Afr.

Anagallis L. -f- *Primulaceae* · Gauchheil
- **arvensis** L. · Acker-Gauchheil · Scarlet Pimpernel | ⊙ X-VI; Eur.*, TR, Levante, Iraq, Arab., Cauc., Iran, C-As., Afgh., Ind., Korea, Jap., Taiwan, SE-China, N-Afr., Sudan, Eth., Can., USA: NC, SC, SW, Rocky Mts., Calif., Greenl., S-Am., Austr., NZ
  - var. *caerulea* (L.) Gouan = Anagallis foemina
- *collina* Schousb. = Anagallis monellii subsp. linifolia
- × **doerfleri** Ronniger (*A. arvensis* × *A. foemina*)
- **foemina** Mill. · Blauer Gauchheil | ⊙ VI-IX; Eur.*, TR, Syr., Lebanon, Palaest., Iraq, Iran
- *grandiflora* Andrews = Anagallis monellii subsp. linifolia
- *linifolia* L. = Anagallis monellii subsp. linifolia
- **minima** (L.) E.H.L. Krause · Zwerg-Gauchheil | V-IX; Eur.*, Alger, Tun.
- **monellii** L. | ⊙ VI-IX; Eur.: Ib, Sard., Sic.; NW-Afr., Libya
  - subsp. **linifolia** (L.) Maire · Mouron ; Eur.: Ib, Sic.; NW-Afr., Libya
- **tenella** (L.) L. · Zarter Gauchheil | ♃ VII-

VIII; Eur.: Ib, BrI, Fr, Ap, C-Eur., GR; NW-Afr.

Anagyris L. -f- *Fabaceae*
- **foetida** L. · Stinking Bean Trefoil | ♄ Ⓚ V ☠; Eur.: Ib, Fr, Ap; TR, Levante, NW-Afr., Libya

Anamirta Colebr. -f- *Menispermaceae* · Scheinmyrte
- *cocculus* Wight et Arn. = Anamirta paniculata
- *flavescens* Miq. = Anamirta paniculata
- **paniculata** Colebr. · Levant Berry | ♄ Ⓦ ⚕ ☠ Ⓝ; Ind., Sri Lanka, Malay. Arch., N.Guinea

Ananas Mill. -m- *Bromeliaceae*
- *ananas* Voss = Ananas comosus
- **bracteatus** (Lindl.) Schult. f. · Red Pineapple, Wild Pineapple | ♃ Ⓦ; Bras., Parag.
- **comosus** (L.) Merr. · Pineapple | ♃ Ⓦ Ⓝ; cult.
- **nanus** (L.B. Sm.) L.B. Sm. | ♃ Ⓦ; Bras.
- *sativus* Schult. f. = Ananas comosus

Ananassa Lindl. -f- *Bromeliaceae*
- *sativa* Lindl. = Ananas comosus

Anaphalis DC. -f- *Asteraceae* · Perlpfötchen
- *cinnamomea* (DC.) Benth. ex C.B. Clarke = Anaphalis margaritacea var. cinnamomea
- **margaritacea** (L.) Benth. et Hook. f. · Großblütiges Perlkörbchen, Silberimmortelle · Pearly Everlasting · Immortelle d'argent | ♃ VII-IX; Alaska, Can., USA: NE, NCE, NC, Rocky Mts., SW, NW, Calif.; Jap., China, nat. in N-Eur., D
  - var. **cinnamomea** (DC.) Herder et Maxim. | ♃ VII-VIII; Him.
  - var. **yedoensis** (Franch. et Sav.) Ohwi | ♃ VII-IX; Jap.
- **nepalensis** (Spreng.) Hand.-Mazz.
  - var. *monocephala* (DC.) Hand.-Mazz. = Anaphalis nubigena
- **nubigena** DC. | ♃ △ VI-VII ∧; Afgh., Pakist., Tibet, Yunnan
- **triplinervis** (Sims) C.B. Clarke · Immortelle de l'Himalaya | ♃ △ VII-VIII; Him.
- *yedoensis* (Franch. et Sav.) Maxim. = Anaphalis margaritacea var. yedoensis

Anarrhinum Desf. -n- *Scrophulariaceae*
- **bellidifolium** (L.) Willd. · Lochschlund · Anarrhinum | ♃ ⊙ △ VI-VII; Eur.: P, Sp., F, I, D, nat. in CH

Anastatica L. -f- *Brassicaceae* · Rose von Jericho
- **hierochuntica** L. · Resurrection Plant, Rose Of Jericho | ⊙ VII; Maroc., Alger., Sahara, S-Iran

Anchusa L. -f- *Boraginaceae* · Ochsenzunge
- *angustissima* K. Koch = Anchusa leptophylla subsp. incana
- **arvensis** (L.) M. Bieb. · Acker-Krummhals, Acker-Ochsenauge | V-IX; Eur.*, N-As., Eth.
- **azurea** Mill. · Italienische Ochsenzunge · Large Blue Alkanet | ⊙ ♃ V-IX; Eur.: Ib, Fr, Ap, Ba, EC-Eur., E-Eur.; TR, Levante, Iraq, Arab., Cauc., Iran, C-As., Him.; N-Afr.
- **barrelieri** (All.) Vitman | ⊙ ♃ VI-VIII; Eur.: H, Ba, E-Eur.; TR
- *caespitosa* hort. = Anchusa leptophylla subsp. incana
- **capensis** Thunb. · Annual Anchusa, Cape Forget-Me-Not | ⊙ VII-VIII; S-Afr.
- **cespitosa** Lam. | ♃ Ⓐ △ V-IX; Crete
- *echioides* (L.) M. Bieb. = Arnebia pulchra
- *italica* Retz. = Anchusa azurea
- **leptophylla** Roem. et Schult.
  - subsp. **incana** (Ledeb.) Chamb. | ♃ △ V-X ∧
- *myosotidiflora* Lehm. = Brunnera macrophylla
- **ochroleuca** M. Bieb. · Gelbe Ochsenzunge | ♃ ⊙ V-VII; Eur.: H, BG, E-Eur., nat. in NL, I
- **officinalis** L. · Gewöhnliche Ochsenzunge · Alkanet | ♃ ⊙ V-IX; Eur.* exc. BrI; TR
- *sempervirens* L. = Pentaglottis sempervirens
- **undulata** L. · Welligblättrige Ochsenzunge | ♃ VI-IX; Eur.: Ib, Fr, Ap, Ba; TR, Alger., Maroc.

Ancistrocactus = Sclerocactus Britton et Rose
- *crassihamatus* (F.A.C. Weber) L.D.

Benson = Sclerocactus uncinatus var. crassihamatus
– *scheerii* (Salm-Dyck) Britton et Rose = Sclerocactus scheerii
– *uncinatus* (Galeotti) L.D. Benson = Sclerocactus uncinatus

Andira Juss. -f- *Fabaceae*
– **araroba** Aguiar · Angelin | ♄ Ⓦ Off. ☠; Bras.
– **inermis** (W. Wright) Humb., Bonpl. et Kunth ex DC. · Cabbage Tree | ♄ Ⓦ ☠ Ⓝ; S-Fla., Mex., C-Am., W.Ind., S-Am., W-Afr.

Andrachne L. -f- *Euphorbiaceae*
– **colchica** Fisch. et C.A. Mey. ex Boiss. · Kolchische Andrachne · Andrachne de Colchide | ♄ VII-IX; Cauc.
– **phyllanthoides** (Nutt.) Müll. Arg. | ♄ VII-IX; USA: SE, Tex.

Andromeda L. -f- *Ericaceae* · Gränke, Lavendelheide, Rosmarinheide
– *arborea* L. = Oxydendrum arboreum
– *axillaris* Lam. = Leucothoe axillaris
– *calyculata* L. = Chamaedaphne calyculata
– *catesbaei* Walter = Leucothoe axillaris
– *dealbata* Bartram ex Willd. = Zenobia pulverulenta
– *ferruginea* Walter = Lyonia ferruginea
– *floribunda* Pursh ex Sims = Pieris floribunda
– *fontanesiana* Steud. = Leucothoe fontanesiana
– *formosa* Wall. = Pieris formosa
– **glaucophylla** Link · Behaarte Rosmarinheide · Bog Rosemary · Andromède à feuilles glauques | ♄ V-VI; Greenl., Can.: E, Sask.; USA: NE, NCE
– *japonica* Thunb. ex Murray = Pieris japonica
– *lucida* Lam. = Lyonia lucida
– *mariana* L. = Lyonia mariana
– *nana* Maxim. = Pieris nana
– **polifolia** L. · Kahle Rosmarinheide · Common Bog Rosemary · Andromède à feuilles de polium | ♄ V-VIII ☠; Eur.* exc. Ib; W-Sib., E-Sib., Amur, Sachal., Kamchat., Jap., Mong., Alaska, Can., USA: NW; Greenl.
– *pulverulenta* Bartram ex Willd. = Zenobia pulverulenta
– *racemosa* L. = Leucothoe racemosa
– *racemosa* Lam. = Lyonia mariana
– *recurva* Buckland = Leucothoe recurva

Andropogon L. -m- *Poaceae*
– *barbatus* L. = Chloris barbata
– *citratus* DC. ex Nees = Cymbopogon citratus
– *confertiflorus* Steud. = Cymbopogon nardus var. confertiflorus
– *flexuosus* Nees ex Steud. = Cymbopogon flexuosus
– **gayanus** Kunth · Bartgras, Gambagras | ♃ Ⓝ; trop. Afr., nat. in Bras., Ind., Austr.: Queensl.
– **gerardii** Vitman; N-Am.
– *gryllus* L. = Chrysopogon gryllus
– *ischaemum* L. = Bothriochloa ischaemum
– *iwarancusa* Roxb. = Cymbopogon iwarancusa
– *martinii* Roxb. = Cymbopogon martinii
– *muricatus* Retz. = Vetiveria zizanioides
– *nardus* L. = Cymbopogon nardus
– *polydactylos* L. = Chloris barbata
– *schoenanthus* L. = Cymbopogon schoenanthus
– *scoparius* Michx. = Schizachyrium scoparium
– *squarrosus* Hack. = Vetiveria zizanioides

Androsace L. -f- *Primulaceae* · Mannsschild
– **aizoon** Duby | ♃ △ V; Ind., China
– **albana** Steven | ⊙ △ IV-V; TR, Cauc. (Armen.), N Iran
– **alpina** (L.) Lam. · Alpen-Mannsschild | ♃ VII-VIII; Eur.: F, CH, A, I; Alp.
– *arachnoidea* Schott, Nyman et Kotschy = Androsace villosa var. arachnoidea
– **brevis** (Hegetschw.) Ces. · Charpentiers Mannsschild | ♃ VI; E-Alp.: CH, I (Lago di Como)
– *brigantiaca* Jourd. et Fourr. = Androsace carnea subsp. brigantiaca
– **carnea** L. · Flaumigbehaarter Mannsschild, Fleischroter Mannsschild · Pink Rock Jasmine | ♃ △ VI-VII; Eur.: Sp., F, CH, I; mts.
  - subsp. **brigantiaca** (Jord. et Fourr.) I.K. Ferguson | ♃ △ VI; Eur.: F, I; SW-Alp.
  - subsp. *halleri* L. = Androsace carnea subsp. rosea
  - subsp. **laggeri** (A. Huet) Nyman | ♃ △ IV-VI; Eur.: Sp., F; C-Pyr.
  - subsp. **rosea** (Jord. et Fourr.) Rouy · Hallers Mannsschild | ♃ VI-VII; E-Pyr., mts. F

– **chamaejasme** Wulfen emend. Host · Bewimperter Mannsschild · Bastard Rock Jasmine | ♃ △ VI ▽; Eur.: F, I, C-Eur., EC-Eur.; Pyr., Alp., Carp.; Cauc., Him., E-Sib., Alaska, Can.: W
– *charpentieri* (Heer) Rchb. = Androsace brevis
– *chumbyi* hort. = Androsace sarmentosa 'Chumbyi'
– **ciliata** DC. | ♃; Eur.: F, E, C-Pyr.
– **cylindrica** DC. | ♃; Eur. ; F, Sp.; C-Pyr.
– *dubyi* (Derganc) N.P. Balakr. = Androsace sarmentosa
– *dubyi* Hyl. = Androsace primuloides
– **elongata** L. · Langgestielter Mannsschild. | IV-V; Eur.: Ib, Sic., Fr, C-Eur., EC-Eur., Ba, E-Eur.; Cauc., ? W-Sib., E-Sib., Mong., China, nat. in Norw.
– **foliosa** Duby ex Decne. | ♃ △ V-VI; NW-Him.
– **globifera** Duby | ♃; Him
– *halleri* L. = Androsace carnea subsp. rosea
– **hausmannii** Leyb. · Dolomiten-Mannsschild | ♃ VII-VIII; E-Alp.: D, A, I, W-Ba
– **hedraeantha** Griseb. | ♃ △ V-VI; Eur.: Ba; mts.
– **helvetica** (L.) All. · Schweizer Mannsschild | ♃ △ V-VI ▽; Eur.: F, I, CH, D, A; Alp., ? Pyr.
– **hirtella** Dufour | ♃; Eur. ; F, Sp.; C-Pyr.
– *imbricata* (Lam.) = Androsace vandellii
– **lactea** L. · Milchweißer Mannssschild · Milkwhite Rock Jasmine | ♃ △ VI ▽; Eur.: Fr, C-Eur., EC-Eur., Ap, Slove.Croatia, Bosn., Serb., RO; mts.
– **lactiflora** Pall. | ⊙ △ V-VI; Sib., Mong.
– *laggeri* A. Huet = Androsace carnea subsp. laggeri
– **lanuginosa** Wall. · Rock Jasmine | ♃ △ V-VI; Him.
– **limprichtii** Pax et Hoffm.
– **mathildae** Levier | ♃; I: C-Apenn.
– **maxima** L. · Großer Mannsschild | ⊙ △ IV-V; Eur.* exc. BrI, Sc; TR, Iraq, Levante, Cauc., Iran, C-As., W-Sib., Mong., NW-Afr., Libya
– *microphylla* Hook. f. = Androsace mucronifolia
– **mucronifolia** D. Watt | ♃; Him., Tibet, Afgh., Kashmir
– **muscoidea** Duby | ♃; Him., Tibet
– **obtusifolia** All. · Stumpfblättriger Mannsschild | ♃ △ VI-V ▽; Eur.: Fr, C-Eur., EC-Eur., Ap, Ba, RO; mts.
– **primuloides** Duby | ♃ △ VI-VII; W-Him.: Kashmir
– *primuloides* hort. = Androsace sarmentosa
– **pubescens** DC. | ♃; Sp., F, CH, I; C-Alp., SW-Alp., Pyren.
– **pyrenaica** Lam. | ♃; F, Sp.; Pyr.
– **rotundifolia** Hardw. | ♃; Afgh., N-Ind., Bhutan
  - var. *elegans* (Duby) Knuth = Androsace rotundifolia
– **sarmentosa** Wall. · Androsace de Chine, Androsace sarmenteuse | ♃ △ VI-VII; Him., W-China
  - **'Chumbyi'**
  - *'Limprichtii'* = Androsace limprichtii
  - *'Watkinsii'* = Androsace limprichtii
  - var. *chumbyi* Fitzh. = Androsace sarmentosa 'Chumbyi'
  - var. *watkinsii* Hook. f. = Androsace limprichtii
– **sempervivoides** Jacquem. ex Duby · Androsace naine de l'Himalaya | ♃ △ VI-VII; Kashmir, Tibet
– **septentrionalis** L. · Nördlicher Mannsschild · Rock Jasmine | ⊙ △ IV-V; Eur.: Fr, Ap, C-Eur., EC-Eur., Sc, EC-Eur.; Cauc., W-Sib., E-Sib., Amur, Kamchat., Mong., China: Xijiang; Alaska, Can., USA: NE, NCE, SW, Rocky Mts., NW, Calif.; Greenl.
– **strigillosa** Franch. | ♃ △ VI; Sikkim
– **vandellii** (Turra) Chiov. · Vandellis Mannsschild | ♃ VII; Eur.: Sp., F, I, CH, A; Sierra Nevada, Pyr., Alp.
– **villosa** L. · Zottiger Mannsschild | ♃ VI-VII; Eur.: Ib, Fr, C-Eur., Ap, Ba, EC-Eur.; TR, Syr., Cauc., C-As., W-Him.; mts.
  - var. **arachnoidea** (Schott, Nyman et Kotschy) Knuth | ♃ △ VI-VII; Eur.: I, SE-Eur.
  - var. *congesta* Boiss. = Androsace villosa
– *vitaliana* (L.) Lapeyr. = Vitaliana primuliflora
– **wulfeniana** Sieber · Wulfens Mannsschild | ♃ VI-VII; A, I; E-Alp.

Andryala L. -f- *Asteraceae*
– **agardhii** Haens. ex DC. | ♃ Ⓐ ▭ V-VII; S-Sp.: Sierra Nevada

Aneilema R. Br. -f- *Commelinaceae*

– *geniculatum* (Jacq.) Woodson = Gibasis geniculata

Anemia Sw. -f- *Schizaeaceae*
– **mandiocana** Raddi | ♃ (w); Bras.
– **phyllitidis** (L.) Sw. | ♃ (w); Mex., C-Am., W.Ind., trop. S-Am., nat. in Sri Lanka
– **rotundifolia** Schrad. | ♃ (w); S-Bras.
– **tomentosa** (Savigny) Sw. | ♃ (w); S-Am., Eth., S-Afr. (Natal), S-Ind.

Anemone L. -f- *Ranunculaceae* · Anemone
– *aconitifolia* Michx. = Anemone canadensis
– *acutiloba* (DC.) M.A. Lawson = Hepatica acutiloba
– *albana* Steven = Pulsatilla albana
– *alpina* L. = Pulsatilla alpina
– *angulosa* auct. non Lam. = Hepatica transsylvanica
– **apennina** L. · Apenninen-Windröschen · Anémone des Apennins | ♃ △ IV-V; Eur.: Corse, I, Sic., Croatia, YU, AL, nat. in BrI, Sc, Fr, C-Eur.
– **baicalensis** Turcz. et Ledeb. | ♃ ⇝ IV-V; E-Sib.
– **baldensis** Jacq. · Monte Baldo-Windröschen, Tiroler Windröschen · Monte Baldo Anemone | ♃ △ VII-VIII; Eur.: F, I, CH, A, Slove., Montenegro; Alp., Montenegro
– **blanda** Schott et Kotschy · Balkan-Windröschen · Windflower · Anémone de mars des Balkans | ♃ △ III-IV; Eur.: Ba; TR, Cauc.
– **canadensis** L. · Kanadische Anemone · Canada Anemone | ♃ △ V; Can., USA: NE, NCE, NC, N.Mex.
– **coronaria** L. · De Caen Anemone, St. Brigid's Anemone | ♃ ⋊ III-V; Eur.: Ib, Fr, Ap, Ba; TR, Levante, Egypt, Tun., Alger.
– **cylindrica** A. Gray | ♃; W-USA
– *dichotoma* Michx. non L. = Anemone canadensis
– × *elegans* Decne. = Anemone Japonica-Grp. 'Elegans'
– × **fulgens** (DC.) Gayer | ♃ ⋊ III-V; cult.
  - var. *annulata-grandiflora* hort. = Anemone pavonina
– *globosa* (Torr. et A. Gray) Nutt. = Anemone multifida
– *hepatica* L. = Hepatica nobilis
– **hortensis** L. · Garten-Windröschen, Stern-Anemone ; Eur.: F, Ap, Ba
– **hupehensis** (Lemoine) Lemoine · Japanese Anemone · Anémone d'automne ; C-China
  - var. **japonica** (Thunb.) Bowles et Stearn · Japanese Anemone | ♃ ⋊ VIII-IX; Jap., S-China
  - var. *tomentosa* (Maxim.) Hyl. = Anemone tomentosa
– *japonica* (Thunb.) Siebold et Zucc. = Anemone hupehensis var. japonica
  - var. *hupehensis* Lemoine = Anemone hupehensis
– × **lesseri** Wehrh. (*A. multifida* × *A. sylvestris*) | ♃ △ V-VI; cult.
– **leveillei** Ulbr. | ♃; C-China
– *magellanica* hort. = Anemone multifida
– *montana* Hoppe = Pulsatilla montana
– **multifida** Poir. · Pacific Anemone | ♃ VI; Alaska, Can., USA: NE, NCE, NC, Rocky Mts., NW, SW, Calif.; s S-Am
– **narcissiflora** L. · Berghähnlein, Narzissenblütiges Windröschen · Narcissus Flowered Anemone | ♃ △ V-VI ▽ ☠; Eur.* exc. BrI, Sc; TR, Cauc., W-Sib. (Ural); mts.
– **nemorosa** L. · Busch-Windröschen · Wind Flower, Wood Anemone · Anémone des bois, Anémone Sylvie | ♃ III-V ☠; Eur.*, TR
– *nipponica* Merr. = Anemone hupehensis var. japonica
– **palmata** L. | ♃ V-VI; Eur.: Ib, F, Sard., Sic., ? GR; NW-Afr.
– *patens* L. = Pulsatilla patens
– **pavonina** Lam. emend. Stearn | ♃ V-VI; Eur.: N-Sp.; mts.
– *pensylvanica* L. = Anemone canadensis
– **polyanthes** D. Don | ♃ △ VI; Pakist., Him.
– *pratensis* L. = Pulsatilla pratensis
– *pulsatilla* L. = Pulsatilla vulgaris
– **ranunculoides** L. · Gelbes Windröschen · Yellow Anemone | ♃ IV-V ☠; Eur.* exc. BrI; TR, Cauc., ?Tibet
– **rivularis** Buch.-Ham. ex DC. · Bach-Anemone · Anémone des rives | ♃ V-VI; Ind., SW-China
– **rupicola** Cambess. · Rock Windflower | ♃ △ VII-VIII; Afgh., Him., SW-China
– *slavica* Reuss = Pulsatilla halleri subsp. slavica
– *stellata* Lam. = Anemone hortensis
– **sylvestris** L. · Großes Windröschen · Snowdrop Windflower, Windflower · Anémone des forêts printanière | ♃ IV-VI

▽ ☠; Eur.* exc. BrI; Cauc., W-Sib., O-Sib., Amur, ? Kamchat., C-As., Mong., ? Manch.
– **tetrasepala** Royle | ♃; W-Him.: Afgh., NW-Ind.
– *thalictroides* L. = Anemonella thalictroides
– **tomentosa** (Maxim.) C. P'ei | ♃ VIII-IX; N-China
– *transsylvanica* (Fuss) Heuff. = Hepatica transsylvanica
– **trifolia** L. · Dreiblättriges Windröschen | ♃ V; Eur.: Ib, F, I, A, H
– *vernalis* L. = Pulsatilla vernalis
– **virginiana** L. | ♃; USA
– **vitifolia** Buch.-Ham. ex DC. | ♃ VIII-X; Afgh., Him., W-China, Myanmar
  - var. *tomentosa* (Maxim.) Ulbr. = Anemone tomentosa
– **Cultivars**
  - **Japonica-Grp.'Elegans'**

Anemonella Spach -f- *Ranunculaceae*
– **thalictroides** (L.) Spach | ♃ IV-V; Ont., USA: NE, NCE, Okla., SE, Fla.

Anemonopsis Siebold et Zucc. -f- *Ranunculaceae* · Scheinanemone
– **macrophylla** Siebold et Zucc. | ♃ VIII; Jap.

Anemopaegma Mart. ex Meisn. -n- *Bignoniaceae*
– **chamberlaynii** (Sims) Bureau et K. Schum. · Yellow Trumpet Vine | ♄ ⓦ ⌇ IX; Bras.

Anemopsis Hook. et Arn. -f- *Saururaceae*
– **californica** (Nutt.) Hook. et Arn. · American Swamp Root, Lizard's Tail | ♃ ⓚ ~ VII-VIII; USA: Oreg., Calif., Rocky Mts., SW, SC. Kans. ; Mex.

Anethum L. -n- *Apiaceae* · Dill
– **graveolens** L. · Dill · Dill | ⊙ VII-IX; SW-As, Ind., ? N-Afr, nat. in Eur.* exc. BrI, Sc; N-Am.
  - var. **hortorum** Alef. | ⊙ VII-VIII Ⓝ; cult.

Angelica L. -f- *Apiaceae*
– **archangelica** L. · Echte Engelwurz · Archangel, Garden Angelica | ♃ VI-VIII; Eur.: Sc, NL, C-Eur., EC-Eur., E-Eur.; Cauc., W-Sib., nat. in BrI, F, Ap, Ba
  - var. **sativa** (Mill.) Rikli | ♃ Off. VII-VIII Ⓝ; cult.
– **palustris** (Besser) Hoffm. · Sumpf-Engelwurz | VII-VIII; Eur.: C-Eur., EC-Eur., Serb., Montenegro, E-Eur.; W-Sib., E-Sib., C-As.
– **pyrenaea** (L.) Spreng. · Pyrenäen-Engelwurz | ⊙ VI-IX; Eur.: Sp., F; NW-Sp., Vosges
– **sylvestris** L. · Angelika, Echte Brustwurzel, Wald-Engelwurz · Wild Angelica | ♃ VII-IX Ⓝ; Eur.*; TR, Cauc., Sib.

Angelonia Bonpl. -f- *Scrophulariaceae*
– **angustifolia** Benth. | ♃ ⓦ VII-X; Mex., C-Am., trop. S-Am.
– **cornigera** Hook. | ⊙ VII-VIII; Bras.
– **gardneri** Hook. | ♃ ♄ ⓦ VII-VIII; Bras.
– *grandiflora* hort. = Angelonia salicariifolia
– **salicariifolia** Humb. et Bonpl. | ♃ ⓦ VII-X; W.Ind., trop. S-Am.

Angiopteris Hoffm. -f- *Marattiaceae* · Bootfarn
– **evecta** (G. Forst.) Hoffm. · Turnip Fern | ⓦ; Madag., Ind., Sri Lanka, Jap., N-Austr., Polyn.

Angophora Cav. -f- *Myrtaceae*
– **floribunda** (Sm.) Sweet | ♄ ⓚ; Austr.: Queensl., N.S.Wales, Victoria

Angraecum Bory -n- *Orchidaceae*
– *arcuatum* Lindl. = Cyrtorchis arcuata
– *articulatum* Rchb. f. = Aerangis articulata
– *citratum* Thouars = Aerangis citrata
– **eburneum** Bory | ♄ ⓦ XI-I; Maskarene Is.
  - subsp. **superbum** (Thouars) H. Perrier | ♄ ⓦ XI-I ✻; Madag.
– **eichlerianum** Kraenzl. | ♄ ⓦ IX ✻; Cameroun, Nigeria, Gabon, Zaire, Angola
– *ellisii* Rchb. f. = Aerangis ellisii
– *falcatum* (Thunb.) Lindl. = Neofinetia falcata
– *hyaloides* Rchb. f. = Aerangis hyaloides
– *kotschyanum* Rchb. f. = Aerangis kotschyana
– *kotschyi* Rchb. f. = Aerangis kotschyana
– *modestum* Hook. f. = Aerangis modesta
– *pellucidum* Lindl. = Diaphananthe pellucida

- **sesquipedale** Thouars · Comet Orchid, Star-of-Bethlehem Orchid | ♄ Ⓦ XII-II ✻; Madag.
- *superbum* Thouars = Angraecum eburneum subsp. superbum

Anguloa Ruiz et Pav. -f- *Orchidaceae*
- **brevilabris** Rolfe | ♃ Ⓦ VI ✻; Col.
- **cliftonii** Rolfe | ♃ Ⓦ ✻; Col.
- **clowesii** Lindl. · Cradle Orchid | ♃ Ⓦ V-VII ✻; Col., Venez.
- *hernandezii* Kunth = Stanhopea hernandezii
- **ruckeri** Lindl. | ♃ Ⓦ V-VI ✻; Col.
uniflora Ruiz et Pav. | ♃ Ⓦ V VII ✻; Col., Ecuad., Peru, Venez.
- *virginalis* Lindl. = Anguloa uniflora

× **Angulocaste** Hort. -f- *Orchidaceae* (*Anguloa* × *Lycaste*)

Anhalonium = Ariocarpus Scheidw.
- *fissuratum* (Engelm.) Engelm. = Ariocarpus fissuratus
- *furfuraceum* (S. Watson) J.M. Coult. = Ariocarpus retusus
- *kotschoubeanum* Lem. = Ariocarpus kotschoubeyanus
- *lewinii* Henn. = Lophophora williamsii var. lutea
- *trigonum* F.A.C. Weber = Ariocarpus trigonus
- *williamsii* (Lem. ex Salm-Dyck) Lem. = Lophophora williamsii

Anigozanthos Labill. -m- *Haemodoraceae* · Känguruhblume
- *coccineus* Paxton = Anigozanthos flavidus
- **flavidus** DC. · Tall Kangaroo Paw | ♃ Ⓚ V-VI ✻; W-Austr.
- *fuliginosus* Hook. = Macropidia fumosa
- **gabrielae** Domin | ♃ Ⓚ V-VI ✻; W-Austr.
- *grandiflorus* Salisb. = Anigozanthos flavidus
- **humilis** Lindl. · Common Cats Paw | ♃ Ⓚ V-VI ✻; W-Austr.
- **manglesii** D. Don · Kangaroo Paw | ♃ Ⓚ V-VI ✻; W-Austr.
- **pulcherrimus** Hook. | ♃ Ⓚ V-VI ✻; W-Austr.
- **rufus** Labill. · Kangaroo Paw | ♃ Ⓚ V-VI ✻; W-Austr.
- **viridis** Lindl. · Green Kangaroo Paw | ♃ Ⓚ V-VI ✻; W-Austr.

Anisantha = Bromus L.
- *sterilis* (L.) Nevski = Bromus sterilis
- *tectorum* (L.) Nevski = Bromus tectorum

Anisodontea C. Presl -f- *Malvaceae*
- **capensis** (L.) D.M. Bates | ♄ Ⓚ VI-IX; S-Afr.
- **scabrosa** (L.) Bates | ♄; Kap

Anisum = Pimpinella L.
- *vulgare* Gaertn. = Pimpinella anisum

Annona L. -f- *Annonaceae*
- **cherimola** Mill. · Cherimoya, Custard Apple | ♄ Ⓦ Ⓝ; Ecuad., Peru, nat. in Trop., Subtrop.
- **diversifolia** Saff. | ♄ Ⓝ; S-Mex., C-Am., nat. in Fla.
- **glabra** L. · Pondapple ; USA: S-Fla.; trop. Am., W-Afr.
- **montana** Macfad. | ♄ Ⓝ; C-Am., W.Ind.
- **muricata** L. · Prickly Custard Apple, Sour Sop | ♄ Ⓦ Ⓝ; S-Mex., C-Am., W.Ind., trop. S-Am.
- **purpurea** Moq. et Sessé | ♄ Ⓝ; S-Mex., C-Am., W.Ind.
- **reticulata** L. · Bullock's Heart, Custard Apple | ♄ Ⓦ Ⓝ; Mex., W.Ind.
- **squamosa** L. · Custard Apple, Sweet Sop | ♄ Ⓦ Ⓝ; C-Am., W.Ind., nat. in Fla.
- *triloba* L. = Asimina triloba

Anoda Cav. -f- *Malvaceae*
- **cristata** (L.) Schltdl. | ♃; SW-USA, Mex., W.Ind., trop. S-Am.
- **wrightii** A. Gray; USA: N.Mex., S-Ariz.; Mex.

Anoectochilus Blume -m- *Orchidaceae*
- *dawsonianus* S.H. Low ex Rchb. f. = Ludisia discolor var. dawsoniana
- *lowii* Blume = Dossinia marmorata
- **regalis** Blume | ♃ Ⓦ IV-VI ✻; Sri Lanka
- *setaceus* (Blume) Lindl. = Anoectochilus regalis
- **sikkimensis** King et Pantl. | ♃ Ⓦ ✻; Ind.: Sikkim

× **Anoectomaria** Hort. -f- *Orchidaceae* (*Anoectochilus* × *Ludisia*)

Anogeissus (DC.) Wall. -m- *Combretaceae*
- **latifolia** (Roxb. ex DC.) Wall. ex Bedd. ·

Gum Ghatti | ♄ ⓦ Ⓝ; Ind., Sri Lanka

Anogramma Link -f- *Adiantaceae*
– **leptophylla** (L.) Link · Nacktfarn · Jersey Fern | ♃ ⓚ III-IV; Eur.: Ib, Fr, CH, Ap, Ba, Krim; TR, Levante, Cauc., Ind., Austr., NW-Afr., Libya, S-Afr., N-Am
– *schizophylla* (Baker ex Jenman) Diels = Pityrogramma schizophylla

Anomalesia = Gladiolus L.
– *cunonia* (L.) N.E. Br. = Gladiolus cunonius

Anomatheca Ker Gawl. -f- *Iridaceae*
– *corymbosa* (L.) hort. = Lapeirousia corymbosa
– *cruenta* Lindl. = Anomatheca laxa
– **grandiflora** Baker | ♃ ⓚ IV-V; S-Afr.
– *juncea* (L. f.) Ker-Gawl. = Anomatheca verrucosa
– **laxa** (Thunb.) Goldblatt | ♃ ⓚ IV-VI; S-Afr.
– **verrucosa** (Vogel) Goldblatt | ♃ ⓚ IV-V; Kap

Anota = Rhynchostylis Blume
– *densiflora* (Lindl.) Schltr. = Rhynchostylis gigantea
– *violacea* (Lindl.) Schltr. = Rhynchostylis violacea

Anredera Juss. -f- *Basellaceae*
– *baselloides* hort. = Anredera cordifolia
– **cordifolia** (Ten.) Steenis · Madeira Vine | ♃ ⓚ ≷ Ⓝ; Parag., S-Bras., N-Arg., nat. in Ib, F, Malta

Ansellia Lindl. -f- *Orchidaceae*
– **africana** Lindl. | ♄ ⓦ XII-I ✻; W-Afr.
– **gigantea** Rchb. f. | ♄ ⓦ XII-I ✻; trop. Afr., S-Afr.
  - var. *nilotica* N.E. Br. = Ansellia africana

× **Ansidium** Hort. -n- *Orchidaceae* (*Ansellia* × *Cymbidium*)

Antelaea = Melia L.
– *azadirachta* (L.) Adelb. = Melia azadirachta

Antennaria Gaertn. -f- *Asteraceae* · Katzenpfötchen
– **alpina** (L.) Gaertn. · Alpine Pussytoes | ♃ ⤳ △ VII-VIII; Eur.: Sc, N-Russ.
– *aprica* Greene = Antennaria parvifolia
– *candida* Greene = Antennaria dioica var. borealis
– **carpatica** (Wahlenb.) Bluff et Fingerh. · Karpaten-Katzenpfötchen | ♃ VI-VIII; Eur.: Ib, Fr, C-Eur., Ap, EC-Eur., RO, W-Russ.; Pyr., Alp., Carp.
– *cinnamomea* DC. = Anaphalis margaritacea var. cinnamomea
– **dioica** (L.) Gaertn. · Gewöhnliches Katzenpfötchen · Cat's Foot · Patte de chat, Pied de chat | ♃ ⤳ V-VI ▽ Ⓝ; Eur.*, Cauc., TR, Sib., Mong., Amur, N-Jap., Sachal.
  - var. **borealis** A. Camus | ♃ ⤳ △ V-VI
– *margaritacea* R. Br. = Anaphalis margaritacea
– **neglecta** Greene · Field Pussytoes ; Alaska, Can.: W; USA: NE, NCE, NC, SW, Rocky Mts., Calif.
  - var. **attenuata** (Fernald) Cronquist | ♃ ⤳ △ V-VI; Alaska, Can., USA: NE, NCE, NW, SW; Mex.
– **neodioica** Greene · Lesser Cat's Foot
– **parvifolia** Nutt. · Little Leaf Pussytoes · Camomille à petites fleurs | ♃ ⤳ △ V-VI; Alaska, Can., USA: NCE, NC, SW, Rocky Mts., NW; Mex.
– **plantaginifolia** (L.) Richardson · Woman's Tobacco | ♃ ⤳ △ V-VI; Can.: E; USA: NE, NCE, SC, SE
– *rupicola* Fernald = Antennaria neglecta var. attenuata
– *tomentosa* hort. = Antennaria dioica var. borealis

Anthemis L. -f- *Asteraceae* · Hundskamille
– **altissima** L. emend. Spreng. · Höchste Hundskamille | ⊙ VII-VIII Ⓝ; Eur.: Ib, Fr, Ap, Ba, Krim; TR, Cauc., C-As., nat. in C-Eur.
– *arabica* L. = Cladanthus arabicus
– **arvensis** L. · Acker-Hundskamille · Corn Chamomile | ⊙ ⊙ X; Eur.*, TR, Cauc., Iran, nat. in N-Am., S-Am., Austr., NZ
– **austriaca** Jacq. · Österreichische Hundskamille | ⊙ ⊙ VII-VIII; Eur.: A, I, EC-Eur., Ba, E-Eur.; TR, Cauc.
– *biebersteiniana* (Adams) K. Koch = Anthemis marschalliana
– **carpatica** Waldst. et Kit. ex Willd. · Karpaten-Hundskamille | ♃ △ VII-VIII; Eur.: Ib, Ap, C-Eur., Ba, PL, E-Eur.; NW-TR; mts.

- **cinerea** Pancic | ♃ △ VI-VIII /\; Eur.: E-Pyr., Serb., Maced., AL, BG
- *cota* L. emend. Vis. = Anthemis altissima
- **cotula** L. · Stinkende Hundskamille | ⊙ X Ⓝ; Eur.*, TR, Levante, Cauc., Iraq, Iran, N-Afr., Eth., nat. in N-Am., S-Am., Austr., NZ
- **cretica** L. | ♃ △ VI-VII; Eur.: ?Sp., F, I, Ba, RO; TR, Lebanon, Cauc.
- **haussknechtii** Boiss. et Reut. | ♃ △ VI-VII; S-TR, Syr., Iraq, Iran
- **marschalliana** Willd. · Hunds-Kamille · Camomille argentée | ♃ △ V-VII /\; TR mts., Cauc.
- *montana* L. = Anthemis cretica
- *nobilis* L. = Chamaemelum nobile
- *orientalis* (L.) Degen = Anthemis pectinata
  - subsp. *montana* Hayek = Anthemis cretica
- **pectinata** (Bory et Chaub.) Boiss. et Reut.
- *pyrethrum* L. = Anacyclus pyrethrum
- *rudolfiana* Adams = Anthemis marschalliana
- **ruthenica** M. Bieb. · Ruthenische Hundskamille | V-VIII; Eur.: C-Eur., EC-Eur., Ba, E-Eur; Cauc..
- **sancti-johannis** Turrill · Roman Chamomile | ♃ VI-VIII /\; SW-BG
- **segetalis** Ten.; Eur.: I, Ba, nat. in A
- **tinctoria** L. · Färber-Hundskamille · Dyer's Chamomile, Yellow Chamomile · Camomille des teinturiers | ♃ ⋊ VI-IX; Eur.* exc. BrI, Ib; TR, Syr., Cauc., Iran, nat. in BrI
- **triumfettii** (L.) DC. · Trionfettis Hundskamille | ♃ VII-VIII; Eur.: Ib, Fr, Ap, Ba, CH, RO; TR, Cauc.

Anthericum L. -n- *Anthericaceae* · Graslilie, Zaunlilie
- *bichetii* (Karrer) Hua = Chlorophytum bichetii
- **liliago** L. · Astlose Graslilie · St. Bernard's Lily · Phalangère faux-lis | ♃ V-VI; Eur.* exc. BrI; TR
- *liliastrum* L. = Paradisea liliastrum
- **ramosum** L. · Ästige Graslilie · Phalangère rameuse | ♃ VI-VIII; Eur.* exc. BrI; Cauc.

Antholyza L. -f- *Iridaceae*
- *aethiopica* L. = Chasmanthe aethiopica
- *caffra* Baker = Chasmanthe caffra
- *cunonia* L. = Gladiolus cunonius
- *paniculata* Klatt = Crocosmia paniculata

Anthoxanthum L. -n- *Poaceae* · Ruchgras
- **alpinum** A. Löve et D. Löve · Alpen-Ruchgras, Japanisches Ruchgras | ♃ V-VII; Eur.: N, mts.; TR, Cauc., Iran, W-Sib., E-Sib., C-As., Mong., ? N-Am.
- *aristatum* Boiss. = Anthoxanthum puelii
- **odoratum** L. · Gewöhnliches Ruchgras · Scented Vernal Grass · Flouve odorante | ♃ D V-VI Ⓝ; Eur.*, TR, Cauc., W-Sib., E-Sib., C-As., NW-Afr., Greenl., nat. in N-Am., Austr., Tasman.
- **puelii** Lecoq et Lamotte · Grannen-Ruchgras · Annual Vernal Grass, Small Sweet Vernal Grass | ⊙ V-VII; Eur.: Ib, Fr, Ap, Ba; Canar., Madeira, nat. in BrI, D, DK, PL, Balt., N-Am.

Anthriscus Pers. -m- *Apiaceae* · Kerbel
- **caucalis** M. Bieb. · Hunds-Kerbel | V-VI; Eur.*, TR, Syr., Cyprus, Cauc., NW-Afr., nat. in N-Am., NZ
- **cerefolium** (L.) Hoffm. · Garten-Kerbel · Chervil | ⊙ V-VIII Ⓝ; cult.
  - subsp. **trichospermus** (Wimm.) Arcang. | ⊙ VI; Eur., TR, N-Iraq, Cauc., Iran, C-As., NW-Afr., Libya
  - var. *sativus* (Lam.) Endl. = Anthriscus cerefolium
- **nitida** (Wahlenb.) Hazsl. · Glanz-Kerbel | ♃ VI-VIII; Eur.: Fr, Ap, C-Eur., EC-Eur., Ba; mts.
- **sylvestris** (L.) Hoffm. · Wiesen-Kerbel · Cow Parsley, Queen Anne's Lace | ♃ V-VII Ⓝ; Eur.*, Cauc., Sib., N-Afr., Eth., , nat. in N-Am.
- *trichospermus* Spreng. non Pers. = Anthriscus cerefolium

Anthurium Schott -n- *Araceae*
- **acaule** (Jacq.) Schott | ♃ Ⓦ; W.Ind.
- **andraeanum** Linden; Col.
- **bakeri** Hook. f. | ♃ Ⓦ ♣; C-Am., Col.
- **bellum** Schott | ♄ Ⓦ; Bras.
- **bogotense** Schott | ♄ Ⓦ; Col.
- × *carneum* Regel = Anthurium × ferrierense
- **corrugatum** Sodiro | ♄ Ⓦ; Col., Ecuad.
- **crassinervium** (Jacq.) Schott | ♃ Ⓦ; Venez.
- **crystallinum** Linden et André · Crystal Anthurium, Flamingo Flower | ♃ Ⓦ D; Panama, Col., Ecuad., Peru

– × *cultorum* Birdsey = Anthurium × ferrierense
– **digitatum** (Jacq.) G. Don | ♄ Ⓦ; Venez.
– *ellipticum* K. Koch et Bouché = Anthurium crassinervium
– **erythrocarpum** Sodiro | ♄ Ⓦ; Bras.
– × **ferrierense** Mast. et T. Moore (*A. andraeanum* × *A. nymphaeifolium*) ; cult.
 - **'Album'**; cult.
 - **'Atrosanguineum'**; cult.
 - **'Roseum'**; cult.
– *fissum* K. Koch ex Regel = Anthurium palmatum
– **forgetii** N.E. Br. | ♄ Ⓦ D; Col.
– **galeottii** K. Koch | ♃ Ⓦ; S-Bras.
– **harrisii** Endl. | ♄ Ⓦ; Bras.
– **hookeri** Kunth | ♄ Ⓦ; Lesser Antilles, Trinidad, Surinam
– × *hortulanum* Birdsey = Anthurium scherzerianum
– **insigne** Mast. | ♄ Ⓦ ≹; Col., Ecuad.
– **kalbreyeri** hort. Veitch ex Mast. et T. Moore | ♄ Ⓦ ≹; Col.
– **leuconeurum** Lem. | ♄ Ⓦ; Mex.
– **macrolobum** hort. W. Bull ex Mast. et T. Moore | ♄ Ⓦ; Bras.
– **magnificum** Linden | ♄ Ⓦ; Col.
– **palmatum** (L.) G. Don | ♄ Ⓦ; W.Ind.
– *papillosum* Markgr. = Anthurium corrugatum
– **paraguayense** Engl. | ♃ Ⓦ; Parag.
– **pedatoradiatum** Schott | ♄ Ⓦ; Mex.
– **radicans** K. Koch | ♄ Ⓦ ≹; ? S-Bras.
– **regale** Linden | ♄ Ⓦ; Peru
 - **'Robustum'** | ♄ Ⓦ; cult.
– × *robustum* hort. = Anthurium regale 'Robustum'
– **scandens** (Aubl.) Engl. | ♄ Ⓦ ≹ ♧; S-Mex., C-Am., W.Ind., trop. S-Am.
– **scherzerianum** Schott | ♄ Ⓦ; Guat., Costa Rica
– **signatum** K. Koch et Mathieu | ♄ Ⓦ; Venez.
– **subsignatum** Schott | ♄ Ⓦ; Costa Rica
– **trinerve** Miq. | ♄ Ⓦ; Bras.
– **veitchii** Mast. | ♄ Ⓦ; Col.
– **warocqueanum** T. Moore | ♄ Ⓦ; Col.
– **wendlingeri** G.M. Barroso | ♃ Ⓦ ≹ ♧; Costa Rica

Anthyllis L. -f- *Fabaceae* · Wundklee
– **barba-jovis** L. | ♄ Ⓚ III-V; Eur.: Ib, Fr, Ap, Ba
– **hermanniae** L. | ♄ ♄ △ VI-V ∧; Eur.: Ib, Ap, Ba; TR
– **montana** L. · Berg-Wundklee | ♃ △ VI-VIII; Eur.: Ib, Fr, Ap, Ba, C-Eur., RO; Alger.; mts.
 - subsp. **jacquinii** (A. Kern.) Hayek · Jacquins Wundklee | ♃ VI; Eur.: E-Alp., mts. Ba
– **vulneraria** L. · Gewöhnlicher Wundklee · Kidney Vetch, Lady's Fingers | ♃ V-VI Ⓝ; Eur.*, TR, Syr., Palaest., N-Afr., Eth.
 - var. *coccinea* L. = Anthyllis vulneraria
– **webbiana** Hook.; Madeira

Antiaris Lesch. -f- *Moraceae*
– **toxicaria** (Pers.) Lesch. · Upas Tree | ♄ Ⓦ ☠ Ⓝ; trop. Afr., Ind., Sri Lanka, Malay. Arch., Phil., Fiji

Antidesma L. -n- *Euphorbiaceae*
– **bunius** (L.) Spreng. | ♄ Ⓦ Ⓝ; Him., Ind., Sri Lanka, SW-China, Malay. Arch., Phil., Austr.: Queensl.

Antigonon Endl. -n- *Polygonaceae*
– **leptopus** Hook. et Arn. · Chain of Love, Coral Vine, Mexican Creeper | ♄ Ⓦ ≹ VII-VIII; W-Mex.

Antirrhinum L. -n- *Scrophulariaceae* · Löwenmaul
– *asarina* L. = Asarina procumbens
– *bellidifolium* L. = Anarrhinum bellidifolium
– **braun-blanquetii** Rothm.; Eur.: N-P, N-Sp.
– *glutinosum* Boiss. et Reut. = Antirrhinum hispanicum
– **hispanicum** Chav. | ♃ △ VII-IX ∧; SE-Sp., Maroc.
– **latifolium** Mill. | ♃; Eur.: I, F, NE-Ap.
– **majus** L. · Garten-Löwenmaul, Großes Löwenmaul · Snapdragon · Gueule-de-loup, Muflier | ☉ ♃ ⋈ VI-IX; Eur.: Ib, F, Sic.; NW-Afr., Cyprus, Syr., nat. in Eur.: BrI, C-Eur., Ap, EC-Eur., Ba, RO; TR
– **molle** L. | ♄ Ⓐ △ VII-IX ∧; Eur.: N-P, N-Sp.

Anubias Schott -f- *Araceae*
– **afzelii** Schott | ♃ Ⓦ ~ ; W-Afr.
– **barteri** Schott; W-Afr., Cameroun, Gabun
 - var. **glabra** N.E. Br. | ♃ Ⓦ ~ ; S-Nigeria, Cameroun, Gabon
 - var. **nana** (Engl.) Crusio | ♃ Ⓦ ~ ; Cameroun

- *congensis* N.E. Br. = Anubias heterophylla
- **heterophylla** Engl. | ♃ ⌂ ~ ; trop. Afr.
- *lanceolata* hort. = Anubias afzelii
- *lanceolata* N.E. Br. = Anubias barteri var. glabra
- *nana* Engl. = Anubias barteri var. nana

Apera Adans. -f- *Poaceae* · Windhalm
- **interrupta** (L.) P. Beauv. · Unterbrochener Windhalm | VI-VII; Eur.*, TR, Cauc., Iran, Afgh., Pakist., C-As., NW-Afr.
- **spica-venti** (L.) P. Beauv. · Gewöhnlicher Windhalm · Loose Silky Bent | ⊙ VI-VII; Eur.*, W-Sib.

Aphananthe Planch. -f- *Ulmaceae*
- **aspera** (Blume) Planch. | ♄ ♄ IV-V; Jap., Korea, E-China

Aphanes L. -f- *Rosaceae*
- **arvensis** L. · Gewöhnlicher Ackerfrauenmantel · Breakstone | ⊙ V-IX; Eur.*, TR, Levante, Cauc., N-Iran, Madeira, NW-Afr., nat. in N-Am., Austr.
- **inexpectata** W. Lippert · Kleinfrüchtiger Ackerfrauenmantel | V-IX; Eur.* exc. Ap, Ba

Aphelandra R. Br. -f- *Acanthaceae*
- *amoena* W. Bull = Aphelandra blanchetiana
- *atrovirens* N.E. Br. = Aphelandra bahiensis
- **aurantiaca** (Scheidw.) Lindl.; Mex., C-Am., trop. S-Am.
  - **'Roezlii'**; cult.
  - var. **nitens** (Hook. f.) Wassh. | ♄ ⌂ IV-V; Col., Ecuad., Peru
  - var. *roezlii* Van Houtte = Aphelandra aurantiaca 'Roezlii'
- **bahiensis** (Nees) Wassh. | ♃ ⌂; Bras.: Bahia
- **blanchetiana** (Nees) Hook. f. | ♄ ⌂ VII-VIII; Bras.: Bahia
- **chamissoniana** Nees | ♄ ⌂ IX-X; S-Bras.
- *fascinator* Linden et André = Aphelandra aurantiaca
- **flava** Nees | ♄ ⌂ IX-X; Col.
- *fuscopunctata* Markgr. = Aphelandra flava
- *leopoldii* (Van Houtte) Lowe = Aphelandra squarrosa 'Leopoldii'
- **liboniana** Linden | ♄ ⌂ IV-VI; Bras.
- *maculata* (Tafalla ex Nees) Voss = Stenandrium lindenii
- *nitens* Hook. f. = Aphelandra aurantiaca
- *punctata* hort. = Aphelandra aurantiaca
- *punctata* W. Bull = Aphelandra chamissoniana
- **sinclairiana** Nees | ♄ ⌂ IV-IX; Costa Rica, Panama
- **squarrosa** Nees · Saffron Spike, Zebra Plant | ♄ ⌂ ▽ VI-X; SE-Bras.
  - **'Leopoldii'**; cult.
  - var. *leopoldii* Van Houtte = Aphelandra squarrosa 'Leopoldii'
- **tetragona** (Vahl) Nees | ♄ ⌂ VI-X; Venez.

Aphyllanthes L. -f- *Aphyllanthaceae* · Binsenlilie
- **monspeliensis** L. | ♃; Eur.: , Ib, Fr, Ap; Maroc.

Apicra = Haworthia Duval
- *aspera* (Haw.) Willd. = Astroloba aspera
- *deltoidea* (Hook. f.) Baker = Astroloba spiralis subsp. foliolosa
- *foliolosa* (Haw.) Willd. = Astroloba spiralis subsp. foliolosa
- *pentagona* (Willd.) Willd. = Astroloba spiralis subsp. foliolosa 'Pentagona'
- *rubriflora* L. Bolus = Poellnitzia rubriflora
- *spiralis* (Duval) Willd. = Astroloba spiralis

Apios Fabr. -f- *Fabaceae* · Erdbirne
- **americana** Medik. · Amerikanische Erdbirne · Earthnut, Potato Bean | ♃ § D § VII-IX Ⓝ; Can.: E; USA: NE, NCE, NC, Colo., SC, SE, Fla., nat. in I, F
- *tuberosa* Moench = Apios americana

Apium L. -n- *Apiaceae* · Eppich
- **graveolens** L. · Echter Sellerie · Wild Celery | ⊙ ♃ ~ VII-IX; Eur.*, Cauc., TR, Levante, Iraq, Cauc., N-Iran, W-Him., Pakist., Canar., Madeira, N-Afr.
  - var. **dulce** (Mill.) Pers. | Ⓝ; cult.
  - var. **rapaceum** (Mill.) Gaudin | Ⓝ; cult.
  - var. **secalinum** Alef. | Ⓝ; cult.
- **inundatum** (L.) Rchb. f. · Flutender Sellerie | ♃ VI-VII; Eur.: Ib, Fr, BrI, I, D, Sc, PL
- **nodiflorum** (L.) Lag. · Knotenblütiger Sellerie | ♃ VII-IX; Eur.: Ib, Fr, Ap, Ba,

BrI, C-Eur., ? RO; TR, Iran, SW-As., C-As., N-Afr., nat. in N-Am., S-Am.
– **repens** (Jacq.) Lag. · Kriechender Sellerie | ♃ VII-IX; Eur.:Fr, C-Eur., EC-Eur., Ib, Ap, Sc, +

Aploleia = Callisia Loefl.
– *monandra* (Sw.) H.E. Moore = Callisia monandra
– *multiflora* (M. Martens et Galeotti) H.E. Moore = Callisia multiflora

Apocynum L. -n- *Apocynaceae* · Hundsgift
– **androsaemifolium** L. · Spreading Dogbane | ♃ VII-IX ☠; Alaska, Can., USA* ; Mex.
– **cannabinum** L. · American Hemp | ♃ VII-IX ☠; Can.: E; USA*
 - var. *glaberrimum* A. DC. = Apocynum cannabinum
 - var. **greenianum** (Bég. et Bel.) Woodson
 - var. *pubescens* (J. Mitch. ex R. Br.) Woodson = Apocynum cannabinum
– *venetum* A. DC. = Apocynum cannabinum
– **venetum** L. | ♃ VI-VII ☠ Ⓝ; Eur.: I, Ba, ? RO; TR, Cauc., Iran; coasts

Aponogeton L.f. -m- *Aponogetonaceae* · Wasserähre
– **bernierianus** (Decne.) Hook. f. | ♃ Ⓦ ♣; E-Madag.
– **boivinianus** Baill. ex Jum. | ♃ Ⓦ ♣ IX-II; N-Madag.
– **crispus** Thunb. | ♃ Ⓦ ♣; Sri Lanka
– **desertorum** Zeyh. ex Spreng. | ♃ Ⓦ ~ ; E-Afr., S-Afr.
– **distachyos** L. f. · Cape Pondweed | ♃ Ⓚ ♣ D ♣; Kap, nat. in S-Austr., NZ, w. S-Am., W-Eur.
– **elongatus** F. Muell. ex Benth. | ♃ Ⓦ ♣; N-Austr., E-Austr.
– *fenestralis* (Poir.) Hook. f. = Aponogeton madagascariensis
– *henckelianus* Falkenb. et Baum = Aponogeton madagascariensis
– *kraussianus* Hochst. = Aponogeton desertorum
– *leptostachyus* E. Mey. = Aponogeton desertorum
– **madagascariensis** (Mirb.) H. Bruggen · Lace Leaf | ♃ Ⓦ ♣; Madag.
– **nudiflorus** Peter | ♃ Ⓦ ♣; E-Afr.
– **ulvaceus** Baker | ♃ Ⓦ ♣; Madag.
– **undulatus** Roxb. | ♃ Ⓦ ♣; SW-Ind. Sri Lanka, Malay. Arch., Austr.

Aporocactus Lem. -m- *Cactaceae* · Peitschen- oder Schlangenkaktus
– *conzattii* Britton et Rose = Aporocactus martianus
– **flagelliformis** (L.) Lem. · Rat's Tail Cactus | ♆ Ⓚ ⸾ ✻; Mex.: Hidalgo
– *leptophis* (DC.) Britton et Rose = Aporocactus flagelliformis
– **martianus** (Zucc.) Britton et Rose | ♆ Ⓦ ⸾ ✻; Mex.: Oaxaca

Aposeris Neck. ex Cass. -f- *Asteraceae* · Stinkkohl, Stinksalat
– **foetida** (L.) Less. · Hainsalat | ♃ △ VI-VII; Eur.: ?Sp., Fr, N-I, C-Eur., EC-Eur., Ba

Apollonias Nees -f- *Lauraceae*
– **canariensis** Nees | ♄; Canar.

Aptenia N.E. Br. -f- *Aizoaceae*
– **cordifolia** (L. f.) N.E. Br. | ♄ ♆ Ⓚ VII-IX; S-Afr., nat. in S-Eur.

Aquilegia L. -f- *Ranunculaceae* · Akelei
– *akitensis* Huth = Aquilegia flabellata
– **alpina** L. · Alpen-Akelei · Alpine Columbine | ♃ △ VII-V ▽; Eur.: F, I, CH, A; Alp., Apenn.
– **amaliae** Heldr. ex Boiss. | ♃ △ V ▽; Eur.: Ba
– *arctica* Loudon = Aquilegia formosa
– **atrata** W.D.J. Koch · Schwarzviolette Akelei · Dark Columbine · Ancolie noirâtre | ♃ VI ▽; Eur.: F, I, C-Eur., Slove.; Alp., Apenn.
– *atropurpurea* Miq. = Aquilegia buergeriana
– *atropurpurea* Willd. = Aquilegia viridiflora
– **bertolonii** Schott | ♃; SE-F, NW-I
– *bicolor* Ehrh. = Aquilegia sibirica
– **buergeriana** Siebold et Zucc. | ♃; Jap.
– **caerulea** James · Rocky Mountain Columbine | ♃ ⋈ V-VI ▽; USA: Rocky Mts., N.Mex.
– **canadensis** L. · Meeting House, Red Columbine · Ancolie du Canada | ♃ ⋈ V-VI ▽; Can.: E, Sask.; USA: NE, NCE, NC, SE, SC, Fla.
– **chrysantha** A. Gray · Golden Spurred Columbine · Ancolie à fleur dorée | ♃ ⋈

VI-VIII ▽; USA: Color., SW; N-Mex.
– **discolor** Levier et Leresche | ♃ △ V ▽; N-Sp.
– *ecalcarata* Maxim. = Semiaquilegia ecalcarata
– **einseleana** F.W. Schultz · Einseles Akelei, Kleinblütige Akelei | ♃ △ VI-VII ▽; Eur.: I, C-Eur., Slove.; Alp.
– *elegantula* Greene = Aquilegia canadensis
– **flabellata** Siebold et Zucc. · Ancolie du Japon ; N-Jap., Sachal.
  - var. *nana* hort. = Aquilegia flabellata var. pumila
  - var. **pumila** (Huth) Kudô | ♃ △ V ▽; Jap., Korea, Sachal.
– **flavescens** S. Watson | ♃; B.C., NW, Rocky Mts
– **formosa** Fisch. · Western Columbine | ♃ ⚘ V-VII ▽; Alaska, Can.: B.C.; USA: NW, Rocky Mts., Calif.
– **fragrans** Benth. | ♃; W-Him.: Pakist., W-Ind.
– **glandulosa** Fisch. ex Link; W-Sib., E-Sib., C-As., Mong., China: Sikiang
  - var. **jucunda** (Fisch. et Avé Lall.) Baker | ♃ △ V-VI ▽; Altai
– **grata** F. Maly ex Zimmeter | ♃ △ V ▽; Eur.: Bosn., Serb.
– **jonesii** Parry · Limestone Columbine | ♃ △ V ▽; Can.: Alta.; USA: Rocky Mts.
– *jucunda* Fisch. et Avé-Lall. = Aquilegia glandulosa var. jucunda
– **longissima** A. Gray ex S. Watson | ♃ ⚘ D ⚘ VI-VII ▽; USA: Tex., N.Mex.; Mex.
– *macrantha* Hook. et Arn. = Aquilegia caerulea
– **micrantha** Eastw. · Mancos Columbine ; USA: Utah, Colo., Ariz.
– **nigricans** Baumg. · Dunkle Akelei | ♃ VI-VII; Eur.: I, A, EC-Eur., Ba, E-Eur.
– **olympica** Boiss. | ♃ △ V ▽; Cauc., N-Iran
– **pyrenaica** DC. | ♃ △ IV-VI ▽; Eur.: Sp., F; Pyr.
– **scopulorum** Tidestr. | ♃ △ V-VI ▽; USA: Wyo., Nev., Utah
  - subsp. *perplexans* Clokey = Aquilegia scopulorum
– **shockleyi** Eastw. | ♃; Calif., Nev.
– **sibirica** (L.) Lam. | ♃ △ ⚘ V-VI ▽; W-Sib., E-Sib., C-As., Mong.
– **skinneri** Hook. | ♃ ⚘ V-VII ▽; USA: N.Mex.: mts.
– **thalictrifolia** Schott et Kotschy | ♃ △ V-VI ▽; Eur.: N-I
– **viridiflora** Pall. | ♃; E-Sib., W-China
– **vulgaris** L. · Gewöhnliche Akelei · Columbine, Granny's Bonnet · Ancolie vulgaire | ♃ ⚘ V-VI ▽ ☠; Eur.* exc. Sc; Canar., Madeira, Maroc., Alger., nat. in Sc

Arabidopsis = Arabis L.
– **suecica** (Fr.) Norrl. · Schwedische Schmalwand | ⊙ V-VI; Eur.: Sc, Russ., D
– **thaliana** (L.) Heynh. · Acker-Schmalwand | IV-V; Eur.*, TR, Levante, Cauc., W-Sib., C-As., NW-Afr., Libya

Arabis L. -f- *Brassicaceae* · Gänsekresse
– *albida* Stev. ex Fisch. = Arabis caucasica
– **allionii** DC. · Sudeten-Gänsekresse | ♃ VI-VII; Eur.: Fr, Ap, C-Eur., EC-Eur., Ba, W-Russ.; mts.
– **alpina** L. · Alpen-Gänsekresse · Alpine Rock Cress | ♃ △ X-V; Eur.*, W-Sib., E-Sib., Kamchat.
  - subsp. *caucasica* (Willd.) Briq. = Arabis caucasica
– **androsacea** Fenzl | ♃ ⌓ △ V-VI; TR (Cilician Taurus)
– × **arendsii** Wehrh. (*A. aubrietoides* × *A. caucasica*) | ♃ △ IV; cult.
– **aubrietoides** Boiss. | ♃ △ IV; TR (Cilician Taurus)
– **auriculata** Lam. · Öhrchen-Gänsekresse | IV-V; Eur.* exc. BrI, Sc; TR, Levante, Cauc., Iran, ? Afgh., Him., C-As., NW-Afr., Libya
– **bellidifolia** Crantz
  - subsp. **stellulata** (Bertol.) Greuter et Burdet · Sternhaarige Zwerg-Gänsekresse | ♃ VI-VIII; Eur.: F, I, W-Ba
– *bellidifolia* Jacq. = Arabis soyeri subsp. subcoriacea
– **blepharophylla** Hook. et Arn. · Rose Rock Cress | ♃ ⌂ △ III-V ∧; C-Calif.
– **bryoides** Boiss. | ♃ ⌓ △ VI-VII; Eur.: Maced., AL, GR
– **caerulea** (All.) Haenke · Blaue Gänsekresse | ♃ VII-VIII; Eur.: F, I, C-Eur., Slove.; Alp.
– **carduchorum** Boiss. | ♃ △ VI-VII; TR, Cauc. (Armen.)
– **caucasica** Willd. ex Schltdl. · Kaukasische Gänsekresse · Snow On The Mountain, Variegated Wall Rock Cress ·

Arabette du Caucase | ♃ △ III-IV; Eur.: Sic., GR, Crete, BG; TR, Syr., Cauc., Iran, C-As., Maroc., Alger.
- **ciliata** Clairv.
- *ciliata* R. Br. = Arabis hirsuta
- **collina** Ten. · Hügel-Gänsekresse, Mauer-Gänsekresse | ♃ V; Eur.: Ib, F, Ap, CH, Ba, nat. in B
- **ferdinandi-coburgi** Kellerer et Sünd. | ♃ △ IV-VI; Maced.
- **glabra** (L.) Bernh. · Kahle Gänsekresse, Turmkraut | V-VII; Eur.*, TR, Cauc., W-Sib., E-Sib., Amur, C-As., China: Sinkiang; Maroc., Alger., nat. in N-Am., Austr.
- **halleri** L. · Arabette de Haller
- **hirsuta** (L.) Scop. · Behaarte Gänsekresse, Doldige Gänsekresse | ♃ ⊙ V-VII; Eur.*, TR, Iraq, Cauc., Iran, W-Sib., E-Sib., Amur, Maroc., Alger., nat. in China, N-Am.
- *jacquinii* Beck = Arabis soyeri subsp. subcoriacea
- × **kellereri** Sünd. (*A. bryoides* × *A. ferdinandi-coburgi*) | ♃
- **nemorensis** (Hoffm.) Koch · Flachschotige Gänsekresse | ⊙ V-VII; Eur.* exc. BrI, Sc
- **nova** Vill. · Felsen-Gänsekresse | ⊙ V-VI; Eur.: Sp., I, CH, A, Ba; Pyr., Alp., Jura, Balkan
- **pauciflora** (Grimm) Garcke · Armblütige Gänsekresse, Wenigblütige Gänsekresse | ♃ V-VII; Eur.: Sp., Fr, Ap, C-Eur., EC-Eur., Slove., ? Bosn., Serb.
- **planisiliqua** (Pers.) Rich.; Eur.* exc. BrI, Sc
- **procurrens** Waldst. et Kit. · Ungarische Gänsekresse | ♃ △ IV-V; Eur.: Ba, RO; mts.
- **sagittata** (Bertol.) DC. · Pfeilblättrige Gänsekresse | ⊙ V-VII; Eur.: Fr, Ap, C-Eur., EC-Eur., Ba, E-Eur.; TR, Syr., N-Iran, Alger.
- **scopoliana** Boiss. | ♃ ⌓ △ V; Eur.: Slove., Croatia, Bosn.
- **serpillifolia** Vill.; Eur.: F, I, CH, Ba; mts.
- **soyeri** Reut. et A. Huet · Glänzende Gänsekresse · Rock Cress | ♃ V-VIII; Eur.: Sp., F, I, C-Eur., EC-Eur., Slove.; Pyr., Alp., W-Carp.
  - subsp. *jacquinii* (Beck) B.M.G. Jones = Arabis soyeri subsp. subcoriacea
  - subsp. **subcoriacea** (Gren.) Breistr. · Sternhaar-Gänsekresse | ♃ △ VI-VII; Eur.: Alp., W-Carp.
- *stellulata* Desv. et Berthel. = Arabis soyeri subsp. subcoriacea
- × **suendermannii** Kellerer ex Sünd. (*A. ferdinandi-coburgi* × *A. procurrens*) | ♃ ⌓ △ IV-V; cult.
- **turrita** L. · Turm-Gänsekresse | ♃ ⊙ IV-VI; Eur.* exc. BrI, Sc; TR, Levante, Cauc., Alger.
- **vochinensis** Spreng. · Wocheiner Gänsekresse | ♃ ⇝ △ V; Eur.: I, A, Slove.; SE-Alp.
- × **wilczeckii** Sünd. (*A. bryoides* × *A. carduchorum*) | ♃

Arachis L. -f- *Fabaceae* · Erdnuß
- **glabrata** Benth. | ♃ Ⓝ; Bras., Arg., Bol.
- **hypogaea** L. · Groundnut, Monkey Nut, Peanut | ⊙ ▭ Off. Ⓝ; ? Bol.

Arachnanthe = Arachnis Blume
- *cathcartii* (Lindl.) Benth. = Esmeralda cathcartii
- *lowii* (Lindl.) Benth. et Hook. f. = Dimorphorchis lowii

Arachniodes Blume -f- *Dryopteridaceae*
- **nipponica** (Rosenst.) Ohwi | ♃ ∧; China, Jap.
- **standishii** (Moore) Ohwi | ♃ Ⓚ; Jap., Korea

Arachnis Blume -f- *Orchidaceae*
- *lowii* (Lindl.) Benth. et Hook. f. = Dimorphorchis lowii

× **Arachnoglottis** Hort. -f- *Orchidaceae* (*Arachnis* × *Trichoglottis*)

× **Arachnopsis** Hort. -f- *Orchidaceae* (*Arachnis* × *Phalaenopsis*)

× **Arachnostylis** Hort. -f- *Orchidaceae* (*Arachnis* × *Rhynchostylis*)

Araeococcus Brongn. -m- *Bromeliaceae*
- **flagellifolius** Harms | ♃ Ⓦ; Amazon.

Aralia L. -f- *Araliaceae*
- *balfouriana* Sander ex André = Polyscias scutellaria 'Balfourii'
- **cachemirica** Decne. | ♃ VI-VII; Kashmir
- **californica** S. Watson · California Spikenard, Elk Clover | ♃ VII-VIII; USA: S-Oreg., Calif.

– *chabrieri* hort. = Elaeodendron orientale
– **chinensis** L. · Chinesischer Angelikabaum · Chinese Angelica Tree, Chinese Angelica · Aralia de Chine | ♄ VIII-IX ∧ Ⓝ; China
– **cordata** Thunb. · Angelica Tree, Udo | ♃ VI-VII Ⓝ; China, Korea, Manch., Jap., Sachal.
– *dactylifolia* Lindl. = Oreopanax dactylifolius
– *edulis* Siebold et Zucc. = Aralia cordata
– **elata** (Miq.) Seem. · Japanischer Angelikabaum · Japanese Angelica Tree · Angélique en arbre du Japon | ♄ ♄ VIII-X Ⓝ
– *elegantissima* Veitch = Schefflera elegantissima
– *filicifolia* C. Moore ex Fournet = Polyscias cumingiana
– *fruticosa* (L.) hort. = Polyscias fruticosa
– *guilfoylei* Bull. = Polyscias guilfoylei
– **hispida** Vent. · Bristly Sarsaparilla, Dwarf Elder | ♄ VI-VII; Can.: E; USA: NE, NCE, N.C.
– *japonica* Thunb. = Fatsia japonica
– *kerchoveana* Veitch ex P.W. Richards = Schefflera kerchoveiana
– *mandshurica* Rupr. et Maxim. = Aralia elata
– **nudicaulis** L. · American Sarsaparilla, Wild Sarsaparilla · Angélique à tige nue | ♃ VI-VII; Can., USA: NE, NCE, NC, SE, Rocky Mts., NW
– *nymphaeifolia* Linden ex Hibberd = Oreopanax nymphaeifolius
– *papyrifera* Hook. = Tetrapanax papyrifer
– **racemosa** L. · American Spikenard, Life-of-Man | ♃ VII-VIII; Can.: E; USA: NE, NCE, NC, Rocky Mts., SW, SE, SC; Mex.
– *reticulata* hort. = Meryta denhamii
– *schefflera* Spreng. = Schefflera digitata
– *sieboldii* hort. = Fatsia japonica
– **spinosa** L. · Herkuleskeule · Devil's Walking Stick, Hercules' Club · Angélique épineuse | ♄ ♄ VII-VIII; USA: NE, NCE, SC, SE, Fla.
– *veitchii* Carrière = Schefflera veitchii

× **Aranda** Hort. -f- *Orchidaceae* (*Arachnis* × *Vanda*)

× **Arandanthe** hort. -f- *Orchidaceae* (*Arachnis* × *Euanthe* × *Vanda*)

× **Aranthera** Hort. -f- *Orchidaceae* (*Arachnis* × *Renanthera*)

Araucaria Juss. -f- *Araucariaceae*
– **angustifolia** (Bertol.) Kuntze · Brazilian Pine, Candelabra Tree, Parana Tree | ♄ Ⓚ Ⓝ; S-Bras., N-Arg. ; mts.
– **araucana** (Molina) K. Koch · Chilenische Araukarie · Chile Pine, Monkey Puzzle · Araucaria du Chili, Bourreau des singes | ♄ ✱ ∧ Ⓝ; S-Chile, Patag.
– **bidwillii** Hook. | ♄ Ⓚ Ⓝ; Austr.: SE-Queensl.
– *brasiliana* A. Rich. = Araucaria angustifolia
– **columnaris** (G. Forst.) Hook. | ♄ Ⓚ; N.Caled., Vanuatu
– *cookii* R. Br. ex Lindl. = Araucaria columnaris
– **cunninghamii** Sweet · Hoop Pine, Moreton Bay Pine | ♄ Ⓚ Ⓝ; N.Guinea, Queensl.
– *excelsa* (Lamb.) R. Br. = Araucaria columnaris
– *excelsa* R. Br. = Araucaria heterophylla
– **heterophylla** (Salisb.) Franco · Norfolk Island Pine | ♄ Ⓚ; Norfolk Is.
– *imbricata* Pav. = Araucaria araucana

Araujia Brot. -f- *Asclepiadaceae*
– **sericifera** Brot. | ♄ Ⓚ ≀ VII-IX Ⓝ; Peru, Arg, nat. in SW-Eur

Arbutus L. -f- *Ericaceae* · Erdbeerbaum
– **andrachne** L. · Östlicher Erdbeerbaum · Cyprus Strawberry Tree, Grecian Strawberry Tree | ♄ ♄ Ⓚ III-IV; Eur.: AL, GR, Crete, Krim; TR, Levante
– × **andrachnoides** Link (*A. andrachne* × *A. unedo*) · Hybrid Strawberry Tree · Arbousier hybride de Chypre | ♄ ♄ Ⓚ III-IV; cult.
– **menziesii** Pursh · Madrona, Madrone | ♄ Ⓚ Ⓝ; B.C., USA: NW, Calif.; Mex: Baja Calif.
– **unedo** L. · Westlicher Erdbeerbaum · Strawberry Tree · Arbousier commun | ♄ ♄ Ⓚ XI-XII Ⓝ; Eur.: Ib, Fr, IRL, Ap, Ba; TR, Cyprus, Lebanon, Canar., NW-Afr.
– *uva-ursi* L. = Arctostaphylos uva-ursi

Arceuthos = Juniperus L.
– *drupacea* (Labill.) Antoine et Kotschy = Juniperus drupacea

Archangelica = Angelica L.
– *officinalis* (Moench) Hoffm. = Angelica archangelica
– *sativa* (Mill.) Besser = Angelica archangelica

Archontophoenix H. Wendl. et Drude -f- *Arecaceae*
– **alexandrae** (F. Muell.) H. Wendl. et Drude · Alexandra Palm, King Palm | ♄ Ⓦ; Austr.: Queensl.
– **cunninghamiana** (H. Wendl.) H. Wendl. et Drude · Bangalow Palm, Piccabeen Palm | ♄ Ⓦ; Austr.: Queensl., N.S.Wales, S-Austr.

Arctanthemum (Tzvelev) Tzvelev -n- *Asteraceae*
– **arcticum** (L.) Tzvelev · Grönland-Margerite · Arctic Chrysanthemum | ♃ IX-X

Arcterica = Pieris D. Don
– *nana* (Maxim.) Makino = Pieris nana

Arctium L. -n- *Asteraceae* · Klette
– **lappa** L. · Große Klette · Great Burdock | ⊙ Off. VII-VIII; Eur.*, TR, Cauc., Iran, W-Sib., Amur, Sachal., C-As., Him., China, Alaska, Can., USA: NE, NCE, NC, SE, NW, Calif.
– **minus** (Hill) Bernh. · Kleine Klette · Common Burdock, Lesser Burdock | ⊙ Off. VII-VIII; Eur.*, TR, Syr., Cauc., NW-Afr., nat. in N-Am.
– **nemorosum** Lej. · Hain-Klette | ⊙ VIII; Eur.* exc. Ib
– **pubens** Bab. | ⊙ VIII; Eur.: BrI, DK, Fr, Ib, Ap, CH, RO; TR, Syr., Iran, C-As., N-As., Jap.
– **tomentosum** Mill. · Filzige Klette · Hairy Burdock | ⊙ VII-VIII; Eur.* exc. BrI; TR, C-As., nat. in BrI, Can. u. den NO-USA

Arctostaphylos Adans. -f- *Ericaceae* · Bärentraube
– **alpina** (L.) Spreng. · Alpen-Bärentraube · Alpine Bearberry, Black Bearberry · Busserolle des Alpes | ⊙ ♄ Ⓐ ⇝ △ V-VI; Eur.*, W-Sib., E-Sib., Amur, Kamchat., C-As., Alaska, Can., USA: NE; Greenl.
– **manzanita** Parry · Manzanita | ♄ Ⓚ IV-V; USA: Oreg., N-Calif.
– **myrtifolia** Parry; Calif.
– **nevadensis** A. Gray · Busserolle | ♄; Oregon, Calif.; Sierra Nevada
– **uva-ursi** (L.) Spreng. · Echte Bärentraube, Immergrüne Bärentraube · Bearberry, Mountain Cranberry · Busserolle, Raisin d'ours | ⊙ ♄ ⇝ △ Off. III-V ▽; Eur.*, Cauc., W-Sib., E-Sib., Amur, Alaska, Can., USA: NE, NCE, NC, Rocky Mts., SW, NW, Calif.; Greenl.

Arctotheca J.C. Wendl. -f- *Asteraceae*
– **calendula** (L.) Levyns · Cape Dandelion, Cape Weed | ⊙ ♃ VII-X; S-Afr.

Arctotis L. -f- *Asteraceae* · Bärenohr
– **acaulis** L. | ⊙ ♃ VI-IX; S-Afr.
– **breviscapa** Thunb. | ⊙ ⊙ VII-IX; S-Afr.
– **fastuosa** Jacq. · Cape Daisy | ⊙ VI-IX; S-Afr.
– *scapigera* Thunb. = Arctotis acaulis
– *stoechadifolia* hort. = Arctotis venusta
– **venusta** Norl. · African Daisy, Blue-Eyed African Daisy | ⊙ ♃ VIII-X; S-Afr.

Arctous = Arctostaphylos Adans.
– *alpina* (L.) Nied. = Arctostaphylos alpina

Ardisia Sw. -f- *Myrsinaceae*
– **crenata** Sims · Hen's Eyes | ♄ Ⓦ ▽ ♧; N-Ind., China, Korea, Jap., Taiwan
– *crenulata* Lodd. = Ardisia crenata
– **crispa** (Thunb.) DC. · Japanese Holly
– **japonica** (Thunb.) Blume | ♄; China, Jap.
– **malouiana** (Linden et Rodigas) Markgr. | ♄ Ⓦ; Kalimantan

Ardisiandra Hook.f. -f- *Primulaceae*
– **wettsteinii** J. Wagner | ♃ Ⓚ Ⓐ ⇝ VI-VIII; trop. Afr.; mts.

Areca L. -f- *Arecaceae* · Betelpalme
– *alba* Bory = Dictyosperma album
– **aliceae** F. Muell. | ♄ Ⓦ; Austr.
– *baueri* (Seem.) Hook. f. = Rhopalostylis baueri
– **catechu** L. · Betel Nut, Betel Palm | ♄ Ⓦ Off. Ⓝ; ? Phil.
– *crinita* Bory = Acanthophoenix crinita
– *lutescens* Bory = Chrysalidocarpus lutescens
– *rubra* Bory = Acanthophoenix rubra
– *sapida* Sol. ex G. Forst. = Rhopalostylis sapida

– **triandra** Roxb. | ♄ ⓦ; Ind., Malay. Pen.
– **vestiaria** Giseke | ♄; Sulawesi, Molucca I.

Arecastrum = Syagrus Mart.
– *romanzoffiana* (Cham.) Becc. = Syagrus romanzoffiana

Aremonia Neck. ex Nestl. -f- *Rosaceae*
– **agrimonoides** (L.) DC. · Aremonie, Nelkenwurz-Odermennig | ♃ V-VI; Eur.: Ap, C-Eur., EC-Eur., Ba, RO; TR, nat. in BrI

Arenaria L. -f- *Caryophyllaceae* · Sandkraut
– *armeriastrum* Boiss. = Arenaria armerina
– **armerina** Bory | ♃ ⇝ △ VI-VII; S-Sp.., Maroc.
– **balearica** L. · Corsican Sandwort | ♃ △ IV-VIII; Eur.: Balear., Corse, Sard., I, nat. in BrI, F
– *biebersteinii* Schltr. = Arenaria procera subsp. glabra
– **biflora** L. · Zweiblütiges Sandkraut | ♃ VII-IX; Eur.: Ib, Fr, Ap, C-Eur., Ba, RO; mts.
– **ciliata** L. · Wimper-Sandkraut | ♃ VII-VIII; Eur.: Ib, Fr, Ap, C-Eur., EC-Eur., Sc, N-Russ.
  - subsp. **multicaulis** L. | ♃ VII-VIII; Eur.: Sp., F, I, CH, D, A; mts. Sp., Pyr., Alp., Jura
– **gothica** auct. helv. · Gothisches Sandkraut ; Eur.: Sweden, Ch
– **gracilis** Waldst. et Kit. | ♃ △ V-VI; Eur.: Croatia, Bosn., Montenegro, AL
– *graminifolia* Ard. = Minuartia graminifolia
– *graminifolia* Schrad. = Arenaria procera subsp. glabra
– **grandiflora** L. · Großblütiges Sandkraut | ♃ △ V-VIII; Eur.: Ib, F, Ap, CH, A, Slova.; Afr. mts.
– **gypsophiloides** L. | ♃ △ VI-VII; Eur.: BG; TR, Iraq, Cauc., Iran
– *laricifolia* L. = Minuartia laricifolia
– **ledebouriana** Fenzl | ♃ ⇝ △ VII-VIII; TR
– **leptoclados** (Rchb.) Guss. · Zartes Sandkraut | ⊙ V-IX; Eur., TR, Levante, Cauc., Afr.
– **longifolia** M. Bieb. | ♃; Russ. +
– **marschlinsii** Koch · Alpen-Sandkraut | ⊙ VII-VIII; Eur.: Pyr., CH
– *micradenia* Smirn. = Arenaria procera subsp. glabra
– **montana** L. · Alpine Sandwort, Mountain Sandwort | ♃ △ V-VIII; Eur.: Ib, F; Maroc.
– **procera** Spreng. · Grasblättriges-Sandkraut | ♃ △ VI-VII; Eur.: A, EC-Eur., E-Eur.
  - subsp. **glabra** (F.N. Williams) Holub | ♃ △ VI-VII
– **purpurascens** Ramond ex DC. · Pink Sandwort | ♃ △ VII-VIII; Eur.: Sp., F; Cordillera Cantábrica, Pyr., Vercors
– **rigida** M. Bieb. | ♃ ⇝ △ VII-IX; Eur.: BG, EC-Eur.
– **rotundifolia** M. Bieb. | ♃ △ VII-VIII; Eur.: Ba, RO; TR, Cauc.
– *sedoides* Froel. ex Koch = Minuartia sedoides
– **serpyllifolia** L. · Thymianblättriges Sandkraut · Sandwort, Thyme Leaved Sandwort | ⊙ ⊙ V-IX; Eur.*, TR, Syr., Cauc., W-Sib., C-As., China, Jap., NW-Afr., Egypt, Eth., nat. in N-Am., Austr.
  - subsp. **lloydii** (Jord.) Bonnier · Lloyds Sandkraut ; Eur.: D + ; coasts
– **tetraquetra** L. | ♃ ⌓ △ VII-VIII; Eur.: Sp., F; mts.
– **tmolea** Boiss.; TR

Arenga Labill. -f- *Arecaceae* · Zuckerpalme
– **engleri** Becc. | ♄ ⓦ; Riukiu-Is., Taiwan
– **pinnata** (Wurmb) Merr. · Molukken-Zuckerpalme · Sugar Palm | ♄ ⓦ Ⓝ; Malay. Arch.
– **porphyrocarpa** (Blume) H.E. Moore | ♄ ⓦ D; Java
– *saccharifera* Labill. ex DC. = Arenga pinnata

Arequipa Britton et Rose -f- *Cactaceae*
– *aurantiaca* (Vaupel) Werderm. = Matucana aurantiaca
– *erectocylindrica* Rauh et Backeb. = Arequipa hempeliana
– *haynei* (Otto ex Salm-Dyck) Britton et Rose = Matucana haynei
– **hempeliana** (Gürke) Oehme | ψ ⓚ ✱; S-Peru, N-Chile; mts.
– **leucotricha** (Phil.) Britton et Rose | ψ ⓚ; S-Peru, N-Chile
– *myriacantha* (Vaupel) Britton et Rose = Matucana weberbaueri
– *rettigii* (Quehl) Oehme = Arequipa hempeliana

– *weingartiana* Backeb. = Arequipa hempeliana

Arethusa L. -f- *Orchidaceae*
– *chinensis* Rolfe = Bletilla chinensis

Aretia = Androsace L.
– *vitaliana* (L.) Murray = Vitaliana primuliflora

Argania Roem. et Schult. -f- *Sapotaceae*
– **spinosa** (L.) Skeels · Arganbaum, Eisenholz | ♄ Ⓝ; SW-Maroc.

Argemone L. -f- *Papaveraceae* · Stachelmohn
– *alba* James = Argemone polyanthemos
– **albiflora** Hornem. | ⊙; USA: NE, SE, Fla.
– **grandiflora** Sweet | ⊙ VII-IX; Mex.
– **mexicana** L. · Devil's Fig, Mexican Poppy | ⊙ VII-IX Ⓝ; C-Am., W.Ind., nat. in S-Eur., C-Eur.
– **ochroleuca** Sweet
– **platyceras** Link et Otto · Crested Poppy, Prickly Poppy | ⊙ VIII-IX; Mex.
– **polyanthemos** (Fedde) G.B. Ownbey · White Prickly Poppy | ⊙ ⊙ VII-IX; USA: Rocky Mts., NC, SW, Tex.

Argyranthemum Webb -n- *Asteraceae*
– *anethifolium* (Willd.) Brouss. = Argyranthemum foeniculaceum
– **foeniculaceum** (Willd.) Webb | ♄ Ⓚ I-XII; Canar.: Teneriffa
– **frutescens** (L.) Sch. Bip. · Boston Daisy, Marguerite | ♄ Ⓚ I-XII; Canar.

Argyreia Lour. -f- *Convolvulaceae*
– **nervosa** (Burm. f.) Bojer · Woolly Morning Glory | ♄ Ⓚ ≷ VII; Ind.

Argyrocytisus (Maire) Raynaud -m- *Fabaceae*
– **battandieri** (Maire) Reyn. · Moroccan Broom, Pineapple Broom | ♄ Ⓚ D V-VI; NW-Afr.

Argyroderma N.E. Br. -n- *Aizoaceae*
– **testiculare** (Aiton) N.E. Br. | ♃ Ⓚ; Kap

Aridaria = Phyllobolus N.E. Br.
– **noctiflora** (L.) Schwantes | ♃ ¥ Ⓚ D VII-VIII; Namibia

Ariocarpus Scheidw. -m- *Cactaceae* · Wollfruchtkaktus
– **agavoides** (Castañeda) A. Anderson | ¥ Ⓚ ✻; Mex.: Tamaulipas
– *denegrii* (Fric) W.T. Marshall = Obregonia denegrii
– **fissuratus** (Engelm.) K. Schum. · Living Rock | ¥ Ⓚ; SW-Tex., Mex.: Coahuila
  - var. **lloydii** (Rose) W.T. Marshall | ¥ Ⓚ ✻; Mex.: Coahuila, Durango, Zacatecas
– *furfuraceus* (S. Watson) C.H. Thomps. = Ariocarpus retusus
– **kotschoubeyanus** (Lem.) K. Schum. | ¥ Ⓚ ✻; Mex.: Durango, Nuevo Leon, San Luis Potosí
– *lloydii* Rose = Ariocarpus fissuratus var. lloydii
– **retusus** Scheidw. · Living Rock | ¥ Ⓚ ✻; Mex.: Coahuila, San Luis Potosi, Zacatecas
– **scapharostrus** Boed. | ¥ Ⓚ; Mex.: Nuevo León
– *strobiliformis* Werderm. = Encephalocarpus strobiliformis
– **trigonus** (F.A.C. Weber) K. Schum. | ¥ Ⓚ ✻; Mex.: Nuevo León, Tamaulipas

Ariopsis Nimmo -f- *Araceae*
– **peltata** Nimmo | ♃ Ⓦ II-III; Malay. Arch.

Arisaema Mart. -n- *Araceae* · Feuerkolben
– *atrorubens* (Aiton) Blume = Arisaema triphyllum
– **candidissimum** W.W. Sm. | ♃ Ⓦ; W-China
– **consanguineum** Schott · Chinese Jack-in-the-Pulpit | ♃ ஃ V ∧; Him., SW-China
– **dracontium** (L.) Schott · Dragon Root | ♃ VI; Can.: E; USA: NE, NCE, SC, SE, Fla.
– **fargesii** Buchet | ♃ Ⓚ III-IV; China: Sichuan
– **flavum** (Forssk.) Schott | ♃; Afgh., Him., SW-China
– **griffithii** Schott | ♃ III-IV ∧; Him.: Nepal, Sikkim, Bhutan
– *helleborifolium* Schott = Arisaema tortuosum
– **heterophyllum** Blume
– *japonicum* Blume = Arisaema serratum
– *quinatum* (Nutt.) Schott = Arisaema triphyllum
– **ringens** (Thunb.) Schott · Japanischer

Feuerkolben | ♃ Ⓚ III-IV; Jap., S-Korea, E-China
- **serratum** (Thunb.) Schott | ♃ Ⓚ III-IV; China, Korea, Jap.
- **speciosum** (Wall.) Mart. | ♃ Ⓚ III Ⓝ; Him.: Nepal, Sikkim
- **tortuosum** (Wall.) Schott | ♃ Ⓦ V-VI Ⓝ; Ind.
- **triphyllum** (L.) Torr. · Indian Turnip | ♃ ⚘ III-IV; Can.: E; USA: NE, NCE, SC, SE, Fla.

Arisarum Mill. -n- *Araceae*
- **proboscideum** (L.) Savi | ♃ Ⓚ V; Eur.: SW-Sp., I
- **vulgare** O. Targ. Tozz. · Jack-in-the-Pulpit | ♃ Ⓚ V; Eur.: Ib, Fr, Ap, Ba; TR, N-Afr., Azor.

Aristea Sol. ex Aiton -f- *Iridaceae*
- **africana** (L.) Hoffm. | ♃ Ⓚ IV-X; S-Afr.
- *corymbosa* (Benth. et Hook. f.) Baker = Nivenia corymbosa
- *cyanea* (Sol.) Aiton = Aristea africana

Aristolochia L. -f- *Aristolochiaceae* · Pfeifenblume
- *altissima* Desf. = Aristolochia sempervirens
- *brasiliensis* Mart. et Zucc. = Aristolochia labiata
- **californica** Torr. | ≀; Calif.
- *caudata* Booth = Aristolochia macroura
- **cauliflora** Ule | ♄ Ⓦ ≀; Peru
- **clematitis** L. · Gewöhnliche Osterluzei · Aristolochia, Birthwort | ♃ V-VII ☠; Eur.* exc. Brl, Sc; TR, Cauc., nat. in GB, . Norw.
- *durior* Hill = Aristolochia macrophylla
- *elegans* Mast. = Aristolochia littoralis
- **fimbriata** Cham. | ♄ Ⓦ ≀ V-VII; Bras., Parag., Arg.
- **gigantea** Mart. et Zucc. | ≀; Panama
- *gigas* Lindl. = Aristolochia grandiflora
- **grandiflora** Sw. · Pelican Flower | ♄ Ⓦ ≀ VII-IX; W.Ind.
- **labiata** Willd. | ♄ Ⓦ ≀ IV-IX; Bras.
- *leuconeura* hort. = Aristolochia cauliflora
- **lindneri** Berger | ☉ ⇝ VII-VIII; Bol.
- **littoralis** Parodi · Calico Flower | ♄ ≀ IV-X; Bras.
- **macrophylla** Lam. · Amerikanische Pfeifenwinde · Dutchman's Pipe · Aristoloche siphon | ♄ ≀ VI-VIII; USA: NE, SE
- **macroura** B.A. Gomes | ♄ Ⓦ ≀ VI-IX; Bol., Parag., Bras., Arg.
- **manshuriensis** Kom.; Manch., Korea
- **moupinensis** Franch. · Chinesische Pfeifenwinde | ♄ ≀ VI; W-China
- *ornithocephala* Hook. = Aristolochia labiata
- *ringens* Link et Otto = Aristolochia labiata
- **rotunda** L. · Rundblättrige Osterluzei · Birthwort | ♃ V ∧; Eur.: Ib, Fr, CH, Ap, Ba
- **sempervirens** L. · Long Birthwort | ♄ Ⓚ ≀ ∧; Eur.: Sic., GR, Cr; W-TR, Levante, Alger., nat. in F, Sard., I
- **serpentaria** L. · Virginia Snakeroot | ♃ VII; USA: NE, NCE, NC, SC, SE, Fla.
- *sipho* L'Hér. = Aristolochia macrophylla
- **tomentosa** Sims · Filzige Pfeifenwinde · Woolly Dutchman's Pipe | ♄ ≀ VI-VII; USA: SE, Kans., SC, Fla., nat. in USA: N.Y.
- **tricaudata** Lem. | ♄ Ⓦ II-IX; Mex.

Aristotelia L'Her. -f- *Elaeocarpaceae*
- **chilensis** (Molina) Stuntz · Wineberry | ♄ Ⓚ; Chile
- *macqui* L'Hér. = Aristotelia chilensis

× **Arizara** Hort. -f- *Orchidaceae* (*Cattleya* × *Domingoa* × *Epidendrum*)

Armeria Willd. -f- *Plumbaginaceae* · Grasnelke
- **alliacea** (Cav.) Hoffmanns. et Link · Wegerichartige Grasnelke · Jersey Thrift | ♃ △ VI-VII ▽; Eur.: Ib, F, I, CH, D
- **alpina** Willd. · Alpen-Grasnelke | ♃ VII-VIII; Eur.: Sp., F, I, A, Ba
- *arenaria* (Pers.) Schult. = Armeria alliacea
- *caespitosa* Boiss. = Armeria juniperifolia
- *cespitosa* (Cav.) Boiss. = Armeria juniperifolia
- *elongata* (Hoffm.) Koch = Armeria maritima subsp. elongata
- *formosa* hort. ex Vilm. = Armeria pseudarmeria
- **juniperifolia** (Vahl) Hoffmanns. et Link | ♃ △ IV-V ▽; Eur.: Sp.
- *latifolia* Willd. = Armeria pseudarmeria
- **leucocephala** Salzm. ex Koch | ♄; Corse
- **maritima** (Mill.) Willd. · Strand-Grasnelke · Common Thrift, Thrift · Gazon d'Espagne | ♃ ⁝ △ XI-IX ▽;

Eur.*, W-Sib., E-Sib., Kamchat., Alaska, Can., USA: NW, Calif.; Greenl., Chile, S-Arg.
- subsp. *alpina* (Willd.) P. Silva = Armeria alpina
- subsp. **elongata** (Hoffm.) Bonnier · Sand-Grasnelke | ♃ VIII; Eur.: Brl, Sc, Fr, C-Eur., EC-Eur., E-Eur.
- subsp. **halleri** (Wallr.) Rothm. · Galmei-Grasnelke ; Eur.: F, NL, D, PL +
- subsp. **purpurea** (Koch) A. Löve et D. Löve · Purpur-Grasnelke ; Eur.: S-D, ? N-I

– *plantaginea* (All.) Willd. = Armeria alliacea
– **pseudarmeria** (Murray) Mansf. | ♃ △ VI-VIII ▽; C-P
– *pseudarmeria* auct. non (Murray) Mansf. = Armeria alliacea
– *vulgaris* Willd. = Armeria maritima

× **Armodachnis** hort. -f- *Orchidaceae* (*Arachnis* × *Armodorum*)

Armoracia P. Gaertn. , B. Mey. et Scherb. -f- *Brassicaceae* · Meerrettich
– **rusticana** P. Gaertn. et B. Mey. et Scherb. · Gewöhnlicher Meerrettich · Horseradish | ♃ V-VII Ⓝ; ? Russ., nat. in Eur., Cauc., N-Am.

Arnebia Forssk. -f- *Boraginaceae*
– *echioides* (L.) A. DC. = Arnebia pulchra
– *longiflora* K. Koch = Arnebia pulchra
– **pulchra** (Willd. ex Roem. et Schult.) Edmondston; TR, Cauc., N-Iran

Arnica L. -f- *Asteraceae* · Arnika
– *alpina* (L.) Olin = Arnica angustifolia
– **angustifolia** Vahl | ♃; Sc, N-Russ.
– **chamissonis** Less. · Leafy Leopardsbane | ♃ Off. V-VIII; Alaska, Can.:B.C.; USA: NW, Calif., Rocky Mts., SW
– *foliosa* Nutt. = Arnica chamissonis
– **lanceolata** Nutt. · Soft Leaved Arnica | ♃ VII; Can.: E; USA: NE
– *mollis* Hook. = Arnica lanceolata
– **montana** L. · Berg-Wohlverleih, Echte Arnika · Mountain Arnica | ♃ △ Off. VI ▽ Ⓝ; Eur.* exc. Brl
– **sachalinensis** (Regel) A. Gray | ♃ VII-VIII; Amur, Sachal., ? Jap.
– *tussilaginea* Burm. f. = Farfugium japonicum

Arnoseris Gaertn. -f- *Asteraceae* · Lämmersalat
– **minima** (L.) Schweigg. et Körte · Lämmersalat · Lamb's Succory | ⊙ VI-IX; Eur.*, Maroc., nat. in NZ, Austr.

Aronia = Photinia Lindl.
– **arbutifolia** (L.) Pers. · Filzige Apfelbeere · Red Chokeberry · Aronia à feuilles d'arbousier | ♄ ⚘ IV-V; Can.: E; USA: NE, NCE, SE, Fla., Tex.
- **f. leiocalyx** Rehder
- var. **atropurpurea** (Britton) C.K. Schneid. | ♄

– *floribunda* Spach = Aronia × prunifolia
– **melanocarpa** (Michx.) Elliott · Kahle Apfelbeere · Black Chokeberry | ♄ V-VI Ⓝ; Can.: E; USA; NE, NCE, SE
- var. **elata** Rehder | ♄
- var. **grandifolia** Lindl. | ♄; S-Appalachen

– × **prunifolia** (C.K. Schneid.) Graebn. (*A. arbutifolia* × *A. melanocarpa*) · Pflaumenblättrige Apfelbeere · Purple Chokeberry | ♄ V-VI; cult.
– *prunifolia* (Marshall) Rehder = Aronia × prunifolia

Arpophyllum Lex. -n- *Orchidaceae*
– **giganteum** Lindl. | ♃ Ⓚ III-IV ✻; Mex., C-Am., Jamaica, Col.
– **spicatum** Lex. | ♃ Ⓚ XII-I ✻; Mex., C-Am.

Arracacia Bancr. -f- *Apiaceae*
– **xanthorrhiza** Bancr. · Arrakatscha | ♃ Ⓝ; orig ?, nat. in Venez., Col., Bol., Peru

Arrhenatherum P. Beauv. -n- *Poaceae* · Glatthafer
– *desertorum* Less. = Helictotrichon desertorum
– **elatius** (L.) P. Beauv. ex J. Presl et C. Presl · Gewöhnlicher Glatthafer · False Oat Grass · Fromental élevé | ♃ VI-VII; Eur.*, TR, N-Iraq, Cauc., Iran, Canar., Madeira, NW-Afr., nat. in N-Am.
- subsp. **bulbosum** (Willd.) Schübl. et G. Martens | ♃ VI-VII; Eur.: S-Eur., W-Eur.

– *parlatorei* (J. Woods) Potztal = Helictotrichon parlatorei

Arrojadoa Britton et Rose -f- *Cactaceae*
– **penicillata** (Gürke) Britton et Rose | ♆ Ⓚ

✻; Bras.
– *polyantha* (Werderm.) D.R. Hunt = Micranthocereus polyanthus
– **rhodantha** (Gürke) Britton et Rose | ♆ Ⓚ ✻; Bras.

Artabotrys R. Br. -m- *Annonaceae*
– **hexapetalus** (L. f.) Bhandari | ♄ Ⓦ ≷ D ≷; S-Ind., Sri Lanka
– *uncinatus* (Lam.) Merr. = Artabotrys hexapetalus

Artanthe = Piper L.
– *magnifica* Lindl. = Piper magnificum

Artemisia L. -f- *Asteraceae* · Beifuß
– **abrotanum** L. · Eberraute · Lad's Love, Southernwood · Citronnelle aurone | ♄ ♄ X Ⓝ; orig. ?, nat. in S-Eur., SE-Eur., W-As., Sib.
– **absinthium** L. · Echter Wermut · Absinthe, Common Wormwood · Armoise absinthe | ⊙ ♃ ♄ Off. VII-IX Ⓝ; Eur.*, TR, Cauc., N-Iran, W-Sib., C-As., nat. in N-Am.
– **alba** Turra · Kampfer-Wermut | ♃ VII-IX; Eur., NW-Afr.
– **annua** L. · Einjähriger Beifuß · Sweet Wormwood | ⊙ X-IX; Eur.* exc. BrI; TR, Syr., Palaest., Cauc., N-Iran, W-Sib., E-Sib., China, Korea, Jap., nat. in Can.: W; USA: NCE, NC, Rocky Mts., SW
– **arborescens** L. | ♄; Eur.: Ib, Ap, Ba +; TR, N-Afr., nat. in Fr
– **armeniaca** Lam. | ♃ ⇝ △; Cauc. (Armen.)
– *assoana* Willk. = Artemisia caucasica
– **austriaca** Jacq. · Österreichischer Beifuß | ♃ ⇝ VII-VIII; Eur.: A, EC-Eur., BG, E-Eur.; TR, Cauc., N-Iran, nat. in F, D
– *baumgartenii* Besser = Artemisia eriantha
– **biennis** Willd. · Zweijähriger Beifuß | ⊙ VII-IX; N-As., N-Am., nat. in BrI, NL, DK, S-Sweden
– *borealis* Pall. = Artemisia campestris subsp. borealis
– *brachyphylla* Kitam. = Artemisia splendens var. brachyphylla
– **campestris** L. · Feld-Beifuß · Field Wormwood | ♃ X-VIII; Eur.*, TR, Cauc., W-Sib., C-As., NW-Afr.
  - subsp. **borealis** (Pall.) H.M. Hall et Clem. · Nordischer Beifuß · Boreal Sagebrush | ♃ VII-X; Eur.:
– *camphorata* Vill. = Artemisia alba
– **canariensis** (Besser) Less. | ♄; Canar.
– *canescens* Willd. = Artemisia armeniaca
– **caucasica** Willd. · Armoise du Caucase | ♃; Eur.: Ba, Ib, Ap, EC-Eur.; ? Cauc.
– **cina** O. Berg · Levant Wormwood | ♄ Off. VII-IX ☠; C-As. (S-Kasach.)
– **dracunculus** L. · Estragon · Tarragon · Estragon | ♃ VIII-X Ⓝ; Eur.: Russ.; W-Sib., E-Sib., C-As., W-Him., Mong., China, Alaska, Can., USA* exc. NE, SE, Fla., nat. in F, C-Eur., EC-Eur., JU, RO
– **eriantha** Ten. | ♃ △ VI-VIII; Eur.: Ib, Fr, Ap, EC-Eur., Ba, RO; mts.
– **frigida** Willd. | ♄ VII-VIII; Alaska, Can.: W, B.C.; USA. NW, Rocky Mts., Ariz., NC, NCE; Sib., nat. in ne N-Am.
– **genipi** Weber · Schwarze Edelraute | ♃ VII-VIII; Eur.: A, D, CH, I; Alp.
– **glacialis** L. · Gletscher-Edelraute · Glacier Wormwood | ♃ VII-VIII; Eur.: F, I, CH; SW-Alp.
  - var. *nitida* (Bertol.) Fiori et Paol. = Artemisia nitida
– *glauca* Pall. = Artemisia dracunculus
– **gmelinii** Webb ex Stechm. | ⊙ ♄ VIII-IX; S-Russ., Sib., Afgh., Him.
– *gnaphalodes* Nutt. = Artemisia ludoviciana
– **laciniata** Willd. · Schlitzblättriger Beifuß | ♃ X-VIII; Eur.: A, D, Sveden (Öland), CZ, Russ.; W-Sib., E-Sib., C-As., Him., Mong., Amur, Manch.
– **lactiflora** Wall. ex DC. · Weißer China-Beifuß · Armoise à fleurs laiteuses | ♃ ⋊ IX-X; W-China
– *lanata* Willd. = Artemisia caucasica
  - var. *nitida* (Bertol.) DC. = Artemisia nitida
– *laxa* (Lam.) Fritsch = Artemisia umbelliformis
– **ludoviciana** Nutt. · Cudweed, Western Mugwort | ♃ VII-VIII; Alaska, Can.: W; USA*; Mex., nat. in ne N-Am.
– **maritima** L. · Strand-Beifuß · Sea Wormwood | ♃ ⊙ X-IX Ⓝ; Eur.: BrI, Sc, Fr, D, Balt.; coasts
– *mutellina* S.G. Gmel. = Artemisia splendens
– *mutellina* Vill. = Artemisia umbelliformis
– **nitida** Bertol. · Glänzende Edelraute | ♃ △ VIII-IX; Eur.: I, A, Slove.; SE-Alp., Alpi Apuane
– **nivalis** Braun-Blanq. · Schnee-Edelraute | ♃ VIII; Eur.: SW-CH
– **pancicii** (Janka) Ronniger · Waldsteppen-

Beifuß | ♃ X-IX; Eur.: A, Serb.
- *pedemontana* Balb. = Artemisia caucasica
- *petrosa* Fritsch = Artemisia eriantha
- **pontica** L. · Pontischer Beifuß · Roman Wormwood · Absinthe romaine | ♃ ♄ ⁓→ X-VIII Ⓝ; Eur.: D, A, EC-Eur., BG, E-Eur.; Cauc., W-Sib., nat. in F, I, CH
- *procera* Willd. = Artemisia abrotanum
- *purshiana* Besser = Artemisia ludoviciana
- **rupestris** L. · Steppen-Beifuß | ♃ X-IX; Eur.: D, Sweden, Russ; Sib., C-As.
- *sacrorum* Ledeb. = Artemisia gmelinii
- **santonica** L. · Salz-Beifuß | ♃ X-IX; Eur.: A, EC-Eur., Ba, E-Eur.
- **schmidtiana** Maxim. · Angel's Hair, Silver Mound · Armoise de Schmidt | ♃ △ VIII; Jap., Sachal.
- **scoparia** Waldst. et Kit. · Besen-Beifuß | ⊙ X-IX; Eur.: C-Eur., EC-Eur., E-Eur., Ba; TR, Iraq, Arab., Cauc., Iran, W-Sib., E-Sib., Amur, Sachal., C-As., Afgh., Pakist., NW-Ind., Mong., China, Korea, nat. in F
- **sieversiana** Ehrh. ex Willd. · Sievers-Beifuß | ⊙ VII-IX; Eur.: Russ. (Balt.); C-As., N-As.
- **splendens** Willd. · Alpine Wormwood | ♃ VII-VIII; Cauc., N-Iran, N-Iraq
  - var. **brachyphylla** Boiss. | ♃ △ VII-VIII; TR, Cauc., Iran
- **stelleriana** Besser · Silber-Wermut · Dusty Miller, Old Woman · Armoise des côtes d'Extrême-Orient | ♃ ⁓→ VII-VIII; Korea, Jap., Sachal., Kamchat., nat. in e N-Am., N-Eur.
- **tournefortiana** Rchb. · Armenischer Beifuß | VII-IX; TR, Iran, Afgh., Him., nat. in D
- **tridentata** Nutt. · Dreizähniger Wermut · Big Sage, Sage Brush | ♄ D VIII-IX; Can.: W; USA: NW, Calif., Rocky Mts., SW, NC; Mex: Baja Calif.
- **umbelliformis** Lam. · Echte Edelraute | ♃ △ VII-IX ▽ Ⓝ; Eur.: F, I, C-Eur.; Pyr., Alp., N-Apenn.
- **vallesiaca** All. · Walliser Wermut · Valais Wormwood · Armoise du Valais | ♃ △ X-VIII; Eur.: SE-F, CH, N-I
- **verlotiorum** Lamotte · Kamtschatka-Beifuß | ♃ XI-IX; Jap., Kamchat., nat. in Eur.* exc. Sc, EC-Eur.
- *villarsii* Godr. et Gren. = Artemisia eriantha
- **vulgaris** L. · Gewöhnlicher Beifuß · Mugwort | ♃ XI-VIII Ⓝ; Eur.*, TR, Cauc., Iran, W-Sib., E-Sib., C-As., Alger., Tun., Alaska, Can., USA: NE, NCE, NC, SE

Arthrocereus A. Berger et F.M. Knuth -m- *Cactaceae*
- **microsphaericus** (K. Schum.) A. Berger | ♆ Ⓚ ✻; Bras.
- *mirabilis* (Speg.) W.T. Marshall = Setiechinopsis mirabilis
- **rondonianus** Backeb. et Voll ex Backeb. | ♆ Ⓚ ✻; Bras.

Arthromeris (T. Moore) J. Sm. -f- *Polypodiaceae*
- **wallichianum** (Spreng.) Ching | ♃ Ⓦ; China, N-Ind.

Arthropodium R. Br. -n- *Anthericaceae*
- **candidum** Raoul · Star Lily | ♃ Ⓚ V-VI; NZ
- **cirrhatum** (G. Forst.) R. Br. · Rienga Lily, Rock Lily | ♃ Ⓚ V-VI; NZ
- **milleflorum** (DC.) J.F. Macbr. | ♃ Ⓚ V-VI; Austr.: Queensl., N.S.Wales, Victoria, S-Austr., Tasman.
- **minus** R. Br. | ♃ Ⓚ VI-VII; Austr.
- *paniculatum* (Andr.) R. Br. = Arthropodium milleflorum
- *reflexum* Colenso = Arthropodium candidum

Artocarpus J.R. Forst. et G. Forst. -m- *Moraceae*
- **altilis** (Parkinson) Fosberg · Breadfruit | ♄ Ⓦ Ⓝ; Molucca I., N.Guinea
- *cannonii* W. Bull ex Van Houtte = Ficus aspera 'Canonii'
- *communis* J.R. Forst. et G. Forst. = Artocarpus altilis
- **elasticus** Reinw. ex Blume | ♄ Ⓝ; Malay. Arch.
- **heterophyllus** Lam. · Jackfruit | ♄ Ⓦ Ⓝ; Ind.
- *incisus* (Thunb.) L. f. = Artocarpus altilis
- **integer** (Thunb.) Merr. · Taboda | ♄ Ⓦ Ⓝ; Indochina, Malay. Pen., Sumat., Kalimantan
- *integrifolius* auct. non L. f. = Artocarpus heterophyllus
- *integrifolius* L. f. = Artocarpus integer
- *jaca* Lam. = Artocarpus heterophyllus

Arum L. -n- *Araceae* · Aronstab
- *alpinum* Schott et Kotschy = Arum cylindraceum
- *bicolor* Aiton = Caladium bicolor
- *cornutum* hort. = Sauromatum venosum
- **creticum** Boiss. et Heldr. | ♃; Crete
- **cylindraceum** Gasp. · Dänischer Aronstab, Orientalischer Aronstab, Südöstlicher Aronstab ; Eur.: DK, S-Sweden
- **dioscoridis** Sibth. et Sm. | ♃ Ⓚ III-IV; TR
  - var. *liepoldtii* (Schott) Engl. = Arum dioscoridis
  - var. *luschanii* R.R. Mill = Arum dioscoridis
  - var. *smithii* Engl. = Arum dioscoridis
  - var. *spectabile* (Schott) Engl. = Arum dioscoridis
- *dracunculus* L. = Dracunculus vulgaris
- *esculentum* L. = Colocasia esculenta
- *guttatum* Wall. = Sauromatum venosum
- **italicum** Mill. · Italienischer Aronstab · Italian Arum · Gouet d'Italie | ♃ ⁂ IV-V ☠; Eur.: Ib, Fr, BrI, Ap, CH, Ba, Krim; TR, Iraq, Cauc., Canar., Madeira, NW-Afr., nat. in NL
- **maculatum** L. · Gefleckter Aronstab · Cuckoo Pint, Lords-and-Ladies · Gouet tacheté | ♃ ⁂ IV-V ☠; Eur.* exc. Sc; TR, nat. in Sc
- **orientale** M. Bieb. | ♃ VI; Eur.: I, A, EC-Eur., Sc, Ba, RO, S-Russ.; TR, Cyprus, Cauc.
- **palaestinum** Boiss. · Black Calla | ♃ Ⓚ D III-IV; Palaest.
- *petteri* Schott = Arum orientale
- **pictum** L. f. | ♃ IX-X ∧; Corse, Sard., Balear.
- *sanctum* Dammann = Arum palaestinum
- *ternatum* Thunb. = Pinellia ternata

Aruncus L. -m- *Rosaceae* · Geißbart
- **aethusifolius** (Lév.) Nakai · Dwarf Goat's Beard · Barbe de bouc | ♃ V-VI; Jap., Korea
- *astilboides* Maxim. = Aruncus dioicus var. astilboides
- **dioicus** (Walter) Fernald · Geißbart, Wald-Geißbart · Goat's Beard · Barbe de bouc | ♃ ⋈ VI-VII ▽ ☠; Eur.* exc. BrI, Sc; TR, Cauc.
  - var. **astilboides** (Maxim.) Hara | ♃ VI-VII; Jap.
- **parvulus** Kom. | ♃ △ VI; Sib.
- **sinensis** hort. | ♃
- *sylvestris* Kostel. = Aruncus dioicus
- *vulgaris* Raf. = Aruncus dioicus

Arundina Blume -f- *Orchidaceae*
- **graminifolia** (D. Don) Hochr. · Bamboo Orchid | ♃ Ⓦ III-IV ✻; Him., Nepal, Indochina, Malay. Arch., nat. in Hawaii

Arundinaria Michx. -f- *Poaceae*
- *acuminata* Munro = Otatea acuminata
- **alpina** K. Schum. | ♄ Ⓝ; Kenya, Tanzania, Uganda, Ruandi, Sudan, Eth.
- *anceps* Mitford = Yushania anceps
- *auricoma* Mitford = Pleioblastus auricoma
- *chino* Franch. et Sav. = Pleioblastus chino
- *disticha* (Mitford) Pfitzer ex Houz. = Pleioblastus pygmaeus var. distichus
- *fastuosa* (Marliac ex Mitford) Houz. = Semiarundinaria fastuosa
- *fortunei* (Van Houtte) Rivière et C. Rivière = Pleioblastus variegatus 'Fortunei'
  - *'Shibuyana'* = Pleioblastus variegatus
- *graminea* (Bean) Makino = Pleioblastus gramineus
- *hindsii* Munro = Pleioblastus hindsii
- *humilis* Mitford = Pleioblastus humilis
- *japonica* Siebold et Zucc. ex Steud. = Pseudosasa japonica
- *jaunsarensis* Gamble = Yushania anceps
- *marmorea* Mitford = Chimonobambusa marmorea
- *murieliae* Gamble = Fargesia murieliae
- *nitida* Mitford = Fargesia nitida
- *palmata* (Mitford) Bean = Sasa palmata
- *pumila* Mitford = Pleioblastus pumilus
- *pygmaea* (Miq.) Makino = Pleioblastus pygmaeus
- *ragamowskii* (Keng f.) Pfitzer = Indocalamus tessellatus
- *ramosa* Makino = Sasaella ramosa
- *simonii* (Carrière) Rivière et C. Rivière = Pleioblastus simonii
- *spathacea* D.C. McClint. = Fargesia murieliae
- *tessellata* (Nees) Munro = Thamnocalamus tessellatus
- *variegata* hort. = Pleioblastus variegatus
- *viridistriata* (Siebold ex André) Makino ex Nakai = Pleioblastus auricoma

Arundo L. -f- *Poaceae* · Pfahlrohr

– *arenaria* L. = Ammophila arenaria
– **donax** L. · Pfahlrohr · Giant Reed | ♃ ~ ∧ Ⓝ; ? C-As., ? S-As., nat. in Eur.: Ib, F, Ap, Ba; USA: Ark., Tex., Calif. SW; trop. Am.

Asarina Mill. -f- *Scrophulariaceae*
– **antirrhiniflora** (Humb. et Bonpl. ex Willd.) Pennell | ♃ Ⓚ Ⓐ VI-IX; USA: Tex. Calif.; Mex.
– **barclaiana** (Lindl.) Pennell | ♄ Ⓚ ≹ VII-IX; Mex.
– **erubescens** (D. Don) Pennell | ♄ Ⓚ ≹ VII-IX; Mex.
– **lophospermum** (L.H. Bailey) Pennell | ♄ Ⓚ ≹ VII-IX; Mex.
– **procumbens** Mill. · Nierenblättriges Löwenmaul · Creeping Snapdragon | ♃ Ⓐ △ V-IX ∧; Eur.: NE-Sp., S-F
– **purpusii** (Brandegee) Pennell | ♃ Ⓚ VII-VIII; SW-Mex.
– **scandens** (Cav.) Pennell | ⊙ ⊙ ♃ ♄ VI-X; Mex.

Asarum L. -n- *Aristolochiaceae* · Haselwurz
– **canadense** L. · Wild Ginger | ♃ III-IV; Can., USA: NE, NCE, NC, SE
– **caudatum** Lindl. · Geschwänzte Haselwurz · Wild Ginger | ♃ VII; Can.: W; USA: NW, Rocky Mts., Calif.
– **europaeum** L. · Gewöhnliche Haselwurz · Asarabacca · Asaret d'Europe | ♃ Off. III-V ☠; Eur.* exc. BrI, Ib; W-Sib., nat. in BrI
– **hartwegii** S. Watson · Hartweg's Ginger | ♃; USA: Oreg., Calif.

Asclepias L. -f- *Asclepiadaceae* · Seidenpflanze
– *carnosa* Blanco = Hoya carnosa
– *cornuti* Decne. = Asclepias syriaca
– **curassavica** L. · Bloodflower | ♄ Ⓚ VI-IX; Fla., W-Ind., Mex., C-Am., trop. S-Am., nat. in Sp., Maroc.
– *douglasii* Hook. = Asclepias speciosa
– **fruticosa** L. · Goose Plant | ♄ Ⓚ ✿ VI-VIII Ⓝ; S-Afr., nat. in S-Eur., Austr.
– **incarnata** L. · Swamp Milkweed | ♃ VI-VIII; Can.: E; USA: NE, NCE, NC, Rocky Mts., SW, SC, SE
– **physocarpa** (E. Mey.) Schltr. · Swan Plant | ♄ Ⓚ; trop. Afr., S-Afr.
– **speciosa** Torr. · Milkweed | ♃ ✿ VI-VIII; Can.: W; USA: NW, . Calif., Rocky Mts., NC, SW, Tex.
– **syriaca** L. · Gewöhnliche Seidenpflanze · Silkweed | ♃ ✿ VI-VIII ∧ Ⓝ; Can.: E, Sask.; USA: NE, NCE, NC, SC, SE, nat. in Eur.
– **tuberosa** L. · Knollige Seidenpflanze · Butterfly Weed, Pleurisy Root | ♃ ✿ VI-VIII ∧; USA: NE, NCE, NC, SW, Rocky Mts., SC, SE, Fla.

× **Ascocenda** Hort. -f- *Orchidaceae* (*Ascocentrum* × *Vanda*)

Ascocentrum Schltr. ex J.J. Sm. -n- *Orchidaceae*
– **ampullaceum** (Lindl.) Schltr. | ♄ Ⓦ V-VI ✻; Him., Myanmar, Thail.
– **curvifolium** (Lindl.) Schltr. | ♄ Ⓦ ✻; Ind. (Assam), Nepal, Indochina
– **miniatum** (Lindl.) Schltr. | ♄ Ⓦ ✻; Him., Indochina, Java, Phil.

× **Ascofinetia** Hort. -f- *Orchidaceae* (*Ascocentrum* × *Neofinetia*)

× **Ascorachnis** Hort. -f- *Orchidaceae* (*Arachnis* × *Ascocentrum*)

Asimina Adans. -f- *Annonaceae* · Papau
– **triloba** (L.) Dunal · Dreilappige Papau · Pawpaw | ♄ IV-V ∧ Ⓝ; Ont., USA: NE, NCE, NC, SC, SE, Fla.

Aspalathus L. -f- *Fabaceae*
– **acuminata** Lam. | ♄ Ⓚ; S-Afr.
– **contaminata** DC. | ♄ Ⓚ; S-Afr.
– **linearis** (Burm. f.) R. Dahlgren | ♄ Ⓚ Ⓝ; S-Afr.

Aspalthium = Bituminaria Heist. ex Fabr.
– *bituminosum* (L.) Fourr. = Bituminaria bituminosa

Asparagopsis = Asparagus L.
– *setacea* Kunth = Asparagus setaceus

Asparagus L. -m- *Asparagaceae* · Spargel
– **acutifolius** L. | ♄; Eur.: Ib, Fr, Ap, Ba; TR, N-Afr.
– **africanus** Lam. | ♄ Ⓚ ≹; Namibia, S-Afr.
– **albus** L. | ♄ Ⓚ ✿; Eur.: Ib, Ap; NW-Afr.
– **asparagoides** (L.) Druce · Smilax Asparagus | ♃ Ⓦ ≹ ⋉; Kap, nat. in S-Eur.

– *cooperi* Baker = Asparagus africanus
– **crispus** Lam. · Basket Asparagus | ♃ Ⓚ §; S-Afr.
– *decumbens* Jacq. = Asparagus crispus
– **deflexus** Baker | ♄ Ⓚ §; Angola
– **densiflorus** (Kunth) Jessop · Foxtail Fern | ♄ Ⓚ §; S-Afr.: Natal
  - **'Myersii'**; cult.
  - **Sprengeri-Grp.**; cult.
– **drepanophyllus** Welw. | ♄ Ⓦ § XII-II; trop. Afr.
– *duchesnei* Lindl. = Asparagus drepanophyllus
– **falcatus** L. · Sickle Thorn Asparagus | ♄ Ⓦ Ⓚ § VII-VIII; trop. Afr., S-Afr., Sri Lanka
– **filicinus** Buch.-Ham. | ♃ ✂ ∧; Him., SW-China
– **laricinus** Burch. | ♄ Ⓚ; S-Afr., Botswana
– **lucidus** Lindl. · Lucid Asparagus | ♄ § ∧; China, Korea, Jap., Taiwan
– **madagascariensis** Baker | ♄ Ⓦ; Madag.
– *medeoloides* (L. f.) Thunb. = Asparagus asparagoides
– *meyeri* hort. = Asparagus densiflorus 'Myersii'
– *myersii* hort. = Asparagus densiflorus 'Myersii'
– **officinalis** L. · Gemüse-Spargel · Asparagus, Sparrow Grass, Wild Asparagus | ♃ ✂ V Ⓝ; Eur.*, Cauc., W-Sib., nat. in N-Am.
  - var. *pseudoscaber* (Grecescu) Asch. et Graebn. = Asparagus pseudoscaber
– *plumosus* Baker = Asparagus setaceus
– **pseudoscaber** Grecescu | ♃ ✂ IV-V; Eur.: Ba, RO, W-Russ.
– **racemosus** Willd. · Asparagus | ♄ Ⓚ §; E-Afr., S-Afr., trop. As.
– **retrofractus** L. | ♄ Ⓚ §; S-Afr.
– **scandens** Thunb. · Basket Asparagus ; S-Afr.
  - var. **deflexus** Baker | ♃ Ⓚ §; Kap
– **setaceus** (Kunth) Jessop · Asparagus Fern | ♄ Ⓦ § ✂ IX-X; S-Afr.
  - **'Plumosus'**; cult.
– *sprengeri* Regel = Asparagus densiflorus 'Sprengeri-Grp.'
– **tenuifolius** Lam. · Zartblättriger Spargel | ♃ ♣ ✂ V; Eur.: Fr, Ap, C-Eur., Ba, E-Eur.; TR
– *tetragonus* Bresler = Asparagus racemosus
– **trichophyllus** Bunge | ♃ ✂; Sib., N-China
– **umbellatus** Link | ♄ Ⓚ ♣ VI-VIII; Canar., Madeira
– **verticillatus** L. | ♄ § ✂; Eur.: Ba, E-Eur.; TR, N-Iraq, Cauc., Iran, C-As.
– **virgatus** Baker | ♃ Ⓚ; S-Afr.

Aspasia Lindl. -f- *Orchidaceae*
– **lunata** Lindl. | ♃ Ⓦ IV-V ✻; Bras.

Asperella = Hystrix Moench
– *hystrix* Willd. = Hystrix patula

Asperugo L. -f- *Boraginaceae*
– **procumbens** L. · Scharfkraut, Schlangenäuglein | V-VIII; Eur.: C-Eur., Ap, EC-Eur., Sc, Ba, E-Eur.; TR, Levante, Cauc., W-Sib., E-Sib., C-As., Him., NW-Afr., Libya, nat. in Ib, Fr

Asperula L. -f- *Rubiaceae* · Meier, Meister
– **arcadiensis** Sims | ♃ V-VI; S-GR
– **aristata** L. f. · Grannen-Meier | ♃ VI-VIII; Eur.: Ib, Fr, CH, Ap, A, Ba, RO
– **arvensis** L. · Acker-Meier | V-VI; Eur.* exc. BrI, Sc; TR, Iraq, Cauc., Iran, nat. in Sc
– *athoa* Boiss. = Asperula suberosa
– *azurea* Jaub. et Spach = Asperula orientalis
– **cynanchica** L. · Hügel-Meier · Squinancy Wort | ♃ △ VI-IX; Eur.* exc. Sc; Cauc.
– **gussonii** Boiss. | ♃ △ VII-VIII; N-Sic.
– **hexaphylla** All. | ♃ △ VI-VII; Eur.: F, I; SW-Alp.
– **hirta** Ramond | ♃ △ VII-X; Eur.: Sp., F; Pyr.
– **lilaciflora** Boiss. · Woodruff | ♃ △ VI-VII; TR
  - subsp. *caespitosa* Boiss. = Asperula lilaciflora
– **neilreichii** Beck · Ostalpen-Meier | ♃ △ VI-IX; Eur.: D, A, Slova., ? RO, ? W-Russ; NE-Alp., Carp.
– **nitida** Sibth. et Sm. | ♃ △ VII-VIII; NW-TR (Ulu Dagh)
– *odorata* L. = Galium odoratum
– **orientalis** Boiss. et Hohen. · Aspérule azurée | ☉ D VI-VII; TR, Syr., Iraq, Cauc., Iran, nat. in H
– **purpurea** (L.) Ehrend. · Purpur-Meier | ♃ VII-VIII; Eur.: Fr, Ch, A, Ba, RO
– *setosa* hort. = Asperula orientalis
– *suberosa* Guss. = Asperula gussonii
– **suberosa** Sibth. et Sm. | ♃ △ V-VI; N-GR, SW-BG

– **taurina** L. · Turiner Meier | ♃ V-VI; Eur.: Ib, Fr, CH, A, Ba, RO, Krim; TR, Cauc., N-Iran, nat. in BrI, D, DK
– **tinctoria** L. · Färber-Meier · Dyer's Woodruff | ♃ VI-VII; Eur.* exc. BrI, Ib; S-Ural

Asphodeline Rchb. -f- *Asphodelaceae* · Junkerlilie
– *balansae* Baker = Asphodeline damascena
– **damascena** (Boiss.) Baker | ♃ V ∧; TR, Syr.
– *isthmocarpa* Baker = Asphodeline damascena
– **liburnica** (Scop.) Rchb. | ♃ VI ∧; Eur.: S-I, Ba, ? H; TR
– **lutea** (L.) Rchb. · Junkerlilie · Yellow Asphodel · Bâton de Jacob | ♃ V-VI ∧; Eur.: Ap, Ba, RO; TR, Cauc.
– **taurica** (Pall.) Kunth | ♃ IV-V ∧; GR, TR, Cauc.
– **tenuior** (Fisch.) Ledeb. | ♃ VI ∧; Cauc., Iran

Asphodelus L. -m- *Asphodelaceae* · Affodill
– **albus** Mill. · Affodill · Asphodel · Asphodèle blanche | ♃ V-VI Ⓝ; Eur.: Ib, Fr, CH, Ap, Ba; NW-Afr.
– **fistulosus** L. · Röhriger Affodill ; Eur.: Ib, Fr, Ap, Ba; TR, Arab., Canar., N-Afr.
– *liburnicus* Scop. = Asphodeline liburnica
– *luteus* L. = Asphodeline lutea
– *tauricus* Pall. = Asphodeline taurica

Aspidistra Ker Gawl. -f- *Convallariaceae* · Schusterpalme
– **elatior** Blume · Aspidistra | ♃ ⓚ II-IV; China, nat. in Jap.
– **lurida** Ker-Gawl. | ♃ ⓚ III-V; China

Aspidium = Tectaria Cav.
– *acrostichoides* (Michx.) Sw. = Polystichum acrostichoides
– *angulare* (Kit. ex Willd.) C. Presl = Polystichum setiferum
– *boottii* Tuck. = Dryopteris × bootii
– *caryotideum* Wall. = Polystichum falcatum var. caryotideum
– *cicutarium* (L.) Sw. = Tectaria cicutaria
– *decurrens* C. Presl = Tectaria decurrens
– *dryopteris* (L.) Baumg. = Gymnocarpium dryopteris
– *falcatum* (L. f.) Sw. = Polystichum falcatum
– *filix-mas* L. = Dryopteris filix-mas
- var. *goldiana* (Hook.) C. Chr. = Dryopteris goldiana
- var. *marginalis* (L.) C. Chr. = Dryopteris marginalis
– *macrophyllum* Rudolphi = Tectaria incisa
– *palustre* Salisb. = Thelypteris palustris
– *phegopteris* (L.) Baumg. = Phegopteris connectilis
– *rigidum* Sw. = Dryopteris villarii
– *robertianum* (Hoffm.) Luerss. = Gymnocarpium robertianum
– *spinulosum* O.F. Müll. = Dryopteris carthusiana
– *thelypteris* (L.) Sw. = Thelypteris palustris
– *trifoliatum* (L.) Sw. = Tectaria trifoliata

Aspidosperma Mart. et Zucc. -n- *Apocynaceae*
– **quebracho-blanco** Schltdl. · Kebrako, Quebracho | ♄ ⓚ Ⓝ; w S-Am.
– **ramiflorum** Müll. Arg. | ♄ ⓚ ✂; Bras.

Asplenium L. -n- *Aspleniaceae* · Streifenfarn
– *achilleifolium* (Lam.) H. Christ = Asplenium rutifolium
– **adiantum-nigrum** L. · Schwarzer Streifenfarn | ♃ △ VII-VIII; Eur.*, TR, Cyprus, Cauc., C-As. (Tien-schan), NW-Afr.
– **adulterinum** Milde · Braungrüner Streifenfarn | ♃ VII-VIII; Eur.: Sc, C-Eur., EC-Eur., Ap, Ba, RO
– *alpestre* Hoppe = Athyrium distentifolium
– × **alternifolium** Wulfen · Deutscher Streifenfarn | ♃ VII-IX; Eur. , W-TR
– *angustifolium* (Michx.) Milde = Athyrium pycnocarpon
– **antiquum** Makino | ♃ ⓦ; Jap., Riukiu-Is., Taiwan
– **australasicum** (J. Sm.) Hook. · Bird's Nest Fern ; E-Afr., trop. As., Austr., Polyn.
– *belangeri* (Bory) Kunze = Asplenium thunbergii
– *belangeri* (Kunze) C. Chr. = Asplenium decorum
– *billotii* F.W. Schultz = Asplenium obovatum subsp. lanceolatum
– **bulbiferum** G. Forst. · Hen-and-Chicken Fern, Mother Fern | ♃ ⓦ; Austr., NZ, N-

Ind.
– **ceterach** L. · Milzfarn, Schriftfarn · Rusty Spleenwort · Herbe dorée | ♃ Ⓐ VI-VIII ▽ ∧; Eur.* exc. Sc; TR, Levante, Cauc., C-As., Him., N-Afr.
– **cuneifolium** Viv. · Serpentin-Streifenfarn | ♃ VII-VIII; Eur.* exc. BrI, Sc, ? Ib; TR; Cauc., S-China
– **daucifolium** Lam. | ♃ Ⓦ; Mascarene Is.
– **decorum** Kunze | ♃ Ⓦ; Sri Lanka, Indochina, Phil., Sumat., N.Guinea
– **dimorphum** Kunze | ♃ Ⓦ; Norfolk Is.
– *ebeneum* Aiton = Asplenium platyneuron
– *filix-femina* (L.) Bernh. = Athyrium filix-femina
– **fissum** Kit. ex Willd. · Zerschlitzter Streifenfarn | ♃ △ VII-IX ▽; Eur.: F, I, C-Eur., Ba; mts.
– **fontanum** (L.) Bernh. · Jura-Streifenfarn | ♃ △ VII-IX ▽; Eur.: Ib, Fr, , Ap, C-Eur., Ec-Eur., Ba; Maroc.
– **forisiense** O. Le Grand · Französischer Streifenfarn | ♃ VI-IX; Eur.: Ib, Fr, Ap, C-Eur., W-Ba
– *halleri* (Roth) DC. = Asplenium fontanum
– *lanceolatum* auct. non Huds. = Asplenium obovatum
– *lanceolatum* Huds. = Asplenium obovatum subsp. lanceolatum
– **lepidum** C. Presl · Zarter Streifenfarn | ♃ X-III; Eur.: Ib, Fr, A, H, Ba, RO; TR
– **longissimum** Blume | ♃ Ⓦ; Malay. Arch.
– *lucidum* G. Forst. non Burm. = Asplenium lyallii
– **lyallii** (Hook. f.) T. Moore | ♃ Ⓦ; Madag., S-Afr., NZ
– **murbeckii** Dörfl. (*A. ruta-muraria* × *A. septentrionale*) · Schwäbischer Streifenfarn
– **nidus** L. · Bird's Nest Fern | ♃ Ⓦ; E-Afr., trop. As., Austr., Polyn.
  - var. *australasicum* J. Sm. = Asplenium australasicum
– *nidus-avis* hort. = Asplenium nidus
– **obovatum** Viv. | ♃ Ⓚ Ⓐ ∧; Eur.: Ib, Fr, BrI, CH, Ap, Ba, Azor.; TR, Maroc., Alger.
  - subsp. **lanceolatum** (Fiori) P. Silva · Billots Streifenfarn, Lanzettblättriger Streifenfarn | ♃ VII-IX; Eur., TR, Maroc., Alger.
– **onopteris** L. · Spitzer Streifenfarn | ♃ X-V; Eur.: Ib, IRL, Fr, Ap, H, PL, Ba, RO; TR, Levante, NW-Afr., Libya
– **platyneuron** (L.) Oakes · Ebony Spleenwort | ♃ Ⓚ; Can.: E; USA: NE, NCE, NC, Colo., SC, SE, Fla.; W-Ind., n S-Am., S-Afr.
– **rhizophyllum** L. · Walking Fern, Walking Leaf | ♃ Ⓐ ∧; Can.: E; USA: NE, NCE, Mo., Okla., SE
– **ruta-muraria** L. · Mauer-Streifenfarn, Mauerraute · Wall Rue | ♃ △ VII-IX; Eur.*, TR, Syr., Cauc., C-As., W-Sib., E-Sib., Amur, Maroc., Alger., Can.: E; USA: NE., NC, SE
– **rutifolium** (Bergius) Kunze | ♃ Ⓦ; Ind., China, S-Korea, Jap., Taiwan
– **scolopendrium** L. · Hirschzunge · Hart's Tongue Fern, Hart's Tongue · Scolopendre | ♃ ▢ VII-VIII ▽; Eur.*, TR, Syr., Palaest., Cauc., N-Iran, Jap., Canar., NW-Afr., Libya, Can., USA: NE, NCE, SE; Mex.
– **seelosii** Leyb. · Dolomit-Streifenfarn | ♃ VII-VIII; Eur.: Ib, Fr, C-Eur., Ap, Ba; N-Sp., Pyr., Alp.; Maroc.
– **septentrionale** (L.) Hoffm. · Nördlicher Streifenfarn · Grass Fern | ♃ △ VII-VIII; Eur.*, TR, Cauc., W-Sib., C-As., Him., Maroc., USA: NC, SC, SW, Rocky Mts., Calif.
– **serra** Langsd. et Fisch. | ♃ Ⓦ; trop. Am., trop. Afr.
– **tenerum** G. Forst.
  - var. *belangeri* Bory = Asplenium thunbergii
– **thunbergii** Mett.
– **trichomanes** L. emend. Huds. · Brauner Streifenfarn · Maidenhair Spleenwort · Fausse-Capillaire | ♃ △ VII-VIII; cosmop.
– **viride** Huds. · Grüner Streifenfarn · Green Spleenwort | ♃ △ VII-VIII; Eur.*, TR, Cyprus, Cauc., W-Sib., O-Sib., C-As., Him., Maroc., Alaska, Can., USA: NE, NCE, NC, Rocky Mts., NW, Calif., Greenl.
– *viviparum* (L.) C. Presl = Asplenium daucifolium

× **Aspoglossum** Hort. -n- *Orchidaceae* (*Aspasia* × *Odontoglossum*)

Astartea DC. -f- *Myrtaceae*
– **fascicularis** DC. | ♄; Austr.: W-Austr.

Astelia Banks et Sol. ex R. Br. -f-

Asteliaceae
- **banksii** A. Cunn. | ♃ Ⓚ; NZ

Aster L. -m- *Asteraceae* · Aster
- *acris* L. = Aster sedifolius
- **ageratoides** Turcz.
  - var. **ovatus** (Fr. et Sav.) Nakai | ♃; Jap.
- *agrostifolius* Small = Aster lateriflorus
- **albescens** (DC.) Hand.-Mazz. · Shrubby Aster | ♄ Ⓚ △ VII-VIII ∧; Kashmir, Him., SW-China, Myanmar
- × **alpellus** hort. (*A. alpinus* × *A. amellus*) | ♃ △ VI-VII; cult.
- **alpigenus** (Torr. et A. Gray) A. Gray · Alpine Aster, Tundra Aster ; USA: NW, Calif., Rocky Mts.
  - subsp. **andersonii** (A. Gray) Ouno | ♃ VII-IX; USA: NW, Calif., Nev.
- **alpinus** L. · Alpen-Aster · Alpine Aster, Blue Alpine Daisy · Aster des Alpes | ♃ △ VI ▽; Eur.* exc. BrI, Sc; mts.; TR, Cauc., N-Iran, W-Sib., E-Sib., C-As., Mong., China, Alaska, Can., USA: Rocky Mts.
  - var. *dolomiticus* Beck = Aster alpinus
- **amellus** L. · Berg-Aster, Kalk-Aster · Italian Aster, Italian Starwort | ♃ VII-IX ▽; Eur.: Fr, Ap, C-Eur., EC-Eur., Ba, E-Eur.; TR, Cauc.
- *andersonii* A. Gray = Aster alpigenus subsp. andersonii
- **asteroides** (DC.) Kuntze | ♃ △ V-VI; Bhutan, SE-Tibet, W-China
- **azureus** Lindl. | ♃ VIII-IX; Ont., USA: NE, NCE, SC, SE
- **bellidiastrum** (L.) Scop. · Alpenmaßliebchen | ♃ △ IV-VI; Eur.: Fr, Ap, C-Eur., EC-Eur., Ba, ? RO; mts.
- *bergerianus* (Spreng.) Harv. = Felicia bergeriana
- *canus* Waldst. et Kit. = Aster sedifolius subsp. canus
- *chinensis* L. = Callistephus chinensis
- **ciliolatus** Lindl. · Lindley's Aster | ♃ IX-X; Can.; USA: NE, NCE, NC, Rocky Mts.
- **cordifolius** L. · Common Blue Wood Aster · Aster à feuilles en couer | ♃ IX-X; Can.: E; USA; NE, NCE, SE
- *delavayi* Franch. = Aster diplostephioides
- **diplostephioides** (DC.) C.B. Clarke | ♃ △ V-VI; Him., SE-Tibet, W-China
- **divaricatus** L. · Weiße Herbst-Aster · White Wood Aster · Aster divariqué | ♃ IX-X; Can.: E; USA: NE, NCE, SE, nat. in NL
- **dumosus** L. · Bushy Aster, Rice Button Aster · Aster nain d'automne | ♃ VIII-X; Can.: E; USA: NE, NCE, SE
- **ericoides** L. · Erika-Aster · White Heath Aster | ♃ IX-XI; Can.: W; USA: NE, NCE, NC, Rocky Mts., SW, SC, SE; Mex.
- **farreri** W.W. Sm. et Jeffrey | ♃ △ V-VI; Tibet, W-China
- **flaccidus** Bunge | ♃ △ V-VI; C-As., Afgh., Pakist., Him., SW-China
- × **frikartii** Frikart (*A. amellus* × *A. thomsonii*) · Aster · Aster de Frikart | ♃ VIII-XI; cult.
- **himalaicus** C.B. Clarke | ♃ △ V-VI; Nepal, Bhutan, Sikkim, Tibet, N-Ind.: Assam; Myanmar
- *hirsuticaulis* Lindl. ex DC. = Aster lateriflorus
- *incisus* Fisch. = Kalimeris incisa
- **laevis** L. · Glatte Aster · Smooth Aster | ♃ X; Can., USA* exc. Calif., SC, nat. in Eur.
- **lanceolatus** Willd. · Lanzettblättrige Aster | ♃ X-VIII; N-Am., nat. in Eur.*
- **lateriflorus** (L.) Britton · Farewell Summer, Starved Aster · Aster à fleurs latérales | ♃ IX-X; Can.: E; USA: NE, NCE, SE
- *likiangensis* Franch. = Aster asteroides
- *lindleyanus* Torr. et A. Gray = Aster ciliolatus
- **linosyris** (L.) Bernh. · Gold-Aster · Goldilocks · Aster doré | ♃ VIII-X; Eur.*, TR, Cauc., Alger.
- *lutescens* (Lindl.) Torr. et A. Gray = Aster ptarmicoides var. lutescens
- × *luteus* hort. = × Solidaster luteus
- **macrophyllus** L. · Herzblättrige Aster · Bigleaf Aster | ♃ VIII; Can.: E; USA: NE, NCE, SE, nat. in NL, N-D, PL
- *mongolicus* Franch. = Kalimeris mongolica
- *montanus* R. Br. = Aster sibiricus
- *multiflorus* Aiton = Aster ericoides
- **novae-angliae** L. · Neuengland-Aster, Raublatt-Aster · New England Aster · Aster de Nouvelle-Angleterre | ♃ ✂ XI-X; Can., USA: NE, SE, NC, Rocky Mts., SW, nat. in C-Eur.
- **novi-belgii** L. · Glattblatt-Aster, Neubelgien-Aster · Michaelmas Daisy · Aster à feuilles lisses | ♃ ✂ X; Can.: E; USA: NE, SE, nat. in Eur.*

– *pappei* Harv. = Felicia amoena
– **parviceps** (Burgess) Mack. et Bush | ♃ ✂ X-XI; USA: Iowa, Ill., Mo.
– **parviflorus** Nees · Kleinblütige Aster | ♃ X-VIII; Can.: E; USA: NE, NCE, nat. in C-Eur.
– **pilosus** Willd. · White Oldfield Aster ; Can.: E; USA: NCE, NC, SE, nat. in Eur.
  - var. **demotus** Blake · Kleinköpfige Aster | ♃ X-VIII; Can.: Ont.; USA: NE, NCE, SE
  - var. *pringlei* (A. Gray) Blake = Aster pringlei
– **pringlei** (A. Gray) Britton | ♃ IX-X; Can.: Ont.; USA: NE, NCE, SE
– **ptarmicoides** (Nees) Torr. et A. Gray | ♃ VIII-IX; USA: NE, NCE, NC, SE
  - var. **lutescens** (Lindl.) A. Gray; Can.: W, Sask.; USA: NCE, NC
– *purdomii* Hutch. = Aster flaccidus
– **pyrenaeus** Desf. ex DC. · Aster des Pyrénées | ♃ VIII-IX; Eur.: F; Pyr.
– × **salignus** Willd. (*A. lanceolatus* × *A. novi-belgii*) · Weidenblättrige Aster | ♃ X-VIII; D, BrI, F, H +, nat. in Eur.* exc. Ib
– **savatieri** Makino | ♃ △ V-VII; Jap.
– **schreberi** Nees | ♃ VII-VIII; USA: NE, NCE, nat. in Scotland
– **sedifolius** L. · Aster à fleurs en étoile | ♃ VIII-IX; Eur.* exc. BrI, Sc; Cauc., Sib.
  - subsp. **canus** (Waldst. et Kit.) Merxm. · Graue Aster | ♃ X-IX; Eur.: A, Slova., H, Serb., BG, RO
– **shortii** Lindl. · Short's Aster | ♃ IX-X; USA: NE, NCE, SE
– **sibiricus** L. · Arctic Aster | ♃ VIII-IX ▽; Eur.: Norw., Russ., W-Sib., E-Sib., Amur, Sachal., Kamchat., Alaska, Can.:W; USA: NW
– *spectabilis* Willd. = Aster novi-belgii
– **stracheyi** Hook. f. | ♃ △ V-VI; W-Him.
– *subcoeruleus* S. Moore = Aster tongolensis
– *subintegerrimus* (Trautv.) Ostenf. et Resv.-Holms. = Aster sibiricus
– **tataricus** L. f. · Tartarian Aster | ♃ VIII-X; Sib., Mong., China, Manch., Korea, Jap.
– **thomsonii** C.B. Clarke | ♃ VII-IX; W-Him.
– **tibeticus** Hook. f. · Tibet-Aster | ♃ △ V-VI; Him., Tibet
– **tongolensis** Franch. · Aster de l'Himalaya | ♃ △ V-VI; W-China
– *tradescantii* hort. = Aster pilosus var. demotus
– **tradescantii** L. | ♃ VIII-X
– **tripolium** L. · Strand-Aster · Sea Aster | ⊙ VII-IX; Eur.*, Cauc., W-Sib., E-Sib., Sachal., C-As., Mong., China, Korea, Jap.
– **umbellatus** Mill. · Umbelled Aster | ♃ VIII-IX; Can.: E; USA: NE, NCE, SE
– × **versicolor** Willd. (*A. laevis* × *A. novi-belgii*) · Bunte Glattblatt-Aster | ♃ X-IX; cult., nat. in Eur.: Fr, I, BrI, C-Eur., öM, RO
– **vimineus** Lam. | ♃ VIII-X; Can.: E; USA: NE, NCE, SC, SE
– **yunnanensis** Franch. | ♃ △ V-VI, W-China

× **Asterago** Everett -f- *Asteraceae*
– *lutea* Everett = × Solidaster luteus

Asteranthera Hanst. -f- *Gesneriaceae*
– **ovata** (Cav.) Hanst. | ♄ Ⓚ ≩ XII-V; S-Chile

Asteriscus Mill. -m- *Asteraceae*
– **aquaticus** (L.) Less. · Gewöhnliches Sternauge ; Eur.: Ib, Fr, Ap, Ba; TR, N-Afr.
– **maritimus** (L.) Less. | ♃ Ⓚ VIII-IX; Eur.: Ib, F, Ap, GR, Canar.; N-Afr.
– **pygmaeus** Coss. et Kralik | ⊙ Ⓚ; N-Afr., Iran, Pakist.
– **sericeus** (L. f.) DC. | ♄ Ⓚ VIII-IX; Canar. (Fuerteventura)
– **spinosus** (L.) Cass.

Astilbe Buch.-Ham. ex G. Don -f- *Saxifragaceae*
– × **arendsii** Arends (*A. astilboides* × *A. chinensis var. davidii* × *A. thunbergii* × *A.* × *rosea*) · Garten-Astilbe
– **astilboides** (Maxim.) Lemoine | ♃ VII; Jap.
– **chinensis** (Maxim.) Franch. et Sav. · China-Astilbe · Chinese Astilbe · Astilbe naine | ♃ VII; Amur, N-China, Korea
  - var. **davidii** Franch. | ♃ VII; Amur, N-China, Manch., Korea, Jap.
  - var. **pumila** hort. · Zwerg-Astilbe | ♃ VIII-IX; Tibet
  - var. **taquetii** (Lév.) Vilm. | ♃ VII; E-China
– × **crispa** (Arends) Bergmans; cult.
– *davidii* (Franch.) Henry = Astilbe chinensis var. davidii

– **glaberrima** Nakai; Jap.: Kyushu
- var. **saxatilis** Nakai | ♃ △ VII-VIII; Jap.
– **grandis** Stapf ex E.H. Wilson | ♃ VII-VIII; NW-China, C-China
– **japonica** (C. Morren et Decne.) A. Gray · Japanese Astilbe · Astilbe du Japon | ♃ V-VI; Jap.
– **koreana** (Kom.) Nakai · Koreanische Astilbe · Korean Astilbe | ♃ VII-VIII; Korea, N-China
– **rivularis** Buch.-Ham. · Bach-Astilbe · Astilbe des ruisseaux | ♃ VIII; Him.
– **simplicifolia** Makino · Astilbe glabre | ♃ VII; Jap.
– *taquetii* (Lév.) Koidz. = Astilbe chinensis var. taquetii
– **thunbergii** (Siebold et Zucc.) Miq. · Thunberg's Astilbe | ♃ VII-VIII; Jap.

Astilboides (Hemsl.) Engl. -f- *Saxifragaceae*
– **tabularis** (Hemsl.) Engl. · Tafelblatt | ♃ ~ VI; Manch., N-Korea

Astragalus L. -m- *Fabaceae* · Tragant
– **alopecuroides** L. · Fuchsschwanz-Tragant
– **alpinus** L. · Alpen-Tragant | ♃ VI-VIII; Eur.*, Cauc., W-Sib., E-Sib., Amur, Kamchat., C-As; N-Am.
– **angustifolius** Lam. · Astragale à feuilles étroites | ♄ △ VII-VIII; Eur.: Ba; TR, Cauc.
– **arenarius** L. · Sand-Tragant | ♃ VI-VII; Eur.: D, Sweden, EC-Eur., E-Eur.
– **aristatus** L'Hér.
– **asper** Jacq. · Rau-Tragant | ♃ V-VI; Eur.: A, EC-Eur., BG, E-Eur.; Cauc.
– **australis** (L.) Lam. · Südlicher Tragant | ♃ V-VI; Eur.* exc. BrI, Sc; mts.; W-Sib., E-Sib., Mong.
– **austriacus** L. · Österreichischer Tragant | ♃ VI-VIII; Eur.* exc. BrI, Sc
– **boeticus** L. | ♃ V-VII Ⓝ; Eur.: Ib, Fr, Ap, Ba; Levante, Sinai, Iran, N-Afr., Makaron.
– *campestris* L. = Oxytropis campestris
– **centralpinus** Braun-Blanq. | ♃ VII-VIII; Eur.: F, I, BG; SW-Alp., Rodope mts.
– **cicer** L. · Kicher-Tragant · Wild Lentil | ♃ VI-VIII Ⓝ; Eur.* exc. BrI, Sc; TR, Cauc.
– **danicus** Retz. · Dänischer Tragant · Purple Milk Vetch | ♃ △ V-VI; Eur.* exc. Ib, Ba; Cauc., W-Sib., E-Sib., C-As., Mong.
– **depressus** L. · Niederliegender Tragant | ♃ △ V-VI; Eur.: Ib, Fr, Ap, Ba, RO, CH; TR, Maroc., Alger.
– **exscapus** L. · Stängelloser Tragant | ♃ △ V-VI; Eur.: F, I, C-Eur., EC-Eur., Ba, RO
– **frigidus** (L.) A. Gray · Gletscher-Tragant | ♃ VII-VIII; Eur.: Fr, Ap, C-Eur., EC-Eur., Sc, EC-Eur.; N, mts.; W-Sib., E-Sib., Amur, Kamchat.
– **glycyphyllos** L. · Bärenschote, Süßer Tragant · Wild Liquorice | ♃ VI-IX Ⓝ; Eur.*, N-TR, Cauc., W-Sib.
– **gummifer** Labill. · Gum Tragacanth | ♄ Ⓚ Off. Ⓝ; TR, Lebanon
– **hyoglottis** L. · Purpur-Tragant | ♃ VI-VII; Eur.: Sp., F, I, Ba
– **leontinus** Wulfen · Tiroler Tragant | ♃ VI-VII; Eur.: F, I, Ch, A, Croatia, Bosn.; Alp., NW-Ba
– **microcephalus** Willd. | ♄ Ⓚ Off.; Cauc., TR
– **monspessulanus** L. · Französischer Tragant | ♃ △ V-VI; Eur.: Ib, Fr, CH, Ap, Ba, E-Eur.; NW-Afr.
– *montanus* L. = Oxytropis jacquinii
– **norvegicus** Weber · Norwegischer Tragant | ♃ VII-VIII; Eur.: A, Slova., Sc, Russ., ? RO; N, E-Alp., Carp.
– **onobrychis** L. · Esparsetten-Tragant | ♃ VI-VII; Eur.* exc. BrI, Sc; TR, Cauc., W-Sib., C-As., Alger.
– **penduliflorus** Lam. · Alpen-Blasenschote, Hängeblütiger Tragant | ♃ VII-VIII; Eur.* exc. BrI; S-Sweden, Pyr., Alp., Carp.
– *purpureus* Lam. = Astragalus hyoglottis
– **sempervirens** Lam. · Dorniger Tragant | ♄ △ V-VIII; Eur.: Sp., F, I, CH, GR
– *sericeus* Lam. = Oxytropis halleri
– **sulcatus** L. · Ungarischer Tragant | ♃ V-VII; Eur.: A, EC-Eur., E-Eur.; W-Sib., E-Sib., C-As.
– **tragacantha** L. | ♄ VI-VII; Eur.: Ib, F, Corse, Sard.
– **vesicarius** L. · Blasen-Tragant | ♃ V-VIII; Eur.: Ib, Fr, Ap, Ba, A, EC-Eur., E-Eur

Astrantia L. -f- *Apiaceae* · Sterndolde
– **bavarica** F.W. Schultz · Bayerische Sterndolde | ♃ △ VI-VIII; Eur.: I, D, A, Slove.; E-Alp.
– **carniolica** Wulfen · Krainer Sterndolde |

♃ △ VII-VIII; Eur.: I, A, Slove.; SE-Alp.
– *helleborifolia* Salisb. = Astrantia maxima
– *heterophylla* Willd. = Astrantia maxima
– **major** L. · Große Sterndolde · Astrantia, Great Masterwort · Grande Astrance | ♃ ⋈ VI-VIII; Eur.* exc. BrI, Sc, nat. in BrI, Sc
 - subsp. **carinthiaca** Arcang. | ♃
– **maxima** Pall. · Astrance à feuilles d'hellébore | ♃ ⋈ VI-VIII; Cauc., TR
– **minor** L. · Kleine Sterndolde · Lesser Masterwort | ♃ △ VII-VIII; Eur.: Sp., F, CH, I; Pyr., SW-Alp., N-Apenn.

Astrapaea = Dombeya Cav.
– *wallichii* Lindl. = Dombeya wallichii

Astridia Dinter -f- *Aizoaceae*
– **dinteri** L. Bolus | ♃ Ψ ⓚ; Namibia

Astrocaryum G. Mey. -n- *Arecaceae* · Sternnußpalme
– **jauarii** Mart. | ♄ ⓦ Ⓝ; Bras.
– **mexicanum** Liebm. | ♄ ⓦ; Mex., Guat. Hond.
– **murumuru** Mart. | ♄ ⓦ Ⓝ; Bras.
– **tucuma** Mart. | ♄ Ⓝ; Bras.
– **vulgare** Mart. | ♄ ⓦ Ⓝ; Bras.

Astroloba = Haworthia Duval
– **aspera** (Haw.) Uitewaal | ♃ Ψ ⓚ; Kap
– *deltoidea* (Hook. f.) Uitewaal = Astroloba spiralis subsp. foliolosa
– *muricata* hort. = Astroloba aspera
– **spiralis** (L.) Uitewaal | ♃ Ψ ⓚ; Kap
 - subsp. **foliolosa** (Haw.) Groenew. | ♃ Ψ ⓚ; S-Afr. (Karroo)
 - subsp. **foliolosa'Pentagona'** | ♃ Ψ; Kap

Astronium Jacq. *Anacardiaceae*
– **balansae** Engl. · Urundayholz | ♄ Ⓝ; N-Arg., Parag.

Astrophytum Lem. -n- *Cactaceae* · Sternkaktus, Bischofsmütze
– **asterias** (Zucc.) Lem. · Sand Dollar, Silver Dollar Cactus | Ψ ⓚ VI-VIII ✻; S-Tex., N-Mex.
– **capricorne** (A. Dietr.) Britton et Rose · Goat's Horn Cactus | Ψ ⓚ ✻; N-Mex.
– **myriostigma** Lem. · Bishop's Cap Cactus, Bishop's Hood | Ψ ⓚ ✻; NE-Mex.
– **ornatum** (DC.) F.A.C. Weber · Ornamental Monk's Hood, Star Cactus | Ψ ⓚ ✻; E-Mex.

Asyneuma Griseb. et Schenck -n- *Campanulaceae*
– **canescens** (Waldst. et Kit.) Griseb. et Schenk · Grauliche Traubenrapunzel | ♃ VII-VIII; Eur.: EC-Eur., Ba, E-Eur.
– **michauxioides** (Boiss.) Damboldt | ⊙ VI-VII; TR

Asystasia Blume -f- *Acanthaceae*
– *bella* (Harv.) Benth. et Hook. f. = Mackaya bella
– **scandens** (Lindl.) Hook. | ♄ ⓦ VII-VIII; W-Afr.: Guinea, Sierra Leone, Liberia

Ataccia = Tacca J.R. Forst. et G. Forst.
– *aspera* (Jack) Kunth = Tacca integrifolia
– *cristata* (Roxb.) Kunth = Tacca integrifolia

Ataenidia Gagnep. -f- *Marantaceae*
– **conferta** (Benth.) Milne-Redh. | ♃ ⓦ; C-Afr., Angola

Athamanta L. -f- *Apiaceae* · Augenwurz
– **cretensis** L. · Zottige Augenwurz · Athamanta, Candy Carrot | ⊙ ♃ V-VIII; Eur.: Ib, Fr, Ap, Ba, C-Eur.
– *haynaldii* Borbás et Uechtr. = Athamanta turbith subsp. haynaldii
– *matthioli* Wulfen = Athamanta turbith
– *rupestris* Rchb. = Athamanta turbith
– **turbith** (L.) Brot. · Candy Carrot ; Eur.: I, Slove., AL, RO
 - subsp. **haynaldii** (Borbás et Uechtr.) Tutin | ♃ △ VI-VII; Eur.: A, Slove., Croatia, Bosn., YU, AL, H

Athanasia L. -f- *Asteraceae*
– *annua* L. = Lonas annua
– **crithmifolia** (L.) L. | ♄ ⓚ VI-VIII; S-Afr.
– **parviflora** L. | ♄; S-Afr.

Athyrium Roth -n- *Woodsiaceae* · Frauenfarn
– *acrostichoides* (Sw.) Diels = Diplazium acrostichoides
– *alpestre* (Hoppe) Rylands = Athyrium distentifolium
– *australe* (R. Br.) C. Presl = Diplazium australe
– **distentifolium** Tausch ex Opiz · Gebirgs-Frauenfarn | ♃ VII-VIII; Eur.*, TR,

Cauc., N-Iran, W-Sib., E-Sib., Sachal., Kamchat., Jap., Alaska, Can., USA: NW, Rocky Mts., Calif; Greenl.
- **filix-femina** (L.) Roth · Wald-Frauenfarn · Lady Fern, Southern Lady Fern · Fougère femelle | ♃ VII-VIII; Eur.*, TR, Cauc., N-Iran, W-Sib., E-Sib., Amur, Sachal., Kamchat., Him., Ind., China, Jap., NW-Afr., Can., USA*, Mex. S-Am.(And.)
- *goeringianum* (Kunze) T.V. Moore = Athyrium niponicum
- **niponicum** (Mett.) Hance · Regenbogen-Farn | ♃; China, Manch., Korea, Jap., Taiwan
- **pycnocarpon** (Spreng.) Tidestr. | ♃ ~ ; Can.: E; USA: NE, NCE, SE
- *rhaeticum* (L.) Gremli = Athyrium distentifolium
- *thelypteroides* (Michx.) Desv. = Diplazium acrostichoides
- *umbrosum* (Aiton) C. Presl = Diplazium australe
- **vidalii** (Franch. et Sav.) Nakai | ♃; Jap., Korea, Taiwan

Atragene = Clematis L.
- *alpina* L. = Clematis alpina
- *macropetala* (Ledeb.) Ledeb. = Clematis macropetala
- *sibirica* L. = Clematis alpina subsp. sibirica

Atraphaxis L. -f- *Polygonaceae* · Bocksknöterich
- **frutescens** (L.) K. Koch · Strauchiger Bocksknöterich ; Eur.: Russ., W-, C-As.
- *lanceolata* (M. Bieb.) Meisn. = Atraphaxis frutescens
- **muschketowii** Krasn. | ♄ △ ♧ V-VI; C-As (Tien-schan)
- **spinosa** L. · Dorniger Bocksknöterich | ♄ △ ♧ VIII; Eur.: E-Russ.; TR, Iran, SW-As.

Atriplex L. -f- *Chenopodiaceae* · Melde
- **calotheca** (Rafn) Fr. · Pfeilblättrige Melde | VI-IX; Eur.: Sc, PL, Russ. +
- **glabriuscula** Edmondston · Kahle Melde | VI-IX; Eur.* exc. Ap, ? Ib; coasts
- **halimus** L. | ♄ VII-IX; Eur.; Ib, Ap, F, Ba; TR, Levante, N-Afr. +
- **hortensis** L. · Garten-Melde · Orach · Arroche rouge des jardins | ⊙ VII-IX Ⓝ; C-As., nat. in Eur.* exc. BrI, Sc
- **laciniata** L. · Gelappte Melde | VII-IX; Eur.: Sc, B, Fr, Sp., D; Cauc., Iran, W-Sib., C-As., Mong., China:Sinkiang; Him.
- **littoralis** L. · Strand-Melde | VII-IX; Eur.* ; Syr. Lebanon, Cauc., Iran, W-Sib., Amur, C-As., Egypt, NW-Afr., coasts, saline habitats
- **longipes** Drejer · Langstielige Melde | VII-IX; Eur.: BrI, Sc, PL, N-Russ.
- **micrantha** Ledeb. · Verschiedensamige Melde | VII-IX; Eur.: Russ.; Cauc., W-Sib., C-As, nat. in Sp., D, PL
- **oblongifolia** Waldst. et Kit. · Langblättrige Melde | VII-IX; Eur.* exc. BrI, Ib; TR, Cauc., C-As., nat. in F
- **patula** L. · Spreizende Melde · Common Orach | ⊙ X; Eur.*, Cauc., TR, Cyprus, Syr., W-Sib., E-Sib., C-As., N-Afr., Alaska, Can., USA*, Greenl.
- **pedunculata** L. · Stielfrüchtige Salzmelde | X-VII; Eur.* exc. Ib, Ap
- **portulacoides** L. · Strand-Salzmelde | ♃ VII-IX; Eur.* exc. EC-Eur., E-Eur.; TR, Levante, Cauc., Iran, W-Sib., C-As., China: Sinkiang; Mong., N-Afr.
- **prostrata** Boucher ex DC. · Spieß-Melde, Spießblättrige Melde | VII-IX; Eur.*, TR, Levante, NW-Afr., Egypt
- **rosea** L. · Rosen-Melde | VII-IX; Eur.* exc. BrI, Sc; TR
- **sagittata** Borkh. · Glanz-Melde | VII-IX; Eur.: Ap, C-Eur., EC-Eur., Ba, E-Eur; TR, W-Sib., C-As., nat. in F
- **tatarica** L. · Tataren-Melde | VII-IX; Eur.* exc. BrI, Sc; TR, Cyprus, Cauc., Iran, W-Sib., C-As., Mong., China: Sinkiang; Tibet, Him., NW-Afr., Egypt

Atropa L. -f- *Solanaceae* · Tollkirsche
- **acuminata** Royle ex Lindl. | ♃ ☠; Ind.
- **bella-donna** L. · Echte Tollkirsche | ♃ Off. VI-VII ☠; Eur.* exc. Sc; TR, Cauc., N-Iran, NW-Afr., nat. in Sc
  - **'Lutea'** L.
- *rhomboidea* Gillies et Hook. = Salpichroa origanifolia

Attalea Kunth -f- *Arecaceae*
- *cohune* Mart. = Orbignya cohune
- *excelsa* Mart. ex Spreng. = Scheelea martiana
- **funifera** Mart. ex Spreng. | ♄ ⓦ Ⓝ; Bras.: Bahia, Espirito Santo
- *spectabilis* Mart. = Orbignya spectabilis

Aubrieta Adans. -f- *Brassicaceae* · Blaukissen
– **columnae** Guss. | ♃ ⇝ △ IV-V; Eur.: I, Ba, RO
– **deltoidea** (L.) DC. · Griechisches Blaukissen | ♃ ⇝ △ IV-V; Eur.: Sic., Ba; TR, nat. in BrI, F, Sp.
– *graeca* Griseb. = Aubrieta deltoidea

Aucoumea Pierre -f- *Burseraceae*
– **klaineana** Pierre | ₺ Ⓦ Ⓝ; W-Afr.

Aucuba Thunb. -f- *Cornaceae* · Aukube
– **japonica** Thunb. ex Murray · Japanische Aukube · Aucuba, Spotted Laurel · Aucuba du Japon | ♄ ⚘ III-IV; S-Jap., China, Taiwan

Aulax Bergius -f- *Proteaceae*
– **umbellata** (Thunb.) R. Br. | ♄ Ⓚ ⚔; S-Afr.

Auliza = Epidendrum L.
– *ciliaris* (L.) Salisb. = Epidendrum ciliare
– *parkinsoniana* (Hook.) Brieger = Epidendrum parkinsonianum

Aurinia Desv. -f- *Brassicaceae*
– **petraea** (Ard.) Schur · Friauler Steinkresse | ♃ IV-VI; Eur.: I, Ba, RO, nat. in F, C-Eur.
– **rupestris** (Ten.) Cullen et Dudley; Eur.: I, Ba; TR
– **saxatilis** (L.) Desf. · Felsen-Steinkraut · Golden Alyssum, Golden Tuft · Alysse des rochers, Corbeille d'or | ♃ ♄ ⁞ △ IV-V ▽; Eur.: Ap, C-Eur., EC-Eur., Ba, E-Eur.; TR, nat. in F

Austrocactus Britton et Rose -m- *Cactaceae*
– **patagonicus** (F.A.C. Weber) Backeb. | ψ Ⓚ
– **spiniflorus** (Phil.) F. Ritter | ψ Ⓚ

Austrocedrus Florin et Boutelje -m- *Cupressaceae*
– **chilensis** (D. Don) Pic Serm. et Bizzarri | ₺; Chile, W-Arg.

Austrocephalocereus Backeb. -m- *Cactaceae*
– **dybowskii** (Rol.-Goss.) Backeb. | ψ Ⓚ ✻; E-Bras.: Bahia
– *fluminensis* (Miq.) Buxb. = Coleocephalocereus fluminensis
– **lehmannianus** (Werderm.) Backeb. | ψ Ⓚ ✻; Bras.
– **purpureus** (Gürke) Backeb. | ψ Ⓚ ✻; Bras.

Avena L. -f- *Poaceae* · Hafer
– **abyssinica** Hochst. | Ⓝ; Eth.
– **barbata** Pott ex Link · Bart-Hafer | V-VI; Eur.: Ib, Fr, Ap, Ba, RO, Krim; TR, Cauc., Iraq, Iran, C-As., N-Afr. +, nat. in A, N-Am., S-Am.
– **byzantina** K. Koch · Common Red Oats | ⊙ Ⓝ; cult. TR, W-Iran, W-Pakist., NW-Afr.
– *candida* hort. = Helictotrichon sempervirens
– *desertorum* Less. = Helictotrichon desertorum
– *distichophylla* Vill. = Trisetum distichophyllum
– *elatior* L. = Arrhenatherum elatius
– **fatua** L. · Flug-Hafer · Wild Oats | ⊙ ⚔ VI-VIII; Eur.*, TR, Iraq, Lebanon, Syr., Palaest., Arab., Cauc., W-Sib., E-Sib., Amur, Sachal., C-As., Afgh., Pakist., Ind., Tibet, Mong., nat. in China, Jap., Phil., S-Afr., N-Am., Mex., Austr., NZ
– *flavescens* L. = Trisetum flavescens
– **nuda** L. emend. Mansf. · Sand-Hafer · Naked Oat | VI-VIII; cult.
  - subsp. *strigosa* (Schreb.) Mansf. = Avena nuda
– *parlatorei* J. Woods ex Dalla Torre = Helictotrichon parlatorei
– *planiculmis* Schrad. = Helictotrichon planiculme
– *pratensis* L. = Helictotrichon pratense
– *pubescens* Huds. = Helictotrichon pubescens
– **sativa** L. · Saat-Hafer · Oats | ⊙ VI-VII Ⓝ; orig. ?; cult.
– *sempervirens* Vill. = Helictotrichon sempervirens
– **sterilis** L. · Tauber Hafer · Animated Oat | ⊙ ⚔ VII-VIII; Eur.: Ib, Fr, Ap, Ba, E-Eur.; TR, Iraq, Syr., Israel, Arab., Cauc., Iran, Afgh., N-Afr., nat. in BrI, EC-Eur.
– *strigosa* Schreb. = Avena nuda

Avenastrum = Helictotrichon Besser
– *desertorum* (Less.) Podp. = Helictotrichon desertorum
– *parlatorei* (J. Woods ex Dalla Torre) Beck = Helictotrichon parlatorei

- *planiculme* (Schrad.) Jess. = Helictotrichon planiculme
- *pratense* (L.) Pilg. = Helictotrichon pratense
- *pubescens* (Huds.) Jess. = Helictotrichon pubescens

Avenella = Deschampsia P. Beauv.
- *flexuosa* (L.) Drejer = Deschampsia flexuosa

Avenochloa = Helictotrichon Besser
- *planiculmis* (Schrad.) Holub = Helictotrichon planiculme
- *pratensis* (L.) Holub = Helictotrichon pratense
- *pubescens* (Huds.) Holub = Helictotrichon pubescens
- *versicolor* (Vill.) Holub = Helictotrichon versicolor

Avenula = Helictotrichon Besser
- *planiculmis* (Schrad.) Parl. = Helictotrichon planiculme
- *pratensis* (L.) Dumort. = Helictotrichon pratense
- *pubescens* (Huds.) Dumort. = Helictotrichon pubescens
- *versicolor* (Vill.) Lainz = Helictotrichon versicolor

Averrhoa L. -f- *Oxalidaceae* · Gurkenbaum
- **bilimbi** L. · Bilimbi | ♄ Ⓦ Ⓝ; orig. ?, nat. in Trop.
- **carambola** L. · Carambola, Star Fruit | ♄ Ⓦ Ⓝ; Malay. Pen., nat. in Trop.

Axonopus P. Beauv. -m- *Poaceae*
- **compressus** (Sw.) P. Beauv. | ♃ Ⓝ; C-Am., W.Ind.

Ayapana Spach -f- *Asteraceae*
- **triplinervis** (Vahl) R.M. King et H. Rob. · Triplinerved Eupatorium | ♄ Ⓦ Ⓝ; trop. Am., nat. in Mauritius, Ind., Java

Aylostera = Rebutia K. Schum.
- *deminuta* (F.A.C. Weber) Backeb. = Rebutia deminuta
- *fiebrigii* (Gürke) Backeb. = Rebutia fiebrigii
- *kupperiana* (Boed.) Backeb. = Rebutia kupperiana
- *pseudodeminuta* (Backeb.) Backeb. = Rebutia pseudodeminuta
- *spegazziniana* (Backeb.) Backeb. = Rebutia spegazziniana
- *steinmannii* (Solms) Backeb. = Rebutia steinmannii

Azalea = Rhododendron L.
- *albrechtii* (Maxim.) Kuntze = Rhododendron albrechtii
- *amoena* Lindl. = Rhododendron kiusianum
- *arborescens* Pursh = Rhododendron arborescens
- *atlantica* Ashe = Rhododendron atlanticum
- *calendulacea* Michx. = Rhododendron calendulaceum
- *canadensis* (L.) Kuntze = Rhododendron canadense
- *indica* L. non hort. = Rhododendron indicum
- *japonica* A. Gray = Rhododendron molle subsp. japonicum
- *kaempferi* (Planch.) André = Rhododendron kaempferi
- *linearifolia* (Siebold et Zucc.) Hook. f. = Rhododendron stenopetalum 'Linearifolium'
- *lutea* (Hoffmanns.) G. Don = Rhododendron luteum
- *mollis* André = Rhododendron molle subsp. japonicum
- *mollis* Blume = Rhododendron molle
- *mucronata* Blume = Rhododendron mucronatum
- *nudiflora* L. = Rhododendron periclymenoides
- *obtusa* Lindl. = Rhododendron × obtusum
- *occidentalis* Torr. et A. Gray = Rhododendron occidentale
- *parvifolia* Adams = Rhododendron lapponicum
- *pentaphylla* (Maxim.) Copel. = Rhododendron pentaphyllum
- *periclymenoides* Michx. = Rhododendron periclymenoides
- *pontica* L. = Rhododendron luteum
- *prinophylla* Small = Rhododendron prinophyllum
- *procumbens* L. = Loiseleuria procumbens
- *reticulata* (D. Don ex G. Don) K. Koch = Rhododendron reticulatum
- *rosea* Loisel. = Rhododendron prinophyllum
- *schlippenbachii* (Maxim.) Kuntze =

Rhododendron schlippenbachii
- *sinensis* Lodd. = Rhododendron molle
- *tschonoskii* (Maxim.) Kuntze = Rhododendron tschonoskii
- *vaseyi* (A. Gray) Rehder = Rhododendron vaseyi
- *viscosa* L. = Rhododendron viscosum

Azara Ruiz et Pav. -f- *Flacourtiaceae*
- **dentata** Ruiz et Pav. | ♄; Chile
- **lanceolata** Hook. f. | ♄ ♄; Chile, Arg.
- **microphylla** Hook. f. · Boxleaf Azara | ♄ Ⓚ D II-III; Chile
- **serrata** Ruiz et Pav. | ♄ Ⓚ III-V; Chile

Azolla Lam. -f- *Azollaceae*
- **caroliniana** Willd. · Fairy Moss · Fougère aquatique, Mousse des fées | ♃ Ⓦ Ⓚ ♠; USA: NE, NCE, SE, Fla.; Mex., W.Ind., C-Am., nat. in Eur.* exc. BrI, Sc
- **filiculoides** Lam. · Feenmoos, Großer Algenfarn · Large Mosquito Fern | ♃ Ⓦ Ⓚ ♠ X-VIII; Alaska, USA: NW, Calif; Mex., C-Am., S-Am., nat. in Eur.* exc. BrI, Sc
- **mexicana** C. Presl · Kleiner Algenfarn | ♃ VI-VII; N-Am., C-Am., nat. in Fr, Ap, D, EC-Eur., Ba, EC-Eur.
- **pinnata** R. Br. | Ⓝ; China, cult. China, Jap., Calif. etc.

Azorella Lam. -f- *Apiaceae*
- **peduncularis** (Spreng.) Math. et Const. | ♃ Ⓚ; Ecuad.
- **trifurcata** (Gaertn.) Pers. · Andenpolster · Coussin des Andes | ♃ △ VI-VII ∧; Chile, Arg.

Azorina Feer -f- *Campanulaceae*
- **vidalii** (H.C. Watson) Feer | ♄ Ⓚ VII-VIII; Azor.

Aztekium Boed. -n- *Cactaceae*
- **ritteri** (Boed.) Boed. | ♆ Ⓚ ✻; Mex.: Nuevo León

Azureocereus = Browningia Britton et Rose
- *hertlingianus* (Backeb.) Backeb. = Browningia hertlingiana
- *nobilis* Akers et H. Johnson = Browningia hertlingiana
- *viridis* Rauh et Backeb. = Browningia viridis

Babiana Ker Gawl. ex Sims -f- *Iridaceae*
- **stricta** (Aiton) Ker-Gawl. · Baboon Flower | ♃ Ⓚ III-IV; Kap

Baccaurea Lour. -f- *Euphorbiaceae*
- **dulcis** (Jacq.) Müll. Arg. | ♄ Ⓝ; Malay. Arch.
- **motleyana** (Müll. Arg.) Müll. Arg. · Baccaurea | ♄ Ⓦ Ⓝ; Malay. Pen., Sumat., Java, Kalimantan
- **sapida** Müll. Arg. | ♄ Ⓝ; Ind., China, Malay. Arch.

Baccharis L. -f- *Asteraceae*
- **genistelloides** Pers. | ♄ Ⓚ D XI-I; S-Am.
- **halimifolia** L. · Kreuzstrauch · Groundsel Tree | ♄ ♣ VIII-X; USA: NE, SE, Fla., SC; Mex., C-Am., W.Ind., nat. in W-F u. NW-Sp.
- **magellanica** (Lam.) Pers. | ♃; S-Chile, S-Arg., Fakland Ins.

Bacopa Aubl. -f- *Scrophulariaceae*
- *amplexicaulis* (Pursh) Wettst. = Bacopa caroliniana
- **caroliniana** (Walter) B.L. Rob. | ♃ Ⓦ ~ ♠; USA: Va, SE, Tex., Fla.
- **monnieri** (L.) Pennell · Baby Tears, Water Hyssops | ♃ Ⓦ ~ ♠; USA: NE, SE, Fla., Tex.; Mex., C-Am., trop. S-Am., Phil., Malay. Pen., Iraq, nat. in Ib

Bactris Jacq. -f- *Arecaceae*
- **gasipaes** Humb., Bonpl. et Kunth · Peach Palm | ♄ Ⓦ Ⓝ; ? Peru; cult.

Baeckea L. -f- *Myrtaceae*
- **virgata** (J.R. Forst. et G. Forst.) Andrews | ♄ Ⓚ VIII-X; Austr.: North Terr., Queensl., N.S.Wales, Victoria

Baeothryon = Eleocharis R. Br.
- *alpinum* (L.) Egorova = Trichophorum alpinum

Baeria = Lasthenia Cass.
- *californica* (Nutt.) A. Gray = Lasthenia coronaria
- *chrysostoma* (Fisch. et C.A. Mey.) Greene = Lasthenia californica
- *coronaria* (Nutt.) A. Gray = Lasthenia coronaria
- *gracilis* (DC.) A. Gray = Lasthenia californica

Bahia Lag. -f- *Asteraceae*

– *lanata* (Pursh) DC. = Eriophyllum lanatum

Baillonella Pierre -f- *Sapotaceae*
– **toxisperma** Pierre · Afrikanischer Birnbaum, Njabi | ♄ Ⓝ; Nigeria, Cameroun, Gabun, Congo

Balanites Delile -f- *Balanitaceae*
– **aegyptiaca** Delile · Zachunbaum | ♄ Ⓝ; Palaest., Arab., n trop. Afr., Eth.

Balantium = Parinari Aubl.
– *culcita* (L'Hér.) Kaulf. = Culcita macrocarpa

Baldellia Parl. -f- *Alismataceae*
– **ranunculoides** (L.) Parl. · Gewöhnlicher Igelschlauch · Lesser Water Plantain · Fluteau d'eau fausse renoncule | ♃ Ⓦ ~ ♆ X-VII; Eur.*, ? TR, NW-Afr.

Baldingera = Phalaris L.
– *arundinacea* (L.) Dumort. = Phalaris arundinacea

Ballota L. -f- *Lamiaceae* · Gottvergeß
– **nigra** L. · Schwarznessel, Stinkandorn · Ballota, Black Horehound | ♃ VI-IX; Eur.*, TR, Levante, Iraq, Cauc., Iran, NW-Afr.
– **pseudodictamnus** (L.) Benth. · Kreta-Nessel | ♃ Ⓐ △ VII-VIII ∧; Eur.: GR, Crete; TR, Libya, nat. in I, Sic.

Balsamina = Impatiens L.
– *hortensis* Desp. = Impatiens balsamina

Balsamita = Tanacetum L.
– *major* Desf. = Tanacetum balsamita
– *vulgaris* Willd. = Tanacetum balsamita

Bambusa Schreb. -f- *Poaceae* · Bambus
– *apus* Schult. f. = Gigantochloa apus
– *arundinacea* (Retz.) Willd. = Bambusa bambos
– *aspera* Schult. f. = Gigantochloa aspera
– *aurea* Carrière = Phyllostachys aurea
– **bambos** (L.) Voss · Bamboo | ♄ Ⓦ Ⓝ; Ind.
– *fastuosa* Marliac ex Mitford = Semiarundinaria fastuosa
– *flexuosa* Carrière non Munro = Phyllostachys flexuosa
– *glaucescens* (Willd.) Holttum = Bambusa multiplex
– *kumasaca* Zoll. ex Steud. = Shibataea kumasasa
– *marmorea* Mitford = Chimonobambusa marmorea
– *metake* Siebold ex G. Nicholson = Pseudosasa japonica
– **multiplex** (Lour.) Rausch · Hedge Bamboo | ♄ Ⓚ ∧; China
– *nigra* Lodd. ex Lindl. = Phyllostachys nigra
– *palmata* Burb. = Sasa palmata
– *ramosa* Makino = Sasaella ramosa
– **stricta** Nees | ♄ Ⓝ; N-Ind., Myanmar, Jap.
– *tesselata* Munro = Indocalamus tessellatus
– **tulda** Roxb. | ♄ Ⓝ; Ind., Myanmar, Tahiti
– *veitchii* Carrière = Sasa veitchii
– **ventricosa** McClure · Buddha's Belly Bamboo | ♄ Ⓦ Ⓚ; S-China
– *verticillata* Willd. = Gigantochloa verticillata
– *viridiglaucescens* Carrière = Phyllostachys viridiglaucescens
– **vulgaris** Schrad. ex J.C. Wendl. · Common Bamboo | Ⓦ Ⓝ; cult., nat. in Trop.

Banisteriopsis C.B. Rob. ex Small *Malpighiaceae*
– **caapi** (Spruce ex Griseb.) Morton | ≹ Ⓝ; Amazon., Col., Ecuad., Peru

Banksia L.f. -f- *Proteaceae*
– **aemula** R. Br. | ♄ ♄; E-Austr.
– **attenuata** R. Br. | ♄ Ⓚ ✂ ✻; Austr.
– **baxteri** R. Br. | ♄ Ⓚ ✂ ✻; W-Austr.
– **coccinea** R. Br. · Scarlet Banksia | ♄ Ⓚ ✂ ✻; W-Austr.
– **collina** R. Br. | ♄ Ⓚ ✻; Austr.: Queensl., N.S.Wales, Victoria
– **ericifolia** L. f. | ♄; Austr.: N.S.Wales
– **grandis** Willd. · Bull Banksia | ♄ Ⓚ ✂ ✻; W-Austr.
– **hookeriana** Meisn. | ♄ Ⓚ ✂ ✻; Austr.
– **integrifolia** L. f. · Coast Banksia | ♄ Ⓚ ✻; Austr.: Queensl., N.S.Wales, Victoria
– *littoralis* Lindl. = Banksia grandis
– **marcescens** R. Br. | ♄ Ⓚ ✂ ✻; Austr.
– **marginata** Cav. | ♄ Ⓚ ✻; Austr.: N.S.Wales, Victoria, S-Austr., Tasman.
– **menziesii** R. Br. | ♄ Ⓚ ✂ ✻; Austr.
– **nutans** R. Br. | ♄ Ⓚ ✂ ✻; W-Austr.
– **occidentalis** R. Br. | ♄ Ⓚ ✂ ✻; Austr.

– **paludosa** R. Br. | ♄; Austr.: N.S.Wales
– **prionotes** Lindl. | ♄ Ⓚ ⋈ ✻; W-Austr.
– **sceptrum** Meisn. | ♄ Ⓚ ⋈ ✻; W-Austr.
– **speciosa** R. Br. | ♄ Ⓚ ✻; W-Austr.
– **verticillata** R. Br. | ♄ Ⓚ ✻; W-Austr.

Baphia Afzel. ex Lodd. -f- *Fabaceae*
– **nitida** Afzel. ex Lodd. · Camholz, Gabanholz | ♄ Ⓝ; W-Afr.

Baptisia Vent. -f- *Fabaceae* · Färberhülse
– **australis** (L.) R. Br. · Indigo-Lupine · Blue False Indigo · Lupin indigo | ♃ VII-VIII; USA: NE, NCE, SE
– *lactea* (Raf.) Thieret = Baptisia leucantha
– **leucantha** Torr. et A. Gray · White False Indigo | ♃ VI-VII; Ont., USA: NE, NCE, Kans., SC, SE, Fla.
– **tinctoria** (L.) Vent. · Horsefly Weed | ♃ VII-VIII; Ont., USA: NE, NCE, SE, Fla.

Barbacenia Vand. -f- *Velloziaceae*
– *elegans* (Oliv. ex Hook. f.) Pax = Talbotia elegans

Barbarea R. Br. -f- *Brassicaceae* · Barbenkraut
– **intermedia** Boreau · Mittleres Barbarakraut | ⊙ IV-V; Eur.: Ib, Fr, Ap, Ba; TR, Maroc., Alger., nat. in BrI, DK, PL
– *praecox* (Sm.) R. Br. = Barbarea verna
– **stricta** Andrz. · Steifes Barbarakraut | ⊙ IV-VI; Eur.* exc. Ib, Fr; Cauc., W-Sib., E-Sib., C-As., nat. in Fr
– **verna** (Mill.) Asch. · Frühlings-Barbarakraut · American Cress, Land Cress | ⊙ ⊙ IV-VI Ⓝ; Eur.: Ib, Fr, Ap, Krim; TR, nat. in BrI, DK, C-Eur., W-Russ., N-Am., S-Afr., Austr., NZ, Jap.
– **vulgaris** R. Br. · Gewöhnliches Barbarakraut · Bittercress, Yellow Rocket | ⊙ ♃ V-VII Ⓝ; Eur.*, TR, Levante, Cauc., Iran, Him., W-Sib., E-Sib., Mong., Tibet, China: Sinkiang, Tun., Alger., nat. in S-Afr., N-Am., Austr., NZ

× **Bardendrum** hort. -n- *Orchidaceae* (*Barkeria* × *Epidendrum*)

Barkeria Knowles et Westc. -f- *Orchidaceae*
– **elegans** Knowles et Westc. | ♃ Ⓦ III ✻; Mex.
– **skinneri** (Bateman ex Lindl.) Paxton | ♃ Ⓦ IX-I ✻; Guat.
– **spectabilis** Bateman ex Lindl. | ♃ Ⓦ XI-XII ✻; S-Mex., Guat., El Salv.

Barleria L. -f- *Acanthaceae*
– **cristata** L. · Phillippine Violet | ♄ Ⓦ VI-VIII; Ind., Myanmar
– **obtusa** Nees | ♄ Ⓚ; S-Afr.
– **prionitis** L. · Porcupine Flower | ♄ Ⓦ VI-VIII; trop. As.

Barnadesia Mutis ex L.f. -f- *Asteraceae*
– **rosea** Lindl. | ♄ Ⓚ V-VI; E-Bras., C-Bras.

Barosma = Agathosma Willd.
– *betulina* (Bergius) Bartl. et H.L. Wendl. = Agathosma betulina
– *crenulata* (L.) Hook. = Agathosma crenulata
– *foetidissima* Bartl. et H.L. Wendl. = Agathosma foetidissima
– *lanceolata* (Thunb.) Sond. = Agathosma lanceolata
– *pulchella* (L.) Bartl. et H.L. Wendl. = Agathosma pulchella
– *serratifolia* (Curtis) Willd. = Agathosma serratifolia

Barringtonia J.R. Forst. et G. Forst. -f- *Lecythidaceae*
– **asiatica** (L.) Kurz · Barringtonia | ♄ Ⓦ D; Madag., Malay. Pen., Austr.: Queensl.; Pacific Is.
– **racemosa** Roxb. | ♄ Ⓝ; Malay. Arch., Pacific Is.

Bartlettina R.M. King et H. Rob. *Asteraceae*
– **sordida** (Less.) R.M. King et H. Rob. | ♄ ♄ Ⓦ D II-IV; Mex.

Bartonia Muhl. ex Willd. -f- *Gentianaceae*
– *aurea* Lindl. = Mentzelia lindleyi
– *decapetala* Pursh = Mentzelia decapetala
– *ornata* Nutt. = Mentzelia decapetala

Bartschella = Mammillaria Haw.
– *schumannii* (Hildm.) Britton et Rose = Mammillaria schumannii

Bartsia L. -f- *Scrophulariaceae*
– **alpina** L. · Europäischer Alpenhelm | ♃ VI-VIII; Eur.*, Can.: W; Greenl.

Basella L. -f- *Basellaceae*
– **alba** L. · Indian Spinach, Malabar Nightshade | ⊙ ⓦ ≩ ⇝ ⚘ Ⓝ; ? SE-As., ? Afr., nat. in Trop.
– *tuberosa* (Caldas) Humb. = Ullucus tuberosus

Bassia All. -f- *Chenopodiaceae* · Dornmelde
– **hirsuta** (L.) Asch. · Rauhaarige Dornmelde | VIII-IX; Eur.: Fr, Ap, C-Eur., Sc, Ba, E-Eur.; Cyprus, Cauc., W-Sib., C-As., Mong. ; nat. in N-Am.
– **hyssopifolia** (Pall.) Kuntze · Five-Horn Smotherweed | ⊙ VIII; Eur.: Ib., Russ.; Syr., Cauc., Iran, C-As., Sib., Mong, China: Sinkiang, nat. in F
– **laniflora** (S.G. Gmel.) A.J. Scott · Sand-Radmelde | X-VIII; Eur.* exc. BrI, Sc; Cauc., W-Sib., E-Sib., C-As., Mong.
– **prostrata** (L.) A.J. Scott · Halbstrauch-Radmelde | ♃ VII-IX; Eur.* exc. BrI, Sc; TR, Cauc., Iran, W-Sib., E-Sib. , C-As., Him., Tibet, Mong., China: Sinkiang, Manch., N-Afr.
– **scoparia** (L.) A.J. Scott · Besen-Radmelde · Belvedere, Burning Bush, Summer Cypress · Ansérine belvédère | ⊙ ⁞ VII-IX Ⓝ; Russ., TR, Cyprus, Cauc., Iran, Ind., W-Sib., Amur, C-As., Him., China, Jap., Taiwan, nat. in Eur.* exc. BrI, Sc

× **Bateostylis** Hort. -f- *Orchidaceae* (*Batemannia* × *Otostylis*)

Batrachium = Ranunculus L.
– *aquatile* (L.) Dumort. = Ranunculus aquatilis
– *circinatum* (Sibth.) Spach = Ranunculus circinatus

Bauera Banks ex Andr. -f- *Cunoniaceae*
– **rubioides** Andrews · River Rose | ♄ ⓚ II-V; Austr.: N.S.Wales, Queensl., S-Austr., Tasman.

Bauhinia L. -f- *Caesalpiniaceae*
– **acuminata** L. · Mountain Orchid | ♄ ⓦ V-IX; Ind., China, Malay. Pen.
– **esculenta** Burch. · Maramabohne | ♃ Ⓝ; trop. S-Afr., S-Afr.
– **forficata** Link | ħ ♄; S-Am.
– **galpinii** N.E. Br. | ≩; S-Afr., trop. Afr.
– **monandra** Kurz | ħ ♄; Guyana, nat. in W.Ind.
– **purpurea** L. | ħ Ⓝ; Ind., China
– **racemosa** Lam. | ♄ ⓦ ≩ IV-IX; NE-Ind.
– **tomentosa** L. | ♄; Ind., China
– **variegata** L. · Mountain Ebony, Orchid Tree | ħ ⓦ I-IV; Ind., China
– **yunnanensis** Franch. | ♄ ⓚ ≩; Yunnan

Beaucarnea Lem. -f- *Dracaenaceae*
– *glauca* Roezl = Beaucarnea recurvata
– **gracilis** Lem. | ħ Ψ ⓚ; Mex.
– *longifolia* (Schult. et Schult. f.) Baker = Nolina longifolia
– *oedipus* Rose = Beaucarnea gracilis
– **recurvata** Lem. · Elephant's Foot, Pony Tail | ħ Ψ ⓚ; Mex.
– **stricta** Lem. | ħ Ψ ⓚ; Mex.
– *tuberculata* Roezl = Beaucarnea recurvata

Beaufortia R. Br. -f- *Myrtaceae*
– **decussata** R. Br. | ♄ ⓚ IV-V; W-Austr.
– **orbifolia** F. Muell. | ♄; Austr.: W-Austr.
– **purpurea** Lindl. | ♄ ⓚ VI-VIII; W-Austr.
– **schaueri** Preiss | ♄; W-Austr.
– **sparsa** R. Br. | ♄ ⓚ VI-VIII; W-Austr.

Beaumontia Wall. -f- *Apocynaceae*
– **grandiflora** (Roxb.) Wall. · Easter Lily Vine, Herald's Trumpet | ♄ ⓦ ≩ D ≩ XII-III; E-Him.

Beckmannia Host -f- *Poaceae*
– **eruciformis** (L.) Host · Fischgras | ♃ Ⓝ; Eur.: I, EC-Eur., Ba, E-Eur.; TR, Cauc., NW-Iran, W-Sib., C-As., E-As., nat. in D, N-Am.
– **syzigachne** (Steud.) Fernald · Amerikanisches Doppelährengras · American Slough Grass | ⊙ VI-VIII Ⓝ; C-As, S-Sib., nat. in Alaska, Can., USA: NE, NCE, NC, Rocky Mts., SW, Calif.

Begonia L. -f- *Begoniaceae* · Begonie, Schiefblatt
– **acetosa** Vell. | ♃ ⓦ III-V; Bras.
– **acida** Vell. | ♃ ⓦ; Bras.
– **aconitifolia** A. DC. | ♄ ⓦ; Bras.
– *acuminata* Dryand. = Begonia acutifolia
– **acutifolia** Jacq. | ♃ ⓦ; Jamaica
– **albopicta** W. Bull | ♄ ⓦ; Bras.
– *angularis* Raddi = Begonia stipulacea
– *argyrostigma* Fisch. ex Link et Otto = Begonia maculata

- **barbata** Wall. | ♃ (W); Ind., Myanmar
- **baumannii** Lem. | ♃ (K); Bol.
- **bipinnatifida** J.J. Sm. | ♄ (W); N.Guinea
- **bogneri** Ziesenh. | ♃ (W) VIII-IX; Madag. (Presquelle de Masoala)
- **boliviensis** A. DC. | ♃ (K); Bras.
- **bowerae** Ziesenh. | ♃ (W); Mex.
- *bowringiana* hort. = Begonia cathayana
- **bradei** Irmsch. | ♃ ♄ ħ (W); Bras., Cameroun
- **carolineifolia** Regel | ♃ (W); Mex., Guat.
- **cathayana** Hemsl. | ♃ (W); China
- × *cheinantha* Everett ex C. Weber = Begonia Lorraine-Grp.
- **cinnabarina** Hook. | ♃ (W); Bol.
- **coccinea** Hook. · Angelwing Begonia | ♃ (W); Bras.
- **compta** W. Bull | ħ (W); Bras.
- **conchifolia** A. Dietr. | ħ (W); Hond., Costa Rica, Panama
- **concinna** Schott | ♃ (W); Bras.
- **convolvulacea** A. DC. | ♃ (W) ≀; Bras.
- **corallina** Carrière | ♄ (W); Bras.
- **coriacea** A. DC. | ♃ (W) III-V; Bol.
- × **credneri** Haage et Schmidt (*B. metallica* × *B. scharffiana*) | ♄ (K); cult.
- **crispula** Brade | ♃ (W); Bras.
- **cubensis** Hassk. | ♃ (W); W.Ind.
- **cucullata** Willd.; Bras.
  - var. **hookeri** (A. DC.) L.B. Sm. et Schub. · Bedding Begonia, Fibrous Rooted Begonia | ♃ (W); Bras.
- *daedalea* É. Lemoine = Begonia strigillosa
- **davisii** hort. Veitch ex Hook. f. | ♃ (K); Peru
- **decora** Stapf | ♃ (W) ⇝; Malay. Pen.
- **deliciosa** Böhme | ♃ (W); Kalimantan
- **diadema** Linden | ♃ (W); Kalimantan
- **dichotoma** Jacq. | ♃ (W); Venez.
- **dichroa** Sprague | ♃ (W); Bras.
- **dietrichiana** Irmsch. | ♄ (W) XII-III; Bras.
- **dipetala** Graham | ♃ (W); Ind.
- *discolor* Aiton = Begonia grandis
- **dregei** Otto et A. Dietr. · Maple Leaf Begonia | ♃ (K); Kap
- × **duchartrei** Bruant ex André (*B. echinosepala* × *B. scharffiana*) | ♄ (W); cult.
- **echinosepala** Regel | ♃ (W); Bras.
- **egregia** N.E. Br. | ♃ (W); Bras.
- **eminii** Warb. | ♃ (W); E-Afr.
- **epipsila** Brade | ♃ (W); Bras.
- × **erythrophylla** Neumann (*B. hydrocotylifolia* × *B. manicata*) · Kidney Begonia | ♃ (W); cult.
- *evansiana* Andr. = Begonia grandis subsp. evansiana
- **exotica** L.B. Sm. | ♃ (W); N.Guinea
- **fagifolia** Fisch. | ♃ (W) ≀; Bras.
- *faureana* Linden ex Garnier = Begonia aconitifolia
- × *feastii* hort. ex L.H. Bailey = Begonia × erythrophylla
- **fernandoi-costae** Irmsch. | ♃ (W); Bras.
- **ficifolia** Irmsch. | ♃ (W); Nigeria
- **foliosa** Humb., Bonpl. et Kunth · Fern-leaved Begonia | ħ (W); Col., Venez.
  - var. *fuchsifoliosa* (Chev.) hort. = Begonia × fuchsifoliosa
  - var. *miniata* (Planch.) L.B. Sm. et Hook. = Begonia fuchsioides
- **franconis** Liebm. | ⊙ (W); S-Mex., Guat.
- **froebelii** A. DC. | ♃ (K); Ecuad.
- **fruticosa** (Klotzsch) A. DC. | ♄ (W); Bras.
- × **fuchsifoliosa** Chevall. (*B. foliosa* × *B. fuchsioides*) | ♄ (W); cult.
- **fuchsioides** Hook. | ♄ (W); Venez.
- **fulvosetulosa** Brade | ♃ (W); Bras.
- × **fuscomaculata** Lange (*B. heracleifolia* × *B. strigillosa*) | ♃ (W); cult.
- **glabra** Aubl. | ♃ ♄ ħ (W) ≀ ≀; Mex., C-Am., W.Ind., trop. S-Am.
- *glaucophylla* Gower = Begonia radicans
- **goegoensis** N.E. Br. | ♃ (W); Sumat.
- **gracilis** Humb., Bonpl. et Kunth · Hollyhock Begonia | ♃ (W); Mex., Guat.
- **grandis** Dryand. · Hardy Begonia ; Jap., C-China, SE-As.
  - subsp. **evansiana** (Andrews) Irmsch. · Japan-Begonie · Evans Begonia | ♃ (W) (K) ∧; China
- *haageana* hort. ex W. Wats. = Begonia scharffii
- **hatacoa** Buch.-Ham. | ♃ (W); Him.
- **heracleifolia** Schltdl. et Cham. | ♃ (W); Mex., Guat., Belize
- **herbacea** Vell. | ♃ (W); Bras.
- × *hiemalis* Fotsch = Begonia Elatior-Grp.
- **hirtella** Link | ⊙ (W) (K); Bras., Peru
- **hispida** Schott; Bras.
  - var. **cucullifera** Irmsch. | ♃ (W); Bras.
- **humilis** Dryand.; trop. S-Am.
  - var. **porteriana** (Fisch., C.A. Mey. et Avé-Lall.) A. DC. | ⊙ (W) (K); Mex., W.Ind., C-Am., S-Am.
- **hydrocotylifolia** Otto ex Hook. | ♃ (W); Mex.
- **imperialis** Lem. | ♃ (W) ⇝; Mex.
  - **'Smaragdina'**

- *incana* Lindl. = Begonia peltata
- **incarnata** Link et Otto | ♃ ⓦ; Mex.
  - **'Metallica'**
- **involucrata** Liebm. | ♃ ⓦ; C-Am.
- **isoptera** Dryand. | ♃ ⓦ; Java
- **kellermannii** C. DC. | ♄ ⓦ; Guat.
- *laciniata* Roxb. = Begonia palmata
- × **langeana** Fotsch (*?*) | ♃ ⓦ; cult.
- **leptotricha** C. DC. | ♃ ⓦ; Parag.
- *liebmannii* A. DC. = Begonia ludicra
- *liminghii* K. Koch = Begonia radicans
- *limmingheiana* C. Morren = Begonia radicans
- **lindleyana** Walp. | ♃ ⓦ; S-Mex., C-Am., Col.
- **listada** L.B. Sm. et Wassh. | ♃ ⓦ; Parag.
- **lubbersii** E. Morren | ♃ ⓦ; Bras.
- **ludicra** A. DC. | ♃ ⓦ ✲; C-Am.
- **ludwigii** Irmsch. | ♃ ⓦ; Ecuad.
- **luxurians** Scheidw. · Palm Leaf Begonia | ♃ ⓦ; Bras.
- **lyncheana** Hook. f. | ♃ ⓦ; Mex.
- *macrocarpa* Warb. = Begonia bradei
- **maculata** Raddi | ♄ ⓦ; Bras.
- **malabarica** Lam. | ♃ ⓦ; Ind., Sri Lanka
- **manicata** Brongn. ex Cels | ♃ ⓚ; Mex., Guat.
- **mannii** Hook. f. | ♃ ⓦ; Zaire
- × **margaritae** hort. ex Fotsch (*B. echinosepala* × *B. metallica*) | ♃ ⓦ; cult.
- **martiana** Link et Otto | ♃ ⓦ; Mex.
- **masoniana** Irmsch. · Iron Cross Begonia | ♃ ⓦ; N.Guinea
  - *'Iron Cross'* = Begonia masoniana
- **mazae** Ziesenh. | ♃ ⓦ XII-V; Mex.
- **metachroa** Fotsch | ♃ ⓦ; orig. ?
- **metallica** W.G. Sm. · Metallic Leaf Begonia | ♃ ⓚ; Bras.
- **mexicana** H. Karst. | ♃ ⓦ ⁓→; Mex.
- **micranthera** Griseb. | ♃ ⓚ; Bol., Arg.
- *miniata* Planch. = Begonia fuchsioides
- **minor** Jacq. | ♃ ♄ ⓦ ⌇; C-Afr.: Sao Tomé
- **mollicaulis** Irmsch. | ⊙ ⓦ; Bras.
- **natalensis** Hook. | ♃ ⓚ XII-III; S-Afr.: Natal
- **nelumbiifolia** Cham. et Schltdl. | ♃ ⓦ; C-Am., Col.
- *nitida* Aiton = Begonia minor
- **octopetala** L'Hér. | ♃ ⓚ; Peru
- **odorata** Willd. | ♄ ⓦ D; W.Ind.
- **olbia** Kerch. | ♃ ⓦ; Bras.
- **organensis** Brade | ♄ ⓦ; Bras.: Rio de Janeiro
- **palmata** D. Don | ♃ ⓦ; Ind., Myanmar, S-China
- *palmifolia* hort. = Begonia vitifolia
- **partita** Irmsch. | ♄ ⓦ; S-Afr.
- *parva* Sprague non Merr. = Begonia mannii
- **paulensis** A. DC. | ♃ ⓦ; Bras.
- **pearcei** Hook. f. | ♃ ⓚ; Bol.
- **peltata** Schott ex A. DC. | ♃ ♄ ⓦ ⁓→; Mex.
- **peponifolia** Vis. | ♃ ⓦ; ? Mex.
- × **phyllomaniaca** Mart. (*B. incarnata* × *B. manicata*) | ♃ ⓦ; cult.
- × *pictavensis* Bruant non Bruant ex André = Begonia × credneri
- × *pictaviensis* Bruant = Begonia × credneri
- *plagioneura* Milne-Redh. = Begonia cubensis
- **platanifolia** Schott | ♄ ⓦ; Bras.
- *poggei* Warb. = Begonia eminii
- **polygonoides** Hook. f. | ♃ ⓦ ⌇; W-Afr., C-Afr.
- **popenoei** Standl. | ♃ ⓦ; Hond.
- **prismatocarpa** Hook. f. | ♃ ⓦ ⌇; Ivory Coast, Cameroun, Fernando Póo
- × **pseudophyllomaniaca** Lange (*B. heracleifolia* × *B. incarnata*) | ♃ ⓦ; cult.
- **pulchella** Raddi | ♃ ⓦ; Bras.
- *quadrilocularis* Brade = Begonia egregia
- **radicans** Vell. | ♄ ⓦ ⌇ ☘ III-V; Bras.
- **rajah** Ridl. | ♃ ⓦ; Malay.Arch.
- **ramentacea** Paxton | ♃ ⓦ; Bras.
- *reniformis* Hook. = Begonia vitifolia
- **rex** Putz. · Rex Begonia | ♃ ⓦ; Ind: Assam
- × *rex-cultorum* L.H. Bailey = Begonia Rex-Cultorum-Grp.
- **rhizocarpa** Fisch. | ♃ ⓦ III-V; Bras.
- **rhizocaulis** hort. Bertol. ex A. DC. | ♃ ⓦ; C-Am.
- *richardsiana* T. Moore = Begonia suffruticosa
- *richardsoniana* Houllet = Begonia suffruticosa
- × **ricinifolia** A. Dietr. (*B. heracleifolia* × *B. peponifolia*) · Castor Oil Begonia | ♃ ⓦ; cult.
- *roezlii* hort. Benary ex Lynch non Regel = Begonia lyncheana
- × *rubella* Buch.-Ham. ex D. Don = Begonia × fuscomaculata
- × *rubellina* L.H. Bailey = Begonia × fuscomaculata
- *rubra* hort. non Bl. = Begonia coccinea
- *rubrovenia* Planch. = Begonia hatacoa

- **sanguinea** Raddi | ♄ (W); Bras.
- **scabrida** A. DC. | ♃ (W); Venez.
- *scandens* Sw. = Begonia glabra
- **scharffiana** Regel | ♄ (K); Bras.
- **scharffii** Hook. f. · Elephant's Ear Begonia | ♄ (K); Bras.
- **schmidtiana** Regel | ♃ (W); Bras.
- *schmidtii* Haage et Schmidt = Begonia schmidtiana
- **schulziana** Urb. et Ekman | ♃ (W) ⇝; Haiti
- *semperflorens* Link et Otto = Begonia cucullata var. hookeri
- × *semperflorens-cultorum* hort. = Begonia Semperflorens-Grp.
- **serratipetala** Irmsch. | ♃ (W); N.Guinea
- *similis* Brade = Begonia pulchella
- *sinensis* A. DC. = Begonia grandis subsp. evansiana
- **socotrana** Hook. f. | ♃ (W); Socotra
- *spraguei* C. Weber = Begonia mannii
- **squamulosa** Hook. f. | (W) ⌇; Nigeria, C-Afr.
- **stipulacea** Willd. | ♄ (W); Bras.
- **strigillosa** A. Dietr. | ♃ (W); Guat., Costa Rica
- *suaveolens* Lodd. = Begonia odorata
- **subacida** Irmsch. | ♃ (W); Bras.
- *subvillosa* hort. = Begonia mollicaulis
- **suffruticosa** Meisn. | ♃ (K); S-Afr.: Natal
- **sulcata** Scheidw. | ♄ (W); Col.
- **sutherlandii** Hook. f. | ♃ (K); S-Afr.: Natal
- × **thurstonii** hort. ex Kennedy (*B. metallica* × *B. peponifolia*) | ♃ (W); cult.
- **tomentosa** Schott | ♄ (W); Bras.
- × *tuberhybrida* Voss = Begonia Tuberhybrida-Grp.
- **ulmifolia** Willd. | ♄ (W); Venez.
- **undulata** Schott | ♄ (W); Bras.
- **veitchii** Hook. f. | ♃ (K); Peru
- **venosa** Skan ex Hook. f. | ♃ (W); Bras.
- × **verschaffeltii** Regel (*B. carolinifolia* × *B. manicata*) | ♃ (W); cult.
- **vitifolia** Schott | ♃ (W); Bras.
- **wallichiana** Steud. | ⊙ (W); Ind.
- × **weltoniensis** hort. ex André (*B. dregei* × *B. sutherlandii*) | ♃ (K); cult.
- **xanthina** Hook. | ♃ (W); Bhutan
- *zebrina* hort. = Begonia stipulacea
- **Cultivars**
  - **Elatior-Grp.** (*B. socotrana* × *B.* × *tuberhybrida*)
  - **Lorraine-Grp.** (*B. dregei* × *B. socotrana*) | ▽
  - **Mexicross-Grp.**
  - **Rex-Cultorum-Grp.**
  - **Semperflorens-Grp.** (*B. cucullata var hookeri* × *B. schmidtiana*) · Bedding Begonia, Wax Begonia
  - **Tuberhybrida-Grp.** · Tuberous Begonia | (A)
- × **fuscomaculata** Lange | ♄

Bejaria Mutis ex L. -f- *Ericaceae* · Andenrose
- **coarctata** Humb. et Bonpl. | ♄ (K); Peru

Belamcanda Adans. -f- *Iridaceae* · Leopardenblume
- **chinensis** (L.) DC. · Blackberry Lily, Leopard Lily | ♃ (K) ♧ VII-VIII; N-Ind., China, Jap., Taiwan, nat. in USA

Bellevalia Lapeyr. -f- *Hyacinthaceae*
- **romana** (L.) Rchb. · Roman Hyacinth | ♃ (A) IV-V ▽ ∧; Eur.: F, Ap, Ba

Bellidiastrum = Aster L.
- *michelii* Cass. = Aster bellidiastrum

Bellis L. -f- *Asteraceae* · Maßliebchen
- **annua** L. · Einjähriges Gänseblümchen ; Eur.: Ib, Fr, Ap, Ba; TR, NW-Afr., Makaron.
- **perennis** L. · Gänseblümchen, Maßliebchen · Daisy · Pâquerette | ♃ I-VI; Eur.*, TR, Syr., Palaest., nat. in N-Am., Chile, NZ
- **rotundifolia** (Desf.) Boiss. et Reut. | ♃ △ III-V ∧; SW-Sp., Maroc., Alger.
- **sylvestris** Cirillo
  - var. *rotundifolia* (Desf.) Batt. = Bellis rotundifolia

Bellium L. -n- *Asteraceae* · Zwergmaßliebchen
- **bellidioides** L. | ♃ △ V-VI ∧; Corse, Sard., Balear.
- **minutum** (L.) L. · Zwerg-Maßliebchen · Little Mary | ⊙ △ V-VIII ∧; Eur.: Sic., GR, Crete

Beloperone = Justicia L.
- *guttata* Brandegee = Justicia brandegeana
- *plumbaginifolia* (Jacq.) Nees = Justicia plumbaginifolia
- *violacea* Planch. et Linden = Justicia carthaginensis

Bencomia Webb et Berthel. -f- *Rosaceae*
– **caudata** (Aiton) Webb et Berthel. | ♄; Canar.

Benincasa Savi -f- *Cucurbitaceae* · Wachskürbis
– **hispida** (Thunb. ex Murray) Cogn. · Wax Gourd | ⊙ ⌂ ≹ ⚘ Ⓝ; cult.

Bensoniella C.V. Morton -f- *Saxifragaceae*
– **oregana** (Abrams et Bacig.) C.V. Morton | ♃; ? NW-Calif., SW-Oreg.

Benthamidia = Cornus L.
– *fragifera* Lindl. = Cornus canadensis

Bentinckia Berry ex Roxb. -f- *Arecaceae*
– **nicobarica** (Kurz) Becc. | ♄ ⌂; Nikobar. Is.

Benzoin = Lindera Thunb.
– *aestivale* Nees = Lindera benzoin
– *praecox* Siebold et Zucc. = Lindera praecox
– *sericeum* Siebold et Zucc. = Lindera sericea

Berardia Vill. -f- *Asteraceae*
– **subacaulis** Vill. | ♃ △ VII-VIII ∧; Eur.: F, I; SW-Alp.

Berberidopsis Hook.f. -f- *Flacourtiaceae* · Korallenstrauch
– **corallina** Hook. f. | ♄ ⌂ ≹ VII-IX; Chile

Berberis L. -f- *Berberidaceae* · Sauerdorn, Berberitze
– **actinacantha** Mart. ex Roem. et Schult. | ♄ △ ∧; Chile
– **aggregata** C.K. Schneid. · Knäuelfrüchtige Berberitze ; China: Sichuan, Gansu
  - var. *prattii* (C.K. Schneid.) C.K. Schneid. = Berberis prattii
  - var. **recurvata** C.K. Schneid. | ♄; W-China
– **amurensis** Rupr. · Amur-Berberitze | ♄ V; Amur, China, Manch., Korea, Jap.
  - var. **japonica** (Regel) Rehder | ♄; Jap.
– *angulizans* hort. ex A. Massal. = Berberis canadensis
– **angulosa** Wall. ex Hook. f. et Thomson · Kantige Berberitze | ♄ △ V; Nepal, Bhutan, Sikkim
– *approximata* Sprague = Berberis dictyophylla var. approximata
– *aquifolium* Pursh = Mahonia aquifolium
– **aristata** DC. · Begrannte Berberitze | ♄ ⚘ V Ⓝ; N-Ind., Nepal, Bhutan
– **atrocarpa** C.K. Schneid. | ♄ V-VI; W-China
– *bealei* Fortune = Mahonia bealei
– **beaniana** C.K. Schneid. | ♄ VI; W-China
– **bergmanniae** C.K. Schneid. | ♄ V-VI; W-China
– **brachypoda** Maxim. | ♄ ⚘ V; NW-China
– **bretschneideri** Rehder | ♄ V; Jap.
– *brevipaniculata* hort. non Schneid. = Berberis aggregata
– **buxifolia** Lam. ex Poir. · Buchsblättrige Berberitze · Magellan Barberry · Berbéris à feuilles de buis | ♄ ⁞ V; Chile
  - **'Nana'**
– **calliantha** Mulligan | ♄ ⌂ ⁞ V ∧; SE-Tibet
– **canadensis** Mill. · Kanadische Berberitze · Allegheny Barberry, Bush Pepper | ♄ ⚘ V-VI Ⓝ; USA: NE, SE, NCE
– **candidula** (C.K. Schneid.) C.K. Schneid. · Schneeige Berberitze | ♄ △ V; C-China
– × **carminea** Ahrendt (*B. aggregata* × *B. wilsoniae*) | ♄; cult.
– **caroli** C.K. Schmeid
  - var. *hoanghensis* C.K. Schneid. = Berberis vernae
– × *chenaultii* Ahrendt = Berberis × hybrido-gagnepainii 'Chenault'
– **chillanensis** (C.K. Schneid.) Sprague | ♄ IV-V ∧; Peru, Chile
  - var. **hirsutipes** Sprague | ♄; Arg.; Anden
– **chinensis** hort. Paris ex Poir. | ♄ V; Cauc.
– **chitria** Buch.-Ham. ex Ker-Gawl. | ♄ ⌂ ⚘ V ∧; NW-Ind., W-Nepal
– *chitria* Lindl. = Berberis aristata
– **circumserrata** (C.K. Schneid.) C.K. Schneid. | ♄ V; NW-China
– **concinna** Hook. f. | ♄ △ ⚘ V; Nepal, Sikkim
– *coryi* Veitch = Berberis wilsoniae var. subcaulialata
– **darwinii** Hook. · Darwins Berberitze · Darwin Barberry · Epine-vinette de Darwin | ♄ △ IV-V ∧; Arg., Chile
– **diaphana** Maxim. · Durchsichtige Berberitze | ♄ V; China: Kansu
– **dictyophylla** Franch. · Netzblättrige Berberitze ; Yunnan
  - var. **approximata** (Sprague) Rehder | ♄

♧ V; W-China
- var. **epruinosa** C.K. Schneid. | ♄ ♧ V; China: Yunnan
– **dielsiana** Fedde | ♄ ♧ V; China: Sichuan
– *dulcis* Sweet = Berberis buxifolia
- var. *nana* Carrière = Berberis buxifolia 'Nana'
– **edgeworthiana** C.K. Schneid. | ♄; NW-Him.
– **empetrifolia** Lam. ex Poir. · Krähenbeer-Berberitze | ♄ △ V ∧; Chile
– *fortunei* Lindl. = Mahonia fortunei
– **francisci-ferdinandi** C.K. Schneid. · Franz-Ferdinand-Berberitze | ♄ ♧ V; W-China
– *fremontii* Torr. = Mahonia fremontii
– × **frikartii** C.K. Schneid. (*B. candidula* × *B. verrucosa*) | ♄ △; cult.
– **gagnepainii** C.K. Schneid. · Gagnepains Berberitze ; W-China
- var. **lanceifolia** Ahrendt | ♄ V-VI; China: Hupeh
– **gilgiana** Fedde | ♄; N-China, C-China: Shanaxi
– **giraldii** Hesse | ♄ ♧ VI; China
– **henryana** C.K. Schneid. | ♄; C-China:W-Hubei, Sichuan, Shaanxi
– **heteropoda** Schrenk ex Fisch. et C.A. Mey. | ♄ ♧ V; C-As., Mong., China: Sinkiang
– **hookeri** Lem. · Hookers Berberitze | ♄ V-VI; Nepal, Bhutan, Ind.: Sikkim, Assam; China
- var. *latifolia* hort. = Berberis manipurana
- var. **viridis** C.K. Schneid. | ♄ V; Him.
– × **hybrido-gagnepainii** Ahrendt (*B. gagnepainii var. lanceifolia* × *B. verruculosa*) | ♄ V-VI; cult.
- **'Chenault'**
– **hypokerina** Airy Shaw · Silver Holly | ♄ Ⓚ △ ∧; N-Myanmar
– **ilicifolia** G. Forst.
– *ilicifolia* hort. ex Zab. = × Mahoberberis neubertii
– × **interposita** Ahrendt (*B. hookeri var. viridis* × *B. verruculosa*) | ♄
– **jamesiana** Forrest et W.W. Sm. | ♄ VI; China: NW-Yunnan
– *japonica* Thunb. ex Murray = Mahonia japonica
- var. *bealei* (Fortune) Skeels = Mahonia bealei
– **julianae** C.K. Schneid. · Julianes Berberitze · Wintergreen Barberry · Epine-vinette de Juliana | ♄ V-VI; China: Hupeh
– **kawakamii** Hayata | ♄; Taiwan
– **koreana** Palib. · Koreanische Berberitze | ♄ ♧ V; Korea
– **lempergiana** Ahrendt | ♄ V; China
– **linearifolia** Phil. · Linearblättrige Berberitze | ♄ V-VI ∧; Chile
– × **lologensis** Sandwith (*B. darwinii* × *B. linearifolia*) · Lolog-Berberitze | ♄ VI ∧; Arg.
– **lycium** Royle · Indian Lycium, Lycium | ♄ V-VI; Him.: Kashmir, NW-Ind., Nepal
– × **macracantha** Schrad. (*B. aristata* × *B. vulgaris*) | ♄
– **manipurana** Ahrendt | ♄ V; Ind. (Assam, Manipur)
– × **mentorensis** L.M. Ames (*B. julianae* × *B. thunbergii*) | ♄; cult.
– **mitifolia** Stapf | ♄; China
– **morrisonensis** Hayata · Mount Morrison Berberis | ♄ △ ♧ V; Taiwan
– *nepalensis* Spreng. = Mahonia napaulensis
– *nervosa* (Pursh) Nutt. = Mahonia nervosa
– × **notabilis** C.K. Schneid. (*B. heteropoda* × *B. vulgaris*) | ♄; cult.
– **oblonga** (Regel) C.K. Schneid. | ♄ ♧; C-As.
– **orthobothrys** Aitch. | ♄; Afgh., Pakist., NW-Ind., W-China
– × **ottawensis** C.K. Schneid. (*B. thunbergii* × *B. vulgaris*) | ♄ ♧ V; cult.
– **parvifolia** Sprague | ♄ △ VI; W-China
– *pinnata* Lag. = Mahonia pinnata
– **poiretii** C.K. Schneid. · Poirets Berberitze | ♄; NE-China, Mong., E-Sib., Korea
– **prattii** C.K. Schneid. | △ ♧ V-VI; W-China
– **pruinosa** Franch. · Bereifte Berberitze | ♄ IV-V; Yunnan
– *repens* Lindl. = Mahonia repens
– **replicata** W.W. Sm. | ♄ V; Yunnan
– × **rubrostilla** Chitt. (*B. aggregata* × *B. wilsoniae*) | ♄ ♧ VI; cult.
– **sargentiana** C.K. Schneid. · Sargents Berberitze | ♄ V-VI; C-China
– **sibirica** Pall. | ♄ △ V; Sib.
– **sieboldii** Miq. | ♄ △ ♧ V; Jap.
– *sinensis* Desf. = Berberis chinensis
– × **stenophylla** Lindl. (*B. darwinii* × *B. empetrifolia*) · Schmalblättrige Berberitze · Rosemary Barberry | ♄ V ∧; cult.
- **'Irwinii'** hort.

– **thunbergii** DC. · Thunbergs Berberitze · Purple Leaf Barberry · Epine-vinette de Thunberg | ♄ ⁞ ♣ V; Jap.
– **tischleri** C.K. Schneid. | ♄ V; W-China
– **vernae** C.K. Schneid. · Vernas Berberitze | ♄ ♣ V; NW-China
– **verruculosa** Hemsl. et E.H. Wilson · Warzige Berberitze · Warty Barberry · Epine-vinette verruqueuse | ♄ △ V-VI; China: Kansu
– **vetchii** C.K. Schneid. · Veitchs Berberitze | ♄ V; C-China.
– **virescens** Hook. f. et Thomson | ♄ V-VI; Ind.: Sikkim
– **vulgaris** L. · Gewöhnliche Berberitze, Sauerdorn · Common Barberry | ♄ IV-V Ⓝ; Eur.* exc. BrI, Sc; TR, Cauc., nat. in BrI, Sc, E-Can., USA
  - var. *amurensis* (Rupr.) Regel = Berberis amurensis
– *wallichiana* Hook. f. non DC. = Berberis hookeri
– × **weltoniensis** hort. ex André (*B. dregei* × *B. sutherlandii*)
– **wilsoniae** Hemsl. et E.H. Wilson · Wilsons Berberitze · Wilson's Barberry | ♄ △ ♣ V-VI; W-Sichuan
  - var. **stapfiana** C.K. Schneid. | ♄ V; W-China
  - var. **subcaulialata** (C.K. Schneid.) C.K. Schneid. · Epine-vinette de Wilson | ♄ ≷ △ ♣ VI-VII; W-Sichuan
– **yunnanensis** Franch. | ♄; W-China

Berchemia Neck. ex DC. -f- *Rhamnaceae*
– **giraldiana** C.K. Schneid. | ♄ ≷ V-VI; China: Hupeh, Yunnan
– **racemosa** Siebold et Zucc. · Japanische Berchemie | ♄ ≷ VIII-IX; Jap., Taiwan
– **scandens** (Hill) K. Koch · Amerikanische Berchemie · Black Jack, Supple Jack | ♄ ≷ VI ∧; USA: Va., NCE, SE, Fla., Tex.
– *volubilis* (L. f.) DC. = Berchemia scandens

Bergenia Moench -f- *Saxifragaceae*
– *bifolia* Moench = Bergenia crassifolia
– **ciliata** (Haw.) Sternb. · Kaschmir-Bergenie · Bergenia cilié ; Him.
  - fo. **ligulata** (Wall.) Engl. | ♃ △ III-IV ∧; Afgh., Pakist.
– **cordifolia** (Haw.) Sternb. · Altai-Bergenie · Heart Leaf Bergenia · Plante des savetiers | ♃ △ IV-V; Altai, Mong.
– **crassifolia** (L.) Fritsch · Dickblatt-Bergenie · Winter-blooming Bergenia · Bergenia à feuilles épaisses | ♃ △ IV-V Ⓝ; Sib., Mong., nat. in A, F
  - var. *orbicularis* (Regel) hort. = Bergenia × schmidtii
  - var. **pacifica** (Kom.) Nekr. | ♃ △ IV-V; Amur
– *delavayi* (Franch.) Engl. = Bergenia purpurascens
– *ligulata* Engl. = Bergenia ciliata 'ligulata'
  - var. *ciliata* (Haw.) Engl. = Bergenia ciliata
– × *newryensis* Yeo = Bergenia × smithii
– *ornata* Stein ex Guill. = Bergenia × schmidtii
– *pacifica* (Kom.) Kom. = Bergenia crassifolia var. pacifica
– **purpurascens** (Hook. f. et Thomson) Engl. | ♃ △ V-VI; W-China, N-Myanmar
– × **schmidtii** (Regel) Silva Tar. (*B. ciliata* × *B. crassifolia*) | ♃ △ III-V; cult.
– × **smithii** Engl. et Irmsch. (*B. cordifolia* × *B. purpurascens*) | ♃ △ IV-V; cult.
– **stracheyi** (Hook. f. et Thomson) Engl. · Himalaya-Bergenie | ♃ △ III; E-Afgh., Pakist., Kashmir, Nepal, W-Tibet
  - var. *schmidtii* (Regel) hort. ex Wehrh. = Bergenia × schmidtii
– *yunnanensis* hort. = Bergenia purpurascens

Bergeranthus Schwantes -m- *Aizoaceae*
– **multiceps** (Salm-Dyck) Schwantes | ♃ Ψ Ⓚ; Kap
– **scapiger** (Haw.) N.E. Br. | ♃ Ψ Ⓚ; Kap
– **vespertinus** (A. Berger) Schwantes | ♃ Ψ Ⓚ; Kap

Bergerocactus Britton et Rose -m- *Cactaceae*
– **emoryi** (Engelm.) Britton et Rose | Ψ Ⓚ ✻; Calif., Baja Calif.

Berkheya Ehrh. -f- *Asteraceae*
– **macrocephala** J.M. Wood | ♃ VII-VIII ∧; S-Afr.

Berteroa DC. -f- *Brassicaceae* · Graukresse
– **incana** (L.) DC. · Gewöhnliche Graukresse · Hoary Alison, Hoary False Madwort | ⊙ ⊙ X; Eur.: C-Eur., EC-Eur., DK, Ba.E-Eur.; Cauc., W-Sib., E-Sib., C-As., nat. in BrI, Sc, Fr, Ib, N-Am.

Bertholletia Bonpl. -f- *Lecythidaceae*

- **excelsa** Humb. et Bonpl. · Brazil Nut, Brazilnut | ♄ Ⓦ Ⓝ; Amazon.

Bertolonia Raddi -f- *Melastomataceae*
- *guttata* Hook. = Gravesia guttata
- *hirsuta* Benth. = Triolena hirsuta
- **maculata** Mart. ex DC. | ♃ Ⓦ; NE-Bras.
- **marmorata** Naudin | ♃ Ⓦ; N-Bras.
- *pubescens* hort. = Triolena pustulata

× **Bertonerila** hort. -f- *Melastomataceae*
- **houtteana** hort. (*Bertolonia* × *Sonerila*) | ♃ Ⓦ; cult.

Berula Besser et W.D.J. Koch -f- *Apiaceae*
- **erecta** (Huds.) Coville · Berle, Schmalblättriger Merk | ♃ VII-IX; Eur.*, Cauc., Iran, Afgh., N-As., C-As., N-Am., nat. in N-Am., Mex., Austr.

Beschorneria Kunth -f- *Agavaceae*
- **bracteata** Jacobi | ♃ ♆ Ⓚ; Mex.
- **decosteriana** Baker | ♃ ♆ Ⓚ; Mex.
- *multiflora* hort. = Furcraea bedinghausii
- **pubescens** A. Berger | ♃ ♆ Ⓚ; Mex.
- **tubiflora** (Kunth et Bouche) Kunth | ♃ ♆ Ⓚ; Mex.
- **yuccoides** Hook. f. | ♃ ♆ Ⓚ; Mex.

Bessera Schult. -f- *Alliaceae* · Korallentröpfchen
- **elegans** Schult. f. · Coral Drops | ♃ ♆ Ⓚ VII-IX; Mex.

Beta L. -f- *Chenopodiaceae* · Bete, Rübe
- **trigyna** Waldst. et Kit. · Dreiweibige Runkelrübe | ♃ VII; Eur.: Ba, E-Eur.; TR, Cauc., Iran, nat. in BrI, F
- **vulgaris** L. · Runkelrübe · Beetroot, Mangel Wurzel, Mangold, Sugar Beet | ⊙ VII-IX; Eur.* exc. EC-Eur., E-Eur.; TR, Levante, N-Arab., Canar., Madeira, N-Afr.
  - subsp. **maritima** (L.) Arcang. | ♃
  - var. **alba** DC.
  - var. **altissima** Döll
  - var. **cicla** (L.) Alef.
  - var. **flavescens** DC.
  - var. **lutea** DC.
  - var. **rapacea** K. Koch

Betonica L. -f- *Lamiaceae*
- **alopecuros** L. | ♃; Eur.: Fr, Ib, Ap, C-Eur., Ba +
- *grandiflora* Stev. ex Willd. = Stachys macrantha
- *hirsuta* L. = Stachys monnieri
- *macrantha* K. Koch = Stachys macrantha
- *nivea* (Labill.) Stev. = Stachys discolor
- **officinalis** L. · Echter Ziest, Heil-Ziest · Betony, Bishop's Wort, Wood Betony | ♃ VII-VIII; Eur.*, TR, Cauc., N-Iran, C-As., NW-Afr.

Betula L. -f- *Betulaceae* · Birke
- *alba* L. = Betula pendula
- **albosinensis** Burkill · Chinesische Birke · Chinese Red Birch · Bouleau à écorce rouge | ♄; Sichuan
  - var. **septentrionalis** C.K. Schneid.
- **alleghaniensis** Britton · Gelb-Birke · Yellow Birch | ♄ Ⓝ; Can.: E; USA; NE, NCE, SE
- **alnoides** Buch.-Ham. ex D. Don | ♄; Him., NE-Ind., SW-China: Sichuan, Yunnan
- *alnus* L. = Alnus incana
  - var. *glutinosa* L. = Alnus glutinosa
  - var. *incana* L. = Alnus incana
- × **caerulea** Blanch. (*B. cordifolia* × *B. populifolia*) | ♄; Can., NE-USA
- *caerulea-grandis* hort. = Betula × caerulea
- **celtiberica** Rothm. et Vasc. | ♄ ♄; Eur.: Sp., P
- **chinensis** Maxim. | ♄ ♄; Korea, N-China, ? Jap.
- **corylifolia** Regel et Maxim. ex Regel · Haselblättrige Birke | ♄; Jap.
- **costata** Trautv. · Gerippte Birke · Costata Birch | ♄; Amur, Manch.
- **davurica** Pall. · Dahurische Birke · Asian Black Birch | ♄ Ⓝ; Amur, Manch., Korea, Jap.
- **ermanii** Cham. · Ermans Birke, Gold-Birke · Erman's Birch, Russian Rock Birch · Bouleau du Japon | ♄ Ⓝ; Jap., Korea, Sachal., Kamchat.
  - var. **subcordata** (Regel) Koidz. | ♄ ♄; Japan, Korea, Sachal., Kamtsch.
- **glandulifera** (Regel) B.T. Butler | ♄; Can.: B.C.; USA
- **grossa** Siebold et Zucc. · Grossers Birke | ♄; Japan
- **humilis** Schrank · Strauch-Birke | ♄ ♄ IV-V ▽; Eur.: C-Eur., PL, E-Eur.; W-Sib., E-Sib., Mong.
- *jacquemontii* Spach = Betula utilis var. jacquemontii
- × **koehnei** C.K. Schneid. (*B. papyrifera*

× *B. pendula*) | ╈; cult.
– **lenta** L. · Zucker-Birke · Cherry Birch, Sweet Birch | ╈ Ⓝ; Can.: E; USA: NE, SE
– **luminifera** H. Winkl. | ╈; China: Sichuan, W-Hupeh
– *lutea* F. Michx. = Betula alleghaniensis
– *mandshurica* (Regel) Nakai = Betula platyphylla
 - var. *japonica* (Miq.) Rehder = Betula platyphylla var. japonica
– **maximowicziana** Regel · Lindenblättrige Birke · Monarch Birch · Bouleau monarque | ╈; Jap., S-Kurilen
– **medwediewii** Regel · Kaukasische Birke · Transcaucasian Birch | ╈ ╈; Cauc.
– **middendorfii** Trautv. et C.A. Mey. | ╈; E-Sib., Amur, Kamchat., N-Manch.
– **nana** L. · Zwerg-Birke · Dwarf Birch · Bouleau nain | ╈ △ IV-VI ▽; Eur.: Fr, BrI, C-Eur., EC-Eur., ScE-Eur.; W-Sib., E-Sib.
– **nigra** L. · Schwarz-Birke · Black Birch, Red Birch, River Birch · Bouleau noir | ╈ Ⓝ; USA: NE, NCE, SE, SC, Fla.
– *papyracea* Aiton = Betula papyrifera
– **papyrifera** Marshall · Papier-Birke · Canoe Birch, Paper Birch, White Birch · Bouleau à canots, Bouleau à papier | ╈ Ⓝ; Alaska, Can., USA: NE, N.C., NCE, NC, Rocky Mts., NW
 - var. **cordifolia** (Regel) Fernald | ╈ ╈
 - var. **grandis** C.K. Schneid.
 - var. **kenaica** (W.H. Evans) Henry | ╈; Alaska, Can:: Yukon
– **pendula** Roth · Hänge-Birke, Warzen-Birke · European White Birch, Silver Birch · Bouleau blanc, Bouleau verruqueux | ╈ Off. IV-V Ⓝ; Eur.*, W-Sib., TR, N-Iraq, Cauc., N-Iran, Maroc.
– **platyphylla** Sukaczev · Mandschurische Birke · Japanese White Birch | ╈ Ⓝ; Jap., Korea, Manch., N-China
 - var. **japonica** (Miq.) Hara | ╈; Jap., Manch., N-China
 - var. **kamtschatica** (Regel) Hara; Jap., Kamchat., ./NE-As.
 - var. *szechuanica* (C.K. Schneider) Rehder = Betula szechuanica
– **populifolia** Marshall · Pappelblättrige Birke · Grey Brich | ╈; Can.: E; USA: NE, NCE
– **potaninii** Batalin | ╈; W-China
– **pubescens** Ehrh. · Moor-Birke · Downy Birch, White Birch · Bouleau pubescent | ╈ ╈ Off. IV-V Ⓝ; Eur.*, Cauc., W-Sib., E-Sib.
 - subsp. **carpatica** (Willd.) Asch. et Graebn. · Karpaten-Birke | ╈ ╈ IV-V; N-Eur. , Pyr. Carp.
 - subsp. **tortuosa** (Ledeb.) Nyman | ╈ ╈; Sc +
– **pumila** L. · Kleine Birke · American Dwarf Birch | ╈; Can.; USA: NE, NCE, N.Dak., Mont.
– **raddeana** Trautv. | ╈ ╈; Cauc.
– **schmidtii** Regel | ╈ Ⓝ; Jap., Korea, Manch., Amur
– **szechuanica** (C.K. Schneid.) C.-A. Jansson | ╈; W-China: Sichuan, Yunnan, Sikang
– **tianschanica** Rupr.; China
– **turkestanica** Litvin.; C-As.
– **utilis** D. Don · Himalaya-Birke · Himalayan Birch · Bouleau de l'Himalaya ; Him.
 - var. **jacquemontii** (Spach) Winkl. · Jacquemont's Birch, White Barked Himalayan Birch | ╈; W-Him.
 - var. **prattii** Burkill | ╈; W-China
– *verrucosa* Ehrh. = Betula pendula
– *viridis* Chaix = Alnus viridis
– *wilsonii* Bean = Betula potaninii

Bidens L. -f- *Asteraceae* · Zweizahn
– *atrosanguinea* (Hook.) Ortega = Cosmos atrosanguineus
– **bipinnata** L. · Fiederblättriger Zweizahn | X-VII; Am., nat. in F, I, CH, Slove.
– **cernua** L. · Nickender Zweizahn | X-VIII; Eur.*, TR, Cauc., N-As., N-Am.
– **connata** H.L. Mühl. ex Willd. · Verwachsenblättriger Zweizahn | X-VIII; Can.: E; USA: NE, NCE, Kans., nat. in Fr, CH, D, PL
– *dahlioides* hort. = Cosmos atrosanguineus
– *dahlioides* S. Watson = Cosmos diversifolius
– *diversifolia* (Otto) Sch. Bip. = Cosmos diversifolius
– **ferulifolia** (Jacq.) DC. | ⊙ ⊙ VIII; S-Ariz., Mex.
– *formosa* Greene = Cosmos bipinnatus
– **frondosa** L. · Schwarzfrüchtiger Zweizahn | VIII-IX; N-Am., nat. in Eur.* exc. Sk
– *humilis* Humb., Bonpl. et Kunth = Bidens triplinervia var. macrantha
 - var. *macrantha* Wedd. = Bidens triplinervia var. macrantha

– **radiata** Thuill. · Strahliger Zweizahn | X-VIII; Eur.: Fr, C-Eur., EC-Eur., E-Eur., Sc; C-As., n-E-As.
– **subalternans** DC. · Rio-Grande-Zweizahn | X-VII, nat. in Sp., F, CH
– **tripartita** L. · Dreiteiliger Zweizahn | X-VII; Eur.*, TR, W-As. , N-Afr., N-Am.
– **triplinervia** Humb., Bonpl. et Kunth; Mex., C-Am., S-Am.
- var. **macrantha** (Wedd.) Scherff. | ⊙ ♃ VII; Mex., C-Am., S-Am.

Biebersteinia Stephan -f- *Geraniaceae*
– **orphanidis** Boiss. | ♃ Ⓐ △ V-VI ∧; S-GR, TR

Bifora Hoffm. -f- *Apiaceae*
– **radians** M. Bieb. · Strahlen-Hohlsame | V-VIII; Eur.: Ib, Fr, Ap, Ba, D, EC-Eur., E-Eur.; TR, Cauc., Iran
– **testiculata** (L.) Spreng. · Warziger Hohlsame ; Eur.: Ib, Fr, Ap, Ba; TR, Syr., Iraq, Cauc., Iran, C-As., nat. in D, CH

Bifrenaria Lindl. -f- *Orchidaceae*
– **atropurpurea** (Lodd.) Lindl. | ♃ Ⓦ VI-VII ✱; Bras.
– **aureofulva** (Hook.) Lindl. | ♃ Ⓦ X ✱; Bras.
– *bella* Lem. = Coelia bella
– *fuerstenbergiana* Schltr. = Bifrenaria inodora
– **harrisoniae** (Hook.) Rchb. f. | ♃ Ⓦ III-V ✱; Bras.
– **inodora** Lindl. | ♃ Ⓦ VII ✱; Bras.
– **tetragona** (Lindl.) Schltr. | ♃ Ⓦ VI-VII ✱; S-Bras.
– **tyrianthina** Rchb. f. | ♃ Ⓦ V-VII ✱; Bras.

Bignonia L. -f- *Bignoniaceae*
– *australis* Aiton = Pandorea pandorana
– *buccinatoria* DC. = Distictis buccinatoria
– *callistegioides* Cham. = Clytostoma callistegioides
– *capensis* Thunb. = Tecomaria capensis
– **capreolata** L. · Trumpet Vine | ♄ Ⓚ ≹ V-VI; USA: NE, NCE, SE, SC, Fla.
– *chamberlaynii* Sims = Anemopaegma chamberlaynii
– *chinensis* Lam. = Campsis grandiflora
– *grandiflora* Thunb. = Campsis grandiflora
– *ignea* Vell. = Pyrostegia venusta
– *pandorana* Andrews = Pandorea pandorana
– *radicans* L. = Campsis radicans
– *speciosa* Graham = Clytostoma callistegioides
– *stans* L. = Tecoma stans
– *tweediana* Lindl. = Macfadyena unguis-cati
– *unguis-cati* L. = Macfadyena unguis-cati
– *venusta* Ker-Gawl. = Pyrostegia venusta

Bilderdykia = Fallopia Adans.
– *aubertii* (L. Henry) Moldenke = Fallopia baldschuanica
– *baldschuanica* (Regel) D.A. Webb = Fallopia baldschuanica
– *convolvulus* (L.) Dumort. = Fallopia convolvulus
– *dumetorum* (L.) Dumort. = Fallopia dumetorum

Billardiera Sm. -f- *Pittosporaceae*
– **longiflora** Labill. · Apple Berry, Blueberry | ♄ Ⓚ ≹ ≹ ⚘ VII; Tasman.
– **scandens** Sm. | ♄ Ⓚ ≹ ≹ ⚘ VI-IX; Austr.: Queensl., N.S.Wales, Victoria, S-Austr., Tasman.

Billbergia Thunb. -f- *Bromeliaceae*
– *amabilis* Beer = Billbergia vittata
– **amoena** (Lodd.) Lindl. | ♃ Ⓦ; E-Bras.
– *baraquiniana* Lem. = Billbergia decora
– **brasiliensis** L.B. Sm. | ♃ Ⓦ; Bras.
– *burchellii* Baker = Billbergia distachia
– **chlorosticta** hort. Saunders | ♃ Ⓦ; NE-Bras.
– **decora** Poepp. et Endl. | ♃ Ⓦ; Peru, Bol., NW-Bras.
– **distachia** (Vell.) Mez | ♃ Ⓦ; Bras.
– **euphemiae** E. Morren | ♃ Ⓦ; S-Bras.
– *fasciata* Lindl. = Aechmea fasciata
– *granulosa* Brongn. = Billbergia rosea
– **horrida** Regel | ♃ Ⓦ; Bras.
– **iridifolia** (Nees et Mart.) Lindl. | ♃ Ⓦ; E-Bras., N-Bras.
– **leopoldii** (hort. Verschaff. ex Lem.) Linden ex Houllet | ♃ Ⓦ; Bras.
– *leopoldii* E. Morren = Billbergia brasiliensis
– *leopoldii* K. Koch = Billbergia vittata
– *liboniana* De Jonghe = Quesnelia liboniana
– **lietzei** E. Morren | ♃ Ⓦ; Bras.
– **macrocalyx** Hook. | ♃ Ⓦ; Bras.
– **magnifica** Mez | ♃ Ⓦ; Bras.
– **meyeri** Mez | ♃ Ⓦ; Bras.

– *moreliana* Brongn. = Billbergia morelii
– **morelii** Brongn. | ♃ Ⓦ; Bras.
– **nutans** H. Wendl. ex Regel · Angel's Tears, Friendship Plant | ♃ Ⓦ Ⓚ; S-Bras., Parag., Urug., N-Arg.
– *porteana* Baker = Billbergia rosea
– **porteana** Brongn. ex Beer | ♃ Ⓦ; Bras.
– **pyramidalis** (Sims) Lindl. | ♃ Ⓦ; E-Bras.
– *rhodocyanea* Lem. = Aechmea fasciata
– **rosea** hort. ex Beer | ♃ Ⓦ; Venez
– **sanderiana** E. Morren | ♃ Ⓦ; Bras.
– *saundersii* hort. Bull. ex Dombr. = Billbergia chlorosticta
– *speciosa* Thunb. = Billbergia amoena
– *thyrsoidea* Mart. ex Schult. = Billbergia pyramidalis
– **venezuelana** Mez | ♃ Ⓦ; Venez.
– **viridiflora** H. Wendl. | ♃ Ⓦ; Guat., Hond.
– **vittata** Brongn. ex Morel | ♃ Ⓦ; Bras., Parag., N-Arg.
– **zebrina** (Herb.) Lindl. | ♃ Ⓦ; E-Bras., Parag., N-Arg.

Binghamia = Haageocereus Backeb.
– *melanostele* (Vaupel) Britten et Rose = Espostoa melanostele

Biophytum DC. -n- *Oxalidaceae*
– **proliferum** (Arn.) Wight | ♃ Ⓦ; Sri Lanka
– **sensitivum** (L.) DC. · Biophytum | ♃ Ⓦ; trop. Afr., trop. As.

Biota = Thuja L.
– *orientalis* (L. f.) Endl. = Thuja orientalis

Biscutella L. -f- *Brassicaceae* · Brillenschote
– **auriculata** L.; Ib, Fr
– **cichoriifolia** Loisel. · Wegwartenblättriges Brillenschötchen | VI; Eur.: Sp., F, CH, I, W-Ba
– **didyma** L.; Eur.: Ap, Ba, +
– **laevigata** L. · Glattes Brillenschötchen · Buckler Mustard | ♃ △ V-VI ▽; Eur.: Ib, Fr, Ap, C-Eur., EC-Eur., Ba, RO

Bistorta (L.) Adans. -f- *Polygonaceae*
– **affinis** (D. Don) Greene · Teppich-Knöterich · Renouée en tapis | ♃ ⟿ VIII-IX; Nepal
– **amplexicaulis** (D. Don) Ronse Decr. · Mountain Fleece | ♃ VI-X; Him., nat. in BrI
– **macrophyllum** (D. Don) Soják | ♃ VII-IX; Him., W-China
– *major* Gray = Bistorta officinalis
– **officinalis** Delarbre · Schlangen-Wiesenknöterich, Schlangen-Knöterich · Adderwort, Bistort, Meadow Bistort · Renouée bistorte | ♃ V-VIII; Eur.* exc. Sc; TR, Cauc., Iran, W-Sib., E--Sib., Amur, Sachal., Kamchat., China, Korea, Jap., Maroc., Alaska, Can.: Yukon, nat. in Sc
  - subsp. **carnea** (C. Koch) Wissk. | ♃ △ ✂ V-VII; Him.
– **tenuicaule** (Bisset et S. Moore) Petrov · Knotweed | ♃ ⟿ △ IV-VI ∧; Jap.
– **vacciniifolia** (Wall. ex Meisn.) Greene | ♄ Ⓐ ⟿ △ VIII-IX ∧; Him.
– **vivipara** (L.) Delarbre · Knöllchen-Wiesenknöterich, Knöllchen-Knöterich · Alpine Bistort, Serpent Grass | ♃ △ V-VIII; Eur.*, Cauc., W-Sib., E-Sib., Amur, Sachal., C-As., Mong., Him., China, Jap., Alaska, Can., USA: NE, NCE, NC, SW, Rocky Mts., NW; Greenl.

Bituminaria Heist. ex Fabr. -f- *Fabaceae*
– **bituminosa** (L.) C.H. Stirt. · Triphyllon | ♃ Ⓚ Ⓝ; Eur.: Ib, Fr, Ap, Ba, Krim; TR, Levante, Sinai, Cauc., NW-Afr., Libya

Bixa L. -f- *Bixaceae*
– **orellana** L. · Annatto, Lipstick Tree | ♄ ♄ Ⓦ Ⓝ; Mex., C-Am., W.Ind, trop. S-Am., nat. in trop. Afr., trop. As., Austr.: Queensl.

Blackstonia Huds. -f- *Gentianaceae*
– **acuminata** (W.D.J. Koch et Ziz) Domin · Später Bitterling | VIII-IX; C-Eur., S-Eur., TR, Levante, Maroc.
– **perfoliata** (L.) Huds. · Durchwachsener Bitterling | VI-VIII; Eur.: Ba, Fr, BrI, Ap, EC-Eur., Ib, C-Eur., Krim; TR, Levante, Iraq, cauc., NW-Afr.

Blandfordia Sm. -f- *Blandfordiaceae*
– **cunninghamii** Lindl. · Christmas Bell
– *flammea* Hook. = Blandfordia grandiflora
– *grandiflora* auct. = Blandfordia cunninghamii
– **grandiflora** R. Br. | ♃ Ⓚ VII-VIII; Austr.: Queensl., N.S.Wales
– *marginata* Herb. = Blandfordia punicea
– **nobilis** Sm. | ♃ Ⓚ VII; Austr.:

N.S.Wales
- **punicea** (Labill.) Sweet · Tasmanian Christmas Bell | ♃ Ⓚ; Tasman.

Blechnum L. -n- *Blechnaceae* · Rippenfarn
- **auriculatum** Cav. | ♃ Ⓚ; S-Am.; mts.
- **australe** L. | ♃ Ⓚ; S-Afr.
- **brasiliense** Desv. | ♃ Ⓚ; Guat., Col., Peru, Bol., Bras., Parag., Urug., Arg.
- **fraxineum** Willd. | ♃ Ⓦ; trop. N-Am, trop. S-Am.
- **gibbum** (Labill.) Mett. | ♃ Ⓦ; N.Caled., Vanuatu
- **moorei** C. Chr. | ♃ Ⓦ; N.Caled.
- **occidentale** L. · Hammock Fern | ♃ Ⓦ; W.Ind., trop. Am., Chile, Pacific Is., nat. in Sri Lanka
- **penna-marina** (Poir.) Kuhn · Blechne de la Terre de Feu | ♃ Ⓐ △ ∧; Austr.: N.S.Wales, Victoria, Tasman.; NZ, s. S-Am.
- **spicant** (L.) Roth · Gewöhnlicher Rippenfarn · Deer Fern, Hard Fern · Blechne en épi | ♃ △ VII-IX ▽; Eur.*, TR, Cauc., N-Iran, Levante, Jap., NW-Afr., Libya, Alaska, , Can.: W; USA: NW, Calif.
- **tabulare** (Thunb.) Kuhn | ♃ ∧; W.Ind., Falkland Is., S-Afr., Madag., Austr., NZ

Bletia Ruiz et Pav. -f- *Orchidaceae*
- **campanulata** La Llave et Lex. | ♃ Ⓦ V-VIII ✻; Mex.
- **catenulata** Ruiz et Pav. | ♃ Ⓦ V-VII ✻; Ecuad., Peru, Bol., Bras.
- *hyacinthina* (Sm.) R. Br. = Bletilla striata
- *masuca* D. Don = Calanthe masuca
- **purpurea** (Lam.) DC. · Bletia | ♃ Ⓦ V-VII ✻; Fla., C-Am., W.Ind., Col. Venez.
- *sanguinea* Poepp. et Endl. = Bletia catenulata
- *shepherdii* Hook. = Bletia purpurea
- *verecunda* R. Br. = Bletia purpurea

Bletilla Rchb.f. -f- *Orchidaceae*
- **chinensis** (Rolfe) Schltr. · China-Orchidee | ♃ Ⓚ VI ✻; Yunnan
- *hyacinthina* (Sm.) Rchb. f. = Bletilla striata
- **striata** (Thunb.) Rchb. f. · Gestreifte China-Orchidee | ♃ Ⓚ Ⓐ V-VI ✻ ∧; China, E-Tibet, Jap., Okinawa

Blighia K.D. Koenig -f- *Sapindaceae*
- **sapida** C. Koenig · Akee | ♄ Ⓦ Ⓝ; W-Afr., Cameroun, nat. in Trop., Subtrop., S-Fla.

Blitum = Chenopodium L.
- *capitatum* L. = Chenopodium capitatum
- *virgatum* L. = Chenopodium foliosum

× **Bloomara** Hort. -f- *Orchidaceae* (*Broughtonia* × *Laeliopsis* × *Tetramicra*)

Bloomeria Kellogg -f- *Alliaceae*
- **crocea** (Torr.) Coville · Common Goldenstars | ♃ Ⓚ VII; S-Calif.

Blossfeldia Werderm. -f- *Cactaceae*
- *campaniflora* Backeb. = Blossfeldia liliputana
- **liliputana** Werderm. | ♆ Ⓚ VII ✻; Arg.: Catamarca, Salta, Jujuy, La Rioja; Bol.: Tarija, Chucuisaca
- *minima* F. Ritter = Blossfeldia liliputana

Blumea DC. -f- *Asteraceae*
- **balsamifera** (L.) DC. · Buffalo Ear | ♃ Ⓚ Ⓝ; Him., Ind., S-China, Taiwan, Myanmar, Malay. Arch., Phil.

Blumenbachia Schrad. -f- *Loasaceae*
- *grandiflora* (Lam.) Ruiz et Pav. ex G. Don = Caiophora contorta
- **hieronymii** Urb.
- **insignis** Schrad. | ⊙ VII-VIII; Bras., Arg.
lateritia (Hook.) Griseb. = Caiophora lateritia

Blysmus Panz. ex Schult. -m- *Cyperaceae*
- **compressus** (L.) Panz. ex Link · Zusammengedrücktes Quellried | ♃ VI-VII; Eur.* exc. Ib; TR, Cauc., Iran, C-As., Him., China: Sinkiang, Maroc.
- **rufus** (Huds.) Link · Rotbraunes Quellried | ♃ V-VII; Eur.: BrI, Sc, D, PL, Russ.; W-Sib., E-Sib., C-As. , Mong., China: Sinkiang

Bocconia L. -f- *Papaveraceae*
- *cordata* Willd. = Macleaya cordata
- **frutescens** L. · Tree Celandine | ♄ Ⓚ X; Mex., Costa Rica, W.Ind.
- *microcarpa* Maxim. = Macleaya microcarpa

Boea Comm. ex Lam. -f- *Gesneriaceae*
- **hygroscopica** F. Muell. | ♃ Ⓦ; Austr.: Queensl.

Boehmeria Jacq. -f- *Urticaceae* · Ramie
– *argentea* hort. = Myriocarpa stipitata
– **biloba** Wedd. | ♄ Ⓦ; Jap.
– **nivea** (L.) Gaudich. · China Grass, Rami | ♄ Ⓚ Ⓝ; China, Malay. Arch., Indochina, Jap.
  - var. **tenacissima** Miq. | ♃ Ⓝ; Malay. Arch.

Boenninghausenia Rchb. ex Meisn. *Rutaceae*
– **albiflora** (Hook.) Rchb. ex Meisn. | ♄; Ind.: Assam, China, Jap.

Boesenbergia Kuntze -f- *Zingiberaceae*
– **ornata** (N.E. Br.) R.M. Sm. | ♃ Ⓦ; Kalimantan
– **rotunda** (L.) Mansf. · Galingale | ♃ Ⓦ V Ⓝ; Ind., Sri Lanka, Java

Boisduvalia Spach -f- *Onagraceae*
– **densiflora** (Lindl.) S. Watson; w N-Am.

Bolbitis Schott -f- *Lomariopsidaceae*
– **heteroclita** (C. Presl) Ching | ♃ Ⓦ; trop. SE-As.

Bolboschoenus (Asch.) Palla -m- *Cyperaceae*
– **maritimus** (L.) Palla · Gewöhnliche Strandsimse · Scirpe maritime | ♃ VI-VIII; Eur.*, cosmop.

Bolivicereus = Borzicactus Riccob.
– *samaipatanus* Cárdenas = Borzicactus samaipatanus

Bollea Rchb.f. -f- *Orchidaceae*
– **coelestis** (Rchb. f.) Rchb. f. | ♃ Ⓦ VII-VIII ✱; Col.
– **lalindei** Rchb. f. | ♃ Ⓦ VII-VIII ✱; Col.

Boltonia L'Her. -f- *Asteraceae*
– **asteroides** (L.) L'Her. · Boltonia, False Chamomile · Aster étoilé ; USA: Mo., Kans., Okla. Ark.
  - var. **latisquama** (A. Gray) Cronquist | ♃ VIII-IX; USA: Mo., Kans., Okla., Ark.
– *latisquama* A. Gray = Boltonia asteroides var. latisquama

Bolusanthus Harms -m- *Fabaceae*
– **speciosus** (Bolus) Harms | ♄; S-Afr., Zimb., Mozamb., Angola

Bomarea Mirb. -f- *Alstroemeriaceae*
– **caldasii** (Humb., Bonpl. et Kunth) Asch. et Graebn. | ♃ Ⓚ ≹ VI-VIII; Col., Ecuad.
– **carderi** Mast. | ♃ Ⓚ ≹ VI-VIII; Col.
– *conferta* Benth. = Bomarea patacocensis
– **edulis** (Tussac) Herb. | ♃ Ⓚ ≹ VI-VIII; Mex., C-Am., W.Ind., trop. S-Am.
– **patacocensis** Herb. | ♃ Ⓚ ≹ VI-VIII; Col., Ecuad.
– **salsilla** (L.) Herb. | ♃ Ⓚ ≹ VI-VIII; Chile

Bombax L. -n- *Bombacaceae*
– **ceiba** L. · Bombax, Red Silk-Cotton Tree | ♄ ♆ Ⓦ Ⓝ; trop. As., N.Guinea, N-Austr.
– *ellipticum* Humb., Bonpl. et Kunth = Pseudobombax ellipticum
– *malabaricum* DC. = Bombax ceiba

Bonapartea = Agave L.
– *juncea* Willd. = Agave geminiflora

Bonatea Willd. -f- *Orchidaceae*
– *speciosa* (L. f.) Willd. = Habenaria bonatea

Bongardia C.A. Mey. -f- *Berberidaceae*
– **chrysogonum** (L.) Griseb. | ♃ Ⓚ IV-V ∧; TR, Syr., Iraq, Cauc., Iran, Pakist.

Borago L. -f- *Boraginaceae* · Boretsch
– *laxiflora* Poir. = Borago pygmaea
– **officinalis** L. · Boretsch · Borage | ⊙ VI-VII Ⓝ; Eur.: Ib, Fr, Ap, Ba; Cyprus, Syr., Iran, Libya, nat. in Eur.: BrI, C-Eur., EC-Eur., E-Eur.; TR
– *orientalis* L. = Trachystemon orientalis
– **pygmaea** (DC.) Chater et Greuter · Dwarf Borage | ♃ △ VII-X ∧; Corse, Sard.

Borassus L. -f- *Arecaceae* · Borassuspalme
– **aethiopum** Mart. · Delebpalme | ♄ Ⓝ; E-Afr.
– **flabellifer** L. · Palmira Palm | ♄ Ⓦ Ⓝ; Ind., Sri Lanka, Myanmar

Boronia Sm. -f- *Rutaceae* · Korallenraute
– **alata** Sm. | ♄ Ⓚ V ✱; W-Austr.
– **denticulata** Sm. | ♄ Ⓚ ✱; W-Austr.
– **elatior** Bartl. · Pink Boronia, Tall Boronia | ♄ Ⓚ IV-V ✱; W-Austr.
– **heterophylla** F. Muell. | ♄ Ⓚ III-IV ✱; W-Austr.
– **megastigma** Nees ex Bartl. · Brown

Boronia, Scented Boronia | ♄ Ⓚ D III-V ✻; W-Austr.
– **pilosa** Labill. | ♄; Austr.: N.S.Wales, Vict., Tasman., S-Austr.
– **pinnata** Sm. | ♄ Ⓚ V ✻; Austr.: N.S.Wales, Victoria, Tasman.

Borzicactus Riccob. -m- *Cactaceae*
– **acanthurus** (Vaupel) Britten et Rose | ψ Ⓚ ✻; C-Peru
– *aurantiacus* (Vaupel) Kimnach et Hutchison = Matucana aurantiaca
– *aureispinus* (F. Ritter) Hutchison et Kimnach = Hildewintera aureispina
– *aurivillus* (K. Schum.) Britton et Rose = Borzicactus icosagonus
– *doelzianus* (Backeb.) Kimnach = Oreocereus doelzianus
– *haynei* (Otto) Kimnach = Matucana haynei
– *hempelianus* (Gürke) Donald = Arequipa hempeliana
– **icosagonus** (Humb., Bonpl. et Kunth) Britton et Rose | ♄ ψ Ⓚ ✻; S-Ecuad., N-Peru
– *leucotrichus* (Phil.) Kimnach = Arequipa leucotricha
– **roezlii** (Haage) W.T. Marshall | ♄ ψ Ⓚ ✻; N-Peru
– **samaipatanus** Cárdenas | ψ Ⓚ ✻; Bol.
– **sepium** (Humb., Bonpl. et Kunth) Britton et Rose | ψ Ⓚ ✻; Ecuad.

Bosea L. -f- *Amaranthaceae*
– **yervamora** L. | ♄ Ⓚ ⅋; Canar.

Bossiaea Vent. -f- *Fabaceae*
– **cinerea** R. Br. | ♄ Ⓚ III; Austr.: N.S.Wales, Victoria, Tasman.
– **disticha** Lindl. | ♄ Ⓚ III-V; W-Austr.
– **heterophylla** Vent. | ♄ Ⓚ; Austr.: Queensl., N.S.Wales, Victoria
– **linophylla** R. Br. | ♄ Ⓚ V-VI; W-Austr.

Boswellia Roxb. ex Colebr. -f- *Burseraceae* · Weihrauchbaum
– **sacra** Flueck. | ♄ Ⓚ Ⓝ; Egypt, Somalia, S-Arab.

Bothriochilus Lem. -m- *Orchidaceae*
– **macrostachyus** (Lindl.) L.O. Williams | ♃ Ⓦ VIII-IX ✻; Mex., Costa Rica, Panama, Col.

Bothriochloa Kuntze -f- *Poaceae* · Bartgras
– **ischaemum** (L.) Keng · Gewöhnliches Bartgras · Yellow Blue Stem Grass | ♃ VII-X; Eur.* exc. BrI, Sc; TR, Arab., Cauc., Iran, Afgh., W-Sib., C-As., Him., Mong., China, NW-Afr., Sahara (Tibesti)

Botrychium Sw. -n- *Ophioglossaceae*
– **lanceolatum** (S.G. Gmel.) Angstr. · Lanzettliche Mondraute | ♃ VII-VIII; Eur.: I, C-Eur., PL, Sc, N-Russ.; N, Alp., W-Carp.; W-Sib., E-Sib., Amur, sachal., Kamchat., C-as., N-Am.
– **lunaria** (L.) Sw. · Echte Mondraute · Common Moonwort, Moonwort | ♃ V-VIII ▽; Eur.*, TR, Cauc., W-Sib., E-Sib., Amur, Sachal., Kamchat., C-As., Him., China, Jap., Alaska, Can., USA: NW, Rocky Mts., Calif., SW, S.Dak., NE; Greenl
– **matricariifolium** (A. Br. ex Döll) W.D.J. Koch · Ästige Mondraute | ♃ VI-VII; Eur.* exc. BrI, Ib; Can.: E; USA: NE, NCE, SE
– **multifidum** (S.G. Gmel.) Rupr. · Vielteilige Mondraute | ♃ VII-IX; Eur.* exc. BrI, Ib; W-Sib., W-As., Him., N-Am., Patag., Austr.
– **simplex** E. Hitchc. · Einfache Mondraute | ♃ V-VI; Eur.* exc. BrI, Ib; N-Am.
– **virginianum** (L.) Sw. · Virginische Mondraute | ♃ VI-IX; Eur.: C-Eur., EC-Eur., Slove., Sc, E-Eur.; W-Sib., E-Sib., Him., China, Manch. Korea, Jap., Alaska, Can., USA * exc. Calif.; Mex., C-Am., S-Am.

Bougainvillea Comm. ex Juss. -f- *Nyctaginaceae*
– × **buttiana** Holttum et Standl. (*B. glabra* × *B. peruviana*) | ♄ Ⓦ ⸙ IV-VI; cult.
– **glabra** Choisy · Bougainvillea | ♄ Ⓚ ⸙ IV-VI; Bras.
– **peruviana** Humb. et Bonpl. | ♄ Ⓦ ⸙; Col., Ecuad., Peru
– **spectabilis** Willd. | ♄ Ⓦ ⸙ IV-VI; Bras.
– **Cultivars**
  - *'Starfire'* = Bowiea volubilis

Boussingaultia Kunth -f- *Basellaceae*
– *cordifolia* Ten. = Anredera cordifolia
– *gracilis* Miers = Anredera cordifolia
  - var. *pseudobaselloides* (Hauman) L.H. Bailey = Anredera cordifolia

Bouteloua Lag. -f- *Poaceae*

– **curtipendula** (Michx.) Torr. · Sidcoats Grass | ♃ VII-IX Ⓝ; Can.: Ont.; USA: NE, NCE, NC, Rocky Mts., SE, SC, Calif.; SW; Mex., C-Am.
– **eripoda** Torr. | ♃ Ⓝ; SW-USA, N-Mex.
– **gracilis** (Humb., Bonpl. et Kunth) Griffiths · Moskitogras · Blue Grama, Mosquito Grass | ♃ VII-IX Ⓝ; Can.: W, Man.; USA: NCE, Rocky Mts., Calif., SW, Sc, SE; Mex.
– *oligostachya* (Nutt.) Torr. ex A. Gray = Bouteloua gracilis
– *racemosa* Lag. = Bouteloua curtipendula

Bouvardia Salisb. -f- *Rubiaceae* · Bouvardie
– *cavanillesii* DC. = Bouvardia multiflora
– *flava* Decne. = Bouvardia laevis
– *humboldtii* hort. = Bouvardia longiflora
– *jacquinii* Humb., Bonpl. et Kunth = Bouvardia ternifolia
– **laevis** M. Martens et Galeotti | ħ Ⓚ IV-V; Mex.
– **leiantha** Benth. | ħ Ⓚ VII-IX; Mex., C-Am.
– **longiflora** (Cav.) Humb., Bonpl. et Kunth | ħ Ⓚ VIII-XI; Mex.
– **multiflora** (Cav.) Schult. et Schult. f. | ħ Ⓚ VIII-IX; Mex.
– **ternifolia** (Cav.) Schltdl. · Bouvardia | ħ Ⓚ IV-VI; Mex.
– **triphylla** Salisb.

Bowenia Hook. -f- *Boweniaceae*
– **serrulata** (W. Bull) Chamb. · Byfield Fern | Ⓦ ✻; Austr.: Queensl.
– **spectabilis** Hook. ex Hook. f. | Ⓦ ✻; Austr.: Queensl.

Bowiea Harv. ex Hook.f. -f- *Hyacinthaceae*
– **volubilis** Harv. ex Hook. f. · Climbing Onion | ♃ Ψ Ⓚ ≷; Namibia, S-Afr.

Bowkeria Harv. -f- *Scrophulariaceae*
– **gerrardiana** Harv. ex Hiern | ♃ Ⓚ IV-V; S-Afr.: Natal

Boykinia Nutt. -f- *Saxifragaceae*
– **aconitifolia** Nutt. | ♃ VI-VII; USA: W.Va., Va., SE
– **jamesii** (Torr.) Engl. · Boykinia | ♃ Ⓐ IV-VI ∧; Can.: W; USA: Rocky Mts., NC
– **rotundifolia** Parry | ♃ VI-VIII; S-Calif.
– *tellimoides* (Maxim.) Engl. = Peltoboykinia tellimoides

Brachiaria (Trin.) Griseb. -f- *Poaceae*
– **brizantha** (Hochst. ex A. Rich.) Stapf · Palisadengras | ♃ Ⓝ; trop. S-afr., S-Afr., nat. in Sri Lanka, Bras.
– **decumbens** Stapf · Signalgras, Surinamgras | ♃ Ⓝ; trop. Afr.
– **deflexa** (Schumach.) C.E. Hubb. | Ⓝ; trop., Afr., S-Afr., Yemen
– **eruciformis** (Sm.) Griseb. | ⊙ ✄ VII-VIII; Eur.: Sp., Ap, Ba; TR, Cauc., Iran, Pakist., C-As., Him., Egypt, Arab., nat. in F
– **mutica** (Forssk.) Stapf · Para Grass | ⊙ ♃ Ⓝ; W-Afr., W.Sudan
– **ramosa** (L.) Stapf | Ⓝ; Ind.
– **ruziziensis** Germ. et C.M. Evrard · Niederliegendes Palisadengras | ♃ Ⓝ; Congo, nat. in Austr.

Brachychilum = Hedychium J. Konig
– **horsfieldii** (R. Br. ex Wall.) Petersen | ♃ Ⓦ ♧; Java

Brachychiton Schott et Endl. -m- *Sterculiaceae*
– **acerifolius** (A. Cunn.) F. Muell. · Australian Flame Tree, Flame Tree | ŧ Ⓚ; Austr.: Queensl., N.S.Wales
– **discolor** F. Muell. | ŧ; N-Austr., Queensl., New S-Wales
– **populneus** (Schott et Endl.) R. Br. · Kurrajong | ŧ Ⓚ; Austr.: Queensl., N.S.Wales
– **rupestris** (Lindl.) K. Schum. · Queensland Bottle Tree | ŧ Ⓚ; Austr.: Queensl.

Brachyglottis J.R. Forst. et G. Forst. -f- *Asteraceae*
– **greyi** (Hook. f.) B. Nord. | ħ Ⓚ VII-VIII ∧; NZ (Wellington)
– **hectoris** (Buchanan) B. Nord. | ħ Ⓚ; S-NZ
– **laxifolia** (Buchanan) B. Nord. | ħ Ⓚ VII-VIII; S-NZ
– **monroi** (Hook. f.) B. Nord. | ħ; NZ
– **repanda** J.R. Forst. et G. Forst. · Pukapuka | ħ ŧ Ⓚ; NZ
– **rotundifolia** J.R. Forst. et G. Forst. | ŧ ħ; NZ

Brachylaena R. Br. -f- *Asteraceae*
– **glabra** (L. f.) Druce | ŧ ħ; S-Afr.

Brachypodium P. Beauv. -n- *Poaceae* · Zwenke
- **distachyon** (L.) P. Beauv.; Eur.: Ib, Fr, Ap, Ba, W-Russ., Krim; TR, C-As., Iran, Afgh., Azor., Canar., Kap Verde, N-Afr., Eth., S-Afr.
- **phoenicoides** (L.) Roem. et Schult. | ♃; Eur.: Ib, Ap, Fr, Ba +
- **pinnatum** (L.) P. Beauv. · Fieder-Zwenke · Brachypode penné | ♃ VI-VIII Ⓝ; Eur.*, TR, Cauc., Iran, Cauc., W-Sib., O-Sib., C-As.; Alger.
- **rupestre** (Host) Roem. et Schult. · Felsen-Zwenke | ♃ VI-VIII; Eur.: Ib, Fr, BrI, C-Eur., CZ, Ap, Ba, RO, Krim; TR, Lebanon, Syr.
- **sylvaticum** (Huds.) P. Beauv. · Wald-Zwenke · False Brome, Tor Grass | ♃ VII-IX; Eur.*, TR, Cauc., Iran, W-Sib., C-As., Him., Sri Lanka, Canar., Madeira, NW-Afr.

Brachyscome Cass. *Asteraceae*
- **iberidifolia** Benth. · Swan River Daisy · Brachycome à feuilles d'ibéris | ⊙ D VII-IX; Austr.: W-Austr., S-Austr.
- **melanocarpa** F. Muell. et Sond. | ♃ Ⓚ; Austr.
- **multifida** DC. | ⊙ VI-IX; Austr.: Queensl.

Brachysema R. Br. -n- *Fabaceae*
- **lanceolatum** Meisn. · Swan River Pea | ♄ Ⓚ; W-Austr.

Brahea Mart. ex Endl. -f- *Arecaceae*
- **armata** S. Watson · Blue Fan Palm, Blue Palm, Mexican Blue Palm | ♄ Ⓚ; Mex.: Baja Calif.
- **brandegeei** (Purpus) H.E. Moore · San José Hesper Palm | ♄ Ⓚ; S-Calif.
- **dulcis** (Humb., Bonpl. et Kunth) Mart. | ♄ Ⓚ; Mex., Guat.
- **edulis** H. Wendl. ex S. Watson · Guadalupe Palm | ♄ Ⓦ; Mex.

× **Brapasia** Hort. -f- *Orchidaceae* (*Aspasia* × *Brassia*)

Brasenia Schreb. -f- *Cabombaceae* · Schleimkraut
- **schreberi** J.F. Gmel. · Water Shield | ♃ Ⓦ ♠ Ⓝ; Can.: E; USA: NE, NCE, SC, SE, Fla., NW, Calif.; Him., trop. As., Afr., Austr.

Brasilicactus = Notocactus (K. Schum.) Fric
- *graessneri* (K. Schum.) Backeb. = Notocactus graessneri
- *haselbergii* (Haage) Backeb. = Notocactus haselbergii

Brassaia = Schefflera J.R. Forst. et G. Forst.
- *actinophylla* Endl. = Schefflera actinophylla

Brassavola R. Br. -f- *Orchidaceae*
- **cebolleta** Rchb. f. | ♃ Ⓦ ✻; E-Bras., Parag.
- **cucullata** (L.) R. Br. | ♃ Ⓦ IX-XII ✻; Mex., Guat., Hond., El Salv., W.Ind., Venez.
- *digbyana* Lindl. = Rhyncholaelia digbyana
- **flagellaris** Rodr. | ♃ Ⓦ IV ✻; Bras.
- *glauca* Lindl. = Rhyncholaelia glauca
- **nodosa** (L.) Lindl. · Lady-of-the-Night Orchid | ♃ Ⓦ X-XII ✻; C-Am., W.Ind., Col., Venez., Surinam
- **perrinii** Lindl. | ♃ Ⓦ V-VI ✻; Parag., SE-Bras.

Brassia R. Br. -f- *Orchidaceae*
- **antherotes** Rchb. f.; trop. Am.
  - var. **longissima** (Rchb. f.) Teusch. | ♃ Ⓦ VI ✻; Costa Rica
- *brachiata* Lindl. = Brassia verrucosa
- **caudata** (L.) Lindl. · Cricket Orchid | ♃ Ⓦ II-III ✻; Fla., Mex., C-Am., W.Ind.
- **gireoudiana** Rchb. f. et Warsz. | ♃ Ⓦ V-VIII ✻; Costa Rica, Panama
- *guttata* Lindl. = Brassia maculata
- **lanceana** Lindl. | ♃ Ⓦ VIII-IX ✻; Venez., Surinam
- **lawrenceana** Lindl. | ♃ Ⓦ V-VI ✻; Venez., Guyana, Surinam, Bras.
- *longissima* (Rchb. f.) Schltr. = Brassia antherotes var. longissima
  - var. *minor* Schltr. = Brassia antherotes
- **maculata** R. Br. | ♃ Ⓦ VI-VIII ✻; W.Ind., Guat., Hond., Belize
- **verrucosa** Lindl. | ♃ Ⓦ IV-VI ✻; Mex., Guat., Hond., Venez.

Brassica L. -f- *Brassicaceae* · Kohl
- **alboglabra** L.H. Bailey | Ⓝ; C-China, S-China
- *campestris* L. = Brassica rapa
- **carinata** A. Braun · Abessinischer Kohl | Ⓝ; Eth.
- *chinensis* L. = Brassica rapa Chinensis-

Grp.
– **elongata** Ehrh. · Langtraubiger Kohl | ⊙ VI-IX; Eur.: A, EC-Eur., Ba, E-Eur.; TR, Iran, Cauc., W-Sib., C-As., Maroc., nat. in Sc, Fr, Ap
– *eruca* L. = Eruca sativa
– *hirta* Moench = Sinapis alba
– **juncea** (L.) Czern. · Ruten-Kohl, Sarepta-Senf · Chinese Mustard, Indian Mustard | VI-IX Ⓝ; W-Sib., E-Sib., C-As., Mong., N-China, nat. in Sp., BG, RO, Russ., TR, Cauc., Iran, Afgh., Ind.
– **kaber** (DC.) L.C. Wheeler · Charlock
  - var. *pinnatifida* (Stokes) L.C. Wheeler = Sinapis arvensis
– *napobrassica* (L.) Mill. = Brassica napus subsp. rapifera
– **napus** L. emend. Metzg. · Raps · Oilseed Rape, Rape | ⊙ IV-IX; cult.
  - subsp. **rapifera** Metzg. · Swede, Turnip | Ⓝ; cult.
  - var. **annua** L. · Sommerraps, Sommerrübsen | Ⓝ; Eth.
  - var. *napobrassica* (L.) Rchb. = Brassica napus subsp. rapifera
– **nigra** (L.) W.D.J. Koch · Schwarzer Senf, Senf-Kohl · Black Mustard | Off. VI-IX Ⓝ; Eur.*, Cauc., TR, Maroc., Egypt, Sudan
– **oleracea** L. · Gemüse-Kohl · Wild Cabbage | ♃ ⊙ V-IX; Eur.: Sp., F, Brl; Alger., Tun., nat. in D, Ba
  - **Botrytis-Grp.**; cult.
  - **Acepahla-Grp.**
  - **Capitata-Grp.**
  - **Gemmifera-Grp.**; cult.
  - **Gongylodes-Grp.**; cult.
  - **Italica-Grp.**; cult.
  - **Medullosa-Grp.**; cult.
  - **Ramosa-Grp.**; cult.
  - **Sabauda-Grp.**; cult.
  - **Sabellica-Grp.**; cult.
  - **Tronchuda-Grp.** | Ⓝ; cult.
  - var. *costata* DC. = Brassica oleracea Tronchuda-Grp.
  - var. *rubra* L. = Brassica oleracea Capitata-Grp.
  - **Viridis-Grp.**; cult.
– *pekinensis* (Lour.) Rupr. = Brassica rapa Pekinensis-Grp.
– **rapa** L. · Field Mustard | ⊙ IV-IX; orig. ? , cult. Eur., Sib., Ind., etc., nat. in Eur.*
  - **Chinensis-Grp.** · Chinese White Cabbage, Pak Choi ; cult.
  - **Dichotoma-Grp.** | Ⓝ; cult. Ind.
  - **Oleifera-Grp.** · Rübsaat, Rübsen | Ⓝ; cult.
  - **Pekinensis-Grp.** (Lour.) Hanelt · Chinakohl, Peking-Kohl ; cult.
  - **Trilocularis-Grp.** | Ⓝ; cult. Ind.
  - var. *silvestris* (Lam.) S.M. Briggs = Brassica rapa Oleifera-Grp.
– *trilocularis* (Roxb.) Hanelt = Brassica rapa Trilocularis-Grp.

× **Brassidium** Hort. -n- *Orchidaceae* (*Brassia* × *Oncidium*)

× **Brassocattleya** Hort. -f- *Orchidaceae* (*Brassavola* × *Cattleya*)

× **Brassodiacrium** Hort. -n- *Orchidaceae* (*Brassavola* × *Caularthron*)

× **Brassoepidendrum** Hort. -n- *Orchidaceae* (*Brassavola* × *Epidendrum*)

× **Brassolaelia** Hort. -f- *Orchidaceae* (*Brassavola* × *Laelia*)

× **Brassolaeliocattleya** Hort. -f- *Orchidaceae* (*Brassavola* × *Cattleya* × *Laelia*)

× **Brassotonia** Hort. -f- *Orchidaceae* (*Brassia* × *Broughtonia*)

× **Bratonia** hort. -f- *Orchidaceae* (*Brassia* × *Miltonia*)

Bravoa La Llave et Lex. -f- *Agavaceae*
– *geminiflora* La Llave et Lex. = Polianthes geminiflora

Braya Sternb. et Hoppe -f- *Brassicaceae*
– **alpina** Sternb. et Hoppe · Breitschötchen | ♃ VII; Eur.: I, A; E-Alp.

Brevipodium = Brachypodium P. Beauv.
– *sylvaticum* (Huds.) Á. Löve et D. Löve = Brachypodium sylvaticum

Brexia Noronha ex Thouars -f- *Escalloniaceae*
– **madagascariensis** (Lam.) Ker-Gawl. | ♄ Ⓦ; Madag.

Breynia J.R. Forst. et G. Forst. -f- *Euphorbiaceae*
– **disticha** J.R. Forst. et G. Forst. · Snow

Bush | ♄ Ⓦ; Pacific Is., nat. in S-Fla., Trop.

Briggsia Craib -f- *Gesneriaceae*
- **aurantiaca** B.L. Burtt | ♃ Ⓐ; S-Tibet
- **muscicola** (Diels) Craib | ♃ Ⓐ V-VI; Bhutan, SE-Tibet, Yunnan
- *penlopii* C.E.C. Fisch. = Briggsia muscicola

Brillantaisia P. Beauv. -f- *Acanthaceae*
- **lamium** (Nees) Benth. | ♃ Ⓦ IV-IX; trop. Afr.

Brimeura Salisb. -f- *Hyacinthaceae*
- **amethystina** (L.) Chouard · Amethyst-Wildhyazinthe | ♃ IV-VI ▽; Eur.: N-Sp., F, N-Ba; Pyr.

Briza L. -f- *Poaceae* · Zittergras
- *gracilis* hort. = Briza minor
- **maxima** L. · Größtes Zittergras · Greater Quaking Grass · Grande brize | ⊙ V-VI; Eur.: Ib, Fr, Ap, Ba; TR, Azor., nat. in BrI, E-Russ., N-Am., Jap., Austr.
- **media** L. · Mittleres Zittergras · Common Quaking Grass · Brize intermédiaire | ♃ V-VII Ⓝ; Eur.*, TR, Cauc.
- *minima* hort. ex Nichols. = Briza minor
- **minor** L. · Kleines Zittergras · Lesser Quaking Grass | ⊙ VI-VII; Eur.: Ib, Fr, BrI, Ap, Ba; TR, Cauc., SW-As., Subtrop.
- *rubra* Lam. = Briza maxima

Brocchinia Schult.f. -f- *Bromeliaceae*
- **paniculata** Schult. f. | ♃ Ⓦ; SE-Col., Venez., Bras.

Brodiaea Sm. -f- *Alliaceae*
- *bridgesii* Watson = Triteleia bridgesii
- *congesta* Sm. = Dichelostemma congestum
- **coronaria** (Salisb.) Engl. · Brodiaea, Harvest Cluster Lily | ♃ Ⓚ ▭ ∧; B.C., USA: NW, Calif.
  - var. *mundula* Jeps. = Brodiaea elegans
- **elegans** Hoover · Cluster Lily | ♃ Ⓚ VI ∧; USA: Oreg., Calif.
- *grandiflora* hort. = Brodiaea elegans
- *grandiflora* Sm. = Brodiaea coronaria
- *ixioides* (Aitch.) Watson = Triteleia ixioides
- *ixioides* Hook. = Leucocoryne ixioides
- *laxa* (Benth.) Watson = Triteleia laxa
- *lutea* Lindl. = Triteleia ixioides
- *multiflora* Benth. = Dichelostemma multiflorum
- *peduncularis* (Lindl.) Watson = Triteleia peduncularis
- *uniflora* (Lindl.) Engl. = Ipheion uniflorum

Bromelia L. -f- *Bromeliaceae*
- **agavifolia** Brongn. ex Houllet | ♃ Ⓦ; Guyan.
- *ananas* L. = Ananas comosus
- **balansae** Mez · Heart-of-Flame | ♃ Ⓦ; Arg., Parag.
- *bicolor* Ruiz et Pav. = Fascicularia bicolor
- *comosa* L. = Ananas comosus
- *fastuosa* Lindl. = Bromelia pinguin
- *lingulata* L. = Aechmea lingulata
- **pinguin** L. · Pinguin, Wild Pineapple | ♃ Ⓦ Ⓝ; W.Ind., Panama, Guyana, Bras.
- **serra** Griseb. | ♃ Ⓦ Ⓝ; Bol., Parag., Bras., Arg.

Bromus L. -m- *Poaceae* · Trespe
- **arvensis** L. · Acker-Trespe · Field Brome | ⊙ ✂ V-VIII Ⓝ; Eur.: Ib, Fr, Ap, Ba, E-Eur.; Cauc., nat. in Eur.: BrI, Sc, C-Eur., EC-Eur.; TR, Iran, C-As., N-Am., Arg., S-Afr., NZ
- *arvensis* Pollich = Bromus erectus
- *asper* Murray = Bromus ramosus
- **benekenii** (Lange) Trimen · Benekens Trespe | ♃ VI-VII; Eur.*, TR, Cauc., NW-Iran, Afgh., Him., Ind., W-Sib. C-As., Maroc., Alger., nat. in China
- **brachystachys** Hornung · Kurzährige Trespe | VI-VII; Eur.: D extinct
- **briziformis** Fisch. et C.A. Mey. | ⊙ ✂ VI-VIII; Cauc., N-Iran, C-As., nat. in Alaska, Can.
- **bromoides** (Lej.) Crép. · Ardennen-Trespe ; Eur.: F, B; extinct
- **carinatus** Hook. et Arn. · Plattährige Trespe | XI-VI; N-Am., nat. in BrI, NL
- **catharticus** Vahl · Ährengrasähnliche Trespe, Pampas-Trespe · Rescue Brome, Rescue Grass | ⊙ ⊙ ♃ ✂ VI-IX Ⓝ; S-Am., nat. in USA: SE; S-Eur.
- **commutatus** Schrad. · Verwechselte Trespe, Wiesen-Trespe | VI; Eur.*, Cauc.
- *cristatus* L. = Agropyron cristatum
- **danthoniae** Trin. | ⊙ VI-VIII; TR, Cauc., Iran, C-As.
- **diandrus** Roth; Eur.: Ib, Fr, Ap, Ba; TR,

SW-As., N-Afr., nat. in BrI, Krim
– **erectus** Huds. · Aufrechte Trespe · Upright Brome | ♃ X-V Ⓝ; Eur.* exc. Sc; TR, NW-Afr., nat. in Sc, N-Am.
  - subsp. **condensatus** (Hack.) Asch. et Graebn. · Zusammengezogene Trespe | ♃ V-VI; Eur.: CH, I, Ba; S-Alp., NW-Balkan
– **grossus** Desf. ex DC.
– **gussonei** Parl.
– **hordeaceus** L. · Weiche Trespe · Soft Brome | ⊙ V-VIII; Eur.*, TR, Cauc., Iran, Pakist., nat. in N-Am., Baja Calif., S-Am., Jap., Austr., NZ, Hawaii
  - subsp. **divaricatus** (L.) A.R. Clapham · Aufrechte Strandtrespe, Spreizende Trespe ; S-Eur. , Makaron., N-Afr.
  - subsp. **pseudothominii** (P.M. Sm.) H. Scholz; Eur.: BrI, Sc, C-Eur. +
– **inermis** Leyss. · Unbegrannte Trespe · Hungarian Brome, Smooth Brome | ♃ VI-VII Ⓝ; Eur.* exc. BrI; TR, Cauc., N-Iran, W-Sib., E-Sib., C-As., Him., Mong., Manch., nat. in BrI, Sc, Amur, N-Am., S-Am., S-Afr., Austr.
– **japonicus** Thunb. ex Murray · Japanische Trespe · Japanese Brome | ⊙ ♃ V-VI; Eur.: F, I, C-Eur., EC-Eur., Ba, E-Eur.; TR, Syr., Lebanon, Cauc., C-As., N-Afr., nat. in N-Am.
– *jubatus* Ten. = Bromus sterilis
– *lanceolatus* Roth = Bromus macrostachys
– **lepidus** Holmb. · Zierliche Trespe | ⊙ VI-VIII; orig. ?, nat. in BrI, Sc, Fr, D
– **macrostachys** Desf. · Langgrannige Trespe · Brome à grands épillets | ⊙ VI-VIII; Eur.: Ib, Fr, Ap, Ba; TR, Cauc., C-As., Him., W-Sib., nat. in N-Am.
– **madritensis** L. · Madrider Trespe, Mittelmeer-Trespe · Compact Brome | ⊙ V-VII; Eur.: Ib, Fr, Ap, Ba, Krim; TR, Syr., Lebanon, Iraq, Arab., Iran, SW-As., Iran, N-Afr., nat. in BrI, Sc, N-Am., S-Am., Austr.
– *mollis* L. = Bromus hordeaceus
– **pannonicus** Kumm. et Sendtn. · Pannonische Trespe | ♃ X-V; Eur.: A, H, Slove., Croatia, Bosn., RO
– **racemosus** L. · Traubige Trespe | VI; Eur.*, TR, Cauc., Iran, Afgh.
– **ramosus** Huds. · Wald-Trespe · Hairy Brome | ♃ ✂ VII-VIII; Eur.*, TR, Cauc., N-Iran, Him., NW-Afr.
– **rigidus** Roth · Steife Trespe | VI-VII; Eur.: Ib, Fr, Ap, Ba, RO; TR, Cyprus, Cauc. W-As., N-Afr., nat. in EC-Eur.
– **rubens** L. · Fox Tail Brome | ⊙ VII-VIII; Eur.: Ib, Fr, Ap, Ba; TR, Cauc., C-As., N-Afr., nat. in USA
– **scoparius** L. · Gedrungene Trespe ; Eur.: Ib.Ap, Ba, Krim, E-Russ.; TR, Cauc., Iran, C-As., N-Afr.
– **secalinus** L. · Roggen-Trespe · Rye Brome | ⊙ ✂ VI-VIII; Eur.: Ib, Fr, Ap, Ba, EC-Eur., E-Eur.; W-Sib., Amur, Sachal., nat. in BrI, Sc, C-Eur., N-Am.
  - subsp. **multiflorus** (Sm.) Hegi · Dicke Trespe | VI-VII; Eur.: B
– **squarrosus** L. · Sparrige Trespe | ⊙ V-VI; Eur.* exc. BrI, Sc; TR, Iraq, Syr., Lebanon, Cauc., Iran, Him., W-Sib., C-As., NW-Afr., C-Sahara, nat. in N-Am., Chile
– **sterilis** L. · Taube Trespe · Barren Brome, Poverty Brome | ⊙ ✂ V-VIII; Eur.*, TR, Levante, Iraq, Cauc., Iran, C-As., NW-Afr., nat. in N-Am., S-Am., Austr., NZ
– **tectorum** L. · Dach-Trespe · Drooping Brome | ⊙ ⊙ V-VI; Eur.*, TR, Levante, Arab., Cauc., Iran, Afgh., Pakist., C-As., Canar., NW-Afr., Egypt, nat. in BrI, Greenl., N-Am., C-Am., S-Am., Phil., Austr., NZ, Hawaii
– **thominii** Hardouin · Dünen-Trespe | V-VI; Eur.: BrI, Fr, Sc, D, S-Eur..; TR; coasts, nat. in N-Am.
– **transsylvanicus** Steud. sensu Hack. · Siebenbürgische Trespe ; Eur.: N-I, Ba, RO
– *unioloides* (Willd.) Humb., Bonpl. et Kunth = Bromus catharticus
– *willdenowii* Kunth = Bromus catharticus

Brosimum Sw. -n- *Moraceae* · Kuhbaum
– **alicastrum** Sw. · Breadnut | ♄ ⌂ Ⓝ; Mex., C-Am., W.Ind., Venez., Ecuad., Peru, Bras.
– *galactodendron* D. Don ex Sweet = Brosimum utile
– **utile** (Humb., Bonpl. et Kunth) Pittier · Cowtree | ♄ ⌂ Ⓝ; Guyan., Bras., Peru

Broughtonia R. Br. -f- *Orchidaceae*
– *domingensis* (Lindl.) Rolfe = Laeliopsis domingensis
– **sanguinea** (Sw.) R. Br. | ♃ ⌂ V-VI ✻; Jamaica, Cuba

× **Broughtopsis** hort. -f- *Orchidaceae*

(*Broughtonia* × *Laeliopsis*)

Broussonetia L'Her. ex Vent. -f- *Moraceae*
– **kazinoki** Siebold | ŧ Ⓝ; Korea, Jap.
– **papyrifera** (L.) Vent. · Papiermaulbeerbaum · Paper Mulberry | ħ ŧ V Ⓝ; Myanmar, China, nat. in S-Eur., USA

Browallia L. -f- *Solanaceae*
– **americana** L. · Amethyst Flower | ⊙ VII-IX; trop. Am.
– *demissa* L. = Browallia americana
– *elata* L. = Browallia americana
– **grandiflora** D. Don | ⊙ VI-IX, Peru
– *grandiflora* Graham = Browallia americana
– *major* hort. = Browallia speciosa
– **speciosa** Hook. · Sapphire Flower | ħ ⌂K I-XII; Col.
– **viscosa** Humb., Bonpl. et Kunth | ⊙ VI-IX; Peru

Brownea Jacq. -f- *Caesalpiniaceae*
– **ariza** Benth. · Rose of Venezuela | ŧ ⌂W; Col.
– **coccinea** Jacq. | ŧ ⌂W; Venez.
– *grandiceps* hort. = Brownea ariza
– **grandiceps** Jacq. | ŧ ⌂W; Venez.

Browningia Britton et Rose -f- *Cactaceae*
– **chlorocarpa** (Humb., Bonpl. et Kunth) W.T. Marshall | ψ ⌂K ✻; N-Peru
– **hertlingiana** (Backeb.) Buxb. | ψ ⌂K ✻; Peru
– **microsperma** (Werderm. et Backeb.) W.T. Marshall | ψ ⌂K ✻ Ⓝ; N-Peru
– **viridis** (Rauh et Backeb.) Buxb. | ψ ⌂K ✻; Peru

Bruckenthalia Rchb. -f- *Ericaceae* · Ährenheide
– **spiculifolia** (Salisb.) Rchb. · Spike Heath | ħ △ VI-VII; Eur.: Ba, RO; NE-TR, mts.

Brugmansia Pers. -f- *Solanaceae*
– **arborea** (L.) Lagerh. · Angel's Trumpet | ħ ⌂K; Ecuad., Peru, Bol., N-Chile
– **aurea** Lagerh. · Golden Angel's Trumpet | ħ ŧ ⌂K VII-IX; Col. Ecuad.; Anden
– × **candida** Peerson (*B. aurea* × *B. versicolor*) · White Angel's Trumpet | ħ ⌂K D VI-XI ☠; Ecuad.
– *chlorantha* Hook. = Datura metel
– *cornigera* Hook. = Brugmansia arborea
– × **flava** Herklotz ex Preißel (*B. arborea* × *B. sanguinea*)
– × **insignis** (Rodr.) Lockwood (*B. suaveolens* × *B. versicolor*) | ħ ŧ ⌂K VII-IX; Ecuad., Peru (E-And.)
– **sanguinea** (Ruiz et Pav.) D. Don · Red Angel's Trumpet | ħ ⌂K I-III ☠; Col., Ecuad., Peru, N-Chile
– **suaveolens** Humb. et Bonpl. ex Willd. · Angel's Trumpet | ħ ⌂K D VIII-X ☠; SE-Bras.
– **versicolor** Lagerh. | ŧ ħ ⌂K VII-IX; Ecuad. (Guyaquil)
– **vulcanicola** (A.S. Barclay) R.E. Schult.

Brunfelsia L. -f- *Solanaceae*
– **americana** L. · Lady-of-the-Night | ħ ⌂W D; W.Ind.
– *calycina* Benth. = Brunfelsia pauciflora var. calycina
– *hopeana* (Hook.) Benth. = Brunfelsia uniflora
– **latifolia** (Pohl) Benth. · Kiss Me Quick | ħ ⌂W I-V; Bras.
– **pauciflora** (Cham. et Schltdl.) Benth. · Today and Tomorrow, Yesterday ; Bras.
  - var. **calycina** (Benth.) J.A. Schmidt | ħ ⌂W I-VI; Bras.
– **undulata** Sw. | ħ ⌂W D; Jamaica
– **uniflora** (Pohl) D. Don · Vegetable Mercury | ħ ⌂W D I-VII; Guyan., Bras., Peru

Brunia Lam. -f- *Bruniaceae*
– **albiflora** E. Phillips | ħ ⌂K ⋈ D ⋈; Kap
– **laevis** Thunb. | ħ ⌂K ⋈; S-Afr.
– **nodiflora** L. · Stompie | ħ ⌂K ⋈; S-Afr.

Brunnera Steven -f- *Boraginaceae* · Kaukasusvergißmeinnicht
– **macrophylla** (Adams) I.M. Johnst. · Großblättriges Kaukasus-Vergißmeinnicht · Brunnera, Siberian Bugloss · Myosotis du Caucase | ♃ IV-VI; Cauc., W-Sib.

Brunsvigia Heist. -f- *Amaryllidaceae* · Brunsvigie
– *gigantea* Heist. = Brunsvigia orientalis
– **josephinae** (Redouté) Ker-Gawl. · Josephine's Lily | ♃ ⌂K VIII-X; S-Afr.
– *multiflora* Aitch. = Brunsvigia orientalis
– **orientalis** (L.) Aiton ex Eckl. | ♃ ⌂K VIII-X; S-Afr.

Bryanthus J.G. Gmel. -m- *Ericaceae*
– **gmelinii** G. Don | ♄ △ VII-VIII; Jap., Kamchat.

Bryonia L. -f- *Cucurbitaceae* · Zaunrübe
– **alba** L. · Schwarzfrüchtige Zaunrübe, Weiße Zaunrübe · Bryony | ♃ ♄ ≹ ⚘ VI-VII ☠; Eur.: I, C-Eur., EC-Eur., Ba, E-Eur.; TR, Cauc., N-Iran, C-As., nat. in F, Sc
– **cretica** L. · Cretan Bryony ; Eur.: GR, Crete; TR, Levante, Cauc., Iran, C-As., Egypt, Libya, nat. in Sc
  - subsp. **dioica** (Jacq.) Tutin · Rotfrüchtige Zaunrübe, Zweihäusige Zaunrübe · White Bryony | ♃ ≹ ⚘ VI-IX ☠; Eur.* exc. EC-Eur.; NW-Afr.
– *dioica* Jacq. = Bryonia cretica subsp. dioica
– *laciniosa* hort. = Diplocyclos palmatus
– *punctata* Thunb. = Zehneria scabra
– *scabra* Thunb. = Zehneria scabra

Bryonopsis = Kedrostis Medik.
– *laciniosa* (L.) Naudin = Diplocyclos palmatus

Bryophyllum Salisb. -n- *Crassulaceae*
– *calycinum* Salisb. = Bryophyllum pinnatum
– *crenatum* Baker = Bryophyllum laxiflorum
– **daigremontianum** (Raym.-Hamet et Perrier) Berger
– **laxiflorum** (Baker) Baker | ♃ Ψ Ⓚ I-III; Madag.
– **miniatum** (Hilsenb. et Bojer) A. Berger | ♄ Ψ Ⓚ; Madag.
– **pinnatum** (Lam.) Oken · Cathedral Bells | ♃ Ψ Ⓚ; orig. ?, nat. in Trop., Subtrop.
– **porphyrocalyx** (Baker) Berger | ♄ Ψ Ⓚ; C-Madag.
– **proliferum** Bowie | ♃ Ψ Ⓚ; C-Madag.
– **scandens** H. Perrier | ♃ Ψ Ⓚ ≹; Madag.
– **schizophyllum** Baker | ♃ Ψ Ⓚ ≹; C-Madag.
– **tubiflorum** Harv. · Chandelier Plant | ♃ Ψ Ⓚ; S-Madag.
– **uniflorum** (Stapf) Berger | ♃ Ψ Ⓚ ⁓→; Madag.

Buchloe Engelm. -m- *Poaceae*
– **dactyloides** (Nutt.) Engelm. · Buffalo Grass | ♃ Ⓝ; Can.: Man.; USA: NCE, NC, SW, SC; Mex.

Buddleja L. -f- *Buddlejaceae* · Buddleie, Schmetterlingsstrauch
– **albiflora** Hemsl. | ♄ VII-IX; W-China, C-China
– **alternifolia** Maxim. · Schmalblättriger Sommerflieder · Fountain Buddleia · Arbre aux papillons | ♄ D VI; NW-China
– **asiatica** Lour. | ♄ ♄; Ind., China
– **auriculata** Benth. | ♄ ♄; S-Afr.
– **colvilei** Hook. f. et Thomson | ♄ Ⓚ VI; Him.
– **crispa** Benth. | ♄ D VII-VIII; Him.
  - *'Farreri'* = Buddleja farreri
– **davidii** Franch. · Gewöhnlicher Sommerflieder, Schmetterlingstrauch · Butterfly Bush · Arbre aux papillons, Lilas d'été | ♄ VII-X; China, nat. in Eur.: Fr, BrI, C-Eur., I; Calif.
  - var. **nanhoensis** Rehder
– **farreri** Balf. f. et W.W. Sm. | ♄ IV-V; NW-China: Kansu
– **globosa** Hope · Orange Ball Tree | ♄ Ⓚ VII-VIII; Peru, Chile
– *hemsleyana* Koehne = Buddleja albiflora
– *heterophylla* Lindl. = Buddleja madagascariensis
– **indica** Lam. · Indoor Oak | ♄ Ⓦ Ⓚ; Madag.
– **japonica** Hemsl. · Japanischer Sommerflieder | ♄ VII-VIII; Japan, nat. in F
– **lindleyana** Fortune | ♄ VII-VIII; E-China
– **madagascariensis** Lam. | ♄ Ⓦ ≹ I-V; Madag.
– × *nanhoensis* hort. = Buddleja davidii var. nanhoensis
– **nivea** Duthie | ♄ VIII-IX ∧; W-China
– × **pikei** Fletcher (*B. alternifolia* × *B. crispa*) | ♄; cult.
– *stenostachya* Rehder et Wilson = Buddleja nivea
– *variabilis* Hemsl. = Buddleja davidii
– × **weyeriana** Weyer (*B. davidii* × *B. globosa*) | ♄ X-VII; cult.

Bufonia L. -f- *Caryophyllaceae*
– **paniculata** Dubois · Rispige Buffonie | VII; Eur.: Sp., F, I, CH, GR; Lebanon, Syr.

Buglossoides = Lithospermum L.
– *gastonii* (Benth.) I.M. Johnst. = Lithospermum gastonii
– *purpureocaeruleum* (L.) I.M. Johnst. = Lithospermum purpureocaeruleum

Buglossum = Anchusa L.
– *barrelieri* All. = Anchusa barrelieri

Bulbine Wolf -f- *Asphodelaceae*
– **alooides** (L.) Willd. | ♃ ψ Ⓚ IV; S-Afr.
– *annua* hort. = Bulbine semibarbata
– **bulbosa** (R. Br.) Haw. | ♃ ψ Ⓚ; Austr.: Queensl., N.S.Wales, Victoria, S-Austr., Tasman.
– *caulescens* L. = Bulbine frutescens
– **frutescens** (L.) Willd. | ♄ ψ Ⓚ III; Kap
– **mesembryanthoides** Haw. | ♃ ψ Ⓚ; Kap
– **semibarbata** (R. Br.) Haw. · Leek Lily | ⊙ V-VI; Austr.

Bulbinella Kunth -f- *Asphodelaceae*
– **angustifolia** (Cockayne et Laing) L.B. Moore | ♃ Ⓚ Ⓐ VI-VII; NZ
– **hookeri** (Hook.) Cheeseman | ♃ Ⓚ Ⓐ VI-VII; NZ
– **rossii** (Hook. f.) Cheeseman | ♃ Ⓚ Ⓐ VI-VII; NZ

Bulbinopsis = Bulbine Wolf
– *bulbosa* (R. Br.) Borzi = Bulbine bulbosa
– *semibarbata* (R. Br.) Borzi = Bulbine semibarbata

Bulbocodium L. -n- *Colchicaceae* · Frühlingslichtblume
– **vernum** L. · Lichtblume | ♃ ☘ II-III; Eur.: Sp., F, I, CH, A; Pyr., Alp.

Bulbophyllum Thouars -n- *Orchidaceae*
– **auratum** (Lindl.) Rchb. f. | ♃ Ⓦ X ✻; Sumat.
– **barbigerum** Lindl. | ♃ Ⓦ VI-VII ✻; W-Afr., C-Afr.
– **ericssonii** Kraenzl. | ♃ Ⓦ X ✻; Kalimantan
– **falcatum** (Lindl.) Rchb. f. | ♃ Ⓦ V-VI ✻; W-Afr., C-Afr., Uganda
– *fascinator* (Rolfe) Rolfe = Bulbophyllum putidum
– **gracillimum** (Rolfe) Rolfe | ♃ Ⓦ VI-X ✻; Malay. Arch., Fiji
– **leucorhachis** (Rolfe) Schltr. | ♃ Ⓦ IV-V ✻; Cameroun, W-Nigeria
– **lobbii** Lindl. | ♃ Ⓦ V-VI ✻; Myanmar, Thail., Malay. Pen., Sumat., Java, Kalimantan
– **longiflorum** Thouars | ♃ Ⓦ VII ✻; trop. E-Afr., Madag., SE-As., Malay. Arch., N-Austr., Pacific Is.
– **longissimum** (Ridl.) J.J. Sm. | ♃ Ⓦ XI ✻; Thail., Malay. Pen.
– **makoyanum** (Rchb. f.) Ridl. | ♃ Ⓦ I-II ✻; Ind.
– **mastersianum** (Rolfe) J.J. Sm. | ♃ Ⓦ I-II ✻; Kalimantan, Molucca I.
– **medusae** (Lindl.) Rchb. f. | ♃ Ⓦ X-XII ✻; Thail., Malay. Pen., Sumat., Kalimantan, Phil.
– **ornatissimum** (Rchb. f.) J.J. Sm. | ♃ Ⓦ ✻; Ind.: Assam; E-Him.
– **picturatum** (Lodd.) Rchb. f. | ♃ Ⓦ V-VI ✻; Myanmar
– **putidum** (Teijsm. et Binn.) J.J. Sm. | ♃ Ⓦ IX ✻; Vietn.: Annam
– **wendlandianum** (Kraenzl.) Dammer | ♃ Ⓦ V ✻; N-Myanmar

Bumelia Sw. -f- *Sapotaceae*
– **lanuginosa** (Michx.) Pers. | ♄; USA: NE, NCE, SE, SC, Kans., Fla.; Mex.

Bunchosia Rich. ex Kunth -f- *Malpighiaceae*
– **costaricensis** Rose ex pittier | Ⓝ; Costa Rica

Bunias L. -f- *Brassicaceae*
– **erucago** L. · Flügel-Zackenschötchen | ⊙ V-VII; Eur.: Ba, Ap, Fr, Ib, CH; TR, N-Afr., nat. in C-Eur., EC-Eur., RO
– **orientalis** L. · Orientalisches Zackenschötchen | ♃ V-VIII; Eur.:EC-Eur., Ba, E-Eur.; Cauc., N-Iraq, N Iran, nat. in BrI, Sc, Fr, C-Eur., Ap

Bunium L. -n- *Apiaceae*
– **bulbocastanum** L. · Knollenkümmel · Earth Chestnut, Great Earthnut | ♃ VI-VII Ⓝ; Eur.: BrI, Fr, Ib., Ap, C-Eur., Slove., nat. in DK

Buphthalmum L. -n- *Asteraceae* · Ochsenauge
– *maritimum* L. = Asteriscus maritimus
– **salicifolium** L. · Rindsauge, Weidenblättriges Ochsenauge · Yellow Ox-Eye | ♃ VI-VIII; Eur.: F, N-I, C-Eur., EC-Eur., Ba
– *sericeum* L. f. = Nauplius sericeus
– *speciosissimum* L. = Telekia speciosissima
– *speciosum* Schreb. = Telekia speciosa

Bupleurum L. -n- *Apiaceae* · Hasenohr
– **affine** Sadler · Ungarisches Hasenohr |

VII-IX; Eur.: A, EC-Eur., Ba, E-Eur.
- **commutatum** Boiss. et Balansa; Eur.: H, Ba, RO, Krim; TR, W-Iran
- **falcatum** L. · Sichelblättriges Hasenohr | ♃ VII-IX; Eur.* exc. Sc; As.
- **fruticosum** L. · Strauchiges Hasenohr · Shrubby Hare's Ear | ♄ Ⓚ VII-IX ∧; Eur.: Ib, F, Ap; Med., Alger., Lebanon, N-Afr., nat. in BrI, Krim
- **gerardii** All. · Südliches Hasenohr | VII-VIII; Eur.: Ib, Fr, Ap, Ba, Krim; TR, Cyprus, Syr., Cauc., W-Iran, C-As., Libya, nat. in D
- **lancifolium** Hornem.; Eur.: Ib, Ap, Ba; Cyprus, Syr., Palaest., Iraq, W-Iran, C-As., Egypt, Libya, Alger., nat. in A, B, Br
- **longifolium** L. · Langblättriges Hasenohr | ♃ VII-VIII; Eur.: Fr, C-Eur., EC-Eur., Ba, E-Eur.; W-Sib., E-Sib., C-As., N-China
- **petraeum** L. · Felsen-Hasenohr | ♃ VII-VIII; Eur.: I, F, A, Slove.; Alp.
- **praealtum** L. · Simsen-Hasenohr | VII-IX; Eur.: Ib, Fr, Ap, Ba, A, EC-Eur., RO
- **ranunculoides** L. · Hahnenfuß-Hasenohr | ♃ △ VII-VIII; Eur.: Sp., F, I, C-Eur., EC-Eur., W-Ba, RO; mts.
- **rotundifolium** L. · Durchwachsenes Hasenohr, Rundblättriges Hasenohr · Hare's Ear, Thorow Wax | ⊙ VI-VIII; Eur.* exc. Sc; TR, Cauc., N-Iran, C-As., nat. in N-Am., Austr., NZ etc.
- **stellatum** L. · Sternblütiges Hasenohr | ♃ VII-VIII; Eur.: F, Corse, I, CH, A: Alp., Corse
- **tenuissimum** L. · Salz-Hasenohr | VIII-IX; Eur.*, TR, Cauc., Maroc., Alger.
- **veronense** Turra; Eur.: I, Ba

Burbidgea Hook.f. -f- *Zingiberaceae*
- **schizocheila** Hackett | ♃ Ⓦ III-VI; Kalimantan

× **Burkillara** Hort. -f- *Orchidaceae* (*Aerides* × *Arachnis* × *Vanda*)

× **Burrageara** Hort. -f- *Orchidaceae* (*Cochlioda* × *Miltonia* × *Odontoglossum* × *Oncidium*)

Bursaria Cav. -f- *Pittosporaceae*
- **spinosa** Cav. | ♄ ♄; Austr.: N.S.Wales, Tasman.

Bursera Jacq. ex L. -f- *Burseraceae*
- *delpechiana* Poiss. ex Engl. = Bursera penicillata
- **fagaroides** (Humb., Bonpl. et Kunth) Engl. · Quauhxiotl | ♄ ♄ Ⓚ; Ariz., Mex., Baja Calif.
- *gummifera* L. = Bursera simaruba
- **penicillata** (Sessé et Moç. ex DC.) Engl. · Torchwood | ♄ Ⓚ Ⓝ; Mex., trop. Am.
- **simaruba** (L.) Sarg. · Jobo, West Indian Birch | ♄ Ⓚ Ⓝ; S-Fla., Mex., C-Am., W.Ind.
- **tenuifolia** Rose | ♄ Ⓚ; Mex.

Burtonia R. Br. -f- *Fabaceae*
- **scabra** (Sm.) R. Br. | ♄; Austr.: W-Austr.

Butea Roxb. ex Willd. -f- *Fabaceae*
- **monosperma** (Lam.) Taub. | ♄; Ind., Sri Lanka, Myanmar
- **superba** Roxb. · Climbing Palas | ♄ Ⓦ Ⓝ; Thail.

Butia (Becc.) Becc. -f- *Arecaceae*
- **bonnetii** (Becc.) Becc. | ♄ Ⓚ; Bras.
- **capitata** (Mart.) Becc. · Jelly Palm | ♄ Ⓚ; S-Bras., Urug., N-Arg.
- **eriospatha** (Mart. ex Drude) Becc. | ♄ Ⓚ; S-Bras.
- **yatay** (Mart.) Becc. · Yatay Palm | ♄ Ⓚ; Arg.

Butomus L. -m- *Butomaceae* · Blumenbinse
- **umbellatus** L. · Schwanenblume · Jonc fleuri | ♃ ⇝ VI-VIII; Eur.*, TR, Syr., Cauc., Iran, Afgh., Him., W-Sib., E-Sib., Amur, C-As., Mong., Him., NW-Afr., nat. in N-Am.

Butyrospermum = Vitellaria C.F. Gaertn.
- *paradoxum* (C.F. Gaertn.) Hepper = Vitellaria paradoxa
- *parkii* (G. Don) Kotschy = Vitellaria paradoxa

Buxus L. -f- *Buxaceae* · Buchsbaum
- **balearica** Lam. · Balearen-Buchsbaum · Balearic Box | ♄ Ⓚ ☠; Eur.: S-Sp., Balear., Sard.
- *harlandii* hort. = Buxus microphylla var. sinica
- **henryi** Mayr | ♄; China: W-Hubei, Sichuan, Guizhau
- *japonica* Müll. Arg. = Buxus microphylla var. japonica
- **microphylla** Siebold et Zucc. ·

Kleinblättriger Buchsbaum · Japanese Boxwood, Korean Boxwood ; Jap.
- var. **japonica** (Müll. Arg.) Rehder et E.H. Wilson | ♄ ☠; Jap.
- var. **koreana** Nakai | ♄ ☠; China, Korea
- var. **sinica** Rehder et E.H. Wilson | ♄ ☠; China

– **sempervirens** L. · Gewöhnlicher Buchsbaum · Boxwood, Common Box · Buis commun | ♄ ♄ III-IV ▽ ☠ Ⓝ; Eur.: Ib, Fr, BrI, Ap, C-Eur., Ba; TR, Cauc., N-Iran, Maroc., Alger., Libya, nat. in RO
- var. *arborescens* L. = Buxus sempervirens

Byblis Salisb. -f- *Byblidaceae*
– **gigantea** Lindl. | ♃ Ⓦ ✻; N.Guinea, W-Austr.
– **liniflora** Salisb. · Rainbow Plant | ♃ Ⓦ ✻; N.Guinea, N-Austr.

Byrsonima Rich. ex Kunth -f- *Malpighiaceae*
– **crassifolia** (L.) Humb., Bonpl. et Kunth | ♄ Ⓝ; trop. Am.

Cabomba Aubl. -f- *Cabombaceae*
– **aquatica** Aubl. | ♃ Ⓦ ♠; Guyan., Amazon.
– **australis** Spegg. | ♃ Ⓦ Ⓚ ♠; Chile, Arg., S-Bras., Parag., Urug.
– **caroliniana** A. Gray · Nordamerikanische Haarnixe · Fish Grass | ♃ Ⓦ ♠; USA: NCE, SE, Fla., Tex., nat. in Mass.
- var. *pulcherrima* R.M. Harper = Cabomba pulcherrima
– **furcata** Schult. | ♃ Ⓦ ♠; Bras.
– **pulcherrima** (R.M. Harper) Fassett | ♃ Ⓦ ♠; USA: SE, Fla.

Cabralea A. Juss. -f- *Meliaceae*
– **cangerana** Saldanha | ♄ Ⓚ; Bras.

Cacalia = Adenostyles Cass.
– *alliariae* Gouan = Adenostyles alliariae
– *coccinea* Sims = Emilia javanica
– *glabra* Mill. = Adenostyles glabra

Caccinia Savi -f- *Boraginaceae*
– **glauca** Savi · Kaksinia | ♄ △ V-VI; N-Iran

Cactus = Mammillaria Haw.
– *aureus* Meyen = Corryocactus aureus
– *cochenillifer* L. = Opuntia cochenillifera
– *latispinus* Haw. = Ferocactus latispinus
– *mammillaris* L. = Mammillaria mammillaris
– *multangularis* Willd. = Haageocereus multangularis
– *viviparus* Nutt. = Escobaria vivipara

Caesalpinia L. -f- *Caesalpiniaceae*
– **coriaria** (Jacq.) Willd. · Divi Divi | ♄ Ⓦ Ⓝ; Mex., C-Am., W.Ind., trop. S-Am..
– **decapetala** (Roth) Alston · Mysore Thorn | ♄ Ⓚ ⌇ VI-VII; Ind., Sri Lanka, China, Korea, Jap., Malay. Arch.
– **digyna** Rottler · Tari-Hülsen | Ⓝ; Afr; Ind.
– **echinata** Lam. · Brazil Wood | ♄ Ⓦ Ⓝ; trop. Am.
– **ferrea** Mart. ex Tul. | ♄; E-Bras.
– **gilliesii** (Wall. ex Hook.) Benth. · Bird-of-Paradise Flower, Poinciana | ♄ ♄ Ⓚ VII-VIII; Urug., Arg., Chile
– *japonica* Siebold et Zucc. = Caesalpinia decapetala
– **mexicana** A. Gray | ♄ ♄; Mex.
– **pulcherrima** (L.) Sw. · Barbados Pride, Peacock Flower | ♄ ♄ Ⓚ VII; W.Ind.
– **sappan** L. · Sepang | ♄ Ⓦ Ⓝ; Ind., Sri Lanka, China, Indochina, Malay. Arch.
– **sepiaria** Roxb. · Mysore Thorn | ♄ Ⓦ ⌇ VI-VII; Ind., Malay. Pen., Phil., Jap.
– **spinosa** (Molina) Kuntze · Taragummi | ♄ ♄ ⌇ Ⓝ; w S-Am.

Caiophora C. Presl -f- *Loasaceae* · Brennwinde
– **contorta** (Lam.) C. Presl | ⊙ ⌇ VII-IX; Peru, Chile
– **lateritia** (Hook.) Klotzsch | ♃ ⌇ VII-X; Arg.

Cajanus DC. -m- *Fabaceae*
– **cajan** (L.) Huth · Kachang Pea | ♄ Ⓚ Ⓝ; cult., nat. in Trop.

Cakile Mill. *Brassicaceae*
– **maritima** Scop. · Europäischer Meersenf | X-VII; Eur., coasts; N-Afr., SW-As., nat. in N-Am., Austr.

Caladium Vent. -n- *Araceae* · Kaladie
– *argyrites* Lem. = Caladium humboldtii
– **bicolor** (Aiton) Vent. · Elephant's Ear, Heart of Jesus | ♃ Ⓦ II-IV; Ecuad.

– × *hortulanum* Birdsey = Caladium bicolor
– **humboldtii** Schott | ♃ ⓦ; Venez., Bras.
– **lindenii** (André) Madison | ♃ ⓦ; Col.
– *marmoratum* Mathieu = Caladium bicolor
– *picturatum* K. Koch = Caladium bicolor
– **schomburgkii** Schott | ♃ ⓦ; Guyan., Bras.
– *seguinum* Vent. = Dieffenbachia seguine
– *thripedestum* Lem. = Caladium bicolor

Calamagrostis Adans. -f- *Poaceae* · Reitgras
– × **acutiflora** (Schrad.) Rchb. (*C. arundinacea* × *C. epigejos*) · Moor-Reitgras | ♃ VI-VII
  - **'Karl Foerster'** | ♃ VII-VIII; Eur.: BrI, NL, D, EC-Eur., Sc
– *arenaria* (L.) Roth = Ammophila arenaria
– **arundinacea** (L.) Roth · Wald-Reitgras | ♃ VI-VII; Eur.* exc. BrI; TR, Cauc., W-Sib., E-Sib.
– **canescens** (Weber) Roth · Sumpf-Reitgras | ♃ VII-VIII; Eur.*, TR, Cauc.
– **epigejos** (L.) Roth · Land-Reitgras | ♃ VII-VIII; Eur.*, TR, N-Iran, Cauc., Afgh., Him., W-Sib., E-Sib., Amur, Sachal., C-As., Mong., China, Korea, Jap., Taiwan
– **phragmitoides** Hartm. · Purpur-Reitgras | ♃ VII-VIII; Eur.: Fr, C-Eur., EC-Eur., Sc, Russ.; Cauc., W-Sib.
– **pseudophragmites** (Haller f.) Koeler · Ufer-Reitgras | ♃ VI-VII; Eur.: Fr, Ap, C-Eur., EC-Eur., Ba, E-Eur., ? Sp.; TR, Iraq, Cauc., Iran, W-Sib., E-Sib., Amur, C-As., Mong., China: Sinkiang; China, Korea, jap., maroc., Alger.
– **pseudopurpurea** Gerstl. ex O.R. Heine · Sächsisches Reitgras | ♃ VI-VII; Eur.: D (Dresden)
– *stricta* hort. = Calamagrostis × acutiflora 'Karl Foerster'
– **varia** (Schrad.) Host · Buntes Reitgras | ♃ VII-IX; Eur.* exc. BrI
– **villosa** (Chaix) J.F. Gmel. · Wolliges Reitgras | ♃ VII-VIII; Eur.: Fr, I, C-Eur., EC-Eur., Ba, RO; mts.

Calamintha Mill. -f- *Lamiaceae* · Steinquendel
– *alpina* (L.) Lam. = Acinos alpinus
– *clinopodium* Benth. = Clinopodium vulgare
– **einseleana** F.W. Schultz · Einseles Bergminze | ♃ VII-IX; Eur.: A, ? D +
– *glandulosa* (Req.) Benth. = Calamintha nepeta subsp. glandulosa
– **grandiflora** (L.) Moench · Großblütige Bergminze · Mint Savory · Calament à grandes fleurs | ♃ △ VII-VIII; Eur.: Ib, Fr, Ap, CH, A, Ba, RO, Krim; TR, Cauc., NW-Iran
– **menthifolia** Host · Aufsteigende Bergminze, Wald-Bergminze | ♃ VII-IX; Eur., TR, Lebanon, Cauc., N-Iran, Alger.
– **nepeta** (L.) Savi · Kleinblütige Bergminze · Lesser Calamint · Menthe de montagne | ♃ VII-IX; Eur.* exc. Sc; TR, Cauc.
  - subsp. **glandulosa** (Req.) P.W. Ball · Drüsige Bergminze · Common Calamint | ♃ VII-IX; Eur.: Ib, Ap., Krim; TR, Cauc.
– *nepetoides* Jord. = Calamintha nepeta
– *officinalis* Moench = Calamintha nepeta subsp. glandulosa
– *sylvatica* Bromf. = Calamintha menthifolia

× **Calammophila** Brand -f- *Poaceae*
– **baltica** (Flüggé ex Schrad.) Brand (*Ammophila arenaria* × *Calamagrostis epigejos*) · Baltischer Strandhafer, Bastardstrandhafer | ♃ VI-VII; Eur.; coasts

Calamus L. -m- *Arecaceae* · Rotangpalme, Stuhlrohr, Spanisches Rohr
– **asperrimus** Blume | ♄ ⓦ ≩; Java
– **caesius** Blume | ♄ ⓦ ≩ Ⓝ; Malay. Pen., Kalimantan
– **ciliaris** Blume | ♄ ⓦ ≩; Sumat., Java
– **longisetus** Griff. | ♄ ⓦ ≩ ✂; Myanmar
– **manan** Miq. | ≩ Ⓝ; Malay. Pen., Sumat.
– **optimus** Becc. | ♄ ⓦ ≩ Ⓝ; Kalimantan
– **rotang** L. | ♄ ⓦ ≩ Ⓝ; S-Ind., Sri Lanka

Calandrinia Kunth -f- *Portulacaceae*
– **ciliata** (Ruiz et Pav.) DC.; USA: Calif., Ariz.
  - var. **menziesii** (Hook.) J.F. Macbr. · Red Maids | ⊙ VI-VII; USA: Wash., Oreg., Calif.
– **grandiflora** Lindl. | ⊙ ♃ ♄ VI-IX; Chile
– *menziesii* (Hook.) Torr. et A. Gray = Calandrinia ciliata var. menziesii
– *speciosa* Lindl. = Calandrinia ciliata var. menziesii

– **umbellata** (Ruiz et Pav.) DC. · Rock Purslane | ⊙ ♃ ♄ VII-IX; Peru, Chile

Calanthe Ker Gawl. -f- *Orchidaceae*
– **brevicornu** Lindl. | ♃ Ⓦ V-VI ✻; Nepal, Sikkim
– **cardioglossa** Schltr. | ♃ Ⓦ X-XII ✻; Ind.: Assam; Laos, Cambodja, Thail.
– *fuerstenbergiana* Kraenzl. = Calanthe cardioglossa
– **masuca** (D. Don) Lindl. | ♃ Ⓦ VI-VIII ✻; SW-China, Ind. (Sikkim), Thail., Malay. Pen.
– *regnieri* Rchb. f. = Calanthe vestita 'Regnieri'
– **rosea** (Lindl.) Benth. et Hook. f. | ♃ Ⓦ X-XI ✻; Thail.
– **sylvatica** (Thouars) Lindl. | ♃ Ⓦ V ✻; Madag., Mauritius
– **triplicata** (Willemet) Ames | ♃ Ⓦ IV-V ✻; S-Ind., Sri Lanka, SE-As., Jap., Malay. Arch., E-Austr., Fiji
– *veratrifolia* (Willd.) R. Br. = Calanthe triplicata
– **vestita** Lindl. | ♃ Ⓦ XII-III ✻; Indochina, Malay. Pen., Kalimantan, Sulawesi
  - **'Regnieri'**

Calathea G. Mey. -f- *Marantaceae*
– **aemula** Körn. | ♃ Ⓦ; orig. ?
– **allouia** (Aubl.) Lindb. | ♃ Ⓝ; Hispaniola, Puerto Rico, Lesser. Antill., Guyan.
– **argyraea** Körn. | ♃ Ⓦ; orig. ?
– **bachemiana** E. Morren | ♃ Ⓦ; Bras.
– *bicolor* (Ker-Gawl.) Steud. = Maranta bicolor
– **crocata** E. Morren et Joriss. | ♃ Ⓦ IV-V; Bras.
– **cylindrica** (Roscoe et K. Koch) K. Schum. | ♃ Ⓦ; Bras.
– **eximia** (Mathieu) Körn. | ♃ Ⓦ; C-Am.
– **fasciata** (Lindl.) Körn.
– *insignis* hort. ex W. Bull = Calathea lancifolia
– **lancifolia** Boom | ♃ Ⓦ; Bras.
– **leopardina** (W. Bull) Regel | ♃ Ⓦ; Bras.
– **lietzei** E. Morren | ♃ Ⓦ; Bras.
– **lindeniana** Wallis | ♃ Ⓦ; NW-Bras., Peru
– **lutea** (Aubl.) G. Mey. · Cauassuwachs | ♃ Ⓝ; C-Am., W.Ind., Bras.
– **majestica** H.A. Kenn. | ♃ Ⓦ; Col., Guyan.
  - **'Princeps'** | ♃ Ⓦ; N-Bras.
– **makoyana** E. Morren · Peacock Plant | ♃ Ⓦ; Bras.
– **mediopicta** (E. Morren) Regel | ♃ Ⓦ; Bras.
– **micans** (Klotzsch) Körn. | ♃ Ⓦ; C-Am., trop. S-Am.
– *orbiculata* Lodd. = Calathea truncata
– **orbifolia** (Linden) H.A. Kenn. | ♃ Ⓦ; Bras.
– *ornata* (Linden) Körn. = Calathea majestica
– **pavonii** Körn. | ♃ Ⓦ; Peru
– **picturata** (Linden) K. Koch et Linden | ♃ Ⓦ; Bras.
– *princeps* (Linden) Regel = Calathea majestica 'Princeps'
– **roseopicta** (Linden) Regel | ♃ Ⓦ; Bras.
– *rotundifolia* (K. Koch) Körn. = Calathea orbifolia
– **rufibarba** Fenzl | ♃ Ⓦ; Bras.
– **truncata** (Link) Schum. | ♃ Ⓦ; Bras.
– *tubispatha* Hook. f. = Calathea pavonii
– **undulata** Linden et André | ♃ Ⓦ; Bras., Peru
– **variegata** (K. Koch) Körn. | ♃ Ⓦ; orig. ?
– **veitchiana** Veitch ex Hook. f. | ♃ Ⓦ; trop. S-Am.
– **warscewiczii** (Mathieu ex Planch.) Körn. | ♃ Ⓦ; Costa Rica
– *wiotiana* Jacob-Makoy ex E. Morren = Calathea wiotii
– **wiotii** (E. Morren) Regel | ♃ Ⓦ; E-Bras.
– **zebrina** (Sims) Lindl. · Zebra Plant | ♃ Ⓦ; SE-Bras.
  - **'Binotii'**

Calathiana = Gentiana L.
– *verna* (L.) Holub = Gentiana verna

Calceolaria L. -f- *Scrophulariaceae* · Pantoffelblume
– **alba** Ruiz et Pav. | ♄ Ⓚ VI-VII; Peru, Chile, Arg.
– **arachnoidea** Graham | ♃; Chile
– **biflora** Lam. | ♃ Ⓚ △ V-VI ∧; Arg., Chile
– **chelidonioides** Humb., Bonpl. et Kunth
– **crenatiflora** Cav. · Gekerbte Pantoffelblume · Pocketbook Flower | ♃ V-VI; Chile
– *darwinii* Benth. = Calceolaria uniflora var. darwinii
– **falklandica** (S. Moore) Kraenzl. · Falkland-Pantoffelblume ; Falkland Is.
– × *herbeohybrida* Voss = Calceolaria ×

Herbeohybrida-Grp.
– **integrifolia** Murray | ♄ Ⓚ V-IX; Chile (Chiloe)
– **mexicana** Benth. | ☉ VI-VIII; Mex., C-Am.
– **pavonii** Benth. | ♄ Ⓚ ≹ VIII-X; Peru, Bol.
– **pinnata** L. | ☉ VI-IX; Jamaica, Bras., Peru, Bol., Chile
– *plantaginea* Sm. = Calceolaria biflora
– **polyrrhiza** Cav. · Patagonische Pantoffelblume | ♃ △ VI-VIII ∧; Arg.: Patag.
– *punctata* Vahl = Jovellana punctata
– *rugosa* Ruiz et Pav. = Calceolaria integrifolia
– *scabiosifolia* Roem. et Schult. = Calceolaria tripartita
– *sinclairii* Hook. = Jovellana sinclairii
– **tenella** Poepp. et Endl. | ♃ Ⓚ V-VII ∧; Chile
– **tripartita** Ruiz et Pav. | ☉ V-IX; Ecuad., Peru, Chile
– **uniflora** Lam. · Einblütige Pantoffelblume | ♃ Ⓐ VI-VII; Arg.: Patag.
- var. **darwinii** (Benth.) Witasek · Darwins Pantoffelblume
– *violacea* Cav. = Jovellana violacea
– × **Cultivars**
- **Herbeohybrida-Grp.** (*C. cana* × *C. corymbosa* × *C. crenatiflora*)

Calcitrapa = Centaurea L.
– *stellata* Lam. = Centaurea calcitrapa

Caldesia Parl. -f- *Alismataceae*
– **parnassiifolia** (Bassi ex L.) Parl. · Herzlöffel | ♃ Ⓚ ~ ♠ VII-IX ▽; Eur.: F, D, EC-Eur., I, Croatia, E-Eur..; Amur, China, Manch., Jap., Egypt, NE-Afr., Madag., trop. As., Austr.

Calendula L. -f- *Asteraceae* · Ringelblume
– **arvensis** L. · Acker-Ringelblume | X-VI; Eur.: Ib, Fr, Ap, Ba, C-Eur., H, RO, Krim, W-Russ.; TR, Cauc., Iran, Afgh., Nw-Afr., Makaron.
– **officinalis** L. · Garten-Ringelblume · Marigold · Souci | ☉ ☉ Off. X Ⓝ; orig. ?, nat. in Sp., I, Br
– *pluvialis* (L.) Moench = Dimorphotheca pluvialis

Calepina Adans. -f- *Brassicaceae*
– **irregularis** (Asso) Thell. · Wendich | V-VI; Eur.: Ib, Fr, Ap, Ba, RO, Krim; TR, Levante, Cauc., Iran, C-As., Maroc., Alger., Libya, nat. in C-Eur.

Calicotome Link -f- *Fabaceae*
– **spinosa** (L.) Link | ♄; Eur.: Ib, F, Ap

Calla L. -f- *Araceae* · Sumpfkalla
– *aethiopica* L. = Zantedeschia aethiopica
– *elliottiana* (W. Watson) Knight = Zantedeschia elliottiana
– **palustris** L. · Schlangenwurz · Bog Arum, Water Arum · Arum d'eau | ♃ ~ V-VI ▽ ☠; Eur.: Fr, C-Eur., EC-Eur., Sc, E-Eur.; W-Sib., E-Sib., Amur, Sachal., Kamchat., N-Jap., Alaska, Can., USA: NE, SE, nat. in BrI

Calliandra Benth. -f- *Mimosaceae*
– **anomala** (Kunth) J.F. Macbr. | ♄; Mex.
– **calothyrsus** Meisn. | ♃ Ⓝ; C-Am.
– **eriophylla** Benth. | ♄; USA: S-Calif., Ariz., New Mex.; N-Mex.
– **fulgens** Hook. f. | ♄ Ⓦ III; Mex.
– **gracilis** Klotzsch | ♄ Ⓦ; C-Am.
– *houstonii* (L'Hér.) Benth. = Calliandra inermis
– **inermis** (L.) Druce | ♄ Ⓦ; Mex.
– **portoricensis** (Jacq.) Benth. | ♄ Ⓦ VI-VII; C-Am., W.Ind.
– **tweedii** Benth. | ♄ Ⓦ; Bras.

Callianthemum C.A. Mey. -n- *Ranunculaceae* · Jägerblume
– **anemonoides** (Zahlbr.) Endl. ex Heynh. · Anemonen-Schmuckblume | ♃ △ IV; Eur.: A; NE-Alp.
– **coriandrifolium** Rchb. · Korianderblättrige Schmuckblume | ♃ △ VI-VII; Eur.: Ib, F, Ap, C-Eur., EC-Eur., Bosn., RO; mts.
– **kernerianum** Freyn ex A. Kern. | ♃ △ V-VI; Eur.: I; S-Alp.
– *rutifolium* (L.) C.A. Mey. = Callianthemum coriandrifolium
– *rutifolium* Rchb. = Callianthemum anemonoides

Callicarpa L. -f- *Verbenaceae* · Schönfrucht, Liebesperlenstrauch
– **americana** L. · Amerikanische Schönfrucht · Mulberry | ♄ Ⓚ ஃ VI-VII; USA: NE, SE, Fla., Tex; W.Ind.
– **bodinieri** Lév. · Bodiniéres Schönfrucht ;

W-China, C-China
- var. **giraldii** (Hesse ex Rehder) Rehder | ♄ ⚘ VI-VII; W-China, C-China
– **dichotoma** (Lour.) K. Koch · Purpur-Schönfrucht | ♄ ⚘; Jap., Korea, China, Taiwan
– *giraldii* Hesse ex Rehder = Callicarpa bodinieri var. giraldii
– **japonica** Thunb. · Japanische Schönfrucht ; Jap.
- var. **angustata** Rehder | ♄ ⚘ VIII; C-China
- var. *angustifolia* Sav. = Callicarpa dichotoma
– **mollis** Siebold et Zucc. | ♄; Jap., Korea
– *purpurea* Juss. = Callicarpa dichotoma
– **rubella** Lindl. | ♄ Ⓚ ⚘; Ind.: Assam; Myanmar, China

Calliopsis = Coreopsis L.
– *bicolor* Rchb. = Coreopsis tinctoria
– *cardaminifolia* DC. = Coreopsis tinctoria var. atkinsoniana
– *tinctoria* (Nutt.) DC. = Coreopsis tinctoria

Caliphruria Herb. -f- *Amaryllidaceae*
– *subedentata* Baker = Eucharis subedentata

Callirhoe Nutt. -f- *Malvaceae*
– **digitata** Nutt. | ⊙ ♃ VII-IX; USA: Mo., Kans., Ark., Okla., Tex.
– **involucrata** (Torr. et A. Gray) A. Gray · Mohn-Malve · Purple Poppy Mallow | ⊙ ♃ VII-IX; USA: NC, Rocky Mts., SC; Mex.
– **leiocarpa** R.F. Martin · Tall Poppy Mallow | ⊙ ♃ VII-IX; USA: Tex., Okla.
– **papaver** (Cav.) A. Gray · Woodland Poppy Mallow | ⊙ ♃ VII-IX; USA: SE, Mo., Fla., Tex.
– *pedata* (Torr. et A. Gray) A. Gray = Callirhoe leiocarpa
– *verticillata* (L.) Groenland = Callirhoe involucrata

Callisia Loefl. -f- *Commelinaceae*
– **elegans** Alex. ex H.E. Moore | ♃ Ⓦ ⌇ ⟿; N-Mex.
– **fragans** (Lindl.) Woodson | ♃ Ⓦ; S-Mex.
– *martensiana* (Kunth) C.B. Clarke = Callisia multiflora
– **monandra** (Sw.) Schult. et Schult. f. | ♃ Ⓦ ⌇ ⟿; Trop.
– **multiflora** (M. Martens et Galeotti) Standl. | ♃ Ⓦ ⌇ ⟿; Mex., Guat.
– **navicularis** (Ortgies) D.R. Hunt · Chain Plant | ♃ Ⓚ ⟿; Mex.
– **repens** L. · Bon Dieu Soleil | ♃ Ⓦ ⌇ ⟿; USA: Tex.; W-Ind., trop. Am.
– *umbellulata* Lam. = Callisia monandra
– **warszewicziana** (Kunth et Bouché) D.R. Hunt; Guat.

Callistemon R. Br. -m- *Myrtaceae* · Zylinderputzer
– **brachyandrus** Lindl. | ♄ Ⓚ VIII-IX; Austr.: N.S. Wales, S-Austr., Victoria
– **citrinus** (Curtis) Skeels · Crimson Bottlebrush | ♄ Ⓚ VI-VII; Austr.: Queensl., N.S.Wales, Victoria
- **'Splendens'** (Curtis) Skeels
– *lanceolatus* (Sm.) DC. = Callistemon citrinus
– *linearifolius* DC. = Callistemon rigidus
– **linearis** DC. | ♄; Austr.: Queensl., N.S.Wales
– **macropunctatus** (Dum.-Cours.) Court | ♄; Austr.: N.S.Wales, Victoria, S-Austr.
– **pachyphyllus** Cheel | ♄; Austr.: Queensl., N.S.Wales
– **pallidus** (Bonpl.) DC. | ♄; Austr.: Queensl., N.S.Wales, Victoria, Tasman.
– **phoeniceus** Lindl. | ♄; W-Austr.
– **pinifolius** DC. | ♄; Austr.: N.S.Wales
– **rigidus** R. Br. | ♄ Ⓚ; Austr.: N.S.Wales
– **salignus** (Sm.) DC. | ♄ ♄ Ⓚ VI-VII; Austr.: N.S. Wales, S-Austr., Queensl.
– **sieberi** DC. | ♄; Austr.: N.S.Wales, Victoria
– **speciosus** (Sims) DC. · Albany Bottlebrush | ♄ ♄ Ⓚ VI-VIII; W-Austr.
– **teretifolius** F. Muell. | ♄; S-Austr.
– **viminalis** (Sol. ex Gaertn.) G. Don · Weeping Bottle Brush | ♄ Ⓚ IV-V; Austr.: N.S.Wales
– **viridiflorus** (Sims) Sweet | ♄; Tasman.

Callistephus Cass. -m- *Asteraceae* · Sommeraster
– **chinensis** (L.) Nees · Gartenaster, Sommeraster · China Aster · Reine-marguerite | ⊙ ✂ X; China

Callitriche L. -f- *Callitrichaceae* · Wasserstern
– *autumnalis* L. = Callitriche hermaphroditica

– **brutia** Petagna · Stielfrüchtiger Wasserstern | ♃ V-IX; Eur.: Sc, BrI, Fr, Ib, Ap
– **cophocarpa** Sendtn. · Stumpfkantiger Wasserstern | ♃ X-V; Eur.* exc. Ib
– **hamulata** Kütz. ex W.D.J. Koch · Haken-Wasserstern | ♃ ♆ IV-VI; Eur.* exc. Ib
– **hermaphroditica** L. · Herbst-Wasserstern · Autumn Water Starwort | ♃ Ⓚ ♆ VI-IX; Eur.: BrI, Sc, NL, D, PL, E-Eur.; W-Sib., E-Sib., Amur, Sachal., Kamchat., C-As., Alaska, Can., USA* exc. SC; Greenl., Bol.
– *intermedia* auct. non Hoffm. = Callitriche hamulata
 - subsp. *hamulata* Kütz. ex W.D.J. Koch = Callitriche hamulata
– **obtusangula** Le Gall · Nussfrüchtiger Wasserstern | ♃ X-V; Eur.: Ib, Fr, Ap, Ba, BrI, C-Eur.; NW-Afr.
– **palustris** L. · Sumpf-Wasserstern | ♃ Ⓚ ♆ X-IV; Eur.*, Cauc., W-Sib., E-Sib., Amur, Sachal., Kamchat., C-As., Him., Jap., Alaska, Can.
 - subsp. *hamulata* Kütz. ex W.D.J. Koch = Callitriche hamulata
 - subsp. *stagnalis* (Scop.) Schinz et Thell. = Callitriche stagnalis
– **platycarpa** Kütz. · Flachfrüchtiger Wasserstern | ♃ X-V; Eur.: Sc, BrI, Fr, Sp., C-Eur., EC-Eur., ? RO
– **stagnalis** Scop. · Teich-Wasserstern · Water Starwort | ♃ Ⓚ ♆ X-V; Eur.*, TR, Cauc., Ind., C-China, NW-Afr., E-Afr.
– *verna* L. = Callitriche palustris
– *vernalis* Kütz. ex W.D.J. Koch = Callitriche palustris

Callitris Vent. -f- *Cupressaceae*
– *arenosa* A. Cunn. ex R.T. Baker et H.G. Sm. = Callitris columellaris
– *articulata* (Vahl) Asch. et Graebn. = Tetraclinis articulata
– *calcarata* A. Cunn. ex Mirb. = Callitris endlicheri
– **columellaris** F. Muell. · White Cypress Pine | ♄ Ⓚ; W-Austr.
– *cupressiformis* D. Don ex Loudon = Callitris rhomboidea
– **endlicheri** (Parl.) F.M. Bailey · Red Cypress Pine | ♄ Ⓚ Ⓝ; Austr.: Queensl., N.S.Wales, Victoria
– *glauca* R. Br. = Callitris columellaris
– *hugelii* Franco = Callitris columellaris
– **preissii** Miq. | ♄ Ⓚ Ⓝ; W-Austr.
– *quadrivalvis* Vent. = Tetraclinis articulata
– **rhomboidea** R. Br. ex Rich. · Port Jackson Pine | ♄ Ⓚ Ⓝ; Austr.: Queensl., N.S.Wales
– *robusta* A. Cunn. ex Parl. = Callitris preissii
– **roei** (Endl.) F. Muell. | ♄; Austr.: N.S.Wales

Callopsis Engl. -f- *Araceae*
– **volkensii** Engl. | ♃ Ⓦ I-XII; Tanzania

Calluna Salisb. -f- *Ericaceae* · Besenheide, Heidekraut
– **vulgaris** (L.) Hull · Besenheide, Heidekraut · Heather, Ling · Bruyère commune, Callune | ⊙ ♄ X Ⓝ; Eur.*, N-TR, Azor., Maroc., nat. in N-Am.

Calocarpum = Pouteria Aubl.
– *sapota* (Jacq.) Merr. = Pouteria sapota

Calocedrus Kurz -f- *Cupressaceae* · Flußzeder
– **decurrens** (Torr.) Florin · Kalifornische Flusszeder · Incense Cedar | ♄ IV Ⓝ; USA: Oreg., Calif., Nev.; Baja Calif.

Calocephalus R. Br. -m- *Asteraceae*
– **brownii** (Cass.) F. Muell. · Silver Wire Netting Plant | ♄ Ⓚ ⁞; Austr.

Calochortus Pursh -m- *Liliaceae* · Mormonentulpe
– **albus** (Benth.) Douglas ex Benth. · Fairy Lantern, Globe Lily | ♃ VI-VIII ∧; Calif.
– **amabilis** Purdy · Golden Fairy Lantern | ♃ VI-VII ∧; Calif.
– **caeruleus** (Kellogg) S. Watson | ♃ Ⓚ VII ∧; Calif.
– **macrocarpus** Douglas · Sagebrush Mariposa | ♃ Ⓚ VIII ∧; B.C., USA: NW, Rocky Mts., Calif.; N-Mex.
– **splendens** Douglas ex Benth. | ♃ Ⓚ VIII; Calif., Baja Calif.
– **superbus** Purdy ex Howell · Superb Mariposa Lily | ♃ Ⓚ VI-VII ∧; Calif.
– **venustus** Douglas ex Benth. · White Mariposa Lily | ♃ Ⓚ VI-VII ∧; Calif.
 - var. *vestae* (Purdy) Wilson = Calochortus vestae
– **vestae** Purdy | ♃ Ⓚ VI-VII ∧; Calif.

Calodendrum Thunb. -n- *Rutaceae*

– **capense** (L. f.) Thunb. | ♄; S-Afr.

Calomeria Vent. -f- *Asteraceae*
– **amaranthoides** Vent. · Incense Plant, Plume Bush | ☉ Ⓚ D VI-XI; Austr.: N.S.Wales, Victoria

Calonyction = Ipomoea L.
– *aculeatum* (L.) House = Ipomoea alba
– *album* (L.) House = Ipomoea alba
– *bona-nox* (L.) Bojer = Ipomoea alba
– *muricatum* (L.) G. Don = Ipomoea muricata
– *speciosum* Choisy = Ipomoea alba
 - var. *muricatum* (L.) Choisy = Ipomoea muricata

Calophaca Fisch. ex DC. -f- *Fabaceae*
– **grandiflora** Regel · Großblütige Schönhülse | ♄ ⇝ VI-VII; C-As.
– **wolgarica** (L. f.) Fisch. · Wolga-Schönhülse | ♄ VI-VII; Eur.: Russ.

Calophyllum L. -n- *Clusiaceae*
– *antillanum* Britton = Calophyllum brasiliense
– **brasiliense** Cambess. · Bois Marie, Dame Marie | ♄ Ⓦ ☠ Ⓝ; W.Ind., Mex., C-Am., n S-Am.
– *calaba* Jacq. = Calophyllum brasiliense
– **inophyllum** L. · Alexandrian Laurel | ♄ Ⓦ ☠ Ⓝ; E-Afr., S-Ind., Sri Lanka, Indochina, Malay. Arch., Austr.: N.Terr., Queensl.; Polyn.
– *jacquinii* Fawc. et Rendle = Calophyllum brasiliense

Calopogonium Desv. -n- *Fabaceae*
– **mucunoides** Desv. | ♃ Ⓝ; trop. Am.

Calothamnus Labill. -m- *Myrtaceae*
– **asper** Turcz. | ♄ Ⓚ; W-Austr.
– **longissimus** F. Muell. | ♄ Ⓚ; W-Austr.
– **quadrifidus** R. Br. | ♄ Ⓚ; W-Austr.
– **sanguineus** Labill. | ♄ Ⓚ; W-Austr.
– **villosus** R. Br. | ♄ Ⓚ; W-Austr.

Calotropis R. Br. -f- *Asclepiadaceae*
– **gigantea** (L.) Dryand. · Calotropis | ♄ Ⓦ ☠ Ⓝ; Ind., Sri Lanka, S-China, Myanmar, Malay. Arch.
– **procera** (Aiton) Dryand. · Calotropis, Giant Milkweed | ♄ Ⓚ ☠ Ⓝ; W-Afr., C-Afr., E-Afr., Arab., Iran, Pakist., Ind.

Caltha L. -f- *Ranunculaceae* · Dotterblume
– *alpestris* Schott = Caltha palustris
– *cornuta* Schott, Nyman et Kotschy = Caltha palustris
– *holubyi* Beck = Caltha palustris
– **leptosepala** DC. · Marsh Marigold | ♃ ～ V; Alaska, Can.: W; USA: NW, Rocky Mts., SW
– **natans** Pall. · Populage nageant | ♃; N-As., Alaska, Can., Minn., Wisc.
– **palustris** L. · Sumpfdotterblume · Kingcup, Marsh Marigold · Populage des marais | ♃ ～ IV-V ☠; Eur.*, TR, Cauc., W-Sib., E-Sib., Amur, Sachal., Kamchat., C-As., Mong., China, Jap. , Alaska, Can., USA: NE, NCE, NC, SE, NW
 - var. *minor* (Mill.) DC. = Caltha palustris

Calvoa Hook.f. -f- *Melastomataceae*
– **orientalis** Taub. | ♃ Ⓦ; trop. Afr.
– *sessiliflora* Cogn. ex De Wild. et T. Durand = Calvoa orientalis

Calycanthus L. -m- *Calycanthaceae* · Gewürzstrauch
– **fertilis** Walter · Allspice
 - var. **laevigatus** (Willd.) Bean | ♄ V-VII; USA: NE, Ohio, SE
– **floridus** L. · Echter Gewürzstrauch · Carolina Allspice · Arbre aux anémones | ♄ D V-VII; USA: Va., W.Va., SE, Fla.
 - var. *laevigatus* (Willd.) Torr. et A. Gray = Calycanthus fertilis var. laevigatus
– *glaucus* Willd. = Calycanthus fertilis
– *laevigatus* Willd. = Calycanthus fertilis var. laevigatus
– **occidentalis** Hook. et Arn. · Westlicher Gewürzstrauch · Californian Allspice, Spice Bush | ♄ D VI-VIII; USA: Calif.
– *praecox* L. = Chimonanthus praecox
– *sterilis* Walter = Calycanthus floridus

Calypso Salisb. -f- *Orchidaceae*
– **bulbosa** (L.) Oakes · Calypso, Fairy Slipper Orchid | ♃ IV-V ▽ ✻; Alaska, Can., USA: NE, NCE, NC, Rocky Mts., SW, NW, Calif.

Calyptrogyne H. Wendl. -f- *Arecaceae*
– **ghiesbreghtiana** (Linden et H. Wendl.) H. Wendl. | ♄ Ⓦ; Mex., Guat., Hond.

Calystegia R. Br. -f- *Convolvulaceae*

– **dahurica** (Herb.) Sweet | ♃ ≹ VII-VIII; C-As.
  - var. *pellita* (Ledeb.) Choisy = Calystegia hederacea
– *dahurica* auct. = Calystegia pulchra
– **hederacea** Wall. | ♃ ≹ VI-IX; Jap., Korea, N-China
  - **'Flore Pleno'**
– *pellita* (Ledeb.) G. Don = Calystegia hederacea
– *pubescens* Lindl. = Calystegia hederacea 'Flore Pleno'
– **pulchra** Brummitt et Heywood · Schöne Zaunwinde | ♃ ≹ VI-X; ? NE-As., nat. in N-Eur., C-Eur.
– **sepium** (L.) R. Br. · Gewöhnliche Zaunwinde · Bindweed, Granny Pop Out Of Bed | ♃ ≹ VI-IX Ⓝ; Eur.*, TR, Levante, Cauc., Iran, W-Sib., E-Sib., Amur, Mong., Him., China, Jap., NW-Afr., N-Am., S-Am., Austr., NZ
– **silvatica** (Kit.) Griseb. · Wald-Zaunwinde | ♃ VI-IX; Eur.: Ib, Fr, Ap, Ba, RO, Krim; TR, Syr., Cauc., Iran, NW-Afr., nat. in BrI, D
– **soldanella** (L.) R. Br. ex Roem. et Schult. · Strand-Zaunwinde · Sea Bindweed | ♃ VII-VIII ▽; Eur.* exc. EC-Eur.; TR, Syr., Sachal., Jap., N-China, Korea, NW-Afr., Libya, USA: NW, Calif.; Arg., Chile SE-Austr., NZ; coasts

Camassia Lindl. -f- *Hyacinthaceae*
– **cusickii** S. Watson · Cusick's Camas | ♄ IV-V ∧; USA: Oreg.
– *esculenta* (Ker-Gawl.) Coville = Camassia scilloides
– *esculenta* (Nutt.) Lindl. = Camassia quamash
– *fraseri* Torr. = Camassia scilloides
– **leichtlinii** (Baker) S. Watson · Leichtlin's Camas | ♃ IV-V; B.C., USA: NW, Calif.
– **quamash** (Pursh) Greene · Quamash | ♃ V-VI ∧; Can.; W; USA: NW, Rocky Mts., Calif.
  - subsp. **azurea** (A. Heller) Gould
– **scilloides** (Raf.) Cory · Wild Hyacinth | ♃ IV-V ∧; Can.: Ont.; USA: NE, NCE, Kans., SC, SE

Camelina Crantz -f- *Brassicaceae* · Leindotter
– **alyssum** (Mill.) Thell. · Gezähnter Leindotter | V-VIII; Eur.* exc. BrI
– **microcarpa** Andrz. · Kleinfrüchtiger Leindotter | V-VII; Eur.* exc. Ib; Cauc., W-Sib., E-Sib., C-As.
– **rumelica** Velen. · Balkanischer Leindotter | V-VII; Eur.: Ba; TR, Cyprus, Syr., Cauc., Iran, Afgh., C-As., Egypt, nat. in Ib, Fr, Ap, C-Eur., EC-Eur.
– **sativa** (L.) Crantz · Saat-Leindotter · Gold of Pleasure | ⊙ V-VII Ⓝ; Eur.*, TR
  - var. **zingeri** Mirek · Behaarter Saat-Leindotter | V-VII

Camellia L. -f- *Theaceae*
– **chrysantha** (Hu) Tuyama | ♄; S-China
– **cuspidata** (Kochs) Veitch | ♃ Ⓚ III-IV; China
– **granthamiana** Sealy | ♄; Hongkong
– **hongkongensis** Seem. | ♄ Ⓚ I-II; China: Hongkong
– **japonica** L. · Japanische Kamelie · Camélia du Japon | ♄ ♄ Ⓚ I-IV Ⓝ; Jap., Korea, Riukiu-Is., Taiwan
– **maliflora** Lindl. | ♄ ♄ I-III; China
– **oleifera** Abel · Tea Oil Plant | ♄ Ⓚ X-XII Ⓝ; China: Sichuan, Hunan, Kiangsu
– **pitardii** Cohen-Stuart | ♄ ♄; W-China
– **reticulata** Lindl. | ♄ Ⓚ II-III; China
– **rosiflora** Hook. | ♄; China
– **salicifolia** Champ. ex Benth. | ♄ Ⓚ XI-II; China, Taiwan
– **saluenensis** Stapf ex Bean | ♄ Ⓚ IX-III; Yunnan
– **sasanqua** Thunb. | ♄ Ⓚ D XI-III Ⓝ; China, Jap., Riukiu-Is., Vietn., Laos
– **sinensis** (L.) Kuntze · Tea Plant | ♄ ♄ Ⓚ Ⓝ; Ind.: Assam; Myanmar, China
  - var. **assamica** (Mast.) Kitam. | Ⓝ; Myanmar
– *thea* Link = Camellia sinensis
– *theifera* Griff. = Camellia sinensis
– × **williamsii** W.W. Sm. (*C. japonica* × *C. saluenensis*) | ♄; cult.
– **Cultivars**
  - *'Betty McCaskill'* = Camellia maliflora

Campanula L. -f- *Campanulaceae* · Glockenblume
– *abietina* Griseb. = Campanula patula subsp. abietina
– **alliariifolia** Willd. · Knoblauchrauken-Glockenblume, Lauchblättrige Glockenblume · Campanule à feuilles d'ail | ♃ VI-VII; TR, Cauc.
– *allionii* Vill. = Campanula alpestris
– **alpestris** All. | ♃ △ VI-VII; Eur.: F, I;

SW-Alp.
- **alpina** Jacq. · Alpen-Glockenblume · Alpine Bellflower | ♃ ⊙ △ VII-VIII; Eur.: C-Eur., EC-Eur., Ba, RO, W-Russ.; E-Alp., Carp., Balkan
- *argunensis* Rupr. = Campanula aucheri
- **arvatica** Lag. | ♃ Ⓐ VII; NW-Sp.
- **aucheri** A. DC. | ♃ △ VI; E-Cauc., Iran
- **barbata** L. · Bärtige Glockenblume · Bearded Bellflower | ⊙ ♃ △ VI-VII; Eur.: F, I, C-Eur., EC-Eur., Slove., Norw.; Alp., E-Sudeten, Norw.
- **baumgartenii** Becker · Lanzettblättrige Glockenblume | ♃ VIII; Eur.: E-F, SW-D
beckiana Hayek · Becks Glockenblume | ♃ VI-IX; Eur.: A, Slove.; E-Alp.
- **bellidifolia** Adams | ♃ △ V-VI; Cauc.
- **bertolae** Colla · Bertols Glockenblume | ♃ VI-VIII; Eur.: I; SW-Alp., ? Apenn.
- **betulifolia** K. Koch · Campanule à feuilles de bouleau | ♃; TR, Cauc.
- **bononiensis** L. · Bologneser Glockenblume | ♃ VII-IX; Eur.: Fr, Ap, C-Eur., EC-Eur., Ba, E-Eur.; TR, Cauc., Iran, W-Sib., C-As.
- *canariensis* L. = Canarina canariensis
- *capensis* L. = Wahlenbergia capensis
- *carnica* Schiede ex Mert. et Koch = Campanula linifolia
- **carpatica** Jacq. · Carpathian Harebell · Campanule des Carpathes | ♃ △ VI-VII; Eur.: Slova., PL, RO, W-Russ.; Carp., nat. in H
  - var. **turbinata** (Schott, Nyman et Kotschy) Nichols · Campanule des Carpathes en toupie | ♃ △ V-VI; Carp.
- **cenisia** L. · Mont Cenis-Glockenblume · Mount Cenis Bellflower | ♃ △ VII-VIII; Eur.: F, I, CH, A; Alp.
- **cervicaria** L. · Borstige Glockenblume | ⊙ VI-VIII; Eur.* exc. BrI, ? Ib; W-Sib., E-Sib.
- **cespitosa** Scop. · Rasen-Glockenblume | ♃ △ VIII-IX; Eur.: I, A, Slove.; Alp.
- **cochleariifolia** Lam. · Zwerg-Glockenblume · Campanule élégante, Campanule fluette | ♃ △ VI-VII; Eur.* exc. BrI, Sc
- **collina** M. Bieb. | ♃ △ VI-VII; TR, Cauc.
- **elatines** L. | ♃ △ VI-VII ∧; I (Piemont)
  - var. *fenestrellata* (Feer) L.H. Bailey = Campanula fenestrellata
  - var. *garganica* (Ten.) Fiori = Campanula garganica
- **erinus** L.; Eur.: Ib, F, Ap, Ba, Krim; TR, N-Iraq, Cauc., Iran, Maroc.
- **excisa** Schleich. ex Murith · Ausgeschnittene Glockenblume · Bellflower | ♃ Ⓐ ⇝ △ VII; Eur.: F, I, CH; Alp.
- **fenestrellata** Feer | ♃ △ VI-VII ∧; Eur.: Croatia, AL
  - subsp. **istriaca** (Feer) Fed. | ♃; Croatia
- **finitima** Fomin
- **formanekiana** Degen et Dörfl. | ⊙; GR, Maced.
- **fragilis** Cirillo | ♃ Ⓚ ≹ VI-VII; Eur.: I
- **garganica** Ten. · Campanule du Gargano | ♃ △ VI-VIII ∧; Eur.: I (Monte Gargano), GR (Kephallinia) ? AL
  - subsp. *fenestrellata* (Feer) Hayek = Campanula fenestrellata
- **gentilis** Kovanda · Fremde Glockenblume | ♃ VI-VIII; Eur.: SE-D, CZ
- **glomerata** L. · Knäuel-Glockenblume · Clustered Bellflower · Campanule agglomérée | ♃ VI-VIII; Eur.*, W-Sib., E-Sib., C-As.
  - var. **dahurica** Fisch. ex Ker-Gawl.
- *graminifolia* L. = Edraianthus graminifolius
- *grandiflora* Jacq. = Platycodon grandiflorus
- *grandiflora* Lam. = Campanula medium
- *grandis* Fisch. et C.A. Mey. = Campanula persicifolia subsp. sessiliflora
- **grossekii** Heuff. | ♃; Serb., BG, RO
- *hederacea* L. = Wahlenbergia hederacea
- **isophylla** Moretti · Italian Bellflower, Star-of-Bethlehem | ♃ Ⓚ ≹ VII-IX; Eur.: I (Liguria: Savona)
- *jacquinii* (Sieber) A. DC. = Trachelium jacquinii
- **kemulariae** Fomin | ♃; Cauc.
- **kolenatiana** C.A. Mey. ex Rupr. | ⊙ ♃ △ VI-VII; Cauc.
- **laciniata** L. | ♃ Ⓚ VI; S-GR, Crete
- **lactiflora** M. Bieb. · Riesen-Dolden-Glockenblume | ♃ VI-VII; Cauc., TR, nat. in BrI
- **lanata** Friv. | ⊙ △ VI-VII; Eur.: S-Ba
- **latifolia** L. · Breitblättrige Glockenblume · Greater Bellflower | ♃ VI-VII ▽; Eur.*, Cauc., TR, W-Sib., W-Him.
  - var. **macrantha** Fisch. ex Hornem.
- *liliifolia* L. = Adenophora liliifolia
- **linifolia** Scop. · Karnische Glockenblume | ♃ VI-VIII; Eur.: I, A, Slove., Croatia; S-Alp.

- **longistyla** Fomin | ⊙ VI-VII; Cauc.
- *macrantha* Fisch. = Campanula latifolia var. macrantha
- **macrostyla** Boiss. et Heldr. | ⊙ VII; TR
- *marchesetii* Witasek = Campanula rotundifolia
- **medium** L. · Marien-Glockenblume · Canterbury Bells, Cup-and-Saucer Plant · Campanule carillon | ⊙ ✂ VI-VII; Eur.: SE-F, I, nat. in BrI, C-Eur., Sp., H, RO
- *michauxioides* Boiss. = Asyneuma michauxioides
- **mirabilis** Albov | ⊙ VI-VII; W-Cauc.
- **moesiaca** Velen. | ⊙ VI-VII; Eur.: Bosnia, YU, AL, BG
- **moravica** (Spitzn.) Kovanda · Mährische Glockenblume | ♃ VI-IX; Eur.: A, EC-Eur., W-Ba, RO
- *muralis* Port. = Campanula portenschlagiana
- *nobilis* Lindl. = Campanula punctata
- **ochroleuca** Kem.-Nath. | ♃; Cauc.
- **orphanidea** Boiss. | ⊙ △ VI-VII ∧; NE-GR, S-BG
- **patula** L. · Wiesen-Glockenblume · Spreading Bellflower | ⊙ V-VII; Eur.*, W-Sib.
  - subsp. **abietina** (Griseb.) Simonk. | ♃ △ VI-VIII; Carp., N-Balkan
- *pendula* M. Bieb. = Symphyandra pendula
- *pentagonia* L. = Legousia pentagonia
- **persicifolia** L. · Pfirsichblättrige Glockenblume · Peach Leaved Bellflower · Campanule à feuilles de pêcher | ♃ VI-IX; Eur.* exc. BrI; Cauc., W-Sib., nat. in BrI
  - subsp. **sessiliflora** (K. Koch) Velen. | ♃ ✂ VI-VII; Eur.: Ba
- **piperi** Howell | ♃; USA: Wash.
- **portenschlagiana** Schult. · Wall Harebell · Campanule de Dalmatie | ♃ △ VI-VIII; Eur.: Croatia, Bosn.
- **poscharskyana** Degen · Hängepolster-Glockenblume | ♃ △ VI-IX; Eur.: Croatia
- **praesignis** Beck · Auffällige Glockenblume | ♃ VI-IX; Eur.: A; NE-Alp.
- **primulifolia** Brot. | ♃ VI-VII; P, SW-Sp.
- × **pseudoraineri** hort. (*C. carpatica var. turbinata* × *C. raineri*)
- **pulla** L. · Dunkle Glockenblume | ♃ △ VI-VIII; Eur.: A; NE-Alp.
- × **pulloides** hort. (*C. carpatica var. turbinata* × *C. pulla*) | ♃
- **punctata** Lam. · Punktierte Glockenblume | ♃ △ VI-VII; Jap., Korea, NW-China, E-Sib.
- *pusilla* Haenke = Campanula cochleariifolia
- **pyramidalis** L. · Pyramiden-Glockenblume · Chimney Bellflower | ♃ Ⓚ ▭ VI-VIII; Eur.: Slove., Croatia, Bosn., Montenegro, AL
- **raddeana** Trautv. | ♃ △ VI-VII; Cauc.
- **raineri** Perp. | ♃; I; SE-Alp.
- **rapunculoides** L. · Acker-Glockenblume · Creeping Bellflower · Campanule fausse raiponce | ♃ VI-IX; Eur.* exc. BrI; TR, Cauc., Iran, C-As., W-Sib., nat. in BrI, N-Am.
- **rapunculus** L. · Rapunzel-Gockenblume · Rampion, Rampion Bellflower | ⊙ VI Ⓝ; Eur.* exc. BrI, Sc; Cauc., nat. in BrI, Sc
- **rhomboidalis** L. · Rautenblättrige Glockenblume | ♃ VI-VII; Eur.: F, I, CH; Alp., Jura, nat. in B, NL, A, D
- **rotundifolia** L. · Rundblättrige Glockenblume · Harebell · Campanule à feuilles rondes | ♃ X; Eur.*, W-Sib., E-Sib.
- **rupestris** Sibth. et Sm. | ⊙ Ⓚ VI-VII; C-GR
- **sarmatica** Ker-Gawl. · Campanule de Sarmatie | ♃ VI-VII; Cauc.
- **saxifraga** M. Bieb. | ♃ △ VI-VII; Cauc.
- **scheuchzeri** Vill. · Scheuchzers Glockenblume | ♃ VII-VIII; Eur.: Ib, Fr, Ap, C-Eur, .EC-Eur., Ba, E-Eur. +
- *serpyllifolia* Vis. = Edraianthus serpyllifolius
- *sessiliflora* K. Koch = Campanula persicifolia subsp. sessiliflora
- **sibirica** L. · Sibirische Glockenblume | ⊙ VI-VIII; Eur.: I, C-Eur., EC-Eur., Ba, E-Eur.; W-Sib., E-Sib.
- **speciosa** Pourr. · Pyrenean Bellflower | ♃ Ⓐ VI-VII; Eur.: Sp., F; Pyr., Corbières, Cevénnes
- *speculum-veneris* L. = Legousia speculum-veneris
- **spicata** L. · Ährige Glockenblume | ⊙ △ V-VII; Eur.: F, I, CH, A, Slove., Croatia, Montenegro; mts.
- × **stansfieldii** hort. (*C. carpatica var. turbinata* × *C. waldsteinia*) | ♃ △ VII-VIII; cult.
- **takesimana** Nakai | ♃; Korea
- **thyrsoides** L. · Strauß-Glockenblume ·

Yellow Bellflower | ⊙ △ VII-VIII ▽; Eur.: F, I, C-Eur., Ba; Alp., Jura, Balkan
– **tommasiniana** W.D.J. Koch | ♃ △ VI-VII; Eur.: Croatia (Mala Ucka)
– **trachelium** L. · Nesselblättrige Glockenblume · Nettle-Leaved Bellflower · Campanule gantelée | ♃ VII-VIII; Eur.*, TR, Syr., N-Iran, W-Sib., NW-Afr.
– **tridentata** Schreb. | ♃ △ IV-V; TR, Cauc.
– *turbinata* Schott, Nyman et Kotschy = Campanula carpatica var. turbinata
– × **vanhouttei** Carr (*? × C. latifolia × C. punctata*) | ♃ VI-VII; cult.
– **versicolor** Andrews | ♃ VII-IX; Eur.: S-I, Ba
– *vidalii* H.C. Watson = Azorina vidalii
– **waldsteiniana** Schult. | ♃ △ VI-VII; Croatia
– **warleyensis** hort.
– **witasekiana** Vierh. · Witasek-Glockenblume | ♃ VII-IX; Eur.: A, I, Slove., Bosn., BG; E-Alp., Balkan
– × **wockei** Sünd. (*C. pulla × C. waldsteinia*) | ♃ △ VII; cult.
– **zoysii** Wulfen · Nickende Glockenblume, Zois-Glockenblume | ♃ △ VII-VIII; Eur.: I, A, Slove.; SE-Alp.

Campe = Barbarea R. Br.
– *barbarea* (L.) W. Wight ex Piper = Barbarea vulgaris

Campelia = Tradescantia L.
– *zanonia* (L.) Humb., Bonpl. et Kunth = Tradescantia zanonia

Camphorosma L. -f- *Chenopodiaceae*
– **annua** Pall. · Kampferkraut | ⊙ VIII; Eur.: A, EC-Eur., Ba, E-Eur.

Campomanesia Ruiz et Pav. -f- *Myrtaceae*
– **lineatifolia** Ruiz et Pav. | ♄ (W) (N); Col., Ecuad., Peru, Bol., NW-Bras.

Campsidium Seem. -n- *Bignoniaceae*
– *chilense* Reissek et Seem. = Campsidium valdivianum
– **filicifolium** Van Geert | ♄ (W) ≷; Fiji
– **valdivianum** Seem. | ♄ (K) ≷; Chile

Campsis Lour. -f- *Bignoniaceae* · Trompetenblume
– *chinensis* (Lam.) K. Koch = Campsis grandiflora
– *flava* hort. = Campsis radicans 'Flava'
– **grandiflora** (Thunb.) K. Schum. · Chinesische Klettertrompete · Campsis, Chinese Trumpet Vine | ♄ (K) ≷ VIII-IX; China
– × *hybrida* Zabel = Campsis × tagliabuana
– **radicans** (L.) Seem. ex Bureau · Amerikanische Klettertrompete · Trumpet Creeper · Bignone de Virginie | ♄ ≷ VII-IX; USA: NE, NCE, SC, SE, Fla.
  - **'Flava'**
  - *'Yellow Trumpet'* = Campsis radicans 'Flava'
– × **tagliabuana** (Vis.) Rehder (*C. grandiflora × C. radicans*) | ♄ VII-VIII ∧; cult.

Camptosorus Link -m- *Aspleniaceae*
– *rhizophyllus* (L.) Link = Asplenium rhizophyllum

Camptotheca Decne. -f- *Nyssaceae*
– **acuminata** Decne. · Happy Tree | ♄ (K); China, Tibet

Campyloneurum C. Presl -f- *Polypodiaceae*
– **phyllitidis** (L.) C. Presl · Strapfern | ♃ (W); USA: Fla.; trop. S-Am.

Campylotropis Bunge -f- *Fabaceae*
– **macrocarpa** (Bunge) Rehder | ♄ VIII-IX; N-China, C-China

Cananga (DC.) Hook.f. et Thomson -f- *Annonaceae*
– **odorata** (Lam.) Hook. f. et Thomson · Ylang Ylang | ♄ (W) (N); Malay. Arch., Phil., N-Austr., Pacific Is.

Canarina L. -f- *Campanulaceae*
– **canariensis** (L.) Vatke · Canary Island Bellflower | ♃ (K) ≷ XI-III; Canar.

Canarium L. -n- *Burseraceae*
– **album** (Lour.) Raeusch. · Chinese Olive | ♄ (W) (N); S-China, Vietn.
– *commune* L. = Canarium indicum
– *edule* (G. Don) Hook. = Dacryodes edulis
– **indicum** L. · Java Olive | ♄ (W) (N); Molucca I., N.Guinea, Salom. Vanuatu
– **luzonicum** Miq. · Elemiharz, Manila-Elemi | ♄ (N); Phil.
– **ovatum** Engl. · Pilinuss | ♄ (N); Phil.:

Luzon
– **pimela** C. Koenig · Wu Lan | ħ ⓦ Ⓝ; S-China, Hongkong, Hainan, Laos, Cambodia, Vietn.
– **strictum** Roxb. | ħ ⓦ Ⓝ; Ind., Myanmar

Canavalia DC. -f- *Fabaceae*
– **ensiformis** (L.) DC. · Jack Bean | ♃ ⓦ ≀ Ⓝ; trop. S-Am.
– **gladiata** (Jacq.) DC. · Chopper Bean | ♃ ≀ Ⓝ; trop. Afr., trop. As.
– **plagiosperma** Piper | Ⓝ; trop. Am.
– **polystachya** (Forssk.) Schweinf. | ♃ ⓦ ≀ Ⓝ; Eth., Somalia, Madag., Arab., Ind., SW-China

Canella P. Browne -f- *Canellaceae*
– *alba* Murray = Canella winterana
– **winterana** (L.) Gaertn. · White Cinnamon | ħ ⓦ D Ⓝ; S-Fla., W.Ind.

Canistrum E. Morren -n- *Bromeliaceae*
– *amazonicum* (Baker) Mez = Wittrockia amazonica
– **aurantiacum** E. Morren | ♃ ⓦ; Bras.
– *eburneum* E. Morren = Canistrum lindenii
– **fosterianum** L.B. Sm. | ♃ ⓦ; Bras.
– **lindenii** (Regel) Mez; Bras.
  - var. **roseum** (E. Morren) L.B. Sm. | ♃ ⓦ; Bras.
– *roseum* E. Morren = Canistrum lindenii var. roseum

Canna L. -f- *Cannaceae* · Blumenrohr
– **edulis** Ker-Gawl. · Queensland Arrowroot | ♃ ⓚ Ⓝ; W.Ind., Venez., Bras., Arg.
– **flaccida** Salisb. | ♃ ⓦ ⓚ 〰 ; USA: SE, Fla.
– × **generalis** L.H. Bailey (*? × C. indica*)
– **glauca** L. · Canna | ♃ ⓚ VI-IX; W.Ind., S-Am.
– **indica** L. · Indian Shot | ♃ ⓚ VII-IX Ⓝ; C-Am., W.Ind., S-Am., nat. in S-USA, trop. Afr., trop. As.
– **iridiflora** Ruiz et Pav. | ♃ ⓚ VI-IX; Peru
– *lutea* Mill. = Canna indica

Cannabis L. -f- *Cannabaceae* · Hanf
– *gigantea* Delacr. ex Vilm. = Cannabis sativa 'Gigantea'
– *indica* Lam. = Cannabis sativa subsp. indica
– *ruderalis* Janisch. = Cannabis sativa subsp. spontanea
– **sativa** L. · Marijuana, Pot | VII-VIII; cult., nat. in Eur., N-Am.
  - **'Gigantea'**
  - subsp. **indica** (Lam.) Small et Cronquist | ⊙ Ⓝ; Ind.
  - subsp. **spontanea** Serebr. · Wilder Hanf | V-VII; ? C-As., ? W-As.

Cantua Juss. ex Lam. -f- *Polemoniaceae*
– *breviflora* Juss. = Gilia laciniata
– **buxifolia** Juss. ex Lam. | ħ ⓚ IV; Peru, Bol., Chile

Capnoides Mill. -n- *Fumariaceae*
– **sempervirens** (L.) Borkh. · Pink Corydalis, Rock Harlequin | ⊙ ⊙ △ VII; Alaska, Can., USA: NE, NCE, NC, Tenn., Mont., nat. in Norw.

Capparis L. -f- *Capparaceae* · Kapernstrauch
– **spinosa** L. · Caper Plant | ħ ⓚ Ⓝ; Eur.: Ib, Fr, Ap, Ba, Krim; TR, Levante, Cauc., Iran, C-As., Kashmir, N-Afr.
  - var. **inermis** Turra | ħ; Eur.: Ib, F, Ap, Ba; TR, N-Afr, N-Ind.

Capsella Medik. -f- *Brassicaceae* · Hirtentäschel
– **bursa-pastoris** (L.) Medik. · Gewöhnliches Hirtentäschel · Shepherd's Purse | ⊙ ⊙ I-X Ⓝ; Eur.*, cosmop. exc. Trop.
– **rubella** Reut. · Rötliches Hirtentäschel | ⊙ X-VI; Eur.: Ib, Fr, Ap, Ba, Brl; TR, ? N-Afr., nat. in C-Eur.

Capsicum L. -n- *Solanaceae* · Spanischer Pfeffer, Paprika
– **annuum** L. · Paprika · Green Pepper, Red Pepper, Sweet Pepper | ⊙ ⊙ ♃ ħ Off. VI-IX Ⓝ; ? Mex.
  - **Grossum-Grp.** (L.) Sendtn. | ♃ Ⓝ; trop. Am.
  - **Longum-Grp.** DC. | Ⓝ
– **baccatum** L. · Pepper ; Peru, Bol., S-Bras. Parag., N-Arg.
  - var. **pendulum** (Willd.) Eshbaugh | ⊙ ⊙ ♃ ħ Ⓝ; Peru, Bol.
– **chinense** Jacq. | ⊙ ⊙ ♃ ħ Ⓝ; ? W-Amazon.; cult.
– **frutescens** L. · Hot Pepper | ⊙ ⊙ ♃ ħ Off. Ⓝ; trop. Am.
– *minimum* Roxb. = Capsicum frutescens

– *pendulum* Willd. = Capsicum baccatum
– **pubescens** Ruiz et Pav. | Ⓝ; S-Am, C-Am.

Caragana Fabr. -f- *Fabaceae* · Erbsenstrauch
– **ambigua** Stocks ex Hook.
– **arborescens** Lam. · Gewöhnlicher Erbsenstrauch · Pea Tree · Caragan arborescent | ♄ V ☠ Ⓝ; W-Sib., E-Sib., C-As., Mong., nat. in F
– **aurantiaca** Koehne · Orangeblütiger Erbsenstrauch | ♄ V-VI; C-As., China: Sinkiang
boisii C.K. Schneid.; W-China
– **decorticans** Hemsl. · Afghan Pea Shrub | ♄ VI; Afgh.
– *frutescens* (L.) Medik. = Caragana frutex
– **frutex** (L.) K. Koch · Busch-Erbsenstrauch | ♄ V; Eur.: BG, RO, Russ.; Cauc., W-Sib., E-Sib., C-As.
– **gerardiana** (Royle) Benth. | ♄ IV-V; Him., Tibet
– **grandiflora** (M. Bieb.) DC. | ♄; Cauc., C-As.
– **jubata** (Pall.) Poir. · Mähnen-Erbsenstrauch | ♄ IV-V; E-Sib., Amur, C-As., Mong., Tibet., Him., China
– **laeta** Kom. | ♄; C-As., China: Sinkiang
– **maximowicziana** Kom. | ♄ V-VI; W-China
– **microphylla** Lam. · Kleinblättriger Erbsenstrauch | ♄ V-VI; Sib., N-China
  - **'Megalantha'** C.K. Schneid.; cult.
– **pygmaea** (L.) DC. · Zwerg-Erbsenstrauch · Caragan nain | ♄ △ V-VI; NW-China, Sib.
– **sinica** (Buc'hoz) Rehder · Chinesischer Erbsenstrauch | ♄ V-VI; N-China
– × **sophorifolia** Tausch (*C. arborescens* × *C. miniata*)
– **spinosa** (L.) DC. · Dorniger Erbsenstrauch | ♄ IV-VI; Sib.
– **tangutica** Maxim. | ♄; China: Kansu

Caralluma R. Br. -f- *Asclepiadaceae* · Fliegenblume
– *atrosanguinea* N.E. Br. = Huerniopsis atrosanguinea
– *brownii* Dinter et A. Berger = Orbeopsis lutea subsp. vaga
– **burchardii** N.E. Br. | ♃ ѱ Ⓚ ▽; Canar., S-Maroc.
– *compta* (N.E. Br.) Schltr. = Piaranthus comptus
– *crassa* N.E. Br. = Whitesloanea crassa
– **europaea** (Guss.) N.E. Br. | ♃ ѱ Ⓚ ▽; Eur.:Sp., Sic.; N-Afr.
  - var. **confusa** (Font Quer) Font Quer | ♃ ѱ
– *grandidens* Verd. = Orbea maculata
– *leendertziae* N.E. Br. = Orbeopsis melanantha
– **lugardii** N.E. Br. | ♃ ѱ Ⓚ; Botswana, Namibia, Kap
– *lutea* N.E. Br. = Orbeopsis lutea
  - subsp. *vaga* N.E. Br. = Orbeopsis lutea subsp. vaga
– *maculata* N.E. Br. = Orbea maculata
– *mammillaris* (L.) N.E. Br. = Quaqua mammillaris
– *melanantha* (Schltr.) N.E. Br. = Orbeopsis melanantha
– **moniliformis** Bally | ♃ ѱ Ⓚ; Somalia
– *nebrownii* A. Berger = Orbeopsis lutea subsp. vaga
– *pseudonebrownii* Dinter = Orbeopsis lutea subsp. vaga
– *vansonii* Bremek. et Oberm. = Orbeopsis lutea

Carapa Aubl. -f- *Meliaceae*
– **guianensis** Aubl. · Crabwood | ♄ Ⓦ Ⓝ; C-Am., Col., Venez., Guyan., Trinidad, Bras.
– **procera** DC. | ♄ Ⓦ Ⓝ; trop. Afr.

Cardamine L. -f- *Brassicaceae* · Schaumkraut
– **alpina** Willd. · Alpen-Schaumkraut | ♃ VII-VIII; Eur.: Pyr., Alp.
– **amara** L. · Bittere Kresse, Bitteres Schaumkraut | ♃ IV-VI Ⓝ; Eur. +
– *asarifolia* hort. = Pachyphragma macrophylla
– **bulbifera** (L.) Crantz · Zwiebel-Zahnwurz · Coral Root | ♃ V; Eur.* exc. Ib; TR, Cauc., N-Iran
– **dentata** Schult. · Sumpf-Schaumkraut | ♃ IV-VI; Eur.
– *digitata* (Lam.) O.E. Schulz = Cardamine pentaphyllos
– **enneaphyllos** (L.) Crantz · Quirl-Zahnwurz, Quirlblättrige Zahnwurz · Drooping Bittercress | ♃ IV-VI; Eur.: C-Eur., I, EC-Eur., Ba, RO
– **flexuosa** With. · Wald-Schaumkraut | X-IV; Eur.*, Maroc., Alger., nat. in N-Am., N-China, Jap.
– **heptaphylla** (Vill.) O.E. Schulz · Fieder-

Zahnwurz · Dentaria | ♃ IV-V; Eur.: Sp., F, I, CH, D
– **hirsuta** L. · Viermänniges Schaumkraut | III-VI; Eur.*, TR, Levante, Cauc., Iran, Him., NW-Afr., Libya, Cameroun, Eth., Kilimandsharo, nat. in cosmop.
– **impatiens** L. · Spring-Schaumkraut | V-VII; Eur.*, TR, Cauc., Iran, W-Sib., E-Sib., Amur, Sachal., C-As., Him. Tibet
– **kitaibelii** Bech. · Kitaibels Zahnwurz, Vielblättrige Zahnwurz | ♃ VII-IX; Eur.: I, CH, Slove.; Alp., Appen.
– **matthioli** Mor. · Weißes Wiesen-Schaumkraut | ♃ IV-VI; Eur.: I, A, Slove., Slova., CZ, H, , BG, RO
– **parviflora** L. · Kleinblütiges Schaumkraut | V-VII; Eur.* exc. BrI; Alger.
– **pentaphyllos** (L.) Crantz · Finger-Zahnwurz | ♃ IV-VI; Eur.: Sp., F, I, C-Eur., ? Croatia, Bosn.
– *pinnata* (Lam.) R. Br. = Cardamine heptaphylla
– **pratensis** L. · Wiesen-Schaumkraut · Cuckoo Flower, Lady's Smock · Cardamine des prés | ♃ IV-V; Eur.*, W-Sib., E-Sib., Amur, Sachal., Kamchat., Korea, Mong., W-Tibet, Eth., Alaska, Can., USA: NE, SE; Greenl.
– **resedifolia** L. · Resedablättriges Schaumkraut | ♃ V-VIII; Eur.* exc. BrI, Sc; mts.; Cauc., Iran, W-Sib., E-Sib., Amur, C-As., Mong., Tibet, E-As.
– **rivularis** Schur · Voralpen-Wiesen-Schaumkraut | ♃ VI-VIII; Eur.: BG, RO
– **trifolia** L. · Dreiblättrige Zahnwurz, Kleeblättriges Schaumkraut · Trifoliate Bittercress · Cardamine à trois feuilles | ♃ △ IV-VI; Eur.: Fr, I, D, A, EC-Eur., Slove., Croatia, Bosn.
– **udicola** Jord. · Morast-Schaumkraut | ♃ IV-V; Eur.
– **waldsteinii** Dyer · Illyrische Zahnwurz ; Eur.: A, H, Slove.

Cardaminopsis = Arabis L.
– **arenosa** (L.) Hayek · Sand-Schaumkresse | ♃ ⊙ IV-VIII; Eur.* exc. BrI, Ib
– **halleri** (L.) Hayek · Hallers Schaumkresse, Wiesen-Schaumkresse | ♃ IV-VI; Eur.: Fr, Ap, C-Eur., EC-Eur., E-Eur.; mts.
– **petraea** (L.) Hiitonen · Felsen-Schaumkresse | ♃ V-VII; Eur.* exc. Ib, Ba

Cardaria = Lepidium L.
– **draba** (L.) Desv. · Pfeilkresse | ♃ V-VII; Eur.* exc. BrI, Sc; TR, Levante, SW-As., Egypt, nat. in BrI, Sc

Cardiocrinum (Endl.) Lindl. -n- *Liliaceae*
– **cathayanum** (Wilson) Stearn | ♃; C-China, E-China
– **cordatum** (Thunb.) Makino | ♃ VIII; China, S-Jap., S-Sachal.
– **giganteum** (Wall.) Makino · Riesen-Lilie · Giant Himalayan Lily | ♃ VII-VIII; Him., SE-Tibet, NW-Myanmar

Cardiospermum L. -n- *Sapindaceae*
– **grandiflorum** Sw.
- **f. hirsutum** (Willd.) Radlk. | ⌇; Afr.
– **halicacabum** L. · Balloon Vine, Heart Pea | ⊙ ⊙ ⌇ ♣; USA.: Fla, SE, SC; trop. Am., trop. Afr., Ind., nat. in Trop.

Carduncellus Adans. -m- *Asteraceae*
– **mitissimus** (L.) DC. | ♃; F, NE-Sp.
– **rhaponticoides** Coss. et Durieu ex Pomel | ♃ V-VI ∧; Maroc., Alger.

Carduus L. -m- *Asteraceae* · Distel
– **acanthoides** L. · Weg-Distel | ⊙ VI-IX; Eur.* exc. Ib; TR, Cauc.
– **acicularis** Bertol. · Benadelte Distel ; Eur.: Fr, Ap, Ba; TR, Iraq, Cyprus, Syr., nat. in CH
– *altissimus* L. = Cirsium altissimum
– *benedictus* (L.) Steud. = Cnicus benedictus
– **carduelis** Ten. · Stieglitz-Distel | ♃ VI-IX; Eur.: I, A, Ba; mts.
– **collinus** Waldst. et Kit. · Hügel-Distel ; Eur.: I, EC-Eur., Ba, RO
– **crispus** L. · Krause Distel | ⊙ VII-IX; Eur.* exc. BrI; Cauc., nat. in N-Am., Jap., Arg.
– **defloratus** L. · Berg-Distel · Alpine Thistle | ♃ VI-VIII; Eur.: C-Eur., EC-Eur., I, Slove., Croatia, RO; mts.
- subsp. **carlinifolius** Lam.
- subsp. **tridentatus** sensu Heitz · Eberwurzblättrige Distel, Rätische Distel | ♃ VI-IX
- subsp. **tridentinus** (Evers) Murr; Eur.: C-Alp, E-Alp.
– *eriophorus* L. = Cirsium eriophorum
– **hamulosus** Ehrh. · Hakige Distel ; Eur.: EC-Eur., Ba, E-Eur.; TR, Cauc., NW-Iran, nat. in CH, A

- **kerneri** Simonk. | ♃ VII-VIII; Eur.: Ba, Ro, W-Russ.
- **macrocephalus** Desf.; Eur.: Ap, Ba med , nat. in CH
- *medius* Schrank = Carduus defloratus
- *mollis* L. = Jurinea mollis
- **nutans** L. · Nickende Distel · Musk Thistle | ⊙ VII-VIII Ⓝ; Eur.*
- **personata** (L.) Jacq. · Kletten-Distel | ♃ VII-VIII; Eur.: Fr, Ap, C-Eur., EC-Eur., Ba, RO, W-Russ.; mts.
- **pycnocephalus** L. · Knaulköpfige Distel ; Eur.: Ib, Fr, Ap, Ba, E-Eur.; TR, Lebanon, Syr, Palaest, Iraq, Cauc., Iran, Afgh., C As., N Afr.
- **tenuiflorus** Curtis · Dünnköpfige Distel | ⊙ VI; Eur.: BrI, Fr, Ib, Ap, CH, nat. in Sc
- **thoermeri** Weinm.; Eur.: H, Ba, E-Eur., D, CH; TR, Cauc., NW-Afr.
- **vivariensis** Jord.; Eur.: Sp., F, nat. in CH

Carex L. -f- *Cyperaceae* · Segge

- **acuta** L. · Schlank-Segge | ♃ V-VI; Eur.*, TR, Lebanon, Syr., Cauc. ., W-Sib., NW-Afr.
- **acutiformis** Ehrh. · Sumpf-Segge · Laîche des marais | ♃ ~ VI; Eur.*, Cauc., TR, Iran, Iraq, Afgh., Pakist., W-Sib., E-Sib., C-As., Alger.
- **alba** Scop. · Weiße Segge · White Sedge | ♃ V-IV; Eur.* exc. BrI, Sc; Cauc., W-Sib., E-Sib.
- **appropinquata** Schumach. · Schwarzschopf-Segge | ♃ V-VI; Eur.* exc. Ib; Cauc., W-Sib., E-Sib.
- **aquatilis** Wahlenb. · Wasser-Segge | ♃ VI-VII; Eur.: BrI, Sc, D, NL, Russ.; W-Sib., E-Sib.
- **arenaria** L. · Sand-Segge · Sand Sedge | ♃ X-VI Ⓝ; Eur.: Ib, Fr, BrI, Sc, D, PL, Russ., nat. in N-Am.
- **atherodes** Spreng. · Grannen-Segge | ♃ V-VI; Eur.: FIN, D, PL, Russ.; TR, Cauc., Sib., China, N-Am.
- **atrata** L. · Schwarze Segge | ♃ VI-VIII; Eur.*
  - subsp. **aterrima** (Hoppe) Hartm. · Rußgeschwärzte Segge | ♃ VI-VIII; Eur.: Alp., Sudeten, Ba, Ural, TR, Cauc.
- **atrofusca** Schkuhr · Schwarzrote Segge | ♃ VII-VIII; Eur.: BrI, Sc, Fr, Ap, C-Eur., EC-Eur., RO, N-Russ.; N-Alp., Carp., Ural, N-Am., Greenl.
- **austroalpina** Bech. · Südalpine Segge | ♃ V-VI; Eur.: I, CH; S-Alp.
- **baccans** Nees | ♃ Ⓚ ♣; Ind.
- **baldensis** L. · Monte Baldo-Segge | ♃ △ VI-VII ▽; Eur.: I, CH, D, A; Alp.
- **bebbii** Olney ex Britton
- × **beckmanniana** Figert (*C. rostrata* × *C. rugosus*) · Beckmanns Bastard-Segge ; Eur.: CH, D, PL
- **bicolor** All. · Zweifarbige Segge | ♃ VII; Eur.* exc. BrI, Ib; W-Sib., E-Sib., Mong., Greenl.
- **bigelowii** Torr. ex Schwein. · Starre Segge | ♃ VI-VII; Eur.: BrI, Sc, Fr, C-Eur., EC-Eur., E-Eur.? Ba +
- **binervis** Sm. · Zweinervige Segge | ♃ V-VI; Eur.: Sc, BrI, Fr, D, Ib; NW-Afr.
- **bohemica** Schreb. · Zypergras-Segge | ♃ VI-IX; Eur.* exc. BrI +
- **brachystachys** Schrank · Kurzährige Segge | ♃ VI-VIII; Eur.: Sp., F, I, C-Eur., EC-Eur., Croatia, Bosn., Serb., RO, mts.
- **brizoides** L. · Seegras-Segge, Zittergras-Segge | ♃ V-VI; Eur.* exc. BrI, Sc
- **brunnea** Thunb. | ♃ Ⓦ Ⓚ ▽; Him., Ind., Sri Lanka, Malay. Arch., Mascarene Is., Austr.
  - **'Variegata'**
- **brunnescens** (Pers.) Poir. · Bräunliche Segge | ♃ VII; Eur.* exc. BrI, Ib; W-Sib., E-Sib., C-As., N-Jap., N-Am.
- **buchananii** Berggr. · Fuchsrote Segge · Laîche de Buchanan | ♃ Ⓦ Ⓚ ▽ △; NZ
- **buekii** Wimm. · Banater Segge | ♃ V; Eur.: C-Eur., EC-Eur., Ba, E-Eur., ? I; Cauc.
- **buxbaumii** Wahlenb. · Buxbaums Segge | ♃ V-VI; Eur.* exc. Ib; W-Sib., E-Sib., C-As.
- **canescens** L. · Graue Segge · Laîche blanchâtre | ♃ V-VI; Eur.*, TR, Cauc., W-Sib., E-Sib., Amur, Sachal., Kamchat., C-As., Manch., Korea, Jap., N-Am.
- **capillaris** L. · Haarstielige Segge | ♃ V-VII; Eur.*, TR, C-As., E-Sib., N-Am.
- **capitata** L. · Kopf-Segge | ♃ V-VI; Eur.: Sc, Russ., A, I; N, E-Alp.; W-Sib., E-Sib., Amur, N-Am.
- **caryophyllea** Latourr. · Frühlings-Segge · Spring Sedge | ♃ IV; Eur.*, TR, Cauc., W-Sib., C-As.
- **cespitosa** L. · Rasen-Segge | ♃ V-VI; Eur.* exc. BrI, Ib; Cauc., W-Sib., E-Sib., C-As.
- **chordorrhiza** L. f. · Strick-Segge | ♃ V-VI; Eur.: BrI, Sc, Fr, C-Eur., EC-Eur.E-

Eur.; W-Sib., E-Sib., Amur, Sachal., Kamchat.
- **comans** Berggr. | ♃ ∧; NZ
- **conica** Boott | ♃ IV-VI; Jap.
- **crawfordii** Fernald · Crawfords Segge | ♃; N-Am., nat. in BrI, NL
- **cuprina** Nendtv. · Falsche Fuchs-Segge | ♃ V-VII
- *curta* Good = Carex canescens
- **curvula** All. · Krumm-Segge | ♃ △ VII-VIII; Eur.: Sp., F, I, CH, A, Ba, RO, W-Russ.; mts.
- **davalliana** Sm. · Davalls-Segge | ♃ V-VI; Eur.* exc. BrI, Sc; TR
- **demissa** Hornem. · Grün-Segge | ♃ V-VII; Eur.* exc. Ap, Ba +
- **depauperata** Curtis ex With. · Ärmblütige Segge | ♃ IV-V; Eur.: Ib, Fr, Ap, Ba, BrI, CH, RO, Krim; Cauc.
- **depressa** Link
  - subsp. **transsilvanica** (Schur) T.V. Egorova · Siebenbürger Segge | ♃ IV-V; Eur.: Carp., SE-Eur.; TR, Cauc., N-Iran
- **diandra** Schrank · Draht-Segge | ♃ V-VI; Eur.* exc. Ib; TR, Cauc., W-Sib., E-Sib., C-As., N-Am.
- **digitata** L. · Finger-Segge · Fingered Sedge · Laîche digitée | ♃ V; Eur.*, Cauc., W-Sib.
- **dioica** L. · Zweihäusige Segge | ♃ V-VI; Eur.*, W-Sib., E-Sib.
- **distans** L. · Entferntährige Segge | ♃ VI-VII; Eur.*, TR, Iraq, Cyprus, Syr., Arab., N-Afr.
- **disticha** Huds. · Zweizeilige Segge | ♃ V-VI; Eur.*, Cauc., W-Sib., E-Sib., C-As.
- **divisa** Huds. · Geteilte Segge | ♃ IV-VI; Eur.: BrI, Ib, Fr, Ap, C-Eur., EC-Eur., Ba, RO, Krim; TR, Cauc., N-Afr., nat. in N-Am., S-Afr., NZ
- **divulsa** Stokes · Unterbrochenährige Segge | ♃ V-VIII; Eur.*, TR, Lebanon, Syr., Cauc., N-Iran, C-As., N-Afr.
- **echinata** Murray · Igel-Segge | ♃ V-VI; Eur.* +
- **elata** All. · Steife Segge · Tufted Sedge · Laîche élevée | ♃ ~ IV-V; Eur.*, TR, Cauc., NW-Iran, Alger.
- *elegantissima* hort. = Carex brunnea 'Variegata'
- **elongata** L. · Langährige Segge, Walzen-Segge | ♃ V-VI; Eur.* exc. Ib; Cauc., W-Sib., E-Sib.
- **elythroides** Fr. (*C. acuta* × *C. nigra*) · Bastard-Segge
- **ericetorum** Pollich · Heide-Segge · Heath Sedge | ♃ ⟿ IV-V; Eur.*, Cauc., W-Sib., E-Sib., C-As.
- **extensa** Good · Strand-Segge | ♃ VII-VIII; Eur.*, TR, Cyprus, Cauc., Egypt
- **ferruginea** Scop. · Rost-Segge | ♃ VI-IX; Eur.: Sp., F, I, C-Eur., Ba, RO; mts.
- **fimbriata** Schkuhr · Gefranste Segge | ♃ VII-VIII; Eur.: F, i, CH, Alp.
- **firma** Host · Polster-Segge | ♃ △ VI-VIII; Eur.: F, I, C-Eur., EC-Eur., Slove., Croatia, RO, W-Russ.; Alp., Apenn., Carp.
- **flacca** Schreb. · Blaugrüne Segge · Laîche glauque | ♃ V-VII; Eur.*, TR, N-Iraq, Syr., Cyprus, Cauc., Iran, Pakist., N-Afr.
- **flava** L. · Gelb-Segge · Yellow Sedge | ♃ ~ V-VII; Eur.*, TR, Cauc., Iran, Him.. NW-Afr., Alaska, Can., USA: NE, NCE, NC, Rocky Mts.
  - var. **alpina** Kneuck. · Alpen-Gelb-Segge | ♃ VII; Eur.: Sp., F, Corse, C-Eur., ? W-Ba; Sierra Nevada, Alp., Corse ; TR
- **foetida** All. · Schneetälchen-Segge | ♃ VII-VIII; Eur.: Sp., F, I, CH, A; Pyr., Alp.
- **fraseri** Andrews | ♃ V-VII; USA: NE, NCE
- **frigida** All. · Eis-Segge | ♃ VI-VIII; Eur.: Sp., F, Ap, C-Eur., Slove.; mts.
- **fritschii** Waisb. · Fritschs Segge | ♃ IV-VI; Eur.: F, I, C-Eur., EC-Eur., Slove.
- **fuliginosa** Schkuhr · Ruß-Segge | ♃ VI-VIII; Eur.* exc. BrI, Sc +
- *glauca* Scop. = Carex flacca
- *gracilis* Curtis = Carex acuta
- **grayi** Carey · Morgenstern-Segge · Mace Sedge | ♃ ~ VI; Can.: E; USA; NE, NCE, SE
- **guestphalica** (Boenn. ex Rchb.) Boenn. ex O. Lang · Leers Segge, Westfälische Segge | ♃ V-VIII; Eur.*; TR, Makaron.
- **hachijoensis** Akiyama | ♃; Jap.
- **halleriana** Asso · Grundstielige Segge, Hallers Segge | ♃ IV-V; Eur.: Ib, Fr, Ap, C-Eur., EC-Eur., Ba, RO, Krim; TR, Cauc., Afgh., Him.
- **hartmanii** Cajander · Hartmans Segge | ♃ V-VI; Eur.* exc. BrI, Ib +
- **heleonastes** L. f. · Torf-Segge | ♃ V-VI; Eur.* exc. Ib, BrI; Cauc., W-Sib., E-Sib.

- **hirta** L. · Behaarte Segge · Laîche hérissée | ♃ V-VI; Eur.*, TR, Cauc., N-Am.
- **hordeistichos** Vill. · Gersten-Segge | ♃ VI; Eur.: Ib, Fr, C-Eur., öM, Ba, EC-Eur., ? Corse; TR, Cauc., Iran, ? Afgh., Pakist., NW-Afr.
- **hostiana** DC. · Saum-Segge | ♃ VI-VII; Eur.* +
- *hudsonii* A.W. Benn. = Carex elata
- **humilis** Leyss. · Erd-Segge · Dwarf Sedge · Laîche humble | ♃ IV; Eur.* exc. Sc; TR, Cauc., W-Sib.
- × **involuta** (Bab.) Syme (*C. rostrata* × *C. vesicaria*) · Bastard-Blasen-Segge
- *japonica* hort. = Carex morrowii
- **jemthlandica** (Palmgr.) Palmgr.; Eur.: Sc, N-Russ., Balt., ? CH
- **juncella** Fr. · Binsenartige Segge | ♃ V-VI; N-Eur.
- **lachenalii** Schkuhr · Lachenals Segge | ♃ VII-VIII; Eur.* +
- **laevigata** Sm. · Glatte Segge | ♃ IV-V; Eur.: Ib, Fr, Corse, BrI, D
- **lasiocarpa** Ehrh. · Faden-Segge | ♃ VI-VII; Eur.*, Cauc., W-Sib., E-Sib., Amur, Sachal., Kamchat., C-As., Mon
- **leersiana** Rauschert
- **lepidocarpa** Tausch · Schuppenfrüchtige Gelb-Segge | ♃ VI-VII; Eur.* +
- **leporina** auct. non L.. · Hasenpfoten-Segge | ♃ VI-VII
- **ligerica** J. Gay · Französische Segge | ♃ IV-V; Eur.: Sc, Fr, D, EC-Eur., Ba, E-Eur.; TR, Cauc., W-Sib.
- **limosa** L. · Schlamm-Segge | ♃ VI-VII; Eur.*, TR, Cauc., W-Sib., E-Sib., Amur, Sachal., Kamchat., Mong., Manch., N-Am.
- **liparocarpos** Gaudin · Glanz-Segge | ♃ IV-V; Eur.* exc. BrI, Sc; TR, Cauc., N-Iran
- **loliacea** L. · Lolchartige Segge ; Eur.: Sc, PL, E-Eur.; W-Sib., E-Sib., Amur, Sachal., Kamchat., C-As., Manch., Korea, N-Jap.
- **maritima** Gunnerus · Binsenblättrige Segge | ♃ VII-VIII; Eur.: BrI, Sc, Balt., F, I, Ch, A, ? Sp.; N, Alp.; Sib., N-Am.
- *maxima* Scop. = Carex pendula
- **melanostachya** M. Bieb. ex Willd. · Schwarzährige Segge | ♃ V-VI; Eur.* exc. BrI, Sc; TR, Iraq, Cauc., Iran, Afgh., W-Sib., C-As.
- **michelii** Host · Michelis Segge | ♃ IV-V; Eur.: I, A, EC-Eur., Ba, E-Eur.; Cauc., nat. in ? F
- **microglochin** Wahlenb. · Kleingrannige Segge | ♃ V-VII; Eur.: BrI, Sc, N-Russ., Fr, Ap, C-Eur., ? Balt.; TR, Cauc., W-Sib., E-Sib.
- **microstachya** Ehrh. (*C. canescens* × *C. dioica*) · Kleinährige Bastard-Segge ; Eur.: D, PL, Alp.
- **montana** L. · Berg-Segge · Mountain Sedge · Laîche des montagnes | ♃ △ III-V; Eur.*, Cauc., W-Sib.
- **morrowii** Boott · Japan-Segge · Goldband Carex | ♃; Jap.
- **mucronata** All. · Stachelspitzige Segge | ♃ V-VIII; Eur.: F, Ap, C-Eur., Slove., Croatia., ? RO; Alp., Apenn.; ? Cauc.
- **muricata** L. · Sparrige Segge ; Eur.*, TR, Cauc., N-Am.
- **muskingumensis** Schwein. | ♃; Can.: E; USA: NE, NCE, NC
- **nigra** (L.) Reichard · Braun-Segge, Wiesen-Segge · Laîche sombre | ♃ V-VI; Eur.*, TR, W-Sib.
- **norvegica** Retz. · Norwegische Segge | ♃ VII-VIII; Eur.: BrI, Sc, Russ., C-Eur., I, ? F; Greenl.
- **obtusata** Lilj. · Stumpfe Segge | ♃ IV-V; Eur.: D, Sweden, Russ.; Cauc., W-Sib., E-Sib., Amur, C-As., w N-Am.
- × **oenensis** A. Neumann ex B. Walln. (*C. acuta* × *C. randalpina*) · Bastard-Inn-Segge | ♃ V
- **ornithopoda** Willd. · Vogelfuß-Segge · Birds Foot Sedge · Laîche pied-d'oiseau | ♃ △ V-VI; Eur.*
- **ornithopodioides** Hausm. · Vogelfußähnliche Segge | ♃ VII-VIII; Eur.: Pyr., Alp., ? Ba mts.
- **otrubae** Podp. · Hain-Segge | ♃ V-VII; Eur.*, TR, Syr., Cyprus, Iraq, Iran, Afgh., C-As.
- **ovalis** Good · Hasenfuß-Segge | ♃ VI-VII; Eur.*, TR, Cauc., W-Sib., E-Sib., nat. in N-Am.
- **pairae** F.W. Schultz · Pairas segge | ♃ V-VIII; Eur.*, TR, Cauc., W-Sib., E-Sib., N-Afr., Madeira, nat. in N-Am.
- **palaeacea** Schreb. ex Wahlenb.; Eur.: Sc, N.Russ. +
- **pallescens** L. · Bleiche Segge | ♃ V-VII; Eur.*, TR, Syr., Cauc., N-Iran, W-Sib., E-Sib., Amur, C-As, w N-Am.
- **panicea** L. · Hirse-Segge | ♃ V-VI; Eur.*, TR, Iraq, Cauc., Iran, W-Sib., E-

Sib., Amur, C-As
- **paniculata** L. · Rispen-Segge · Laîche paniculée | ♃ V-VI; Eur.*, Cauc.
- **parviflora** Host · Kleinblütige Segge | ♃ VII-VIII; Eur.* exc. BrI, Sc +; mts.
- **pauciflora** Lightf. · Armblütige Segge | ♃ V-VII; Eur.* exc. Ib; W-Sib., E-Sib., Amur, Sachal., Kamchat., C-As, N-Am.
- **paupercula** Michx. · Riesel-Segge | ♃ VI-VIII; Eur.* exc. Ib, Ba; TR, Cauc., Sib., Mong., E-As., N-Am.
- **pediformis** C.A. Mey. · Dickwurzel-Segge | ♃ V-VII; Eur.: Sc, EC-Eur., E-Eur., A
- **pendula** Huds. · Hänge-Segge, Riesen-Segge · Pendulous Sedge · Laîche géante, Laîche pendante | ♃ ~ VI; Eur.*, Cauc., N-Iran
- × **peraffinis** Appel (*C. cespitosa* × *C. nigra*) · Bastard-Rasen-Segge ; Eur.: D, PL
- **petriei** Cheeseman | ♃ VII-X ∧; NZ
- **pilosa** Scop. · Wimper-Segge | ♃ V-VI; Eur.: Fr, Ap, C-Eur., EC-Eur., Ba, E-Eur.
- **pilulifera** L. · Pillen-Segge | ♃ V-VI; Eur.*
- **plantaginea** Lam. · Plantain Leaved Sedge · Laîche à feuilles de plantain | ♃ V-VI; Can.: E; USA; NE, NCE, SE
- *praecox* Jacq. = Carex caryophyllea
- **praecox** Schreb. · Frühe Segge | ♃ IV-VI; Eur.* exc. BrI, Sc; Cauc., W-Sib., E-Sib., C-As., nat. in FIN
  - subsp. **intermedia** (Celak.) W. Schultze-Motel · Gekrümmte Segge, Gekrümmte Frühe Segge | ♃ V-VI; Eur.: B, F(Alsace), D, PL, CZ, Slova., A, RO
- **pseudobrizoides** Clavaud · Reichenbachs Segge | ♃ IV-VI; Eur.: Fr, D, PL, CZ
- **pseudocyperus** L. · Scheinzypergras-Segge · Cyperus Sedge · Laîche faux-souchet | ♃ ~ VI; Eur.*, TR, Syr., Cauc., N-Iran, W-Sib., E-Sib., C-As., Mong., NW-Afr., Can., USA: NE, NCE, NC, NZ
- **pulicaris** L. · Floh-Segge | ♃ V-VI; Eur.*
- **punctata** Gaudin · Punktierte Segge | ♃ V-VII; Eur.* exc. EC-Eur.; TR
- **randalpina** B. Walln. · Inn-Segge ; Eur.: A, D
- **remota** L. · Winkel-Segge | ♃ VI-VII; Eur.*, Cauc., N-Iran, Alger.
- **repens** Bellardi · Kriech-Segge | ♃ V-VI; Eur.: I, D, A, EC-Eur., RO, ? F
- **riparia** Curtis · Ufer-Segge · Pond Sedge · Laîche des rives | ♃ ~ VI; Eur.*, Cauc., TR, Iran, W-Sib., E-Sib., C-As.
- **rostrata** Stokes · Schnabel-Segge | ♃ VI; Eur.*, TR, Cauc., N-Iran, W-Sib., E-Sib., Amur, Sachal., Kamchat., C-As., N-Am.
- **rupestris** All. · Felsen-Segge | ♃ VI-VII; Eur.*, Cauc., W-Sib., E-Sib., ? Amur, Mong., N-Am.
- *ruthenica* Krecz. = Carex caryophyllea
- *scabricuspis* Krecz. = Carex caryophyllea
- **scaposa** C.B. Clarke | ♃ ⓦ IX-XI; S-China, Indochina
- **secalina** Wahlenb. · Roggen-Segge | ♃ VI; Eur.: C-Eur., EC-Eur., E-Eur.; Cauc., W-Sib., E-Sib., C-As.
- **sempervirens** Vill. · Horst-Segge, Immergrüne Segge | ♃ VI-VIII; Eur.* exc. BrI, Sc
- **serotina** Mérat
- **siderosticha** Hance | ♃ IV-V; E-China, Manch.
- **siderosticta** Hance | ♃; Amur, China, Manch., Korea, Jap.
- **spicata** Huds. · Dichtährige Segge | ♃ V-VIII; Eur.*, TR, Cauc., N-Iran, W-Sib., Canar., N-Afr., nat. in N-Am.
- **stenophylla** Wahlenb. · Schmalblatt-Segge | ♃ IV-VIII; Eur.: I, A, öM, W-Ba, EC-Eur., ? Sp.; TR, Cauc., Iran, Afgh., C-As., Kashmir, Mong.
- *stricta* Good = Carex elata
- **strigosa** Huds. · Dünnährige Segge | ♃ VI-VII; Eur.*, Cauc., N-Iran
- **supina** Wahlenb. · Steppen-Segge | ♃ IV-V; Eur.: I, C-Eur., EC-Eur., Croatia, E-Eur.; Cauc., W-Sib., C-As.
- **sylvatica** Huds. · Wald-Segge · Wood Sedge · Laîche des bois | ♃ VI; Eur.*, Cauc., W-Sib.
- **tomentosa** L. · Filz-Segge | ♃ V-VI; Eur.*, Cauc., W-Sib., E-Sib., C-As.
- **trinervis** Degl. · Dreinervige Segge | ♃ VI-VII; Eur.: Fr, D, DK, PL, ? Sp.; coasts
- × **turfosa** Fr. (*C. elata* × *C. nigra*) · Bastard-Steif-Segge
- **umbrosa** Host · Schatten-Segge · Laîche des ombrages | ♃ V; Eur.* exc. BrI, Sc; TR, Cauc.
- **vaginata** Tausch · Scheiden-Segge | ♃ VI-VII; Eur.* exc. Ap, Ba; Cauc., W-Sib., E-Sib.
- **versicaria** L. | ♃; Eur.*, Cauc., N-Iraq, Sib., C-As., N-Afr., N-Am.
- **vesicaria** L. · Blasen-Segge | ♃ VI;

Eur.*, Cauc., W-Sib., E-Sib., C-As.
– **viridula** Michx. · Oeders Segge, Skandinavische Segge, Späte Gelb-Segge | ♃ V-IX; N-Am., Kamchat., Sachal., Jap.
  - subsp. **pulchella** (Lönnr.) B. Schmid · Küsten-Gelb-Segge ; N-Am.
– **vulpina** L. · Fuchs-Segge · Fox Sedge | ♃ ~ V-VI; Eur.*, Cauc., W-Sib., E-Sib., C-As.
– **vulpinoidea** Michx. · Fuchsartige Segge | ♃ V-VI; N-Am., nat. in Eur.: BrI, Fr, CH, EC-Eur.; TR

Carica L. -f- *Caricaceae* · Melonenbaum
– *candamarcensis* hort. ex Hook. = Carica pubescens
– × **heilbornii** V.M. Badillo (*C. pubescens* × *C. stipulata*)
  - var. *pentagona* (Heilborn) V.M. Badillo = Carica pentagona
– **papaya** L. | ♄ Ⓦ Ⓝ; S-Am., nat. in S-Fla., Mex., C-Am., W.Ind., S-Am., trop. Afr., trop. As
– **pentagona** Heilborn · Mountain Papaya | ♄ Ⓦ Ⓝ; ? n S-Am.; And.
– **pubescens** (A. DC.) Solms | ♄ Ⓦ Ⓝ; Panama, Col., Ecuad., Chile; And.

Carissa L. -f- *Apocynaceae* · Wachsbaum
– *acokanthera* Pichon = Acokanthera oppositifolia
– *arduina* Lam. = Carissa bispinosa
– **bispinosa** (L.) Desf. ex Brenan | ♄ Ⓚ; S Afr.
– **carandas** L. | ♄ ♄ Ⓝ; Ind., Malay. Arch.
– **edulis** Vahl | ♄ Ⓦ; trop. Afr., Arab.
– *grandiflora* (E. Mayer) A. DC. = Carissa macrocarpa
– **macrocarpa** (Eckl.) A. DC. · Natal Plum | ♄ Ⓚ Ⓝ; S-Afr.
– *schimperi* A. DC. = Acokanthera schimperi
– *spectabilis* (Sond.) Pichon = Acokanthera oblongifolia

Carlina L. -f- *Asteraceae* · Eberwurz
– **acanthifolia** All. · Acanthusblättrige Eberwurz · Carline à feuilles d'acanthe, Chardon-soleil | ♃ △ VII-IX ∧; Eur.: Ib, Fr, Ap, Ba, PL, EC-Eur.
– **acaulis** L. · Große Eberwurz, Silberdistel · Stemless Carline Thistle · Carline à tige courte | ♃ VII-IX; Eur.* exc. BrI, Sc:
  - *'Caulescens'* = Carlina acaulis subsp. simplex
  - subsp. **simplex** (Waldst. et Kit.) Nyman · Carline argentée | ♃ △ VII-IX ▽; Eur.* exc. BrI, Sc
  - var. *alpina* (Jacq.) Beck = Carlina acaulis subsp. simplex
  - var. *caulescens* (Lam.) Gaudin = Carlina acaulis subsp. simplex
– **biebersteinii** Bernh. ex Hornem. · Steife Golddistel | ⊙ VII-IX
  - subsp. **brevibracteata** (Andrae) Werner · Mittlere Golddistel | ⊙ VII-IX
– *caulescens* Lam. = Carlina acaulis subsp. simplex
– *utzka* Hacq. = Carlina acanthifolia
– **vulgaris** L. · Golddistel, Kleine Eberwurz · Carline Thistle | ⊙ ♃ VII-IX Ⓝ; Eur.*, TR, Cauc., N-Iran

Carludovica Ruiz et Pav. -f- *Cyclanthaceae*
– *atrovirens* H. Wendl. = Dicranopygium atrovirens
– **humilis** Poepp. et Endl. | Ⓦ; Col.
– **latifolia** Ruiz et Pav. | Ⓦ; W.Ind.
– **moritziana** Klotzsch | Ⓚ; Col.
– **palmata** Ruiz et Pav. · Panama Hat Plant | Ⓦ Ⓝ; trop. S-Am., nat. in W.Ind., E-Afr., Pacific Is.
– **plicata** Klotzsch | Ⓦ; Col., Bras.

Carmichaelia R. Br. -f- *Fabaceae*
– **arborea** (G. Forst.) Druce | ♄ Ⓚ VI-VII; NZ
– *australis* auct. non R. Br. ex Lindl. = Carmichaelia arborea
– **enysii** Kirk | ♄ Ⓚ VI-VIII; NZ
– **flagelliformis** Colenso ex Hook. f. | ♃ ♄ Ⓚ VI; NZ
– **monroi** Hook. f. | ♄; NZ
– **orbiculata** Colenso | ♄; NZ
– **petriei** Kirk | ♄; NZ
– **rivulata** G. Simpson | ♄; NZ
– **williamsii** Kirk | ♄ Ⓦ III-IV; NZ

Carmona Cav. -f- *Boraginaceae*
– *heterophylla* Cav. = Carmona retusa
– *microphylla* (Lam.) G. Don = Carmona retusa
– **retusa** (Vahl) Masam. | ♄ Ⓦ; Ind., Malay. Arch, Phil., Taiwan

Carnegiea Britton et Rose -f- *Cactaceae*
– *euphorbioides* (Haw.) Backeb. = Neobuxbaumia euphorbioides
– **gigantea** (Engelm.) Britton et Rose · Giant Cactus, Saguaro | ♄ Ψ Ⓚ ✻ Ⓝ;

USA: S-Calif., Ariz.; Mex.
– *polylopha* (DC.) D.R. Hunt = Neobuxbaumia polylopha

Carolinea = Pachira Aubl.
– *insignis* Sw. = Pachira insignis
– *macrocarpa* Cham. et Schltdl. = Pachira aquatica

Carpanthea N.E. Br. -f- *Aizoaceae*
– **pomeridiana** (L.) N.E. Br. · Carpanthea | ⊙ Ψ VI-IX; Kap

Carpenteria Torr. -f- *Hydrangeaceae*
– **californica** Torr. · Carpenteria | ♄ ⌂ VI-VII; Calif.

Carpesium L. -n- *Asteraceae*
– **cernuum** L. · Nickende Kragenblume | ⊙ VII-IX; Eur.* exc. BrI, Sc; TR, Cauc., N-Iran, Him., China, Jap.

Carpinus L. -f- *Betulaceae* · Weißbuche, Hainbuche
– **betulus** L. · Gewöhnliche Hainbuche, Weißbuche · Common Hornbeam · Charme commun, Charmille | ♄ ♧ IV-VI Ⓝ; Eur.*, Cauc., TR, Iran
– **caroliniana** Walter · Amerikanische Hainbuche · American Hornbeam | ♄ ♧ Ⓝ; Can.. E, USA: NE, NCE, SE, SC; Mex., Guat., Belize
– *caucasica* Grossh. = Carpinus betulus
– **cordata** Blume · Herzblättrige Hainbuche | ♄ ♧; Jap., Korea, China
– **japonica** Blume · Japanische Hainbuche | ♄; Japan
– **laxiflora** (Siebold et Zucc.) Blume | ♄; Japan, Korea
– **orientalis** Mill. · Orientalische Hainbuche | ♄ ♧; Eur.: Ap, Ba, H, RO, Krim; TR, Cauc., N-Iran
– **polyneura** Franch. | ♄; W-China: Sichuan, Hupeh
– **tschonoskii** Maxim. · Tschonoskis Hainbuche | ♄ ♧; Jap., Korea, N-China
– *yedoensis* Maxim. = Carpinus tschonoskii

Carpobrotus N.E. Br. -m- *Aizoaceae*
– **acinaciformis** (L.) L. Bolus | ♃ Ψ ⌂ VII-XI; S-Afr.: Kap, Natal; Austr., Tasman.
– **edulis** (L.) N.E. Br. · Hottentot Fig | ♃ Ψ ⌂ Ⓝ; Kap
– **muiri** (L. Bolus) L. Bolus | ♃ Ψ ⌂; Kap

Carpogymnia = Gymnocarpium Newman
– *dryopteris* (L.) Á. Löve et D. Löve = Gymnocarpium dryopteris
– *robertiana* (Hoffm.) Á. Löve et D. Löve = Gymnocarpium robertianum

Carruanthus (Schwantes) Schwantes -m- *Aizoaceae*
– *caninus* (Haw.) Schwantes = Carruanthus ringens
– **peersii** L. Bolus | ♃ ⌂; Kap
– **ringens** (L.) Boom | ♃ ⌂; Kap

Carthamus L. -m- *Asteraceae*
– **lanatus** L. · Wolliger Saflor | VI-VII; Eur.: Ba, Ib, EC-Eur., Fr, Ap, E-Eur., Ba, CH; Iraq, Cauc., Iran, C-As., N-Afr.
– **tinctorius** L. · Färber-Distel, Färber-Saflor · Dyer's Saffron, Fake Saffron | ⊙ VII ☠ Ⓝ; W-As., cult. S-Eur., Ind., Calif, nat. in C-Eur., S-Eur.

Carum L. -n- *Apiaceae* · Kümmel
– **carvi** L. · Wiesen-Kümmel · Caraway | ⊙ Off. V-VI Ⓝ; Eur.* exc. BrI; TR, Cauc., N-Iran, W-Sib., E-Sib., Kamchat., C-As., Mong., Afgh., Him. China, NW-Afr., nat. in N-Am., NZ
– *copticum* (L.) Benth. et Hook. f. = Trachyspermum ammi
– *petroselini* (L.) Benth. et Hook. = Petroselinum crispum
– **verticillatum** (L.) Koch · Quirlblättriger Kümmel | ♃ VII-VIII; Eur.: BrI, Fr, Ib

Carya Nutt. -f- *Juglandaceae* · Hickorynuß
– *alba* (L.) Nutt. = Carya ovata
– *alba* K. Koch = Carya tomentosa
– *amara* (F. Michx.) Nutt. = Carya cordiformis
– **cordiformis** (Wangenh.) K. Koch · Bitternuss · Bitternut Hickory, Swamp Hickory | ♄ Ⓝ; Can.: E; USA: NE, NCE, NC, SC, SE, Fla.
– **glabra** (Mill.) Sweet · Ferkelnuss · Pignut | ♄ Ⓝ; Ont., USA: NE, NCE, SC, SE, Fla.
– **illinoinensis** (Wangenh.) K. Koch · Pekannuss · Pecan | ♄ Ⓝ; USA: NCE, Ky.
– **laciniosa** (F. Michx.) Loudon · Königsnuss · Shellbark Hickory | ♄ Ⓝ; Ont., USA: NE, NCE, NC, Okla., SE
– *microcarpa* Nutt. = Carya ovalis
– **myristiciformis** (F. Michx.) Nutt. | ♄; USA: SE, SC.; Mex.:Nuevo Leon
– *olivaeformis* Nutt. = Carya illinoinensis

- **ovalis** (Wangenh.) Sarg. · Red Hickory | ₺ Ⓝ; Can.: Ont.; USA: NE, NCE, SE
- **ovata** (Mill.) K. Koch · Schuppenrinden-Hickory · Shagbark Hickory | ₺ Ⓝ; Can.: E; USA: NE, NCE, NC, SC, SE; Mex.
- *pecan* (Marsh) Engl. et Gräbner = Carya illinoinensis
- *porcina* (F. Michx.) Nutt. = Carya glabra
- *pubescens* (Willd.) Sweet = Carya laciniosa
- *sulcata* Nutt. = Carya laciniosa
- **tomentosa** (Lam. ex Poir.) Nutt. · Spottnuss · Big Bud Hickory, Mockernut | ₺ Ⓝ; Ont., USA: NE, NCE, NC, SC, SE, Fla.

Caryocar L. -n- *Caryocaraceae*
- **brasiliense** Cambess. | ₺ Ⓦ Ⓝ; Bras., Parag., Bol.
- **nuciferum** L. | ₺ Ⓦ Ⓝ; Guyan., Bras., Peru

Caryophyllus = Syzygium Gaertn.
- *aromaticus* L. = Syzygium aromaticum

Caryopteris Bunge -f- *Verbenaceae* · Bartblume
- × **clandonensis** N.W. Simmonds ex Rehder (*C. incana* × *C. mongholica*) · Clandon-Bartblume · Blue Beard, Blue Spiraea | ₺ IX ∧; cult.
- **incana** (Thunb. ex Houtt.) Miq. · Graufilzige Bartblume · Barbe bleue | ₺ IX-X ∧; China, Korea, Jap., Taiwan
- *mastacantha* Schauer = Caryopteris incana
- **mongholica** Bunge · Mongolische Bartblume | ₺ VIII-IX ✻ ∧; Mong., N-China
- *sinensis* (Lour.) Dippel = Caryopteris incana
- *tangutica* Maxim. = Caryopteris incana

Caryota L. -f- *Arecaceae* · Fischschwanzpalme
- **maxima** Blume | ₺ Ⓦ; Java
- **mitis** Lour. · Burmese Fishtail Palm | ₺ Ⓦ; Myanmar, Malay. Pen., Java, Phil.
- *sobolifera* Wall. ex Mart. = Caryota mitis
- **urens** L. · Sago Palm, Wine Palm | ₺ Ⓦ Ⓝ; Ind., Sri Lanka, Malay. Pen.

Casimiroa La Llave -f- *Rutaceae*
- **edulis** La Llave et Lex. · White Sapote | ₺ Ⓦ Ⓝ; Mex., Guat.

Cassandra = Chamaedaphne Moench
- *calyculata* (L.) D. Don = Chamaedaphne calyculata

Cassia L. -f- *Caesalpiniaceae* · Kassie, Gewürzrinde
- *acutifolia* Delile = Senna alexandrina
- *angustifolia* Vahl = Senna alexandrina
- *artemisioides* Gaudich. ex A. DC. = Senna artemisioides
- *corymbosa* Lam. = Senna corymbosa
- *cotinifolia* G. Don = Chamaecrista cotinifolia
- *didymobotrya* Fresen. = Senna didymobotrya
- **fistula** L. · Indian Laburnum, Purging Cassia | ₺ Ⓦ Ⓝ; Ind.
- *floribunda* Cav. = Senna × floribunda
- **grandis** L. f. · Pink Shower | ₺ Ⓦ Ⓝ; Mex., C-Am., W.Ind., trop. S-Am.
- *hebecarpa* Fernald = Senna hebecarpa
- **italica** (Mill.) Lam. ex Steud. · Cassia | ₺ Ⓚ Ⓝ; trop. Afr., Alger., Libya, Egypt, Palaest., NW-Ind.
- **javanica** L. | ₺; Malay. Arch.
- *laevigata* Willd. = Senna septemtrionalis
- *marilandica* hort. = Senna hebecarpa
- *marilandica* L. = Senna marilandica
- *nairobensis* L.H. Bailey = Senna didymobotrya
- *nodosa* Roxb. = Cassia javanica
- *obovata* Collad. = Cassia italica
- *occidentalis* L. = Senna occidentalis
- **odorata** Morris | ₺; Austr.: N.S.Wales
- *senna* L. = Senna alexandrina
- *siamea* Lam. = Senna siamea
- *tomentosa* L. = Senna multiglandulosa
- **tora** L. | ⊙ VII-IX Ⓝ; USA: NE, NCE, NC, SC, SE, Fla; trop. Am.

Cassine L. -f- *Celastraceae*
- *orientalis* (Jacq.) Kuntze = Elaeodendron orientale

Cassinia R. Br. -f- *Asteraceae*
- **fulvida** Hook. f. · Golden Heather | ₺ Ⓚ VII-VIII; NZ
- **retorta** A. Cunn. ex DC. | ₺; NZ
- **vauvilliersii** (Hombr. et Jacquinot ex Decne.) Hook. f. | ₺ Ⓚ VII-VIII; NZ

Cassiope D. Don -f- *Ericaceae* · Schuppenheide
- **fastigiata** (Wall.) D. Don | ₺ IV-V; Him., China

- **hypnoides** (L.) D. Don · Moosige Schuppenheide | ♄ △ VI-VII; Eur.: Sc, N-Russ.; W-Sib., Greenl.
- **lycopodioides** (Pall.) D. Don · Clubmoss Mountain Heather | ♄ V-IV; Alaska, Kamchat., Jap.
- **mertensiana** (Bong.) D. Don · Western Moss Heather | ♄ △ IV; Alaska, Can.: W; USA: NW, Calif., Nev.
- **tetragona** (L.) D. Don · Vierkantige Schuppenheide · White Arctic Mountain Heather | ♄ △ V; Eur.: Sc, N-Russ; W-Sib., E-Sib., Amur, Kamchat., Alaska, N-Can., Greenl.
- **wardii** C. Marquand · Wards Schuppenheide | ♄ △ V; SE-Tibet

Cassytha L. -f- *Lauraceae*
- **pubescens** R. Br. | ♄ Ⓚ ≹; Austr.

Castanea Mill. -f- *Fagaceae* · Kastanie
- *americana* (Michx.) Raf. = Castanea dentata
- **crenata** Siebold et Zucc. · Japanische Kastanie · Japanese Chestnut | ♄ ♄ Ⓝ; Jap.
- **dentata** (Marshall) Borkh. · Amerikanische Kastanie · American Chestnut | ♄ Ⓝ; Ont., USA: NE, NCE, SE
- *japonica* Blume = Castanea crenata
- **mollissima** Blume · Chinese Chestnut | ♄ Ⓝ; China, Korea, Taiwan
- **pumila** (L.) Mill. · Allegheny Chinkapin | ♄ ♄ Ⓝ; USA: NE, SE, Fla., SC
- **sativa** Mill. · Edelkastanie, Esskastanie, Marone · Spanish Chestnut, Sweet Chestnut · Châtaignier commun | ♄ VI Ⓝ; Eur.: Ap, A, EC-Eur., Ba; TR, Cauc., N-Iran, NW-Afr., nat. in BrI, Sc, Fr, BrI, E-Eur.
- *vesca* Gaertn. = Castanea sativa
- *vulgaris* Lam. = Castanea sativa

Castanopsis (D. Don) Spach -f- *Fagaceae*
- *chrysophylla* (Douglas ex Hook.) A. DC. = Chrysolepis chrysophylla
- **cuspidata** (Thunb.) Schottky | ♄; S-Jap., SE-China
- **hystrix** Hook. f. et Thomson ex Miq. | ♄ Ⓦ Ⓝ; Him., Malay. Pen.

Castanospermum A. Cunn. ex Hook. -n- *Fabaceae*
- **australe** A. Cunn. et Fraser ex Hook. · Black Bean Tree, Moreton Bay Chestnut | ♄ Ⓚ; Austr.: N.S.Wales

Castilla Cerv. -f- *Moraceae*
- **elastica** Cerv. · Rubber Tree | ♄ Ⓦ Ⓝ; S-Mex., C-Am., trop. S-Am.
- **ulei** Warb. | ♄ Ⓝ; S-Am.

Casuarina L. -f- *Casuarinaceae* · Kasuarine, Känguruhbaum
- **cunninghamiana** Miq. · River Oak | ♄ Ⓚ Ⓝ; Austr.: Queensl., N.S.Wales
- **equisetifolia** J.R. Forst. et G. Forst. · Horsetail Tree, South Sea Ironwood | ♄ Ⓚ Ⓝ; SE-As., NE-Austr., Polyn., nat. in S-Fla., Bermudas etc.
- **littoralis** Salisb. | ♄; Austr.: Queensl., N.S.Wales, Victoria, Tasman.
- **nana** Siebold | ♄; Austr.
- *quadrivalvis* Labill. = Casuarina stricta
- **stricta** Dryand. | ♄ Ⓚ Ⓝ; Austr., Tasman.
- **torulosa** Dryand. | ♄ Ⓚ Ⓝ; Austr.: Queensl., N.S.Wales

Catabrosa P. Beauv. -f- *Poaceae* · Quellgras
- **aquatica** (L.) P. Beauv. · Europäisches Quellgras · Whorl Grass · Glycérie panachée | ♃ ~ VI-X; Eur.*, TR, Iraq, Cauc., Iran, W-Sib., E-Sib., C-As., Afgh., Pakist., Mong., Tibet, Him., Alger., Libya, Can., USA: NCE, NC, SW, Rocky Mts.; Greenl., Arg.

Catalpa Scop. -f- *Bignoniaceae* · Trompetenbaum
- **bignonioides** Walter · Gewöhnlicher Trompetenbaum · Indian Bean Tree · Catalpa commun, Catalpa de la Caroline | ♄ VI-VII Ⓝ; USA: SO, Fla., nat. in USA
- **bungei** C.A. Mey. · Bunges Trompetenbaum · Manchurian Catalpa | ♄ VII-VIII Ⓝ; N-China
  - var. **heterophylla** C.A. Mey. | ♄
- × **erubescens** Carr (*C. bignonioides* × *C. ovata*) · Hybrid Catalpa | ♄ VI-VII; cult.
- **fargesii** Bureau · Farges Trompetenbaum · Catalpa | ♄ VII; W-China
  - fo. **duclouxii** (Dode) Gilmour | ♄; C-China, W-China
- *henryi* Dode = Catalpa ovata
- × *hybrida* Späth = Catalpa × erubescens
- *kaempferi* (DC.) Sieber et Zucc. = Catalpa ovata
- **ovata** G. Don · Kleinblütiger

Trompetenbaum · Yellow Catalpa · Catalpa jaune | ♄ VII; China, nat. in USA: NE
- **speciosa** (Warder ex Barney) Engelm. · Prächtiger Trompetenbaum · Western Catalpa | ♄ VI Ⓝ; USA: NCE, Tenn., Ark., nat. in W.Va., Va.
- *vestita* Diels = Catalpa fargesii

Catananche L. -f- *Asteraceae* · Rasselblume
- **caerulea** L. · Cupid's Dart | ♃ VII-IX; Eur.: Sp., F, I; NW-Afr., Libya
- **lutea** L.; Eur.: Ba, Ap, Ib; TR

Catapodium Link -n- *Poaceae*
- **marinum** (L.) C.E. Hubb. · Gewöhnlicher Lolchschwingel, Niederliegendes Steifgras ; Eur.: Ib, Fr, BrI, Ap, Ba; coasts
- **rigidum** (L.) C.E. Hubb. · Gewöhnliches Steifgras · Fern Grass | ♃ ⋊ V-IX; Eur.: Ib, Fr, Ap, Ba, ? RO, Krim, C-Eur., BrI; TR, N-Irak, Syr., Cauc., Iran

Catasetum Rich. ex Kunth -n- *Orchidaceae*
- **atratum** Lindl. | ♃ Ⓦ V ✻; Bras.
- **barbatum** (Lindl.) Lindl. | ♃ Ⓦ V ✻; Guyana, Bras., Peru
- *bungerothii* N.E. Br. = Catasetum pileatum
- **callosum** Lindl. | ♃ Ⓦ XII ✻; Col., Venez.
- **cernuum** (Lindl.) Rchb. f. | ♃ Ⓦ V-VI ✻; Bras.
- **fimbriatum** (C. Morren) Lindl. et Paxton | ♃ Ⓦ V-VI ✻; trop. S-Am.
- **integerrimum** Hook. | ♃ Ⓦ IX ✻; Guat., Col., Ecuad., Venez.
- **macrocarpum** Rich. ex Kunth | ♃ Ⓦ X-XII ✻; S-Am.
- *maculatum* Bateman = Catasetum integerrimum
- **pileatum** Rchb. f. | ♃ Ⓦ X ✻; Venez., Trinidad, Bras.
- **platyglossum** Schltr. | ♃ Ⓦ ✻; Col., Ecuad.
- *russellianum* Hook. = Clowesia russelliana
- **saccatum** Lindl. | ♃ Ⓦ ✻; Guyan., Bras., Peru
- **trulla** Lindl. | ♃ Ⓦ IX ✻; Bras.

Catha Forssk. ex Schreb. -f- *Celastraceae* · Kathstrauch
- **edulis** (Vahl) Forssk. ex Endl. · Khat, Khat Tree | ♄ Ⓚ Ⓝ; Eth., trop. Afr., S-Afr., Yemen

Catharanthus G. Don -m- *Apocynaceae*
- **roseus** (L.) G. Don · Madagascar Periwinkle, Rosy Periwinkle · Pervenche de Madagascar | ♃ Ⓦ Ⓚ Off. III-X ☠; Madag., nat. in Trop.

Cathcartia = Meconopsis R. Vig.
- *villosa* Hook. f. ex Hook. = Meconopsis villosa

Catopsis Griseb. -f- *Bromeliaceae*
- **berteroniana** (Schult. f.) Mez · Powdery Strap Airplant | Ⓦ; S-Fla., C-Am., W.Ind., Venez., Trinidad, E-Bras.
- **brevifolia** Mez et Wercklé | Ⓦ; Mex., Guat., Costa Rica
- **floribunda** (Brongn.) L.B. Sm. · Florida Strap Airplant | Ⓦ; S-Fla., W-Ind., C-Am., trop. S-Am
- **hahnii** Baker | Ⓦ; S-Mex., Guat., Hond., Nicar.
- **morreniana** Mez | Ⓦ; S-Mex., C-Am.
- **nutans** (Sw.) Griseb. · Nodding Strap Airplant | Ⓦ; C-Am., W.Ind., trop. S-Am.
- *penduliflora* C.H. Wright = Fosterella penduliflora
- **sessiliflora** (Ruiz et Pav.) Mez | Ⓦ; S-Mex., C-Am., trop. S-Am.

Cattleya Lindl. -f- *Orchidaceae*
- **aclandiae** Lindl. | ♃ Ⓦ VI-VII ✻; Bras.: Bahia
- **amethystoglossa** Linden et Rchb. f. | ♃ Ⓦ IV-V ✻; Bras.: Bahia, Minas Gerais
- **aurantiaca** (Bateman ex Lindl.) P.N. Don | ♃ Ⓦ VII-VIII ✻; Mex.
- **bicolor** Lindl. | ♃ Ⓦ IX-XI ✻; Bras.: Rio de Janeiro, Minas Gerais
- **bowringiana** O'Brien | ♃ Ⓦ X-XI ✻; C-Am.
- *citrina* (La Llave et Lex.) Lindl. = Encyclia citrina
- **dormaniana** Rchb. f. | ♃ Ⓦ I-II ✻; Bras.: Rio de Janeiro
- **dowiana** Bateman; C-Am.
  - var. **aurea** (Linden) B.S. Williams et T. Moore | ♃ Ⓦ IX-X ✻; Col.
- *elatior* Lindl. = Cattleya guttata
- **elongata** Barb. Rodr. | ♃ Ⓦ V ✻; Bras.: Bahia, Minas Gerais

- **forbesii** Lindl. | ♃ Ⓦ VII-IX ✻; E-Bras., S-Bras.
- **gaskelliana** Rchb. f. ex B.S. Williams | ♃ Ⓦ VII-IX ✻; Venez., Bras.
- **granulosa** Lindl. | ♃ Ⓦ VIII-IX ✻; Bras.: Espirito Santo
- **guttata** Lindl. | ♃ Ⓦ X-XI ✻; Bras.
- *harrisoniae* hort. = Cattleya loddigesii
- **harrisoniana** Lindl.
- *imperialis* hort. = Cattleya warscewiczii
- **intermedia** Graham ex Hook. | ♃ Ⓦ V-XI ✻; NE-Bras.
- **labiata** Lindl.; NE-Bras.
  - var. *autumnalis* hort. = Cattleya labiata
  - var. *dowiana* (Bateman et Rchb.) Veitch = Cattleya dowiana
  - var. *gaskelliana* (Rchb. f.) Veitch = Cattleya gaskelliana
  - var. *lueddemanniana* (Rchb. f.) Rchb. f. = Cattleya lueddemanniana
  - var. *mendelii* (Backh. f.) Rchb. f. = Cattleya mendelii
  - var. *mossiae* (Hook.) Lindl. = Cattleya mossiae
  - var. *percivaliana* Rchb. f. = Cattleya percivaliana
  - var. *schroederae* (Rchb.) Añon = Cattleya schroederae
  - var. *trianaei* Linden et Rchb. f. = Cattleya trianae
  - var. *vera* hort. = Cattleya labiata
  - var. *warneri* (T. Moore) Veitch = Cattleya warneri
  - var. *warscewiczii* (Rchb. f.) Rchb. f. = Cattleya warscewiczii
- **lawrenceana** Rchb. f. | ♃ Ⓦ III-IV ✻; Venez., Guyan.
- **loddigesii** Lindl. | ♃ Ⓦ VIII-IX ✻; Bras., Parag.
  - var. *harrisoniana* Rolfe = Cattleya harrisoniana
- **lueddemanniana** Rchb. f. | ♃ Ⓦ VII-IX ✻; Venez.
- **luteola** Lindl. | ♃ Ⓦ XI-XII ✻; Ecuad., Peru, Bras.: Amazon.; Bol.
- **maxima** Lindl. | ♃ Ⓦ X-I ✻; Col., Ecuad., Peru
- **mendelii** (Backh.) Rchb. f. | ♃ V-VI ✻; Col.
- **mossiae** Parker ex Hook. | ♃ Ⓦ V-VI ✻; Venez.
- **nobilior** Rchb. f. | ♃ Ⓦ V-VI ✻; SW-Bras.
- **percivaliana** (Rchb. f.) O'Brien | ♃ Ⓦ I-III ✻; Venez.
- **rex** O'Brien | ♃ Ⓦ VII-VIII ✻; Col., Peru
- *sanderiana* hort. = Cattleya warscewiczii
- **schilleriana** Rchb. f. | ♃ Ⓦ VII-IX ✻; Bras.: Bahia
- **schroederae** Rchb. | ♃ Ⓦ III-V ✻; Col.
- **skinneri** Bateman | ♃ Ⓦ III-IV ✻; Mex., C-Am.
- **trianae** Linden et Rchb. f. | ♃ Ⓦ XII-II; Col.
  - var. *schroederae* (hort. Sander) Rchb. f. = Cattleya schroederae
- **velutina** Rchb. f. | ♃ Ⓦ V-VII ✻; Bras. (Parahiba)
- **violacea** (Humb., Bonpl. et Kunth) Rolfe | ♃ Ⓦ VII-IX ✻; Col., Ecuad., Peru, Venez., Guyan.
- *violacea* (Lindl.) Beer = Sophronitella violacea
- *violacea* hort. = Cattleya loddigesii
- **walkeriana** Gardner | ♃ Ⓦ II-V ✻; Bras., Bol.
- **warneri** T. Moore ex Warner | ♃ Ⓦ VI-VII ✻; Bras.: Minas Gerais, Espirito Santo
- **warscewiczii** Rchb. f. | ♃ Ⓦ VII-VIII ✻; Col. (Medellin)

× **Cattleytonia** Hort. -f- *Orchidaceae* (*Broughtonia* × *Cattleya*)

Caucalis L. -f- *Apiaceae*
- **platycarpos** L. · Acker-Haftdolde | V-VII; Eur.* exc. Sc, BrI; TR, Cauc., Iran

Caularthron Raf. -n- *Orchidaceae*
- **bicornutum** (Hook.) Raf. | ♃ Ⓦ IV ✻; trop. S-Am.

× **Caulocattleya** Dressler -f- *Orchidaceae* (*Cattleya* × *Caularthron*)

Caulophyllum Michx. -n- *Berberidaceae*
- **thalictroides** (L.) Michx. · Papoose Root, Squaw Root | ♃ V; Can.: E; USA; NE, NCE, SE

Cautleya (Benth.) Hook.f. -f- *Zingiberaceae*
- **gracilis** (J.J. Sm.) Dandy | ♃ Ⓚ VIII; Him.
- *lutea* Royle = Cautleya gracilis

Cavendishia Lindl. -f- *Ericaceae*
- **acuminata** (Hook.) Benth. ex Hemsl. | ♃ Ⓚ ≀ XI; Col., Ecuad.

Cayratia Juss. -f- *Vitaceae*
– **japonica** (Thunb.) Gagnep. · Lakum | ♃ ⌇ VI-VII ∧; Ind., China, Malay. Pen., Ryukyu Is., Jap.
– **thomsonii** (M.A. Lawson) Suess. | ⌇; W-China, C-China, Him.

Ceanothus L. -m- *Rhamnaceae* · Säckelblume
– **americanus** L. · Amerikanische Säckelblume · Wild Snowball | ♄ VII-IX; Can.: E; USA: NE, NCE, SC, SE, Fla.
– *arnouldii* Carr = Ceanothus × delilianus
– *azureus* Ker-Gawl. = Ceanothus coeruleus
– **coeruleus** Lag. | ♄ Ⓚ VII-X; Mex., Guat.
– × **delilianus** Spach (*C. americanus* × *C. coeruleus*) · Céanothe d'été
  - **'Gloire de Versailles'**
– *dentatus* hort. = Ceanothus × lobbianus
– **fendleri** A. Gray · Buckbrush | ♄ VI-VII; USA: NC, Rocky Mts, SW; N-Mex.
– **gloriosus** J.T. Howell | ♄; Calif.
– **griseus** (Trel.) McMinn | ♄; Calif.
– **impressus** Trel. | ♄; Calif.
– × **lobbianus** (Hook.) McMinn (*C. dentatus* × *C. griseus*) · Santa Barbara Ceanothus | ♄; Calif.
– *ovalis* Bigelow = Ceanothus ovatus
– **ovatus** Desf. · Ovalblättrige Säckelblume · New Jersey Tea | ♄ VI; Can.: E; USA: NE, NCE, SC, SE
– × **pallidus** Lindl. (*C. delilianus* × *C. ovatus*)
– **thyrsiflorus** Eschw. · Céanothe à feuilles de thyrse | ħ ♄; Calif., S-Oregon
  - var. *griseus* Trel. = Ceanothus griseus
– × **veitchianus** Hook. (*C. griseus* × *C. rigidus*) | ♄; cult.
– **Cultivars**
  - **'Burkwoodii'** Burkwood et Skipwith | ♄

Cecropia Loefl. -f- *Cecropiaceae* · Ameisenbaum
– **palmata** Willd. · Ambay, Snakewood Tree | ħ Ⓦ; Mex., W.Ind., Bras.
– **peltata** L. · Trumpet Tree | ħ Ⓦ Ⓝ; C-Am., W.Ind., trop. S-Am.

Cedrela P. Browne -f- *Meliaceae*
– **odorata** L. · Spanish Cedar, Toona | ħ Ⓚ Ⓝ; Mex., C-Am., S-Am.
– *sinensis* A. Juss. = Toona sinensis
– *toona* Roxb. ex Rottler = Toona ciliata

Cedronella Moench -f- *Lamiaceae*
– *cana* Hook. = Agastache cana
– **canariensis** (L.) Webb et Berthel. · Balm of Gilead | ♃; Canar., Azor., Madeira
– *mexicana* (Kunth) Benth. = Agastache mexicana
– *triphylla* Moench = Cedronella canariensis

Cedrus Trew -f- *Pinaceae* · Zeder
– **atlantica** (Endl.) Manetti ex Carr · Atlas-Zeder · Atlas Cedar · Cèdre de l'Atlas | ħ Ⓝ; Maroc., Alger.; Atlas
– **brevifolia** (Hook. f.) Henry · Cyprus Cedar ; Cyprus
– **deodara** (Roxb.) G. Don · Himalaya-Zeder · Deodar, Indian Cedar · Cèdre de l'Himalaya | ħ Ⓝ; Afgh., W-Him.
– **libani** A. Rich. · Libanon-Zeder · Cedar-of-Lebanon | ħ Ⓝ; S-TR, Lebanon, Syr., Cyprus
  - subsp. *atlantica* (Endl.) Franco = Cedrus atlantica
  - subsp. *brevifolia* (Hook. f.) Meikle = Cedrus brevifolia
  - subsp. **stenocoma** (Schwarz) P.H. Davis | ħ; SE-TR
– *libanotica* Link = Cedrus libani
  - subsp. *atlantica* (Endl.) Holmboe = Cedrus atlantica

Ceiba Mill. -f- *Bombacaceae*
pentandra (L.) Gaertn. · Kapok Tree, Silk Cotton Tree | ħ Ⓦ Ⓝ; orig. ?; cult. Trop.

Celastrus L. -m- *Celastraceae* · Baumwürger
– **angulatus** Maxim. · Kantiger Baumwürger | ♄ ⌇ ⚘ VI; NW-China, C-China
– *articulatus* Thunb. = Celastrus orbiculatus
– *edulis* Vahl = Catha edulis
– **flagellaris** Rupr. | ♄ ⌇ ⚘ VI; Amur, N-China, Manch., Korea, Jap.
– **hookeri** Prain | ⌇; S-China, Him.
– **hypoleucus** (Oliv.) Warb. ex Loes. | ⌇ VI; C-China: Sichuan, Hupeh
– **loeseneri** Rehder et Wilson
– **orbiculatus** Thunb. · Rundblättriger Baumwürger · Oriental Bittersweet · Bourreau des arbres | ♄ ⌇ ⚘ VI; China, Manch., Jap. Sachal., nat. in E-USA
  - var. **punctatus** (Thunb.) Rehder | ⌇ VI;

s E-As.
- **rosthornianus** Loes. | ♄ ≩ ⚘ VI; W-China, C-China
- **scandens** L. · Amerikanischer Baumwürger · American Bittersweet, Waxwork | ♄ ≩ ⚘ VI ☠; Can.: E; USA: NE, NCE, Okla., SE

Celmisia Cass. -f- *Asteraceae*
- **coriacea** (G. Forst.) Hook. f. | ♃ Ⓚ Ⓐ; NZ
- **holosericea** (G. Forst.) Hook. f. | ♃ Ⓚ Ⓐ; NZ

Celosia L. -f- *Amaranthaceae*
- **argentea** L. · Silber-Brandschopf · Red Spinach | VII-IX Ⓝ; Trop.
  - var. **cristata** (L.) Kuntze · Cockscomb · Célosie crête de coq | ⊙ VII-IX
- *cristata* L. = Celosia argentea var. cristata
- *plumosa* Burv. = Celosia Plumosa-Grp.
- **Cultivars**
  - **Childsii-Grp.**
  - **Cristata-Grp.**
  - **Plumosa-Grp.** · Plume Flower
  - **Spicata-Grp.**

Celsia = Verbascum L.
- *acaulis* Bory et Chaub. = Verbascum acaule
- *arcturus* (L.) Jacq. = Verbascum arcturus
- *atroviolacea* Sommier et Lév. = Verbascum phoeniceum
- *bugulifolia* (Lam.) Jaub. et Spach = Verbascum bugulifolium
- *cretica* L. f. = Verbascum creticum
- *rechingeri* Murb. = Verbascum phoeniceum

Celtis L. -f- *Ulmaceae* · Zürgelbaum
- **australis** L. · Südlicher Zürgelbaum · Nettle Tree | ♄ ♄ III-IV Ⓝ; Eur.: Ib, Fr, Ap, Ba, RO; TR, Levante, Cauc., Madeira, NW-Afr., Libya, nat. in CH
- **biondii** Pamp. | ♄; C-China
- **bungeana** Blume | ♄; C-China, N-China, Manch., Korea
- **caucasica** Willd. · Kaukasischer Zürgelbaum | ♄ ♄; E-BG, TR, Cauk., C-As, Afgh.
- **glabrata** Planch. · Kahler Zürgelbaum | ♄ ♄; Cauc., Krim, TR
- **integrifolia** Lam.
- *integrifolia* Nutt. = Celtis laevigata
- **julianae** C.K. Schneid. | ♄; C-China
- **koraiensis** Nakai · Koreanischer Zürgelbaum | ♄; Korea, Manch., N-China
- **labilis** C.K. Schneid. | ♄; C-China
- **laevigata** Willd. · Glattblättriger Zürgelbaum · Sugarberry | ♄ Ⓝ; USA: Va., Mo., Kans., SE, SC, N.Mex.; Mex., W.Ind.
- *mississippiensis* Spach = Celtis laevigata
- **occidentalis** L. · Amerikanischer Zürgelbaum · Hackberry | ♄ Ⓝ; Can.: E; USA: NE, NCE, NC, Rocky Mts., SC, SE, Fla.
  - var. **cordata** (Pers.) Willd. | ♄ ♄; S-USA
  - var. **pumila** (Muhl.) Pursh | ♄
- **reticulata** Torr. | ♄ ♄; SW-USA
- **sinensis** Pers. · Chinese Hackberry | ♄; Jap., Korea, E-China
- **tournefortii** Lam. · Tourneforts Zürgelbaum | ♄ ♄; Eur.: Sic., Ba, Krim; TR, N-Irak, N-Iran

Cenchrus L. -m- *Poaceae*
- **ciliaris** L. · Büffelgras | ♃ Ⓝ; Afr., SW-As., Sic.
- **incertus** M.A. Curtis; Am., nat. in Corse, I, ?F, ?Sp.

Cenia = Cotula L.
- *barbata* (DC.) Benth. et Hook. f. = Cotula barbata

Centaurea L. -f- *Asteraceae* · Flockenblume
- *alpestris* Hegetschw. = Centaurea scabiosa subsp. alpestris
- **americana** Nutt. · American Star Thistle | ⊙ VII-VIII; USA: Mo. SE, SC, SW; Mex.
- **argentea** L. | ♃ Ⓚ; Eur.: Crete; mts.
- *axillaris* Willd. = Centaurea triumphettii
- **babylonica** (L.) L. | ♃ Ⓚ
- **bella** Trautv. · Zierliche Silber-Flockenblume · Centaurée élégante | ♃ △ VI-VII; Cauc.
- **bracteata** Scop. · Hellschuppige Flockenblume | ♃ VII-IX; Eur.: F, I, CH, A, Slove.Croatia; S-Alp.
- **calcitrapa** L. · Stern-Flockenblume · Star Thistle | ⊙ ⊙ VII-X; Eur.*, NW-Afr., nat. in BrI, A, D, N-Am.
- **cana** Waldst. et Kit. | ♃; Eur.: Ba, Krim
- *candidissima* hort. = Centaurea ragusina
- *candidissima* Lam. = Centaurea cineraria
- **cineraria** L. | ♃ ♄ Ⓚ VII-VIII; Eur.: W-

I, Sic.
- **clementei** Boiss. ex DC. | ♃ Ⓚ; SW-Sp.
- **cyanus** L. · Kornblume · Cornflower | ⊙ ✂ Off. X-VII; Eur.: Sic., Ba, nat. in Eur.*, Cauc., W-Sib., E-Sib., NW-Afr., N-Am.
- **dealbata** Willd. · Centaurée blanchâtre | ♃ VI-VII; Cauc.
- **diffusa** Lam. · Sparrige Flockenblume · White Knapweed | ⊙ VII-VIII; Eur.: Ba, E-Eur.; TR, nat. in C-Eur., EC-Eur., F, I
- **glastifolia** L. | ♃ ~ VI-IX; Eur.: Russ.; TR, Cauc.
- **hypoleuca** DC. | ♃ VII-X; TR, Cauc., NW-Iran
- **jacea** L. · Wiesen-Flockenblume · Brown Knapweed | ♃ XI-X; Eur.* exc. BrI; TR, nat. in BrI, N-Am.
  - subsp. *gaudini* (Boiss. et Reut.) Gremli = Centaurea bracteata
- **kosaninii** Hayek | ♃ △ VI; AL
- **kotschyana** Heuff. ex W.D.J. Koch | ♃ VI-VII; Eur.: Ba, RO, W-Russ.; mts.
- **macrocephala** Puschk. ex Willd. · Great Golden Knapweed · Centaurée à grosse tête | ♃ VII-VIII; Cauc.
- *maculosa* Lam. = Centaurea stoebe
- **melitensis** L. · Malteser Flockenblume | ⊙ X-VII; Eur.: Ib, F, Ap, Ba; Canar., Madeira, NW-Afr.
- **microptilon** (Godr.) Gren. et Godr. · Kleinfederige Flockenblume ; Eur.: Sp., F, B, NL
- **montana** L. · Berg-Flockenblume · Mountain Knapweed, Perennial Cornflower · Centaurée des montagnes | ♃ X-VII; Eur.: Ib, Fr, Ap, C-Eur., EC-Eur., Slove., Croatia ; mts., nat. in FIN
- *moschata* L. = Amberboa moschata
- *nervosa* Willd. = Centaurea uniflora subsp. nervosa
- **nigra** L. · Schwarze Flockenblume | ♃ VII-IX; Eur.: Fr, BrI, Ib, Ap, C-Eur., Ba, Sc, nat. in N-Am., NZ
  - subsp. **debauxii** Gren. et Godr.
  - subsp. **nemoralis** (Jord.) Gremli · Hain-Flockenblume | ♃ VII-IX; Eur.: C-Eur., F
- **nigrescens** Willd. · Schwärzliche Flockenblume | ♃ VII-IX; Eur.: Fr, Ap, C-Eur., EC-Eur., Ba, RO, ? W-Russ.
- *odorata* hort. = Amberboa moschata
- **orientalis** L. | ♃ VII-IX ∧; Eur.: Ba, E-Eur.
- **paniculata** L. · Rispige Flockenblume | ⊙ VII-IX; Eur.: Ib, F, I
- **phrygia** L. · Phrygische Flockenblume | ♃ VIII-IX; Eur.: Ap, C-Eur., EC-Eur., Sc, Ba, E-Eur., ; Cauc.
- **psammogena** Gáyer (*C. diffusa* × *C. stoebe*) · Sandblütige Flockenblume ; Eur.: D (Mannheim)
- **pseudophrygia** C.A. Mey. · Perücken-Flockenblume | ♃ VIII-IX; C-Eur., DK, Norw., S-Russl.
- **pulcherrima** Willd. · Silber-Flockenblume | ♃ VI-VII; Cauc., TR
- **ragusina** L. | ♃ Ⓚ VII-VIII; Eur.: Croatia
- **rhaetica** Moritzi · Ratische Flockenblume | ♃ VII-VIII; Eur.: I, CH; S-Alp.
- *rhapontica* L. = Leuzea rhapontica
- **ruthenica** Lam. · Gelbe Flockenblume | ♃ VII-VIII; Eur.: E-Eur.; Cauc., W-Sib., C-As.
- **scabiosa** L. · Skabiosen-Flockenblume · Greater Knapweed · Centaurée scabieuse | ♃ VII-VIII; Eur.*, W-Sib., E-Sib.
  - subsp. **alpestris** (Hegetschw.) Nyman · Alpen-Flockenblume | ♃ VII-VIII; Eur.: F, I, CH, A, EC-Eur., ? Sp.; Pyr., Alp., Jura, W-Carp.
  - subsp. **fritschii** Hayek · Fritschs Flockenblume | ♃ X-VI
  - subsp. **grineensis** (Reut.) Nyman · Schmalblättrige Flockenblume | ♃ VI-IX; Eur.: I, C Eur., EC Eur., Ba, RO
- **simplicicaulis** Boiss. et A. Huet | ♃ △ VI; Cauc. (Armen.)
- **solstitialis** L. · Sonnwend-Flockenblume · St. Barnaby's Thistle | ⊙ ⊙ VII-X; Eur.: Ib, Fr, Ap, Ba, E-Eur.; TR, Lebanon, Cauc., Iran, nat. in BrI, C-Eur., EC-Eur., N-Am.
- **speciosa** Boiss. | ♃ ♄ Ⓚ; TR, Palaest.
- **splendens** L. · Glänzende Flockenblume | ♃ ⊙ VII-VIII; Eur.: I, CH, Ba
- **stenolepis** A. Kern. · Schmalschuppige Flockenblume | ♃ VIII-IX; Eur.: I, A, EC-Eur., Ba, E-Eur.
- **stoebe** L. · Gefleckte Flockenblume, Gewöhnliche Rispen-Flockenblume | ⊙ ♃ VII-IX; Eur.: F, C-Eur., N-I, nat. in N-Am.
  - subsp. *maculosa* (Lam.) Schinz et Thell. = Centaurea stoebe
  - subsp. **micranthos** (Gugler) Hayek · Kleinköpfige Rispen-Flockenblume | ♃ VII-IX; Eur.: A, H

– *suaveolens* Willd. = Amberboa moschata
– **transsylvanica** Schleich. ex DC. · Südliche Flockenblume ; Eur.: A +
– **triumphettii** All. · Filzige Flockenblume | ♃ V-VII; Eur.* exc. BrI, Sc; TR, Lebanon, Cauc., N-Iran, Maroc.
  - subsp. **cana** (Waldst. et Kit.) Dostal | ♃; Ba, Krim
– **uniflora** Turra; Eur.: F, I, CH, A; Alp., Apenn.
  - subsp. **nervosa** (Willd.) Bonnier et Layens · Federige Flockenblume · Plume Knapweed | ♃ VII; Eur.: F, I, C-Eur., Ba, RO; Alp., N-Apenn., S-Carp., Balkan mts.
– **vallesiaca** (DC.) Jord. · Walliser Flockenblume | ⊙ VII-IX; Eur.: F, CH, I; SW-Alp.

Centaurium Hill -n- *Gentianaceae* · Tausendgüldenkraut
– *chloodes* (Brot.) Gren. et Godr. = Centaurium confertum
– **confertum** (Pers.) Druce | ⊙ ⊙ Ⓐ △ VII-IX ∧; Eur.: Ib, F; costs
– **erythraea** Rafn · Echtes Tausendgüldenkraut, Kopfiges Tausendgüldenkraut · Centaury, Common Centaury | ⊙ ⊙ Off. VII-X ▽; Eur.*, TR, Levante, Cauc., N-Iraq, Iran, W-Sib., C-As., Afgh., Pakist., NW-Afr., Libya
– **littorale** (Turner) Gilmour · Strand-Tausendgüldenkraut | ⊙ VII-IX; Eur.: Sc, BrI, Fr, C-Eur., EC-Eur., E-Eur., ? I
– *minus* auct. non Moench = Centaurium erythraea
– **pulchellum** (Sw.) Druce · Kleines Tausendgüldenkraut | VII-IX; Eur.*, TR, Levante, Cauc., C-As.
– **scilloides** (L. f.) Samp. · Perennial Centaury | ⊙ ⊙ ♃ △ VII-IX; Eur.: Ib, F, BrI
– **spicatum** (L.) Fritsch · Ähriges Tausendgüldenktaut ; Eur.: Ib, Fr, Ap, Ba, E-Eur.; TR, Levante, Iraq, Cauc., Iran, Afgh., C-As., N-Afr.
– *umbellatum* Gilib. = Centaurium erythraea

Centella L. -f- *Apiaceae*
– **asiatica** (L.) Urb. · Indian Pennywort | ♃ Ⓚ ~ Ⓝ; ? Afr.

Centradenia G. Don -f- *Melastomataceae*
– **floribunda** Planch. | ♄ Ⓦ II-VI; Guat.
– **grandifolia** (Schltdl.) Endl. | ♄ Ⓦ XI-XII; S-Mex., Guat.
– **inaequilateralis** (Schltdl. et Cham.) G. Don | ♄ Ⓦ XI-I; Mex.
– *rosea* Lindl. = Centradenia inaequilateralis

Centranthus Lam. et DC. -m- *Valerianaceae* · Spornblume
– **angustifolius** (Mill.) DC. · Schmalblättrige Spornblume | ♃ VI-VII ∧; Eur.: F, CH, I
– **calcitrapae** (L.) Dufr. | ⊙ VII-VIII; Eur.: Ib, Fr, Ap, Ba, Krim; TR, Cyprus, Madeira, Canar., NW-Afr.
– **macrosiphon** Boiss. | ⊙ V-VIII; Eur.: S-Sp.; Alger., nat. in I
– **ruber** (L.) DC. · Rote Spornblume · Valerian · Lilas d'Espagne, Valériane rouge | ♃ V-VII; Eur.: Ib, Fr, Ap, Ba; NW-TR, Syr., NW-Afr., nat. in BrI, Me, Krim

Centropogon C. Presl -m- *Campanulaceae*
– **cornutus** (L.) Druce | ♄ Ⓦ ≹ XII-II; C-Am., trop. S-Am.
– × **lucyanus** Houllet (*C. fastuosus* × *Siphocamylus betulifolius ?*) | ♄ Ⓦ XII-II
– *surinamensis* C. Presl = Centropogon cornutus

Centrosema (DC.) Benth. -n- *Fabaceae*
– **plumieri** (Turpin ex Pers.) Benth. | ♃ Ⓝ; trop. Am., nat. in trop. As., Afr.
– **pubescens** Benth. | ♃ Ⓝ; trop. Am.
– **virginianum** (L.) Benth. · Butterfly Pea | ♃ Ⓚ ≹ VII-VIII; USA: NE, SE, Fla., SC; trop. S-Am., nat. in trop. Afr.

Centrosolenia = Episcia Mart.
– *bullata* Lem. = Nautilocalyx bullatus
– *picta* Hook. = Nautilocalyx pictus

Cephaelis = Psychotria L.
– *acuminata* G. Karst. = Psychotria acuminata
– *ipecacuanha* (Brot.) Tussac = Psychotria ipecacuanha

Cephalandra = Coccinia Wight et Arn.
– *indica* (Wight et Arn.) Naudin = Coccinia grandis

Cephalanthera Rich. -f- *Orchidaceae* · Waldvöglein

- *alba* (Crantz) Simonk. = Cephalanthera damasonium
- **damasonium** (Mill.) Druce · Bleiches Waldvögelein · White Helleborine | ♃ V-VI ▽ ✻; Eur.*, TR, Cauc., N-Iran, N-As., Alger.
- *ensifolia* (Sw.) Rich. = Cephalanthera longifolia
- *grandiflora* Gray = Cephalanthera damasonium
- **longifolia** (L.) Fritsch · Langblättriges Waldvögelein | ♃ V-VI ▽ ✻; Eur.*, TR, lebanon, Cauc., Iran, Him., C-As., E-As.
- *pallens* (Sw.) Rich. = Cephalanthera damasonium
- **rubra** (L.) Rich. · Rotes Waldvögelein · Red Helleborine | ♃ VI-VII ▽ ✻; Eur.*, TR, Cyprus, Cauc., NW-Iran, Maroc.

Cephalanthus L. -m- *Rubiaceae* · Knopfbusch
- **occidentalis** L. · Kopfbusch · Button Bush, Button Willow | ♄ VII-VIII; Can.: E; USA: NE, NCE, SE, Fla., SC, SW, Calif.; Mex. W.Ind.

Cephalaria Schrad.ex Roem. et Schult. -f- *Dipsacaceae* · Schuppenkopf
- **alpina** (L.) Schrad. ex Roem. et Schult. · Alpen-Schuppenkopf · Alpine Scabious | ♃ VII-VIII; Eur.: I, C-Eur.; Alp., Jura, Apenn.
- *boetica* Boiss. – Cephalaria leucantha
- **gigantea** (Ledeb.) Bobrov | ♃ VII-VIII; Cauc.
- **leucantha** (L.) Schrad. ex Roem. et Schult. | ♄ VII-VIII; Eur.: Ib, Fr, Ap, Ba; Maroc., Alger.
- **radiata** Griseb. et Schenk · Strahlender Schuppenkopf | ♃; Eur.: RO; mts.
- **syriaca** (L.) Schrad. ex Roem. et Schult. · Orientalischer Schuppenkopf | ☉ Ⓝ; Cauc., Iran, Afgh., C-As., nat. in F, I
- *tatarica* hort. non (L.) Roem. et Schult. = Cephalaria gigantea
- **transsylvanica** (L.) Roem. et Schult. · Siebenbürger Schuppenkopf | VII-VIII; Eur.: Fr, Ap, EC-Eur., Ba, E-Eur.; TR, Cauc., Iran, nat. in A

Cephalipterum A. Gray -n- *Asteraceae*
- **drummondii** A. Gray | ♄ Ⓚ ✂; W-Austr., S-Austr.

Cephalocereus Pfeiff. -m- *Cactaceae*
- *blossfeldiorum* Werderm. = Espostoa blossfeldiorum
- *dybowskii* (Rol.-Goss.) Britton et Rose = Austrocephalocereus dybowskii
- *glaucescens* (Labour.) Borg = Pilosocereus glaucescens
- *guentheri* Kupper = Espostoa guentheri
- *lehmannianus* Werderm. = Austrocephalocereus lehmannianus
- *leucostele* (Gürke) Britton et Rose = Stephanocereus leucostele
- *melanostele* Vaupel = Espostoa melanostele
- *palmeri* Rose = Pilosocereus leucocephalus
- *pentaedrophorus* (Labour.) Britton et Rose = Pilosocereus pentaedrophorus
- *polyanthus* Werderm. = Micranthocereus polyanthus
- *purpureus* Gürke = Austrocephalocereus purpureus
- **senilis** (Haw.) Pfeiff. · Old Man Cactus | ψ Ⓦ ✻; C-Mex.

Cephalocleistocactus = Cleistocactus Lem.
- *ritteri* (Backeb.) Backeb. = Cleistocactus ritteri

Cephalophyllum (Haw.) N.E. Br. -n- *Aizoaceae*
- **decipiens** (Haw.) L. Bolus | ♃ Ⓚ; Kap
- **subulatoides** (Haw.) N.E. Br. | ♃ Ⓚ; Kap
- **tricolorum** (Haw.) N.E. Br. | ♃ Ⓚ; Kap

Cephalotaxus Siebold et Zucc. -f- *Cephalotaxaceae* · Kopfeibe
- *drupacea* Siebold et Zucc. = Cephalotaxus harringtonia var. drupacea
- **fortunei** Hook. · Chinesische Kopfeibe · Chinese Plum Yew | ♄; C-China
- **harringtonia** (Knight ex J. Forbes) K. Koch · Harringtons Kopfeibe · Japanese Plum Yew ; China, Korea, Jap.
  - var. **drupacea** (Siebold et Zucc.) Koidz. · Plum Yew | ♄ Ⓝ; Jap., C-China
- *pedunculata* Siebold et Zucc. = Cephalotaxus harringtonia

Cephalotus Labill. -m- *Cephalotaceae*
- **follicularis** Labill. · Australian Flycatcher Plant | ♃ Ⓦ Ⓚ ✻; W-Austr.

Cerastium L. -n- *Caryophyllaceae* · Hornkraut

- **alpinum** L. · Alpen-Hornkraut · Alpine Mouse Ear | ♃ VII-VIII; Eur.*; N, mts.; Canar., Greenl.
  - subsp. **lanatum** (Lam.) Asch. et Graebn. | ♃ △ VI-VIII; Eur.*; N, mts.; N-As., China, N-Am., Greenl.
- **arvense** L. · Acker-Hornkraut · Céraiste des champs | ♃ △ IV-V; Eur.*, Cauc., W-Sib., E-Sib., Amur, C-As., Mong., N-China, Maroc., nat. in N-Am.
- **biebersteinii** DC. | ♃ ⁓→ V-VI; Krim
- **brachypetalum** Desp. ex Pers. · Bärtiges Hornkraut, Kleinblütiges Hornkraut | IV-VI; Eur.*, TR, Levante, Maroc., Alger.
- **candidissimum** Correns | ♃ ⁓→ V-VI; GR
- **carinthiacum** Vest · Kärntner Hornkraut | ♃ VI-IX; Eur.: CH, I, A, Slove.; E-Alp.
  - subsp. **austroalpinum** (Kunz) Kunz · Südalpines Hornkraut | ♃ VI-IX; Eur.: CH, A
- **cerastoides** (L.) Britton · Dreigriffeliges Hornkraut | ♃ VII-VIII; Eur.*, TR, Levante, Cauc., Iran, W-Sib., E-Sib., C-As., Him., Mong., Maroc., N-am., Greenl.
- *columnae* Ten. = Cerastium tomentosum var. columnae
- **diffusum** Pers. · Viermänniges Hornkraut | III-VI; Eur.*, NW-TR, Maroc., Alger., Libya
  - subsp. **subtetrandrum** (Lange) P.D. Sell et Whitehead · Fünfmänniges Hornkraut | III-V; Eur.: A, H, EC-Eur., S-Sweden
- **dubium** (Bastard) Guépin · Klebriges Hornkraut | IV-VI; Eur.* exc. BrI, Sc; TR, Levante, Alger.
- **fontanum** Baumg. · Quellen-Hornkraut | ♃ IV-VI; Eur.*, TR, Maroc., Tun.
- **glomeratum** Thuill. · Knäuel-Hornkraut | III-IX; Eur.*, TR, Levante, Cauc., C-As., NW-Afr., Libya, N-Am., S-Am., S-Afr., Austr.
- **glutinosum** Fr. · Bleiches Hornkraut | III-V; Eur.*, TR, Cauc., Maroc.
- **grandiflorum** Waldst. et Kit. | ♃ △ VII-VIII; Eur.: Croatia, Bosn., Montenegro, YU, , AL
- **holosteoides** Fr. · Gewöhnliches Hornkraut | ♃ III-VI; Eur.*, TR, Maroc., Tun., nat. in cosmop.
- **julicum** Schellm. · Julisches Hornkraut | ♃ V-VII; Eur.: A, Slove.; SE-Alp.
- *lanatum* Lam. = Cerastium alpinum subsp. lanatum
- **latifolium** L. · Breitblättriges Hornkraut | ♃ VII-VIII; Eur.: F, I, C-Eur., EC-Eur., RO; Alp., Appen., Carp.
- **ligusticum** Viv. · Ligurisches Hornkraut | ⊙ IV-V; Eur.: Ap, Ba, ? F; TR
- **lucorum** (Schur) Möschl · Großfrüchtiges Hornkraut | ♃ IV-VI; N-Sp. to C-Eur.
- **pedunculatum** Gaudin · Langstieliges Hornkraut | ♃ VII-VIII; Eur.: F, I, D, A; Alp.
- **pumilum** Curtis · Niedriges Hornkraut | III-V; Eur.*, TR, Cauc., Iran, Maroc., Tun.
- *repens* M. Bieb. non L. = Cerastium biebersteinii
- **semidecandrum** L. · Sand-Hornkraut | III-V; Eur.*, TR, Cyprus, Cauc., N-Iran
- **siculum** Guss. · Sizilianisches Hornkraut ; Eur.: Balear., F, I, ? Sp.
- **sylvaticum** Waldst. et Kit. · Wald-Hornkraut | ♃ VI-VII; Eur.: I, A, EC-Eur., Ba, E-Eur.
- **tenoreanum** Ser. · Tenores Hornkraut | IV-V; CH, A, S-Eur.
- **tomentosum** L. · Filziges Hornkraut · Snow-in-Summer · Céraiste feutré, Céraiste laineux | ♃ V-VII; Eur.: I, Sic.; Apenn., nat. in BrI, Sc, C-Eur., EC-Eur.
  - var. **columnae** (Ten.) Arcang. | ♃ ⁓→ △ V-VI; S-I
- **uniflorum** Clairv. · Einblütiges Hornkraut | ♃ VII-VIII; Eur.: I, C-Eur., EC-Eur., Slove., Bosn., Serb.; Alp., Carp., Bosn., Serb.
- *villosum* Baumg. = Cerastium alpinum subsp. lanatum

Ceratocapnos Durieu -f- *Fumariaceae*
- **claviculata** (L.) Lidén · Rankender Lerchensporn | VI-IX; Eur.: Sc, BrI, Fr, D, Ib

Ceratocephala Moench -f- *Ranunculaceae*
- **falcata** (L.) Pers. · Sichelfrüchtiges Hornköpfchen | III-V; Eur.: Ib, Fr, Ap, Ba, E-Eur., ? H; TR, Cyprus, Cauc., Iran, C-As., Him., NW-Afr.
- **testiculata** (Crantz) Roth · Geradfrüchtiges Hornköpfchen | III-V; Eur.: A, EC-Eur., Ba, E-Eur.; TR, Cauc., Iran, Afgh., Pakist., Sib., Maroc., Alger.

Ceratonia L. -f- *Caesalpiniaceae* ·

Johannisbrotbaum
– **siliqua** L. · Carob | ♄ ♄ Ⓚ Off. Ⓝ; Eur.: Ib, Fr, Ap, Ba; TR, Levante, Arab., NW-Afr., Libya

Ceratopetalum Sm. -n- *Cunoniaceae*
– **gummiferum** Sm. | ♄ ♄; Austr.: Queensl., N.S.Wales

Ceratophyllum L. -n- *Ceratophyllaceae* · Hornblatt
– **demersum** L. · Raues Hornblatt · Coon's Tail, Hornwort · Cératophylle émergé | ♃ Ⓚ ♠ VI-IX; Eur.*, TR, Cauc., W-Sib., E-Sib., N-Afr.
– **submersum** L. · Zartes Hornblatt · Soft Hornwort · Cératophylle submergé | ♃ Ⓚ ♠ VI-VIII; Eur.*, TR, Palaest., Cauc., W-Sib., C-As., Alger., Tun., Libya

Ceratopteris Brongn. -f- *Parkeriaceae* · Hornfarn
– **thalictroides** (L.) Brongn. · Wasserhornfarn · Water Fern | ♃; trop. Afr., Ind., Sri Lanka, Malay. Arch., S-Jap., Polyn., nat. in Jamaica

Ceratostigma Bunge -n- *Plumbaginaceae*
– **griffithii** C.B. Clarke | ♄; Tibet, Bhutan; Him.
– **plumbaginoides** Bunge · Kriechende Hornnarbe · Dwarf Plumbago, Leadwort · Dentelaire bleue | ♃ ♄ IX-X; W-China, nat. in NW-F, NW-I
– **willmottianum** Stapf · Willmotts Hornnarbe · Chinese Plumbago | ♄ IX-X ∧; Tibet, W-China

Ceratotheca Endl. -f- *Pedaliaceae*
– **sesamoides** Endl. | Ⓝ; W-Sudan, trop. Afr.
– **triloba** E. Mey. ex Bernh. | ⊙ Ⓚ D; S-Afr.

Ceratozamia Brongn. -f- *Zamiaceae*
– *longifolia* Miq. = Ceratozamia mexicana var. longifolia
– **mexicana** Brongn.; Mex.
  - var. **longifolia** (Miq.) J. Schust.
  - var. **miqueliana** (H. Wendl.) J. Schust.
– *miqueliana* H. Wendl. = Ceratozamia mexicana var. miqueliana
– *robusta* Miq. = Ceratozamia mexicana var. longifolia

Cerbera L. -f- *Apocynaceae*
– **manghas** L. · Bentan, Bintaru | ♄ ♄ Ⓦ ✂ ☠; Ind., Sri Lanka, China, Malay. Arch., Austr., Pacific Is.
– *odollam* Gaertn. = Cerbera manghas
– **tanghin** Hook. | ♄ Ⓦ ☠; Madag.
– *venenifera* Steud. = Cerbera tanghin

Cercidiphyllum Siebold et Zucc. -n- *Cercidiphyllaceae* · Katsurabaum
– **japonicum** Siebold et Zucc. · Katsura, Kuchenbaum · Katsura Tree ; W-China, C-China, Jap.
  - var. **magnificum** Nakai | ♄ IV-V; Jap.
  - var. **sinense** Rehder et E.H. Wilson | ♄ III-IV; C-China, W-China

Cercis L. -f- *Caesalpiniaceae* · Judasbaum
– **canadensis** L. · Kanadischer Judasbaum · Eastern Redbud, Redbud | ♄ IV-V; Ont., USA: NE, NCE, NC, SC, SE, Fla.; Mex.
– **chinensis** Bunge · Chinesischer Judasbaum · Chinese Redbud | ♄ ♄ V; C-China
– **griffithii** Boiss. | ♄ ♄; Iran, Afgh., C-As
– **siliquastrum** L. · Gewöhnlicher Judasbaum · Judas Tree · Arbre de Judée | ♄ IV-V Ⓝ; Eur.: Fr, Ap, Ba; TR, Syr., Palaest., nat. in Ib, Krim

Cercocarpus Kunth -m- *Rosaceae* · Bergmahagoni
– *betuloides* Nutt. ex Torr. et A. Gray = Cercocarpus montanus var. glaber
– *intricatus* S. Watson = Cercocarpus ledifolius var. intricatus
– **ledifolius** Nutt. ex Torr. et A. Gray · Mountain Mahogany | ♄ ♄ Ⓚ Ⓝ; USA: NW, Calif., Rocky Mts, SW; Mex.: Baja Calif.
  - var. **intricatus** (S. Watson) M.E. Jones · Little Mountain Mahogany
– **montanus** Raf. · Bergmahagoni · Mountain Mahogany | ♄ ∧; USA: NW, Rocky Mts., Calif., SW; Baja Calif.; N-Mex.
  - var. **glaber** (S. Watson) F.L. Martin | ♄ ♄ ∧; USA: NW, Calif., SW; Baja Calif.
– *parvifolius* Nutt. ex Hook. et Arn. = Cercocarpus montanus

Cereus Mill. -m- *Cactaceae* · Säulenkaktus
– *acranthus* Vaupel = Haageocereus limensis

– **aethiops** Haw. | Ψ ⓚ ✻; Arg.
– **alacriportanus** Pfeiff. | Ψ ⓚ ✻; S-Bras., Parag., Urug.
– *anguinus* Gürke = Cleistocactus anguinus
– *areolatus* Muehlenpf. = Cleistocactus areolatus
– *aureus* Meyen non Salm-Dyck = Corryocactus aureus
– **azureus** Parm. ex Pfeiff. | Ψ ⓚ ✻; Bras.
– *baumannii* Lem. = Cleistocactus baumannii
– *beneckei* Ehrenb. = Stenocereus beneckei
– *brachypetalus* Vaupel = Corryocactus brachypetalus
– *brevistylus* K. Schum. ex Vaupel = Corryocactus brevistylus
– **caesius** Salm-Dyck ex Pfeiff. | Ψ ⓚ ✻; ? Bras.
– **chalybaeus** Otto ex C.F. Först. | Ψ ⓚ ✻; Urug., N-Arg.
– *chende* (Rol.-Goss.) Backeb. = Heliabravoa chende
– *chichipe* Rol.-Goss. = Polaskia chichipe
– *chlorocarpus* (Humb., Bonpl. et Kunth) DC. = Browningia chlorocarpa
– *chosicensis* Werderm. et Backeb. = Haageocereus chosicensis
– *cinnabarinus* Eichlam = Heliocereus cinnabarinus
– *coccineus* Salm-Dyck non DC. = Heliocereus coccineus
– *coerulescens* Salm-Dyck = Cereus aethiops
– *coryne* Salm-Dyck = Stetsonia coryne
– *damazioi* K. Schum. ex Weing. = Arthrocereus microsphaericus
– **dayamii** Spegg. | Ψ ⓚ ✻; Arg.
– *decumbens* Vaupel = Haageocereus decumbens
– *dumortieri* Scheidw. = Stenocereus dumortieri
– *dybowskii* Rol.-Goss. = Austrocephalocereus dybowskii
– *elegantissimus* (Britton et Rose) Berger = Heliocereus coccineus
– *emoryi* Engelm. = Bergerocactus emoryi
– *flagelliformis* (L.) Mill. = Aporocactus flagelliformis
– *flagriformis* Pfeiff. = Aporocactus flagelliformis
– *fluminensis* Miq. = Coleocephalocereus fluminensis
– **forbesii** Otto | Ψ ⓚ ✻; E-Bol., Arg.
– *giganteus* Engelm. = Carnegiea gigantea
– *grandiflorus* (L.) Mill. = Selenicereus grandiflorus
– *greggii* Engelm. = Peniocereus greggii
– **hexagonus** (L.) Mill. | Ψ ⓚ ✻; Venez., Surinam
– **huntingtonianus** Weing. | Ψ ⓚ ✻; ? Arg.
– *ianthothele* Monv. = Pfeiffera ianthothele
– *jalapensis* Vaupel = Selenicereus pringlei
– **jamacaru** DC. | Ψ ⓚ ✻; Bras.
  - **'Monstrosus'** | Ψ ⓚ
– *lepidotus* Salm-Dyck = Cereus hexagonus
– *leptophis* DC. = Aporocactus flagelliformis
– *limensis* Salm-Dyck = Haageocereus limensis
– *macdonaldiae* Hook. = Selenicereus macdonaldiae
– *marginatus* DC. = Stenocereus marginatus
– *martianus* Zucc. = Aporocactus martianus
– *melanostele* (Vaupel) Berger = Espostoa melanostele
– *melanotrichus* K. Schum. = Corryocactus melanotrichus
– *microspermus* Werderm. et Backeb. = Browningia microsperma
– *microsphaericus* K. Schum. = Arthrocereus microsphaericus
– *neotetragonus* Backeb. = Cereus pernambucensis
– *nycticalus* Link = Selenicereus pteranthus
– **pernambucensis** Lem. | Ψ ⓚ ✻; Bras.
– **peruvianus** (L.) Mill. · Peruvian Cactus | Ψ ⓚ ✻; ? S-Am., nat. in SE-F
  - **'Monstrosus'** | Ψ ⓚ
– *pterogonus* Lem. = Deamia testudo
– *queretaroensis* F.A.C. Weber = Stenocereus queretaroensis
– *roezlii* Haage = Borzicactus roezlii
– *rostratus* Lem. = Selenicereus hamatus
– *schottii* Engelm. = Lophocereus schottii
– *schrankii* Zucc. = Heliocereus schrankii
– *sericatus* Backeb. = Espostoa lanata
– *silvestrii* Speg. = Lobivia silvestrii
– *spachianus* Lem. = Trichocereus spachianus
– *speciosissimus* (Desf.) DC. = Heliocereus speciosus
– *speciosus* (Cav.) K. Schum. = Heliocereus speciosus
– **stenogonus** K. Schum. | Ψ ⓚ ✻; E-Bol., Parag., N-Arg.
– *striatus* K. Brandegee = Peniocereus striatus

- *tetragonus* (Willd.) Haw. non Mill. = Cereus pernambucensis
- *thurberi* Engelm. = Stenocereus thurberi
- *triangularis* hort. non (L.) Haw. = Hylocereus undatus
- *validus* Haw. = Cereus forbesii
- *versicolor* Werderm. et Backeb. = Haageocereus versicolor
- *viperinus* F.A.C. Weber = Peniocereus viperinus
- *weberbaueri* Vaupel = Weberbauerocereus weberbaueri
- **xanthocarpus** K. Schum. | ♆ Ⓚ ✻; Parag.

Cerinthe L. -f- *Boraginaceae* · Wachsblume
- *alpina* Kit. ex Schult. = Cerinthe glabra
- **glabra** Mill. · Alpen-Wachsblume · Smooth Honeywort | ♃ △ V-VII; Eur.: Fr, Ap, C-Eur., EC-Eur., Ba, RO; TR; mts.
- **major** L. · Große Wachsblume · Honeywort | ⊙ VI-VII; Eur.: Ib, Fr, Ap, Ba; TR, Syr., Palaest., N-Afr.
- **minor** L. · Kleine Wachsblume | ♃ ⊙ V-VII; Eur.: EC-Eur., Fr, Ap, E-Eur., C-Eur.Ba; TR, Iraq, Cauc., Iran

Ceriops Arn. -f- *Rhizophoraceae*
- **candolleana** Arn. | ₺ ♄ Ⓝ; Trop.

Ceropegia L. -f- *Asclepiadaceae* · Leuchterblume
- **africana** R. Br. | ♃ ♆ Ⓚ ≹ ✻; S-Afr.: Kap, Natal
- **barkleyi** Hook. f. | ♃ ♆ Ⓚ ≹ ≹ ✻; S-Afr.: Natal
- **bulbosa** Roxb. | ♃ ♆ Ⓦ ≹ ✻; Ind.
  - var. *esculenta* (Edgew.) Hook. f. = Ceropegia bulbosa
  - var. *lushii* (Graham) Hook. f. = Ceropegia bulbosa
- *caffrorum* Schltr. = Ceropegia linearis
- **crassifolia** Schltr. | ♃ ♆ Ⓚ ≹ ✻; Namibia, S-Afr.
- **cumingiana** Decne. | ♃ ♆ Ⓦ ≹ VI-VIII ✻; Malay. Arch., Phil., N.Guinea, trop. Austr.
- *debilis* N.E. Br. = Ceropegia linearis subsp. debilis
- **dichotoma** Haw. | ♄ ♆ Ⓚ VII-X ✻; Canar.
- **distincta** N.E. Br.; Zanzibar
  - subsp. *haygarthii* (Schltr.) H. Huber = Ceropegia haygarthii
  - subsp. *lugardae* (N.E. Br.) H. Huber = Ceropegia lugardae
- **elegans** Wall.; Sri Lanka, nat. in Cambodia
  - var. **gardneri** (Thwaites ex Hook.) H. Huber
- **fusca** Bolle | ♄ ♆ Ⓚ VII-X ✻; Canar.
- *gardneri* Thwaites ex Hook. = Ceropegia elegans var. gardneri
- *hastata* N.E. Br. = Ceropegia linearis subsp. woodii
- **haygarthii** Schltr. | ♄ ♆ Ⓚ ≹ ✻; S-Afr.: Kap, Natal, Transvaal
- **linearis** E. Mey. | ♃ ♆ Ⓦ Ⓚ ≹ ≹ I-XII ✻; Mozamb., S-Afr.: Natal
  - subsp. **debilis** (N.E. Br.) H. Huber
  - subsp. **tenuis** (N.E. Br.) Bruyns
  - subsp. **woodii** (Schltr.) H. Huber · Rosary Vine ; Kap, Zimbabwe
- **lugardae** N.E. Br. | ♄ ♆ Ⓚ ≹ VI-VIII ✻; E-Afr., trop. S-Afr.
- *lushii* Graham = Ceropegia bulbosa
- **radicans** Schltr. | ♃ ♆ Ⓚ ⟿ VI-VIII ✻; Kap
- **robynsiana** Werderm. | ♃ ♆ Ⓦ ≹ V-VIII ✻; Zaire
- **sandersonii** Decne. ex Hook. f. · Fountain Flower, Parachute Plant | ♃ ♆ Ⓚ ≹ VII-XI ✻; Mozamb., S-Afr.: Natal, Transvaal
- **stapeliiformis** Haw. | ♃ ♆ Ⓚ ≹ VII-X ✻; S-Afr.: Kap, Transvaal
- *thorncroftii* N.E. Br. = Ceropegia crassifolia
- *woodii* Schltr. = Ceropegia linearis subsp. woodii

Ceroxylon Bonpl. ex DC. -n- *Arecaceae* · Wachspalme
- **alpinum** Bonpl. ex DC. | ₺ Ⓦ Ⓝ; Col.

Cestrum L. -n- *Solanaceae* · Hammerstrauch
- **aurantiacum** Lindl. · Orange Cestrum | ₺ Ⓚ VII-XI; Guat.
- **diurnum** L. | ₺ Ⓦ D VIII-X; W.Ind.
- **elegans** (Brongn. ex Neuman) Schltdl. · Red Cestrum | ₺ Ⓚ IV-IX; Mex.
  - **'Smithii'** | ₺
  - var. **longiflorum** Francey | ₺
- **fasciculatum** (Endl.) Miers | ₺ Ⓚ IV-V; Mex.
  - **'Newellii'** (*? × C. elegans × C. fasciculatum*) | ₺ Ⓚ V-IX; cult.

– × *newellii* hort. = Cestrum fasciculatum 'Newellii'
– **nocturnum** L. | ♄; W.Ind.
– **parqui** L'Hér. · Willow Leafed Jessamine | ♄ Ⓚ VI-VII ☠; Chile, nat. in S-Eur.
– *purpureum* (Lindl.) Standl. = Cestrum elegans

Ceterach Willd. -n- *Aspleniaceae* · Schriftfarn
– *officinarum* DC. = Asplenium ceterach

Chaenactis DC. -f- *Asteraceae*
– **artemisiifolia** (Harv. et A. Gray) A. Gray | ⊙ VII-VIII; S-Calif.
– **glabriuscula** DC. · Yellow Pincushion ; Calif.
  - var. **tenuifolia** (Nutt.) H.M. Hall | ⊙ VII-VIII; S-Calif.
– *tenuifolia* Nutt. = Chaenactis glabriuscula var. tenuifolia

Chaenomeles Lindl. -f- *Rosaceae*
– × **californica** Weber (*C. cathayensis* × *C.* × *superba*)
– **cathayensis** (Hemsl.) C.K. Schneid. · Chinese Flowering Quince | ♄ III-IV; C-China
  - var. **wilsonii** Rehder | ♄ III-IV; C-China
– **japonica** (Thunb.) Lindl. ex Spach · Japanische Scheinquitte · Japanese Quince, Japonica · Cognassier du Japon | ♄ IV Ⓝ; Jap.
  - var. **alpina** Maxim. | ♄ III-IV
– *lagenaria* (Loiseaux) Koidz. = Chaenomeles speciosa
– *sinensis* (Dum.-Cours.) C.K. Schneid. = Pseudocydonia sinensis
– **speciosa** (Sweet) Nakai · Chinesische Scheinquitte · Flowering Quince | ♄ V-VI; China, nat. in Jap.
– × **superba** (Frahm) Rehder (*C. japonica* × *C. speciosa*) · Flowering Quince | ♄ III-IV; cult.
– × **vilmoriana** Weber (*C. cathayensis* × *C. speciosa*)

Chaenorhinum (DC.) Rchb. -n- *Scrophulariaceae*
– *crassifolium* (Cav.) Lange = Chaenorhinum origanifolium subsp. crassifolium
– **glareosum** (Boiss.) Willk.; S-Sp. (Sierra Nevada, Sierra Tejeda)
– **minus** (L.) Lange · Gewöhnlicher Klaffmund, Kleiner Orant | X-VI; Eur.*, TR, Lebanon, Cauc., C-As., NW-Afr.
  - subsp. **litorale** (Willd.) Hayek · Strand-Klaffmund | V-IX; Eur.: Adria, nat. in A (Kärnten, Steiermark)
– **origanifolium** (L.) Kostel.
  - subsp. **crassifolium** (L.) Lange
– **villosum** (L.) Lange; S-Sp., SW-F, NW-Afr.

Chaenostoma = Sutera Roth
– *grandiflorum* (Galpin) L.H. Bailey = Sutera grandiflora
– *hispidum* (Thunb.) Benth. = Sutera hispida
– *polyanthum* Benth. = Sutera polyantha

Chaerophyllum L. -n- *Apiaceae*
– **aromaticum** L. · Gewürz-Kälberkropf | ♃ VII-VIII; Eur.: Ap, C-Eur., EC-Eur., Ba, E-Eur.
– **aureum** L. · Gold-Kälberkropf | ♃ VI-VII; Eur.: Ib, Fr, Ap, C-Eur., E-Eur., Ba; TR, Cauc., N-Iran
– **bulbosum** L. · Knolliger Kälberkropf | ⊙ VI-VII Ⓝ; Eur.* exc. Ib, BrI; Cauc., C-As., nat. in N-Am.
– **elegans** Gaudin · Zierlicher Kälberkropf | ♃ VI-VIII; Eur.: I, CH, A; Alp.
– **hirsutum** L. · Rauhaariger Kälberkropf · Hairy Chervil | ♃ V-VIII; Eur.* exc. BrI, Sc, nat. in DK
  - subsp. **villarsii** (W.D.J. Koch) Briq. · Villars Kälberkropf | ♃ V-VI; Eur.: I, F, C-Eur., Slove., Croatia, AL
– *sativum* Lam. = Anthriscus cerefolium
– *temulentum* L. = Chaerophyllum temulum
– **temulum** L. · Hecken-Kälberkropf, Taumel-Kälberkropf · Chervil, Rough Chervil | ⊙ ⊙ V-VII ☠; Eur.*, TR, Cauc., NW-Afr.
– *trichospermum* Schult. non Lam. = Anthriscus cerefolium subsp. trichospermus

Chamaeanthus Schltr. ex J.J. Sm. -m- *Orchidaceae*
– *wittianus* Ule = Geogenanthus poeppigii

Chamaebatia Benth. -f- *Rosaceae* · Fiederspiere
– **foliolosa** Benth. · Sierran Mountain Misery | ♄ Ⓚ VII ∧; Calif.

Chamaebatiaria (Porter) Maxim. -f- *Rosaceae*
- **millefolium** (Torr.) Maxim. · Harzspiere · Fernbush | ♄ Ⓚ VII-VIII ∧; USA: NW, Rocky Mts, Calif., SW

Chamaebuxus = Polygala L.
- *alpestris* Spach = Polygala chamaebuxus
- *vayredae* (Costa) Willk. = Polygala vayredae

Chamaecereus = Lobivia Britton et Rose
- *silvestrii* (Speg.) Britton et Rose = Lobivia silvestrii

Chamaecistus = Loiseleuria Desv.
- *procumbens* (L.) Kuntze = Loiseleuria procumbens

Chamaecrista Moench -f- *Caesalpiniaceae*
- **cotinifolia** (G. Don) H.S. Irwin et Barneby | ♄ Ⓚ ⋊; Bras.

Chamaecyparis Spach -f- *Cupressaceae* · Scheinzypresse
- **funebris** (Endl.) Franco · Chinese Weeping Cypress, Mourning Cypress | ♄ Ⓚ Ⓝ; China: Yunnan, Hupeh, Kiangsi, Anwhei, Tschekiang
- **lawsoniana** (A. Murray) Parl. · Lawsons Scheinzypresse · Lawson's Cypress · Cyprès de Lawson | ♄ ♄ III-IV Ⓝ; USA: S-Oreg., N-Calif., nat. in Eur.
- **nootkatensis** (D. Don) Spach · Nutka-Scheinzypresse · Nootka Cypress · Cyprès de Nootka, Cyprès pleureur de l'Alaska | ♄ ♄ III-VI Ⓝ; Alaska, Can.: B.C.; USA: NW, Calif.
- *nutkaensis* Lindl. et Gordon = Chamaecyparis nootkatensis
- **obtusa** (Siebold et Zucc.) Endl. · Feuer-Scheinzypresse, Hinoki-Scheinzypresse · Hinoki Cypress · Cyprès nain | ♄ III-IV Ⓝ; Jap., Taiwan
- **pisifera** (Siebold et Zucc.) Endl. · Erbsenfrüchtige Scheinzypresse · Sawara Cypress · Cyprès porte-pois | ♄ ♄ III-IV Ⓝ; Jap.
- *sphaeroidea* Spach = Chamaecyparis thyoides
- **thyoides** (L.) Britton, Stearn et Poggenb. · Weiße Scheinzypresse · White Cedar, White Cypress · Cyprès blanc | ♄ IV Ⓝ; USA: NE, SE, Fla.

Chamaecytisus Link -m- *Fabaceae*
- **albus** (Hacq.) Rothm. · Weißer Zwergginster | ♃ △ VI-VIII; Eur.: EC-Eur., Ba, E-Eur.
- **austriacus** (L.) Link · Österreichischer Zwergginster, Österreichischer Geißklee | ♄ △ VI-VIII; Eur.: EC-Eur., Ba, E-Eur.; Cauc.
- **ciliatus** (Wahlenb.) Rothm. | ♄; Eur.:A, EC-Eur., RO, BG
- **ericarpus** (Boiss.) Rothm. | ♄; Ba
- **glaber** (L. f.) Rothm. | ♄ V-VI; Eur.: YU, BG, RO
- **hirsutus** (L.) Link · Rauhaariger Zwergginster | ♄ IV-VI; Eur.: Fr, Ap, C-Eur., EC-Eur., Ba, E-Eur.; TR
- **proliferus** (L. f.) Link · Escabon | ♄ Ⓚ IV-V Ⓝ; Canar.
- **purpureus** (Scop.) Link · Purpur-Zwergginster · Purple Broom · Genêt pourpre | ♄ △ IV-VII ∧; Eur.: I, A, Slove., Croatia, AL, nat. in D
- **ratisbonensis** (Schaeff.) Rothm. · Regensburger Zwergginster | ⊙ ♄ V-VI; Eur.: C-Eur., EC-Eur., Ba, E-Eur.
- **ruthenicus** (Fisch. ex Wollosz.) Klásk. | ♄; PL, Russ.
- **supinus** (L.) Link · Kopf-Zwergginster · Clustered Broom | ♄ VI-VII; Eur.* exc. BrI, Sc; TR
- × **versicolor** Kirchn. (*C. hirsutus* × *C. purpureus*) | ♄ V-VI; cult.

Chamaedaphne Moench -f- *Ericaceae*
- **calyculata** (L.) Moench · Torfgränke · Leatherleaf | ♄ △ IV-V ☠; Eur.: Sc, PL, Russ.; N-As., Jap., Alaska, Can., USA: NE, SE, NCE
  - **'Angustifolia'**

Chamaedorea Willd. -f- *Arecaceae* · Bergpalme
- **arenbergiana** H. Wendl. | Ⓦ; C-Am.
- **concolor** Mart. | Ⓦ; Mex.
- *desmoncoides* H. Wendl. = Chamaedorea elatior
- **elatior** Mart. | Ⓦ; Mex., Guat.
- **elegans** Mart. · Parlour Palm | Ⓦ; Mex., Guat.
- **ernesti-augustii** H. Wendl. | Ⓦ; Mex., Guat., Hond.
- **erumpens** H.E. Moore · Bamboo Palm | Ⓦ; Guat., Belize
- **geonomiformis** H. Wendl. | Ⓦ; Belize, Hond.

- **glaucifolia** H. Wendl. | ⓦ; S-Mex.
- **graminifolia** H. Wendl. | ⓦ; Mex., Guat.
- **karwinskyana** H. Wendl. | ⓦ; Mex.
- **metallica** O.F. Cook ex H.E. Moore | ♄ ⓦ; Mex.
- *nana* hort. = Chamaedorea metallica
- **nana** N.E. Br.
- **oblongata** Mart. | ♄; E-Mex., C-Am.
- *pumila* hort. = Chamaedorea metallica
- **sartorii** Liebm. | ♄; Mex., C-Am.
- **seifrizii** Burret · Reed Palm | ⓦ; Mex. (Yucatan)
- **tenella** H. Wendl. | ⓦ; Mex.
- *tenella* hort. = Chamaedorea metallica
- **tepejilote** Liebm. | Ⓝ; S-Mex., C-Am.
- *wendlandiana* (Oerst.) Hemsl. = Chamaedorea tepejilote

Chamaelirium Willd. -n- *Melanthiaceae*
- **luteum** (L.) A. Gray · Fairywand | ♃; Can.: Ont.; USA: NE, NCE, SE, Fla.

Chamaemelum Mill. -n- *Asteraceae* · Kamille
- *inodorum* (L.) Vis. = Tripleurospermum perforatum
- **nobile** (L.) All. · Römische Kamille, Römische Kamile · Camomile | ♃ Off. X-VIII Ⓝ; Eur.: BrI, Fr, Ib, Azor.; Maroc., Alger., nat. in C-Eur., Ap, EC-Eur., BG
- *tchihatchewii* Boiss. = Tripleurospermum oreades var. tchihatchewii

Chamaenerion = Epilobium L.
- *angustifolium* (L.) Scop. = Epilobium angustifolium
- *dodonaei* (Vill.) Schur = Epilobium dodonaei
- *flescheri* (Hochst.) Fritsch = Epilobium fleischeri
- *palustre* auct. non (L.) Scop. = Epilobium dodonaei

Chamaepericlymenum = Cornus L.
- *canadense* Hill = Cornus canadensis
- *suecicum* Asch. et Graebn. = Cornus suecica

Chamaepeuce = Ptilostemon Cass.
- *afra* (Jacq.) DC. = Ptilostemon afer
- *casabonae* (L.) DC. = Ptilostemon casabonae

Chamaepitys = Ajuga L.
- *suffrutescens* (L.) DC. = Ajuga chamaepitys

Chamaeranthemum Nees -n- *Acanthaceae*
- **beyrichii** Nees | ♃ ⓦ; S-Bras.
- **gaudichaudii** Nees | ♃ ⓦ; Bras.
- *igneum* (Linden) Regel = Xantheranthemum igneum

Chamaerops L. -f- *Arecaceae* · Zwergpalme
- *excelsa* Mart. = Trachycarpus fortunei
- *fortunei* Hook. = Trachycarpus fortunei
- **humilis** L. · Mediteranean Fan Fern, Palmito | ♄ ⓚ Ⓝ; Eur.: Ib, F, Ap; N-Afr.
- *hystrix* Pursh = Rhapidophyllum hystrix

Chamaespartium = Genista L.
- **sagittale** (L.) P.E. Gibbs · Flügelginster, Gewöhnlicher Flügelginster · Arrow Broom, Winged Broom · Genêt ailé, Génistelle | ⊙ ⇝ V-VI; Eur.* exc. BrI, Sc
  - subsp. **delphinensis** (Verl.) Soják | ♄ ⇝ V-VI; S-F
  - var. *minor* DC. = Chamaespartium sagittale subsp. delphinensis

Chamaesyce = Euphorbia L.
- **humifusa** (Willd. ex Schltr.) Prokh. · Niederliegende Wolfsmilch | VI-IX; Eur.: Russ.; Cauc., W-Sib., E-Sib., Amur, C-As, Mong., China: Sinkiang, Jap., nat. in Fr, Ap, C-Eur., EC-Eur.RO
- **maculata** (L.) Small · Gefleckte Wolfsmilch | VI-IX; N-Am., nat. in Eur:: Ib, Fr, Ap, C-Eur., Ba, RO
- **nutans** (Lag.) Small · Nickende Wolfsmilch | VII-IX; N-Am., nat. in Eur:: Fr, Ap, C-Eur., Ba, RO
- **prostrata** (Aiton) Small · Hingestreckte Wolfsmilch | VI-IX; N-Am., nat. in Eur.: Ib, I, Sic., GR
- **serpens** (Kunth) Small · Schlängelnde Wolfsmilch ; Am., nat. in Sp., S-F

Chambeyronia Vieill. -f- *Arecaceae*
- **macrocarpa** (Brongn.) Vieill. ex Becc. | ♄ ⓦ; N. Caled.

Chamelaucium Desf. -n- *Myrtaceae*
- **uncinatum** Schauer · Geraldton Waxflower | ♄ ⓚ III-IV; W-Austr.

Chamerion = Epilobium L.
- *angustifolium* (L.) Holub = Epilobium

angustifolium
– *dodonaei* (Vill.) Holub = Epilobium dodonaei
– *fleischeri* (Hochst.) Holub = Epilobium fleischeri

Chamomilla = Matricaria L.
– *recutita* (L.) Rauschert = Matricaria recutita
– *suaveolens* (Pursh) Rydb. = Matricaria discoidea

Chamorchis Rich. -f- *Orchidaceae*
– **alpina** (L.) Rich. · Zwergorchis | ♃ VII-VIII; Eur.: Fr, Ap, C-Eur., EC-Eur., Slove., RO, N-Russ.; N, Alp., Carp.

Charieis = Felicia Cass.
– *heterophylla* Cass. = Felicia heterophylla

× **Charlesworthara** Hort. -f- *Orchidaceae* (*Cochlioda* × *Miltonia* × *Oncidium*)

Chartolepis = Centaurea L.
– *glastifolia* (L.) Cass. = Centaurea glastifolia

Chasmanthe N.E. Br. -f- *Iridaceae*
– **aethiopica** (L.) N.E. Br. · African Cornflag ; S-Kap
– **caffra** (Baker) N.E. Br.; S-Afr.: Kap, Natal

Chasmanthium Link -n- *Poaceae*
– **latifolium** (Michx.) Yates · Plattähren-Gras · Bamboo Grass, Sea Oats | ♃ ⋈ VIII; USA: NE, NCE, NC, SC, SE, Fla.

Chasmatophyllum (Schwantes) Dinter et Schwantes -n- *Aizoaceae*
– **musculinum** (Haw.) Dinter et Schwantes | ♃ ♆ Ⓚ; S-Afr.: Kap, Orange Free State, Namibia

Cheilanthes Sw. -f- *Adiantaceae*
– **acrostica** (Balb.) Tod. · Schuppenfarn | ♃ IV-VI; Eur.: Ib, Fr, Ap, Ba; TR, Levante, NW-Afr., Libya
– *fragrans* (L. f.) Sw. = Cheilanthes pteridioides
– **hirta** Sw. · Parsley Fern | ♃ Ⓚ; S-Afr.
– **marantae** (L.) Domin · Pelzfarn | ♃ Ⓚ Ⓐ V-VII ∧; Eur.: Ib, F, Ap, CH, A, EC-Eur., Ba, RO, Krim, Canar., Madeira; TR, Cauc., Him., Eth.
– **microphylla** Sw. · Southern Lip Fern | ♃ Ⓚ; Fla., Mex., C-Am., W.Ind., S-Am.
– **pteridioides** (Reichard) C. Chr. | ♃ Ⓚ ∧; Eur.: Ib, Fr, Ap, Ba; TR, Levante, Cauc., Iran, C-As., NW-Afr., Libya

Cheiranthus = Erysimum L.
– × *allionii* (DC.) Kuntze = Erysimum × allionii
– *cheiri* L. = Erysimum cheiri
– *maritimus* L. = Malcolmia maritima
– *scoparius* Brouss. ex Willd. = Erysimum scoparium

Cheiridopsis N.E. Br. -f- *Aizoaceae*
– *brevis* L. Bolus = Cheiridopsis cigarettifera
– **candidissima** (Haw.) N.E. Br. | ♃ ♆ Ⓚ; Kap
– **cigarettifera** (A. Berger) N.E. Br. | ♃ ♆ Ⓚ; Kap
– **gibbosa** Schick et Tischer | ♃ ♆ Ⓚ; Kap
– **marlothii** N.E. Br. | ♃ ♆ Ⓚ; Kap
– **pillansii** L. Bolus | ♃ ♆ Ⓚ; Kap
– **purpurea** (Salm-Dyck) N.E. Br. | ♃ ♆ Ⓚ; Kap

Chelidonium L. -n- *Papaveraceae* · Schöllkraut
– *franchetianum* Prain = Dicranostigma franchetianum
– **majus** L. · Schöllkraut · Greater Celandine | ☉ ♃ Off. X-IX ☠; Eur.*, TR, Cauc., W-Sib., C-As., Mong., Maroc., Alger., nat. in N-Am.
  - var. **laciniatum** (Mill.) Syme

Chelone L. -f- *Scrophulariaceae*
– *barbata* Cav. = Penstemon barbatus
– *campanulata* Cav. = Penstemon campanulatus
– **glabra** L. · Turtlehead · Galane en épis | ♃ VIII-X; Can.: E; USA; NE, NCE, SE
– **lyonii** Pursh | ♃ VII-IX; USA: Tenn., N.C., S.C., nat. in USA: NE
– **obliqua** L. · Schlangenkopf · Galane oblique | ♃ VII-IX; USA: NE, NCE, SE, Fla.
  - var. *alba* hort. = Chelone glabra

Chenopodium L. -n- *Chenopodiaceae* · Gänsefuß
– **album** L. · Weißer Gänsefuß · Fat Hen | ☉ X-IX Ⓝ; Eur.*, cosmop.
  - subsp. *amaranticolor* Coste et Reyn. =

Chenopodium giganteum
- *amaranticolor* (Coste et Reyn.) Coste et Reyn. = Chenopodium giganteum
- **ambrosioides** L. · Mexikanischer Tee, Wohlriechender Gänsefuß · Wormseed | ♃ VI-IX; trop. Am., nat. in C-Eur., S-Eur., Canar., N-Afr., Can.:E, USA*
  - var. **anthelminticum** (L.) A. Gray
- *anthelminticum* L. = Chenopodium ambrosioides var. anthelminticum
- *aristatum* L. = Teloxys aristata
- **berlandieri** Moq. · Berlandiers Gänsefuß | VII-IX; USA, Mex., nat. in Eur.
  - subsp. **nutalliae** Moq. | Ⓝ; Mex.
- **bonus-henricus** L. · Guter Heinrich · Good King Henry | ⊙ ♃ VI-VIII Ⓝ; Eur.*, nat. in N-Am.
- **botryoides** Sm. · Dickblättriger Gänsefuß, Dickblatt-Gänsefuß | X-VI; Eur.*, As., Afr., N-Am.; coasts, saline habitats
- **botrys** L. · Klebriger Gänsefuß · Jerusalem Oak | ⊙ ⋊ VII-VIII; Eur.: Ib, Fr, Ap, Ba, CH, EC-Eur., E-Eur.; TR, Cyprus, Syr., Cauc., Iran, W-Sib., C-As., Him., nat. in A, D, N-Am.
- **capitatum** (L.) Asch. · Kopfiger Erdbeerspinat · Strawberry Blite | ⊙ VI-VIII Ⓝ; cult. Eur.
- **ficifolium** Sm. · Feigenblättriger Gänsefuß | VI-IX; Eur.* exc. Sc; TR, Iran, W-Sib., E-Sib. , C-As., Him., Jap., Egypt, nat. in Sc
- **foliosum** Asch. · Durchblätterter Gänsefuß, Echter Erdbeerspinat | ⊙ VI-VIII Ⓝ; Eur.: Ib, Fr, C-Eur., Ba; TR, Cyprus, Syr., Cauc., N-Iran, C-As., Him., nat. in EC-Eur., E-Eur., S-Afr., N-Am.
- **giganteum** D. Don · Tree Spinach | ⊙ VII-VIII Ⓝ; N-Ind.
- **glaucum** L. · Graugrüner Gänsefuß | X-VII; Eur.*, Cauc., Iran, W-Sib., E-Sib. Amur, Sachal., Kamchat., C-As.
- **hircinum** Schrad. · Bocks-Gänsefuß | X-VIII; S-Am., nat. in Eur., S-Afr.
- **hybridum** L. · Bast, Stechapfelblättriger Gänsefuß, Unechter Gänsefuß · Sowbane | ⊙ VI-IX; Eur.* exc. BrI; TR, Cauc., W-Sib., O-Sib., Amur, C-As., Mong., Tibet, Him., Manch., China, Korea, nat. in N-Am.
- **murale** L. · Mauer-Gänsefuß · Australian Spinach | ⊙ VII-IX Ⓝ; Eur.*, TR, Levante, Cauc., Iran, C-As., Ind., N-Afr., nat. in N-Am., S-Am., Austr., NZ
- **nuttalliae** Saff. | Ⓝ, nat. in C-Mex., Ark., Mo
- **opulifolium** Schrad. ex W.D.J. Koch et Ziz · Schneeballblättriger Gänsefuß | VII-IX; Eur.* exc. BrI, Sc; TR, Cauc., Iran, W-Sib. C-As., N-Afr., nat. in Sc
- **pallidicaule** Aellen | Ⓝ; Peru, Bol., Chile
- **polyspermum** L. · Vielsamiger Gänsefuß | VII-IX; Eur., N-Afr., As.
- **pratericola** Rydb. · Schmalblättriger Gänsefuß | X-VIII; N-Am., nat. in Eur., S-Am.
- **probstii** Aellen · Probst-Gänsefuß | VIII-IX; Austr.: Queensl., S-Austr., nat. in Eur.
- **pumilio** R. Br. · Australischer Gänsefuß | VI-IX; Austr., Tasman., nat. in Eur.: Ib, B, D, F, N-Am., S-Afr., NZ
- **purpurascens** B. Juss. ex Jacq. | ⊙ VII-VIII; China
- **quinoa** Willd. · Quinoa, Reismelde · Quinoa | ⊙ VI-VIII Ⓝ; Col, Ecuad., Peru, Chile, Arg.
- **rubrum** L. · Roter Gänsefuß | VII-IX; Eur.*, Levante, Cauc., W-Sib., E-Sib. , C-As., Mong., China: Sinkiang, ? Manch., N-Am.
- **schraderianum** Schult. · Schraders Gänsefuß | VII-IX; E-Afr., nat. in Eur.: EC-Eur., EC-Eur.; Cauc., Trop., Subtrop.
- **strictum** Roth · Gestreifter Gänsefuß | X-VIII; Eur.: C-Eur., EC-Eur., E-Eur.; Cauc., Iran, W-Sib., Amur, C-As., Him., China, Canar., Eth.
- **suecicum** Murray · Grüner Gänsefuß | VI-VIII; Eur.* exc. Ib; W-Sib., E-Sib. Amur, Sachal., Kamchat., C-As.
- **urbicum** L. · Straßen-Gänsefuß | VII-VIII; Eur.* exc. BrI, Sc; Tr, Cauc., Iran, W-Sib., E-Sib. Amur, C-As., Mong., China: Sinkiang, Manch., nat. in BrI
- *virgatum* (L.) Ambrosi = Chenopodium foliosum
- **vulvaria** L. · Stinkender Gänsefuß · Vulvaria | ⊙ VI-IX; Eur.*, TR, Levante, W-Sib., C-As., N-Afr., nat. in N-Am., Austr.

Cherleria = Minuartia L.
- *sedoides* L. = Minuartia sedoides

Chevaliera = Aechmea Ruiz et Pav.
- *ornata* Gaudich. = Aechmea ornata
- *sphaerocephala* Gaudich. = Aechmea sphaerocephala

Chiapasia Britton et Rose -f- *Cactaceae*
– **nelsonii** (Britton et Rose) Britton et Rose | ♄ ♆ ⓦ ✻; Mex., Hond.

Chiastophyllum (Ledeb.) A. Berger -n- *Crassulaceae* · Walddickblatt
– **oppositifolium** (Ledeb. ex Nordm.) A. Berger · Goldtröpfchen · Goutte d'or | ♃ ♆ △ VI; W-Cauc.

Childsia = Hidalgoa La Llave
– *wercklei* J.L. Childs = Hidalgoa wercklei

Chilenia = Neoporteria Britton et Rose
– *subgibbosa* (Haw.) Backeb. = Neoporteria subgibbosa

Chileniopsis = Neoporteria Britton et Rose
– *villosa* (Monv.) Backeb. = Neoporteria villosa

Chiliotrichum Cass. -n- *Asteraceae*
– *amelloides* DC. = Chiliotrichum diffusum
– **diffusum** (G. Forst.) Kuntze | ♄ ⓚ ∧; Chile, Arg., Anden

Chiloschista Lindl. -f- *Orchidaceae*
– **lunifera** (Rchb. f.) J.J. Sm. | ⓦ IV-V ✻; N-Ind., Sikkim, Myanmar, Thail.

Chimaphila Pursh -f- *Pyrolaceae* · Winterlieb
umbellata (L.) Barton · Doldiges Winterlieb · Prince's Pine | ⊙ ♃ VI-VIII ▽; Eur.: Fr, C-Eur., Sc, EC-Eur., W-Ba, E-Eur.; W-Sib., Sachal., Amur, Korea, Jap., Alaska, Can., USA* exc. SC, SW

Chimonanthus Lindl. -m- *Calycanthaceae* · Winterblüte
– *fragrans* Lindl. = Chimonanthus praecox
– **praecox** (L.) Link · Chinesische Winterblüte · Wintersweet · Chimonanthe odorant | ♄ D I-III ∧; China

Chimonobambusa Makino -f- *Poaceae*
– **marmorea** (Mitford) Makino · Marbled Bamboo | ♄; Jap.

Chiococca P. Browne -f- *Rubiaceae*
– **alba** (L.) Hitchc. · Snowberry | ♄ ⓚ D II; S-Fla., W.Ind.

Chiogenes = Gaultheria Kalm ex L.
– *hispidula* (L.) Torr. et A. Gray = Gaultheria hispida
– *serpyllifolia* (Pursh) Salisb. = Gaultheria hispida

Chionanthus L. -m- *Oleaceae* · Schneeflockenstrauch
– **retusus** Lindl. et Paxton · Chinesischer Schneeflockenstrauch · Chinese Fringe Tree | ♄ VI-VII; China, Korea, Taiwan
– **virginicus** L. · Virginischer Schneeflockenstrauch · American Fringe Tree · Arbre à franges, Arbre de neige | ♄ ♄ VI; USA: NE, NCE, SC, SE, Fla.

Chionodoxa Boiss. -f- *Hyacinthaceae*
– *cretica* Boiss. = Chionodoxa nana
– **forbesii** Baker · Gewöhnliche Sternhyazinthe, Große Sternhyazinthe · Glory-of-the-Snow | ♃ IV; W-TR
– *gigantea* Whittall = Chionodoxa luciliae 'Gigantea Grp.'
– **lochiae** Meikle | ♃ V; Cyprus
– *luciliae* auct. non Boiss = Chionodoxa forbesii
– **luciliae** Boiss. · Schneeglanz, Schneestolz ; TR
  - **Gigantea Grp.**
– **nana** (Schult. et Schult. f.) Boiss. et Heldr. · Glory-of-the-Snow | ♃ IV; Crete
– **sardensis** Whittall · Dunkle Sternhyazinthe | ♃ IV; W-TR
– *tmolusii* Whittall = Chionodoxa forbesii

× **Chionoscilla** J. Allen ex G. Nicholson -f- *Hyacinthaceae*
– **allenii** J. Allen ex Nichols (*Chinodoxa forbsii* × *Scilla bifolia*) | ♃ III-IV; cult.

Chirita Buch.-Ham. ex D. Don -f- *Gesneriaceae*
– **barbata** Sprague | ♃ ⓦ VII-VIII; Ind., Malay. Arch.
– **hamosa** (Wall.) R. Br. | ♃ ⓦ VII-VIII; Ind., Myanmar
– *horsfieldii* R. Br. = Chirita lavandulacea
– **lavandulacea** Stapf | ♃ ⓦ I-III; Malay.Arch.
– **micromusa** B.L. Burtt | ♃ ⓦ VI-VIII; Thail.
– **pumila** D. Don | ♃ ⓦ VII-IX; Him.
– **sinensis** Lindl. | ♃ ⓦ; China (Hongkong)

Chironia L. -f- *Gentianaceae*
– **linoides** L. | ♄ ⓚ VII-X; S-Afr.

Chlidanthus Herb. -m- *Amaryllidaceae* · Prunkblüte
– **fragrans** Herb. | ♃ Ⓚ D VII-VIII; Peru, Bol., NE-Arg.; And.

Chloranthus Sw. -m- *Chloranthaceae*
– **spicatus** (Thunb.) Makino | ħ Ⓦ ✻ Ⓝ; S-China, nat. in Jap.

Chloris Sw. -f- *Poaceae*
– **argentina** (Hack.) Lillo et Parodi
– **barbata** Sw. · Swollen Windmill Grass | ♃ Ⓚ VIII-IX; Trop.
– *elegans* Humb., Bonpl. et Kunth = Chloris virgata
– **gayana** Kunth · Rhodes Grass | ♃ Ⓝ; trop. Afr., S-Afr., Sahara, S-As., Austr.
– **radiata** (L.) Sw. | ♃ Ⓚ VIII-IX; W.Ind.
– **truncata** R. Br. | ♃ Ⓚ VIII-IX; Austr.: Queensl., N.S.Wales
– **virgata** Sw. · Feather Windmill Grass | ⊙ VII-IX; Trop.

Chlorophora = Maclura Nutt.
– *excelsa* (Welw.) Benth. et Hook. f. = Milicia excelsa
– **tinctoria** (L.) Gaudich. ex Benth. et Hook. f. · Fustic | ħ Ⓦ Ⓝ; Mex., C-Am., W.Ind., S-Am.

Chlorophytum Ker Gawl. -n- *Anthericaceae*
– **amaniense** Engl. | ♃ Ⓦ; Tanzania (Usambara)
– **bichetii** (Karrer) Backer | ♃ Ⓦ; Gabon
– **capense** (L.) Voss | ♃ Ⓦ Ⓚ; S-Afr.
– **comosum** (Thunb.) Jacques · Spider Plant | ♃ Ⓦ Ⓚ; S-Afr.: Kap, Natal
– *elatum* (Aitch.) R. Br. ex Spreng. = Chlorophytum capense
– *heyneanum* Wall. ex Hook. f. = Chlorophytum heynei
– **heynei** Baker | ♃ Ⓦ; Ind., Sri Lanka
– **hoffmannii** Engl. | ♃ Ⓦ; Tanzania
– **inornatum** Ker-Gawl. | ♃ Ⓦ; W-Afr.
– **macrophyllum** (A. Rich.) Asch. ex Baker | ♃ Ⓦ; Eth.
– **nepalense** (Lindl.) Baker | ♃ Ⓦ; Nepal, Sikkim
– **orchidastrum** Lindl. | ♃ Ⓦ; W-Afr.: Sierra Leone
– *sternbergianum* (Schult. et Schult. f.) Steud. = Chlorophytum comosum
– *undulatum* Wall. ex Hook. f. = Chlorophytum nepalense

Chloroxylon DC. -n- *Rutaceae*
– **swietenia** DC. · Satin Wood | ħ Ⓦ Ⓝ; Ind.

Choisya Kunth -f- *Rutaceae* · Orangenblume
– *grandiflora* Regel = Choisya ternata
– **ternata** Humb., Bonpl. et Kunth · Mexikanische Orangenblume · Mexican Orange Blossom | ħ Ⓚ D V-VI; Mex.

Chondrilla L. -f- *Asteraceae*
– **chondrilloides** (Ard.) H. Karst. · Alpen-Knorpellattich | ♃ VII-VIII; Eur.: Fr, Ap, C-Eur., Slove., ? RO; mts.
– **juncea** L. · Binsen-Knorpellattich | ♃ VII-IX; Eur.* exc. BrI, Sc, TR, Syr., Iraq, Cauc., N-Iran, Afgh., NW-Afr.

× **Chondrobollea** Hort. -f- *Orchidaceae* (*Bollea* × *Chondrorhyncha*)

Chondrodendron Ruiz et Pav. -n- *Menispermaceae*
– **microphyllum** (Eichler) Moldenke | ħ Ⓦ ≹ ☠; Bras.: Bahia
– **platyphyllum** (A. St.-Hil.) Miers | ħ Ⓦ ≹ ☠; SE-Bras.
– **tomentosum** Ruiz et Pav. · Chondrodendron | ħ Ⓦ ≹ ☠; Panama, S-Am.

Chondrorhyncha Lindl. -f- *Orchidaceae*
– **chestertonii** Rchb. f. | ♃ Ⓦ VI-VIII ✻; Col.
– **fimbriata** (Lindl. et Rchb. f.) Rchb. f. | ♃ VII-VIII ✻; Col.

Chorisia Kunth -f- *Bombacaceae*
– **speciosa** A. St.-Hil. | ħ; Bras., Arg.

Chorispora R. Br. ex DC. -f- *Brassicaceae*
– **tenella** (Pall.) DC. · Gliederschote · Crossflower | ⊙ V; Eur.: BG, RO, Russ.; TR, Syr., Iran, W-Sib., Mong.

Chorizema Labill. -n- *Fabaceae*
– **cordata** Lindl.; W-Austr.
– *elegans* hort. = Chorizema ilicifolia
– **ilicifolia** Labill. | ħ Ⓚ ▽ IV-V; W-Austr.
– *varia* Benth. = Chorizema ilicifolia

Chosenia = Salix L.
– *arbutifolia* (Pall.) Skvortsov = Salix arbutifolia

– *bracteosa* (Turcz.) Nakai = Salix arbutifolia

Christella H. Lev. -f- *Thelypteridaceae*
– **dentata** (Forssk.) Brownsey et Jermy | ♃ Ⓦ; Eur.: Azor., S-Sp., I, Crete; trop. Afr., trop. As.

Christia Moench -f- *Fabaceae*
– *lunata* Moench = Christia vespertilionis
– **vespertilionis** (L. f.) Backh. f. | ⊙ Ⓦ VII-IX; Cambodia, S-Vietn.

Chrozophora Neck. ex Juss. -f- *Euphorbiaceae*
– **tinctoria** (L.) A. Juss. · Tournesol | ⊙ Ⓝ; Eur.: Ib, Fr, Ap, Ba, Krim; TR, Levante, Sokotra, Iran, Afgh., Ind., C-As., N-Afr.

Chrysalidocarpus H. Wendl. -m- *Arecaceae* · Goldfruchtpalme
– **lutescens** H. Wendl. · Butterfly Palm, Madagascar Palm | ♄ Ⓦ ❄; Madag.

Chrysanthemoides Fabr. -f- *Asteraceae*
– **monilifera** (L.) Norl. | ♄; S-Afr.

Chrysanthemum L. -n- *Asteraceae* · Wucherblume
– *achilleifolium* (M. Bieb.) Prodan = Tanacetum achilleifolium
– *alpinum* L. = Leucanthemopsis alpina
– *anethifolium* (Willd.) Steud. = Argyranthemum foeniculaceum
– *arcticum* L. = Arctanthemum arcticum
– *argenteum* (Willd.) Boom = Tanacetum argenteum
– *balsamita* L. = Tanacetum balsamita
– *biebersteinianum* Adams = Anthemis marschalliana
– *carinatum* Schousb. = Ismelia carinata
– *cinerariifolium* (Trevir.) Vis. = Tanacetum cinerariifolium
– *coccineum* Willd. = Tanacetum coccineum
– **coronarium** L. · Goldblume, Kronen-Wucherblume · Crown Daisy | ⊙ ✂ X-IX; Eur.: Ib, Ap, Ba; TR, Levante, N-Iran, N-Afr., nat. in F, A, RO
– *corymbosum* L. = Tanacetum corymbosum
– *densum* (Labill.) Steud. = Tanacetum densum
– *erubescens* hort. = Dendranthema zawadskii
– *erubescens* Stapf = Dendranthema zawadskii var. latilobum
– *foeniculaceum* (Willd.) Desf. = Argyranthemum foeniculaceum
– *frutescens* L. = Argyranthemum frutescens
– *gayanum* Batt. = Rhodanthemum gayanum
– *haradjanii* Rech. f. = Tanacetum haradjanii
– × *hortorum* hort. = Dendranthema × grandiflorum
– *indicum* hort. = Dendranthema × grandiflorum
– *indicum* L. = Dendranthema indicum
– *leucanthemum* L. = Leucanthemum vulgare
– *macrophyllum* Waldst. et Kit. = Tanacetum macrophyllum
– *majus* (Desf.) Asch. = Tanacetum balsamita
– *maritimum* (L.) Pers. = Tripleurospermum maritimum
  - subsp. *inodorum* (K. Koch) Vis. = Tripleurospermum perforatum
– *mawii* Hook. f. = Rhodanthemum gayanum
– *maximum* hort. = Leucanthemum × superbum
– *maximum* Ramond = Leucanthemum maximum
– *millefoliatum* L. = Tanacetum millefolium
– *millefolium* (L.) Willd. = Tanacetum millefolium
– × *morifolium* Ramat. = Dendranthema × grandiflorum
– *multicaule* Desf. = Coleostephus multicaulis
– *nipponicum* (Franch. ex Maxim.) Matsum. = Nipponanthemum nipponicum
– *nivellei* hort. non Braun-Blanq. et Maire = Heteranthemis viscidehirta
– *pacificum* Nakai = Ajania pacifica
– *paludosum* Poir. = Hymenostemma paludosum
– *parthenium* (L.) Bernh. = Tanacetum parthenium
– *ptarmiciflorum* (Webb) Brenan = Tanacetum ptarmiciflorum
– *roseum* Adams = Tanacetum coccineum
– *rubellum* Sealy = Dendranthema zawadskii
– **segetum** L. · Saat-Wucherblume · Corn

Marigold · Chrysanthème des moissons | ⊙ ⋈ X; Eur.* exc. EC-Eur.; TR, Cyprus, Syr., NW-Afr., Libya
– *serotinum* L. = Leucanthemella serotina
– *sinense* Sabine ex Sweet = Dendranthema × grandiflorum
– × **spectabile** (Lilja) A. Nilsson (*C. carinatum* × *C. coronarium*) | ⊙ ⋈ VII-IX; cult.
– × *superbum* Bergmans ex J.W. Ingram = Leucanthemum × superbum
– *tricolor* Andrews = Ismelia carinata
– *uliginosum* Pers. = Leucanthemella serotina
– *viscidihirtum* (Schott) Thell. = Heteranthemis viscidehirta
– *vulgare* (L.) Bernh. = Tanacetum vulgare
– *weyrichii* (Maxim.) Miyabe = Dendranthema weyrichii
– *zawadskii* Herbich = Dendranthema zawadskii

Chrysobalanus L. -m- *Chrysobalanaceae*
– **icaco** L. · Coco Plum | ♄ Ⓦ Ⓝ; Fla., Mex., C-Am., W.Ind., Ecuad, N-Bras.

Chrysocoma L. -f- *Asteraceae*
– **coma-aurea** L. · Yellow Edging Daisy | ♃ Ⓚ VII-VIII; S-Afr.

Chrysogonum L. -n- *Asteraceae*
– **virginianum** L. · Goldkörbchen · Golden Star, Green-and-Gold | ♃ V-VII; USA: NE, SE, Fla.

Chrysolarix = Pseudolarix Gordon
– *amabilis* (J. Nelson) H.E. Moore = Pseudolarix amabilis

Chrysolepis Hjelmq. -f- *Fagaceae*
– **chrysophylla** (Douglas ex Hook.) Hjelmq. · Golden Chinkapin | ♄ Ⓚ ∧ Ⓝ; USA: Wash., Oreg., Calif.

Chrysophyllum L. -n- *Sapotaceae*
– **cainito** L. · Star Apple | ♄ Ⓦ Ⓝ; C-Am., W.Ind.
– **imperiale** (Linden ex K. Koch et Fintelm.) Benth. et Hook. f. | ♄ Ⓦ; Bras.

Chrysopogon Trin. -m- *Poaceae* · Goldbart
– **gryllus** (L.) Trin. · Goldbart | ♃ VI Ⓝ; Eur.: Fr, Ap, C-Eur., EC-Eur., Ba, E-Eur.; TR, Syr., N-Iraq, Cauc., Iran, Nepal, Ind. (Assam.), nat. in Austr.
– *nutans* (L.) Benth. = Sorghastrum nutans

Chrysopsis (Nutt.) Elliott -f- *Asteraceae* · Goldaster
– *villosa* (Pursh) Nutt. = Heterotheca villosa

Chrysosplenium L. -n- *Saxifragaceae* · Milzkraut
– **alternifolium** L. · Wechselblättriges Milzkraut · Golden Saxifrage | ♃ ⇝ ~ IV-VI; Eur.*, Cauc., W-Sib., E-Sib., Amur, Kamchat., Him., Mong., Jap., Can., USA (Iowa), Greenl.
– **oppositifolium** L. · Gegenblättriges Milzkraut · Golden Saxifrage | ♃ IV-VI; Eur.* exc. EC-Eur.
- var. **rosulare** Schott | ♃ ⇝ ~ IV-VI

Chrysothamnus Nutt. -m- *Asteraceae*
– **nauseosus** (Pursh) Britton et A. Br. | ♄; Can.: B.C., Sask.; USA.; N-Mex.

Chrysothemis Decne. -f- *Gesneriaceae*
– **friedrichsthaliana** (Hanst.) H.E. Moore | ♃ Ⓦ VII-VIII; C-Am., W-Col.
– **pulchella** (Donn ex Sims) Decne. | ♃ Ⓦ VI-VIII; C-Am., S-Am.

Chrysurus = Lamarckia Moench
– *cynosuroides* Pers. = Lamarckia aurea

Chusquea Kunth -f- *Poaceae*
– **coronalis** Soderstr. et Calderon | ♄ Ⓦ; Guat., Costa Rica

Chysis Lindl. -f- *Orchidaceae*
– **aurea** Lindl.; Mex., trop. S-Am.
- var. **bractescens** (Lindl.) Allen
– *bractescens* Lindl. = Chysis aurea var. bractescens
– **limminghii** Linden et Rchb.

Cibotium Kaulf. -n- *Dicksoniaceae*
– *assamicum* Hook. = Cibotium barometz
– **barometz** (L.) Sm. · Tree Fern | Ⓚ ▽ ✻; S-China, Taiwan, Malay. Arch.
– **glaucum** (Sm.) Hook. et Arn. · Hawaiian Tree Fern | Ⓚ ▽ ✻; Hawaii
– **regale** Verschaff. et Lem. | Ⓚ ▽ ✻; Mex.
– **schiedei** Schltdl. et Cham. · Mexican Tree Fern | Ⓚ ▽ ✻; Mex., Guat.

Cicendia Adans. -f- *Gentianaceae*

– **filiformis** (L.) Delarbre · Europäischer Fadenenzian, Zindelkraut | X-VII; Eur.: Ib, Fr, BrI, D, Ap, Ba; TR, Levante, Azor., NW-Afr.

Cicer L. -n- *Fabaceae*
– **arietinum** L. · Kichererbse · Chick Pea | ⊙ Ⓝ; orig. ?; cult. S-Eur., N-Afr., As., nat. in F, I

Cicerbita Wallr. -f- *Asteraceae* · Milchlattich
– **alpina** (L.) Wallr. · Alpen-Milchlattich · Mountain Sow Thistle | ♃ VII; Eur.*; N, mts.
– **bourgaei** (Boiss.) Beauverd | ♃ VI-VII; TR
– **macrophylla** (Willd.) Wallr. · Großblättriger Milchlattich · Blue Sow Thistle | ♃ VII; Eur.: E-Russ.; Cauc., nat. in BrI, Sc, EC-Eur., D, F, I
– **plumieri** (L.) Kirschl. · Französischer Milchlattich | ♃ VII-VIII; Eur.: Sp., F, CH, D, ? Montenegro, BG; mts., nat. in BrI

Cichorium L. -n- *Asteraceae* · Wegwarte
– **calvum** Sch. Bip. · Glatzfrucht-Wegwarte | VII-IX; Eth.
– **endivia** L. · Endivie · Endive | ⊙ VII-IX; Eur.: Ib, Fr, Ap, Ba; TR, Iraq, Arab., Iran, Canar., Madeira, N-Afr.
  - var. **crispum** Lam.
  - var. **latifolium** Lam.
– **intybus** L. · Gewöhnliche Wegwarte · Chicory | ♃ X-VII; Eur.*, TR, Cyprus, Cauc., Iran, C-As., Pakist., Him., W-Sib., E-Sib., Amur, Sachal., Kamchat., China
  - var. **sativum** DC.
  - var. *sylvestre* Vis. = Cichorium intybus

Cicuta L. -f- *Apiaceae* · Wasserschierling
– **virosa** L. · Giftiger Wasserschierling · Cowbane, Water Hemlock | ♃ VII-VIII ☠; Eur.*, N-As., Jap.

Cimicifuga Wernisch. -f- *Ranunculaceae* · Silberkerze
– *acerina* (Siebold et Zucc.) Tanaka = Cimicifuga japonica var. acerina
– **americana** Michx. · Amerikanische Silberkerze · American Bugbane | ♃ VIII-IX; USA: NE, SE
– *cordifolia* Pursh = Cimicifuga racemosa var. cordifolia
– **dahurica** (Turcz.) Torr. et A. Gray ex Maxim. · August-Silberkerze · Bugbane | ♃ VIII-IX; E-Sib., Amur, Mong., China, Jap.
– **europaea** Schipcz. · Stinkendes Wanzenkraut | ♃ VII-VIII; Eur.: A, EC-Eur., E-Eur.
– **japonica** (Thunb.) Spreng. · Spätherbst-Silberkerze | ♃ IX; Jap.
  - var. **acerina** (Siebold et Zucc.) Huth | ♃ VIII-IX; Jap.
– **racemosa** (L.) Nutt. · Juli-Silberkerze · Black Snakeroot · Herbe aux punaises | ♃ VII-VIII; Ont., USA: NE, NCE, SE
  - var. **cordifolia** (Pursh) Gray · Lanzen-Silberkerze | ♃ VIII-IX; USA: Va., SE
– **ramosa** Nakai · September-Silberkerze | ♃ IX; Kamchat.
– **simplex** DC. · Oktober-Silberkerze · Kamchatka Bugbane | ♃ IX-X; Jap., Sachal., Kamchat., Manch.

Ciminalis = Gentiana L.
– *acaulis* (L.) Moench = Gentiana acaulis
– *alpina* (Vill.) Holub = Gentiana alpina
– *occidentalis* (Jakow.) Holub = Gentiana angustifolia

Cinchona L. -f- *Rubiaceae* · Chinarindenbaum
– *calisaya* Wedd. = Cinchona officinalis
– *ledgeriana* Moens ex Trimen = Cinchona officinalis 'Ledgeriana'
– **officinalis** L. · Peruvian Bark, Quinine Tree | ♄ Ⓦ Off. Ⓝ; Col., Ecuad., Peru
  - **'Ledgeriana'**
– **pitayensis** (Wedd.) Wedd. | ♄ Ⓦ Ⓝ; Col., Ecuad.
– **pubescens** Vahl | ♄ Ⓦ Off.; C-Am., trop. S-Am.
  - **'Succiruba'**
– *succirubra* Pav. ex Klotzsch = Cinchona pubescens 'Succiruba'

Cineraria L. -f- *Asteraceae*
– *alpina* (L.) L. = Senecio alpinus
– *bicolor* Willd. = Senecio cineraria
– *candidissima* hort. = Senecio viravira
– *cruenta* hort. = Pericallis × hybrida
– × *hybrida* hort. = Pericallis × hybrida
– *maritima* L. = Senecio cineraria
  - var. *candidissima* hort. = Senecio viravira

Cinna L. -f- *Poaceae*

– **latifolia** (Trevir.) Griseb. | ♃; Eur.: Sc, Russl. +

Cinnamodendron Endl. -n- *Canellaceae*
– **corticosum** Miers · Falsche Winterrinde | ♄ Ⓝ; W.Ind.

Cinnamomum Schaeff. -n- *Lauraceae*
– **aromaticum** Nees · Cassia Bark, Chinese Cinnamon | ♄ ⓦ Ⓝ; China: Kwangsi
– **burmanii** (Nees) Blume | ♄ ⓦ Ⓝ; Malay. Arch.
– **camphora** (L.) J. Presl · Camphor Tree | ♄ ⓦ Off. Ⓝ; S-China, S-Jap., Riukiu-Is., Taiwan, nat. in Fla., Ga., La.
– *cassia* Blume = Cinnamomum aromaticum
– **lourei** Nees · Saigon-Zimt | ♄ Ⓝ; Jap., China, Indochina, Java
– **micranthum** (Hayata) Hayata | ♄ ⓦ Ⓝ; Taiwan
– **tamala** (Buch.-Ham.) Nees et Eberm. | ♄ Ⓝ; Ind.
– *verum* J. Presl = Cinnamomum zeylanicum
– **zeylanicum** Blume · Ceylon Cinnamon | ♄ ⓦ Off. Ⓝ; SW-Ind., Sri Lanka

Cionura Griseb. -f- *Asclepiadaceae*
– **erecta** (L.) Griseb. | ♃ ⓚ ≹ D ≹ VI-VII; Eur.: Ba; TR, Cyprus, Syr.; Iran, Afgh.

Circaea L. -f- *Onagraceae* · Hexenkraut
– **alpina** L. · Alpen-Hexenkraut · Enchanter's Nightshade | ♃ VI-VII; Eur.*, TR, Cauc., W-Sib., E-Sib., Amur, Sachal., Kamchat., C-As., China, Jap., Alaska, Can., USA* exc. SC, Fla.
– **cordata** Royle | ♃; N-Ind., China, Amur, Manch., Korea, Jap., Taiwan
– × **intermedia** Ehrh. (*C. alpina* × *C. lutetiana*) · Mittleres Hexenkraut | ♃ VI-VII; Eur.*, Cauc.
– **lutetiana** L. · Gewöhnliches Hexenkraut · Paris Nightshade | ♃ VI-VII; Eur.*, Cauc., W-Sib., E-Sib., C-As.

Cirrhaea Lindl. -f- *Orchidaceae*
– **dependens** (Lodd.) Rchb. f. | ♃ ⓦ VI-VII ✻; Bras.
– **saccata** Lindl. | ♃ ⓦ V-VI ✻; Bras.

Cirrhopetalum = Bulbophyllum Thouars
– *campanulatum* Rolfe = Bulbophyllum auratum
– *collettii* Hemsl. = Bulbophyllum wendlandianum
– *fascinator* Rolfe = Bulbophyllum putidum
– *gracillimum* Rolfe = Bulbophyllum gracillimum
– *longissimum* (Ridl.) Ridl. = Bulbophyllum longissimum
– *makoyanum* (Rchb. f.) Ridl. = Bulbophyllum makoyanum
– *mastersianum* Rolfe = Bulbophyllum mastersianum
– *medusae* Lindl. = Bulbophyllum medusae
– *ornatissimum* Rchb. f. = Bulbophyllum ornatissimum
– *pictoratum* Lodd. = Bulbophyllum picturatum
– *psittacoides* Ridl. = Bulbophyllum gracillimum
– *thouarsii* Lindl. = Bulbophyllum longiflorum
– *umbellatum* (G. Forst.) Frapp. ex Cordem. = Bulbophyllum longiflorum

Cirsium Mill. -n- *Asteraceae* · Kratzdistel
– **acaule** Scop. · Stängellose Kratzdistel · Ground Thistle | ♃ △ VII-VIII; Eur.*
– *acaulon* (L.) Scop. = Cirsium acaule
– *afrum* (Jacq.) Fisch. = Ptilostemon afer
– **altissimum** (L.) Spreng. · Big Thistle | ♃ VII-X; USA: NE, NCE, NC, SC, SE, Fla.
– **arvense** (L.) Scop. · Acker-Kratzdistel · Canada Thistle, Creeping Thistle | ♃ VII-VIII; Eur.*, TR, Cauc., Iran, Afgh., Pakist., Him., C-As., W-Sib., E-Sib., Amur, Sachal., Kamchat., Mong., China, Korea, N-Jap., nat. in N-Am., Chile
– **brachycephalum** Jur. · Kurzkopf-Kratzdistel | ♃ ⊙ VI-IX; Eur.: A, EC-Eur., Serb., RO
– **canum** (L.) All. · Graue Kratzdistel | ♃ VII-VIII; Eur.: C-Eur., I, EC-Eur., Ba, E-Eur.; TR, Cauc., W-Iran, W-Sib.
– **carniolicum** Scop. · Krainer Kratzdistel | ♃ VII-VIII; Eur.: Sp., F, I, A, Slove.; Pyr., E-Alp.
– *casabonae* (L.) DC. = Ptilostemon casabonae
– **diacanthum** DC.
– **dissectum** (L.) Hill · Englische Kratzdistel | ♃ VI-VII; Eur.: BrI, Fr, Ib, D, nat. in H, Norw.
– **eriophorum** (L.) Scop. · Wollköpfige Kratzdistel · Woolly Thistle | ⊙ VII-VIII; Eur.* exc. Sc

- **erisithales** (Jacq.) Scop. · Klebrige Kratzdistel | ♃ VII-IX; Eur.: Fr, Ap, C-Eur., EC-Eur., Ba, E-Eur.; mts.
- *helenioides* (L.) Hill = Cirsium heterophyllum
- **heterophyllum** (L.) Hill · Verschiedenblättrige Kratzdistel · Melancholy Thistle | ♃ ⋈ VII-VIII; Eur.* exc. ? Ib; Sib., nat. in N-Am.
- **japonicum** DC. · Tiger Thistle · Cirse du Japon | ♃ ⋈ VI-VIII; Jap.
- *lanceolatum* (L.) Scop. = Cirsium vulgare
- **montanum** (Waldst. et Kit. ex Willd.) Spreng. · Berg-Kratzdistel | ♃ VII-VIII; Eur.. F, I, Slove., Croatia., YU; mts.
- **oleraceum** (L.) Scop. · Kohl-Kratzdistel · Cabbage Thistle, Siberian Thistle | ♃ ~ VI-VIII Ⓝ; Eur.* exc. BrI; W-Sib.
- **palustre** (L.) Scop. · Sumpf-Kratzdistel · Marsh Thistle | ⊙ ⊙ ~ VII-IX; Eur.*, W-Sib.
- **pannonicum** (L. f.) Link · Pannonische Kratzdistel | ♃ VI-VIII; Eur.: A, Ap, Ba, EC-Eur., E-Eur.
- × **rigens** (Aiton) Wallr. (*C. acaule* × *C. oleraceum*) · Kurzstängelige Hybrid-Kratzdistel
- **rivulare** (Jacq.) All. · Bach-Kratzdistel · Brook Thistle | ♃ V-VII; Eur.* exc. BrI, Sc
- *salisburgense* (Willd.) G. Don = Cirsium rivulare
- **spinosissimum** (L.) Scop. · Alpen-Kratzdistel · Spiny Thistle | ♃ VII-VIII; Eur.: F, I, C-Eur., Slove.; Alp., Apenn., Alpi Apuane
- **tuberosum** (L.) All. · Knollige Kratzdistel | ♃ VII-VIII; Eur.: BrI, Fr, Ib, C-Eur., Slove., nat. in CZ
- **vulgare** (Savi) Ten. · Gewöhnliche Kratzdisel, Lanzett-Kratzdistel · Bull Thistle, Thistle | ⊙ VI-IX Ⓝ; Eur.*, TR, Cauc., N-Iran, W-Sib., C-As., NW-Afr., nat. in N-Am., C-Am., Austr.
- **waldsteinii** Rouy · Armköpfige Kratzdistel | ♃ VII-VIII; Eur.: A, EC-Eur., Slove., RO, W-Russ.; E-Alp., Carp.

Cissus L. -f- *Vitaceae* · Klimme

- **adenopoda** Sprague | ♃ Ⓦ ⌇; W-Afr., C-Afr., Uganda
- *albonitens* Linden et André = Cissus sicyoides 'Albonitens'
- **amazonica** Linden | ♃ Ⓦ ⌇; Amazon.
- **antarctica** Vent. · Kangaroo Vine | ♄ Ⓚ ⌇; Austr.: Queensl., N.S.Wales
- *bainesii* Hook. f. = Cyphostemma bainesii
- *brevipedunculata* Maxim. = Ampelopsis brevipedunculata
- **cactiformis** Gilg
- *capensis* Willd. = Rhoicissus capensis
- *crameriana* Schinz = Cyphostemma currori
- *currorii* Hook. f. = Cyphostemma currori
- *dinteri* Schinz = Cissus nymphaeifolia
- **discolor** Blume · Rex Begonia Vine | ♄ Ⓦ ⌇; Java
- *fleckii* Schinz = Cyphostemma fleckii
- **gongylodes** (Baker) Burch. | ♄ Ⓦ ⌇; Bras., Peru, Parag.
- *incisa* (Nutt.) Des Moul. = Cissus trifoliata
- *juttae* Dinter et Gilg = Cyphostemma juttae
- *macropus* Welw. = Cyphostemma macropus
- **njegerre** Gilg | ♃ Ⓦ ⌇; Tanzania (Usambara)
- **nymphaeifolia** Planch. | ♃ Ⓚ ⇝; Namibia
- *orientalis* Lam. = Ampelopsis orientalis
- *quadrangula* L. = Cissus quadrangularis
- **quadrangularis** L. | ♄ Ⓦ ⌇; Eth., trop. Afr., S-Afr. (Natal), Iraq, Ind., Sri Lanka, Malay. Arch., Phil.
- **rhombifolia** Vahl · Grape Ivy | ♃ Ⓦ Ⓚ ⌇; Mex., C Am., W.Ind., trop. S-Am.
- **rotundifolia** (Forssk.) Vahl · Arabian Wax Cissus | ♄ Ⓦ ⌇; Tanzania, Mozamb.
- **sicyoides** L. · Princess Vine | ♄ Ⓦ Ⓚ ⌇; S-Am.
  - **'Albonitens'**
- **striata** Ruiz et Pav. · Miniature Grape Ivy | ♄ Ⓦ Ⓚ ⌇; Chile, S-Bras.
- **trifoliata** (L.) L. · Ivy Treebine | ♄ Ⓚ ⌇; USA: Mo., Kans., SC, SE, Fla.
- **tuberosa** Moç. et Sessé ex DC.
- *voinieriana* (Pierre ex Nichols et Mottet) Viala = Tetrastigma voinierianum

Cistus L. -m- *Cistaceae* · Zistrose

- × **aguilarii** Pau (*C. ladanifer* × *C. populifolius*) | ♄; SW-Eur., N-Afr.
- **albidus** L. | ♄ Ⓚ; Eur.: Ib, Fr, Ap; Maroc., Alger.
- **balcanicus** Heywood | ♄; AL, GR
- × **canescens** Sweet (*C. albidus* × *C. incanus*)
- × **corbariensis** Pourr. (*C. populifolius* ×

C. salviifolius) | ♄; S-Eur.
- *corsicus* Loisel. = Cistus incanus subsp. corsicus
- *creticus* L. = Cistus incanus subsp. creticus
- *crispus* hort. = Cistus × purpureus
- **crispus** L. | ♄ Ⓚ; Eur.: Ib, Fr, Ap; NW-Afr.
  - **'Anne Palmer'**
- × **cyprius** Lam. (*C. ladanifer* × *C. laurifolius*) | ♄; SW-Eur.
- × *dansereaui* Q.J.P. Silva = Cistus × lusitanicus
- × **florentinus** Lam. (*C. monspeliensis* × *C. salviifolius*) | ♄; S-Eur., N-Afr.
- × *hybridus* Pourr. = Cistus × corbariensis
- **incanus** L. · Rock Rose | ♄; Eur.:Ib, Ap, Ba, Krim; TR, Cyprus, Levante, N-Afr.
  - subsp. **corsicus** (Loisel.) Heywood
  - subsp. **creticus** (L.) Heywood | ♄ Ⓚ Ⓝ; Eur.: GR, Krim; TR, Cauc., NW-Afr., Libya
- **ladanifer** L. · Gum Cistus | ♄ Ⓚ; Eur.: Ib, F; Maroc., Alger.
  - **Palhinhae Grp.** | ♄; SW-P
- **laurifolius** L. · Lorbeerblättrige Zistrose | ♄ VI-VIII ∧; Eur.: Ib, Fr, Ap; Maroc.
- × **loretii** Rouy et Foucaud (*C. ladanifer* × *C. monspeliensis*)
- × **lusitanicus** Maund non Mill. (*C. hirsutus* × *C. ladanifer*) | ♄; SW-Eur.
- **monspeliensis** L. · Montpelier Rock Rose | ♄ Ⓚ; Eur.: Ib, Fr, Ap, Ba; TR, Cyprus, NW-Afr.
- *palhinhae* J.W. Ingram = Cistus ladanifer 'Palhinhae Grp.'
- **parviflorus** Lam. | ♄; Eur.: Sic., GR, Crete; TR, Libya
- *polymorphus* Willk. = Cistus incanus
- **populifolius** L. · Rock Rose | ♄ Ⓚ ∧; P, Sp., S-F
- × **pulverulentus** Lam. (*C. albidus* × *C. crispus*) | ♄; SW-Eur.
- × **purpureus** Lam. (*C. incanus subsp. creticus* × *C. ladanifer*) · Purple Cistus | ♄ Ⓚ; cult.
- **salviifolius** L. · Salbeiblättrige Zistrose · Sage-leaved Rock Rose | ♄ V; Eur.: Ib, Ap, F, Ba, CH; TR, Levante, N-Afr., nat. in W-Sib., C-As.
- × **skanbergii** Lojac. (*C. monspeliensis* × *C. parviflorus*) | ♄; GR
- × *stenophyllus* Link = Cistus × loretii
- **symphytifolius** Lam. | ♄; Canar.
- *villosus* L. = Cistus incanus

Citriobatus A. Cunn. ex Putt. -m- *Pittosporaceae* · Orangenbeere
- **multiflorus** A. Cunn. | ♄ Ⓚ ⁂ III-IV; Austr.: Queensl., N.S.Wales

× **Citrofortunella** J.W. Ingram et H.E. Moore -f- *Rutaceae*
- **floridana** J.W. Ingram et H.E. Moore (*Citrus aurantifolia* × *Fortunella japonica*)
- **microcarpa** (Bunge) Wijnands (*Citrus reticulata* × *Fortunella margarita*) | ♄ Ⓚ ⊔ ⁂ D ⁂; cult.
- *mitis* (Blanco) J.W. Ingram et H.E. Moore = × Citrofortunella microcarpa
- **swinglei** J.W. Ingram et H.E. Moore (*Citrus aurantifolia* × *Fortunella margarita*)

× **Citroncirus** J.W. Ingram et H.E. Moore -m- *Rutaceae*
- **webberi** J.W. Ingram et H.E. Moore (*Citrus sinensis* × *Poncirus trifoliata*) · Citrange

Citronella D. Don -f- *Icacinaceae*
- **megaphylla** (Miers) Howard | ♄ ♄ Ⓚ; Bras.

Citropsis (Engl.) Swingle et M. Kellerm. -f- *Rutaceae*
- **gilletiana** Swingle et Kellerm. | ♄ Ⓝ; trop. Afr.

Citrullus Schrad.ex Eckl. et Zeyh. -m- *Cucurbitaceae* · Wassermelone
- **colocynthis** (L.) Schrad. · Bitter Apple | ♃ Ⓦ ≷ ⁂ ☠ Ⓝ; Eur.: Sp., Sic., GR, Canar.; S-TR, Levante, Iran, Ind., C-As., N-Afr., nat. in I, H, RO
- **lanatus** (Thunb.) Matsum. et Nakai · Wassermelone · Watermelon | VII-VIII; Namibia
  - subsp. **vulgaris** (Schrad.) Fursa
  - var. *caffer* (Schrad.) Mansf. = Citrullus lanatus subsp. vulgaris
  - var. **citrioides** (L.H. Bailey) Mansf.
- *vulgaris* Schrad. = Citrullus lanatus

Citrus L. -f- *Rutaceae* · Citrus
- **aurantiifolia** (Christm. et Panz.) Swingle · Lime | ♄ ♄ Ⓚ ⁂ Ⓝ; Malay. Arch., nat. in Trop., Fla.
- **aurantium** L. · Bitter Orange | ♄ Ⓚ ⁂ Ⓝ; S-Vietn., nat. in Fla., Ga.

- subsp. **amara** L. | Ⓝ
- subsp. *bergamia* (Risso et Poit.) Wight et Arn. = Citrus bergamia
- subsp. *khatta* (Bonavia) Engl. = Citrus karna
- subsp. *sinensis* (L.) Engl. = Citrus sinensis
- var. *grandis* L. = Citrus maxima
- var. *ichangensis* Guill. = Citrus ichangensis
- var. *myrtifolium* Ker-Gawl. = Citrus myrtifolia
- var. *sinensis* L. = Citrus sinensis

– *australis* Planch. = Microcitrus australis
bergamia Risso et Poit. · Bergamot Orange | ♄ Ⓚ ♧; orig. ?
– *decumana* (L.) L. = Citrus maxima
- var. *racemosa* (Risso et Poit.) Roem. = Citrus × paradisi

– *deliciosa* Ten. = Citrus reticulata
– **fortunella** Lour.
- *'Kumquat'* = Fortunella margarita
- *'Margarita'* = Fortunella margarita
- *'Nagami'* = Fortunella margarita 'Nagami'

– *grandis* (L.) Osbeck = Citrus maxima
– **hystrix** DC. · Kaffir Lime | ħ Ⓦ ♧ Ⓝ; Indochina, Malay. Pen., Sumat., Phil.
– **ichangensis** (Guill.) Swingle · Ichang Lemon | ħ Ⓚ ♧ Ⓝ; Ind.: Assam; SW-China, C-China
– *japonica* Thunb. = Fortunella japonica
– **junos** Siebold ex Tanaka · Meyer's Citrus | ħ Ⓚ ♧ Ⓝ; China
– **karna** Raf. | ♄ Ⓚ ♧ Ⓝ; Ind.
– **latifolia** Tanaka | ħ Ⓚ ♧ Ⓝ; Tahiti
– *lima* Lunan = Citrus aurantiifolia
– **limetta** Risso | ħ Ⓚ ♧ Ⓝ; trop. As.
– **limon** (L.) Burm. f. · Zitrone · Lemon | ♄ Ⓚ ♧ Off. Ⓝ; ? N-Myamar, S-China, nat. in Fla., trop. Am.
- *'Meyeri'* = Citrus × meyeri

– × **limonia** Osbeck (*C. limon* × *C. reticulata*) · Mandarin Lime | ħ Ⓚ ♧ D ♧ Off. Ⓝ
- var. *limetta* (Risso) Asch. et Graebn. = Citrus limetta

– *limonum* Risso = Citrus limon
– *madurensis* Lour. = Fortunella japonica
– *margarita* Lour. = Fortunella margarita
– **maxima** (Burm.) Merr. · Pomelo, Shaddock | ♄ Ⓚ ♧ Ⓝ; ? Thail., ? Malay. Pen.
– **medica** L. | ħ ♄ Ⓚ Ⓝ; Ind., nat. in Fla.
- *'Buddah's Hand'* = Citrus medica var. sarcodactylis
- subsp. *acida* (Roxb.) Engl. = Citrus aurantiifolia
- var. *limon* L. = Citrus limon
- var. *limonum* (Risso) Wight et Arn. = Citrus limon
- var. **sarcodactylis** (Hoola van Nooten) Swingle; cult. S-As., E-As.

– × **meyeri** Tanaka (*C. limon* × *C. sinensis*)
– **myrtifolia** Raf. | ħ Ⓚ ♧ Ⓝ; ? China
– × **nobilis** Lour. (*C. reticulata* × *C. sinensis*) · Citrus | ħ Ⓚ ♧ Ⓝ; Vietn.
– *otaitense* Risso et Poit. = Citrus × limonia
– × **paradisi** Macfad. (*C. maxima* × *C. sinensis*) · Grapefruit | ♄ Ⓚ ♧ Ⓝ; cult. W.Ind.
– *racemosa* (Risso et Poit.) Marcow. ex Tanaka = Citrus × paradisi
– **reticulata** Blanco · Mandarin, Satsuma, Tangerine | ħ ♄ Ⓚ ♧ Ⓝ; SE-As., Phil.
- var. **deliciosa** Blanco | Ⓝ
- var. **unshiu** Blanco · Satsumas | Ⓝ; cult. Jap.: Prov. Satsuma

– **sinensis** (L.) Osbeck · Orange, Sweet Orange | ħ Ⓚ ♧ Off. Ⓝ; ? China, nat. in Fla.
– *taitensis* Risso = Citrus × limonia
– × **tangelo** J.W. Ingram et H.E. Moore (*C. reticulata* × *C.* × *paradisi*) | ♄ Ⓚ ♧ Ⓝ; ? China; cult. China, Jap., USA
– *tangerina* hort. ex Tanaka = Citrus × tangelo
– *trifoliata* L. = Poncirus trifoliata
– *vulgaris* Risso = Citrus aurantium

Cladanthus Cass. -m- *Asteraceae* · Astblume
– **arabicus** (L.) Cass. | ⊙ VII-X; S-Sp., N-Afr.

Cladium P. Browne -n- *Cyperaceae* · Schneide
– **mariscus** (L.) Pohl · Binsen-Schneide · Elk Sedge, Fen Sedge · Cladium marisque | ♃ ~ ⋈ VI-VIII; Eur.*, Cauc., TR, Iran, C-As., Him., E-As., SE-As., N-Afr., Afr., Madag., N-Am., S-Am., Austr.

Cladothamnus Bong. -m- *Ericaceae*
– **pyroliflorus** Bong. | ħ V-VI; Alaska, Can.: B.C.; USA: NW

Cladrastis Raf. -f- *Fabaceae* · Gelbholz
– *amurensis* (Rupr. et Maxim.) K. Koch =

Maackia amurensis
- var. *floribunda* Maxim. ex Franch. et Sav. = Maackia amurensis var. buergeri
– *kentukea* (Dum.-Cours.) Rudd = Cladrastis lutea
– **lutea** (F. Michx.) K. Koch · Yellow Wood · Virgilier à bois jaune | ♄ V-VI Ⓝ; USA: Ky. NCE, SE, Okla.
– **platycarpa** (Maxim.) Makino | ♄ V; Jap.n
– **sinensis** Hemsl. · Chinesisches Gelbholz · Chinese Yellow Wood | ♄ VII-VIII; W-China, C-China
– *tinctoria* Raf. = Cladrastis lutea

Clappertonia Meisn. -f- *Tiliaceae*
– **ficifolia** (Willd.) Decne. | ♄ Ⓚ; trop. Afr.

Clarkia Pursh -f- *Onagraceae*
– **amoena** (Lehm.) A. Nelson et MacBryde · Atlasblume · Godetia, Satin Flower | ⊙ VI-IX; Calif.
- subsp. **lindley** (Douglas) F.H. Lewis et M.R. Lewis
- subsp. **whitney** (A. Gray) F.H. Lewis et M.R. Lewis
– **breweri** (A. Gray) Greene · Fairyfan | ⊙ VII-VIII; Calif.
– **concinna** (Fisch. et C.A. Mey.) Greene · Red Ribbons | ⊙ VII-VIII; Calif.
– *elegans* Douglas = Clarkia unguiculata
– **pulchella** Pursh · Large-flowered Clarkia | ⊙ VII-VIII; Can.: B.C.; USA: NW., Calif., Idaho, Mont., S.Dak.
– **rhomboidea** Douglas · Diamond Fairyfan | ⊙ VII-VIII; B.C., USA: NW, Rocky Mts., Calif., SW
– **unguiculata** Lindl. | ⊙ VII-VIII; Calif.

Clausena Burm.f. -f- *Rutaceae*
– **dentata** (Willd.) Roem. | ♄ Ⓝ; Ind.
– **lansium** (Lour.) Skeels · Wampee | ♄ Ⓦ Ⓝ; S-China

Clavija Ruiz et Pav. -f- *Theophrastaceae*
– **longifolia** (Jacq.) Mez | ♄ Ⓦ D; Venez.
– *ornata* D. Don = Clavija longifolia

Claytonia L. -f- *Portulacaceae*
– *perfoliata* Donn ex Willd. = Montia perfoliata
– *sibirica* L. = Montia sibirica
– **virginica** L. · Spring Beauty | ♃ △ III; Can.: E; USA: NE, NCE, SC, SE; Mex.

Cleisostoma Blume -f- *Orchidaceae*
– **filiformis** (Lindl.) Garay | ♄ Ⓦ VI-X ✻; Him., Ind.: Khasia Hills; Myanmar
– **racemifera** (Lindl.) Garay | ♄ Ⓦ V-VI ✻; Nepal, Ind., Myanmar, Thail.

Cleistocactus Lem. -m- *Cactaceae*
– *acanthurus* (Vaupel) D.R. Hunt = Borzicactus acanthurus
– **anguinus** (Gürke) Britton et Rose | ♆ Ⓚ ✻; Parag.
– **areolatus** (Muehlenpf.) Riccob. | ♆ Ⓚ ✻; Bol.
– **baumannii** (Lem.) Lem. | ♆ Ⓚ ✻; NE-Arg., Parag., Urug.
– **brookei** Cárdenas | ♆ Ⓚ ✻; S-Bol.
– *chacoanus* F. Ritter = Cleistocactus baumannii
– *eriotrichus* (Werderm. et Backeb.) Backeb. = Borzicactus acanthurus
– *faustianus* Backeb. = Borzicactus acanthurus
– *fossulatus* Mottram = Oreocereus pseudofossulatus
– *icosagonus* (Humb., Bonpl. et Kunth) F.A.C. Weber = Borzicactus icosagonus
– **ritteri** Backeb. | ♄ ♆ Ⓚ ✻; C-Bol.
– *roezlii* (Haage) Backeb. = Borzicactus roezlii
– *samaipatanus* (Cárdenas) D.R. Hunt = Borzicactus samaipatanus
– *sepium* (Kunth) Rol.-Goss. = Borzicactus sepium
– *wendlandiorum* Backeb. = Cleistocactus brookei
– *winteri* D.R. Hunt = Hildewintera aureispina

Cleistogenes Keng -f- *Poaceae*
– **serotina** Keng · Steifhalm | ♃ VIII-IX; Eur.* exc. BrI, Sc; TR, Cauc., N-China

Clematis L. -f- *Ranunculaceae* · Waldrebe
– **aethusifolia** Turcz. | ≹ ; N-China, Korea
– **afoliata** Buchanan | ♄ Ⓚ D V; NZ
– **akebioides** (Maxim.) Veitch; Sib., W-China
– **alpina** (L.) Mill. · Alpen-Waldrebe · Alpine Clematis · Clématite des Alpes | ≹ △ V-VII ▽; Eur.* exc. BrI, Ib; W-Sib., E-Sib., C-As.
- subsp. **sibirica** (L.) Kuntze | ♄ △ V-VII; Eur.: Sc, N-Russ.; W-Sib., E--Sib., C-As.
- subsp. *sibirica'Alba'* = Clematis alpina

subsp. sibirica
- **apiifolia** DC. · Sellerieblättrige Waldrebe | ≹ X-IX; C-China, Japan, Korea
- **armandii** Franch. · Armands Waldrebe · Evergreen Clematis · Clématite d'Armand | ♄ ⌂ ≹ V; C-China, S-China
- × **aromatica** Lenné et Koch (*C. flammula* × *C. integrifolia*) | ♄ VII; cult.
- **australis** Kirk | ≹; NZ
- *balearica* Rich. = Clematis cirrhosa subsp. balearica
- × *bonstedtii* hort. = Clematis Heracleifolia-Grp. 'Bonstedtii'
- **buchananiana** DC. | ≹; Pakist., N-Ind., Myanmar, W-China
- *calycina* Sol. = Clematis cirrhosa
- **campaniflora** Brot. · Glockenblütige Waldrebe | ♄ ≹ VI-VII ∧; P, S-Sp.
- **chrysocoma** Franch. · Goldschopfige Waldrebe ; SW-China
  - var. **sericea** (Franch.) C.K. Schneid. | ♄ ⌂ ≹ VII-IX; Yunnan
- **cirrhosa** L. · Macchien-Waldrebe · Fern Leaved Clematis | ♄ ⌂ I-III; Eur.: Ib.Ap, Ba; TR, Levante, NW-Afr., Libya
  - subsp. **balearica** (Rich.) Willk. et Lange | ♄ ⌂ ≹ IX-III
- *coccinea* Engelm. = Clematis texensis
- **colensoi** Hook. f. | ♄ ⌂ ≹ V-VI; NZ
- **columbiana** (Nutt.) Torr. et A. Gray | ≹; N-Am.
- **connata** DC. | ≹; Him., SW-China
- **crispa** L. · Krause Waldrebe · Leather Flower | ♄ ≹ VI-VIII; USA: Va., Ill., Mo., SC, SE, Fla.
- *cylindrica* Sims = Clematis crispa
- *davidiana* Decne. ex Verl. = Clematis heracleifolia var. davidiana
- **denticulata** Vell. | ≹; s S-Am, Arg.
- *dioscoreifolia* (Lév.) et Vaniot = Clematis terniflora
  - var. *robusta* (Carr) Rehder = Clematis terniflora
- × *durandii* Kuntze = Clematis Diversifolia-Grp. 'Durandii'
- **fargesii** Franch. · Farges Waldrebe | ♄ ≹ VI-IX; W-China
  - var. *souliei* hort. = Clematis potaninii
- **flammula** L. · Brennende Waldrebe · Virgin's Bower · Flammule | ♄ ≹ VII-X ∧; Eur.: Ib, Fr, Ap, Ba; TR, Syr., Palaest., Cauc., Iran, Afgh., NW-Afr., Libya, nat. in EC-Eur., Krim
  - var. *robusta* Carr = Clematis terniflora
- **florida** Thunb. · Reichblütige Waldrebe | ♄ ≹ VI-VIII; China, nat. in Jap.
- *forrestii* W.W. Sm. = Clematis napaulensis
- **forsteri** J.F. Gmel. | ≹; NZ
- **fremontii** S. Watson | ♃ ≹ VII-VIII; USA: Kans., Mo., Nebr.
- **fusca** Turcz. | ♄ ≹ VII-VIII; E-Sib., Kamchat., Sachal., Jap.
  - var. *kamtschatica* hort. = Clematis fusca
- **glauca** Willd. · Blaugrüne Waldrebe | ♄ ≹ IX-X; W-China, Sib.
- *grata* hort. = Clematis × jouiniana
- **heracleifolia** DC. · Großblättrige Waldrebe · Clématite à feuilles de berce ; C-China, N-China
  - var. **davidiana** (Verl.) Hemsl.
- *hexapetala* DC. = Clematis forsteri
- *hilarii* Spreng. = Clematis denticulata
- **hirsutissima** Pursh | ♃; B.C., USA: NW, Rocky Mts, SW
- *indivisa* Willd. = Clematis paniculata
- **integrifolia** L. · Ganzblättrige Waldrebe | ♃ V-VIII; Eur.: I, Ba, EC-Eur., E-Eur.; Cauc., W-Sib., E-Sib., C-As., China: SinkiangXijiang
- × **jackmanii** T. Moore (*C. lanuginosa* × *C. viticella*) · Clématite hybride de Jackmann | ♄ ≹ VII-X; cult.
- **japonica** Thunb. ex Murray | ≹; Japan: Honshu
- × **jouiniana** C.K. Schneid. (*C. heracleifolia var. davidiana* × *C. vitalba*) · Stauden-Clematis · Clématite herbacée | ♃ X-VIII; cult.
- **koreana** Kom. | ♄ ⇝ VI; Manch., N-Korea
- **lanuginosa** Lindl. · Wollige Waldrebe | ♄ ≹ VI-X; E-China
- **lasiandra** Maxim. · Zottige Waldrebe | ♄ ≹ VIII-X; C-China.
- **ligusticifolia** Torr. et A. Gray · Zungenblättrige Waldrebe | ≹ VIII-IX; w N-Am.
- **macropetala** Ledeb. · Großblumige Waldrebe · Downy Clematis | ♄ ≹ V-VI; E-Sib., N-China
- **marata** J.B. Armstr. | ≹; NZ
- **marmoraria** Sneddon | ♄; NZ
- *maximowicziana* Franch. et Sav. = Clematis terniflora
- **microphylla** DC. | ≹; Austr.: Queensl., N.S.Wales, Victoria, Tasman., S-Austr., W-Austr.
- **montana** Buch.-Ham. ex DC. · Berg-

Waldrebe · Clématite des montagnes | ♄ ≹ V-VI; Him., China: Yunnan
- *'Alba'* = Clematis montana
- *'Spooneri'* = Clematis chrysocoma var. sericea
- var. *sericea* Finet et Gagnep. = Clematis chrysocoma var. sericea

– **napaulensis** DC. | ≹; SW-China, N-Ind.
– **ochotensis** (Pall.) Poir.
– **ochroleuca** Sol. | ♃ ♄ V-VI; USA: NE, SE
– **orientalis** L. · Orientalische Waldrebe · Orange Peel Clematis | ♄ ≹ VII-IX; Eur.: GR, Russ.; TR, Cauc., Iran, Pakist., C-As., Mong., Tibet, China, nat. in Sp., I
– **paniculata** J.F. Gmel. | ♄ ⌂K ≹ V-VI; NZ
– *paniculata* Thunb. = Clematis terniflora
– **patens** C. Morren et Decne. · Offenblütige Waldrebe | ♄ ≹ V-VII; China, Jap.
– **pitcheri** Torr. et A. Gray | ≹; SE-USA
– **potaninii** Maxim.
– **quadribracteolata** Colenso | ≹; NZ
– **recta** L. · Aufrechte Waldrebe · Clématite droite | ♃ D VI-VII ☠; Eur.* exc. BrI, Sc; Cauc.
– **rehderiana** Craib · Rehders Waldrebe | ♄ ≹ VII-X ∧; W-China
– **serratifolia** Rehder · Koreanische Waldrebe | ♄ ≹ VIII-IX; Jap., N-Korea, Manch., Amur
– *sibirica* (L.) Mill. = Clematis alpina subsp. sibirica
– *simsii* Britton et A. Br. = Clematis pitcheri
– *simsii* Sweet = Clematis crispa
– **songarica** Bunge · Songarische Waldrebe | ♄ VIII-IX; C-As., S-Sib., Mong., Korea
– *spooneri* Rehder et Wilson = Clematis chrysocoma var. sericea
– **stans** Siebold et Zucc. · Japanische Waldrebe | ♃ VIII-IX; Jap.
– **tangutica** (Maxim.) Korsh. · Mongolische Waldrebe | ♄ ≹ VI; Mong., NW-China
– *ternata* Makino = Clematis japonica
– **terniflora** DC. · Rispenblütige Waldrebe | ♄ ≹ IX-X; China, Korea
– **texensis** Buckland · Texas-Waldrebe · Scarlet Clematis | ♄ ≹ VII-IX; Tex.
– *thunbergii* hort. = Clematis terniflora
– **tibetana** Kuntze | ≹; N-Ind., Pakistan
  - subsp. **vernayi** (Fisch.) Grey-Wilson
– × **triternata** DC. (*C. flammula* × *C. viticella*)
– *tubulosa* Turcz. = Clematis heracleifolia
– × **vedrariensis** Vilm. (*C. chrysocoma* × *C. montana var. rubens*) | ≹; cult.
– **veitchiana** Craib | ♄ ≹ IX-X; W-China
– *vernayi* Fisch. = Clematis tibetana subsp. vernayi
– **viorna** L. · Braunblütige Waldrebe · Leather Flower | ♄ ≹ VII; USA: NE, NCE, SC, SE
– **virginiana** L. · Virginische Waldrebe · Devil's Darning Needles, Virgin's Bower | ♄ ≹ VIII-IX; Can.: E; USA: NE, NCE, NC, SE
– **vitalba** L. · Gewöhnliche Waldrebe · Old Man's Beard, Traveller's Joy · Clématite des haies | ♄ ≹ VI-IX ☠ Ⓝ; Eur.* exc. Sc; TR, Cyprus, Lebanon, Cauc., N-Iran, Afgh., Alger., nat. in Sc
– **viticella** L. · Italienische Waldrebe · Clématite bleue | ♄ ≹ VI-IX; Eur.: I, Ba; TR, Cyprus, Cauc., Iran, nat. in Fr, D, Cz
– **Cultivars**
  - **Diversifolia-Grp.'Durandii'** | ♄; cult.
  - **Diversifolia-Grp.'Eriostemon'** Decne. | ♄ VII; cult.
  - **Heracleifolia-Grp.'Bonstedtii'**

Clematoclethra (Franch.) Maxim. -f- *Actinidiaceae*
– **integrifolia** Maxim. | ≹; NW-China
– **lasioclada** Maxim. | ≹; W-China

Clematopsis = Clematis L.
– **villosa** (DC.) Hutch. | ♄ ⌂K VIII-IX; S-Afr., trop. S-Afr.

Cleome L. -f- *Capparaceae*
– *arborea* hort. = Cleome hassleriana
– *gigantea* hort. = Cleome hassleriana
– *grandis* hort. = Cleome hassleriana
– **gynandra** L. · Spider Flower | ⊙ ⌂K Ⓝ; trop. Afr., trop. As., nat. in trop. Am..
– **hassleriana** Chodat · Spider Plant | ⊙ VII-X; SE-Bras., Arg.
  - **'Helen Campbell'**
  - **'Violet Queen'**
– *pentaphylla* (L.) DC. = Cleome gynandra
– *pungens* auct. = Cleome hassleriana
– *pungens* Willd. = Cleome spinosa
– *spinosa* hort. = Cleome hassleriana
– **spinosa** Jacq. | ⊙ VII-X; S-Am.
– **violacea** L.; Ib, NW-Afr.

Cleretum N.E. Br. -n- *Aizoaceae*
– **herrei** Schwantes | ⊙ ⌂K; Kap

Clerodendrum L. -n- *Verbenaceae*
– **bungei** Steud. · Glory Flower | ♄ VIII-IX /\; China, Sikkim, Riukiu-Is.
– *fallax* Lindl. = Clerodendrum speciosissimum
– *foetidum* Bunge = Clerodendrum bungei
– *fragrans* (Vent.) R. Br. = Clerodendrum philippinum
– **paniculatum** L. | ♄; SE-As.
– **philippinum** Schauer · Glory Bower | ♄ Ⓦ D I-XII
– **speciosissimum** Van Geert | ♄ Ⓦ VI-IX; Malay. Arch., N.Guinea, Polyn.
– × **speciosum** Dombr. (*C. splendens* × *C. thomsoniae*)
– **splendens** G. Don | ♄ Ⓦ ≹ XII-IV; trop. Afr.
– **thomsoniae** Balf. · Bleeding Heart Vine | ♄ Ⓦ ≹ III-VII; W-Afr., Cameroun
– **trichotomum** Thunb. · Japanischer Losbaum · Glory Tree ; Jap.
  - var. **fargesii** (Dode) Rehder | ♄ ♧ IX; China, Taiwan
– **ugandense** Prain | ♄ Ⓦ ≹ IV-IX; E-Afr., Zimbabwe

Clethra L. -f- *Clethraceae* · Scheineller
– **acuminata** Michx. · Berg-Zimterle · Summersweet, White Alder | ♄ VII-VIII; USA: NE, SE
– **alnifolia** L. · Erlenblättrige Zimterle · Sweet Pepper Bush, White Alder · Cléthra à feuilles d'aulne | ♄ VII IX; USA: NE, SE, Fla., SC
– **arborea** Aiton · Lily-of-the-Valley Tree | ♄ Ⓚ VIII-IX; Madeira
– **barbinervis** Siebold et Zucc. · Japanische Zimterle | ♄ VII-IX; Jap., Korea
– **delavayi** Franch. | ♄ Ⓚ VII-VIII; W-China
– **fargesii** Franch. · Farges Zimterle | ♄ VII-VIII; C-China
– **tomentosa** Lam. · Filzige Zimterle | ♄ VIII-IX; USA: SE, Fla.

Cleyera Thunb. -f- *Theaceae*
– *fortunei* Hook. f. = Cleyera japonica 'Fortunei'
  - *'Variegata'* = Cleyera japonica 'Fortunei'
– **japonica** Thunb. · Cleyera | ♄ ♄ Ⓚ; China, Korea, Jap., Riukiu-Is., Taiwan
  - **'Fortunei'**
  - **'Tricolor'**
  - *'Variegata'* = Cleyera japonica 'Fortunei'
  - var. *tricolor* Kobuski = Cleyera japonica 'Tricolor'
– **ochnacea** DC.

Clianthus Sol. ex Lindl. -m- *Fabaceae* · Ruhmesblume
– *dampieri* A. Cunn. ex Lindl. = Clianthus formosus
– **formosus** (G. Don) Ford et Vickery · Glory Pea, Sturt's Desert Pea | ♃ ♄ Ⓚ VII-IX; Austr.
– **puniceus** (G. Don) Sol. ex Lindl. · Lobster's Claw, Parrot's Bill | ♄ Ⓚ III-V; NZ
– *speciosus* (G. Don) Asch. et Graebn. = Clianthus formosus

Clidemia D. Don -f- *Melastomataceae*
– **hirta** (L.) D. Don · Soapbush

Clinopodium L. -n- *Lamiaceae*
– **vulgare** L. · Wirbeldost | ♃ VII-IX; Eur.*, Cauc., W-Sib., E-Sib.
  - subsp. **arundanum** (Boiss.) Nyman | ♃; S-Eur., TR, Syr., N-Iraq, Cauc., Iran, Afgh.

Clinostigma H. Wendl. -f- *Arecaceae*
– *mooreanum* (F. Muell.) H. Wendl. et Drude = Lepidorrhachis mooreana

Clintonia Raf. -f- *Convallariaceae*
– **borealis** (Aiton) Raf. · Bluebead | ♃ ♧ V; Can.: E; USA; NE, NCE, SE
– **umbellulata** (Michx.) Morong · Speckled Clintonia | ♃ ♧ V; USA: NE, SE
– **uniflora** (Schult.) Kunth · Bride's Bonnet, Queen's Cup | ♃ V; Alaska, Can.: W; USA: NW, Rocky Mts., Calif.

Clintonia = Downingia Torr.
– *elegans* Douglas = Downingia elegans
– *pulchella* Lindl. = Downingia pulchella

Clistanthocereus = Borzicactus Riccob.
– *hertlingianus* Backeb. = Browningia hertlingiana

Clitoria L. -f- *Fabaceae*
– **laurifolia** Poir. | ♄ Ⓝ; trop. Am.; cult. Sri Lanka, Malay. Arch.
– **ternatea** L. · Butterfly Pea | ♃ ≹ VI-IX Ⓝ; ? S-Am., nat. in Trop.

Clivia Lindl. -f- *Amaryllidaceae* · Klivie, Riemenblatt
– × **cyrtanthiflora** (Van Houtte) Wittm. (*C. miniata* × *C. nobilis*) · Kaffir Lily
– **gardenii** Hook. · Kaffir Lily | ♃ Ⓚ XII-III; S-Afr.: Natal, Transvaal
– **miniata** (Lindl.) Bosse | ♃ Ⓚ II-V; S-Afr.: Natal
– **nobilis** Lindl. | ♃ Ⓚ VIII-XI; S-Afr.

Clowesia Lindl. -f- *Orchidaceae*
– **russelliana** (Hook.) Dodson | Ⓦ VIII-IX ✱; Mex., C-Am., Venez.

Clusia L. -f- *Clusiaceae*
– **grandiflora** Splitg. | ♄ Ⓦ; Guyan.
– **major** (Jacq.) L. · Balsam Apple, Scotch Attorney | ♄ ħ Ⓦ Ⓝ; S-Fla., Mex., W.Ind., C-Am., S-Am.
– *rosea* Jacq. = Clusia major

Clypeola L. -f- *Brassicaceae*
– **jonthlaspi** L.; Eur.; Ib, Ap, Fr, CH, E-Eur., Ba; SW-As.

Clytostoma Miers ex Bureau -n- *Bignoniaceae*
– **binatum** (Thunb.) Sandwith | ≹; Venez., Guyana, Bras., Parag., Urug.
– **callistegioides** (Cham.) Bureau · Violet Trumpet Vine | ♄ Ⓦ ≹ III-IV; S-Bras., Arg.

Cneorum L. -n- *Cneoraceae* · Zeiland
– **tricoccon** L. | ♄ Ⓚ; Eur.: Sp., F, Sard., I

Cnicus L. -m- *Asteraceae* · Benediktenkraut
– **benedictus** L. · Benediktenkraut · Blessed Thistle | ⊙ Off. VI-VII Ⓝ; Eur.: Ib, Fr, Ap, Ba; TR, Levante, Cauc., Iran, C-As., Afgh., Alger., nat. in RO, S-Russ.
– *oleraceus* L. = Cirsium oleraceum
– *spinosissimus* L. = Cirsium spinosissimum

Cnidium Cusson ex Juss. -n- *Apiaceae*
– **dubium** (Schkuhr) Thell. · Sumpf-Brenndolde | ♃ VIII-IX; Eur.: Sc, C-Eur., EC-Eur., E-Eur.; W-Sib., E-Sib., C-As.
– **silaifolium** (Jacq.) Simonk. · Silgenblättrige Brenndolde | ♃ VII-VIII; Eur.: Fr, Ap, Ba; TR, Syr., Lebanon

Cnidoscolus Pohl -m- *Euphorbiaceae*
– **urens** (L.) Arthur · White Nettle | ♄ Ⓦ VII-IX ✂; S-Mex., C-Am., Lesser Antilles, S-Am.

Cobaea Cav. -f- *Cobaeaceae*
– **scandens** Cav. · Glocken-Rebe · Cup-and-Saucer Plant | ♄ Ⓚ ≹ VII-X; Mex.

Coccinia Wight et Arn. -f- *Cucurbitaceae*
– **abyssinica** (Lam.) Cogn. | Ⓝ; Eth.
– **grandis** (L.) Voigt | ♃ Ⓦ ≹ ♣ VII-VIII Ⓝ; trop. Afr., trop. As., Austr.: N.Terr., nat. in trop. Am.

Coccoloba P. Browne -f- *Polygonaceae*
– *grandifolia* Jacq. = Coccoloba pubescens
– **pubescens** L. · Leather Coat Tree | ♄ Ⓦ; Mex., W.Ind., Guyan.
– **uvifera** (L.) L. · Sea Grape | ♄ ħ Ⓦ Ⓝ; Fla., Bahamas, Bermuda, Mex., W.Ind., trop. S-Am.

Coccothrinax Sarg. -f- *Arecaceae*
– **argentea** (Lodd. ex Schult. et Schult. f.) Sarg. ex Becc. · Silver Thatch Palm | ♄ Ⓚ Ⓝ; Haiti

Cocculus DC. -m- *Menispermaceae* · Kokkelstrauch
– **carolinus** (L.) DC. · Carolina-Kokkelstrauch · Carolina Moonseed | ♄ Ⓚ ≹ ∧; USA: NE, NCE, Kans., SC, SE, Fla.
– **laurifolius** (Roxb.) DC. · Coralbead | ♄ Ⓚ; Him., China, Taiwan, Ryukyu-Is., Jap.
– **orbiculatus** (L.) DC. · Queen Coralbead | ♄ ≹ ∧; Him., China, Jap., Phil.
– *trilobus* (Thunb.) DC. = Cocculus orbiculatus

Cochemiea = Mammillaria Haw.
– *halei* (K. Brandegee) Walton = Mammillaria halei
– *poselgeri* (Hildm.) Britton et Rose = Mammillaria poselgeri

Cochleanthes Raf. -f- *Orchidaceae*
– **amazonica** (Rchb. f. et Warsz.) R.E. Schult. et Garay | Ⓦ XII-III; Amazon., Venez.
– **discolor** (Lindl.) R.E. Schult. et Garay | Ⓦ I-III; Hond., Costa Rica, Panama, Cuba, Venez.
– **flabelliformis** (Sw.) R.E. Schult. et Garay | ♃ Ⓦ XII-III; W.Ind.

– **wailesiana** (Lindl.) R.E. Schult. et Garay | ♃ Ⓦ V-VI; Bras.

Cochlearia L. -f- *Brassicaceae*
– **anglica** L. · Englisches Löffelkraut | ♃ ⊙ V-VII; Eur.: Sc, BrI, D, Fr, Ib; coasts
– *armoracia* L. = Armoracia rusticana
– **bavarica** Vogt · Bayerisches Löffelkraut | ♃ ⊙; Eur.: D
– **danica** L. · Dänisches Löffelkraut | ⊙ V-VI; Eur.: Sc, BrI, D, Balt., Fr, Ib; coasts
– **macrorhiza** (Schur) Pobed. | ♃ ⊙ III-VI; C-Eur. , W-Eur.
– **officinalis** L. · Echtes Löffelkraut · Common Scurvy Grass, Scurvy Grass | ♃ ⊙ V-VI ▽ Ⓝ; Eur.* exc. Ap, Ba; coasts; Canar., Sib., Kamchat., N-Jap., Greenl., nat. in Ap
– **pyrenaica** DC. · Pyrenäen-Löffelkraut | ♃ V-VI; Eur.: Sp., F, C-Eur., BrI, Norw.
  - subsp. **excelsa** (J. Zahlbr.) O. Schwarz · Alpen-Löffelkraut | ♃ ⊙ VII-VIII; Eur.: A
– *saxatilis* L. = Kernera saxatilis

× **Cochlenia** Hort. -f- *Orchidaceae* (*Cochleanthes* × *Stenia*)

Cochlioda Lindl. -f- *Orchidaceae*
– **densiflora** Lindl. | ♃ Ⓚ VII-XI ✻; Peru, Bol.
– **rosea** (Lindl.) Benth. | ♃ Ⓚ XII-III ✻; Ecuad., Peru
– *sanguinea* (Rchb. f.) Benth. = Symphyglossum sanguineum

Cocos L. -f- *Arecaceae* · Kokospalme
– *australis* hort. = Butia capitata
  - var. *bonnetii* (Becc.) hort. = Butia bonnetii
– *australis* Mart. = Syagrus romanzoffiana
– *bonnetii* (Becc.) hort. = Butia bonnetii
– *eriospatha* Mart. ex Drude = Butia eriospatha
– **nucifera** L. · Coconut, Coconut Palm | ♄ Ⓦ Ⓝ; orig. ? ; cult. Trop., nat. in pantrop. cult.
– *plumosa* Hook. = Syagrus romanzoffiana
– *romanzoffiana* Cham. = Syagrus romanzoffiana
– *weddelliana* H. Wendl. = Lytocaryum weddellianum
– *yatay* Mart. = Butia yatay

Codiaeum A. Juss. -n- *Euphorbiaceae* · Wunderstrauch
– **variegatum** (L.) Blume · Codiaeum ; Molucca I.
  - var. **pictum** (Lodd.) Müll. Arg. | ♄ Ⓦ; Molucca s.; cult Trop.

× **Codonantanthus** W.R. Saylor -m- *Gesneriaceae* (*Codonanthe* × *Nematanthus*)

Codonanthe (Mart.) Hanst. -f- *Gesneriaceae*
– **crassifolia** (Focke) C.V. Morton | ♃ Ⓦ ≹; Trinidad, Guyana, Bras., E-Peru
– **ventricosa** (Vell.) Hoehne | ♃ Ⓦ; S-Bras.

Codonopsis Wall. -f- *Campanulaceae* · Glockenwinde
– **bulleyana** Forrest ex Diels | ♃ △ VI; NW-Yunnan, SE-Tibet
– **clematidea** (Schrenk ex Fisch. et C.A. Mey.) C.B. Clarke · Tigerglocke | ♃ △ VII; C-As.
– **convolvulacea** Kurz | ♃ ≹ △ VII; Him., Tibet
  - var. *forrestii* (Diels) Ballard = Codonopsis forrestii
– **forrestii** Diels | ♃ ≹ △ VI-VII; Yunnan
– **lanceolata** (Siebold et Zucc.) Trautv. | ♃ ≹ △ VI-VII; China, Amur, Manch., Korea, Jap.
meleagris Diels | ♃ △ VIII; Yunnan
– **ovata** Benth. | ♃ △ VIII; W-Him.
– **rotundifolia** Royle | ♃ ≹ △ VI-VII; Him., SE-Tib.
– **tangshen** Oliv. | ♃ ≹ △ VI-VII; China: Hupeh
– **ussuriensis** (Rupr. et Maxim.) Hemsl. | ♃ ≹ △ VI-VII; Amur, Manch., Korea, Jap.
– *vinciflora* Komar. = Codonopsis convolvulacea
– **viridiflora** Maxim. | ♃ △ VII-VIII; China: Sichuan, Kansu

Coelia Lindl. -f- *Orchidaceae*
– *baueriana* (Sm.) Lindl. = Coelia triptera
– **bella** (Lem.) Rchb. f. | ♃ Ⓦ X-XI ✻; Guat.
– *macrostachya* Lindl. = Bothriochilus macrostachyus
– **triptera** (Sm.) G. Don ex Steud. | ♃ Ⓦ II-IV ✻; Mex., W.Ind.

Coeloglossum Hartm. -n- *Orchidaceae*

– **viride** (L.) Hartm. · Hohlzunge · Frog Orchid | ♃ V-VI; Eur.*, TR, N-As., N-Am.

Coelogyne Lindl. -f- *Orchidaceae*
– **asperata** Lindl. | ♃ Ⓦ IV-VII ✻; Malay. Arch., N.Guinea
– **barbata** Griff. | ♃ Ⓦ X-XII ✻; Bhutan, NE-Ind.
– **carinata** Rolfe | ♃ Ⓦ VI ✻; N.Guinea
– *cinnamomea* Teijsm. et Binn. = Coelogyne trinervis
– **corrugata** Wight | ♃ Ⓦ IX-X ✻; Ind.
– **corymbosa** Lindl. | ♃ Ⓦ VII-IX ✻; Him., SW-China
– **cristata** Lindl. | ♃ Ⓚ I-IV; E-Him.
- var. **hololeuca** Rchb. f. | ♃ Ⓚ I-IV ✻; Nepal
– **dayana** Rchb. f. | ♃ Ⓦ IV-VI ✻; Thail., Sumat., Kalimantan
– **fimbriata** Lindl. | ♃ Ⓚ VIII-X ✻; Ind. (Khasi Mts.), Indochina, China
– **flaccida** Lindl. | ♃ Ⓦ III-IV ✻; Nepal
– **flexuosa** Rolfe | ♃ Ⓦ IV-VI ✻; Java
– **fuliginosa** Lindl. | ♃ Ⓦ XI-XII ✻; Him., Myanmar
– **fuscescens** Lindl. | ♃ Ⓦ I-II ✻; NE-Ind.
– *gardneriana* Lindl. = Neogyna gardneriana
– *graminifolia* Parish et Rchb. f. = Coelogyne viscosa
– **huettneriana** Rchb. f. | ♃ Ⓦ IV-VI ✻; Myanmar, Thail.
– **lawrenceana** Rolfe | ♃ Ⓦ III-IV ✻; Vietn.
– **massangeana** Rchb. f. | ♃ Ⓦ V-VII ✻; Thail., Sumat., Java
– **miniata** (Blume) Lindl. | ♃ Ⓦ VII-IX ✻; Sumat., Java, Bali
– *nervosa* A. Rich. = Coelogyne corrugata
– **nitida** (Wall. ex Don) Lindl. | ♃ Ⓚ IV-VI ✻; Him., Myanmar, Yunnan, Thail., Laos
– *ochracea* Lindl. = Coelogyne nitida
– **ovalis** Lindl. · Jivanti | ♃ Ⓦ VI-VIII ✻; Him., Yunnan, Myanmar, Thail.
– **pandurata** Lindl. · Black Orchid | ♃ Ⓦ VI-VIII ✻; Malay. Pen., Kalimantan
– **parishii** Hook. f. | ♃ Ⓦ V-VI ✻; Myanmar
– **rochussenii** de Vries
– **speciosa** (Blume) Lindl. | ♃ Ⓦ I-XII ✻; Sumat., Java, Kalimantan
– **swaniana** Rolfe | ♃ Ⓦ VII-VIII ✻; Malay. Pen., Sumat., Kalimantan
– **tomentosa** Lindl. | ♃ Ⓦ IV-V ✻; Thail., Sumat, Kalimantan
– **trinervis** Lindl. | ♃ Ⓦ I ✻; Myanmar, Thail., Cambodia, Vietn., Malay. Pen., Java
– **veitchii** Rolfe | ♃ Ⓦ VII-VIII; N.Guinea
– **viscosa** Rchb. f. | ♃ Ⓦ I-II ✻; N-Ind., SW-China, Myanmar, Malay. Pen.

Coffea L. -f- *Rubiaceae* · Kaffee
– **arabica** L. · Arabian Coffee ; Eth., Sudan
– *benghalensis* Roxb. = Psilanthus bengalensis
– **canephora** Pierre ex A. Froehner · Robusta Coffee | ♄ Ⓦ Ⓝ; W-Afr., C-Afr., Sudan, Uganda, Angola
– **congensis** A. Froehner | ♄ Ⓝ; Congo
– *dewevrei* De Wild. et T. Durand = Coffea liberica
– **eugenioides** S. Moore | Ⓝ; Uganda, Tanzania, E-Congo
– **liberica** W. Bull ex Hiern · Liberian Coffee | ♄ ♄ Ⓦ Ⓝ; trop. Afr.
– **racemosa** Lour. | ♄ Ⓦ Ⓝ; Tanzania, Mozamb., Zimbabwe
– *robusta* Lindl. = Coffea canephora
– **stenophylla** G. Don | ♄ Ⓦ Ⓝ; W-Afr.: Guinea, Sierra Leone, Ivory Coast

Coincya Rouy -f- *Brassicaceae*
– **monensis** (L.) Greuter et Burdet
- subsp. **cheiranthos** (Vill.) Aedo et al. · Goldlack-Schnabelsenf, Schnabelsenf | ♃ X-VI; Eur.: Fr, BrI, IB, Ap

Coix L. -f- *Poaceae*
– **lacryma-jobi** L. · Hiobsträne · Job's Tears · Larme-de-Job | ⊙ ⊙ ♃ ♣ Ⓝ; trop. As.

Cola Schott et Endl. -f- *Sterculiaceae*
– **acuminata** (P. Beauv.) Schott et Endl. · Goora Nut, Kola | ♄ Ⓦ Off. Ⓝ; W-Afr., C-Afr., Angola
– **anomala** K. Schum. | ♄ Ⓝ; Cameroun
– **nitida** (Vent.) Schott et Endl. · Kola Nut | ♄ Ⓦ Off. Ⓝ; Liberia, Ivory Coast
– **quinqueloba** (K. Schum.) Garcke | ♄ Ⓦ ✂; trop. Afr.
– *vera* K. Schum. = Cola nitida
– **verticillata** (Thonn.) Stapf ex A. Chev. | ♄ Ⓦ Ⓝ; W-Afr., C-Afr.

Colax = Pabstia Garay
– *jugosus* Lindl. = Pabstia jugosa

Colchicum L. -f- *Colchicaceae* · Zeitlose
– **agrippinum** hort. ex Baker (*C. autumnale* × *C. variegatum*) | ♃ IX ☠; GR, nat. in BrI
– **alpinum** DC. · Alpen-Zeitlose | ♃ VII-VIII; Eur.: F, Ap, CH
– **arenarium** Waldst. et Kit. | ♃ IX-X ☠; Eur.: H, Slova., Serb.
– **autumnale** L. · Herbst-Zeitlose · Naked Ladies · Colchique d'automne | ♃ Off. XI-X ☠ Ⓝ; Eur.* exc. Sc, nat. in Sc
 - *'Major'* = Colchicum byzantinum
 - *'Minor'* = Colchicum autumnale
– **bivonae** Guss. | ♃ IX-X ☠; Eur.: Sard., I, Sic., Ba
– **bornmuelleri** Freyn | ♃ VIII ☠; Iran, Syr.
– *bornmuelleri* hort. = Colchicum speciosum
– *bowlesianum* B.L. Burtt = Colchicum bivonae
– *bulbocodium* Ker-Gawl. = Bulbocodium vernum
– **byzantinum** Ker-Gawl.; TR: Taurus
 - var. *cilicium* Boiss. = Colchicum cilicicum
– **cilicicum** (Boiss.) Dammer | ♃; TR, Syr., Lebanon
– **cupanii** Guss. | ♃ Ⓐ ☠ ∧; Eur.: F, Sard, I, Sic., GR, ?AL, ?Crete
– *decasnei* Boiss. = Colchicum troodii
– **haussknechtii** Boiss. | ♃ X ☠; Iran
– *laetum* Decne. = Colchicum troodii
– **laetum** Steven | ♃ IX-X ☠; Cauc.
– **longiflorum** A. Cast. | ♃ VIII-IX ☠; Eur.: Sp., F, Ap, W-Ba; NW-Afr.
– **luteum** Baker | ♃; C-As., Afgh., N-Ind., SW-China
– *neapolitanum* Ten. = Colchicum longiflorum
– **pannonicum** Griseb. et Schenk | ♃ IX ☠; S-E-Eur.
– *sibthorpii* Baker = Colchicum bivonae
– **speciosum** Steven | ♃ IX-X ☠; Cauc., TR
 - var. *bornmuelleri* (Freyn) Bergmans = Colchicum bornmuelleri
 - var. *bornmuelleri* hort. = Colchicum speciosum
– **troodii** Kotschy
– **variegatum** L. | ♃ VIII ☠; Eur.: GR; TR
– *vernum* (L.) Ker-Gawl. = Bulbocodium vernum

Coleanthus Seidel -m- *Poaceae*
– **subtilis** (Tratt.) Seidl · Scheidenblütgras | X-V; Eur.: F, D, A, EC-Eur., Slova.; W-Sib., Amur, nat. in USA: NW

Coleocephalocereus Backeb. -m- *Cactaceae*
– **fluminensis** (Miq.) Backeb. | ♄ Ψ Ⓦ ✻; Bras.

Coleonema Bartl. et H.L. Wendl. -n- *Rutaceae*
– **album** (Thunb.) Bartl. et H.L. Wendl. · White Breath Of Heaven | ♄ Ⓚ D III-V; Kap
– **calycinum** (Steud.) I. Williams | ♄ Ⓚ D III-V; Kap
– **pulchrum** Hook. | ♄; S-Afr.

Coleostephus Cass. -m- *Asteraceae*
– **multicaulis** (Desf.) Durieu | ⊙ VII-VIII; Alger.

Coleotrype C.B. Clarke -f- *Commelinaceae*
– **natalensis** C.B. Clarke | ♃ Ⓦ; S-Afr.: Natal

Coleus = Plectranthus L'Her.
– *amboinicus* Lour. = Plectranthus amboinicus
– *blumei* Benth. = Solenostemon scutellarioides
– *esculentus* (N.E. Br.) G. Taylor = Plectranthus esculentus
– **forskohlii** (Poir.) Briq. | ♃ Ⓦ Ⓝ; Ind., E-Afr.
– **fredericii** G. Taylor | ⊙ ⊙ Ⓚ XII; Angola
– *pumilus* Blanco = Solenostemon scutellarioides
– *rehneltianus* Berger = Solenostemon scutellarioides
– *rotundifolius* (Poir.) A. Chev. et Perrot = Plectranthus rotundifolius
– *shirensis* Gürke = Solenostemon shirensis
– *thyrsoideus* Hook. f. = Plectranthus thyrsoideus

Colletia Comm. ex Juss. -f- *Rhamnaceae*
– *armata* Miers = Colletia hystrix
– *cruciata* Gillies et Hook. = Colletia paradoxa
– **hystrix** Clos; Chile
– **paradoxa** (Spreng.) Escal. · Anchor Plant | ♄ Ⓚ XI-XII; S-Bras., Urug., N-Arg.
– **spinosa** Lam. emend. Suess. | ♄ Ⓚ; Peru,

Chile, Arg., S-Bras., Urug.

Collinia = Chamaedorea Willd.
– *elegans* Mart. = Chamaedorea elegans

Collinsia Nutt. -f- *Scrophulariaceae*
– **bicolor** Benth. · Innocence | ⊙ VII-VIII; Calif.
– **grandiflora** Douglas ex Lindl. · Blue Lips | ⊙ VI-VIII; B.C., USA: NW, Calif.
– *heterophylla* Buist ex Graham = Collinsia bicolor
– **tinctoria** Hartw. ex Benth. · Tincture Plant | ⊙ VII-VIII; Calif.
– **verna** Nutt. | ⊙ V-VI; USA: NE, NCE, Kans., Ark.

Collinsonia L. -f- *Lamiaceae*
– **canadensis** L. · Horseweed, Stone Root | ♃ VII-IX; Ont., USA: NE, NCE, SE, Fla.

Collomia Nutt. -f- *Polemoniaceae*
– *biflora* (Ruiz et Pav.) Brandegee = Collomia cavanillesii
– **cavanillesii** Hook. et Arn. | ⊙ VII-VIII; Bol., Chile, Arg.
– *coccinea* Lehm. = Collomia cavanillesii
– **grandiflora** Douglas ex Lindl. · Großblumige Leimsaat · Mountain Trumpet | ⊙ VI-VIII; B.C., USA: NW, Rocky Mts., Calif., nat. in W-Eur., C-Eur.
– **linearis** Nutt.; N-Am.

× **Colmanara** Hort. -f- *Orchidaceae* (*Miltonia* × *Odontoglossum* × *Oncidium*)

Colocasia Schott -f- *Araceae* · Taro
– **affinis** Schott | ♃ Ⓦ; S-Him.
– *antiquorum* Schott = Colocasia esculenta 'Antiquorum'
  - var. *typica* Engl. = Colocasia esculenta 'Antiquorum'
– **esculenta** (L.) Schott · Coco Yam, Dasheen, Taro ; Him., Ind., Sri Lanka, nat. in Trop., Subtrop.
  - **'Antiquorum'** | ♃ Ⓦ Ⓝ; Ind., nat. in N-Afr.
  - var. *antiquorum* (Schott) F.T. Hubb. et Rehder = Colocasia esculenta 'Antiquorum'
  - var. *colocasia* (L.) Mansf. = Colocasia esculenta 'Antiquorum'
– **fallax** Schott | ♃ Ⓦ; S-Him.
– **gigantea** (Blume) Hook. f. | ♃ Ⓦ; Ind., Indochina, Malay. Arch.
– *indica* auct. non (Lour.) Kunth = Colocasia gigantea
– *jenningsii* Veitch = Colocasia affinis
– *marshallii* W. Bull = Colocasia affinis

Colocynthis = Citrullus Schrad.ex Eckl. et Zeyh.
– *citrullus* (L.) Kuntze = Citrullus lanatus
– *vulgaris* Schrad. = Citrullus colocynthis

Columnea L. -f- *Gesneriaceae*
– *affinis* C.V. Morton = Columnea aureonitens
– **allenii** C.V. Morton | ħ Ⓦ ≀ VII-X; Panama
– **arguta** C.V. Morton | ħ Ⓦ ≀ IX-X; Panama
– **aureonitens** Hook. | ♃ Ⓦ; trop. S-Am.
– × **banksii** Lynch (*C. oerstediana* × *C. schiedeana*) | ħ Ⓦ ≀; cult.
– **billbergiana** Beurl. | ħ Ⓦ; Panama
– **crassifolia** Brongn. | ħ Ⓚ VI-VIII; Mex., Guat.
– **glabra** Oerst. | ♄ Ⓦ VIII-V; Costa Rica
– **gloriosa** Sprague · Goldfish Plant | ħ Ⓦ ≀ IX-V; Costa Rica
  - **'Purpurea'**
  - var. *superba* hort. = Columnea gloriosa
– **hirta** Klotzsch et Hanst. | ♄ Ⓦ III-IV; Costa Rica
  - var. **pilosissima** (Standl.) Standl. | ħ Ⓦ ≀ III-V; Hond.
– *illepida* H.E. Moore = Trichantha illepida
– **lepidocaula** Hanst. | ♄ Ⓦ; Costa Rica
– **linearis** Oerst. | ♄ Ⓦ; Costa Rica
– **magnifica** Klotzsch et Hanst. ex Oerst. | ♄ Ⓦ ≀; Costa Rica, Panama
– **microphylla** Klotzsch et Hanst. | ħ Ⓦ ≀ III-VIII; Costa Rica
– **nicaraguensis** Oerst. | ♄ Ⓦ; C-Am.
– **oerstediana** Klotzsch ex Oerst. | ħ Ⓦ ≀ II-III; Costa Rica
– *percrassa* C.V. Morton = Columnea billbergiana
– *pilosissima* Standl. = Columnea hirta var. pilosissima
– **sanguinea** (Pers.) Hanst. | ♄ Ⓦ; W.Ind.
– **scandens** L.
  - var. **tulae** (Urb.) Wiehler | ♃ Ⓦ ♣; Puerto Rico, Haiti
  - var. **tulae'Flava'**
– **schiedeana** Schltdl. | ♄ Ⓦ III-V; E-Mex.
– *teuscheri* (C.V. Morton) H.E. Moore = Trichantha minor
– *tigrina* Raymond = Columnea zebrina

– *tulae* Urb. = Columnea scandens var. tulae
– × **vedrariensis** Vilm. ex Mottet (*C. magnifica* × *C. schiedeana*) | ♃ ♄ Ⓦ ≀ ♣ II-V; cult.
– **verecunda** C.V. Morton | ħ Ⓦ; Costa Rica
– **zebrina** Raymond | ħ Ⓦ; Panama

Coluria R. Br. -f- *Rosaceae*
– **geoides** (Pall.) Ledeb. | ♃ IV-V; Altai
– *potentilloides* R. Br. = Coluria geoides

Colutea L. -f- *Fabaceae* · Blasenstrauch
– **arborescens** L. · Gewöhnlicher Blasenstrauch · Bladder Senna · Baguenaudier commun | ♄ ♣ VI-VIII ☠ Ⓝ; Eur.* exc. BrI, Sc, nat. in BrI
– **cilicica** Boiss. et Balansa | ♄ VI-VII; Eur.: GR, Krim; TR, Cauc.
– *cruenta* Aitch. = Colutea orientalis
– **gracilis** Freyn et Sint. · Bladder Senna | ♄ VII; C-As.
– × **media** Willd. (*C. arborescens* × *C. orientalis*) · Bastard-Blasenstrauch · Oriental Bladder Senna · Baguenaudier hybride | ♃ ♣ VI-VIII; cult.
– **orientalis** Mill. · Orientalischer Blasenstrauch | ♄ VI-IX; Krim, Cauc., nat. in S-Eur.
– **persica** Boiss.; S-Iran
 - var. **buhsei** Boiss. | ♄ VII; Iran

Coluteocarpus Boiss. -m- *Brassicaceae*
– **vesicaria** (L.) Holmboe | ♃ △ ♣ IV-V; TR, Cauc. (Armen), Lebanon

Comarum = Potentilla L.
– *palustre* L. = Potentilla palustris

Combretum Loefl. -n- *Combretaceae* · Langfaden
– **bracteosum** (Hochst.) Brandis | ħ ♄ ≀; S-Afr.
– **coccineum** Lam. | ♄ Ⓦ ≀ IX-X; Madag.
– **comosum** G. Don | ♄ Ⓦ ≀ VII-VIII; W-Afr.: Sierra Leone
– **grandiflorum** G. Don | ♄ Ⓦ ≀ VII; W-Afr.: Sierra Leone
– *purpureum* Vahl = Combretum coccineum

Commelina L. -f- *Commelinaceae*
– **benghalensis** L. · Benghal Dayflower | ♃ Ⓦ ≀ ~~ ; trop. Afr., trop. As.
– *coelestis* Willd. = Commelina tuberosa 'Coelestis Grp.'
– **communis** L. · Commeline | X-VII; China, nat. in Eur.: I, CH, EC-Eur., Croatia, RO, Russ.; Cauc., W-Sib., E-Sib., Kamchat.
– **diffusa** Burm. f. · Kletternde Tagblume · Climbing Dayflower | ♃ Ⓦ ≀ ≀ ~~~>; USA: NE, NCE, Kans., SE, Fla., SC; S-Am, Trop.
– *nudiflora* Burm. f. non L. = Commelina diffusa
– **tuberosa** L. · Tagblume · Dayflower | ♃ Ⓚ VI-IX; C-Am., S-Am.
 - **Coelestis Grp.**
– **virginica** L. | ♃ Ⓚ VI-VIII; USA: NE, NCE, Kans., SC, SE, Fla.

Commiphora Jacq. -f- *Burseraceae* · Myrrhenstrauch
– **abyssinica** Engl. | ħ Ψ Ⓚ Ⓝ; N-Eth., S-Arab.
– **molmol** Engl. · Myrrh | ħ Ψ Ⓚ Off.; Somalia
– **opobalsamum** (L.) Engl. · Balm of Gilead | ħ Ψ Ⓚ Ⓝ; Sudan, Eth., Somalia, Arab.

Comparettia Poepp. et Endl. -f- *Orchidaceae*
– **coccinea** Lindl. | ♃ Ⓦ XI-XII ✻; Bras.
– **falcata** Poepp. et Endl. | ♃ Ⓦ XI-I ✻; Mex., C-Am., W.Ind., trop. S-Am.
– **macroplectron** Rchb. f. | ♃ Ⓦ IX-X ✻; Col.
– *rosea* Lindl. = Comparettia falcata

Comptonia L'Her. ex Aiton -f- *Myricaceae*
– **peregrina** (L.) J.M. Coult. · Farnmyrte · Sweet Fern ; USA: NE
 - var. **aspleniifolia** (L.) Fernald | ♄ IV-V; USA: NE

Conandron Siebold et Zucc. -n- *Gesneriaceae*
– **ramondioides** Siebold et Zucc. · Conandron | ♃ Ⓚ V-VI; Jap., Taiwan

Conicosia N.E. Br. -f- *Aizoaceae*
– **capensis** (Haw.) N.E. Br. | ♃ Ψ Ⓚ; S-Afr.
– **communis** (Edwards) N.E. Br. | ♃ Ψ Ⓚ; Kap

Coniogramme Fee -f- *Adiantaceae*
– **japonica** (Thunb.) Diels | ♃ Ⓚ; China,

Korea, Jap., Riukiu-Is., Taiwan

Conioselinum Fisch. ex Hoffm. -n- *Apiaceae*
- **tataricum** Hoffm. · Schirlingssilge | ♃ VII-IX; Eur.: A, EC-Eur., Sc, E-Eur.; W-Sib., E-Sib., C-As.

Conium L. -n- *Apiaceae* · Schierling
- **maculatum** L. · Gefleckter Schierling · Poison Hemlock | ⊙ VI-VIII ☠ Ⓝ; Eur.*, TR, Cauc., Iran, W-Sib., C-As., China: Sinkiang; NW-Afr., Eth., S-Afr., nat. in Can., USA, Mex.

Conoclinium DC. -n- *Asteraceae*
- **coelestinum** DC. · Ageratum, Mist Flower | ♃ VII-X; USA: NE, NCE, Kans., SC, SE, Fla.

Conophyllum = Mitrophyllum Schwantes
- *dissitum* (N.E. Br.) Schwantes = Mitrophyllum dissitum
- *gracile* Schwantes = Mitrophyllum gracile
- *grande* (N.E. Br.) L. Bolus = Mitrophyllum grande
- *mitratum* (Marloth) Schwantes = Mitrophyllum mitratum

Conophytum N.E. Br. -n- *Aizoaceae*
- *altile* (N.E. Br.) N.E. Br. = Conophytum ficiforme
- *ampliatum* L. Bolus = Conophytum bilobum
- **angelicae** (Dinter et Schwantes) N.E. Br. | ♃ Ψ Ⓚ; Namibia
- **assimile** (N.E. Br.) N.E. Br. | ♃ Ψ Ⓚ; S-Afr.
- **bilobum** (Marloth)N.E. Br. | ♃ Ψ Ⓚ; Kap
- *bolusiae* Schwantes = Conophytum fibuliforme
- **breve** N.E. Br. | ♃ Ψ Ⓚ; Kap
- **calculus** (A. Berger) N.E. Br. | ♃ Ψ Ⓦ; Kap
- **depressum** Lavis | ♃ Ψ Ⓚ; Kap
- **ectypum** N.E. Br.; W-Kap
  - var. **tischleri** (Schwantes) Tischer | ♃ Ψ Ⓚ; Kap
- **elishae** (N.E. Br.) N.E. Br. | ♃ Ψ Ⓚ; Kap
- **fibuliforme** (Haw.) N.E. Br. | ♃ Ψ Ⓚ; Kap
- **ficiforme** (Haw.) N.E. Br. | ♃ Ψ Ⓚ; Kap
- **friedrichiae** (Dinter) Schwantes | ♃ Ψ Ⓚ; Namibia
- **fulleri** L. Bolus | ♃ Ψ Ⓚ; Kap
- **gracilistylum** (L. Bolus) N.E. Br. | ♃ Ψ Ⓚ; Kap
- **grandiflorum** L. Bolus | ♃ Ψ Ⓚ; Kap
- **jacobsenianum** Tischer | ♃ Ψ Ⓚ; Kap
- **johannis-winkleri** (Dinter et Schwantes) N.E. Br. | ♃ Ψ Ⓚ; Namibia
- **longum** N.E. Br. | ♃ Ψ Ⓚ; Kap
- **meyerae** Schwantes | ♃ Ψ Ⓚ; Kap
- **meyeri** N.E. Br. | ♃ Ψ
- **minusculum** (N.E. Br.) N.E. Br. | ♃ Ψ Ⓚ; Kap
- **minutiflorum** (Schwantes) N.E. Br. | ♃ Ψ Ⓚ; Kap
- **minutum** (Haw.) N.E. Br. | ♃ Ψ Ⓚ; Kap
- **mundum** N.E. Br. | ♃ Ψ Ⓚ; Kap
- *obconellum* (Haw.) Schwantes = Conophytum obcordellum
- **obcordellum** (Haw.) N.E. Br. | ♃ Ψ Ⓚ; Kap
- *odoratum* (N.E. Br.) N.E. Br. = Conophytum ficiforme
- **pellucidum** Schwantes | ♃ Ψ Ⓚ; Kap
- **petraeum** N.E. Br. | ♃ Ψ Ⓚ; Kap
- **pictum** (N.E. Br.) N.E. Br. | ♃ Ψ Ⓚ; Kap
- **pillansii** Lavis | ♃ Ψ Ⓚ; Kap
- **pusillum** (N.E. Br.) N.E. Br. | ♃ Ψ Ⓚ; S-Afr.
- **saxetanum** (N.E. Br.) N.E. Br. | ♃ Ψ Ⓚ; Namibia
- **scitulum** (N.E. Br.) N.E. Br. | ♃ Ψ Ⓚ; Kap
- **stephanii** Schwantes | ♃ Ψ Ⓚ; Kap
- *subfenestranum* Schwantes = Conophytum pillansii
- *tischleri* Schwantes = Conophytum ectypum var. tischleri
- **turrigerum** (N.E. Br.) N.E. Br. | ♃ Ψ Ⓚ; Kap
- **ursprungianum** Tischer | ♃ Ψ Ⓚ; Kap
- **wettsteinii** (A. Berger) N.E. Br. | ♃ Ψ; Kap

Conopodium W.D.J. Koch -n- *Apiaceae*
- **majus** (Gouan) Loret · Französische Erdkastanie | ♃ Ψ V-VI; Eur.: Norw., BrI, F, Ib, Ap

Conringia Heist. ex Fabr. -f- *Brassicaceae*
- **austriaca** (Jacq.) Sweet · Österreichischer Ackerkohl | ⊙ V-VIII; Eur.: Ap, A, H, Ba, RO, Krim; TR, Cauc.
- **orientalis** (L.) Dumort. · Orientalischer Ackerkohl · Hare's Ear Cabbage | ⊙ V-VII Ⓝ; Eur.: C-Eur., EC-Eur., Ba, E-Eur.,

Ap; TR, Cauc., Iran, Iraq, Afgh., Pakist., N-Afr., nat. in Sc, Fr, Ib

Consolea = Opuntia Mill.
– *macracantha* (Griseb.) Britton = Opuntia macracantha
– *moniliformis* (L.) Britton = Opuntia moniliformis
– *rubescens* (Salm-Dyck) Lem. = Opuntia rubescens
– *spinosissima* (Martyn) Lem. = Opuntia spinosissima

Consolida Gray -f- *Ranunculaceae*
ajacis (L.) Schur · Hyazinthenblütiger Sommer-Rittersporn | ⊙ ⋈ VI-VIII; Eur.: Ib, Fr, Ap, Ba, Krim; TR, Syr., Cyprus, Cauc., C-As, nat. in C-Eur., Ind., N-Am.
– *ambigua* (L.) P.W. Ball et Heywood = Consolida ajacis
– **hispanica** (Costa) Greuter | VI-VIII; Eur.: Ib, H, Ba, E-Eur.; TR, Levante, Cauc., Iran, NW-Afr., nat. in F, Ap, C-Eur., öM
– **orientalis** (J. Gay) Schrödinger · Orientalischer Rittersporn | ⊙ VI-VIII; Eur.: Ib, H, Ba, EC-Eur.; TR, Syr., Cauc., Iran, C-As, Him., NW-Afr., nat. in Fr, Ap, C-Eur., Cz
– **regalis** Gray · Acker-Rittersporn | ⊙ V-VIII; Eur.* exc. BrI, Ib; TR, Cauc., Iran, W-Sib., nat. in Ib

Convallaria L. -f- *Convallariaceae* · Maiglöckchen
– *bifolia* L. = Maianthemum bifolium
– *japonica* L. f. = Ophiopogon japonicus
– **majalis** L. · Gewöhnliches Maiglöckchen · Lily-of-the-Valley · Muguet | ♃ ⋈ D ⋈ Off. V ▽ ☠; Eur.*, N-TR, Cauc., E-Sib., Amur, Sachal., China, Korea, Jap., nat. in N-Am.
– *montana* Raf. = Convallaria majalis
– *polygonatum* Lour. = Polygonatum odoratum

Convolvulus L. -m- *Convolvulaceae* · Ackerwinde
– **althaeoides** L. | ♃ ≷ △ VI-IX ∧; Eur.: Ib, Fr, Ap, Ba, RO; TR, Levante, N-Afr.
– **arvensis** L. · Acker-Winde · Bindweed, Field Bindweed | ♃ ≷ VI-X; Eur.*, TR, Levante, Cauc., Iran, W-Sib., E-Sib., nat. in cosmop.
– **boissieri** Steud. | ♃ Ⓐ ⌓ △ VI-VIII ∧; S-Sp.
- subsp. **compactus** Stace
– *brasiliensis* L. = Ipomoea pes-caprae
– *cairicus* L. = Ipomoea cairica
– **cantabricus** L. · Kantabrische Winde | ♃ △ VI-VII ∧; Eur.: Ib, Fr, Ap, Ba, A, E-Eur.; TR, Syr., Palaest., Cauc., Iran, NW-Afr.
– **cneorum** L. | ħ Ⓚ V-IX; Eur.: Sp., I, Sic., Croatia, AL
– *dahuricus* Herb. = Calystegia dahurica
– *dissectus* Jacq. = Merremia dissecta
– **farinosus** L. | ♃ ≷; S-Afr., nat. in P
– **floridus** L. f. | ħ ≷; Canar.
– **humilis** Jacq. | ⊙; Eur.: P, Sp., I, Sic.; Levante, N-Afr.
– **lineatus** L. | ħ Ⓐ △ VII-VIII ∧; Eur.: Ib, Fr, Ap, Ba, E-Eur.; TR, Levante, Cauc., Iran, W-Sib., C-As., N-Afr.
– *macrocarpus* L. = Operculina macrocarpa
– *mauritanicus* Boiss. = Convolvulus sabatius
– **meonanthus** Hoffmanns. et Link | ⊙; Eur.: Ib, I, Sic.; ? Maroc., ? Alger.
– *muricatus* L. = Ipomoea muricata
– *nil* L. = Ipomoea nil
– *nitidus* Boiss. non Desr. = Convolvulus boissieri
– **oleifolius** Desr. | ħ Ⓚ VII-VIII; Eur.: Malta, GR, Crete; TR, Levante, Egypt, Libya
– *pellitus* Ledeb. = Calystegia hederacea
pulcher (Brummitt et Heywood) Oberd. = Calystegia pulchra
– **sabatius** Viv. · Ground Morning Glory | ♃ ħ Ⓚ V-X; Eur.: I; Maroc., Alger.
– **scammonia** L. · Scammony | ♃ VI ☠; Eur.: ? GR, Krim; TR, Syr., Palaest., N-Iraq
– **scoparius** L. f. · Convolvulus | ħ Ⓚ Ⓝ; Canar.
– *sepium* L. = Calystegia sepium
– *sibiricus* L. = Merremia sibirica
– **siculus** L. | ♃; Eur.: Ib, F, Ap, Ba, Med. +
– *soldanella* L. = Calystegia soldanella
– *speciosus* L. f. = Argyreia nervosa
– **tricolor** L. · Dwarf Morning Glory · Liseron d'été | ⊙ VI-IX; Eur.: Ib, Fr, Ap, Ba; NW-Afr., Libya
– *turpethum* L. = Operculina turpethum
– *undulatus* Cav. = Convolvulus humilis

Conyza Less. -f- *Asteraceae*
– **albida** Willd. ex Spreng. · Weißes Berufkraut ; orig. ?

– **bonariensis** (L.) Cronquist · Südamerikanisches Berufkraut | X-VII; S-Am., nat. in Eur.*: Ib, Fr, Ap, Ba
– **canadensis** (L.) Cronquist · Kanadisches Berufkraut · Canada Fleabane, Horse Weed | ⊙ X-VIII; Can., USA*, C-Am., W.Ind., S-Am., nat. in cosmop.

Copaifera L. -f- *Caesalpiniaceae*
– *copallifera* (Benn.) Milne-Redh. = Guibourtia copallifera
– **coriacea** Mart. | ♄ Ⓦ Ⓝ; S-Am.
– *demeusii* (Harms) Léonard = Guibourtia demeusii
– **gorskiana** Benth. | ♄ Ⓦ Ⓝ; E-Afr.
– **guyanensis** Desf. | ♄ Ⓦ Ⓝ; S-Am.
– *jacquinii* Desf. = Copaifera officinalis
– **langsdorffii** Desf. · Copaifera | ♄ Ⓦ Ⓝ; Bras., Parag.
– **multijuga** Hayne | ♄ Ⓦ Ⓝ; Bras.
– **officinalis** (Jacq.) L. · Kopal | ♄ Ⓦ Ⓝ; W.Ind., S-Am.
– **reticulata** Ducke | ♄ Ⓦ Ⓝ; Bras., Bol.

Copernicia Mart. ex Endl. -f- *Arecaceae*
– **prunifera** (Mill.) H.E. Moore · Wax Palm | ♄ Ⓦ Off. Ⓝ; Bras.

Copiapoa Britton et Rose -f- *Cactaceae*
– **cinerascens** (Salm-Dyck) Britton et Rose | ψ Ⓚ ✻; Chile: Atacama
 - var. **grandiflora** (F. Ritter) Hoffm.-Grob. | ψ Ⓚ
– **cinerea** (Phil.) Britton et Rose | ψ Ⓚ; Chile
 - var. **columna-alba** (F. Ritter) Backeb. | ψ Ⓚ
 - var. **gigantea** (Backeb.) N.P. Taylor | ψ Ⓚ ✻
– **coquimbana** (Rümpler) Britton et Rose | ψ Ⓚ ✻; Chile: Coquimbo
 - var. **fiedleriana** (K. Schum.) Hoffm.-Grob. | ψ Ⓚ
– **echinoides** (Lem. ex Salm-Dyck) Britton et Rose | ψ Ⓚ ✻; Chile: Antofagasta
– *fiedleriana* (Schum.) Backeb. = Copiapoa coquimbana var. fiedleriana
– *gigantea* Backeb. = Copiapoa cinerea var. gigantea
– *grandiflora* F. Ritter = Copiapoa cinerascens var. grandiflora
– *haseltoniana* Backeb. = Copiapoa cinerea var. gigantea
– **humilis** (Phil.) Hutchison | ψ Ⓚ
 - var. **taltalensis** (Werderm.) Hoffm.-Grob. | ψ Ⓚ ✻; Chile
– **krainziana** F. Ritter | ψ Ⓚ ✻; N-Chile
– **pepiniana** (K. Schum.) Backeb. | ψ Ⓚ; Chile
– *taltalensis* (Werderm.) Looser = Copiapoa humilis var. taltalensis
– **tenuissima** F. Ritter | ψ Ⓚ ✻; N-Chile
– *totoralensis* F. Ritter = Copiapoa coquimbana var. fiedleriana

Coprosma J.R. Forst. et G. Forst. -f- *Rubiaceae*
– **acerosa** A. Cunn. | ♄ Ⓚ; NZ
– **baueri** Endl. | ♄ Ⓚ Ⓝ; NZ, Norfolk Is.
– × **kirkii** Cheeseman (*C. acerosa* × *C. repens*) | ♄ Ⓚ ⇝; NZ
– **lucida** J.R. Forst. et G. Forst. | ♄ Ⓚ; NZ
– **petriei** Cheeseman | ♄ Ⓐ ⇝ △ ∧; NZ

Coptis Salisb. -f- *Ranunculaceae* · Goldfaden
– **trifolia** (L.) Salisb. · Gold Thread | ♃ △ V-VI; Alaska, Can., USA: NE, NCE; Sib., Jap., Greenl.

Corallobotrys = Agapetes D. Don ex G. Don
– *acuminaus* (D. Don ex G. Don) Hook. f. = Agapetes acuminata

Corallodiscus Batalin -m- *Gesneriaceae*
– **kingianus** (Craib) B.L. Burtt | ♃ Ⓚ VI-VII; China: Sichuan
– **lanuginosus** (DC.) B.L. Burtt | ♃ Ⓚ VI-VII; E-Him., Tibet, SW-China

Corallorrhiza Gagnebin *Orchidaceae*
– **trifida** Châtel. · Europäische Korallenwurz | ♃ V-VII; Eur.*, TR, Cauc., W-Sib., E-Sib., Amur, Kamchat., C-As., Mong., China, N-Am.

Corbularia = Narcissus L.
– *bulbocodium* (L.) Haw. = Narcissus bulbocodium

Corchorus L. -m- *Tiliaceae*
– **capsularis** L. · Jute | ⊙ Ⓚ Ⓝ; orig. ?; cult. Ind., China, Jap., Taiwan
– **olitorius** L. · Jute | ⊙ Ⓚ Ⓝ; Ind., nat. in trop. As.
– **trilocularis** L. | Ⓝ; Afr., Arab., Ind.

Cordia L. -f- *Boraginaceae*
– **alliodora** (Ruiz et Pav.) Oken ·

Salmwood | ♄ Ⓦ D Ⓝ; Mex., C-Am., W.Ind., trop. S-Am.
– **decandra** Hook. et Arn. | Ⓚ IV-V; Chile
– **glabra** Cham. | ♄ Ⓦ IX-X; Bras.
– **greggii** Torr. | ♄ Ⓚ VII-VIII; N-Mex.
– *retusa* Vahl = Carmona retusa
– **superba** Cham. | ♄ Ⓦ IX; Bras.

Cordyline Comm. ex R. Br. -f- *Agavaceae*
– **australis** (G. Forst.) Endl. | ♄ Ⓚ; NZ
- **'Atropurpurea'**
- *'Lentiginosa'* = Cordyline australis 'Atropurpurea'
- *'Purple Tower'* = Cordyline australis 'Purpurea'
- **'Purpurea'**
– **banksii** Hook. f. | ♄ Ⓚ; NZ
– **baueri** Hook. f. | ♄ Ⓚ; Norfolk Is.
– *congesta* Endl. = Cordyline stricta
– *fruticosa* (L.) A. Chev. = Cordyline terminalis
– **haageana** K. Koch | ♄ Ⓦ; Austr.: Queensl.
– **indivisa** (G. Forst.) Steud. | ♄ ♄ Ⓦ Ⓚ; NZ
– **pumilio** Hook. f. | ♄ Ⓚ; NZ
– **rubra** Otto et A. Dietr. | ♄ Ⓚ; orig. ?
– **stricta** (Sims) Endl. | ♄ Ⓚ; Austr.: Queensl., N.S.Wales
– **terminalis** (L.) Kunth | ♄ Ⓦ Ⓝ; Ind., Malay. Arch., N.Guinea, NE-Austr., NZ, Polyn., Hawaii
- **'Firebrand'**
- *'Red Dracena'* = Cordyline terminalis 'Firebrand'

Corema D. Don -n- *Empetraceae*
– **album** (L.) D. Don · Portuguese Crowberry | ♄ Ⓚ; Eur.: Sp., P, Azor.

Coreopsis L. -f- *Asteraceae* · Mädchenauge
– *atkinsoniana* Douglas ex Lindl. = Coreopsis tinctoria var. atkinsoniana
– auriculata L. | ♃ V-VIII; USA: Va., Ky., SE, Fla.
– *auriculata* Schkuhr = Coreopsis pubescens
– **basalis** (Otto et A. Dietr.) S.F. Blake | ☉ VII-IX; Tex.
– **bigelovii** (A. Gray) Voss · Bigelow's Tickseed | ☉ VII-IX; Calif.
– **californica** (Nutt.) H. Sharsm. · Kalifornisches Mädchenauge · California Tickseed | ☉ VII-IX; S-Calif., S-Ariz.
– **calliopsidea** (DC.) A. Gray · Leaf Stem Tickseed | ☉ VII-VIII; S-Calif.
– *cardaminifolia* (DC.) Torr. et A. Gray = Coreopsis tinctoria var. atkinsoniana
– *coronata* Hook. non L. = Coreopsis nuecensis
– **delphiniifolia** Lam. | ♃ VIII-IX; USA: Va., SE
– *diversifolia* Hook. = Coreopsis basalis
– **douglasii** (DC.) H.M. Hall · Douglas Tickseed | ☉ VII-VIII; C-Calif.
– *drummondii* (D. Don) Torr. et A. Gray = Coreopsis basalis
– *ferulifolia* Jacq. = Bidens ferulifolia
– **grandiflora** T. Hogg ex Sweet · Großblütiges Mädchenauge · Coréopsis à grandes fleurs | ♃ ✂ VI-VIII; USA: SE, Fla., Kans., Mo., SC; N-Mex.
– **lanceolata** L. · Lance Leaf Tickseed · Coréopsis lancéolé | ♃ ✂ VI-VIII; Can.: Ont.; USA: NE, NCE, SC, SE, Fla.; N-Mex.
– **major** Walter | ♃ VII-VIII; USA: NE, Ohio, SE
– **maritima** (Nutt.) Hook. f. · Sea Dahlia | ☉ ♃ VI-IX; SW-Calif.
– **nuecensis** A. Heller · Crown Tickseed | ☉ VII-IX; Tex.
– **palmata** Nutt. · Stiff Tickseed | ♃ IV-IX; Can.: E; USA: NCE, SE, SC
– **pubescens** Elliott · Tickseed | ♃ VI-IX; USA: NE, NCE, Okla., SE, Fla.
– **rosea** Nutt. · Pink Tickseed | ♃ △ VIII-IX; Can.: E; USA: NE
– *senifolia* Michx. = Coreopsis major
– **stillmanii** (A. Gray) S.F. Blake · Stillman's Tickseed | ☉ VII-IX; C-Calif.
– **tinctoria** Nutt. · Färber-Mädchenauge · Annual Coreopsis, Tickseed | ☉ VII-IX; Can., USA*
- **'Atrosanguinea'**
- var. **atkinsoniana** (Douglas ex Lindl.) H.M. Parker ex E.B. Sm. · Columbia Coreopsis | ☉ ⊙ VIII-IX; USA: NC, SW, SC, La.; Mex.
– **tripteris** L. · Tall Tickseed | ♃ VII-IX; Can.: Ont.; USA: NCE, NE, SC, SE, Kans.
– **verticillata** L. · Mädchenauge, Netzblattstern · Moonbeam Coreopsis · Coréopsis à feuilles en aiguilles | ♃ VI-VIII; USA: NE, SE, Fla.

Coriandrum L. -n- *Apiaceae* · Koriander
– **sativum** L. · Koriander · Coriander | ☉ Off. VI-VIII Ⓝ; orig. ?, cult. cosmop.,

nat. in S-Eur.

Coriaria L. -f- *Coriariaceae* · Gerberstrauch
- **japonica** A. Gray · Japanischer Gerberstrauch · Coriaria | ♄ V ∧; Jap.
- **myrtifolia** L. · Europäischer Gerberstrauch · Coriaria, Tanner's Sumach | ♄ IV-V ☠ ∧ Ⓝ; Eur.: Ib, Fr, I, ? GR; Maroc., Alger., nat. in P
- **terminalis** Hemsl. · Rispenblütiger Gerberstrauch ; Him., W-China
  - fo. **fructu-rubro** Hemsl.
  - var. **xanthocarpa** Rehder et E.H. Wilson | ♄ ♧ VI ∧; Sikkim

Coris L. -m- *Primulaceae* · Stachelträubchen
- **monspeliensis** L. · Coris | ♄ ⌂ △ VI-VII; Eur.: Ib, Fr, Ap, Ba; N-Afr.

Corispermum L. -n- *Chenopodiaceae*
- **filifolium** C.A. Mey.; Eur.: E-Russ.
- **intermedum** Schweigg. · Dünen-Wanzensame | VIII-IX; Eur.: F, I, D, PL, Russ. +
- **leptopterum** (Asch.) Iljin · Großblättriger Wanzensame, Schmalflügeliger Wanzensame | VII-IX; Eur.: D, A, H
- **marschallii** Steven · Grauer Wanzensame | VII-IX; Eur.: D, EC-Eur., Ba, E-Eur., nat. in NL, I
- **nitidum** Kit. · Glanz-Wanzensame | X-VIII; Eur.: EC-Eur., Ba, E-Eur.; TR, ? Cauc.

Cornus L. -f- *Cornaceae* · Hartriegel
- alba L. · Tatarischer Hartriegel · Cornouiller blanc | ♄ V-VI; N-Russ., W-Sib., E-Sib., Amur, Sachal., Mong., NE-China, Manch., N-Korea, Jap., nat. in N-Eur.
  - *'Atrosanguinea'* = Cornus alba 'Sibirica'
  - **'Sibirica'**
  - *'Westonbirt'* = Cornus alba 'Sibirica'
- *alba* Wangenh. non L. = Cornus sericea
- **alternifolia** L. f. · Wechselblättriger Hartriegel · Pagoda Dogwood · Cornouiller à feuilles alternes | ♄ ♄ V-VI; Can.: E; USA: NE, NCE, SE, Fla.
- **amomum** Mill. · Seidenhaariger Hartriegel · Silky Dogwood | ♄ V-VI; Can.: E; USA; NE, NCE, SE
- × **arnoldiana** Rehder (*C. obliqua* × *C. racemosa*) | ♄ VI-VII
- **asperifolia** Michx. · Tough Leaf Dogwood
  - var. **dummondii** (C.A. Mey.) Coult. et W.H. Evans · Drummond Dogwood · Cornouiller de Drummond | ♄ VI-VII Ⓝ; Can.: Ont.; USA: NE, NCE, NC, SE, SC
- **australis** C.A. Mey. | ♄; TR, Cauc. +
- *baileyi* Coult. et W.H. Evans = Cornus sericea 'Baileyi'
- *brachypoda* C.A. Mey. = Cornus macrophylla
- *brachypoda* K. Koch = Cornus controversa
- **bretschneideri** L. Henry | ♄ VI; N-China
- **canadensis** L. · Kanadischer Hartriegel · Bunch Berry, Creeping Dogwood · Cornouiller du Canada | ♃ △ ♧ VI; Alaska, Can., USA: NE, NCE, Rocky Mts., SW, NW, Calif., Greenl., Kamchat., Sachal., Amur, Korea, Jap.
- *candidissima* Marshall = Cornus racemosa
- *candidissima* Mill. = Cornus florida
- **capitata** Wall. · Bentham's Cornel · Cornouiller de Bentham | ♄ ♄ ⌂ VI-VII; Him.
- **controversa** Hemsl. ex Prain · Giant Dogwood · Cornouiller discuté, Cornouiller des pagodes | ♄ ♄ VI-VII; China, Korea, Jap.
- *drummondii* C.A. Mey. = Cornus asperifolia var. dummondii
- **florida** L. · Blumen-Hartriegel · Eastern Flowering Dogwood, White Dogwood · Cornouiller à fleurs | ♄ ♄ V Ⓝ; Ont., USA: NE, NCE, Kans., SC, SE, Fla.; NE-Mex.
  - fo. **rubra** (Weston) Schelle
- *foemina* A. Millar = Cornus stricta
- *foemina* Wangerin = Cornus racemosa
- **glabrata** Benth. · Brown Dogwood | ♄ ♄ VI; USA: Oreg., Calif.
- **hemsleyi** C.K. Schneid. et Wangerin | ♄ ♄ VII; C-China
- **hessei** Koehne · Zwerg-Hartriegel | ♄ △ VI-VIII; ? NE-As.
- *japonica* G. Don = Cornus kousa
- **kousa** Hance · Japanischer Blumen-Hartriegel · Japanese Dogwood · Cornouiller kousa | ♄ ♄ VI; Jap., Korea
  - var. **chinensis** Osborn | ♄ ♄ VI; China
- **macrophylla** Wall. · Chinese Dogwood |

ħ ħ VII-VIII; Him., China, Jap.
– **mas** L. · Kornelkirsche · Cornelian Cherry · Cornouiller mâle | ħ ♧ III-IV Ⓝ; Eur.: Fr, Ap, C-Eur., EC-Eur., Ba, E-Eur.; TR, Syr., Cauc., Iran, nat. in BrI
– **nuttallii** Audubon · Nuttalls Blumen-Hartriegel · Mountain Dogwood, Pacific Dogwood · Cornouiller de Nutall | ħ ħ V Ⓝ; Can.: B.C.; USA: NW, Calif., Idaho
– **obliqua** Raf. · Schiefer Hartriegel | ħ VI-VII; Can.: E; USA: NC, NCE, NE, Ark., Okla
– **occidentalis** (Torr. et A. Gray) Coville · Weichhaariger Hartriegel · Creek Dogwood | ħ ♧ VI-VIII; Alaska, Can.: W; USA: NW, Rocky Mts., Calif.
– **officinalis** Siebold et Zucc. · Japanische Kornelkirsche · Japanese Cornelian Cherry · Cornouiller officinal | ħ III-IV; China, Korea, Jap.
– *paniculata* L'Hér. = Cornus racemosa
– **paucinervis** Hance | ħ VII-VIII; C-China
– *pubescens* Nutt. = Cornus occidentalis
– *purpusii* Koehne = Cornus obliqua
– **racemosa** Lam. · Rispen-Hartriegel · Panicled Dogwood | ħ VI-VII; Can.: E; USA: NE, SE
– **rugosa** Lam. · Rundblättriger Hartriegel · Roundleaf Dogwood | ħ V-VII; Can.: E; USA: NE, NCE
– **sanguinea** L. · Blutroter Hartriegel · Common Dogwood, Dogberry · Cornouiller sanguin | ħ V-VI Ⓝ; Eur.*, TR, Syr., Lebanon, Cauc., C-As.
  - subsp. **australis** (C.A. Mey.) Jáv. | ħ; SE-Eur., S-Russ., Krim, TR, Lebanon, C-As.
– **sericea** L. · Weißer Hartriegel · American Dogwood, Red Osier Dogwood | ħ VI-VII
  - **'Baileyi'**
  - var. **coloradensis** (Koehne) C.K. Schneid. | ħ
– *sibirica* Lodd. = Cornus alba 'Sibirica'
– *stolonifera* F. Michx. = Cornus sericea
  - var. *occidentalis* (Torr. et A. Gray) C.L. Hitchc. = Cornus occidentalis
– **stricta** Lam. · Stiff Dogwood | ħ V-VI; USA: NE, NCE, SC, SE, Fla.
– **suecica** L. · Schwedischer Hartriegel · Dwarf Cornel | ♃ △ V-VII; Eur.: BrI, Sc, NL, D, PL, Russ.; Amur, Sachal., Kamchat., Alaska, Can., Greenl.
– *tatarica* Mill. = Cornus alba
– × **unalaschkensis** Ledeb. (*C. canadensis* × *C. suecica*)
– **walteri** Wangerin | ħ VI; C-China, W-China, Korea
– **Cultivars**
  - **'Eddie's White Wonder'**

Corokia A. Cunn. -f- *Escalloniaceae*
– **buddleioides** A. Cunn. | ħ Ⓚ; NZ
– **cotoneaster** Raoul · Zickzackstrauch · Wire Netting Bush | ħ Ⓚ VI-VII; NZ
– **macrocarpa** Kirk | ħ Ⓚ; NZ (Chatham Is.)
– × **virgata** (Turrill) Metcalfe (*C. buddleioides* × *C. cotoneaster*) | ħ Ⓚ; cult.

Coronaria = Lychnis L.
– *coriacea* Schischk. ex Gorschk. = Lychnis coronaria
– *flos-cuculi* (L.) A. Braun = Lychnis flos-cuculi
– *flos-jovis* (L.) A. Braun = Lychnis flos-jovis
– *tomentosa* A. Braun = Lychnis coronaria

Coronilla L. -f- *Fabaceae* · Kronwicke
– *cappadocica* Willd. = Coronilla orientalis
– **coronata** L. · Berg-Kronwicke · Scorpion Vetch | ♃ △ V-VII; Eur.: Fr, Ap, C-Eur., EC-Eur., Ba, E-Eur.; Cauc., Iran
– **cretica** L. · Kretische Kronwicke ; Eur.: I, Ba, Russ.; TR, Syr., Palaest., Cauc.
– *emerus* L. = Hippocrepis emerus
– *glauca* L. = Coronilla valentina subsp. glauca
– **minima** L. · Kleine Kronwicke | ħ ⇝ △ D △ VI-VII ∧; Eur.: P, Sp., F, I, CH; NW-Afr.
– *montana* Jacq. = Coronilla coronata
– **orientalis** Mill. | ♃ △ V-VII; TR
– **repanda** (Poir.) Guss.; Eur.: Ib, Ap; Cyprus, Palaest., NW-Afr., Libya
– **rostrata** Boiss. et Spruner; Eur:: AL, GR, Creta, Krim + ; TR
– **scorpioides** (L.) W.D.J. Koch · Skorpions-Kronwicke · Scorpion Senna | ⊙ V-VI ☠; Eur.: Ib, Fr, Ap, Ba, RO, Krim; TR, Levante, Cauc., Iran, NW-Afr., Libya
– **vaginalis** Lam. · Scheiden-Kronwicke | ⊙ ħ △ V-VII; Eur.: Fr, Ap, C-Eur., EC-Eur., Ba, ? RO; mts.
– **valentina** L. | ħ; Eur.:Ib, F, Ap, Ba; TR, N-Afr.
  - subsp. **glauca** (L.) Batt. · Scorpion

Vetch | ♄ Ⓚ IV-VII; Eur.: Ib, Fr, Ap, Ba; TR, NW-Afr., Libya, nat. in BrI
- *varia* L. = Securigera varia

Coronopus Zinn -m- *Brassicaceae*
- **didymus** (L.) Sm. · Zweiknotiger Krähenfuß | VI-VIII; S-Am., nat. in Eur.* exc. Sc; N-Am., Austr.
- **squamatus** (Forssk.) Asch. · Gewöhnlicher Krähenfuß | V-VIII; Eur.*, TR, Levante, Cauc., Iran, N-Afr.

Corozo = Elaeis Jacq.
- *oleifera* (Humb., Bonpl. et Kunth) L.H. Bailey = Elaeis oleifera

Correa Andrews -f- *Rutaceae*
- **alba** Andrews · Botany Bay Tea Tree | ♄ Ⓚ I-XII; Austr.: N.S. Wales, S-Austr., Tasman., Victoria
- **backhousiana** Hook. · Australian Fuchsia | ♄ Ⓚ V-VI; Tasman.
- **bauerlenii** F. Muell. · Chef's Hat Correa | ♄ Ⓚ; Austr.: N.S.Wales
- × **bicolor** Paxton (*C. alba* × *C. pulchella*)
- *cardinalis* F. Muell. = Correa reflexa var. cardinalis
- × **harrisii** Paxton (*C. pulchella* × *C. reflexa*)
- **pulchella** J. Mackay ex Sweet · Correa | ♄ Ⓚ; Austr.: S-Austr.
- **reflexa** (Labill.) Vent. · Common Correa | ♄ Ⓚ III-V; Austr.: N.S.Wales, Victoria, S-Austr., Tasman.
  - var. **cardinalis** (F. Muell. ex Hook.) Court
- *speciosa* Donn ex Andr. = Correa reflexa

Corrigiola L. -n- *Molluginaceae*
- **litoralis** L. · Gewöhnlicher Hirschsprung | X-VII; Eur.: Ib, Fr, Ap, Ba, E-Eur., D; TR, Palaest., N-Afr, Trop. Afr., S-Afr.; coasts

Corryocactus Britton et Rose -m- *Cactaceae*
- **aureus** (Meyen) Hutchison | ♄ ♆ Ⓚ ✻; S-Peru, N-Chile
- **brachypetalus** (Vaupel) Britton et Rose | ♄ ♆ Ⓚ ✻; S-Peru
- **brevistylus** (K. Schum. ex Vaupel) Britton et Rose | ♄ ♆ Ⓚ ✻; S-Peru
- **melanotrichus** (K. Schum.) Britton et Rose | ♆ Ⓚ ✻; Bol.
- *spiniflorus* (Phil.) Hutchison = Austrocactus spiniflorus
- **squarrosus** (Vaupel) Hutchison | ♆ Ⓚ ✻; Peru: Junin

Cortaderia Stapf -f- *Poaceae*
- *rosea* hort. = Cortaderia selloana 'Rosea'
- **selloana** (Schult. et Schult. f.) Asch. et Graebn. · Pampasgras · Pampas Grass · Herbe de la pampa | ♃ IX-X ∧ Ⓝ; S-Bras., Urug., Arg., nat. in Azor., NW-Sp. , F
  - **'Rosea'**

Cortusa L. -f- *Primulaceae* · Glöckel
- **matthioli** L. · Alpen-Heilglöckel | ♃ △ VII-VIII ▽; Eur.: Fr, C-Eur., EC-Eur., Ap, Ba, E-Eur.
  - fo. **pekinensis** V.A. Richt.

Coryanthes Hook. -f- *Orchidaceae*
- **macrantha** (Hook.) Hook. | ♃ Ⓦ V ✻; Venez., Guyana, Trinidad
- **maculata** Hook. | ♃ Ⓦ VI-VII ✻; Guyan.
- **speciosa** (Hook.) Hook. | ♃ Ⓦ VI-VII ✻; C-Am., W.Ind., trop. S-Am.

Corydalis DC. -f- *Fumariaceae* · Lerchensporn
- **angustifolia** (M. Bieb.) DC. | ♃ △ IV; TR, Cauc., Iran
- **bracteata** (Stephan) Pers. | ♃ △ V-VI; Altai, Sib.
- *bulbosa* (L.) auct. non DC. = Corydalis cava
- *bulbosa* (L.) DC. = Corydalis solida
- **capnoides** (L.) Pers. · Weißer Lerchensporn | ☉ VI-VIII; Eur.: I, A, EC-Eur., E-Eur.; W-Sib., E-Sib., C-As., Tibet, Mong., nat. in FIN
- **cashmeriana** Royle · Blauer Himalaya-Lerchensporn | ♃ Ⓐ V-VIII; Kashmir, Him., SE-Tibet
- **cava** (L.) Schweigg. et Körte · Hohler Lerchensporn · Bulbous Corydalis · Corydale creux | ♃ III-V; Eur.* exc. BrI; TR, Cauc., N-Iran
- **cheilanthifolia** Hemsl. | ♃ △ V; W-China
- *glauca* (Curtis) Pursh = Capnoides sempervirens
- **intermedia** Mérat · Mittlerer Lerchensporn | ♃ III-IV; Eur.* exc. BrI
- *lutea* (L.) DC. = Pseudofumaria lutea
- **nobilis** (L.) Pers. | ♃ △ IV-VI; W-Sib.

(Altai), C-As., nat. in Sc
– *ochroleuca* W.D.J. Koch = Pseudofumaria alba
– **ophiocarpa** Hook. f. et Thomson | ⊙ △ VI; Him., China, Jap.., Taiwan
– **pumila** Koch · Zwerg-Lerchensporn | ♃ III-IV; Eur.: Ap, C-Eur., EC-Eur., Sc, Ba, RO
– **saxicola** G.S. Bunting | ♃ △ V-VI ∧; China
– *sempervirens* (L.) Pers. = Capnoides sempervirens
– **solida** (L.) Clairv. · Gefingerter Lerchensporn · Corydalis | ♃ IV; Eur.* exc. BrI; TR, Lebanon, nat. in BrI
– *thalictrifolia* Franch. = Corydalis saxicola
– **wilsonii** N.E. Br. | ♃ △ V-IX ∧; C-China

Corylopsis Siebold et Zucc. -f- *Hamamelidaceae* · Scheinhasel
– **glabrescens** Franch. et Sav. · Kahle Scheinhasel | ħ VI; Jap.
– **pauciflora** Siebold et Zucc. · Armblütige Scheinhasel · Buttercup Winter Hazel · Corylopsis à petites fleurs | ħ III-IV; Jap., Taiwan
– **platypetala** Rehder et E.H. Wilson | ħ̶ IV; China: Hupeh
– **sinensis** Hemsl. · Chinesische Blumenhasel · Chinese Winter Hazel | ħ̶ ħ III-IV; W-China, C-China
  - var. *calvescens* Morley = Corylopsis platypetala
  - var. *calvescens*fo. *veitchiana* = Corylopsis veitchiana
– **spicata** Siebold et Zucc. · Ährige Scheinhasel · Spike Winter Hazel · Corylopsis en épis | ħ II-IV; Jap.
– **veitchiana** Bean · Veitchs Scheinhasel | ħ̶ IV; China: Hupeh
– **willmottiae** Rehder et Wilson · Willmotts Scheinhasel · Corylopsis de Miss Willmontt | ħ̶ IV; W-Sichuan

Corylus L. -f- *Betulaceae* · Haselnuß
– **americana** Marsh | ħ; Can., e USA
– **avellana** L. · Gewöhnliche Hasel · Cob, Hazel · Coudrier, Noisetier commun | ħ̶ ħ II-IV Ⓝ; Eur.*, Cauc., TR, N-Iran
– **chinensis** Franch. · Chinesische Hasel · Chinese Hazel | ħ̶ II-III Ⓝ; W-China, C-China
– **colurna** L. · Baum-Hasel · Turkish Hazel · Noisetier de Byzance | ħ̶ II-III Ⓝ; Eur.: Ba, RO; TR, Cauc., Iran
  - var. *chinensis* (Franch.) Burkill = Corylus chinensis
– × **colurnoides** C.K. Schneid. (*C. avellana* × *C. colurna*) | ħ̶ ħ
– **cornuta** Marshall · Schnabelnuss · Beaked Hazel | ħ̶ II-III; Can., USA: NE, NCE, NC, SE, NW, Calif., Rocky Mts.
– **heterophylla** Fisch. et Trautv. · Mongolische Haselnuss | ħ̶ ħ; Korea, Jap., E-Sib., Manch., Amur, E-Mong.
– **maxima** Mill. · Große Hasel, Lamberts Hasel · Filbert · Noisetier franc | ħ̶ II-III Ⓝ; Eur.: Croatia, Maced., GR; TR, Cauc., nat. in BrI, ∧
  - **'Purpurea'** Schelle
– *rostrata* Aitch. = Corylus cornuta
  - var. *sieboldiana* (L.) Maxim. = Corylus sieboldiana
– **sieboldiana** Blume · Japanische Hasel · Japanese Hazel | ħ̶ II-III; Amur, Manch., Korea, Jap.
  - var. **mandshurica** (Maxim. et Rupr.) C.K. Schneid.; Korea, Jap., Manch., Amur
– **tibetica** Batalin | ħ̶; China
– *tubulosa* Willd. = Corylus maxima

Corynabutilon (K. Schum.) Kearney -n- *Malvaceae*
– *vitifolium* (Kar.) Kearney = Abutilon vitifolium

Corynanthe Welw. -f- *Rubiaceae*
– *johimbe* K. Schum. = Pausinystalia johimbe

Corynephorus P. Beauv. -m- *Poaceae* · Silbergras
– **canescens** (L.) P. Beauv. · Gewöhnliches Silbergras · Grey Hair Grass | ♃ VI-VIII; Eur.* exc. Ba; Maroc., nat. in USA

Corynocarpus J.R. Forst. et G. Forst. -m- *Corynocarpaceae* · Karakabaum
– **laevigatus** J.R. Forst. et G. Forst. · New Zealand Laurel | ħ̶ Ⓚ ☠; NZ

Corypha L. -f- *Arecaceae* · Schopfpalme
– *australis* R. Br. = Livistona australis
– *elata* Roxb. = Corypha utan
– *gembanga* Blume = Corypha utan
– *nana* Humb., Bonpl. et Kunth = Cryosophila nana
– **umbraculifera** L. · Talipot Palm | ħ̶ Ⓦ

Ⓝ; S-Ind., Sri Lanka
– **utan** Lam. · Gebang | ħ ⌂W Ⓝ; E-Ind., Myanmar, Andaman Is., Malay. Arch., Phil.

Coryphantha (Engelm.) Lem. -f- *Cactaceae*
– *alversonii* (J.M. Coult. ex Zeiss.) Orcutt = Escobaria vivipara
– *bella* (Britton et Rose) Fosberg = Escobaria emskoetteriana
– *ceratites* (Quehl) A. Berger = Neolloydia conoidea
– **clavata** (Scheidw.) Backeb. | Ψ ⌂K ✻; Mex.: Hidalgo, Queretaro, Mexico
– *conoidea* (DC.) Orcutt ex A. Berger = Neolloydia conoidea
– **cornifera** (DC.) Lem. | Ψ ⌂K ✻; Mex.: Hidalgo
– *dasyacantha* (Engelm.) Orcutt = Escobaria dasyacantha
– **elephantidens** (Lem.) Lem. | Ψ ⌂K ✻; Mex.: Michoacan
– **erecta** (Lem. ex Pfeiff.) Lem. | Ψ ⌂K ✻; Mex.: Hidalgo
– *grandiflora* (Pfeiff.) Berger = Neolloydia conoidea
– **macromeris** (Engelm.) Lem. · Donana | Ψ ⌂K ✻; USA: Tex., N.Mex.; N-Mex.
– *marstonii* Clover = Escobaria missouriensis
– *missouriensis* (Sweet) Britton et Rose = Escobaria missouriensis
– *muehlenpfordtii* Britton et Rose = Coryphantha scheeri
– *neoscheerii* Backeb. = Coryphantha scheeri
– **odorata** Boed. | Ψ ⌂K ✻; Mex.: Tamaulipas, San Luis Potosí
– **poselgeriana** (A. Dietr.) Britton et Rose | Ψ ⌂K ✻; Mex.: Coahuila
– **radians** (DC.) Britton et Rose | Ψ ⌂K ✻; C-Mex.
– *robertii* A. Berger = Escobaria emskoetteriana
– *roseana* (Boed.) Moran = Escobaria roseana
– **scheeri** (Kuntze) L.D. Benson | Ψ ⌂K; USA: N.Mex.; Mex.: Hidalgo
– *strobiliformis* auct. = Escobaria tuberculosa
– *varicolor* Tiegel = Escobaria tuberculosa
– *vivipara* (Nutt.) Britton et Rose = Escobaria vivipara
– *wissmannii* (Hildm. ex K. Schum.) A. Berger = Escobaria missouriensis
– *zilziana* Boed. = Escobaria zilziana

Cosmidium = Thelesperma Less.
– *burridgeanum* Regel, Körn. et Rach = Thelesperma burridgeanum

Cosmos Cav. -m- *Asteraceae* · Schmuckkörbchen, Kosmee
– **atrosanguineus** (Hook.) Voss · Black Cosmos, Chocolate Cosmos | ⊙ ♃ VII-X; Mex.
– **bipinnatus** Cav. · Fiederblättrige Schmuckblume · Garden Cosmos, Mexican Aster | ⊙ ⋈ X; Mex., C-Am., trop. S-Am.
– **diversifolius** Otto | ⊙ ⊙ ♃ VIII-X; Mex.
– **sulphureus** Cav. · Yellow Cosmos | ⊙ VIII-IX; Mex., C-Am., trop. S-Am.

Costus L. -m- *Costaceae*
– **afer** Ker-Gawl. · Spiral Ginger | ♃ ⌂W; W-Afr.
– **cuspidatus** (Nees et Mart.) Maas | ♃ I-XII; Bras.
– *igneus* N.E. Br. = Costus cuspidatus
– **lucanusianus** Braun-Blanq. et K. Schum. | ♃ ⌂W D; C-Afr.
– **malortieanus** H. Wendl. | ♃ ⌂W; Costa Rica
– **speciosus** (J. König) Sm. · Crape Ginger, Malay Ginger | ♄ ⌂W; Him., Ind., Sri Lanka, Malay. Arch., N.Guinea
– **spicatus** (Jacq.) Sw. · Cimarron | ♃ ⌂W; Haiti

Cotinus Mill. -m- *Anacardiaceae* · Perückenstrauch
– *americanus* Nutt. = Cotinus obovatus
– **coggygria** Scop. · Europäischer Perückenstrauch · Smoke Tree, Sumach · Arbre à perruque, Fustet | ħ ⁂ VI-VII ☠ Ⓝ; Eur.: Fr, Ap, C-Eur., EC-Eur., BaE-Eur.; TR, Syr., Cauc., Iran, Him., China, nat. in Sp.
  - *Atropurpureus* = Cotinus coggygria 'Purpureus'
  - **'Purpureus'** Rehder
– **obovatus** Raf. · Amerikanischer Perückenstrauch · American Smoketree | ♄ ħ ⁂ VI-VII; USA: SE, MO., Okla.

Cotoneaster Medik. -m- *Rosaceae* · Zwergmispel
– **acuminatus** Lindl. · Spitzblättrige

Zwergmispel | ħ V; Him., nat. in F, D
– **acutifolius** Turcz. · Peking-Zwergmispel | ħ V-VI; N-China
– **adpressus** Bois · Spalier-Zwergmispel · Creeping Cotoneaster · Cotonéaster rampant | ħ ⟿ △ VI; W-China
- var. *praecox* (Bois et Berthault) M. Vilm. = Cotoneaster praecox
– **affinis** Lindl. | ħ V ∧; Him., W-China
- var. **bacillaris** (Wall. ex Lindl.) C.K. Schneid. | ħ ħ V-VI; Him.
– **ambiguus** Rehder et E.H. Wilson · Zweifarbige Zwergmispel | ħ V-VI ∧; W-China
– **amoenus** E.H. Wilson | ħ VI ∧, SW-China
– **apiculatus** Rehder et E.H. Wilson · Preiselbeer-Zwergmispel · Cranberry Cotoneaster | ħ VI; W-China
– *applanatus* Duthie ex Veitch = Cotoneaster dielsianus
– **bullatus** Bois · Runzelige Zwergmispel | ħ ⚘ V-VI; W-China
– **buxifolius** Wall. ex Lindl. | ħ ⌂ ∧; Ind. (Nilgiri)
– **cashmiriensis** Klotz
– *cochleatus* (Franch.) Klotz = Cotoneaster microphyllus var. cochleatus
– *cochleatus* hort. = Cotoneaster cashmiriensis
– **congestus** Baker · Gedrungene Zwergmispel | ħ △ VI; Him.
– **conspicuus** Marquand · Bogen-Zwergmispel | ħ V; SE-Tibet
– **dammeri** C.K. Schneid. · Teppich-Zwergmispel · Bearberry Cotoneaster · Cotonéaster de Dammer ; China
- var. **radicans** C.K. Schneid. | ħ ⟿ △ V; W-China
– **dielsianus** E. Pritz. · Diels Zwergmispel | ħ ⚘ VI; W-China, C-China
- var. **elegans** Rehder et E.H. Wilson | ħ V-VI; W-China: Sichuan
– *distichus* Lange = Cotoneaster nitens
- var. *tongolensis* hort. non C.K. Schneid. = Cotoneaster splendens
– **divaricatus** Rehder et E.H. Wilson · Sparrige Zwergmispel · Spreading Cotoneaster | ħ ⚘ VI; W-China, C-China, nat. in Eur.
– *floccosus* (Rehder et Wilson) Flinck et Hylmö = Cotoneaster salicifolius var. floccosus
– **foveolatus** Rehder et E.H. Wilson | ħ VI; C-China.
– **franchetii** Bois · Franchets Zwergmispel · Franchet's Cotoneaster | ħ ⚘ VI; W-China
- var. *sternianus* Turrill = Cotoneaster sternianus
– **frigidus** Wall. ex Lindl. · Baum-Zwergmispel | ħ ⚘ VI; Him.
- *'Gloire de Versailles'* = Cotoneaster sternianus
– **glabratus** Rehder et E.H. Wilson | ħ; W-China: Sichuan
– **harrovianus** E.H. Wilson | ħ ⚘ VI ∧; W-China
– **hebephyllus** Diels | ħ V; SW-China
– **henryanus** (C.K. Schneid.) Rehder et E.H. Wilson · Henrys Zwergmispel | ħ ⚘ VI; C-China.
– **horizontalis** Decne. · Fächer-Zwergmispel · Herring Bone Cotoneaster · Cotonéaster horizontal | ħ V-VI; W-China
- var. **perpusillus** C.K. Schneid.
- var. **wilsonii** Havemeyer ex E.H. Wilson | ħ; orig ? ; cult.China: Hubei
– *humifusus* Duthie ex J.H. Veitch = Cotoneaster dammeri
– **hupehensis** Rehder et E.H. Wilson · Hupeh-Zwergmispel | ħ ⚘ V; W-China, C-China
– × *hybridus* hort. = Cotoneaster × watereri
– **ignavus** Wolf | ħ V; C-As.
– **insignis** Pojark. | ħ ħ V; C-As., Iran, Afgh., Him.
– **integerrimus** Medik. · Gewöhnliche Zwergmispel | ħ ⚘ IV-V ☠; Eur.*, Cauc.
– **integrifolius** (Roxb.) Klotz | ħ; Him., SW-China
– **lacteus** W.W. Sm. | ħ ⚘ VI-VII ∧; W-China
– **laxiflorus** Lindl. | ħ
– **lindleyi** Steud. | ħ; Him.
– **linearifolius** (Klotz) Klotz
– **lucidus** Schltdl. · Glänzende Zwergmispel | ħ V-VI; Altai
– **melanocarpus** Lodd.
– **microphyllus** Wall. ex Lindl. · Kleinblättrige Zwergmispel · Cotonéaster à petites feuilles | ħ △ ⚘ V-VI; Him.
- *'Cochleatus'* = Cotoneaster cashmiriensis
- **'Vellaeus'**
- var. **cochleatus** (Franch.) Rehder ex E.H. Wilson
- var. *glacialis* Hook. f. = Cotoneaster

congestus
- var. *thymifolius* (Baker) Koehne = Cotoneaster integrifolius
- var. *thymifolius* hort. = Cotoneaster linearifolius
- var. *vellaeus* (Franch.) Rehder et Wilson = Cotoneaster microphyllus 'Vellaeus'

– **multiflorus** Bunge · Vielblütige Zwergmispel ; NW-China
- var. **calocarpus** Rehder et E.H. Wilson | ♄ ♲ V; W-China

– **nebrodensis** (Guss.) K. Koch · Filzige Zwergmispel | ♄ ♲ IV-VI; Eur.: Ib, F, Ap, C-Eur., EC-Eur., Ba, RO, nat. in Sc
– **niger** (Thunb.) Fr. · Schwarze Zwergmispel | ♄ V-VI; Eur.: Sc, EC-Eur., Ba, E-Eur.; TR, Cauc., W-Sib., E-Sib., Amur, C-As., Mong., China, Korea
– **nitens** Rehder et E.H. Wilson | ♄ △ ♲ V-VI; Him., SW-China
– *nummularius* Fisch. et C.A. Mey. = Cotoneaster racemiflorus var. nummularius
– **obscurus** Rehder et E.H. Wilson | ♄ ♲ VI; W-China
– **pannosus** Franch. | ♄ ♲ VI; SW-China
– **praecox** (Bois et Berthault) M. Vilm. · Nanshan-Zwergmispel | ♄ △ ♲ VI; W-China
– *pyracantha* (L.) Spach = Pyracantha coccinea
– *pyrenaicus* Chanc. = Cotoneaster congestus
– **racemiflorus** (Desf.) K. Koch; Syr., Cauc., N-Iran, C-As., Him.
- var. **nummularius** (Fisch. et C.A. Mey.) Dippel
- var. **royleana** Dippel | ♄; Him.
- var. **soongoricus** (Regel et Herder) C.K. Schneid.

– **rhytidophyllus** Rehder et E.H. Wilson | ♄ ♲ VI ∧; W-China
– **roseus** Edgew. · Rosarote Zwergmispel | ♄ ♲ VI; Afgh., Pakist., Kashmir, NW-Ind.
– **rotundifolius** Wall. ex Lindl. · Rundblättrige Zwergmispel | ♄ ♲ VI ∧; Him.
- var. **lanata** (Jacques) C.K. Schneid. | ♄; Him.

– **rugosus** E. Pritz. · Runzelblättrige Zwergmispel | ♄ ♲ VI; C-China.
– **salicifolius** Franch. · Weidenblättrige Zwergmispel · Willowleaf Cotoneaster · Cotonéaster à feuilles de saule ; China
- var. **floccosus** Rehder et E.H. Wilson | ♄ ♲ VI-VII; W-China
- var. *rugosus* (E. Pritz.) Rehder et Wilson = Cotoneaster rugosus

– **serotinus** Hutch. | ♄ ♲ VII ∧; W-China
– **simonsii** Baker · Himalaya-Zwergmispel · Himalayan Cotoneaster | ♄ ♲ VI-VII ∧; Ind.: Khasia Hills, nat. in NW-Eur.
– **splendens** Flinck et Hylmö | ♄; W-China
– **sternianus** (Turrill) Boom · Wintergrüne Zwergmispel | ♄ ♲ V-VI ∧; Tibet
– *thymifolius* Baker = Cotoneaster integrifolius
– *tomentosus* (Aitch.) Lindl. = Cotoneaster nebrodensis
– **wardii** W.W. Sm. · Wards Zwergmispel | ♄ ♲ VI ∧; SE-Tibet
– × **watereri** Exell (*C. frigidus* × *C. rugosus* × *C. salicidolius*)
- **'Aldenhamensis'**
- **'Cornubia'**
- **'John Waterer'**
- **'Rothschildianus'**

– *wheeleri* Exell = Cotoneaster × watereri
– *wheeleri* hort. = Cotoneaster buxifolius
– **zabelii** C.K. Schneid. · Zabels Zwergmispel | ♄ V; C-China.
– **Cultivars**
- *'Sabrina'* = Cotoneaster splendens

Cottendorfia Schult.f. -f- *Bromeliaceae*
– **florida** Schult. f. | ♃ (W); E-Bras.
– *penduliflora* C.H. Wright = Fosterella penduliflora

Cotula L. -f- *Asteraceae* · Laugenblume
– *atrata* Hook. f. = Leptinella atrata
– **barbata** DC. | ⊙ VII-VIII; S-Afr.
– **coronopifolia** L. · Krähenfuß-Laugenblume · Cotule à feuilles de sénebière | VII-VIII; Kap, Austr., NZ, S-Am., nat. in BrI, Fr, Sard., Ib, Sc
– *dioica* (Hook. f.) Hook. f. = Leptinella dioica
– *potentillina* (F. Muell.) Druce = Leptinella potentillina
– *squalida* (Hook. f.) Hook. f. = Leptinella squalida

Cotyledon L. -f- *Crassulaceae*
– *aizoon* (Fenzl) Schönl. = Rosularia aizoon
– *arborescens* Mill. = Crassula arborescens
– **barbeyi** Schweinf. ex Watson | ♄ Ψ (K);

Yemen, Eth., Somalia
- *breviflora* (Boiss.) Maire = Pistorinia breviflora
- *cacalioides* L. f. = Tylecodon cacalioides
- **coruscans** Haw. | ♄ Ψ Ⓚ; S-Afr.: Kap, Transvaal
- *decussata* Sims = Cotyledon orbiculata
- *fascicularis* Aitch. = Cotyledon papillaris
- *flanaganii* Schönl. et Baker = Cotyledon orbiculata var. flanaganii
- *gracilis* Berger = Cotyledon jacobseniana
- *gracilis* Haw. = Cotyledon papillaris
- *hispanica* L. = Pistorinia hispanica
- *horizontalis* Guss. = Umbilicus horizontalis
- *intermedia* (Boiss.) Stef. = Umbilicus intermedius
- **jacobseniana** Poelln. | ♄ Ψ Ⓚ V-VI; Kap
- *laciniata* L. = Kalanchoe laciniata
- *libanotica* Labill. = Rosularia sempervivum subsp. libanotica
- **macrantha** L. | ♄ Ψ Ⓚ XII-III; Kap
- *malacophylla* Pall. = Orostachys malacophyllus
- *oppositifolia* Ledeb. ex Nordm. = Chiastophyllum oppositifolium
- **orbiculata** L. · Cotyledon | ♄ Ψ Ⓚ VII-VIII; Namibia, S-Afr.: Kap, Natal, Transvaal, nat. in F, Sp.
  - var. **flanaganii** (Schönl. et Baker) Toelken
- *pachyphytum* Baker = Pachyphytum bracteosum
- **papillaris** L. f. | ♄ ♄ Ψ Ⓚ VII-VIII; Kap
- *pendulina* (DC.) Batt. = Umbilicus rupestris
- *pistorinia* Ortega = Pistorinia hispanica
- *reticulata* L. f. = Tylecodon reticulatus
- *rupestris* Salisb. = Umbilicus rupestris
- *salzmannii* (Boiss.) Schönl. = Pistorinia breviflora
- *sempervivum* M. Bieb. = Rosularia sempervivum
- *simplicifolia* hort. = Chiastophyllum oppositifolium
- *spinosa* L. = Orostachys spinosus
- *teretifolia* Thunb. = Cotyledon papillaris
- *umbilicus-veneris* L. = Umbilicus erectus
- **undulata** Haw. · Silver Crown | ♄ Ψ Ⓚ III-VII; Kap

Couma Aubl. -f- *Apocynaceae*
- **macrocarpa** Barb. Rodr. · Sorva Gum | ♄ Ⓝ; Amazon.

Coumarouna = Dipteryx Schreb.
- *odorata* Aubl. = Dipteryx odorata

Coussapoa Aubl. -f- *Cecropiaceae*
- **dealbata** André | ♄ Ⓦ; Bras.
- **microcarpa** (Schott) Ritzb. | ♄ Ⓦ; Bras.
- *schottii* Miq. = Coussapoa microcarpa

Coutarea Aubl. -f- *Rubiaceae*
- **latifolia** Moç. et Sesse | ♄ Ⓦ; Mex.

Crambe L. -f- *Brassicaceae* · Meerkohl
- **abyssinica** Hochst. ex R.E. Fr. · Krambe | Ⓝ; ?TR, nat. in USA
- **cordifolia** Steven · Meerkohl | ♃ VI; Cauc.
- **maritima** L. · Küsten-Meerkohl · Sea Kale | ♃ V-VI ▽ Ⓝ; Eur.* exc. Ap ; Cauc.; coasts, nat. in EC-Eur.
- **tatarica** Sebeók · Tatarischer Meerkohl | ♃ IV-VI; Eur.: I, A, EC-Eur., Ba, E-Eur.; TR, Cauc., W-Sib.

Craniolaria L. -f- *Pedaliaceae* · Vogelkopf
- **annua** L. | ⊙ VII-VIII; trop. S-Am.

Craspedia G. Forst. -f- *Asteraceae*
- **alpina** Backh. ex Hook. f. | ♃; Austr.: Tasman., Victoria
- **globosa** Benth. · Trommelschlägel | ⊙ ♃ Ⓚ ✂ VI-VIII; Austr.
- **incana** Allan | ♃; NZ
- *lanata* (Hook. f.) Allan = Craspedia alpina
- **minor** (Hook. f.) Allan | ♃; NZ
- **uniflora** G. Forst. | ⊙ ♃ Ⓚ ✂ VI-VII; Austr.: S-Austr., Tasman.; NZ

Crassocephalum Moench -n- *Asteraceae*
- **biafrae** (Oliv. et Hiern) S. Moore | Ⓝ; W-Afr.

Crassula L. -f- *Crassulaceae* · Dickblatt
- **alstonii** Marloth | ♃ Ⓚ X-XI; Kap
- **aquatica** (L.) Schönland · Wasser-Dickblatt | VII-IX
- **arborescens** (Mill.) Willd. | ♄ ♄ Ψ Ⓚ; S-Afr.: Kap, Natal
- *argentea* Thunb. = Crassula ovata
- *arta* hort. = Crassula plegmatoides
- *arta* Schönl. = Crassula deceptor
- **barbata** Thunb. | ♃ Ψ Ⓚ I-V; Kap
- **barklyi** N.E. Br. | ♃ Ψ Ⓚ; Kap, Namibia
- *bolusii* Hook. f. = Crassula exilis subsp. cooperi

– **capitella** Thunb. | ⊙ Ψ; Kap
  - subsp. **thyrsiflora** (Thunb.) Toelken | ⊙ ♃ Ψ
– *cephalophora* Thunb. = Crassula nudicaulis
– **coccinea** L. | ħ ♄ ♄ Ψ ⌂K VII-VIII; S-Afr.
– **columnaris** Thunb. | ⊙ Ψ ⌂K X-XI; Kap
– *conjuncta* N.E. Br. = Crassula perforata
– *cooperi* Regel = Crassula exilis subsp. cooperi
– **corallina** Thunb. | ♃ ⌂K VII-VIII; Kap, Namibia
– **cordata** Thunb. | ħ ⌂K VI-VIII; SE-Kap
– *corymbulosa* Link et Otto = Crassula capitella
– **cultrata** L. | ħ ⌂K; Kap
– *curta* N.E. Br. = Crassula setulosa var. curta
– *dasyphylla* Harv. = Crassula corallina
– **deceptor** Schönl. et Baker f. | ♃ Ψ ⌂K X-XI; Kap, Namibia
– *deceptrix* Schönl. = Crassula deceptor
– *decipiens* N.E. Br. = Crassula tecta
– *deltoidea* auct. non Thunb. = Crassula plegmatoides
– **deltoidea** Thunb.
– **dichotoma** L. | ⊙ ⌂K VII-VIII; Kap
– **exilis** Harv. | ⊙ ♃ Ψ; Kap
  - subsp. **cooperi** (Regel) Toelken | ♃ Ψ ⌂K III-V; Namibia, S-Afr. (Transvaal)
  - subsp. **sedifolia** (N.E. Br.) Toelken | ♃ Ψ ⌂A ⌓ △ VII-VIII ∧; Kap
– *falcata* (DC.) H. Wendl. = Crassula perfoliata var. falcata
– **helmsii** (Kirk) Cockayne · Nadelkraut-Dickblatt, Nadelkraut · Cockayne | ♃ VIII-IX; Austr., NZ, nat. in BrI
– **hemisphaerica** Thunb. | ♃ Ψ ⌂K; Namibia
– *impressa* N.E. Br. = Crassula schmidtii
– × **justi-corderoyi** H. Jacobsen et Poelln. (*C. exilix subsp. cooperi* × *C. perfoliata var. falcata*) | ♃ ⌂K; cult.
  - **'Ken Aslet'**
– **lactea** Sol. ex Aiton | ♄ Ψ ⌂K XII-III; S-Afr.: E-Kap, Natal, Transvaal
– *lycopodioides* Lam. = Crassula muscosa
  - var. *pseudolycopodioides* (Dinter et Schinz) E. Walther = Crassula muscosa
– *marginalis* Dryand. = Crassula pellucida subsp. marginalis
– *marnieriana* (Huber) H. Jacobsen = Crassula rupestris subsp. marnierana
– **mesembryanthemopsis** Dinter | ♃ Ψ ⌂K; Namibia
– **mesembryanthoides** (Haw.) D. Dietr. | ♄ Ψ ≀; SE-Kap
– *milfordiae* Byles = Crassula setulosa var. curta
– *monticola* N.E. Br. = Crassula rupestris
– **multicava** Lem. | ħ ⌂K IV-VII; S-Afr.: Natal, Transvaal
– **muscosa** L. | ħ Ψ ⌂K II-III; Namibia
– **nudicaulis** L. | ♃ ⌂K; S-Afr.: Kap, Orange Free State, Namibia
– *obliqua* Sol. = Crassula ovata
– *obvallata* L. = Crassula nudicaulis
– **orbicularis** L. | ♃ Ψ ⌂K II-III; S-Afr.: Kap, Natal
– **ovata** (Mill.) Druce · Jade Plant | ♄ Ψ ⌂K IV-VII; S-Afr.: Kap, Natal
– **pellucida** L.; Kap
  - subsp. **marginalis** (Dryand.) Toelken
– **perfoliata** L. | ♄ Ψ; S-Afr.: Kap, Natal
  - var. **falcata** (DC.) Toelken · Propeller Plant | ♄ Ψ
– **perforata** Thunb. | ♃ Ψ ⌂K; Kap
– *perfossa* Lam. = Crassula perforata
– **plegmatoides** Friedr. | ♃ ⌂K; Kap, Namibia
– *portulacea* Lam. = Crassula ovata
– *pseudolycopodioides* Dinter et Schinz = Crassula muscosa
– **pyramidalis** Thunb. | ⊙ Ψ ⌂K; Kap
– *quadrifida* Baker = Crassula multicava
– *recurva* (Hook. f.) Ostenf. = Crassula helmsii
– **recurva** N.E. Br. | ♃ ⌂K ♠; S-Afr.: Natal
– *rosularis* Haw. = Crassula orbicularis
– **rupestris** Thunb. | ♃ Ψ ⌂K IV-V; Kap
  - subsp. **marnierana** (Huber et H. Jacobsen) Toelken
– **schmidtii** Regel | ♃ ⌂K IV-VIII; Namibia, S-Afr.
– *sedifolia* N.E. Br. = Crassula exilis subsp. sedifolia
– *sedoides* Mill. = Crassula orbicularis
– **setulosa** Harv.; S-Afr.: Kap, Natal; Lesotho
  - var. **curta** (N.E. Br.) Schönl. | ♃ △ ∧; S-Afr.: Kap, Natal; Lesotho
– **socialis** Schönl. | ♃ Ψ ⌂K; SE-Kap
– **spathulata** Thunb. | ♃ ⌂K IV-V; S-Afr.: SE-Kap, Natal
– **tecta** Thunb. | ♃ ⌂K; W-Kap
– *teres* Marloth = Crassula barklyi
– **tetragona** L. | ♄ ⌂K; E-Kap
– *thyrsiflora* Thunb. = Crassula capitella subsp. thyrsiflora
– **tillaea** Lest.-Garl. · Moos-Dickblatt | V-IX; Eur.: Ib, Fr, Ap, Ba, BrI, C-Eur.; TR,

NW-Afr., Libya
– *torquata* Baker = Crassula cultrata
– *trachysantha* (Eckl. et Zeyh.) Harv. = Crassula mesembryanthoides
– *turrita* Thunb. = Crassula capitella subsp. thyrsiflora
– *yunnanensis* Franch. = Sinocrassula yunnanensis

+ Crataegomespilus Simon-Louis et Bellair -f- *Rosaceae*
– *bronveuxii* hort. = + Crataegomespilus dardarii
– **dardarii** Simon-Louis (*Crataegus monogyna* × *Mespilus germanica*) | ♄ V, cult.
  - **'Jules d'Asnières'**; cult.
– **grandiflorus** (Sm.) Bean (*Crataegus laevigata* × *Mespilus germanica*) | ♄ ♄ V-VI; F
– **potsdamiensis** Bergann (*Crataegus laevigata 'Paulii'* × *Mespilus germanica*) | ♄ V; cult.

Crataegus L. -f- *Rosaceae* · Weißdorn
– **altaica** (Loudon) Lange · Altai-Weißdorn | ♄ V; W-Sib.:Altai, C-As., Afgh.
– **aprica** Beadle | ♄ ♄
– **arkansana** Sarg.
– **arnoldiana** Sarg. | ♄ V; USA: NE
– **azarolus** L. · Azaroldorn, Welsche Mispel · Azarole | ♄ Off. VII ∧ Ⓝ; Eur.: Crete, nat. in Sp., F, I, Sic.
  - var. **sinaica** (Boiss.) Lange; Sinai
– **calpodendron** (Ehrh.) Medik. · Filziger Weißdorn · Pear Thorn | ♄ VI; Can.: Ont.; USA: NE, NCE, SE, SC, Kans.
– × *carrierei* Vauvel ex Carrière = Crataegus × lavallei 'Carrierei'
– × **celsiana** (Dum.-Cours.) Bosc (*C. crus-galli* × *C. pentagyna*)
– × *celsiana* Dippel = Crataegus × dippeliana
– **chlorosarca** Maxim. | ♄ V; Jap., Sachal.
– **chrysocarpa** Ashe · Rundblättriger Weißdorn · Bicknell's Thorn | ♄ V; Can.: E, Sask.; USA: NE, NCE, NC, Rocky Mts., N.Mex.
  - var. **phoenicea** Palmer | ♄
– *coccinea* auct. non L. = Crataegus intricata
– *coccinea* L. = Crataegus pedicellata
– **coccinioides** Ashe | ♄ ♧ V; USA: Ill., Mo., Kans., Okla., Okla.
– **collina** Chapm. | ♄ V; USA: Ne, NCE, Kans., Okla., SE
– **crus-galli** L. · Hahnensporn-Weißdorn · Cockspur Thorn · Aubépine ergot de coq | ♄ ♄ VI-V; Can.: E; USA: NE, NCE, SC, SE, Fla., nat. in CZ
– *curvisepala* Lindm. = Crataegus rhipidophylla
– **dahurica** Koehne ex C.K. Schneid. | ♄ IV-V; E-Sib.
– × **dippeliana** Lange (*C. punctata* × *C. tanacetifolia*) | ♄ ♄ VI; cult.
– **douglasii** Lindl. · Oregon-Weißdorn · Black Hawthorn | ♄ V; Alaska, Can., USA: NW, Calif., Rocky Mts., NC, NCE
– **dsungarica** Zabel ex Lange | ♄ V; E-Sib., N-China
– × **durobrivensis** Sarg. (*C. pruinosa* × *C. suborbiculata*) | ♄ V; USA: N.Y.
– **ellwangeriana** Sarg. | ♄; E-USA
– **flava** Aiton · Gelbfrüchtiger Weißdorn · Summer Haw, Yellow Haw | ♄ VI; USA: NE, SE, Fla.
– **fontanesiana** (Spach) Steud. | ♄
– × **grignonensis** Mouill. (*C. crus-galli* × *C. pubescens*) | ♄ V-VI; cult.
– **holmesiana** Ashe | ♄ ♄ V; Can.: E; USA: NE, NCE
– **intricata** Lange · Verworrener Weißdorn · Thicket Hawthorn | ♄ V; USA: NE, NCE, SE, Okla., nat. in RO
– **laciniata** Ucria · Orientalischer Weißdorn · Oriental Thorn | ♄ ♄ ♧ VI; Eur.: Ib, Ba, E-Eur.; Maroc., Alger., nat. in F
– **laevigata** (Poir.) DC. · Palmstrauch-Weißdorn, Zweigriffliger Weißdorn · May · Aubépine à deux styles | ♄ ♄ Off. V Ⓝ; Eur.*
  - *'Coccinea Plena'* = Crataegus laevigata Paul's Scarlet
  - *'Kermesina Plena'* = Crataegus laevigata Paul's Scarlet
  - **'Paul's Scarlet'**
  - *'Paulii'* = Crataegus laevigata Paul's Scarlet
– × **lavallei** Hérincq ex Lavallée (*C. pubescens* × *C. stipulacea*) · Lederblättriger Weißdorn · Lavell Hawthorn | ♄ ♄ ♧ VI; cult.
  - **'Carrierei'**
– × **macrocarpa** Hegetschw. (*C. laevigata* × *C. rhipidophylla*) · Großfrüchtiger Weißdorn | ♄ V-VI; Eur.: Fr, I, C-Eur., Sc, PL, RO +
– **maximowiczii** C.K. Schneid. | ♄ ♄; E-Sib., Amur, Sachal., Korea

– × **media** Bechst. (*C. laevigata* × *C. monogyna*) · Bastard-Weißdorn, Mittlerer Weißdorn | ♄ V-VI; NW-Eur., C-Eur.
– **mollis** (Torr. et A. Gray) Scheele · Weichhaariger Weißdorn · Red Haw | ♄ ♧ VI; Can.: Ont.; USA: NC, NCE, SE, Okla.
– **monogyna** Jacq. · Eingriffliger Weißdorn · May · Aubépine monogyne | ♄ ♄ Off. V-VI Ⓝ; Eur.*, TR, Levante, N-Iraq, Cauc., N-Iran, NW-Afr.
  - **'Bicolor'**
  - **'Biflora'**
  - **'Semperflorens'**
  - var. *bruantii* hort. = Crataegus monogyna 'Semperflorens'
  - var. *guimperi* Voss = Crataegus monogyna 'Bicolor'
  - var. *kermesinaplena* hort. = Crataegus laevigata Paul's Scarlet
  - var. *pauli* hort. = Crataegus laevigata Paul's Scarlet
  - var. *praecox* Bean = Crataegus monogyna 'Biflora'
– × **mordenensis** Boom (*C. laevigata* × *C. succulenta*) | ♄ ♄ ♧ V; cult.
– **nigra** Waldst. et Kit. · Schwarzfrüchtiger Weißdorn · Hungarian Thorn | ♄ ♄ Off. V; Eur.: Slova., H, Croatia, Bosn., AL, ? RO
– × **nitida** (Engelm.) Sarg. (*C. crus-galli* × *C. viridis*) | ♄ ♧ V; USA: NCE, Ark.
– **oliveriana** (Dum.-Cours.) Bosc
– *orientalis* Pall. ex M. Bieb. = Crataegus laciniata
– *oxyacantha* L. emend. Jacq. = Crataegus laevigata
– **pedicellata** Sarg. · Scharlach-Weißdorn · Scarlet Hawthorn | ♄ ♧ V; Can.: E; USA: NE, NCE
– **pentagyna** Waldst. et Kit. ex Willd. · Fünfgriffeliger Weißdorn | ♄ ♄ Off. V; Eur.: EC-Eur., Ba, E-Eur.; TR, Cauc., N-Iran
– **persimilis** Sarg.
  - **'MacLeod'** (*C. crus-galli* × *C. macrantha*) ; cult.
  - *'Prunifolia'* = Crataegus persimilis 'MacLeod'
  - var. *hortorum* auct. = Crataegus persimilis 'MacLeod'
– **persistens** Sarg. (*?* × *C. crus-galli*) | ♄ ♄; cult.
– **phaenopyrum** (L. f.) Medik. · Washington-Weißdorn · Washington Thorn | ♄ ♄ V-VI; USA: NE, NCE, SE, Fla.
– **pinnatifida** Bunge · Fiederblatt-Weißdorn | ♄ ♧ V Ⓝ; Amur, Manch., Korea
  - var. **major** N.E. Br.; N-China
  - var. **pilosa** N.E. Br.
– *populifolia* Walter = Crataegus phaenopyrum
– **pruinosa** (H.L. Wendl.) K. Koch · Frosted Hawthorn | ♄ ♄ ♧ V; Can.: E; USA: NE, NCE, SE, Okla.
– *prunifolia* (Marshall) Baumg. = Aronia × prunifolia
– × *prunifolia* Pers. = Crataegus persimilis 'MacLeod'
– **pubescens** (Humb., Bonpl. et Kunth) Steud.; Mex.
  - fo. **stipulaceae** (Loudon) Stapf | ♄ ♄ V-VI; Mex.
– **punctata** Jacq. · Punktierter Weißdorn · Dotted Haw | ♄ ♧ VI; Can.: E; USA: NE, NCE, SE, Okla.
– **rhipidophylla** Gand. · Großkelchiger Weißdorn, Krummkelch-Weißdorn | ♄ V; Eur., TR
  - var. **lindmannii** (Hrabetova) K.I. Chr. · Langkelch-Weißdorn, Lindmans Weißdorn | ♄ V; Eur.: Fr, C-Eur., Sc, EC-Eur., E-Eur. +
– **rivularis** Nutt. ex Torr. et A. Gray · River Hawthorn | ♄ ♄ VI; USA: Rocky Mts., SW
– *rotundifolia* Lam. = Amelanchier ovalis
– *rotundifolia* Moench = Crataegus chrysocarpa
– **sanguinea** Pall. · Blut-Weißdorn | ♄ ♄ V; Eur.: Russ.; W-Sib., E-Sib., C-As, Mong., nat. in A, ?F
– **schraderiana** Ledeb.; SE-Eur.
– **submollis** Sarg. · Quebec Hawthorn | ♄ VI; Can.: E; USA: NE
– × **subsphaerica** Gand. (*C. monogyna* × *C. rhipidophylla*) · Verschiedenzähniger Weißdorn
– **succulenta** (Link) Schrad. · Saft-Weißdorn · Fleshy Hawthorn | ♄ ♧ V; Can.: E; USA: NE, NCE, NC, Rocky Mts., SE, SW
  - var. **macracantha** (Lodd.) Eggl. | V-VI; SE-Can., USA. NE, NCE
– **tanacetifolia** (Lam.) Pers. · Tansy Leaved Thorn
– *tanacetifolia* auct. non Pers. = Crataegus laciniata

– *tomentosa* Du Roi = Crataegus calpodendron
– *trilobata* (Labill.) Labill. = Malus trilobata
– **uniflora** Münchh. · Einblütiger Weißdorn | ♄ V-VI; USA: NE, NCE, SC, SE, Fla.
– **viridis** L. · Green Hawthorn | ♄ V-VI; USA: NE, NCE, Kans., SC, SE, Fla.
– **wattiana** Hemsl. et Lace | ♄ ♧ VIII-V; C-As., Pakist.
– **wilsonii** Sarg. | ♄ ♄ ♧ V; C-China.

× **Crataemespilus** Camus -f- *Rosaceae*
– **gillotii** Beck (*Crataegus monogyna* × *Mespilus germanica*) | ♄ V-VI; cult.
– **grandiflora** (Sm.) E.G. Camus (*Crataegus laevigata* × *Mespilus germanica*) | ♄ V-VI; cult.

Crateva L. -f- *Capparaceae*
– **adansonii** DC. · Temple Plant
– *religiosa* auct. non G. Forst. = Crateva adansonii
– **religiosa** G. Forst. | ♄ ♄ Ⓦ Ⓝ; trop. Afr., Madag., Ind., China, Malay. Pen., Austr.: Queensl.; Polyn.

× **Cremneria** Moran -f- *Crassulaceae*
– **mutabilis** (Deleuil ex E. Morren) Moran (*Cremnophila linguifolia* × *Echeveria carnicolor*)

Cremnophila Rose -f- *Crassulaceae*
– **linguifolia** (Lem.) Moran | ♃ ᛘ Ⓚ III-V; Mex.
– **nutans** (Rose) Rose | ♃ ᛘ Ⓚ III; Mex.

Crepis L. -f- *Asteraceae* · Pippau
– **alpestris** (Jacq.) Tausch · Alpen-Pippau | ♃ VI-VIII; Eur.: F, I, C-Eur., Slova., Ba, RO; mts.
– **aurea** (L.) Cass. · Gold-Pippau | ♃ △ VI-VII; Eur.: F, I, C-Eur., Ba; mts.
– *barbata* L. = Tolpis barbata
– **biennis** L. · Wiesen-Pippau · Hawk's Beard | ⊙ V-VIII; Eur.*
– **bocconii** P.D. Sell · Berg-Pippau | ♃ VI-VIII; Eur.: F, J, C-Eur., Slove.; Alp.
– **capillaris** (L.) Wallr. · Kleinköpfiger Pippau · Hawk's Beard | ⊙ X; Eur.*
– **conyzifolia** (Gouan) A. Kern. · Großköpfiger Pippau | ♃ VII-IX; Eur.: Ib, Fr, C-Eur., EC-Eur., Ba, RO, W-Russ.; mts.; TR, Cauc.
– **foetida** L. · Stinkender Pippau | VI-VIII; Eur.* exc. Sc; TR, Syr., Cyprus, Cauc., Iran, C-As., Him.
  - subsp. **rhaeadifolia** (M. Bieb.) Celak. · Mohn-Pippau | ⊙ VI-IX; Eur.: A, EC-Eur., Ba, E-Eur.; TR, Syr., Cauc., N-Iran
– **froelichiana** DC. · Froelichs Pippau | ♃ V; Eur.: N-I; Alp.
– **incana** Sibth. et Sm. · Pink Dandelion | ♃ △ VIII; S-GR
– **jacquinii** Tausch · Felsen-Pippau | ♃ △ VII-VIII; Eur.: I, C-Eur., EC-Eur., Ba, RO; E-Alp., Carp., Balkan
  - subsp. **kerneri** (Rech. f.) Merxm. · Kerners Pippau | ♃ VII-VIII; Eur.: SE-Alp., NW-Ba
– *kerneri* Rech. f. = Crepis jacquinii subsp. kerneri
– **mollis** (Jacq.) Asch. · Weichhaariger Pippau | ♃ VI-VIII; Eur.* exc. Sc, Ib
– **nemausensis** Gouan · Belgischer Pippau | ♃ IV-V, nat. in Ib, F, Ap, CH
– **nicaeensis** Balb. · Nizza-Pippau | ⊙ V-VI; Eur.: Ib, Fr, Ap, Ba; Cauc., nat. in BrI, Sc, D, EC-Eur., RO
– **paludosa** (L.) Moench · Sumpf-Pippau | ♃ VI-VIII; Eur.*, TR, Cauc., Sib.
– **pannonica** (Jacq.) K. Koch · Pannonischer Pippau | ⊙ VI-VIII; Eur.: A, EC-Eur., Ba, E-Eur.; TR, Cauc., NW-Iran
– **praemorsa** (L.) Walther · Abgebissener Pippau | ♃ V-VI; Eur.* exc. BrI, Ib; Cauc., Sib.
– **pulchra** L. · Schöner Pippau | V-VII; Eur.: Ib, F, I, D, EC-Eur., Ba, RO, Krim; Maroc., Alger.
– **pygmaea** L. · Zwerg-Pippau | ♃ △ VII-VIII; Eur.: Sp., F, I, CH; mts.
– **pyrenaica** (L.) Greuter · Pyrenäen-Pippau, Schabenkraut-Pippau | ♃ VI-VIII; Eur.: Sp., F, I, C-Eur., Slove.; mts.
– **rhaetica** Hegetschw. · Rätischer Pippau | ♃ VII-VIII; Eur.: F, I, CH, A; Alp.
– **rubra** L. · Crépide rouge | ⊙ VI-VII; Eur.: S-I, Ba; W-TR, nat. in F
– **setosa** Haller f. · Borsten-Pippau | VI-IX; Eur.: Fr, C-Eur., Ap, EC-Eur., BA, RO, Krim; TR, Cauc.
– **tectorum** L. · Dach-Pippau | X-V; Eur.* exc. BrI; Cauc., Sib.
– **terglouensis** (Hacq.) A. Kern. · Triglav-Pippau | ♃ △ VII-VIII; Eur.: C-Eur., I; E-Alp.
– **vesicaria** L.

- subsp. **taraxacifolia** (Thuill.) Thell. · Löwenzahn-Pippau | ⊙ V-VI; Eur.:Ib, BrI, I, CH, D, A, Slove., Croatia, Madeira; NW-Afr.
– *virens* L. = Crepis capillaris
– **zacintha** (L.) Babc.; Eur.: Ib, F, D, Ap, Ba, Krim; TR, Syr., nat. in CH, A

Crescentia L. -f- *Bignoniaceae*
– **cujete** L. · Calabash Tree | ♄ Ⓦ Ⓝ; S-Fla., Mex., W.Ind.

Crinitaria = Aster L.
– *linosyris* (L.) Less. = Aster linosyris

Crinodendron Molina -n- *Elaeocarpaceae*
– *dependens* (Ruiz et Pav.) Kuntze = Crinodendron patagua
– **hookerianum** Gay · Lantern Tree · Arbre aux lanternes | ♄ Ⓚ V; Chile
– *lanceolatum* Miq. = Crinodendron hookerianum
– **patagua** Molina · Lily-of-the-Valley Tree | ♄ ♄ Ⓚ XI-II; Chile

Crinum L. -n- *Amaryllidaceae* · Hakenlilie
– **abyssinicum** Hochst. ex A. Rich. | ♃ Ⓚ; Eth.
– **amabile** Donn | ♃ Ⓦ III-X; Sumat.
- var. *augustum* (Roxb.) Herb. = Crinum augustum
– *aquaticum* Burch. = Crinum campanulatum
– **asiaticum** L. · Asiatic Poison Bulb | ♃ Ⓦ III-X; Ind., Sri Lanka, trop. SE-As., Polyn.
– **augustum** Roxb. | ♃ Ⓦ IV-VIII; Mauritius, Seych.
– **bulbispermum** (Burm. f.) Milne-Redh. et Schweick. | ♃ VII-VIII ∧; S-Afr.
– *caffrum* Herb. = Crinum campanulatum
– **campanulatum** Herb. | ♃ Ⓚ VII-VIII; S-Afr.
– *capense* auct. non Herb. = Crinum bulbispermum
– **erubescens** Aiton | ♃ Ⓦ VII-VIII; trop. S-Am.
– *giganteum* Andr. = Crinum jagus
– × **herbertii** Sweet (*C. bulbispermum* × *C. zeylanicum 'Album'*)
– **jagus** (J. Thomson) Dandy | ♃ Ⓦ VI-VIII; W-Afr., C-Afr., Sudan, Angola
– *latifolium* L. = Crinum zeylanicum
– *longifolium* Thunb. = Crinum bulbispermum
– **macowanii** Baker | ♃ Ⓚ X-XI; S-Afr.
– **moorei** Hook. f. | ♃ Ⓚ VII-VIII; S-Afr.: Natal
– **natans** Baker | ♃ Ⓦ ♆; W-Afr., Cameroun, Ind.
– **pedunculatum** R. Br. | ♃ Ⓚ VII-VIII; Austr.: Queensl., N.S.Wales
– × **powellii** hort. (*C. bulbispermum* × *C. moorei*) · Hakenlilie · Crinum | ♃ VII-IX ∧; cult.
– **pratense** Herb. | ♃ Ⓚ VII-VIII; Ind.
– **purpurascens** Herb. | ♃ Ⓦ ~ I-XII; W.Sudan, Sudan, Cameroun, Angola
– *scabrum* Herb. = Crinum zeylanicum
– *schmidtii* Regel = Crinum moorei
– *speciosum* L. f. = Cyrtanthus purpureus
– **virgineum** Mart. | ♃ Ⓦ VI-VIII; S-Bras.
– **zeylanicum** (L.) L. · Poison Bulb | ♃ Ⓦ IV-V; trop. Afr., trop. As.

Crithmum L. -n- *Apiaceae*
– **maritimum** L. · Samphire | ♃ Ⓚ VI-VIII Ⓝ; Eur.: Ib, Fr, Ap, Ba, Krim; TR, Cauc., N-Afr., Canar., Madeira

Crocosmia Planch. -f- *Iridaceae* · Montbretie
– **aurea** (Pappe ex Hook.) Planch. · Montbretia | ♃ Ⓚ IV-V; E-Afr., S-Afr. (Kap, Natal)
– × **crocosmiiflora** (Burbridge et Dean) N.E. Br. (*C. aurea* × *C. pottsii*) · Garten-Montbretie · Montbretia | ♃ ⋊ VII-IX ∧; cult.
– **masoniorum** (L. Bolus) N.E. Br. · Montbretie | ♃ ⋊ VII-VIII ∧; S-Afr. (Transkei)
– **paniculata** (Klatt) Goldblatt | ♃ Ⓚ VIII-IX; S-Afr.
– **pottsii** (Baker) N.E. Br. | ♃ VIII ∧; S-Afr.

Crocus L. -m- *Iridaceae* · Krokus
– *albiflorus* Kit. ex Schult. = Crocus vernus subsp. albiflorus
– **ancyrensis** (Herb.) Maw | ♃ II-III ▽; TR
– **angustifolius** Weston · Cloth-of-Gold Crocus | ♃ III ▽; Cauc., Krim
– *asturicus* Herb. = Crocus serotinus subsp. salzmannii
– *aureus* Sibth. et Sm. = Crocus flavus
– *balansae* J. Gay ex Baker = Crocus olivieri subsp. balansae
– *banaticus* Heuff. non J. Gay = Crocus vernus

– **banaticus** J. Gay | ♃ IX-X ▽; Eur.: Serb., RO, W-Russ
– **biflorus** Mill. · Scotch Crocus | ♃ II-III ▽; Eur.: Ap, Ba, Russ.; TR, Cauc., N-Iraq, N-Iran
  - subsp. *parkinsonii* Sabine = Crocus biflorus
– *byzantinus* Herb. = Crocus banaticus
– **cambessedesii** J. Gay | ♃ Ⓐ XI-III ▽; Balear.
– **cancellatus** Herb. | ♃ IX-XI ▽; S-TR, Lebanon, N-Israel
– **candidus** Clark | ♃; NW-TR
  - var. *subflavus* hort. = Crocus olivieri
– **chrysanthus** (Herb.) Herb. · Kleiner Krokus | ♃ II-IV ▽; Eur.: Ba, RO; TR, nat. in CZ
– *cilicicus* Maw = Crocus cancellatus
– *clusii* J. Gay = Crocus serotinus subsp. clusii
– **corsicus** Vanucchi ex Maw | ♃ IV ▽; Corse
– **dalmaticus** Vis. | ♃ II-III ▽; Eur.: Croatia, Montenegro, N-AL. mts.
– **etruscus** Parl. | ♃ III ▽; I (Toscana)
– **flavus** Weston · Gold-Krokus · Yellow Crocus | ♃ II-III ▽; Eur.: Ba, RO, Krim; TR
– **fleischeri** J. Gay | ♃ III ▽; TR
– **goulimyi** Turrill | ♃; S-GR (Areopolis)
– **hadriaticus** Herb. | ♃; GR
  - var. *chrysobelonicus* Herb. = Crocus hadriaticus
  - var. *saundersianus* Herb. = Crocus hadriaticus
– *heuffelianus* Herb. = Crocus vernus 'Heuffelianus Grp.'
– **hyemalis** Boiss. et Blanche | ♃ XI-XII ▽; Israel, Lebanon, Syr.
– **imperati** Ten. | ♃ II-III ▽; W-I
– *iridiflorus* Heuff. ex Rchb. = Crocus banaticus
– **korolkowii** Maw ex Regel · Celandine Crocus | ♃ III ▽; C-As., Afgh., N-Pakist.
– *kotschyanus* Boiss. = Crocus cancellatus
– **kotschyanus** K. Koch | ♃ IX-X ▽; S-TR, Lebanon, Syr.
– **laevigatus** Bory et Chaub. | ♃ X-II ▽; Eur.: GR, Crete
  - **'Fontenayi'**
– **longiflorus** Raf. | ♃ X-XI ▽; Eur.: S-I, Sic., Malta
– *luteus* Lam. = Crocus flavus
– **medius** Balb. | ♃ X-XI ▽; Eur.: SE-F, NW-I
– **minimus** DC. | ♃ III ▽; Corse, Sard.
– *napolitanus* Mord. Laun. et Louis = Crocus vernus
– *neapolitanus* Asch. ex Bergmans = Crocus vernus
– **niveus** Bowles | ♃ X-XI ▽; S-GR
– **nudiflorus** Sm. | ♃ IX ▽; Eur.: Sp., SW-F, nat. in BrI
– **ochroleucus** Boiss. et Gaill. | ♃
– *odorus* Biv. = Crocus longiflorus
– **olivieri** J. Gay | ♃ III ▽; Eur.: Ba; TR
  - subsp. **balansae** (J. Gay ex Baker) B. Mathew | ♃ ▽; W-TR
– **pulchellus** Herb. | ♃ IX-XI ▽; GR, TR
– **reticulatus** Steven ex Adams | ♃ II-III ▽; Eur.: NE-I, H, Ba, EC-Eur.; TR, Cauc.
– *salzmannii* J. Gay = Crocus serotinus subsp. salzmannii
– **sativus** L. · Echter Safran · Autumn Crocus, Saffron Crocus | ♃ Off. XI Ⓝ; cult.
  - var. *cashmirianus* Royle = Crocus sativus
– *scepusiensis* (Rehmann et Wollosz.) Borbás = Crocus vernus 'Scepusiensis Grp.'
– **serotinus** Salisb.; Eur.: Sp., P ; N-Afr.
  - subsp. **clusii** (J. Gay) B. Mathew | ♃ X ▽; P, W-Sp., Maroc., Alger.
  - subsp. **salzmannii** (J. Gay) B. Mathew | ♃ IX-X ▽; Eur.: Sp.; N-Afr.
– **sieberi** J. Gay · Siebers Krokus | ♃ III ▽; Eur.: Ba; mts.
  - subsp. **atticus** (Boiss. et Orph.) B. Mathew
  - subsp. **sublimis** (Herb.) B. Mathew
– **speciosus** M. Bieb. | ♃ IX-X ▽; TR, Iran, Krim
– × **stellaris** Haw. (*C. angustifolius* × *C. flavus*) | ♃ III ▽; cult.
– *susianus* Ker-Gawl. = Crocus angustifolius
– *suterianus* Herb. = Crocus olivieri
– **tommasinianus** Herb. · Dalmatiner Krokus | ♃ II-III ▽; Eur.: H, Croatia, Bosn., YU, BG, nat. in BrI, NL
– **vernus** (L.) Hill · Frühlings-Krokus · Dutch Crocus | ♃ III-V ▽; Eur.* exc. BrI, Sc, nat. in BrI
  - **Heuffelianus Grp.** | ♃ II-IV
  - **Scepusiensis Grp.**
  - subsp. **albiflorus** (Kit.) Asch. et Graebn. · Weißer Krokus | ♃ II-IV ▽; Eur.: Sp., F, Ap, C-Eur., CZ, W-Ba;

mts.
- **versicolor** Ker-Gawl. | ♃ III-IV ▽; Eur.: SE-F, NW-I
- **vitellinus** Wahlenb. | ♃ I-II ▽; Lebanon, W-Syr.
- *zonatus* J. Gay = Crocus kotschyanus

Crossandra Salisb. -f- *Acanthaceae*
- **flava** Hook. | ♃ ⓦ XII-VI; W-Afr.
- **infundibuliformis** (L.) Nees | ħ ⓦ V-VIII; Pakist., Ind., Sri Lanka, SE-As.
- **nilotica** Oliv. | ħ ⓦ V-VIII; Kenya, Mozamb.
- **pungens** Lindau | ♃ ⓦ; E-Afr.
- **subacaulis** C.B. Clarke | ♃ ⓦ VII-VIII; E-Afr.
- *undulifolia* Salisb. = Crossandra infundibuliformis

Crotalaria L. -f- *Fabaceae*
- **agatiflora** Schweinf. | ŧ ħ; E-Afr., NE-Afr.
- *anagyroides* Humb., Bonpl. et Kunth = Crotalaria mikans
- **capensis** Jacq. | ŧ ħ; S-Afr., Mozamb.
- **intermedia** Kotschy | Ⓝ; trop. Afr., nat. in N-Am.
- **juncea** L. · Sunhemp | ⊙ ⓚ VIII-IX Ⓝ; cult.
- **mikans** Link | ⊙ ⓚ Ⓝ; trop. S-Am.
- **mucronata** Desv. | ♃ Ⓝ; Trop., Subtrop., Old World
- **retusa** L. · Rattlebox | ⊙ ⓚ VIII-IX Ⓝ; trop. Afr., S-As., nat. in trop. Am.
- **zanzibarica** Benth. | ħ Ⓝ; E-Afr.

Croton L. -m- *Euphorbiaceae*
- **cascarilla** Benn. · Wild Rosemary | ŧ ⓦ Ⓝ; Bahamas
- **eluteria** Benn. · Cascarilla | ŧ ⓦ Ⓝ; W.Ind.
- *pictum* Lodd. = Codiaeum variegatum var. pictum
- **tiglium** L. | ŧ ⓦ ☠ Ⓝ; Ind., Sri Lanka, S-China, Phil., Molucca I.
- *variegatus* L. = Codiaeum variegatum

Crowea Sm. -f- *Rutaceae*
- **angustifolia** Turcz. | ħ ⓚ III; W-Austr.
- **exalata** F. Muell. | ħ ⓚ; Austr.
- **saligna** Andrews · Crowea | ħ ⓚ VII; Austr.: N.S.Wales

Crucianella L. -f- *Rubiaceae*
- **angustifolia** L.; Eur.: Ib, F, Ap, Ba, E-Eur.; TR, Sw-As., Nw-Afr.
- *stylosa* Trin. = Phuopsis stylosa

Cruciata Mill. *Rubiaceae*
- **glabra** (L.) Ehrend. · Kahles Kreuzlabkraut | ♃ IV-VI; Eur.* exc. BrI, Sc; W-As., Him., N-Afr.
- **laevipes** Opiz · Gewöhnliches Kreuzlabkraut | ♃ IV-VI; Eur.*, TR, Cauc., Iran, W-Him., nat. in N-Am.
- **pedemontana** (Bellardi) Ehrend. · Piemonteser Kreuzlabkraut | IV-V; Eur.* exc. BrI, Sc; TR, Lebanon, Cauc., Iran, Afgh., Pakist., Maroc.

Crupina (Pers.) DC. -f- *Asteraceae*
- **vulgaris** Cass. · Gewöhnlicher Schlupfsame | V-VII; Eur.: Ib, Fr, Ap, Ba, CH, EC-Eur., E-Eur.; TR, Cauc., NW-Iran, Maroc.

Cryophytum = Mesembryanthemum L.
- *crystallinum* (L.) N.E. Br. = Mesembryanthemum crystallinum

Cryosophila Blume -f- *Arecaceae*
- **nana** (Humb., Bonpl. et Kunth) Blume | ŧ ⓦ; Mex.
- **warscewiczii** (H. Wendl.) Bartlett | ħ ŧ ⓦ; Nicar., Costa Rica, Panama

Crypsis Aiton -f- *Poaceae*
- **aculeata** (L.) Aiton · Starres Dorngras | VII-IX; Eur.: Fr, Ap, A, EC-Eur., Ba, E-Eur.; Cyprus, Palaest., Iraq, Cauc., Iran, W-Sib., C-As., Mong., China, N-Afr.
- **alopecuroides** (Piller et Mitterp.) Schrad. · Fuchsschwanz-Sumpfgras | VI-IX; Eur.: P, F, Ap, A, EC-Eur., Ba, E-Eur.; TR, Cyprus, Syr., Iraq, Cauc., Iran, W-Sib., C-As., N-Afr.
- **schoenoides** (L.) Lam. · Knopfbinsen-Sumpfgras | VII-IX; Eur.: Ib, F, Ap, A, EC-Eur., Ba, E-Eur.; TR, Cauc., Iran, Afgh., Pakist., NW-Ind., W-Sib., C-As., Tibet, Mong., China: Sinkiang; N-Afr., trop. Afr., Madag., nat. in N-Am.

Cryptanthus Otto et A. Dietr. -m- *Bromeliaceae*
- **acaulis** (Lindl.) Beer | ♃ ⓦ; Bras.
  - var. *bromelioides* (Otto et A. Dietr.) Mez = Cryptanthus bromelioides
- **bahianus** L.B. Sm. | ♃ ⓦ; Bras.
- **beuckeri** E. Morren | ♃ ⓦ; Bras.

- **bivittatus** (Hook.) Regel · Earth Star | ♃ ⓦ; E-Bras.
- **bromelioides** Otto et A. Dietr. | ♃ ⓦ; Bras.
- **fosterianus** L.B. Sm. | ♃ ⓦ; NW-Bras.
- **lacerdae** Antoine | ♃ ⓦ; ? E-Bras.
- **praetextus** E. Morren ex Baker | ♃ ⓦ; Bras.
- **sinuosus** L.B. Sm. | ♃ ⓦ; Bras.
- *undulatus* Otto et A. Dietr. = Cryptanthus acaulis
- **zonatus** (Vis.) Beer | ♃ ⓦ; Bras.

Cryptocarya R. Br. -f- *Lauraceae*
- **moschata** Nees et Mart. · Amerikanische Muskatnuss | Ⓝ; Bras.

Cryptochilus Wall. -m- *Orchidaceae*
- **luteus** Lindl. | ♃ ⓦ V-VI ✻; Ind.: Sikkim
- **sanguineus** Wall. | ♃ ⓦ V-VI ✻; Nepal, Sikkim

Cryptocoryne Fisch. ex Wydler -f- *Araceae*
- **affinis** N.E. Br. ex Hook. f. | ♃ ⓦ ♠; Malay. Pen.
- **albida** R. Parker | ♃ ⓦ ♠; Myanmar
- **balansae** Gagnep. | ♃ ⓦ ♠; N-Vietn., Thail.
- **beckettii** Thwaites ex Trimen | ♃ ⓦ ♠; Sri Lanka
- *blassii* de Wit = Cryptocoryne cordata
- **ciliata** (Roxb.) Fisch. ex Schott | ♃ ⓦ ♠; Pakist., Ind., Thail., Malay. Arch., N.Guinea
- **cordata** Griff. · Swamp Coleus | ♃ ⓦ ♠; Thail.
- **grabowskii** Engl. | ♃ ⓦ ♠; Thail., Malay. Pen.
- *grandis* Ridl. = Cryptocoryne grabowskii
- **griffithii** Schott | ♃ ⓦ ♠; Malay. Pen., Sumat.
- *haerteliana* Jacobsen ex Milk. = Cryptocoryne affinis
- **lucens** de Wit | ♃ ⓦ ~ ♠; ? Sri Lanka
- *lutea* Alston = Cryptocoryne walkeri
- *nevillii* hort. = Cryptocoryne parva
- **nevillii** Trimen ex Hook. f.
- **parva** de Wit | ⓦ ~ ♠; Sri Lanka
- **purpurea** Ridl. | ♃ ⓦ ~ ♠; Malay. Pen.
- **retrospiralis** (Roxb.) Fisch. ex Wydler | ♃ ⓦ ~ ♠; Ind., Mynamar
- *siamensis* Gagnep. = Cryptocoryne cordata
- *somphongsii* hort. = Cryptocoryne balansae
- **thwaitesii** Schott | ♃ ⓦ ♠; Sri Lanka
- **tortilis** de Wit | ♃ ⓦ ♠; Kalimantan
- **undulata** A. Wendt | ♃ ⓦ ~ ♠; Sri Lanka
- **versteegii** Engl. | ♃ ⓦ ~ ; N.Guinea
- **walkeri** Schott | ♃ ⓦ ♠; Sri Lanka
- **wendtii** de Wit | ♃ ⓦ ~ ♠; Sri Lanka
- *willisii* Engl. ex Baum = Cryptocoryne walkeri
- × **willisii** Reitz (*C. beckettii* × *C. parva* × *C. walkeri*)
- **zonata** de Wit | ♃ ⓦ ~ ♠; N-Kalimantan

Cryptogramma R. Br. -f- *Adiantaceae*
- *acrostichoides* R. Br. = Cryptogramma crispa var. acrostichoides
- **crispa** (L.) R. Br. ex Hook. · Krauser Rollfarn · Parsley Fern | ♃ △ VIII-IX ▽; Eur.*, TR, Cauc., W-Sib.
  - var. **acrostichoides** (R. Br. ex Hook.) C.B. Clarke · American Rockbrake
- **stelleri** (S.G. Gmel.) Prantl · Fragile Rockbrake | ♃ △; Alaska, Can., USA: NE, NCE, Rocky Mts., NW; Sib., Him., Jap.

Cryptomeria D. Don -f- *Taxodiaceae* · Sicheltanne
- *fortunei* Hooibr. = Cryptomeria japonica var. sinensis
- **japonica** (L. f.) D. Don · Sicheltanne · Japanese Cedar · Cryptoméria du Japon | ♄ Ⓝ; Jap.
  - var. **sinensis** Siebold ex Siebold et Zucc.
- *kawai* Hayata = Cryptomeria japonica var. sinensis

Cryptophoranthus Barb.Rodr. -m- *Orchidaceae*
- **atropurpureus** (Lindl.) Rolfe | ♃ ⓦ X ✻; Jamaica, Cuba
- **maculatus** Rolfe | ♃ ⓦ VI-VII ✻; Bras.

Cryptophragmium = Gymnostachyum Nees
- *ceylanicum* (Arn. et Nees) Kuntze = Gymnostachyum ceylanicum
- *sanguinolentum* (Vahl) Nees = Gymnostachyum sanguinolentum
- *venustum* (Wall.) Nees = Gymnostachyum venustum

Cryptostegia R. Br. -f- *Asclepiadaceae*
– **grandiflora** (Roxb.) R. Br. · Rubber Vine | ♃ Ⓦ ⌇ VII; trop. Afr., Mascarene Is., cult. Ind.

Cryptotaenia DC. -f- *Apiaceae*
– **canadensis** (L.) DC. | ♃; Eur., N-Am., As.

Ctenanthe Eichler -f- *Marantaceae*
– **amabilis** (E. Morren) H.A. Kenn. et Nicolson | ♃ Ⓦ; Bras.
– **compressa** (A. Dietr.) Eichler; SE-Bras.
  - var. **luschnathiana** (Regel et Körner) K. Schum. | ♃ Ⓦ; Bras.
– **kummerana** (E. Morren) Eichler | ♃ Ⓦ; Bras.
– **lubbersiana** (E. Morren) Eichler ex Petersen | ♃ Ⓦ; Bras.
– **oppenheimiana** (E. Morren) K. Schum. · Never Never Plant | ♃ Ⓦ; Bras.
– **setosa** (Roscoe) Eichler | ♃ Ⓦ; Bras.

Cucubalus L. -m- *Caryophyllaceae*
– **baccifer** L. · Taubenkropf · Berry Catchfly | ♃ VII-IX; Eur.* exc. Sc; TR, Levante, Cauc., Iran, W-Sib., Amur, C-As., Him., China, Jap.

Cucumeropsis Naudin -f- *Cucurbitaceae*
– **mannii** Naudin | Ⓝ; W-Afr., C-Afr.

Cucumis L. -m- *Cucurbitaceae*
– **anguria** L. · West Indian Gherkin | ⊙ ⌇ ⇝ ♣ Ⓝ; trop. Afr., nat. in trop. Am., Austr.: Queensl.
– *citrullus* L. = Citrullus lanatus
– *colocynthis* L. = Citrullus colocynthis
– **dipsaceus** Ehrenb. ex Spach · Hedgehog Gourd | ⊙ Ⓚ ⇝ ♣; Arab.
– **melo** L. · Melone, Zucker-Melone · Melon | ⊙ Ⓚ ▭ ⇝ VI-VIII Ⓝ; ? trop. Afr., ? W-As.; cult.
  - **Cantalupensis-Grp.**
  - **Conomon-Grp.**
  - **Dudaim-Grp.**
  - **Inodorus-Grp.**
  - var. **flexuosus** (L.) Naudin
– **metuliferus** E. Mey. ex Schrad. · Horny Cucumber | ⊙ Ⓚ ⇝ Ⓝ; trop. Afr., S-Afr., cult. NZ
– **myriocarpus** Naudin
– **sativus** L. · Gurke · Cucumber, Gherkin | ⊙ ⌇ ⇝ VI-IX Ⓝ; Ind.

Cucurbita L. -f- *Cucurbitaceae* · Kürbis
– **argyrosperma** hort. ex L.H.Bail. | ⊙ ⇝ Ⓝ; Mex., Guat.; cult.
– *citrullus* L. = Citrullus lanatus
– **ficifolia** Bouché · Feigenblatt-Kürbis · Fig Leaved Gourd | ♃ ⇝ ♣ Ⓝ; N-Am.; cult.
– *hispida* Thunb. = Benincasa hispida
– *lagenaria* L. = Lagenaria siceraria
– **maxima** Duchesne · Riesen-Kürbis · Pumpkin | ⊙ ⇝ ♣ VI-IX Ⓝ; S-Am.; cult.
– *mixta* Pang = Cucurbita argyrosperma
– **moschata** (Duchesne) Duchesne ex Poir. · Moschus-Kürbis · Squash | ⊙ ⇝ VI-IX Ⓝ; C-Am; cult.
– **pepo** L. · Garten-Kürbis · Courgette, Vegetable Marrow, Zucchini | ⊙ ⇝ ♣ VI-VIII Ⓝ; ? C-Am., ?SE-USA; cult.
– *siceraria* Molina = Lagenaria siceraria

Cudrania = Maclura Nutt.
– **tricuspidata** (Carrière) Bureau ex Lavallée · Seidenwurmdorn · Chinese Silkworm Thorn | ♄ Ⓝ; Korea, C-China

Culcasia P. Beauv. -f- *Araceae*
– **mannii** (Hook. f.) Engl. | ♃ Ⓦ; Cameroun

Culcita C. Presl -f- *Dicksoniaceae*
– **macrocarpa** C. Presl | ♃ Ⓚ ✻ Ⓝ; Ib., Azor., Madeira, Canar.

Cumarinia = Coryphantha (Engelm.) Lem.
– *odorata* (Boed.) Buxb. = Coryphantha odorata

Cuminum L. -n- *Apiaceae*
– **cyminum** L. · Cumin | ⊙ Ⓝ; C-As., N-Afr., Eth., cult., nat. in Sp., F, Sic..

Cunninghamia R. Br. -f- *Taxodiaceae* · Spießtanne
– *kawakamii* Hayata = Cunninghamia konishii
– **konishii** Hayata | ħ Ⓚ ∧; Taiwan
– **lanceolata** (Lamb.) Hook. · Spießtanne · China Fir | ħ Ⓚ ∧ Ⓝ; C-China, SE-China
– *sinensis* R. Br. = Cunninghamia lanceolata

Cunonia L. -f- *Cunoniaceae*
– **capensis** L. · African Red Alder | ♄ ħ Ⓚ;

S-Afr.

Cuphea P. Browne -f- *Lythraceae* · Köcherblümchen
- **hyssopifolia** Humb., Bonpl. et Kunth · False Heather | ħ Ⓚ III-X; Mex., Guat.
- **ignea** A. DC. · Zigarettenblümchen · Mexican Cigar Plant | ♃ Ⓚ V-IX; Mex.
- *lanceolata* Baill. = Cuphea procumbens
- **lanceolata** W.T. Aiton; C-Mex.
  - var. **silenoides** (Nees) Regel | ☉ VII-IX; C-Mex.
- **llavea** La Llave et Lex.; Mex.
  - var. **miniata** Brongn. et Koehne | ♄ Ⓚ VII-IX; Mex.
- **micropetala** Humb., Bonpl. et Kunth | ♄ Ⓚ XI-III; Mex.
- *miniata* Brongn. = Cuphea llavea var. miniata
- *platycentra* Lem. = Cuphea ignea
- **procumbens** Cav. | ☉ VI-X; Mex.

× **Cupressocyparis** Dallim. -f- *Cupressaceae*
- **leylandii** Dallim. et A.B. Jacks. · Bastardzypresse, Leylandzypresse · Leyland Cypress | ħ; cult.

Cupressus L. -f- *Cupressaceae* · Zypresse
- **arizonica** Greene · Arizona-Zypresse · Arizona Cypress | ħ ∧ Ⓝ; USA: SC, SW, Calif.; N-Mex., Baja Calif.
  - var. *glabra* (Sudw.) Little = Cupressus glabra
- **bakeri** Jeps. · Modoc-Zypresse | ħ; N-Calif.
  - subsp. *matthewsi* C.B. Wolf = Cupressus bakeri
- **cashmeriana** Royle ex Carr · Kashmir Cypress | ħ Ⓚ; ? Him.
- **duclouxiana** Hickel ex Camus
- *funebris* Endl. = Chamaecyparis funebris
- **glabra** Sudw. · Smooth Arizona Cypress | ħ; Ariz.
- *glandulosa* Hook. ex Gordon = Cupressus macnabiana
- **goveniana** Gordon ex Lindl. · Gowen Cypress | ♄ Ⓚ; Calif.
  - var. *pygmaea* Lemmon = Cupressus goveniana
- *horizontalis* Mill. = Cupressus sempervirens var. horizontalis
- *lambertiana* Gordon = Cupressus macrocarpa
- *lawsoniana* hort. = Chamaecyparis lawsoniana
- **lusitanica** Mill. · Cedar of Goa, Mexican Cypress | ħ Ⓚ Ⓝ; Mex., Guat.
- **macnabiana** A. Murray · Macnab Cypress | ♄ ħ Ⓚ; N-Calif.
- **macrocarpa** Hartw. ex Gordon · Monterey-Zypresse · Monterey Cypress | ħ Ⓚ Ⓝ; Calif. (Monterey County)
- *nootkatensis* D. Don = Chamaecyparis nootkatensis
- *obtusa* (Siebold et Zucc.) K. Koch = Chamaecyparis obtusa
- *pisifera* (Siebold et Zucc.) K. Koch = Chamaecyparis pisifera
- **sempervirens** L. · Echte Zypresse, Mittelmeer-Zypresse · Italian Cypress | ħ II-IV
  - fo. *horizontalis* (Mill.) Voss = Cupressus sempervirens var. horizontalis
  - *'Pyramidalis'* = Cupressus sempervirens 'Stricta'
  - **'Stricta'**
  - var. *fastigiata* (Mill. ex DC.) Hansen = Cupressus sempervirens 'Stricta'
  - var. **horizontalis** (Mill.) Gordon | ħ Ⓚ; Eur.: GR, Crete; TR, Levante, N-Iran, Libya, nat. in Ib, Fr, Ap, CH, Krim
- *thurifera* Benth. = Cupressus lusitanica
- *thyoides* L. = Chamaecyparis thyoides
- **torulosa** D. Don ex Lamb. · Himalayan Cypress | ħ Ⓝ; W-Him., W-China
  - **'Cashmeriana'**
  - var. *casmeriana* (Carrière) Kent = Cupressus torulosa 'Cashmeriana'

Curculigo Gaertn. -f- *Hypoxidaceae*
- **capitulata** (Lour.) Kuntze | ♃ Ⓦ; trop. As., Austr.; N.Terr., Queensl., N.S.Wales
- **latifolia** Dryand. · Palm Grass | ♃ Ⓦ; Myanmar, Malay. Arch.
- *recurvata* Dryand. = Curculigo capitulata

Curcuma L. -f- *Zingiberaceae* · Safranwurz
- **amada** Roxb. | ♃ Ⓦ Ⓝ; Ind. (Bengal., Konkan)
- **angustifolia** Roxb. · East Indian Arrowroot | ♃ Ⓦ Ⓝ; Him., Ind.
- **aromatica** Salisb. · Wild Turmeric | ♃ Ⓦ Ⓝ; ? Ind.
- **caesia** Roxb. | ♃ Ⓝ; Ind.: Bengalen
- *domestica* Valeton = Curcuma longa
- **heyneana** Valeton et Zijp · Zedgary | ♃ Ⓦ Ⓝ; Java
- **longa** L. · Gelbwurzel · Turmeric | ♃ Ⓦ

Ⓝ; ? Ind., ? SE-As.
- *mangga* Valeton et Zijp = Curcuma zedoaria
- *pallida* Lour. = Curcuma zedoaria
- *purpurascens* Blume = Curcuma longa
- **roscoeana** Wall. | ♃ Ⓦ VIII-X; Myanmar
- *xanthorrhiza* Roxb. = Curcuma zedoaria
- **zedoaria** (Christm.) Roscoe · Zedgary | ♃ Ⓦ Off. Ⓝ; cult., nat. in SE-As.

Currania = Gymnocarpium Newman
- *dryopteris* (L.) Wherry = Gymnocarpium dryopteris
- *robertiana* (Hoffm.) Wherry = Gymnocarpium robertianum

Curtisia Aiton -f- *Cornaceae*
- **dentata** (Burm. f.) N.E. Br. | ♄ Ⓚ Ⓝ; S-Afr.

Curtonus = Crocosmia Planch.
- *paniculatus* (Klatt) N.E. Br. = Crocosmia paniculata

Cuscuta L. -f- *Convolvulaceae* · Seide
- **approximata** Bab.; Eur.: Ib, Fr, Me, Ap, Ba, E-Eur.; TR, Levante, , Iran, C-As., Him., China
- **campestris** Yunck. · Nordamerikanische Seide · Field Dodder | ⊙ VII-X; USA*, nat. in Eur.* exc. Sc; Cauc., C-As.
- **epilinum** Weihe · Flachs-Seide | ⊙ ≩ VI-VIII; Palaest., SW-As., nat. in Eur., N-Afr.
- **epithymum** (L.) L. · Thymian-Seide | ⊙ ≩ VII-VIII; Eur.*, TR, Syr., Palaest., Cauc., Iran, W-Sib., C-As., NW-Afr., Libya, nat. in N-Am.
  - subsp. **trifolii** (Bab. et Gibson) Berher · Klee-Seide | VII-VIII; Eur.: BrI, Sc, Fr, Ap, C-Eur., H; Cauc., nat. in N-Am., Chile, Austr., NZ
- **europaea** L. · Europäische Seide · European Dodder | ⊙ ≩ VI-VIII; Eur.*, TR, Syr., Palaest., Cauc., Iran, W-Sib., E-Sib., Amur, Sachal. C-As., Mong., Him., Alger., Libya
  - subsp. **nefrens** (Fr.) O. Schwarz
  - subsp. **viviae** (Engelm.) Ganesch.
- **gronovii** Willd. ex Roem. et Schult. · Weiden-Seide | VIII-IX; N-Am., nat. in Fr, I, D, EC-Eur., Ba, W-Russ.
- **lupuliformis** Krock. · Pappel-Seide | VII-IX; Eur.: NL, C-Eur., EC-Eur., Ba, E-Eur.; Cauc., W-Sib., E-Sib. , C-As., Mong, China
- **odorata** Ruiz et Pav. | ♃ Ⓦ; Peru
- **reflexa** Roxb. | ⊙ ≩ X-XII; Him., Ind., Sri Lanka, Malay. Pen.
- **scandens** Brot. · Knöterich-Seide, Südliche Seide | VI-IX; Eur.: Ib, Fr, D, Ap, Ba, E-Eur.; TR
- **suaveolens** Ser. · Chilenische Seide | VIII-IX; S-Am., nat. in Eur.: Ib, Fr, Ap, C-Eur., EC-Eur., EC-Eur.; USA, Afr., Austr.

Cusparia Humb. ex R. Br. -f- *Rutaceae*
- **febrifuga** Humb. ex DC. · Angostura | ♄ Ⓦ; W.Ind., Venez., Col.

Cussonia Thunb. -f- *Araliaceae*
- **paniculata** Eckl. et Zeyh. · Cabbage Tree | ♄ Ψ Ⓚ; S-Afr.
- **spicata** Thunb. | ♄ Ψ Ⓚ; S-Afr.: Kap, Natal, Transvaal; Komor.

Cyamopsis DC. -f- *Fabaceae*
- *psoraloides* DC. = Cyamopsis tetragonoloba
- **tetragonoloba** (L.) Taub. | ⊙ Ⓝ; cult.

Cyananthus Wall. ex Benth. -m- *Campanulaceae*
- *barbatus* Franch. = Cyananthus delavayi
- **delavayi** Franch. | ♃ △ VII-VIII ∧; Yunnan
- **formosus** Diels | ♃ △ VII-VIII ∧; Yunnan
- **forrestii** Diels · Forrests Blauröhre | ♃ △ IX ∧; Yunnan
- **lobatus** Wall. ex Benth. · Gelappte Blauröhre | ♃ △ VII-X ∧; NW-Him.
- **microphyllus** Edgew. · Kleinblättrige Blauröhre | ♃ △ VII-VIII ∧; N-Ind., Nepal
- **sheriffii** Cowan · Sheriffs Blauröhre | ♃ △ VII-VIII ∧; Bhutan, S-Tibet

Cyanastrum Oliv. -n- *Cyanastraceae*
- **cordifolium** Oliv. | ♃ Ⓦ; Cameroun, Gabon

Cyanopsis Cass. -f- *Asteraceae*
- **muricata** Dostál; S-Sp. (Prov. Malaga)

Cyanotis D. Don -f- *Commelinaceae*
- **kewensis** (Hassk.) C.B. Clarke · Teddy Bear Plant | ♃ Ⓦ Ⓚ ≩ ⇝; Ind.

(Malabar Coast)
– **somaliensis** C.B. Clarke · Pussy Ears | ♃ Ⓦ Ⓚ ⚕ ⟿; Somalia

Cyanus Mill. -m- *Asteraceae*
– *arvensis* Moench = Centaurea cyanus
– *montanus* (L.) Baumg. = Centaurea montana
– *triumfettii* (All.) A. Löve et D. Löve = Centaurea triumphettii

Cyathea Sm. -f- *Cyatheaceae*
– **arborea** (L.) Sm. | ♄ Ⓚ ▽ ✻; W.Ind., Venez., N-Col.
– **australis** (R. Br.) Domin · Rough Tree Fern | ♄ Ⓚ ▽ ✻; Austr.: Queensl., N.S.Wales, Victoria, Tasman.
– **capensis** (L. f.) Sm. | ♄ Ⓦ ▽ ✻
– **cooperi** (F. Muell.) Domin | ♄ Ⓚ ▽ ✻; Austr.: Queensl., N.S.Wales
– **dealbata** G. Forst. · Silver King Fern | ♄ Ⓚ ▽ ✻; NZ, Norfolk Is.
– **insignis** D.C. Eaton | ♄ Ⓚ ▽ ✻; Jamaica
– **medullaris** (G. Forst.) Sw. | ♄ Ⓚ ▽ ✻; Austr.: Victoria, Tasman.; NZ, Pacific Is.
– **spinulosa** Wall. | ♄ Ⓚ ▽ ✻; Ind., Myanmar
– *tricolor* Colenso = Cyathea dealbata

Cyathodes Labill. -f- *Epacridaceae*
– *acerosa* (Gaertn.) R. Br. = Cyathodes juniperina
colensoi (Hook. f.) Hook. f. | ♄ Ⓚ Ⓐ ⟿ II-IV; NZ
– *fraseri* (A. Cunn.) Allan = Leucopogon fraseri
– **juniperina** (J.R. Forst. et G. Forst.) Druce | ♄ Ⓚ; Austr., Tasman., NZ

Cybistax Mart. ex Meisn. -f- *Bignoniaceae*
– **donnell-smithii** (Rose) Seibert

Cycas L. -f- *Cycadaceae*
– **cairnsiana** F. Muell. | ♄ Ⓚ ✻; Austr.
– **circinalis** L. | ♄ Ⓦ; S-Ind., Sri Lanka, Malay. Pen., Phil., Taiwan
– **media** R. Br. | ♄ Ⓦ ✻; Austr.: Queensl.
– **revoluta** Thunb. | ♄ Ⓦ ✻; S-Jap., Ryukyu Is.
– **rumphii** Miq. | ♄ Ⓦ ✻; Malay. Pen., N.Guinea, Polyn.
– **siamensis** Miq. | ♄ Ⓦ ✻; Myanmar, Thail.

Cyclamen L. -n- *Primulaceae* · Alpenveilchen
– *abchasicum* (Medw.) Kolak. = Cyclamen coum subsp. caucasicum
– **africanum** Boiss. et Reut. | ♃ Ⓚ VIII-X ▽ ✻; Alger.
– *aleppicum* Fisch. ex Hoffmanns. = Cyclamen persicum
 - subsp. *puniceum* (Pomel) Glasau = Cyclamen persicum
– × *atkinsii* T. Moore = Cyclamen coum 'Atkinsii'
– **balearicum** Willk. · Majorca Cyclamen | ♃ Ⓚ ▽ ✻; S-F, Balear.
– **cilicium** Boiss. et Heldr. | ♃ Ⓐ IX-X ▽ ✻ ∧; S-TR
 - var. *intaminatum* Meikle = Cyclamen intaminatum
– *colchicum* Albov = Cyclamen purpurascens subsp. ponticum
– **coum** Mill. · Vorfrühlings-Alpenveilchen · Cyclamen de Kos | ♃ △ III-IV ▽ ✻; Eur.: BG, Krim; TR, Cauc.
 - **'Atkinsii'** (*C. coum* × *C. persicum*)
 - **'Nymans'**
 - *'Silver Leaf'* = Cyclamen coum 'Nymans'
 - subsp. **caucasicum** (K. Koch) Schwarz; Cauc.
 - subsp. *hiemale* (Hildebr.) Schwarz = Cyclamen coum
 - var. *ibericum* Boiss. = Cyclamen coum subsp. caucasicum
– **creticum** (Dörfl.) Hildebr. | ♃ Ⓚ III-V ▽ ✻; Crete
– **cyprium** Kotschy | ♃ Ⓚ IX-X ▽ ✻; Cyprus
– *europaeum* Albov = Cyclamen purpurascens subsp. ponticum
 - var. *caucasicum* (K. Koch) Schwarz = Cyclamen coum subsp. caucasicum
– *europaeum* L. = Cyclamen purpurascens
– *fatrense* Halda et Soják = Cyclamen purpurascens
– **graecum** Link · Greek Cyclamen | ♃ Ⓚ IX-X ▽ ✻; Eur.: GR, Crete; TR, Cyprus
– **hederifolium** Aiton · Herbst-Alpenveilchen, Neapolitanisches Alpenveilchen · Ivy-leaved Cyclamen · Cyclamen de Naples | ♃ IX-XI ▽ ✻ ∧; Eur.: Fr, Ap, CH, Ba; TR, nat. in BrI
 - subsp. *creticum* (Dörfl.) Schwarz = Cyclamen creticum
– *hiemale* Hildebr. = Cyclamen coum
– *ibericum* T. Moore = Cyclamen coum subsp. caucasicum

- **intaminatum** (Meikle) Grey-Wilson | ♃ IX-X ▽ ✻; TR
- *latifolium* Sibth. et Sm. = Cyclamen persicum
- **libanoticum** Hildebr. | ♃ Ⓚ IX-XI ▽ ✻; TR: Amanus; Lebanon
  - subsp. *pseudibericum* Glasau = Cyclamen pseudibericum
- *linearifolium* DC. = Cyclamen hederifolium
- **mirabile** Hildebr. | ♃ IX-X ▽ ✻ ∧; TR (Prov. Avelin)
- *neapolitanum* Boiss. = Cyclamen cyprium
- *neapolitanum* Duby = Cyclamen africanum
- *neapolitanum* Ten. = Cyclamen hederifolium
- *orbiculatum* Mill. = Cyclamen coum
- **parviflorum** Pobed. | ♃ Ⓚ II-IV ▽ ✻; NE-TR
- **persicum** Mill. · Zimmer-Alpenveilchen · Florist's Cyclamen | ♃ Ⓚ ▢ VIII-IV ▽ ✻; Eur.: Crete; TR, Levante, Tun., Alger.
- *ponticum* (Albov) Pobed. = Cyclamen purpurascens subsp. ponticum
- **pseudibericum** Hildebr. | ♃ Ⓐ II ▽ ✻ ∧; TR: Taurus, Amanus
- *pseudograecum* Hildebr. = Cyclamen graecum
- *puniceum* Pomel = Cyclamen persicum
- **purpurascens** Mill. · Sommer-Alpenveilchen, Wildes Alpenveilchen · Cyclamen d'Europe | ♃ △ VII-IX ▽ ✻ ☠; Eur.: Fr, C-Eur., EC-Eur., Ap, Slove., Croatia, Bosn., Serb., nat. in E-Eur.
  - *'Fatrense'* = Cyclamen purpurascens
  - subsp. **ponticum** (Albov) Grey-Wilson | ♃ VII-IX ▽ ✻; Cauc.
- **repandum** Sibth. et Sm. | ♃ Ⓚ III-V ▽ ✻ ∧; Eur.: Fr, Ap, Ba
  - subsp. **peloponnesiacum** Grey-Wilson
  - subsp. **rhodense** (Meikle) Grey-Wilson
  - var. *creticum* Dörfl. = Cyclamen creticum
- **rohlfsianum** Asch. | ♃ Ⓚ IX-X ▽ ✻; Libya (Cyrenaica)
- **trochopteranthum** Schwarz · Cyclamen coum | ♃ ▽ ✻; SW-TR
- *vernale* Mill. = Cyclamen persicum
- *vernale* Schwarz = Cyclamen repandum
- × **wellensiekii** Ietsw. (*C. cyprium* × *C. libanoticum*)

Cyclanthera Schrad. -f- *Cucurbitaceae*

- **brachybotrys** (Poepp. et Endl.) Cogn. | ⊙ ⇝ Ⓝ; Ecuad., Peru
- **brachystachya** (Ser.) Cogn. | ⊙ ≷ ⇝ ♧; S-Am.; And.
- *explodens* Naudin = Cyclanthera brachystachya
- **pedata** (L.) Schrad. · Stuffing Gourd | ⊙ ≷ ♧ Ⓝ; cult.

Cyclanthus Poit. -m- *Cyclanthaceae* · Scheibenblume

- **bipartitus** Poit. | ♃ Ⓦ; C-Am., trop. S-Am.
- **cristatus** Klotzsch | ♃ Ⓦ; Col.

Cycloloma Moq. -f- *Chenopodiaceae*

- **atriplicifolia** (Spreng.) Coult.; Can.: Man.; USA, nat. in F, I, EC-Eur., AL

Cyclophorus = Pyrrosia Mirb.

- *adnascens* (Sw.) Desv. = Pyrrosia lanceolata
- *hastatus* (Thunb.) C. Chr. = Pyrrosia hastata
- *lingua* (Thunb.) Desv. = Pyrrosia lingua

Cyclosorus Link -m- *Thelypteridaceae*

- **arcuatus** (Poir.) Alston; trop. S-Am.
  - var. **lepidus** (T. Moore) C. Chr.
- *dentatus* (Forssk.) Ching = Christella dentata

Cycnoches Lindl. -n- *Orchidaceae* · Schwanenorchis

- *aureum* Lindl. = Cycnoches egertonianum var. aureum
- *chlorochilon* Klotzsch = Cycnoches ventricosum var. chlorochilon
- **egertonianum** Bateman | ♃ Ⓦ VIII-IX ✻; C-Am.
  - var. **aureum** (Lindl.) Allen
- **loddigesii** Lindl. | ♃ Ⓦ VIII-X ✻; Col., Venez., Surinam, Bras.
- **maculatum** Lindl. | ♃ Ⓦ VIII-IX ✻; Mex., Venez.
- **pentadactylon** Lindl. | ♃ Ⓦ III-VI ✻; Bras.
- *pescatorei* Lindl. = Lueddemannia pescatorei
- **ventricosum** Bateman
  - var. **chlorochilon** (Klotzsch) Allen | ♃ Ⓦ V-VI; Col., Venez., Guyan.

× **Cycnodes** Hort. -f- *Orchidaceae* (*Cynoches* × *Mormodes*)

Cydonia Mill. -f- *Rosaceae* · Quitte
- *japonica* (Thunb.) Pers. = Chaenomeles japonica
- *japonica* Loisel. = Chaenomeles speciosa
- *maulei* T. Moore = Chaenomeles japonica
- **oblonga** Mill. · Echte Quitte · Quince · Cognassier commun | ₺ ♄ ♧ Off. V-VI Ⓝ; Cauc., N-Iran, nat. in Eur.* exc. BrI; TR, Syr., Arab., C-As., Afgh., Pakist., N-Afr.
  - var. **maliformis** (Mill.) C.K. Schneid.
- *sinensis* (Dum.-Cours.) Thouin = Pseudocydonia sinensis
- *vulgaris* Pers. = Cydonia oblonga

Cylindrophyllum Schwantes -n- *Aizoaceae*
- **calamiforme** (L.) Schwantes | ♃ ᛘ Ⓚ; Kap

Cylindropuntia = Opuntia Mill.
- *cylindrica* (Lam.) F.M. Knuth = Opuntia cylindrica
- *leptocaulis* (DC.) F.M. Knuth = Opuntia leptocaulis
- *tunicata* (Lehm.) F.M. Knuth = Opuntia tunicata

Cymbalaria Hill -f- *Scrophulariaceae*
- **aequitriloba** (Viv.) A. Chev. | ♃ ⇝ △ VI-VIII ∧; Eur.: Balear., Corse, Sard., I (Is. north to Giglio)
- **hepaticifolia** (Poir.) Wettst. | ♃ ⇝ △ V-IX ∧; Corse
- **muralis** P. Gaertn., B. Mey. et Scherb. · Mauer-Zimbelkraut · Ivy-leaved Toadflax, Pennywort · Ruine de Rome | ♃ ⇝ △ VI-IX; Eur.: CH, I, Sic., Slove., Croatia, Bosn., Montenegro, nat. in BrI, Sc, Fr, C-Eur., EC-Eur., EC-Eur., Ib
- **pallida** (Ten.) Wettst. | ♃ ⇝ △ VI-IX ∧; Eur.: C-I; mts., nat. in BrI
- **pilosa** (Jacq.) L.H. Bailey | ♃ ⇝ △ VI-IX; Eur.: Sard., I

Cymbidium Sw. -n- *Orchidaceae*
- **aloifolium** (L.) Sw. | ♃ Ⓚ VII-VIII ✻; Him., S-Ind., S-China, Myanmar, Sumat., Java
- **canaliculatum** R. Br. | ♃ Ⓚ IV-V ✻; Austr.: North Terr., Queensl., N.S.Wales
- **devonianum** Lindl. et Paxton | ♃ Ⓚ V-VI ✻; Sikkim
- **eburneum** Lindl. | ♃ Ⓚ IV-V ✻; N-Ind., Myanmar
- **elegans** (Blume) Lindl.
- **ensifolium** (L.) Sw. | ♃ Ⓦ V ✻; China, Ind.: Assam
- **floribundum** Lindl. | ♃ Ⓚ ✻; China, SE-Tibet, Jap.
- *giganteum* Wall. ex Lindl. = Cymbidium iridioides
- *grandiflorum* Griff. = Cymbidium hookerianum
- **hookerianum** Rchb. f. | ♃ Ⓚ I-II ✻; Nepal, Bhutan, Tibet
- **insigne** Rolfe | ♃ Ⓚ III-V ✻; Vietn.: Annam
- **iridioides** D. Don | ♃ Ⓚ IX-X ✻; N-Ind., Him., W-China
- **longifolium** D. Don | ♃ Ⓚ XI ✻; Nepal
- **lowianum** Rchb. f. | ♃ Ⓚ II-V ✻; NE-Ind.: Khasia; Myanmar
- **madidum** Lindl. | ♃ Ⓚ ✻; Austr.: Queensl., N.S.Wales
- **mastersii** Griff. ex Lindl. | ♃ Ⓚ XI-XII ✻; Ind: Assam
- *pumilum* Rolfe = Cymbidium floribundum
- *syringodorum* Griff. = Cymbidium eburneum
- **tigrinum** Parish ex Hook. f. | ♃ Ⓚ VI-VII ✻; Myanmar
- **tracyanum** Rolfe

Cymbopetalum Benth. -n- *Annonaceae*
- **penduliflorum** Baill. · Xochinacatztli | ₺ ♄ Ⓝ; Mex., Guat.

Cymbopogon Spreng. -m- *Poaceae*
- **citratus** (DC.) Stapf · Lemongrass | ♃ Ⓦ Ⓝ; ? Ind., ? Malay. Arch.
- *confertiflorus* (Steud.) Stapf = Cymbopogon nardus var. confertiflorus
- **flexuosus** (Nees ex Steud.) Stapf · Lemongrass | ♃ Ⓦ Ⓝ; Ind.
- **iwarancusa** (Roxb.) Schult. | ♃ Ⓦ Ⓝ; Afgh., Him.
- **martinii** (Roxb.) J.F. Watson · Rosha Grass | ♃ Ⓦ Ⓝ; Ind.
- **nardus** (L.) Rendle · Citronella | ♃ Ⓦ Ⓝ; Ind.
  - var. **confertiflorus** (Steud.) Stapf ex Bor; S-Ind., Sri Lanka
- **schoenanthus** (L.) Spreng. · Geranium Grass | ♃ Ⓦ Ⓝ; N-Afr., NW-Ind.
- **winterianus** Jowitt · Java Citronella | ♃ Ⓦ Off.; Sri Lanka

Cymophyllus Mack.ex Britton et A. Br. -m-

Cyperaceae
– *fraseri* (Andr.) Mack. = Carex fraseri

Cynanchum L. -n- *Asclepiadaceae*
– **aphyllum** (Thunb.) Schltr. | ψ
– *aphyllum* hort. = Cynanchum gerrardii
– **gerrardii** (Harv.) Liede
– **macrolobum** Jum. et H. Perrier
– **marniernaum** Rauh
– *nigrum* (L.) Pers. non Cav. = Vincetoxicum nigrum
– *sarcostemmoides* K. Schum. = Cynanchum gerrardii
– *tetrapterum* hort. = Cynanchum gerrardii
– *vincetoxicum* (L.) Pers. = Vincetoxicum hirundinaria

Cynara L. -f- *Asteraceae* · Artischocke
– **cardunculus** L. · Wilde Artischocke · Cardoon | ♃ VIII-IX Ⓝ; Eur.: Ib, Fr, Ap, Ba; N-Afr., nat. in Arg., Chile
– **scolymus** L. · Echte Artischocke · Artichoke, Globe Artichoke | ♃ X Ⓝ; cult.

Cynodon Rich. -m- *Poaceae*
– **dactylon** (L.) Pers. · Gewöhnliches Hundszahngras · Bermuda Grass | ♃ ~~→ VII-IX Ⓝ; Eur.* ecx. Sc; cosmop.
– **plectostachyus** (K. Schum.) Pilg. | ♃ Ⓝ; Eth., C-Afr., E-Afr., trop. S-Afr.
– **transvaalensis** Burtt Davy | Ⓝ; S-Afr.

Cynoglossum L. -n- *Boraginaceae* · Hundszunge
– **amabile** Stapf et J.R. Drumm. | ⊙ VII-IX; Tibet, W-China
– *apenninum* L. = Solenanthus apenninus
– **cheirifolium** L. | ⊙ VII-VIII; Eur.: Ib, Fr, Ap; NW-Afr., Libya
– **coelestinum** Lindl. | ⊙ ♃ VII-IX
– **creticum** Mill. · Geaderte Hundszunge ; Eur.*: Ib, Fr, Ap, Ba, Krim, ? RO; TR, Levante, Iraq, Cauc., Iran, C-As., NW-Afr.
– **germanicum** Jacq. · Deutsche Hundszunge | ⊙ V-VII; Eur.: Fr, BrI, EC-Eur., Ap, Ba, E-Eur. ? Ib, C-Eur.; NW-TR, Cauc.
– **grande** Douglas ex Lehm. · Hound's Tongue | ⊙ ♃ V-VI; Can.: W; USA: NW, Calif.
– **hungaricum** Simonk. · Ungarische Hundszunge | ⊙ V-VII; Eur.: A, EC-Eur., Ba, E-Eur.; TR
– **nervosum** Benth. ex Hook. f. | ⊙ ♃ VII; Him.
– **officinale** L. · Gewöhnliche Hundszunge · Common Hound's Tongue | ⊙ V-VI ☠; Eur.*, Cauc., TR, W-Sib., E-Sib., C-As.

Cynosurus L. -m- *Poaceae* · Kammgras
– *aureus* L. = Lamarckia aurea
– **cristatus** L. · Wiesen-Kammgras · Crested Dog's Tail | ♃ VI-VII Ⓝ; Eur.*, TR, Cauc., N-Iran, nat. in N-Am., Austr., NZ
– **echinatus** L. · Stacheliges Kammgras | V; Eur:: Ib, Fr, CH, Ap, Ba, RO, W-Russ., Krim; TR, Cyprus, Syr., Lebanon, Israel, Iraq, Cauc., Iran, C-As., NW-Afr., Makaron., nat. in D, A, H, Cz
– **elegans** Desf.; S-Eur.
– **siculus** Jacq. | ♃ Ⓚ ✂; Eur.: Sp., Ap; NW-Afr.

Cypella Herb. -f- *Iridaceae* · Becherschwertel
– **coelestis** (Lehm.) Diels · Blaues Becherschwertel | ♃ Ⓚ VIII-IX; Bras., Urug., Arg., ? Parag.
– **herbertii** (Lindl.) Herb. · Becherschwertel | ♃ Ⓚ VII; S-Bras., Urug., Arg.

Cyperus L. -m- *Cyperaceae* · Zypergras
– **adenophorus** Schrad. | ♃ Ⓦ ~~ ; Bras.
– **albostriatus** Schrad. | ♃ Ⓦ Ⓚ; Trop., S-Afr.
– **alopecuroides** Rottb. | ♃ Ⓦ Ⓚ Ⓝ; trop. Afr., Ind., Sri Lanka, trop. As., Austr.
– *alternifolius* hort. non L. = Cyperus involucratus
– **alternifolius** L.
– **brevifolius** (Rottb.) Hassk. | ♃ Ⓦ Ⓚ ~~ ; trop. Am., trop. As.
– **congestus** Vahl | ⊙ VII-VIII; S-Afr., Austr.
– *diffusus* hort. non Vahl = Cyperus albostriatus
– **diffusus** Vahl
– **entrerianus** Boeck. | ♃ Ⓚ ✂ ∧; Urug.
– **eragrostis** Lam. · Frischgrünes Zypergras · Tall Flat Sedge | ♃ Ⓚ ✂ VI-IX; W-USA, trop. Am., nat. in Ib, F
– **esculentus** L. · Erdmandel · Chufa, Tiger Nut | ♃ Ⓚ Ⓝ; Eur.: P, F, Ap, Ba; TR, Cauc., Ind., Afr., Alaska, Can.: W; USA*, Mex., Peru, nat. in Sp., A, Russ.
– **fertilis** Boeck. | ♃ Ⓦ; W-Afr., C-Afr.,

Angola
– *flabelliformis* Rottb. = Cyperus involucratus
– **flavescens** L. · Gelbliches Zypergras | X-VII; Eur.* exc. BrI, Sc; Tr, Cauc., C-As, SW. As., Afr., N-Am., nat. in Austr.
– **fuscus** L. · Braunes Zypergras | VI-IX; Eur.*, TR, Cauc., Iran, W-Sib., E-Sib., C-As, Him., China, N-Afr., nat. in N-Am.
– **glaber** L.; Eur.: Ap, A, Ba, E-Eur.; TR, Cauc., Iran, Pakist., C-As.
– **glomeratus** L. · Knäueliges Zypergras | ♃ VII-IX; Eur.: Fr, Ap, C-Eur., EC-Eur., Ba.; TR, Cauc., W-Sib., Amur, C-As, Him., N
– **gracilis** R. Br. · Zierliches Zypergras · Flat Sedge | ♃ Ⓦ Ⓚ ~ ; Austr., N.Caled.
– **haspan** L. | ♃ Ⓦ ~ ; USA: NE, NCE, SC; Trop.
– **involucratus** Rottb. · Umbrella Grass | ♃ Ⓦ Ⓚ ~ ; trop. Afr., S-Afr.
– *laxus* hort. = Cyperus albostriatus
– **longus** L. · Hohes Zypergras, Langes Zypergras · Galingale, Sweet Galingale · Souchet odorant | ♃ ~ VII-X; Eur.* exc. Sc; TR, Cauc., Iran, C-As., Afgh., Him., Ind., Java, Afr., W-Austr.
  - subsp. **badius** (Desf.) Murb. · Kastanienbraunes Zypergras | ♃ VII-IX
– **michelianus** (L.) Link · Zwerg-Zypergras | VII-IX; Eur.: P, Fr, Ap, C-Eur., EC-Eur., Ba, E-Eur.; TR, Cauc., W-Sib., Amur, C-As., Him., Ind., Indochina, China, Jap., N-Afr.
– *natalensis* auct. non Hochst. ex Krauss = Cyperus okawanii
– **okawanii** Boeck. | ♃ Ⓚ ✂; S-Afr.
– **pannonicus** Jacq. · Salz-Zypergras | ♃ VII-IX; Eur.: A, EC-Eur., Ba, E-Eur.; Cauc., W-Sib., C-As.
– **papyrus** L. · Egyptian Paper Plant, Papyrus | ♃ Ⓦ ~ Ⓝ; C-Afr., Sudan, nat. in Sic., Egypt
  - *'Nanus'* = Cyperus prolifer
– *prolifer* (Rottb.) hort. = Schoenoplectus lacustris
– **prolifer** Lam.
– **rotundus** L. · Knolliges Zypergras · Nutgrass | ♃ Ⓚ VII-IX Ⓝ; Eur.: Ib, Fr, Ap, Ba, CH, A; TR, SW-As, C-As., Ind., E-As., trop. Afr., S.Afr., N-Am., S-Am., Austr., nat. in USA
– **serotinus** Rottb. · Spätes Zypergras ; Eur.: Ib, Fr, Ap, Ba, A, H, E-Eur.; TR, Cauc., Amur, C-As, N-Ind., E-China
– *vegetus* Willd. = Cyperus eragrostis

Cyphomandra Mart. ex Sendtn. -f- *Solanaceae*
– **betacea** (Cav.) Sendtn. · Tree Tomato | ♄ Ⓚ Ⓝ; cult., nat. in Peru: Anden
– *crassifolia* (Ortega) MacBryde = Cyphomandra betacea

Cyphostemma (Planch.) Alston -n- *Vitaceae*
– **bainesii** (Hook. f.) Desc. | Ⓚ; Namibia
– *crameriana* (Schinz) Desc. = Cyphostemma currori
– **currori** (Hook. f.) Desc. | Ⓚ; Angola, Namibia, Kap
– **fleckii** (Schinz) Desc. | Ⓚ; Namibia
– **juttae** (Dinter et Gilg) Desc. | Ⓚ; Namibia
– **macropus** (Welw.) Desc. | Ⓚ; Namibia

Cypripedium L. -n- *Orchidaceae* · Frauenschuh
– **acaule** Aiton · Kurzstängeliger Frauenschuh · Pink Lady's Slipper | ♃ V-VI ▽ ✻; Can., USA: NE, NCE, SE
– **arietinum** R. Br. · Ram's Head Lady's Slipper | ♃ V-VI ▽ ✻; Can.: E; USA: NE, NCE; China: Yunnan, Sichuan
– **calceolus** L. · Gelber Frauenschuh · Lady's Slipper Orchid · Sabot de Vénus | ♃ V-VI ▽; Eur.*, W-Sib., E-Sib., Amur, Sachal., Mong., N-China
  - var. *parviflorum* (Salisb.) Fernald = Cypripedium parviflorum
  - var. *planipetalum* (Fernald) Vict. et J. Rousseau = Cypripedium parviflorum var. pubescens
  - var. *pubescens* (Willd.) Correll = Cypripedium parviflorum var. pubescens
– **californicum** A. Gray | ♃ Ⓚ V ▽ ✻; USA: Oreg., Calif.
– **candidum** Muhl. ex Willd. | ♃ ~ V-VI ▽ ✻ ∧; USA: NE, NCE, NC
– **cordigerum** D. Don · Herztragender Frauenschuh | ♃ ▭ V-VI ▽ ✻ ∧; Him., Kashmir, Nepal
– **fasciculatum** Kellogg ex S. Watson | ♃ ▭ V-VI ▽ ✻; Can.: B.C.; USA: NW, Calif., Rocky Mts.
– **fasciolatum** Franch. | ♃ Ⓚ ▭ VI ▽ ✻; W-China
– **formosanum** Hayata

– **guttatum** Sw. · Getüpfelter Frauenschuh · Spotted Lady's Slipper | ♃ IV-V ▽ ✻; Eur.: Russ.; Sib., Alaska, Can.: W
 - var. *yatabeanum* (Makino) Pfitzer = Cypripedium yatabeanum
– **japonicum** Thunb. · Japanese Lady's Slipper | ♃ ▭ V-VI ▽ ✻ ∧; China, Jap.
– **macranthos** Sw. · Großblütiger Frauenschuh | ♃ V-VI ▽; Russ., W-Sib., E-Sib., Amur, Sachal., Kamchat., Mong., N-China, Manch., Korea, Jap.
– **montanum** Douglas ex Lindl. · Mountain Lady's Slipper | ♃ ▭ V-VI ▽ ✻ ∧; Alaska, Can.: W; USA: NW, Calif., Rocky Mts.
– **parviflorum** Salisb. · Kleinblütiger Frauenschuh | ♃ V-VI ▽ ✻; Can., USA: NW, Rocky Mts., NC, NCE, NE, SE
 - var. **pubescens** (Willd.) O.W. Knight · Behaarter Frauenschuh · Lady's Slipper | ♃ V-VI ▽ ✻; Can.: E; USA: NE, NCE, SE
– *planipetalum* (Fernald) Morris et Eames = Cypripedium parviflorum var. pubescens
– *pubescens* Willd. = Cypripedium parviflorum var. pubescens
– **reginae** Walter · Königin-Frauenschuh · Showy Lady's Slipper | ♃ V-VI ▽ ✻; Can.: E; USA; NE, NCE, SE
– *spectabile* Salisb. = Cypripedium reginae
– **yatabeanum** Makino

Cyrtandra J.R. Forst. et G. Forst. -f- *Gesneriaceae*
– **coccinea** Blume | ♄ Ⓚ; Malay. Arch.

Cyrtanthera = Justicia L.
– *ghiesbreghtiana* (Lem.) Decne. = Justicia ghiesbreghtiana
– *magnifica* Nees = Justicia carnea
– *pohliana* Nees = Justicia carnea

Cyrtanthus Aiton -m- *Amaryllidaceae*
– **angustifolius** (L. f.) Aiton | ♃ Ⓚ V-VI; Kap
– *lutescens* Herb. = Cyrtanthus ochroleucus
 - *car. cooperi* Baker = Cyrtanthus mackenii var. cooperi
– **mackenii** Hook. f. · Ifafa Lily | ♃ Ⓚ V-VI; S-Afr.: Natal
 - var. **cooperi** (Baker) R.A. Dyer
– **macowanii** Baker | ♃ Ⓚ VI; Kap
– **obliquus** (L. f.) Aiton | ♃ Ⓚ V-VI; Kap
– **ochroleucus** (Herb.) Burch. | ♃ Ⓚ II; Kap
– **purpureus** (Aiton) Herb. · Scarborough Lily | ♃ Ⓚ VII-VIII; S-Afr.
– **sanguineus** (Lindl.) Hook. | ♃ Ⓚ VIII; S-Afr.: Kap, Natal

Cyrtomium C. Presl -n- *Dryopteridaceae*
– *caryotideum* (Wall.) C. Presl = Polystichum falcatum var. caryotideum
– *falcatum* (L. f.) C. Presl = Polystichum falcatum
– *fortunei* J. Sm. = Polystichum falcatum var. fortunei

Cyrtopodium R. Br. -n- *Orchidaceae*
– **andersonii** (Lamb. ex André) R. Br. | ♃ Ⓦ IV-V ✻; Fla., Venez., Bras.
– **punctatum** (L.) Lindl. · Cow Horn Orchid | ♃ Ⓦ IV-VI ✻; S-Fla., C-Am., W.Ind., S-Am.

Cyrtorchis Schltr. -f- *Orchidaceae*
– **arcuata** (Lindl.) Schltr. | ♄ Ⓦ IV-V ✻; trop. Afr., S-Afr.

Cyrtosperma Griff. -n- *Araceae*
– **chamissonis** (Schott) Merr. | ♃ Ⓝ; Ind. Malay. Arch., Pacific Is.
– **johnstonii** (W. Bull) N.E. Br. | ♃ Ⓦ; Salom.

Cyrtostachys Blume -f- *Arecaceae*
– *lakka* Becc. = Cyrtostachys renda
– **renda** Blume · Sealing Wax Palm | ♄ Ⓦ; Malay. Pen., Sumat., Kalimantan

Cystopteris Bernh. -f- *Woodsiaceae* · Blasenfarn
– **alpina** (Roth) Desv. · Alpen-Blasenfarn | ♃ △ VII-IX; Eur.: Ib, Fr, Ap, D, ? EC-Eur., ? Sc, Ap, Ba, E-Eur.; TR, Maroc., Alger.
– **bulbifera** (L.) Bernh. · Brutknospen-Balsenfarn · Berry Bladder Fern · Cystoptéris bulbifère | ♃ △; Can.: E; USA: NE, NCE, SE, SW, Tex., Utah
– *crispa* (Gouan) H.P. Fuchs = Cystopteris alpina
– **dickieana** Sim · Runzelsporiger Blasenfarn · Bladder Fern | ♃ △ VIII-IX; Eur.* exc. EC-Eur., Ba; W-Sib., E-Sib.
– **fragilis** (L.) Bernh. · Zerbrechlicher Blasenfarn · Brittle Bladder Fern | ♃ △ VII-IX; Eur.*, Cauc., W-Sib., E-Sib., C-As., Amur

- subsp. *alpina* (Lam.) Hartm. = Cystopteris alpina
- subsp. *dickieana* (Sim) Hyl. = Cystopteris dickieana
- var. *dickieana* (Sim) T. Moore = Cystopteris dickieana

– **montana** (Lam.) Desv. · Berg-Blasenfarn · Mountain Bladder Fern | ♃ △ VII-VIII ▽; Eur.*, Cauc., W-Sib., E-Sib.
– *regia* (L.) Desv. = Cystopteris fragilis
– *regia* auct. non (L.) Desv. = Cystopteris alpina
– **sudetica** A. Braun et Milde · Sudeten-Blasenfarn | ♃ △ VII-IX ▽; Eur.: D, A, EC-Eur., Norw.; Cauc, W-Sib., E-Sib., Amur

Cytisanthus O. Lang -m- *Papilionaceae*
– *radiatus* (L.) O. Lang = Genista radiata

Cytisophyllum O. Lang -n- *Fabaceae*
– **sessilifolius** (L.) O. Lang · Kahler Geißklee, Meergrüner Geißklee | ♄ V-VII; Eur.: Sp., F, I

Cytisus Desf. -m- *Fabaceae* · Geißklee
– *albus* (Lam.) Link = Cytisus multiflorus
– *albus* Hacq. = Chamaecytisus albus
– *alpinus* Mill. = Laburnum alpinum
– **ardoini** Fournet · Ardoines Geißklee | ♄ ⟿ △ IV-V; Eur.: F (Alp. Maritime)
– *austriacus* L. = Chamaecytisus austriacus
– *battandieri* Maire = Argyrocytisus battandieri
– × **beanii** G. Nicholson (*C. ardoini* × *C. purgans*) | ♄ △ V; cult.
– *biflorus* L'Hér. = Chamaecytisus ratisbonensis
– *cajan* L. = Cajanus cajan
– *canariensis* (L.) Kuntze = Genista canariensis
– *candicans* Lam. = Genista canariensis
– **cantabricus** (Willk.) Rchb. f. | ♄ ⟿ V-VI; Eur.: N-Sp., SW-F
– *capitatus* Scop. = Chamaecytisus supinus
– **dallimorei** Rolfe (*C. multiflorus* × *C. scoparius 'Andreanus'*) | ♄ V; cult.
– **decumbens** (Durande) Spach · Niederliegender Geißklee · Cytise rampant | ♄ △ V-VI ∧; Eur.: F, CH, I, Croatia, Bosn., Montenegro, AL
– *demissus* Boiss. = Chamaecytisus hirsutus
– *elongatus* Waldst. et Kit. = Chamaecytisus glaber
– **emeriflorus** Rchb. · Strauchwicken-Geißklee | ♄ V-VI; Eur.: CH, I; S-Alp.
– **filipes** (Webb et Berthel.) Masf. | ♄ Ⓚ IV-V; Canar.
– *glaber* L. f. = Chamaecytisus glaber
– *hirsutus* L. = Chamaecytisus hirsutus
- subsp. *ciliatus* (Wahlenb.) Asch. et Graebn. = Chamaecytisus ciliatus

– × **kewensis** Bean (*C. ardoini* × *C. multiflorus*) · Zwerg-Elfenbeinginster | ♄ ⟿ △ V; cult.
– *laburnum* L. = Laburnum anagyroides
– *leucanthus* (Waldst. et Kit.) Link = Chamaecytisus albus
– *maderensis* (Webb) Masf. = Genista maderensis
– *monspessulanus* L. = Genista monspessulana
– **multiflorus** (L'Hér. ex Aiton) Sweet · Vielblütiger Geißklee · White Spanish Broom | ♄ V-VI ∧; Eur.: Ib
– **nigricans** L. · Schwarzwerdender Geißklee · Black Broom | ♄ D VI-VII; Eur.: Ap, C-Eur., EC-Eur., Ba, E-Eur.
– × **praecox** Bean (*C. multiflorus* × *C. purgans*) · Elfenbeinginster · Warminster Broom · Genêt précoce | ♄ IV-V; cult.
– **procumbens** (Waldst. et Kit. ex Willd.) Spreng. · Niederliegender Besenginster | ♄ ⟿ △ IV-VI; Eur.: A, EC-Eur., Ba, E-Eur.
– *proliferus* L. f. = Chamaecytisus proliferus
– **pseudoprocumbens** Markgr. · Ausgebreiteter Besenginster | ♄ V-VI; Eur.: I, Slove., AL
– **purgans** (L.) Boiss. · Abführender Geißklee · Broom | ♄ V-VII ∧; Eur.: P, Sp., F
– *purpureus* Scop. = Chamaecytisus purpureus
– × **racemosus** Marnock ex G. Nicholson | ♄ Ⓚ ▽ III-V; cult.
– *ratisbonensis* Schaeff. = Chamaecytisus ratisbonensis
- subsp. *biflorus* (L'Hér.) Gams = Chamaecytisus ratisbonensis

– *sagittalis* (L.) W.D.J. Koch = Chamaespartium sagittale
– **scoparius** (L.) Link · Besenginster · Broom, Common Broom, Scotch Broom · Genêt à balais | ♄ V-VI ☠ Ⓝ; Eur.*
- **'Burkwoodii'** hort. | ♄; cult.
- subsp. *cantabricus* (Willk.) Laínz = Cytisus cantabricus

- subsp. **maritimus** (Rouy) Heywood
- var. *prostratus* (C. Bailey) A.B. Jacks. = Cytisus scoparius subsp. maritimus

– *sessilifolius* L. = Cytisophyllum sessilifolius
– **striatus** (Hill) Rothm. · Gestreifter Geißklee ; Eur.: P, Sp., nat. in F
– *supinus* L. = Chamaecytisus supinus
– × *versicolor* (Kirchn.) Dippel = Chamaecytisus × versicolor

Daboecia D. Don -f- *Ericaceae* · Irische Heide
– **azorica** Tutin et E.F. Warb. | ♄ Ⓚ VI-VII; Azor.
– **cantabrica** (Huds.) K. Koch · Irische Heide · Connemara Heath · Bruyère de saint Daboec | ♄ Ⓚ VI-IX ∧; Eur.: Ib, F, IRL
  - subsp. *azorica* (Tutin et E.F. Warb.) D.C. McClint. = Daboecia azorica
– *polifolia* D. Don = Daboecia cantabrica
– × **scotica** D.C. McClint. (*D. azorica* × *D. cantabrica*) | ♄ Ⓚ; cult.
  - **'William Buchanan'**

Dacrycarpus (Endl.) de Laub. -m- *Podocarpaceae*
– **dacrydioides** (A. Rich.) de Laub. · New Zealand White Pine | ♄ Ⓚ; NZ

Dacrydium Lamb. -n- *Podocarpaceae* · Maniu
– **cupressinum** Sol. ex Lamb. · Red Pine, Rimu | ♄ Ⓚ Ⓝ; NZ

Dacryodes Vahl -m- *Burseraceae*
– **edulis** (G. Don) Lam. | ♄ Ⓦ Ⓝ; W-Afr., Cameroun, Angola

Dactylis L. -f- *Poaceae* · Knäuelgras
– **glomerata** L. · Wiesen-Knäuelgras · Cocksfoot, Orchard Grass | ♃ V-VII Ⓝ; Eur.*, TR, Levante, Syr., Iraq, Cauc., Iran, W-Sib., E-Sib., Afgh, Pakist., Him., Mong., China, Korea, Jap., Taiwan, Maroc., Alger., nat. in N-Am., Arg., Chile, S-Afr.
– **polygama** Horv. · Wald-Knäuelgras | ♃ VI-VII; Eur.: Brl, Sc, C-Eur., EC-Eur., I, Ba, E-Eur.

Dactylorchis = Dactylorhiza Neck. ex Nevski
– *incarnata* (L.) Verm. = Dactylorhiza incarnata
– *maculata* (L.) Verm. = Dactylorhiza maculata
– *majalis* (Rchb.) Verm. = Dactylorhiza majalis

Dactylorhiza Neck. ex Nevski -f- *Orchidaceae* · Knabenkraut
– × **aschersoniana** (Hausskn.) Borsos et Soó (*D. incarnata* × *D. majalis*) · Aschersons Bastard-Knabenkraut
– × **carnea** (Camus) Soó (*D. incarnata* × *D. maculata*) · Fleischrosa Bastard-Knabenkraut
– **cruenta** (O.F. Müll.) Soó · Blutrotes Knabenkraut | ♃ VI-VII; Eur., TR, W-Sib., E-Sib.
– **curvifolia** (Nyl.) Czerep. · Ostsee-Knabenkraut | ♃ VI; Eur.: D, PL, DK
– **dinglensis** (Wilmott) Soó · Dingles Bastard-Knabenkraut
– **elata** (Poir.) Soó | ♃ Ⓚ V-VI ▽ ✻ ∧; Eur.: Ib, F, Sic.; Maroc., Alger.
– **fuchsii** (Druce) Soó · Fuchs-Knabenkraut · Common Spotted Orchid | ♃ VI-VII ▽ ✻; Eur., Sib., ? N-Afr.
– **incarnata** (L.) Soó · Fleischfarbiges Knabenkraut · Early Marsh Orchid | ♃ V-VII ▽ ✻; Eur.*, N-TR, W-Sib., E-Sib.
– **lapponica** (Hartm.) Soó · Lappländisches Knabenkraut | ♃ VI-VIII; Eur.: Sc
– **maculata** (L.) Soó · Geflecktes Knabenkraut · Heath Spotted Orchid · Orchis tacheté | ♃ V-VIII; Eur. exc. SE-Eur.
  - subsp. *fuchsii* (Druce) Hyl. = Dactylorhiza fuchsii
– **majalis** (Rchb.) P.F. Hunt et Summerh. · Breitblättriges Knabenkraut · Broad Leaved Marsh Orchid | ♃ V-VI ▽ ✻; Eur.*
– **praetermissa** (Druce) Soó · Übersehenes Knabenkraut · Southern Marsh Orchid | ♃ VI; NW-Eur.
  - var. *junialis* (Verm.) Senghas = Dactylorhiza praetermissa
– **purpurella** (T. Stephenson et T.A. Stephenson) Soó · Purpurrotes Knabenkraut | ♃ VI; NW-Eur.
– *russowii* (Klinge) Holub = Dactylorhiza curvifolia
– **ruthei** (M. Schulze et Ruthe) Soó · Ruthes Knabenkraut ; Eur.: D, PL
– **sambucina** (L.) Soó · Holunder-Knabenkraut | ♃ IV-VI ▽ ✻; Eur.* exc.

BrI; Cauc.
– **sphagnicola** (Höppner) Soó · Torf-Knabenkraut | VI
– *strictifolia* (Opiz) Rauschert = Dactylorhiza incarnata
– × **transiens** (Druce) Soó (*D. fuchsii* × *D. maculata*) · Geflecktes Bastard-Knabenkraut
– **traunsteineri** (Saut. ex Rchb.) Soó · Traunsteiners Knabenkraut | ♃ VII-VIII; Eur.: BrI, Sc, C-Eur., EC-Eur.Slove., E-Eur., Ap; W-Sib.

Daedalacanthus = Eranthemum L.
– *nervosus* (Vahl) T. Anderson = Eranthemum pulchellum
– *wattii* (Bedd.) C.B. Clarke = Eranthemum wattii

Daemonorops Blume -f- *Arecaceae*
– **draco** Blume · Dragon's Blood | ♄ Ⓦ Ⓝ; Ind.
– **lewisiana** Mart. | ♄ Ⓦ ≹; Malay. Pen. (Penang)

Dahlia Cav. -f- *Asteraceae* · Dahlie, Georgine
– *arborea* hort. = Dahlia excelsa
– **coccinea** Cav. | ♃ Ⓚ VIII-IX; Mex.
– **excelsa** Benth. | ♄ Ⓚ XI; Mex.
– × **hortensis** Guillaumin (*D. coccinea* × *D. pinnata*) · Cactus Dahlia | ♃ Ⓚ VIII-IX; ? Mex.
– **imperialis** Roezl ex J.G. Ortega | ♄ Ⓚ XI-II; Mex.
– *juarezii* hort. = Dahlia × hortensis
– *juarezii* M.E. Berg ex Mast. = Dahlia coccinea
– **merckii** Lehm. · Bedding Dahlia | ♃ Ⓚ VII-IX; Mex.
– **pinnata** Cav. · Garten-Dahlie · Dahlia | ♃ Ⓚ X-IX; Mex.
– *rosea* Cav. = Dahlia pinnata
– *variabilis* (Willd.) Desf. = Dahlia pinnata
– *variabilis* hort. = Dahlia × hortensis

Dalbergia L.f. -f- *Fabaceae*
– **latifolia** Roxb. ex DC. · Black Wood | ♄ Ⓦ Ⓝ; Ind.
– **melanoxylon** Guill. et Perr. · Afrikanische Grenadilla, Senegal-Ebenholz | ♄ Ⓝ; trop. Afr., nat. in C-Am.
– **nigra** (Vell.) Allemann ex Benth. | ♄ Ⓦ Ⓝ; Bras.
– **retusa** Hemsl. · Coccobolo, Rosenholz | ♄ Ⓝ; C-Am., S-Am.
– **sissoo** Roxb. ex DC. | ♄ Ⓦ Ⓝ; S-Him.

Dalechampia L. -f- *Euphorbiaceae*
– *roezliana* Müll. Arg. = Dalechampia spathulata
  - var. *rosea* Müll. Arg. = Dalechampia spathulata
– **spathulata** (Scheidw.) Baill.; Mex.
  - var. *rosea* (Müll. Arg.) Pax et K. Hoffm. = Dalechampia spathulata

Danae Medik. -f- *Ruscaceae*
– **racemosa** (L.) Moench · Alexandrinischer Lorbeer, Traubendorn · Alexandrian Laurel | ♄ Ⓚ ∧; Cauc., Iran, N-Syr.

Daniella = Mansoa DC.
– **ogea** Rolfe | ♄ Ⓝ; W-Afr., Benin, Nigeria, Liberia

Danthonia DC. -f- *Poaceae*
– **alpina** Vest · Kelchgras, Trauben-Hafer | ♃ V-VI; Eur.* exc. BrI, Sc
– **decumbens** (L.) Lam. et DC. · Dreizahn | ♃ VI-VII; Eur.*, TR, Cauc.

Daphne L. -f- *Thymelaeaceae* · Seidelbast
– **acutiloba** Rehder | ♄ VII; W-China
– **alpina** L. · Alpen-Seidelbast | ♄ △ D △ V-VI ▽ ☠; Eur.: F, I, CH, A, Slove., Croatia, Bosn., YU, ? Sp.; mts.
– **altaica** Pall. · Altai-Seidelbast | ♄ △ D △ V-VI; W-Sib. (Altai), C-As.
– **arbuscula** Celak. | ♄ △ VI ▽; Slova.
– **aurantiaca** Diels | ♄; SW-China
– **bholua** Buch.-Ham. ex D. Don | ♄; E-Him.: E-Nepal, Bhutan, Sikkim, NW-Assam
– **blagayana** Freyer · Königsblume | ♄ △ D △ IV-V ▽; Eur.: Ba, RO
– × **burkwoodii** Turrill (*D. caucasica* × *D. cneorum*) · Burkwoods Seidelbast | ♄ D V-VI; cult.
– **caucasica** Pall. · Kaukasischer Seidelbast | ♄ D V-VI; Cauc., TR
  - var. **axilliflora** Keissl. | ♄ V-VI; Cauc.
– **cneorum** L. · Heideröschen, Rosmarin-Seidelbast · Garland Flower · petite Thymélée, Thymélée des Alpes | ⊙ ♄ △ D △ V-VI ▽ ☠; Eur.* exc. BrI, Sc
  - var. **verlotii** (Gren. et Godr.) Meisn. | ♄ IV-V; SE-F, D (Bayern)
– **genkwa** Siebold et Zucc. · Chinese

Daphne | ♄ IV-V; China, Korea
– *glandulosa* Spreng. = Daphne oleoides
– **glomerata** Lam. | ♄; NE-TR, Cauc.
– **gnidium** L. | ♄ Ⓚ VII-IX ▽; Eur.: Ib, Fr, Ap, Ba, Canar., Madeira; NW-Afr.
– × **hendersonii** Hodgkin ex C.D. Brickell et B. Mathew (*D. cneorum* × *D. petraea*)
– × **houtteana** Lindl. et Paxton (*D. laureola* × *D. mezereum*) | ♄ D IV; cult.
– × **hybrida** Colville ex Sweet (*D. odorata* × *D. sericea*) | ♄; cult.
– **laureola** L. · Lorbeer-Seidelbast · Spurge Laurel | ♄ II-IV ▽ ☠; Eur.: Ib, Fr, BrI, Ap, C-Eur., EC-Eur., Ba, RO; N-TR, Maroc., Alger.
  - subsp. **philippi** (Gren.) Rouy | ♄ ⇝ IV-V ☠; Sp., F; Pyr.
– × **mantensiana** Manten ex T.M.C. Taylor et Vrugtman | ♄; cult.
– **mezereum** L. · Gewöhnlicher Seidelbast · February Daphne, Mezereon · Bois gentil, Bois joli | ♄ D Off. III-IV ▽ ☠; Eur.*, Cauc., TR, N-Iran, W-Sib., E-Sib.
  - var. *alpina* hort. = Daphne mezereum
– × **napolitana** Lodd. (*D. cneorum* × *D. sericea*) | ♄ Ⓚ D V-VI; cult.
– **odora** Thunb. ex Murray · Winter Daphne | ♄ Ⓚ D I-III; China
– **oleoides** Schreb. | ♄ Ⓚ D V-VI ▽; Eur.: Ib, Ap, Ba; TR, Lebanon, Cauc., W-Iran, Alger., Libya
– **petraea** Leyb. · Felsen-Seidelbast | ♄ Ⓚ D VI ▽ ∧; Eur.: I (Brescia)
– *philippi* Gren. = Daphne laureola subsp. philippi
– **pontica** L. · Pontischer Seidelbast | ♄ D V ▽ ∧; Eur.: BG; N-TR, Cauc.
– *retusa* Hemsl. = Daphne tangutica 'Retusa Grp.'
– **sericea** Vahl · Berg-Seidelbast | ♄ Ⓚ V-VI ▽; Eur.: I, Sic., GR, Crete; TR, Syr., Lebanon
– **striata** Tratt. · Gestreifter Seidelbast, Steinröschen | ☉ ♄ ⇝ △ V-VII ▽ ☠; Eur.: F, I, C-Eur., Slove.; Alp.
– **tangutica** Maxim. | ♄ D III-IV; China: Kansu
  - **Retusa Grp.** | ♄ D V-VI; W-Him.
– × **thauma** Farrer (*D. petraea* × *D. striata*) | ♄

Daphniphyllum Blume -n- *Daphniphyllaceae*
– **humile** Maxim. | ♄; Jap., Korea
– **macropodum** Miq. · Chinesischer Scheinlorbeer · Daphniphyllum | ♄ ♄ Ⓚ; Jap., Korea

Darlingtonia Torr. -f- *Sarraceniaceae*
– **californica** Torr. · Cobra Lily | ♃ Ⓚ V-VIII ✱; USA: S-Oreg, N-Calif.

Darmera Voss -f- *Saxifragaceae* · Schildblatt
– **peltata** (Torr. ex Benth.) Voss · Indian Rhubarb, Umbrella Plant · Saxifrage pelté | ♃ 〰 IV-V; USA: Oreg., Calif.

Darwinia Rudge -f- *Myrtaceae*
– **hookeriana** Benth. | ♄ Ⓚ IV; S-Austr.
– **macrostegia** (Turcz.) Benth. · Mondurup Bell | ♄ Ⓚ IV; S-Austr.

Dasylirion Zucc. -n- *Dracaenaceae* · Rauhschopf
– **acrotrichum** Zucc. | Ⓚ; C-Mex.
– **glaucophyllum** Hook. | Ⓚ; E-Mex.
– *gracile* (Lem.) MacBryde = Beaucarnea gracilis
– *gracile* Planch. = Dasylirion acrotrichum
– **graminifolium** (Zucc.) Zucc. | Ψ Ⓚ; SE-Mex.
– *laxiflorum* Baker = Dasylirion serratifolium
– *longifolium* Zucc. = Nolina longifolia
– **longissimum** Lem. | Ⓚ; E-Mex.
– *quadrangulatum* S. Watson = Dasylirion longissimum
– **serratifolium** (Karw. ex Schult. f.) Zucc. | Ψ Ⓚ; E-Mex.

Dasypyrum (Coss. et Durieu) T. Durand *Poaceae*
– **villosum** (L.) Borbás; Eur.: Ib, Fr, Ap, Ba, RO, Krim; TR, Cauc.

Datisca L. -f- *Datiscaceae* · Scheinhanf
– **cannabina** L. · Schein-Hanf · False Hemp | ♃ VII-VIII ∧; Eur.: Crete; TR, Cyprus, Lebanon, Cauc., Iran, C-As., Him.

Datura L. -f- *Solanaceae* · Stechapfel
– *alba* Nees = Datura metel
– *arborea* L. = Brugmansia arborea
– *aurea* Saff. = Brugmansia aurea
– *bertolonii* Parl. ex Guss. = Datura stramonium var. inermis
– × *candida* (Pers.) Stapf = Brugmansia × candida

– **ceratocaula** Ortega | ☉ ~ D ~ VIII ☠; Mex.
– *cornigera* Hook. = Brugmansia arborea
– *fastuosa* L. = Datura metel
– **ferox** L. | ☉ VII-VIII ☠; China, nat. in S-Eur., N-Afr.
– *inermis* Juss. ex Jacq. = Datura stramonium var. inermis
– **inoxia** Mill. · Thornapple | ☉ VIII-X ☠ Ⓝ; USA: SE, Fla., ; Mex., W.Ind., C-Am., S-Am., nat. in Eur.: Ib, F, Ap
– **metel** L. · Downy Thornapple, Horn of Plenty | ☉ VI-VII ☠ Ⓝ; trop. Afr., trop. As, nat. in Trop., Subtrop.
  - *'Double Golden Queen'* = Datura metel 'Golden Queen'
  - **'Golden Queen'** Hook.
  - *'La Fleur Lilac'* = Datura stramonium var. tatula
– *meteloides* DC. ex Dunal = Datura inoxia
– *mollis* Saff. = Brugmansia versicolor
– *praecox* Godr. = Datura stramonium var. tatula
– **quercifolia** Humb., Bonpl. et Kunth · Oakleaf Datura | ☉ VII ☠; USA: SW; N-Mex.
– *rosei* Saff. = Brugmansia sanguinea
– *sanguinea* Ruiz et Pav. = Brugmansia sanguinea
– **stramonium** L. · Weißer Stechapfel · Thorn Apple | ☉ X ☠; ? trop. Am., nat. in Eur.*, cosmop.
  - var. **godronii** Danert
  - var. **inermis** (Juss. ex Jacq.) Timm · Thornless Thorn Apple
  - var. **tatula** (L.) Torr.
– *tatula* L. = Datura stramonium var. tatula
– *versicolor* Saff. = Brugmansia versicolor

Daubentonia = Sesbania Scop.
– *punicea* (Cav.) DC. = Sesbania punicea
– *tripetii* Poit. = Sesbania tripetii

Daucus L. -m- *Apiaceae* · Möhre
– **carota** L. · Wilde Möhre · Carrot | ☉ VI-IX; cult.
  - subsp. **sativus** (Hoffm.) Schübl. et G. Martens · Garten-Möhre | ☉ VI-IX; cult.

Davallia Sm. -f- *Davalliaceae*
– **bullata** Wall. · Hare's Foot Fern
  - var. *mariesii* (T. Moore) Baker = Davallia mariesii
– **canariensis** (L.) Sm. · Canary Island Hare's Foot Fern | ♃ Ⓚ ⇝; Eur.: Ib
– **decurrens** Hook.
– **denticulata** (Burm. f.) Mett. ex Kuhn | ♃ Ⓦ; W-Afr., Madag., Ind., Sri Lanka, Indochina, Malay. Arch., Polyn., N-Austr.
– **divaricata** Blume | ♃ Ⓦ ⇝; N-Ind., China, Phil., Java, Sulawesi
– *elegans* Sw. = Davallia denticulata
– **fejeensis** Hook. · Rabbit's Foot Fern | ♃ Ⓦ ⇝; Fiji
– *griffithiana* Hook. = Humata griffithiana
– *heterophylla* Sm. = Humata heterophylla
– *lonchitidea* Wall. = Microlepia platyphylla
– **mariesii** T. Moore ex Baker | ♃ Ⓦ ⇝; China, Korea, Jap., Taiwan
– *pedata* Sm. = Humata repens
– *polyantha* Hook. = Davallia divaricata
– **pyxidata** Cav. · Australian Hare's Foot Fern | ♃ Ⓦ ⇝; Austr.: N.S.Wales
– **solida** (G. Forst.) Sw. | ♃ Ⓦ ⇝; Malay. Arch., Austr.: Queensl.; Polyn.
– **trichomanoides** Blume | ♃ Ⓦ ≷ ⇝; Sri Lanka, Indochina, Malay. Arch., Jap.
– *tyermannii* Baker = Humata tyermannii

Davidia Baill. -f- *Nyssaceae* · Taubenbaum
– **involucrata** Baill. · Dove Tree, Ghost Tree, Handkerchief Tree ; China: Hupeh, Sichuan
  - var. **laeta** (Dode) Krüssm.
  - var. **vilmoriana** (Dode) Wangerin | ♄ V-VI; Sichuan
– *vilmoriana* Dode = Davidia involucrata var. vilmoriana

Daviesia Sm. -f- *Fabaceae*
– **polyphylla** Benth. | ♄; W-Austr.

Deamia Britton et Rose -f- *Cactaceae*
– **testudo** (Karw.) Britton et Rose | Ψ Ⓚ ≷ ✻; C-Am., Col.

Debregeasia Gaudich. -f- *Urticaceae*
– **longifolia** (Burm. f.) Wedd. | ♄ Ⓦ; S-Him., Ind., Sri Lanka, Myanmar, Java

Decabelone Decne. -f- *Asclepiadaceae*
– **grandiflora** K. Schum. | ♃ Ψ Ⓚ VII-VIII; Botswana, Namibia, S-Afr.: Kap, Transvaal

Decaisnea Hook.f. et Thomson -f- *Lardizabalaceae*

– **fargesii** Franch. | ♄ ⚘ V-VI; W-China

Decaryia Choux -f- *Didiereaceae*
– **madagascariensis** Choux | ♄ Ψ Ⓚ ❄; SW-Madag.

Decumaria L. -f- *Hydrangeaceae* · Sternhortensie
– **barbara** L. | ♄ § V-VI ∧; USA: Va., SE, Fla.
– **sinensis** Oliv.

Degenia Hayek -f- *Brassicaceae*
– **velebitica** (Degen) Hayek | ♃; Croatia: Velebit

Deherainia Decne. -f- *Theophrastaceae*
– **smaragdina** Decne. | ♄ Ⓦ; Mex.

Deinanthe Maxim. -f- *Hydrangeaceae*
– **bifida** Maxim. | ♃ VII-VIII ∧; Jap.
– **caerulea** Stapf · Schein-Hortensie | ♃ VII-VIII ∧; China: Hupeh

× **Dekensara** Hort. -f- *Orchidaceae* (*Cattleya* × *Rhyncholaelia* × *Schomburgkia*)

Delairea Lem. -f- *Asteraceae*
– **odorata** Lem. · German Ivy, Parlour Ivy | ♃ Ⓚ § ⇝; Kap, nat. in S-Eur., W-Eur., NW-Afr.

Delonix Raf. -f- *Caesalpiniaceae*
– **regia** (Bojer ex Hook.) Raf. · Flamboyant, Flame Tree | ♄ Ⓦ; Madag., nat. in Trop., Subtrop.

Delosperma N.E. Br. -n- *Aizoaceae*
– **aberdeenense** (L. Bolus) L. Bolus | ♄ Ψ; S-Afr.
– **brunnthaleri** (A. Berger) Schwantes ex Jacobsen | Ψ
– **cooperi** (Hook. f.) L. Bolus · Hardy Ice Plant | ♃ ♄ Ψ Ⓐ VI-VIII ∧; S-Afr.: Orange Free State
– *echinatum* (Aiton) Schwantes = Delosperma pruinosum
– **ecklonis** (Salm-Dyck) Schwantes | ♃ Ψ Ⓚ; Kap
– **lineare** L. Bolus | ♄ Ψ Ⓐ VI-VIII ∧; Lesotho
– **nubigenum** (Schltr.) L. Bolus · Lesotho-Mittagsblume | ♄ Ψ; S-Afr. Orange Free State
– **pruinosum** (Thunb.) J.W. Ingram | ♃ Ψ Ⓚ; Kap

Delphinium L. -n- *Ranunculaceae* · Rittersporn
– *ajacis* L. emend. J. Gay = Consolida ajacis
– *ajacis* L. emend. J. Willm. = Consolida orientalis
– *alpinum* Waldst. et Kit. = Delphinium elatum
– × *belladonna* hort. ex Bergmans = Delphinium Belladonna Grp.
– **bicolor** Nutt. · Flat Head Larkspur | ♃ △ V-VIII; W-Can., USA: Rocky Mts., NC
– **brunonianum** Royle | ♃ △ D △ VI-VII; C-As., Afgh., Pakist., Tibet, Him.
– **bulleyanum** Forrest ex Diels | ♃; W-China
– **cardinale** Hook. · Scarlet Larkspur | ♃ ▭ VII-VIII ∧; S-Calif.
– **cashmerianum** Royle | ♃ △ VI-X; Him.
– **cheilanthum** DC. | ♃ VI-VII; E-Sib.
– *consolida* L. = Consolida regalis
– **elatum** L. · Hoher Rittersporn | ♃ VI-VIII ▽; Eur.: Fr, Ap, C-Eur., EC-Eur., Ba; mts.; W-Sib., E-Sib., Mong., nat. in Sc
– **fissum** Waldst. et Kit. | ♃ VI-VII; Eur.: Ib, Fr, Ap, Ba, E-Eur.; TR, Levante
– *formosum* Boiss. et A. Huet = Delphinium huetianum
– **grandiflorum** L. · Dauphinelle à grandes fleurs | ♃ △ VI-VIII; E-Sib., W-China
  - var. *chinense* Fisch. ex DC. = Delphinium grandiflorum
– **huetianum** Meikle | ♃ VIII-IX; N-TR
– **maackianum** Regel · Pied d'alouette | ♃ VI-VII; Sib.
– **muscosum** Exell et Hillc. | ♃ △ VI-VII; Bhutan
– **nudicaule** Torr. et A. Gray · Red Larkspur | ♃ △ VI-VII ∧; N-Calif.
– *orientale* J. Gay = Consolida orientalis
– × **ruysii** hort. ex Möllers (*D. elatum* × *D. nudicaule*)
– **semibarbatum** Bien. ex Boiss. · Gelber Rittersporn · Pied d'alouette | ♃ ⋈ VI-VII ∧; Iran, Afgh., N-Ind.
– **staphisagria** L. | ♃ Ⓚ ☠; Eur.: Ib, Fr, Ap, Ba; TR, Cyprus, Syr., NW-Afr.
– *sulphureum* hort. = Delphinium semibarbatum
– **tatsienense** Franch. · Dauphinelle du Setchouan | ♃ VII; Sichuan

- **tricorne** Michx. | ♃ V-VI; USA: NE, NCE, NC, SC, SE
- **triste** Fisch. | ♃ VI-VII; Sib.
- *zalil* Aitch. et Hemsl. = Delphinium semibarbatum
- **Cultivars**
  - **Belladonna Grp.** hort. | ♃

Dendranthema (DC.) Des Moul. -f- *Asteraceae*

- *arcticum* (L.) Tzvelev = Arctanthemum arcticum
- × **grandiflorum** (Ramat.) Kitam. · Garten-Chrysantheme · Chrysanthemum
- × *hortorum* L.H. Bailey = Dendranthema × grandiflorum
- **indicum** (L.) Des Moul. | ♃ Ⓚ Ⓝ; China
- *indicum* hort. = Dendranthema × grandiflorum
- × *koreanum* hort. = Dendranthema × grandiflorum
- × *morifolium* (Ramat.) Tzvelev = Dendranthema × grandiflorum
- *naktongense* (Nakai) Tzvelev = Dendranthema zawadskii var. latilobum
- **weyrichii** (Maxim.) Tzvelev · Chrysanthème nain d'Extrême-Orient | ♃ △ VI-VII; Jap.
- **zawadskii** (Herbich) Tzvelev · Korean Chrysanthemum | ♃ ⤳ △ VI-VII; Russ., Slova; Carp., Ural
  - var. **latilobum** (Maxim.) Tzvelev | ♃ ✂ IX-X ∧; Jap., Korea, Manch., N China

Dendrobium Sw. -n- *Orchidaceae*

- *acuminatum* hort. = Epigeneium lyonii
- **aduncum** Wall. ex Lindl. | ♃ Ⓦ VI-IX ✻; Him., Indochina, China
- **aggregatum** Roxb. | ♃ Ⓦ III-V ✻; Him., S-China, Indochina, Malay. Pen.
- *amoenum* Wall. ex Lindl. = Dendrobium aphyllum
- *amplum* Lindl. = Epigeneium amplum
- **anosmum** Lindl. | ♃ Ⓦ II-IV ✻; Thail., Laos, Vietn., Malay. Arch., Phil., N.Guinea
- **aphyllum** (Roxb.) C.E.C. Fisch. | ♃ Ⓦ III-V ✻; NE-Ind., Him., SW-China, Indochina, Malay. Pen.
- **arachnites** Rchb. f. | ♃ Ⓦ D V ✻; Myanmar, Thail.
- **atroviolaceum** Rolfe | ♃ Ⓦ IV-V ✻; N.Guinea
- *aureum* Lindl. = Dendrobium heterocarpum
- **bellatulum** Rolfe | ♃ Ⓚ IV-V ✻; Vietn.: Annam
- **bigibbum** Lindl. | ♃ Ⓦ II-III ✻; N.Guinea, Austr.: Queensl.
- **brymerianum** Rchb. f. | ♃ Ⓦ II-III ✻; Myanmar, Thail., Laos
- **bullenianum** Rchb. f. | ♃ Ⓦ ✻; Phil.
- *calceolaria* Carey = Dendrobium moschatum
- **chrysanthum** Wall. | ♃ Ⓦ VIII-IX ✻; Nepal, Him., Myanmar, Thail.
- **chrysotoxum** Lindl. | ♃ Ⓦ III-IV ✻; Ind., China, Myanmar, Laos
- **ciliatum** Parish | ♃ Ⓦ X-XI ✻; Indochina
- *coelogyne* Rchb. f. = Epigeneium coelogyne
- *crassinode* Benson et Rchb. f. = Dendrobium pendulum
- **crepidatum** Lindl. | ♃ Ⓦ IV-V ✻; Ind.: Sikkim, Assam; Myanmar
- **crumenatum** Sw. | ♃ Ⓦ I-XII ✻; Myanmar, Malay. Pen.
- *dalhousieanum* Wall. = Dendrobium pulchellum
- **dearei** Rchb. f. | ♃ Ⓦ IV-VI ✻; Phil.
- **densiflorum** Wall.; Him., Indochina
- **devonianum** Paxton | ♃ Ⓦ V-VI ✻; Him., Indochina
- **discolor** Lindl. | ♃ Ⓚ I-V ✻; N.Guinea, Austr.: Queensl.
- **draconis** Rchb. f. | ♃ Ⓦ ✻; Myanmar, Thail.
- **falconeri** Hook. | ♃ Ⓦ V-VI ✻; Ind.: Assam; S-Myanmar
- **falcorostrum** Fitzg. | ♃ Ⓦ ✻; Austr.
- **farmeri** Paxton | ♃ Ⓦ IV-V ✻; Him., Myanmar, Thail., Malay. Pen.
- **fimbriatum** Hook.; Him., Myanmar
  - var. **oculatum** Hook. | ♃ Ⓦ III-V ✻; Sikkim
- **findleyanum** Parish et Rchb. f. | ♃ Ⓦ II-III ✻; Myanmar, Thail.
- **formosum** Roxb. | ♃ Ⓦ II-V ✻; Nepal, Him., Myanmar, Thail.
- **gibsonii** Lindl. | ♃ Ⓚ VIII-X ✻; Him., Myanmar, Yunnan
- **gratiosissimum** Rchb. f. | ♃ Ⓦ III-V ✻; Myanmar, Thail.
- **heterocarpum** Wall. ex Lindl. | ♃ Ⓦ I-III ✻; Him., Ind., Sri Lanka, Myanmar, Phil., Java
- **histrionicum** Schltr. | ♃ Ⓦ IV-V ✻; Myanmar, Thail.
- **hookerianum** Lindl. | ♃ Ⓦ VIII-IX ✻;

Him., Ind.: Assam
– **infundibulum** Lindl.; Myanmar, Thail.
  - var. **jamesianum** (Rchb. f.) Veitch | ♃ Ⓦ III-V ✻; Myanmar
– *infundibulum* Rchb. f. = Dendrobium formosum
– *jamesianum* Rchb. f. = Dendrobium infundibulum
– **kingianum** Bidwill ex Lindl. | ♃ Ⓚ ⧘ IV-V ✻; Austr.: Queensl., N.S.Wales
– **lituiflorum** Lindl. | ♃ Ⓦ IV-V ✻; NE-Ind., Myanmar, Thail.
– **loddigesii** Rolfe | ♃ Ⓦ II-IV ✻; China: Yunnan, Honan; Laos
– **luteolum** Bateman | ♃ Ⓦ I-V ✻; Myanmar
– *lyonii* Ames = Epigeneium lyonii
– **minax** Rchb. f. | ♃ Ⓦ V-VII ✻; Molacca I.: Ambon
– *monile* (Thunb.) Kraenzl. = Dendrobium moniliforme
– **moniliforme** (L.) Sw. | ♃ Ⓚ IV-V ✻; China, S-Korea, Jap.
– **moschatum** (Willd.) Sw. | ♃ Ⓦ V-VII ✻; Sikkim, Myanmar, Thail., Laos
– **nobile** Lindl. | ♃ Ⓦ III-VI ✻; Him., W-China, Taiwan
– **ochreatum** Lindl. | ♃ Ⓦ III-IV ✻; Ind.: Khasia Hills
– **parishii** Rchb. f. | ♃ Ⓦ V-VI ✻; S-China, Indochina
– *paxtonii* Lindl. = Dendrobium chrysanthum
– **pendulum** Roxb. | ♃ Ⓦ VIII-XII ✻; Myanmar
– *pierardii* Roxb. = Dendrobium aphyllum
– **primulinum** Lindl. | ♃ Ⓦ IV-V ✻; Nepal, Him., S-China, Myanmar, Thail., Vietn., Malay. Pen.
– **pulchellum** Roxb. ex Lindl. | ♃ Ⓦ IV-V ✻; Him., Indochina
– **ruppianum** A.D. Hawkes | ♃ Ⓦ III-V ✻; N.Guinea, Queensl.
– **senile** Parish et Rchb. f. | ♃ Ⓦ IV-VI ✻; Myanmar
– **speciosum** Sm. · King Orchid, Rock Orchid | ♃ Ⓚ III-V ✻; Austr.: Queensl., N.S.Wales, Victoria
  - var. *fusiforme* F.M. Bailey = Dendrobium ruppianum
– **stratiotes** Rchb. f. | ♃ Ⓦ VI-VII ✻; Sulawesi
– × **superbiens** Rchb. f. (*D. biggibum* × *D. discolor*) | ♃ Ⓦ X-XII ✻; N-Austr.
– *superbum* Rchb. f. = Dendrobium anosmum
– **taurinum** Lindl. | ♃ Ⓦ IX-XII ✻; Phil.
– **tetragonum** A. Cunn. | ♃ Ⓚ X-XII ✻; Austr.: Queensl., N.S.Wales
– **thyrsiflorum** Rchb. f.
– *topazianum* Ames = Dendrobium bullenianum
– *undulatum* R. Br. = Dendrobium discolor
– *wardianum* Warner = Dendrobium pendulum
– **wilkianum** Rupp | ♃ Ⓦ ✻; Austr.: Queensl.
– **williamsonii** Day et Rchb. f. | ♃ Ⓚ III ✻; Ind.: Assam; Myanmar, Thail.

Dendrocalamus Nees -m- *Poaceae*
– **asper** (Schult.) Backer ex K. Heyne | ♄ Ⓝ; orig. ?, nat. in Malay. Arch.
– **giganteus** Munro | ♄ Ⓝ; N-Guinea, Myanmar, Thail., Ind., China: Sichuan
– **hamiltonii** Nees et Arn. | Ⓦ Ⓝ; Him.
– **strictus** (Roxb.) Nees | Ⓦ Ⓝ; Ind., Myanmar, Thail., Malay. Pen.

Dendrochilum Blume -n- *Orchidaceae*
– **cobbianum** Rchb. f. | ♃ Ⓦ IX-X ✻; Phil.: Luzon
– **cornutum** Blume | ♃ Ⓦ VII-VIII ✻; Sumat., Java
– **filiforme** Lindl. | ♃ Ⓦ VI-VII ✻; Phil.
– **glumaceum** Lindl. · Silver Chain | ♃ Ⓦ I-II ✻; Phil.
– **latifolium** Lindl. | ♃ Ⓦ II-IV ✻; Phil.

Dendrocnide Miq. -f- *Urticaceae*
– *moroides* (Wedd.) Chew = Laportea moroides

Dendromecon Benth. -f- *Papaveraceae* · Baummohn
– *harfordii* Kellogg = Dendromecon rigida subsp. harfordii
– *rhamnoides* Greene = Dendromecon rigida
– **rigida** Benth. · Tree Poppy | ♄ Ⓚ III-VI; Calif.
  - subsp. **harfordii** (Kellogg) Raven

Denmoza Britton et Rose -f- *Cactaceae*
– **erythrocephala** (K. Schum.) A. Berger | Ψ Ⓚ
– **rhodacantha** (Salm-Dyck) Britton et Rose | Ψ Ⓚ ✻; NW-Arg.

Dennstaedtia Bernh. -f- *Dennstaedtiaceae* ·

Schüsselfarn
- **cicutaria** (Sw.) Kuhn | ♃ Ⓦ; Mex., W-Ind., trop. S-Am.
- **davallioides** (R. Br.) T. Moore | ♃ Ⓦ; Austr.: Queensl., N.S.Wales, Victoria
- **obtusifolia** (Willd.) T. Moore | ♃ Ⓦ; C-Am., W.Ind., trop. S-Am.
- **punctilobula** (Michx.) T. Moore · Hay Scented Fern, Wild Fern | ♃ ∧; Can.: E; USA; NE, NCE, SE

Dentaria = Cardamine L.
- *bulbifera* L. = Cardamine bulbifera
- *digitata* Lam. = Cardamine pentaphyllos
- *enneaphyllos* L. = Cardamine enneaphyllos
- *heptaphylla* Vill. = Cardamine heptaphylla
- *pentaphyllos* L. = Cardamine pentaphyllos
- *pinnata* (Lam.) R. Br. = Cardamine heptaphylla
- *polyphylla* Waldst. et Kit. = Cardamine kitaibelii

Dermatobotrys Bolus -m- *Scrophulariaceae*
- **saundersii** Bolus | ♄ Ⓚ I-III; S-Afr.: Natal

Derris Lour. -f- *Fabaceae*
- **elliptica** (Sweet) Benth. · Derris Root, Tuba Root | ♄ Ⓦ ⚕ Off ☠ Ⓝ; Myanmar, Thail., Malay. Arch.
- **malaccensis** Prain · Fish Poison | ♄ Ⓦ ⚕ Off.; Malay. Pen.
- **malacoides** Prain · Tubawurzeln | Ⓝ; Malay. Arch.

Deschampsia P. Beauv. -f- *Poaceae* · Schmiele
- **cespitosa** (L.) P. Beauv. · Rasen-Schmiele · Tufted Hairgrass · Canche cespiteuse | ♃ ~ VI-IX Ⓝ; Eur.*, TR, Iran, W-Sib., E-Sib., C-As., Mong., Him., N-Am.
- **flexuosa** (L.) Trin. · Draht-Schmiele, Drahtschmiele · Wavy Hair Grass · Canche flexueuse | ♃ VI-VII; Eur.*, TR, Cauc., N-Iran, W-Sib., E-Sib., Amur, Sachal., Kamchat., Jap., Taiwan, Maroc., Alger., Alaska, Can., USA: NE, NCE, SE, SC; Greenl., Arg., Chile, nat. in N.Guinea, Phil., Kalimantan, NZ
  - subsp. *montana* (L.) A. Löve et D. Löve = Deschampsia flexuosa
- **littoralis** (Gaudin) Reut. · Bodensee-Schmiele, Ufer-Schmiele | ♃ VII-VIII; Eur.: C-Alp.
- **media** (Gouan) Roem. et Schult. · Binsen-Schmiele | ♃ VI-VII; Eur.: Ib, F, I, D, Ba; TR, Cauc.
- *rhenana* Gremli = Deschampsia littoralis
- **setacea** (Huds.) Hack. · Borst-Schmiele | ♃ VII-VIII; Eur.: Sc, BrI, Fr, D, PL, Ib
- **wibeliana** (Sond.) Parl. · Elbe-Schmiele, Wibels Schmiele | ♃ V-VI; Eur.: NW-D

Descurainia Webb et Berthel. -f- *Brassicaceae*
- **sophia** (L.) Prantl · Gewöhnliche Besenrauke | V-IX; Eur.*, TR, Levante; Cauc., W-Sib., E-Sib., Amur, Kamchat., C-As., Tibet, Mong., China, Maroc., Alger., Egypt, nat. in N-Am.

Desfontainia Ruiz et Pav. -f- *Loganiaceae*
- **spinosa** Ruiz et Pav. | ♄ Ⓚ VII-VIII; Costa Rica, S-Am.; And.

Desmazeria = Catasetum Rich. ex Kunth
- *rigida* (L.) Tutin = Catapodium rigidum
- *sicula* (Jacq.) Dumort. = Cynosurus siculus

Desmodium Desv. -n- *Fabaceae*
- **canadense** (L.) DC. · Canada Tick Trefoil | ♄ VII; Can.: E, Sask.; USA; NE, NCE, Okla.
- **elegans** DC. · Ähriger Wandelklee | ♄ X-VIII; Him., China
- *gyrans* (L. f.) DC. = Desmodium motorium
- **intortum** (Mill.) Urb. | ♃ Ⓝ; C-Am., Bras. (Austr.)
- **motorium** (Houtt.) Merr. · Telegraph Plant | ⊙ ♃ ♄ Ⓦ VIII-IX; Ind., Sri Lanka, Phil.
- *penduliflorum* Oudem. = Lespedeza thunbergii
- *tiliifolium* (D. Don) G. Don = Desmodium elegans
- **tortuosum** (Sw.) DC. · Floridaklee | ♃ Ⓝ; Fla., W.Ind.
- **uncinatum** (Jacq.) DC. | ♃ Ⓝ; S-Am, nat. in Austr.

Desmoncus Mart. -m- *Arecaceae*
- *horridus* Splitg. ex Mart. = Desmoncus orthacanthos

– **orthacanthos** Mart. | ♄ ⌂ ⚘; Surinam

Deuterocohnia Mez -f- *Bromeliaceae*
– **longipetala** (Baker) Mez | ♃ ⌂; Peru, Bras., Arg.

Deutzia Thunb. -f- *Hydrangeaceae* · Deutzie
– × **candelabra** (Lemoine) Rehder (*D. gracilis* × *D. scabra*) | ♄ V-VI; cult.
– × **candida** (Lemoine) Rehder (*D. scabra* × *D.* × *lemoinei*) | ♄ VI; cult.
– × **carnea** (Lemoine) Rehder (*D. scabra* × *D.* × *rosea 'Grandiflora'*)
– *chunii* Hu = Deutzia ningpoensis
– **coreana** Lév. | ♄; Korea
– **corymbosa** R. Br. | ♄ VI; W-Him.
– **crenata** Siebold et Zucc. | ♄ V-VI; Jap.
– **discolor** Hemsl. · Zweifarbige Deutzie | ♄ VI; C-China.
– × **elegantissima** (Lemoine) Rehder (*D. purpurascens* × *D. scabra*)
– × **excellens** (Lemoine) Rehder (*D. vilmoriana* × *D.* × *rosea 'Grandiflora'*)
– **gracilis** Siebold et Zucc. · Zierliche Deutzie · Japanese Snow Flower · Petit deutzia | ♄ V-VI; Jap.
– × **hybrida** Lemoine (*D. discolor* × *D. mezereum*)
– *hypoglauca* Rehder = Deutzia rubens
– × **kalmiiflora** Lemoine
– × **lemoinei** Lemoine ex Bois
– **longifolia** Franch. · Langblättrige Deutzie | ♄ VI; Yunnan, Sichuan
– × **magnifica** (Lemoine) Rehder
– × **maliflora** Rehder
– **mollis** Duthie | ♄; C-China: W-Hubei
– **monbeigii** W.W. Sm.
– × **myriantha** Lemoine (*D. parviflora* × *D. setchuensis*)
– **ningpoensis** Rehder | ♄ VII; E-China
– **parviflora** Bunge · Kleinblütige Deutzie | ♄ VI; N-China, Manch., Korea
– **pulchra** Vidal | ♄ V-VI; Phil., Taiwan
– **purpurascens** (Franch. ex L. Henry) Rehder · Purpur-Deutzie | ♄ V-VI; W-China
– × **rosea** (Lemoine) Rehder (*D. gracilis* × *D. purpurascens*)
– **rubens** Rehder | ♄ VI; C-China: Sichuan, Hubei, Shaanxi
– **scabra** Thunb. · Raue Deutzie · Deutzia | ♄ VI-VII; Jap., Riukiu-Is.
– **schneideriana** Rehder | ♄ VI-VII; C-China.
  - var. **laxiflora** Rehder | ♄; C-China
– **setchuenensis** Franch. | ♄ VI-VII; W-China
  - var. **corymbiflora** (Lemoine) Rehder | ♄; W-China, C-China
– *sieboldiana* Maxim. = Deutzia scabra
– **staminea** R. Br. ex Wall. | ♄ VI-VII; Him.
– **vilmorinae** Lemoine · Vilmorins Deutzie | ♄ VI; C-China.
– × **wilsonii** Duthie (*D. discolor* × *D. nudicaule*)

× **Diabroughtonia** Hort. -f- *Orchidaceae* (*Broughtonia* × *Caularthron*)

Diacrium = Caularthron Raf.
– *bicornutum* (Hook.) Benth. = Caularthron bicornutum

× **Dialaelia** Hort. -f- *Orchidaceae* (*Caularthron* × *Laelia*)

× **Dialaeliocattleya** Hort. -f- *Orchidaceae* (*Cattleya* × *Caularthron* × *Laelia*)

× **Dialaeliopsis** Hort. -f- *Orchidaceae* (*Caularthron* × *Laeliopsis*)

Dianella Lam. -f- *Phormiaceae*
– **caerulea** Sims | ♃ ♄ ⌂; Austr.: N.S.Wales, Victoria; N. Guinea, Fiji, N.Caled.
– **ensifolia** (L.) DC. · New Zealand Lily Plant | ♄ ⌂ ♧; Madag., Mascarene Is., Ind., Myanmar, Sri Lanka, Malay. Arch., Jap., Ryukyu Is., Taiwan, Austr., Pacific Is.
– **intermedia** Endl. | ♃ ⌂ ♧; NZ, Norfolk Is., Fiji
– **laevis** R. Br. | ♃ ⌂ ♧; Austr.: Queensl., N.S.Wales, Victoria, Tasman.
– **revoluta** R. Br. | ♃ ⌂; Austr.: N.S.Wales, Tasman.
– *strumosa* Lindl. = Dianella laevis
– **tasmanica** Hook. f. | ♃ ⌂ ♧; Austr.: N.S.Wales, Victoria, Tasman.

Dianthus L. -m- *Caryophyllaceae* · Nelke
– × **allwoodii** hort. (*D. caryophyllus* × *D. plumarius*) · Allwood Pink
– *alpinus* All. = Dianthus pavonius
– **alpinus** L. | ♃ △ VII-VIII ▽; Eur.: A; NE-Alp.
– **amurensis** Jacq. | ♃; E-As., China

– **anatolicus** Boiss. | ♃ ⇝ △ VI-VII ▽; TR
– *arborescens* hort. = Dianthus suffruticosus
– *arboreus* auct. non L. = Dianthus fruticosus subsp. creticus
– **arenarius** L. · Sand-Nelke · Oeillet des sables | ♃ △ VI-IX ▽; Eur.: Sc, C-Eur., EC-Eur., N-Ba, E-Eur.
– **armeria** L. · Büschel-Nelke, Raue Nelke | ⊙ VI-VIII; Eur.* , W-As.
– × **arvernensis** Rouy et Foucaud (*D. monspessulanus* × *D. seguieri*) | ♃ ⇝ △ VII-VIII ▽; cult.
banaticus Heuff. ex Griseb. et Schenk = Dianthus giganteus
– **barbatus** L. · Bart-Nelke · Sweet William · Oeillet des poètes | ⊙ ♃ ⋈ VI-VIII ▽; Eur.* exc. BrI, Sc; mts., nat. in FIN
– *bebius* Vis. ex Rchb. = Dianthus petraeus
– *boydii* hort. = Dianthus callizonus
– **brevicaulis** Fenzl | ♃ △ VII ▽; TR: Taurus
– *caesius* Sm. = Dianthus gratianopolitanus
– **callizonus** Schott et Kotschy | ♃ Ⓐ △ V ▽ ∧; RO; S-Carp.
– **campestris** M. Bieb. | ♃ △ VI ▽; Eur.: E-Eur.; W-Sib.
– **carthusianorum** L. · Karthäuser-Nelke · Charterhouse Pink · Oeillet des Chartreux | ♃ VI-IX ▽; Eur.* exc. BrI, Sc, nat. in Sc
- **'Vaginatus'** Chaix
– **caryophyllus** L. · Garten-Nelke · Carnation, Gilly Flower | ♃ ⋈ VII-VIII; Eur.: Sard., I, Sic., GR, nat. in Sp., F
– **chinensis** L. · Annual Pink · Oeillet de Chine | ⊙ ⊙ ♃ ⋈ VII-IX ▽; China, Korea
- **'Heddewigii'**
– **collinus** Waldst. et Kit. · Hügel-Nelke | ♃ VI-VIII; Eur.: A, RO, W-Russ.
– *creticus* Tausch = Dianthus fruticosus subsp. creticus
– *croaticus* Borbás = Dianthus giganteus
– **cruentus** Griseb. · Oeillet sanguin | ♃ VI-VII ▽; Eur.: Ba; TR
– **deltoides** L. · Heide-Nelke · Oeillet à delta | ♃ VI-IX ▽; Eur.*, W-Sib.
– **erinaceus** Boiss. | ♃ △ VI-VII ▽; TR
– **freynii** Vandas | ♃ △ VIII ▽; Bosn., S-BG
– *friwaldskyanus* Boiss. = Dianthus gracilis subsp. friwaldskyanus
– **fruticosus** L.; Eur.: GR, Crete, Aegeis
- subsp. **creticus** (Tausch) Runemark | ♄ Ⓚ VII-IX ▽; Eur.: Crete
– **giganteus** d'Urv. | ♃ VII-VIII ▽; Eur.: Ba, RO; W-TR
– **glacialis** Haenke · Gletscher-Nelke · Glacier Pink | ♃ △ VII-VIII ▽; Eur.: I, CH, A, EC-Eur., Ro; E-Alp., Carp.
– **gracilis** Sibth. et Sm.; Eur.: Maced., AL
- subsp. **friwaldskyanus** (Boiss.) Tutin
– **graniticus** Jord. | ♃ △ VI-VIII ▽; Eur.: C-F
– **gratianopolitanus** Vill. · Pfingst-Nelke · Cheddar Pink · Oeillet bleuâtre, Oeillet de la Pentecôte | ♃ △ V VI ▽; Eur.: BrI, Fr, C-Eur., EC-Eur., W-Russ.
– **haematocalyx** Boiss. et Heldr. | ♃ ⇝ VI-VII ▽; Eur.: Maced., AL, GR
– *heddewigii* (Regel) hort. = Dianthus chinensis 'Heddewigii'
– *hyssopifolius* L. = Dianthus monspessulanus
– *inodorus* (L.) Gaertn. = Dianthus sylvestris
– *kitaibelii* Janka = Dianthus petraeus
– **knappii** (Pant.) Asch. et Kanitz ex Borbás | ♃ VI ▽; Eur.: Bosn., Montenegro
– *lumnitzeri* Wiesb. = Dianthus plumarius
– **microlepis** Boiss. | ♃ △ VI ▽; BG
– **monspessulanus** L. · Montpellier-Nelke | ♃ VII; Eur.: C-F
- subsp. **sternbergii** (Sieber ex A. Kern.) Hegi | ♃ △ VII-VIII ▽; Eur.: I, A, Slove.; SE-Alp.
– **myrtinervius** Griseb. | ♃ △ VI ▽; Maced.
– **nardiformis** Janka | ♃ △ VI ▽; Eur.: GB, RO
– *neglectus* Loisel. = Dianthus pavonius
– **nitidus** Waldst. et Kit. | ♃ VII-VIII ▽; W-Carp.
– *noeanus* Boiss. = Dianthus petraeus subsp. noeanus
– **pavonius** Tausch · Alpen-Nelke · Alpine Pink | ♃ △ VI-VIII ▽; Eur.: F, I; Alp.
– **pelviformis** Heuff. | ♃ V-VII ▽; AL, BG
– **petraeus** Waldst. et Kit.; Eur.: Ba, RO
- subsp. **noeanus** (Boiss.) Tutin | ♃ △ VI-VIII ▽; BG
– **plumarius** L. · Feder-Nelke, Hainburger Nelke · Pink · Oeillet mignardise | ♃ IV-VI ▽; Eur.: A, Slove., Croatia, nat. in BrI, D, I
– **pontederae** A. Kern. · Pannonische

Kartäuser-Nelke | ♃ V; Eur.: N-I, A, Slove., H, , BG, RO
- **seguieri** Vill. · Busch-Nelke | ♃ VI-VIII; Eur.: Sp., F, I, CH, D, CZ; TR, Cauc.
  - subsp. **glaber** Celak. | ♃ VI-VIII; Eur.: D, CZ
  - subsp. *sylvaticus* (Hoppe) Hegi = Dianthus seguieri subsp. glaber
- **serotinus** Waldst. et Kit. · Spätblühende Nelke | ♃ ⟿ △ X-IX ▽; Eur.: CZ, Slova., H, Serb., RO
- *sinensis* Link = Dianthus chinensis
- **spiculifolius** Schur | ♃ △ VI-VIII ▽; Eur.: RO, W-Russ.; E-Carp.
- *sternbergii* Sieber = Dianthus monspessulanus
- **strictus** Banks et Sol. | ♃ △ VI-VII ▽; Eur.: Crete; TR, Syr.
- *strictus* Sibth. et Sm. = Dianthus petraeus
- **subacaulis** Vill. | ♃ △ VI-VIII ▽; Eur.: Sp., F; Maroc.; mts.
- **suffruticosus** Willd. | ♄ Ⓚ VII-IX ▽; orig. ?
- **superbus** L. · Pracht-Nelke · Pink · Oeillet superbe | ♃ VI-VIII ▽; Eur.* exc. BrI; W-Sib., E-Sib., Amur, Sachal., Mong., China, Jap., Taiwan
- *sylvaticus* Hoppe = Dianthus seguieri subsp. glaber
- **sylvestris** Wulfen · Stein-Nelke · Oeillet des bois | ♃ △ VI-VIII ▽; Eur.: Ib, Fr, Ap, Ba, C-Eur.; NW-Afr.
  - subsp. **tergestinus** (Rchb.) Hayek | ♃ △ VI-VII ▽; Eur.: Croatia, Bosn., Montenegro, AL, I (Monte Gargano)
- *tergestinus* (Rchb.) A. Kern. = Dianthus sylvestris subsp. tergestinus
- **trifasciculatus** Kit. | ♃; Ba, RO, W-Russl.
- *webbianus* Vis. = Dianthus erinaceus

Diapensia L. -f- *Diapensiaceae*
- **lapponica** L. | ♃ IV-V; Sc, N-Russ., W-Sib, E-Can., Greenl.

Diaphananthe Schltr. -f- *Orchidaceae*
- **bidens** (Sw. ex Pers.) Schltr. | Ⓦ VI-VII ✻; W-Afr., C-Afr., Angola, Uganda
- **pellucida** (Lindl.) Schltr. | Ⓦ XI-I ✻; W-Afr., C-Afr., Uganda

Diarrhena P. Beauv. -f- *Poaceae*
- **americana** P. Beauv. | ♃ VII-VIII; USA: NE, NCE, NC, SC, SE

Diascia Link et Otto -f- *Scrophulariaceae*
- **barberae** Hook. f. | ⊙ VII-IX; S-Afr.
- *cordata* hort. = Diascia barberae
- **cordata** N.E. Br. | ♃ Ⓐ △; S-Afr.: Natal
- *elegans* hort. = Diascia vigilis
- **rigescens** E. Mey. ex Benth. | ♄ Ⓐ VIII-IX ∧; S-Afr.
- **vigilis** Hilliard et B.L. Burtt | ♃ Ⓚ; S-Afr.: Orange Free State

Diastema Benth. -n- *Gesneriaceae*
- **quinquevulnerum** Planch. et Linden | ♃ Ⓦ VII-VIII; Venez.

Dicentra Borkh. ex Bernh. -f- *Fumariaceae*
- **canadensis** (Goldie) Walp. · Squirrel Corn | ♃ △ V; Can.: E; USA: NE, NCE, Tenn., N.C.
- **chrysantha** (Hook. et Arn.) Walp. · Golden Eardrops | ♃ VIII-IX ∧; USA: S-Oreg., Calif.
- **cucullaria** (L.) Bernh. · Dutchman's Breeches | ♃ V; Can.: E; USA: NE, NCE, NC, SE, NW, Idaho
- **eximia** (Ker-Gawl.) Torr. · Zwerg-Herzblume · Turkey Corn | ♃ V-VI; USA: NE, SE
- **formosa** (Andrews) Walp. | ♃ VI-X; Can.: B.C.; USA: NW, Calif.
  - subsp. **oregana** (Eastw.) Munz | ♃ IV-IX ∧; USA: Oreg., Calif.
- *oregana* Eastw. = Dicentra formosa subsp. oregana
- **spectabilis** (L.) Lem. · Tränendes Herz · Bleeding Heart · Coeur de Marie | ♃ ✂ V; China, Manch., Korea

Dichaea Lindl. -f- *Orchidaceae*
- **muricata** (Sw.) Lindl. | ♃ Ⓦ ⦚ ✻; C-Am., W.Ind., trop. S-Am.

Dichanthium Willemet -n- *Poaceae*
- *ischaemum* (L.) Roberty = Bothriochloa ischaemum

Dichelostemma Kunth -n- *Alliaceae*
- **congestum** (Sm.) Kunth · Northern Saitas | ♃ Ⓚ VI-VII ∧; USA: Wash., Oreg., Calif.
- **multiflorum** (Benth.) A. Heller · Wild Hyacinth | ♃ Ⓚ VI-VII ∧; USA: Oreg., Calif., Rocky Mts., SW

Dichondra J.R. Forst. et G. Forst. -f- *Convolvulaceae*

– **micrantha** Urb. | ♃ Ⓚ ⟿ XII-VII; Korea, S-Jap., China, Taiwan, Trop., nat. in Azor., BrI, I, S-USA
– **repens** J.R. Forst. et G. Forst. | ♃ Ⓚ ⟿ VI-IX; USA: NE, SE, Fla., SW; Trop.
– **sericea** Sw. | ♃ Ⓚ ⟿ XII-VII; C-Am., S-Am.

Dichorisandra J.C. Mikan -f- *Commelinaceae*
– **musaica** Linden | ♃ Ⓦ; Bras.
- var. *undata* (K. Koch et Linden) W. Mill. = Geogenanthus poeppigii
– **reginae** (Linden et Rodigas) hort. ex W. Ludw. · Queen's Spiderwort | ♃ Ⓦ; C-Peru
– **thyrsiflora** J.C. Mikan | ♃ Ⓦ IX-X; SE-Bras.
– *undata* K. Koch et Linden = Geogenanthus poeppigii

Dichroa Lour. -f- *Hydrangeaceae*
– **febrifuga** Lour. · Feverfuge | ♄ Ⓦ IV-VI; Him., China, Phil., Java

Dichromanthus Garay *Orchidaceae*
– **scoparius** Webb

Dichrostachys (A. DC.) Wight et Arn. -f- *Mimosaceae*
– **cinerea** (DC.) Wight et Arn. | ♄ ♄; Afr., Ind.

Dicksonia L'Her. -f- *Dicksoniaceae*
– **antarctica** Labill. · Soft Tree Fern, Tree Fern | ♄ Ⓦ ▽ ✻; Austr.: Queensl., N.S.Wales, Victoria, S-Austr., Tasman.
– *culcita* L'Hér. = Culcita macrocarpa
– *davallioides* R. Br. = Dennstaedtia davallioides
– **fibrosa** Colenso · Golden Tree Fern | ♄ Ⓚ ▽ ✻; NZ
– *obtusifolia* Willd. = Dennstaedtia obtusifolia
– *regalis* (Verschaff. et Lem.) Baker = Cibotium regale
– *schiedei* (Schltdl. et Cham.) Baker = Cibotium schiedei
– **squarrosa** (G. Forst.) Sw. · New Zealand Tree Fern | Ⓚ ▽ ✻; NZ

Dicliptera Juss. -f- *Acanthaceae*
– *suberecta* (André) Bremek. = Justicia suberecta

Dicranopygium Harling -n- *Cyclanthaceae*
– **atrovirens** (H. Wendl.) Harling | Ⓦ; ? Col.

Dicranostigma Hook.f. et Thomson -n- *Papaveraceae*
– **franchetianum** (Prain) Fedde | ⊙ △ IV-V; Yunnan, Sichuan
– *franchetianum* hort. = Dicranostigma leptopodum
– **lactucoides** Hook. f. et Thomson
– **leptopodum** (Maxim.) Fedde | ⊙ △ IV-V; China: Kansu

Dictamnus L. -m- *Rutaceae* · Diptam
– **albus** L. · Brennender Busch, Diptam · Burning Bush, Dittany · Herbe aux éclairs | ♃ V-VI ▽; Eur.: Ib, Ap, C-Eur., EC-Eur., Ba, E-Eur.
- **'Purpureus'**
- var. **caucasicus** (Fisch. et C.A. Mey.) Rouy | ♃ V-VI ▽; Eur.: S-Russ.; TR, Cauc., NW-Iran
– *caucasicus* Fisch. et C.A. Mey. = Dictamnus albus var. caucasicus
– *fraxinella* Pers. = Dictamnus albus 'Purpureus'
– *gymnostylis* Steven = Dictamnus albus

Dictyosperma H. Wendl. et Drude -n- *Arecaceae*
– **album** (Bory) H. Wendl. et Drude ex Scheff. · Princess Palm | ♄ Ⓦ; Mauritius

Dicypellium Nees et Mart. -n- *Lauraceae*
– **caryophyllatum** (Mart.) Nees · Nelkenzimt | ♄ Ⓝ; trop. Am.

Dicyrta = Achimenes Pers.
– *candida* (Lindl.) Hanst. = Achimenes candida
– *warszewicziana* Regel = Achimenes warszewicziana

Didierea Baill. -f- *Didiereaceae*
– **madagascariensis** Baill. | ♄ ♄ ψ Ⓚ ✻; SW-Madag.

Didiscus = Trachymene Rudge
– *caeruleus* (Graham) DC. = Trachymene coerulea

Didymocarpus Wall. -m- *Gesneriaceae*
– *hamosus* Wall. = Chirita hamosa

Didymochlaena Desv. -f- *Dryopteridaceae*
– **truncatula** (Sw.) J. Sm. | ♃ ⌂W; Trop.

Didymosperma = Arenga Labill.
– *porphyrocarpa* (Blume) H. Wendl. et Drude = Arenga porphyrocarpa

Dieffenbachia Schott -f- *Araceae*
– × **bausei** Regel (*D. maculata* × *D. weirii*) | ⌂W ☠; cult.
– **bowmannii** Carrière | ⌂W; Col., Bras.
– **costata** Klotzsch ex Schott | ⌂W; Peru
– *eburnea* W. Bull non Lindl. = Dieffenbachia maculata 'Lancifolia'
– *exotica* hort. = Dieffenbachia maculata 'Exotica'
– *hoffmannii* hort. = Dieffenbachia maculata 'Hoffmannii'
– **humilis** Poepp. | ⌂W; Bras., Peru
– **imperialis** Linden et André | ⌂W; Peru
– *latimaculata* hort. = Dieffenbachia bowmannii
– **latimaculata** Linden et André | ⌂W; ? Col.
  - **'Illustris'** | ⌂W
  - var. *illustris* Fournet = Dieffenbachia latimaculata 'Illustris'
– **leopoldii** W. Bull | ⌂W; Costa Rica
– *macrophylla* Poepp. = Dieffenbachia costata
– **maculata** (Lodd.) G. Don | ⌂W; trop. S-Am.
  - *'Eburnea'* = Dieffenbachia maculata 'Lancifolia'
  - **'Exotica'**
  - **'Hoffmannii'**
  - **'Lancifolia'**
  - **'Rudolph Roehrs'**
  - **'Shuttleworthiana'**
– × **memoria-corsii** Fenzl (*D. maculata* × *D. wallisii*) | ⌂W; cult.
– **parlatorei** Linden et André | ⌂W; Col.
  - **'Marmorea'** | ⌂W
  - var. *marmorea* Linden et André = Dieffenbachia parlatorei 'Marmorea'
– *picta* Schott = Dieffenbachia maculata
– *reginae* hort. = Dieffenbachia bowmannii
– **rex** hort.
– *roehrsii* hort. = Dieffenbachia maculata 'Rudolph Roehrs'
– **seguine** (Jacq.) Schott | ⌂W; W.Ind.
  - **'Irrorata'**
  - **'Lineata'**
  - **'Liturata'**
  - **'Nobilis'**
– *shuttleworthiana* W. Bull = Dieffenbachia maculata 'Shuttleworthiana'
– × **splendens** hort. W. Bull (*D. leopoldii* × *D. maculata*) | ⌂W; cult.
– **weirii** Berk.; cult.

Dierama K. Koch -n- *Iridaceae* · Trichterschwertel
– **dracomontanum** Hilliard
– **pendulum** (L. f.) Baker · Canne-à-pêche-des-anges | ♃ ⌂K ▭ VII-VIII ∧; E-Afr., S-Afr.
  - var. *pumilum* (N.E. Br.) Baker = Dierama dracomontanum
– **pulcherrimum** (Hook. f.) Baker | ♃ ⌂K IX-X ∧; S-Afr.
– *pumilum* N.E. Br. = Dierama dracomontanum

Diervilla Mill. -f- *Caprifoliaceae*
– *canadensis* Willd. = Diervilla lonicera
– **lonicera** Mill. · Kanadisches Buschgeißblatt · Bush Honeysuckle | ♄ VI-VII; Can.: E; USA: NE, NCE, N.C.
– **rivularis** Gatt. · Bach-Buschgeißblatt | ♄ VII-VIII; USA: SE; S-Alleghenies
– **sessilifolia** Buckland · Stielloses Buschgeißblatt | ♄ VI-VIII; USA: Va., SE
– × **splendens** (Carrière) Kirchn. (*D. lonicera* × *D. sessilifolia*) | ♄ VI-VIII; cult.

Dietes Salisb. ex Klatt -f- *Iridaceae*
– **bicolor** (Steud.) Klatt | ♃ ⌂K VI-VII; Kap
– **iridioides** (L.) Sweet ex Klatt | ♃ ⌂K VI-VIII; E-Afr., S-Afr.
– **robinsoniana** (F. Muell.) Klatt | ♃ ⌂K VII-VIII; Lord Howe Is.
– *vegeta* hort. non (L.) N.E. Br. = Dietes iridioides

Digitalis L. -f- *Scrophulariaceae* · Fingerhut
– *ambigua* Murray = Digitalis grandiflora
– **ferruginea** L. · Rusty Foxglove | ⊙ ♃ VII-VIII ☠; Eur.: H, Ba, RO; TR, Lebanon, Cauc.
  - subsp. **schischkinii** (Ivanina) Werner
  - var. *parviflora* Lindl. = Digitalis ferruginea subsp. schischkinii
– × **fucata** Ehrh. (*D. lutea* × *D. purpurea*) | ♃ VI-VII ☠; cult.
– *gloxinioides* Carrière = Digitalis purpurea 'Gloxinioides Grp.'
– **grandiflora** Mill. · Großblütiger

Fingerhut · Large Yellow Foxglove · Digitale à grandes fleurs | ⊙ ♃ VI-VII ▽ ☠; Eur.: Fr, Ap, C-Eur., EC-Eur., Ba, E-Eur.; W-Sib. (Altai)
- **laevigata** Waldst. et Kit. | ♃ ☠; Eur.: Ba
- *lamarckii* hort. = Digitalis lanata
- **lanata** Ehrh. · Wolliger Fingerhut · Woolly Foxglove | ⊙ ♃ Off. VI-VIII ☠; Eur.: H, Ba, nat. in A
- **lutea** L. · Gelber Fingerhut · Small Yellow Foxglove, Straw Foxglove · Digitale jaune | ♃ VI-VIII ▽ ☠; Eur.: Ib, Fr, Ap, C-Eur., nat. in PL
- × **mertonensis** Buxton et C.D. Darl. (*D. grandiflora* × *D. purpurea*) | ♃ V-VI ☠; cult.
- **obscura** L. | ♄ ♃; Sp. +
- **parviflora** Jacq. | ♃; N-Sp.; mts.
- × *purpurascens* Roth = Digitalis × fucata
- **purpurea** L. · Roter Fingerhut · Foxglove · Digitale pourpre | ♃ ⊙ Off. VI-VII ☠; Eur.* exc. BA, EC-Eur.; Maroc., Madeira
  - **Gloxinioides Grp.**
- **thapsi** L. | ♃ VI-IX ☠; Eur.: Ib

Digitaria Haller -f- *Poaceae*
- **cruciata** (Nees) A. Camus | Ⓝ; Him.; Ind., China
- **decumbens** Stent · Pangolagras | ♃ Ⓝ; S-Afr., nat. in C-Am., W.Ind.
- **exilis** (Kippist) Stapf | ⊙ Ⓝ; cult. W-Afr.
- **iburua** Stapf | ⊙ Ⓝ; Nigeria
- **ischaemum** (Schreb.) Muhl. · Faden-Fingerhirse, Faden-Hirse · Crab Grass, Finger Grass | ⊙ X; Eur.: Ib, Fr, Ap, Ba, E-Eur.; TR, Cauc., W-Sib., E-Sib., Amur, C-As., Him., Ind., Tibet, China, Jap., Can., USA*, nat. in BrI, Sc, C-Eur.
- **sanguinalis** (L.) Scop. · Blut-Fingerhirse · Crab Grass | X-VII; Eur.: Ib, Fr, Ap, Ba, E-Eur., H; TR, Cauc., C-As., Myanmar, China, Korea, Jap., Afr., N-Am., S-Am., Austr., NZ, nat. in Sc, C-Eur.
  - subsp. **pectiniformis** Henrard
  - var. **esculenta** (Gaudin) Caldesi | ⊙ VII-IX Ⓝ; cult.

Dillenia L. -f- *Dilleniaceae*
- **indica** L. · Chulta, Elephant's Apple | ♄ Ⓦ Ⓝ; Ind., Sri Lanka, Indochina, Malay. Arch.

× **Dillonara** Hort. -f- *Orchidaceae* (*Epidendrum* × *Laelia* × *Schomburgkia*)

Dillwynia Sm. -f- *Fabaceae*
- **floribunda** Sm. | ♄ Ⓚ III-IV; Austr., Tasman.
- **juniperina** Lodd. | ♄; Austr.

Dimocarpus Lour. -m- *Sapindaceae*
- **longan** Lour. · Longan Fruit | ♄ Ⓦ Ⓝ; Ind., Sri Lanka, S-China

Dimorphanthus Miq. -m- *Araliaceae*
- *elatus* Miq. = Aralia elata
- *mandshuricus* Maxim. = Aralia elata

Dimorphorchis Rolfe -f- *Orchidaceae*
- **lowii** (Lindl.) Rolfe | Ⓦ VII-X ✻; Kalimantan

Dimorphotheca Moench -f- *Asteraceae* · Kapkörbchen
- *annua* Less. = Dimorphotheca pluvialis
- *aurantiaca* hort. non DC. = Dimorphotheca sinuata
- *barberiae* Harv. = Osteospermum barberiae
- *calendulacea* Harv. = Dimorphotheca sinuata
- *ecklonis* DC. = Osteospermum ecklonis
- **pluvialis** (L.) Moench · Namaqualand Daisy, Rain Daisy | ⊙ VII-VIII; S-Afr.
- **sinuata** DC. · Namaqualand Daisy | ⊙ VII-VIII; S-Afr.

Dinochloa Buse -f- *Poaceae*
- **scandens** Kuntze | ♄ Ⓦ §; Java

Dinteranthus Schwantes -m- *Aizoaceae*
- **vanzijlii** (L. Bolus) Schwantes | ♃ Ψ Ⓚ; Kap

Dionaea Ellis -f- *Droseraceae*
- **muscipula** Ellis · Venus's Fly Trap | ♃ Ⓚ ▭ V-VII; USA: N.C., S.C.

Dionysia Fenzl -f- *Primulaceae*
- **aretioides** (Lehm.) Boiss. | ♃ Ⓐ ⌓; Iran: Elburs

Dioon Lindl. -n- *Zamiaceae*
- **edule** Lindl. · Mexican Fern Palm | Ⓦ ✻; Mex.
- **spinulosum** Dyer | ♄ Ⓦ ✻; Mex.

Diopogon = Sempervivum L.
- *allionii* Jourd. et Fourr. = Jovibarba globifera subsp. allionii

- *heuffelii* (Schott) H. Huber = Jovibarba heuffelii
  - var. *reginae-amaliae* (Heldr. et Guicc. ex Halácsy) H. Jacobsen = Sempervivum reginae-amaliae
- *hirtus* (L.) H.P. Fuchs ex H. Huber = Jovibarba globifera subsp. hirta
  - subsp. *allionii* (Jourd. et Fourr.) H. Huber = Jovibarba globifera subsp. allionii
  - subsp. *arenarius* (W.D.J. Koch) H. Huber = Jovibarba globifera subsp. arenaria

Dioscorea L. -f- *Dioscoreaceae* · Yamswurzel
- **abyssinica** Hochst. | ♃ Ⓝ; Eth., E-Afr.
- **alata** L. · Water Yam, White Yam | ♃ ⌂W ⌇ Ⓝ; orig. ?, nat. in trop. As.
- **balcanica** Kosanin | ♃ ⌇; Eur.: Montenegro, N-AL
- **batatas** Decne. · Chinese Yam · Igname | ♃ ⌂W ⌇ Ⓝ; China, Korea, Jap., nat. in E-USA
- *brasiliensis* Willd. = Dioscorea trifida
- **bulbifera** L. · Air Potato | ♃ ⌂W ⌇ Ⓝ; trop. Afr., Indochina, Malay. Pen., Phil.
- **caucasica** Lipsky | ♃ ⌇; Cauc.
- **cayenensis** Lam. · Yellow Yam | ♃ ⌂W ⌇ Ⓝ; W-Afr.
- **deltoidea** Wall. ex Kunth | ♃ Ⓝ; Afgh., N-Ind., Nepal, Kashmir, China
- *discolor* hort. = Dioscorea vittata
- **discolor** Kunth
- *dodecaneura* Vell. = Dioscorea vittata
- **dumetorum** (Kunth) Pax | ♃ Ⓝ; trop. Afr.
- **elephantipes** (L'Hér.) Engl. · Elephant's Foot, Hottentot Bread | ♄ ⌂K ⌇; S-Afr.: E-Kap. Natal, Transvaal
- **esculenta** (Lour.) Burkill | ♃ ⌂W ⌇ Ⓝ; orig. ?; cult. trop. Afr.
- **fargesii** Franch. | ♃ ⌇; W-China
- **floribunda** M. Martens et Galeotti | ♃ Ⓝ; S-Mex., C-Am.
- **hispida** Dennst. | ♃ ⌂W ⌇ Ⓝ; Indochina, Malay. Pen., Honan, Phil.
- **japonica** Thunb. | ♃ Ⓝ; Jap., cult. Jap., China
- *macroura* Harms = Dioscorea sansibarensis
- *montana* Durand et Schinz non Spreng. = Dioscorea sylvatica
- **nummularia** Lam. | ♃ Ⓝ; SE-As.
- **pentaphylla** L. | ♃ Ⓝ; Ind., Myanmar, Sri Lanka, Malay. Pen., nat. in China, Taiwan, Pacific Is.
- **prazeri** Prain et Burkill | ♃ Ⓝ; Ind.
- **rotundata** Poir. · White Guinea Yam | ♃ ⌂W ⌇ Ⓝ; Ind., Myanmar, N-Thail., Laos, N-Vietn., S-China
- **sansibarensis** Pax | ♃ ⌂W ⌇; trop. Afr., Madag.
- *sativa* hort. non L. = Dioscorea bulbifera
- **sylvatica** (Kunth) Eckl. | ♄ ⌂K ⌇; trop. Afr., S-Afr.
- **trifida** L. f. | ♃ ⌂W ⌇ Ⓝ; W.Ind., Guat., Col., Ecuad., Peru, Bras., Guyan.
- **villosa** L. · China Root, Wild Yam | ♃ ⌇; USA: NE, NCE, SC, SE
- **vittata** hort. · Ornamental Yam

Dioscoreophyllum Engl. -m- *Menispermaceae*
- **cumminsii** (Stapf) Diels | ħ ⌂W ⌇ Ⓝ; trop. Afr.

Diosma L. -f- *Rutaceae* · Götterduft
- *alba* Thunb. = Coleonema album
- *fragrans* Sims = Adenandra fragrans
- **hirsuta** L. | ħ ⌂K I-XII; Kap
- *tenuifolia* C. Presl non Willd. = Coleonema calycinum

Diosphaera Buser -f- *Campanulaceae*
- *jacquinii* (Sieber) Buser = Trachelium jacquinii
- *rumeliana* (Hampe) Bornm. = Trachelium jacquinii

Diospyros L. -f- *Ebenaceae* · Dattelpflaume
- **celebica** Bakh. | ħ ⌂W Ⓝ; Sulawesi
- **crassiflora** Hiern · Westafrikanisches Ebenholz | ħ Ⓝ; W-Afr.
- **digyna** Jacq. · Black Sapote | ħ ⌂W Ⓝ; Mex.; cult. Trop.
- *ebenaster* auct. non Retz. = Diospyros digyna
- **ebenum** J. König · Ebony | ħ ⌂W Ⓝ; Ind., Sri Lanka
- **kaki** L. f. · Kakipflaume · Kaki, Persimmon | ħ ⌂K ஃ VI Ⓝ; China, S-Korea, Jap.
- **lotus** L. · Lotuspflaume · Date Plum | ♄ ħ ⌂K ஃ V-VI ∧ Ⓝ; TR, Korea, China, nat. in Eur.: Ba
- **melanoxylon** Roxb. · Coromandel-Ebenholz | ħ ♄ Ⓝ; Ind., Sri Lanka
- **virginiana** L. · Persimone · American Persimmon, Winter Plum | ħ ஃ V-VI Ⓝ;

USA: NE, NCE, Kans., SC, SE, Fla.

Diotis = Otanthus Hoffmanns. et Link
– *candidissima* Desf. = Otanthus maritimus
– *maritima* (L.) Desf. ex Cass. = Otanthus maritimus

Diotostemon = Pachyphytum Link, Klotzsch et Otto
– *hookeri* Salm-Dyck = Pachyphytum hookeri

Dipelta Maxim. -f- *Caprifoliaceae*
– **floribunda** Maxim. · Doppelschild | ♄ V-VI, C-China
– **ventricosa** Hemsl. · Ohr-Doppelschild | ♄ V-VI; W-China

Diphasiastrum Holub -n- *Lycopodiaceae* · Flachbärlapp
– **alpinum** (L.) Holub · Alpen-Flachbärlapp | ♃ VIII-IX; Eur.*, TR, Cauc., W-Sib., E-Sib., Amur, Kamchat., C-As., E-As., N-Am.
– **complanatum** (L.) Holub · Gewöhnlicher Flachbärlapp · Ground Pine | ♃ ⇝ VIII-IX ▽ ☠; Eur.* exc. BrI; TR, Cauc., W-Sib., E-Sib., Amur, Sachal., Kamchat., China, N-Jap., Ind, Sri Lanka, Malay. Arch., Phil., Alaska, Can., USA: NE, NCE, SE, Ro
– **issleri** (Rouy) Holub · Isslers Flachbärlapp | ♃ VIII-IX; Eur.: C-Eur., F, BrI
– **oellgaardii** A.M. Stoor et al. · Oelgards Flachbärlapp ; Eur.: F, D +
– **tristachyum** (Pursh) Holub · Zypressen-Flachbärlapp | ♃ VIII-IX; Eur.* exc. BrI, Ib; TR, N-Am.
– **zeilleri** (Rouy) Holub · Zeilers Flachbärlapp | ♃ VIII-IX; Eur.

Diphasium = Lycopodium L.
– *complanatum* (L.) Rothm. = Diphasiastrum complanatum

Diphylleia Michx. -f- *Berberidaceae*
– **cymosa** Michx. · Umbrella Leaf | ♃ V-VI; USA: Va., SE

Dipladenia = Mandevilla Lindl.
– *atropurpurea* DC. = Mandevilla atroviolacea
– *boliviensis* Hook. f. = Mandevilla boliviensis
– *eximia* Hemsl. = Mandevilla eximia
– *sanderi* Hemsl. = Mandevilla sanderi
– *splendens* (Hook.) A. DC. = Mandevilla splendens

Diplarrhena Labill. -f- *Iridaceae*
– **latifolia** Benth. | ♃ Ⓚ VII-VIII; Tasman.
– **moraea** Labill. · Butterfly Flag | ♃ Ⓚ VII-VIII; Austr.: N.S.Wales, Victoria, Tasman.

Diplazium Sw. -n- *Woodsiaceae*
– **acrostichoides** (Sw.) Butters | ♃; Can.: E; USA: NE, NCE, SE
– **australe** (R. Br.) Wakef. | ♃; Austr., NZ
– **celtidifolium** Kunze | ♃ Ⓦ; Ind., Sri Lanka, S-China, Taiwan, Jap., Indochina, Malay. Pen., Polyn.
– **lanceanum** (Thunb.) C. Presl | ♃ Ⓦ; Ind., Sri Lanka, China, Jap., Taiwan
– *pycnocarpon* (Spreng.) Broun = Athyrium pycnocarpon
– **sylvaticum** (Bory) Sw. | ♃ Ⓚ; Trop.
– *thelypteroides* C. Presl = Diplazium australe

Diplocyclos (Endl.) Post et Kuntze -m- *Cucurbitaceae*
– **palmatus** (L.) Jeffrey | ♃ Ⓚ § ☘ VII-IX; trop. Afr., trop. As., Austr.: N.Terr., Queensl., N.S.Wales

Diploknema Pierre -f- *Sapotaceae*
– **butyracea** (Roxb.) Lam. | ♄ Ⓦ Ⓝ; Tibet, Nepal, Bhutan, Ind., Andaman. I.

Diplotaxis DC. -f- *Brassicaceae*
– **muralis** (L.) DC. · Mauer-Doppelsame | ⊙ VI-IX; Eur.* exc. BrI, Sc; Cauc.
– **tenuifolia** (L.) DC. · Schmalblättriger Doppelsame | ♃ X-V; Eur.* exc. BrI, Sc +
– **viminea** (L.) DC. · Ruten-Doppelsame | VI-IX; Eur.: Ib, Fr, Ap, Ba, Krim; TR, Levante, Maroc., Alger., Egypt, nat. in D, RO

Diplothemium = Polyandrococos Barb.Rodr.
– *caudescens* Mart. = Polyandrococos caudescens

Dipogon Liebm. -m- *Fabaceae*
– **lignosus** (L.) Verdc. | ♄; S-Afr.

Dipsacus L. -m- *Dipsacaceae* · Karde

– **ferox** Loisel. | ⊙; Eur.: I, Sard., Cors. +
– *fullonum* auct. non L. = Dipsacus sativus
– **fullonum** L. · Wilde Karde · Common Teasel, Teasel | ⊙ VII-VIII; Eur.* exc. Sc; TR, Levante, Cauc., Iran, NW-Afr., nat. in DK
– **laciniatus** L. · Schlitzblättrige Karde | ⊙ VII-VIII; Eur.: Fr, Ap, C-Eur., , EC-Eur., Ba, E-Eur., ? Ib; TR, Iraq, Syr., Cauc., Iran, C-As.
– **pilosus** L. · Behaarte Karde | ⊙ VII-VIII; Eur.*, Cauc., Iran
– **sativus** (L.) Honck. · Weber-Karde · Fuller's Teasel, Teasel | ⊙ VII-VIII Ⓝ; orig.?, cult., nat. in Eur.
– **strigosus** Willd. ex Roem. et Schult. · Schlanke Karde | ⊙ VII-VIII; Eur.: Russ.; TR, Cauc., N-Iran, C-As., nat. in BrI, Sc, EC-Eur.
– *sylvestris* Huds. = Dipsacus fullonum

Dipteracanthus = Ruellia L.
– *devosianus* (Jacob-Makoy) Boom = Ruellia devosiana
– *makoyana* (Closon) Boom = Ruellia makoyana
– *portellae* (Hook. f.) Boom = Ruellia portellae

Dipterocarpus C.F. Gaertn. -m- *Dipterocarpaceae*
– **alatus** Roxb. | Ⓝ
– **turbinatus** C.F. Gaertn. · Gurjun Balsam | ♄ Ⓦ Ⓝ; Ind., Myanmar

Dipteronia Oliv. -f- *Aceraceae*
– **sinensis** Oliv. | ♄ ♧ VI ∧; C-China

Dipteryx Schreb. -f- *Fabaceae*
– **odorata** (Aubl.) Willd. · Tonka, Tonka Bean | ♄ Ⓚ Ⓝ; Guyan., Surinam, N-Bras.

Dirca L. -f- *Thymelaeaceae* · Lederholz, Bleiholz
– **palustris** L. · Leatherwood, Rope Bark | ♄ III-V ☠; Can.: E; USA: NE, NCE, SE, Fla.

Disa Bergius -f- *Orchidaceae*
– **uniflora** Bergius · Pride-of-Table-Mountain | ♃ Ⓚ VII-VIII ✻; SW-Kap

Disanthus Maxim. -m- *Hamamelidaceae*
– **cercidifolius** Maxim. · Doppelblüte | ♄ X ∧; Jap.

Dischidia R. Br. -f- *Asclepiadaceae* · Urnenpflanze
– **albida** Griff. | Ⓦ ≩; Malay. Pen., Sumat., Kalimantan, Sulawesi
– **major** (Vahl) Merr. · Dischidia | Ⓦ ≩; Ind., SE-As., Austr.
– **merrillii** Becc. | Ⓦ ≩; Phil.
– **pectenoides** H. Pearson | Ⓦ ≩; Phil.
– *rafflesiana* Wall. = Dischidia major
– **sagittata** Decne. | Ⓦ ≩; Java

Disocactus Lindl. -m- *Cactaceae*
– **biformis** (Lindl.) Lindl. | ψ Ⓦ ▽ ✻; Guat., Hond.
– **eichlamii** (Weing.) Britton et Rose | ψ Ⓦ ▽ ✻; Guat.
– *flagelliformis* (L.) Barthlott = Aporocactus flagelliformis
– *martianus* (Zucc.) Barthlott = Aporocactus martianus
– *nelsonii* (Britton et Rose) Linding. = Chiapasia nelsonii
– *ramulosus* (Salm-Dyck) Kimnach = Pseudorhipsalis ramulosa
– *speciosus* (Cav.) Britton et Rose = Heliocereus speciosus

Disphyma N.E. Br. -n- *Aizoaceae*
– **australe** (Sol.) J.M. Black | ♃ ψ Ⓚ; NZ
– **crassifolium** (L.) L. Bolus | ♃ ψ Ⓚ; S-Afr., nat. in Balear, P

Disporum Salisb. ex D. Don -n- *Convallariaceae*
– **sessile** (Thunb.) D. Don | ♃; Jap., Korea, Sachalin
– **smithii** (Hook.) Piper | ♃; B.C., USA: NW, Calif.

Dissotis Benth. -f- *Melastomataceae*
– **eximia** Harv. | ♃ Ⓚ; S-Afr.
– *mahonii* Hook. f. = Dissotis plumosa
– **plumosa** (D. Don) Hook. f. | ♃ Ⓦ ≩ ⇝ VII-IX; W-Afr., C-Afr.
– *princeps* Triana = Dissotis eximia
– *rotundifolia* (Sm.) Triana = Dissotis plumosa

Distemonanthus Benth. -m- *Caesalpiniaceae*
– **benthamianus** Baill. · Afrikanisches Zitronenholz, Movingui | ♄ Ⓝ; W-Afr., C-Afr.

Distictis Mart. ex Meisn. -f- *Bignoniaceae*

– **buccinatoria** (DC.) A.H. Gentry · Mexican Blood Flower | ♄ Ⓚ ≷ VII-VIII; Mex.
– **laxiflora** (DC.) Greenm.

Distylium Siebold et Zucc. -n- *Hamamelidaceae*
– **racemosum** Siebold et Zucc. | ♄ Ⓚ III-IV; Jap., Riukiu-Is.

Dittrichia Greuter -f- *Asteraceae*
– **graveolens** (L.) Greuter · Klebriger Alant | VII-IX; Eur.: Ib, Fr, Ap, Ba; TR, Iraq, Iran, Afgh., NW-Ind.

Dizygotheca = Schefflera J.R. Forst. et G. Forst.
– *elegantissima* (Veitch ex Mast.) R. Vig. et Guillaumin = Schefflera elegantissima
– *kerchoveiana* (Veitch ex P.W. Richards) N. Taylor = Schefflera kerchoveiana
– *veitchii* (Carrière) N. Taylor = Schefflera veitchii

Dobrowskya C. Presl -f- *Campanulaceae*
– *tenella* (Thunb.) Sond. = Monopsis unidentata

Dodecatheon L. -n- *Primulaceae* · Götterblume
– **clevelandii** Greene · Cleveland Götterblume · Cleveland Shootingstar | ♃ △ V-VI; Calif.: Sierra Nevada
– *cusickii* Greene = Dodecatheon pulchellum subsp. cusickii
– **dentatum** Hook. · Gezähnte Götterblume | ♃; B.C., USA: Wash., N-Oreg.-Idaho, Utah
– **frigidum** Cham. et Schltdl. · Arctic Shootingstar | ♃ △ V-VI; Alaska, Can.: W; Sib.
– **hendersonii** A. Gray · Hendersons Götterblume · Mosquito Bills | ♃ △ V-VI; Calif.: Sierra Nevada
– **jeffreyi** Van Houtte · Tall Shooting Star | ♃ △ V-VI; Alaska, Can.: W; USA: NW, Calif., Rocky Mts.
– **meadia** L. · Meads Götterblume · American Cowslip | ♃ △ V-VI; USA: NE, NCE, SE, SC
– *pauciflorum* (Durand) Greene = Dodecatheon meadia
– *pauciflorum* hort. = Dodecatheon pulchellum
– **pulchellum** (Raf.) Merr. · Schöne Götterblume · Gyroselle élégant | ♃ △ V-VI; Alaska, Can.: W; USA: NW, Calif., Rocky Mts.; Mex.
  - subsp. **cusickii** (Greene) Calder et Taylor
– *radicatum* Greene = Dodecatheon pulchellum
– *tetrandum* Suksd. ex Greene = Dodecatheon jeffreyi

Dodonaea Mill. -f- *Sapindaceae*
– **triquetra** J.C. Wendl. | ♄ Ⓚ ☠; Trop.
– **viscosa** (L.) Jacq. · Hop Bush, Hopwood | ♄ Ⓚ ☠ Ⓝ; USA: Fla., Ariz.; W.Ind., Trop.

Dolichos L. -m- *Fabaceae* · Helmbohne
– *biflorus* auct. non L. = Macrotyloma uniflorum
– *biflorus* L. = Vigna unguiculata
– *lablab* L. = Lablab purpureus
– *lobatus* Willd. = Pueraria lobata
– *soja* L. = Glycine max
– **uniflorus** Lam. | Ⓝ; Him., Ind., Sri Lanka, Myanmar +

Dolichothele = Mammillaria Haw.
– *balsasoides* (R.T. Craig) Backeb. = Mammillaria beneckei
– *baumii* (Boed.) Werderm. et Buxb. = Mammillaria baumii
– *camptotricha* (Dams) Tiegel = Mammillaria camptotricha
– *longimamma* (DC.) Britton et Rose = Mammillaria longimamma
– *nelsonii* (Britton et Rose) Backeb. = Mammillaria nelsonii
– *surculosa* (Boed.) Backeb. ex Buxb. = Mammillaria surculosa
– *uberiformis* (Zucc.) Britton et Rose = Mammillaria longimamma

Dombeya Cav. -f- *Sterculiaceae*
– **acutangula** Cav. | ♄ Ⓦ; Maskarene Is.
– **burgessiae** Gerrard ex Harv. · Pink Dombeya | ♄ Ⓦ; E-Afr., trop. S-Afr., S-Afr.
– *calantha* Schum. = Dombeya burgessiae
– × **cayeuxii** André (*D. cantabrica* × *D. wallichii*) · Pink Snowball | ♄ Ⓦ; cult.
– *mastersii* Hook. f. = Dombeya burgessiae
– *natalensis* Sond. = Dombeya tiliacea
– **tiliacea** (Endl.) Planch. | ♄ Ⓦ; S-Afr.
– **wallichii** (Lindl.) Benth. et Hook. f. · Pink Ball Tree | ♄ Ⓦ II-III; Madag.

× **Domindesmia** Hort. -f- *Orchidaceae* (*Domingoa* × *Hexadesmia*)

× **Domliopsis** Hort. -f- *Orchidaceae* (*Domingoa* × *Laeliopsis*)

Donia = Clianthus Sol. ex Lindl.
– *punicea* G. Don = Clianthus puniceus
– *speciosa* G. Don = Clianthus formosus

Doodia R. Br. -f- *Blechnaceae*
– **aspera** R. Br. | ♃ Ⓚ; Austr.: Queensl., N.S.Wales, Victoria
– **caudata** (Cav.) R. Br. | ♃ Ⓚ; Austr.: Queensl., N.S.Wales, Victoria, Tasman.; NZ, Polyn.
– **media** R. Br. | ♃ Ⓚ; Austr., NZ, N.Caled.

Dorema D. Don -n- *Apiaceae*
– **ammoniacum** D. Don · Gum Ammoniac | ♃ Off. VI; Iran, C-As., Afgh., Sib.

× **Doriella** Hort. -f- *Orchidaceae* (*Doritis* × *Kingiella*)

× **Doritaenopsis** Hort. -f- *Orchidaceae* (*Doritis* × *Phalaenopsis*)

Doritis Lindl. -f- *Orchidaceae*
– **pulcherrima** Lindl. | Ⓦ VIII-XI ✻; S-China, Myanmar, Thail., Cambodia, Malay. Pen., N-Sumat.

Doronicum L. -n- *Asteraceae* · Gemswurz
– **austriacum** Jacq. · Österreichische Gämswurz | ♃ VII-VIII; Eur.* exc. Sc, BrI; W-TR; mts.
– **cataractarum** Widder · Sturzbach-Gämswurz | ♃ VII-IX; Eur.: A (Koralpe)
– *caucasicum* M. Bieb. = Doronicum orientale
– **clusii** (All.) Tausch · Clusius Gämswurz, Zottige Gämswurz | ♃ VII-VI; Eur.* exc. BrI, Sc; Cordillera Cantábrica, Pyr., Alp., Carp.
 - var. **villosum** Tausch · Steirische Gämswurz | ♃ VII-IX
– **columnae** Ten. · Herzblättrige Gämswurz | ♃ V-VI; Eur.: C-Eur., E-Eur., I, Ba; mts.
– *cordatum* auct. non Lam. = Doronicum columnae
– *cordatum* Lam. = Doronicum pardalianches
– *cordifolium* Sternb. = Doronicum columnae
– **glaciale** (Wulfen) Nyman · Gletscher-Gämswurz | ♃ VII-VIII; Eur.: I, D, A, Slove.; E-Alp.
 - subsp. **calcareum** (Vierh.) Hegi · Kalkliebende Gämswurz | ♃ VI-VIII; Eur.: A; NE-Alp.
– **grandiflorum** Lam. · Großblütige Gämswurz | ♃ VII-VIII; Eur.: Ib, Fr, Ap, C-Eur., Ba, ? RO
– **orientale** Hoffm. · Kaukasus-Gämswurz · Doronic du Caucase | ♃ ⋉ IV-V; Eur.: Ap, H, Ba, RO, W-Russ.; TR, Lebanon, Cauc.
– **pardalianches** L. · Kriechende Gämswurz · Leopard's Bane | ♃ V-VII; Eur.: Sp., Fr, I, CH, D; mts., nat. in BrI, A
– **plantagineum** L. · Wegerich-Gämswurz · Doronic plantain | ♃ ⋉ IV-V; Eur.: Ib, F, I, nat. in BrI, NL

Dorotheanthus Schwantes -m- *Aizoaceae*
– **bellidiformis** (Burm. f.) N.E. Br. · Livingstone Daisy | ⊙ Ψ VII-IX; Kap
– *criniflorus* (L. f.) Schwantes = Dorotheanthus bellidiformis
– **gramineus** (Haw.) Schwantes | ⊙ VII-IX; Kap
– **oculatus** N.E. Br. | ⊙ VII-IX; Kap

Dorstenia L. -f- *Moraceae*
– *argentata* Hook. f. = Dorstenia turnerifolia var. argentea
– **arifolia** Lam. | ♃ Ⓦ; Bras.
– **barkeri** Bureau
 - var. **multiradiata** | ♃ Ⓦ; trop. Afr.
– **contrajerva** L. · Contrahierba | ♃ Ⓦ Ⓝ; S-Mex., W.Ind., Bras., Afr.
– **convexa** De Wild. | ♃ Ⓦ; Zaire
– *erecta* Vell. = Dorstenia hirta
– **hildebrandtii** Engl. | ♃ Ⓦ; Kenya, Tanzania
– **hirta** Desv. | ♃ Ⓦ; Bras.
– *multiradiata* Engl. = Dorstenia barkeri var. multiradiata
– **psilurus** Welw. | ♃ Ⓦ; trop. Afr.
– **turnerifolia** Fisch. et C.A. Mey.
 - var. **argentea** | ♃ Ⓦ; S-Bras.
– **urceolata** Schott | Ⓦ; Bras.
 - **'Variegata'**
– **yambuyaensis** De Wild. | ♃ Ⓦ; Zaire

Doryanthes Correa -f- *Doryanthaceae* · Speerblume

– **excelsa** Corrêa · Australian Giant Lily, Spear Lily | ♃ Ⓚ; Austr.: Queensl., N.S.Wales
– **palmeri** A.W. Hill | ♃ Ⓚ; Austr.: Queensl., N.S.Wales

Dorycnium = Lotus L.
– **germanicum** (Gremli) Rikli · Deutscher Backenklee | ⊙ VII; Eur.: I, CH, D, A, CZ, H, Slove.
– **graecum** (L.) Ser. in DC. | ♄ ♃; E-Ba, Krim, Cauc., TR
– **hirsutum** (L.) Ser. · Behaarter Backenklee, Zottiger Backenklee · Dorycnium hérissé | ♄ ♃ VI-IX; Eur.: Ib, F, Ap, Ba +
– **pentaphyllum** Scop. · Fünfblättriger Backenklee | ♄ V-VI; SW-Eur., C-Eur., S-It
  - subsp. *germanicum* (Gremli) Gams = Dorycnium germanicum
  - subsp. **herbaceum** (Vill.) Rouy · Krautiger Backenklee | ♄ ♃ VI-VII; Ba, Ap, Krim, TR, Cauc.
– **rectum** (L.) Ser. | ♄ ♃; Eur.: Ib, Fr, Ap, Ba; TR

Doryopteris J. Sm. -f- *Adiantaceae* · Speerfarn
– **ludens** (Wall.) J. Sm. | ♃ Ⓦ; Indochina, Phil.
– *palmata* J. Sm. = Doryopteris pedata var. palmata
– **pedata** (L.) Fee | ♃ Ⓦ; W.Ind., trop. S-Am.
  - var. **palmata** (Willd.) Hicken | ♃ Ⓦ; Mex., C-Am., trop. S- Am.
– **sagittifolia** (Raddi) J. Sm. | ♃ Ⓦ; trop. S-Am.

Dossinia C. Morren -f- *Orchidaceae*
– **marmorata** (Blume) C. Morren | ♃ Ⓦ VII-X ✻; Kalimantan (Sarawak)

Douglasia = Androsace L.
– *vitaliana* (L.) Hook. f. = Vitaliana primuliflora

Dovyalis E. Mey. ex Arn. -f- *Flacourtiaceae*
– **caffra** (Hook. f. et Harv.) Hook. f. | ♄ Ⓚ Ⓝ; S-Afr.
– **hebecarpa** (Gardner) Warb. | ♄ Ⓚ; Ind., Sri Lanka

Downingia Torr. -f- *Campanulaceae*
– **elegans** (Douglas) Torr. · Schein-Lobelie · Blue Calico Flower | ⊙ VII-VIII; USA: NW, Idaho, Nev., Calif.
– **pulchella** (Lindl.) Torr. | ⊙ VII-VIII; Calif.

Doxantha = Macfadyena A. DC.
– *capreolata* Miers = Bignonia capreolata
– *unguis-cati* (L.) Rehder = Macfadyena unguis-cati

Draba L. -f- *Brassicaceae* · Felsenblümchen
– **aizoides** L. · Immergrünes Felsenblümchen · Yellow Whitlow Grass · Drave faux-aizoon | ♃ △ IV ▽; Eur.* exc. Sc; mts.
– *aizoon* Wahlenb. = Draba lasiocarpa
– **aspera** Bertol. · Raues Felsenblümchen | ♃ VI-VII; Eur.: Ba, Ap, F; mts.
– **brachystemon** DC.; Eur.: E-Pyr., Alp. (Monte Rosa)
– **bruniifolia** Steven | ♃ △ IV-V; TR, Iraq, Cauc., Iran
  - subsp. **olympica** (Sibth. ex DC.) Coode et Cullen
– *bryoides* DC. = Draba rigida var. bryoides
– *carinthiaca* Hoppe = Draba siliquosa
– **cuspidata** M. Bieb. | ♃ △ IV-V ▽; Krim
– **dedeana** Boiss. et Reut. | ♃ △ IV-V ▽; Eur.: Sp.; mts.
– **densiflora** Nutt.
– *dicranoides* Boiss. et A. Huet = Draba rigida
– *diversifolia* Boiss. = Draba bruniifolia
– *doerfleri* Wettst. = Schivereckia doerfleri
– **dolomitica** Buttler · Dolomiten-Felsenblümchen | ♃ VI-VIII; Eur.: I, A; Dolomiten, Brenner
– **dubia** Suter · Eis-Felsenblümchen | ♃ V-VII; Eur.: Ib, Fr, Ap, C-Eur., EC-Eur., Ba; mts.
– **fladnizensis** Wulfen · Fladnitzer Felsenblümchen · Austrian Whitlow Grass | ♃ △ VI-V ▽; Eur.: Sc, C-Eur., EC-Eur., F, IE-Eur.; N, mts.; Alaska, USA: NW, Calif., Rocky Mts.; C-As., Him.
– **haynaldii** Stur
– **hoppeana** Rchb. · Hoppes Felsenblümchen | ♃ VII-VIII; Eur.: F, I, C-Eur.; Alp.
– **incana** L. · Graues Felsenblümchen ·

Hoary Whitlow Grass | ⊙ ♃ △ VI-V ▽; Eur.: BrI, Sc, Fr, C-Eur., Ib, E-Eur.; N, mts.
- **ladina** Braun-Blanq. · Bündener Felsenblümchen | ♃ VII-VIII; Eur.: E-CH; mts.
- **lasiocarpa** Rochel · Karpaten-Felsenblümchen | ♃ △ III-V ▽; Eur.: A, Ba, RO; Carp., Balkan
- **loiseleurii** Boiss.
- **mollissima** Steven | ♃ Ⓚ III-IV ∧; Cauc.
- **muralis** L. · Mauer-Felsenblümchen | V-VI; Eur.*
- **nemorosa** L. · Hain-Felsenblümchen | V-VI; Eur.* exc. BrI; TR, Cauc., W-Sib., E-Sib., Amur, Sachal., Kamchat
- **norvegica** Gunnerus · Norwegisches Felsenblümchen | ♃ VI-VII; Eur.: BrI, Sc, N-Russ., A; Sib., N-Am
- *olympica* Sibth. ex DC. = Draba bruniifolia subsp. olympica
- **pacheri** Stur · Tauern-Felsenblümchen | ♃ VI-VIII; Eur.: E-A, Slova.
- **polytricha** Ledeb.; TR, Cauc.
- *repens* M. Bieb. = Draba sibirica
- **rigida** Willd. | ♃ △ IV-V; Cauc.
  - var. **bryoides** (DC.) Boiss.
- **sauteri** Hoppe · Sauters Felsenblümchen | ♃ △ VI ▽; Eur.: D, A; NE-Alp.
- **sibirica** (Pall.) Thell. · Drave de Sibérie | ♃ ⇝ △ V-VI ▽; Eur.: Russ.; Cauc., W-Sib., E-Sib., C-As., Mong., China: Sinkiang, Greenl.
- **siliquosa** M. Bieb. · Kärntner Felsenblümchen | ♃ △ V-VII ▽; Eur.: Ib, Ap, C-Eur., EC-Eur., E-Eur., BG; TR, Cauc., Iran
  - subsp. *carinthiaca* (Hoppe) O. Bolòs et Vigo = Draba siliquosa
- **stellata** Jacq. · Sternhaar-Felsenblümchen | ♃ VI-VII; Eur.: A; NE-Alp.
- *stylaris* W.D.J. Koch = Draba incana
- × **suendermannii** Sünd. · Drave de Sündermann
- **tomentosa** Clairv. · Filziges Felsenblümchen | ♃ VI-VIII; Eur.: Fr, C-Eur., EC-Eur., Ba; mts.
- *tomentosa* Hegi non Clairv. = Draba dubia
- *wahlenbergii* Hartm. = Draba fladnizensis

Dracaena Vand. ex L. -f- *Dracaenaceae* · Drachenbaum
- **arborea** (Willd.) Link | ♄ Ⓚ Ⓝ; W-Afr., C-Afr., Angola
- **aubryana** Brongn. ex E. Morren | ♄ Ⓦ; W-Afr.
- *australis* G. Forst. = Cordyline australis
- *beuckelaerii* K. Koch = Cordyline banksii
- **cinnabari** Balf. f. | ♄ Ⓝ; Socotra
- **concinna** Kunth | Ⓦ; Mauritius
- **deremensis** Engl. | ♄ Ⓦ; trop. Afr.
- **draco** (L.) L. · Dragon Tree | ♄ Ⓦ Ⓚ; Canar., Cap Verd., Madag.
- **elliptica** Thunb. | ♄ Ⓦ; Ind., Sumat., Java
- **fragrans** (L.) Ker-Gawl. | ♄ Ⓦ Ⓚ Ⓝ; trop. Afr.
- *godseffiana* Sand. ex Mast. = Dracaena surculosa
- **goldieana** Lindl. | ♄ Ⓦ; Nigeria, C-Afr.
- **hookeriana** K. Koch | ♄ Ⓦ; S-Afr.
  - **'Latifolia'**
  - **'Variegata'**
- *indivisa* G. Forst. = Cordyline indivisa
- **marginata** Lam. · Dragon Tree | ♄ Ⓦ; Reunion
- **phrynioides** Hook. | ♄ Ⓦ; W-Afr., Cameroun
- **reflexa** Lam. · Song of India | ♄ Ⓦ; Mauritius
- *rumphii* (Hook.) Regel = Dracaena hookeriana
- **sanderiana** hort. Sander ex Mast. · Ribbon Plant | ♄ Ⓦ; Cameroun
- *stricta* (Sims) hort. = Cordyline stricta
- **surculosa** Lindl. | Ⓦ Ⓚ; W-Afr.
- *thalioides* Jacob-Makoy ex Regel = Dracaena aubryana
- **umbraculifera** Jacq. | ♄ Ⓦ; ? Mauritius

Dracocephalum L. -n- *Lamiaceae* · Drachenkopf
- **argunense** Fisch. ex Link | ♃; O-Sib., N-China, Manch., Korea, Jap.
- **austriacum** L. · Österreichischer Drachenkopf | ♃ V-VIII; Eur.: F, I, CH, A, EC-Eur, E-Eur.; TR, Cauc.
- **bipinnatum** Rupr. | ♃ ♄ VII-VIII; C-As., Afgh, Him, W-Tibet China:Sinkiang
- **botryoides** Steven | ♃ △ IV; Cauc.
- **bullatum** Forrest | ♃ △ VI-VII; Yunnan
- **calophyllum** Hand.-Mazz. | ♃ Ⓐ △ IX-X ∧; Yunnan, Sichuan
- *canescens* L. = Lallemantia canescens
- **forrestii** W.W. Sm. | ♃ △ VIII-X ∧; Yunnan
- **grandiflorum** L. | ♃ △ VII-VIII; Sib.

– **hemsleyanum** (Oliv. ex Prain) Prain ex C. Marquand | ♃ △ VII-IX; SE-Tibet
– *ibericum* M. Bieb. = Lallemantia iberica
– **isabellae** Forrest ex W.W. Sm. | ♃ △ VII-VIII; C-China
– **moldavicum** L. · Türkischer Drachenkopf | ⊙ VII-VIII; W-Sib., E-Sib., Him., nat. in Eur.:PL, RO, Russ.; China
– **nutans** L.
– *peltatum* L. = Lallemantia peltata
– **peregrinum** L. | ♃ △ VII-VIII; Altai
– *prattii* (Lév.) Hand.-Mazz. = Nepeta prattii
– **renatii** Emb. | ♃ ; Maroc.
– *royleanum* Benth. = Lallemantia royleana
– *ruprechtii* Regel = Dracocephalum bipinnatum
– **ruyschianum** L. · Nordischer Drachenkopf · Dragonhead | ♃ VII-VIII; Eur.: Fr, C-Eur., EC-Eur., EC-Eur., Ap, Sc; Cauc., W-Sib., E-Sib., C-As., Mong., Manch.
– *sibiricum* (L.) L. = Nepeta sibirica

Dracontium L. -n- *Araceae*
– **gigas** (Seem.) Engl. | ♃ ⓦ; Nicar.

Dracontomelon Blume -n- *Anacardiaceae*
– **mangiferum** Blume | ♄ Ⓝ; Malay. Arch, Phil., Fiji

Dracophilus (Schwantes) Dinter et Schwantes -m- *Aizoaceae*
– **montis-draconis** (Dinter) Dinter et Schwantes | ♃ ⓚ; Namibia

Dracophyllum Labill. -n- *Epacridaceae* · Drachenblatt
– **secundum** (Poir.) R. Br. | ♄ ⓚ IV-V; Austr.: N.S.Wales

Dracopsis = Rudbeckia L.
– **amplexicaulis** (Vahl) Cass. | ⊙ VII-VIII; USA: Kans., Mo., SE, SC

Dracula Luer -f- *Orchidaceae*
– **bella** (Rchb. f.) Luer | ♃ ⓚ XII-VI *; Col.
– **chimaera** (Rchb. f.) Luer | ♃ ⓚ XI-II *; Col.
– **erythrochaete** (Rchb. f.) Luer | ♃ ⓚ IX-XI *; C-Am., Col.
– **radiosa** (Rchb. f.) Luer | ♃ ⓚ V-VIII *; Col.

Dracunculus Mill. -m- *Araceae* · Drachenwurz
– **canariensis** Kunth | ♃ ⓚ; Canar.
– *crinitus* Schott = Dracunculus muscivorus
– **muscivorus** (L. f.) Parl. · Dragon's Mouth | ♃ ⓚ III-IV; Corse, Sard., Balear.
– **vulgaris** Schott · Drachenwurz, Schlangenwurz · Dragon Arum | ♃ ⓚ V ☠; Eur.: Ap, Ba; TR, nat. in Ib, F

Dregea E. Mey. -f- *Asclepiadaceae*
– **sinensis** Hemsl. | ♄ ⓚ ≷ VI-VII; China

Drimia Jacq. ex Willd. -f- *Hyacinthaceae*
– *maritima* (L.) Stearn = Urginea maritima

Drimiopsis Lindl. et Paxton -f- *Hyacinthaceae*
– **kirkii** Baker | ♃ ⓦ III-IX; Tanzania: Sansibar
– **maculata** Lindl. et Paxton | ♃ ⓦ IV-VII; S-Afr.

Drimys J.R. Forst. et G. Forst. -f- *Winteraceae*
– *aromatica* F. Muell. = Drimys lanceolata
– **lanceolata** (Poir.) Baill. · Mountain Pepper | ♄ ⓚ; Austr.: N.S.Wales, Victoria, Tasman.
– **winteri** J.R. Forst. et G. Forst. · Drimys, Winter's Bark | ♄ ♄ ⓚ; Chile, S-Arg.

Drosanthemum Schwantes -n- *Aizoaceae*
– **bellum** L. Bolus | ♄ Ψ ⓚ; Kap
– **floribundum** (Haw.) Schwantes | ♄ Ψ ⓚ VI-VII; Kap, Namibia
– **hispidum** (L.) Schwantes | ♄ Ψ ⓚ VI-VIII; Namibia, Kap, nat. in Mallorca
– **speciosum** (Haw.) Schwantes | ♄ Ψ ⓚ; Kap

Drosera L. -f- *Droseraceae* · Sonnentau
– **adelae** F. Muell. | ♃ ⓚ; Austr.: Queensl.
– **affinis** Welw. | ♃ ⓚ; W-Afr.
– **aliciae** Raym.-Hamet | ♃ ⓚ V-VIII; S-Afr.
– *anglica* Huds. = Drosera longifolia
– **auriculata** Backh. f. | ♃ ⓚ; Austr.: N.S.Wales, Victoria, S-Austr., Victoria; NZ
– **binata** Labill. · Forked Sundew | ♃ ⓚ V-VII; Austr.: N.S.Wales, Victoria, S-Austr.; NZ

- **'Dichotoma'**
- **brevifolia** Pursh | ⊙ ⓚ; USA: NE, SE, Fla.; Mex., S-Am.
- **burkeana** Planch. | ♃ ⓚ; Madag., S-Afr.
- **burmannii** Vahl | ♃ ⓚ; Ind., China, Jap., N-Austr.
- **capensis** L. · Cape Sundew | ♃ ⓚ VII-VIII; S-Afr.
- **capillaris** Poir. | ♃ ⓚ; USA: NE, SE, SC, Fla.; Mex., W.Ind., trop. S-Am.
- **cistiflora** L. | ♃ ⓚ; SW-Kap
- **cuneifolia** L. f. | ♃ ⓚ; S-Afr.
- *dichotoma* Banks et Sol. ex Sm. = Drosera binata 'Dichotoma'
- **dichrosepala** Turcz. | ♄ ⓚ; SW-Austr.
- **filiformis** Raf. · Thread-leaf Sundew | ♃ ▭; USA: NE, SE, Fla.
- **intermedia** Hayne · Mittlerer Sonnentau · Long Leaved Sundew | ♃ VII-VIII ▽; Eur.*, TR, Cauc., Can.: W; USA: Ne, NCE, SE, Fla.; Cuba
- *longifolia* auct. non L. = Drosera intermedia
- **longifolia** L. · Langblättriger Sonnentau · English Sundew, Great Sundew · Rossolis d'Angleterre | ♃ VII-VIII ▽; Eur.*, TR, W-Sib., E-Sib., Amur, Sachal., Kamchat., Mong., Alaska, Can., USA: NCE, Rocky Mts., NW, Calif.
- **montana** A. St.-Hil. | ♃ ⓚ; Bol., S-Bras.
- × **obovata** Mert. et W.D.J. Koch (*D. longifolia* × *D. rotundifolia*) · Bastard-Sonnentau | ♃ VII-VIII; Eur. , N-As., Jap.
- **paleacea** DC. | ♃ ⓚ; W-Austr.
- **pauciflora** Banks ex DC. | ♃ ⓚ; SW-Kap
- **planchonii** Hook. f. ex Planch. · Climbing Sundew | ♄ ⓚ; Austr.: S-Austr., Tasman., Victoria
- **pygmaea** DC. | ♃ ⓚ; E-Austr., S-Austr., NZ
- **ramentacea** Burch. ex Harv. et Sond. | ♃ ⓚ Off.; SW-Kap
- **regia** Stephens | ♄ ⓚ; Kap
- **rotundifolia** L. · Rundblättriger Sonnentau · Round Leaved Sundew · Rossolis à feuilles rondes | ♃ VII-VIII ▽; Eur.*, TR, Syr., Cauc., W-Sib., E-Sib., Amur, Sachal., Kamchat., Jap., Alaska, Can., USA: NE, NCE, NC, SE, Rocky Mts., NW, Calif.
- **spathulata** Labill. | ♃ ⓚ; Jap., China, Taiwan, Malay. Arch., E-Austr., Tasman., NZ
- **villosa** A. St.-Hil. | ♃ ⓚ; SE-Austr., S-Austr., Tasman.

Drosophyllum Link -n- *Droseraceae* · Taublatt
- **lusitanicum** (L.) Link | ♄ ⓚ ▽; SW-Sp., P, N-Maroc.

Dryandra R. Br. -f- *Proteaceae*
- **carduacea** Lindl. | ♄; W-Austr.
- **floribunda** R. Br. | ♄ ⓚ; W-Austr.
- **formosa** R. Br. | ♄ ⓚ ✂; W-Austr.
- **nivea** R. Br. | ♄ ⓚ; W-Austr.
- **nobilis** Lindl. | ♄; W-Austr.
- **polycephala** Benth. | ♄ ⓚ ✂; W-Austr.
- **quercifolia** C.F.W. Meissn. · Oak Leaved Dryandra | ♄ ⓚ ✂; W-Austr.
- **squarrosa** R. Br. | ♄ ⓚ ✂; W-Austr.

Dryas L. -f- *Rosaceae*
- **drummondii** Richardson ex Hook. · Yellow Mountain Avens
  - var. **tomentosa** (Farr) Williams
- *integrifolia* Vahl = Dryas octopetala var. integrifolia
- *lanata* Stein ex Correvon = Dryas octopetala var. argentea
- **octopetala** L. · Weiße Silberwurz · Mountain Avens · Dryade à huit pétales | ♃ VI-VIII
  - subsp. *chamaedryfolia* (Crantz) Gams = Dryas octopetala
  - var. **argentea** Blytt
  - var. **integrifolia** (Vahl) Hook. f.
  - var. *vestita* Beck = Dryas octopetala var. argentea
- × **suendermannii** Sünd. (*D. drummondii* × *D. octopetala*)
- *tenella* Pursh = Dryas octopetala var. integrifolia
- *tomentosa* Farr = Dryas drummondii var. tomentosa
- *vestita* (Beck) hort. = Dryas octopetala var. argentea

Drymoglossum = Pyrrosia Mirb.
- *carnosum* Cunn. ex J. Sm. = Pyrrosia confluens
- *carnosum* Hook. = Lemmaphyllum carnosum
- *heterophyllum* C. Chr. = Pyrrosia heterophylla
- *niphoboloides* (Luerss.) Baker = Pyrrosia niphoboloides
- *piloselloides* (L.) C. Presl = Pyrrosia heterophylla

Drymonia Mart. -f- *Gesneriaceae*
– *punctata* Lindl. = Episcia punctata
– **serrulata** (Jacq.) Mart. | ♄ ⓦ ⌇ ⤳; Mex., C-Am., W.Ind., trop. S-Am.
– *spectabilis* (Humb., Bonpl. et Kunth) Mart. = Drymonia serrulata
– **turrialvae** Hanst. | ♄ ⓦ; Costa Rica, Panama, Col., Ecuad.

Drynaria (Bory) J. Sm. -f- *Polypodiaceae*
– **quercifolia** (L.) J. Sm. · Squirrel Head | ♃ ⓦ; Malay. Arch., Austr., Polyn.
– **rigidula** (Sw.) Bedd. · Basket Fern | ♃ ⓦ; Ind., S-China, Malay. Pen., Austr.: Queensl., Polyn.

Dryobalanops C.F. Gaertn. -f- *Dipterocarpaceae*
– **aromatica** C.F. Gaertn. · Baru Camphor | ♄ ⓦ Ⓝ; Sumat., N-Kalimantan

Dryopteris Adans. -f- *Dryopteridaceae* · Wurmfarn
– *abbreviata* (DC.) Newman = Dryopteris oreades
– **affinis** (Lowe) Fraser-Jenk. · Spreuschuppiger Wurmfarn · Golden Shield Fern · Fougère à écailles dorées | ♃ VII-IX; Eur.*, TR, Maroc.
– **assimilis** S. Walker | ♃; Eur.*; N, mts.
– **atrata** (Wall.) Ching · Fougère trompe-d'éléphant | ♃ ∧; N-Ind., China, Taiwan, Jap.
– *austriaca* (Jacq.) Woyn. ex Schinz et Thell. = Dryopteris dilatata
– × **bootii** (Tuck.) Underw. (*D. cristata* × *D. intermedia*) | ♃; Can.: E; USA: NE, Tenn.
– *borreri* (Newman) Oberh. et Tavel = Dryopteris affinis
– **carthusiana** (Vill.) H.P. Fuchs · Dorniger Wurmfarn, Gewöhnlicher Dornfarn · Charterhouse Shield Fern · Dryoptéris de la Chartreuse | ♃ VII-VIII; Eur.*, TR, W-As.
– × **complexa** Fraser-Jenk. (*D. affinis* × *D. filix-mas*)
– **cristata** (L.) A. Gray · Kamm-Wurmfarn, Kammfarn · Crested Wood Fern | ♃ ~ VII-IX ▽; Eur.*, W-Sib., Can., USA: NE, NCE, NC, SE, Mont.
– *decursive-pinnata* (H.C. Hall) Kuntze = Phegopteris decursive-pinnata
– × **deweverii** (Jansen) Jansen et Wacht. (*D. carthusiana* × *D. dilatata*) · Dewewers Dornfarn
– **dilatata** (Hoffm.) A. Gray · Breitblättriger Wurmfarn, Breitblättriger Dornfarn · Broad Buckler Fern · Fougère dilatée | ♃ VII-IX; Eur.*, TR, Cyprus, Cauc., N-As., N-Am., Greenl.
 - var. *alpina* T. Moore = Dryopteris assimilis
– **erythrosora** (Eaton) Kuntze · Rotschleier-Farn · Japanese Shield Fern · Fougère à indusies rouges | ♃; China, Korea, Jap., Taiwan, Phil.
– **expansa** (C. Presl) Fraser-Jenk. et Jermy · Feingliedriger Dornfarn | ♃ VII-VIII
filix mas (L.) Schott · Gewöhnlicher Wurmfarn · Male Fern · Fougère mâle | ♃ Off. VII-IX ☠; Eur.*, TR, Cauc., W-Sib., E-Sib., C-As., Him., Ind., China, Korea, Jap., Taiwan, NW-Afr., N-Am., Mex., Jamaica, S-Am. (Anden), E-Bras.
– **fragrans** (L.) Schott · Fragrant Fern | ♃ △; Eur.: FIN; W-Sib., E-Sib., Amur, Sachal., Kamchat., Korea, N-Jap., Alaska, Can., USA: NE, NCE; Greenl.
– **goldiana** (Hook.) A. Gray · Riesen-Wurmfarn · Goldie's Wood Fern · Dryoptéris géant | ♃; Can.: E; USA: NE, NCE, SE
– *hexagonoptera* (Michx.) C. Chr. = Phegopteris hexagonoptera
– **hirtipes** (Blume) Kuntze | ♃ ⓚ ∧; Him., Ind., Sri Lanka, S-China, Indochina., Malay. Pen., Polyn.
– *lepida* (T. Moore) C. Chr. = Cyclosorus arcuatus
– *limbosperma* (All.) Bech. = Oreopteris limbosperma
– *linnaeana* C. Chr. = Gymnocarpium dryopteris
– **marginalis** (L.) A. Gray · Marginal Shield Fern | ♃ △; Can.: E; USA: NE, NCE, Mo., Okla., SE
– *montana* (Vogler) Kuntze = Oreopteris limbosperma
– *noveboracensis* (L.) A. Gray = Parathelypteris noveboracensis
– **odontoloma** C. Chr. | ♃; Him.
– **oreades** Fomin · Geröll-Wurmfarn · Mountain Male Fern | ♃ VII-VIII; Eur.: BrI, Fr, D, Ib., Ap; Cauc.
– *oreopteris* (Ehrh.) Maxon = Oreopteris limbosperma
– *paleacea* auct. = Dryopteris affinis
– *palustris* (L.) A. Gray = Thelypteris palustris

– *parasitica* (L.) Kuntze = Christella dentata
– *phegopteris* (L.) C. Chr. = Phegopteris connectilis
– *pseudomas* (Woll.) Holub et Pouzar = Dryopteris affinis
– **remota** (A. Braun ex Döll) Druce · Entferntfiedriger Dornfarn | ♃ VII-VIII; Eur.* exc. BrI; TR
– *rigida* (Sw.) A. Gray = Dryopteris villarii
– *robertiana* (Hoffm.) C. Chr. = Gymnocarpium robertianum
– **sarvelae** Fraser-Jenk. et Jermy (*D. carthusiana* × *D. expansa*) · Sarvelas Dornfarn
– **sieboldii** (Van Houtte) Kuntze · Christmas Fern | ♃ Ⓚ ∧; Jap., Taiwan
– *spinulosa* D. Watt = Dryopteris carthusiana
  - var. *americana* (Fisch.) Fernald = Dryopteris dilatata
  - var. *dilatata* (Hoffm.) D. Watt = Dryopteris dilatata
– *standishii* (T. Moore) C. Chr. = Arachniodes standishii
– × **tavelii** Rothm.
– *thelypteris* (L.) A. Gray = Thelypteris palustris
– **villarii** (Bellardi) Woyn. ex Schinz et Thell. · Starrer Wurmfarn | ♃ △ VII-VIII; Eur.: Fr, C-Eur., Ba, ? PL; mts.; Cauc., Iran, Afgh., NW-Afr.
– **wallichiana** (Spreng.) Hyl. · Alpine Wood Fern | ♃; Pakist., Nepal, Myanmar, China

Drypis L. -f- *Caryophyllaceae*
– **spinosa** L. | ♃; Ba. I

Duboisia R. Br. -f- *Solanaceae*
– **hopwoodii** F. Muell. · Pituri | Ⓝ; Austr.
– **leichhardtii** F. Muell. | Ⓝ; Austr.
– **myoporoides** R. Br. · Corkwood | ♄ ♄ Ⓚ Ⓝ; Austr.: Queensl., N.S.Wales; N.Caled.

Duchesnea Sm. -f- *Rosaceae*
– **indica** (Andrews) Focke · Schein-Erdbeere · Indian Strawberry, Mock Strawberry · Faux-fraisier | ♃ Ⓚ ⌇ ⇝ ⁂ V-IX; Ind., China, Jap., nat. in USA, S-Eur.

Dudleya Britton et Rose -f- *Crassulaceae*
– **caespitosa** (Haw.) Britton et Rose | ♃ Ψ Ⓚ III-IV; C-Calif.
– **candida** Britton | ♃ Ψ Ⓚ; Mex.: Baja Calif.
– *cotyledon* (Jacq.) Britten et Rose = Dudleya caespitosa
– **cymosa** (Lem.) Britton et Rose · Canyon Live Forever | ♃ Ψ Ⓚ VII-VIII; Calif.
– **densiflora** (Rose) Moran | ♃ Ψ Ⓚ VI-VIII; Calif.
– **edulis** (Nutt.) Moran | ♃ Ψ Ⓚ; S-Calif., N-Baja Calif.
– **farinosa** (Lindl.) Britton et Rose · Powdery Live Forever | ♃ Ψ Ⓚ III-IV; Calif.
– **pulverulenta** (Nutt.) Britton et Rose | ♃ Ψ Ⓚ IV-VI; Calif., Mex.
– *purpusii* (K. Schum.) Britten et Rose = Dudleya cymosa
– **rigida** Rose | ♃ Ψ Ⓚ VII-VIII; Mex.: Baja Calif.
– **variegata** (S. Watson) Moran | ♃ Ψ Ⓚ; S-Calif., Baja Calif.

Dulacia Vell. -f- *Olacaceae*
– **inopiflora** (Miers) Kuntze · Potency Wood | ♄ Ⓦ; Col., Venez., Bras., Peru

Duranta L. -f- *Verbenaceae*
– **erecta** L. · Pigeon Berry, Skyflower | ♄ Ⓚ VIII; USA: Calif., Tex.; Mex., W.Ind., S-Am.
– **lorentzii** Griseb. | ♄ Ⓚ ⁂; Arg.
– *plumieri* Jacq. = Duranta erecta
– *repens* L. = Duranta erecta

Durio Adans. -m- *Bombacaceae*
– **zibethinus** Murray · Durian | ♄ Ⓦ Ⓝ; Malay. Arch.

Duvalia Haw. -f- *Asclepiadaceae*
– **pillansii** N.E. Br. | ♃ Ψ Ⓚ; Kap
– **polita** N.E. Br. | ♃ Ψ Ⓚ; Mozamb., Namibia, S-Afr.: Transvaal
– **radiata** (Sims) Haw. | ♃ Ψ Ⓚ; S-Afr.: Kap, Orange Free State

Dyckia Schult.f. -f- *Bromeliaceae*
– **altissima** Lindl. | ♃ Ⓚ; Bras.
– **brevifolia** Baker | ♃ Ⓚ; Bras.
– **encholirioides** (Gaudich.) Mez
  - var. **rubra** (Wittm.) Reitz | ♃ Ⓚ; S-Bras.
– **fosteriana** L.B. Sm. | ♃ Ⓚ; Bras.
– **rariflora** Schult. f. | ♃ Ⓚ; Bras.
– **remotiflora** Otto et A. Dietr. | ♃ Ⓚ; Urug.

– *rubra* Wittm. = Dyckia encholirioides var. rubra
– **velascana** Mez | ♃ Ⓚ; Arg.

Dyera Hook.f. -f- *Apocynaceae*
– **costulata** (Miq.) Hook. f. | ♄ Ⓝ; Malay. Arch.

Dyssodia Cav. -f- *Asteraceae*
– *tenuiloba* (DC.) B.L. Rob. = Thymophylla tenuiloba

Eberlanzia Schwantes -f- *Aizoaceae*
– **spinosa** (L.) Schwantes | ♄ Ψ Ⓚ; Kap, Namibia

Ebnerella = Mammillaria Haw.
– *aureilanata* (Backeb.) Buxb. = Mammillaria aureilanata
– *bocasana* (Poselg.) Buxb. = Mammillaria bocasana
– *carretii* (Rebut ex K. Schum.) Buxb. = Mammillaria carretii
– *fraileana* (Britten et Rose) Buxb. = Mammillaria fraileana
– *glochidiata* (Mart.) Buxb. = Mammillaria wildii
– *plumosa* (F.A.C. Weber) Buxb. = Mammillaria plumosa
– *schiedeana* (C. Ehrenb.) Buxb. = Mammillaria schiedeana
– *seideliana* (Quehl) Buxb. = Mammillaria seideliana
– *surculosa* (Boed.) Buxb. = Mammillaria surculosa
– *wildii* (A. Dietr.) Buxb. = Mammillaria wildii
– *zephyrantoides* (Scheidw.) Buxb. = Mammillaria zephyranthoides

Ebracteola Dinter et Schwantes -f- *Aizoaceae*
– **montis-moltkei** (Dinter) Dinter et Schwantes | ♃ Ψ Ⓚ; Namibia

Ecballium A. Rich. -n- *Cucurbitaceae*
– **elaterium** (L.) A. Rich. · Squirting Cucumber | ⊙ ⇝ VI-VIII ☠; Eur.: Ib, Fr, Ap, Ba, EC-Eur.; TR, Levante, Cauc., C-As., NW-Afr., Libya, nat. in BrI, EC-Eur.

Ecclinusa Mart. -f- *Sapotaceae*
– **balata** Ducke · Conquirama | ♄ Ⓝ; Amazon.

Eccremocarpus Ruiz et Pav. -m- *Bignoniaceae*
– **scaber** Ruiz et Pav. · Schönranke · Glory Flower · Bignone du Chili | ⊙ ♃ ♄ ♄ § VI-X; Chile

Echeveria DC. -f- *Crassulaceae*
– **affinis** E. Walther | ♃ Ψ Ⓚ IV-V; Mex.
– **agavoides** Lem. | ♃ Ψ Ⓚ; Mex.
– **amoena** De Smet | ♃ Ψ Ⓚ III-V; Mex.
– *argentea* Lam. = Dudleya pulverulenta
– *bracteosa* (Baker) E. Morren = Pachyphytum bracteosum
– *caespitosa* (Haw.) Britton et Rose = Dudleya caespitosa
– *candida* (Britton) A. Berger = Dudleya candida
– **carnicolor** (Baker) E. Morren | ♃ Ψ Ⓚ I-III; Mex.
– *clavifolia* hort. ex E. Walther = × Pachyveria clavata
– **coccinea** (Cav.) DC. | ♄ Ψ Ⓚ VI-VIII; Mex.
– *cotyledon* (Jacq.) A. Nelson et J.F. Macbr. = Dudleya caespitosa
– **cuspidata** Rose | ♃ Ψ Ⓚ VI-VII; Mex.
– *cymosa* Lem. = Dudleya cymosa
– *densiflora* (Rose) A. Berger = Dudleya densiflora
– **derenbergii** J.A. Purpus · Painted Lady | ♃ Ψ Ⓚ IV-VI; Mex.
– *desmetiana* E. Morren = Echeveria peacockii
– *edulis* (Nutt.) A. Berger = Dudleya edulis
– **elegans** Rose | ♄ Ψ Ⓚ III-VII; Mex.
– *farinosa* Lindl. = Dudleya farinosa
– **fulgens** Lem. | ♄ Ψ Ⓚ XI-IV; Mex.
– **gibbiflora** DC. | ♄ Ψ; Mex.
  - var. *typica* A. Berger = Echeveria gibbiflora
– **gigantea** Rose et Purpus | ♄ Ψ Ⓚ IX-X; Mex.
– *glauca* Baker = Echeveria secunda var. glauca
– **harmsii** J.F. Macbr. | ♃ Ψ Ⓚ V-VII; Mex.
– **laui** Moran et Meyrán | ♃ Ψ Ⓚ X-III; Mex.
– **leucotricha** J.A. Purpus | ♄ Ψ Ⓚ III-V; Mex.
– *linguifolia* Lem. = Cremnophila linguifolia
– **longissima** E. Walther | ♃ Ψ Ⓚ; Mex.
– **lutea** Rose | ♃ Ψ Ⓚ; Mex.
– **microcalyx** Britton et Rose | ♃ Ψ Ⓚ;

Mex.
- **multicaulis** Rose | ħ Ψ ⌂K IV-V; Mex.
- *mutabilis* Deleuil ex E. Morren = × Cremneria mutabilis
- **nodulosa** (Baker) Otto | ħ Ψ ⌂K III-IV; Mex.
- *pachyphytum* (Baker) E. Morren = Pachyphytum bracteosum
- **paniculata** A. Gray | ♃ Ψ ⌂K; Mex.
- **peacockii** Croucher | ♃ Ψ ⌂K IV-VII; Mex.
- *perelegans* A. Berger = Echeveria elegans
- **pilosa** J.A. Purpus | ♄ Ψ ⌂K VI; Mex.
- **pringlei** (S. Watson) Rose | ♃ Ψ ⌂K III-IV; Mex.
- *pubescens* Schltdl. = Echeveria coccinea
- **pulchella** A. Berger | ♃ Ψ ⌂K IV-V; Mex.
- **pulidonis** E. Walther | ♃ Ψ ⌂K II-IV; E-Mex.
- *pulverulenta* Nutt. = Dudleya pulverulenta
- **pulvinata** Rose | ♄ Ψ ⌂K III-IV; Mex.
- *pumila* Schltdl. = Echeveria secunda var. pumila
- **pumila** Van Houtte | ♃ Ψ; Mex.
  - var. **glauca** Van Houtte | ♃ Ψ ⌂K IV-VI; Mex.
- *purpusii* (K. Schum.) Wittm. = Dudleya cymosa
- *purpusii* Britten = Echeveria microcalyx
- **purpusorum** A. Berger | ♃ Ψ ⌂K V-VI; S-Mex.
- **quitensis** (Humb., Bonpl. et Kunth) Lindl. | ♄ Ψ ⌂K VII-VIII; Col., Ecuad.
- *retusa* Lem. = Echeveria fulgens
- *rigida* (Rose) A. Berger = Dudleya rigida
- **secunda** Booth | ♃ Ψ ⌂K III-IV; Mex.
  - var. **glauca** (Baker) Otto | ♃ Ψ
  - var. **pumila** (Schltdl.) Otto | ♃ Ψ
- **setosa** Rose et Purpus | ♃ Ψ ⌂K IV-VII; Mex.

Echidnopsis Hook.f. -f- *Asclepiadaceae* · Schlangenstapelie
- **cereiformis** Hook. f. | ♃ Ψ ⌂K; S-Arab., Eth., Somalia

Echinacea Moench -f- *Asteraceae*
- **angustifolia** DC. · Cone Flower | ♃ Ψ Off. VII-IX; Can.: Sask., Man.; USA: SC, NC, Rocky Mts.
- **purpurea** (L.) Moench · Purple Cone Flower · Echinacée pourpre | ♃ Ψ Off. VII-IX; USA: NE, NCE, SE

Echinaria Desf. -f- *Poaceae*
- **capitata** (L.) Desf.; Eur.: Ib, Fr, Ap, Ba, Krim; NW-Afr., Cyprus, Syr., C-As.

Echinocactus Link et Otto -m- *Cactaceae* · Kugelkaktus
- *andreae* Boed. = Gymnocalycium andreae
- *anisitsii* K. Schum. = Gymnocalycium anisitsii
- *baldianus* Speg. = Gymnocalycium baldianum
- *bicolor* Pfeiff. = Thelocactus bicolor
- *chilensis* Hildm. ex K. Schum. = Neoporteria chilensis
- *chrysacanthus* Orcutt = Ferocactus chrysacanthus
- *conothelos* Regel et Klein = Thelocactus conothelos
- *coptonogonus* Lem. = Echinofossulocactus coptonogonus
- *crassihamatus* Galeotti = Sclerocactus uncinatus var. crassihamatus
- *cylindraceus* Engelm. = Ferocactus cylindraceus
- *denudatus* Link et Otto = Gymnocalycium denudatum
- *echidne* DC. = Ferocactus echidne
- *emoryi* Engelm. = Ferocactus emoryi
- *erectocentrus* J.M. Coult. = Echinomastus erectocentrus
- *flavovirens* Scheidw. = Ferocactus flavovirens
- *fordii* Orcutt = Ferocactus fordii
- *fossulatus* Scheidw. = Thelocactus hexaedrophorus
- *gibbosus* (Haw.) DC. = Gymnocalycium gibbosum
- *gielsdorfianus* Werderm. = Turbinicarpus gielsdorfianus
- *glaucescens* DC. = Ferocactus glaucescens
- *glaucus* K. Schum. = Sclerocactus glaucus
- *grandis* Rose = Echinocactus platyacanthus var. grandis
- **grusonii** Hildm. · Barrel Cactus, Mother-in-law's Seat | Ψ ⌂K ✻; Mex.
- *hamatacanthus* Muehlenpf. = Ferocactus hamatacanthus
- *haynei* Otto ex Salm-Dyck = Matucana haynei
- *heterochromus* F.A.C. Weber = Thelocactus heterochromus
- *hexaedrophorus* Lem. = Thelocactus

hexaedrophorus
- *histrix* (DC.) G.E. Linds. = Ferocactus histrix
- **horizonthalonius** Lem. | ♆ Ⓚ ✻; USA: SC, SW; N-Mex.
- *ingens* Zucc. = Echinocactus platyacanthus
- *intertextus* Engelm. = Echinomastus intertextus
- *johnsonii* Engelm. = Echinomastus johnsonii
- *latispinus* (Haw.) Hemsl. = Ferocactus latispinus
- *leucacanthus* Zucc. ex Pfeiff. = Thelocactus leucacanthus
- *lewinii* Ochot. = Lophophora williamsii var. lutea
- *macrodiscus* Mart. = Ferocactus macrodiscus
- *mandragora* A. Berger = Turbinicarpus mandragora
- *mariposensis* Hester = Echinomastus mariposensis
- *mihanovichii* Fric et Gürke = Gymnocalycium mihanovichii
- *monvillei* Lem. = Gymnocalycium monvillei
- *multicostatus* Hildm. ex K. Schum. = Echinofossulocactus multicostatus
- *multiflorus* Hook. = Gymnocalycium multiflorum
- *palmeri* Rose = Echinocactus platyacanthus
- *pectinatus* Scheidw. = Echinocereus pectinatus
- *peninsulae* F.A.C. Weber = Ferocactus peninsulae
- *phyllacanthus* Mart. = Echinofossulocactus phyllacanthus
- *pilosus* (Salm-Dyck) Werderm. = Ferocactus pilosus
- *platensis* Speg. = Gymnocalycium platense
- **platyacanthus** Link et Otto | ♆ Ⓚ ✻; Mex.
  - var. **grandis** (Rose) Krainz | ♆ Ⓚ
- *polyancistrus* Engelm. et Bigelow = Sclerocactus polyancistrus
- **polycephalus** Engelm. et Bigelow · Cottontop Cactus | ♆ Ⓚ
  - var. **xeranthemoides** J.M. Coult. | ♆ Ⓚ
- *pottsii* Salm-Dyck = Ferocactus pottsii
- *quehlianus* Haage = Gymnocalycium quehlianum
- *rhodacanthus* Salm-Dyck = Denmoza rhodacantha
- *rinconensis* Poselg. = Thelocactus rinconensis
- *ritteri* Boed. = Aztekium ritteri
- *robustus* Pfeiff. = Ferocactus robustus
- *roseanus* Boed. = Escobaria roseana
- *saglionis* Cels = Gymnocalycium saglionis
- *saueri* Boed. = Turbinicarpus saueri
- *scheerii* Salm-Dyck = Sclerocactus scheerii
- *schickendantzii* F.A.C. Weber = Gymnocalycium schickendantzii
- *schmiedickeanus* Boed. = Turbinicarpus schmiedickeanus
- *setispinus* Engelm. = Thelocactus setispinus
- *simpsonii* Engelm. = Pediocactus simpsonii
- *smithii* Muehlenpf. = Neolloydia smithii
- *stainesii* (Salm-Dyck) Britton et Rose = Ferocactus pilosus
- **texensis** Hopffer | ♆ Ⓚ ✻; USA: Tex., N.Mex.; NE-Mex.
- *tulensis* Poselg. = Thelocactus tulensis
- *turbiniformis* Pfeiff. = Strombocactus disciformis
- *uncinatus* Galeotti = Sclerocactus uncinatus
- *unguispinus* Engelm. = Echinomastus unguispinus
- *vaupelianus* Werderm. = Echinofossulocactus vaupelianus
- *viereckii* Werderm. = Turbinicarpus viereckii
- *viridescens* Torr. et A. Gray = Ferocactus viridescens
- *visnaga* Hook. = Echinocactus platyacanthus
- *weberbaueri* Vaupel = Matucana myriacantha
- *wislizeni* Engelm. = Ferocactus wislizenii

Echinocereus Engelm. -m- *Cactaceae* · Igelsäulenkaktus
- *aggregatus* (Engelm.) Rydb. = Echinocereus triglochidiatus var. melanacanthus
- *armatus* (Poselg.) A. Berger = Echinocereus reichenbachii var. armatus
- *baileyi* Rose = Echinocereus reichenbachii var. baileyi
- **berlandieri** (Engelm.) Haage | ♆ Ⓚ ✻; S-Tex., NE-Mex.
  - var. *poselgerianus* (Linke) Backeb. =

Echinocereus berlandieri
– *blanckii* hort. = Echinocereus berlandieri
 - var. *berlandieri* (Engelm.) Backeb. = Echinocereus berlandieri
– *caespitosus* (Engelm.) Engelm. = Echinocereus reichenbachii
– **chloranthus** (Engelm.) Haage | Ψ ⓚ ✻; USA: Tex., N.Mex.; N-Mex.
– **cinerascens** (DC.) Lem. | Ψ ⓚ ✻; Mex.
– *coccineus* Engelm. = Echinocereus triglochidiatus var. melanacanthus
– *cucumis* Werderm. = Echinocereus gentryi
– *dasyacanthus* Engelm. = Echinocereus pectinatus var. dasyacanthus
– *dubius* (Engelm.) Rümpler = Echinocereus enneacanthus
– **engelmannii** (Scheidw.) Engelm. · Saints Cactus | Ψ ⓚ ✻; USA: Ariz., Utah, Calif.; NE-Mex.
– **enneacanthus** Engelm. · Strawberry Cactus | Ψ ⓚ ✻; USA: N.Mex., Tex.; NE-Mex.
– **fendleri** (Engelm.) Rümpler · Hedgehog Cactus | Ψ ⓚ ✻; USA: Colo., SW, Tex; Mex.: Chihuahua
– *fitchii* Britton et Rose = Echinocereus reichenbachii var. fitchii
– **gentryi** Clover | Ψ ⓚ
– *hexaedrus* (Engelm.) Rümpler = Echinocereus triglochidiatus var. melanacanthus
– **knippelianus** Liebner | Ψ ⓚ ✻; Mex.: Coahuila, Nuevo Leon
– *leptacanthus* (DC.) K. Schum. = Echinocereus pentalophus
– *leucanthus* N.P. Taylor = Wilcoxia albiflora
– *luteus* Britton et Rose = Echinocereus subinermis
– *melanocentrus* Lowry = Echinocereus reichenbachii var. fitchii
– *merkeri* Hildm. ex K. Schum. = Echinocereus enneacanthus
– *oklahomensis* Lahman = Echinocereus reichenbachii var. baileyi
– **papillosus** Rümpler | Ψ ⓚ ✻; S-Tex.
– **pectinatus** (Scheidw.) Engelm. · Hedgehog Cactus, Rainbow Cactus | Ψ ⓚ ✻; USA: SC, SW; N-Mex.
 - var. **dasyacanthus** (Engelm.) N.P. Taylor · Texas Rainbow Cactus | Ψ ⓚ
 - var. *reichenbachii* (Walp.) Krainz = Echinocereus reichenbachii
 - var. *rigidissimus* (Engelm.) Rümpler = Echinocereus rigidissimus
 - var. *rubispinus* G. Frank et A.B. Lau = Echinocereus rigidissimus var. rubispinus
 - var. **wenigeri** L.D. Benson | Ψ ⓚ
– **pentalophus** (DC.) Lem. · Lady Finger Cactus | Ψ ⓚ ✻; S-Tex., E-Mex.
 - var. *procumbens* (Engelm.) P. Fourn. = Echinocereus pentalophus
– *perbellus* Britton et Rose = Echinocereus reichenbachii var. perbellus
– *poselgeri* Lem. = Wilcoxia poselgeri
– *purpureus* Lahman = Echinocereus reichenbachii
– **reichenbachii** (Walp.) Haage · Reichenbachii | Ψ ⓚ; SW-USA, NE-Mex.
 - var. **armatus** (Poselg.) N.P. Taylor | Ψ ⓚ
 - var. **baileyi** (Rose) N.P. Taylor | Ψ ⓚ
 - var. **fitchii** (Britton et Rose) L.D. Benson | Ψ ⓚ ✻; S-Tex., Mex.: Nuevo León, Tamaulipas
 - var. **perbellus** (Britton et Rose) L.D. Benson | Ψ ⓚ
– **rigidissimus** (Engelm.) Haage | Ψ ⓚ ✻; USA: SW; NW-Mex.
 - var. **rubispinus** (G. Frank et A.B. Lau) N.P. Taylor | Ψ ⓚ
– *roemeri* (Muehlenpf.) Rydb. = Echinocereus triglochidiatus var. melanacanthus
– *roetteri* (Engelm.) Rümpler = Echinocereus pectinatus var. dasyacanthus
– *sarissophorus* Britton et Rose = Echinocereus enneacanthus
– **scheeri** (Salm-Dyck) Scheer | Ψ ⓚ; N-Mex.
 - var. *gentryi* (Clover) N.P. Taylor = Echinocereus gentryi
– *schmollii* (Weing.) N.P. Taylor = Wilcoxia schmollii
– *spinosissimus* Walton = Echinocereus pectinatus var. dasyacanthus
– **stramineus** (Engelm.) Rümpler | Ψ ⓚ ✻; USA: Tex., N.Mex.; N-Mex.
– **subinermis** Salm-Dyck ex Scheer | Ψ ⓚ ✻; NW-Mex.
 - var. *luteus* Britton et Rose = Echinocereus subinermis
– **triglochidiatus** Engelm. · King Cup Cactus | Ψ ⓚ ✻; USA: SC, SW, Rocky Mts.; N-Mex.
 - var. **melanacanthus** (Engelm.) L.D.

Benson · Scarlet Hedgehog Cactus | Ψ Ⓚ
- **viridiflorus** Engelm. · Nylon Hedgehog Cactus | Ψ Ⓚ
  - var. *chloranthus* (Engelm.) Backeb. = Echinocereus chloranthus

Echinochloa P. Beauv. -f- *Poaceae* · Hühnerhirse
- **colonum** (L.) Link · Schamahirse | ⊙ VII-IX Ⓝ; Trop., nat. in Ib, F, Ap, Crete, Cauc.
- **crus-galli** (L.) P. Beauv. · Gewöhnliche Hühnerhirse · Barnyard Grass, Cockspur | ⊙ X-VII Ⓝ; Eur.: Ib, Fr, Ap, Ba, E-Eur.; Cauc., W-Sib., E-Sib., Amur, C-As., Ind., China, Jap., Afr., N-Am., S-Am., Austr., nat. in Eur.: Sc, C-Eur., EC-Eur.; cosmop.
- **crus-pavonis** (Humb., Bonpl. et Kunth) Schult. | ⊙ Ⓝ; USA: SE, SC; W.Ind., trop. Am., nat. in N-I
- *erecta* (Pollacci) Pignatti = Echinochloa colonum
- **frumentacea** (Roxb.) Link · Sawahirse | Ⓝ; Ind., SE-As, nat. in China, Jap., USA
- **muricata** (P. Beauv.) Fernald · Stachelfrüchtige Hühnerhirse | X-VII, nat. in D
- **pyramidalis** (Lam.) Hitchc. et Chase · Antilopengras | ♃ Ⓝ; Afr.: Nil, Niger-Sudd
- **stagnina** (Retz.) P. Beauv. | ♃ Ⓝ; C-Afr., As.
- **utilis** Ohwi et Yabuno · Japanische Hirse | Ⓝ; Jap., China

Echinocystis Torr. et A. Gray -f- *Cucurbitaceae* · Igelgurke
- *echinata* Britton, Stearn et Poggenb. = Echinocystis lobata
- **lobata** (Michx.) Torr. et A. Gray · Stachelgurke · Prickly Cucumber, Wild Balsam Apple | ⊙ ≹ VI-VIII; Can.: Sask.; USA* exc. Calif., nat. in C-Eur., EC-Eur., W-Ba, E-Eur.

Echinodorus Rich. ex Engelm. -m- *Alismataceae*
- **amazonicus** Rataj | ♃ Ⓦ ~ ♠; Amazon.
- *argentinensis* Rataj = Echinodorus grandiflorus
- *aureobrunneus* hort. = Echinodorus osiris
- **berteroi** (Spreng.) Fassett | ♃ Ⓦ ~ ♠; USA: Tex., Fla.; Mex., W. Ind.
- **bleheri** Rataj | ♃ Ⓦ ~ ♠; Amazon.
- *brevipedicellatus* auct. non (Kuntze) Buchenau = Echinodorus amazonicus
- **cordifolius** (L.) Griseb. · Creeping Burrhead | ♃ Ⓦ ~ ♠; USA: NE, NCE, NC, Kans., SE, Fla.; Mex.
- **grandiflorus** (Cham. et Schltdl.) Micheli | ♃ Ⓦ ~ ♠; S-Bras., Urug., Arg.
- *guianensis* hort. = Echinodorus horizontalis
- **horizontalis** Rataj | ♃ Ⓦ ~ ♠; Amazon.
- **humilis** (Rich.) Buchenau | ♃ Ⓦ ~ ♠; W-Afr., C-Afr., Sudan, Tanzania, Zambia
- *intermedius* auct. non (Mart.) Griseb. = Echinodorus quadricostatus var. xinguensis
- *latifolius* (Seub.) Rataj = Echinodorus quadricostatus var. xinguensis
- **macrophyllus** (Kunth) Micheli | ♃ Ⓦ ~ ♠; S-Am.
- *magdalenensis* Fassett = Echinodorus quadricostatus
- *major* (Micheli) Rataj = Echinodorus martii
- **martii** Micheli | ♃ Ⓦ ~ ♠; Bras.
- **nymphaeifolius** (Griseb.) Buchenau | ♃ Ⓦ ~ ♠; Mex., Hond., Cuba
- **osiris** Rataj | ♃ Ⓦ ♠; Bras.
- *osiris-rubra* hort. = Echinodorus osiris
- *paniculatus* auct. non Micheli = Echinodorus pellucidus
- **paniculatus** Micheli
- **parviflorus** Rataj | ♃ Ⓦ ~ ♠; Amazon.
- **pellucidus** Rataj | ♃ Ⓦ ~ ♠; S-Bras., Urug., Arg.
- *peruensis* hort. = Echinodorus parviflorus
- **quadricostatus** Fassett; Bras.
  - var. **xinguensis** Rataj | ♃ Ⓦ ~ ♠; Bras.
- *radicans* (Nutt.) Engelm. = Echinodorus cordifolius
- *ranunculoides* (L.) Engelm. = Baldellia ranunculoides
- **tenellus** (Mart.) Buchenau | ♃ Ⓦ ~ ♠; USA, Mex., C-Am., W.Ind., trop. S-Am.

Echinofossulocactus Britton et Rose -m- *Cactaceae*
- *albatus* (A. Dietr.) Britton et Rose = Echinofossulocactus vaupelianus
- **coptonogonus** (Lem.) Lawr. | Ψ Ⓚ ✱; C-Mex.

- **crispatus** (DC.) Lawr. | ♆ ⓚ ✻; Mex.
- **gladiatus** (Link et Otto) Lawr. | ♆ ⓚ ✻; Mex.
- *lamellosus* (A. Dietr.) Britton et Rose = Echinofossulocactus crispatus
- *lloydii* (Britton et Rose) A. Berger = Echinofossulocactus multicostatus
- **multicostatus** (Hildm. ex K. Schum.) Britton et Rose | ♆ ⓚ ✻ ⓝ; NE-Mex.
- **phyllacanthus** (Mart.) Lawr. | ♆ ⓚ ✻; C-Mex.
- **vaupelianus** (Werderm.) Tiegel et Oehme | ♆ ⓚ ✻; Mex.: Hidalgo
- *violaciflorus* (Quehl) Britten et Rose = Echinofossulocactus crispatus

Echinomastus = Sclerocactus Britton et Rose
- **durangensis** (Runge) Britton et Rose | ♆ ⓚ ✻; Mex.: Chihuahua, Zacatecas, Durango, San Luis Potosí
- **erectocentrus** (J.M. Coult.) Britton et Rose | ♆ ⓚ ✻; SW-Ariz., Mex.: Sonora
- **intertextus** (Engelm.) Britton et Rose | ♆ ⓚ ✻; USA: Tex., SW; Mex: Chihuahua, Coahuila, Sonora
- **johnsonii** (Engelm.) Baxter | ♆ ⓚ ✻; USA: Calif., Nev., Ariz.
- **mariposensis** Hester | ♆ ⓚ ✻; S-Tex., Mex.: Coahuila
- **unguispinus** (Engelm.) Britton et Rose | ♆ ⓚ; Mex.: Chihuahua, Zacatecas

Echinopanax = Oplopanax (Torr. et A. Gray) Miq.
- *horridus* (Sm.) Sm. ex J.G. Cooper = Oplopanax horridus

Echinopepon Naudin -m- *Cucurbitaceae*
- **wrightii** (A. Gray) S. Watson; W-Tex., Ariz., N-Mex.

Echinops L. -m- *Asteraceae* · Kugeldistel
- **bannaticus** Rochel ex Schrad. · Banater Kugeldistel, Ruthenische Kugeldistel · Blue Globe Thistle · Boule azurée | ♃ VII-IX; Eur.: Ba, Ro, Krim
- *commutatus* Jur. = Echinops exaltatus
- **exaltatus** Schrad. · Drüsenlose Kugeldistel | ♃ VI-VIII; Eur.: NE-I, Ba, EC-Eur., nat. in A, D, DK
- **gmelinii** Turcz.; C-As., Mong., China
- **humilis** M. Bieb. | ♃ VIII-IX; W-As.
- **niveus** Wall. ex Royle · Boule bleue | ♃ VII-VIII; Him.
- *ritro* hort. non L. = Echinops bannaticus
- **ritro** L. | ♃ VII-IX; Eur.: Ib, Fr, Ap, Ba, A, EC-Eur.; TR, Cauc., W-Sib., C-As.
  - subsp. **ruthenicus** (M. Bieb.) Nyman | ♃ VII-IX; Eur.: A, I, Slove., Croatia, BG, Russ.
- *ruthenicus* M. Bieb. = Echinops ritro subsp. ruthenicus
- **sphaerocephalus** L. · Drüsige Kugeldistel · Great Globe Thistle | ♃ VI-VIII; Eur.* exc. BrI, Sc; TR, Cauc., C-As., nat. in Sc

Echinopsis Zucc. -f- *Cactaceae* · Seeigelkaktus
- *albispinosa* K. Schum. = Echinopsis tubiflora
- **ancistrophora** Speg. | ♆ ⓚ; W-Arg.
  - var. *hamatacantha* (Backeb.) Rausch = Echinopsis hamatacantha
  - var. *polyancistra* (Backeb.) Rausch = Echinopsis polyancistra
- **arachnacantha** Buining et F. Ritter | ♆ ⓚ; Arg.: Salta
- **aurea** Britton et Rose | ♆ ⓚ ✻; Arg.: Catamarca
- *backebergii* Werderm. = Lobivia backebergii
- *boyuibenesis* F. Ritter = Echinopsis obrepanda
- *bruchii* (Britton et Rose) A. Cast. et Lelong = Trichocereus bruchii
- **calochlora** K. Schum. | ♆ ⓚ ✻; Bras.: Goias
- *candicans* (Gillies ex Salm-Dyck) D.R. Hunt = Trichocereus candicans
- *chamaecereus* Friedrich et G.D. Rowley = Lobivia silvestrii
- *chrysantha* Werderm. = Lobivia chrysantha
- *cinnabarina* (Hook.) Labour. = Lobivia cinnabarina
- **ferox** (Britton et Rose) Backeb. | ♆ ⓚ ✻; Bol., N-Arg.
- *formosa* (Pfeiff.) Salm-Dyck = Trichocereus formosus
- **hamatacantha** Backeb. | ♆ ⓚ ✻; Arg.: Salta
- *hertrichiana* (Backeb.) D.R. Hunt = Lobivia hertrichiana
- *huascha* (F.A.C. Weber) Friedrich et G.D. Rowley = Trichocereus huascha
- *kermesina* (Krainz) Krainz = Echinopsis mamillosa var. kermesina
- **kratochviliana** Backeb. | ♆ ⓚ ✻

- *kuehnrichii* (Fric) Friedrich et Glaetzle = Lobivia kuehnrichii
- **leucantha** (Gillies ex Salm-Dyck) Walp. | ♆ ⓚ ✻; Arg.
- *leucorhodantha* Backeb. = Echinopsis ancistrophora
- **longispina** (Britton et Rose) Backeb. | ♆ ⓚ ✻; Arg.: Rio Negro
- *macrogona* (Salm-Dyck) Friedrich et G.D. Rowley = Trichocereus macrogonus
- **mamillosa** Gürke | ♆ ⓚ; Bol.: Tarija
  - var. **kermesina** (Krainz) Friedrich | ♆ ⓚ ✻; Arg.: Jujuy
- *maximiliana* Heyder = Lobivia maximiliana
- *melanopotamica* J.A. Purpus = Echinopsis leucantha
- *mirabilis* Speg. = Setiechinopsis mirabilis
- *multiplex* (Pfeiff.) Zucc. = Echinopsis oxygona
- **obrepanda** (Salm-Dyck) K. Schum. | ♆ ⓚ; Bol.: Cochabamba
  - var. **fiebrigii** (Gürke) Friedrich | ♆ ⓚ
- **oxygona** (Link et Otto) Pfeiff. et Otto | ♆ ⓚ ✻; S-Bras., N-Arg.
- *pachanoi* (Britton et Rose) Friedrich et G.D. Rowley = Trichocereus pachanoi
- *pasacana* Friedrich et G.D. Rowley = Trichocereus pasacana
- *pecheretiana* (Backeb.) Friedrich et G.D. Rowley = Trichocereus huascha
- *pelecyrhachis* Backeb. = Echinopsis ancistrophora
- *pentlandii* (Hook.) Salm-Dyck = Lobivia pentlandii
- **polyancistra** Backeb. | ♆ ⓚ D ✻; Arg.: Salta
- *purpureopilosa* (Weing.) Friedrich et G.D. Rowley = Trichocereus purpureopilosus
- **rhodotricha** K. Schum. | ♆ ⓚ ✻; NE-Arg., Parag
- *rojasii* Cárdenas = Echinopsis obrepanda
- *roseolilacina* Cárdenas = Echinopsis obrepanda
- *schickendantzii* (F.A.C. Weber) Friedrich et G.D. Rowley = Trichocereus schickendantzii
- *shaferi* Britton et Rose = Echinopsis leucantha
- *spachiana* (Lem.) Friedr. et G.D. Rowley = Trichocereus spachianus
- *spiniflora* (K. Schum.) A. Berger = Acanthocalycium spiniflorum
- *strigosa* (Salm-Dyck) Friedrich et G.D. Rowley = Trichocereus strigosus
- *tapecuana* F. Ritter = Echinopsis obrepanda
- *tarijensis* (Vaupel) Friedrich et G.D. Rowley = Trichocereus tarijensis
- *terscheckii* (Parm. ex Pfeiff.) Friedrich et G.D. Rowley = Trichocereus terscheckii
- *thelegona* (K. Schum.) Friedrich et G.D. Rowley = Trichocereus thelegonus
- **tubiflora** (Pfeiff.) K. Schum. | ♆ ⓚ ✻; Arg.: Tucuman, Catamarca, Salta
- *violacea* Werderm. = Acanthocalycium spiniflorum 'Violaceum'

Echinospartum (Spach) Fourr. -n- *Fabaceae*
- *horridum* (Vahl) Rothm. = Genista horrida

Echinospermum = Lappula Moench
- *lappula* (L.) Lem. = Lappula squarrosa

Echioides = Arnebia Forssk.
- *longiflora* (K. Koch) Johnst. = Arnebia pulchra

Echites P. Browne -f- *Apocynaceae*
- *mutans* G. Anderson = Prestonia quinquangularis
- *peltatus* Vell. = Peltastes peltatus
- *rubrovenosus* Linden = Prestonia quinquangularis

Echium L. -n- *Boraginaceae* · Natternkopf
- **angustifolium** Mill. | ♃ ⓚ VI-VIII; Eur.: GR, Crete; TR, Levante, NW-Afr.
- *bourgaeanum* Webb ex Coincy = Echium wildpretii
- **callithyrsum** Webb et Berthel. | ♄; Canar.
- **candicans** L. f. · Pride-of-Madeira | ♄ ⓚ IV-VII; Canar.
- **creticum** L. | ⊙ VII-VIII; Eur.: Ib, F, Corse, Sard.; NW-Afr.
- *fastuosum* Jacq. = Echium candicans
- **italicum** L. · Hoher Natternkopf | ⊙ VI-IX; Eur.: Ib, Fr, Ap, Ba, A, EC-Eur., E-Eur.; TR, Syr., Cauc., C-As., Egypt, Libya
- **lusitanicum** L. | ♃; P, W-Sp.
- *lycopsis* L. = Echium plantagineum
- **pininana** Webb et Berthel. | ♃ ⓚ VI-VIII ▽; Canar.: Gran Canaria
- **plantagineum** L. · Wegerichblättriger Natternkopf · Bugloss · Vipérine faux-

plantain | ⊙ ⊙ VI-VIII; Eur.: Ib, Fr, Ap, Ba, BrI, EC-Eur, E-Eur.; TR, Levante, N-Afr., nat. in Cauc.
- *rubrum* Jacq. non Forssk. = Echium russicum
- **russicum** J.F. Gmel. | ⊙ VI-VII; Eur.: A, EC-Eur., Ba, E-Eur.; TR, Cauc.
- *sericeum* Vahl = Echium angustifolium
- **vulgare** L. · Gewöhnlicher Natternkopf · Viper's Bugloss | ⊙ V-VIII ☠; Eur.*, Cauc., TR, Cyprus, W-Sib., C-As.
- **webbii** Coincy | ♄; Canar.
- **wildpretii** H. Pearson ex Hook. f. · Tower-of-Jewels | ♄ Ⓚ VI-VIII ▽; Canar.: Gran Canaria, Teneriffa

Edgeworthia Meisn. -f- *Thymelaeaceae*
- **papyrifera** Siebold et Zucc. | ♄ Ⓚ Ⓝ; China; cult. Jap.

Edmondia Cass. -f- *Asteraceae*
- **sesamoides** (L.) Hilliard | ♄ Ⓚ ✂; S-Afr.

Edraianthus (A. DC.) DC. -m- *Campanulaceae* · Büschelglocke
- *croaticus* (A. Kern.) A. Kern. = Edraianthus graminifolius
- **dalmaticus** (A. DC.) A. DC. · Dalmatinische Büschelglocke | ♃ △ VI-VII; Eur.: Croatia, Bosn., ?Montenegro
- **dinaricus** (A. Kern.) Wettst. | ♃ △ VII-VIII; Eur.: Croatia
- **graminifolius** (L.) A. DC. · Grasartige Büschelglocke · Edraianthus à feuilles de graminée | ♃ △ VII-VIII; Eur.: I, Sic., Ba, RO
- *kitaibelii* (A. DC.) A. DC. = Edraianthus graminifolius
- **parnassicus** (Boiss. et Spruner) Halácsy | ♃ △ VI-VII; GR
- **pumilio** (Port.) A. DC. · Zwerg-Büschelglocke · Campanille | ♃ △ VI-VII; Eur.: Croatia (Biokovo Planina)
  - var. *major* Vis. = Edraianthus dinaricus
- **serpyllifolius** (Vis.) A. DC. | ♃ △ VI-VII; Eur.: Croatia, Bosn., Montenegro, AL
- **tenuifolius** (Waldst. et Kit.) A. DC. | ♃ △ VI-VII; Eur.: Slove., Croatia, Bosn., Montenegro, AL, GR

Edwardsia = Sophora L.
- *grandiflora* Salisb. = Sophora tetraptera
- *macnabiana* Curtis = Sophora microphylla
- *microphylla* (Aiton) Salisb. = Sophora microphylla
- *tetraptera* (J. Mill.) Poir. = Sophora tetraptera

Egeria Planch. -f- *Hydrocharitaceae*
- **densa** Planch. · Dichtblättrige Wasserpest | ♃ Ⓦ Ⓚ ♠ V-VIII; Bras. (Minas Gerais), Urug., N-Arg., nat. in Eur.:BrI, F, C-Eur., I; N-Am., C-Am., Austr., NZ

Ehretia P. Browne -f- *Boraginaceae*
- **acuminata** R. Br. | ♄ VIII; China, Jap.
- **dicksonii** Hance | ♄; China, Taiwan, Ryukyu-Is.
- *microphylla* Lam. = Carmona retusa
- *thyrsiflora* (Siebold et Zucc.) Nakai = Ehretia acuminata

Eichhornia Kunth -f- *Pontederiaceae*
- **azurea** (Sw.) Kunth | ♃ Ⓦ ~ ♠ VI-X; subtrop. Am., trop. Am.
- **crassipes** (Mart.) Solms · Water Hyacinth · Jacinthe d'eau | ♃ Ⓦ ~ ♠ VI-IX; Bras., nat. in Trop., Subtrop., P, Calif.
- **paniculata** (Spreng.) Solms | ♃ Ⓦ ~ VII-VIII; trop. S-Am.
- *speciosa* Kunth = Eichhornia crassipes

Elaeagnus L. -f- *Elaeagnaceae* · Ölweide
- **angustifolia** L. · Schmalblättrige Ölweide · Oleaster, Russian Olive · Olivier de Bohême | ♄ V-VI; TR, Syr., Cauc., Iran, Afgh., Pakist., W-Sib., C-As., Mong., Tibet, Him., nat. in Eur.* exc. BrI, Sc; TR
  - var. **orientalis** (L.) Kuntze
  - var. **spinosa** (L.) Kuntze
- *argentea* hort. = Elaeagnus 'Quicksilver'
- *argentea* Moench = Elaeagnus angustifolia
- *argentea* Pursh = Elaeagnus commutata
- **commutata** Bernh. ex Rydb. · Silber-Ölweide · Silver Berry · Chalef argenté | ♄ D V-VII; Alaska, Can.; USA: NCE, NC, Rocky Mts.
- *crispa* Thunb. = Elaeagnus umbellata
- × **ebbingei** Boom ex Door. (*E. macrophylla* × *E. pungens*) · Wintergrüne Ölweide | ♄ X-XII; cult.
- *edulis* Carrière = Elaeagnus multiflora
- **glabra** Thunb. | ♄ Ⓚ X-XI ∧; China, Jap.
- *longipes* A. Gray = Elaeagnus multiflora
- **macrophylla** Thunb. · Großblättrige

Ölweide | ħ Ⓚ D IX-XI ∧; Jap., Korea, Riukiu-Is.
- **multiflora** Thunb. · Reichblütige Ölweide · Goumi ; China, Korea, Jap.
  - var. **ovata** (Maxim.) Servett.
- *orientalis* L. = Elaeagnus angustifolia var. orientalis
- *parvifolia* Royle = Elaeagnus umbellata var. parvifolia
- **pungens** Thunb. · Dornige Ölweide ; N-China, Jap.
  - var. *reflexa* (Morren et Decne.) C.K. Schneid. = Elaeagnus × reflexa
- × **reflexa** Morren et Decne. (*E. glabra* × *E. pungens*) | ħ Ⓚ D X-XI Ⓝ; cult.
- *spinosa* L. = Elaeagnus angustifolia var. spinosa
- **umbellata** Thunb. · Doldige Ölweide · Autumn Elaeagnus, Autumn Olive ; Him., China, Korea, Jap.
  - var. **parvifolia** (Royle) C.K. Schneid.
- **Cultivars**
  - *'Caspica'* = Elaeagnus 'Quicksilver'
  - **'Quicksilver'**

Elaeis Jacq. -f- *Arecaceae* · Ölpalme
- **guineensis** Jacq. · African Oil Palm | ħ Ⓦ Ⓝ; W-Afr., C-Afr., Angola, E-Afr.
- *melanococca* Gaertn. = Elaeis guineensis
- *melanococca* hort. non Gaertn. = Elaeis oleifera
- **oleifera** (Humb., Bonpl. et Kunth) Cortés · American Oil Palm | ħ Ⓚ Ⓝ; C-Am., trop. S-Am.

Elaeocarpus L. -m- *Elaeocarpaceae* · Ölfrucht, Ganiterbaum
- **cyaneus** W.T. Aiton ex Sims · Blueberry Ash | ħ Ⓚ Ⓝ; Austr.: N.S.Wales
- **floribundus** Blume · Egg Laurel | ħ Ⓦ Ⓝ; Him., Myanmar
- *reticulatus* Sm. = Elaeocarpus cyaneus

Elaeodendron J. Jacq. -n- *Celastraceae*
- **orientale** Jacq. | ħ Ⓦ; Madag., Mauritius

Elaphoglossum Schott ex J. Sm. -n- *Lomariopsidaceae* · Zungenfarn
- **crinitum** (L.) H. Christ | 4 Ⓦ; Mex., Guat., Costa Rica
- **latifolium** (Sw.) J. Sm. | 4 Ⓦ; Mex., W-Ind., trop. S-Am.
- **villosum** (Sw.) J. Sm. | 4 Ⓦ; C-Am., W.Ind.

Elatine L. -f- *Elatinaceae* · Tännel
- **alsinastrum** L. · Quirl-Tännel | 4 ⊙ VII-VIII; Eur.* exc. BrI; Cauc., W-Sib., C-As, Jap., NW-Afr.
- *gyrosperma* Düben ex Meinsh. = Elatine hydropiper
- **hexandra** (Lapierre) DC. · Sechsmänniger Tännel | VI-VIII; Eur.*
- **hydropiper** L. · Wasserpfeffer-Tännel | VI-IX; Eur.*, TR, Cauc., W-Sib.
  - **f. submersa** Seub. | ⊙ Ⓦ Ⓚ ~ ♣; Eur.*, Cauc., W-Sib.
- **macropoda** Guss.; Eur.: Ib, Fr, Ap; TR, Levante, N-Afr.
  - **f. submersa** Glück | 4 Ⓦ Ⓚ ~ ♣; Eur.: Ib, Fr, Cors, Sard., Sic.; TR, Levante, N-Afr.
- **triandra** Schkuhr · Dreimänniger Tännel | VI-IX; Eur.* exc. Ib, BrI; ? C-As., NE-As.

Elatostema J.R. Forst. et G. Forst. -f- *Urticaceae*
- *pulchrum* (N.E. Br.) Hallier f. = Pellionia pulchra
- *repens* (Lour.) Hallier f. = Pellionia repens

Elegia L. -f- *Restionaceae*
- **verticillaris** Kunth | 4 Ⓚ ✂; S-Afr.

Eleocharis R. Br. -f- *Cyperaceae* · Sumpfried
- **acicularis** (L.) Roem. et Schult. · Nadel-Sumpfsimse · Needle Spike Rush · Scirpe épingle | 4 X-VI; Eur.*, Cauc., W-Sib., E-Sib., Amur, Kamchat., C-As., Mong., Manch., N-Afr., Austr., USA*, S-Am.
- **atropurpurea** (Retz.) C. Presl · Schwarzrote Sumpfbinse | VIII-IX; Eur.: I, CH; Trop., Subtrop.
- **austriaca** Hayek · Österreichische Sumpfsimse | 4 V-VIII; Eur.* +
- **carniolica** Koch · Krainer Sumpfbinse | 4 VII-IX; Eur.: I, A, EC-Eur., Ba, E-Eur.; +
- **dulcis** (Burm. f.) Trin. ex Hensch. · Chinese Waterchestnut, Water Chestnut | 4 Ⓚ ~ Ⓝ; trop. Afr., Madag., Ind., trop. E-As., Austr., Pacific Is.
- **mamillata** Lindb. · Zitzen-Sumpfsimse | 4 V-VIII; Eur.: Fr, C-Eur., EC-Eur., Sc, Ba, E-Eur.; W-Sib., E-Sib., Amur
- **multicaulis** (Sm.) Desv. · Vielstängelige Sumpfsimse | 4 VI-VII; Eur.* , NW-Afr.

- **ovata** (Roth) Roem. et Schult. · Eiförmige Sumpfsimse | VII-IX; Eur.: Fr, Ap, C-Eur., EC-Eur., Ba, E-Eur.; Cauc., E-Sib., Amur, Him., Manch.
- **palustris** (L.) Roem. et Schult. · Gewöhnliche Sumpfsimse · Spike Rush · Eleocharis des marais | ♃ ~ V-VIII; Eur.*, Cauc., Iran, Afgh., Him., W-Sib., E-Sib., C-As., Mong., China
  - subsp. **vulgaris** Walters | ♃ V-VIII; Eur., ? TR, Cauc., W-Sib., E-Sib., C-As, Mong., N-Am.
- **parvula** (Roem. et Schult.) Link ex Bluff, Nees et Schauer · Kleine Sumpfsimse · Little Head Spike Rush | ♃ Ⓚ ~ ♠ VI-IX; Eur.*, C-As., Amur, Jap., Indochina, Java, N-Afr., Can., USA*, S-Am.
- *prolifera* Torr. = Eleocharis vivipara
- *pygmaea* Torr. = Eleocharis parvula
- **quinqueflora** (Hartmann) O. Schwarz · Armblütige Sumpfsimse | ♃ V-VI; Eur.* exc. ? Ib; TR, N-As., Maroc., N-Am.
- **uniglumis** (Link) Schult. · Einspelzige Sumpfsimse | ♃ V-VIII; Eur.*, Cauc., W-Sib., E-Sib., Kamchat., C-As., Him., Mong.
- **vivipara** Link | ♃ Ⓚ ~ ♠; USA: Va., SE, Fla.

Eleogiton = Isolepis R. Br.
- *fluitans* (L.) Link = Isolepis fluitans

Elettaria Maton -f- *Zingiberaceae*
- **cardamomum** (L.) Maton · Cardamom | ♃ Ⓦ Off. Ⓝ; S-Ind., Sri Lanka, SE-As.
  - var. *major* (Sm.) Thwaites = Elettaria major
- **major** Sm. | ♃ Ⓦ Ⓝ; Sri Lanka

Eleusine Gaertn. -f- *Poaceae*
- **coracan** (L.) Gaertn. | ⊙ Ⓝ; trop. Afr., trop. As.
- **indica** (L.) Gaertn. · Wilder Korakan · Indian Goose Grass | ⊙ ⋈ VII-VIII; trop. Afr., trop. As., nat. in S-Eur., N-Am.
- **tristachya** (Lam.) Lam.; Trop. Old World

Eleutherococcus Maxim. -m- *Araliaceae*
- **divaricatus** (Siebold et Zucc.) S.Y. Hu | ♄ IX; China: Hopei, Honan; Jap.
- **giraldii** (Harms) Nakai | ♄ VIII; C-China, N-China
- **henryi** Oliv. · Henrys Fingeraralie | ♄ VIII-IX; C-China
- **leucorrhizus** Oliv. | ♄ VII; China: Sichuan, Yunnan, Hupeh, Kansu
- **senticosus** (Rupr. et Maxim.) Maxim. · Borstige Fingeraralie · Siberian Ginseng | ♄ VII; Amur, N-China, Manch., Korea, Jap., Sachal.
- **sessiliflorus** (Rupr. et Maxim.) S.Y. Hu · Amur-Fingeraralie | ♄ VII-IX; Manch., N-China, Korea
- **setchuenensis** (Harms) Nakai | ♃ VII; W-China
- **sieboldianus** (Makino) Koidz. · Siebolds Fingeraralie | ♄ VI-VII; China
- **simonii** (C.K. Schneid.) Hesse | ♄ VI; C-China.

Eleutheropetalum = Chamaedorea Willd.
- *ernesti-augusti* (H. Wendl.) H. Wendl. ex Oerst. = Chamaedorea ernesti-augustii

Elisena Herb. -f- *Amaryllidaceae*
- *longipetala* Lindl. = Hymenocallis longipetala

Elisma = Luronium Raf.
- *natans* (L.) Buchenau = Luronium natans

× **Elleanthera** hort. -f- *Orchidaceae* (*Renanthera* × *Renantherella*)

Elleanthus C. Presl -m- *Orchidaceae*
- **capitatus** (Poepp. et Endl.) Rchb. f. | ♃ Ⓦ X-XI ✻; Mex., C-Am., W.Ind., S-Am.
- **caravata** (Aubl.) Rchb. f. | ♃ Ⓦ IX-X ✻; Guyan.

Elodea Michx. -f- *Hydrocharitaceae* · Wasserpest
- **callitrichoides** (Rich.) Casp. · Argentinische Wasserpest · Greater Water Thyme | ♃ Ⓦ Ⓚ ♠ VII-IX; Arg., nat. in F (Alsace), D
- **canadensis** Michx. · Kanadische Wasserpest · Canadian Pondweed · Elodée du Canada | ♃ Ⓚ ♠ V-VIII; Can., USA*, nat. in cosmop.
- *crispa* hort. = Lagarosiphon major
- *densa* (Planch.) Casp. = Egeria densa
- *ernstiae* H. St. John = Elodea callitrichoides
- **nuttallii** (Planch.) H. St. John · Nuttalls Wasserpest, Schmalblättrige Wasserpest · Western Waterweed | ♃ Ⓚ ♠ VI-VIII; Can.: E; USA: NE, NCE, NC, NW,

Calif., nat. in W-Eur., D, Jap.
– *occidentalis* (Pursh) H. St. John = Elodea nuttallii

Elsholtzia Willd. -f- *Lamiaceae*
– **ciliata** (Thunb.) Hyl. · Echte Kamminze | ⊙ VII-XI Ⓝ; C-As., Jap., Korea, China, Taiwan, nat. in Eur.: Sc, C-Eur., EC-Eur., Ba, E-Eur.
– *cristata* Willd. = Elsholtzia ciliata
– **stauntonii** Benth. · Chinesische Kammminze · Mint Bush | ♄ D IX-X; N-China

Elymus L. -f- *Poaceae* · Haargerste
– *arenarius* L. = Leymus arenarius
– **arenosus** (Spenn.) Conert · Sand-Quecke ; NW-Eur.; coasts
– **athericus** (Link) Kerguélen · Dünen-Quecke | ♃ V-VII; Eur.: BrI, Sc, Ib, Fr, Me, Ap, Ba, RO; coasts; TR, NW-Iran, Afgh., nat. in N-Am.
– **canadensis** L. · Canada Wild Rye | ♃ VII-IX; Alaska, Can., USA*
– **caninus** (L.) L. · Hunds-Quecke · Bearded Couch | ♃ VI-VII; Eur.*, TR, Iraq, Cauc., Iran, Afgh., Pakist., NW-Ind., W-Sib., E-Sib., C-As., NW-Ind., W-China, nat. in N-Am., Jap., NZ
– **elongatus** (Host) Runemark
– **farctus** (Viv.) Runemark ex Melderis · Strand-Quecke · Sand Couch | ♃ VI-VIII Ⓝ; Eur.*, TR, N-Afr.; coasts, nat. in N Am.
  - subsp. **boreoatlanticus** (Simonet et Guin.) Melderis · Binsen-Quecke | ♃ Ⓝ; W-Eur., D, nat. in N-Am.
– *giganteus* Vahl = Leymus racemosus
– *glaucus* Buckley = Leymus secalinus
– **hispidus** (Opiz) Melderis · Graugrüne Quecke | ♃ VI-VII Ⓝ; Eur.* exc. BrI, Sc; TR, N-Iraq, Cauc., Iran, Pakist., C-As.
  - subsp. **hispidulus** (Schur) Melderis | ♃; SE-Eur.
– **laxus** (Fr.) Melderis et D.C. McClint. (*E. farctus* × *E. repens*) · Lockerblütige Bastard-Quecke
– **obtusiflorus** (DC.) Conert · Pontische Quecke, Stumpfblütige Quecke | ♃ VIII-IX; Eur.: Slova., Serb., BG, RO; TR, nat. in Eur.: F, I, D, A
– **obtusiusculus** (Lange) Melderis et D.C. McClint. (*E. athericus* × *E. farctus*) · Bastard-Binsen-Quecke ; Eur.: Slove., Serb., BG, RO; TR, nat. in F, I, A, D
– **oliveri** (Druce) Melderis et D.C. McClint. (*E. athericus* × *E. repens*)
– **pauciflorus** (Schwein.) Gould; Alaska, Can.; USA*; N-Mex.
– *racemosus* Lam. = Leymus racemosus
– **repens** (L.) Gould · Gewöhnliche Quecke · Couch Grass | ♃ Off. VI-VIII Ⓝ; Eur.*, Can.: E; USA: Maine; Sib., N-Afr., nat. in USA, Mex.
– **virginicus** L.

Elytrigia = Elymus L.
– *intermedia* (Host) Nevski = Elymus hispidus
  - subsp. *barbulata* (Schur) A. Löve = Elymus pauciflorus
– *juncea* (L.) Nevski = Elymus farctus
– *junceiformis* A. Löve et D. Löve = Elymus farctus subsp. boreoatlanticus
– *repens* (L.) Nevski = Elymus repens

Emblica = Phyllanthus L.
– *officinalis* Gaertn. = Phyllanthus emblica

Embothrium J.R. Forst. et G. Forst. -n- *Proteaceae*
– **coccineum** J.R. Forst. et G. Forst. · Chilean Fire Bush | ♄ Ⓚ; Chile, W-Arg.

Emex Neck. ex Campd. -f- *Polygonaceae*
– **spinosa** (L.) Campd.; Eur.: Ib, Ap, Ba; TR

Emilia (Cass.) Cass. -f- *Asteraceae*
– **javanica** (Burm. f.) C.B. Rob. · Tassel Flower | ⊙; trop. Afr., Ind., S-China

Emmenopterys Oliv. -f- *Rubiaceae*
– **henryi** Oliv. | ♄ VI-VII; China: Hupeh; Myanmar, Thailand

Empetrum L. -n- *Empetraceae* · Krähenbeere, Rauschbeere
– **atropurpureum** Fernald et Wiegand | ♄ ⁓→ V; Can.: E; USA:NE
– **hermaphroditum** Hagerup · Zwittrige Krähenbeere | ⊙ ♄ ⁓→ IV-V; Eur.*, TR, Cauc., W-Sib., E-Sib., Kamchat., Can., Greenl.
– **nigrum** L. · Schwarze Krähenbeere · Black Crowberry · Camarine noire | ⊙ ⁓→ IV-V
  - subsp. *hermaphroditum* (Hagerup) Böcher = Empetrum hermaphroditum

Encephalartos Lehm. -m- *Zamiaceae* · Brotpalmfarn
- **altenstenii** Lehm. | Ⓦ ✻ ☠; S-Afr.
- **caffer** (Thunb.) Miq. | Ⓦ ✻ ☠; Kap
- **cycadifolius** (Jacq.) Lehm. | Ⓦ ✻ ☠; S-Afr.
- **hildebrandtii** A. Braun et Bouché | Ⓦ ✻ ☠; E-Afr.
- **horridus** (Jacq.) Lehm. | ♃ Ⓚ ✻; Kap
- **lebomboensis** I. Verd. | ✻ ☠; S-Afr.
- **lehmannii** Lehm. | Ⓦ ✻ ☠; Kap
- **longifolius** (Jacq.) Lehm. | Ⓦ ✻ ☠; Kap
- **transvenosus** Stapf et Burtt Davy | Ⓦ ✻ ☠; S-Afr.: Transvaal
- **villosus** Lehm. | Ⓦ ✻ ☠; S-Afr.: SE-Kap, Natal

Encephalocarpus A. Berger -m- *Cactaceae*
- **strobiliformis** (Werderm.) A. Berger | ψ Ⓚ ✻; Mex.: Nuevo León, Tamaulipas

Encyclia Hook. -f- *Orchidaceae*
- **adenocaula** (La Llave et Lex.) Schltr. | ♃ Ⓦ VII; Mex.
- **alata** (Bateman) Schltr. | ♃ Ⓦ V-X ✻; C-Am.
- *atropurpurea* Schltr. = Encyclia cordigera
- **baculus** (Rchb. f.) Dressler et G.E. Pollard | ♃ Ⓦ VII-IX ✻; Mex., C-Am., trop. S-Am.
- **boothiana** (Lindl.) Dressler · Dollar Orchid | ♃ Ⓦ ✻; Cuba
- **brassavolae** (Rchb. f.) Dressler | ♃ Ⓦ VII-IX ✻; Mex., C-Am.
- **citrina** (La Llave et Lex.) Dressler | ♃ Ⓦ D IV-V ✻; Mex.
- **cochleata** (L.) Lemée · Clamshell Orchid | ♃ Ⓦ XI-II ✻; Fla., W.Ind., C-Am., Col., Venez., Guyan.
- **cordigera** (Humb., Bonpl. et Kunth) Dressler | ♃ Ⓦ IV-VI ✻; Mex., C-Am., Col., Venez.
- **fragrans** (Sw.) Lemée | ♃ Ⓦ II-V ✻; Mex., C-Am., W.Ind., trop. S-Am.
- **glumacea** (Lindl.) Pabst | ♃ Ⓦ IX ✻; Ecuad., E-Bras.
- **michuacana** (La Llave et Lex.) Schltr. | ♃ Ⓚ VII-VIII ✻; Mex., Guat.
- *nemoralis* (Lindl.) Schltr. = Encyclia adenocaula
- **odoratissima** (Lindl.) Schltr. | ♃ Ⓦ VI-VII ✻; Bras.
- **oncidioides** (Lindl.) Schltr. | ♃ Ⓦ V-VI ✻; Guyan., Bras.
- **prismatocarpa** (Rchb. f.) Dressler | ♃ Ⓦ VII-VIII ✻; Costa Rica
- **radiata** (Lindl.) Dressler | ♃ Ⓦ V-VII ✻; Mex., C-Am.
- **tampensis** (Lindl.) Schltr. · Tampa Butterfly Orchid | ♃ Ⓦ VI-VII ✻; Fla.
- **vespa** (Vell.) Dressler | ♃ Ⓦ IV-V ✻; C-Am., trop. S-Am.
- *virgata* (Lindl.) Schltr. = Encyclia michuacana
- **vitellina** (Lindl.) Dressler | ♃ Ⓚ X-XII ✻; Mex., Guat.

Endymion = Hyacinthoides Heist. ex Fabr.
- *campanulatus* (Aiton) Willk. = Hyacinthoides hispanica
- *cernuus* (L.) Willk. = Hyacinthoides non-scripta
- *hispanicus* (Mill.) Chouard = Hyacinthoides hispanica
- *non-scriptus* (L.) Garcke = Hyacinthoides non-scripta
- *nutans* Dumort. = Hyacinthoides non-scripta
- *patulus* Dum.-Cours. = Hyacinthoides hispanica

Enkianthus Lour. -m- *Ericaceae* · Prachtglocke
- **campanulatus** (Miq.) G. Nicholson · Glockige Prachtglocke | ♄ V; Jap.
  - **'Albiflorus'** (Makino) Makino | V
- **cernuus** (Siebold et Zucc.) Makino · Nickende Prachtglocke | ♄ V; Jap.
  - var. **rubens** (Maxim.) Makino · Nickende Prachtglocke | ♄ V-VI; Jap.
- **chinensis** Franch. | ♄ V ∧; W-China, C-China
- **perulatus** (Miq.) C.K. Schneid. · Frühblühende Prachtglocke | ♄ V; Jap.
- **serrulatus** (Willd.) C.K. Schneid. | ♄ ♄; C-China, W-China
- **subsessilis** (Miq.) Makino | ♄ V-VI; Jap.

Ensete Horan. -n- *Musaceae*
- **ventricosum** (Welw.) Cheesman · Zier-Banane · Abyssinian Banana | ♃ Ⓚ Ⓝ; E-Afr., C-Afr., trop. S-Afr., S-Afr.

Entada Adans. -f- *Mimosaceae*
- **phaseoloides** (L.) Merr. · Drinking Vine | ♄ Ⓦ ≷ Ⓝ; trop. Afr., trop. As., Pacific Is.

Entandrophragma C.E.C. Fisch. -n- *Meliaceae*

– **angolense** (Welw.) C. DC. | ♄ Ⓦ Ⓝ; W-Afr., C-Afr., Sudan, Uganda, Angola
– **candollei** Harms · Kosipo | ♄ Ⓝ; W-Afr., C-Afr.
– **cylindricum** (Sprague) Sprague · Sapele | ♄ Ⓦ Ⓝ; W-Afr., C-Afr., Uganda
– **utile** (Dawe et Sprague) Sprague | ♄ Ⓦ Ⓝ; W-Afr., C-Afr., Angola

Entelea R. Br. -f- *Tiliaceae*
– **arborescens** R. Br. | ♄ ♄ Ⓚ; NZ

Enterolobium Mart. -n- *Mimosaceae*
– **cyclocarpum** (Willd.) Griseb. · Elephant's Ear | ♄ Ⓦ Ⓝ; Mex., C-Am., W.Ind., trop. S-Am.

Eomecon Hance -f- *Papaveraceae*
– **chionantha** Hance · Schnee-Mohn | ♃ IV ∧; E-China

Epacris Cav. -f- *Epacridaceae* · Australheide
– *grandiflora* Willd. = Epacris longiflora
– **heteronema** Labill. | ♄ Ⓚ II-IV; Austr.: N.S.Wales, Victoria, Tasman.
– **impressa** Labill. · Australian Heath | ♄ Ⓚ XII-IV; Austr.: N.S.Wales, Victoria, S-Austr., Tasman.
– **longiflora** Cav. · Bush Fuchsia | ♄ Ⓚ III-V; Austr.: N.S.Wales
– **microphylla** R. Br. | ♄ Ⓚ D III-V; Austr.: Queensl., N.S.Wales, Tasman.; NZ
– *miniata* Lindl. = Epacris longiflora
– **obtusifolia** Sm. | ♄ Ⓚ D III-IV; Austr.: Queensl., N.S.Wales, Victoria, Tasman.
– **paludosa** R. Br. | ♄ Ⓚ III-V; Austr.: N.S.Wales, Victoria, Tasman.
– *pulchella* Siebold non Cav. = Epacris microphylla
– **purpurascens** R. Br. | ♄ Ⓚ III-V; Austr.: N.S.Wales

Ephedra L. -f- *Ephedraceae*
– **altissima** Desf. | ⌇; N-Afr.
– *campylopoda* C.A. Mey. = Ephedra foeminea
– **distachya** L. · Gewöhnliches Meerträubel · Joint Pine ; Eur.* exc. BrI, Sc; Cauc., W-Sib., C-As.
  - subsp. **helvetica** (C.A. Mey.) Asch. et Graebn. · Schweizerisches Meerträubel | ♄ ⇝ △ IV-V; Eur.: CH, S-F, I; SW-Alp., S-Alp.
  - subsp. **monostachya** (L.) Riedl
– *equisetiformis* Webb et Berthel. = Ephedra major
– **equisetina** Bunge · Ephedra | ♄ △; C-As., Mong., N-China
– **foeminea** Forssk. | ♄ ⌇ ⇝ △; Eur.: I, Ba; TR, Levante, Libya
– **fragilis** Desf.; Eur.: Ib, I, Sic.; NW-Afr., Libya
  - subsp. *campylopoda* (C.A. Mey.) Asch. et Graebn. = Ephedra foeminea
– **gerardiana** Wall. ex Stapf · Kriechendes Meerträubel · Pakistani Ephedra ; Him., China
  - var. **sikkimensis** Stapf | ♄ △; N-Ind.
– *helvetica* C.A. Mey. = Ephedra distachya subsp. helvetica
– **major** Host · Großes Meerträubel | ♄ △; Eur.: Ib, Fr, Ap, Ba; TR, Cyprus - W-Him., NW-Afr.
  - subsp. **procera** (Fisch. ex C.A. Mey.) Bornm.; Eur.: S-Ba; TR, Cyprus, Cauc., Iran, Him.; mts.
– *nebrodensis* Tineo ex Guss. = Ephedra major
– *procera* Fisch. et C.A. Mey. = Ephedra major subsp. procera
– *scoparia* Lange = Ephedra major
– **shennungiana** H.C. Tang | ♄ Ⓚ; China: Fukien
– **sinica** Stapf · Joint Fir | ♄ Ⓚ; N-China
– *vulgaris* Rich. = Ephedra distachya

× **Epibroughtonia** hort. -f- *Orchidaceae*
– **Cultivars** hort. (*Broughtonia* × *Epidendrum*)

× **Epicattleya** Hort. -f- *Orchidaceae*
– **Cultivars** hort. (*Cattleya* × *Epidendrum*)

Epidendrum L. -n- *Orchidaceae*
– *adenocaulum* La Llave et Lex. = Encyclia adenocaula
– *alatum* Bateman = Encyclia alata
– **anceps** Jacq. | ♃ Ⓚ ✻; USA: Fla.; C-Am., W.Ind., trop. S-Am., coasts
– *atropurpureum* auct. non Willd. = Encyclia cordigera
– *baculus* Rchb. f. = Encyclia baculus
– *beyrodtianum* Schltr. = Encyclia baculus
– *bicornutum* Hook. = Caularthron bicornutum
– *boothianum* Lindl. = Encyclia boothiana
– *brassavolae* Rchb. f. = Encyclia brassavolae

- **ciliare** L. | ♃ ⓦ XI-I ✻; C-Am., W.Ind., trop. S-Am.
- **cnemidophorum** Lindl. | ♃ ⓚ IV-V ✻; Guat., Costa Rica
- *cochleatum* L. = Encyclia cochleata
- **coronatum** Ruiz et Pav. | ♃ ⓦ ✻; Mex., C-Am., trop. S-Am.
- **difforme** Jacq. · Umbrella Star Orchid | ♃ ⓦ ✻; Fla.; Mex., C-Am., W.Ind., S-Am.
- **diffusum** Sw. | ♃ ⓦ ✻; C-Am., W.Ind.
- *elegans* (Knowles et Westc.) Rchb. f. = Barkeria elegans
- *falcatum* Lindl. = Epidendrum parkinsonianum
- *floribundum* Humb., Bonpl. et Kunth = Epidendrum paniculatum
- *fragrans* Sw. = Encyclia fragrans
- *glumaceum* Lindl. = Encyclia glumacea
- *grandiflorum* Humb. et Bonpl. = Stanhopea jenishiana
- **ibaguense** Humb., Bonpl. et Kunth | ♃ ⓦ XII-V ✻; C-Am., W.Ind., trop. S-Am.
- **latifolium** (Lindl.) Garay et H.R. Sweet | ♃ ⓦ VIII-X ✻; W-Ind., Venez., Trinidad, Bras.
- *lindleyanum* Bateman ex Lindl. = Barkeria spectabilis
- **medusae** (Rchb. f.) Siebert et Voss | ♃ ⓦ VII-VIII ✻; Ecuad.
- *nemorale* Lindl. = Encyclia adenocaula
- **nocturnum** L. · Night Scented Orchid | ♃ ⓦ VIII-X ✻; Fla., W.Ind., trop. S-Am.
  - var. *latifolium* Lindl. = Epidendrum latifolium
- *odoratissimum* Lindl. = Encyclia odoratissima
- *oncidioides* Lindl. = Encyclia oncidioides
- **paniculatum** Ruiz et Pav. | ♃ ⓦ X-XII ✻; C-Am., W.Ind., trop. S-Am.
- **parkinsonianum** Hook. | ♃ ⓦ VII-VIII ✻; Mex.
- *pentotis* Rchb. f. = Encyclia baculus
- **porpax** Rchb. f. | ♃ ⓦ ✻; Mex., C-Am., trop. S-Am.
- *prismatocarpum* Rchb. f. = Encyclia prismatocarpa
- **purum** Lindl. | ♃ ⓦ ✻; n S-Am.
- *radiatum* Lindl. = Encyclia radiata
- *radicans* Pav. ex Lindl. = Epidendrum ibaguense
- **schlechterianum** Ames | ♃ ⓦ ✻; Mex., C-Am., Venez., Trinidad, Guyan., Bras., Peru
- *skinneri* Bateman ex Lindl. = Barkeria skinneri
- **stamfordianum** Bateman | ♃ ⓦ III-IV ✻; Mex., C-Am., Col., Venez.
- **stenopetalum** Hook. | ♃ ⓦ II-III ✻; Mex., C-Am., W.Ind., trop. S-Am.
- *tampense* Lindl. = Encyclia tampensis
- **varicosum** Bateman ex Lindl. | ♃ ⓦ VII-VIII ✻; C-Am.
- *variegatum* Hook. = Encyclia vespa
- *verrucosum* Lindl. = Encyclia adenocaula
- *vespa* Vell. = Encyclia vespa
- *virgatum* Lindl. = Encyclia michuacana
- *vitellinum* Lindl. = Encyclia vitellina

× **Epidiacrium** Hort. -n- *Orchidaceae* (*Caularthron* × *Epidendrum*)

× **Epidrobium** hort. -n- *Orchidaceae* (*Dendrobium* × *Epidendrum*)

Epigaea L. -f- *Ericaceae*
- **asiatica** Maxim. · Asiatischer Bodenlorbeer | ♄ ⤳ IV-V; Jap.
- **gaultherioides** (Boiss. et Balansa) Takht. | ♄ III-IV; NE-TR, cauc.
- × **intertexta** Mulligan (*E. asiatica* × *E. repens*)
- **repens** L. · Mayflower, Trailing Arbutus | ♄ ⤳ III-IV; Can.: E, Sask.; USA: NE, SE, Fla.

Epigeneium Gagnep. -n- *Orchidaceae*
- **amplum** (Lindl.) Summerh. | ♃ ⓦ V-VI ✻; Ind.: Sikkim
- **coelogyne** (Rchb. f.) Summerh. | ♃ ⓦ X-XI ✻; Myanmar, Thail.
- **lyonii** (Ames) Summerh. | ♃ ⓦ ✻; Phil.

× **Epigoa** Hort. -f- *Orchidaceae* (*Domingoa* × *Epidendrum*)

× **Epilaelia** Hort. -f- *Orchidaceae* (*Epidendrum* × *Laelia*)

× **Epilaeliocattleya** Hort. -f- *Orchidaceae* (*Cattleya* × *Epidendrum* × *Laelia*)

× **Epilaeliopsis** Hort. -f- *Orchidaceae* (*Epidendrum* × *Laeliopsis*)

Epilobium L. -n- *Onagraceae*
- **alpestre** (Jacq.) Krock. · Quirlblättriges Weidenröschen | ♃ VII-VIII; Eur.* exc. BrI, Sc; Cauc.; mts.
- *alpinum* auct. non L. = Epilobium

anagallidifolium
- **alsinifolium** Vill. · Mierenblättriges Weidenröschen | ♃ VII-VIII; Eur.*; N, mts.
- **anagallidifolium** Lam. · Gauchheilblättriges Weidenröschen | ♃ VII-VIII; Eur.*, TR, Cauc., N-As., C-As., N-Am.
- **angustifolium** L. · Schmalblättriges Weidenröschen · Fire Weed, Rosebay Willow Herb | ♃ VII-VIII Ⓝ; Eur.*, TR, Syr., Iran, W-Sib., E-Sib., Amur, Sachal., Kamchat., Korea, Him., Mong., Jap. China, Maroc., Alaska, Can., USA* exc. SC
- **brachycarpum** C. Presl · Kurzfrüchtiges Weidenröschen ; N-Am., nat. in D
- **canum** (Greene) Raven · California Fuchsia, Hummingbird Flower | ♃ ♄ △ X-XI ∧; Calif.
  - subsp. **angustifolium** (Keck) Raven · Kolibitrompete
  - subsp. **garrettii** (A. Nelson) Raven
  - subsp. **latifolium** (Hook.) Raven | ♃ ♄ ♄ △ VII-X ∧; USA: Oreg., Calif., Nev., Ariz., N.Mex.
  - subsp. **mexicanum** (C. Presl) Raven
- **ciliatum** Raf. · Drüsiges Weidenröschen | ♃ VI-IX; N-Am., nat. in BrI, Sc, Fr, D, EC-Eur., E-Eur.
- **collinum** C.C. Gmel. · Hügel-Weidenröschen | ♃ VI-IX; Eur.* exc. BrI
- **dodonaei** Vill. · Rosmarin Weidenröschen · Alpine Willowherb | ♃ VII; Eur.: Fr, Ap, C-Eur., EC-Eur., Ba, E-Eur.; TR, W-Iran
- **duriaei** J. Gay · Durieus Weidenröschen | ♃ VII; Eur.: Sp., F, CH
- **fleischeri** Hochst. · Fleischers Weidenröschen, Kies-Weidenröschen | ♃ △ VII-IX ▽; Eur.: F, I, C-Eur.; Alp.
- **glabellum** G. Forst. | ♃ Ⓐ VII-VIII; NZ
- **hirsutum** L. · Zottiges Weidenröschen | ♃ VI-IX; Eur.*, N-Afr., nat. in N-Am.
- *inornatum* Melville = Epilobium komarovianum
- **komarovianum** H. Lév. | ♃ ⇝ △ VI-VIII; NZ
- **lanceolatum** Sebast. et Mauri · Lanzettblättriges Weidenröschen | ♃ VI-VIII; Eur.* exc. Sc; TR, Cyprus, Cauc., N-Iran, Alger.
- **montanum** L. · Berg-Weidenröschen, Hartheu-Weidenröschen | ♃ VI-IX; Eur.*, TR, Levante, Cauc., N-Iran, W-Sib., E-Sib., ? Sachal.
- **nummulariifolium** R. Cunn. | ♃ ⇝ △ VI-VIII; NZ
- **nutans** F.W. Schmidt · Nickendes Weidenröschen | ♃ VII-VIII; Eur.: Sp., Fr, C-Eur., EC-Eur., Ba, E-Eur.; mts.
- **obscurum** Schreb. · Dunkelgrünes Weidenröschen | ♃ VI-IX; Eur.*, TR, Cauc., Madeira, Maroc., Alger.
- **palustre** L. · Sumpf-Weidenröschen | ♃ VII-IX; Eur.*, TR, Cauc., N-Iran, W-Sib., E-Sib., Amur, Sachal., Kamchat., C-As., Him., Tibet, Mong., China, Jap., N-Am., Greenl.
- **parviflorum** Schreb. · Kleinblütiges Weidenröschen | ♃ VI-IX; Eur.*, TR, Levante, Cauc., Iran, Him., NW-Afr.
- **purpuratum** Hook. f. | ♃ ⇝ △ VI-VIII; NZ
- **roseum** Schreb. · Rosenrotes Weidenröschen | ♃ VII-IX; Eur.*, TR, Lebanon, Cauc., Iran, C-As.
- *rosmarinifolium* Haenke = Epilobium dodonaei
- **tetragonum** L. · Vierkantiges Weidenröschen | ♃ VII-VIII; Eur.*, TR, Levante, Cauc., Iran, W-Sib., C-As., NW-Afr.
  - subsp. **lamyi** (F.W. Schultz) Nyman · Graugrünes Weidenröschen | ♃ VII-IX; Eur.*, TR, Madeira

Epimedium L. -n- *Berberidaceae* · Elfenblume, Sockenblume
- **alpinum** L. · Alpen-Sockenblume · Pink Epimedium · Fleur des elfes alpinum | ♃ III-V; Eur.: I, A, Slove., Croatia, Bosn., YU, AL, nat. in BrI, Fr, D, DK
  - var. *rubrum* (C. Morren) Hook. f. = Epimedium × rubrum
- × **cantabrigiense** Stearn (*E. alpinum* × *E. pubigerum*) | ♃
- *colchicum* Boiss. = Epimedium pinnatum subsp. colchicum
- **diphyllum** Lodd. | ♃ IV-V; Jap.
- **grandiflorum** C. Morren · Fleur des elfes à grandes fleurs | ♃ IV-V; Jap., N-China
  - **'Flavescens'**
  - **'Normale'**
  - **'Violaceum'**
- *hexandrum* Hook. = Vancouveria hexandra
- *lilacinum* Donckel. = Epimedium × youngianum
- *macranthum* C. Morren et Decne. =

Epimedium grandiflorum
- var. *musschianum* (C. Morren et Decne.) Makino = Epimedium grandiflorum 'Normale'
- var. *niveum* (Vilm.) Voss = Epimedium × youngianum 'Niveum'
- var. *sulphureum* C. Morren = Epimedium × versicolor 'Sulphureum'
- var. *versicolor* C. Morren = Epimedium × versicolor
- var. *violaceum* (C. Morren) Franch. = Epimedium grandiflorum 'Violaceum'

– *musschianum* C. Morren et Decne. = Epimedium × youngianum
- var. *violaceum* hort. = Epimedium × youngianum 'Roseum'

– *niveum* Vilm. = Epimedium × youngianum 'Niveum'
– *ochroleucum* Farrer = Epimedium × versicolor 'Sulphureum'
– × **perralchicum** Stearn (*E. perralderianum* × *E. pinnatum*) | ♃
– **perralderianum** Coss. | ♃ IV-V; Alger.
– **pinnatum** Fisch. · Gefiederte Sockenblume ; N-Iran
- subsp. **colchicum** (Boiss.) Busch | ♃ IV-V; W-Cauc.
- var. *elegans* hort. = Epimedium pinnatum subsp. colchicum
- var. *perralderinaum* (Coss.) Wehrh. = Epimedium perralderianum
- var. *sulphureum* (C. Morren) Bergmans = Epimedium × versicolor 'Sulphureum'

– **pubigerum** (DC.) C. Morren et Decne. | ♃ V; BG, TR, Cauc.
– *purpureum* Vilm. = Epimedium × rubrum
– *roseum* A. Vilm. = Epimedium × youngianum 'Roseum'
– × **rubrum** C. Morren | ♃ IV-V; cult.
– *sulphureum* C. Morren = Epimedium × versicolor 'Sulphureum'
– *sulphureum* Nakai = Epimedium grandiflorum 'Flavescens'
– × **versicolor** C. Morren (*E. grandiflorum* × *E. pinnatum subsp. colchicum*) | ♃ IV-V; cult.
- **'Cupreum'**
- **'Sulphureum'**

– *violaceum* C. Morren = Epimedium grandiflorum 'Violaceum'
– × **warleyense** Stearn (*E. alpinum* × *E. pinnatum subsp. colchicum*) | ♃ V-VII; cult.
– × **youngianum** Fisch. et C.A. Mey. | ♃ IV-V; cult.
- *'Lilacinum'* = Epimedium × youngianum 'Roseum'
- **'Niveum'**
- **'Roseum'**

Epipactis Zinn -f- *Orchidaceae*
– **albensis** Novakova et Rydlo · Elbe-Stendelwurz | ♃ XI-VIII; Eur.: A, D, CZ +
– **atrorubens** (Bernh.) Besser · Braunrote Stendelwurz | ♃ VI-VIII; Eur.*
– **confusa** D.P. Young · Zierliche Stendelwurz | ♃ VII-VIII; Eur.: Sweden, DK
– **distans** Arv.-Touv. · Kurzblättrige Stendelwurz ; Eur.: D +
– **gigantea** Douglas | ♃; N-Am.
– **greuteri** H. Baumann et Künkele · Greuters Stendelwurz ; Eur.: GR, D, A +
– **helleborine** (L.) Crantz · Breitblättrige Stendelwurz · Broad Leaved Helleborine, Helleborine | ♃ VI-IX ▽ ✲; Eur.*, TR, Cyprus, Syr., Cauc., N-Iraq, Iran, Afgh., Pakist., NW-Afr., Can., USA: NE, NCE, NW
– *latifolia* (L.) All. = Epipactis helleborine
– **leptochila** (Godfery) Godfery · Schmallippige Stendelwurz | ♃ VII; Eur.: BrI, DK, Fr, C-Eur., EC-Eur., Ba +
– **leutei** Robatsch · Leutes Stendelwurz | ♃ VII-VIII; Eur.: A, Slove. +
– **microphylla** (Ehrh.) Sw. · Kleinblättrige Stendelwurz | ♃ VI-VIII; Eur.* exc. BrI, Sc; TR, Cyprus, Cauc., N-Iran
– **muelleri** Godfery · Müllers Stendelwurz | ♃ VII-VIII; Eur.: Fr, C-Eur., EC-Eur.
– **nordeniorum** Robatsch · Norden-Stendelwurz | ♃ X-VIII; Eur.: A +
– **palustris** (L.) Crantz · Sumpf-Stendelwurz · Marsh Helleborine · Epipactis des marais | ♃ VI-VII ▽ ✲; Eur.*, TR, N-Iraq, Cauc., N-Iran, W-Sib., E-Sib., C-As.
– **peitzii** H. Neumann et Wucherpf. · Peitz Stendelwurz ; Eur.: D +
– **phyllanthes** G.E. Sm.; Eur.: F, BrI, Sc, D
– **pontica** S. Taub · Pontus-Stendelwurz | ♃ VII-IX; TR, A +
– **purpurata** Sm. · Violette Stendelwurz | ♃ VIII-IX; Eur.: BrI, Dk, Fr, C-Eur., EC-Eur., Ba, Ro, W-Russ.
– **renzii** Robatsch; Eur.: DK

× **Epiphronitis** Hort. -f- *Orchidaceae* (*Epidendrum* × *Sophronitis*)

Epiphyllopsis = Schlumbergera Lem.
– *gaertneri* Regel = Rhipsalidopsis gaertneri

Epiphyllum Haw. -n- *Cactaceae* · Blattkaktus
– **anguligerum** (Lem.) G. Don | ♄ Ψ ⓦ ✻; Mex.
– **chrysocardium** Alexander | ♄ Ψ ⓦ ≀ ✻; Mex.: Chiapas
– **crenatum** (Lindl.) G. Don | ♄ Ψ ⓦ ✻; Guat., Hond.
– *crispatum* Haw. = Rhipsalis crispata
– *grande* (Lem.) Britton et Rose = Epiphyllum oxypetalum
– **hookeri** (Link et Otto) Haw. | ♄ Ψ ⓦ ✻; S-Mex., C-Am., Venez., Guyan.
– *nelsonii* Britton et Rose = Chiapasia nelsonii
– **oxypetalum** (DC.) Haw. | ♄ Ψ ⓦ ✻; Mex., Guat., Venez., Bras.
– *phyllanthoides* (DC.) Sweet = Nopalxochia phyllanthoides
– **pittieri** (F.A.C. Weber) Britton et Rose | ♄ Ψ ⓦ ✻; Costa Rica
russellianum Hook. = Schlumbergera russelliana
  - var. *gaertneri* Regel = Rhipsalidopsis gaertneri
– **stenopetalum** (C.F. Först.) Britton et Rose | ♄ Ψ ⓦ ✻; Mex.
– *strictum* (Lem.) Britton et Rose = Epiphyllum hookeri
– **thomasianum** (K. Schum.) Britton et Rose | ♄ Ψ ⓦ ✻; Mex., C-Am.
– *truncatum* Haw. = Schlumbergera truncata

Epipogium Borkh. *Orchidaceae*
– **aphyllum** Sw. · Blattloser Widerbart | ♃ VII-VIII; Eur.* exc. Ib; TR, Cauc., NW-Iran, W-Sib., E-Sib., Amur, Sachal., Kamchat., Him., E-As.

Epipremnum Schott -n- *Araceae*
– **aureum** (Linden et André) Bunting · Devil's Ivy, Golden Hunters Robe
– **pinnatum** (L.) Engl. · Tongavine | ♄ ⓦ ≀; Malay. Arch., N.Guinea, Pacific Is.
  - *'Aureum'* = Epipremnum aureum

Episcia Mart. -f- *Gesneriaceae*
– *chontalensis* (Seem.) Hook. f. = Episcia lilacina
– **cupreata** (Hook.) Hanst. | ♃ ⓦ VI-IX; Col.
– **dianthiflora** H.E. Moore et R.G. Wilson · Lace Flower Vine, Lace Flower | ♃ ⓦ VI-IX; Mex., Costa Rica
– *fulgida* (Lindl.) Hook. = Episcia reptans
– **lilacina** Hanst. | ♃ ⓦ IX-XII; Nicar., Costa Rica, Panama
– **punctata** (Lindl.) Hanst. | ♄ ⓦ; Mex., Guat.
– **reptans** Mart. | ♃ ⓦ VI-IX; Col., Surinam, Bras.
– *tesselata* hort. ex Lem. = Nautilocalyx bullatus

Epithelantha F.A.C. Weber ex Britton et Rose -f- *Cactaceae*
– *densispina* Bravo = Epithelantha micromeris
– **micromeris** (Engelm.) F.A.C. Weber ex Britton et Rose | Ψ ⓚ ▽ ✻; USA: Tex., Ariz.; NE-Mex.

× **Epitonia** Hort. -f- *Orchidaceae* (*Broughtonia* × *Epidendrum*)

Equisetum L. -n- *Equisetaceae* · Schachtelhalm
– **arvense** L. · Acker-Schachtelhalm · Common Horsetail | ♃ Off. III-IV; Eur.*, TR, Cauc., N-Iran, W-Sib., E-Sib., Amur, Sachal., Kamchat., C-As., Him., China, Korea, Jap., Alaska, Can., USA*, Greenl.
– × **dycei** C.N. Page (*E. fluviatile* × *E. palustre*) · Dyces Schachtelhalm
– **fluviatile** L. · Teich-Schachtelhalm · Prêle des bourbiers | ♃ V-VI; Eur. As. N-Am.
– **giganteum** L. · Giant Horsetail | ♃ ⓦ; trop. S-Am.
– **hyemale** L. · Winter-Schachtelhalm · Dutch Rush, Scouring Rush | ♃ ⓦ 〰 VI-VIII ☠; Eur.*, Cauc., TR, W-Sib., E-Sib., Amur, Sachal., C-As., Him., Korea, Jap., Alaska, Can., USA: NE, NCE, SE, SC, SW, Rocky Mts., NW, Calif.
  - var. **robustum** (A. Br.) Eaton · Prêle d'hiver | ♃ 〰 ; Alaska, Can., USA*, Mex., Guat.
– *limosum* L. = Equisetum fluviatile
– × **litorale** Kühlew. ex Rupr. (*E. arvense* × *E. fluviatile*) · Ufer-Schachtelhalm | ♃ VI-VII; Eur.: N, C-Eur.; W-Sib., E-Sib., N-Am.
– *majus* Schinz et Thell. = Equisetum telmateia

– *maximum* auct. non Lam. = Equisetum telmateia
– × **meridionale** (Milde) Chiov. (*E. ramosissimum* × *E. variegatum*) · Südlicher Schachtelhalm
– × **moorei** Newman (*E. hyemale* × *E. ramosissimum*) · Moores Schachtelhalm
– **palustre** L. · Duwok, Sumpf-Schachtelhalm · Horsetail, Marsh Horsetail · Prêle des marais | ♃ ~ VI-IX ☠; Eur.*, TR, Syr., Cauc., W-Sib., E-Sib., Amur, Sachal., Kamchat., Mong., Jap, China, Alaska, Can., USA: NE, NCE, NC, NW, Calif.
– **pratense** Ehrh. · Wiesen-Schachtelhalm | ♃ V-VI; Eur.* exc. Ib, ? Fr; TR, Syr/leb., Cauc., W-Sib., E-Sib., Amur, Sachal., Kamchat., C-As., China: Sinkiang; Mong., Korea, Jap., N-Am.
– **ramosissimum** Desf. · Ästiger Schachtelhalm | ♃ V-VII; Eur.* exc. BrI, Sc; TR, Levante, Cauc., Iran, W-Sib., C-As, Him., Tibet, Mong., China, Jap., N-Afr., Afr., Am.
– *robustum* A. Br. = Equisetum hyemale var. robustum
– **schaffneri** Milde | ♃ Ⓦ ~ ; Mex., Peru, Chile
– **scirpoides** Michx. · Sedge Horsetail | ♃ △ ~ ; Eur.: Sc, Russ.; W-Sib., E-Sib., Amur, Kamchat., Alaska, Can., USA: NE, NCE, NC, NW
– **sylvaticum** L. · Wald-Schachtelhalm · Wood Horsetail | ♃ IV-V; Eur.*, W-Sib., E-Sib., Amur, Sachal., Kamchat., Manch., China, Korea, Jap., Alaska, Greenl., Can.; USA: NE, NCE, NW, Idaho
– **telmateia** Ehrh. · Riesen-Schachtelhalm · Giant Horsetail | ♃ ~ IV-V; Eur.*, TR, Levante, Cauc., N-Iran, NW-Afr., Libya, Alaska, Can.: W; USA: NCE, NW, Calif.
– × **trachyodon** (A. Br.) W.D.J. Koch (*E. hyemale* × *E. variegatum*) · Rauzähniger Schachtelhalm | ♃ VII-VIII; Eur. , Cauc., W-Sib., E-Sib., Amur, Kamchat., C-As., Mong., China
– **variegatum** Schleich. ex Weber et D. Mohr · Bunter Schachtelhalm · Scouring Rush · Prêle panachée | ♃ △ ~ IV-IX; Eur.*, TR, Cauc., Amur, Kamchat., Mong., Alaska, Can., USA: NW, Calif., Rocky Mts., NC; Greenl.

Eragrostis Wolf -f- *Poaceae* · Liebesgras
– *abessinica* Link = Eragrostis tef
– **albensis** H. Scholz · Elbe-Liebesgras ; Eur.: D +
– **cilianensis** (All.) Vignolo ex Janch. · Großes Liebesgras | X-VII; Eur.: Ib, Fr, Ap, Ba, RO, Krim; TR, Cauc., SW-As., C-As., nat. in C-Eur., CE-Eur.
– **curvula** (Schrad.) Nees · Schwachgekrümmtes Liebesgras · Weeping Love Grass | ♃ VI-IX; Eth., trop. Afr., S-Afr.
– *elegans* Nees = Eragrostis tenella
– *interrupta* Palib. = Eragrostis tenella
– **minor** Host · Kleines Liebesgras | VII-VIII; Eur.* exc. BrI, Sc; TR, Cauc., Iran, W-Sib., E-Sib., Amur, C-As. Him., China: Sinkiang, trop. Afr. +, nat. in Austr., Am.
– **multicaulis** Steud. · Japanisches Liebesgras | X-VII; Ind., China, Taiwan, Korea, Amur, Sachal., Jap., Malay. Pen.
– **pilosa** (L.) P. Beauv. · Behaartes Liebesgras | ⊙ VII-VIII Ⓝ; Eur.* ; TR, W-Sib., E-Sib., Amur, C-As., China, Korea, Jap., Nigeria, Eth., E-Afr., nat. in USA, C-Am., W.Ind., S-Am.
– **superba** Peyr. | Ⓝ; E-Afr.
– **tef** (Zuccagni) Trotter · Äthiopisches Liebesgras, Zwerg-Hirse · Love Grass, Teff | ⊙ X-VII Ⓝ; Eth.
– **tenella** (L.) Palib. · Japanese Love Grass, Love Grass | ⊙ ✂ VIII; Bras.
– **trichodes** (Nutt.) A. Wood | ♃ VIII-IX; USA: NCE, NC, Colo., SC, SE
– **unioloides** (Retz.) Nees ex Steud. | ⊙ ✂ VI-VIII; trop. As.

Eranthemum L. -n- *Acanthaceae*
– *alatum* Nees = Pseuderanthemum alatum
– *albiflorum* Hook. = Pseuderanthemum albiflorum
– *atropurpureum* W. Bull non Hook. f. = Pseuderanthemum atropurpureum
– *beyrichii* (Nees) Regel = Chamaeranthemum beyrichii
– *cooperi* Hook. = Pseuderanthemum sinuatum
– *gaudichaudii* (Nees) Van Houtte = Chamaeranthemum gaudichaudii
– *igneum* Linden = Xantheranthemum igneum
– *nervosum* (Vahl) R. Br. = Eranthemum pulchellum
– **pulchellum** Andrews | ♄ Ⓦ XII-II; Ind.
– *reticulatum* Hook. f. = Pseuderanthemum

reticulatum
– *schomburgkii* hort. = Pseuderanthemum reticulatum
– *sinuatum* (Vahl) R. Br. = Pseuderanthemum sinuatum
– *tuberculatum* Hook. f. = Pseuderanthemum tuberculatum
– **wattii** (Bedd.) Stapf | ♄ ⓦ XI-I; N-Ind.

Eranthis Salisb. -f- *Ranunculaceae* · Winterling
– **cilicica** Schott et Kotschy | ♃ III ☠; TR, Syr.
– **hyemalis** (L.) Salisb. · Kleiner Winterling · Winter Aconite | ♃ II-III ☠; Eur.: F, I, Slove., Croatia, Bosn., YU, BG, nat. in BrI, C-Eur., EC-Eur., RO
  - var. *cilicica* (Schott et Kotschy) Huth = Eranthis cilicica
– × **tubergenii** Bowles (*E. cilicia* × *E. hyemalis*) · Tubergens Winterling | ♃ II-III ☠; cult.

Ercilla A. Juss. -f- *Phytolaccaceae*
– **spicata** (Bertero) Moq. | ♄ ⓚ ≹ III-IV; Chile
– *volubilis* Juss. = Ercilla spicata

Erdisia = Corryocactus Britton et Rose
– *melanotricha* (Schum.) Backeb. = Corryocactus melanotrichus
– *meyenii* Britton et Rose = Corryocactus aureus
– *spiniflora* (F. Phil.) Britton et Rose = Austrocactus spiniflorus
– *squarrosa* (Vaupel) Britton et Rose = Corryocactus squarrosus

Erechtites Raf. -f- *Asteraceae*
– **hieraciifolia** (L.) Raf. ex DC. · Schein-Greiskraut | X-VII; N-Am., S-Am., nat. in A, EC-Eur., Slove., Croatia, RO

Eremocitrus Swingle -m- *Rutaceae*
– **glauca** (Lindl.) Swingle | ♄ Ⓝ; NE-Austr.

Eremostachys Bunge -f- *Lamiaceae*
– **laciniata** (L.) Bunge | ♃ VI-VIII ∧; TR, Syr., Iran, C-As.

Eremurus M. Bieb. -m- *Asphodelaceae* · Steppenkerze
– **aitchinsonii** Baker | ♃ VI-VII ∧; orig. ?
– **bucharicus** Regel | ♃ VI-VII ∧; C-As., Afgh.
– *bungei* Baker = Eremurus stenophyllus
– *elwesianus* hort. = Eremurus aitchinsonii
– *elwesii* Micheli = Eremurus aitchinsonii
– **himalaicus** Baker · Himalaya-Lilienschweif | ♃ VI ∧; Afgh., NW-Ind, C-As.
– × **himrob** hort. (*E. himalaicus* × *E. robustus*)
– × **isabellinus** (Vilm.) hort. (*E. olgae* × *E. stenophyllus*) · Isabellen-Lilienschweif | ♃
– **olgae** Regel | ♃ VI ∧; Iran, Afgh., C-As.(Tadschik.)
– **robustus** (Regel) Regel · Turkestan-Lilienschweif · Aiguille de Cléopâtre, Lis des steppes | ♃ VI-VII ∧; C-As.
  - var. *elwesii* (Micheli) Leichtlin = Eremurus aitchinsonii
– **spectabilis** M. Bieb. | ♃ VI-VII ∧; TR, Iraq, Lebanon, Iran
– **stenophyllus** (Boiss. et Buhse) Baker · Afghanistan-Lilienschweif | ♃ VI-VII ∧; Iran, C-As., Afgh., W-Pakist., Him.
  - var. *bungei* (Baker) O. Fedtsch. = Eremurus stenophyllus
– *tauricus* hort. = Eremurus spectabilis
– × **tubergenii** Tubergen (*E. himalaicus* × *E. stenophyllus*)

Erepsia N.E. Br. -f- *Aizoaceae*
– *haworthii* (Donn) Schwantes = Lampranthus haworthii
– **inclaudens** (Haw.) Schwantes | ♄ ♆ ⓚ VII-IX; Kap

Eria Lindl. -f- *Orchidaceae*
– **barbarossa** Rchb. f. | ⓦ ≹ IX ✻; Malay. Pen.
– **bractescens** Lindl. | ⓦ VI ✻; Malay. Pen., Java
– **javanica** (Sw.) Blume | ⓦ IV-VI ✻; Him., Myanmar, Thail., Malay. Arch., Phil.
– *stellata* Lindl. = Eria javanica

Erianthus = Saccharum L.
– *ravennae* (L.) P. Beauv. = Saccharum ravennae

Eriastrum Wooton et Standl. -n- *Polemoniaceae*
– **densifolium** (Benth.) H. Mason · Giant Woolstar, Starflower

Erica L. -f- *Ericaceae* · Glockenheide

– *abietina* Bergius non L. = Erica mammosa
– **abietina** L.
– **albens** L. | ♄ ⓚ III-IV; S-Afr.
– **arborea** L. · Baum-Heide · Briar, Tree Heath | ♄ ⓚ II-IV Ⓝ; Eur.: Ib, Fr, Ap, Ba, Canar., Madeira; TR, Cauc., Yemen, NW-Afr., Tibesti, mts. E-Afr.
- **'Alpina'** | ♄ V-VI ∧; W-Sp.
- var. *alpina* Dieck ex Bean = Erica arborea 'Alpina'
– **aristata** Andrews | ♄ ⓚ V-IX; S-Afr.
– **australis** L. · Southern Heath, Spanish Heath | ♄ IV-VI ∧; Eur.: Ib; Maroc.
– **baccans** L. | ♄ ⓚ IV-VII; S-Afr.
– **bauera** Andrews | ♄ ⓚ VII-IX; S-Afr.
– **bergiana** L. | ♄ V-VII; S-Afr.
– *blanda* Andrews = Erica doliiformis
– *bowieana* Lodd. = Erica bauera
– **bucciniiformis** Salisb. | ♄ ⓚ IX-X; S-Afr.
– **caffra** L. | ♄ ⓚ III-V; S-Afr.
– *calycina* L. = Erica nigrita
– **canaliculata** Andrews | ♄ ⓚ II-V; S-Afr.
– **carnea** L. · Schnee-Heide · Winter Heath · Bruyère couleur chair, Bruyère des neiges | ⊙ ♄ II-IV; Eur.: F, I, C-Eur., EC-Eur., Ba, ? RO
- **'Ann Sparkes'**
- **'Foxhollow'**
- **'Loughrigg'**
- **'March Seedling'**
- **'Praecox Rubra'**
- **'Rubinteppich'**
- **'Springwood White'**
- **'Winter Beauty'**
– × **cavendishiana** hort. (*E. abietina* × *E. depressa*) | ♄ ⓚ V-VII; cult.
– **cerinthoides** L. | ♄ ⓚ VII-VIII; S-Afr.
– **chamissonis** Klotzsch | ♄ ⓚ IV; S-Afr.
– **ciliaris** L. · Wimper-Heide · Dorset Heath | ♄ VI-VII ∧; Eur.: BrI, Fr, Ib; Maroc.
– **cinerea** L. · Graue Heide · Bell Heather · Bruyère cendrée | ⊙ ♃ VI-VIII ∧; Eur.: BrI, Sc, Fr, Ib, C-Eur., Ap; Alger.
- **'C.D. Eason'**
- **'Cevennes'**
- **'Eden Valley'**
- **'Katinka'**
- **'P.S. Patrick'**
- **'Pallas'**
- **'Pink Ice'**
– *coccinea* Bergius non L. = Erica abietina
– **colorans** Andrews | ♄ ⓚ IV-VI; S-Afr.
– **conspicua** Sol. | ♄ ⓚ V-VIII; S-Afr.
– **cruenta** Sol. | ♄ ⓚ VIII-X; S-Afr.
– **curviflora** L. | ♄ ⓚ III-VI; S-Afr.
– **cyathiformis** Salisb. | ♄ ⓚ III-IV; S-Afr.
– × **cylindrica** Andrews (?) | ♄ ⓚ V-VII; cult.
– × **darleyensis** Bean (*E. carnea* × *E. erigena*) · Margaret Porter Heath · Bruyère hybride de Darleyens | ♄ I-V
- **'J.W. Porter'**
- **'Kramers Rote'**
- **'Silberschmelze'**
– **doliiformis** Salisb. | ♄ ⓦ VI-VII; S-Afr.
– **erigena** R. Ross · Purpur-Heide · Irish Heath | ♃ III-V; Eur.: IRL, F, Ib
- **'Hibernica'**
- **'W.T. Rackliff'**
– **exsurgens** Andrews | ♄ ⓚ VI-IX; S-Afr.
– **flammea** Andrews | ♄ ⓚ X-XII; S-Afr.
– **floribunda** Lodd. | ♄ ⓚ III-V; S-Afr.
– *frondosa* Salisb. = Erica abietina
– **gracilis** J.C. Wendl. | ♄ ⓚ IX-XII; S-Afr.
– *herbacea* L. = Erica carnea
- subsp. *occidentalis* (Benth.) Lainz = Erica erigena
– *hibernica* (Hook. et Arn.) Syme = Erica erigena 'Hibernica'
– × **hiemalis** hort. (?) | ♄ ⓚ II-III; S-Afr.
– *laevis* Andrews = Erica cyathiformis
– **lusitanica** Rudolphi · Lusitanische Heide · Portugal Heath | ♄ ⓚ II-IV; Eur.: Ib, F, nat. in BrI
– **mackaiana** Bab. · Mackays Heath | ♄ VII-IX; NW-Sp., W-IRL
– **mammosa** L. · Red Signal Heath | ♄ ⓚ IV-X; S-Afr.
– *mammosa* Thunb. non L. = Erica doliiformis
– *mauritanica* L. = Erica viridipurpurea
– *maweana* Backh. f. = Erica ciliaris
– *mediterranea* L. = Erica erigena
– **multiflora** L. · Vielblütige Heide | ♄ ⓚ XI-II; Eur.: Ib, Fr, Ap, Ba; NW-Afr., Libya
– **nigrita** L. | ♄ ⓚ III-IV; S-Afr.
– *pelviformis* Salisb. = Erica viridipurpurea
– **persoluta** L. | ⊙ ♃ ♄ ♄ ⓚ III-V; S-Afr.
- var. *laevis* (Andrews) Benth. = Erica cyathiformis
– **petiveri** L. | ♄ ⓚ XI-III; S-Afr.
– × *praegeri* Ostenf. = Erica × stuartii
– *purpurascens* auct. non L. = Erica erigena
– **recurvata** Andrews | ♄ ⓚ III-IV; S-Afr.
– *regerminans* Andrews = Erica viridipurpurea

– **scoparia** L. · Besom Heath | ♄ ⓚ V-VI; Eur.: Fr, Ib, Ap, Azoren, Madeira, Canar.; NW-Afr.
– **speciosa** Andrews | ♄ ⓚ X-I; S-Afr.
– *speciosa* Schneev. = Erica mammosa
– *stricta* Donn ex Willd. = Erica terminalis
– × **stuartii** Linton (*E. mackaiana* × *E. tetralix*) ; cult.
– *subdivaricata* Bergius = Erica persoluta
– **taxifolia** F.A. Bauer | ♄ ⓚ IX-X; S-Afr.
– **terminalis** Salisb. · Steife Heide · Corsican Heath | ♄ VII-IX ∧; Eur.: Sp., Corse, Sard., I; Maroc., nat. in IRL
– **tetralix** L. · Glocken-Heide · Cross Leaved Heath · Bruyère à quatre angles, Caminet | ⊙ ♄ VI-IX; Eur.: BrI, Sc, Fr, Ib, Me, PL, Balt., nat. in CZ
  - **'Con Underwood'**
  - **'Ken Underwood'**
  - **'Pink Star'**
– **transparens** Bergius | ♄ ⓚ III-IV; S-Afr.
– **vagans** L. · Cornwall-Heide · Cornish Heath · Bruyère vagabonde | ♄ VII-IX; Eur.: BrI, F, Sp., nat. in CH
– × **veitchii** Bean (*E. arborea* × *E. lusitanica*) | ♄; cult.
– **ventricosa** Thunb. | ♄ ⓚ V-IX; S-Afr.
– **versicolor** J.C. Wendl. | ♄ ⓚ I-XII; S-Afr.
– **vestita** Thunb. | ♄ ⓚ II-V; S-Afr.
– **viridiflora** Andrews | ♄ ⓚ VI-VIII; S-Afr.
– **viridipurpurea** L. | ♃ ♄ ♄ ⓚ III IV; S Afr.
– × **watsonii** (Benth.) Bean (*E. ciliaris* × *E. tetralix*) | ♄ VII ∧; cult.
– × **williamsii** Druce (*E. tetralix* × *E. vagans*) | ♄ VII-VIII; cult.
– × **willmorei** Knowles et Westc. (?) | ♄ ⓚ IV-V; cult.
– × *wilmoreana* hort. = Erica × willmorei

Ericoila = Gentiana L.
– *clusii* (E. Perrier et Songeon) A. Löve et D. Löve = Gentiana clusii
– *kochiana* (E. Perrier et Songeon) A. Löve et D. Löve = Gentiana acaulis

Erigeron L. -m- *Asteraceae* · Berufkraut
– *acer* L. = Erigeron acris
– **acre** L.; Eur.*, TR, Cauc., Iran, Afgh., C-As., N-As., Maroc., N-Am.
– **acris** L. · Scharfes Berufkraut | ♃ ⊙ VI-IX; Eur.*, TR, Cauc., Iran, Afgh., C-As., N-As., Maroc.
– **alpinus** L. · Alpen-Berufkraut | ♃ △ VII-IX; Eur.* exc. Sc, BrI; Cauc., N-Iran, Lebanon, ? Afgh.; mts.
  - var. *uniflorus* (L.) Hook. = Erigeron uniflorus
– **annuus** (L.) Pers. · Einjähriger Feinstrahl | ⊙ VI-IX; Can., N-USA, nat. in Eur.* exc. BrI, Ba
  - subsp. **strigosus** (Willd.) Wagenitz · Gemeiner Feinstrahl, Striegelhaariger Feinstrahl | ⊙ X-VI
– *asper* Nutt. = Erigeron glabellus
– **atticus** Vill. · Drüsiges Berufkraut | ♃ VII-IX; Eur.: Fr, C-Eur., EC-Eur., Ba, RO; mts.
– **aurantiacus** Regel · Orange Daisy | ♃ △ VII-VIII; C-As.
– *bellidifolius* Muhl. = Erigeron pulchellus
– *canadensis* L. = Conyza canadensis
– **candidus** Widder · Voralpen-Berufkraut | ♃ VII-VIII; Eur.: SE-A (Koralpe)
– **compositus** Pursh · Fleabane | ♃ △ VI-VII; Alaska, Can., USA: NC, Rocky Mts., NW, Calif., SW; Greenl.
– **coulteri** Porter · Large Mountain Fleabane | ♃ △ VI-VII; USA: Rocky Mts., SW, Calif.
– **gaudinii** Brügger · Gaudins Berufkraut | ♃ VII-VIII; Eur.: F, I, CH, D, A; Alp., Schwarzwald
– **glabellus** Nutt. · Streamside Fleabane | ⊙ ♃ VI; Alaska, Can.: W, Man.; USA: NCE, NC, Rocky Mts.
– **glabratus** Bluff et Fingerh. · Kahles Berufkraut | ♃ VII-IX; Eur.: Ib, Fr, Ap, C-Eur., EC-Eur., Ba, RO; TR; mts.
– **glaucus** Ker-Gawl. · Beach Aster, Seaside Daisy | ♃ △ VII-IX; USA: Oreg., Calif.
– **karvinskianus** DC. · Karwinskis Berufkraut, Spanisches Gänseblümchen · Mexican Daisy, Santa Barbera Daisy | ♃ ⇝ △ XI-IX ∧; Mex., Guat., nat. in BrI, Ib, F, CH, I, S-Am
– **leiomerus** A. Gray | ♃ ⇝ △ VII-VIII; USA: Rocky Mts., N.Mex.
– *macranthus* Nutt. = Erigeron speciosus var. macranthus
– *mesa-grande* hort. = Erigeron speciosus var. macranthus
– *mucronatus* DC. = Erigeron karvinskianus
– **neglectus** A. Kern. · Verkanntes Berufkraut | ♃ VII-VIII; Eur.: F, I, CH, D, A; Alp.

– **philadelphicus** L. · Philadelphia-Feinstrahl · Frost Root, Philadelphia Fleabane | ♃ ☉ ✂ VI-VII; Can., USA: NE, NCE, NC, SE, Fla., SC, Rocky Mts., Calif., NW
– *polymorphus* auct. non Scop. = Erigeron glabratus
– **pulchellus** Michx. · Robin's Plantain | ♃ VI-VII; Can.: E; USA: NE, NCE, SC, SE, Fla.
– **speciosus** (Lindl.) DC. · Aspen Daisy, Aspen Fleabane ; Can.: W; USA: NW, Rocky Mts., SW
  - var. **macranthus** (Nutt.) Cronquist | ♃ ✂ VI-VII; Can.: Alta.; USA: Rocky Mts., SW
– **uniflorus** L. · Einköpfiges Berufkraut · One Flower Fleabane | ♃ △ VII-VIII; Eur.* exc. BrI; TR, Cauc., Lebanon; N, mts.

Erinacea Adans. -f- *Fabaceae* · Igelginster
– **anthyllis** Link · Igelginster · Blue Broom | ♄ Ⓚ △ IV-V ∧; Eur.: Sp., F; NW-Afr.

Erinus L. -m- *Scrophulariaceae* · Alpenbalsam
– **alpinus** L. · Alpenbalsam · Fairy Foxglove, Summer Starwort | ♃ △ V-VII; Eur.: Ib, Fr, Ap, C-Eur.; mts., nat. in Br.

Eriobotrya Lindl. -f- *Rosaceae* · Wollmispel
– **japonica** (Thunb.) Lindl. · Japanese Medlar, Loquat | ♄ Ⓚ IX-X Ⓝ; China, S-Jap.

Eriocactus = Notocactus (K. Schum.) Fric
– *leninghausii* (K. Schum.) Backeb. = Notocactus leninghausii
– *schumannianus* (Nicolai) Backeb. = Notocactus schumannianus

Eriocaulon L. -n- *Eriocaulaceae*
– **kunthii** Körn. | ♃ Ⓚ ✂; Austr.

Eriocephalus L. -m- *Asteraceae*
– **africanus** L. | ♄ Ⓚ I-II; S-Afr.

Eriocereus Riccob. -m- *Cactaceae*
– **bonplandii** (Parm.) Riccob. | ψ Ⓚ ✻; S-Bras., Parag., N-Arg.
– **guelichii** (Speg.) A. Berger | ψ Ⓚ ✻; N-Arg.
– **jusbertii** (K. Schum.) Riccob. | ψ Ⓚ ✻; orig. ?
– **martinii** (Labour.) Riccob. | ψ Ⓚ ✻; Arg.
– *pomanensis* (F.A.C. Weber) Riccob. = Eriocereus bonplandii
– **tortuosus** (J. Forbes) Riccob. | ψ Ⓚ ✻; Arg.

Eriodendron = Ceiba Mill.
– *anfractuosum* DC. = Ceiba pentandra

Eriodictyon Benth. -n- *Hydrophyllaceae*
– **californicum** (Hook. et Arn.) Torr. · Consumptive's Weed, Holy Herb | ♃ Ⓚ; Calif.

Erioglossum = Lepisanthes Blume
– *rubiginosum* (Roxb.) Blume = Lepisanthes rubiginosa

Eriogonum Michx. -n- *Polygonaceae* · Wollknöterich
– **compositum** Douglas ex Benth. | ♃; USA: Wash., Oreg., Idaho, N-Calif.
– **corymbosum** Benth. · Crisp Leaf Wild Buckwheat | ♄ △ VII-IX; Calif.
– **flavum** Nutt. · Alpine Golden Wild Buckwheat | ♃ ⇝ △ VII-IX; Calif.
– **jamesii** Benth. · Antelope Sage, Buckwheat | ♄ △ VII-VIII; USA: Colo., N.Mex.
– **racemosum** Nutt. · Redroot Eriogonum | ♃ △ VII-VIII; USA: Utah, Colo., N.Mex., Ariz., Tex.
– **umbellatum** Torr. · Woll-Knöterich · Sulphur Flower | ♄ ⇝ △ VI-IX; USA: NW, Calif., Rocky Mts.

Eriolobus = Malus Mill.
– *tschonoskii* Rehder = Malus tschonoskii

Eriophorum L. -n- *Cyperaceae* · Wollgras
– **angustifolium** Honck. · Schmalblättriges Wollgras · Common Cotton Grass · Linaigrette à feuilles étroites | ♃ ∼ IV-V; Eur.*, Cauc., E-TR, W-Sib., E-Sib., Amur, Sachal., Kamchat., C-As., Mong., Manch., Korea, Alaska, Can., USA: NE, NCE, NC, Rocky Mts, NW; Greenl.
– **gracile** W.D.J. Koch ex Roth · Schlankes Wollgras | ♃ V-VI; Eur.* exc. Ib; W-Sib., E-Sib., N-Am.
– **latifolium** Hoppe · Breitblättriges Wollgras · Linaigrtte à feuilles larges | ♃ ∼ IV-V; Eur.*, Cauc., TR, W-Sib., E-

Sib., Amur, Sachal., Mong., Manch., Korea
– *polystachion* L. = Eriophorum angustifolium
– **scheuchzeri** Hoppe · Scheuchzers Wollgras · White Cotton Grass | ♃ △ ~ VI; Eur.* exc. BrI; N, mts.; W-Sib., E-Sib., Sachal., Kamchat., C-As., Alaska, Can., Greenl.
– *spissum* Fernald = Eriophorum vaginatum
– **vaginatum** L. · Scheiden-Wollgras · Tussock Cotton Grass · Linaigrette gainée | ♃ ~ III-V; Eur.*, TR, Cauc., W-Sib., E-Sib., Amur, Sachal., Kamchat., Mong., Manch., Jap., Alaska, Can.

Eriophyllum Lag. -n- *Asteraceae* · Wollblatt
– **lanatum** (Pursh) J. Forbes · Großköpfiges Wollblatt · Woolly Sunflower · Aster doré du désert, Eriophylle gazonnant | ♃ VII-VIII; Can.: B.C.; USA
- var. **leucophyllum** (DC.) W.R. Carter

Eriopsis Lindl. -f- *Orchidaceae*
– **biloba** Lindl. | (W) VIII-IX ✻; C-Am., trop. S-Am.

Eriostemon Sm. -m- *Rutaceae*
– **myoporoides** DC. | ♄ (K) III-IV; Austr.: Queensl., N.S.Wales, Victoria

Eriosyce Phil. -f- *Cactaceae*
– **aurata** (Pfeiff.) Backeb. | ♆ (K) ✻; Chile: Aconcagoa, Coquimba, Santiago; Arg.
– *ceratistes* (Otto) Britton et Rose = Eriosyce aurata
– *sandillon* (Gay) Phil. = Eriosyce aurata

Eritrichium Schrad. ex Gaudin -n- *Boraginaceae* · Himmelsherold
– **canum** (Benth.) Kitam. | ♃ △ VI-VIII; W-Sib., E-Sib., Mong., NE-China
– **nanum** (L.) Schrad. ex Gaudin · Himmelsherold · Alpine Forget-me-Not, King of the Alps | ♃ △ VII ▽; Eur.: F, I, Ch, A, Slove, ? W-Russ.; Alp., Carp.
– *rupestre* (Pall.) Bunge = Eritrichium canum
– *strictum* Decne. = Eritrichium canum

Erodium L'Her. ex Aiton -n- *Geraniaceae* · Reiherschnabel
– **absinthoides** Willd.; TR: Amanus
- var. **amanum** (Boiss. et Kotschy) Brumh.
– *amanum* Boiss. et Kotschy = Erodium absinthoides var. amanum
– **ballii** Jord. · Dünen-Reiherschnabel | IV-IX; Eur.: D +
– *chamaedryoides* (Cav.) L'Hér. ex Aiton = Erodium reichardii
– **cheilanthifolium** Boiss. | ♃ △ VI-VII; Eur.: Sp., F
– **chrysanthum** L'Her. ex DC. | ♃ △ VI-VIII; GR
– **ciconium** (L.) L'Hér. · Langschnäbliger Reiherschnabel | IV-VIII; Eur.: Ib, Fr, Ap, Ba, RO, S-Russ.; TR, Levante, Iraq, Cauc., Iran, Afgh., C-As., N-Afr., nat. in N-Am.
– **cicutarium** (L.) L'Her. ex Aiton · Gewöhnlicher Reiherschnabel · Heron's Bill, Stork's Bill | ⊙ ⊙ X Ⓝ; Eur.*, TR, Levante, Iran, Cauc., W-Sib., E-Sib., Amur, Kamchat., C-As., W-Him., China, nat. in N-Am., S-Am., E-Afr., Austr.
– **corsicum** Léman | ♃ △ VI-VII ∧; Corse, Sard.
– **danicum** K. Larsen · Dänischer Reiherschnabel ; Eur.: D, DK +; coasts
– **foetidum** (L. et Nath.) L'Hér.; Eur.: S-F; Pyr.
– **glandulosum** (Cav.) Willd. | ♃ VI-VII; Eur.: Sp., F
– **gruinum** (L.) L'Her. ex Aiton · Long Beaked Stork's Bill | ⊙ VI-VIII; Eur.: Sic., GR, Crete; TR, Levante, Iraq, Iran, Egypt, Libya, nat. in Fr
– **guttatum** (Desf.) Willd. | ♃; SW-Eur.
– × **hybridum** Sünd. (*E. daucoides* × *E. manescavii*)
– × **kolbianum** Sünd. ex Knuth (*E. glandulosum* × *E. rupestre*)
– **lebelii** Jord. · Drüsiger Reiherschnabel | ⊙ X-IV; Eur.: Ib., F, Ap, D + ; coasts
– *macradenum* L'Hér. – Erodium glandulosum
– **malacoides** (L.) L'Hér. · Herzblatt-Reiherschnabel | ⊙; Eur.: Ib, Fr, Ap, Ba, Krim; TR, Levante, Cauc., Iran, C-As., .N-Afr., nat. in N-Am., S-Am., S-Afr.
– **manescavii** Coss. · Pyrenäen-Reiherschnabel | ♃ △ VI-IX; Eur.: F; Pyr.
– **moschatum** (L.) L'Her. ex Aiton · Moschus-Reiherschnabel · Common Heron's Bill, Musky Stork's Bill | ⊙ V-

VIII Ⓝ; Eur.: Ib, Fr, Ap, Ba, BrI; TR, Levante, N-Iraq, Iran, N-Afr., nat. in C-Eur., EC-Eur., N-Am., S-Am., E-Afr., S-Afr., Austr., NZ
– **pelargoniiflorum** Boiss. et Heldr. | ♃ VII-VIII ∧; TR
– *petraeum* (Gouan) Willd. = Erodium foetidum
  - subsp. *crispum* (Lapeyr.) Rouy = Erodium cheilanthifolium
  - subsp. *glandulosum* (Cav.) Bonnier = Erodium glandulosum
– **reichardii** (Murray) DC. · Alpine Geranium | ♃ Ⓐ △ VII-VIII ∧; Balear.
– **rupestre** (Pourr. ex Cav.) Guitt. · Stork's Bill | ♃ △ VI-VII ∧; NE-Sp.
– *supracanum* L'Hér. = Erodium rupestre
– × **variabile** A.C. Leslie (*E. corsicum* × *E. reichardii*)
– × **wilkommianum** Sünd. et Kunth (*E. cheilanthifolium* × *E. glandulosum*)

Erophila DC. -f- *Brassicaceae*
– **verna** (L.) DC. · Frühlings-Hungerblümchen | III-V; Eur.*, TR, Levante, Cauc., Iran, Kashmir, C-As., N-Afr., nat. in N-Am.
  - subsp. **praecox** (Steven) Walp. · Frühes Hungerblümchen | III-V; Eur., TR, Levante, SW-As., N-Afr.
  - subsp. **spathulatha** (Lang) Vollm. · Rundfrüchtiges Hungerblümchen | III-V; Eur., TR, Iran, C-As., Maroc.

Eruca Mill. -f- *Brassicaceae* · Rauke
– **sativa** Mill. · Öl-Rauke, Ruke, Saat-Ölrauke · Rocket | ⊙ V-VI; Eur.: Ib, Fr, Ap, Ba, CH, H, EC-Eur.; TR, Cauc., Afgh., Levante, NW-Afr., Libya
– **vesicaria** (L.) Cav.
  - subsp. *sativa* (Mill.) Thell. = Eruca sativa

Erucastrum (DC.) C. Presl -n- *Brassicaceae* · Hundsrauke
– **gallicum** (Willd.) O.E. Schulz · Französische Hundsrauke · Hairy Rocket | ⊙ ⊙ X; Eur.: Sp., Fr, I, C-Eur., EC-Eur., nat. in BrI, Sc, EC-Eur.
– **nasturtiifolium** (Poir.) O.E. Schulz · Stumpfkantige Hundsrauke | ♃ ⊙ V-VIII; Eur.: Ib, Fr, Ap, Ba, C-Eur., H, nat. in RO

Ervatamia = Tabernaemontana L.
– *coronaria* (Jacq.) Stapf = Tabernaemontana divaricata

Ervum = Vicia L.
– *ervilia* L. = Vicia ervilia
– *hirsutum* L. = Vicia hirsuta
– *lens* L. = Lens culinaris
– *monanthon* L. = Vicia articulata
– *tetraspermum* L. = Vicia tetrasperma

Erycina Lindl. -f- *Orchidaceae*
– **echinata** (Humb., Bonpl. et Kunth) Lindl. | ♃ Ⓦ ✱; Mex.

Eryngium L. -n- *Apiaceae* · Edeldistel
– **agavifolium** Griseb. | ♃ Ⓚ I-III; Arg.
– **alpinum** L. · Alpen-Mannstreu · Panicaut des Alpes | ♃ △ ⋈ VII-VIII ▽; Eur.: F, I, CH, A, Slove., Croatia
– **amethystinum** L. · Amethyst-Mannstreu · Amethyst Eryngium | ♃ ⋈ VII-VIII; Eur.: Ap, Ba
– *biebersteinianum* Nevski = Eryngium caeruleum
– **bourgatii** Gouan · Spanischer Mannstreu · Panicaut de Bourgat | ♃ △ VII-VIII; Eur.: Sp., F (Pyr.); Maroc.; mts.
– **bromeliifolium** F. Delaroche | ♃ Ⓚ VIII-IX; Mex.
– **caeruleum** M. Bieb. | ♃ VII-VIII; TR, Cauc., Iran, C-As., Kashmir, Him., Tibet
– **campestre** L. · Feld-Mannstreu · Sea Holly | ♃ VII-VIII; Eur.* exc. Sc; TR, Cyprus, Cauc., Iran, Afgh., NW-Afr., Libya
– *coeruleum* auct. = Eryngium planum
– *decaisneanum* Urb. = Eryngium pandanifolium
– **giganteum** M. Bieb. · Elfenbein-Mannstreu · Giant Sea Holly, Miss Willmott's Ghost · Panicaut géant | ⊙ ⋈ VII-VIII; Cauc., Iran
– **maritimum** L. · Stranddistel · Sea Holly | ♃ ⊙ VI-X ▽; Eur.*, TR, Levante, Cauc., NW-Afr.; coasts
– × **oliverianum** F. Delaroche (*E. giganteum* × *E. planum*) | ♃ ⋈ VII-VIII; cult.
– **pandanifolium** Cham. et Schltdl. | ♃ Ⓚ VII-VIII; S-Bras., Arg., nat. in C-P
– **planum** L. · Flachblättriger Mannstreu · Panicaut à feuilles mutiques | ♃ ⋈ VII-VIII; Eur.: C-Eur., EC-Eur., YU; Cauc., W-Sib., C-As.
– **serbicum** Pancic | ♃ ⋈ VII-VIII; Serb.

– **serra** Cham. et Schltdl. | ♃ VIII-IX ∧; Bras., Arg.
– **tricuspidatum** L. · Dreispitz-Mannstreu | ♃ VIII-IX; Eur.: Sp., Sard., Sic.; N-Afr.
– × **tripartitum** Desf. (?) | ♃ VII-VIII; orig. ?
– **variifolium** Coss. | ♃ VIII ∧; Maroc.; Atlas
– **yuccifolium** Michx. · Buttonsnake Root, Rattlesnake Master | ♃ VII-IX; USA: NE, NCE, Kans., SC, SE, Fla.
– × **zabelii** H. Christ ex Bergmans (*E. alpinum* × *E. bourgatii*) | ♃ ⋈ VII-VIII; cult.

Erysimum L. -n- *Brassicaceae* · Schöterich
– × **allionii** hort. (*? × E. perofskianum*) · Siberian Wallflower | ⊙ IV-V; cult.
– *alpinum* hort. non Pers. = Erysimum hieraciifolium
– **andrzejowskianum** Besser · Andrzejowski-Goldlack | ⊙ V-VII; ? Krim, Cauc., W-Sib., E-Sib., C-As., Mong.
– **aureum** M. Bieb. · Gold-Goldlack | ⊙ V-VII; Eur.: Russ.; Cauc.
– *canescens* Roth = Erysimum diffusum
– **cheiranthoides** L. · Acker-Schöterich · Wormseed Mustard | ⊙ V-IX; Eur.* exc. Ib, Ap; W-Sib., E-Sib., Amur, Sachal., Kamchat., C-As., nat. in N-Am
– **cheiri** (L.) Crantz · Goldlack · Wallflower · Vélard | ⊙ ⋈ D ⋈ V-VI ☠ ∧; TR, W-Syr., nat. in Eur.* exc. Sk
– **crepidifolium** Rchb. · Bleicher Schöterich | ⊙ ♃ IV-VII ☠; Eur.: D, CZ, H, RO
– *decumbens* (Schleich. ex Willd.) Dennst. = Erysimum ochroleucum
– **diffusum** Ehrh. · Grauer Schöterich | ⊙ ♃ V-VII; Eur.: A, EC-Eur., Ba, E-Eur.; TR, Cauc., C-As.
– *dubium* (Suter) Thell. non DC. = Erysimum ochroleucum
– *helveticum* (Jacq.) DC. = Erysimum rhaeticum
– **hieraciifolium** L. · Ruten-Schöterich, Steifer Schöterich · Alpine Wallflower | ⊙ VI-IX; Eur.: Fr, C-Eur., EC-Eur., Sc, Ba, E-Eur.
– *humile* Pers. = Erysimum ochroleucum
– **hungaricum** Zapall. · Ungarischer Schöterich ; Eur.: A, EC-Eur., RO, ? W-Russ.; Carp.
– **kotschyanum** J. Gay | ♃ △ VI-VII; TR
– **linifolium** (Pers.) J. Gay | ♃; C-Sp., N-Port.
– **marschallianum** Andrz. ex DC. · Harter Schöterich | ⊙ VI-IX; Eur.: C-Eur., EC-Eur., E-Eur.; W-Sib., E-Sib., C-As., Him., Mong.
– × *marshallii* hort. = Erysimum × allionii
– **ochroleucum** DC. · Blassgelber Schöterich | ♃ D VI; Eur.: F, CH; SW-Alp.
– **odoratum** Ehrh. · Wohlriechender Schöterich | ⊙ VI-VII; Eur.: EC-Eur., Fr, Ap, Ba, E-Eur., A, D
– **perovskianum** Fisch. et C.A. Mey. | ⊙ III-V; Cauc., Afgh.
– **pulchellum** (Willd.) J. Gay | ♃ △ IV-VII; Eur.: Ba; TR, Cauc.
– *pumilum* auct. non Gaud. = Erysimum rhaeticum
– **repandum** L. · Sparriger Schöterich | V-VII; Eur.: C-Eur., EC-Eur., Ba, E-Eur.; TR, Levante, Cauc., Iran, Kashmir, C-As.
– **rhaeticum** (Schleich. ex Hornem.) DC. · Schweizer Schöterich | ♃ △ VI; Eur.: F, I, CH, A; Alp.
– **scoparium** (Brouss. ex Willd.) Snogerup | ♃
– **sylvestre** (Crantz) Scop. · Wald-Schöterich | ♃ IV-VII; Eur.: I, A, Slove.; E-Alp.

Erythea = Brahea Mart. ex Endl.
– *armata* (S. Watson) S. Watson = Brahea armata
– *brandegeei* Purpus = Brahea brandegeei
– *edulis* (H. Wendl. ex S. Watson) S. Watson = Brahea edulis

Erythraea = Centaurium Hill
– *centaurium* auct. non (L.) Pers. = Centaurium erythraea
– *chloodes* (Brot.) Gren. et Godr. = Centaurium confertum
– *diffusa* J. Woods = Centaurium scilloides
– *massonii* Sw. = Centaurium scilloides

Erythrina L. -f- *Fabaceae* · Korallenstrauch
– **abyssinica** Lam. ex DC. | ♄; Eth., trop. Afr., Mozamb., Him
– **americana** Mill. | ♄ ♄; Ariz., Mex.
– **caffra** Thunb. | ♄; S-Afr.
– **corallodendron** L. · Coral Tree | ♄ Ⓚ ☠; ? W.Ind.
– **crista-galli** L. · Cockspur Coral Tree ·

Erythrine crête-de-coq | ♄ ⓚ VII-IX; Bras., Parag., Bol., Arg.
- **falcata** Benth. | ♄ ♄; S-Peru, Bol., E-Bras., Parag., N-Arg.
- **flabelliformis** Kearney | ♄ ♄; SE-Ariz., SW- N.Mex., W-Mex.
- **fusca** Lour. | ♄ Ⓝ; S-Am., Guyana, Venez.
- *glauca* Willd. = Erythrina fusca
- **herbacea** L. · Deer's Peas | ♄ ⓚ VIII-IX; USA: SE, Fla., SC; Mex.
- **humeana** Spreng. · Natal Coral Tree | ♄ ⓦ VII-X; trop. Afr.
- **indica** Lam.
- **latissima** E. Mey. | ♄; S-Afr., Mozamb.
- **lysistemon** Hutch. | ♄; S-Afr., Rhodes.
- *piscipula* L. = Piscidia piscipula
- **poeppigiana** (Walp.) O.F. Cook | ♄ Ⓝ; trop. Am.
- *princeps* A. Dietr. = Erythrina humeana
- **senegalensis** DC. | ♄ Ⓝ; W-Afr., W-Sudan
- **subumbrans** (Hassk.) Merr. | ♄ Ⓝ; trop. As.
- **variegata** L. · Indischer Korallenbaum | ♄ Ⓝ; Malay. Arch., Phil., Taiwan, China, Tanzania
- **vespertilio** Benth. | ♄; Austr.: Queensl., N.S.Wales, W-Austr., N.Terr.

Erythrochaete = Ligularia Cass.
- *dentata* A. Gray = Ligularia dentata

Erythrochiton Nees et Mart. -m- *Rutaceae*
- **brasiliensis** Nees et Mart. | ♄ ⓦ; E-Bol., Peru, S-Bras.

Erythronium L. -n- *Liliaceae* · Hundszahn
- **albidum** Nutt. · White Trout Lily | ♃ IV-V; Can.: Ont.; USA: NCE, NE, SE, Okla.
- **americanum** Ker-Gawl. · Amerikanischer Hundszahn · Trout Lily, Yellow Adder's Tongue | ♃ IV-V; Can.: E; USA: NE, NCE, Okla.
- **californicum** Purdy · Kalifornischer Hundszahn · Fawn Lily | ♃ IV-V; USA: N-Calif.
- **citrinum** S. Watson · Fawn Lily | ♃ IV-V; USA: S-Oreg.
- **dens-canis** L. · Europäischer Hundszahn · Dog's Tooth Violet · Erythrone dent-de-chien | ♃ III-V; Eur.* exc. BrI, Sc
- *giganteum* hort. = Erythronium oregonum
- *giganteum* Lindl. = Erythronium grandiflorum
- **grandiflorum** Pursh · Großblütiger Hundszahn · Avalanche Lily | ♃ IV-V; B.C., USA: NW
- *hartwegii* S. Watson = Erythronium multiscapoideum
- **hendersonii** S. Watson · Henderson's Fawnlily | ♃ IV-V; USA: S-Oreg.
- **multiscapoideum** (Kellogg) A. Nelson et P.B. Kenn. | ♃ IV-V; Calif.: Sierra Nevada
- **oregonum** Applegate · Giant Fawn Lily | ♃ IV-V; B.C., USA: NW
- *purdyi* hort. = Erythronium multiscapoideum
- **revolutum** Sm. · Pink Fawn Lily | ♃ IV-V; B.C., USA: NW, N-Calif.
- **tuolumnense** Applegate · Trout Lily | ♃ IV; Calif.

Erythrophleum Afzel. ex G. Don -n- *Caesalpiniaceae*
- **suaveolens** (Guill. et Perrott) Brenan · Ordeal Tree | ♄ ⓦ Ⓝ; W-Afr.: Sierra Leone

Erythrorhipsalis A. Berger *Cactaceae*
- **pilocarpa** (Loefgr.) A. Berger | ♄ ♆ ⓦ ✱; Bras.: Sao Paulo

Erythrotis = Cyanotis D. Don
- *beddomei* Hook. f. = Cyanotis kewensis

Erythroxylum P. Browne -n- *Erythroxylaceae*
- **acuminatum** Ruiz et Pav. · Wild Coca | ♄ ⓦ; Peru
- **coca** Lam. · Amazonian Coca ; S-Peru, Bol.
  - var. **ipadu** Plowman | ♄ ⓦ Ⓝ; Amazon.
- **lucidum** Humb., Bonpl. et Kunth | ♄ ⓦ; Col.
- **monogynum** Roxb. · Bastard Sandal | ♄ ⓦ; Ind., China
- **novogranatense** (D. Morris) Hieron. · Coca ; Col., Venez.
  - var. **truxillense** (Rusby) Plowman | ♄ ⓦ Ⓝ; N-Peru
- *truxillense* Rusby = Erythroxylum novogranatense

Escallonia Mutis ex L.f. -f- *Escalloniaceae*
- **alpina** DC. | ♄; Chile
- *berteriana* DC. = Escallonia pulverulenta
- **bifida** Link et Otto · White Escallonia | ♄

ħ ⓚ VII-VIII; Bras., Parag., Urug., Arg.
- × **exoniensis** hort. (*E. rosea* × *E. rubra*)
- *floribunda* Hook. f. = Escallonia bifida
- **floribunda** Humb., Bonpl. et Kunth | ħ ⓚ VII-VIII; Col., Venez.
- **grahamiana** Gillies
- *grahamiana* Hook. et Arn. = Escallonia illinita
- **illinita** C. Presl | ħ ⓚ VII-VIII; Chile
- **laevis** (Vell.) Sleumer · Pink Escallonia | ħ ⓚ VII-VIII; Bras.
- × **langleyensis** Veitch (*E. rubra* × *E. virgata*) | ħ ⓚ VII-VIII ∧; cult.
- *macrantha* Hook. et Arn. = Escallonia rubra var. macrantha
- *montevidensis* (Cham. et Schltdl.) DC. = Escallonia bifida
- *organensis* Gardner = Escallonia laevis
- *philippiana* (Engl.) Mast. = Escallonia virgata
- *pterocladon* Hook. = Escallonia rosea
- **pulverulenta** (Ruiz et Pav.) Pers. | ħ ⓚ VII-IX; Chile
- × **rigida** Phil. (*E. rubra* × *E. virgata*) · Bastard-Eskallonie | ħ
- **rosea** Griseb. | ħ ⓚ VII-VIII; Arg., Chile
- **rubra** (Ruiz et Pav.) Pers. · Rote Escallonie | ħ ⓚ VII-VIII; Arg., Chile
  - var. **macrantha** (Hook. et Arn.) Reiche | ħ ⓚ VII-VIII; Arg., Chile
- **virgata** (Ruiz et Pav.) Pers. · Weiße Escallonie | ħ ⓚ VII-VIII ∧; Arg., Chile
  - var. *philippiana* Engl. = Escallonia virgata

Eschscholzia Cham. -f- *Papaveraceae* · Goldmohn
- **caespitosa** Benth. · Slender California Poppy, Tufted Poppy | ⊙ VII-IX; Calif.: Sierra Nevada
- **californica** Cham. · Kalifornischer Kappenmohn, Schlafmützchen · California Poppy · Pavot jaune de Californie | ⊙ ⊙ ♃ X; USA: Oreg., Calif., nat. in C-Eur., W-Eur.
- **lobbii** Greene; Calif.
- *tenuifolia* Benth. = Eschscholzia caespitosa
- *tenuifolia* Hook. non Benth. = Eschscholzia lobbii

Escobaria Britton et Rose -f- *Cactaceae*
- **chihuahuensis** Britton et Rose | ψ ⓚ ✻; Mex.: Chihuahua
- **dasyacantha** (Engelm.) Britton et Rose | ψ ⓚ ✻; USA: N.Mex., Tex.; N-Mex.
- **emskoetteriana** (Quehl) Borg | ψ ⓚ ✻; S-Tex., NE-Mex.
- **missouriensis** (Sweet) D.R. Hunt | ψ ⓚ ✻; Can.: Man.; USA: NC, Rocky Mts., SC, SW, Calif.; N- Mex.
- **roseana** (Boed.) Buxb. | ψ ⓚ ✻; Mex.: Coahuila
- *strobiliformis* hort. non Poselg. = Escobaria tuberculosa
- **tuberculosa** (Engelm.) Britton et Rose | ψ ⓚ ✻; USA: N.Mex., Tex.; N-Mex.
- **vivipara** (Nutt.) Buxb. | ψ ⓚ ✻; Can.: W, Man.; USA: Rocky Mts., NC, Tex.; N-Mex.
- **zilziana** (Boed.) Backeb. | ψ ⓚ ✻; Mex.: Coahuila

Esmeralda Rchb.f. -f- *Orchidaceae*
- **cathcartii** (Lindl.) Rchb. f. | ⓦ V-VII ✻; E-Him.

× **Esmeranda** hort. -f- *Orchidaceae*

Espostoa Britton et Rose -f- *Cactaceae*
- **blossfeldiorum** (Werderm.) Buxb. | ψ ⓦ ✻; N-Peru
- **guentheri** (Kupper) Buxb. | ψ ⓦ ✻; Bol.
- *huanucoensis* F. Ritter = Espostoa lanata
- **lanata** (Humb., Bonpl. et Kunth) Britton et Rose · Cotton Ball Cactus | ψ ⓦ ✻; N-Peru
- *laticornua* Rauh et Backeb. = Espostoa lanata
- **melanostele** (Vaupel) Borg | ψ ⓦ ✻; Peru
- *nana* F. Ritter = Espostoa melanostele
- **ritteri** Buining | ψ ⓦ ✻; N-Peru
- *sericata* (Backeb.) Backeb. = Espostoa lanata

Espostoopsis = Austrocephalocereus Backeb.
- *dybowskii* (Rol.-Goss.) Buxb. = Austrocephalocereus dybowskii

Etlingera Giseke -f- *Zingiberaceae*
- **elatior** (Jack) R.M. Sm. | ♃ ⓦ VII-VIII; Malay. Pen.

Euanthe Schltr. -f- *Orchidaceae*
- **sanderiana** (Rchb. f.) Schltr. | ⓚ IX-X ✻; Phil.: Mindanao

Eucalyptus L'Her. -f- *Myrtaceae*

- **alba** Reinw. ex Blume | ♄ Ⓚ Ⓝ; Malay. Arch., N.Guinea, N-Austr.
- **amplifolia** Naudin | ♄; Austr.: Queensl., N.S.Wales
- **amygdalina** Labill. · Black Peppermint | ♄ Ⓚ D; Tasman.
- **archeri** Maiden et Blakeley | ♄ ħ; Tasman.
- **astringens** Maiden | ♄ Ⓝ; W-Austr., cult. Maroc., S-Afr., Cyprus
- **botryoides** Sm. · Bangalay | ♄ Ⓚ; Austr.: N.S.Wales, Victoria
- **caesia** benth. | ♄ ħ; W-Austr.
- **calophylla** R. Br. ex Lindl. · Marri | ♄ Ⓚ ✂ Ⓝ; W-Austr.
- **camaldulensis** Dehnh. · Red River Gum, River Red Gum | ♄ Ⓚ Ⓝ; Austr.
- **cinerea** F. Muell. ex Benth. · Argyle Apple, Ash Colored Eucalyptus | ♄ Ⓚ ✂; Austr.: N.S.Wales, Victoria
- **citriodora** Hook. · Lemon Eucalyptus, Lemon Scented Gum | ♄ Ⓚ D Ⓝ; Austr.: Queensl.
- **cladocalyx** F. Muell. · Sugar Gum | ♄ Ⓚ Ⓝ; S-Austr.
- **cneorifolia** DC. | ♄ ħ; S-Austr.
- **coccifera** Hook. f. | ♄ ħ; Tasman.
- **cordata** Labill. | ♄ ħ; Tasman.
- **cornuta** Labill. | ♄; W-Austr.
- **crebra** F. Muell. · Iron bark | ♄ Ⓝ; Austr.: Queensl., N.S.Wales
- **crucis** Maiden | ♄; W-Austr.
- **curtisii** Blakeley et C.T. White | ♄; Austr.: Queensl.
- **dalrympleana** Maiden | ♄; Austr.: N.S.Wales, Victoria, Tasman.
- **delegatensis** R.T. Baker | ♄; Austr.: N.S.Wales, Victoria, Tasman.
- **diversicolor** F. Muell. · Karri | ♄ Ⓚ Ⓝ; W-Austr.
- **dives** Schauer | ♄ Ⓝ; Austr.: N.S.Wales, nat. in Zaire
- **eugenoides** Sieber ex Spreng. | ♄; Austr.: Queensl., N.S.Wales, Victoria
- **eximia** Schauer | ♄; Austr.: N.S.Wales
- **fastigiata** H. Deane et Maiden | ♄; Austr.: N.S.Wales, Victoria
- **ficifolia** F. Muell. · Red Flowering Gum | ♄ Ⓚ; W-Austr.
- **fraxinoides** H. Deane et Maiden | ♄; Austr.: N.S.Wales, Victoria
- **fruticetorum** F. Muell. ex Miq. · Silver Malee Scrub | ♄ Ⓚ Off.; Austr.
- **globulus** Labill. · Blue Gum, Tasmanian Blue Gum · Eucalyptus bleu | ♄ Ⓚ Off. Ⓝ; Austr.: Victoria, Tasman., nat. in Calif.
  - subsp. **bicostata** Maiden, Blakeley et Simmonds
  - subsp. **maidenii** F. Muell. | ♄ Ⓚ Ⓝ; Austr.: N.S.Wales, Victoria
- **gomphocephala** DC. · Tuart | ♄ Ⓚ Ⓝ; W-Austr.
- **gunnii** Hook. f. · Cider Gum · Eucalyptus commun | ♄ Ⓚ Ⓝ; Tasman.
- **johnstonii** Maiden | ♄; Tasman.
- **largiflorens** F. Muell. | ♄; Austr.: Queensl., N.S.Wales, Victoria, S-Austr.
- **lehmannii** (L. Preiss ex Schauer) Benth. · Bushy Yate | ♄ Ⓚ ✂; W-Austr.
- **leucoxylon** F. Muell. · White Ironbark | ♄ Ⓚ Ⓝ; Austr.: N.S.Wales, Victoria, S-Austr.
- **macarthuri** Dean et Maiden | ♄ Ⓝ; Austr.: N.S.Wales, cult. Afr., Hawai, NZ, Zaire
- **macarthurii** H. Deane et Maiden | ♄; Austr.: N.S.Wales
- **maculata** Hook. · Spotted Gum | ♄ Ⓚ Ⓝ; Austr.: Queensl., N.S.Wales, Victoria
  - var. *citriodora* (Hook.) F.M. Bailey = Eucalyptus citriodora
- *maidenii* F. Muell. = Eucalyptus globulus subsp. maidenii
- **mannifera** Mudie | ♄; Austr.: N.S.Wales
- **marginata** Donn ex Sm. · Jarrah, West Australian Mahogany | ♄ Ⓚ ✂ Ⓝ; W-Austr.
- **microcorys** F. Muell. · Tallow Wood | ♄ Ⓚ Ⓝ; Austr.: Queensl., N.S.Wales
- **nicholii** Maiden et Blakeley | ♄; Austr.: N.S.Wales
- *niphophila* Maiden et Blakeley = Eucalyptus pauciflora subsp. niphophila
- **nutans** F. Muell. | ♄ ħ; W-Austr
- **obliqua** L'Her. · Messmate | ♄ Ⓚ Ⓝ; Austr.: Queensl., N.S.Wales, Victoria, S-Austr., Tasman.
- **occidentalis** Endl.
  - var. **adstringens** Endl. · Malettorinde | ♄ Ⓝ
- **orbifolia** F. Muell. | ♄ ħ; Austr.: W-Austr., N.Terr., S-Austr.
- **ovata** Labill. | ♄; Austr.: N.S.Wales, S-Austr., Victoria, Tasman.
- **paniculata** Sm. · Grey Ironbark | ♄ Ⓚ Ⓝ; Austr.: N.S.Wales
- **parvifolia** Cambage | ♄; Austr.: N.S.Wales
- **pauciflora** Siebold ex A. Spreng. · Snow

Gum, White Sally | ħ ⌂K Ⓝ; Austr.: Queensl., N.S.Wales, Victoria, S-Austr., Tasman.
- subsp. **niphophila** (Maiden et Blakeley) L.A.S. Johnson et Blaxell | ♄ ħ ∧; Austr.: N.S.Wales (Mt. Kosciusco)
– **perriniana** F. Muell. ex Rodway | ħ; Austr.: N.S.Wales, Victoria, Tasman.
– *phellandra* R.T. Baker et H.G. Sm. = Eucalyptus radiata
– **pilularis** Sm. · Black Butt | ħ ⌂K Ⓝ; Austr.: SE-Queensl., N.S.Wales
– **polyanthemos** Schauer | ħ; Austr.: N.S.Wales, Victoria
– *polybractea* R.T. Baker = Eucalyptus fruticetorum
– **preissiana** Schauer | ♄; W-Austr.
– **pulchella** Desf. | ħ; Tasman.
– **pulverulenta** Sims | ħ ♄; Austr.: N.S.Wales
– **pyriformis** Turcz. · Pear Shaped Mallee | ♄ ⌂K ⋊; W-Austr.
– **radiata** Sieber ex DC. · Narrow Leaved Peppermint | ħ ⌂K Ⓝ; Austr.
– **regnans** F. Muell. · Giant Gum, Mountain Ash | ħ ⌂K Ⓝ; Austr.: Victoria, Tasman.
– **resinifera** Sm. · Red Mahogany | ħ ⌂K Ⓝ; Austr.: Queensl., N.S.Wales
– × **rhodantha** Blakeley et Steedman (*E. macrocarpa* × *E. pyriformis*) | ♄ ⌂K; W-Austr.
– **robusta** Sm. · Swamp Mahogany | ħ ⌂K Ⓝ; Austr.: Queensl., N.S.Wales
– *rostrata* Schltdl. non Cav. = Eucalyptus camaldulensis
– *salicifolia* Cav. = Eucalyptus amygdalina
– **saligna** Sm. · Sydney Blue Gum | ♄ ⌂K Ⓝ; Austr.: SE-Queensl., N.S.Wales
– **sideroxylon** A. Cunn. ex Benth. · Mugga, Pink Ironbark | ħ ⌂K Ⓝ; Austr.: Queensl., N.S.Wales, Victoria
– **smithii** R.T. Baker · Gully Ash | ħ ⌂K Off.; Austr.: N.S.Wales, Victoria
– **staigeriana** F. Muell. ex F.M. Bailey | Ⓝ; Austr., nat. in Bras., Guat., Zaire
– **stellulata** Sieber ex DC. | ħ; Austr.: N.S.Wales, Victoria
– **tereticornis** Sm. · Forest Red Gum, Grey Gum | ħ ⌂K Ⓝ; Austr.: Queensl., N.S.Wales, Victoria
– **tetragona** (R. Br.) F. Muell. | ħ; W-Austr.
– **tetraptera** Turcz. | ♄; W-Austr.
– **torquata** Luehm. | ħ; W-Austr.
– *umbellata* (Gaertn.) Domin = Eucalyptus tereticornis
– **urnigera** Hook. f. | ħ; Tasman.
– **viminalis** Labill. · Manna Gum, Ribbon Gum | ħ ⌂K Ⓝ; Austr.: N.S. Wales, S-Austr., Tasman., Victoria
– **wandoo** Blakeley | ħ Ⓝ; Austr.
– **woodwardii** Maiden | ħ; W-Austr.

Eucharidium = Clarkia Pursh
– *breweri* A. Gray = Clarkia breweri
– *concinnum* Fisch. et C.A. Mey. = Clarkia concinna

Eucharis Planch. et Linden -f- *Amaryllidaceae*
– **amazonica** Planch. · Amazon Lily | ♃ ⌂W ⋊ XII-VII; Ecuad., Peru
– **candida** Planch. et Linden | ♃ ⌂W III; Col.
– *grandiflora* hort. = Eucharis amazonica
– **grandiflora** Planch. et Linden
– **mastersii** Baker | ♃ ⌂W II-III; Col.
– **sanderi** Baker | ♃ ⌂W II-IV; Col.
subedentata (Baker) Benth. et Hook. f. | ♃ ⌂W XII; Col.

Euchlaena = Zea L.
– *mexicana* Schrad. = Zea mexicana

Euclidium R. Br. -n- *Brassicaceae*
syriacum (L.) R. Br. · Schnabelschötchen | VI; Eur.: A, EC-Eur., Ba, E-Eur.; TR, Levante, Cauc., Iran, W-Sib., C-As., Him.

Eucnide Zucc. -f- *Loasaceae*
– **bartonioides** Zucc. | ⊙ ⌂K VII-VIII; USA: N.Mex., Tex., Mex.
– *urens* (Jacq.) Parry = Loasa urens

Eucodonia Hanst. -f- *Gesneriaceae*
– **verticillata** (M. Martens et Galeotti) Wiehler; Mex.

Eucomis L'Her. -f- *Hyacinthaceae* · Schopflilie
– **autumnalis** (Mill.) Chitt. | ♃ ⌂K III-IV; Malawi, Zambia, S-Afr.
– **bicolor** Baker · Eucomis du Cap | ♃ ⌂K; S-Afr.: Natal
– **comosa** (Houtt.) Wehrh. · Pineapple Flower | ♃ ⌂K VI-VII; S-Afr.
– *punctata* (Thunb.) L'Hér. = Eucomis

comosa
– *undulata* Aiton = Eucomis autumnalis

Eucommia Oliv. -f- *Eucommiaceae*
– **ulmoides** Oliv. · Guttaperchabaum · Gutta Percha Tree · Arbre à Gutta-Percha | ħ ⓝ; W-China, C-China

Eucryphia Cav. -f- *Eucryphiaceae*
– **cordifolia** Cav. · Ulmo | ♄ ħ ⓚ VIII; S-Chile
– **glutinosa** (Poepp. et Endl.) Baill. | ♄ ⓚ D VII-VIII; S-Chile
– × **hillieri** Ivens (*E. lucida* × *E. moorei*)
– × **intermedia** Bausch (*E. glutinosa* × *E. lucida*) | ħ; cult.
– × **nymansensis** Bausch (*E. cordifolia* × *E. glutinosa*) | ħ; cult.
– *pinnatifolia* Gay = Eucryphia glutinosa

Eugenia L. -f- *Myrtaceae* · Kirschmyrte
– *aromatica* Kuntze = Syzygium aromaticum
– *australis* J.C. Wendl. ex Link = Syzygium paniculatum
– *brasiliensis* Lam. = Eugenia dombeyi
– *caryophyllata* Thunb. = Syzygium aromaticum
– *caryophyllus* (Spreng.) Bullock ex S.G. Harrison = Syzygium aromaticum
– *cumini* (L.) Druce = Syzygium cumini
– **dombeyi** (Spreng.) Skeels · Brazil Cherry | ħ ⓚ ⓝ; Bras.
– *jambolana* Lam. = Syzygium cumini
– *jambos* L. = Syzygium jambos
– **klotzschiana** O. Berg | ♄; Bras.
– *luma* (Molina) O. Berg = Luma apiculata
– *malaccensis* L. = Syzygium malaccense
– *michelii* Lam. = Eugenia uniflora
– *myriophylla* Casar. = Myrciaria myriophylla
– *myrtifolia* Sims = Syzygium paniculatum
– *paniculata* (Banks ex Gaertn.) Britten = Syzygium paniculatum
  - var. *australis* (J.C. Wendl. ex Link) F.M. Bailey = Syzygium paniculatum
– *ugni* (Molina) Hook. et Arn. = Ugni molinae
– **uniflora** L. · Surinam Cherry | ♄ ħ ⓚ ⓝ; W.Ind., trop. S-Am.

Eulalia Kunth -f- *Poaceae*
– *japonica* Trin. = Miscanthus sinensis

Eulophia R. Br. ex Lindl. -f- *Orchidaceae*
– **gigantea** (Welw.) N.E. Br. | ⓦ VI-VII ✻; Zaire, Angola
– **guineensis** Lindl. | ⓦ VIII-IX ✻; W-Afr., C-Afr., E-Afr., Angola
– **horsfallii** (Bateman) Summerh. | ⓦ X ✻; W-Afr., C-Afr., E-Afr., trop. S-Afr.
– **longifolia** Schltr. | ⓦ IX-X ✻; trop. Am.
– *maculata* (Lindl.) Rchb. f. = Oeceoclades maculata

Eulophidium = Oeceoclades Lindl.
– *maculatum* (Lindl.) Pfitzer = Oeceoclades maculata

Eulophiella Rolfe -f- *Orchidaceae*
– **elisabethae** Linden et Rolfe | ⓦ IV-V ✻; Madag.
– *hamelinii* Rolfe = Eulophiella roempleriana
– *peetersiana* Kraenzl. = Eulophiella roempleriana
– **roempleriana** (Rchb. f.) Schltr. | ⓦ IV-VI ✻; Madag.

Eulychnia Phil. -f- *Cactaceae*
– **acida** Phil. | ♄ ħ Ψ ⓚ ✻; Chile
– **breviflora** Phil. | ♄ ħ Ψ ⓚ ✻; Chile
– **castanea** Phil. | ♄ Ψ ⓚ ✻; Chile
– *clavata* Phil. = Austrocactus spiniflorus
– **ritteri** Cullmann | ħ Ψ ⓚ ✻; Peru
– **saint-pieana** F. Ritter | ħ Ψ ⓚ ✻; N-Chile

Eunomia = Aethionema R. Br.
– *oppositifolia* (Pers.) DC. = Aethionema oppositifolium

Euodia J.R. Forst. et G. Forst. -f- *Rutaceae*
– *daniellii* (Benn.) Hemsl. = Tetradium daniellii
– **glauca** Miq. | ħ VII; Jap., China, Taiwan
– **henryi** Dode · Henrys Stinkesche | ♄ ⚘ V-VII; C-China
– *hupehensis* Dode = Tetradium daniellii 'Hupehense Grp.'
– **officinalis** Dode | ħ ♄; C-China, W-China

Euonymus L. -m- *Celastraceae* · Spindelstrauch
– **alatus** (Thunb.) Siebold · Flügel-Spindelstrauch · Winged Spindle · Fusain ailé | ♄ V-VI ☠; China, Amur, Manch., Korea, Jap., Sachal.
  - var. **apterus** Regel | ♄

– **americanus** L. · Strawberry Bush | ♄ ⁂ VI; USA: NE, NCE, SE, Fla., SC
  - var. **angustifolius** (Pursh) Wood; USA: Ga.
– **atropurpureus** Jacq. · Bitter Ash, Burning Bush, Wahoo | ♄ ♄ ☠; Can.: Ont.; USA: NE, NCE, NC, Rocky Mts., SC, SE, Fla.
– **bungeanus** Maxim. · Bunges Spindelstrauch | ♄ V; Manch., N-China.
– **europaeus** L. · Gewöhnliches Pfaffenhütchen · Common Spindle · Bonnet de prêtre, Fusain d'Europe | ♄ ⁂ V-VI ☠ Ⓝ; Eur.*, Cauc., TR
  - var. **intermedius** Gaudin; SE-Eur.
– **fimbriatus** Wall. | ♄; Him.
– **fortunei** (Turcz.) Hand.-Mazz. · Kletternder Spindelstrauch · Dwarf Euonymus · Fusain du Japon | ♄; W-China, C-China
  - var. **radicans** (Siebold ex Miq.) Rehder | ♄ ≷ ⇝; Jap., Korea, Riukiu-Is.
  - var. **vegetus** (Rehder) Rehder | ♄; China
– **hamiltonianus** Wall.; Him.
  - subsp. **maackii** (Rupr.) Komar. · Maacks Spindelstrauch ; N-China, Korea
  - subsp. *nikoensis* (Nakai) Blakeley = Euonymus hamiltonianus subsp. sieboldianus
  - subsp. **sieboldianus** (Blume) Hara · Siebolds Spindelstrauch | ♄ ♄ V; Korea, Jap.
  - var. **hians** (Koehne) Blakeley; China, Manch., Korea, Jap., Sachal.
  - var. **lanceifolius** (Loes.) Blakeley; C-China, S-China
  - var. *yedoensis* (Koehne) Blakeley = Euonymus hamiltonianus subsp. sieboldianus
– **japonicus** Thunb. · Evergreen Euonymus, Japanese Euonymus | ♄ Ⓚ ∧ Ⓝ; Jap., Korea, Riukiu-Is.
– **kiautschovicus** Loes. | ♄ ⇝; C-China, E-China
– *lanceifolius* Loes. = Euonymus hamiltonianus var. lanceifolius
– **latifolius** (L.) Mill. · Breitblättriges Pfaffenhütchen · Broad Leaved Spindle | ♄ V-VI Ⓝ; Eur.: Fr, Ap, C-Eur., ? EC-Eur., Ba, E-Eur.; TR, Cyprus, Syr., Cauc., N-Iran, Maroc., Alger., nat. in RO, Krim
– *maackii* Rupr. = Euonymus hamiltonianus subsp. maackii
– **myrianthus** Hemsl. | ♄; W-China
– **nanus** M. Bieb. · Zwerg-Spindelstrauch ; Eur.: RO, W-Russ; Cauc., C-As., W-China
  - var. *koopmanii* (Lauche) Lauche ex Koehne = Euonymus nanus var. turcestanicus
  - var. **turcestanicus** (Dieck) Krysht. | ♄ V-VI; C-As.; Altai, Tien-schan
– *nikoensis* Nakai = Euonymus hamiltonianus subsp. sieboldianus
– **obovatus** Nutt. · Running Strawberry Bush | ♄ ⇝; Ont., USA: NE, NCE, Tenn.
– **oxyphyllus** Miq. · Spitzblättriger Spindelstrauch | ♄; China, Korea, Jap.
– *patens* Rehder = Euonymus kiautschovicus
– **pauciflorus** Maxim. | ♄ V-VI; Amur, Manch.
– **phellomanus** Loes. ex Diels · Kork-Spindelstrauch | ♄; W-China, N-China
– **planipes** (Koehne) Koehne · Flachstieliger Spindelstrauch · Dingle Dangle Tree | ♄ ⁂ V; Jap., Korea, Manch., Amur
– *radicans* Sieber ex Miq. = Euonymus fortunei
  - var. *acuta* (Rehder) Rehder = Euonymus fortunei
– *sachalinensis* auct. non (Schmidt) Maxim. = Euonymus planipes
– **sanguineus** Loes. ex Diels · Blut-Spindelstrauch | ♄ ⁂ V; W-China, C-China
– *turcestanicus* Dieck = Euonymus nanus var. turcestanicus
– **verrucosus** Scop. · Warzen-Pfaffenhütchen | ♄ V-VI ☠; Eur.: Ap, C-Eur., EC-Eur., Ba, E-Eur.; TR, Cauc.
– *yedoensis* Koehne = Euonymus hamiltonianus subsp. sieboldianus

Eupatorium L. -n- *Asteraceae* · Wasserdost
– *ageratoides* L. f. = Ageratina altissima
– **album** L. | ♃ VIII-IX; USA: NE, SE, Fla.
– **altissimum** L. · Tall Thoroughwort | ♃ IX-X; USA: NE, NCE, NC, SC, SE
– *aromaticum* L. = Ageratina aromatica
– *atrorubens* (Lem.) G. Nicholson = Bartlettina sordida
– **cannabinum** L. · Gewöhnlicher Wasserdost · Hemp Agrimony · Eupatoire chanvrine | ♃ VII-IX; Eur.*, TR, Lebanon, Israel, Cauc., Iran, ?Him., C-As., Maroc., Alger.

– *coelestinum* L. = Conoclinum coelestinum
– *glechonophyllum* Less. = Ageratina glechonophylla
– *ianthinum* (Hook.) Hemsl. = Bartlettina sordida
– *incarnatum* Walter = Fleischmannia incarnata
– **indigoferum** Parodi | ♄ Ⓝ; S-Bras., Arg., Parag.
– *ligustrinum* DC. = Ageratina riparia
– **maculatum** L. · Joe Pye Weed · Eupatoire maculée | ♃ VII-IX; Can., USA: NE, N.C., NCE, NC, Rocky Mts., SW
– *megalophyllum* (Lem.) Klatt = Bartlettina sordida
– *micranthum* Less. = Ageratina riparia
– **perfoliatum** L. · Boneset, Common Boneset, Thoroughwort | ♃ VII-X; Can.: E; USA: NE, NCE, SC, SE, Fla.
– **purpureum** L. · Joe Pye Weed | ♃ VII-IX; USA: NE, NCE, NC, Okla., SE, Fla.
– *riparium* Regel = Ageratina riparia
– *rugosum* Houtt. = Ageratina altissima
– *scandens* L. = Mikania scandens
– **sessilifolium** L. | ♃ VIII-IX; USA: NE, NCE, SE
– *sordidum* Less. = Bartlettina sordida
– *triplinerve* Vahl = Ayapana triplinervis
– *urticifolium* Reichard = Ageratina altissima
– *vernale* Vatke et Kurtz = Ageratina vernalis
– *weinmannianum* Regel et Körn. = Ageratina riparia

Euphorbia L. -f- *Euphorbiaceae*
– **abyssinica** J.F. Gmel. | ♄ Ψ Ⓚ ✻ ☠; Eth.
– **acuminata** Lam. · Spitzblatt-Wolfsmilch | VI-VIII; A, S-Eur, RO, Cauc. +
– **aggregata** A. Berger | ♄ Ⓚ ✻; S-Afr.: Kap, Orange Free State
– *alcicornis* hort. = Euphorbia ramipressa
– **ammak** Schweinf. | ♄ Ⓚ ✻; S-Arab.
– **amygdaloides** L. · Mandelblättrige Wolfsmilch · Wood Spurge · Euphorbe faux-amandier | ♃ IV-V; Eur.* exc. Sc; TR, Cauc., N-Iran, Alger., Tun., nat. in N-Am.
  - var. *robbiae* (Turrill) Radcl.-Sm. = Euphorbia robbiae
– *anacantha* Aiton = Euphorbia tridentata
– **angularis** Klotzsch | ♄ Ⓚ ✻; E-Afr.
– **angulata** Jacq. · Kanten-Wolfsmilch | ♃ V-VI; Eur.: Ib, Fr, Ap, A, EC-Eur., E-Eur.
– **antiquorum** L. · Triangular Spurge | ♄ Ⓚ ✻; Ind., Sri Lanka
– **antisyphilitica** Zucc. · Candelilla-Wachs | ♄ Ψ Ⓝ; SW-USA, Mex., C-Am.
– **aphylla** Brouss. ex Willd. | ♄ Ψ Ⓚ ✻; Canar.
– **atropurpurea** Brouss. | ♄ Ⓚ ✻; Canar.: Teneriffa
– **austriaca** A. Kern. · Österreichische Wolfsmilch | ♃ V-VII; Eur.: A, D (Passau)
– **avasmontana** Dinter | ♄ Ψ Ⓚ ✻; Kap, Namibia
– **balsamifera** Aiton | ♄ Ψ Ⓚ ✻; Canar., W-Afr., Somalia, S-Arab.
– **barnhartii** Croizat | ♄ Ψ Ⓚ ✻; Ind.
– *beaumieriana* Hook. f. et Coss. = Euphorbia officinarum
– **beharensis** Leandri | ♄ Ψ Ⓚ ✻; SW-Madag.
– **bergeri** N.E. Br. | ♃ Ψ Ⓚ ✻; ? Kap
– *biglandulosa* Desf. non Willd. = Euphorbia rigida
– *bojeri* Hook. = Euphorbia milii
– *brittingeri* Opiz ex Samp. = Euphorbia verrucosa
– **bubalina** Boiss. | ♄ Ψ Ⓚ ✻; Kap
– **bupleurifolia** Jacq. | ♄ Ψ Ⓚ ✻; S-Afr.: Kap, Natal
– **canariensis** L. | ♄ Ψ Ⓚ ✻; Canar.
– **candelabrum** Kotschy · Candelabra Tree | ♄ Ψ Ⓚ; Mozamb., Zimbabwe, Swasiland, S-Afr.: Transvaal. Natal
  - var. *erythraeae* A. Berger = Euphorbia erytrea
– **capitulata** Rchb. · Zierliche Rasen-Wolfsmilch | ♃ △ VI-VII; Eur.: Croatia, Bosn., Montenegro, Maced., AL, GR
– **caput-medusae** L. · Medusa's Head | ♃ ♄ Ψ Ⓚ ✻; Kap
  - var. *minor* Aiton = Euphorbia bergeri
– **carniolica** Jacq. · Krainer Wolfsmilch | ♃ VI; Eur.: I, CH, A, Slove., Croatia, Bosn., YU, RO, W-Russ.
– **characias** L. · Large Mediterranean Spurge ; Eur.: Ib, Fr, Ap, Ba; Maroc., Libya
  - subsp. **wulfenii** (Hoppe ex W.D.J. Koch) A.R. Sm. · Euphorbe characias | ♃ V-VI
– **clava** Jacq. | ♄ Ψ Ⓚ ✻; Kap
– **coerulescens** Haw. | ♄ Ψ Ⓚ ✻; Kap
– *commelinii* DC. = Euphorbia caput-

medusae
- **cooperi** N.E. Br. | ♄ Ψ Ⓚ ✻; S-Afr.: Natal, Transvaal; Swasiland
- **corollata** L. · American Spurge, Flowering Spurge | ♃ VIII; Ont., USA: NE, NCE, NC, SC, SE, Fla.
- **cylindrifolia** Marn.-Lap. | ♃ Ⓚ ↝ ✻; SE-Madag.
- **cyparissias** L. · Zypressen-Wolfsmilch · Cypress Spurge | ♃ IV-V ☠; Eur.* exc. BrI, Sc, nat. in N-Am.
  - *'Betten'* = Euphorbia esula
- **decaryi** Guillaumin | ♃ Ψ Ⓚ ✻; SE-Madag.
- **dendroides** L. · Woody Spurge | ♄ Ⓚ; Eur.: Ib, Fr, Ap, Ba; TR, Palaest., N-Afr.
- **dulcis** L. · Süße Wolfsmilch | ♃ V; Eur.* exc. BrI, Sc, nat. in BrI
- **echinus** Hook. f. et Coss. | ♄ Ψ Ⓚ ✻; S-Maroc.
- *enopla* A. Berger non Boiss. = Euphorbia heptagona
- **ephedroides** E. Mey. | ♄ Ψ Ⓚ ✻; Kap
- *epithymoides* Jacq. non L. = Euphorbia polychroma
- **erytrea** (A. Berger) N.E. Br. | ♄ Ⓚ; Eth.
- **esculenta** Marloth | ♃ Ψ Ⓚ ✻; Kap
- **esula** L. · Esels-Wolfsmilch · Leafy Spurge, Wolf's Milk | ♃ V-VII; Eur.*, nat. in Sib., Amur, Manch, Korea, Jap. Jap., N-Am.
- **exigua** L. · Kleine Wolfsmilch · Dwarf Spurge | ⊙ X; Eur.*, TR, Levante, Canar., NW-Afr., nat. in Cauc., N-Iran
- **falcata** L. · Sichel-Wolfsmilch | ♃ X-VI; Eur.* exc. BrI, Sc; TR, Levante, Cauc., SW-As., Pakist., N-Afr.
- **fasciculata** Thunb. | ♃ Ψ Ⓚ ✻; Kap
- **ferox** Marloth | ♃ Ψ Ⓚ ✻; Kap
- **fimbriata** Scop. | ♃ Ψ Ⓚ ✻; Kap
- **franckiana** A. Berger | ♄ Ψ Ⓚ ✻; ? Kap
- *fructus-pini* Mill. = Euphorbia caput-medusae
- *fructuspina* Sweet = Euphorbia bergeri
- **fulgens** Karw. ex Klotzsch · Scarlet Plume | Ⓦ ✂ XII-I; Mex.
- *gerardiana* Jacq. = Euphorbia seguieriana
- **glareosa** Pall. ex M. Bieb. | ♃ VI-VII
- **globosa** (Haw.) Sims | ♄ Ψ Ⓚ ✻; Kap
- **gorgonis** A. Berger · Gorgon's Head | ♃ Ψ Ⓚ ✻; Kap
- **grandicornis** Goebel | ♄ Ψ Ⓦ ✻; E-Afr.: Kenya, Tanzania; S-Afr.: Natal
- **grandidens** Haw. | ♄ Ψ Ⓦ ✻; Kap
- **griffithii** Hook. f. · Euphorbe de l'Himalaya | ♃ V-VI; Bhutan, S-Tibet
- **helioscopia** L. · Sonnenwend-Wolfsmilch · Sun Spurge, Wolf's Milk | ⊙ VI-X; Eur.*, TR, Levante, Cauc., Iran, C-As., Him., W-Ind. (Nilgiris), N-Afr., nat. in Jap., China
- **heptagona** L. | ♃ Ψ Ⓚ ✻; Kap
- *hermentiana* Lem. = Euphorbia trigona
- **heterophylla** L. · Japanese Poinsettia, Mexican Fire Plant | ⊙ ⊙ ♃ ♄ VII-IX; USA: Ariz; trop. Am., nat. in USA: La., Tex.
- **hislopii** N.E. Br. | ♄ Ψ Ⓚ ✻; Madag.
- **horrida** Boiss. | ♄ Ψ Ⓚ ✻; Kap
- *hystrix* Jacq. = Euphorbia loricata
  - var. *viridis* hort. = Euphorbia pentagona
- **inconstantia** R.A. Dyer | ♄ Ψ Ⓚ ✻; Kap
- **ingens** E. Mey. · Cactus Spurge | ♄ Ψ Ⓚ ✻
- *jacquiniiflora* Hook. = Euphorbia fulgens
- **jansenvillensis** Nel | ♃ Ψ Ⓚ ✻; Kap
- *kalaharica* Marloth = Euphorbia avasmontana
- **lactea** hort. · Candelabra Spurge | ♄ ♄ Ψ Ⓦ ✻; Ind., Sri Lanka, Molucca I.
- *laro* Drake = Euphorbia tirucalli
- **lathyris** L. · Kreuzblättrige Wolfsmilch · Caper Spurge, Mole Plant · Euphorbe épurge | ⊙ VI-VIII; Eur.: F, Ap, Ba; NW-Afr., nat. in Eur.: BrI, C-Eur., EC-Eur., RO, Ib, TR, Cauc., N-Am., C-S-Am, China
- **ledienii** A. Berger | ♄ Ψ Ⓚ ✻; Kap
- *lemaireana* Boiss. = Euphorbia angularis
- **lignosa** Marloth | ♄ Ⓚ ✻; Namibia
- × **lomii** Rauh | ♄ Ψ
- **lophogona** Lam. | ♄ Ψ Ⓦ Ⓚ ✻; Madag.
- **loricata** Lam.
- **lucida** Waldst. et Kit. · Glänzende Wolfsmilch | ♃ V-VII ▽; Eur.: C-Eur., EC-Eur., Ba.; W-Sib., nat. in ne N-Am.
- **mammillaris** L. · Corncob Cactus | ♄ Ψ Ⓚ ✻; Kap
- **marginata** Pursh · Schnee-auf-dem-Berge · Snow On The Mountain | ⊙ ↝ VII-X; USA: Minn., NC, SC, Colo., N.Mex.
- *marlothii* Pax = Euphorbia monteiroi
- **mauritanica** L. | ♄ Ψ Ⓚ ✻; Namibia, S-Afr.: Kap, Natal
- *medusae* Thunb. = Euphorbia caput-medusae
- **meloformis** Aiton | Ⓚ ✻; Kap
- **milii** Des Moul. · Crown of Thorns | ♄ Ψ Ⓦ Ⓚ ⌓; Madag.

- var. *hislopii* (N.E. Br.) Ursch et Leandri = Euphorbia hislopii
– **monteiroi** Hook. f. | ♄ Ψ ⌂K △; Angola, Namibia, Botswana
– **myrsinites** L. · Walzen-Wolfsmilch · Blue Spurge · Euphorbe de Corse | ♃ △ IV-VI; Eur.: Ib, Ap, Ba, RO, Krim; TR, Iran, C-As., nat. in CZ
– *neriifolia* hort. = Euphorbia undulatifolia
– **neriifolia** L. | ♄ ♄ Ψ
– **nicaeensis** All. | ♃ V-VII; Eur.* exc. BrI, Sc; TR, Cauc., Maroc., Alger.
- subsp. **glareosa** (Pall. ex M. Bieb.) Radcl.-Sm. · Pannonische Wolfsmilch | ♃ VI-VII; EC-Eur., E-Eur., Krim.; TR, Cauc.
– *niciciana* Borbás ex Novák = Euphorbia seguieriana
– **nivulia** Buch.-Ham. · Milkhedge | ♄ Ψ ⌂W ✻; Ind., Myanmar
– **obesa** Hook. f. · Baseball Cactus | ♃ Ψ ⌂K ✻; Kap
– **officinarum** L. · Official Spurge | ♄ Ψ ⌂K ▭ ✻; Maroc.
– **onoclada** Drake | ♄ Ψ ⌂K; Madag.
– **ornithopus** Jacq. | ♃ ⌂K ✻ ☠; Kap
– *oxystegia* Baker non Boiss. = Euphorbia bubalina
– **palustris** L. · Sumpf-Wolfsmilch · Marsh Spurge · Euphorbe des marais | ♃ V-VI ▽; Eur.* exc. BrI; TR, Cauc., W-Sib.
– **paralias** L. · Strand-Wolfsmilch | ♃; Eur.: Ib, Fr, Ap, Ba, RO, BrI; TR, Levante, Cauc., Makaron., N-Afr.
– *parvimamma* A. Berger = Euphorbia bergeri
– *patula* (Haw.) Sweet non Mill. = Euphorbia ornithopus
– **pendula** Boiss. | ♄ ⌂K ✻; Kap
– **pentagona** Royle | ♄ Ψ ⌂K ✻; Kap
– **peploides** Gouan | ♃; S-Eur., TR
– **peplus** L. · Garten-Wolfsmilch · Petty Spurge | ☉ X; Eur.*, TR, Levante, Cauc., Iran, Canar., N-Afr., nat. in N-Am., Eth., Austr., NZ, Hawaii
– **platyphyllos** L. · Breitblättrige Wolfsmilch | VII-VIII; Eur.: Ib, Fr, Ap.Ba, EC-Eur., E-Eur., C-Eur.; TR, Cauc.
– **polychroma** A. Kern. · Vielfarbige Wolfsmilch · Cushion Spurge · Euphorbe dorée, Euphorbe polychrome | ♃ V-VI ▽; Eur.: C-Eur., EC-Eur., Ba, Ap, E-Eur.
– **polygona** Haw. | ♄ Ψ ⌂K ✻; Kap
– *procumbens* Sweet = Euphorbia pugniformis
– **pseudocactus** A. Berger | ♄ Ψ ⌂K ✻; S-Afr.: Natal
– × **pseudovirgata** (Schur) Soó · Schein-Rutenwolfsmilch | ♃; Eur.:
– **pteroneura** A. Berger | ♄ Ψ ⌂W ✻; Mex.
– **pugniformis** Boiss. · Spurge | ♃ Ψ ⌂K ✻; Kap
– **pulcherrima** Willd. ex Klotzsch · Poinsettia | ♄ ⌂W ⛉ ✂ XII; S-Mex., C-Am.
- var. **plenissima** Willd. ex Klotzsch | ♄; W-Mex.
– **pulvinata** Marloth | ♄ Ψ ⌂K ✻; S-Afr.
– *quercifolia* hort. = Euphorbia undulatifolia
– **ramipressa** Croizat | ♄ ♄ Ψ ⌂K ✻; Madag.
– **resinifera** O. Berg · Resin Spurge | ♄ Ψ ⌂K Off. ✻; Maroc.
– *rhipsaloides* Lem. non Welw. = Euphorbia tirucalli
– **rigida** M. Bieb. · Zweidrüsen-Wolfsmilch | ♃ △ IV-VIII ∧; Eur.: P, Ap, Ba, Krim; TR, Syr., Cauc., N-Iran, Maroc.
– **robbiae** Turrill · Mrs Robb's Bonnet | ♃ V-VII; TR
– **royleana** Boiss. | ♄ Ψ ⌂K ✻; Him.
– **salicifolia** Host · Weidenblättrige Wolfsmilch | ♃ V-VI; Eur.: C-Eur., EC-Eur., Ba, RO, W-Russ.
– *sansalvador* hort. = Euphorbia resinifera
– **saxatilis** Jacq. · Felsen-Wolfsmilch | ♃ V-VI; Eur.: A, N-I, Slove., Croatia
– **schimperi** C. Presl | ♃ Ψ ⌂K ✻; S-Arab.
– *schubei* Pax = Monadenium schubei
– *scolopendria* Donn = Euphorbia stellata
– **segetalis** L. · Saat-Wolfsmilch | VI-VII; Eur.: Ib, Fr, Ap, ? Crete, Canar., nat. in C-Eur., EC-Eur., RO
– **seguieriana** Neck. · Steppen-Wolfsmilch | ♃ VI-VIII; Eur.* exc. BrI, Sc; TR, Cauc., W-Sib., C-As.
- subsp. **niciciana** Borbás et Novák · Euphorbe de Gérard | ♃ V-IX; Eur.* exc. BrI, Sc; TR, Iran, Pakist.
– **sikkimensis** Boiss. | ♃ VII-VIII; Bhutan, Sikkim
– *splendens* Bojer ex Hook. = Euphorbia milii
– **squarrosa** Haw. | ♃ Ψ ⌂K ✻; Kap
– **stellata** Willd. | ♃ Ψ ⌂K ✻; Kap
– **stellispina** Haw. | ♃ Ψ ⌂K ✻; Kap
– **stenoclada** Baill. | ♄ ⌂K ✻; Madag.
– **stricta** L. · Steife Wolfsmilch | ☉ VI-IX;

Eur.* exc. Sc; TR, Cauc., Iran, C-As.
- **submammillaris** (A. Berger) A. Berger | ♃ Ψ Ⓚ ✻; Kap
- **suzannae** Marloth | ♃ Ψ Ⓚ ✻; Kap
- **taurinensis** All. · Turiner Wolfsmilch | V-IX; Eur.: Ib, Fr, Ap, Ba, Krim; TR, Cauc., nat. in A, H
- **tetragona** Haw. | ♄ Ψ Ⓚ ✻; Kap
- **tirucalli** L. · Pencil Tree | ♄ ♄ Ψ Ⓚ ✻ Ⓝ; E-Afr., S-Afr., Madag.
- **triangularis** Desf. | ♄ Ψ Ⓚ ✻; S-Afr.: Kap, Natal
- **tridentata** Lam. | ♃ Ψ Ⓚ ✻; Kap
- **trigona** Mill. · Sudu | ♄ ♄ Ψ Ⓚ ✻; Namibia
- *trigona* Roxb. non Mill. = Euphorbia barnhartii
- **tubiglans** Marloth ex R.A. Dyer | ♃ Ψ Ⓚ ✻; Kap
- *uncinata* DC. = Euphorbia stellata
- **undulatifolia** Janse · Wavy-leaved Spurge | ♄ ♄ Ⓦ Ⓚ ✻; Ind.?
- **valida** N.E. Br. | ♃ Ψ Ⓚ ✻; Kap
- *variegata* Sims = Euphorbia marginata
- *veneta* Hayek non Willd. = Euphorbia characias subsp. wulfenii
- **verrucosa** L. · Warzen-Wolfsmilch | ♃ V-VI; Eur.: Ib, Fr, Ap, C-Eur., EC-Eur., Ba, RO
- **viguieri** Denis | ♄ Ψ Ⓚ ✻; W-Madag.
- **villosa** Waldst. et Kit. ex Willd. · Zottige Wolfsmilch | ♃ V-VI; Eur.* exc. BrI, Sc; Cauc., W-Sib., Alger.
- *viminalis* L. = Sarcostemma viminale
- *virgata* Waldst. et Kit. = Euphorbia waldsteinii
- **virosa** Willd. | ♄ Ψ Ⓚ ✻; Kap, Namibia
  - var. *coerulescens* (Haw.) Berger = Euphorbia coerulescens
- **waldsteinii** (Soják) A.R. Sm. · Ruten-Wolfsmilch | ♃ V-VII
- *wulfenii* Hoppe ex W.D.J. Koch = Euphorbia characias subsp. wulfenii
- **xylophylloides** Brongn. ex Lem. | ♄ ♄ Ψ Ⓚ ✻; Madag.

Euphoria = Litchi Sonn.
- *longan* (Lour.) Steud. = Dimocarpus longan
- *longana* Lam. = Dimocarpus longan

Euphrasia L. -f- *Scrophulariaceae* · Augentrost
- **alpina** Lam.; Eur.: Sp., F, I, CH; Pyr., Alp., Apenn.
- **borealis** (Towns.) Wettst.; Eur.: BrI, Norw.
- **christii** Favrat; Eur.: N-I, S-CH
- **cisalpina** Pugsley; Eur.: NW-I, S-CH
- **dunensis** Wimm. · Dünen-Augentrost ; Eur.: DK
- **frigida** Pugsley · Nordischer Augentrost ; Eur.: Sc, Russ; Sib., Can:: E; Greenl.
- **hirtella** Jord. ex Reut. · Zottiger Augentrost | VI-IX; Eur.: Ib, Fr, Ap, C-Eur., Ba, EC-Eur. +; mts.
- **inopinata** Ehrend. et Vitek; Eur.: A +
- **micrantha** Rchb. · Schlanker Augentrost | VI-IX; Eur.* exc. Ba
- **minima** Jacq. ex DC. · Drusiger Augentrost, Niedlicher Augentrost, Zwerg-Augentrost | VII-IX; Eur.* exc. BrI, Sc
- **nemorosa** (Pers.) Wallr. · Bläulicher Augentrost, Hain-Augentrost | X-VI; Eur.* exc. Ap, Ba
  - subsp. **caerulea** (Hoppe et Fürnr.) Wettst. · Blauer Augentrost, Blauer Hain-Augentrost | V-VIII; Eur.: EC-Eur., RO, W-Russ., ? D
  - subsp. *curta* Hoppe et Fürnr. = Euphrasia nemorosa subsp. caerulea
- **officinalis** L. · Augentrost, Gewöhnlicher Augentrost · Eufragia, Eufrasia, Eyebright, Gozlukotu | X-V Ⓝ
  - subsp. **kerneri** (Wettst.) Eb. Fisch. · Kerners Augentrost | X-V; C-Eur., SE-Eur. ; mts.
  - subsp. **picta** (Wimm.) Oborný · Bunter Augentrost ; Eur.: Vosges, Alp., Carp.
  - subsp. **rostkoviana** (Hayne) Towns. · Großblütiger Augentrost | X-V; Eur.*, TR, W-Sib.
- *rostkoviana* Hayne = Euphrasia officinalis subsp. rostkoviana
- **salisburgensis** Funck ex Hoppe · Salzburger Augentrost | X-VII; Eur.*, TR
- **sinuata** Vitek et Ehrend.; Eur.: A
- **stricta** D. Wolff ex J.F. Lehm. · Kamm-Augentrost, Niedriger Augentrost, Steifer Augentrost, Tatarischer Augentrost, Zarter Augentrost | X-VI; Eur.* exc. BrI
- **tricuspidata** L. · Dreispitziger Augentrost | VII-IX; Eur.: I ; SE-Alp.

Eupritchardia = Pritchardia Seem. et H. Wendl.
- *gaudichaudii* (Mart.) Kuntze = Pritchardia gaudichaudii
- *pacifica* (Seem. et H. Wendl. ex H.

Wendl.) Kuntze = Pritchardia pacifica

Euptelea Siebold et Zucc. -f- *Eupteleaceae*
– *franchetii* Tiegh. = Euptelea pleiosperma
– **pleiosperma** Hook. f. et Thomson · Franchets Schönulme | ♄; Him., SE-Tibet, C-China
– **polyandra** Siebold et Zucc. · Vielmännige Schönulme | ♄; Jap.

× **Eurachnis** hort. -f- *Orchidaceae* (*Arachnis* × *Euanthe*)

Eurya Thunb. -f- *Theaceae*
– **japonica** Thunb.
  - *'Variegata'* = Cleyera japonica 'Fortunei'
– *latifolia* hort. = Cleyera japonica
– *ochnacea* (DC.) Szyszyll. = Cleyera ochnacea

Euryale Salisb. -f- *Nymphaeaceae*
– **ferox** Salisb. · Foxnuts | ♃ Ⓦ ♠ VI-VIII Ⓝ; N-Ind., China, Jap., Taiwan

Euryangium = Ferula L.
– *sumbul* Kauffm. = Ferula moschata

Euryops (Cass.) Cass. -m- *Asteraceae*
– **abrotanifolius** DC. · Eberrauten-Kap-Margerite | ♄ Ⓚ; S-Afr.
– **acraeus** M.D. Hend. | ♄ Ⓐ V-VI; S-Afr.
– *athanasiae* DC. non Less. = Euryops abrotanifolius
– **athanasiae** Less. | ♄ Ⓚ III-IV; S-Afr.
– **chrysanthemoides** (DC.) B. Nord. | ♄ Ⓚ IV-IX; S-Afr.
– **evansii** Schltr. · Evans Kap-Margerite | ♄ Ⓐ V-VI; S-Afr.
– **pectinatus** (L.) Cass. | ♄ Ⓚ V-VI; S-Afr.
– **tenuissimus** (L.) DC. · Zarte Kap-Margerite · Resin Bush | ♄ Ⓚ V-IX; Kap
– **virgineus** (L. f.) DC. | ♄ Ⓚ III-IV; S-Afr.

Eusideroxylon Teijsm. et Binn. -f- *Lauraceae*
– **lauriflora** (Blanco) J. Schultze-Motel | ♄ Ⓦ Ⓝ; S-Sumat., Kalimantan, Phil.

Eustoma Salisb. -n- *Gentianaceae* · Prärieenzian
– **grandiflorum** (Raf.) Shinners · Texas Bluebell, Tulip Gentian | ⊙ Ⓚ ✂ VII-VIII; USA: NC, SC, Colo., N-Mex.

Eutaxia R. Br. -f- *Fabaceae*
– **myrtifolia** R. Br. | ♄ Ⓚ III-IV; W-Austr.

Euterpe Mart. -f- *Arecaceae*
– **edulis** Mart. | ♄ Ⓚ; Bras., Arg.
– **oleracea** Mart. | ♄ Ⓦ Ⓝ; Venez., Guyan., Bras.

Eutoca = Phacelia Juss.
– *viscida* Benth. ex Lindl. = Phacelia viscida

Eutrema R. Br. -n- *Brassicaceae*
– *wasabi* (Siebold) Maxim. = Wasabia japonica

Evolvulus L. -m- *Convolvulaceae*
– **arbusculus** Poir. | ♄ Ⓦ ⌇ I-XII; Hispaniola (Dominican. Rep.)
– **glomeratus** Nees et Mart.; Bras.
  - subsp. **grandiflorus** (Parodi) Ooststr. | ♄ Ⓦ ⌇ I-XII; S-Bras., Parag., Arg.
– **purpureocoeruleus** Hook. | ♃ Ⓦ ⇝ VI-VIII; Jamaica

Exacum L. -n- *Gentianaceae*
– **affine** Balf. f. · German Violet, Tiddly Winks | ⊙ Ⓚ VII-IX; Socotra

Excoecaria L. -f- *Euphorbiaceae*
– **cochinchinensis** Lour. | ♄ Ⓦ ☠; S-Vietn.

Exochorda Lindl. -f- *Rosaceae*
– *albertii* Regel = Exochorda korolkowii
– **giraldii** Hesse · Dahurische Radspiere · Pearl Bush ; C-China
  - var. **wilsonii** (Rehder) Rehder | ♄ IV-V; C-China
– *grandiflora* Lindl. = Exochorda racemosa
– **korolkowii** Lavallée · Turkestanische Radspiere | ♄ V; C-As.
– × **macrantha** (Lemoine) C.K. Schneid. · Pearl Bush | ♄ V; cult.
– **racemosa** (Lindl.) Rehder · Chinesische Radspiere · Common Pearl Bush · Exochorde à grandes fleurs | ♄ V; E-China

Exogonium = Ipomoea L.
– *purga* (Wender.) Benth. = Ipomoea purga

Faba = Vicia L.
– *bona* Medik. = Vicia faba
– *vulgaris* Moench = Vicia faba

Fabiana Ruiz et Pav. -f- *Solanaceae*
– **imbricata** Ruiz et Pav. · Fabiana, Pichi | ♄ Ⓚ Ⓐ; S-Peru, Chile, Arg.

Facheiroa Britton et Rose -f- *Cactaceae*
– *blossfeldiorum* (Engelm.) W.T. Marshall = Espostoa blossfeldiorum

Fadyenia Hook. -f- *Dryopteridaceae*
– **prolifera** Hook. | ♃ Ⓦ ⇝; W.Ind.

Fagopyrum Mill. -n- *Polygonaceae* · Buchweizen
– *convolvulus* (L.) Delarbre = Fallopia convolvulus
– **esculentum** Moench · Echter Buchweizen · Buckwheat | ☉ X-VIII Ⓝ; C-As., S-Sib., N-China, nat. in Eur.*
– *sagittatum* Gilib. = Fagopyrum esculentum
– **tataricum** (L.) P. Gaertn. · Tatarischer Buchweizen · Tatary Buckwheat | ☉ VII-IX Ⓝ; Russ., Cauc., W-Sib., E-Sib., Amur, Pakist., Him., Tibet, China
– *vulgare* Delarbre = Fagopyrum esculentum

Fagraea Thunb. -f- *Loganiaceae*
– **fragrans** Roxb. · Fagraea | ♄ Ⓦ Ⓝ; Malay. Arch.

Fagus L. -f- *Fagaceae* · Buche
– *americana* Sweet = Fagus grandifolia
– **crenata** Blume · Japanische Buche | ♄ Ⓝ; Jap.
– **engleriana** Seemen · Englers Buche · Hêtre de Chine | ♄; C-China
– *ferruginea* Aiton = Fagus grandifolia
– **grandifolia** Ehrh. · Amerikanische Buche · American Beech · Hêtre d'Amérique | ♄ Ⓝ; Can.: E; USA: NE, NCE, SE, Fla., SC
– **japonica** Maxim. · Japanische Buche | ♄; Jap.
– *macrophylla* (Hohen. ex DC.) Koidz. = Fagus orientalis
– × **moesiaca** (Maly) Czeczott (*F. orientalis* × *F. sylvatica*)
– **orientalis** Lipsky · Oriental Beech · Hêtre d'Orient
– *sieboldii* Endl. ex A. DC. = Fagus crenata
– **sylvatica** L. · Rot-Buche · Beech, Common Beech, European Beech · Fayard, Hêtre commun | ♄ Off. IV-V Ⓝ; Eur.*, TR
  - **'Asplenifolia'**
  - *'Atropunicea'* = Fagus sylvatica 'Purpurea Grp.'
  - **'Cuprea'**
  - **'Dawyck'**
  - **'Fastigiata'**
  - **'Latifolia'**
  - **'Pendula'**
  - **Purpurea Grp.** (Aiton) C.K. Schneid.
  - **'Purpurea Pendula'**
  - fo. *suenteliensis* hort. ex Schelle = Fagus sylvatica 'Tortuosa'
  - *Suntalensis* = Fagus sylvatica 'Tortuosa'
  - **'Tortuosa'**
  - **'Zlatia'**
  - subsp. *orientalis* (Lipsky) Greuter et Burdet = Fagus orientalis
  - var. *tortuosa* Pépin = Fagus sylvatica 'Tortuosa'

Faidherbia A. Chev. -f- *Mimosaceae*
– **albida** (Delile) A. Chev. · Anabaum | ♄ Ⓝ; Senegal to Namibia

Falcaria Fabr. -f- *Apiaceae*
– **vulgaris** Bernh. · Sichelmöhre | ♃ ⊙ VII-IX; Eur.: Ib, Fr, EC-Eur., Ap, Ba, E-Eur., A, CH ; TR, SW-As., C-As., nat. in BrI, Sc, N-Am., S-Am.

Falkia L.f. -f- *Convolvulaceae*
– **repens** L. f. | ♃ Ⓚ ⇝ V-VIII; S-Afr.

Fallopia Adans. -f- *Polygonaceae*
– *aubertii* (L. Henry) Holub = Fallopia baldschuanica
– **baldschuanica** (Regel) Holub · Chinesischer Knöterich, Schling-Flügelknöterich, Silberregen · Mile-a-Minute Plant, Russian Vine | ♄ ≷ X; C-As.: Tadschik., nat. in BrI, Sp., A, EC-Eur., RO
– × **bohemica** (Chrtek et Chrtková) J.P. Bailey (*F. japonica* × *F. sachalinensis*) · Bastard-Flügelknöterich
– **convolvulus** (L.) A. Löve · Acker-Flügelknöterich, Gewöhnlicher Windenknöterich · Black Bindweed | ☉ ♃ ≷ X; Eur.*, TR, Levante, Cauc., Iran, W-Sib., E-Sib., Amur, Sachal., Kamchat., C-As., Mong., N-Afr., nat. in N-Am., S-Afr.
– **dumetorum** (L.) Holub · Hecken-Flügelknöterich · Desert Knotgrass | ☉ ≷ VII-IX; Eur.*, TR, Cauc., Iran, W-Sib., E-Sib., Amur, Sachal., C-As., Afgh.,

Him., Mong., Manch., N-China, Korea
– **japonica** (Houtt.) Ronse Decr. · Japanischer Flügelknöterich, Japanischer Staudenknöterich · Japanese Knotweed | ♃ VII-IX; Jap., nat. in Eur.*
  - var. **compacta** (Hook. f.) J.P. Bailey | ♃ VIII-X
– **multiflora** (Thunb.) K. Haraldson · Chinese Fleeceflower | ♃ Ⓚ ≹ IX-X ∧; China
– **sachalinensis** (F. Schmidt) Ronse Decr. · Sachalin-Flügelknöterich, Sachalin-Staudenknöterich · Giant Knotweed · Renouée des Sakhalines | ♃ VII-X; Jap., Sachal., nat. in Eur.

Fallugia Endl. -f- *Rosaceae*
– **paradoxa** (D. Don) Endl. · Apache Plume | ♄ ⚘ VI-VIII ∧ Ⓝ; USA: Tex., Colo., Nev., Utah, Calif.; N-Mex.

Farfugium Lindl. -n- *Asteraceae*
– *grande* Lindl. = Farfugium japonicum
– **japonicum** (L.) Kitam. · Leopard Plant | ♃ Ⓚ IX-X

Fargesia = Thamnocalamus Munro
– **murieliae** (Gamble) T.P. Yi · Schirm-Bambus · Muriel Bamboo | ♄ ∧; W-Him.
– **nitida** (Mitford) Keng f. · Fountain Bamboo | ♄ ∧; W-China, C-China
– *spathacea* Franch. = Fargesia murieliae

Farsetia Turra -f- *Brassicaceae*
– *clypeata* (L.) R. Br. = Fibigia clypeata

Fascicularia Mez -f- *Bromeliaceae*
– **bicolor** (Ruiz et Pav.) Mez | ♃ Ⓚ; Chile
– **kirchhoffiana** (Wittm.) Mez | ♃ Ⓚ; Chile
– **pitcairniifolia** (Verl.) Mez | ♃ Ⓚ; Chile

× **Fatshedera** Guillaumin -f- *Araliaceae* · Efeuaralie
– **lizei** (hort. ex Cochet) Guillaumin · Efeuaralie · Aralia Ivy, Fatshedera | ♄ Ⓚ; cult.
  - **'Variegata'** (Cochet) Guillaumin | ♄

Fatsia Decne. et Planch. -f- *Araliaceae*
  japonica (Thunb. ex Murray) Decne. et Planch. · Fatsia | ♄ Ⓦ; Jap., Riukiu-Is., S-Korea
  - **'Variegata'** (Thunb.) Decne. | ♄

Faucaria Schwantes -f- *Aizoaceae*
– **bosscheana** (A. Berger) Schwantes | ♃ ♆ Ⓚ; Kap
– **felina** (Weston) Schwantes ex Jacobsen | ♃ ♆ Ⓚ; Kap
– **grandis** L. Bolus | ♃ ♆ Ⓚ; Kap
– **lupina** (Haw.) Schwantes | ♃ ♆ Ⓚ; Kap
– **tigrina** (Haw.) Schwantes · Tiger Jaw | ♃ ♆ Ⓚ; Kap
– **tuberculosa** (Rolfe) Schwantes | ♃ ♆ Ⓚ; Kap

Fedia Gaertn. -f- *Valerianaceae* · Afrikanischer Baldrian
– **cornucopiae** (L.) Gaertn. · Horn of Plenty | ⊙ VII-VIII; Eur.: Ib, F, Ap, GR, Crete; N-Afr.

Feijoa = Acca O. Berg
– *sellowiana* (O. Berg) O. Berg = Acca sellowiana

Felicia Cass. -f- *Asteraceae*
– **amelloides** (L.) Voss · Blaues Gänseblümchen · Blue Marguerite · Marguerite du Cap | ♃ ♄ Ⓚ I-XII; S-Afr.
– **amoena** (Sch. Bip.) Levyns | ⊙ ⊙ ♃ VIII-IX; S-Afr.
– **bergeriana** (Spreng.) O. Hoffm. · Kingfisher Daisy | ⊙ VII-VIII; S-Afr.
– *fragilis* Cass. = Felicia tenella
– **fruticosa** (L.) G. Nicholson · Shrub Aster | ♄ Ⓚ; S-Afr.: Kap, Transvaal
– **heterophylla** (Cass.) Grau | ⊙ VI-VIII; W-Kap
– *pappei* (Harv.) Hutch. = Felicia amoena
– **tenella** (L.) Nees | ⊙ ⊙ ♃ Ⓚ VII-VIII; S-Afr.
– **uliginosa** (Wood et M.S. Evans) Grau | ♃; S-Afr.

Fendlera Engelm. et A. Gray -f- *Hydrangeaceae*
– **rupicola** A. Gray · Fendlera | ♄ Ⓚ △ V ∧; USA: Colo., SW
– **wrightii** (A. Gray) Heller | ♄; SW-USA, Tex., NW-Mex.

Fenestraria N.E. Br. -f- *Aizoaceae*
– *aurantiaca* N.E. Br. = Fenestraria rhopalophylla subsp. aurantiaca
– **rhopalophylla** (Schltr. et Diels) N.E. Br. | ♃ ♆ Ⓚ; Kap
  - subsp. **aurantiaca** (N.E. Br.) Hartmann · Baby's Toes ; Kap

Fenzlia = Linanthus Benth.
– *dianthiflora* Benth. = Linanthus dianthiflorus

Ferocactus Britton et Rose -m- *Cactaceae*
– *acanthodes* Britton et Rose = Ferocactus cylindraceus
– **chrysacanthus** (Orcutt) Britton et Rose | ♆ Ⓚ ✻; N-Mex.: Isla Cedros
– *covillei* Britton et Rose = Ferocactus emoryi
– **cylindraceus** (Engelm.) Orcutt · Compass Barrel Cactus | ♆ Ⓚ ✻; Mex.: Baja Calif., Sonora
– **echidne** (DC.) Britton et Rose | ♆ Ⓚ ✻; N-Mex.
– **emoryi** (Engelm.) Orcutt | ♆ Ⓚ ✻; SW-Ariz., NW-Mex.
– **flavovirens** (Scheidw.) Britton et Rose | ♆ Ⓚ ✻; S-Mex.
– **fordii** (Orcutt) Britton et Rose | ♆ Ⓚ ✻; NW-Mex.
– **glaucescens** (DC.) Britton et Rose | ♆ Ⓚ ✻; E-Mex.
– **gracilis** H.E. Gates | ♆ Ⓚ ✻; NW-Mex.
– **hamatacanthus** (Muehlenpf.) Britton et Rose · Turk's Head | ♆ Ⓚ ✻; USA: N.Mex., Tex.; NE-Mex.
– **histrix** (DC.) G.E. Linds. | ♆ Ⓚ ✻; C-Mex.
– *horridus* Britton et Rose = Ferocactus peninsulae
– **latispinus** (Haw.) Britton et Rose · Devil's Tongue | ♆ Ⓚ ✻; Mex.
– **macrodiscus** (Mart.) Britton et Rose | ♆ Ⓚ ✻; Mex.: Guanojuato, Oaxaca
– *melocactiformis* DC. = Ferocactus histrix
– *orcuttii* (Engelm.) Britton et Rose = Ferocactus viridescens
– **peninsulae** (F.A.C. Weber) Britton et Rose | ♆ Ⓚ ✻; Mex.: Baja Calif.
– **pilosus** (Salm-Dyck) Werderm. | ♆ Ⓚ ✻; N-Mex.
– **pottsii** (Salm-Dyck) Backeb. | ♆ Ⓚ ✻; Mex.: Sonora, Chihuahua, Sinaloa
– **robustus** (Pfeiff.) Britton et Rose | ♆ Ⓚ ✻; Mex.: Puebla
– *setispinus* (Engelm.) L.D. Benson = Thelocactus setispinus
– *stainesii* (Salm-Dyck) Britton et Rose = Ferocactus pilosus
– *victoriensis* (Rose) Backeb. = Ferocactus echidne
– **viridescens** (Torr. et A. Gray) Britton et Rose · Small Barrel Cactus | ♆ Ⓚ ✻; S-Calif., Baja Calif.
– **wislizenii** (Engelm.) Britton et Rose | ♆ Ⓚ; Mex.: Sonora, Chihuahua, Sinaloa, Durango

Feronia = Limonia L.
– *elephantum* Corrêa = Limonia acidissima
– *limonia* (L.) Swingle = Limonia acidissima

Ferraria Burm. ex Mill. -f- *Iridaceae*
– **crispa** Burm. | ♃ Ⓚ III-IV; Kap, nat. in Mallorca
– *undulata* L. = Ferraria crispa

Ferula L. -f- *Apiaceae* · Steckenkraut
– **assa-foetida** L. | ♃ VII-VIII ∧ Ⓝ; C-As., Iran, Afgh.
– **communis** L. · Giant Fennel | ♃ VII-VIII ∧ Ⓝ; Eur.: Ib, Fr, Ap, Ba, Canar.; TR, Cyprus, Lebanon, N-Afr.
– **foetida** (Bunge) Regel · Stinkasant | ♃ Ⓝ; C-As.
– *galbaniflua* Boiss. et Buhse = Ferula gummosa
gummosa Boiss. | ♃ Ⓝ; Iran, C-As. (Copet Dag)
– *hispanica* Rouy = Ferula tingitana
– **moschata** (Reinsch) Koso-Pol. · Musk Root | ♃; C-As.
– **narthex** Boiss. | ♃ VII-VIII ∧ Ⓝ; NW-Him.
rubricaulis Boiss. | ♃; W-As.
– *sumbul* (Kauffm.) Hook. f. = Ferula moschata
– **tingitana** L. | ♃ VII-VIII ∧; Eur.: Ib; N-Afr.

Ferulago W.D.J. Koch -f- *Apiaceae*
– **galbanifera** (Mill.) Koch · Knotenblütige Birkwurz ; Eur.: F, Ap, Ba, E-Eur.; Cauc.

Festuca L. -f- *Poaceae* · Schwingel
– *acerosa* K. Koch = Festuca punctoria
– **acuminata** Gaudin · Zugespitzter Schwingel | ♃ VII-VIII; Eur.: F, I, CH; Alp.
– **airoides** Lam. · Kleiner Schaf-Schwingel | ♃ VI-VII; Eur.* exc. BrI, Sc; mts.
– **alpestris** Roem. et Schult. · Südalpen-Buntschwingel | ♃ △ VII-VIII; Eur.: I, Slove.; SE-Alp.
– **alpina** Suter · Alpen-Schwingel | ♃ △ VI-VIII; Eur.: F, I, C-Eur., Ba; Pyr., Alp., Balkan

– **altissima** All. · Wald-Schwingel | ♃ VI-VII; Eur.*, Cauc., W-Sib., E-Sib., C-As.
– **amethystina** L. · Amethyst-Schwingel · Tufted Fescue | ♃ △ VI; Eur.: Fr, Ap, C-Eur., EC-Eur., Ba, E-Eur.; TR, Cauc.
– **arundinacea** Schreb. · Rohr-Schwingel · Meadow Fescue, Tall Fescue | ♃ VI-VII Ⓝ; Eur.*, TR
– **brevipila** Tracey · Raublättriger Schaf-Schwingel, Raublatt-Schwingel | ♃ V-VII; Eur.: Fr, C-Eur., EC-Eur., Sc, nat. in BrI, Russ.
– **calva** (Hack.) K. Richt. · Glatter Bunt-Schwingel, Kahler Buntschwingel | ♃ VII; Eur.: I, A, Slove.; E-Alp.
– *capillata* Lam. = Festuca filiformis
– **cinerea** Vill. · Blue Fescue, Grey Fescue · Fétuque bleue | ♃ △ V-VI; Eur.: SE-F; NW-I
– *crinum-ursi* hort. non Ramond = Festuca gautieri
– *crinum-ursi* Ramond = Festuca eskia
– **drymeia** Mert. et Koch · Berg-Schwingel | ♃ VI; Eur.: Ap, A, EC-Eur., Ba, E-Eur.; TR, Cauc., Iran
– **duvallii** (St.-Yves) Stohr · Duvals-Schaf-Schwingel ; Eur.: F, B, D, PL
– **eggleri** Tracey · Eggler-Schwingel | ♃ V-VI; Eur.: A (Murtal)
– *elatior* L. = Festuca pratensis
  - subsp. *pratensis* (Huds.) A. Gray = Festuca pratensis
– **eskia** Ramond ex DC. | ♃ ⇝ VII-VIII; Eur.: Sp., F, ? RO; Pyr.
– *fallax* Thuill. = Festuca nigrescens
– **filiformis** Pourr. · Haar-Schaf-Schwingel | ♃ V-VII; Eur.* exc. Sc; Cauc., nat. in Sc, N-Am., NZ
– **flavescens** Bellardi · Gelblicher Schwingel | ♃ VII-VIII; Eur.: F, I; SW-Alp.
– **frigida** (Hack.) K. Richt. | ♃ △ VI-VII; S-Sp.: Sierra Nevada
– **gautieri** (Hack.) K. Richt. · Bear Skin Fescue · Fétuque de Gautier, Fétuque en balai | ♃ △ V-VI; SW-F, NE-Sp.
– **gigantea** (L.) Vill. · Riesen-Schwingel · Giant Fescue · Fétuque géante | ♃ VII-VIII; Eur.*, Cauc., W-Sib., E-Sib., C-As.
– **glacialis** (Miègev. ex Hack.) K. Richt. | ♃ △ VI-VII; Sp., F, Pyr.
– *glauca* Lam. = Festuca cinerea
– **glauca** Vill.
– **guestfalica** Boenn. ex Rchb. · Westfälischer Schwingel | ♃ V-VII; Eur.: BrI, Fr, C-Eur., EC-Eur., ? RO
– **halleri** All. · Hallers Schwingel | ♃ △ VI-VIII; Eur.: F, I, CH, A, Bosn., Maced.; Alp., mts.
– **hervieri** (St.-Yves) Patzke; Eur.: Sp., F, B
– **heteromalla** Pourr. · Ausgebreiteter Schwingel | ♃ VI-VII; Eur.: Fr, Ap, C-Eur., EC-Eur., Sc, ? RO
– **heteropachys** (St.-Yves) Patzke ex Auquier · Derber Schaf-Schwingel | ♃ VI-VII; Eur.: F, B, D, CH
– **heterophylla** Lam. · Verschiedenblättriger Schwingel | ♃ VI-IX; Cauc.
– **intercedens** (Hack.) Lüdi ex Bech. · Dazwischenliegender Schwingel | ♃ VI-VII; Eur.: I, CH, A; Alp.
– **juncifolia** St.-Amans · Binsenblättriger Schwingel | ♃; Eur.: BrI, Fr, Sp.
– **laevigata** Gaudin · Glatter Schaf-Schwingel, Krumm-Schwingel | ♃ V-VII; Eur.: F, I, CH, D, A; Pyr., Alp., Apenn.
– **laxa** Host · Schlaffer Schwingel | ♃ VII-VIII; Eur.: A, Slove.; SE-Alp.
– **mairei** St.-Yves | ♃; Maroc., Alger.
– **makutrensis** Zapall. · Makutrenser Schaf-Schwingel | ♃ VI
– **nigrescens** Lam. · Herbst-Rot-Schwingel, Schwarzwerdender Schwingel | ♃ ⇝ VI Ⓝ; Eur.*
– **nitida** Kit. · Glanz-Schwingel | ♃ VII-VIII; Eur.: I, A, Slove., RO; SE-Alp., Carp.
– **norica** (Hack.) K. Richt. · Norischer Schwingel | ♃ VII-VIII; Eur.: I, CH, D, A, Slove.; E-Alp.
– **ovina** L. · Echter Schaf-Schwingel · Blue Fescue, Sheep's Fescue · Fétuque ovine | ♃ V-VII Ⓝ; Eur.* exc. Ib; Cauc., W-Sib.
– **pallens** Host · Bleicher Schaf-Schwingel | ♃ V-VI; Eur.: Fr, C-Eur., EC-Eur., ? Bosn., RO, W-Russ.
– **paniculata** (L.) Schinz et Thell. · Gold-Schwingel | ♃ VI-VII; Eur.: Ib, Fr, Ap, C-Eur., Ba, RO; Maroc.
– **patzkei** Markgr.-Dann. · Patzkes Schaf-Schwingel ; Eur.: E-F, D , Luxemburg
– **picta** Kit.; Eur.: A, EC-Eur., BG, RO, W-Russ.; E-Alp., Carp., BG
– **picturata** Pilz · Bunter Violett-Schwingel | ♃ VII-VIII; Eur.: N-I, A, Slova., PL, BG, RO; mts.
– **polesica** Zapall. · Dünen-Schaf-Schwingel | ♃ VI-VII; Eur.: Sc, D, PL,

Russ., ? NL; coasts
– **pratensis** Huds. · Gewöhnlicher Wiesen-Schwingel · Meadow Fescue | ♃ VI-VII Ⓝ; Eur.*, TR, Cauc., W-Sib., E-Sib., C-As., nat. in Amur, Sachal.
  - subsp. **apennina** (De Not.) Hack. ex Hegi · Apenninen-Schwingel, Apenninen-Wiesen-Schwingel | ♃ VI-VII; Eur.: Alp., Apenn., Sic. mts., Slove., Croatia, Carp.
– **psammophila** (Hack. ex Celak.) Fritsch · Sand-Schaf-Schwingel | ♃ VI-VII; Eur.: D, PL, CZ, Balt.
– **pseudodalmatica** Krajina ex Domin · Falscher Dalmatiner Schwingel | ♃ V-VI; Eur.: A, EC-Eur.; Cauc., Iran, C-As.
– **pseudodura** Steud. · Harter Schwingel | ♃ VII-VIII; Eur.: I, CH, A; E-Alp.
– **pseudovina** Hack. ex Wiesb. · Falscher Schaf-Schwingel, Harter Felsen-Schwingel | ♃ VI-VII; Eur.: C-Eur., EC-Eur., BaE-Eur.; Cauc., W-Sib., E-Sib., C-As.
– **puccinellii** Parl. · Dunkelvioletter Schwingel, Violetter Schwingel | ♃ VII-VIII; Eur.: C-Eur., F, I; Alp., Jura
– **pulchella** Schrad. · Zierlicher Schwingel | ♃ VII-VIII; Eur.: F, I, C-Eur., Slove., ? RO; Alp., Jura, ? Carp.
– *pumila* Vill. = Festuca quadriflora
– **punctoria** Sm. | ♃ △ VI-VII; N-TR
– **quadriflora** Honck. · Niedriger Schwingel | ♃ ∧ VII-VIII; Eur.: Sp., F, I, C-Eur., Slove.; Pyr., Alp., Jura
– **rubra** L. · Rot-Schwingel · Creeping Fescue, Red Fescue | ♃ ⇝ VI Ⓝ; Eur.*, TR, Cauc., Iran, W-Sib., E-Sib., C-As., N-Ind., Mong., China, Jap., Maroc., Alger., nat. in N-Am., S-Am., Austr., NZ
  - subsp. **arenaria** (Osbeck) Aresch. · Dünen-Rot-Schwingel | ♃; Eur.: NW-Eur., Balt.; coasts
  - subsp. *commutata* Gaudin = Festuca nigrescens
  - subsp. **juncea** (Hack.) K. Richt.; Eur.: most exc. Russ.
  - subsp. **litoralis** (G. Mey.) Auquier | ♃; W-Eur., Balt.; coasts
– **rupicaprina** (Hack.) A. Kern. · Gämsen-Schwingel | ♃ △ VI-VII; Eur.: C-Eur., Slove.; Alp.
– **rupicola** Heuff. · Furchen-Schaf-Schwingel | ♃ V-VII; Eur.: Fr, Ap, C-Eur., EC-Eur., Ba; Cauc., W-Sib., C-As.
– **scabriculmis** (Hack.) Richt. · Rauhalmiger Schwingel | ♃ VII-VIII; Eur.: F, I, CH; S-Alp.
– *scoparia* A. Kern. ex Hook. = Festuca gautieri
– **stenantha** (Hack.) Richt. · Schmalblütiger Schwingel | ♃ VII-VIII; Eur.: F, I, CH, A, Slove., Croatia, Bosn.; Alp., Croatia, Bosn.
– **stricta** Host · Steif-Schwingel | ♃ V-VII; Eur.: I, A, EC-Eur., RO
– *tenuifolia* Sibth. = Festuca filiformis
– **ticinensis** (Markgr.-Dann.) Markgr.-Dann. · Tessiner Schwingel | ♃ V-VII; Eur.: I, CH; S-Alp.
– **trichophylla** (Ducros ex Gaudin) K. Richt. · Haarblättriger Schwingel | ♃ VI-VII; Eur.: Ib, Fr, Ap, C-Eur., EC-Eur., RO
– **vaginata** Waldst. et Kit. ex Willd. · Sand-Schwingel | ♃ V-VI; Eur.: A, EC-Eur., Ba, E-Eur.
– **valesiaca** Schleich. ex Gaudin · Walliser Schaf-Schwingel · Fétuque du Valais | ♃ △ VI; Eur.: Fr, Ap, C-Eur., EC-Eur., Ba, E-Eur.; TR, Cauc., C-As., Mong.
  - subsp. **parviflora** (Hack.) R. Tracey; Eur.: C-Eur., EC-Eur., Ba, E-Eur.; Cauc., W-Sib., C-As.
– **varia** Haenke · Bunt-Schwingel | ♃ VII-VIII; Eur.: I, A, Slove.; E-Alp.
– **versicolor** Tausch · Verschiedenfarbiger Schwingel | ♃ VII-VIII; Eur.: A, EC-Eur.
– **vivipara** (L.) Sm. · Brutknospen Schwingel | ♃ △ VII-VI; Eur.: BrI, Sc, N-Russ.; Sib., N-Am., Greenl.

× **Festulolium** Asch. et Graebn. -n- *Poaceae*
– **loliaceum** (Huds.) P. Fourn. (*Festuca pratensis* × *Lolium perenne*) · Schwingel-Lolch ; Eur.*

Fibigia Medik. -f- *Brassicaceae* · Schildkresse
– **clypeata** (L.) Medik. | ♃ △ ⋉ V-VI ∧; Eur.: I, Ba, Krim; TR, Syr., Palaest., Iraq, Cauc. Iran, Egypt

Ficaria = Ranunculus L.
– *verna* Huds. = Ranunculus ficaria

Ficinia Schrad. -f- *Cyperaceae*
– *poiretii* Kunth = Scirpus cernuus

Ficus L. -f- *Moraceae* · Feigenbaum

– **altissima** Blume | ħ Ⓦ; Him., Ind., Sri Lanka, Myanmar, Malay. Arch., Phil.
– **aspera** G. Forst. | ħ Ⓦ ♣; Vanuatu
  - **'Canonii'**; cult.
  - **'Parcellii'**
– **auriculata** Lour. · Roxburgh Fig | ♄ ħ Ⓦ ♣; Him., S-China, Thail., Vietn.
– *australis* Willd. non hort. = Ficus rubiginosa 'Australis'
– *barbata* Miq. = Ficus villosa
– **barteri** Sprague | ♄ ħ Ⓦ; W-Afr., C-Afr.
– **benghalensis** L. · Banyan Tree ; Him., Ind.
  - **'Krishnae'**
– **benjamina** L. · Tropic Laurel, Weeping Fig | ħ Ⓦ; Him., Ind., Myanmar, S-China, Malay. Arch., N-Austr.
– **binnendijkii** Miq. | ħ Ⓦ; Java
– **callosa** Willd. | ħ Ⓦ; Ind., Sri Lanka, Myanmar, Java
– *canonii* W. Bull ex Van Houtte = Ficus aspera 'Canonii'
– **capensis** Thunb.
– **carica** L. · Feigenbaum · Fig | ħ ♄ Ⓚ Off. X-V ∧ Ⓝ; Eur.: Ib, Fr, Ap, Ba; TR, Levante, N-Iraq, Iran, C-As., NW-Afr., nat. in BrI, C-Eur., EC-Eur., Krim
– **celebensis** Corner | ħ Ⓦ; Sulawesi
– *cerasiformis* Desf. = Ficus parietalis
– **cyathistipula** Warb. | ħ Ⓦ ♣; trop. Afr.
– **deltoidea** Jack · Mistletoe Fig | ♄ Ⓦ ♣; Malay. Arch.
  - var. **diversifolia** (Blume) Corner
– *diversifolia* Blume = Ficus deltoidea var. diversifolia
– **dryepondtiana** André | ħ Ⓦ; C- Afr.
– *edulis* Bureau = Ficus habrophylla
– **elastica** Roxb. · India Rubber Tree, Rubber Plant | ħ Ⓦ Ⓝ; E-Him., Myanmar, Malay. Arch.
  - **'Schrijveriana'** Roxb. ex Hornem.
– *foveolata* Wall. ex Miq. = Ficus sarmentosa
  - var. *nipponica* (Franch. et Sav.) King = Ficus sarmentosa var. nipponica
– *glabella* Blume = Ficus virens var. glabella
– *glomerata* Roxb. = Ficus racemosa
– **habrophylla** Seem. | ħ Ⓦ ♣; N.Caled.
– **hispida** L. f. · River Fig, Soft Fig | ♄ ħ Ⓦ; Ind., Sri Lanka, China, Malay. Arch., N-Austr.
– *indica* L. = Ficus benghalensis
– *infectoria* Miq. = Ficus virens
– *irregularis* Miyabe = Ficus celebensis
– *krishnae* C. DC. = Ficus benghalensis 'Krishnae'
– *lacor* Buch.-Ham. = Ficus virens
– *leprieurii* Miq. = Ficus natalensis subsp. leprieurii
– **lutea** Warb. · Zulu Fig | ħ Ⓦ; trop. Afr., S-Afr.
– **lyrata** Warb. · Fiddleleaf Fig | ħ Ⓦ; W-Afr.
– **macrophylla** Desf. ex Pers. · Australian Banyan, Moreton Bay Fig | ħ Ⓦ; Austr.: Queensl., N.S.Wales, Lord Howe Is.
– **microcarpa** L. f. · Chinese Banyan, Indian Laurel Fig | ħ Ⓦ; Him., Ind., Myanmar, China, Malay. Arch., Austr., N.Caled.
  - var. **hillii** (Bailey) Corner | ħ Ⓦ; S-As., N.Caled.
– **montana** Burm. f. · Oak-Leaf Fig | ♄ Ⓦ ⁓→; ? Ind., ? SE-As.
– **natalensis** Hochst. · Natal Fig
  - subsp. **leprieurii** (Miq.) C.C. Berg | ħ Ⓦ; trop. Afr.
– *nekbudu* Warb. = Ficus lutea
– **neriifolia** Sm. | ħ Ⓦ; Him.
– *nipponica* Franch. et Sav. = Ficus sarmentosa var. nipponica
– *nitida* Thunb. = Ficus benjamina
– **nymphaeifolia** Mill. | ħ Ⓦ; Panama, trop. S-Am.
– **palmeri** S. Watson | ħ Ⓦ; Mex.: Baja Calif.
– *pandurata* hort. Sander non Hance = Ficus lyrata
– *parcellii* Veitch ex Cogn. et Marchal = Ficus aspera 'Parcellii'
– **parietalis** Blume · Sharp Fig | ħ Ⓦ; W-Afr.
– *porteana* Regel = Ficus callosa
– **pumila** L. · Creeping Fig, Fig Vine | ♄ Ⓦ Ⓚ ≷ ⁓→; China, Jap., Riukiu-Is., Taiwan, N-Vietn.
  - **'Minima'**
  - **'Variegata'** Desf. ex Vent. | ħ
– *quercifolia* Roxb. = Ficus montana
– **racemosa** L. · Cluster Fig, Country Fig | ħ Ⓦ; Ind., Sri Lanka, China, SE-As.
– *radicans* Desf. = Ficus sagittata
– **religiosa** L. · Peepul Tree, Sacred Fig | ħ Ⓦ; Ind., Sri Lanka
repens hort. non Rottl. = Ficus pumila
– *retusa* hort. non L. = Ficus microcarpa
  - var. *nitida* (Thunb.) Miq. = Ficus benjamina
– *roxburghii* Miq. = Ficus auriculata

– **rubiginosa** Desf. ex Vent. · Rusty Fig | ♄ ⓚ; Austr.: Queensl., N.S.Wales
  - **'Australis'**
– **rumphii** Blume
– **sagittata** Vahl · Trailing Fig | ♄ ⓦ ⓚ; E-Him., SE-As., Phil., Pacific Is.
– **sarmentosa** Sm.; Him., China, Korea, Jap., Ryukyu Is., Taiwan
  - var. **nipponica** (Franch. et Sav.) Corner | ♄ ⓦ ⓚ ⌇; Jap., Korea, China, Taiwan
– *schlechteri* Warb. = Ficus microcarpa var. hillii
– *stipulata* Thunb. = Ficus pumila
– **stricta** Miq. | ♄ ⓦ; SE-As., China: Yunnan
– **subulata** Blume | ♄ ⓦ; NE-Ind., SE-As., S-China
– **sur** Forssk. | ♄ ♄; Cap Verde, trop. Afr., Yemen
– **sycomorus** L. · Mulberry Fig, Pharoah Fig | ♄ ⓚ Ⓝ; Sudan, E-Afr., trop. S-Afr., S-Afr., Arab.
– *triangularis* Warb. = Ficus natalensis subsp. leprieurii
– *utilis* Sim = Ficus lutea
– *vesca* Miq. = Ficus racemosa
– **villosa** Miq. | ♄ ⓦ ⌇; NE-Ind., Andaman Is.
– **virens** Aiton · Grey Fig | ♄ ⓦ; Pakist., Ind., Sri Lanka, China, SE-As.
  - var. **glabella** (Blume) Corner
– **vogelii** (Miq.) Miq. | ♄ ⓦ; W-Afr.
– **wildemaniana** Warb. ex De Wild. et T. Durand | ♄; W-Afr., C-Afr.

Filago L. -f- *Asteraceae*
– **arvensis** L. · Acker-Filzkraut | VII-IX; Eur.* exc. BrI; TR, SW-As., Sib., C-As., Him., NW-Afr.
– **gallica** L. · Französisches Filzkraut | VI-VIII; Eur.: Ib, Fr, Ap, Ba, C-Eur., BrI; TR, Cyprus, Syr., Makaron., NW-Afr., Libya
– **lutescens** Jord. · Gelbliches Filzkraut | VII-IX; Eur.*, Makaron., ? N-Afr.
– **minima** (Sm.) Pers. · Kleines Filzkraut | VII-IX; Eur.*
– **neglecta** (Soy.-Will.) DC. · Übersehenes Filzkraut ; Eur.: F, B, Corse
– **pyramidata** L. · Spatelblättriges Filzkraut | VII-IX; Eur.: BrI, Ib, Fr, Ap, C-Eur., Ba, Krim; TR, Cauc., SW-As., C-As., NW-Afr.
– **vulgaris** Lam. · Deutsches Filzkraut | VII-IX; Eur.*, TR, Cauc., N-Iran, NW-Afr.

Filicium Thwaites ex Benth. -n- *Sapindaceae* · Flügelblatt
– **decipiens** (Wight et Arn.) Thwaites | ♄ ⓦ; C-Afr., E-Afr., Ind., Sri Lanka, Fiji

Filipendula Mill. -f- *Rosaceae* · Mädesüß
– *hexapetala* Gilib. = Filipendula vulgaris
– **kamtschatica** (Pall.) Maxim. · Filipendule du Kamtchatka | ♃ VII-VIII; Jap., Manch., Kamchat.
– **palmata** (Pall.) Maxim. · Filipendule à feuilles palmées | ♃ VI-VIII; E-Sib., Amur, Sachal., Kamchat., Mong., China, Jap.
– **purpurea** Maxim. | ♃ VI-VIII; Jap.
– **rubra** (Hill) B.L. Rob. · Queen of the Prairie | ♃ VI-VII; USA: NE, NCE, SE
– **ulmaria** (L.) Maxim. · Echtes Mädesüß · Meadow Sweet, Queen of the Meadow · Reine des prés | ♃ ~ VI-IX Ⓝ; Eur.*, TR, Cauc., W-Sib., E-Sib., C-As., Mong., nat. in N-Am.
– **vulgaris** Moench · Kleines Mädesüß · Dropwort · Filipendule vulgaire | ♃ VI-VII; Eur.*, TR, Cauc., W-Sib., E-Sib., nat. in N-Am.

Fimbristylis Vahl -f- *Cyperaceae*
– **annua** (All.) Roem. et Schult. · Fransenried | VII-IX; Eur.: F, I, Slove; TR, Cauc., C-As., E-As., N-Am., Trop., nat. in CH, S-Eur., Austr., Afr.
– **globulosa** (Retz.) Kunth | ♃ ⓦ Ⓝ; Ind., Sri Lanka, Malay. Pen., Micron.

Firmiana Marsili -f- *Sterculiaceae*
– **simplex** (L.) W. Wight · Chinese Parasol Tree | ♄ ⓚ; China, Taiwan, Ryukyu Is., Indochina

Fittonia Coem. -f- *Acanthaceae*
– *argyroneura* Coëm. = Fittonia verschaffeltii var. argyroneura
– **gigantea** Linden ex André | ♃ ⓦ; Peru
– **verschaffeltii** (Lem.) Van Houtte · Fittonia | ♃ ⓦ; Col., Ecuad., Peru, Bol.
  - var. **argyroneura** (Coëm.) Nichols · Mosaic Plant, Silver Net Leaf | ♃ ⓦ
  - var. **pearcei** Nichols

Fitzroya Hook.f. ex Lindl. -f- *Cupressaceae*
– **cupressoides** (Molina) I.M. Johnst. · Alerce | ♄ ⓚ ✻ Ⓝ; S-Chile, N-Patag.

Flacourtia Comm. ex L'Her. -f- *Flacourtiaceae*
- **indica** (Burm. f.) Merr. · Flacourtia, Madagascar Plum | ♄ ⌂ ✻ Ⓝ; trop. Afr., trop. As.
- **rukam** Zoll. et Moritzi | ♄ Ⓝ; Malay. Arch., Phil.

Fleischmannia Sch.Bip. -f- *Asteraceae*
- **incarnata** (Walter) R.M. King et H. Rob. | ♃ V-X; USA: NE, NCE, SE, SC; Mex.

Flemingia Roxb. ex W.T. Aiton -f- *Fabaceae*
- **macrophylla** (Willd.) Blume ex Miq. | ♄ Ⓝ; SE-As.
- **vestita** Benth. ex Baker | Ⓝ; Him., N-Ind.

Fockea Endl. -f- *Asclepiadaceae*
- *capensis* Endl. = Fockea crispa
- **crispa** (Jacq.) K. Schum. | ♄ ♆ ⌂ ⧘; Kap
- **multiflora** K. Schum. | ♄ ♆ ⌂; S-Angola, Tanzania

Foeniculum Mill. -n- *Apiaceae* · Fenchel
- *dulce* DC. non Mill. = Foeniculum vulgare var. dulce
- *dulce* Mill. non DC. = Foeniculum vulgare var. azoricum
- *officinale* All. = Foeniculum vulgare
- *piperitum* (Ucria) Sweet = Foeniculum vulgare subsp. piperitum
- **vulgare** Mill. · Fenchel · Fennel, Finnochio | ♃ ☉ VII-IX; Eur.: Ib, Fr, Ap, Ba, BrI; TR, Cauc., Iran, N-Afr., nat. in C-Eur., EC-Eur., E-Eur., N-Am., S-Am., Jap., China, NZ
  - subsp. **piperitum** (Ucria) Cout.
  - var. **azoricum** (Mill.) Thell.
  - var. **dulce** (DC.) Batt. et Trab. | ☉ ♃ Off. VII-VIII Ⓝ; cult.

Fokienia A. Henry et H.H. Thomas -f- *Cupressaceae*
- **hodginsii** Henry et H.H. Thomas | ♄ ⌂; China: Fukien

Fontanesia Labill. -f- *Oleaceae*
- *angustifolia* Dippel = Fontanesia phillyreoides
- *fortunei* Carrière = Fontanesia phillyreoides var. fortunei
- **phillyreoides** Labill. · Kleinasiatische Fontanesie | ♄ V-VI; Eur.: Sic.; TR, Lebanon, Syr. ssp. fortunei China, nat. in I
  - var. **fortunei** (Carrière) Yalt. | ♄ V-VI; E-China

Forestiera Poir. -f- *Oleaceae*
- **acuminata** (Michx.) Poir. · Alligator Tree | ♄ ♄ ~ IV-V; USA: NCE, Kans., SC, SE, Fla.
- **ligustrina** (Michx.) Poir. | ♄ VIII; USA: NE, SE, Fla.
- **neomexicana** A. Gray · Desert Olive, New Mexico Privet | ♄ IV-V; USA: SC, Colo., SW, Calif.

Forsythia Vahl -f- *Oleaceae* · Forsythie, Goldglöckchen
- **europaea** Degen et Bald. · Europäische Forsythie | ♄ IV-V; Eur.: S-YU, AL
- *fortunei* Lindl. = Forsythia suspensa var. fortunei
- **giraldiana** Lingelsh. | ♄ IV-V; NW-China
- × **intermedia** Zabel (*F. suspensa* × *F. viridissima*) · Hybrid-Forsythie · Forsythia de Paris | ♄ ♄ ⋊ III-V; cult.
- **japonica** Makino | ♄ IV; Jap.
- **ovata** Nakai · Koreanische Forsythie · Korean Forsythia | ♄ IV; Korea
- **suspensa** (Thunb.) Vahl · Hänge-Forsythie · Weeping Forsythia | ♄ IV-V; China
  - var. **fortunei** (Lindl.) Rehder | ♄ IV; E-China
  - var. **sieboldii** Zabel | ♄ IV; Jap.
- **viridissima** Lindl. · Grüne Forsythie · Green Forsythia | ♄ IV-V; China
- **Cultivars**
  - *'Fortunei'* = Forsythia suspensa var. fortunei

Fortunella Swingle -f- *Rutaceae* · Kumquat
- **hindsii** (Champ. ex Benth.) Swingle | ♄ ⌂ Ⓝ; Hongkong, China
- **japonica** (Thunb.) Swingle · Round Kumquat | ♄ ☘ Ⓝ; S-China
- **margarita** (Lour.) Swingle | ♄ ⌂ Ⓝ; S-China
  - **'Nagami'**

Fosterella L.B. Sm. -f- *Bromeliaceae*
- **penduliflora** (C.H. Wright) L.B. Sm. | ♃ ⌂; Bol, W-Arg.

Fothergilla L. -f- *Hamamelidaceae* · Federbuschstrauch

– *alnifolia* L. f. = Fothergilla gardenii
  - var. *major* Sims = Fothergilla major
– *carolina* (L.) Britten = Fothergilla gardenii
– **gardenii** Murray · Erlenblättriger Federbuschstrauch · Witch Alder | ♄ △ V; USA: Va., SE
– **major** (Sims) Lodd. · Großer Federbuschstrauch | ♄ V; USA: SE
  - **Monticola Grp.**
– *monticola* Ashe = Fothergilla major 'Monticola Grp.'
– *parvifolia* Kearney = Fothergilla gardenii

Fouquieria Kunth -f- *Fouquieriaceae*
– **columnaris** (Kellogg) Kellogg ex Curran | ♄ Ψ Ⓚ; Mex.: Baja Calif., Sonora
– **splendens** Engelm. · American Desert Candlewood, Ocotillo | ♄ Ψ Ⓚ; S-Calif., Baja Calif.

Fragaria L. -f- *Rosaceae* · Erdbeere
– × **ananassa** (Duchesne) Guedès (*F. chiloensis* × *F. virginiana*) · Garten-Erdbeere, Kultur-Erdbeere · Garden Strawberry, Strawberry | ♃ V-VI Ⓝ; cult., nat. in Eur.
– **bucharica** Losinsk. | ♃ Ⓝ; C-As.
– **chiloensis** (L.) Mill. · Beach Strawberry, Chiloe Strawberry | ♃ Ⓝ; Alaska, Can.: W; USA: NW, Calif.; S-Chile, nat. in Teneriffa
  collina Ehrh. = Fragaria viridis
– *elatior* Gay = Fragaria moschata
– *grandiflora* Ehrh. non (L.) Crantz = Fragaria × ananassa
– × **hagenbachiana** Lange et W.D.J. Koch (*F. vesca* × *F. viridis*) · Bastard-Erdbeere
– *hortensis* Duchesne = Fragaria vesca var. hortensis
– *indica* Andrews = Duchesnea indica
– **iturupensis** Staudt | Ⓝ; Jap. (S-Kurilen)
– × *magna* Thuill. = Fragaria × ananassa
– **moschata** (Duchesne) Weston · Zimt-Erdbeere · Hautbois Strawberry | ♃ V-VI Ⓝ; Eur.* exc. BrI, Sc; Cauc., nat. in BrI, Sc
– **neglecta** Lindem. (*F. moschata* × *F. viridis*) · Übersehene Erdbeere
– **ovalis** (Rydb.) Lemmon | Ⓝ; NW-USA
– **vesca** L. · Wald-Erdbeere · Alpine Strawberry, Wild Strawberry · Fraisier des bois | ♃ V-VI Ⓝ; Eur.*, Cauc., W-Sib., E-Sib., C-As., N-Afr.
  - var. **hortensis** (Duchesne) Staudt
  - var. *hortensis'Flore Plena'* = Fragaria vesca var. hortensis 'Multiplex'
  - var. **hortensis'Fructo Alba'** | ♃ V-VI; cult.
  - var. **hortensis'Fructo Lutea'**
  - var. **hortensis'Multiplex'**
  - var. **hortensis'Semperflorens'** | ♃ V-X Ⓝ
  - var. **monophylla** Duchesne
– **virginiana** Mill. · Virginia Strawberry | ♃ Ⓝ; Alaska, Can., USA:* exc. Fla., nat. in E-Eur.
– **viridis** Weston · Knack-Erdbeere | ♃ V-VI Ⓝ; Eur.* exc. BrI; Cauc., W-Sib., E-Sib., C-As.

Frailea Britton et Rose -f- *Cactaceae*
– *alacriportana* Backeb. et Voll = Frailea gracillima
– *asterioides* Werderm. = Frailea castanea
– *aureispina* F. Ritter = Frailea pygmaea
– *bruchii* Speg. = Gymnocalycium bruchii
– *carminifilamentosa* Backeb. = Frailea pumila
– **castanea** Backeb. | Ψ Ⓚ ✻; Bras.: Rio Grande do Sul; Urug., Arg.: Misiones
– **cataphracta** (Dams) Britton et Rose | Ψ Ⓚ ✻; Bras.: Mato Grosso; Parag., E-Bol.
– *cataphractoides* Backeb. = Frailea cataphracta
– *chrysacantha* Hrabetova = Frailea pumila
– **colombiana** (Werderm.) Backeb. | Ψ Ⓚ ✻
– **gracillima** (Lem.) Britton et Rose | Ψ Ⓚ ✻; Bras.: Rio Grande do Sul; N-Urug.
– **grahliana** (Haage) Britton et Rose | Ψ Ⓚ ✻; Parag., ? Arg. (Misiones)
– *itapuensis* nom. inval. = Frailea gracillima
– **knippeliana** (Quehl) Britton et Rose | Ψ Ⓚ ✻; S-Parag.
– *matoana* Buining et Brederoo = Frailea cataphracta
– **pumila** (Lem.) Britton et Rose | Ψ Ⓚ ✻; Bras.: Rio Grande do Sul; Urug., Parag.
– **pygmaea** (Speg.) Britton et Rose | Ψ Ⓚ ✻; Bras.: Rio Grande do Sul; Urug.

Franciscea = Brunfelsia L.
– *calycina* Benth. = Brunfelsia pauciflora var. calycina
– *hopeana* Hook. = Brunfelsia uniflora
– *latifolia* Pohl = Brunfelsia latifolia

Francoa Cav. -f- *Saxifragaceae*

– *appendiculata* Cav. = Francoa sonchifolia var. appendiculata
– *ramosa* D. Don = Francoa sonchifolia var. ramosa
– **sonchifolia** Cav. · Bridal Wreath ; Chile
 - var. **appendiculata** (Cav.) Reiche | ♃ Ⓚ; Chile
 - var. **ramosa** (D. Don) Reiche · Maiden's Wreath | ♃ Ⓚ V-VII; Chile

Frangula Mill. -f- *Rhamnaceae*
– **alnus** Mill. · Faulbaum · Alder Buckthorn, Buckthorn · Bourdaine | ♄ ♄ Off. V-VI ☠ Ⓝ; Eur.*, TR, Syr., Cauc., N-Iran, W-Sib., E-Sib., C-As., NW-Afr.
– **purshiana** (DC.) J.G. Cooper · Cascara Buckthorn | ♄ ♄ Off. VII; B.C., USA: NW, Calif., Rocky Mts.
– **rupestris** (Scop.) Schur | ♄ ⇝ △ VI-VII; Eur.: I, Ba

Frankenia L. -f- *Frankeniaceae*
– **hirsuta** L. | ♄ △ VI-VIII ∧; Eur.: Ib, Fr, Ap, Ba, E-Eur.; TR, Levante, Cauc., W-Sib., C-As., N-Afr., S-Afr.
– **laevis** L. · Sea Heath | ♃ △ VI-VIII ∧; Eur.: BrI, Fr, Ib, Ap; NW-Afr., Libya
– **thymifolia** Desf. | ♄; Sp., N-Afr.

Franklinia W. Bartram ex Marshall -f- *Theaceae*
– **alatamaha** Marshall · Franklinie · Franklin Tree | ♄ VIII-X; USA: Ga.

Fraxinus L. -f- *Oleaceae* · Esche
– **americana** L. · Weiß-Esche · American Ash | ♄ IV-V Ⓝ; Can.: E; USA: NE, NCE, NC, SC, SE, Fla.
 - var. **microcarpa** A. Gray
– **angustifolia** Vahl · Schmalblättrige Esche · Narrow Leaved Ash | ♃ ♄ III-V
 - *'Flame'* = Fraxinus angustifolia 'Raywood'
 - **'Raywood'**
 - subsp. **oxycarpa** (M. Bieb. ex Willd.) Franco et Rocha Afonso | ♄; Eur.: BG; Krim; TR, Cauc.
 - subsp. **syriaca** (Boiss.) Yalt. · Syrische Esche | ♄ ♄ V; SE-TR, Syr., Iraq, Iran, Afgh., W-Pakist.
 - var. **australis** (Gay) C.K. Schneid.; S-Eur., N-Afr.
– **anomala** Torr. ex S. Watson · Einblättrige Esche · Single Leaf Ash, Utah Ash | ♄; USA: Rocky Mts, SW, Calif.
– **biltmoreana** Beadle | ♄; SE-USA
– **bungeana** A. DC. · Bunges Blumen-Esche · Northern Ash | ♄; N-China
– **chinensis** Roxb. · Chinese Ash | ♄; China
 - var. **rhynchophylla** (Hance) Hemsl. · Schnabel-Esche | ♄; Jap., Korea, N-China
– **cuspidata** Torr. · Stachelspitzige Blumenesche | ♄ ♄ IV-V; USA: Ariz., N.Mex., Tex.; N-Mex.
– **excelsior** L. · Gewöhnliche Esche · Common Ash, European Ash · Frêne commun | ♄ IV-V Ⓝ; Eur.*, TR, Syr., Cauc., N-Iran
 - **'Diversifolia'**
 - fo. *globosa* hort. = Fraxinus excelsior 'Nana'
 - fo. *monophylla* Desf. = Fraxinus excelsior 'Diversifolia'
 - **'Nana'**
 - **'Pendula'**
– **holotricha** Koehne · Behaarte Esche | ♄ IV-V; SE-Eur. +
– *lanceolata* Borkh. = Fraxinus pennsylvanica
– **lanuginosa** Koidz. · Wollflaumige Esche | ♄ IV-V; Jap., ? S-Korea
– **latifolia** Benth. · Oregon-Esche · Oregon Ash | ♄ Ⓝ; B.C., USA: NW, Calif.
– **longicuspis** Siebold et Zucc. · Langspitzige Esche · Japanese Ash | ♄; China: Sichuan; Jap.
– **mandshurica** Rupr. · Mandschurische Esche | ♄ Ⓝ; Amur, Sachal., Manch., N-China, Korea, Jap.
– *mariesii* Hook. f. = Fraxinus sieboldiana
– **nigra** Marshall · Schwarz-Esche · Black Ash | ♄ Ⓝ; Can.: E; USA: NE, NCE
– *oregona* Nutt. = Fraxinus latifolia
– **ornus** L. · Blumen-Esche, Manna-Esche · Flowering Ash, Manna Ash · Frêne à fleurs, Frêne à manne | ♄ Off. IV-VI Ⓝ; Eur.: Ib, Ap, Ba, Me, EC-Eur., RO; TR, Syr., Cauc., nat. in Fr
 - var. **rotundifolia** (Lam.) Ten.; S-Med.
– *oxycarpa* hort. = Fraxinus angustifolia 'Raywood'
– *oxycarpa* M. Bieb. ex Willd. = Fraxinus angustifolia
– *oxyphylla* M. Bieb. = Fraxinus angustifolia
– **pallisiae** Wilmott ex Pallis | ♄; Eur.: Ba, RO, W-Russ.; TR
– *parvifolia* Lam. = Fraxinus ornus var.

rotundifolia
– **paxiana** Lingelsh. · Chinesische Blumen-Esche | ♄ ♄; Him., China
– **pennsylvanica** Marshall · Pennsylvanische Esche · Red Ash | ♄ ~ IV-V Ⓝ; Can.: E; USA; NE, NCE, SE
  - var. *lanceolata* (Borkh.) Sarg. = Fraxinus pennsylvanica var. subintegerrima
  - var. **subintegerrima** (Vahl) Fernald
– **platypoda** Oliv. · Breitstielige Esche | ♄; China: Sichuan, Yunnan, Hupeh, Kansu; Jap.
– **potamophila** Herder · Fluss-Esche | ♄; C-As.
– *pubescens* Lam. = Fraxinus pennsylvanica
– **quadrangulata** Michx. · Blau-Esche · Blue Ash | ♄ Ⓝ; Can.: Ont.; USA: NE, NCE, Okla., SE
– *rhynchophylla* Hance = Fraxinus chinensis var. rhynchophylla
– *rotundifolia* Lam. = Fraxinus ornus var. rotundifolia
– *rotundifolia* Mill. = Fraxinus angustifolia
– **sieboldiana** Blume · Siebolds Esche · Chinese Flowering Ash, Siebold Ash | ♄ ♄; China: Kingsi; S-Korea, Jap.
– **tomentosa** Michx. | ♄; e USA
– **velutina** Torr. · Arizona-Esche | ♄ ♄ V; USA: S-Calif., Ariz., N.Mex.; Mex.: Baja Calif., Sonora
  - var. **coriacea** (S. Watson) Rehder; Calif., Nev., Utah, Ariz.
– **xanthoxyloides** (G. Don) DC. · Afghanische Esche · Afghan Ash | ♄ Ⓝ; Maroc., Alger., Afgh., Kashmir, Nepal
  - var. **dimorpha** (Coss. et Durieu) Wenz.; N-Afr.
  - var. **dumosa** (Carrière) Lingelsh. | ♄

Freesia Eckl. ex Klatt -f- *Iridaceae*
– **alba** (G.L. Mey.) Gumbl.
– *armstrongii* W. Watson = Freesia corymbosa
– **corymbosa** (Burm. f.) N.E. Br. | ♃ (K) II-V; S-Afr.
– **lactea** Eckl. ex Klatt | ♃ (K) D II-V; S-Afr.
– *odorata* (Lodd.) Klatt = Freesia corymbosa
– **refracta** (Jacq.) Eckl. ex Klatt | ♃ (K) II-V; S-Afr., nat. in Mallorca
  - var. *alba* G.L. Mey. = Freesia alba
  - var. *alba* hort. = Freesia sparmannii
  - var. *odorata* (Lodd.) Voss = Freesia corymbosa
– **sparmannii** (Thunb.) N.E. Br. | ♃ (K) D II-V; Kap

Fremontia = Fremontodendron Coville
– *californica* Torr. = Fremontodendron californicum
– *mexicana* (Davidson) J.F. Macbr. = Fremontodendron mexicanum

Fremontodendron Coville -n- *Sterculiaceae*
– **californicum** (Torr.) Coville · California Beauty, Flannelbush, Fremontia | ♄ (K); USA: Calif., Ariz.; Baja Calif.
– **mexicanum** Davidson · California Beauty, Fremontia, Mexican Flannelbush | ♄ (K); S-Calif., Baja Calif.

Frenela = Callitris Vent.
– *hugelii* Carrière = Callitris columellaris

Freycinetia Gaudich. -f- *Pandanaceae*
– **insignis** Blume | ♄ (W) ≀ IV-VI; Java
– **luzonensis** C. Presl | ♄ (W) ≀; Phil.

Freylinia Colla -f- *Scrophulariaceae*
– *cestroides* Colla = Freylinia lanceolata
– **lanceolata** G. Don | ♄ (K) XI; S-Afr.
– **undulata** Benth. | ♄ (K) VI; S-Afr.

Fritillaria L. -f- *Liliaceae*
– **acmopetala** Boiss. | ♃ IV-V ▽; TR, Cyprus, Lebanon, ? Syr.
– **affinis** (Schult.) Sealy · Riceroot | ♃ ▭ V ▽; Can.: B.C.; USA: NW, Calif., Idaho
– **assyriaca** Baker | ♃; TR, N-Iraq, W-Iran
– **aurea** Schott | ♃ IV ▽; TR
– **bithynica** Baker | ♃; W-TR
– **camschatcensis** (L.) Ker-Gawl. · Black Sarana | ♃ VI ▽; Alaska, Can.: W; USA: NW; Kamchat., Sachal., Amur, Jap.
– *caussolensis* Goaty et Pons ex Ardoino = Fritillaria montana
– **crassifolia** Boiss. et Huet | ♃; TR, N-Iraq, Cauc., Iran
– **davisii** Turrill | ♃; S-GR
– **graeca** Boiss. et Spruner | ♃ IV-V ▽; Eur.: Ba
– **imperialis** L. · Kaiserkrone · Couronne impériale | ♃ IV-V ▽ ☠; TR, N-Iraq, Iran, Afgh., Pakist., Kashmir
– **involucrata** All. | ♃; SE-F, NW-I

- *lanceolata* Pursh = Fritillaria affinis
- **latifolia** Willd. | ♃ IV ▽; Cauc.
- *libanotica* (Boiss.) Baker = Fritillaria persica
- *macrophylla* D. Don = Notholirion macrophyllum
- **meleagris** L. · Gewöhnliche Schachblume, Kiebitzei · Snake's Head Fritillary · Oeuf de vanneau | ♃ IV-V ▽ ☠; Eur.* exc. Sc, Ib, nat. in Sc
- **michailovskyi** Fomin | ♃; NE-TR
- **montana** Hoppe
- *nigra* hort. = Fritillaria montana
- *nigra* Mill. non hort. = Fritillaria pyrenaica
- *ophioglossifolia* Freyn et Sint. = Fritillaria crassifolia
- **pallidiflora** Schrenk · Fritillaire à fleurs pâles | ♃ IV ▽; NW-China, E-Sib.
- **persica** L. · Fritillaire de Perse | ♃ ▭ IV ▽; Iran, Syr., Iraq
- **pinardii** Boiss. | ♃; TR, Syr., Lebanon, Cauc. (Armen.), Iran
- **pluriflora** Torr. | ♃ ▭ IV-V ▽; Calif.
- **pontica** Wahlenb. | ♃ IV-V ▽; Eur.: Ba; TR
- **pudica** (Pursh) Spreng. · Yellow Fritillary | ♃ IV ▽; Can.; W; USA: NW, Rocky Mts., Calif.
- **pyrenaica** L. | ♃ V ▽; Eur.: N-Sp., S-F; mts.
- **raddeana** Regel | ♃; NW-Iran, C-As.
- **recurva** Benth. · Scarlet Fritillary | ♃ ▭ IV-V ▽; USA: S-Oreg., Calif.
- **ruthenica** Wikstr. | ♃ IV-V ▽; Eur.: Russ.; Cauc., W-Sib., C-As.
- *schliemannii* Sint. = Fritillaria bithynica
- **sewerzowii** Regel | ♃ IV ▽ ∧; C-As., NW-China
- **sibthorpiana** (Sibth. et Sm.) Baker | ♃; SW-TR
- **verticillata** Willd. | ♃; C-As., W-Sib.

Froelichia Moench -f- *Amaranthaceae*
- **floridana** (Nutt.) Moq.; USA

Fuchsia L. -f- *Onagraceae* · Fuchsie
- **alpestris** Gardner | ♄ Ⓚ ≷; Bras.
- **ampliata** Benth. | ♄; S-Col., Ecuad., Peru
- **arborescens** Sims | ♄ ♄ Ⓚ D X-III; Mex., Guat., Costa Rica
- **austromontana** I.M. Johnst. | ♄ Ⓚ; Peru
- **ayavacensis** Munz
- × **bacillaris** Lindl. (*F. microphylla* × *F. thymifolia*) | ♄ Ⓚ VI-IX; Mex.
- **boliviana** Carrière | ♄ Ⓚ VI-IX; Ecuad., Peru, Bol., Arg.
  - **'Alba'**
  - var. **luxurians** I.M. Johnst. | ♄; C-Am., trop. S-Am.
  - var. **luxurians'Alba'** Carrière | ♄ ♄
- **coccinea** Sol. | ♄ Ⓚ VI-IX; S-Bras.
- × **colensoi** Hook. f. (*? × F. excorticata*) | ♄ Ⓚ VII-IX; NZ
- *conica* Lindl. = Fuchsia magellanica var. conica
- *cordifolia* Benth. = Fuchsia splendens
- **corymbiflora** Ruiz et Pav. | ♄ Ⓚ VII-IX
- **denticulata** Ruiz et Pav. | ♄ Ⓚ; Peru, Bol.
- *discolor* Lindl. = Fuchsia magellanica var. discolor
- **encliandra** Steud. | ♄; Mex.
- **excorticata** (J.R. Forst. et G. Forst.) L. f. · Tree Fuchsia | ♄ Ⓚ; NZ
- × **exoniensis** Paxton (*F. cordifolia* × *F. magellanica var. conica*) ; cult.
- **fulgens** Moç. et Sesse ex DC. | ♄ Ⓚ VI-VIII; Mex.
- *globosa* Lindl. = Fuchsia magellanica var. conica
- *gracilis* Lindl. = Fuchsia magellanica var. gracilis
- **hemsleyana** Woodson et Seibert | ♄ Ⓚ V-IX; Costa Rica, Panama
- **lycioides** Andrews | ♄ Ⓚ; Chile
- **macrantha** Hook. | ♄ Ⓚ ⇝ IV-VI; Peru
- *macrostemma* Ruiz et Pav. = Fuchsia magellanica
- **magellanica** Lam. · Scharlach-Fuchsie · Hardy Fuchsia | ♄ Ⓚ V-IX; S-Chile
  - *'Alba'* = Fuchsia magellanica var. molinae
  - **'Riccartonii'** Lam. | ♄
  - var. **conica** (Lindl.) L.H. Bailey
  - var. **discolor** (Lindl.) L.H. Bailey
  - var. *globosa* (Lindl.) L.H. Bailey = Fuchsia magellanica var. conica
  - var. **gracilis** (Lindl.) L.H. Bailey
  - var. **molinae** Espinosa
  - var. **molinae'Sharpitor'**
- **microphylla** Humb., Bonpl. et Kunth | ♄ Ⓚ IX-X; Mex.
- **minutiflora** Hemsl. | ♄ Ⓚ; Mex.
- **paniculata** Lindl. | ♄ ♄, Mex, C-Am.
- *parviflora* hort. = Fuchsia × bacillaris
- *pendula* Salisb. = Fuchsia coccinea
- **perscandens** Cockayne et Allan | ≷; NZ
- **procumbens** R. Cunn. ex A. Cunn. ·

Creeping Fuchsia | ♄ Ⓚ ≷ ⤳ III-V; NZ
– **regia** (Vand. ex Vell.) Munz; Bras.
  - subsp. **reitzii** P.E. Berry
  - subsp. **serrae** P.E. Berry
  - var. *alpestris* (Gardner) Munz = Fuchsia alpestris
– **sanctae-rosae** Kuntze; Peru, Bol.
– *serratifolia* Hook. = Fuchsia austromontana
– *serratifolia* Ruiz et Pav. = Fuchsia denticulata
– **simplicicaulis** Ruiz et Pav. | ≷; C-Peru
– **splendens** Zucc. | ♄ Ⓚ VIII-XI; Mex., Guat., Costa Rica
– *syringiflora* Carrière = Fuchsia arborescens
– **thymifolia** Humb., Bonpl. et Kunth | ♄ Ⓚ VI-IX; Mex.
– **triphylla** L. | ♄ Ⓚ V-XI; Hispaniola
– **tuberosa** Krause | ♄ Ⓚ; Peru
– **venusta** Humb., Bonpl. et Kunth | ♄ Ⓚ; Col.

× **Fujiwarara** Hort. -f- *Orchidaceae* (*Brassavola* × *Cattleya* × *Laeliopsis*)

Fumana (Dunal) Spach -f- *Cistaceae* · Heideröschen
– **ericoides** (Cav.) Gand. · Aufrechtes Heideröschen, Felsen-Heideröschen | ♄ V-VII; Eur.: Ib, Fr, CH, Ap, Ba; NW-Afr
– **procumbens** (Dunal) Gren. et Godr. · Gewöhnliches Nadelröschen | ⊙ ♄ △ X VIII ∧; Eur.* exc. BrI, Sc; TR, Syr., Cauc., Iran

Fumaria L. -f- *Fumariaceae* · Erdrauch
– *africana* Lam. = Rupicapnos africana
– *bulbosa* (L.) DC. = Corydalis solida
– *bulbosa* auct. non L. (DC.) = Corydalis cava
– **capreolata** L. · Rankender Erdrauch | V-IX; Eur.: Fr, Ib, Ap, BrI, CH, Ba; TR, Cauc., nat. in D, EC-Eur.
– *cava* (L.) Mill. = Corydalis cava
– **densiflora** DC. · Dichtblütiger Erdrauch | V-VI; Eur.: Ib, Fr, BrI, Ap, Ba, RO; TR, Levante, C-As., N-Afr.
– *fungosa* Aiton = Adlumia fungosa
– **muralis** Sond. ex Koch · Mauer-Erdrauch | VI-IX; Eur.: Sc, BrI, Fr, D, Ib
– **officinalis** L. · Gewöhnlicher Erdrauch · Common Fumitory | ⊙ X; Eur.*, TR, Cyprus, Syr., Cauc., N-Afr.
  - subsp. **wirtgenii** (W.D.J. Koch) Nyman · Wirtgens Erdrauch | X-V; Eur., Maroc.
– **parviflora** Lam. · Kleinblütiger Erdrauch | VI-IX; Eur.: Ib, Fr, BrI, Ap, D, H, Ba, EC-Eur.; TR, levante, Cauc., Iran, C-As., N-Afr.
– **rostellata** Knaf · Geschnäbelter Erdrauch | VI-IX; Eur.: C-Eur., EC-Eur., Ba, E-Eur.; TR
– **schleicheri** Soy.-Will. · Schleichers Erdrauch | VI-IX; Eur.: Fr, Ap, C-Eur., EC-Eur., Ba, E-Eur.; TR
– *solida* (L.) Mill. = Corydalis solida
– **vaillantii** Loisel. · Vaillants Erdrauch | X-V; Eur.*, TR, Levante, Cauc., Iran, C-As., Him., NW-Afr., Libya
  - subsp. **schrammii** (Asch.) Nyman · Schramms Erdrauch | VI-VIII; Eur.: Ib, Fr, C-Eur., H, Ba, W-Russ. +

Funkia = Hosta Tratt.
– *ovata* Spreng. = Hosta ventricosa
– *subcordata* Spreng. = Hosta plantaginea
– *tardiflora* W. Irving = Hosta 'Tardiflora'

Funtumia Stapf -f- *Apocynaceae*
– **elastica** (Preuss) Stapf | ♄ Ⓦ Ⓝ; C-Afr., Uganda

Furcraea Vent. -f- *Agavaceae*
– **bedinghausii** K. Koch | Ψ Ⓚ; C-Mex.
– **cabuya** Trel. | Ψ Ⓝ; Costa Rica to Ecuad.
cubensis (Jacq.) Haw. = Furcraea hexapetala
– **elegans** Tod. | Ψ Ⓚ; Mex.
– *flavoviridis* Hook. = Furcraea selloa
– **foetida** (L.) Haw. · Green Aloe | Ψ Ⓚ Ⓝ; Mex. (Yucatan), C-Am., S-Am.
– *gigantea* Vent. = Furcraea foetida
– **hexapetala** (Jacq.) Urb. · Bayonette | Ψ Ⓚ; Cuba, Haiti
– *lindenii* Jacobi = Furcraea selloa var. marginata
– **macrophylla** (Hook.) Baker · Fiquefaser | Ψ Ⓝ; Col.
– *pubescens* Tod. = Furcraea undulata
– *roezlii* André = Furcraea bedinghausii
– **selloa** K. Koch | Ψ Ⓚ; Mex., Guat., Col.
  - var. **marginata** Trel. | Ψ Ⓚ
– **undulata** Jacobi | Ψ Ⓚ; ? Mex.

Gagea Salisb. -f- *Liliaceae* · Gelbstern
– *arvensis* (Pers.) Dumort. = Gagea villosa
– **bohemica** (Zauschn.) Schult. et Schult. f. · Felsen-Gelbstern | ♃ III-IV; Eur.: BrI,

C-Eur., EC-Eur., Ap, Ba; TR, Palaest., ? N-Afr.
- subsp. **saxatilis** (Mert. et W.D.J. Koch) Asch. et Graebn. · Gewöhnlicher Felsen-Gelbstern | ♃ III-IV; Eur.: Fr, Ap, C-Eur., Ba
– *fistulosa* auct. Ker-Gawl. = Gagea fragifera
– **fragifera** (Vill.) Ehr. Bayer et G. López · Röhriger Goldstern, Röhriger Gelbstern | ♃ VI-VII
– **lutea** (L.) Ker-Gawl. · Wald-Gelbstern · Yellow Star-of-Bethlehem | ♃ IV; Eur.*, Cauc., Him., W-Sib., E-Sib., Amur, Sachal., Kamchat. N-China, Korea, Jap.
– **minima** (L.) Ker-Gawl. · Kleiner Gelbstern | ♃ III-IV; Eur.: Ap, C-Eur., EC-Eur., Sc, Ba, E-Eur.; Cauc., W-Sib.
– **pomeranica** Ruthe · Pommerscher Gelbstern ; Eur.: D +
– **pratensis** (Pers.) Dumort. · Wiesen-Gelbstern | ♃ III-V; Eur.* exc. BrI; TR
– **pusilla** (F.W. Schmidt) Schult. et Schult. f. · Zwerg-Gelbstern | ♃ III-IV; Eur.: C-Eur., EC-Eur., Ba, E-Eur., ?I; TR, Cauc., C-As., China: Sinkiang
– **spathacea** (Hayne) Salisb. · Scheiden-Gelbstern | ♃ IV-V; Eur.: Fr, C-Eur., EC-Eur., Ba, Sc, E-Eur., ? Ap
– *sylvatica* (Pers.) Loudon = Gagea lutea
– **villosa** (M. Bieb.) Sweet · Acker-Gelbstern | ♃ III-IV; Eur.* exc. BrI; TR, Cauc., Iran, NW-Afr.

Gaillardia Foug. -f- *Asteraceae* · Kokardenblume
– **amblyodon** J. Gay | ⊙ VI-XI; Tex.
– **aristata** Pursh · Great Blanket Flower | ♃ VI-IX; Can.: E; USA: NW, Rocky Mts., SW, nat. in Azor., S-Sp.
– *bicolor* Lam. = Gaillardia pulchella
– *bicolor* Pursh = Gaillardia lanceolata
– × **grandiflora** Van Houtte (*G. aristata* × *G. pulchella*) · Großblütige Kokardenblume
– **lanceolata** Michx. | ⊙ ⊙ ♃ VI-IX; USA: SE, Fla., SW
– *picta* Sweet = Gaillardia pulchella var. picta
– **pulchella** Foug. · Kurzlebige Kokardenblume · Annual Gaillardia, Firewheel ; USA: SE, Fla., SC, SW, Colo.
- **'Lorenziana'**
- var. **picta** (Sweet) A. Gray

Galactites Moench -f- *Asteraceae*
– **tomentosa** Moench · Filzige Kokardenblume ; Eur.: Ib, Ap, Ba.Fr +

Galanthus L. -m- *Amaryllidaceae* · Schneeglöckchen
– **elwesii** Hook. f. · Großblütiges Schneeglöckchen · Giant Snowdrop | ♃ II ▽ ✻; Eur.: Ba, RO, W-Russ.; TR
– **ikariae** Baker | ♃ II-III ▽ ✻; TR, Cauc.
– *latifolius* Salisb. non Rupr. = Galanthus plicatus
– **nivalis** L. · Kleines Schneeglöckchen · Common Snowdrop, Snowdrop · Perce-neige | ♃ II-III ▽ ✻; Eur.* exc. BrI, Sc, nat. in BrI, Sc
– **plicatus** M. Bieb. | ♃ III ▽ ✻; Eur.: RO, Krim, W-Russ.
– **reginae-olgae** Orph. | ♃; Sic., GR, SW-TR

Galax Sims -f- *Diapensiaceae* · Bronzeblatt
– *aphylla* hort. non L. = Galax urceolata
– **urceolata** (Poir.) Brummitt · Beetleweed, Wand Plant | ♃ VI-VII; USA: NE, SE

Galaxia Thunb. -f- *Iridaceae*
– **ovata** Thunb. | ♃ Ⓚ VII-VIII; SW-Kap

Gale = Myrica L.
– *palustris* (Lam.) Chev. = Myrica gale

Galeandra Lindl. -f- *Orchidaceae*
– **batemanii** Rolfe | ♃ Ⓚ VII-VIII ✻; Mex., Guat.
– *baueri* auct. non Lindl. = Galeandra batemanii
– **devoniana** R.H. Schomb. ex Lindl. | ♃ Ⓦ VI-VIII ✻; Guyan., Bras., Peru

Galega L. -f- *Fabaceae* · Geißraute
– *bicolor* Hausskn. = Galega officinalis
– × **hartlandii** Hartland (*G. officinalis* × *G. orientalis*) | ♃ ⋊ VII-VIII; cult.
– **officinalis** L. · Echte Geißraute · Galega, Goat's Rue | ♃ ⋊ VI-VIII Ⓝ; Eur.* exc. BrI, Sc; TR, Lebanon, Cauc., Iran, Pakist.
– **orientalis** Lam.
– *persica* Pers. = Galega officinalis
– *tricolor* Hook. = Galega officinalis

Galeobdolon = Lamium L.
– *luteum* Huds. = Lamium galeobdolon

Galeopsis L. -f- *Lamiaceae* · Hanfnessel,

Hohlzahn
- **angustifolia** Hoffm. · Schmalblättriger Hohlzahn | X-VI; Eur.* +
- **bifida** Boenn. · Zweispaltiger Hohlzahn | X-VI; Eur.* exc. Ib; Cauc., W-Sib., E-Sib., Amur, Sachal., C-As., Mong., nat. in N-Am.
- *dubia* Leers = Galeopsis segetum
- **ladanum** L. · Breitblättriger Hohlzahn · Red Hemp Nettle | ☉ X; Eur.* exc. BrI; TR, Cauc., W-Sib., E-Sib.
- *ochroleuca* Lam. = Galeopsis segetum
- **pubescens** Besser · Weichhaariger Hohlzahn | VII-IX; Eur.: Fr, Ap, C-Eur., EC-Eur., Ba, E-Eur.
- **segetum** Neck. · Gelber Hohlzahn · Downy Hemp Nettle | ☉ Off. VI-IX; Eur.: BrI, Fr, Ib, C-Eur., DK, Ap, Slove., nat. in Ba, RO
- **speciosa** Mill. · Bunter Hohlzahn · Large Flowered Hemp Nettle | ☉ X; Eur.* exc. Ib; W-Sib.
- **tetrahit** L. · Gewöhnlicher Hohlzahn · Common Hemp Nettle, Hemp Nettle | ☉ X; Eur.*

Galeottia = Mendoncella A.D. Hawkes
- *fimbriata* Linden et Rchb. f. = Mendoncella fimbriata

Galinsoga Ruiz et Pav. -f- *Asteraceae* · Knopfkraut
ciliata (Raf.) S.F. Blake · Behaartes Knopfkraut · Shaggy Soldier | ☉ X; Mex., nat. in cosmop., Eur.*
- **parviflora** Cav. · Kleinblütiges Knopfkraut · Gallant Soldier | ☉ X; Mex., nat. in cosmop. exc. Sib.; Eur.*
- *quadriradiata* auct. non Ruiz et Pav. = Galinsoga ciliata

Galipea Aubl. -f- *Rutaceae*
- **officinalis** Hancock · Angostura | ♄ Ⓦ; S-Am.

Galium L. -n- *Rubiaceae* · Labkraut
- **album** Mill. · Weißes Labkraut | ♃ VI-IX; Eur.*, TR, Lebanon, Cauc., W-Sib. +
  - subsp. **pycnotrichum** (Heinr. Braun) Krendl | ♃ VI-IX; EC-Eur., SE-Eur., TR, Lebanon, Cauc., W-Sib.
- **anisophyllum** Vill. · Ungleichblättriges Labkraut | ♃ VII-IX; Eur.: Fr, Ap, C-Eur., EC-Eur., Ba, E-Eur.; mts.
- **aparine** L. · Kletten-Labkraut · Cleavers, Goosegrass | ☉ X; Eur.*, TR, Levante, Cauc., W-Sib., C-As., NW-Afr., Libya, nat. in cosmop.
- **aristatum** L. · Grannen-Labkraut | ♃ VI-VIII; Eur.: F, I, D, A, CH; Pyr., Alp.
- **austriacum** Jacq. · Österreichisches Labkraut | ♃ VI-VIII; Eur.: A, EC-Eur., Ba, I; mts.
- **boreale** L. · Nordisches Labkraut | ♃ VII-VIII; Eur.: Ba, Fr, BrI, EC-Eur., Sc, Ap, E-Eur., A, D, Ch.TR, Cauc.., Sib., E-As. As., N-Am.
- **carmineum** Beauverd; Eur.: F, I, CH; S-Alp.
- **centroniae** Cariot · Savoyer Labkraut | ♃ VI-VIII; Eur.: F, I, CH, A, Slove ; Alp.
- *cruciatum* (L.) Scop. = Cruciata laevipes
- **divaricatum** Lam. · Sparriges Labkraut ; Eur.: Ib, Fr, Ap, EC-Eur., Ba, RO; TR, Syr., Cyprus, Lebanon, nat. in CH
- **glaucum** L. · Blaugrünes Labkraut | ♃ V-VII; Eur.: IB, Fr, C-Eur., EC-Eur., Ba, E-Eur.
- **laevigatum** L. · Glattes Labkraut | ♃ VI-VIII; Eur.: F, I, CH, A, Ba ? Ib; mts.
- **lucidum** All. · Glänzendes Labkraut | ♃ VI-VIII; Eur.: Ib, Fr, Ap, C-Eur., Ba, RO; Cauc., Syr.
- **megalospermum** All. · Schweizer Labkraut | ♃ VII-VIII; Eur.: F, I, CH, D, A; Alp.
- **meliodorum** (Beck) Fritsch · Honig-Labkraut | ♃ VI-VIII; Eur.: A; Ne-Alp.
- **mollugo** L. · Wiesen-Labkraut · False Baby's Breath | ♃ ⁓→ V-IX; Eur.*
- **noricum** Ehrend. · Norisches Labkraut | ♃ VII-IX; Eur.: I, D, A, Slove.; E-Alp.
- **odoratum** (L.) Scop. · Waldmeister · Sweet Woodruff, Woodruff · Aspérule odorante | ♃ D V-VI Ⓝ; Eur.*, TR, Cauc., N-Iran, W-Sib., E-Sib., Amur, Sachal., Jap., C-As.
- **palustre** L. · Sumpf-Labkraut | ♃ V-IX; Eur.*, TR, Cauc., Sib., C-As., nat. in N-Am.
  - subsp. **elongatum** (C. Presl) Lange · Hohes Labkraut, Verlängertes Labkraut | ♃ VI-VIII; Eur.*
- **parisiense** L. · Pariser Labkraut | VI-VIII; Eur.* exc. Sc; N-Afr.
- **pomeranicum** Retz. (*G. album* × *G. verum*) · Weißgelbes Labkraut | ♃ VI-IX; Eur.*
- **pumilum** Murray · Heide-Labkraut, Niederes Leinkraut | ♃ VII-IX; Eur.* exc.

BrI, Ib
- **rivale** (Sibth. et Sm.) Griseb. · Bach-Labkraut | ♃ VII-VIII; Eur.: A, EC-Eur., Ba, E-Eur.; TR, Cauc., Iran, W-Sib., C-As.
- **rotundifolium** L. · Rundblättriges Labkraut | ♃ VI-IX; Eur.* exc. BrI, Sc; TR, Cauc., Iran, Afgh., nat. in Sc
- **rubioides** L. · Krapp-Labkraut | ♃ VI-VIII; Eur.: A, EC-Eur., Ba, E-Eur.; Cauc., W-Sib., nat. in CH
- **rubrum** L. · Rotes Labkraut | ♃ △ VII; Eur.: Ch, I; S-Alp., Apenn.
- **saxatile** L. · Harz-Labkraut, Harzer Labkraut | ♃ VI-VIII; Eur.*
- **schultesii** Vest · Schultes Labkraut | ♃ VI-IX; Eur.: C-Eur., EC-Eur., Ba, E-Eur.
- **spurium** L. · Acker-Labkraut, Grünblütiges Labkraut | X-V; Eur.*, TR, Iraq, Iran, Afgh., Pakist., C-As., N-As., N-Afr.
- **sterneri** Ehrend. · Sterners Labkraut | ♃ VI-VIII; Eur.: BrI, Sc, D
- **sudeticum** Tausch · Sudeten-Labkraut | ♃ VII-IX; Eur.: D, CZ, PL; mts.
- **suecicum** (Sterner) Ehrend. · Schwedisches Labkraut | ♃ VI-VIII; Eur.: Sweden, N-D
- **sylvaticum** L. · Wald-Labkraut | ♃ VII-VIII; Eur.:Fr, C-Eur., EC-Eur., Ap, Ba
- *triandrum* Hyl. = Asperula tinctoria
- **tricornutum** Dandy · Dreihörniges Labkraut | X-VII; Eur.* exc. BrI; TR, Iraq, Cauc., Iran, C-As., Kashmir, Tibet, nat. in BrI
- **trifidum** L. · Dreispaltiges Labkraut | ♃ VI-VII; Eur.: Sc, PL, Russ., F (E-Pyr.), A(E-Alp.); TR, W-Sib., E-Sib., Kamchat., Mong, Jap., N-Am.
- **triflorum** Michx. · Dreiblütiges Labkraut | ♃ VII-VIII; Eur.: Sc, Russ., CH; circumboreal, Greenl.
- **truniacum** (Ronniger) Ronniger · Traunsee-Labkraut | ♃ VI-VIII; Eur.: D, A; NE-Alp.
- **uliginosum** L. · Moor-Labkraut | ♃ VI-IX; Eur.*, TR, N-As., C-As.
- **valdepilosum** Heinr. Braun · Mährisches Labkraut | ♃ VI-VIII; Eur.: D, DK, EC-Eur., W-Russ.
- **verrucosum** Huds. · Anis Labkraut | VI VII; Eur.: Ib, Fr, Ap, Ba, nat. in C-Eur., EC-Eur.
- **verum** L. · Echtes Labkraut · Lady's Bedstraw, Yellow Bedstraw | ♃ VI-IX; Eur.*, TR, Syr., N-Iraq, Cauc., Iran, W-Sib., E-Sib., Amur, Sachal., Kamchat., C-As., Mong., Manch., Jap., NW-Afr., nat. in N-Am.
- **wirtgenii** F.W. Schultz · Wirtgens Labkraut | ♃ V-VI; C-Eur.

Galphimia Cav. -f- *Malpighiaceae*
- *glauca* (Poir.) Cav. = Thryallis glauca

Galtonia Decne. -f- *Hyacinthaceae*
- **candicans** (Baker) Decne. · Galtonia, Summer Hyacinth | ♃ VII-VIII; S-Afr.

Gamolepis = Steirodiscus Less.
- *chrysanthemoides* DC. = Euryops chrysanthemoides
- *tagetes* (L.) DC. = Steirodiscus tagetes

Garcia Rohr -f- *Euphorbiaceae*
- **nutans** Rohr | ♄ Ⓦ Ⓝ; Mex., C-Am., W.Ind., Col.

Garcinia L. -f- *Clusiaceae*
- **cochinchinensis** (Lour.) Choisy | ♄ Ⓦ Ⓝ; Cambodia, S-Vietn.
- **dulcis** (Roxb.) Kurz | ♄ Ⓦ Ⓝ; Java, Timor, Molucca Is., Phil.
- **hanburyi** Hook. f. | ♄ ☠ Ⓝ; Indochina
- **indica** (Thouars) Choisy | ♄ Ⓦ Ⓝ; Ind.
- **madruno** (Humb., Bonpl. et Kunth) Hammel | ♄ Ⓦ Ⓝ; Col., Ecuad., Peru
- **mangostana** L. · Mangosteen | ♄ Ⓦ Ⓝ; Malay. Pen.
- **morella** Desr. | ♄ Ⓦ Ⓝ; Ind., Sri Lanka, Myanmar, Thail., Malay. Pen.

Gardenia Ellis -f- *Rubiaceae*
- **amoena** Sims | ħ Ⓦ VI; China
- **augusta** (L.) Merr. · Cape Jasmine, Gardenia | ħ Ⓦ ⋈ D ⋈ VII-X Ⓝ; Jap., Riukiu-Is., Taiwan, China
- **cornuta** Hemsl. · Horned Gardenia | ħ Ⓦ; S-Afr.
- *florida* L. non G. Forst. = Gardenia augusta
- *globosa* Hochst. = Rothmannia globosa
- *jasminoides* Ellis = Gardenia augusta
- **lucida** Roxb. | ♄ ħ Ⓦ; Ind., Myanmar, Phil.
- *rothmannia* L. f. = Rothmannia capensis
- **spathulifolia** Stapf et Hutch. | ♄ ħ; S-Afr.
- *stanleyana* Hook. = Rothmannia longiflora

– **thunbergia** L. f. | ♄ ⌂ I-III; Mozamb., S-Afr.

Garrya Douglas ex Lindl. -f- *Garryaceae*
– **elliptica** Douglas ex Lindl. · Silk Tassel Bush | ♄ ⌂ I-III Ⓝ; USA: Oreg., Calif.
– **fadyenii** Hook. | ♄ ⌂ I-III; Jamaica, Cuba
– **fremontii** Torr. | ♄; Calif., Oreg., Wash.
– **wrightii** Torr. | ♄; USA:SW, W-Tex.

Gasoul = Mesembryanthemum L.
– *crystallinum* (L.) Rothm. = Mesembryanthemum crystallinum

Gasteria Duval -f- *Aloaceae*
– **acinacifolia** (Jacq.) Haw. | ♃ Ψ ⌂; S-Afr.
– *angulata* Haw. = Gasteria disticha
– **angustifolia** (Aiton) Haw. | ♃ Ψ ⌂; S-Kap.
– *armstrongii* Schönl. = Gasteria nitida var. armstrongii
– **bicolor** Haw. | ♃ Ψ ⌂; Kap
  - var. **liliputana** (Poelln.) Van Jaarsv. | ♃ Ψ ⌂; S-Afr.
– *caespitosa* Poelln. = Gasteria bicolor
– *candicans* Haw. = Gasteria acinacifolia
– **carinata** (Mill.) Duval | ♃ Ψ ⌂; S-Kap.
  - var. **verrucosa** (Mill.) Van Jaarsv. | ♃ Ψ ⌂; Kap
– **disticha** (L.) Haw. | ♃ Ψ ⌂; Kap
  - var. *angustifolia* (Aiton) Baker = Gasteria angustifolia
– *excavata* (Willd.) Haw. = Gasteria carinata
– *formosa* Haw. = Gasteria bicolor
– **humilis** Poelln. | ♃ Ψ ⌂; Kap
– *liliputana* Poelln. = Gasteria bicolor var. liliputana
– *lingua* (Thunb.) Berger = Gasteria disticha
– **maculata** (Thunb.) Haw. | ♃ Ψ ⌂; S-Afr.
– *minima* hort. = Gasteria bicolor var. liliputana
– *neliana* Poelln. = Gasteria pillansii
– **nigricans** (Haw.) Haw. | ♃ Ψ ⌂; S-Afr.
– **nitida** (Salm-Dyck) Haw. | ♃ Ψ ⌂; S-Afr.
  - var. **armstrongii** (Schönl.) Van Jaarsv. | ♃ Ψ ⌂; Kap
– **obliqua** (DC.) Duval | ♃ Ψ ⌂; S-Afr.
– *picta* Haw. = Gasteria bicolor
– **pillansii** Kensit | ♃ Ψ ⌂; S-Afr.
– *planifolia* (Baker) Baker = Gasteria bicolor
– **pseudonigricans** (Salm-Dyck) Haw. | ♃ Ψ ⌂; S-Afr.
– *pulchra* Haw. = Gasteria obliqua
– **rawlinsonii** Oberm. | ♃ Ψ
– **schweickerdtiana** Poelln. | ♃ Ψ ⌂; S-Afr.
– *subcarinata* (Salm-Dyck) Haw. = Gasteria carinata
– *subnigricans* Salm-Dyck = Gasteria pseudonigricans
– *verrucosa* Duval = Gasteria carinata var. verrucosa

Gastridium P. Beauv. -n- *Poaceae*
– **ventricosum** (Gouan) Schinz et Thell. · Nissegras ; Eur.: Ib, Fr, Ap, Ba, RO, BrI; TR, Syr., Iraq, Lebanon, Israel, W-Iran, NW-Afr., Libya, nat. in USA, S-Austr.

Gastrochilus D. Don -m- *Orchidaceae*
– **bellinus** (Rchb. f.) Kuntze | ⌂ II-III ✻; Myanmar, Thail.

Gaudinia P. Beauv. -f- *Poaceae*
– **fragilis** (L.) P. Beauv. · Zerbrechlicher Ährenhafer | ⊙ ⋈ VI-VIII; Eur.: Ib, Fr, Ap, CH, Ba, Krim; TR, Syr., Canar., NW-Afr., Libya, nat. in BrI

× *Gaulnettya* = Gaultheria Kalm ex L.
– *wisleyensis* Marchant = Gaultheria × wisleyensis

Gaultheria Kalm ex L. -f- *Ericaceae* · Scheinbeere
– **cuneata** (Rehder et E.H. Wilson) Bean · Chinesische Scheinbeere | ♄ ⁂ VI ∧; W-China
– **forrestii** Diels | ♄ V-VI; W-China: Yunnan
– **hispida** R. Br. · Snow Berry, Tasmanian Waxberry | ♄ ⌂ ⁂ V-VI; Austr.: Victoria, Tasman.
– **hookeri** C.B. Clarke | ♄ ⌂ ⁂ III-IV; E-Him.
– **insana** (Molina) Middleton | ♄ ⌂ ☠; Chile
– **itoana** Hayata | ♄ ⌂ ⁂ ∧; Taiwan
– **miqueliana** Takeda · Miquels Scheinbeere | ♄ ⁂ VI ∧; Jap., Sachal., Aleuten
– **mucronata** (L. f.) Hook. et Arn. · Prickly Heath · Pernettya mucronée | ♄ ⁂ V-VI ∧; S-Chile
– **myrsinoides** Humb., Bonpl. et Kunth; C-

Am., S-Am.
- var. **pentlandii** Humb., Bonpl. et Kunth | ♄ ♧ V-VI ∧; C-Am., S-Am.
– **nummularioides** D. Don | ♄; Him., Ind.: Khasia Hills, SW-China, Myanmar, Malay. Arch.
– **procumbens** L. · Niederliegende Scheinbeere · Checkerberry · Gaulthérie du Canada | ♄ ⇝ ♧ VII-VIII; Can.: E; USA; NE, NCE, SE
– *pyrolifolia* C.B. Clarke = Gaultheria pyroloides
– **pyroloides** Hook. f. et Thomson ex Miq. | ♄ Ⓚ ♧ V-VI ∧; E-Him.
– **rupestris** (L. f.) D. Don ex G. Don | ♄ Ⓚ VI-VII; NZ
– **semi-infera** (C.B. Clarke) Airy Shaw | ♄ Ⓚ ♧ V; Him., W-China
– **shallon** Pursh · Shallon-Scheinbeere · Salal · Palommier | ♄ V-VI; Alaska, Can.: W; USA: NW, Calif.
– **tasmanica** (Hook. f.) Middleton | ♄ Ⓚ ⇝ ♧ V; Tasman.
– **trichophylla** Royle | ♄ Ⓚ ⇝ ♧ V ∧; Him., W-China
– **veitchiana** Craib | ♄ Ⓚ ♧ V; China: Hupeh
– × **wisleyensis** (Marchant) hort. (*G. mucronata* × *G. shallon*) | ♄ Ⓚ IV-VI ∧
– **yunnanensis** (Franch.) Rehder | ♄ Ⓚ V-VI; China: Yunnan

× **Gauntlettara** Hort. -f- *Orchidaceae*

Gaura L. -f- *Onagraceae* · Prachtkerze
– **coccinea** (Nutt. ex Fraser) Pursh · Scarlet Beeblossom | ♃ Ⓚ VII-X; Can., USA: NCE, NC, SC, SW, Rocky Mts., Calif.
– **lindheimeri** Engelm. et A. Gray · Gaura | ♃ ♄ Ⓚ VII-X; USA: La., Tex.

Gaylussacia Kunth -f- *Ericaceae*
– **baccata** (Wangenh.) K. Koch · Black Huckleberry, Huckleberry | ♄ V-VI; Can.: E, Sask.; USA: NE, NCE, SE
– **brachycera** (Michx.) A. Gray · Box Huckleberry | ♄ V-VI ∧; USA: NE, Tenn.
– **dumosa** (Andrews) Torr. et A. Gray ex A. Gray · Dwarf Huckleberry | ♄ ⇝ V-VI; Can.: E; USA: Ne, SE, Fla.
– **frondosa** (L.) Torr. et A. Gray ex Torr. · Blue Huckleberry, Dangleberry | ♄ V-VI; USA: NE, SE, Fla.
– *resinosa* Torr. et A. Gray = Gaylussacia baccata

Gazania Gaertn. -f- *Asteraceae*
– *bracteata* N.E. Br. = Gazania krebsiana subsp. serrulata
– **krebsiana** Less.; S-Afr.
- subsp. **serrulata** (DC.) Roessler
– **linearis** (Thunb.) Druce | ⊙ ⊙ ♃ VII-IX; S-Afr.
– *longiscapa* DC. = Gazania linearis
– *nivea* auct. non Less. = Gazania krebsiana
– **pavonia** (Andrews) R. Br. · Cape Treasure Flower | ♃ VI-VIII; S-Afr.
– **pinnata** (Thunb.) Less. | ♃ VI-VIII; Kap
– *pygmaea* Sond. = Gazania krebsiana subsp. serrulata
– **rigens** (L.) Gaertn. | Ⓚ VII-IX; S-Afr., nat. in P, Balear.
- var. **uniflora** (L. f.) Roessler | ♄ Ⓚ V-IX; S-Afr.
– *splendens* hort. = Gazania rigens
– *uniflora* L. f. = Gazania rigens var. uniflora

Geissorhiza Ker Gawl. -f- *Iridaceae*
– **aspera** Goldblatt | ♃ Ⓚ V; S-Afr.
– **excisa** (L. f.) Ker-Gawl. | ♃ Ⓚ IV-V; S-Afr.
– **grandis** Hook. f. | ♃ Ⓚ IV-V; S-Afr.
– *hirta* Ker-Gawl. = Geissorhiza inflexa var. erosa
– **humilis** (Thunb.) Ker-Gawl. | ♃ Ⓚ VI-VII; Kap
– **inflexa** (F. Delaroche) Ker-Gawl.
- var. **erosa** (Salisb.) Goldblatt | ♃ Ⓚ IV-V; S-Afr.
– *quinquangularis* Eckl. ex Klatt = Geissorhiza inflexa
– **radians** (Thunb.) Goldblatt · Wine Cup | ♃ Ⓚ V; S-Afr.
– *rochensis* (Ker-Gawl.) Ker-Gawl. = Geissorhiza radians
– *secunda* (Bergius) Ker-Gawl. = Geissorhiza aspera

Geitonoplesium A. Cunn. ex R. Br. -n- *Philesiaceae*
– **cymosum** (R. Br.) Hook. | ♄ Ⓚ ≹; Phil., Kalimantan, N.Guinea, Salom., Austr.: Queensl., N.S.Wales, Victoria; Fiji

Gelsemium Juss. -n- *Loganiaceae*
– **rankinii** Small | ♄ Ⓚ; USA: SE, Fla.
– **sempervirens** (L.) J. St.-Hil. · False

Jasmine, False Jessamine | ♄ Ⓚ ≹ D ≹ IV-VI ☠; USA: Va., SE, Fla.; Guat.

Gemmingia Heist. ex Fabr. -f- *Iridaceae*
- *chinensis* (L.) Kuntze = Belamcanda chinensis

Genipa L. -f- *Rubiaceae*
- **americana** L. · Genipap, Genipap Fruit, Marmalade Box | ♄ Ⓚ Ⓝ; Mex., C-Am., W.Ind., trop. S-Am.

Genista L. -f- *Fabaceae*
- **aetnensis** (Raf. ex Biv.) DC. · Ätna-Ginster · Mount Etna Broom | ♄ Ⓚ VII ☠; Sard., Sic.
- **anglica** L. · Englischer Ginster · Needle Furze, Petty Whin | ♄ V-VII; Eur.: BrI, Sc, C-Eur., Fr, Ib, Ap; Maroc.
- **aspalathoides** Lam. | ♄ Ⓚ VI; Sic., Alger., Tun.
- **canariensis** L. · Florist's Genista, Genista ; Canar.
- *candicans* L. = Genista canariensis
- **cinerea** (Vill.) DC. · Grauer Ginster | ♄ Ⓚ V-VI; Eur.: Sp., F, I; Alger., Tun.
- *dalmatica* Bartl. et H.L. Wendl. = Genista sylvestris
- *decumbens* (Durande) Willd. = Cytisus decumbens
- *delphinensis* Verl. = Chamaespartium sagittale subsp. delphinensis
- **ephedroides** DC. | ♄ Ⓚ D V-VI; Eur.: Sard.
- **germanica** L. · Deutscher Ginster · German Greenweed | ♄ V-VII; Eur.* exc. BrI, Ib
- **hispanica** L. · Spanischer Ginster · Spanish Gorse | ♄ △ VI-VII ∧; S-F, Sp.
- **horrida** (Vahl) DC. · Abschreckender Ginster | ♄ Ⓚ VI-VIII ∧; Eur.: Sp., S-F
- *humifusa* Vill. non L. = Genista villarsii
- **januensis** Viv. · Genoa Broom | ♄ Ⓚ V-VI; Eur.: Ap, Ba, RO
- **linifolia** L. | ♄; Eur.: Sp., Canar.; N-Afr.
- **lydia** Boiss. · Lydischer Ginster · Lydia Broom · Genêt de Lydie | ♄ V-VI ∧; Eur.: Ba; TR, Syr.
- **maderensis** Lowe | ♄ Ⓚ V-VI; Madeira
- *monosperma* (L.) Lam. = Retama monosperma
- **monspessulana** (L.) O. Bolòs et Vigo · Montpelier Broom | ♄ Ⓚ D V-VI; Eur.: Ib, Fr, Ap, Ba; Azor., Canar., TR, Syr., Cauc., NW-Afr.
- **nissana** Petrovic | ♄ VI-VII; Serb., AL, Maced.
- **pilosa** L. · Behaarter Ginster · Hairy Greenwood, Prostrate Broom · Genêt poilu | ♄ ⇝ V-VII; Eur.*
- *pulchella* Gren. et Godr. non Vis. = Genista villarsii
- *purgans* L. = Cytisus purgans
- **radiata** (L.) Scop. · Strahlen-Ginster · Genêt rayonnant | ♄ V-VI ∧; Eur.: F, C-Eur., I, Ba, RO
- *sagittalis* L. = Chamaespartium sagittale
- *scoparius* (L.) Lam. = Cytisus scoparius
- **sericea** Wulfen | ♄ Ⓚ V-VI ∧; Eur.: I, Ba; mts.
- × **spachiana** Webb (*G. canariensis* × *G. stenopetala*)
- **stenopetala** Webb et Berthel.
- **sylvestris** Scop. · Wald-Ginster · Dalmatian Broom ; Eur.: I, Slove., Cratia, Bosn., YU, AL
  - var. **pungens** (Vis.) Rehder | ♄ Ⓚ Ⓐ ⇝ V-VII
- **tinctoria** L. · Eiblatt-Ginster, Färber-Ginster · Dyer's Broom, Dyer's Greenweed · Genêt des teinturiers | ♄ VI-VIII; Eur.*, W-Sib.
  - var. **hirsuta** DC.
  - var. **humilior** (Willd.) Koch; N-I, CH (Tessin)
- **villarsii** Clementi | ⊙ ♄ ⇝ △ VI; Eur.: F, Croatia, AL

Genistella = Genista L.
- *sagittalis* (L.) Gams = Chamaespartium sagittale

Gentiana L. -f- *Gentianaceae* · Enzian
- **acaulis** L. · Keulen-Enzian, Kochs Enzian, Stängelloser Silikat-Enzian · Trumpet Gentian · Gentiane acaule, Gentiane à tige courte | ♃ △ VI-VII ▽; Eur.* exc. BrI, Sc
  - var. *alpina* (Vill.) Griseb. – Gentiana alpina
- **affinis** Griseb. ex Hook. | ♃; w N-Am.
- **alpina** Vill. · Alpen-Enzian · Southern Gentian | ♃ △ VI ▽; Eur.: Sp., F, I, CH; Sierra Nevada, Pyr., Alp.
- **andrewsii** Griseb. · Closed Gentian | ♃ VIII; Can.: E, Sask.; USA: NE, NCE, NC, SE, Colo.
- **angustifolia** Vill. · Gentiane à feuilles étroites | ♃ △ V-VI ▽; Eur.: F, CH, I; Pyr., SW-Alp., Jura

- **asclepiadea** L. · Schwalbenwurz-Enzian · Willow Gentian · Gentiane fausse asclépiade | ♃ ♄ Off. VII-VIII ▽; Eur.: Fr, Ap, C-Eur., EC-Eur., Ba
- **bavarica** L. · Bayerischer Enzian | ♃ VII-VIII; Eur.:Fr, Ap, Ba, C-Eur.; .Alp., Carp., Apenn.
- **brachyphylla** Vill. · Kurzblättriger Enzian | ♃ VII-VIII; Eur.: Sp., F, I, C-Eur., W-Ba, RO; Sierra Nevada, Pyr., Alp.
- **burseri** Lapeyr. | ♃; Eur.:F, E, I; Pyren., S W-Alp.
- **clusii** E. Perrier et Songeon · Clusius Enzian, Stängelloser Kalk-Enzian | ♃ △ VI ▽; Eur.: F, I, C-Eur., EC-Eur., Slove., Croatia, RO; mts.
- **cruciata** L. · Kreuz-Enzian · Cross Gentian · Gentiane croisette | ♃ VII-VIII; Eur.* exc. BrI, Sc; TR, Cauc., Iran, W-Sib., C-As.
  - subsp. **phlogifolia** (Schott et Kotschy) Tutin | ♃ VI-VII ▽
- **dahurica** Fisch. · Gentiane de Sibérie | ♃ VI-VII; E-Sib., Mong., Tibet, N-China
- **decumbens** L. f. | ♃ VII-VIII ▽; Eur.: E-Russ.; C-As., NE-As.
- **dinarica** Beck · Gentiane des Alpes Dinariques | ♃ △ V-VI ▽; Eur.: I, Croatia, AL; mts.
- *excisa* W.D.J. Koch = Gentiana acaulis
- **farreri** Balf. f. · Wellensittich-Enzian | ♃ △ VIII-IX; China: Tibet, Gansu
- **fetisowii** Regel et C. Winkl. | ♃ VIII; W-Sib., C-As., Tibet, China: Sinkiang
- **freyniana** Bornm. ex Freyn | ♃ △ VIII; TR
- **frigida** Haenke · Tauern-Enzian | ♃ VII-IX; Eur.: A, EC-Eur., BG, RO, W-Russ.; Alp., Carp., SW-BG
- **froelichii** Jan ex Rchb. · Karawanken-Enzian | ♃ VII-IX; Eur.: I, A, Slove.; SE-Alp.
- **gracilipes** Turrill | ♃ VII-VIII; China: Kansu
- × **hexafarreri** hort. (*G. farreri* × *G. haxaphylla*)
- **hexaphylla** Maxim. | ♃ VII-VIII; China: Kansu, E-Tibet
- *imbricata* Froel. = Gentiana terglouensis
- *kesselringii* Regel = Gentiana walujewii var. kesselringii
- *kochiana* E. Perrier et Songeon = Gentiana acaulis
- **kurroo** Royle | ♃ △ IX-X; Him.
- *lagodechiana* (Kusn.) Grossh. = Gentiana septemfida var. lagodechiana
- **lutea** L. · Gelber Enzian · Great Yellow Gentian, Yellow Gentian · Gentiane jaune | ♃ Off. VI-VIII ▽ Ⓝ; Eur.: Ib, Fr, Ap, Ba, C-Eur., EC-Eur.; TR; mts., nat. in CZz
- × **macaulayi** hort. (*G. farreri* × *G. sino-ornata*) | ♃
- **macrophylla** Pall.; China
- **makinoi** Kuzen. | ♃; Jap.: Hondshu
- **nivalis** L. · Schnee-Enzian | VII-VIII; Eur.*, Cauc.
- **occidentalis** Greene
- **orbicularis** Schur · Rundblättriger Enzian | ♃ VII-VIII; Eur.: Alp., Carp.; TR
- **ornata** Wall. | ♃ △ VIII-IX; Nepal
- **pannonica** Scop. · Ungarischer Enzian | ♃ Off. VII-IX ▽; Eur.: C-Eur., CZ, I, Slove.
- **parryi** Engelm. | ♃ △ VIII; USA: Utah, Colo., N.Mex.
- *phlogifolia* Schott et Kotschy = Gentiana cruciata
- **pneumonanthe** L. · Lungen-Enzian · Marsh Gentian · Gentiane pneumonanthe | ♃ VII-IX ▽; Eur.*, Cauc., W-Sib., E-Sib.
- **prostrata** Haenke · Niederliegender Enzian | VII-VIII; Eur.: I, CH, A; E-Alp.; Cauc.
- **pumila** Jacq. · Niedriger Enzian | ♃ X-VI; Eur.: F, I, A, Slove.; Alp.
- **punctata** L. · Tüpfel-Enzian · Spotted Gentian | ♃ Off. VII-IX ▽; Eur.: Fr, Ap, C-Eur., EC-Eur., Ba; mts.
- *purdomii* Marquand = Gentiana gracilipes
- **purpurea** L. · Purpur-Enzian · Purple Gentian | ♃ Off. VII-IX ▽ Ⓝ; Eur.: F, C-Eur., I, Norw.
- **saxosa** G. Forst. | ♃; NZ
- *sceptrum* hort. non Griseb. = Gentiana septemfida
- **schleicheri** (Vacc.) Kunz · Schleichers Enzian | ♃ VII-VIII; Eur.: Sp., F, I, CH
- **septemfida** Pall. · Summer Gentian ; TR, Cauc., Iran
  - var. **lagodechiana** Kusn. · Gentiane d'été | ♃ △ VIII-IX, E-Cauc.
- **sino-ornata** Balf. f. | ♃ △ IX-X ∧; China: Likiang, Yunnuan
- **straminea** Maxim. | ♃ △ VIII-IX; NE-Tibet, NW-China

– **terglouensis** Hacq. · Julischer Enzian | ♃ VII-VIII; Eur.: F, I, CH, A, Slove.; Alp.
– **tianshanica** Rupr. ex Kusn. | ♃; C-As., Him., Pakist., W-Ind., China
– **tibetica** King · Tibet-Enzian · Gentiane du Tibet | ♃ VII-VIII; Him., Tibet
– **triflora** Pall. | ♃ VIII-IX; E-Sib., Amur, Sachal., Korea, Jap.
– **utriculosa** L. · Schlauch-Enzian | V-VIII; Eur.: BrI, Sc, Fr, D, EC-Eur., Croatia, E-Eur.
– **veitchiorum** Hemsl. | ♃ △ IX-X; E-Tibet, Sichuan
– **verna** L. · Frühlings-Enzian · Spring Gentian | ♃ △ III-V ▽; Eur.* exc. Sc; TR, Cauc., N-Iran, Maroc.
– **walujewii** Regel et Schmalh.; C-As., China: Sinkiang
  - var. **kesselringii** (Regel) Kusn.
– **wutaiensis** Marquand | ♃; China

Gentianella Moench -f- *Gentianaceae*
– **amarella** (L.) Börner · Bitterer Fransenenzian | ⊙ X-VIII; Eur.: BrI, Sc, Fr, Ap, EC-Eur., E-Eur.
– **anisodonta** (Borbás) A. Löve et D. Löve · Ungleichzähniger Enzian | ⊙ VI-IX; Eur.: I, CH, A, Slove., Croatia; Alp., Apenn., Croatia
– **aspera** (Hegetschw.) Skalický, , Chrtek et Gill · Rauer Fransenenzian | ⊙ X-V; Eur.: CH, D, A, CZ, Slove.
– *austriaca* auct. non (A. Kern. et J. Kern.) Holub = Gentianella bohemica
– **bohemica** Skalicky · Österreichischer Enzian, Österreichischer Fransenenzian | ⊙ X-VII; Eur.: SE-D, NE-A, EC-Eur.
– **campestris** (L.) Börner · Feld-Fransenenzian | ⊙ X-V; Eur.* exc. Ba
  - subsp. **baltica** (Murb.) A. Löve et D. Löve · Baltischer Enzian, Baltischer Fransenenzian | X-VIII; Eur.: Sweden, NW-F, D, PL
– **ciliata** (L.) Borkh. · Gewöhnlicher Fransen-Enzian | ♃ ⊙ X-VIII; Eur.* exc. BrI; TR, Cauc., Iran, ? Sib., Maroc.
– **engadinensis** (Wettst.) Holub · Engadiner Enzian | ⊙ VII-VIII; Eur.: I, CH; Alp.
– **germanica** (Willd.) Börner · Deutscher Fransenenzian | ⊙ IX; Eur.: BrI, Fr, Ap, C-Eur., EC-Eur., RO
– **insubrica** (Kunz) Holub · Insubrischer Enzian | ⊙ VI-IX; Eur.: S-CH
– **lutescens** (Velen.) Holub · Karpaten-Fransenenzian | ⊙ V-IX; Eur.: D, A, EC-Eur., RO
– **nana** (Wulfen) N.M. Pritch. · Zwerg-Enzian | VII-IX; Eur.: I, A; E-Alp.
– **ramosa** (Hegetschw.) Holub · Büschel-Enzian | ⊙ VII-IX; Eur.: I, CH, ? F; Alp.
– **tenella** (Rottb.) Börner · Zarter Fransenenzian | VIII; Eur.* exc. BrI; W-Sib., E-Sib., Kamchat., C-As.
– **uliginosa** (Willd.) Börner · Sumpf-Fransenenzian | X-VIII; Eur.: BrI, Sc, NL, D, EC-Eur., E-Eur., ?F

Geogenanthus Ule -m- *Commelinaceae*
– **poeppigii** (Miq.) Faden | ♃ ⌂; Bras., Peru

Geonoma Willd. -f- *Arecaceae*
– **acaulis** Mart. | ⌂; C-Bras.
– **elegans** Mart. | ⌂; C-Bras.
– *ghiesbreghtiana* Linden et H. Wendl. = Calyptrogyne ghiesbreghtiana
– **gracilis** H. Wendl. | ⌂; Bras.
– **pohliana** Mart. | ⌂; trop. Bras.
– **spixiana** Mart. | ⌂; Bras.

Geranium L. -n- *Geraniaceae* · Storchschnabel
– **albanum** M. Bieb. | ♃; SE-Cauc., Iran
– *anemonifolium* L'Hér. = Geranium palmatum
– **argenteum** L. | ♃ △ VI-VIII ∧; Eur.: F, I, Slove.; mts.
– **aristatum** Freyn | ♃ VI-VII; Eur.: Maced., AL, GR; mts.
– *armenum* Boiss. = Geranium psilostemon
– **balcanum** Hort. ex N. Tayler
– **bohemicum** L. · Böhmischer Storchschnabel | ⊙ VI-VII; Eur.* exc. BrI, Ib; Cauc.
– × **cantabrigiense** Yeo (*G. dalmaticum* × *G. macrorrhizum*) · Biokovo Geranium
– *chinense* hort. = Geranium eriostemon
– **cinereum** Cav. · Géranium cendré | ♃ △ VI-VII; Eur.: Ib, Fr; Pyr.
  - subsp. **subcaulescens** (L'Hér. ex DC.) R. Knuth | ♃ △ VI-VII; Eur.: I, Ba; TR, Syr.
– **clarkei** Traub | ♃; Kashmir
  - **'Kashmir White'**
– **columbinum** L. · Tauben-Storchschnabel · Dove's Foot Cranesbill | ⊙ VI-IX; Eur.*, TR, Levante, Cauc., N-Iran, NW-Afr., Libya, nat. in N-Am.
– **dalmaticum** (Beck) Rech. f. · Géranium

de Dalmatie | ♃ △ VI-VII; Eur.: W-Ba
– **dissectum** L. · Schlitzblättriger Storchschnabel · Cut Leaved Cranesbill | ⊙ V-IX; Eur.*, TR, Levante, Cauc., Iran, C-As., N-Afr., nat. in Am., Austr.
– **divaricatum** Ehrh. · Spreizender Storchschnabel | VI-VIII; Eur.* exc. BrI, Sc; TR, Iraq, Cauc., Iran, Afgh., W-Sib., C-As., China: Sinkiang
– **endressii** J. Gay · Rosa Storchschnabel · French Cranesbill · Géranium des Pyrénées, Géranium en coussinet | ♃ V-VI; Sp., F; W-Pyr.
– **eriostemon** DC. | ♃ VI-VII; Jap., W-China, Nepal
– **farreri** Stapf | ♃ △ VI-VIII; China: Kansu, Sichuan
– *grandiflorum* Edgew. = Geranium himalayense
– **himalayense** Klotzsch · Dwarf Cranesbill, Hardy Geranium · Géranium de l'Himalaya | ♃ △ VII-IX; Afgh., Kashmir, NW-Ind., Nepal
- **'Gravetye'**
- var. *alpinum* Raven = Geranium himalayense 'Gravetye'
– **ibericum** Cav. · Iberian Cranesbill | ♃ △ VII-VIII; TR, Cauc., nat. in Fr
- var. *platypetalum* (Fisch. et C.A. Mey.) Boiss. = Geranium platypetalum
– *lancastriense* With. = Geranium sanguineum var. striatum
– **lucidum** L. · Glänzender Storchschnabel | V-VIII; Eur.* exc. Sc; TR, Levante, C-As., NW-Afr., Libya
– **macrorrhizum** L. · Felsen-Storchschnabel · Géranium des Balkans | ♃ △ V-VII; Eur.: Fr, I, A, Ba, RO, W-Russ., nat. in BrI, D, Krim
– **maculatum** L. · Spotted Cranesbill | ♃ VI-VII; Can.: E; USA: NE, NCE, Kans., SE
– × **magnificum** Hyl. (*G. ibericum* × *G. platypetalum*) · Pracht-Storchschnabel | ♃ VI-VII; cult.
– *meeboldii* Briq. = Geranium himalayense
– **molle** L. · Weicher Storchschnabel · Soft Cranesbill | ⊙ ⊙ X-IX; Eur.*, TR, Levante, Cauc., N-Iran, Him., N-Afr., nat. in N-Am., Austr.
– × **monacense** Harz (*G. phaeum* × *G. reflexum*) | ♃; cult.
– *napuligerum* hort. non Franch = Geranium farreri
– **nepalense** Sweet | ♃ △ V-VII; Afgh., Pakistan, W-China, Sri Lanka
– **nodosum** L. · Knotiger Storchschnabel · Géranium noueux | ♃ V-IX; Eur.: Ib, Fr, CH, Ap, Slove., Croatia, YU, nat. in BrI, NL, D
– × **oxonianum** Yeo (*G. endressii* × *G. versicolor*)
– **palmatum** Cav. | ♃ Ⓚ VII-IX; Canar., Madeira
– **palustre** L. · Sumpf-Storchschnabel · Géranium des marais | ♃ ~ ♣ VI-VIII; Eur.* exc. BrI; Cauc.
– **phaeum** L. · Brauner Storchschnabel · Géranium brun | ♃ V-VII; Eur.* exc. BrI, Sc, nat. in BrI, Sc
– **platypetalum** Fisch. et C.A. Mey. | ♃ VI-VIII; TR, Cauc., Iran
– **pratense** L. · Wiesen-Storchschnabel · Géranium des prés | ♃ VI-VIII; Eur.*, TR, W-Sib., E-Sib., C-As., Mong., China
– **procurrens** Yeo | ♃; Him.
– **psilostemon** Ledeb. · Armenischer Storchschnabel | ♃ VI-VII; NE-TR, SW-Cauc.
– **purpureum** Vill. · Purpur-Storchschnabel | V-IX; Eur.: Ib, Fr, BrI, Ap, Ba, Krim, ? RO; TR, Levante, Cauc., N-Iran, NW-Afr., Libya, nat. in NZ
– **pusillum** Burm. f. ex L. · Zwerg-Storchschnabel | ⊙ X-V; Eur.*, TR, Levante, C-As., Maroc., Alger., nat. in N-Am.
– **pylzowianum** Maxim. | ♃ VI-VIII; China: Yunnan, Sichuan, Schansi, Kansu
– **pyrenaicum** Burm. f. · Pyrenäen-Storchschnabel | ♃ X-V; Eur.: Ib, Fr, Ap, BrI, C-Eur., H, Ba, RO; TR, Levante, Cauc., N-Iran, NW-Afr., Libya, nat. in D, N-Am.
– **rectum** Trautv.
- *'Album'* = Geranium clarkei 'Kashmir White'
– **reflexum** L. · Zurückgebogener Storchschnabel | ♃ VI-VII; Eur.: I, Ba, nat. in D
– **renardii** Trautv. · Kaukasus-Storchschnabel · Géranium à feuilles de crêpe | ♃ VI; Cauc.
– **richardsonii** Fisch. et Trautv. · White Cranesbill | ♃ ~ V-VI; Alaska, Can.: W, USA: NC, SW, Rocky Mts., NW, Calif.
– × **riversleaianum** Yeo (*G. endressii* × *G. traversii*)
– **rivulare** Vill. · Blassblütiger

Storchschnabel | ♃ VII-VIII; Eur.: F, CH, I; Alp.
- **robertianum** L. · Ruprechtskraut, Stink-Storchschnabel · Herb Robert | ⊙ X; Eur.*, TR, Levante, Cauc., Iran, W-Sib., C-As., China, Jap., NW-Afr., Libya, nat. in N-Am., NZ
- **rotundifolium** L. · Rundblättriger Storchschnabel | X-VI; Eur.* exc. Sc; TR, N-Afr.
- **sanguineum** L. · Blutroter Storchschnabel · Bloody Cranesbill · Géranium sanguin | ♃ VI-VIII; Eur.*, TR, Cauc.
  - var. *lancastriense* (With.) Nichols = Geranium sanguineum var. striatum
  - var. *prostratum* (Cav.) Pers. = Geranium sanguineum var. striatum
  - var. **striatum** Weston · Géranium sanguin | ♃ ⇝; BrI
- **sessiliflorum** Cav. | ♃ △ VI-VII; S-Am., Austr., Tasman., NZ
- **sibiricum** L. · Sibirischer Storchschnabel | ♃ VII-VIII; RO, Russ., China, nat. in Eur..: C-Eur., EC-Eur.; N-Am.
- **stapfianum** Hand.-Mazz. | ♃ △ V-VI; Yunnan, Sichuan
- *subcaulescens* L'Hér. ex DC. = Geranium cinereum subsp. subcaulescens
- **sylvaticum** L. · Wald-Storchschnabel · Géranium des bois | ♃ V-VII; Eur.*, TR, Cauc., W-Sib., E-Sib., C-As., nat. in N-Am.
- **traversii** Hook. f. | ♃ VII-IX ∧; NZ (Chatham Is.)
- **tuberosum** L. · Tuberous Wild Geranium | ♃ IV-V; Eur.: Fr, Ap, Ba, Krim; TR, Levante, Iraq, Cauc., Iran, Alger., Tun., Libya
- **wallichianum** D. Don | ♃ △ VIII-IX ∧; Him.: Afgh., Kashmir, NW-Ind., Nepal, Bhutan
- **wlassovianum** Link | ♃ VI-X; E-Sib., Amur, Mong., Manch.

Gerbera L. -f- *Asteraceae*
- **jamesonii** Bolus ex Hook. f. · Barberton Daisy, Gerbera, Transvaal Daisy | ♃ Ⓚ ✂ IV-IX; S-Afr.
- **viridifolia** Sch. Bip. | ♃ Ⓚ IV-VIII; S-Afr.

Gesneria L. -f- *Gesneriaceae*
- *albiflora* (Decne.) Kuntze = Gesneria pedunculosa
- *cardinalis* Lehm. = Sinningia cardinalis
- **cubensis** (Decne.) Baill. | ♄ Ⓦ VI-VII; Cuba, Haiti
- **cuneifolia** (Moç. et Sesse ex DC.) Fritsch | ♃ Ⓦ; Puerto Rico
- **libanensis** Linden ex C. Morren | ♄ Ⓦ VII-VIII; E-Cuba
- *macrantha* hort. non Spreng. = Sinningia cardinalis
- **pedunculosa** (DC.) Fritsch | ♃ Ⓦ VII-VIII; Puerto Rico
- **ventricosa** Sw. | ♄ Ⓦ VI-VIII; Lesser Antilles
- *zebrina* Paxton = Smithiantha zebrina

Geum L. -n- *Rosaceae* · Nelkenwurz
- *borisii* hort. non Kellerer ex Sünd. = Geum coccineum 'Werner Arends'
- × **borisii** Kellerer ex Sünd. (*G. bulgaricum* × *G. reptans*)
- **bulgaricum** Pancic · Benoîte bulgare | ♃; Bosn., Montenegro, Maced., AL, BG; mts.
- **chiloense** Balb. | ♃ VI-VIII; Chile (Chiloe)
  - *'Feuerball'* = Geum chiloense 'Mrs. J. Bradshaw'
  - *'Goldball'* = Geum chiloense 'Lady Stratheden'
  - **'Lady Stratheden'**
  - **'Mrs. J. Bradshaw'**
- **coccineum** Sibth. et Sm. · Rote Nelkenwurz · Avens · Benoîte rouge | ♃ V-VII; Eur.: Ba; TR, Cauc.
  - **'Werner Arends'**
- × **heldreichii** hort. ex Bergmans (*G. coccineum* × *G. montanum*) ; cult.
  - **'Georgenberg'**
- **japonicum** Thunb. · Japanische Nelkenwurz ; E-As., Kamchat., N-Am., nat. in BrI, Norw., Russ., D, Cz
- **macrophyllum** Willd. | ♃; E-As., N-Am., nat. in D
- **montanum** L. · Berg-Nelkenwurz · Alpine Avens | ♃ △ X-VI; Eur.* exc. BrI, Sc; mts.
- **pyrenaicum** Mill. · Pyrenäen-Nelkenwurz | ♃; Eur.:F, E ; Pyren.
- **reptans** L. · Kriechende Nelkenwurz · Creeping Avens · Benoîte rampante | ♃ △ VII-VI; Eur.: F, I, C-Eur., EC-Eur., Ba, RO; Alp., Carp., Balkan
- × **rhaeticum** Brügger | ♃ △ V-VI; cult.
- **rivale** L. · Bach-Nelkenwurz · Indian Chocolate Root, Water Avens | ♃ IV-VI;

Eur.*, TR, Cauc., W-Sib., E-Sib., C-As.
- *sibiricum* hort. = Geum chiloense
- **triflorum** Pursh · Old Man's Whiskers, Prairie Smoke | ♃ V-VIII; Can., USA: NE, NCE, NC, Rocky Mts., SW, Calif., NW
- **urbanum** L. · Echte Nelkenwurz · Clove Root, Herb Bennet, Wood Avens | ♃ X; Eur.*, TR, Syr., N-Iraq, Cauc., N-Iran, W-Sib., C-As., W-Him., NW-Afr.

Gevuina Molina -f- *Proteaceae*
- **avellana** Molina · Chilean Hazel, Chilean Nut | ♄ Ⓚ Ⓝ; Arg., Chile

Gibasis Raf. -n- *Commelinaceae*
- **geniculata** (Jacq.) Rohweder | ♃ Ⓦ ⇝; Mex., C-Am., W.Ind., S-Am.

Gibbaeum Haw. -n- *Aizoaceae*
- **album** N.E. Br. | ♃ ♆ Ⓚ; Kap
- **gibbosum** (Haw.) N.E. Br. | ♃ ♆ Ⓚ; Kap
- **heathii** (N.E. Br.) L. Bolus | ♃ ♆ Ⓚ; Kap
- *muirii* N.E. Br. = Gibbaeum gibbosum
- **pubescens** (Haw.) N.E. Br. | ♃ ♆ Ⓚ; Kap
- **velutinum** (L. Bolus) Schwantes | ♃ ♆ Ⓚ; Kap

Gigantochloa Kurz ex Munro -f- *Poaceae*
- **apus** (Schult. f.) Kurz ex Munro | Ⓦ Ⓝ; Myanmar
- **aspera** (Schult. f.) Kurz | Ⓦ Ⓝ; Malay. Arch.
- **atter** (Hassk.) Kurz ex Munro | Ⓦ Ⓝ; S-China
- **kurzii** Gamble | Ⓦ Ⓝ; Java
- **verticillata** (Willd.) Munro | Ⓦ Ⓝ; Malay. Arch.

Gilia Ruiz et Pav. -f- *Polemoniaceae*
- **achilleifolia** Benth. · California Gily Flower | ⊙ VIII; S-Calif., Baja Calif.
- *aggregata* Spreng. = Ipomopsis aggregata
- *androsacea* (Benth.) Steud. = Linanthus androsaceus
- **capitata** Sims · Blue Head Gily Flower | ⊙ VII-VIII; Can.: B.C.; USA: NW, Calif., Idaho; Mex.: Baja Calif.
- *coronopifolia* Pers. = Ipomopsis rubra
- *densiflora* (Benth.) Benth. = Eriastrum densifolium
- *dianthoides* Endl. = Linanthus dianthiflorus
- *grandiflora* (Benth.) Steud. = Linanthus grandiflorus
- *grandiflora* (Douglas ex Lindl.) A. Gray = Collomia grandiflora
- **laciniata** Ruiz et Pav. | ⊙ VII; Peru, Chile, Arg.
- *liniflora* Benth. = Linanthus liniflorus
- *lutea* Steud. = Linanthus androsaceus subsp. luteus
- *micrantha* Steud. ex Benth. = Linanthus androsaceus subsp. micranthus
- *rubra* (L.) A. Heller = Ipomopsis rubra
- **tricolor** Benth. · Bird's Eyes | ⊙ VII; W-Calif.

Gillenia Moench -f- *Rosaceae*
- **stipulata** (Muhl.) Baill. · American Ipecac | ♃ VII-VIII; USA: NE, NCE, NC, SE, SC
- **trifoliata** (L.) Moench · Schein-Anemone · Bowman's Root, Gillenia, Indian Physic · Spirée à trois feuilles | ♃ VI-VIII; Ont., USA: NE, NCE, SE

Ginkgo L. -f- *Ginkgoaceae* · Ginkgo
- **biloba** L. · Ginkgo · Ginkgo, Maidenhair Tree · Arbre aux quarante écus | ♄ ♧ V-VI Ⓝ; SE-China

Gladiolus L. -m- *Iridaceae* · Gladiole, Siegwurz
- *byzantinus* Mill. = Gladiolus communis subsp. byzantinus
- **callianthus** Marais · Stern-Gladiole · Acidanthera
  - **'Murielae'** | ♃ Ⓚ D VII-VIII; Eth.
- **cardinalis** Curtis | ♃ Ⓚ VI-VII ▽; SW-Kap
- × **colvillei** Sweet (*G. cardinalis* × *G. tristis*)
- **communis** L. · Gewöhnliche Siegwurz · Field Gladiolus | ♃ X-VII ▽; Eur.: Ib, Fr, Ap, Ba, ? Krim; Cauc., Iran, NW-Afr.
  - subsp. **byzantinus** (Mill.) A.P. Ham. · Byzantine Gladiolus | ♃ VI-VII ▽ ∧; Eur.: S-Sp., Sic.; NW-Afr.
- **cunonius** (L.) Gaertn. | ♃ Ⓚ V-VI; S-Afr.
- **dalenii** Van Geel · Maid-of-the-Mist | ♃ Ⓚ VII-IX ▽; Eth., E-Afr., S-Afr., Arab.
- **illyricus** W. Koch · Illyrische Siegwurz | ♃ V; Eur.: Ib, Fr, BrI, Ap, Ba, RO; TR, Cyprus, Cauc.
- **imbricatus** L. · Dachziegelartige Siegwurz, Wiesen-Siegwurz | ♃ ∼ VII ▽; Eur.: C-Eur., EC-Eur., Ba, Ap; TR, Cauc., W-Sib., nat. in Fr, FIN

– **italicus** Mill. · Saat-Siegwurz · Field Gladiolus | ♃ V ▽; Eur.: Ib, Fr, Ap, Ba, RO, Krim, CH; TR, Arab., SW-As., C-As.
– *laxus* Thunb. = Anomatheca laxa
– *natalensis* (Eckl.) Reinw. ex Hook. = Gladiolus dalenii
– **palustris** Gaudin · Sumpf-Siegwurz · Glaîeul des marais | ♃ ~ VI-VII ▽; Eur.: Fr, I, C-Eur., EC-Eur., Ba, E-Eur.
– **papilio** Hook. f. | ♃ (K) VII-VIII ▽; S-Afr.
– *primulinus* Baker = Gladiolus dalenii
– *psittacinus* Hook. = Gladiolus dalenii
– *purpureoauratus* Hook. f. = Gladiolus papilio
– **saundersii** Hook. f. | ♃ (K) VII-VIII ▽; S-Afr.
– *segetum* Ker-Gawl. = Gladiolus italicus
– *speciosus* Eckl. = Gladiolus cardinalis
– **tristis** L. · Yellow Marsh Afrikander | ♃ (K) V-VI ▽; Kap

Glaucidium Siebold et Zucc. -n- *Glaucidiaceae*
– **palmatum** Siebold et Zucc. | ♃ (K) IV-V ∧; Jap.
 - *'Album'* = Glaucidium palmatum 'Leucanthemum'
 - **'Leucanthemum'**
– *paradoxum* Makino = Glaucidium palmatum

Glaucium Mill. -n- *Papaveraceae* · Hornmohn
– **corniculatum** (L.) Rudolph · Roter Hornmohn · Horned Poppy, Red Horned Poppy, Sea Poppy | ⊙ ⊙ VI-VIII; Eur.* exc. BrI, Sc; TR, Levante, N-Iraq, Cauc., Iran, C-As., N-Afr.
– **flavum** Crantz · Gelber Hornmohn · Yellow Horned Poppy | ⊙ ⊙ ♃ VI-VII ☠; Eur.*, TR, Levante, Cauc., NW-Afr., Libya; coasts, nat. in CZ
– **grandiflorum** Boiss. et A. Huet | ♃ VI-VIII; TR, Iran
– **squamigerum** Kar. et Kir. | ⊙ VII-VIII; C-As.(Altai), China: Sinkiang
– *vitellinum* hort. non Boiss. et Buhse = Dicranostigma franchetianum

Glaux L. -f- *Primulaceae*
– **maritima** L. · Milchkraut | ♃ V-VIII; Eur.* exc. Ap, Ba; TR, Cauc., Iran, W-Sib., E-Sib., Amur, Sachal., C-As., Him., Mong., China, Jap., N-Am.

Glaziova Bureau -f- *Bignoniaceae*
– **bauhinioides** Bureau ex Baill. | ♄ (W) ⌇; Bras.

Glaziova Mart. ex Drude -f- *Arecaceae*
– *martiana* Glaz. ex Drude = Lytocaryum weddellianum

Glechoma L. -f- *Lamiaceae* · Gundermann
– **hederacea** L. · Gewöhnlicher Gundermann · Alehoof, Ground Ivy · Lierre terrestre | ♃ ⌇ ⇝ IV-VI ☠; Eur.*, Cauc., W-Sib., E-Sib., ? Amur, C As., nat. in N-Am.
 - **'Variegata'** L.
 - subsp. *hirsuta* (Waldst. et Kit.) Herm. = Glechoma hirsuta
– **hirsuta** Waldst. et Kit. · Rauhaariger Gundermann | ♃ ⌇ ⇝ IV-VI ☠; Eur.: A, EC-Eur., Ba, E-Eur., Ap +

Gleditsia L. -f- *Caesalpiniaceae* · Lederhülsenbaum
– **amorphoides** (Griseb.) Taub. non hort.; N-Am., S-Am.
– **caspica** Desf. · Kaspische Gleditschie | ♄ VI-VII; N-Iran, Cauc.
– *horrida* hort. non Willd. nec Makino = Gleditsia japonica
– *horrida* Willd. non Makino = Gleditsia sinensis
– **japonica** Miq. · Japanische Gleditschie ; Jap., Korea, China
– **macracantha** Desf. | ♄; C-China
– **sinensis** Lam. · Chinesische Gleditschie · Chinese Honey Locust | ♄; China, Mong., Korea
– **triacanthos** L. · Amerikanische Gleditschie · Honey Locust · Epine-du-Christ, Févier d'Amérique | ♄ VI-VII Ⓝ; USA: NE, NCE, NC, SC, SE, Fla., nat. in Eur.: Ib, F, I, C-Eur., EC-Eur., Ba, RO
 - **'Inermis'** (L.) Zabel | ♄ VI-VII

Gleichenia Sm. -f- *Gleicheniaceae*
– *flabellata* R. Br. = Sticherus flabellatus
– **microphylla** R. Br. | (K); Malay. Pen., Austr., Tasman., NZ, N.Caled.

Gliricidia Kunth -f- *Fabaceae*
– **sepium** (Jacq.) Kunth ex Walp. · Madre de Cacao | ♄ ♄ (W) Ⓝ; Mex., C-Am., Col.

Globba L. -f- *Zingiberaceae*
- **atrosanguinea** Teijsm. et Binn. | ♃ Ⓦ; Kalimantan
- **bulbifera** Roxb. | ♃ Ⓦ VII-IX; E-Him., Malay. Pen.
- **marantina** L. | ♃ Ⓦ VII-IX; Molacca I.: Ambon; Pacific Is.
- *marantina* Wall. non L. = Globba bulbifera
- **winitii** C.H. Wright | ♃ Ⓦ VII-IX; Thail.

Globularia L. -f- *Globulariaceae* · Kugelblume
- **alypum** L. | ♃ Ⓚ III-X ▽; Eur.: Ib, Fr, Ap, Ba; Madeira, TR, NW-Afr., Libya
- *aphyllanthes* auct. non Crantz = Globularia punctata
- *bellidifolia* Ten. = Globularia meridionalis
- **bisnagarica** L.
- **cordifolia** L. · Herzblättrige Kugelblume · Globulaire à feuilles en coeur | ⊙ ♄ ⇝ △ V-VI ▽; Eur.: Ib, Fr, Ap, Ba
  - subsp. *bellidifolia* Wettst. = Globularia meridionalis
- *elongata* Hegetschw. = Globularia punctata
- **incanescens** Viv. | ♃; N-I; N-Apenn., Alpi Apuani
- **meridionalis** (Podp.) Schwarz · Südliche Kugelblume | ♄ ⇝ △ V-VI ▽; Eur.: I, A, Ba; mts.
- *nana* Lam. = Globularia repens
- **nudicaulis** L. · Nacktstänglige Kugelblume · Globulaire à tige nue | ♃ △ V-VII ▽; Eur.: Sp., Fr, I, C-Eur., Slove.; N-Sp., Pyr., Alp.
- **punctata** Lapeyr. · Gewöhnliche Kugelblume · Globulaire ponctuée | ♃ △ V-VI ▽; Eur.* exc. BrI, Sc
- **repens** Lam. | ♄ ⇝ △ V-VI ▽; Eur.: Sp., F, I; mts.
- **spinosa** L. | ♃; SE-Sp.
- **stygia** Orph. ex Boiss. | ♄ ⇝ △ V-VI ▽ ⋀; Eur.: GR (Peloponnes)
- **trichosantha** Fisch. et C.A. Mey. | ♃ ⇝ △ V-VI ▽; Eur.: BG, Krim; TR, Syr., N-Iraq, Cauc., N-Iran
- *willkommii* Nyman = Globularia punctata

Globulea Haw. -f- *Crassulaceae*
- *canescens* Haw. = Crassula nudicaulis
- *cultrata* L. = Crassula cultrata
- *mesembryanthoides* Haw. = Crassula mesembryanthoides

Gloriosa L. -f- *Colchicaceae* · Ruhmeskrone
- *carsonii* Baker = Gloriosa superba 'Carsonii'
- *rothschildiana* O'Brien = Gloriosa superba 'Rothschildiana'
- *simplex* L. = Gloriosa superba 'Simplex'
- **superba** L. · Ruhmeslilie · Gloriosa, Glory Lily | ♃ Ⓦ VI-VIII ☠; trop. Afr., trop. As.
  - **'Carsonii'**
  - **'Rothschildiana'**
  - **'Simplex'**

Glottiphyllum Haw. -n- *Aizoaceae*
- **apiculatum** N.E. Br. | ♃ ♆ Ⓚ; Kap
- **fragans** (Salm-Dyck) Schwantes | ♃ ♆ Ⓚ D; Kap
- **herrei** L. Bolus | ♃ ♆ Ⓚ D; Kap
- **linguiforme** (L.) N.E. Br. | ♃ ♆ Ⓚ; Kap
- **longum** (Haw.) N.E. Br. | ♃ ♆ Ⓚ VI; Kap
- **nelii** Schwantes | ♃ ♆ Ⓚ; Kap
- **praepingue** (Haw.) N.E. Br. | ♃ ♆ Ⓚ; Kap
- **suave** N.E. Br. | ♃ ♆ Ⓚ D; Kap

Gloxinia L'Her. -f- *Gesneriaceae*
- *fimbriata* Brongn. = Achimenes glabrata
- *lindeniana* (Regel) Fritsch = Kohleria lindeniana
- *maculata* L'Hér. = Gloxinia perennis
- **perennis** (L.) Fritsch | ♃ Ⓦ D IX-XI; Col., Peru, Bras.
- *speciosa* Lodd. = Sinningia speciosa
- **sylvatica** (Humb., Bonpl. et Kunth) Wiehler | ♃ Ⓦ VII-X; Peru, Bol.
- *verticillata* M. Martens et Galeotti = Eucodonia verticillata

Glyceria R. Br. -f- *Poaceae* · Schwaden
- *aquatica* (L.) J. Presl et C. Presl = Catabrosa aquatica
- *aquatica* (L.) Wahlenb. = Glyceria maxima
- **declinata** Bréb. · Blaugrüner Schwaden | ♃ VI-VIII; Eur.*, Makaron., nat. in USA
- **fluitans** (L.) R. Br. · Flutender Schwaden, Manna-Schwaden · Sweet Grass, Water Manna Grass | ♃ ~ ♠ V-IX Ⓝ; Eur.*, TR, Cauc., W-Sib., E-Sib., Madeira, Azor., Maroc., nat. in N-Am., Chile, Austr., NZ
- **maxima** (Hartm.) Holmb. · Großer Schwaden, Wasser-Schwaden · Reed

Sweet Grass · Glycérie panachée | ♃ ♠ VII-VIII Ⓝ; Eur.* exc. Ib; TR
- **nemoralis** (Uechtr.) Uechtr. et Körn. · Hain-Schwaden | ♃ VI-VII; Eur.: D, EC-Eur., Ba, E-Eur.; TR
- **notata** Chevall. · Falten-Schwaden, Gefalteter Schwaden | ♃ VI-VII; Eur.*, TR, Syr., Iraq, Palaest., Cauc., Iran, Afgh., Pakist., Him., W-Sib., NW-Afr.
- **pedicellata** F. Towns. (*G. fluitans* × *G. plicata*) · Bastard-Schwaden | ♃ VI-VIII; Eur.: BrI, Fr, C-Eur., EC-Eur., Ba, Sc, Balt.
- *spectabilis* Mert. et W.D.J. Koch = Glyceria maxima
- **striata** (Lam.) Hitchc. · Gestreifter Schwaden | ♃ VII-VIII; N-Am., nat. in F, CH, A, Sweden, W-Russ.

Glycine Willd. -f- *Fabaceae*
- *apios* L. = Apios americana
- *frutescens* L. = Wisteria frutescens
- *hispida* (Moench) Maxim. = Glycine max
- **max** (L.) Merr. · Sojabohne · Soya Bean | ⊙ Off. VII-VIII Ⓝ; E-Sib., China, Manch., Korea, Jap., Taiwan
- *soja* Siebold et Zucc. = Glycine max
- *subterranea* L. = Vigna subterranea
- *ussuriensis* Regel et Maack = Glycine max
- *violacea* Schneev. = Hardenbergia violacea

Glycosmis Correa -f- *Rutaceae*
- **arborea** (Roxb.) DC. | ♄ Ⓦ D; Him., Ind., Sri Lanka, Indochina, China, Malay. Arch., Phil., Austr.

Glycyrrhiza L. -f- *Fabaceae* · Süßholz
- **echinata** L. · Roman Liquorice | ♃ VI-IX Ⓝ; Eur.: Ap, EC-Eur., Ba; TR, Syr., Palaest., Cauc., Iran, E-As
- **glabra** L. · Deutsches Süßholz, Spanisches Süßholz · Liquorice | ♃ Off. VI-IX Ⓝ; Eur.: Ib, Fr, Ap, Ba, E-Eur.; TR, Levante, Cauc., Iran, W-Sib., C-As., China, Libya

Glyptostrobus Endl. -f- *Taxodiaceae*
- *heterophyllus* Brongn. = Glyptostrobus pensilis
- *lineatus* (Poir.) Druce = Glyptostrobus pensilis
- **pensilis** (Staunton) K. Koch | ♄ Ⓚ Ⓝ; SE-China

Gmelina L. -f- *Verbenaceae*
- **arborea** Roxb. · Gmelina | ♄ Ⓦ Ⓝ; Ind., Sri Lanka, Myanmar, Andaman Is.

Gnaphalium L. -n- *Asteraceae* · Ruhrkraut
- *dioicum* L. = Antennaria dioica
- **hoppeanum** W.D.J. Koch · Hoppes-Ruhrkraut | ♃ △ VII-VIII; Eur.: F, C-Eur., EC-Eur., Ba
- *leontopodioides* Rchb. = Leontopodium palibinianum
- *leontopodium* L. = Leontopodium alpinum
- *margaritaceum* L. = Anaphalis margaritacea
- *nivale* Ten. = Leontopodium alpinum subsp. nivale
- **norvegicum** Gunnerus · Norwegisches Ruhrkraut · Cudweed | ♃ ⊙ △ VII-IX; Eur.*, W-Sib., Greenl., E-Can.
- *obtusifolium* L. = Pseudognaphalium obtusifolium
- *orientale* L. = Helichrysum orientale
- *polycephalum* Michx. = Pseudognaphalium obtusifolium
- *sieboldianum* Franch. et Sav. = Leontopodium japonicum
- *stracheyi* (Hook. f.) C.B. Clarke = Leontopodium stracheyi
- **supinum** L. · Zwerg-Ruhrkraut | ♃ △ VI-IX Ⓝ; Eur.*, TR, Cauc., N-Iran, C-As., Greenl., E-Can.
- **sylvaticum** L. · Wald-Ruhrkraut | ♃ VII-IX; Eur.*, TR, Cauc., N-Iran, C-As., Sib.
- **uliginosum** L. · Sumpf-Ruhrkraut | VII-VIII; Eur.*, TR

Gnetum L. -n- *Gnetaceae*
- **gnemon** L. · Spinach Joint Fir ; Malay. Arch., Phil., N.Guinea, Fiji
  - var. **ovalifolium** (Poir.) Blume | ♄ Ⓦ Ⓝ; Sulawesi , Fiji

Gnidia L. -f- *Thymelaeaceae*
- *carinata* Thunb. = Gnidia polystachya
- **denudata** Lindl. | ♄ Ⓚ III-VI; S-Afr.
- **polystachya** Bergius | ♄ Ⓚ IV-VI; S-Afr.

Godetia = Clarkia Pursh
- *amoena* (Lehm.) G. Don = Clarkia amoena
- *grandiflora* Lindl. = Clarkia amoena subsp. lindley
- *whitneyi* (A. Gray) T. Moore = Clarkia amoena subsp. whitney

Goethea Nees -f- *Malvaceae*
– *cauliflora* Nees = Goethea strictiflora
– **strictiflora** Hook. | ŧ Ⓦ VII-IX; Bras.

Goldfussia = Strobilanthes Blume
– *anisophylla* (Wall. ex Lodd.) Nees = Strobilanthes anisophyllus
– *isophylla* Nees = Strobilanthes isophyllus

Gomesa R. Br. -f- *Orchidaceae*
– **crispa** (L.) Klotzsch et Rchb. f. | ♃ Ⓦ V-VII ✻; Bras.

Gomozia = Nertera Banks et Sol.ex Gaertn.
– *granadensis* Mutis ex L. f. = Nertera granadensis

Gomphocarpus R. Br. -m- *Asclepiadaceae*
– *fruticosus* (L.) R. Br. = Asclepias fruticosa

Gompholobium Sm. -n- *Fabaceae*
– **huegelii** Benth. | ŧ; Austr.: N.S.Wales
– **latifolium** Sm. | ŧ; Austr.: Queensl., N.S.Wales, Victoria

Gomphrena L. -f- *Amaranthaceae* · Kugelamarant
– **decumbens** Jacq.; ? S-Bras., ? Arg., Westindien, Mex., C-Am., nat. in SE-USA
– **globosa** L. · Kugel-Amaranth · Globe Amaranth · Amarantine | ⊙ ⋈ VII-X; Ind.; cult, trop. Am.
– **haageana** Klotzsch | ⊙ VII-IX; Tex., Mex.

Gongora Ruiz et Pav. -f- *Orchidaceae*
– *atropurpurea* Hook. = Gongora quinquenervis
– *bufonia* Lindl. = Gongora quinquenervis
– **galeata** (Lindl.) Rchb. f. | ♃ Ⓦ VI-VIII ✻; Mex.
– *maculata* Lindl. = Gongora quinquenervis
– **quinquenervis** Ruiz et Pav. | ♃ Ⓦ IV-VI ✻; Mex., C-Am., trop. S-Am.
– **truncata** Lindl. | ♃ Ⓦ VI-VII ✻; Mex.

Goniolimon Boiss. -n- *Plumbaginaceae*
– **elatum** (Fisch. ex Spreng.) Boiss. | ♃ VII-IX ∧; Eur.: SE-Russ.; C-As.
– **tataricum** (L.) Boiss. · Statice de Tartarie | ♃ ⋈ VII-IX; Eur.: Ba, RO; Cauc., nat. in H

Goniophlebium C. Presl -n- *Polypodiaceae*
– **subauriculatum** (Blume) C. Presl · Knight's Polypody | ♃ Ⓦ ≹; NE-Ind., SW-China, SE-As., Austr.: Queensl.

Gonospermum Less. -n- *Asteraceae*
– **canariense** Less. | ŧ; Canaren: La Palma

Gonystylus Teijsm. et Binn. -m- *Thymelaeaceae*
– **bancanus** (Miq.) Kurz · Gonystylus | ŧ Ⓦ Ⓝ; Malay. Arch.

Goodenia Sm. -f- *Goodeniaceae*
– **grandiflora** Sims | ♄ Ⓚ VII; Austr.
– **ovata** Sm. | ♄ Ⓚ VII-VIII; Austr.

Goodia Salisb. -f- *Fabaceae*
– **lotifolia** Salisb. | ŧ Ⓚ IV-VII; Austr.

Goodyera R. Br. -f- *Orchidaceae* · Netzblatt
– **colorata** Blume | ♃ Ⓦ ✻; Sumat., Java
– *discolor* Ker-Gawl. = Ludisia discolor
– **hispida** Lindl. | ♃ Ⓦ ✻; Bhutan, Ind.: Sikkim, Khasia Hills
– **repens** (L.) R. Br. · Kriechendes Netzblatt · Rattlesnake Plantain | ♃ VII-VIII ▽ ✻; Eur.*, N-TR, Cauc., N-As., C-As., Alaska, Can., USA* exc. SC, Calif.
– **reticulata** Blume | ♃ Ⓦ ✻; Sumat., Java

Gordonia Ellis -f- *Theaceae*
– *alatamaha* (Marshall) Sarg. = Franklinia alatamaha
– *anomala* Spreng. = Gordonia axillaris
– **axillaris** (Roxb. ex Ker-Gawl.) D. Dietr. | ŧ Ⓚ XI-IV; S-China
– **lasianthus** (L.) Ellis · Loblolly Bay | ♄ ŧ Ⓚ VII-VIII Ⓝ; USA: NE, SE, Fla.

Gossweilerodendron Harms -n- *Caesalpiniaceae*
– **balsamiferum** (Vermoesen) Harms | ŧ Ⓦ Ⓝ; Zaire

Gossypium L. -n- *Malvaceae* · Baumwolle
– **arboreum** L. · Tree Cotton | ⊙ ⊙ ♃ Ⓦ Ⓚ Ⓝ; Pakist.; cult.
– **barbadense** L. · Sea Island Cotton ; trop. S-Am.
  - var. *brasiliense* (Macfad.) Mauer = Gossypium barbadense var. braziliense
  - var. **braziliense** (Raf.) Fryxell | ♄ Ⓦ Ⓚ Ⓝ; e trop. S-Am.

– *brasiliense* Macfad. = Gossypium barbadense var. braziliense
– **herbaceum** L. · Common Cotton, Cotton, Levant Cotton | ⊙ ⓦ ⓚ Ⓝ; orig. ?; cult. Iran, C-As., Afgh., Pakist., Ind., S-Afr., nat. in Eur.: Sp., Ap, Ba, RO; TR
  - var. **acerifolium** (Guill. et Perr.) Chev. | ♃ Ⓝ; Eth., S-Arab.
– **hirsutum** L. · Upland Cotton ; C-Am., nat. in S-Fla.
  - var. **marie-galante** (D. Watt) Hutch. | ħ ħ Ⓝ; W.Ind., Panama, N-Bras.
  - var. **punctatum** (Schumach. et Thonn.) J.B. Hutch. | ⊙ ⓦ ⓚ Ⓝ; USA: SE, Fla., SC; Bahamas, C-Am., W.Ind.
– **klotzschianum** Anders | Ⓝ; Galapagos
– *peruvianum* Cav. = Gossypium barbadense
– *punctatum* Schumach. et Thonn. = Gossypium hirsutum var. punctatum
– *religiosum* L. = Gossypium hirsutum var. punctatum
– *vitifolium* Lam. = Gossypium barbadense

Grammatophyllum Blume -n- *Orchidaceae*
– *fenzlianum* Rchb. f. = Grammatophyllum scriptum
– *rumphianum* Miq. = Grammatophyllum scriptum
– **scriptum** (L.) Blume | ⓦ VI ✻; Molacca I.: Ambon
– **speciosum** Blume | ⓦ ✻; Malay. Arch., Phil.

Graptopetalum Rose -n- *Crassulaceae*
– **amethystinum** (Rose) E. Walther | ♃ ψ ⓚ VII-VIII; Mex.
– **bellum** (Moran et Meyran) D.R. Hunt · Chihuahua Flower | ♃ ψ ⓚ ▢ V-VI; Mex.: Chihuahua
– **paraguayense** (N.E. Br.) E. Walther · Ghost Plant, Mother-of-Pearl Plant | ♃ ψ ⓚ; ? Mex.
– *weinbergii* (Rose) E. Walther = Graptopetalum paraguayense

Graptophyllum Nees -n- *Acanthaceae*
– **pictum** (L.) Griff. · Caricature Plant | ħ ⓦ; ? N.Guinea

Gratiola L. -f- *Scrophulariaceae* · Gnadenkraut
– **neglecta** Torr. · Übersehenes Gnadenkraut | V-IX; N-Am., nat. in F
– **officinalis** L. · Gottes-Gnadenkraut · Gratiola, Hedge Hyssop · Herbe au pauvre homme | ♃ ～ VI-VIII ▽ ☠; Eur.* exc. BrI, Sc; TR, Cauc., W-Sib., C-As.

Gravesia Naudin -f- *Melastomataceae*
– **guttata** (Hook.) Triana | ♃ ⓦ; Madag.

Gravisia = Aechmea Ruiz et Pav.
– *aquilega* (Salisb.) Mez = Aechmea aquilega
– *exsudans* (Lodd.) Mez = Aechmea aquilega

Greenovia Webb et Berthel. -f- *Crassulaceae*
– **aizoon** Bolle | ♃ ψ ⓚ V ▽; Canar.
– **aurea** (H. Christ) Webb et Berthel. | ♃ ψ ⓚ III-IV ▽; Canar.
– **dodrantalis** (Willd.) Webb et Berthel. | ♃ ψ ⓚ II-III ▽; Canar.: Teneriffa
– *gracile* Bolle = Greenovia dodrantalis

Greigia Regel -f- *Bromeliaceae*
– **sphacelata** (Ruiz et Pav.) Regel | ⓚ; Peru, Chile

Grevillea R. Br. ex Knight -f- *Proteaceae*
– *alpestris* Meisn. = Grevillea alpina
– **alpina** Lindl. | ħ ⓚ IV-V; Austr.: N.S.Wales, Victoria
– **aspleniifolia** R. Br. ex Salisb. | ħ ħ ⓚ III-V; Austr.: N.S.Wales
– **banksii** R. Br. | ħ ħ ⓚ; Austr.: Queensl., N.S.Wales
– **crithmifolia** R. Br. | ħ ⓚ VI-VIII; W-Austr.
– **glabrata** (Lindl.) Meisn. · Red-flowered Silky Oak | ħ ⓚ; W-Austr.
– **hilliana** F. Muell. | ħ ħ ⓚ; Austr.: Queensl., N.S.Wales
– **juniperina** R. Br. | ħ ⓚ V; Austr.: N.S.Wales
– *manglesii* hort. = Grevillea glabrata
– *preissii* Meisn. = Grevillea thelemanniana
– **punicea** R. Br. | ħ ⓚ III-VI; Austr.: N.S.Wales
– **robusta** A. Cunn. ex R. Br. · Silky Oak | ħ ⓚ ▢ Ⓝ; Austr.: Queensl., N.S.Wales, nat. in C-Am, S-Am.
– **rosmarinifolia** A. Cunn. · Rosemary Grevillea | ħ ⓚ VII-VIII; Austr.: N.S.Wales, Victoria
– × **semperflorens** F.E. Briggs ex Mulligan

| ♄
– *speciosa* (Knight) McGill. = Grevillea punicea
– *sulphurea* A. Cunn. = Grevillea juniperina
– **thelemanniana** Hügel · Hummingbird Bush, Spider Net Grevillea | ♄ Ⓚ III-V; W-Austr.

Grewia L. -f- *Tiliaceae*
– **asiatica** L. · Phalsa | ♄ Ⓦ Ⓝ; Ind.
– **biloba** D. Don | ♄; Korea, China
– **occidentalis** L. · Lavender Starflower | ♄ ♄ Ⓚ; S-Afr.

Greyia Hook. et Harv. -f- *Greyiaceae*
– **radlkoferi** Szyszyll. | ♄; S-Afr.
– **sutherlandii** Hook. et Harv. | ♄ Ⓚ VII-X; S-Afr.: Natal

Griffinia Ker-Gawl. -f- *Amaryllidaceae*
– **hyacinthina** (Ker-Gawl.) Ker-Gawl. | ♃ Ⓦ VII-VIII; Bras.

Grindelia Willd. -f- *Asteraceae*
– **hirsutula** Hook. et Arn. · Hairy Gumweed, Marsh Gumweed
– *humilis* Hook. et Arn. = Grindelia hirsutula
– **lanceolata** Nutt. · Narrow Leaf Gumweed | ⊙ VII-VIII; USA: SE, SC, Mo., Kans.
– **robusta** Nutt. · Gumweed | ⊙ ♃ VI-IX Ⓝ; Calif.
– **squarrosa** (Pursh) Dunal · Gumweed | ⊙ ♃ VI-IX; Can.: W, Man.; USA: NCE, NC, SE, SC, SW, Rocky Mts., SW

Griselinia J.R. Forst. et G. Forst. -f- *Cornaceae*
– **littoralis** (Raoul) Raoul · Broadleaf | ♄ ♄ Ⓚ; NZ
– **lucida** G. Forst. | ♄ ♄ Ⓚ; NZ

Grobya Lindl. -f- *Orchidaceae*
– **amherstiae** Lindl. | ♃ Ⓦ IX ✻; Bras.
– **galeata** Lindl. | ♃ Ⓦ VIII-IX ✻; Bras.

Groenlandia J. Gay -f- *Potamogetonaceae*
– **densa** (L.) Fourr. · Dichtblättriges Laichkraut, Fischkraut | ♃ VI-IX; Eur.*, TR, Levante, Cauc., NW-Iran, W-Him., NW-Afr.

Grossularia = Ribes L.
– *alpestris* (Wall. ex Decne.) Berger = Ribes alpestris
  - var. *gigantea* (Jancz.) Berger = Ribes alpestris var. giganteum
– *hirtella* (Michx.) Spach = Ribes hirtellum
– *oxyacanthoides* (L.) Mill. = Ribes oxyacanthoides
– *reclinata* L. = Ribes uva-crispa var. reclinatum
– *uva-crispa* (L.) Mill. = Ribes uva-crispa

Grusonia = Opuntia Mill.
– *bradtiana* (J.M. Coult.) Britton et Rose = Opuntia bradtiana
– *cereiformis* F. Rchb. = Opuntia bradtiana

Guadua = Bambusa Schreb.
– **angustifolia** Humb., Bonpl. et Kunth | Ⓝ; Col., Ecuad., nat. in USA, S-Am., C-Am.

Guaiacum L. *Zygophyllaceae*
– **officinale** L. | ♄ Ⓦ Ⓝ; W.Ind., Panama, Col., Venez.
– **sanctum** L. · Holywood Lignumvitae | ♄ Ⓦ ✻ Ⓝ; Fla., S-Mex., W.Ind.

Guarea L. -f- *Meliaceae*
– **cedrata** (A. Chev.) Pellegr. | ♄ Ⓦ Ⓝ; Ivory Coast
– **guidonia** (L.) Sleumer · Guarea | ♄ Ⓦ ☠ Ⓝ; Panama, W.Ind., trop. S-Am.

Guibourtia Benn. -f- *Caesalpiniaceae*
– **copallifera** Benn. | ♄ Ⓦ Ⓝ; W-Afr.
– **demeusii** (Harms) Leonard | ♄ Ⓦ Ⓝ; W-Afr.

Guilielma = Bactris Jacq.
– *gasipaes* (Humb., Bonpl. et Kunth) L.H. Bailey = Bactris gasipaes
– *speciosa* Mart. = Bactris gasipaes
– *utilis* Oerst. = Bactris gasipaes

Guizotia Cass. -f- *Asteraceae*
– **abyssinica** (L. f.) Cass. · Nigersaat, Ramtillkraut · Niger Seed | ⊙ X-IX Ⓝ; Eth., nat. in Calif.

Gunnera L. -f- *Gunneraceae*
– *brasiliensis* Schindl. = Gunnera manicata
– *chilensis* Lam. = Gunnera tinctoria
– **hamiltonii** Kirk | ♃ Ⓚ Ⓐ ⇝; NZ
– **magellanica** Lam. | ♃ ∧; S-Chile, Falkland
– **manicata** Linden ex André ·

Mammutblatt · Chile Rhubarb | ♃ VII-VIII ∧; S-Bras.
- **microcarpa** Kirk | ♃ Ⓚ Ⓐ ⇝ 〰 ; NZ
- *mixta* Kirk = Gunnera microcarpa
- **prorepens** Hook. f. | ♃ Ⓚ Ⓐ ⇝ 〰 ; NZ
- *scabra* Ruiz et Pav. = Gunnera tinctoria
- **tinctoria** (Molina) Mirb. · Rhubarbe géante | ♃ VII-VIII ∧; Chile

Gurania (Schltdl.) Cogn. -f- *Cucurbitaceae*
- **malacophylla** Barb. Rodr. | ♄ Ⓦ ≀ VIII-IX; Bras.

Guzmania Ruiz et Pav. -f- *Bromeliaceae*
- **angustifolia** (Baker) Wittm. | Ⓚ; Costa Rica, Panama, Col., Ecuad.
- **berteroniana** (Schult. f.) Mez | Ⓦ; Puerto Rico
- *cardinalis* Mez = Guzmania lingulata
- **conifera** (André) Mez | Ⓦ; Ecuad., Peru
- **dissitiflora** (André) L.B. Sm. | Ⓦ; Costa Rica, Panama, Col.
- **donnelsmithii** Mez ex J.D. Sm. | Ⓦ; Costa Rica
- **erythrolepis** Brongn. ex Planch. | Ⓦ; Costa Rica, W.Ind.
- **lindenii** (André) Mez | Ⓦ; Peru
- **lingulata** (L.) Mez | Ⓦ; C-Am., W.Ind., Col., Bras., Bol.
  - var. **minor** (Mez) L.B. Sm. | Ⓦ; Costa Rica, Panama, Col., Ecuad., Bras.
  - var. *splendens* (Bouché) Mez = Guzmania lingulata
- **melinonis** Regel | Ⓦ; Guyan., Col. Ecuad. Peru, Bol.
- *minor* Mez = Guzmania lingulata var. minor
- **monostachia** (L.) Rusby ex Mez · West Indian Tufted Airplant | Ⓦ; Fla., C-Am., W.Ind., Venez., Col., Ecuad., Peru, Bol.
- **mucronata** (Griseb.) Mez | Ⓦ; Venez.
- **musaica** (Linden et André) Mez | Ⓦ; Col., Panama
- **nicaraguensis** Mez et C.F. Baker ex Mez | Ⓦ; C-Am.
- **sanguinea** (André) André ex Mez | Ⓦ; Costa Rica, Ecuad., Trinidad
- *tricolor* Ruiz et Pav. = Guzmania monostachia
- **variegata** L.B. Sm. | Ⓦ; Ecuad., N-Peru
- **vittata** (Mart.) Mez | Ⓦ; Col., Bras.
- **wittmackii** André ex Mez | Ⓦ; Col.
- **zahnii** (Hook. f.) Mez | Ⓦ; Costa Rica, Panama

Gymnadenia R. Br. -f- *Orchidaceae* · Händelwurz
- **conopsea** (L.) R. Br. · Mücken-Händelwurz · Fragrant Orchid | ♃ V-VIII ▽ ✻; Eur.*, TR, Cauc., Iran, W-Sib., E-Sib., Amur, Sachal., Mong., China, Korea, Jap.
- **odoratissima** (L.) Rich. · Wohlriechende Händelwurz | ♃ D VI-VIII ▽ ✻; Eur.* exc. BrI, Sc

Gymnandra = Lagotis Gaertn.
- *stolonifera* K. Koch = Lagotis stolonifera

Gymnanthocereus = Cleistocactus Lem.
- *chlorocarpus* (Humb., Bonpl. et Kunth) Backeb. = Browningia chlorocarpa
- *microspermus* (Werderm. et Backeb.) Backeb. = Browningia microsperma

Gymnocactus = Turbinicarpus (Backeb.) Buxb. et Backeb.
- *conothelos* (Regel et Klein) Backeb. = Thelocactus conothelos
- *gielsdorfianus* (Werderm.) Backeb. = Turbinicarpus gielsdorfianus
- *horripilus* (Lam.) Backeb. = Turbinicarpus horripilus
- *mandragora* (Fric) Backeb. = Turbinicarpus mandragora
- *roseanus* (Boed.) Glass et Foster = Escobaria roseana
- *saueri* (Boed.) Backeb. = Turbinicarpus saueri
- *valdezianus* (H. Möller) Backeb. = Turbinicarpus valdezianus
- *viereckii* (Werderm.) Backeb. = Turbinicarpus viereckii

Gymnocalycium Pfeiff. -n- *Cactaceae*
- **andreae** (Boed.) Backeb. | ψ Ⓚ ✻; Arg.: Cordoba
- **anisitsii** (K. Schum.) Britton et Rose | ψ Ⓚ ✻; Parag.
- **baldianum** (Speg.) Speg. | ψ Ⓚ ✻; Arg.: La Rioja, Catamarca, Salta, Tucuman
- *brachypetalum* Speg. = Gymnocalycium gibbosum
- **bruchii** (Speg.) Hosseus | ψ Ⓚ ✻; Arg.: Cordoba
- **cardenasianum** F. Ritter | ψ Ⓚ ✻; S-Bol.
- **denudatum** (Link et Otto) Pfeiff. · Spider Cactus | ψ Ⓚ ✻; Bras.: Rio Grande do Sul
- *fidaianum* (Backeb.) Hutchison =

Weingartia fidaiana
- **fleischerianum** Backeb. | ♆ Ⓚ ✻; N-Parag.
- **gibbosum** (Haw.) Pfeiff. | ♆ Ⓚ ✻; S-Arg., Patag.
- *lafaldense* Vaupel = Gymnocalycium bruchii
- *loricatum* Speg. = Gymnocalycium spegazzinii
- **mazanense** Backeb. | ♆ Ⓚ ✻; Arg.: La Rioja
- **mihanovichii** (Fric et Gürke) Britton et Rose | ♆ Ⓚ ✻; N-Parag.
- **monvillei** (Lem.) Britton et Rose | ♆ Ⓚ ✻; Parag.
- **multiflorum** (Hook.) Britton et Rose | ♆ Ⓚ ✻; Arg.: Cordoba
- *neocumingii* (Backeb.) Hutchison = Weingartia neocumingii
- *neumannianum* (Backeb.) Hutchison = Weingartia neumanniana
- *occultum* Fric et Schütz = Gymnocalycium quehlianum
- *ochoterenae* Backeb. = Gymnocalycium quehlianum
- **oenanthemum** Backeb. | ♆ Ⓚ ✻; Arg.: Cordoba, Mendoza
- **platense** (Speg.) Britton et Rose | ♆ Ⓚ ✻; Arg.: Buenos Aires
- **quehlianum** (Haage) A. Berger · Chin Cactus | ♆ Ⓚ ✻; Arg.: Cordoba
- **saglionis** (Cels) Britton et Rose | ♆ Ⓚ ✻; Arg.: Catamarca, Salta, Tucuman
- *sanguiniflorum* (Werderm.) Werderm. = Gymnocalycium baldianum
- **schickendantzii** (F.A.C. Weber) Britton et Rose | ♆ Ⓚ ✻; Arg.: Catamarca, Cordoba, Tucuman
- **spegazzinii** Britton et Rose | ♆ Ⓚ ✻; Arg.: Salta
- *venturianum* (Fric) Backeb. = Gymnocalycium baldianum

Gymnocarpium Newman -n- *Woodsiaceae*
- **dryopteris** (L.) Newman · Eichenfarn · Oak Fern, Western Oak Fern | ♃ VII-VIII; Eur.*, TR, Cauc., Him., W-Sib., E-Sib., Amur, Sachal., Kamchat., C-As., Mong., Manch., Korea, Jap., Alaska, can, USA: NE, NCE, NC, SW, Rocky Mts., NW; Greenl.
- *phegopteris* (L.) Newman = Phegopteris connectilis
- **robertianum** (Hoffm.) Newman · Ruprechtsfarn · Limestone Oak Fern | ♃ VII-VIII; Eur.*, Cauc., Him., W-Sib., E-Sib., Amur, N-China, Korea, Jap., Alger., Alaska, Can., USA: NE, NCE

Gymnocereus = Browningia Britton et Rose
- *microspermus* (Werderm. et Backeb.) Backeb. = Browningia microsperma

Gymnocladus Lam. -m- *Caesalpiniaceae* · Geweihbaum
- **dioicus** (L.) K. Koch · Amerikanischer Geweihbaum | ♄ V-VI Ⓝ; Ont., USA: NE, NCE, NC, SC, SE

Gymnogramma = Gymnopteris Bernh.
- *arifolia* Burm. = Hemionitis arifolia
- *japonica* (Thunb.) Desv. = Coniogramme japonica
- *leptophylla* (L.) Desv. = Anogramma leptophylla
- *palmata* (L.) Link = Hemionitis palmata
- *pulchella* T. Moore = Pityrogramma pulchella
- *sulphurea* (Sw.) Desf. = Pityrogramma sulphurea

Gymnopteris Bernh. -f- *Adiantaceae*
- *flagellifera* (Wall.) Bedd. = Bolbitis heteroclita

Gymnospermium Spach -n- *Berberidaceae*
- **albertii** (Regel) Takht. | ♃ Ⓐ IV-V; C-As.

Gymnostachyum Nees -n- *Acanthaceae*
- **ceylanicum** Arn. et Nees | ♃ Ⓦ I-III; Sri Lanka
- **sanguinolentum** (Vahl) T. Anderson | ♃ Ⓦ; Sri Lanka
- **venustum** (Wall.) T. Anderson | ♃ Ⓦ X-XI; Ind: S-Khasia

Gymnothrix = Pennisetum Rich.
- *caudata* Schrad. = Pennisetum macrourum
- *latifolia* (Spreng.) Schult. = Pennisetum latifolium

Gynandriris Parl. -f- *Iridaceae*
- **sisyrinchium** (L.) Parl. | ♃ ▭ IV-V ∧; Eur.: Ib, Ap, Ba; TR, SW-As, Pakist., Med.

Gynandropsis = Cleome L.
- *gynandra* (L.) Briq. = Cleome gynandra

Gynerium P. Beauv. -n- *Poaceae*
- *argentum* Nees = Cortaderia selloana

Gynura Cass. -f- *Asteraceae*
- **aurantiaca** (Blume) DC. | ♄ Ⓦ IX-X; Java, Sulawesi
- **procumbens** (Lour.) Merr. · Velvet Plant | ♃ Ⓦ ≷ ≷; W-Afr., China, Thail., Malay. Pen.
- *sarmentosa* (Blume) DC. = Gynura procumbens
- **scandens** O. Hoffm. | ♄ Ⓦ ≷ ≷ IV-IX; E-Afr.

Gypsophila L. -f- *Caryophyllaceae* · Schleierkraut
- **acutifolia** Steven ex Spreng. | ♃ VII-IX; Eur.: W-Russ.; Cauc., nat. in RO
- **aretioides** Boiss. | ♃ △ VI-VII ∧; N-Iran
- **cerastioides** D. Don | ♃ △ V-VI; Him.: Kashmir, NW-Ind., Nepal, Sikkim, Bhutan
- **curvifolia** Fenzl | ♃ △ VI ∧; TR
- **elegans** M. Bieb. · Sommer-Schleierkraut | ⊙ VII; S-Russ., TR, Cauc., Iran
- **fastigiata** L. · Büschel-Gipskraut | ♃ VI-IX; Eur.: C-Eur., EC-Eur., Sc, E-Eur., ? W-Ba
- **libanotica** Boiss. | ♃ △ VI ∧; TR, Lebanon, Syr.
- × **monstrosa** Gerbeaux (*G. repens* × *G. stevenii*) Gypsophile rampante 'Monstrosa' | ♃ △ V-VI
- **muralis** L. · Mauer-Gipskraut · Annual Gypsophila | ⊙ X; Eur.* exc. BrI; TR, Cauc., W-Sib., E-Sib., Amur, C-As., Manch., nat. in N-Am.
- *ortegioides* (Fisch. et C.A. Mey.) Boiss. = Phrynella ortegioides
- **pacifica** Kom. | ♃ ⋈ VI-VIII; Amur, Manch.
- **paniculata** L. · Rispiges-Gipskraut · Baby's Breath · Brouillard | ♃ ⋈ VI-VIII; Eur.: C-Eur., EC-Eur., Ba, E-Eur.; Cauc., W-Sib., C-As., N-Mong., W-China, nat. in N-Am.
- **perfoliata** L. · Durchwachsenblättriges Gipskraut | ♃ VI-IX; Eur.: BG, RO, Russ.; TR, Levante, W-Sib., C-As., nat. in D
- **petraea** (Baumg.) Rchb. | ♃ △ VI-VIII; Eur.: RO; Carp.
- **repens** L. · Kriechendes Gipskraut, Teppich-Schleierkraut · Alpine Gypsophila · Gypsophile rampante | ♃ ⇝ △ V-VI; Eur.: Ib, Fr, Ap, C-Eur., EC-Eur.; mts.
  - *'Monstrosa'* = Gypsophila × monstrosa
- **scorzonerifolia** Ser. · Schwarzwurzel-Gipskraut | ♃ VI-IX; Eur.: E-Russ; Cauc., nat. in D, CZ
- **stevenii** Fisch. | ♃ △ VII; Cauc.
- × **suendermannii** Fritsch (*G. petraea* × *G. repens*) | ♃ △ V-VI; cult.
- **tenuifolia** M. Bieb. | ♃ ⌓ △ VI ∧; Cauc., TR
- *transsylvanica* Spreng. = Gypsophila petraea

Haageocereus Backeb. -m- *Cactaceae*
- *acranthus* (Vaupel) Backeb. = Haageocereus limensis
- **albispinus** (Akers) Backeb. | ♆ Ⓚ
- *aureispinus* Rauh et Backeb. = Haageocereus multangularis
- *australis* Backeb. = Haageocereus decumbens
- **chosicensis** (Werderm. et Backeb.) Backeb. | ♆ Ⓚ
- **decumbens** (Vaupel) Backeb. | ♆ Ⓚ ⇝ ✻; S-Peru, N-Chile
- *icosagonoides* Rauh et Backeb. = Haageocereus versicolor
- **limensis** (Salm-Dyck) F. Ritter | ♆ Ⓚ ✻; C-Peru
- **multangularis** (Willd.) F. Ritter | ♆ Ⓚ ✻; C-Peru
- *olowinskianus* Backeb. = Haageocereus limensis
- *paradoxus* Rauh et Backeb. = Borzicactus acanthurus
- **versicolor** (Werderm. et Backeb.) Backeb. | ♆ Ⓚ ✻; N-Peru
- *weberbaueri* (Vaupel) D.R. Hunt = Weberbauerocereus weberbaueri

Habenaria Willd. -f- *Orchidaceae*
- **bonatea** Rchb. f. | ♃ Ⓚ V-III ✻; S-Afr.
- **carnea** N.E. Br. | ♃ Ⓦ IX-X ✻; Malay. Pen.: Penang
- *pusilla* Rchb. f. = Habenaria rhodocheila
- *radiata* Thunb. = Pecteilis radiata
- **rhodocheila** Hance | ♃ Ⓦ IX-X ✻; S-China, Indochina, Malay. Pen.
- *robusta* N.E. Br. = Habenaria bonatea

Haberlea Friv. -f- *Gesneriaceae*
- **ferdinandi-coburgi** Urum. | ♃ △ IV-V; Eur.: C-BG

- **rhodopensis** Friv. | ♃ △ IV-V; Eur.: BG, NE-GR; mts.

Habranthus Herb. -m- *Amaryllidaceae*
- *andersonii* Herb. = Habranthus tubispathus
- **brachyandrus** (Baker) Sealy | ♃ Ⓚ VI-VIII; S-Bras., S-Chile
- **robustus** Herb. ex Sweet | ♃ Ⓚ VII-VIII; S-Bras., ? Arg
- **tubispathus** (L'Her.) Herb. · Rio Grande Copper Lily | ♃ Ⓚ VII-VIII; E-Arg., S-Bras., S-Chile, Urug.
- *tubispathus* auct. non (L'Her.) Herb. = Habranthus robustus

Habrothamnus = Cestrum L.
- *elegans* Brongn. ex Neuman = Cestrum elegans
- *fasciculatus* Endl. = Cestrum fasciculatum
- *newellii* Veitch = Cestrum fasciculatum 'Newellii'
- *purpureus* Lindl. = Cestrum elegans

Hacquetia Neck. ex DC. -f- *Apiaceae* · Schaftdolde
- **epipactis** (Scop.) DC. · Goldteller, Schaftdolde | ♃ IV-V; Eur.: A, I, Slove., Croatia, PL, Slova., CZ

Hadrodemas = Callisia Loefl.
- *warszewiczianum* (Kunth et Bouché) H.E. Moore = Callisia warszewicziana

Haemadiction = Prestonia R. Br.
- *venosum* Lindl. = Prestonia quinquangularis

Haemanthus L. -m- *Amaryllidaceae* · Blutblume
- **albiflos** Jacq. | ♃ Ⓚ VII-X; S-Afr.
  - var. *pubescens* (L. f.) Baker = Haemanthus pubescens
- *candidus* W. Bull = Haemanthus humilis subsp. hirsutus
- *cinnabarinus* Decne. = Scadoxus cinnabarinus
- *coccineus* Forssk. non L. = Scadoxus multiflorus
- **coccineus** L. | ♃ Ⓚ VIII-IX; Namibia, S-Afr.
- **humilis** Jacq.; S-Afr.
  - subsp. **hirsutus** (Baker) Snijman | ♃ Ⓚ VIII-IX; S-Afr.
- *kalbreyeri* Baker = Scadoxus multiflorus
- *katherinae* Baker = Scadoxus multiflorus subsp. katherinae
- *lindenii* N.E. Br. = Scadoxus cinnabarinus
- *magnificus* (Herb.) Herb. = Scadoxus puniceus
- *multiflorus* Martyn = Scadoxus multiflorus
- *natalensis* Pappe ex Hook. = Scadoxus puniceus
- **pubescens** L. | ♃ Ⓚ VII-X; Namibia, S-Afr.
- *puniceus* L. = Scadoxus puniceus
- *tigrinus* Jacq. = Haemanthus coccineus

Haemaria = Ludisia A. Rich.
- *discolor* (Ker-Gawl.) Lindl. = Ludisia discolor
- *rubrivenia* Rchb. f. = Ludisia discolor var. rubrivenia

Haematoxylum L. -n- *Caesalpiniaceae*
- **campechianum** L. · Bloodwood Tree, Logwood | ♄ Ⓦ Ⓝ; Mex., C-Am., trop. S-Am.

Haemodorum Sm. -n- *Haemodoraceae*
- **planifolium** R. Br. | ♃ Ⓚ VIII; Austr.: Queensl., N.S.Wales
- **teretifolium** R. Br. | ♃ Ⓚ VIII; Austr.: Queensl., N.S.Wales

Hagenia J.F. Gmel. -f- *Rosaceae*
- **abyssinica** (Bruce) J.F. Gmel. · Hagenia | ♄ Ⓚ Ⓝ; Eth., E-Afr., top. S-Afr.

Hakea Schrad. -f- *Proteaceae*
- *acicularis* (Sm. ex Vent.) Knight = Hakea sericea
- **bucculenta** C.A. Gardner | ♄; W-Austr.
- **ceratophylla** R. Br. | ♄ Ⓚ; W-Austr.
- **crassifolia** Meisn. | ♄; W-Austr.
- **cyclocarpa** Lindl. | ♄ Ⓚ; W-Austr.
- **dactyloides** (Gaertn.) Cav. | ♄; Austr.: Queensland, N.S.Wales, Victoria
- *eucalyptoides* Meisn. = Hakea laurina
- **ferruginea** R. Br. | ♄ Ⓚ VII-VIII; W-Austr.
- **florida** R. Br. | ♄ Ⓚ VII; W-Austr.
- **gibbosa** Cav. | ♄ Ⓚ; Austr.: N.S.Wales
- **laurina** R. Br. · Pin Cushion Hakea, Sea Urchin | ♄ ♄ Ⓚ Ⓝ; W-Austr.
- **leucoptera** R. Br. | ♄ ♄; Austr.: Queensl., N.S.Wales, Victoria, S-Austr., N. Terr.

– **multilineata** Meisn. | ♄ ⌂K; W-Austr.
– **nitida** R. Br. | ♄; W-Austr.
– **nodosa** R. Br. | ♄ ⌂K; Austr.: S-Austr., Victoria
– **obtusa** Meisn. | ♄; W-Austr.
– **oleifolia** R. Br. | ♄ ♄ ⌂K; W-Austr.
– **orthorrhyncha** F. Muell. | ♄; W-Austr.
– *pectinata* Colla = Hakea suaveolens
– **petiolaris** Meisn. | ♄; W-Austr.
– **pugioniformis** Cav. | ♄ ⌂K V-VI; Austr.: S-Austr., Tasman., Victoria
– **salicifolia** (Vent.) B.L. Burtt | ♄ ⌂K VII-VIII; Austr.: Queensl., N.S.Wales
– *saligna* (Knight) Salisb. = Hakea salicifolia
– **sericea** Schrad. | ♄ ⌂K V-VIII; Austr.: N.S.Wales, Victoria
– **suaveolens** R. Br. | ♄ ⌂K D VII-VIII; W-Austr.
– **varia** R. Br. | ♄ ⌂K; W-Austr.

Hakonechloa Makino ex Honda -f- *Poaceae*
– **macra** (Munro) Makino ex Honda · Golden Japanese Forest Grass | ♃ VII-X ∧; Jap.

Halenia Borkh. -f- *Gentianaceae*
– **elliptica** D. Don | ⊙ ⌂K VII-VIII; Him.
– **perrottetii** Griseb. | ⊙ ⌂K VII-VIII; Ind.

Halesia Ellis ex L. -f- *Styracaceae* · Schneeglöckchenbaum
– **carolina** L. · Carolina-Schneeglöckchenbaum · Carolina Silverbell, Snowdrop Tree · Arbre aux clochettes d'argent | ♄ ♄ IV-V; USA: NE, NCE, SE, Fla.
  - var. *monticola* Rehder = Halesia monticola
– **diptera** Ellis · Zweiflügeliger Schneeglöckchenbaum | ♄ ♄ VI; USA: SE, SC, Fla.
– **monticola** (Rehder) Sarg. · Berg-Schneeglöckchenbaum · Mountain Silverbell, Snowdrop Tree | ♄ IV Ⓝ; USA: SE, SC
– *tetraptera* Ellis = Halesia carolina

× **Halimiocistus** Janch. -m- *Cistaceae*
– **sahucii** (H.J. Coste et Soulié) Janch. (*Cistus salviifolius* × *Halimium umbellatum*) ; S-F
– **wintonensis** Warb. et E.F. Warb. (*Cistus salviifolius* × *Halimium lasianthum*) | ♄; cult.
– **Cultivars**
  - **'Ingwersenii'** (*Cistus hirsutus* × *Halimium umbellatum*) | ♄; P

Halimium (Dunal) Spach -n- *Cistaceae*
– **lasianthum** (Lam.) Spach | ♄ ⌂K V-VI; Eur.: F, Ib
– **ocymoides** (Lam.) Willk. et Lange | ♄; Sp., P
– **umbellatum** (L.) Spach | ♄ ⌂K V-VI; Eur.: Ib, F, GR

Halimodendron Fisch. ex DC. -n- *Fabaceae* · Salzstrauch
– **halodendron** (Pall.) Voss · Salzstrauch | ♄ VI-VII Ⓝ; Eur.: Russ.; N-TR, Cauc., Iran, W-Sib., C-As.

Haloragis J.R. Forst. et G. Forst. *Haloragaceae*
– **erecta** (Banks ex Murray) Eichler | ♄ ♃; NZ

Haloxylon Bunge *Chenopodiaceae*
– **ammodendron** (C.A. Mey.) Bunge | ♄ ♄; Atlas, Ural, Iran, C-As., Mong., China: Sinkiang

Hamamelis L. -f- *Hamamelidaceae* · Zaubernuß
– × **intermedia** Rehder (*H. japonica* × *H. mollis*) · Hybrid-Zaubernuss · Witch Hazel | ♄ I-III; cult.
– **japonica** Siebold et Zucc. · Japanische Zaubernuss · Japanese Witch Hazel · Hamamélis du Japon | ♄ I-IV; Jap.
  - var. **flavo-purpurascens** (Makino) Rehder | ♄ I-III; Jap.
– **mollis** Oliv. · Chinesische Zaubernuss · Chinese Witch Hazel · Hamamélis de Chine | ♄ I-III; China: Hupeh
– *orbiculata* Sarg. = Hamamelis virginiana
– **vernalis** Sarg. · Frühlings-Zaubernuss · Spring Witch Hazel | ♄ I-III; USA: SE, SC
– **virginiana** L. · Virginische Zaubernuss · American Witch Hazel · Hamamélis de Virginie | ♄ ♄ Off. IX-X Ⓝ; Can.: E; USA: NE, NCE, SE, Fla.

Hamatocactus = Thelocactus (K. Schum.) Britton et Rose
– *crassihamatus* (F.A.C. Weber) Buxb. = Sclerocactus uncinatus var. crassihamatus

– *hamatacanthus* (Muehlenpf.) Britton et Rose = Ferocactus hamatacanthus
– *setispinus* (Engelm.) Britton et Rose = Thelocactus setispinus
– *sinuatus* (A. Dietr.) Orcutt = Ferocactus hamatacanthus
– *uncinatus* (Galeotti) Buxb. = Sclerocactus uncinatus

Hamelia Jacq. -f- *Rubiaceae*
– **patens** Jacq. · Scarlet Bush | ♄ Ⓦ VI-IX; Fla., Mex., Bahamas, W.Ind., trop. S-Am.

Hammarbya Kuntze -f- *Orchidaceae*
– **paludosa** (L.) Kuntze · Weichwurz | ♃ VII-VIII; Eur.* exc. Ap +

Hancornia Gomes -f- *Apocynaceae*
– **speciosa** Gomez · Mangabeiragummi | ♄ Ⓝ; E-Bras.

Haplopappus Cass. -m- *Asteraceae*
– *coronopifolius* (Less.) DC. = Haplopappus glutinosus
– *croceus* A. Gray = Pyrrocoma crocea
– **glutinosus** Cass. | ♃ △ VII-X ∧; Chile. Arg.; And.

Haplophyllum A. Juss. -n- *Rutaceae*
– **patavinum** (L.) G. Don | ♃ △ VI-VIII; Eur.: I, Ba, RO

Hardenbergia Benth. -f- *Fabaceae*
– **comptoniana** (Andrews) Benth. | ♄ Ⓚ ≹ I-IV; W-Austr.
– *monophylla* (Vent.) Benth. = Hardenbergia violacea
– **violacea** (Schneev.) Stearn · Coral Pea, Vine Lilac | ♄ Ⓚ ≹ ⇝ III-IV; Austr.: Queensl., N.S.Wales, Victoria, Tasman.

Haronga = Harungana Lam.
– *madagascariensis* (Lam. ex Poir.) Choisy = Harungana madagascariensis

Harpagophytum DC. ex Meisn. -n- *Pedaliaceae* · Teufelskralle
– **procumbens** (Burch.) DC. · Grapple Plant | ♃ Ⓚ; S-Afr.

Harpephyllum Bernh. ex Krauss -n- *Anacardiaceae*
– **caffrum** Bernh. ex Krauss · Kaffir Plum | ♄ Ⓚ; S-Afr.: Kap, Natal

Harpullia Roxb. -f- *Sapindaceae*
– **pendula** Planch. et F. Muell. | ♄; Malay. Arch., Phil., Austr.: Queensl., N.S.Wales

Harrimanella Coville -f- *Ericaceae*
– *hypnoides* (L.) Coville = Cassiope hypnoides

Harrisia Britton -f- *Cactaceae*
– *bonplandii* (Parm. ex Pfeiff.) Britton et Rose = Eriocereus bonplandii
– **gracilis** (Mill.) Britten | ♄ Ψ Ⓚ ✻; Fla., Jamaica
– *guelichii* (Speg.) Britton et Rose = Eriocereus guelichii
– *jusbertii* (K. Schum.) Borg = Eriocereus jusbertii
– *martinii* (Labour.) Britton et Rose = Eriocereus martinii
– *pomanensis* (F.A.C. Weber) Britton et Rose = Eriocereus bonplandii
– **tetracantha** (Labour.) D.R. Hunt | ♄ ♄ Ψ Ⓚ ✻; Bol.
– *tortuosa* (J. Forbes) Britton et Rose = Eriocereus tortuosus

× **Hartara** Hort. -f- *Orchidaceae* (*Broughtonia* × *Laelia* × *Sophronitis*)

Hartia = Stuartia L.
– *sinensis* Dunn = Stewartia sinensis

Hartmannia = Oenothera L.
– *rosea* (L'Hér. ex Aiton) D. Don = Oenothera rosea
– *speciosa* (Nutt.) Small = Oenothera speciosa

Hartwegia = Nageliella L.O. Williams
– *purpurea* Lindl. = Nageliella purpurea

Harungana Lam. -f- *Clusiaceae*
– **madagascariensis** Lam. ex Poir. | ♄ Ⓦ Ⓝ; trop. Afr., Madag., Mauritius

Hasseanthus = Dudleya Britton et Rose
– *variegatus* (S. Watson) Rose = Dudleya variegata

Hatiora Britton et Rose -f- *Cactaceae*
– *clavata* (F.A.C. Weber) Moran = Rhipsalis clavata
– *gaertneri* (Regel) Barthlott = Rhipsalidopsis gaertneri
– × *graeseri* (Werderm.) Barthlott =

Rhipsalidopsis × graeseri
- *rosea* (Lagerh.) Barthlott = Rhipsalidopsis rosea
- **salicornioides** (Haw.) Britten et Rose | ♄ Ψ Ⓦ ✻; SE-Bras.

× **Hawaiiara** Hort. -f- *Orchidaceae* (*Renanthera* × *Vanda* × *Vandopsis*)

Haworthia Duval -f- *Aloaceae*
- **angustifolia** Haw. | ♃ Ψ Ⓚ; S-Afr.
- **arachnoidea** (L.) Duval | ♃ Ψ Ⓚ; S-Afr.
- *aspera* (Haw.) Haw. = Astroloba aspera
- *asperiuscula* Haw. = Haworthia viscosa
- **attenuata** Haw. | ♃ Ψ Ⓚ; Kap
- **chloracantha** Haw. | ♃ Ψ Ⓚ; Kap
- **coarctata** Haw. | ♃ Ψ Ⓚ; S-Afr.
- **cooperi** Baker | ♃ Ψ Ⓚ; S-Afr.
- × **cuspidata** Haw. (*H. cymbiformis* × *H. retusa*) | ♃ Ψ
- **cymbiformis** (Haw.) Duval | ♃ Ψ Ⓚ; S-Afr.
- *fasciata* hort. = Haworthia attenuata
- *foliolosa* Duval = Astroloba spiralis subsp. foliolosa
- *fulva* G.G. Sm. = Haworthia coarctata
- **glabrata** (Salm-Dyck) Baker | ♃ Ψ Ⓚ; S-Afr.
- *guttata* Uitewaal = Haworthia reticulata
- **herbacea** (Mill.) Stearn | ♃ Ψ; Kap
- *laetevirens* Haw. = Haworthia turgida
- **limifolia** Marloth | ♃ Ψ Ⓚ; S-Afr.: Natal, Transvaal, Swasiland
- **longiana** Poelln. | ♃ Ψ Ⓚ; Kap
- *longibracteata* G.G. Sm. = Haworthia retusa
- *margaritifera* Haw. = Haworthia pumila
- **maughanii** Poelln. | ♃ Ψ Ⓚ; Kap
- *minima* Baker non (Aiton) Haw. = Haworthia translucens
- **mirabilis** Haw. | ♃ Ψ Ⓚ; ? Kap
- **mucronata** Haw. | ♃ Ψ Ⓚ; Kap
- *nitidula* Poelln. = Haworthia mirabilis
- *obtusa* Haw. = Haworthia cymbiformis
  - var. *pilifera* (Baker) Uitewaal = Haworthia cooperi
- *papillosa* (Salm-Dyck) Haw. = Haworthia pumila
- *pellucens* Haw. = Haworthia translucens
- *pentagona* Haw. = Astroloba spiralis subsp. foliolosa 'Pentagona'
- *pilifera* Baker = Haworthia cooperi
- **pumila** (L.) Duval | ♃ Ψ Ⓚ; S-Afr.
- **pygmaea** Poelln. | ♃ Ψ Ⓚ
- **radula** (Jacq.) Haw. | ♃ Ψ Ⓚ; Kap
- *recurva* Haw. = Haworthia venosa subsp. recurva
- **reinwardtii** (Salm-Dyck) Haw. | ♃ Ψ Ⓚ; Kap
- **reticulata** Haw. | ♃ Ψ Ⓚ; E-Kap
- **retusa** (L.) Duval | ♃ Ψ Ⓚ; Kap
- × **rigida** (Lam.) Haw. (*H. glabrata* × *H. tortuosa*) | ♃ Ψ Ⓚ; S-Afr.
- *rugosa* (Salm-Dyck) Baker = Haworthia radula
- *spiralis* Duval = Astroloba spiralis subsp. foliolosa 'Pentagona'
- *subattenuata* (Salm-Dyck) Baker = Haworthia pumila
- *subrigida* Baker = Haworthia × tortuosa
- *tenera* Poelln. = Haworthia translucens subsp. tenera
- *tesselata* Haw. = Haworthia venosa subsp. tesselata
- × **tortuosa** (Haw.) Haw. (*H. nigra* × *H. viscosa*) | ♃ Ψ Ⓚ; orig. ?
- **translucens** (Haw.) Haw. | ♃ Ψ; Kap
  - subsp. **tenera** (Poelln.) M. Bayer
- **truncata** Schönl. | ♃ Ψ Ⓚ; Kap
- **turgida** Haw. | ♃ Ψ Ⓚ; Kap
- *ubomboensis* Verd. = Haworthia limifolia
- **venosa** (Lam.) Haw.; Kap, Namibia
  - subsp. **recurva** (Haw.) M. Bayer
  - subsp. **tesselata** (Haw.) M. Bayer
- **viscosa** (L.) Haw. | ♃ Ψ Ⓚ; Kap

Hebe Comm. ex Juss. -f- *Scrophulariaceae* · Strauchveronika
- **albicans** (Petrie) Cockayne | ♄; NZ
- × **andersonii** (Lindl. et Paxton) Cockayne (*H. salicifolia* × *H. speciosa*)
- *anomala* (J.B. Armstr.) Cockayne = Hebe odora 'Anomala'
- **armstrongii** (J.B. Armstr.) Cockayne et Allen | ♄ V-VI; NZ
- **balfouriana** (Hook. f.) Cockayne | ♄ Ⓚ VI-VII ∧; NZ
- **benthamii** (Hook. f.) Cockayne et Allan | ♄ Ⓚ; NZ
- × *bidwillii* (Hook.) Allan = Parahebe × bidwillii
- **brachysiphon** Summerh. | ♄ Ⓐ ∧; NZ
- **buchananii** (Hook. f.) Cockayne et Allan | ♄ Ⓚ VI-VII; NZ
- **buxifolia** (Benth.) Cockayne et Allan · Buchsblättriger Strauchehrenpreis | ♄ Ⓚ VI-VII ∧; NZ
- **canterburiensis** (J.B. Armstr.) L.B. Moore | ♄; NZ
- **carnosula** (Hook. f.) Cockayne et Allan |

♄ 🏠K VI-VIII ∧; NZ
– *catarractae* G. Forst. = Parahebe catarractae
– **cockayniana** (Cheesman) Cockayne et Allan | ♄; NZ
– **colensoi** (Hook. f.) Cockayne | ♄; NZ
– **cupressoides** (Hook. f.) Andersen · Zypressen-Strauchehrenpreis | ♄ 🏠K VI ∧; NZ
– **diosmifolia** (R. Cunn. ex A. Cunn.) Cockayne et Allan | ♄ 🏠K ▽ IV-V; NZ
– **elliptica** (G. Forst.) Pennell | ♄ 🏠K VI-VII; NZ, S-Chile, Falkland
– **epacridea** (Hook. f.) Cockayne et Allan | ♄ 🏠K ⇝ VII ∧; NZ
– × **franciscana** (Eastw.) Souster | ♄; cult.
– *glaucocaerulea* (J.B. Armstr.) Cockayne = Hebe pimeleoides var. glaucocaerulea
– **glaucophylla** (Cockayne) Cockayne | ♄; NZ
– **haastii** (Hook. f.) Cockayne et Allan | ♄ 🏠K 🏠A ⇝ ∧; NZ
– **hectoris** (Hook. f.) Cockayne et Allan · Hektors Strauchehrenpreis | ♄ 🏠K VII-VIII ∧; NZ
– **hulkeana** (F. Muell.) Cockayne et Allan · New Zealand Lilac | ♄ 🏠K V-VI; NZ
– **leiophylla** (Cheesman) Cockayne et Allan | ♄; NZ
– *loganioides* (J.B. Armstr.) Wall. = Hebe 'Loganioides'
– *lyallii* (Hook. f.) Allan = Parahebe lyallii
– **lycopodioides** (Hook. f.) Cockayne et Allan | ♄ 🏠K VI ∧; NZ
– **ochracea** Ashwin | ♄ △ V-VI; NZ
– **odora** (Hook. f.) Cockayne | ♄; NZ
  - **'Anomala'** | ♄ 🏠K VI-VII ∧; NZ
– **parviflora** (Vahl) Cockayne et Allen
  - var. **angustifolia** (Hook. f.) L.B. Moore | ♄; NZ
– **pauciflora** G. Simpson et J.S. Thomson | ♄; NZ
– **pauciramosa** (Cockayne et Allan) L.B. Moore | ♄; NZ
– **pimeleoides** (Hook. f.) Cockayne et Allan | ♄ 🏠K ⇝ VII-VIII; NZ
  - var. **glaucocaerulea** (J.B. Armstr.) Cockayne et Allan | ♄ 🏠K VII-VIII ∧; NZ
– **pinguifolia** (Hook. f.) Cockayne et Allan · Fettblättriger Strauchehrenpreis | ♄ V-VII; NZ
– **poppelwellii** (Cockayne) Cockayne et Allan | ♄; NZ
– **propinqua** (Cheesman) Cockayne et Allan | ♄; NZ
– **rakaiensis** (J.B. Armstr.) Cockayne | ♄; NZ
– **recurva** G. Simpson et J.S. Thomson | ♄; NZ
– **salicifolia** (G. Forst.) Pennell | ♄ 🏠K VI-VII; NZ
– **salicornioides** (Hook. f.) Cockayne et Allan
– **speciosa** (A. Cunn.) Cockayne et Allan | ♄ 🏠K IX-X; NZ
– **stricta** (Benth.) L.B. Moore
  - var. **macroura** (Benth.) L.B. Moore | ♄; NZ
– **subalpina** (Cockayne) Cockayne et Allan | ♄ 🏠K VI ∧; NZ
– **subsimilis** (Colenso) Ashwin | ♄; NZ
– **traversii** (Hook. f.) Cockayne et Allan · Travers Strauchehrenpreis | ♄ 🏠K VI-VIII ∧; NZ
– **tumida** (Kirk) Cockayne et Allan | ♄; NZ
– **venustula** (Colenso) L.B. Moore | ♄; NZ
– **vernicosa** (Hook. f.) Cockayne et Allan | ♄ 🏠K VII-VIII ∧; NZ
– **Cultivars**
  - **'Loganioides'** | ♄ 🏠K ⇝ VI-VII ∧; NZ

Hebeclinium DC. -n- *Asteraceae*
– *atrorubens* Lem. = Bartlettina sordida
– *ianthinum* Hook. = Bartlettina sordida
– *megalophyllum* Lem. = Bartlettina sordida

Hebenstretia L. -f- *Scrophulariaceae*
– **comosa** Hochst. | ⊙ ♃ VII-IX; Malawi, Zimbabwe, S-Afr.: Natal, Transvaal
– **dentata** L. | ⊙ VII-IX; Kap

Hechtia Klotzsch -f- *Bromeliaceae*
– **argentea** Baker | 🏠K; Mex.
– **desmetiana** (Baker) Mez | 🏠K; Mex.
– **glomerata** Zucc. | 🏠K; Mex.
– **marnier-lapostollei** L.B. Sm. | 🏠K; Mex.
– *pitcairniifolia* Verl. = Fascicularia pitcairniifolia
– **rosea** E. Morren ex Baker | 🏠K; Mex.
– **schotti** Baker | 🏠K; Mex.
– **texensis** S. Watson | 🏠K; Tex.

Hedeoma Pers. -f- *Lamiaceae*
– **pulegioides** (L.) Pers. · American Pennyroyal | ⊙ VII-VIII; Can.: E; USA: NE, NCE, NC, SE, Fla.

Hedera L. -f- *Araliaceae* · Efeu
– **algeriensis** Hibberd · Algerian Ivy, Canary Island Ivy
– *canariensis* hort. = Hedera algeriensis
– **canariensis** Willd. · Kanarischer Efeu | ♄ Ⓚ ≹ VIII-X; Eur.: P, Azor., Canar., Madeira; NW-Afr.
– **colchica** (K. Koch) K. Koch · Kolchischer Efeu · Persian Ivy · Lierre de Perse, Lierre du Caucase | ♄ ≹ ∧; N-TR, Cauc., nat. in F, Krim
– **helix** L. · Gewöhnlicher Efeu · Common Ivy, English Ivy, Ivy · Lierre grimpant | ≹ ⇝ Off. XI-IX ☠; Eur.*, TR, Levante, nat. in USA
  - *'Hibernica'* = Hedera hibernica
  - fo. **poetarum** (Nyman) McAllister et A. Rutherf. | ♄ ≹ IX-X ☠ ∧; Eur.: Gr; TR, Cauc., nat. in Sp., F, I, NW-Afr., Egypt
  - var. *hibernica* (hort. ex Kirchn.) Jaeger = Hedera hibernica
– **hibernica** (Kirchn.) Bean · Irischer Efeu · Atlantic Ivy, Irish Ivy · Lierre d'Irlande | ♄ ≹ IX-X; SW-IRL
– *himalaica* Tobler = Hedera nepalensis
– *japonica* Paul = Hedera rhombea
– **nepalensis** K. Koch · Himalayan Ivy | ♄ ≹ ∧; Him.
– **pastuchovii** Woron. | ♄ ≹ ∧; Iran, W-Cauc.
– **rhombea** (Miq.) Bean · Japanese Ivy | ♄ ≹ ∧; Jap., Riukiu-Is.

Hedychium J. Konig -n- *Zingiberaceae*
– *angustifolium* Roxb. = Hedychium coccineum var. angustifolium
– *aurantiacum* Wall. ex Roscoe = Hedychium coccineum var. aurantiacum
– *carneum* Roscoe = Hedychium coccineum
– **chrysoleucum** Hook. f. | ♃ Ⓦ D VIII; Ind.
– **coccineum** Buch.-Ham. · Scarlet Ginger Lily ; Him.
  - var. **angustifolium** Roxb.
  - var. **aurantiacum** Roxb.
  - var. *carneum* (Roscoe) Baker = Hedychium coccineum var. aurantiacum
– **coronarium** J. König · Butterfly Lily, White Ginger Lily | ♃ Ⓦ D IV-V; Him., Ind., Sri Lanka, Malay. Arch.
  - var. *chrysoleucum* (Hook. f.) Baker = Hedychium chrysoleucum
  - var. **maximum** Roscoe | ♃ Ⓦ D IV-V; Ind.
– **flavum** Roxb. | ♃ Ⓦ IV-V; Him.
– **gardnerianum** Ker-Gawl. · Kahila Ginger Lily | ♃ Ⓦ Ⓚ D VIII-IX; Nepal, Sikkim, E-Him.
– *maximum* Roscoe = Hedychium coronarium var. maximum
– **speciosum** Wall. | ♃ Ⓦ D VIII; Him.
– **spicatum** Buch.-Ham. · Ginger Lily | ♃ Ⓦ X; Him.

Hedyotis L. -f- *Rubiaceae*
– *caerulea* (L.) Hook. f. = Houstonia caerulea
– *caerulea* Fosberg = Houstonia serpyllifolia
– *serpyllifolia* (Michx.) Torr. et A. Gray = Houstonia serpyllifolia

Hedysarum L. -n- *Fabaceae* · Süßklee
– *caucasicum* M. Bieb. = Hedysarum hedysaroides
– **coronarium** L. · French Honeysuckle | ⊙ ♃ V-VII Ⓝ; Eur.: Ib, Ap, nat. in Fr, Ba
– **hedysaroides** (L.) Schinz et Thell. · Alpen-Süßklee · Alpine Sainfoin | ♃ △ VII-VIII; Eur.: Fr, C-Eur., EC-Eur., Ba, E-Eur., Ap; TR, Cauc.; mts.; W-Sib., E-Sib., Amur, Sachal., Kamchat., C-As., China, Alaska
– **multijugum** Maxim. · Mongolischer Süßklee | ♄ VI-IX; Mong.
– *obscurum* L. = Hedysarum hedysaroides
– *onobrychis* L. = Onobrychis viciifolia
– *striatum* Thunb. ex Murray = Lespedeza striata

Hedyscepe H. Wendl. et Drude -f- *Arecaceae*
– **canterburyana** (C. Moore et F. Muell.) H. Wendl. et Drude | ♄ Ⓦ Ⓚ; Lord Howe Is.

Heeria Schltdl. -f- *Melastomataceae*
– *elegans* Schltdl. = Heterocentron elegans
– *rosea* (A. Braun et Bouché) Triana = Heterocentron macrostachyum

Heimerliodendron = Pisonia L.
– *brunonianum* (Endl.) Skottsb. = Pisonia umbellifera

Helcia Lindl. -f- *Orchidaceae*
– **sanguinolenta** Lindl. | ♃ Ⓚ I-II ✻; Col.,

Ecuad.

Helenium L. -f- *Asteraceae* · Sonnenbraut
– **autumnale** L. · Gewöhnliche Sonnenbraut · Common Sneezeweed, Sneezeweed | ♃ ✂ VIII-IX; Can., USA*
– **bigelovii** A. Gray · Bigelows Sonnenbraut · Bigelow's Sneezeweed | ♃ VI-VII; USA: Oreg., Calif.
– **bolanderi** A. Gray | ♃ VI-VIII; NE-Calif.
– **flexuosum** Raf. · Purpur-Sonnenbraut · Purple Head Sneezeweed | ♃ VII-X; USA: SE, SC, Ky., Mo., Kans.
– *grandiflorum* Nutt. = Helenium autumnale
– **hoopesii** A. Gray · Hoopes Sonnenbraut · Orange Sneezeweed · Hélénium de Hoopes | ♃ V-VI; USA: Rocky Mts., Oreg., Calif., SW
– *nudiflorum* Nutt. = Helenium flexuosum

Heliabravoa Backeb. -f- *Cactaceae*
– **chende** (Rol.-Goss.) Backeb. | ♄ Ψ ⓚ ❄; S-Mex.

Heliamphora Benth. -f- *Sarraceniaceae*
– **heterodoxa** Steyerm. | ♃ ⓦ; Venez.
– **minor** Gleason | ♃ ⓦ; Venez.
– **nutans** Benth. | ♃ ⓦ; Guyana (Mt. Roraima)

Helianthella Torr. et A. Gray -f- *Asteraceae*
– **quinquenervis** (Hook.) A. Gray · Nodding Dwarf Sunflower | ♃ VI-IX; USA: NW, Rocky Mts., NC, SW

Helianthemum Mill. -n- *Cistaceae* · Sonnenröschen
– *alpestre* (Jacq.) DC. = Helianthemum oelandicum subsp. alpestre
– **apenninum** (L.) Mill. · Apeninnen-Sonnenröschen · Hélianthème blanc | ⊙ ♃ △ V-VII ▽; Eur.: Ib, Fr, Ap, Ba, BrI, C-Eur.
  - var. **roseum** (Jacq.) C.K. Schneid.; NW-I
– **canum** (L.) Baumg. · Graues Sonnenröschen | ⊙ ♄ △ V-VII ▽; Eur.*, TR, Cauc., Maroc., Alger.
– *chamaecistus* Mill. = Helianthemum nummularium
– *fumana* (L.) Mill. = Fumana procumbens
– *italicum* (L.) Pers. = Helianthemum oelandicum subsp. italicum
  - subsp. *alpestre* (Jacq.) Breistr. = Helianthemum oelandicum subsp. alpestre
  - subsp. *rupifragum* (A. Kern.) Berger = Helianthemum oelandicum subsp. rupifragum
– *lasianthum* (Lam.) Pers. = Halimium lasianthum
– **lunulatum** (All.) DC. · Hélianthème à lunules | ♄ △ VI-VII ∧; Eur.: I (Alpes Maritimes)
– **macedonicum** hort.
– **nummularium** (L.) Mill. non Grosser · Gewöhnliches Sonnenröschen, Zweifarbiges Sonnenröschen · Rock Rose · Hélianthème nummulaire | ⊙ ♄ △ X-VI; Eur.*, Cauc., TR, Syr.
  - subsp. **glabrum** (W.D.J. Koch) Wilczek · Kahles Sonnenröschen | ⊙ VI-IX; Eur.: Alp., Apenn., Carp., Balkan, Cauc.
  - subsp. **grandiflorum** (Scop.) Schinz et Thell. · Großblütiges Sonnenröschen | ⊙ VI-IX; Eur., mts.
  - subsp. **obscurum** (Celak.) Holub · Ovalblättriges Sonnenröschen | ⊙ V-IX
– **oelandicum** (L.) DC. | ♄ △ V-VI ∧; Eur.: Ib, Fr, Ap, Ba, Sc(Öland), EC-Eur., E-Eur. ; TR, Cauc., Maroc., Alger.
  - subsp. **alpestre** (Jacq.) Breistr. · Alpen-Sonnenröschen | ⊙ VI-VIII; Eur.: Pyr., Alp., Apenn., Carp., Balkan; TR (Bithyn. Olymp)
  - subsp. **italicum** (L.) Font Quer et Rothm. · Italienisches Sonnenröschen ; Eur.: Sp., F, I, Croatia, Montenegro
  - subsp. **rupifragum** (A. Kern.) Breistr.
– *polifolium* Mill. = Helianthemum apenninum
– *procumbens* Dunal = Fumana procumbens
– *rhodantum* Dunal = Helianthemum apenninum var. roseum
– *rupifragum* A. Kern. = Helianthemum oelandicum subsp. rupifragum
– **salicifolium** (L.) Mill. · Weidenblättriges Sonnenröschen | IV-V; Eur.: Ib, Fr, CH, Ap, Ba, RO, Krim; TR, Levante, Arab., Cauc., Iran, N-Afr.
– **scardicum** hort.
– **tomentosum** (Scop.) Gray · Filziges Sonnenröschen ; Eur.: Pyr., S-Alp., Apenn., Carp., Balkan, TR, Cauc., Atlas
– *umbellatum* (L.) Mill. = Halimium umbellatum
– *vulgare* Gaertn. = Helianthemum

nummularium

Helianthocereus = Trichocereus (A. Berger) Riccob.
- *hyalacanthus* (Speg.) Backeb. = Acanthocalycium hyalacanthum
- *pasacana* (F.A.C. Weber) Backeb. = Trichocereus pasacana

Helianthus L. -m- *Asteraceae* · Sonnenblume
- **angustifolius** L. · Native Sunflower | ⊙ ♃ VIII-X; USA: NE, NCE, SE, SC
- **annuus** L. · Gewöhnliche Sonnenblume · Common Sunflower, Sunflower | ⊙ X Ⓝ; USA: NCE, NC, Rocky Mts., NW, Calif.; N-Mex., nat. in Eur.
- **argophyllus** Torr. et A. Gray | ⊙ VIII-X; Tex.
- **atrorubens** L. · Purple Disk Sunflower · Soleil vivace | ♃ VII-X; USA: SE, Fla., Va
- *cucumerifolius* Torr. et A. Gray = Helianthus debilis subsp. cucumerifolius
- **debilis** Nutt.; USA: SE, Fla., Tex.
  - subsp. **cucumerifolius** (Torr. et A. Gray) Heiser | ⊙ VII-IX; USA: SE, Fla., Tex.
- **decapetalus** L. · Stauden-Sonnenblume · Thin Leaved Sunflower | ♃ VII-X; Can.: E; USA: NE, NCE, NC, SE
  - var. *multiflorus* (L.) hort. = Helianthus × multiflorus
- *doronicoides* auct. = Helianthus tuberosus
- × **doronicoides** Lam. (*H. giganteus* × *H. mollis*)
- **giganteus** L. · Giant Sunflower | ♃ VIII-X; Can.; USA: NE, NCE, NC, Fla.
- × **laetiflorus** Pers. (*H. pauciflorus* × *H. tuberosus*) · Schönblumige Sonnenblume · Showy Sunflower | ♃ X-IX; Alaska, Can., USA* exc. Calif., nat. in F, D, DK, H, Russ.
- **microcephalus** Torr. et A. Gray | ♃ VIII-IX; USA: NE, NCE, SE, Fla.
- **mollis** Lam. | ♃ VII-IX; USA: NCE, SE, SC
- × **multiflorus** L. (*H. annuus* × *H. decapetalus*) | ♃ ✂ VII-VIII; cult.
- *orgyalis* DC. = Helianthus salicifolius
- **pauciflorus** Nutt. · Pauciflorus | ♃ VII-IX; Can.: Ont.; USA: NCE, NC, Rocky Mts., SC, SE, SW
- *rigidus* Rydb. = Helianthus pauciflorus
- **salicifolius** A. Dietr. · Sunflower · Soleil à feuilles de saule | ♃ IX-X; USA: NC, Mo., SC, Colo., Ark.
- *scaberrimus* Elliott non Benth. = Helianthus × laetiflorus
- *sparsifolius* Elliott = Helianthus atrorubens
- **strumosus** L. · Pale Leaved Sunflower ; Can.: W; USA: NE, NCE, NC, SC, SE
  - var. **willdenowianus** Thell. · Helianthi, Salsifis | ♃
- **tuberosus** L. · Erdbirne, Topinambur · Jerusalem Artichoke | ♃ X Ⓝ; Can.: Man.; USA: NE, NCE, Rocky Mts., nat. in Eur.* exc. BrI, Sc

Helichrysum Mill. -n- *Asteraceae* · Strohblume
- **apiculatum** (Labill.) DC. | ♄ Ⓚ ✂; Austr.: N.S.Wales, Victoria, S-Austr.
- **arenarium** (L.) Moench · Sand-Strohblume · Yellow Everlasting Daisy | ♃ ♄ ⁓→ Off. VII-IX ▽; Eur.: Sc, Fr, C-Eur., EC-Eur., Ba, E-Eur.; Tr, Cauc. N-Iran, W-Sib., C-As., Mong.
- **bellidioides** (G. Forst.) Willd. | ♃ Ⓚ ⁓→; NZ
- **bracteatum** (Vent.) Andrews · Garten-Strohblume · Paper Daisy, Straw Daisy | ⊙ ⊙ ♃ ✂ VII-IX; Austr., nat. in Sp.
  - **'Monstrosum'** | ⊙ ⊙ ♃ ✂ VII-IX
  - var. *compositum* G. Nicholson = Helichrysum bracteatum 'Monstrosum'
- *cassinianum* Gaudich. = Schoenia cassiniana
- **chionophilum** Boiss. et Balansa | ♄ ♃; TR, Iraq, Iran
- *chionophyllum* hort. = Helichrysum chionophilum
- **coralloides** (Hook. f.) Benth. et Hook. f. | ♄
- **cordatum** DC. | ♄ Ⓚ ✂; W-Austr.
- **frigidum** (Labill.) Willd. | ♃ Ⓚ ⌓ V-VII; Corse, Sard.
- **graveolens** (M. Bieb.) Sweet | ♄; Krim
- **harveyanum** Wild | ♃ Ⓚ ✂; S-Afr.
- **italicum** (Roth) D. Don | ♄; Eur.: Ib, F, Ap, Ba
  - subsp. **microphyllum** (Willd.) Nyman | ♄
  - subsp. **serotinum** (Boiss.) P. Fourn. | ♄; SW-Eur.
- *lanatum* DC. = Helichrysum thianschanicum
- *leontopodium* Hook. f. = Leucogenes

leontopodium
- *marginatum* hort. = Helichrysum milfordiae
- **milfordiae** Killick | ♃ Ⓐ ⌓ △ VI-VIII /\; S-Afr., Lesotho
- **niveum** Boiss. et Heldr. | ♃ VII; TR
- **orientale** (L.) Gaertn. | ♃ ♄ Ⓚ VIII-IX /\; Eur.: GR, Crete; TR, nat. in RO
- **plicatum** (Fisch. et C.A. Mey.) DC. | ♃ ⇝ VII-VIII; Eur.: Maced., AL, GR
- **plumeum** Allan | ♄; NZ
- *ramosissimum* Hook. = Helichrysum apiculatum
- *rosmarinifolium* (Labill.) Steud. ex Benth. = Ozothamnus rosmarinifolius
- *scutellifolium* Benth. = Ozothamnus scutellifolius
- *selaginoides* (Sond. et F. Muell.) F. Muell. ex Benth. = Ozothamnus selaginoides
- *selago* (Hook. f.) Benth. et Hook. f. ex Kirk = Ozothamnus selago
- *serotinum* Boiss. = Helichrysum italicum subsp. serotinum
- *sesamoides* (L.) Thunb. = Edmondia sesamoides
- **sessile** DC. | ♄; S-Afr.
- **sibthorpii** Rouy | ♃ Ⓚ VI-VII; GR (Athos)
- *siculum* (Spreng.) Boiss. = Helichrysum stoechas subsp. barrelieri
- **splendidum** (Thunb.) Less. | ♄; E-Afr., S-Afr.
- **stoechas** (L.) Moench · Goldilocks | ♄ Ⓚ ✂; Eur.: Ib, Fr, Ap, Ba; TR, Cyprus, Lebanon, NW-Afr., Libya
  - subsp. **barrelieri** (Ten.) Nyman
- **subulifolium** F. Muell.
- *subulifolium* Harv. = Helichrysum harveyanum
- **thianschanicum** Regel · Immortelle du Tian-Shan | ♃ ⇝ VII-VIII; C-As.
- *virgineum* (Sibth. et Sm.) Griseb. non DC. = Helichrysum sibthorpii

Helicia Lour. -f- *Proteaceae*
- **praealta** F. Muell. | ♄ Ⓚ ✂; Austr.

Helicodiceros Schott ex K. Koch -m- *Araceae*
- *muscivorus* (L. f.) Engl. = Dracunculus muscivorus

Heliconia L. -f- *Heliconiaceae*
- **angusta** Vell. | ♃ Ⓦ; Bras.
- *angustifolia* Hook. = Heliconia angusta
- **aurantiaca** Ghiesbr. | ♃ Ⓦ ✂ XII-I; Guat.
- *bicolor* Benth. = Heliconia angusta
- **bihai** (L.) L. · Balisier | ♃ Ⓦ; W.Ind.
- **caribaea** Lam. | ♃ Ⓦ ✂; W.Ind.
- *choconiana* S. Watson = Heliconia aurantiaca
- **illustris** Ball ex Mast. | ♃ Ⓦ; Ind., Java, Fiji
- **latispatha** Benth. | ♃ Ⓦ ✂; S-Mex., C-Am.
- **metallica** Planch. et Linden | ♃ Ⓦ I-XII; Panama, trop. S-Am.
- **psittacorum** L. f. · Parrot's Plantain | ♃ Ⓦ ✂; W.Ind., Guyana, Bras., Parag.
- **rostrata** Ruiz et Pav. · Beaked Heliconia | ♃ Ⓦ ✂; trop. S-Am.
- **stricta** Huber | ♃ Ⓦ; trop. S-Am.
- *variegata* Loes. = Heliconia zebrina
- **wagneriana** Petersen · Wild Plantain | ♃ Ⓦ ✂; Costa Rica, Panama
- **zebrina** Plowman, Kress et H.A. Kenn. | ♃ Ⓦ; Peru

Helictotrichon Besser -n- *Poaceae* · Wiesenhafer
- **adsurgens** (Schur ex Simonk.) Conert · Aufsteigender Wiesenhafer | ♃ VI-VII; Eur.: A +
- **desertorum** (Less.) Nevski ex Krasch. · Steppen-Staudenhafer, Steppenhafer | ♃ V-VII; Eur.: A, CZ, Russ.; W-Sib., E-Sib., C-As., Mong.
- **parlatorei** (J. Woods) Pilg. · Parlatores Wiesenhafer | ♃ VII-VIII; Eur.: F, I, D, A, Slove.; Alp.
- **petzense** H. Melzer · Petzen-Wiesenhafer | ♃ VII; Eur.: A, Slove.; SE-Alp. (Karawanken)
- **planiculme** (Schrad.) Pilg. | ♃ VIII-IX; Eur.: Ec-Eur., Ba, E-Eur.; NE-TR
- **praeustum** (Rchb.) Tzvelev · Alpen-Wiesenhafer | ♃ VI-VIII; Eur.: I, A, EC-Eur., Ba, ? RO, W-Russ.
- **pratense** (L.) Besser · Echter Wiesenhafer, Gewöhnlicher Wiesenhafer | ♃ V-VII; Eur.* , Cauc.
- **pubescens** (Huds.) Pilg. · Flaumhafer, Flaumiger Wiesenhafer · Downy Oat | ♃ V-VII Ⓝ; Eur.*, TR, Cauc., W-Sib., E-Sib., C-As.
- **sempervirens** (Vill.) Pilg. · Oat Grass · Avoine toujours verte | ♃ V-VI; Eur.: F, I; SW-Alp.

– **versicolor** (Vill.) Pilg. · Bunter Wiesenhafer | ♃ VII-VIII; Eur.: Sp., Fr, Ap, C-Eur., EC-Eur., Ba, RO, W-Russ.; mts.

Heliocereus (A. Berger) Britton et Rose -m- *Cactaceae*
– **cinnabarinus** (Eichlam) Britton et Rose | ♆ Ⓚ ✻; Guat.
– **coccineus** Britton et Rose | ♆ Ⓚ ✻; C-Mex.
– *elegantissimus* Britton et Rose = Heliocereus coccineus
– **schrankii** (Zucc.) Britton et Rose | ♆ Ⓚ ✻; Mex.
– **speciosus** (Cav.) Britton et Rose · Sun Cactus | ♆ Ⓚ ✻; Mex., Guat.
  - var. *elegantissimus* (Britton et Rose) Backeb. = Heliocereus coccineus

Heliophila Burm.f. ex L. -f- *Brassicaceae*
– *africana* (L.) Marais = Heliophila integrifolia
– **integrifolia** L. | ⊙ VII-IX; Kap
– **longifolia** DC. | ⊙ VII-IX; S-Afr.
– *pilosa* Lam. = Heliophila integrifolia

Heliopsis Pers. -f- *Asteraceae* · Sonnenauge
– **helianthoides** (L.) Sweet · Sonnenauge · Ox Eye ; Can.: Ont.; USA: NE, NCE, SE
  - var. **scabra** (Dunal) Fernald · Garten-Sonnenauge | ♃ ✂ VI-IX; Can.; USA: NE, NCE, NC, Rocky Mts., SW, SC, SE

Heliosperma = Silene L.
– *alpestre* (Jacq.) Rchb. = Silene alpestris
– *quadridentata* auct. non (Murray) Schinz et Thell. = Silene pusilla
– *quadrifidum* auct. non (L.) Rchb. = Silene pusilla

Heliotropium L. -n- *Boraginaceae* · Heliotrop
– **arborescens** L. · Cherry Pie, Heliotrope | ♄ Ⓚ D V-IX; Peru
– *corymbosum* Ruiz et Pav. = Heliotropium arborescens
– **europaeum** L. · Europäische Sonnenwende | VII-IX; Eur.* exc. BrI, Sc; TR, Cyprus, Palaest., Cauc., N-Iran, N-Afr.
– *peruvianum* L. = Heliotropium arborescens

Helipterum DC. ex Lindl. -n- *Asteraceae* · Sonnenflügel
– **canescens** (L.) DC. | ♄ Ⓚ ✂; Kap
– **corymbiflorum** Schltdl. | ⊙ VII-VIII; Austr.
– **eximium** (L.) DC. | ♄ Ⓚ ✂; Kap
– **humboldtianum** (Gaudich.) DC. | ⊙ VII-VIII; W-Austr.
– *manglesii* (Lindl.) F. Muell. = Rhodanthe manglesii
– *roseum* (Hook.) Benth. = Acroclinium roseum
– *sandfordii* Hook. = Helipterum humboldtianum

Helleborus L. -m- *Ranunculaceae* · Nieswurz
– *abchasicus* A. Braun = Helleborus orientalis subsp. abchasicus
– *antiquorum* A. Braun = Helleborus orientalis
– **argutifolius** Viv. · Korsische Nieswurz · Hellébore livide de Corse | ♃ III-IV ▽ ☠; Corse, Sard.
– *atrorubens* hort. = Helleborus orientalis subsp. abchasicus 'Early Purple Grp.'
– **atrorubens** Waldst. et Kit. | ♃ IV-V ☠; Eur.: Slove., Bosn., YU
– *bocconei* Ten. = Helleborus multifidus subsp. bocconei
– *caucasicus* A. Braun = Helleborus orientalis
– *colchicus* Regel = Helleborus orientalis subsp. abchasicus
– *corsicus* Willd. nom. nud. = Helleborus argutifolius
  - subsp. *lividus* (Aiton) Schiffn. = Helleborus lividus
– **cyclophyllus** (A. Braun) Boiss. | ♃ D IV-V ▽ ☠; Eur.: Ba
– **dumetorum** Waldst. et Kit. · Hecken-Nieswurz | ♃ III-V ▽ ☠; Eur.: A, H, PL, Slove., Croatia, RO
  - subsp. *atrorubens* (Waldst. et Kit.) Merxm. et Podlech = Helleborus atrorubens
– **foetidus** L. · Stinkende Nieswurz · Stinking Hellebore · Hellébore fétide, Pied-de-griffon | ♃ ♄ III-IV ▽ ☠; Eur.: Ib, Fr, Ap, C-Eur., BrI
– *guttatus* A. Braun et Sauer = Helleborus orientalis subsp. guttatus
– *kochii* Schiffn. = Helleborus orientalis
– **lividus** Aiton · Corsican Hellebore | ♃ Ⓚ III-IV ▽ ☠ ∧; Balear.

- subsp. *corsicus* (Briq.) Tutin = Helleborus argutifolius
– **multifidus** Vis. | ♃ III-V ▽ ☠
  - subsp. **bocconei** (Ten.) B. Mathew; Eur.: I, Sic.
  - subsp. **hercegovinus** (Martins) B. Mathew
  - subsp. **istriacus** (Schiffn.) Merxm.; Eur.: ?Slove., Croatia, Bosn., Montenegro
  - subsp. *serbicus* (Adamovic) Merxm. et Podlech = Helleborus torquatus
– **niger** L. · Christrose, Schwarze Nieswurz · Christmas Rose · Hellébore noire, Rose de Noël | ♃ ✂ XII-III ▽ ☠; Eur.: C-Eur., I, Slove., Croatia, nat. in F, CZ
  - subsp. **macranthus** (Freyn) Schiffn. | ♃ XII-III ▽ ☠; Eur.: I, Slove., Croatia
– × **nigercors** J.T. Wall (*H. argutifolius* × *H. niger*)
– **odorus** Waldst. et Kit. · Duftende Nieswurz · Fragrant Hellebore | ♃ D II-III ▽ ☠; Eur.: I, H, Slove., Bosn., YU, Maced., AL, RO
  - subsp. *laxus* (Host) Merxm. et Podlech = Helleborus multifidus subsp. istriacus
– *olympicus* Lindl. = Helleborus orientalis
– **orientalis** Lam. · Orientalische Nieswurz · Lenten Rose · Hellébore d'Orient | ♃ II-IV ▽ ☠; Eur.: GR; TR, Cauc.
  - subsp. **abchasicus** (A. Braun) B. Mathew
  - subsp. **abchasicusEarly Purple Grp.**
  - subsp. **guttatus** (A. Braun et Sauer) B. Mathew
– **purpurascens** Waldst. et Kit. | ♃ III-IV ▽ ☠; Eur.: H, Slova., Bosn., Montenegro, RO, W-Russ., nat. in I
– × **sternii** Turrill (*H. argutifolius* × *H. lividus*) | ♃
– **torquatus** Archer-Hind; Eur.: Serb.
– **viridis** L. · Grüne Nieswurz · Green Hellebore | ♃ III-IV; Eur.: Fr, C-Eur., PL
  - subsp. **occidentalis** (Reut.) Schiffn. | ♃ II-III ▽ ☠; Eur.: Sp., Fr, D, CH, BrI

Helminthia = Picris L.
– *echioides* (L.) Juss. = Picris echioides

Helminthotheca Zinn -f- *Asteraceae*
– *echioides* (L.) Holub = Picris echioides

Helonias L. -f- *Melanthiaceae*
– **bullata** L. · Stud Flower, Swamp Pink | ♃ ~ V-VI; USA: NE, SE
– *dioica* Pursh = Chamaelirium luteum

Heloniopsis A. Gray -f- *Melanthiaceae*
– *breviscapa* Maxim. = Heloniopsis orientalis var. breviscapa
– *japonica* Maxim. = Heloniopsis orientalis
– **orientalis** (Thunb.) Tanaka · Heloniopsis ; Jap., Korea, Sachal.
  - var. **breviscapa** (Maxim.) Ohwi | ♃ IV ∧; Jap.

Helwingia Willd. -f- *Cornaceae*
– **japonica** (Thunb.) F. Dietr. · Japanische Helwingie | ♄ VI; Jap., Riukiu-Is.

Helxine = Soleirolia Gaudich.
– *soleirolii* Req. = Soleirolia soleirolii

Hemerocallis L. -f- *Hemerocallidaceae* · Taglilie
– **altissima** Stout · Hohe Taglilie | ♃ VII-IX; China (Nanking)
– **aurantiaca** Baker | ♃ VII-VIII; China
– **citrina** Baroni · Zitronen-Taglilie · Lis d'un jour | ♃ D VII-VIII; China: Schensi
– *crocea* Lam. = Hemerocallis fulva
– **dumortieri** C. Morren | ♃ V-VI; Jap., Korea, Manch., E-Sib.
– **esculenta** Koidz. | ♃ V-VI; Jap., Sachal.
– *flava* L. = Hemerocallis lilioasphodelus
– **forrestii** Diels | ♃ Ⓚ VI; Yunnan
– **fulva** (L.) L. · Bahnwärter-Taglilie, Braunrote Taglilie · Orange Daylily | ♃ VII; ? Jap., nat. in Eur., e N-Am.
  - *'Europa'* = Hemerocallis fulva
– *graminea* Andrews = Hemerocallis minor
  - var. *humilior* Maxim. = Hemerocallis dumortieri
– *graminifolia* Schltdl. = Hemerocallis minor
– **lilioasphodelus** L. · Gelbe Taglilie · Lemon Daylily · Hémérocalle jaune | ♃ D VI; I, Slove.; SE-Alp., nat. in Eur., W-Sib., E-Sib., Amur, China
– *lutea* L. = Hemerocallis lilioasphodelus
– **middendorffii** Trautv. et C.A. Mey. · MiddendorffsTaglilie · Hémérocalle de Middendorff | ♃ V-IX; Amur, N-China, Manch., Korea, Jap., Sachal.
– **minor** Mill. · Kleine Taglilie · Hémérocalle naine | ♃ V-VI; E-Sib., Mong., N-China, Korea
– **multiflora** Stout · Vielblütige Taglilie | ♃ V-VI; China: Hunan
– **nana** W.W. Sm. et Forrest · Zwerg-

Taglilie | ♃ Ⓚ D; W-Yunnan
– *serotina* Focke = Hemerocallis thunbergii
– *sieboldii* Paxton = Hosta sieboldii
– **thunbergii** Baker · Thunbergs Taglilie · Hémérocalle de Thunberg | ♃ D VII-VIII; Korea, N-China

Hemigraphis Nees -f- *Acanthaceae*
– **alternata** (Burm. f.) T. Anderson · Red Ivy | ♃ Ⓦ ≀; orig. ?, nat. in Malay. Arch., Phil.
– *colorata* (Blume) Hallier f. = Hemigraphis alternata
– **repanda** (L.) Hallier f. | ♃ Ⓦ ≀; ? Malay. Pen.

Hemionitis L. -f- *Adiantaceae*
– **arifolia** (Burm.) T. Moore | ♃ Ⓦ; Ind., Sri Lanka, Malay. Pen., Phil.
– *cordata* Hook. et Grev. = Hemionitis arifolia
– *japonica* Thunb. = Coniogramme japonica
– **palmata** L. | ♃ Ⓦ; W.Ind., trop. S-Am.

Hemipappus = Tanacetum L.
– *canus* K. Koch = Tanacetum argenteum

Hemiptelea Planch. -f- *Ulmaceae*
– **davidii** (Hance) Planch. · Dornulme | ♄; Manch., N-China.

Hepatica Mill. -f- *Ranunculaceae* · Leberblümchen
– **acutiloba** DC. | ♃ III-IV; USA: NE, NCE, SE
– *angulosa* auct. non Lam. = Hepatica transsylvanica
– × *ballardii* hort. = Hepatica × media 'Ballardii'
– × **media** Gürke (*H. nobilis* × *H. transsylvanica*)
  - **'Ballardii'**
– **nobilis** Garsault · Gewöhnliches Leberblümchen | ♃ III-IV ▽; Eur.* exc. BrI; Amur, Manch., Korea, Jap.
  - var. **japonica** Nakai
– **transsylvanica** Fuss · Siebenbürger Leberblümchen · Hépatique de Transsylvanie | ♃ II-IV; RO: Transsylvania
– *triloba* Chaix = Hepatica nobilis

Heptacodium Rehder -n- *Caprifoliaceae*
– **jasminoides** Airy Shaw · Heptacodium | ♄ ♄ D VIII-IX ∧; China: Sinkiang

Heptapleurum = Schefflera J.R. Forst. et G. Forst.
– *arboricola* Hayata = Schefflera arboricola

Heracleum L. -n- *Apiaceae* · Bärenklau, Herkuleskraut
– **austriacum** L. · Österreichischer Bärenklau | ♃ VII-VIII; Eur.: I, C-Eur., Slove.; E-Alp.
– *giganteum* auct. = Heracleum stevenii
– *laciniatum* auct. = Heracleum stevenii
– **lanatum** Michx. · Cow Parsnip, Masterwort | ♃ VI-VII; W-Sib., E-Sib., Amur, Sachal., Kamchat., N-China, Korea, Jap., Alaska, Can., USA* exc. SW, Fla.
– **mantegazzianum** Sommier et Levier · Herkulesstaude, Riesen-Bärenklau · Giant Hogweed · Berce géante du Caucase | ⊙ ♃ VII ☠; Cauc., nat. in Eur.* exc. Ib.Ba
– *maximum* W. Bartram = Heracleum lanatum
– **pubescens** (Hoffm.) M. Bieb. | ⊙ ♃ VII; TR
– **sphondylium** L. · Wiesen-Bärenklau · Hogweed | ⊙ ♃ VI-X Ⓝ; Eur.*, TR, Cauc., W-Sib., Maroc., Alger.
– **stevenii** Manden. · Laciniate Hogweed · Berce de Steven | ⊙ ♃ VII; Cauc.
– *villosum* auct. = Heracleum stevenii

Herbertia Sweet -f- *Iridaceae*
– **pulchella** Sweet | ♃ Ⓚ VII-IX; S-Bras., S-Chile

Hereroa (Schwantes) Dinter et Schwantes -f- *Aizoaceae*
– **hesperanthera** (Dinter) Dinter et Schwantes | ♃ Ψ Ⓚ; Namibia
– *karasbergensis* (L. Bolus) Friedr. = Hereroa hesperanthera
– **nelii** Schwantes | ♃ Ψ Ⓚ; Kap
– **puttkameriana** (A. Berger et Dinter) Dinter et Schwantes | ♃ Ⓚ; Namibia

Hermannia L. -f- *Sterculiaceae*
– **incana** Cav. | ♃ Ⓚ IV-VII; S-Afr.
– **verticillata** (L.) Schum. | ♄ Ⓚ D II-V; S-Afr.

Herminium L. -n- *Orchidaceae*
– **monorchis** (L.) R. Br. · Einknolle,

Gewöhnliche Honigorchis | ♃ VI-VII; Eur.* exc. Ib; W-Sib., E-Sib., Amur, C-As., Him., Tibet, Mong., China, Korea, Jap.

Hermodactylus Mill. -m- *Iridaceae* · Wolfsschwertel
– **tuberosus** (L.) Mill. · Widow Iris | ♃ ⓚ II-V ∧; Eur.: F, Ap, Ba; Lebanon, Palaest., nat. in BrI

Herniaria L. -f- *Illecebraceae* · Bruchkraut
– *alpestris* Lam. = Herniaria alpina
– **alpina** Vill. · Alpen-Bruchkraut | ♃ VII-VIII; Eur.: F, I, CH, A, ? Sp.; Pyr., Alp.
– **glabra** L. · Kahles Bruchkraut · Glabrous Rupturewort | ⊙ ⊙ ♃ ⇝ Off. X-IX; Eur.*, TR, Syr., Palaest., Cauc., N-Iran, W-Sib., NW-Afr., Libya
– **hirsuta** L. · Behaartes Bruchkraut · Hairy Rupturewort | ⊙ ⊙ ♃ ⇝ Off. VII-IX; Eur.* exc. BrI, Sc; TR, N-Afr.
– **incana** Lam. · Graues Bruchkraut | ♃ X-VII; Eur.* exc. BrI, Sc; TR, Syr., Cauc., Iran, Afgh., Pakist., C-As., Alger.

Herpestis Gaertn. -f- *Scrophulariaceae*
– *amplexicaulis* (Pursh) Wettst. = Bacopa caroliniana
– *monnieria* Humb., Bonpl. et Kunth = Bacopa monnieri

Hertia = Othonna L.
– *cheirifolia* (Benth. et Hook. f.) Kuntze = Othonna cheirifolia

Hertrichocereus = Stenocereus (A. Berger) Riccob.
– *beneckei* (C. Ehrenb.) Backeb. = Stenocereus beneckei

Hesperaloe Engelm. -f- *Agavaceae*
– **funifera** (Lem.) Trel. | ♆ ⓚ; N-Mex.
– **parviflora** (Torr.) Coult. · Red Flowered Yucca | ♆ ⓚ; SW-Tex.

Hesperantha Ker Gawl. -f- *Iridaceae*
– **angusta** (Jacq.) Ker-Gawl. | ♃ ⓚ D IV-V; S-Afr.
– **falcata** (L. f.) Ker-Gawl. | ♃ ⓚ D IV; S-Afr.
– **graminifolia** Sweet | ♃ ⓚ D IX-X; S-Afr.
– **inflexa** (F. Delaroche) R.C. Foster
  - var. *stanfordiae* (L. Bolus) R.C. Foster = Hesperantha vaginata
– *stanfordiae* L. Bolus = Hesperantha vaginata
– **vaginata** (Sweet) Goldblatt · Namaqualand Tulip | ♃ ⓚ D IV-V; Kap

Hesperis L. -f- *Brassicaceae* · Nachtviole
– **bicuspidata** (Willd.) Poir. | ♃ V-VI; TR, Lebanon, Syr.
– *candida* Kit. = Hesperis matronalis subsp. candida
– **matronalis** L. · Gewöhnliche Nachtviole · Sweet Rocket · Julienne des dames | ⊙ ♃ V-VI; Eur.* exc. BrI, Sc; TR, Cauc., Iran, W-Sib., C-As., nat. in BrI, Sc
  - subsp. **candida** (Kit.) Hegi et Em. Schmid · Weiße Nachtviole | ♃ ⊙ VI-VII; Eur.: Sp., F, I, A, Slova.; Pyr., Alp., Carp.
– **sylvestris** Crantz · Wald-Nachtviole | ♃ ⊙ VI-VII; Eur.: A, EC-Eur., Ba, E-Eur.
– **tristis** L. · Trübe Nachtviole | ♃ V-VI; Eur.: A, EC-Eur., Ba, E-Eur.; Cauc.
– *violacea* Boiss. = Hesperis bicuspidata

Hesperomecon Greene -n- *Papaveraceae*
– **linearis** (Benth.) Greene | ⊙ VII-VIII; S-Calif.

Heteranthemis Schott -f- *Asteraceae*
– **viscidehirta** Schott | ⊙ ✂ VII-IX; Eur.: S-Sp., S-P; NW-Afr.

Heteranthera Ruiz et Pav. -f- *Pontederiaceae*
– **dubia** (Jacq.) MacMill. · Water Star Grass | ♃ ⓦ ⓚ ♠; Can.: E; USA*; Mex., Cuba, trop. S-Am.
– *graminea* Vahl = Heteranthera dubia
– **limosa** (Sw.) Willd. | ♃ ⓦ ～ ; USA: Ky., NCE, NC, Colo., N.Mex., SE, Fla.; Mex., trop. S-Am.
– **peduncularis** Benth. | ♃ ⓦ ～ ; Mex., S-Am.
– **reniformis** Ruiz et Pav. · Mud Plantain | ♃ ⓦ ～ ; USA: NE, NCE, NC, SE, SC, Fla.; trop. Am., nat. in N-I
– **zosterifolia** Mart. | ♃ ⓦ ♠; Bras.

Heterocentron Hook. et Arn. -n- *Melastomataceae*
– **elegans** (Schltdl.) Kuntze · Spanish Shawl | ♃ ⓚ ⇝ VI-VII; Mex.
– **macrostachyum** Naudin | ♄ ⓦ IX-XII; Mex.

– **subtriplinervium** (Link et Otto) A. Braun et Bouche · Pearlflower | ♄ ⓦ IX-XI; Mex.

Heteromeles = Photinia Lindl.
– **arbutifolia** (Aiton) M. Roem. | ♄ ♄; Calif., Baja Calif.

Heteropogon Pers. -n- *Poaceae*
– **contortus** (L.) P. Beauv. ex Roem. et Schult. · Gedrehtes Bartgras | ♃ VIII-IX; Eur.: Ib, F, Ap, CH, Croatia; Lebanon, Arab., Iraq, Iran, Afgh., Pakist., Ind., Myanmar, China, S-As., Afr., N-Am., S-Am., Austr.

Heteropteris = Doryopteris J. Sm.
– **chrysophylla** Kunth | ♄ ⓦ ≹ III; Bras.

Heterotheca Cass. -f- *Asteraceae*
– **inuloides** Cass. | ♃ ⓚ VII-VIII ∧; Mex.
– **villosa** (Pursh) Shinners · Gold-Auge · Hairy False Golden Aster | ♃ △ VII-X; Can.: W; USA: NW, Calif. Rocky Mts., SW, SC, NC, NCE

Heterotrichum DC. -n- *Melastomataceae*
– **macrodon** Planch. | ♄ ⓦ; Venez.

Heuchera L. -f- *Saxifragaceae*
– **americana** L. · Rock Geranium | ♃ V-VIII; Can.: Ont.; USA: NE, NCE, SE, SC
– × **brizoides** hort. ex Lemoine (*H. americana* × *H. micranta* × *H. sanguinea*)
  - **'Feuerregen'**
  - **'Gracillima'**
  - *'Pluie de Feu'* = Heuchera × brizoides 'Feuerregen'
  - **'Scintillation'**
  - **'Weserlachs'**
  - **'Widar'**
– **cylindrica** Douglas ex Hook. · Heuchera cylindrique | ♃ VI-VII; Can.; W; USA: NW, Rocky Mts., Calif.
– **micrantha** Douglas ex Lindl. · Heuchera à petites fleurs | ♃ VI; B.C., USA: NW, Calif.
– **pubescens** Pursh | ♃ V-VI; USA: NE, N.C.
– **sanguinea** Engelm. · Heuchera sanguin | ♃ V-VII; Ariz., N.Mex.; N-Mex.

× **Heucherella** Wehrh. -f- *Saxifragaceae*
– **alba** (Lemoine) Stearn (*Heuchera* × *brizoides* × *Tiarella wherryi*) | ♃ V-VI; cult.
– **tiarelloides** (Lemoine) Wehrh. ex Stearn (*Heuchera* × *brizoides* × *Tiarella cordifolia*) · Heucherella | ♄ V-VI; cult.

Hevea Aubl. -f- *Euphorbiaceae*
– **benthamiana** Müll. Arg. | ♄ Ⓝ; Bras., Peru, Bol.
– **brasiliensis** (Willd. ex A. Juss.) Müll. Arg. · Para Rubber, Rubber Tree | ♄ ⓦ Ⓝ; Amazon.

Hexacentris = Thunbergia Retz.
– *coccinea* Nees = Thunbergia coccinea
– *mysorensis* Wight = Thunbergia mysorensis

Hexadesmia Brongn. -f- *Orchidaceae*
– **crurigera** Rchb. f. | ♃ ⓦ IV-V ✻; Guat., Costa Rica
– **fasciculata** Brongn. | ♃ ⓦ I-V ✻; Mex.
– **micrantha** Lindl. | ♃ ⓦ IV-V ✻; Guat., Costa Rica

Hexisea Lindl. -f- *Orchidaceae*
– **bidentata** Lindl. | ♃ ⓦ VI ✻; Mex., C-Am., Col., Peru, Venez., Guyan.
– **imbricata** (Lindl.) Rchb. f. | ♃ ⓦ V-VI ✻; Mex., C-Am., Col., Venez.

Heyderia = Calocedrus Kurz
– *decurrens* (Torr.) K. Koch = Calocedrus decurrens

Hibbertia Andrews -f- *Dilleniaceae*
– **dentata** R. Br. | ≹; Austr.: Queensl., N.S.Wales, Victoria
– **lasiopus** Benth. | ♄ ⓚ; Austr.
– **scandens** (Willd.) Dryand. ex Hoogland · Guinea Gold Vine, Snake Vine | ♄ ⓚ ≹ VI-IX; Austr.: Queensl., N.S.Wales
– *volubilis* (Vent.) Andr. = Hibbertia scandens

Hibiscus L. -m- *Malvaceae* · Eibisch
– *abelmoschus* L. = Abelmoschus moschatus
– **acetosella** Welw. ex Hiern | ⊙ ⊙ ♃ VII-VIII; W-Afr.
– **calyphyllus** Cav. | ♄ ♃; trop.Afr., S-Afr., Madag., Mascaren. Is.
– **cannabinus** L. · Indian Hemp | ⊙ ⊙ ♃ VII-VIII Ⓝ; cult. trop. Afr., Ind.
– **diversifolius** Jacq. · Cape Hibiscus | ♃ ♄

Ⓦ; trop. Afr.; Austr.: Queensl., N.S.Wales; Pacific Is.
– *eetveldeanus* De Wild. et T. Durand = Hibiscus acetosella
– *esculentus* L. = Abelmoschus esculentus
– **heterophyllus** Vent. | ♄ Ⓦ; Austr.: Queensl., N.S.Wales
– *huegelii* Endl. = Alyogyne huegelii
– *manihot* L. = Abelmoschus manihot
– **militaris** Cav. | ♃ Ⓚ VII-VIII; USA: NE, NCE, NC, SC, SE, Fla.
– **moscheutos** L. · Rose Mallow, Swamp Rose Mallow · Ketmie des marais | ♃ ~ VIII-X; USA: NE, NCE, SE, Fla.
  - subsp. **palustris** (L.) R.T. Clausen | ♃; e N-Am, (I, F, P)
– **mutabilis** L. · Confederate Rose, Cotton Rose | ♄ ♄ Ⓚ; S-China, Taiwan
  - **'Flore Pleno'** | ♄ ♄; China
– **paramutabilis** L.H. Bailey | ♄ ♄; E-China
– **pedunculatus** L. f. | ♄ ♃; Mozamb., S-Afr.
– *populneus* L. = Thespesia populnea
– **rosa-sinensis** L. · China Hibiscus, Rose of China | ♄ Ⓦ III-X; ? trop. As.
  - **'Cooperi'** L.
  - var. **calleri** L.
– **sabdariffa** L. · Jamaica Sorrel, Roselle | ☉ Ⓚ Off. VII-VIII Ⓝ; ? Angola, nat. in Trop.
  - var. **altissima** Wester | Ⓝ; W-Afr., nat. in Ind., Java, Phil.
– **schizopetalus** (Mast.) Hook. f. · Coral Hibiscus, Japanese Hibiscus | ♄ Ⓦ V-XI; E-Afr.
  - var. **variegata** (Mast.) Hook. f.
– **syriacus** L. · Strauch-Eibisch · Hibiscus · Hibiscus de Syrie | ♄ VIII-IX; S-As., E-As., nat. in S-Eur.
  - *'Albus Plenus'* = Hibiscus syriacus Jeanne d'Arc
  - *'Blue Bird'* = Hibiscus syriacus 'Oiseau Bleu'
  - *'Elegantissimus'* = Hibiscus syriacus 'Lady Stanley'
  - **'Jeanne d'Arc'**
  - **'Lady Stanley'**
  - **'Oiseau Bleu'**
– **tiliaceus** L. · Mahaut | ♄ ♄ Ⓚ Ⓝ; Ind., S-China, Taiwan, Malay. Pen., Jap., Austr., nat. in trop.Am., subtrop. Am., Fla.
– **trionum** L. · Stundenblume · Flower-of-an-hour | ☉ VII-X; Eur.: Ap, EC-Eur., Ba, E-Eur.; TR, Levante, Iran, Egypt, Tun., Alger., nat. in Ib, Fr, C-Eur.

Hicoria = Carya Nutt.
– *pecan* Britten = Carya illinoinensis

Hidalgoa La Llave -f- *Asteraceae*
– **wercklei** Hook. f. | ♃ Ⓚ ≹ VIII-IX; Costa Rica

Hieracium L. -n- *Asteraceae* · Habichtskraut
– *albidum* Vill. = Hieracium intybaceum
– **alpicola** Schleich. ex Steud. et Hochst. · Seidenhaariges Habichtskraut | ♃ VII-VIII; Eur.: Ap, C-Eur., EC-Eur., Ba, RO
– **alpinum** L. · Alpen-Habichtskraut | ♃ △ VII-VIII; Eur.* exc. Ib; W-Sib., Greenl.
– **amplexicaule** L. · Stängelumfassendes Habichtskraut | ♃ VI-VIII; Eur.: Ib, Fr, I, C-Eur., H; NW-Afr.
– **angustifolium** Hoppe · Gletscher-Habichtskraut | ♃ VII-VIII; Eur.: F, I, CH, D, A; Alp.
– **aurantiacum** L. · Orangerotes Habichtskraut · Orange Hawkweed · Epervière dorée | ♃ ⇝ VI-VIII; Eur.* exc. BrI, Ib, nat. in BrI
– **bauhini** Schult. · Ungarisches Habichtskraut | ♃ V-VII; Eur.: Fr, I, C-Eur., EC-Eur., E-Eur.; Cauc., Lebanon, W-Sib., C-As.
– **bifidum** Kit. ex Hornem. · Gabeliges Habichtskraut | ♃ VI-VIII; Eur.*
– **bombycinum** Boiss. et Reut. | ♃ △ V; Eur.: Sp.
– **bornmuelleri** Freyn | ♃ △ VI-VIII; TR
– **bupleuroides** C.C. Gmel. · Hasenohr-Habichtskraut | ♃ VII-VIII; Eur.: F, I, D, A, EC-Eur.
– **caesium** (Fr.) Fr. · Blaugraues Habichtskraut | ♃ VI-VIII; Eur.: Fr, C-Eur., Sc, öM, Slove., E-Eur.
– **caespitosum** Dumort. · Wiesen-Habichtskraut | ♃ V-VIII; Eur.: Fr, C-Eur., Sc, EC-Eur., Ba, E-Eur., nat. in BrI
– **cymosum** L. · Trugdoldiges Habichtskraut | ♃ V-VII; Eur.* exc. BrI, Ib; TR, W-Sib., E-Sib., ? Cauc.
– **dentatum** Hoppe · Gezähntes Habichtskraut | ♃ VII-VIII; Eur.: F, I, Mc, EC-Eur., Slove., Croatia, Bosn., RO, W-Russ.; mts.
– **echioides** Lumn. · Natternkopf-Habichtskraut | ♃ VII-VIII; Eur.: C-Eur., EC-Eur., Ba, E-Eur.; TR, Lebanon, W-

Sib., Iran, Afgh., C-As., Mong., China: Sinkiang
- **floribundum** Wimm. et Grab. · Reichblütiges Habichtskraut | ♃ V-IX; Eur.: Sc, NL, C-Eur., EC-Eur., E-Eur.
- **fuscocinereum** Norrl. · Pfeilblättriges Habichtskraut | ♃ V-VII; Eur.: BrI, Sc, Fr, D, EC-Eur., Russ. +
- *glaciale* Reyn. ex Lachen. = Hieracium angustifolium
- **glaucinum** Jord. · Frühblühendes Habichtskraut | ♃ V-VII; Eur.*
- **glaucum** All. · Blaugrünes Habichtskraut | ♃ VII-IX; Eur.: F, I, C-Eur., H, Slove., Croatia, Bosn.; mts.
- **hoppeanum** Schult. · Hoppes Habichtskraut | ♃ V-VIII; Eur.: Ap, Me, EC-Eur., Ba, Ro, Krim; TR, Syr., Cauc., Iran
- **humile** Jacq. · Niedriges Habichtskraut | ♃ VI-VIII; Eur.: Sp., F, Ap, C-Eur., Slove., Croatia, Bosn., Montenegro
- **intybaceum** All. · Endivien-Habichtskraut | ♃ △ VII-VIII; Eur.: F, C-Eur., I, Slove.; Alp.
- **jurassicum** Griseb. · Jurassisches Habichtskraut | ♃ VII-VIII; Eur.*, TR, Cauc.
- **lachenalii** C.C. Gmel. · Gewöhnliches Habichtskraut | ♃ VI-VIII; Eur.*, W-As. +
- **lactucella** Wallr. · Öhrchen-Habichtskraut | ♃ V-VIII; Eur.* exc. BrI
- **laevigatum** Willd. · Glattes Habichtskraut | ♃ VI-VIII; Eur.*, TR, Cauc., N-As., C-As.
- *lanatum* (L.) Vill. = Hieracium tomentosum
- **lycopifolium** Froel. · Wolfstrappblättriges Habichtskraut | ♃ VIII-IX; Eur.: F, I, CH, D, A; Alp.
- **macranthum** (Ten.) Ten. · Großköpfiges Habichtskraut ; Eur.: D +
- **murorum** L. · Wald-Habichtskraut | ♃ V-VIII; Eur.*, W-As.
- **pannosum** Boiss. | ♃ △ VI-VII; Eur.: Ba; TR, Cauc.; mts.
- **peleterianum** Mérat · Peletiers Habichtskraut | ♃ V-VI; Eur.: Sc, BrI, Fr, Ib, C-Eur., Ap, N-Russ; Maroc.
- **picroides** Vill. · Bitterkrautartiges Habichtskraut | ♃ VIII-IX; Eur.: F, I, CH, D, A; Alp.
- **pictum** Pers. · Geflecktes Habichtskraut | ♃ VI-VII; Eur.: F, I, CH; Alp., Appen., Sard.
- **piliferum** Hoppe · Grauzottiges Habichtskraut | ♃ VII-VIII; Eur.: Sp., F, I, C-Eur., EC-Eur., Ju, RO; mts.
- **pilosella** L. · Kleines Habichtskraut, Mäuseohr · Hawkweed · Epervière piloselle | ♃ ⇝ X-IX; Eur.*, Cauc., W-Sib.
- **piloselloides** Vill. · Mausohrblütiges Habichtskraut | ♃ V-VIII; Eur.: Fr, Ap, C-Eur., EC-Eur., Ba, E-Eur.; TR, Lebanon, Syr., Cauc., N-Iran, C-As.
- **pilosum** Schleich. ex Froel. · Wollköpfiges Habichtskraut | ♃ VII-VIII; Eur.: Fr, I, C-Eur., Slova., Ba, RO; Alp., Jura, Appen., Carp., Maced.
- **porrifolium** L. · Lauchblättriges Habichtskraut | ♃ VII-IX; Eur.: I, A, Slove., Croatia; S-Alp., Croatia
- **prenanthoides** Vill. · Hasenlattich-Habichtskraut | ♃ VII-IX; Eur.*, TR, Cauc.; mts.
- **racemosum** Waldst. et Kit. ex Kit. · Traubiges Habichtskraut | ♃ X-VII; Eur.: Fr, Ap, C-Eur., EC-Eur., Ba, RO; TR
- × **rubrum** Peter (*H. aurantiacum* × *H. flagellare*) · Epervière rouge | ♃ ⇝ VI-VII; Eur.: PL, CZ, RO
- **sabaudum** L. · Savoyer Habichtskraut | ♃ X-VIII; Eur.*; TR, Cauc.
- **saussureoides** Arv.-Touv. · Spätblühendes Habichtskraut | ♃ VI-VIII; Eur.: F, I; E-Pyr., W-Alp.
- **schmidtii** Tausch · Blasses Habichtskraut | ♃ V-VII; Eur.*, TR, lebanon
- **scorzonerifolium** Vill. · Schwarzwurzelblättriges Habichtskraut | ♃ VII-VIII; Eur.: F, I, C-Eur., Slova., Slove., Croatia, Bosn., RO; Alp., Jura, Appen.
- **sparsum** Friv. · Zerstreutköpfiges Habichtskraut | ♃ VII-IX; Eur.: Ba, RO; TR
- *staticifolium* All. = Tolpis staticifolia
- **tomentosum** (L.) L. · Wollfilziges Habichtskraut · Woolly Hawkweed | ♃ △ VI-VII; Eur.: Jura, Alp., Alpi Apuane
- **transsilvanicum** Heuff. · Siebenbürger Habichtskraut | ♃ VI-VIII; Eur.: A, EC-Eur., Ba, E-Eur.
- **umbellatum** L. · Doldiges Habichtskraut | ♃ X-VII; Eur.*, TR, Cauc., Iran, W-Sib., E-Sib., Amur, Sachal., Kamchat., C-As., Him., Mong., China, Jap., N-Am.
- **villosum** Jacq. · Zottiges Habichtskraut ·

Shaggy Hawkweed · Epervière velue | ♃ △ VII; Eur.: F, I, C-Eur., EC-Eur., Ba, RO, W-Russ.; mts.
– **vogesiacum** (Kirschl.) Fr. · Vogesen-Habichtskraut ; Eur.: Sp., F, I, CH, BrI
– **waldsteinii** Tausch | ♃ △ VI-VII; Eur.: Croatia, Bosn., YU, Maced., AL, GR

Hierochloe R. Br. -f- *Poaceae* · Mariengras
– **australis** (Schrad.) Roem. et Schult. · Südliches Mariengras | ♃ IV-V; Eur.: I, C-Eur., EC-Eur., Ba, E-Eur., FIN
– **hirta** (Schrank) Borbás · Raues Mariengras | ♃ V-VI; Eur.: I, C-Eur., EC-Eur., Sc, Russ.; Cauc., W-Sib., E-Sib., Kamchat., China, N-Am.
– **odorata** (L.) P. Beauv. · Duftendes Mariengras · Holy Grass, Sweet Grass | ♃ ~ D ~ V-VI Ⓝ; Eur.* exc. Ib, Ba: Cauc., N-As., Alaska, Can., USA: NE, NCE, NC, Rocky Mts, SW, NW
– **repens** (Host) Simonk. · Kriechendes Mariengras | ♃ V-VI; Eur.: A, EC-Eur., BG, E-Eur.; Cauc., W-Sib., C-As.

Higginsia = Hoffmannia Sw.
– *ghiesbreghtii* (Lem.) Hook. = Hoffmannia ghiesbreghtii
– *refulgens* Hook. = Hoffmannia refulgens
- var. *roezlii* Regel = Hoffmannia roezlii

Hildewintera F. Ritter *Cactaceae*
– **aureispina** (F. Ritter) F. Ritter | Ψ Ⓚ ⦚ ✻; Bol.

Hillebrandia Oliv. -f- *Begoniaceae*
– **sandwicensis** Oliv. · Hillebrandia | ♃ Ⓦ V; Hawaii

Himantoglossum K. Koch -n- *Orchidaceae*
– **adriaticum** H. Baumann
– **hircinum** (L.) Spreng. · Bocks-Riemenzunge | ♃ V-VI; Eur.* exc. Sc; Alger.

× **Hippeastrelia** hort. -f- *Amaryllidaceae*
– **Cultivars** hort. (*Hippeastrum* × *Sprekelia*)

Hippeastrum Herb. -n- *Amaryllidaceae* · Ritterstern, Amaryllis
– × **acramannii** hort. (*H. aulicum* × *H. psittacinum*)
– **aulicum** (Ker-Gawl.) Herb.; Bras., Parag.
- var. **robustum** (Otto et A. Dietr.) Voss | ♃ Ⓦ XI-III; C-Bras.
– **elegans** (Spreng.) H.E. Moore | ♃ Ⓦ I-VI; S-Am.
– *equestre* (Aiton) Herb. = Hippeastrum puniceum
– **leopoldii** Dombr. | ♃ Ⓦ; Bol.
– **pardinum** (Hook. f.) Lem. | ♃ Ⓦ I-IV; Bol.
– *pratense* (Poepp.) Baker = Rhodophiala pratensis
– *procerum* (Duch.) Lem. = Worsleya rayneri
– **psittacinum** (Ker-Gawl.) Herb. | ♃ Ⓦ IV-V; S-Bras.
– **puniceum** (Lam.) Kuntze · Barbados Lily | ♃ Ⓦ XII-IV; Mex., W.Ind., S-Am.
– **reginae** (L.) Herb. · Mexican Lily | ♃ Ⓦ I-IV; Mex., C-Am., W.Ind., trop. S-Am.
– **reticulatum** (L'Hér.) Herb. | ♃ Ⓦ D IX; S-Bras.
- **'Striatifolium'**
– *rutilum* (Ker-Gawl.) Herb. = Hippeastrum striatum
– *solandriflorum* (Lindl.) Herb. = Hippeastrum elegans
– **striatum** (Lam.) H.E. Moore | ♃ Ⓦ XI-III; Bras.
– **vittatum** (L'Hér.) Herb. | ♃ Ⓦ II-VI; Peru: And.

Hippobroma = Laurentia Adans.
– *longiflora* (L.) G. Don = Laurentia longiflora

Hippochaete = Equisetum L.
– *hyemalis* (L.) Börner = Equisetum hyemale
– *scirpoides* (Michx.) Farw. = Equisetum scirpoides
– *variegata* Schleich. ex F. Weber et Mohr = Equisetum variegatum

Hippocrepis L. -f- *Fabaceae* · Hufeisenklee
– **comosa** L. · Gewöhnlicher Hufeisenklee · Horseshoe Vetch | ♃ △ V-X Ⓝ; Eur.* exc. BrI, Sc
– **emerus** (L.) Lassen · Strauch-Kronwicke, Strauchiger Hufeisenklee | ♄ V-VII; Eur.* exc. BrI; TR, Cyprus, Syr., Cauc., Tun. Libya

Hippomane L. -f- *Euphorbiaceae*
– **mancinella** L. · Manzanilla | ♄ Ⓦ ☠; S-Fla., W.Ind., S-Am.

Hippophae L. -f- *Elaeagnaceae* · Sanddorn
– **rhamnoides** L. · Gewöhnlicher Sanddorn · Sea Buckthorn · Argousier, Saule épineux | ♄ III-V; Eur.*, TR, Cauc., Iran, W-Sib., E-Sib., C-As., Tibet, Him., Mong.
  - subsp. **carpatica** Rousi | ♄ ♧ III-IV Ⓝ
  - subsp. **fluviatilis** Soest | ♄ ♧ II-IV Ⓝ
  - subsp. *maritima* Soest = Hippophae rhamnoides
– **salicifolia** D. Don · Weidenblättriger Sanddorn · Argousier à feuilles de saule | ♄ ♧ III-IV; Him.

Hippuris L. -f- *Hippuridaceae* · Tannenwedel
– **vulgaris** L. · Tannenwedel · Mare's Tail · Queue de cheval | ♃ ~ ♠ V-VIII; Eur.*, TR, Cauc., Iran, W-Sib., E-Sib., Amur, Sachal., Kamchat., C-As., Mong., Tibet, N-China, Jap., Alaska, Can., USA: NE, NCE, NC, SW, Rocky Mts., NW, Calif.

Hirschfeldia Moench -f- *Brassicaceae*
– **incana** (L.) Lagr.-Foss. · Gewöhnlicher Bastardsenf | X-V; Eur.: Ib, Fr, Ap, Ba; TR, Levante, SW-As., NW-Afr., Libya, nat. in BrI, DK, C-Eur.

Hoffmannia Sw. -f- *Rubiaceae*
– *bullata* L.O. Williams = Hoffmannia refulgens
– **discolor** (Lem.) Hemsl. | ♃ ⓦ; Mex.
– **ghiesbreghtii** (Lem.) Hemsl. | ♄ ⓦ; Mex., Guat.
– **refulgens** (Hook.) Hemsl. | ♄ ⓦ; Mex.
  - var. *roezlii* Regel = Hoffmannia roezlii
– **regalis** (Hook.) Hemsl. | ♄ ⓦ; Mex.
– **roezlii** (Regel) Regel | ♃ ⓦ; Mex.

Hohenbergia Schult.f. -f- *Bromeliaceae*
– **augusta** (Vell.) E. Morren | ♃ ⓦ; Bras.
– *exsudans* (Lodd.) Mez = Aechmea aquilega
– **stellata** Schult. f. ex Schult. et Schult. f. | ♃ ⓦ; Venez., Trinidad, Bras.
– *strobilacea* Schult. f. = Acanthostachys strobilacea

Hoheria A. Cunn. -f- *Malvaceae*
– **glabrata** Sprague et Summerh. · Lacebark, Mountain Ribbon | ♄ ♄ ⓚ VI-VII; NZ
– **populnea** A. Cunn. · New Zealand Lacebark | ♄ ♄ ⓚ IX; NZ

Holboellia Wall. -f- *Lardizabalaceae*
– **coriacea** Diels | ≹; C-China
– **latifolia** Wall. | ♄ ⓚ ≹ VII-VIII; Him.

Holcus L. -m- *Poaceae* · Honiggras
– **lanatus** L. · Wolliges Honiggras · Yorkshire Fog | ♃ VI-VIII Ⓝ; Eur.*, TR, Cauc.
– **mollis** L. · Weiches Honiggras · Creeping Soft Grass | ♃ VI-VII; Eur.*, TR
– *odoratus* L. = Hierochloe odorata

Holmskioldia Retz. -f- *Verbenaceae*
– **sanguinea** Retz. · Chinese Hat Plant | ♄ ⓦ; Him., Malay. Pen.

Holodiscus (K. Koch) Maxim. -m- *Rosaceae*
– **discolor** (Pursh) Maxim. · Wald-Schaumspiere · Cream Bush, Ocean Spray ; B.C., USA: NW, Rocky Mts, Calif.
  - var. **ariifolius** (Sm.) Asch. et Graebn.
– **dumosus** (Nutt. ex Hook.) A. Heller · Wüsten-Schaumspiere · Rock Spiraea | ♄ VII-VIII; USA: Rocky Mts., SW; Mex.

Holoschoenus = Scirpoides Seg.
– *romanus* (L.) Fritsch = Scirpoides holoschoenus
– *vulgaris* Link = Scirpoides holoschoenus

Holosteum L. -n- *Caryophyllaceae*
– **umbellatum** L. · Doldige Spurre | III-V; Eur.* exc. BrI; TR, Levante, Cauc., Iran, Afgh., C-As., Him., Chin

× **Holttumara** Hort. -f- *Orchidaceae* (*Arachnis* × *Renanthera* × *Vanda*)

Homalanthus A. Juss. -m- *Euphorbiaceae*
– **populifolius** Graham · Queensland Poplar | ♄ ⓦ; N.Guinea, Austr.: Queensl., N.S.Wales, Victoria

Homalocephala = Echinocactus Link et Otto
– *texensis* (Hopffer) Britton et Rose = Echinocactus texensis

Homalocladium (F. Muell.) L.H. Bailey -n- *Polygonaceae* · Bandbusch
– **platycladum** (F. Muell.) L.H. Bailey ·

Centipede Plant, Ribbon Bush | ♄ Ⓚ; Salom.

Homalomena Schott -f- *Araceae*
- **lindenii** (Rodigas) Ridl. | ♃ Ⓦ; N.Guinea
- **rubescens** (Roxb.) Kunth | ♃ Ⓦ; Ind.: Sikkim, Assam; Myanmar
- **wallisii** (Mast.) Regel | ♃ Ⓦ; Col., Venez.

Homeria Vent. -f- *Iridaceae*
- *breyniana* (L.) Lewis = Homeria collina
- **collina** (Thunb.) Vent. | ♃ Ⓦ VII-VIII; S-Afr.

Homogyne Cass. -f- *Asteraceae* · Alpenlattich
- **alpina** (L.) Cass. · Alpen-Brandlattich, Gewöhnlicher Alpenlattich · Alpine Coltsfoot | ♃ △ V-VI; Eur.* exc. BrI, Sc; mts., nat. in BrI
- **discolor** (Jacq.) Cass. · Filziger Alpenlattich | ♃ △ VI-VII; Eur.: D, I, A, Slove., Bosn.; O-Alp., mts. Bosn.
- **sylvestris** (Scop.) Cass. · Wald-Alpenlattich | ♃ △ V-VI; Eur.: I, A, Sloven., Croatia, Montenegro; mts.

Honckenya Ehrh. -f- *Caryophyllaceae*
- *ficifolia* Willd. = Clappertonia ficifolia

Hoodia Sweet ex Decne. -f- *Asclepiadaceae*
- **bainii** Dyer | ♆; Kap, Namibia
  - var. **juttae** (Dinter) H. Huber | ♆ Ⓚ; Namibia
- **gordonii** (Masson) Sweet | ♆ Ⓚ; Kap, Namibia
- *juttae* Dinter = Hoodia bainii var. juttae

× **Hookerara** Hort. -f- *Orchidaceae* (*Cattleya* × *Caularthron* × *Rhyncholaelia*)

Hopea Roxb. -f- *Dipterocarpaceae*
- **odorata** Roxb. · Chengal | ♄ Ⓦ Ⓝ; Myanmar, Andaman I., Vietn., Kalimantan, Phil.

Hoplophytum = Aechmea Ruiz et Pav.
- *calyculatum* E. Morren = Aechmea calyculata

Hordelymus (Jess.) Jess. ex Harz -m- *Poaceae*
- **europaeus** (L.) Jess. ex Harz · Waldgerste | ♃ VI-VIII; Eur.*, TR, Cauc., NW-Afr.

Hordeum L. -n- *Poaceae* · Gerste
- **bulbosum** L. | ♃; Eur.: Ba, Ib, EC-Eur., RO, Krim, Ap, nat. in F
- *distichon* L. = Hordeum vulgare 'Distichon Grp'
- **geniculatum** All. · Salz-Gerste | V-VII; Eur.: Ib, Ap, A, EC-Eur., Ba, E-Eur.; TR, Syr., Lebanon, Israel, Iraq, Cauc., Iran, Afgh., W-Sib., Egypt, nat. in N-Am., trop. Afr., Jap., Austr., NZ
- *hexastichon* L. = Hordeum vulgare
- **jubatum** L. · Mähnen-Gerste · Foxtail Barley, Squirrel Tail | ☉ ☉ ♃ VI-VIII; Alaska, Can., USA*, Mex., nat. in C-Eur.
- **marinum** L. · Strand-Gerste | V-VII; Eur.: Ib, BrI, Fr, Ap, D, Ba, RO; TR, Cyprus, SW-As., Egypt +
- **murinum** L. · Mäuse-Gerste | X-VI; Eur.* exc. Sc; TR, Iraq, Arab., Syr., Lebanon, Plaest., Cyprus, Cauc., Iran, Afgh., Pakist., NW-Ind., C-As., China, N-Afr. +, nat. in Sc, N-Am., S-Afr., Austr., NZ, Polyn.
- *polystichon* Haller f. = Hordeum vulgare
- *sativum* Jess. = Hordeum vulgare
- **secalinum** Schreb. | ♃; Eur.*, Palaest., Alger., nat. in N-Am., S-Am., S-Afr.
- **spontaneum** K. Koch; N-Afr., Crete, TR, Syr., Cyprus, Iraq, Cauc., Iran, Afgh., Pakist., NW-Ind., C-As.
- **vulgare** L. · Mehrzeilige Gerste, Saat-Gerste · Barley | V-VII; cult.
  - **Distichon Grp** | VI-VII

Hormathophylla Cullen et T.R. Dudley -f- *Brassicaceae*
- *spinosa* (L.) Kupffer = Alyssum spinosum

Hormidium (Lindl.) Heynh. -n- *Orchidaceae*
- **tripterum** Cogn. | ♃ Ⓦ ✻; trop. Am.

Horminum L. -n- *Lamiaceae* · Drachenmaul
- **pyrenaicum** L. · Drachenmaul · Dragon's Mouth · Horminelle des Pyrénées | ♃ △ VI-VIII ▽; Eur.: Sp., F, I, C-Eur., Slove., Pyr., Alp.

Hornungia Rchb. -f- *Brassicaceae*
- **petraea** (L.) Rchb. · Kleine Felsenkresse

| III-V; Eur.*, TR, NW-Afr.

Horridocactus = Neoporteria Britton et Rose
– *curvispinus* (Bertero) Backeb. = Neoporteria curvispina
– *kesselringianus* Dölz = Neoporteria curvispina
– *nigricans* (A. Dietr.) Backeb. et Dölz = Neoporteria tuberisulcata
– *tuberisulcatus* (Jacobi) Y. Itô = Neoporteria tuberisulcata

Hosta Tratt. -f- *Hostaceae* · Funkie
– *albomarginata* (Hook.) Ohwi = Hosta sieboldii
– *caerulea* (Tratt.) Andr. = Hosta ventricosa
– **capitata** Nakai | ♃; Jap., Korea
– *crispula* F. Maek. = Hosta 'Crispula'
– *decorata* L.H. Bailey = Hosta 'Decorata'
  - var. *marginata* Stearn = Hosta 'Decorata'
– *elata* Hyl. = Hosta 'Elata'
– *fortunei* (Baker) L.H. Bailey = Hosta 'Fortunei'
  - *'Aureo-maculata'* = Hosta 'Fortunei Albopicta'
  - *'Marginata Alba'* = Hosta 'Fortunei Albomarginata Grp.'
  - *'Obscura marginata'* = Hosta 'Fortunei Aureomarginata'
  - *'Picta'* = Hosta 'Fortunei Albopicta'
  - *'Viridis Marginata'* = Hosta 'Fortunei Albopicta'
  - var. *gigantea* L.H. Bailey = Hosta 'Fortunei Gigantea'
– *glauca* (Siebold) Stearn = Hosta sieboldiana
– **gracillima** F. Maek. | ♃ VIII-X; Jap.
  - **'Shirofukurin'**
  - *'Variegata'* = Hosta gracillima 'Shirofukurin'
– *helenioides* F. Maek. = Hosta 'Helenioides'
– **hypoleuca** Murata | ♃; Jap.
  - *'Urajiro'* = Hosta hypoleuca
– *japonica* (Thunb.) Asch. et Graebn. = Hosta 'Lancifolia'
– *lancifolia* (Thunb.) Engl. = Hosta 'Lancifolia'
  - var. *alba* Irving = Hosta sieboldiana 'Elegans Alba'
  - var. *albomarginata* (Hook.) Stearn = Hosta sieboldii
  - var. *longifolia* Honda = Hosta longissima var. longifolia
  - var. *tardiflora* (W. Irving) L.H. Bailey = Hosta 'Tardiflora'
– *latifolia* Wehrh. = Hosta 'Elata'
  - var. *albimarginata* Wehrh. = Hosta 'Crispula'
– **longipes** (Franch. et Sav.) Matsum. | ♃ VIII-IX; Jap.
  - var. *gracillima* (F. Maek.) Fujita = Hosta gracillima
  - var. **latifolia** F. Maek.
– **longissima** (Honda) Honda | ♃ VII-VIII; Jap.
  - var. **longifolia** (Honda) W. Schmid
– **minor** Nakai | ♃; Korea, ? Jap.
– **nakaiana** F. Maek. | ♃ VII-VIII; Jap., Korea
– **plantaginea** (Lam.) Asch. · Lilien-Funkie · August Lily | ♃ VIII-X; China
  - var. *grandiflora* Hyl. = Hosta plantaginea var. japonica
  - var. **japonica** F. Maek.
– **rectifolia** Nakai | ♃ VII-VIII; Amur, Sachal., Jap.
– **rupifraga** Nakai | ♃ VIII; Jap., Korea
– **sieboldiana** Engl. · Blaublatt-Funkie · Hosta bleu ; Jap.
  - *'Alba'* = Hosta sieboldiana 'Elegans Alba'
  - *'Aurea'* = Hosta sieboldiana 'Yellow Grp.'
  - **Aureomarginata Grp.**
  - **'Elegans'**
  - **'Elegans Alba'**
  - **'Hypophylla'**
  - *'Semperaurea'* = Hosta sieboldiana 'Yellow Grp.'
  - **Yellow Grp.**
  - var. *fortunei* (Baker) Asch. et Graebn. = Hosta 'Fortunei'
  - var. *fortunei* Voss = Hosta 'Tokudama'
  - var. *glauca* Makino et Matsum. = Hosta sieboldiana
  - var. *longipes* (Franch. et Sav.) Matsum. = Hosta longipes
– **sieboldii** (Paxton) Ingram · Schmalblatt-Funkie · Hosta à feuilles étroites | ♃ VII-VIII; Jap.
  - *'Albomarginata'* = Hosta sieboldii
  - **'Spathulata'**
  - *'Viridis'* = Hosta sieboldii 'Spathulata'
– *subcordata* Spreng. = Hosta plantaginea
– × **tardiana** hort. (*H. 'Tardiflora'* × *H. sieboldiana 'Elegans'*)

– *tardiflora* (W. Irving) Stearn = Hosta 'Tardiflora'
– *tokudama* F. Maek. = Hosta 'Tokudama'
 - *'Variegata'* = Hosta 'Tokudama Aureonebulosa'
– *undulata* (Otto et A. Dietr.) L.H. Bailey = Hosta 'Undulata'
 - *'Mediovariegata'* = Hosta 'Undulata'
– **ventricosa** Stearn · Glocken-Funkie · Hosta campanulée | ♃ VIII; China, Jap., nat. in E-USA
 - *'Albomarginata'* = Hosta ventricosa 'Aureomarginata'
 - **'Aureomaculata'**
 - **'Aureomarginata'**
 - **Dwarf Grp.**
 - *'Minor'* = Hosta minor
 - *'Variegata'* = Hosta ventricosa 'Aureomarginata'
– **venusta** F. Maek. | ♃ VII-VIII; Jap.
 - **'Variegated'**
– **Cultivars**
 - **'Crispula'** | ♃ VII; cult.
 - **'Crispula Lutescens'**
 - **'Crispula Viridis'**
 - **'Crowned Imperial'**
 - **'Decorata'** | ♃ VIII; cult.
 - **'Decorata Normalis'**
 - **'Elata'** | ♃ VI-VII; Jap.
 - **'Fortunei'** | ♃ VII; orig. ?
 - **Fortunei Albomarginata Grp.**
 - **'Fortunei Albopicta'**
 - **'Fortunei Aurea'**
 - **'Fortunei Aureomarginata'**
 - **'Fortunei Gigantea'**
 - **'Fortunei Hyacinthina'**
 - *'Fortunei Hyacinthina Variegata'* = Hosta 'Crowned Imperial'
 - **'Fortunei Stenantha'**
 - **'Helenioides'** | ♃ VIII; Jap.
 - **'Lancifolia'** | ♃ VII-IX; Jap.
 - *'Lancifolia Albomarginata'* = Hosta sieboldii
 - **'Tardiflora'** | ♃ IX-XI; cult.
 - **'Tokudama'** | ♃ VI-VII; Jap.
 - **'Tokudama Aureonebulosa'**
 - **'Tokudama Flavocircinalis'**
 - **'Tokudama Flavoplanata'**
 - **'Undulata'** | ♃ VII-IX; cult.

Hottonia L. -f- *Primulaceae* · Wasserfeder
– **palustris** L. · Europäische Wasserfeder · Featherfoil, Water Violet · Hottonie des marais | ♃ ♠ V-VII ▽; Eur.* exc. Ib; N-TR

Houlletia Brongn. -f- *Orchidaceae*
– **brocklehurstiana** Lindl. | ♃ Ⓦ XI ✻; Bras.
– **lansbergii** Linden et Rchb. f. | ♃ Ⓦ IX ✻; Costa Rica
– **odoratissima** Linden ex Lindl. et Paxton | ♃ Ⓦ VIII-IX ✻; Col., Peru, Bol., Venez., Bras.

Houstonia L. -f- *Rubiaceae* · Porzellansternchen
– **caerulea** L. · Porzellansternchen · Bluets, Innocence, Quaker Ladies | ♃ △ V-VI; Can.: E; USA; NE, NCE, SE
– **serpyllifolia** Michx. · Creeping Bluets | ♃ △ V-VI; USA: NE, SE

Houttuynia Thunb. -f- *Saururaceae*
– **cordata** Thunb. · Fishwort, Houttuynia | ♃ Ⓚ ~ ∧; Him., China, Jap., Riukiu-Is., Taiwan, Java

Hovea R. Br. ex W.T. Aiton -f- *Fabaceae*
– **chorizemifolia** DC. | ħ Ⓚ IV; W-Austr.
– **ellyptica** DC. | ħ; W-Austr.
– **pungens** Benth. | ħ Ⓚ IV-V; W-Austr.

Hovenia Thunb. -f- *Rhamnaceae* · Japanischer Rosinenbaum
– **dulcis** Thunb. · Japanese Raisin Tree | ħ VI-VII Ⓝ; China, Korea, Jap.

Howea Becc. -f- *Arecaceae*
– **belmoreana** (C. Moore et F. Muell.) Becc. · Curly Palm, Sentry Palm | ħ Ⓦ Ⓚ; Lord Howe Is.
– **forsteriana** (C. Moore et F. Muell.) Becc. · Kentia, Paradise Palm | ħ Ⓦ Ⓚ; Lord Howe Is.

Hoya R. Br. -f- *Asclepiadaceae* · Wachsblume
– **australis** R. Br. | ħ Ⓚ ⌇ IX-XI; Austr.: Queensl., N.S.Wales
– **bella** Hook. | ħ Ⓦ ⌇ V-IX; Myanmar
– **carnosa** (L. f.) R. Br. | ħ Ⓚ ⌇ V-IX; C-China, SE-As., Austr.: Queensl.
– **cinnamomifolia** Hook. | ħ Ⓦ ⌇ VII; Java
– **imperialis** Lindl. | ħ Ⓦ ⌇ VII-IX; Malay. Pen., Kalimantan, Molucca I.: Ambon
– **lacunosa** Blume | ħ Ⓦ ⌇ III-VI; Malay. Pen., Sumat., Kalimantan, Java
– **linearis** Wall. | ħ Ⓦ ⌇; Him.

– **longifolia** Wall. | ♄ ⓦ ≷ VI; N-Ind.: Sikkim, Khasia Hills
– **multiflora** (Decne.) Blume | ♄ ⓦ ≷ VII-VIII; Malay.Arch., Phil.
– **purpureofusca** Hook. | ♄ ⓦ ≷ IX; Java

Huernia R. Br. -f- *Asclepiadaceae*
– **aspera** N.E. Br. | ψ ⓚ; Tanzania: Sansibar
– **barbata** (Masson) Haw. | ♃ ψ ⓚ; S-Afr.: Kap, Orange Free State
– *bicampanulata* Verd. = Huernia kirkii
– **brevirostris** N.E. Br. | ψ ⓚ; Kap
– **campanulata** (Masson) R. Br. | ♃ ψ ⓚ; Kap
– **hystrix** (Hook. f.) N.E. Br. | ♃ ψ ⓚ; Zimbabwe, Mozamb., S-Afr.: Natal, Transvaal
– **keniensis** R.E. Fr. | ψ ⓚ; Kenya
– **kirkii** N.E. Br. | ψ ⓚ; Mozamb., S-Afr.: Transvaal
– *macrocarpa* (A. Rich.) Spreng. = Huernia penzigii
– **oculata** Hook. f. | ψ ⓚ; Namibia
– **penzigii** N.E. Br. | ♃ ψ ⓚ; Eth.
– *primulina* N.E. Br. = Huernia thuretii var. primulina
– **schneideriana** A. Berger | ψ ⓚ; Malawi, Mozamb.
– **thuretii** Cels | ψ
  - var. **primulina** (N.E. Br.) L.C. Leach | ψ ⓚ; Kap
– **transvaalensis** Stent | ψ ⓚ; S-Afr.: Transvaal
– **zebrina** N.E. Br. | ψ ⓚ; Botswana, Namibia, S-Afr.: Natal, Transvaal

Huerniopsis N.E. Br. -f- *Asclepiadaceae*
– **atrosanguinea** (N.E. Br.) A.C. White et Sloane | ♃ ψ ⓚ; Botswana
– **decipiens** N.E. Br. | ♃ ψ ⓚ; Botswana, Namibia, Kap
– *gibbosa* Nel = Huerniopsis atrosanguinea
– *papillata* Nel = Huerniopsis atrosanguinea

Hugueninia Rchb. -f- *Brassicaceae*
– **tanacetifolia** (L.) Rchb. · Farnrauke | ♃ ψ VII; Eur.: Ib, F, I, CH; mts. NE-Sp., Pyr., SW-Alp.

Humata Cav. -f- *Davalliaceae*
– **falcinella** (C. Presl) Copel. | ♃ ⓦ; Phil.
– **griffithiana** (Hook.) C. Chr. | ♃ ⓦ; China, Taiwan, N-Ind.
– **heterophylla** (Sm.) Desv. | ♃ ⓦ ≷; Malay. Arch., Polyn.
– **repens** (L. f.) Diels | ♃ ⓦ ⇝; trop. As., Austr.
– **tyermannii** T. Moore · Bear's Foot Fern | ♃ ⓦ ⓚ; China

Humea = Calomeria Vent.
– *elegans* Sm. = Calomeria amaranthoides

Humulus L. -m- *Cannabaceae* · Hopfen
– **japonicus** Siebold et Zucc. · Japanischer Hopfen · Japanese Hop · Houblon japonais | ⊙ ≷ VII-VIII; China, Jap., Taiwan, nat. in USA: NE
– **lupulus** L. · Gewöhnlicher Hopfen · Common Hop, Hop | ♃ ≷ Off. VII-VIII Ⓝ; Eur.*, Cauc., W-Sib., C-As., TR, nat. in N-Am.
– *scandens* (Lour.) Merr. = Humulus japonicus

Hunnemannia Sweet -f- *Papaveraceae*
– **fumariifolia** Sweet · Golden Cup, Mexican Tulip Poppy | ⊙ ⊙ ♃ VI-X; Mex.

Hunteria Roxb. -f- *Apocynaceae*
– **eburnea** Pichon | ♄ ⓦ; W-Afr.

× **Huntleanthes** Hort. -f- *Orchidaceae* (*Cochleanthes* × *Huntleya*)

Huntleya Bateman ex Lindl. -f- *Orchidaceae*
– *cerina* Lindl. = Pescatoria cerina
– **meleagris** Lindl. | ♃ ⓦ VI-VII ✻; Guyana, Bras., Peru

Huperzia Bernh. -f- *Lycopodiaceae* · Teufelsklaue
– **selago** (L.) Bernh. ex Schrank et Mart. · Europäische Teufelsklaue, Tannenbärlapp · Fir Clubmoss | ♃ X-VII ▽ ☠; Eur.*, Cauc., N-As., Alaska, Can., USA: NE, NCE.; Greenl., SE-Austr., Tasman., NZ

Hura L. -f- *Euphorbiaceae*
– **crepitans** L. · Sandbox Tree | ♄ ⓦ ☠ Ⓝ; C-Am., W.Ind., S-Am.

Hutchinsia = Thlaspi L.
– *alpina* (L.) R. Br. = Pritzelago alpina
– *auerswaldii* Willk. = Pritzelago alpina

subsp. auerswaldii
– *brevicaulis* (Hoppe) Hoppe ex W.D.J. Koch = Pritzelago alpina subsp. brevicaulis

Huynhia = Arnebia Forssk.
– *pulchra* Willd. ex Roem. et Schult. = Arnebia pulchra

Hyacinthella Schur -f- *Hyacinthaceae*
– *azurea* (Fenzl) Chouard = Muscari azureum

Hyacinthoides Heist. ex Fabr. -f- *Hyacinthaceae*
– **hispanica** (Mill.) Rothm. · Spanisches Hasenglöckchen · Spanish Bluebell · Scille d'Espagne | ♃ ⋈ V ▽ ∧; Eur.: Ib, nat. in BrI, F, I, W-Ba
– **italica** (L.) Rothm. | ♃ V ▽; Eur.: P, F, I, ? Sp.
– **non-scripta** (L.) Chouard ex Rothm. · Atlantisches Hasenglöckchen | ♃ IV-V ▽; Eur.: BrI, Fr, Ib, nat. in D, I, RO

Hyacinthus L. -m- *Hyacinthaceae* · Hyazinthe
– *amethystinus* (L.) = Brimeura amethystina
– *azureus* (Fenzl) Baker = Muscari azureum
– *campanulatus* (Aiton) hort. = Hyacinthoides hispanica
– *candicans* Baker = Galtonia candicans
– *hispanicus* Lam. = Brimeura amethystina
– **orientalis** L. · Hyazinthe · Hyacinth · Jacinthe | ♃ D IV-V Ⓝ; TR, Syr., nat. in F, Ap, Ba
– *romanus* L. = Bellevalia romana

Hydnocarpus Gaertn. -f- *Flacourtiaceae*
– **anthelmintica** Pierre ex Laness. | ♄ ⌂ Ⓝ; Indochina
– **kurzii** (King) Warb. | ♄ ⌂ Ⓝ; Myanmar, Ind.: Assam
– *laurifolia* (Dennst.) Sleumer = Hydnocarpus pentandra
– **pentandra** (Buch.-Ham.) Oken | ♄ ⌂ Ⓝ; SW-Ind.

Hydnophytum Jack -n- *Rubiaceae*
– **formicarum** Jack | ♄ ⌂; Molucca I., Sumat.

Hydrangea L. -f- *Hydrangeaceae* · Hortensie
– *acuminata* Siebold et Zucc. = Hydrangea serrata
– *altissima* Wall. = Hydrangea anomala
– **anomala** D. Don · Kletter-Hortensie · Climbing Hydrangea ; Him., China
 - subsp. **petiolaris** (Siebold et Zucc.) E.M. McClint. · Hortensia grimpant | ♄ ⌇ VII; S-Korea, Japan, Sachal., Taiwan
– **arborescens** L. · Wald-Hortensie · Tree Hydrangea · Hortensia de Virginie ; USA: NE, SE
 - subsp. **discolor** (Ser.) E.M. McClint. | ♄ VI-VII; USA: NE, NCE, SE, Okla.
 - subsp. **radiata** (Walter) E.M. McClint. | ♄ VI-VII ∧; USA: N.C., S.C.
– **aspera** D. Don · Raue Hortensie · Rough Leaved Hydrangea ; Him., SW-China, Myanmar
 - subsp. **robusta** (Hook. et Thomson) Walter
 - subsp. **sargentiana** (Rehder) E.M. McClint. · Samt-Hortensie, Sargents Hortensie | ♄ VII-VIII; China: Hupeh
 - subsp. **strigosa** (Rehder) E.M. McClint. | ♄ VIII; China
 - var. *macrophylla* Hemsl. = Hydrangea aspera subsp. strigosa
– *chinensis* Maxim. = Hydrangea scandens subsp. chinensis
 - var. *japonica* Maxim. = Hydrangea scandens subsp. chinensis 'macropetala'
– *cinerea* Small = Hydrangea arborescens subsp. discolor
– *cuspidata* (Thunb.) Miq. = Hydrangea involucrata
– **heteromalla** D. Don · Chinesische Hortensie | ♄ VI-VII; Him., China
– *hortensia* Siebold = Hydrangea macrophylla
– **involucrata** Siebold · Hüllblatt-Hortensie | ♄ VII-IX; Jap.
 - **'Hortensis'**
 - *'Sterilis'* = Hydrangea involucrata 'Hortensis'
– **macrophylla** (Thunb. ex Murray) Ser. · Garten-Hortensie · Hortensia, Lace Cap Hydrangea · Hortensia à grandes feuilles ♄ VI-VII; Jap., Korea
 - **'Coerulea'**
 - **'Mariesii'**
 - **'Otaksa'**
 - **'Veitchii'**
 - subsp. *serrata* (Thunb.) Makino = Hydrangea serrata

- var. *normalis* Wilson = Hydrangea macrophylla
– *maritima* Haw.-Booth = Hydrangea macrophylla
– *otaksa* Siebold et Zucc. = Hydrangea macrophylla 'Otaksa'
– **paniculata** Siebold · Rispen-Hortensie · Pee Gee Hydrangea · Hortensia paniculé | ♄ VII-VIII; Jap., Sachal., SE-China
– *petiolaris* Siebold et Zucc. = Hydrangea anomala subsp. petiolaris
– **quercifolia** W. Bartram · Eichenblättrige Hortensie · Oak-Leafed Hydrangea · Hortensia à feuilles de chêne | ♄ VI ∧; USA: SE, Fla.
– *radiata* Walter = Hydrangea arborescens subsp. radiata
– *sargentiana* Rehder = Hydrangea aspera subsp. sargentiana
– **scandens** (L. f.) Ser. · Climbing Hydrangea · Hortensia grimpant
  - subsp. **chinensis** (Maxim.) E.M. McClint.
  - subsp. **chinensis**fo. **macropetala** Hayata
– *scandens* Maxim. non (L. f.) Ser. = Hydrangea anomala subsp. petiolaris
– **serrata** (Thunb.) Ser. | ♄ VI-VIII; Jap.
– *strigosa* Rehder = Hydrangea aspera subsp. strigosa
– *xanthoneura* Diels = Hydrangea heteromalla

Hydrastis L. -f- *Ranunculaceae* · Orangenwurzel
– **canadensis** L. · Golden Seal, Indian Turmeric, Yellow Puccoon | ♃ V ☠ Ⓝ; USA: NE, NCE, NC, SE

Hydrilla Rich. -f- *Hydrocharitaceae* · Wasserquirl
– **verticillata** (L. f.) Royle · Grundnessel | ♃ Ⓦ ♠ VII-VIII; Eur.: BrI, IRL, D, Russ.; W-Sib., Amur, China, Jap., Taiwan, Ind., Sri Lanka., Indochina, Phil., Malay. Arch., E-Afr., Mascarene Is., Austr.

Hydrocera Blume -f- *Balsaminaceae*
– **triflora** (L.) Wight et Arn. | ⊙ Ⓦ ~ VII-IX; Ind., Sri Lanka, Indochina, Java

Hydrocharis L. -f- *Hydrocharitaceae* · Froschbiß
– **morsus-ranae** L. · Europäischer Froschbiss · Frogs Bit · Morène | ♃ ~ VI-VIII; Eur.*, Cauc., W-Sib., NW-Afr.

Hydrocleys Rich. -f- *Limnocharitaceae* · Wassermohn
– **nymphoides** (Humb. et Bonpl. ex Willd.) Buchenau · Wasser-Mohn · Water Poppy | ♃ Ⓦ ♠ VI-X; trop. S-Am.

Hydrocotyle L. -f- *Apiaceae* · Wassernabel
– *asiatica* L. = Centella asiatica
– **dissecta** Hook. f. | ♃ Ⓚ ~ ; NZ
– **moschata** G. Forst. | ♃ Ⓚ ~ ; NZ, nat. in IRL
– **novae-zelandiae** DC. | ♃ Ⓚ ~ VII-VIII; NZ
– **vulgaris** L. · Gewöhnlicher Wassernabel · Marsh Pennywort, Pennywort | ♃ ~ VII-VIII; Eur.*, Cauc., Maroc., Alger.

Hydrolea L. -f- *Hydrophyllaceae* · Wasserbläuling
– **spinosa** L. · Espino | ♄ Ⓦ ~ VII-X; Guat., Ecuad., Peru, Venez.

Hydromystria = Limnobium Rich.
– *stolonifera* G. Mey. = Limnobium stoloniferum

Hydrophyllum L. -n- *Hydrophyllaceae* · Wasserblatt
– **canadense** L. · Waterleaf | ♃ V-VI; Can.: Ont.; USA: NE, SE
– **macrophyllum** Nutt. | ♃ V-VI; USA: NE, NCE, SE
– **virginianum** L. · Shawnee Salad, Virginia Waterleaf | ♃ V-VI; Can.: E; USA: NE, NCE, NC, SE

Hydrosme = Amorphophallus Blume ex Decne.
– *rivieri* Durieu = Amorphophallus konjac

Hygrophila R. Br. -f- *Acanthaceae* · Wasserfreund
– **angustifolia** R. Br. · Water Wisteria | ♃ Ⓦ ~ ♠; SE-As.
– **corymbosa** (Blume) Lindau | ♃ Ⓦ ♠; Phil.
– **lacustris** (Schltdl. et Cham.) Nees | ♃ Ⓦ ♠; trop. Am.
– **polysperma** (Roxb.) T. Anderson | ⊙ ⊙ ♃ Ⓦ ~ ♠; Ind.
– *salicifolia* Nees = Hygrophila angustifolia

– **triflora** (Roxb.) Fosberg et Sachet | ♃ Ⓦ ~ ♠; trop. As.

Hylocereus (A. Berger) Britton et Rose -m- *Cactaceae* · Waldcereus
– **costaricensis** (F.A.C. Weber) Britton et Rose | ♄ ♆ Ⓦ ⧘ ✻; Costa Rica
– **guatemalensis** (Eichlam) Britton et Rose | ♄ ♆ Ⓦ ⧘ ✻; Guat.
– **monacanthus** (Lem.) Britton et Rose | ♄ ♆ Ⓦ ⧘ ✻; Col., Panama
– **ocamponis** (Salm-Dyck) Britton et Rose | ♄ ♆ Ⓦ ⧘ ✻; Mex.
– **polyrhizus** (F.A.C. Weber) Britton et Rose | ♄ ♆ Ⓦ ⧘ ✻; Col., Panama
– **purpusii** (Weing.) Britton et Rose | ♄ ♆ Ⓦ ⧘ ✻; Mex.
– **stenopterus** (F.A.C. Weber) Britton et Rose | ♄ ♆ Ⓦ ⧘ ✻; Costa Rica
– *tricostatus* (Rol.-Goss.) Britton et Rose = Hylocereus undatus
– **trigonus** (Haw.) Saff. | ♄ ♆ Ⓦ ⧘ ✻; W.Ind.
– **undatus** (Haw.) Britton et Rose · Queen-of-the-Night | ♄ ♆ Ⓦ ⧘ ✻ Ⓝ; Haiti, Jamaica, Martinique

Hylomecon Maxim. -f- *Papaveraceae*
– **japonica** (Thunb.) Prantl et Kündig · Japanischer Wald-Mohn · Pavot jaune du Japon | ♃ V-VI; E-China, Korea, Jap.

Hylotelephium = Sedum L.
– *anacampseros* (L.) H. Ohba = Sedum anacampseros
– *cauticolum* (Praeger) H. Ohba = Sedum cauticolum
– *cyaneum* (Rudolph) H. Ohba = Sedum cyaneum
– *erythrostictum* (Miq.) H. Ohba = Sedum erythrostictum
– *ewersii* (Ledeb.) H. Ohba = Sedum ewersii
– *pluricaule* (Kudô) H. Ohba = Sedum pluricaule
– *spectabile* (Boreau) H. Ohba = Sedum spectabile
– *tatarinowii* (Maxim.) H. Ohba = Sedum tatarinowii
– *telephium* (L.) H. Ohba = Sedum telephium

Hymenaea L. -f- *Caesalpiniaceae* · Heuschreckenbaum
– **courbaril** L. · Locust Tree | ♄ Ⓦ Ⓝ; W.Ind., Venez., Guyana, Surinam, Bras.

Hymenandra (DC.) Spach -f- *Myrsinaceae*
– **wallichii** DC. | ♄ Ⓦ; Ind.: Bengalen, Assam

Hymenanthera = Melicytus J.R. Forst. et G. Forst.
– **crassifolia** Hook. f. | ♄ Ⓚ Ⓐ IV-V; NZ

Hymenocallis Salisb. -f- *Amaryllidaceae* · Schönhäutchen
– **amancaes** (Ruiz et Pav.) G. Nicholson | ♃ Ⓚ VI-VII; Peru
– *calathina* (Ker-Gawl.) G. Nicholson = Hymenocallis narcissiflora
– **caribaea** (L.) Herb. · Spider Lily | ♃ Ⓦ VII-IX; W.Ind.
– **harrisiana** Herb. | ♃ Ⓚ VI-VII; Mex.
– *lacera* Salisb. = Hymenocallis rotata
– **longipetala** (Lindl.) J.F. Macbr. | ♃ Ⓚ; Peru
– × **macrostephana** Baker (*H. narcissiflora* × *H. speciosa*) | ♃ Ⓦ III-V; cult.
– **narcissiflora** (Jacq.) J.F. Macbr. · Peruvian Daffodil | ♃ Ⓚ VI-VII; Peru, Bol.
– **rotata** (Ker-Gawl.) Herb. | ♃ Ⓦ III-V; USA: Fla.
– **speciosa** (L. f. ex Salisb.) Salisb. · Spider Lily | ♃ Ⓦ IX-XI; W.Ind.
– **tubiflora** Salisb. | ♃ Ⓦ III-X; trop. S-Am.
– *undulata* (Humb., Bonpl. et Kunth) Herb. = Hymenocallis tubiflora

Hymenocyclus = Malephora N.E. Br.
– *englerianus* (Dinter et A. Berger) Dinter et Schwantes = Malephora engleriana

Hymenogyne Haw. -f- *Aizoaceae*
– **glabra** (Aiton) Haw. | ⊙ VII-VIII; Kap

Hymenolobus Nutt. -m- *Brassicaceae*
– **procumbens** (L.) Nutt. · Niederliegende Salzkresse, Salztäschel | IV-V; Eur.: Ib, Fr, Ap, Ba, C-Eur., E-Eur.; TR, Levante, Cauc., Iran, W-Sib., C-As. Tibet, Mong., N-Afr., N-Am., nat. in Chile, Austr., NZ
  - subsp. **pauciflorus** (W.D.J. Koch) Schinz et Thell. · Armblütige Salzkresse | ⊙ VI-VII; Eur.: Sp., F, I, Sic., CH, A mts.

Hymenophyllum Sm. -n- *Hymenophyllaceae* · Hautfarn
– *ciliatum* (Sw.) Sw. = Hymenophyllum hirsutum
– **demissum** (G. Forst.) Sw. et Schrad. | ♃ Ⓚ; NZ
– **hirsutum** (L.) Sw. emend. C.V. Morton | ♃ Ⓦ; Trop.
– **polyanthon** (Sw.) Sw. | ♃ Ⓦ; Trop.
– **tunbrigense** (L.) Sm. · Englischer Hautfarn | ♃ Ⓚ VIII ▽; Eur.: Azor., Canar., Madeira, Sp., BrI, B, F, D, I; TR

Hymenosporum R. Br. ex F. Muell. -n- *Pittosporaceae*
– **flavum** (Hook.) F. Muell. · Native Frangipani, Sweetshade | ♄ ♄ Ⓚ; Austr.

Hymenostemma Kunze ex Willk. -n- *Asteraceae*
– **paludosum** (Poir.) Pomel | ☉ VI-IX; Eur.: P, Sp., Balear.; N-Afr.

Hymenoxys Cass. -f- *Asteraceae*
– **acaulis** (Pursh) Parker | ♃ △ V-VI ∧; Can., USA: NE, NCE, NC, SC, SW, Rocky Mts., NW, Cailf.
– *californica* Hook. = Lasthenia coronaria
– **grandiflora** (Torr. et A. Gray ex A. Gray) K.F. Parker · Pigmy Sunflower | ♃ △ V-VI ∧; USA: Rocky Mts.
– **linearifolia** Hook. | ☉ VI-IX; USA: SC, N.Mex.; Mex.

Hyophorbe Gaertn. -f- *Arecaceae*
– **lagenicaulis** (L.H. Bailey) H.E. Moore | ♄ Ⓦ; Mauritius
– **verschaffeltii** H. Wendl. · Spindle Palm | ♄ Ⓦ; Maskarene Is. (Rodriguez)

Hyoscyamus L. -m- *Solanaceae* · Bilsenkraut
– **albus** L. · Weißes Bilsenkraut ; Eur.: Ib, Fr, Ap, Ba, E-Eur.; TR, Iraq, N-Afr., Makaron.
– **muticus** L. · Egyptian Henbane | ☉ ☉ VII-IX ☠ Ⓝ; Alger., Sahara, Egypt, Sudan, Syr., Arab., Iran, Afgh., Pakist., N-Ind.
– **niger** L. · Schwarzes Bilsenkraut · Black Henbane, Henbane | ☉ ☉ Off. X-IX ☠; Eur.*, TR, Cauc., Iran, W-Sib., E-Sib., C-As., Him., Ind., Mong., NW-Afr., nat. in E-As., N-Am., Austr.
  - var. **pallidus** Waldst. et Kit.

Hyoseris L. -f- *Asteraceae*
– *foetida* L. = Aposeris foetida

Hyparrhenia E. Fourn. -f- *Poaceae*
– **rufa** (Nees) Stapf | ♃ Ⓝ; trop. Afr., nat. in Am.

Hypecoum L. -n- *Fumariaceae* · Lappenblume
– *grandiflorum* Benth. = Hypecoum imberbe
– **imberbe** Sibth. et Sm. | ☉ VII-IX; Eur.: Ib, Fr, Ap, Ba; Cauc., Cyprus
– **pendulum** L. · Gelbäugelchen | VI-VII; Eur.: Ib, F, D, Ba; TR, SW-As., NW-Afr.
– **procumbens** L. | ☉ VII-IX; Eur.: Ib, Fr, Ap, Ba; TR, Cyprus, N-Iraq, N-Afr.

Hypericum L. -n- *Clusiaceae* · Johanniskraut
– **aegypticum** L. | ♄ Ⓚ VIII; Eur.: Sard., Sic., GR, Crete; Alger., Tun., Libya
– **androsaemum** L. · Mannsblut · Tutsan · Androsème, Toute-saine | ♄ VI-IX ∧ Ⓝ; Eur.: BrI, Fr, Ib, Ap, CH, BG; N-TR, Cauc., Iran, nat. in A
– **annulatum** Moris | ♃ △ VI-VIII; Eur.: Sard., Ba
– **ascyron** L. | ♃ VII; W-Sib., E-Sib., Amur, Korea, China, Jap., Can.:E; USA: NE, NCE, NC
– *aureum* Bartram = Hypericum frondosum
– **balearicum** L. | ♄; Balear.
– **barbatum** Jacq. · Bart-Johanniskraut | ♃ V-VI; Eur.: I, A, Ba
– **bellum** H.L. Li | ♄; W-China: Yunnan, Sichuan, Xizang; N-Burma, N-Ind.
– **calycinum** L. · Großblütiges Johanniskraut · Aaron's Beard, Rose of Sharon · Millepertuis à grandes fleurs | ♄ △ VI-IX; Eur.: BG; N-TR, nat. in BrI, Fr, CH, I, P, Russ., Cauc.
  - *'Rose von Sharon'* = Hypericum calycinum
– **canariense** L. | ♄ ♄; Canaren, Madeira
– **carinthiacum** A. Fröhl.
– **cerastoides** (Spach) N. Robson | ♄ ⇝ △ VI-VIII ∧; Eur.: GR, BG; TR
– **coris** L. · Quirlblättriges Johanniskraut · Yellow Coris · Millepertuis coris | ♄ Ⓚ △ VI-VIII ∧; Eur.: S-F, CH, I
– *cuneatum* Poir. = Hypericum pallens
– *degenii* Bornm. = Hypericum annulatum
– **densiflorum** Pursh · Dichtblütiges Johanniskraut · Bushy St. John's Wort | ♄

VII-X; USA: NE, NCE, SC, SE, Fla.
– × **desetangsii** Lamotte (*H. maculatum* × *H. perforatum*) · Bastard-Flecken-Johanniskraut | ♃ VI-VIII; Eur.: Sp., Fr, I, BrI, C-Eur.
– *elatum* Aiton = Hypericum × inodorum
– **elegans** Stephan ex Willd. · Zierliches Johanniskraut | ♃ VI-VII; Eur.: C-Eur., EC-Eur., Ba, E-Eur.; Cauc., W-Sib., E-Sib.
– **elodes** L. · Sumpf-Johanniskraut | ♃ VIII-IX; Eur.: Ib, Fr, BrI, I, D
– **empetrifolium** Willd. | ♄ ⌂ VII-VIII; Eur.: AL, GR, Crete; TR, Cyprus, Libya
– **ericoides** L. | ♄ ♄; E-Sp., Maroc., Tun.
– **forrestii** (Chitt.) N. Robson · Forrests Johanniskraut | ♄ VII-VIII; Him., W-China: Yunnan
– **fragile** Heldr. et Sart. ex Boiss. | ♄ △ VI-VIII ∧; E-GR
– **frondosum** Michx. · Gold-Johanniskraut | ♄ VII-VIII ∧; USA: SE, SC, Ky., Ind.
– **galioides** Lam. | ♄; USA: SE, Fla.
– *grandiflorum* hort. = Hypericum olympicum
– **hircinum** L. · Stinkendes Johanniskraut · Stinking Tutsan | ♄ V-VII; Eur.: Balear., Ap, Ba; TR, Levante, Arab., Maroc., nat. in Ib, Fr, BrI, CH
– **hirsutum** L. · Behaartes Johanniskraut | ♃ VII-VIII; Eur*., TR, Cauc., NW-Iran, Sib., Alger.
– **hookerianum** Wight et Arn. · Hookers Johanniskraut | ♄ ⌂ VII-IX ∧; Ind.: Sikkim, Assam; W-China
– **humifusum** L. · Niederliegendes Johanniskraut · Creeping St. John's Wort | ⊙ ♃ △ X-IX; Eur.*, Maroc., Alger.
– × **inodorum** Willd. (*H. androsaemum* × *H. hircinum*) · Duftloses Johanniskraut · Tall Tutsan | ♄ VII-VIII; Cauc., Iran, Madeira
  - **'Elstead'**
  - *'Sungold'* = Hypericum kouytchense
– **japonicum** Murray; Nepal, S-Ind., China, Korea, Jap., Java, SE-Austr., NZ
– **kalmianum** L. · Kalms Johanniskraut | ♄ VIII; Can.: E; USA: NE, NCE
– **kouytchense** H. Lév. | ♄ X-VI; W-China: Guizhou
– **leschenaultii** Choisy | ♄; Sumat., Java, Lombok, SW-Sulawesi
– **lobocarpum** Gatt. | ♄; SE-USA
– **maculatum** Crantz · Geflecktes Johanniskraut | ♃ VII-VIII; Eur.* +
  - subsp. **obtusiusculum** (Turlet) Hayek · Stumpfblättriges Geflecktes Johanniskraut | ♃ VII-VIII
– **majus** (A. Gray) Britton · Großes Kanadisches Johanniskraut ; N-Am., nat. in F, D
– **monogynum** L. | ♄; SE-China, Taiwan, Jap.
– **montanum** L. · Berg-Johanniskraut | ♃ VI-VIII; Eur.*; TR, Cauc., Maroc., Alger.
– × **moserianum** André (*H. calycinum* × *H. patulum*) · Bastard-Johanniskraut | ♄ VI-VIII; cult.
  - **'Tricolor'**
– **mutilum** L.; N-Am., nat. in Eur.: F, I, D, PL coasts
– **nummularium** L. | ♃; Pyr., Alp.
– **olympicum** L. · Polemonia | ♄ △ VI-VII ∧; Eur.: Ba; TR
– **orientale** L. | ♃; TR, Cauc.
– **pallens** Banks et Sol. | ♄; S-TR, W-Syr.
– **patulum** Thunb. | ♄ VII-IX ∧; Jap.
  - var. *henryi* Bean = Hypericum pseudohenryi
– **perforatum** L. · Tüpfel-Hartheu, Tüpfel-Johanniskraut · St. John's Wort | ♃ VII-VIII; Eur.*, TR, Cyprus, Syr., Cauc., Iraq, Iran, W-Sib., E-Sib., C-As., Mong., Him., NW-Afr.
– **polyphyllum** Boiss. et Balansa · Vielblättriges Johanniskraut | ♄ △ VI-VIII; TR
– **prolificum** L. · Sprossendes Johanniskraut | ♄ X-VII; S-Ont., USA
– **pseudohenryi** N. Robson | ♄; W-China: W-Hupeh, W-Sichuan, Yunnan
– **pulchrum** L. · Schönes Johanniskraut | ♃ VII-IX; Eur.* exc. EC-Eur.
– *pyramidatum* Aiton = Hypericum ascyron
– *quadrangulatum* auct. non L. = Hypericum maculatum
– **repens** L. | ♃ ⇝ △ VI; TR
– **reptans** Hook. f. et Thomson ex Dyer | ♄ ⇝ △ IX-X ∧; Sikkim
– *rhodoppeum* Friv. = Hypericum cerastoides
– **richeri** Vill. · Richers Johanniskraut | ♃ VII; Eur.: Ib, Fr, I, Ba, RO, W-Russ.; mts.
– **tetrapterum** Fr. · Geflügeltes Johanniskraut · Millepertuis à quatre ailes | ♃ VII-VIII; Eur.*; TR, N-Iraq, Syr., Cauc., Iran
– **webbii** Steud. | ♄; Eur.: Sard., Malta, GR, Crete; Maroc., Lybia

– **xylosteifolium** (Spach) N. Robson | ħ V-VII; NE-TR, Cauc.
– **yakushimense** Koidz. | ♃; Jap.
– **Cultivars**
  - **'Hidcote'** Wight et Arnold | ♄
  - *'Sungold'* = Hypericum kouytchense

Hyphaene Gaertn. -f- *Arecaceae* · Dumpalme
– **thebaica** (L.) Mart. · Doum Palm | ħ Ⓦ Ⓝ; W.Sudan, Sudan, Egypt, Arab., Somalia

Hypochaeris L. -f- *Asteraceae* · Ferkelkraut
– **glabra** L. · Kahles Ferkelkraut | X-VI; Eur.*, TR, Lebanon, NW-Afr.
– **maculata** L. · Geflecktes Ferkelkraut | ♃ V-VII; Eur.*, Cauc., W-Sib., E-Sib.
– **radicata** L. · Gewöhnliches Ferkelkraut | ♃ VI-IX; Eur.*, TR, NW-Afr.
– **uniflora** Vill. · Einköpfiges Ferkelkraut | ♃ △ VII-VIII; Eur.: F, I, C-Eur., EC-Eur., E-Eur..; mts.

Hypocyrta = Nematanthus Schrad.
  glabra Hook. | ♄ Ⓦ VII-IX; Bras.
– *nummularia* Hanst. = Nematanthus gregarius
– *radicans* Klotzsch et Hanst. ex Hanst. = Nematanthus gregarius
– *strigillosa* Mart. = Nematanthus strigillosus

Hypoestes Sol. ex R. Br. -f- *Acanthaceae*
– **phyllostachya** Baker · Baby's Tears | ♄ Ⓦ; Madag.

Hypolepis Bernh. -f- *Dennstaedtiaceae* · Buchtenfarn
– **millefolia** Hook. | ♃ Ⓚ ∧; NZ
– **repens** (L.) C. Presl | ♃ Ⓦ; Fla., Mex., W-Ind., C-Am., S-Am.
– **tenuifolia** (G. Forst.) Bernh. ex C. Presl | ♃ Ⓦ; Malay. Arch., Austr., NZ

Hypoxis L. -f- *Hypoxidaceae*
– **hirsuta** (L.) Coville · Stargrass | ♃ IV-V; Can.: E; USA: NE, NCE, NC, SC, SE, Fla.

Hypsela C. Presl -f- *Campanulaceae*
– **reniformis** (Kunth) C. Presl | ♃ Ⓐ ⇝ VII-VIII; Chile

Hyptis Jacq. -f- *Lamiaceae*
– **spicigera** Lam. | ħ Ⓦ Ⓝ; trop. Afr., Madag.

Hyssopus L. -m- *Lamiaceae* · Ysop
– *aristatus* Godr. = Hyssopus officinalis subsp. aristatus
– **officinalis** L. · Ysop · Hyssop · Hyssope | ♃ △ X-VII Ⓝ; Eur.* exc. BrI, Sc; TR, Cauc., Iran, W-Sib., Maroc., Alger.
  - subsp. **aristatus** (Godr.) Briq. | ♄ △ VI-IX; Eur.: Sp., F, I, Ba; Maroc.

Hystrix Moench -f- *Poaceae*
– **patula** Moench · Flaschenbürstengras | ♃ ⋉ VI-VIII; Can.: E; USA: NE, NCE, NC, SC, SE

Iberis L. -f- *Brassicaceae* · Schleifenblume
– **amara** L. · Bittere Schleifenblume · Wild Candytuft | ⊙ V-VIII; Eur.: BrI, Sp., F, I, C-Eur.; TR, Cauc., Alg., nat. in EC-Eur., E-Eur., NZ
– *bourgaei* Boiss. = Iberis crenata
– *candolleana* Jord. = Iberis pruitii
– *corifolia* (Sims) Sweet = Iberis saxatilis var. corifolia
– *coronaria* hort. = Iberis amara
– **crenata** Lam. | ⊙ VI-VIII; Eur.: Sp.
– **gibraltarica** L. | ♄ Ⓚ IV-VI; Eur.: Sp. (Gibraltar); Maroc.
– **linifolia** Loefl. · Mittlere Schleifenblume | ⊙ VI-VII; Eur.: Sp., F, I, CH, W-Ba, nat. in B
– **odorata** L. | ⊙ V-VIII; Eur.: GR, Crete; Levante, SW-As, NW-Afr., Libya
– *pectinata* Boiss. = Iberis crenata
– **pinnata** L. · Fieder-Schleifenblume | ⊙ ⊚ V-VIII; Eur.: Ib, Fr, Ap, Ba, Krim, CH; N-TR, nat. in C-Eur., RO
– **pruitii** Tineo | ♃ Ⓐ III-IV ∧; Eur.: Sp., F, Ap, Ba; Tun.; mts.
– **saxatilis** L. · Felsen-Bauernsenf, Felsen-Schleifenblume · Thlaspi des rochers | ♄ ♃ IV-V; Eur.: Sp., F, I, CH, Ba, RO, Krim
  - var. **corifolia** Sims | ♄ △ V-VI; S-Eur.
– **semperflorens** L. · Immerblütige Schleifenblume · Thlaspi toujours vert | ♄ ħ Ⓚ IV-V; Eur.: Sic., I, nat. in RO
– **sempervirens** L. · Immergrüne Schleifenblume · Evergreen Candytuft | ♄ ⁝ △ V; Eur.: Sp., F, I, Ba; TR, nat. in BrI, RO
– *spruneri* Jord. = Iberis pruitii
– *stylosa* Ten. = Thlaspi stylosum

– **umbellata** L. · Doldige Schleifenblume · Annual Candytuft | ⊙ ⊙ ⋈ VI-VIII; Eur.: F, I, Ba, nat. in BR, C-Eur., EC-Eur., Ib, RO

Ibicella Van Eselt. -f- *Pedaliaceae*
– **lutea** (Lindl.) Van Eselt. | ⊙ ♧ VII-VIII; S-Bras., Parag., Urug., N-Arg.

Iboza = Tetradenia Benth.
– *riparia* (Hochst.) N.E. Br. = Tetradenia riparia

Idesia Maxim. -f- *Flacourtiaceae* · Orangenkirsche
– **polycarpa** Maxim. · Orangenkirsche · Igiri Tree | ♄ V-VI ∧; Jap., Korea, China, Taiwan
  - var. **vestita** Diels; W-China: W-Sichuan

Idria = Fouquieria Kunth
– *columnaris* Kellogg = Fouquieria columnaris

Ignatia = Strychnos L.
– *amara* L. = Strychnos ignatii

Ilex L. -f- *Aquifoliaceae* · Stechpalme
– × **altaclerensis** (Loudon) Dallim. (*I. aquifolium* × *I. perado*) · Großblättrige Stechpalme · Houx de Highclere | ♄; cult.
  - **'Belgica'**
  - **'Hodginsii'**
  - **'Maderensis'**
  - *'Nobilis'* = Ilex × altaclerensis 'Hodginsii'
  - **'Nobilis Picta'**
– **aquifolium** L. · Gewöhnliche Stechpalme, Hülse · Common Holly, English Holly · Houx commun | ♄ ♄ ♧ Off. V-VI ▽ ☠ Ⓝ; Eur.* exc. Russ.; TR, Syr., NW-Afr.
  - **Argentea Marginata Grp.**
  - *'Contorta'* = Ilex aquifolium 'Crispa'
  - **'Crispa'**
  - **'Handsworthensis'**
  - **'Watereriana'**
  - *'Waterers Gold'* = Ilex aquifolium 'Watereriana'
– × **aquipernyi** Gable (*I. aquifolium* × *I. pernyi*)
– × **attenuata** Ashe (*I. cassine* × *I. opaca*) · Topal Holly | ♄; USA: SO, Fla.
– **bioritsensis** Hayata | ♄ ♄; China, Taiwan
– **cassine** L. non Walter | ♄ ♄; USA: Va., SE, Fla.; Cuba
– **centrochinensis** S.Y. Hu | ♄; China
– **ciliospinosa** Loes. · Grannenborstige Stechpalme · September Gem Holly | ♄ ∧; C-China, W-China
– **colchica** Pojark. | ♄; BG, TR, Cauc.
– **corallina** Franch. | ♄ ♄ ∧; C-China, W-China
– **cornuta** Lindl. et Paxton · Chinese Holly, Horned Holly | ♄ Ⓚ VI-VII; E-China
– **crenata** Thunb. · Japanische Stechpalme · Boxleaf Holly, Japanese Holly · Houx crénelé | ♄ V-VI; Jap.
  - **'Microphylla'** Maxim.; Korea, Jap.
– **decidua** Walter · Sommergrüne Winterbeere · Possumhaw Holly | ♄ ♄ ♧ V; USA: NE, NCE, Kans., SC, SE, Fla.; NE-Mex.
– **dimorphophylla** Koidz. | ♄; Liukiu-Is.
– **fargesii** Franch. · Farges Stechpalme | ♄ V-VI; W-China
– **glabra** (L.) A. Gray · Kahle Winterbeere · Inkberry | ♄ VI; Can.: E; USA: NE, SC, SE, Fla.
– **integra** Thunb. · Elegance Female Holly | ♄ ♄ Ⓚ III-IV; China, S-Korea, Jap., Taiwan
– **kingiana** Cockerell | ♄; E-Him., Yunnan
– × **koehneana** Loes. (*I. aquifolium* × *I. latifolium*) · Koehneana Holly | ♄
– **laevigata** (Pursh) A. Gray · Glatte Stechpalme | ♄ ♧ VI-VII; USA: NE, SE
– **latifolia** Thunb. · Tarajo Holly | ♄ ♄ Ⓚ VI-VII; Jap., E-China
– **leucoclada** (Maxim.) Makino | ♄; Jap.
– × **makinoi** Hara | ♄; Jap.
– × **meserveae** S.Y. Hu (*I. aquifolium* × *I. rugosa*) | ♄; cult.
  - **'Blue Boy'**
  - **'Blue Girl'**
– **opaca** Aiton · Amerikanische Stechpalme · American Holly | ♄ ♄ VI; USA: NE, NCE, SC, SE, Fla.
– **paraguariensis** A. St.-Hil. · Mate, Paraguay Tea · Maté | ♄ Ⓚ Ⓝ; Bras., Parag., Urug., Arg.
– *paraguayensis* Hook. = Ilex paraguariensis
– *paraguensis* D. Don = Ilex paraguariensis
– **pedunculosa** Miq. · Langstielige Stechpalme ; C-China
  - fo. *continentalis* Loes. = Ilex pedunculosa
– **perado** Aiton · Azorean Holly, Madeira

Holly · Houx des Açores | ♄ Ⓚ; Azor., Madeira, Canar.
– **pernyi** Franch. · Rautenblättrige Stechhülse · Perny's Holly · Houx de Perny | ♄ ♄; C-China, W-China
  - var. **manipuriensis** Loes.; China: Yunnan
  - var. *veitchii* (Veitch) Bean ex Rehder = Ilex bioritsensis
– **rotunda** Thunb. | ♄; Jap., China, Korea, Ryukyu Is., Taiwan
– **rugosa** F. Schmidt | ♄; Jap., Sachal.
– **serrata** Thunb. · Japanische Winterbeere | ♄ ⚘ VI; Jap.
  - **'Leucocarpa'**
– *sieboldii* Miq. = Ilex serrata
– **sugerokii** Maxim. | ♄; Jap.
– **verticillata** (L.) A. Gray · Amerikanische Winterbeere | ♄ ⚘ VI-VII; Can.: E; USA: NE, NCE, SE, Fla.
– **vomitoria** Aiton · Winterberry, Yaupon | ♄ Ⓚ ∧; USA: Va, SE, SC, Fla.
– **yunnanensis** Franch. · Yunnan-Stechpalme · Houx du Yunnan | ♄ ∧; SW-China

Iliamna = Sphaeralcea A. St. -Hil.
– *rivularis* (Douglas) Greene = Sphaeralcea rivularis

Illecebrum L. -n- *Illecebraceae*
– **verticillatum** L. · Knorpelkraut | VII-IX; Eur.: Fr, BrI, Ap, C Eur., EC Eur., Sc, Ba, Azor. +

Illicium L. -n- *Illiciaceae* · Sternanis
– **anisatum** L. · Aniseed Tree, Star Anise | ♄ ♄ Ⓚ ☠ Ⓝ; Jap., Korea
– **henryi** Diels | ♄ ♄; C-China, W-China
– *religiosum* Siebold et Zucc. = Illicium anisatum
– **verum** Hook. f. · Chinese Anise | ♄ Ⓚ Off. Ⓝ; cult.

Impatiens L. -f- *Balsaminaceae* · Springkraut, Balsamine
– **auricoma** Baill. | ♃ Ⓦ I-XII; Komor.
– **balfourii** Hook. f. · Balfours Springkraut | ♃ Ⓚ X-VIII; W-Him., nat. in S-Eur., C-Eur.
– **balsamina** L. · Garten-Springkraut | ☉ VII-IX; Ind., China, Malay. Pen., nat. in F, EC-Eur.
– *bicolor* Hook. f. = Impatiens niamniamensis
– *biflora* Walter = Impatiens capensis
– **capensis** Meerb. · Orangefarbenes Springkraut · Jewelweed, Orange Balsam | ☉ VII-X; Alaska, Can., USA* exc. NW, Rocky Mts., nat. in BrI, F
– **glandulifera** Royle · Drüsiges Springkraut, Indisches Springkraut · Himalayan Balsam, Policeman's Helmet | ☉ D VII-X; Him., nat. in Eur., N-Am.: NE
– **hawkeri** W. Bull | ♃ Ⓦ Ⓚ VIII-X; N.Guinea
– *holstii* Engl. = Impatiens walleriana
– *linearifolia* Warb. = Impatiens hawkeri
– **marianae** Rchb. f. ex Hook. f. | ♃ Ⓦ ⇝ VI-VII; Ind: Assam
– **niamniamensis** Gilg emend. G.M. Schulze | ♃ Ⓦ I-XII; E-Afr.
– **noli-tangere** L. · Großes Springkraut, Rühr-mich-nicht-an · Touch-me-not | ☉ VII-VIII; Eur.*, TR, Cauc., W-Sib., E-Sib., Amur, Sachal., Kamchat., C-As., China, Korea, Jap., nat. in N-Am.
– *oliveri* C.H. Wright ex W. Watson = Impatiens sodenii
parviflora DC. · Kleinblütiges Springkraut · Small Balsam | ☉ VI-X; C-As., Him., Mong., W-Sib., nat. in Eur.* exc. Ib, Ba
– **platypetala** Lindl. | ♃ Ⓦ VII-VIII; Java, Sulawesi
– **repens** Moon | ♃ Ⓦ ⇝ VI-VIII; Ind., Sri Lanka
– *roylei* Walp. = Impatiens glandulifera
– **sodenii** Engl. et Warb. ex Engl. | ♃ Ⓚ IV-VIII; Kenya, Tanzania
– *sultani* Hook. f. = Impatiens walleriana
– **walleriana** Hook. f. · Fleißiges Lieschen · Busy Lizzie | ♃ Ⓚ ▢ I-XII; Tanzania, Mozamb.
– **Cultivars**
  - **Neuguinea-Grp.**

Imperata Cirillo -f- *Poaceae*
– **cylindrica** (L.) Raeusch. · Japanese Blood Grass | ♃ Ⓚ Ⓝ; Eur.: Ib, Fr, Ap, Ba; TR, Arab., C-As., NW-Ind., N-Afr., Makaron., nat. in N-Am., Chile
  - *'Red Baron'* = Imperata cylindrica 'Rubra'
  - **'Rubra'**
– *sacchariflora* Maxim. = Miscanthus sacchariflorus

Imperatoria L. -f- *Apiaceae*

– *altissima* (Mill.) Leute = Peucedanum verticillare
– *ostruthium* L. = Peucedanum ostruthium

Incarvillea Juss. -f- *Bignoniaceae*
– **arguta** (Royle) Royle | ♃ ⌂K VIII ∧; W-Him.
– *brevipes* (Sprague) hort. = Incarvillea mairei
– **compacta** Maxim. | ♃ △ V-VII ∧; NW-China
  - var. *grandiflora* (Bureau et Franch.) Wehrh. = Incarvillea mairei var. grandiflora
– **delavayi** Bureau et Franch. · Chinese Trumpet Flower · Incarvillée de Delavay | ♃ VI-VII ∧; Yunnan
– **emodi** (Lindl.) Chatterjee | ♃ ⌂K VIII ∧; Him.
– *grandiflora* Bureau et Franch. = Incarvillea mairei var. grandiflora
  - var. *brevipes* Sprague = Incarvillea mairei
– **lutea** Bureau et Franch. | ♃ ⌂K △ VI-VII ∧; SW-China
– **mairei** (Lev.) Grierson; SW-China
  - var. **grandiflora** (Bureau et Franch.) Grierson · Incarvillée à grandes fleurs | ♃ △ V-VI ∧; Nepal, Bhutan, W-China, SE-Tibet
– **olgae** Regel | ♃ VI-IX; C-As., Afgh.
– **sinensis** Lam. · Trumpet Flower ; Sib., Manch., China
  - subsp. **variabilis** (Batalin) Grierson | ♃ ♄ VI-VIII ∧; W-China
– *variabilis* Batalin = Incarvillea sinensis

Indigofera L. -f- *Fabaceae* · Indigostrauch
– **amblyantha** Craib | ♄ VII-X; China
– **arrecta** Hochst. ex A. Rich. | ♄ Ⓝ; W-Sudan, W-Afr., E-Afr., S-Afr., Arab.
– **australis** Willd. | ♄; Austr.: Queensl., N.S.Wales, Victoria
– **cylindrica** DC. | ħ ♄; S-Afr.
– **decora** Lindl. | ♄ VII-VIII ∧; Jap., M-China
– **dielsiana** Craib | ♄; SW-China
– *gerardiana* Wall. ex Baker = Indigofera heterantha
– **heterantha** Wall. ex Brandis · Himalaya-Indigostrauch | ♄ VI-IX ∧; Him.
– **hirsuta** L. | Ⓝ; Afr., S-As., N-Austr., nat. in Trop.
– *incarnata* Nakai = Indigofera decora
– **kirilowii** Maxim. ex Palib. · Kirilows Indigostrauch | ♄ VI; Jap., Korea, Manch., N-China
– **potaninii** Craib · Potanins Indigostrauch ♄ VII-IX; NW-China
– **spicata** Forssk. | ♃ Ⓝ; trop. Afr.
– **suffruticosa** Mill. · Indigo | Ⓝ; trop. Am. nat. in Afr., S-As
– **tinctoria** L. · Common Indigo, Indigo, True Indigo | ♄ ⌂W VII Ⓝ; ? W-Afr.

Indocalamus Nakai -m- *Poaceae*
– **tessellatus** (Munro) Keng f. | ♃ ∧; Jap.

Inga Mill. -f- *Mimosaceae*
– **edulis** Mart. · Ice Cream Bean | ħ ⌂K Ⓝ; C-Am., trop. S-Am.
– **feuillei** DC. · Ice Cream Bean | ħ ⌂K Ⓝ; Peru
– **laurina** (Sw.) Willd. | ħ Ⓝ; C-Am., W.Ind.

Inocarpus J.R. Forst. et G. Forst. -m- *Fabaceae*
– **fagifer** (Parkinson ex Du Roi) Fosberg · Tahitian Chestnut | ħ ⌂W Ⓝ; Malay. Arch., Polyn.

Intsia Thouars -f- *Caesalpiniaceae*
– **bijuga** (Colebr.) Kuntze · Bajang | ħ ⌂W Ⓝ; E-Afr., S-As., Malay. Arch., N.Guinea, Austr.: Queensl.; Fiji, Pacific Is.

Inula L. -f- *Asteraceae* · Alant
– **acaulis** Schott et Kotschy | ♃ △ VII-VIII ∧; TR, Cauc.
– *afghanica* hort. = Inula magnifica
– **britannica** L. · Wiesen-Alant | ♃ VII-IX; Eur.* exc. BrI; TR, Cauc., Iran, W-Sib., E-Sib., Amur, Sachal., Kamchat.
– **conyzae** (Griess.) Meikle · Dürrwurz, Dürrwurz-Alant | ♃ ⊙ X-VI; Eur.*, Türkei, Cauc., Iran, Alger.
– **ensifolia** L. · Schwertblättriger Alant · Narrow Leaved Inula · Aunée à feuilles en épée | ♃ △ VII-VIII; Eur.* exc. BrI, Ib; N-TR, Cauc.
– **germanica** L. · Deutscher Alant | ♃ VII-VIII; Eur.: C-Eur., EC-Eur., Ba, E-Eur.; TR, Cauc., W-Sib., C-As.
– *glandulosa* Puschk. ex Willd. = Inula orientalis
– **helenium** L. · Echter Alant · Elecampane, Scabwort | ♃ VII-X; Eur.: Ap, Ba, E-Eur.; TR, Cauc., NW-Iran, W-Sib., C-

As., nat. in Eur.: BrI, Sc, Fr, C-Eur., EC-Eur.; N-Am.
– **helvetica** Weber · Schweizer Alant | ♃ VII-IX; Eur.: Sp., F, I, CH, D
– **hirta** L. · Rauhaariger Alant · Inule hérissée | ♃ VI-IX; Eur.* exc. BrI, Sc; W-Sib.
– **hookeri** C.B. Clarke | ♃ VIII-IX; Sikkim
– *macrocephala* Kotschy et Boiss. = Inula royleana
– **magnifica** Lipsky · Giant Inula · Grande aunée | ♃ VII-VIII; Cauc.
– **oculus-christi** L. · Christusaugen-Alant | ♃ ♄ △ VI-VIII ∧; Eur.: A, Ba, EC-Eur.; TR, Cauc., Iran
– **orientalis** Lam. · Inule d'Orient | ♃ VI-VII; Cauc., TR
– **rhizocephala** Schrenk | ♃ △ VII-VIII ∧; Afgh., Iran, Pakist., C-As.
– **royleana** DC. | ♃ VII-IX; Cauc., Him.
– *salicifolia* hort. = Inula salicina
– **salicina** L. · Weidenblättriger Alant | ♃ X-IX; Eur.* exc. BrI; TR, Lebanon, Cauc., N-Iran, Sib., C-As., China, Korea, Jap.
– **spiraeifolia** L. · Sparriger Alant | ♃ VII-VIII; Eur.: Fr, Ap, CH, Ba, ? RO

Iochroma Benth. -f- *Solanaceae* · Veilchenstrauch
– **coccinea** Scheidw. | ♄ Ⓚ VII-VIII; C-Am.
– **cyanea** (Lindl.) M.L. Green | ♄ Ⓚ VII-VIII; Col.
– **fuchsioides** (Humb. et Bonpl.) Miers · Iochroma | ♄ Ⓚ VII-VIII; Col.
– **grandiflora** Benth. | ♄ Ⓚ VII-VIII; Ecuad., Peru; And.
– *lanceolata* (Miers) Miers = Iochroma cyanea
– *tubulosa* Benth. = Iochroma cyanea
– *warscewiczii* Regel = Iochroma grandiflora

Ionopsidium Rchb. -n- *Brassicaceae*
– **acaule** (Desf.) Rchb. · Diamond Flower, Violet Cress | ⊙ VI-VII; P

Ionopsis Kunth -f- *Orchidaceae*
– *paniculata* Lindl. = Ionopsis utricularioides
– *tenera* Lindl. = Ionopsis utricularioides
– **utricularioides** (Sw.) Lindl. · Delicate Violet Orchid | ♃ Ⓦ XII-X ✻; Fla., Mex., W-Ind., C-Am., trop. S-Am.

Ipheion Raf. -n- *Alliaceae*
– **uniflorum** (Graham) Raf. · Spring Starflower | ♃ Ⓚ IV-V ∧; S-Bras., Urug., Arg.

Ipomoea L. -f- *Convolvulaceae* · Prunkwinde
– *acuminata* (Vahl) Roem. et Schult. = Ipomoea indica
– **alba** L. · Moon Flower | ♃ Ⓦ ⌇ VII-VIII; Trop.
– **aquatica** Forssk. · Water Convolvulus, Water Spinach | ⊙ ⊙ ♃ Ⓦ ⟿ XI-VI Ⓝ; Afr., Arab., Ind., Sri Lanka, trop. As., Austr., nat. in Trop.
– **arborescens** (Humb. et Bonpl. ex Willd.) G. Don · Morning Glory Tree, Tree Convolvulus | Ⓚ VI-VIII; Mex.
– **batatas** (L.) Lam. · Sweet Potato | ♃ Ⓦ ⌇ ⟿ Ⓝ; cult.
– *biloba* Forssk. = Ipomoea pes-caprae
– *bona-nox* L. = Ipomoea alba
– **bonariensis** Hook. | ♃ Ⓦ ⌇ VIII-X; Arg.
– *brasiliensis* (L.) Sweet = Ipomoea pes-caprae
– **cairica** (L.) Sweet | ♃ Ⓦ ⌇ II-VII; Trop.
– **carnea** Jacq.; Fla., trop. Am., nat. in Trop.
  - subsp. **fistulosa** (Mart. ex Choisy) D.F. Austin · Morning Glory Bush | ♄ Ⓦ I-VI; C-Am., trop. S-Am.
– **coccinea** L. · Stern-Winde · Red Morning Glory, Star Ipomoea | ⊙ ⌇ VII-X; Ariz., N.Mex.
– *crassicaulis* Benth. = Ipomoea carnea
– *digitata* auct. non L. = Ipomoea mauritiana
– *dissecta* Pursh = Merremia dissecta
– **eriocarpa** R. Br. | Ⓝ; Afgh., Ind., Sri Lanka, Trop. Old World
– *fistulosa* Mart. ex Choisy = Ipomoea carnea subsp. fistulosa
– **hederacea** (L.) Jacq. | ⊙ ⌇ VII-IX; trop. Am.
– **hederifolia** (L.) | ⊙ ⌇ VII-IX; USA:SC; S-Am., nat. in Trop.
– **horsfalliae** Hook. | ♄ Ⓚ ⌇ X-I; W-Ind.
– × **imperialis** hort.
– **indica** (Burm.) Merr. · Blue Dawn Flower, Ocean Blue Morning Glory | ♄ Ⓦ Ⓚ ⌇ VII-IX; Trop.
– *learii* Paxton = Ipomoea indica
– **lobata** (Cerv.) Thell. | ♃ Ⓚ ⌇ VII-IX; S-Mex.
– **macrorhiza** Michx. | ♄ Ⓚ ⌇ ⟿ VIII-

IX; USA: Calif., Fla., SW; Mex.
- **mauritiana** Jacq. · Mauritanian Convolvulus | ♃ Ⓦ ≀ VII-IX; Trop.
- *michauxii* Sweet = Ipomoea macrorhiza
- × **multifida** (Raf.) Shinners (*I. coccinea* × *I. quamoclit*) | ⊙ ≀ VII-XI; cult.
- **muricata** (L.) Jacq. | ♃ Ⓦ ≀ VII-VIII; Trop.
- **nil** (L.) Roth · Blue Morning Glory | ♃ Ⓚ ≀ VII-IX; Trop.
- *palmata* Forssk. = Ipomoea cairica
- **pandurata** (L.) G. Mey. · Man-of-the-earth, Wild Potato Vine | ♃ ≀ VII-IX ∧; Can.: Ont.; USA: NE, NCE, Kans., SC, SE, Fla.
- *paniculata* (L.) R. Br. = Ipomoea mauritiana
- **pes-caprae** (L.) R. Br. · Beach Morning Glory, Goat's Foot | ♃ Ⓦ ≀ ⇝ I-VII Ⓝ; Trop.; coasts
  - subsp. *brasiliensis* (L.) Ooststr. = Ipomoea pes-caprae
- **purga** (Wender.) Hayne · Jalap | ♃ Ⓚ ≀ Off. VII-X ☠; Mex., Panama
- **purpurea** (L.) Roth · Bunte Gartenwinde, Purpur-Trichterwinde · Common Morning Glory | ⊙ ≀ VI-IX; trop. Am., ? Mex., nat. in Trop.
- **quamoclit** L. · Cardinal Climber, Cypress Vine, Quamoclit | ⊙ ≀ VII-VIII; trop. Am.
- *reptans* auct. non (L.) Poir = Ipomoea aquatica
- *rubrocaerulea* Hook. = Ipomoea tricolor
- **setosa** Ker-Gawl. · Brazilian Morning Glory | ħ Ⓦ ≀ VIII-X; Bras.
- *sibirica* (L.) Pers. = Merremia sibirica
- **stans** Cav. | ħ Ⓚ; Mex.
- **tricolor** Cav. | ⊙ ♃ Ⓚ ≀ VIII-X; Mex., C-Am., nat. in Trop.
- *tuberosa* L. = Merremia tuberosa
- *turpethum* (L.) R. Br. = Operculina turpethum
- *violacea* auct. non L. = Ipomoea tricolor

Ipomopsis Michx. -f- *Polemoniaceae*
- **aggregata** (Pursh) Grant · Scarlet Gilia, Skyrocket | ⊙ ⊙ VII-X; Can.: B.C.; USA: NW, Calif., Rocky Mts., SC, SW; Mex.
- *elegans* Michx. = Ipomopsis rubra
- **rubra** (L.) Wherry · Standing Cypress | ♃ VII-X; USA: SE, SC, Fla.

Iresine P. Browne -f- *Amaranthaceae*
- **herbstii** Hook. f. · Beefsteak Plant, Blood Leaf | ⊙ Ⓦ ⁞; Bras.
- **lindenii** Van Houtte | ♃ Ⓦ ⁞; Ecuad.

Iris L. -f- *Iridaceae* · Schwertlilie
- *alata* Poir. = Iris planifolia
- *anglica* Steud. = Iris latifolia
- **aphylla** L. · Nacktstängelige Schwertlilie · Iris sans feuille | ♃ IV-V ▽; Eur.: F, I, D, EC-Eur., Ba, E-Eur..; Cauc.
- *arenaria* Waldst. et Kit. = Iris humilis
- **atrofusca** Baker
- **atropurpurea** Baker | ♃ Ⓚ ▭ V ▽; Israel
- **aucheri** (Baker) Sealy | ♃ Ⓚ △ II-III ▽ ∧; TR, Syr., Iraq
- *aurea* Lindl. = Iris crocea
- **bakeriana** Foster | ♃ △ II-III ▽ ∧; E-TR, N-Iraq, W-Iran
- *balkana* Janka = Iris reichenbachii
- **barnumae** Foster et Baker | ♃ ▭ △ V-VI ▽ ∧; E-TR, NE-Iraq, Iran
- **bismarckiana** Regel | ♃ ▭ △ V ▽ ∧; Lebanon
- **boissieri** Henriq. | ♃ VI ▽ ∧; N-P, NW-Sp.
- *bornmuelleri* Hausskn. = Iris danfordiae
- *bosniaca* Beck = Iris reichenbachii
- **bracteata** S. Watson · Siskiyou Iris | ♃ V-VI ▽; USA: Oreg., Calif.
- **brevicaulis** Raf. · Louisiana Iris | ♃ VI ▽; USA: NCE, Kans., SC, SE
- **bucharica** Foster · Geweih-Iris | ♃ △ III-IV ▽ ∧; NE-Afgh., C-As.: Tadschik.
- **bulleyana** Dykes | ♃ V-VI ▽ ∧; W-China, N-Myanmar
- **caucasica** Regel | ♃ ≀ △ III-IV ▽; TR, Cauc., Iran
- *chamaeiris* Bertol. = Iris lutescens
- **chrysographes** Dykes | ♃ 〜 VI ▽; Yunnan, Sichuan
- **clarkei** Baker | ♃ VI ▽; E-Him.
- **cristata** Sol. · Crested Iris | ♃ △ 〜 V-VI ▽; USA: NE, SE, SC
- **crocea** Jacquem. ex Baker · Golden Flag | ♃ VI ▽; Kashmir
- *cuprea* Pursh = Iris fulva
- **danfordiae** (Baker) Boiss. · Iris Danfordiae | ♃ △ D △ III-IV ▽; TR
- **delavayi** Micheli | ♃ 〜 VII ▽; Yunnan
- *desertorum* Ker-Gawl. = Iris spuria subsp. halophila
- *dichotoma* Pall. = Pardanthopsis dichotoma
- **douglasiana** Herb. · Douglas Iris,

Mountain Iris | ♃ VI ▽; USA: Oreg., Calif.
- **ensata** Thunb. · Japanese Water Iris · Iris du Japon | ♃ VI ▽ Ⓝ; C-As., China, Korea, Jap.
- **filifolia** Boiss. | ♃ VI ▽ ∧; SW-Sp., Maroc.
- *flavissima* Pall. = Iris humilis
- *florentina* L. = Iris germanica 'Florentina'
- **foetidissima** L. · Übelriechende Schwertlilie · Gladwyn, Roast Beef Plant, Stinking Iris · Iris gigot, Iris puant | ♃ VI ▽; Eur.: Ib, Fr, Ap, Ba; N-Afr., nat. in CH
- *foliosa* Mack. et Bush = Iris brevicaulis
- **forrestii** Dykes · Iris de Forrest | ♃ V-VI ▽; Yunnan
- **fosteriana** Aitch. et Baker | ♃ △ III ▽ ∧; Iran, NW-Afgh.
- **fulva** Ker-Gawl. · Terrakotta-Schwertlilie · Louisiana Iris, Red Iris | ♃ ~ VI ▽; USA: Ill., Mo., SE
- × **fulvala** Dykes (*I. brevicaulis* × *I. fulva*)
- **gatesii** Foster | ♃ Ⓚ ▭ V ▽; SE-TR, N-Iraq
- **germanica** L. · Deutsche Schwertlilie · Common Iris, German Iris, Orris | ♃ ✂ V-VI ▽ Ⓝ; Eur.: Ib, F, Ap, C-Eur., EC-Eur., Ba; TR, Palaest., NW-Afr., nat. in Eur.*
  - **'Florentina'** | ♃ V ▽ Ⓝ; Eur.: Ib, Ap, Slove., Croatia, Crete; Cyprus, NW-Afr.
- *gigantea* Carr = Iris orientalis
- *gormanii* Piper = Iris tenax
- **gracilipes** A. Gray | ♃ △ VI ▽; Jap.
- **graeberiana** Sealy | ♃ △ IV ▽; C-As.
- **graminea** L. · Grasblättrige Schwertlilie, Pflaumenduft-Iris · Iris à feuilles de graminée | ♃ △ D △ V-VI ▽; Eur.* exc. BrI, Sc; Cauc.
- *gueldenstaedtiana* Lepech. = Iris spuria subsp. halophila
- *halophila* Pall. = Iris spuria subsp. halophila
- **hexagona** Walter | ♃ VI ▽ ∧; USA: Va., SE, Tex.
- *hispanica* Steud. = Iris xiphium
- **histrio** Rchb. f. | ♃ Ⓚ △ III ▽ ∧; TR, Syr.
- **histrioides** (G.F. Wilson) S. Arn. | ♃ Ⓚ △ III ▽; N-TR
- × **hollandica** hort. (*I. latifolia* × *I. tingitana* × *I. xiphium*) · Holländische Iris
- **hoogiana** Dykes | ♃ Ⓚ V ▽ ∧; C-As.
- **humilis** Georgi · Sand-Schwertlilie | ♃ △ D △ IV-VI ▽; Eur.: A, H, ? W-Ba, RO, Russ.; Cauc., Altai
- **innominata** L.F. Hend. · Rainbow Iris | ♃ △ ✂ VI ▽ ∧; USA: Oreg., N-Calif.
- **japonica** Thunb. · Gefranste Schwertlilie · Orchid Iris | ♃ Ⓚ III-IV ▽ ∧; Jap., C-China
- **juncea** Poir. | ♃ Ⓚ V-VI ▽ ∧; Eur.: SW-Sp., Sic.; N-Afr., nat. in I
- *kaempferi* Siebold = Iris ensata
- **kochii** A. Kern. ex Stapf | ♃ IV ▽; Eur.: N-I
- **korolkowii** Regel | ♃ V-VI ▽ ∧; C-As., Afgh.
- **lacustris** Nutt. | ♃ △ V ▽; Can.: Ont.; USA: Wisc.
- **laevigata** Fisch. · Asiatische Sumpf-Schwerlilie | ♃ ~ VII-VIII ▽; China, Manch., Korea, Jap.
- **latifolia** Mill. · Englische Iris · English Iris · Iris à bulbe des Pyrénées | ♃ VI ▽ ∧; Eur.: Sp., F; Cordillera Cantábrica, Pyr.
- **longipetala** Herb. | ♃ V-VI ▽; Calif.
- **lortetii** Barbey ex Boiss. | ♃ Ⓚ V-VI ▽ ∧; Lebanon
- **lutescens** Lam. · Grünliche Schwertlilie | ♃ IV-V ▽; Eur.: NE-Ib, S-F, I, ? Crete, nat. in CH, Sic.
- **magnifica** Vved. | ♃ Ⓚ IV ▽ ∧; C-As.
- **mandschurica** Maxim. | ♃ V ▽; Korea, Manch.
- **mesopotamica** Dykes | ♃ V-VI ▽; S-TR, Syr., Israel
- **milesii** Foster | ♃ V-VII ▽; NW-Him.
- **missouriensis** Nutt. · Missouri Flag, Rocky Mountain Iris | ♃ V-VI ▽; Can.: B.C.; USA: NC, Rocky Mts., NW, Calif., SW; Mex.
- **monnieri** DC. | ♃ VI-VII ▽; Crete
- *nana* Maxim. = Iris verna
- *nertschinskia* Lodd. = Iris sanguinea
- *nudicaulis* Lam. = Iris aphylla
- *ochroleuca* L. = Iris orientalis
- **orchioides** Carrière | ♃ △ IV ▽ ∧; C-As.
- **orientalis** Mill. · Butterfly Iris | ♃ ≷ ✂ VI-VII ▽; NE-GR, W-TR
- *orientalis* Thunb. = Iris sanguinea
- **pallida** Lam. · Bleiche Schwertlilie · Dalmatian Iris | ♃ D V-VI ▽ Ⓝ; Eur.: I, Slove., Croat., Montenegro, Maced., nat. in F, CH, A, RO, Ba
- **paradoxa** Steven | ♃ Ⓚ VI ▽ ∧; Cauc.,

N-Iran
– *pavonia* L. f. = Moraea neopavonia
– **persica** L. | ♃ Ⓚ △ II-III ▽ ∧; S-TR, N-Syr., NE-Iraq, Egypt
– **planifolia** (Mill.) Fiori et Paol. | ♃ Ⓚ XI-I ▽; Eur.: Ib, Sard., Sic., GR, Crete; N-Afr.
– **pseudacorus** L. · Sumpf-Schwertlilie · Flag Iris, Yellow Flag · Iris des marais | ♃ ~ V-VI ▽; Eur.*, TR, Syr., Cauc., Iran, W-Sib., Maroc.
– **pumila** L. · Zwerg-Schwertlilie · Dwarf Flag | ♃ △ IV-V ▽; Eur.: A, EC-Eur.; Cauc.
– *reginae* Horvat = Iris variegata
– **reichenbachii** Heuff. | ♃ Ⓚ △ IV ▽; Eur.: Ba, RO
– **reticulata** M. Bieb. · Kleine Netzblatt-Iris · Netted Iris, Winter Iris | ♃ △ III ▽; TR, Iraq, Cauc., Iran
– × **robusta** E.S. Anderson (*I. versicolor* × *I. virginica*)
– **rosenbachiana** Regel | ♃ Ⓚ I-III ▽; C-As., Afgh.
– *rudskyi* Horvat = Iris variegata
– **ruthenica** Ker-Gawl. | ♃ △ V-VI ▽; Eur.: RO, ? E-Russ.; W-Sib., E-Sib., Amur, C-As., Mong., China, Korea
– × **sambucina** L. (*I. pallida* × *I. variegata*) · Holunder-Schwertlilie, Schmutzigbraune Schwertlilie | ♃ V-VI ▽; Eur.: ? I, ? Sp.; TR, Cauc.
– **sanguinea** Hornem. ex Donn · Siberian Iris | ♃ V-VI ▽; Jap., Korea, Manch., E-Sib.
– **sari** Schott | ♃ Ⓚ ▭ VII ▽; TR
– **setosa** Pall. ex Link · Beach Head Iris | ♃ VI ▽; Alaska, E-Sib., Sachal., Jap.
– **sibirica** L. · Wiesen-Schwertlilie · Siberian Iris · Iris de Sibérie | ♃ ~ V-VI ▽; Eur.: Fr, Ap, C-Eur., EC-Eur., Ba, E-Eur.; TR, Cauc., W-Sib., E-Sib., nat. in Sweden
– *sindjarensis* Boiss. et Hauskn. = Iris aucheri
– **sintenisii** Janka | ♃ △ V-VI ▽; Eur.: I, Ba, E-Eur.; TR
– *sisyrinchium* L. = Gynandriris sisyrinchium
– **songarica** Schrenk | ♃ V ▽; TR, Iran, C-As., Kashmir, China
– *spathacea* Thunb. = Moraea spathulata
– *spathulata* L. f. = Moraea spathulata
– **spuria** L. · Steppen-Schwertlilie · Butterfly Iris · Iris des steppes | ♃ ~ V-VII ▽; Eur.: Ib, BrI, Fr, C-Eur., EC-Eur., GR, E-Eur., Sc; Cauc., N-Iran, nat. in I
  - subsp. **halophila** (Pall.) D.A. Webb et Chater | ♃ V-VI ▽; S-Russ., Cauc., W-Sib., C-As., Mong., Him
  - subsp. *ochroleuca* (L.) Dykes = Iris orientalis
– × **squalens** L. · Gelbliche Schwertlilie | ♃ VI; SE-Eur., SW-As.
– **stolonifera** Maxim. | ♃ ⋊ V-VI ▽ ∧; C-As.
– *stylosa* Desf. = Iris unguicularis
– **suaveolens** Boiss. et Reut. | ♃ △ IV-V ▽; Eur.: Ba, RO; TR
– **susiana** L. · Mourning Iris | ♃ Ⓚ ▭ V-VI ▽ ∧; ? Iran, ? Lebanon
– **tectorum** Maxim. · Dach-Schwerlilie · Roof Iris | ♃ △ VI ▽ ∧; China
– **tenax** Douglas ex Lindl. · Oregon Iris | ♃ △ V ▽ ∧; USA: NW, Calif.; Baja Calif.
– **tingitana** Boiss. et Reut. | ♃ Ⓚ IV-V ▽; Maroc., Alger.
– *tricuspidata* L. f. = Moraea tricuspidata
– *tricuspis* Thunb. = Moraea tricuspidata
– *tuberosa* L. = Hermodactylus tuberosus
– **unguicularis** Poir. · Algerian Iris, Winter Iris | ♃ Ⓚ XI-III ▽; Eur.: GR, Crete; TR, Syr., NW-Afr.
– **variegata** L. · Bunte Schwertlilie | ♃ V-VI ▽; Eur.: C-Eur., EC-Eur., Ba, E-Eur., nat. in I
– **vartanii** Foster | ♃ Ⓚ XII-I ▽; Palaest.
– **verna** L. · Dwarf Iris, Vernal Iris | △ IV ▽ ∧; USA: NE, SE
– **versicolor** L. · Verschiedenfarbige Schwertlilie · Blue Flag, Iris · Iris variable | ♃ ~ VI-VIII ▽; Can.: E, nat. in BrI, D
– **warleyensis** Foster | ♃ Ⓚ ▭ IV ▽; C-As.
– *watsoniana* Purdy = Iris douglasiana
– **willmottiana** Foster | ♃ Ⓚ ▭ III-IV ▽; C-As.
– **wilsonii** C.H. Wright | ♃ V-VI ▽; W-China
– **winogradowii** Fomin | ♃ Ⓚ △ III-IV ▽ ∧; Cauc.
– *xiphioides* Ehrh. = Iris latifolia
– **xiphium** L. · Spanish Iris | ♃ VI ▽ ∧; Eur.: S-F, P, Sp.; N-Afr.
– **Cultivars**
  - **Arilbred-Grp.** (*Section Iris* × *Section Oncocyclus* × *Section Regelia*)
  - **Barbata-Elatior-Grp.** (*Section Iris*)
  - **Barbata-Media-Grp.** (*Section Iris*)

- **Barbata-Nana-Grp.** (*Section Iris*)
- **Calsib-Grp.** (*Series Californicae* × *Series Sibiricae*)
- **Louisiana-Grp.** (*Series Hexagonae*)
- **Pacific-Coast-Grp.** (*Series Californicae*)
- *Pogocyclus-Grp.* = Iris Arilbred-Grp.
- *Regeliocyclus-Grp.* = Iris Arilbred-Grp.

Isabelia Barb.Rodr. -f- *Orchidaceae*
– **pulchella** (Kraenzl.) Senghas et Teusch. | ♃ Ⓦ XI-X ✻; S-Bras.

Isatis L. -f- *Brassicaceae*
– *canescens* DC. = Isatis tinctoria
– **tinctoria** L. · Färber-Waid · Common Dyer's Weed, Dyer's Woad | ♃ ⊙ V-VI Ⓝ; Eur.*, TR, Cauc., C-As., W-Sib., E-Sib., nat. in N-Afr., Ind., E-As., Chile

Ischaemum L. -n- *Poaceae*
– **indicum** (Houtt.) Merr. | ♃ Ⓝ; SE-As.; cult W-Afr., W.Ind., Fiji

Islaya = Neoporteria Britton et Rose
– *bicolor* Akers et Buining = Neoporteria islayensis
– *copiapoides* Rauh et Backeb. = Neoporteria islayensis
– *grandis* Rauh et Backeb. = Neoporteria islayensis
– *islayensis* (C.F. Först.) Backeb. = Neoporteria islayensis
– *minor* Backeb. = Neoporteria islayensis
– *molendensis* (Vaupel) Backeb. = Neoporteria islayensis
– *paucispinosa* (Monv.) F.A.C. Weber = Neoporteria islayensis

Ismelia Cass. -f- *Asteraceae*
– **carinata** (Schousb.) Sch. Bip. · Bunte Wucherblume · Painted Daisy | ⊙ ⋈ VI-IX; NW-Afr.

Ismene = Hymenocallis Salisb.
– *amancaes* (Ruiz et Pav.) Herb. = Hymenocallis amancaes
– *calathina* (Ker-Gawl.) G. Nicholson = Hymenocallis narcissiflora

Isnardia = Ludwigia L.
– *alternifolia* (L.) DC. = Ludwigia alternifolia
– *palustris* L. = Ludwigia palustris

Isoberlinia Craib et Stapf ex Holland -f- *Caesalpiniaceae*
– **angolensis** (Welw. ex Benth.) Hoyle et Brenan | ♄ Ⓦ ⋈; trop. Afr.

Isochilus R. Br. -m- *Orchidaceae*
– **linearis** (Jacq.) R. Br. | ♃ Ⓦ VI-VII ✻; Mex., W.Ind., C-Am., trop. S-Am.

Isoetes L. -f- *Isoetaceae* · Brachsenkraut
– **echinospora** Durieu · Igelsporiges Brachsenkraut | ♃ Ⓚ ♠ VII-IX ▽ ∧; Eur.*, Sachal., Kamchat., Jap., Alaska, Can., USA: NE, NCE; Greenl., nat. in W-Sib., E-Sib.
– **lacustris** L. · See-Brachsenkraut · Western Lake Quillwort | ♃ Ⓚ ♠ VII-IX ▽; Eur.* exc. Ba; W-Sib., Jap., Alaska, Can., USA: Rocky Mts., Calif.; Greenl.
– *leiospora* H. Klinggr. = Isoetes lacustris
– **malinverniana** Ces. et De Not. | ♃ Ⓦ Ⓚ ♠; NW-I
– *setacea* auct. non Lam. = Isoetes echinospora
– *tenella* Léman ex Desv. = Isoetes echinospora

Isolatocereus = Stenocereus (A. Berger) Riccob.
– *dumortieri* (Scheidw.) Backeb. = Stenocereus dumortieri

Isolepis R. Br. -f- *Cyperaceae*
– *acicularis* (L.) Schltdl. = Eleocharis acicularis
– *cernua* (Vahl) Roem. et Schult. = Scirpus cernuus
– **fluitans** (L.) R. Br. · Flut-Moorbinse, Flutende Tauchsimse | ♃ VII-IX; Eur.: IB, Fr, I, BrI, D, W-Ba; Ind., Sri Lanka, Indochina, Malay. ArcH., Jap., N.Guinea, E-Afr., Angola, S-Afr., Austr., NZ
– *gracilis* (Poir.) Nees = Scirpus cernuus
– **prolifera** (Rottb.) R. Br. | ♃ Ⓚ ~ ; Kap., Austr., NZ
– **setacea** auct. non Lam. · Borstige Moorbinse, Borstige Schuppensimse | ♃ X-VII

Isoplexis (Lindl.) Loudon -f- *Scrophulariaceae*
– **canariensis** (L.) Lindl. ex G. Don | ♄ Ⓚ V-VI ▽; Canar.

Isopogon R. Br. ex Knight -m- *Proteaceae*

– **baxteri** R. Br. | ♄ Ⓚ III; W-Austr.
– **cuneatus** R. Br. | ♄ Ⓚ III-V; W-Austr.
– **sphaerocephalus** Lindl. | ♄ Ⓚ IV-V; W-Austr.

Isopyrum L. -n- *Ranunculaceae* · Muschelblümchen, Tolldocke
– **thalictroides** L. · Muschelblümchen | ♃ IV-V ☠; Eur.: Ib, Fr, Ap, Ba, EC-Eur., E-Eur., A

Isotoma = Laurentia Adans.
– *axillaris* Lindl. = Laurentia axillaris
– *fluviatilis* (R. Br.) F. Muell. = Laurentia fluviatilis
– *longiflora* (L.) C. Presl = Laurentia longiflora
– *senecioides* A. DC. = Laurentia axillaris

Itea L. -f- *Escalloniaceae*
– **ilicifolia** Oliv. · Hollyleaf Sweetspire | ♄ Ⓚ VIII; W-China
– **virginica** L. · Amerikanische Rosmarinweide · Sweetspire, Virginian Willow · Itéa de Virginie | ♄ VII-VIII ∧; USA: NE, NCE, SC, SE, Fla.

Iva L. -f- *Asteraceae*
– **xanthiifolia** Nutt. · Spitzklettenblättriges Schlagkraut | X-VIII; w N-Am., Amur, nat. in Fr, C-Eur., EC-Eur.

× **Iwanagara** Hort. -f- *Orchidaceae* (*Cattleya* × *Caularthron* × *Laelia* × *Rhyncholaelia*)

Ixia L. -f- *Iridaceae* · Klebschwertel
– *bulbifera* L. = Sparaxis bulbifera
– **campanulata** Houtt. | ♃ Ⓚ ▭ ✄ VI-VII; Kap
– *corymbosa* L. = Lapeirousia corymbosa
– *craterioides* Ker-Gawl. = Ixia campanulata
– *crocata* L. = Tritonia crocata
– *grandiflora* F. Delaroche = Sparaxis grandiflora
– **maculata** L. · African Corn Lily | ♃ Ⓚ ▭ ✄ V-VI; Kap
– **paniculata** D. Delaroche | ♃ Ⓚ ▭ ✄ V-VI; Kap, nat. in W-Eur.
– *speciosa* Andrews = Ixia campanulata
– **viridiflora** Lam. · Green Ixia | ♃ Ⓚ ▭ ✄ V-VI; Kap

Ixiolirion Herb. -n- *Ixioliriaceae*
– **kolpakowskianum** Regel | ♃ VI-VII ∧; China: Sinkiang (Sairam Nor)
– *montanum* (Labill.) Herb. = Ixiolirion tataricum
– *pallasii* Fisch. et C.A. Mey. = Ixiolirion tataricum
– **tataricum** (Pall.) Herb. | ♃ △ V; W-Sib., C-As., Iran, Afgh., Iraq, Pakist.

Ixora L. -f- *Rubiaceae*
– **acuminata** Roxb. | ♄ Ⓦ D; N-Ind.
– **borbonica** Cordem. | ♄ Ⓦ; Reunion
– **chinensis** Lam. · Broken Pot, Red Balance | ♄ Ⓦ VII-VIII; Ind.
– **coccinea** L. · Flame-of-the-Wood, Ixora, Jungle Flame | ♄ Ⓦ IV-VIII; Ind.
– *congesta* Roxb. = Ixora griffithii
– **fulgens** Roxb. | ♄ Ⓦ VII-VIII; Malay. Arch.
– **griffithii** Hook. | ♄ Ⓦ VII-VIII; Myanmar, Singapore

Jacaranda Juss. -f- *Bignoniaceae*
– **brasiliana** Pers. | ♄ Ⓦ ✄; Bras.
– **mimosifolia** D. Don | ♄ Ⓦ; Arg.
– *ovalifolia* R. Br. = Jacaranda mimosifolia
– **procera** Spreng. | ♄ Ⓦ; Guyan.

Jacea = Centaurea L.
– *communis* Delarbre = Centaurea jacea

Jacobinia = Justicia L.
– *carnea* (Lindl.) G. Nicholson = Justicia carnea
– *ghiesbreghtiana* (Lem.) Hemsl. = Justicia ghiesbreghtiana
– *magnifica* (Nees) Lindau = Justicia carnea
– *pauciflora* (Nees) Lindau = Justicia rizzinii
– *pohliana* (Nees) Lindau = Justicia carnea
– *spicigera* (Schltdl.) L.H. Bailey = Justicia spicigera
– *suberecta* André = Justicia suberecta

Jacobsenia L. Bolus et Schwantes -f- *Aizoaceae*
– **kolbei** (L. Bolus) L. Bolus et Schwantes | ♃ Ψ Ⓦ; Kap

Jacquemontia Choisy -f- *Convolvulaceae*
– **pentantha** (Jacq.) G. Don | ♄ Ⓚ ≀ VII-IX; USA: Fla.; Mex., C-Am., W.Ind., trop. S-Am.

Jambosa = Syzygium Gaertn.
- *caryophyllus* (Spreng.) Nied. = Syzygium aromaticum
- *jambos* (L.) Millsp. = Syzygium jambos
- *vulgaris* DC. = Syzygium jambos

Jamesia Torr. et A. Gray -f- *Hydrangeaceae*
- **americana** Torr. et A. Gray · Jamesie | ħ △ D △ V ∧; USA: Nev., Ariz., N.Mex.

Jancaea Boiss. -f- *Gesneriaceae*
- **heldreichii** (Boiss.) Boiss. | ♃ Ⓐ △ VI-VII; GR (Olymp)

Jasione L. -f- *Campanulaceae* · Sandglöckchen
- **crispa** (Pourr.) Samp. | ⊙ ♃ VI-VIII ▽; Eur.: IB, F; NW-Afr.
- *humilis* (Pers.) Loisel. = Jasione crispa
- **laevis** Lam. · Ausdauerndes Sandglöckchen · Jasione lisse | ♃ △ VII-VIII; Eur.: Sp., Fr, Ap, D, Ba, RO, nat. in FIN
- **montana** L. · Berg-Sandglöckchen · Sheep's Bit Scabious, Sheep's Bit | ⊙ ♃ VI-VIII; Eur.*, NW-Afr.
- *perennis* Vill. ex Lam. = Jasione laevis

Jasminum L. -n- *Oleaceae* · Jasmin
- *affine* Royle ex Lindl. = Jasminum officinale 'Affine'
- **azoricum** L. | ħ Ⓚ ≷ D ≷ VII X; Madeira
- **beesianum** Forrest et Diels · Jasmin rose | ħ Ⓚ ≷ D ≷ V; W-China
- **floridum** Bunge | ħ Ⓚ VII-IX; China, Jap.
- **fruticans** L. · Strauch-Jasmin | ħ Ⓚ VII-IX; Eur.: Ib, Fr, I, Ba, RO, Krim; TR, Syr., Palaest., Cauc., N-Iran, C-As., NW-Afr., nat. in H, CH
- *gracillimum* Hook. f. = Jasminum multiflorum
- *grandiflorum* L. = Jasminum officinale 'Grandiflorum'
- **humile** L. · Italian Jasmine | ħ; C-As., Afgh., Him., Ind., SW-China, Myanmar
  - fo. **farreri** (Gilmour) P.S. Green
  - **'Revolutum'**
  - fo. **wallichanum** (Lindl.) P.S. Green
  - var. *glabrum* (DC.) Kobuski = Jasminum humile 'wallichanum'
  - var. *revolutum* (Sims) Stokes = Jasminum humile 'Revolutum'
- **mesnyi** Hance · Primrose Jasmine | ħ Ⓚ III-IV; W-China
- **multiflorum** (Burm. f.) Andrews · Star Jasmine | ħ Ⓦ ≷ D ≷ I-III; Ind.
- **nitidum** Skan · Angelwing Jasmine | ħ Ⓦ ≷ D ≷; N.Guinea (Admiralty Is.)
- **nudiflorum** Lindl. · Winter-Jasmin · Winter Jasmine · Jasmin d'hiver | ħ XII-III; W-China, nat. in F
- **odoratissimum** L. · Yellow Jasmine | ħ D VI-IX Ⓝ; Canar., Madeira
- **officinale** L. · Echter Jasmin · Common Jasmine, Jessamine, White Jasmine · Jasmin officinal ; Him., Kashmir, SW-China, nat. in Eur.: Ib, F, Ap, RO, ?CH; Cauc., Iran
  - **'Affine'**
  - **'Argenteovariegatum'**
  - *'Aureovariegatum'* = Jasminum officinale 'Aureum'
  - **'Aureum'**
  - **'Grandiflorum'** | ħ D VI-IX Ⓝ; SW-Arab.
  - *'Variegatum'* = Jasminum officinale 'Argenteovariegatum'
- **parkeri** Dunn · Dwarf Jasmine | ħ Ⓚ VI ∧; NW-Him.
- **polyanthum** Franch. | ħ Ⓚ ≷ D ≷ VI-IX; W-China
- *primulinum* Hemsl. = Jasminum mesnyi
- **pubigerum** D. Don
  - var. *glabrum* DC. = Jasminum humile 'wallichanum'
- *revolutum* Sims = Jasminum humile 'Revolutum'
- **rex** Dunn | ħ Ⓦ; SW-Thail.
- **sambac** (L.) Aiton · Arabian Jasmine | ħ Ⓚ ≷ D ≷ III-X Ⓝ; Ind., Sri Lanka
- *simplicifolium* hort. non G. Forst. = Jasminum volubile
- × **stephanense** Lemoine (*J. beesianum* × *J. officinale*) | ħ Ⓚ ≷ D ≷ VI-VII ∧; cult.
- **subhumile** W.W. Sm. | ħ ħ; W-China; Him.
- **volubile** Jacq. · Jasmine, Wild Jasmine | ħ ≷ II-IV; Austr.
- *wallichianum* Lindl. = Jasminum humile 'wallichanum'

Jateorhiza Miers -f- *Menispermaceae*
- *columba* (Roxb.) Miers = Jateorhiza palmata
- **palmata** (Lam.) Miers · Calumba Root | ħ Ⓦ ≷ Ⓝ; E-Afr., Mozamb., Mauritius

Jatropha L. -f- *Euphorbiaceae*
- *berlandieri* Torr. = Jatropha cathartica
- **cathartica** Teran et Berland. | ♄ Ψ Ⓦ; Mex.
- **curcas** L. · Barbados Nut, Physic Nut | ♃ Ψ Ⓦ ☠ Ⓝ; Mex., Bermuda, S-Am.
- **macrocarpa** Griseb. | ♄ Ψ Ⓦ; Arg.
- *manihot* L. = Manihot esculenta
- **multifida** L. · St. Vincent Physic Nut | ♄ Ψ Ⓦ VII ☠ Ⓝ; Mex., W.Ind., Venez., Bras.
- **podagrica** Hook. · Guatemalan Rhubarb | ♄ Ψ Ⓦ V-VI ☠; Guat., Nicar., Costa Rica, Panama
- *urens* L. = Cnidoscolus urens

Jeffersonia Barton -f- *Berberidaceae*
- **diphylla** (L.) Pers. · Zwillingsblatt · Rheumatism Root | ♃ △ V-VI; Can.: Ont.; USA: NE, NCE, SE
- **dubia** (Maxim.) Benth. et Hook. f. · Herzblattschale · Twin-Leaf | ♃ △ IV-V; Manch.

Jensenobotrya A.G.J. Herre -f- *Aizoaceae*
- **lossowiana** Herre | ♃ Ψ Ⓚ; Namibia

Jessenia H. Karst. -f- *Arecaceae*
- **bataua** (Mart.) Burret | Ⓝ; n S-Am.

Joannesia Vell. -f- *Euphorbiaceae*
- **princeps** Vell. | ♄ Ⓚ Ⓝ; Venez., N-Bras.

Jonopsidium Rchb. -n- *Brassicaceae* · Scheinveilchen
- *acaule* (Desf.) Rchb. = Ionopsidium acaule

Jovellana Ruiz et Pav. -f- *Scrophulariaceae*
- **punctata** Ruiz et Pav. | ♄ Ⓚ VI-VII; S-Chile
- **sinclairii** (Hook.) Kraenzl. | ♄ Ⓦ VI-VII; NZ
- **violacea** (Cav.) G. Don | ♄ Ⓦ VII-VIII; Chile

Jovibarba = Sempervivum L.
- *allionii* (Jord. et Fourr.) D.A. Webb = Jovibarba globifera subsp. allionii
- *arenaria* (W.D.J. Koch) Opiz = Jovibarba globifera subsp. arenaria
- **globifera** (L.) J. Parn. · Sprossende Fransen-Hauswurz, Sprossender Donarsbart | ♃ Ψ △ VII ▽; Eur.: D, A, EC-Eur.
  - subsp. **allionii** (Jord. et Fourr.) J. Parn. · Allionis Fransen-Hauswurz | ♃ Ψ △ VII ▽; Eur.: I; SW-Alp.
  - subsp. **arenaria** (W.D.J. Koch) J. Parn. · Sand-Donarsbart | ♃ Ψ △ VIII ▽; Eur.: A, I; E-Alp., nat. in D (Fichtelgebirge)
  - subsp. **hirta** (L.) J. Parn. · Kurzhaar-Donarsbart, Kurzhaar-Fransen-Hauswurz | ♃ Ψ △ VII-VIII ▽; Eur.: I, A, H, W-Ba
- **heuffelii** (Schott) A. Löve et D. Löve | ♃ Ψ △ VIII ▽; Eur.: Ba, RO; mts.
- *hirta* (L.) Opiz = Jovibarba globifera subsp. hirta
- *sobolifera* (Sims) Opiz = Jovibarba globifera

Juanulloa Ruiz et Pav. -f- *Solanaceae*
- *aurantiaca* Otto et A. Dietr. = Juanulloa mexicana
- **mexicana** (Schltdl.) Miers | ♄ Ⓦ VI-X; Peru

Jubaea Kunth -f- *Arecaceae* · Honigpalme
- **chilensis** (Molina) Baill. · Chilean Wine Palm, Wine Palm | ♄ Ⓚ; Chile
- *spectabilis* Humb., Bonpl. et Kunth = Jubaea chilensis

Juglans L. -f- *Juglandaceae* · Nußbaum
- **ailantifolia** Carrière · Japanische Walnuss · Japanese Walnut ; Jap.
  - var. **cordiformis** (Maxim.) Rehder · Herzfrüchtige Walnuss · Noyer du Japon | ♄ Ⓝ; Jap.
- **californica** S. Watson
  - var. *hindsii* Jeps. = Juglans hindsii
- **cinerea** L. · Butternuss · Butternut, White Walnut · Noyer cendré | ♄ Ⓝ; Can.: E; USA: NE, NCE, NC, SE
- *cordiformis* Maxim. = Juglans ailantifolia var. cordiformis
  - var. *ailantifolia* (Carrière) Rehder = Juglans ailantifolia
- *glabra* Mill. = Carya glabra
- **hindsii** (Jeps.) Jeps. ex R.E. Sm. · California Walnut | ♄ Ⓚ Ⓝ; C-Calif.
- *honorei* Dode = Juglans neotropica
- × **intermedia** Carrière (*J. nigra* × *J. regia*) | ♄
- **mandshurica** Maxim. · Mandschurische Walnuss · Manchurian Walnut · Noyer de Mandchurie | ♄ Ⓝ; Amur, Manch.
- **microcarpa** Berland. · Felsennuss ·

Texas Walnut | ħ ħ Ⓝ; USA: Kans., SC, N.Mex; NE-Mex.
- **neotropica** Diels | ħ Ⓚ Ⓝ; Venez., Col, Ecuad., Peru, Bol.; And.
- **nigra** L. · Schwarz-Nuss, Schwarze Walnuss · Black Walnut · Noyer noir d'Amérique | ħ V Ⓝ; Can.: Ont.; USA: NE, NCE, NC, SC, SE, Fla.
- **regia** L. · Echte Walnuss · English Walnut, Persian Walnut · Noyer commun | ħ V; Eur.: A, I, Sic., Ba, RO; Cauc., Iran, C-As., nat. in BrI, Fr, Ib, EC-Eur., E-Eur.
  - subsp. **fallax** (Dode) Popov | ħ Ⓝ; C-As.
  - subsp. **kamaonica** (C. DC.) Mansf. | ħ Ⓝ; C-Him.
  - subsp. **turcomanica** Popov | ħ Ⓝ; C-As. (Kopet Dag)
- *rupestris* Engelm. = Juglans microcarpa
- *sieboldiana* Maxim. = Juglans ailantifolia
- **stenocarpa** Maxim. · Schmalfrüchtige Walnuss | ħ; Manch.

Juncus L. -m- *Juncaceae* · Binse
- **acutiflorus** Ehrh. ex Hoffm. · Spitzblütige Binse | ♃ VII-IX; Eur.* +
- **alpinus** Vill. · Alpen-Binse | ♃ VII-VIII; Eur.*, TR, Cauc., W-Sib., E-Sib., Kamchat., NW-Afr., N-Am.
- **anceps** Laharpe · Zweischneidige Binse | ♃ VII-VIII; Eur.: Ib, Fr, D, Sc, Ap, Ba +
- **arcticus** Willd. · Arktische Binse | ♃ VII-VIII; Eur.: Sc, N-Russ., Fr, Ap, C-Eur., ? Ib; N, Alp., Apenn.; Sib., Greenl.
- **articulatus** L. · Glanzfrüchtige Binse, Glieder-Binse · Joint Leaf Rush, Jointed Rush | ♃ ~ VII-X; Eur.*, TR, Cauc., Iran, C-As., E-Sib., N-Afr.
- **atratus** Krock. · Schwarze Binse | ♃ VII-IX; Eur.: Ap, C-Eur., EC-Eur., Ba, E-Eur.; Cauc., W-Sib., E-Sib., C-As., China
- **balticus** Willd. · Baltische Binse · Jonc de la Baltique | ♃ VII-VIII; Eur.: BrI, Sc, D, PL, E-Eur.; TR +
- **biglumis** L. · Zweiblütige Binse | ♃ VII-VIII; Eur.: BrI, Sc, N-Russ., A; W-Sib., E-Sib., Kamchat., N-Am.
- **bufonius** L. · Kröten-Binse · Toad Rush | ⊙ V-IX; Eur.*, cosmop.
- **bulbosus** L. · Rasen-Binse, Zwiebel-Binse | ♃ VII-IX; Eur.*, Alger., Tun., Azor., Madeira
- **canadensis** J. Gay ex Laharpe · Kanadische Binse ; N-Am., nat. in B, NL
- **capitatus** Weigel · Kopf-Binse | VI-IX; Eur.*, TR, SW-As., Afr., N-Afr.
- **castaneus** Sm. · Kastanienbraune Binse · Chestnut Rush | ♃ △ VII; Eur.: BrI, Sc, C-Eur., I, EC-Eur.; Sib., Kamchat., Alaska, Can., USA: Rocky Mts., Calif., SW
- **compressus** Jacq. · Zusammengedrückte Binse · Jonc comprimé | ♃ ~ VII-IX; Eur.*, Cauc., W-Sib., E-Sib., Mong.
- **conglomeratus** L. · Knäuel-Binse | ♃ V-VII; Eur.*, TR, SW-As, NW-Afr., N-Am.
- *decipiens* (Buchenau) Nakai = Juncus effusus
- **dudleyi** Wiegand · Dudleys Binse | ♃ VI-VIII; N-Am., nat. in Scotland
- **effusus** L. · Flatter-Binse · Common Rush, Soft Rush · Jonc épars | ♃ Ⓚ ~ VI-VIII ∧; Eur.*, TR
  - **'Spiralis'**
- **ensifolius** Wikstr. · Schwertblättrige Binse | ♃ VI-VIII; w N-Am., nat. in FIN
- **filiformis** L. · Faden-Binse | ♃ VI-VIII; Eur.*, TR, Cauc., W-Sib., E-Sib., N-Am.
- **gerardii** Loisel. · Salz-Binse | ♃ VI-VII; Eur.*, TR, Levante, Iraq, Cauc., Iran, Afgh., W-Sib., C-As, N-Am.
- *glaucus* Sibth. = Juncus inflexus
- **hybridus** Brot.; Eur.: Ib, Fr, Ap, Ba, ? RO; TR, SW-As.
- **inflexus** L. · Blaugrüne Binse · Hard Rush · Jonc courbé | ♃ Ⓚ ~ VI-VIII ∧; Eur.*, TR, Cauc., Iran, C-As.
- **jacquinii** L. · Jacquins Binse | ♃ VII-IX; Eur.: F, I, CH, D, A, Slove.; Alp., N-Apenn.
- *lampocarpus* Ehrh. ex Hoffm. = Juncus articulatus
- **maritimus** Lam. · Strand-Binse · Jonc maritime | ♃ VII-VIII; Eur.*, TR, Cauc., Iran, C-As., NW-Ind., Makaron., Afr., N-Am., S-Am., Austr., NZ
- **minutulus** Krecz. et Gontsch. · Kleinste Binse | VI-IX; Eur.* exc. Ba; W-Sib., C-As.
- **pygmaeus** Rich. et Thuill. · Zwerg-Binse | V-IX; Eur.: Ib, Fr, BrI, Ap, D, DK, Croatia; TR, NW-Afr.
- **ranarius** Perr. et Songeon · Frosch-Binse | V-VIII; Eur.: BrI, Sc, Fr, C-Eur., EC-Eur., E-Eur.; N-Am., Greenl.
- **sphaerocarpus** Nees · Kugelfrüchtige Binse | VI-VIII; Eur.: Ib, Fr, C-Eur., EC-Eur., Ba, E-Eur.; TR, Cauc., W-Sib., C-As.

– *spiralis* hort. = Juncus effusus 'Spiralis'
– **squarrosus** L. · Sparrige Binse | ♃ VI-VIII; Eur.* exc. Ba; Maroc., Greenl.
– **stygius** L. · Moor-Binse | ♃ VII-VIII; Eur.: Sc, D, CH, PL, Russ.; W-Sib., Amur, Kamchat.
– **subnodulosus** Schrank · Stumpfblütige Binse | ♃ VII-VIII; Eur.*, TR, Iraq, Syr., NW-Afr.
– **tenageia** Ehrh. ex L. f. · Sand-Binse | VI-VIII; Eur.* exc. BrI, Sc; Cauc., W-Sib.
– **tenuis** Willd. · Zarte Binse | ♃ VI-IX; N-Am., nat. in Eur.*, TR, Cauc.
– **trifidus** L. · Dreiblatt-Binse | ♃ VII-VIII; Eur.*, Cauc., Sib., N-Am., Greenl.
  - subsp. **monanthos** (Jacq.) Asch. et Graebn. · Einblütige Binse, Wenigblütige Dreiblatt-Binse | ♃ VII-VIII; Eur.: Alp., Apenn.; N-Am.
– **triglumis** L. · Dreiblütige Binse | ♃ VII-VIII; Eur.*, Cauc., W-Sib., E-Sib., C-As.

Juniperus L. -f- *Cupressaceae* · Wacholder
– **bermudiana** L. | ♄; Bermuda
– *canadensis* Lodd. ex Burgsd. = Juniperus communis subsp. depressa
– **chinensis** L. · Chinesischer Wacholder · Chinese Juniper · Genévrier de Chine | ♄ ♄ III-V; China, Mong., Jap.
  - **'Aurea'**
  - **'Echiniformis'**
  - *'Expansa'* = Juniperus chinensis 'Parsonii'
  - **'Parsonii'**
– **communis** L. · Gewöhnlicher Wacholder · Common Juniper, Juniper · Genévrier commun | ♄ ♄ IV-V; Eur.*, TR, Cauc., Him., W-Sib., E-Sib., Amur, Sachal., Kamchat., Manch., Korea, Jap., Maroc., Alger., Alaska, Can., USA* exc. Fla.
  - **'Compressa'**
  - **'Hibernica'**
  - **'Hornibrookii'**
  - **'Nana Aurea'**
  - **'Pyramidalis'**
  - *'Stricta'* = Juniperus communis 'Hibernica'
  - subsp. **alpina** (Suter) Celak. · Zwerg-Wacholder | ♄ VII-VIII; Eur. mts., Cauc., TR, C-As., Him., N-Sib., Amur, Sachal., Kamchat., Mong., N-Korea, Jap., w N-Am., Greenl
  - subsp. **depressa** (Pursh) Franco
  - subsp. **hemisphaerica** (J. Presl et C. Presl) Nyman
  - subsp. *nana* Syme = Juniperus communis subsp. alpina
  - var. *erecta* Pursh = Juniperus communis
  - var. *montana* Aiton = Juniperus communis subsp. alpina
  - var. *nana* (Willd.) Baumg. = Juniperus communis
  - var. *saxatilis* auct. non (Pall.) Willd. = Juniperus communis
– **conferta** Parl. · Strand-Wacholder · Shore Juniper · Genévrier des rivages | ♄ ⇝ △; Jap., Sachal.
– **convallium** Rehder et E.H. Wilson | ♄; China
– *depressa* (Pursh) Raf. = Juniperus communis
– **drupacea** Labill. · Syrischer Wacholder · Syrian Juniper | ♄ Ⓚ; GR, TR, Syr.
– **excelsa** M. Bieb. · Kleinasiatischer Baum-Wacholder | ♄ ♄; Eur.: Ba, Krim; TR, W-Syr., Cyprus, Iran, Afgh.
– **foetidissima** Willd. · Stinkender Baum-Wacholder | ♄ ♄; Ba, Krim; TR, W-Syr., Cyprus, Cauc.
– *hemisphaerica* J. Presl et C. Presl = Juniperus communis
– **horizontalis** Moench · Kriech-Wacholder · Creeping Juniper · Genévrier rampant | ♄ ⇝ △; Alaska, Can., USA: NE, NCE, Mont., Wyo.
  - **'Blue Chip'**
  - *'Blue Moon'* = Juniperus horizontalis 'Blue Chip'
  - **'Douglasii'**
  - *'Glauca'* = Juniperus horizontalis 'Wiltonii'
  - **'Plumosa'** Moench
  - **'Wiltonii'**
– *litoralis* Maxim. = Juniperus conferta
– **lucayana** Britten | ♄ Ⓚ; W.Ind.
– *macrocarpa* Sm. = Juniperus oxycedrus
– × **media** Melle (*J. chinensis* × *J. sabina*)
  - **'Mint Julep'**
  - **'Pfitzeriana'** (Späth) P. Schmidt
  - **'Pfitzeriana Aurea'**
– *nana* Willd. = Juniperus communis subsp. alpina
– **occidentalis** Hook. | ♄; USA: Wash., Oreg., Idaho, Nev., Calif.
– **oxycedrus** L. · Prickly Juniper | ♄ ♄; Eur.: Ib, Fr, Ap, Ba, Krim; TR, Levante, Cauc., N-Iran, N-Afr.
– **phoenicea** L. · Phoenicean Juniper | ♄ ♄ Ⓚ Ⓝ; Eur.: Ib, Fr, Ap, Ba; W-TR, Cyprus, Palaest., NW-Afr., Libya

– **procera** Hochst. ex Endl. · African Juniper | ₺ ⓚ Ⓝ; Eth., Kenya, Tanzania, Mozamb., Zimbabwe
– **procumbens** (Endl.) Siebold · Japanischer Kriech-Wacholder | ♄; S-Jap.
– *prostrata* Pers. = Juniperus horizontalis
– **recurva** Buch.-Ham. ex D. Don · Hängewacholder · Coffin Juniper, Drooping Juniper | ♄ ₺; Sikkim, Bhutan, SW-China
  - var. **coxii** (Jacks.) Melville · Hängewacholder | ₺; E-Myanmar
– **rigida** Siebold et Zucc. · Nadel-Wacholder · Temple Juniper · Genévrier à aiguilles | ₺ ⓚ ∧; Jap., Korea, N-China
– **sabina** L. · Sadebaum, Stink-Wacholder · Sabine, Spanish Savin · Genévrier sabine | ♄ Off. IV-V ☠; Eur.* exc. BrI, Sc; Cauc., Sib., C-As., Alger.; mts.
  - **Cupressifolia**
  - **'Tamariscifolia'**
– **sargentii** Henry | ♄; NE-China, Jap.
– **scopulorum** Sarg. · Felsengebirgs-Wacholder · Colorado Juniper, Rocky Mountain Juniper · Genévrier des Montagnes Rocheuses | ₺ Ⓝ; Can.: B.C., Alta.; USA: NW, Rocky Mts., NC, SW; N-Mex.
– **semiglobosa** Regel | ₺ ♄; C-As.
– *sibirica* Burgsd. = Juniperus communis subsp. alpina
– **squamata** Buch.-Ham. ex D. Don · Schuppen-Wacholder · Blue Star Juniper · Genévrier bleu | ₺ ♄; Him., W-China, C-China, Taiwan
  - **'Filborna'**
  - **'Meyeri'**
  - var. **fargesii** Rehder et E.H. Wilson | ₺; SW-China
– **taxifolia** Hook. et Arn. | ₺ ♄; S-Jap., Ryukyu Is.
– **thurifera** L. · Spanish Juniper | ₺ ⓚ; Eur.: Sp., F, Corse; Maroc., Alger.
– **tibetica** Kom. | ₺ ♄; E-Tibet, W-China: Kansu
– **virginiana** L. · Virginischer Wacholder · Bois à encens, Genévrier de Virginie | ♄ ₺ IV-V ☠ Ⓝ; Fla., Tex.
  - **'Glauca'**
  - **Pendula-Grp.**
  - **'Tripartita'**
  - var. *prostrata* (Pers.) Torr. = Juniperus horizontalis

Juno = Iris L.
– *aucheri* (Baker) Klatt = Iris aucheri

Jurinea Cass. -f- *Asteraceae* · Bisamdistel, Silberscharte
– **alata** (Desf.) Cass. | ♃ VI-VII; Cauc.
– **cyanoides** (L.) Rchb. · Sand-Bisamdistel, Sand-Silberscharte | ♃ ⌇ VII-VIII ▽; Eur.: D, CZ, Russ.; Cauc., W-Sib., C-As.
– *depressa* (Stev.) C.A. Mey. = Jurinella moschus
– **mollis** (L.) Rchb. · Silberscharte, Spinnweben-Bisamdistel | ♃ V-VII; Eur.: Ap, A, EC-Eur., Ba, RO; TR

Jurinella Jaub. et Spach -f- *Asteraceae*
– **moschus** (Hablitz) Bobrov | ♃ △ D △ VII-VIII; Cauc., TR

Jussiaea = Ludwigia L.
– *grandiflora* Michx. non Ruiz et Pav. = Ludwigia clavellina var. grandiflora

Justicia L. -f- *Acanthaceae*
– **adhatoda** L. | ₺; Ind., Sri Lanka
– **brandegeana** Wassh. et L.B. Sm. · Shrimp Plant | ₺ ⓦ I-XII; NE-Mex., nat. in Fla.
– *calycotricha* Link et Otto = Schaueria flavicoma
– **carnea** Lindl. · Brazilian Plume Flower, King's Crown, Pink Acanthus | ₺ ⓦ ▽ VI-VIII; Bras.
– **carthaginensis** Jacq. | ♄ ⓦ IV-VII; C-Am., W.Ind., trop. S-Am.
cydoniifolia (Nees) Lindau | ₺ ⓦ ⌇; Bras.
– **ghiesbreghtiana** Lem. | ₺ ⓚ XI-II; Mex.
– **insularis** T. Anderson | ₺ Ⓝ; W-Afr., C-Afr.
– *lanceolata* (Chapm.) Small = Justicia ovata var. lanceolata
– **ovata** (Walter) Lindau
  - var. **lanceolata** (Chapm.) R.W. Long | ♃ ⓦ III; Bras.
– *pauciflora* (Nees) Griseb. = Justicia rizzinii
– × **penrhosiensis** (Carrière) L.H. Bailey (*J. ghiesbreghtiana* × *J. pauciflora*) ; cult.
– *picta* L. = Graptophyllum pictum
– **plumbaginifolia** Jacq. | ♄ ⓦ XI-XII; Bras.
– **rizzinii** Wassh. | ₺ ⓚ ▽ XII-II; Bras.
– *sanguinolenta* Vahl = Gymnostachyum sanguinolentum
– **spicigera** Schltdl. | ₺; Mex., C-Am.
– **suberecta** André | ♄ ♃; Urug

– *venusta* Wall. = Gymnostachyum venustum

Juttadinteria Schwantes -f- *Aizoaceae*
– **deserticola** (Marloth) Schwantes | ♃ ψ Ⓚ; Namibia

Kadsura Juss. -f- *Schisandraceae*
– **japonica** (L.) Dunal · Kadsura | ♄ Ⓚ ≀ ꝏ VII-XI; China, Jap., Taiwan

Kaempferia L. -f- *Zingiberaceae* · Gewürzlilie
– **galanga** L. | ♃ Ⓦ D VI-VIII Ⓝ; Ind.
– **gilbertii** W. Bull | ♃ Ⓦ VII-VIII; Ind.
– *ornata* N.E. Br. = Boesenbergia ornata
– *pandurata* Roxb. = Boesenbergia rotunda
– **roscoeana** Wall. | ♃ Ⓦ VII-IX; Myanmar
– **rotunda** L. · Resurrection Lily | ♃ Ⓦ D VI-VIII Ⓝ; ? SE-As.
– **vittata** N.E. Br. | ♃ Ⓦ; Sumat.

Kalanchoe Adans. -f- *Crassulaceae*
– *beauverdii* Raym.-Hamet = Bryophyllum scandens
– **beharensis** Drake · Felt Bush, Felt Plant | ħ ψ Ⓚ; S-Madag.
– **bentii** C.H. Wright ex Hook. f. | ♄ ψ Ⓚ IV-V; S-Arab.
– **blossfeldiana** Poelln. | ♄ ψ Ⓚ ▽ II-V; Madag.
– *carnea* N.E. Br. = Kalanchoe laciniata
– *coccinea* Britten = Kalanchoe crenata
– *coccinea* Welw. = Kalanchoe laciniata
– **crenata** (Andrews) Haw. | ♄ ψ Ⓚ V-VI; trop. Afr., Malay. Arch.
– *crenata* (Baker) Raym.-Hamet = Bryophyllum laxiflorum
– **daigremontiana** Raym.-Hamet et J.O.E. Perrier | ♃ ψ Ⓚ; SW-Madag.
– *dyeri* N.E. Br. = Kalanchoe quartiniana
– **flammea** Stapf | ♃ ψ Ⓚ XII; Somalia
– **globulifera** J.O.E. Perrier | ♃ ψ Ⓚ; Madag.
– *grandiflora* A. Rich. = Kalanchoe marmorata
– **grandiflora** Wight et Arn. | ♄ ψ Ⓚ V
– **integra** (Medik.) Kuntze · Kalanchoe
  - var. *crenata* (Andr.) Cufod. = Kalanchoe crenata
– × **kewensis** hort. (*K. bentii* × *K. flammea*) | ♄ ψ Ⓚ; cult.
– **laciniata** (L.) DC. · Beach Bells | ♄ ψ Ⓚ V-VI; Bras., E-Afr., S-Afr., Yemen, Ind., Malay. Arch.
– *laxiflora* Baker = Bryophyllum laxiflorum
– **longiflora** Schltr. ex J.M. Wood · Kalanchoe | ♃ ψ Ⓚ; S-Afr.: Natal
– *macrantha* Baker = Kalanchoe marmorata
– **manginii** Raym.-Hamet et J.O.E. Perrier | ♃ ψ Ⓚ ≀ ⇝ II-III; S-Madag.
– **marmorata** Baker · Pen Wiper Plant | ♃ ♄ ψ Ⓚ V-VI; Sudan, Eth., E-Afr., C-Afr., Ind.
– *miniata* Hilsenb. et Bojer = Bryophyllum miniatum
– **peltata** (Baker) Baill. | ♄ ψ Ⓚ; Eth.
– **petitiana** A. Rich. | ħ ψ Ⓚ; Eth.
– *pinnata* (Lam.) Pers. = Bryophyllum pinnatum
– *porphyrocalyx* (Baker) Baill. = Bryophyllum porphyrocalyx
– *prolifera* (Bowie) Raym.-Hamet = Bryophyllum proliferum
– **quartiniana** A. Rich. | ♃ ψ Ⓚ I-III; Eth., Malawi
– **rotundifolia** (Haw.) Haw. | ♃ ψ Ⓚ XII-IV; Kap, Socotra
– *scandens* J.O.E. Perrier = Bryophyllum scandens
– *schizophylla* (Baker) Baill. = Bryophyllum schizophyllum
– *somaliensis* Baker = Kalanchoe marmorata
– **somaliensis** Hook. f. non Baker | ♃ ψ Ⓚ IV-V; E-Afr.
– *spathulata* DC. = Kalanchoe laciniata
– *teretifolia* Deflers non Haw. = Kalanchoe bentii
– **thyrsiflora** Harv. | ♃ ψ Ⓚ IV-V; S-Afr.: Kap, Transvaal
– **tomentosa** Baker · Panda Plant, Pussy Ears | ♄ ψ Ⓚ; C-Madag.
– *tubiflora* (Harv.) Raym.-Hamet = Bryophyllum tubiflorum
– *uniflora* (Stapf) Raym.-Hamet = Bryophyllum uniflorum
– **velutina** Welw. ex Britten | ♃ ψ Ⓚ; C-Afr., Angola, Tanzania

Kalimeris (Cass.) Cass. -f- *Asteraceae*
– **incisa** (Fisch.) DC. · Schönaster | ♃ VII-IX; N-Sib., N-China, Manch., Korea, Jap.
– *integrifolia* hort. = Kalimeris incisa
– **mongolica** (Franch.) Kit. · Mongolische Schönaster · Mongolia Aster | ♃ VII-IX; China (Mongolia)

Kalmia L. -f- *Ericaceae* · Lorbeerrose
– **angustifolia** L. · Schmalblättriger Berglorbeer, Schmalblättrige Lorbeerrose · Lambkill, Sheep Laurel · Laurier des moutons | ♄ VI-VII ☠; Can.: E; USA; NE, NCE, SE, nat. in D, NW-GB
- **'Ovata'** Pursh | ♄
– **hirsuta** Walter | ♄ VI-VII; SE-USA
– **latifolia** L. · Breitblättrige Lorbeerrose · Calico Bush, Mountain Laurel · Laurier des montagnes | ♄ V-VI ☠; Can.: E; USA: NE, NCE, SE, Fla.
– **polifolia** Wangenh. · Poleiblättrige Lorbeerrose · Bog Laurel, Swamp Laurel | ♄ V-VI ☠; Alaska, Can., USA: NE, NCE, Rocky Mts., NW, nat. in BrI

Kalopanax Miq. -m- *Araliaceae*
– *pictus* (Thunb. ex A. Murray) Nakai = Kalopanax septemlobus
– *ricinifolius* (Siebold et Zucc.) Miq. = Kalopanax septemlobus
– **septemlobus** (Thunb. ex A. Murray) Koidz. · Baumaralie · Castor Aralia · Kalopanax du Japon | ♄ ♄ VII-VIII; China, Amur, Manch., Korea, Jap., Sachal.
- var. **maximowiczii** (Van Houtte) Hand.-Mazz. | ♄ V; China, Jap.

Kedrostis Medik. -f- *Cucurbitaceae*
– **africana** (L.) Cogn. | ♃ Ψ (W) ≀; Namibia, S Afr.
– *punctulata* (Sand.) Cogn. = Kedrostis africana

Kennedia Vent. -f- *Fabaceae*
– **coccinea** Vent. | ♄ (K) ≀ IV-IX; W-Austr.
– *comptoniana* (Andr.) Link = Hardenbergia comptoniana
– **macrophylla** (Meisn.) Benth. | ♄ (K) ≀; W-Austr.
– *monophylla* Vent. = Hardenbergia violacea
– **nigricans** Lindl. · Black Bean | ♄ (K) ≀ V-VI; W-Austr.
– **prostrata** R. Br. | ♄ (K) ⇝ IV-VI; Austr., Tasman.
– **rubicunda** (Schneev.) Vent. · Dusky Coral Pea | ♄ (K) ≀ IV-VI; Austr.: N.S.Wales, Victoria

Kensitia = Erepsia N.E. Br.
– **pillansii** (Kensit) Fedde | ♄ Ψ (K); Kap

Kentia = Howea Becc.
– *baueri* Seem. = Rhopalostylis baueri
– *belmoreana* C. Moore et F. Muell. = Howea belmoreana
– *canterburyana* C. Moore et F. Muell. = Hedyscepe canterburyana
– *forsteriana* C. Moore et F. Muell. = Howea forsteriana
– *macarthurii* H. Wendl. = Ptychosperma macarthurii
– *mooreana* F. Muell. = Lepidorrhachis mooreana
– *sapida* (Sol. ex G. Forst.) Mart. = Rhopalostylis sapida

Kentiopsis Brongn. -f- *Arecaceae*
– *macrocarpa* Brongn. = Chambeyronia macrocarpa

Kernera Medik. -f- *Brassicaceae* · Kugelschötchen
– **saxatilis** (L.) Sweet · Kugelschötchen · Kernera | ♃ △ VI-VII; Eur.* exc. BrI, Sc

Kerria DC. -f- *Rosaceae* · Kerrie
– **japonica** (L.) DC. · Japanisches Goldröschen, Kerrie, Ranunkelstrauch · Japanese Rose, Jew's Mallow, Kerria · Corête du Japon | ♄ V; W-China, C-China, nat. in CH, W-Russ.

Kerstingiella = Macrotyloma (Wight et Arn.) Verdc.
– **geocarpa** Harms | (N); W-Afr.

Keteleeria Carriere -f- *Pinaceae*
– **davidiana** (Bertrand) Beissn. | ♄ (K) (N); W-China
– **fortunei** (A. Murray) Carrière | ♄ (K); SE-China

Khaya A. Juss. -f- *Meliaceae*
– **anthotheca** (Welw.) C. DC. | ♄ (W) (N); W-Afr., C-Afr., Uganda, Angola
– **grandifoliola** C. DC. | ♄ (W) (N); W-Afr.
– **ivorensis** A. Chev. | ♄ (W) (N); W-Afr.
– **nyasica** Stapf ex Baker f. | ♄ (W) (N); Cameroun, Zaire (Katanga), Zambia, Zimbabwe
– **senegalensis** (Desr.) A. Juss. | ♄ (W) (N); trop. Afr.

Kickxia Dumort. -f- *Scrophulariaceae*
– **elatine** (L.) Dumort. · Spießblättriges Tännelkraut | X-VII; Eur.*, TR, Iran,

Madeira, Eth., nat. in USA
- **spuria** (L.) Dumort. · Eiblättriges Tännelkraut | X-VII; Eur.* exc. Sc; TR, Syr., Cyprus, N-Afr., nat. in DK

Kigelia DC. -f- *Bignoniaceae*
- **africana** (Lam.) Benth. · Sausage Tree | ♄ ⓦ; trop. Afr.
- *pinnata* (Jacq.) DC. = Kigelia africana

× **Kirchara** Hort. -f- *Orchidaceae* (*Cattleya* × *Epidendrum* × *Laelia* × *Sophronitis*)

Kirengeshoma Yatabe -f- *Hydrangeaceae*
- **palmata** Yatabe · Wachsglocke · Fleur de cire | ♃ VIII-IX; Jap.

Kitaibela Willd. -f- *Malvaceae*
- **vitifolia** Willd. | ♃ VII-VIII; Eur.: Bosn., YU, nat. in H, RO

Kitchingia = Kalanchoe Adans.
- *porphyrocalyx* Baker = Bryophyllum porphyrocalyx
- *schizophylla* Baker = Bryophyllum schizophyllum
- *uniflora* Stapf = Bryophyllum uniflorum

Kleinia Mill. -f- *Asteraceae*
- **amaiensis** (Engl.) A. Berger | ♃ Ψ ⓚ; Tanzania
- **anteuphorbium** (L.) Haw. · Groundsel | ♄ Ψ ⓚ; Kap, S-Maroc.
- **fulgens** Hook. f. | ♃ Ψ ⓚ; S-Afr.: Natal
- **galpinii** Hook. f. | ♄ ♄ Ψ ⓚ XII-I; S-Afr.: Transvaal
- **longiflora** DC. | ♄ Ψ ⓚ; Eth., trop. Afr., S-Afr.
- **neriifolia** Haw. | ♄ Ψ ⓚ; Canar.
- **petraea** (R.E. Fr.) C. Jeffrey | ♄ Ψ ⓚ ⟿; Kenya, Tanzania
- **semperviva** (Forssk.) DC. | ♃ Ψ ⓚ; Eth., Tanzania
- **stapeliiformis** (E. Phillips) Stapf | ♃ Ψ ⓚ; S-Afr.

Klugia = Rhynchoglossum Blume
- *notoniana* (Wall.) DC. = Rhynchoglossum notonianum

Knautia L. -f- *Dipsacaceae*
- **arvensis** (L.) Coult. · Wiesen-Witwenblume · Blue Buttons, Field Scabious | ♃ VII-IX; Eur.*, Cauc., Iran, W-Sib., C-AS., nat. in Sachal.
- **carinthiaca** Ehrend. · Kärntner Witwenblume | ♃ VI-VIII; Eur.: A (Kärnten)
- **dipsacifolia** Kreutzer · Wald-Witwenblume | ♃ VI-IX; Eur.: Fr, I, C-Eur., EC-Eur., E-Eur., Bosn., Serb.
- **drymeia** Heuff. · Ungarische Witwenblume | ♃ V-IX; Eur.: I, C-Eur., EC-Eur., Ba, RO
  - subsp. **intermedia** (Pernh. et Wettst.) Ehrend. · Mittlere Witwenblume | ♃ V-VIII; Eur.: E-Alp., N-Apenn.
- **godetii** Reut. · Godets Witwenblume | ♃ VI-VIII; Eur.: F, CH; mts.
- **integrifolia** (L.) Bertol. · Einjährige Witwenblume ; Eur.: Ib, Fr, Ap, Ba; TR, Levante, nat. in CH
- **kitaibelii** (Schult.) Borbás · Gelbe Witwenblume | ♃ VII-VIII; Eur.: D, A, EC-Eur.
- **longifolia** (Waldst. et Kit.) W.D.J. Koch · Langblatt-Witwenblume | ♃ VII-VIII; Eur.: I, C-Eur., Ba, E-Eur.; Alp., Carp., Balkan
- **macedonica** Griseb. · Knautie de Macédoine | ♃ VII-VIII; Eur.: Ba, RO
- **magnifica** Boiss. et Orph. | ♃ VII-VIII; GR
- × **norica** Ehrend. (*K. carinthiaca* × *K. drymeia*) · Norische Witwenblume | ♃ VI-VIII; Eur.: A (Kärnten, Steiermark)
- **purpurea** (Vill.) Borbás · Purpur-Witwenblume | ♃ VII-VIII; Eur.: Sp., F, I, CH
- *sylvatica* (L.) Duby = Knautia dipsacifolia
- **transalpina** (H. Christ) Briq. | ♃ VII-VIII; Eur.: I, CH; S-Alp.
- **velutina** Briq. · Samtige Witwenblume | ♃ VII-VIII; Eur.: I; S-Alp.

Kneiffia = Oenothera L.
- *fruticosa* (L.) Spach = Oenothera fruticosa
- *pumila* (L.) Spach = Oenothera perennis
- *tetragona* (Roth) Pennell = Oenothera fruticosa subsp. glauca

Kniphofia Moench -f- *Asphodelaceae* · Fackellilie, Tritome
- *alooides* Moench = Kniphofia uvaria
- *burchellii* (Herb. ex Lindl.) Kunth = Kniphofia uvaria
- **foliosa** Hochst. | ♃ ⓚ VIII-IX; Eth.
- **galpinii** Baker · Galpins Fackellilie ·

Faux aloès | ♃ Ⓚ IX-X ⋀; S-Afr.: Natal, Transvaal
- **gracilis** Harv. ex Baker | ♃ Ⓚ VI-VIII; S-Afr.: Natal
- **laxiflora** Kunth
- *macowanii* Baker = Kniphofia triangularis
- *nelsonii* Mart. = Kniphofia uvaria
- **pumila** (Aiton) Kunth · Kleine Fackellilie | ♃ Ⓚ VIII ⋀; Sudan, Eth., Uganda, Zaire
- *quartiniana* A. Rich. = Kniphofia foliosa
- **rufa** Leichtlin ex Baker | ♃ Ⓚ VI-VIII ⋀; S-Afr.: Natal
- **triangularis** Kunth · Red Hot Poker | ♃ ✂ VII-IX ⋀; S-Afr.
- **tuckii** Leichtlin ex Baker | ♃ VI-VII ⋀; S-Afr.
- **uvaria** (L.) Oken · Schopf-Fackelilie · Red Hot Poker, Torch Lily | ♃ Ⓚ ✂ VIII-IX ⋀; S-Afr.

Kobresia Willd. -f- *Cyperaceae*
- **myosuroides** (Vill.) Fiori · Europäisches Nacktried, Nacktried | ♃ VI-VIII; Eur.* exc. BrI +
- **simpliciuscula** (Wahlenb.) Mack. · Europäisches Schuppenried | ♃ VII-VIII; Eur.* exc. Ib; N, mts.; TR, Cauc., W-Sib., E-Sib., C-As; N-Am.

Kochia Roth -f- *Chenopodiaceae*
- *scoparia* (L.) Schrad. = Bassia scoparia

Koeleria Pers. -f- *Poaceae*
- **arenaria** (Dumort.) Conert · Sand-Schillergras | ♃ V-VI; Eur.* exc. Ap, Ba
- **cenisia** P. Rev. · Mont Cenis-Kammschmiele | ♃ VII-VIII; Eur.: F, I, CH; S-Alp.
- *cristata* Pers. = Koeleria macrantha
- **eriostachya** Pancic · Wolliges Schillergras | ♃ VII-VIII; Eur.: I, CH, A, Ba, RO; E-Alp., Carp., Balkan; TR, Cauc., W-Iran
- **glauca** (Schrad.) DC. · Blaugrünes Schillergras · Glaucous Hair Grass · Keulérie bleue | ♃ △ V-VII; Eur.* exc. Ap, Ba; W-Sib., E-Sib., C-As.
- *gracilis* Pers. = Koeleria macrantha
- **hirsuta** (DC.) Gaudin · Behaartes Schillergras | ♃ VII-VIII; Eur.: I, CH, A; Alp.
- **macrantha** (Ledeb.) Schult. · Zierliches Schillergras · Crested Hair Grass · Koelérie à crête | ♃ VI; Eur.* exc. Sc; TR, Cauc., Iran, C-As., Sib., Afgh., Pakist.
- **pyramidata** (Lam.) P. Beauv. · Großes Schillergras, Pyramiden-Schillergras | ♃ VI-VII; Eur.: Fr, Ap, C-Eur., EC-Eur., Ba, DKE-Eur.; TR
- **spendens** C. Presl · Glänzendes Schillergras | ♃ V-VII; Eur.: Ib, Fr, Ap, A, Ba, E-Eur.; Maroc., Alger.
- **vallesiana** (Honck.) Gaudin · Walliser Schillergras · Koelérie du Valais | ♃ V-VI; Eur.: Ib, F, I, CH, D, BrI; NW-Afr.

Koellikeria Regel -f- *Gesneriaceae*
- **erinoides** (DC.) Mansf. | ♃ Ⓦ VII-VIII; C-Am., S-Am.

Koelreuteria Laxm. -f- *Sapindaceae* · Blasenbaum
- **paniculata** Laxm. · Rispiger Blasenbaum · Golden Rain Tree · Savonnier | ♄ ☘ VII-VIII; China, Korea, Jap.
  - var. **apiculata** (Rehder et E.H. Wilson) Rehder | ♄ VII-VIII; China: Sichuan

Kohleria Regel -f- *Gesneriaceae*
- **amabilis** (Planch. et Linden) Fritsch | ♃ Ⓦ IV-X; Col.
- **bogotensis** (G. Nicholson) Fritsch | ♃ Ⓦ VII-IX; Col.
- **digitaliflora** (Linden et André) Fritsch | ♃ Ⓦ VIII-IX; Col.
- *elegans* (Decne.) Loes. = Moussonia elegans
- **eriantha** (Benth.) Hanst. | ♃ Ⓦ VIII-X; Col.
- **hirsuta** (Humb., Bonpl. et Kunth) Regel | ♄ Ⓦ VIII-X; Col., Venez., Trinidad, Guyan.
- **lindeniana** (Regel) H.E. Moore | ♃ Ⓦ IX-X; Ecuad.
- **ocellata** (Hook.) Fritsch | ♃ Ⓦ VII-IX; Col.
- **spicata** (Humb., Bonpl. et Kunth) Oerst. | ♃ Ⓦ VII-IX; Mex., C-Am., trop. S-Am.
- *wageneri* Regel = Kohleria spicata
- **warscewiczii** (Regel) Hanst. | ♃ Ⓦ VII-IX; Col.

Kohlrauschia = Petrorhagia (Ser.) Link
- *prolifera* (L.) Kunth = Petrorhagia prolifera
- *saxifraga* (L.) Dandy = Petrorhagia saxifraga

Kolkwitzia Graebn. -f- *Caprifoliaceae*
– **amabilis** Graebn. · Kolkwitzie · Beauty Bush, Cold Whisky Plant · Buisson de beauté | ♄ V-VI; China: Hupeh

Korolkowia Regel -f- *Liliaceae*
– *sewerzowii* (Regel) Regel = Fritillaria sewerzowii

Krainzia = Mammillaria Haw.
– *guelzowiana* (Werderm.) Backeb. = Mammillaria guelzowiana
– *longiflora* (Britton et Rose) Backeb. = Mammillaria longiflora

Krameria L. ex Loefl. -f- *Krameriaceae*
– **triandra** Ruiz et Pav. · Rhatany | ♄ ⓦ Off.; Peru, Bol., Chile

Krascheninnikovia Gueldenst. -f- *Chenopodiaceae*
– **cerastoides** (L.) Gueldenst. · Hornmelde | ♄ VII-IX; Eur.: Sp., A, H, W-Ba, E-Eur.; TR, Cauc., Iran, Pakist., W-Sib., E-Sib., C-As., Mong., China

Kummerowia Schindl. -f- *Fabaceae*
– *stipulacea* (Maxim.) Makino = Lespedeza stipulacea
– *striata* (Thunb. ex Murray) Schindl. = Lespedeza striata

Kunzea Rchb. -f- *Myrtaceae*
– **ambigua** (Sm.) Druce | ♄ ⓦ VIII-II; Austr.: N.S.Wales, Victoria, Tasman.
– **baxteri** (Klotzsch) Schauer | ♄ ⓚ V; W-Austr.
– **parvifolia** Schauer | ♄ ⓚ; Austr.: N.S.Wales, Victoria
– **pomifera** F. Muell. | ♄ ⓚ; Austr.: S-Austr., Victoria
– **pulchella** (Lindl.) A.S. George | ♄; W-Austr.

Labisia Lindl. -f- *Myrsinaceae*
– *malouiana* Linden et Rodigas = Ardisia malouiana

Lablab Adans. -f- *Fabaceae*
– *niger* hort. = Lablab purpureus
purpureus (L.) Sweet · Fasel-Bohne, Lablab-Bohne · Bonavist, Hyacinth Bean, Lablab | ⊙ ⓚ ≹ Ⓝ; ? trop. Afr. ?
– *vulgaris* Savi = Lablab purpureus

+ **Laburnocytisus** C.K. Schneid. -m- *Fabaceae*
– **adamii** (Poit.) C.K. Schneid. (*Cytisus purpureus* × *Laburnum anagyroides*) · Adams Goldregen · Adam's Laburnum · Cytise d'Adam | ħ VI; cult.

Laburnum Fabr. -n- *Fabaceae* · Goldregen
– **alpinum** (Mill.) Bercht. et J. Presl · Alpen-Goldregen · Laburnum, Scotch Laburnum · Cytise des Alpes | ♄ ħ V-VI ☠ Ⓝ; Eur.: Fr, Ap, C-Eur., EC-Eur., Ba, E-Eur.
– **anagyroides** Medik. · Gewöhnlicher Goldregen · Common Laburnum, Golden Chain, Laburnum · Aubour, Cytise faux ébénier | ħ ♄ V-VI ☠ Ⓝ; Eur.: Fr, Ap, C-Eur., EC-Eur., Ba, E-Eur., nat. in BrI
– *vulgare* Bercht. et J. Presl = Laburnum anagyroides
– × **watereri** (G. Kirchn.) Dippel (*L. alpinum* × *L. anagyroides*) · Goldenchain Tree, Laburnum | ♄ ħ V-VI ☠; cult.

Lacaena Lindl. -f- *Orchidaceae*
– **bicolor** Lindl. | ♃ ⓦ V-VI ✻; Mex., Guat.

Lachenalia J. Jacq. ex Murray -f- *Hyacinthaceae*
– **aloides** (L. f.) Asch. et Graebn. · Cape Cowslip | ♃ ⓚ ✂ I-III; S-Afr.: Kap, Natal
  - **'Nelsonii'**
  - **'Pearsonii'**
  - **'Tricolor'**
  - var. **aurea** (Lindl.) Engl.
  - var. **luteola** Jacq.
  - var. **quadricolor** (Jacq.) Engl.
– **bulbifera** (Cirillo) Asch. et Graebn. | ♃ ⓚ ✂ I-III; S-Afr.
– **contaminata** Aiton · Wild Hyacinth | ♃ ⓚ; S-Afr.
– **fragrans** Jacq. | ♃ ⓚ D; S-Afr.
– *glaucina* Jacq. = Lachenalia orchioides var. glaucina
– **lilacina** Baker | ♃ ⓚ II-III; S-Afr.
– **liliiflora** Jacq. | ♃ ⓚ II-III; S-Afr.
– **mutabilis** Lodd. · Cape Cowslip | ♃ ⓚ II-III; S-Afr.: Natal
– **orchioides** (L.) Aiton · Cape Cowslip | ♃ ⓚ II-IV; Kap
  - var. **glaucina** (Jacq.) W.F. Barker | ♃ ⓚ III-IV; Kap
– **orthopetala** Jacq. | ♃ ⓚ; S-Afr.

- **pallida** Aiton | ♃ Ⓚ V; S-Afr.
- *pearsonii* hort. = Lachenalia aloides 'Pearsonii'
- *pendula* Aiton = Lachenalia bulbifera
- **purpureocaerulea** Jacq. | ♃ Ⓚ III-IV; S-Afr.
- **pustulata** Jacq. | ♃ Ⓚ II-III; S-Afr.
- **reflexa** Thunb. | ♃ Ⓚ II-III; S-Afr.
- **rubida** Jacq. | ♃ Ⓚ IX; Kap
- *tricolor* Thunb. = Lachenalia aloides 'Tricolor'
- **unicolor** Jacq. | ♃ Ⓚ VIII; S-Afr.
- **unifolia** Jacq. | ♃ Ⓚ III; S-Afr.

Lactuca L. -f- *Asteraceae* · Lattich
- *alpina* (L.) A. Gray = Cicerbita alpina
- *bourgaei* (Boiss.) Irish et N. Taylor = Cicerbita bourgaei
- **indica** L. · Chinesischer Salat | Ⓝ; Ind., China, Jap., Phil., Malay. Arch.
- **perennis** L. · Blauer Lattich | ♃ V-VI; Eur.: Ib, Fr, Ap, C-Eur., EC-Eur., Ba, RO
- *plumieri* (L.) Gren. et Godr. = Cicerbita plumieri
- **quercina** L. · Eichen-Lattich | ⊙ VII-IX; Eur.: Fr, Ap, C-Eur., EC-Eur., Ba, E-Eur.
- **saligna** L. · Weidenblättriger Lattich | ⊙ VII-VIII; Eur.* exc. Sc; NW-Afr., Egypt
- **sativa** L. · Garten-Lattich, Grüner Salat · Lettuce | ⊙ VI-VIII; ? Egypt, ? W-As.
  - var. **angustana** hort. ex L.H. Bailey | ⊙ Ⓝ; cult.
  - var. *asparagina* L.H. Bailey = Lactuca sativa
  - var. **capitata** L. | ⊙ Ⓝ; cult.
  - var. **crispa** L. | ⊙ Ⓝ; cult.
  - var. **longifolia** Lam. | ⊙ Ⓝ; cult.
- *scariola* L. = Lactuca serriola
- **serriola** L. · Kompaß-Lattich · Prickly Lettuce, Scarole | ⊙ VII-IX; Eur.*, TR, Levante, Iraq, Arab., Cauc., Iran, W-Sib., C-As., Afgh., NW-Afr., Egypt., Sudan
  - fo. **integrifolia** Bogenh.
- **tatarica** (L.) C.A. Mey. · Tataren-Lattich | ♃ VII-VIII; Eur.: BG, E-Eur.; TR, Cauc., Iran, Afgh., C-As., China, nat. in Sc, NL, C-Eur., EC-Eur.
- **viminea** (L.) J. Presl et C. Presl · Ruten-Lattich | ⊙ VII-VIII; Eur.* exc. BrI, Sc: TR, Iraq, Cauc., NW-Afr.
- **virosa** L. · Gift-Lattich · Bitter Lettuce | ⊙ ⊙ VII-IX ☠ Ⓝ; Eur.* exc. Sc; Alger.

Laelia Lindl. -f- *Orchidaceae*
- *acuminata* Lindl. = Laelia rubescens
- **albida** Bateman | ♃ Ⓦ XII-I ✻; Mex.
- **anceps** Lindl. | ♃ Ⓦ XII-II ✻; Mex.
- **autumnalis** Lindl. | ♃ Ⓦ XI-I ✻; Mex.
- *boothiana* Rchb. f. = Laelia lobata
- **cinnabarina** Lindl. | ♃ Ⓦ II-V ✻; Bras.
- **crispa** (Lindl.) Rchb. f. | ♃ Ⓦ VII-VIII ✻; Bras.: Rio de Janeiro, Minas Gerais
- **crispata** (Thunb.) Garay | ♃ Ⓦ ✻; Bras.
- **crispilabia** A. Rich. ex Warner | ♃ Ⓦ VII-VIII ✻; Bras.
- **flava** Lindl. | ♃ Ⓦ V-VI ✻; Bras.: Minas Gerais
- **furfuracea** Lindl. | ♃ Ⓦ IX-XI ✻; Mex.
- **grandis** Lindl. et Paxton
  - var. *tenebrosa* Gower = Laelia tenebrosa
- **harpophylla** Rchb. f. | ♃ Ⓦ II-III ✻; Bras.: Espirito Santo, Minas Gerais
- **jongheana** Rchb. f. | ♃ Ⓦ II-IV ✻; Bras.: Minas Gerais
- **lobata** (Lindl.) Veitch | ♃ Ⓦ IV-V ✻; Bras.: Rio de Janeiro, Sao Paulo
- **longipes** Rchb. f. | ♃ Ⓦ VII ✻; Bras.: Minas Gerais
- **lundii** (Rchb. f. et Warm.) Cogn. | ♃ Ⓦ ✻; Bras.
- *majalis* Lindl. = Laelia speciosa
- **milleri** Blumensch. | ♃ Ⓦ V-VI ✻; Bras.: Minas Gerais
- **perrinii** (Lindl.) Lindl. | ♃ Ⓦ IX-X ✻; Bras.
- **pumila** (Hook.) Rchb. f. | ♃ Ⓦ IX-X ✻; Bras.
- **purpurata** Lindl. | ♃ Ⓦ V-VI ✻; Bras.
- **rubescens** Lindl. | ♃ Ⓦ XI-I ✻; Mex., C-Am.
- *rupestris* Lindl. = Laelia crispata
- **speciosa** (Humb., Bonpl. et Kunth) Schltr. | ♃ Ⓦ IV-V ✻; Mex.
- *superbiens* Lindl. = Schomburgkia superbiens
- **tenebrosa** (Gower) Rolfe | ♃ Ⓦ V-VI ✻; Bras.: Bahia, Espirito Santo

× **Laeliocattkeria** Hort. -f- *Orchidaceae* (*Barkeria* × *Cattleya* × *Laelia*)

× **Laeliocattleya** Hort. -f- *Orchidaceae* (*Cattleya* × *Laelia*)

× **Laeliopleya** Hort. -f- *Orchidaceae* (*Cattleya* × *Laeliopsis*)

Laeliopsis Lindl. et Paxton -f- *Orchidaceae*
- **domingensis** Lindl. | ♃ Ⓦ IV-VI ✻;

Bahamas, Hispaniola (Dominican. Rep.)

× **Laelonia** Hort. -f- *Orchidaceae* (*Broughtonia* × *Laelia*)

Lafoensia Vand. -f- *Lythraceae*
– **punicifolia** DC. | ♄ Ⓚ Ⓝ; Mex., C-Am., trop. S-Am.

Lagarosiphon Harv. -m- *Hydrocharitaceae*
– **madagascariensis** Casp. | ♃ Ⓦ ♠; Madag.
– **major** (Ridl.) Moss · Große Wechselblatt-Wasserpest, Scheinwasserpest | ♃ Ⓦ Ⓚ ♠ VII-VIII; S-Afr., nat. in NZ, GB, N-I, NW-F
– **muscoides** Harv.
- var. *major* Ridl. = Lagarosiphon major

Lagenandra Dalzell -f- *Araceae*
– **ovata** (L.) Thwaites | ♃ Ⓦ ~ ☠; S-Ind., Sri Lanka

Lagenaria Ser. -f- *Cucurbitaceae* · Flaschenfrucht
– **siceraria** (Molina) Standl. · Gewöhnlicher Flaschenkürbis · Bottle Gourd, Calabash Gourd | ⊙ Ⓦ ≹ ♧ D ♧ VI-IX Ⓝ; trop. Afr., trop. As.
- var. *hispida* (Thunb. ex Murray) Hara = Benincasa hispida

Lagenocarpus Nees -m- *Cyperaceae*
– **rigidus** Nees | ♃ Ⓦ ✂; Bras.

Lagerstroemia L. -f- *Lythraceae*
– **floribunda** Jack | ♄; Ind., MalaY. Pen., Thail., China
– **indica** L. · Indische Lagerstroemie · Crape Myrtle | ♄ ♄ Ⓚ VIII-X; China, Korea
– **speciosa** (L.) Pers. · Pride-of-India | ♄ Ⓦ Ⓝ; trop. As.

Lagoecia L. -m- *Apiaceae*
– **cuminoides** L.; Eur.: Ib, Ap, Ba; Syr., Iran, Iraq, TR

Lagotis Gaertn. -f- *Scrophulariaceae*
– **stolonifera** (K. Koch) Maxim. | ♃ ⇝ △ VI-VII; Cauc.

Lagunaria (DC.) Rchb. -f- *Malvaceae*
– **patersonii** (Andrews) G. Don · Cow Itch Tree, Norfolk Island Hibiscus | ♄ Ⓚ; Austr.: Queensl., Norfolk, Lord Howe Is.

Lagurus L. -m- *Poaceae* · Hasenschwanzgras, Sammetgras
– **ovatus** L. · Hasenschwanzgras, Südliches Samtgras · Hare's Tail · Queue de lièvre | ⊙ ⊙ VI-VIII; Eur.: Ib, Fr, Ap, Ba, Krim; TR, Levante, Cauc., Makaron., N-Afr., nat. in BrI, N-Am., S-Am., S-Afr., Austr.

Lallemantia Fisch. et C.A. Mey. -f- *Lamiaceae*
– **canescens** (L.) Fisch. et C.A. Mey. | ⊙ ⊙ VII-IX; TR, Cauc., Iran
– **iberica** (M. Bieb.) Fisch. et C.A. Mey. | ⊙ ⊙ VII-VIII Ⓝ; TR, Syr., Palaest., Iraq, Iran
– **peltata** (L.) Fisch. et C.A. Mey. | ⊙ VII-VIII; TR, Cauc., Iran
– **royleana** (Benth.) Benth. · Rehana Barry | ⊙ VII-VIII Ⓝ; Iran, Afgh., Pakist., C-As., W-China

Lamarckia Moench -f- *Poaceae*
– **aurea** (L.) Moench · Golden Top Grass | ⊙ VII-VIII; Eur.: Ib, Fr, Ap, Ba; TR, Iran, Afgh., Pakist., N-Afr., Makaron., Eth.

Lamiastrum = Lamium L.
– *galeobdolon* (L.) Ehrend. et Polatschek = Lamium galeobdolon

Lamium L. -n- *Lamiaceae* · Taubnessel
– **album** L. · Weiße Taubnessel · White Dead Nettle | ♃ X-VIII; Eur.*, TR, Cauc., Iran, W-Sib., E-Sib., Amur, C-As., Him., Mong., Korea, Jap., Canar., nat. in N-Am.
– **amplexicaule** L. · Stängelumfassende Taubnessel · Henbit Deadnettle | ⊙ IV-VIII; Eur.*, TR, Levante, Iran, W-Sib., C-As., Him., N-Afr., Canar.
– **argentatum** (Smejkal) Henker ex G.H. Loos · Silberblättrige Goldnessel, Silberblatt-Goldnessel | ♃ V-VII; Eur.: A, D, +
– **confertum** Fr. · Mittlere Taubnessel ; Eur.: D, DK, PL +
– **endtmannii** G.H. Loos · Endtmanns Taubnessel ; Eur.: D +
– **flavidum** F. Herm. · Alpen-Goldnessel, Blassgelbe Goldnessel | ♃ VI-VII; Eur.: Alp., Apenn.
– **galeobdolon** (L.) L. · Echte Goldnessel,

Gewöhnliche Goldnessel · Yellow Archangel · Lamier doré | ♃ ⇝ V-VII; Eur.*, TR, Cauc.
- *'Florentinum'* L. = Lamium argentatum
– **garganicum** L. | ♃; Eur.: Ba, Ap, Fr, EC-Eur. +
– *luteum* Krock. = Lamium galeobdolon
– **maculatum** L. · Gefleckte Taubnessel · Lamium · Lamier maculé | ♃ IV-VIII; Eur.* exc. BrI, Sc; TR, Cauc., N-Iran, nat. in BrI, Sc
– **montanum** (Pers.) Hoffm. ex Kabath · Berg-Goldnessel | ♃ V-VII; Eur., TR, Cauc.
– **orvala** L. · Großblütige Taubnessel · Giant Dead Nettle · Lamier à grandes fleurs | ♃ IV-VI; Eur.: I, A, H, Slove., Croatia, Bosn., Montenegro, ? W-Russ.
– **purpureum** L. · Rote Taubnessel · Purple Archangel | ⊙ X; Eur.*, TR, Syr., W-Sib., NW-Afr., nat. in N-Am.
- var. **incisum** (Willd.) Pers. · Bastard-Taubnessel, Eingeschnittene Taubnessel | X-III; Eur.*
- var. **molucellifolium** (Schumach.) Fr. · Entferntblättrige Taubnessel, Mittlere Taubnessel | V-IX; Eur.: BrI, Sc, D, N-Russ., nat. in P

Lampranthus N.E. Br. -m- *Aizoaceae*
– **aurantiacus** (DC.) Schwantes | ♄ Ψ ⓦ VII-IX; Kap
– **aureus** (L.) N.E. Br. | ♄ Ψ ⓚ VII-IX; Kap
– **blandus** (Haw.) Schwantes | ♄ Ψ ⓚ VII-IX; Kap
– **brownii** (Hook. f.) N.E. Br. | ♄ Ψ ⓚ VII-IX; Kap
– **conspicuus** (Haw.) N.E. Br. | ♄ Ψ ⓦ VII-IX; Kap
– **deltoides** (L.) Glen | ♄ Ψ ⓚ VII-IX; Kap
– **falcatus** (L.) N.E. Br. | ♄ Ψ ⓚ D VII-IX; Kap
– **glomeratus** (L.) N.E. Br. | ♄ Ψ ⓚ VII-IX; Kap
– **haworthii** (G. Don) N.E. Br. | ♄ Ψ ⓚ VII-VIII; Kap
– **sociorum** (L. Bolus) N.E. Br. | ♄ Ψ ⓚ VII-X; Kap
– **spectabilis** (Haw.) N.E. Br. · Trailing Ice Plant | ♄ Ψ ⓚ VII-IX; Kap
– **zeyheri** (Salm-Dyck) | ♄ Ψ ⓚ VII-IX; Kap

Lamprococcus = Aechmea Ruiz et Pav.

– *miniatus* Beer = Aechmea miniata

Landolphia P. Beauv. -f- *Apocynaceae*
– **heudelotii** A. DC. | ♄ ≹ Ⓝ; W-Afr.
– **kirkii** Dyer | ♄ ≹ Ⓝ; trop. E-Afr.
– **owariensis** P. Beauv. | ♄ ≹ Ⓝ; trop. Afr.

Lannea A. Rich. -f- *Anacardiaceae*
– **coromandelica** (Houtt.) Merr. · Jhingangummi | ♄ Ⓝ; SE-As.

Lansium Correa -n- *Meliaceae*
– **domesticum** Corrêa emend. Jack · Lansium | ♄ ⓚ Ⓝ; Malay. Pen., Phil., Sulawesi, N.Guinea, cult. Ind.

Lantana L. -f- *Verbenaceae* · Wandelröschen
– *aculeata* L. = Lantana camara
– **camara** L. · Lantana | ♄ ⓚ VI-IX ☠ Ⓝ; Mex., trop. Am., nat. in Fla., Tex., Hawaii, Trop.
– *crocea* Jacq. = Lantana camara
– *delecatissima* hort. = Lantana montevidensis
– **montevidensis** (Spreng.) Briq. · Lantana | ♄ ⓚ VI-IX ☠; Bras., Urug., nat. in USA: Tex., SE, Fla.
– *mutabilis* Salisb. = Lantana camara
– *nivea* Vent. = Lantana camara
– *sellowiana* Link et Otto = Lantana montevidensis
– **urticifolia** Mill. | ♄ ⓚ VI-IX ☠; Mex

Lapageria Ruiz et Pav. -f- *Philesiaceae*
– **rosea** Ruiz et Pav. · Chilean Bellflower | ♄ ⓚ ≹ VIII-XII; Chile

Lapeirousia Pourr. -f- *Iridaceae*
– **corymbosa** (L.) Ker-Gawl. | ♃ ⓚ V; SW-Kap
– *cruenta* (Lindl.) Baker = Anomatheca laxa
– *grandiflora* (Baker) Baker = Anomatheca grandiflora
– *juncea* (L. f.) Pourr. = Anomatheca verrucosa
– *laxa* (Thunb.) N.E. Br. = Anomatheca laxa

Laportea Gaudich. -f- *Urticaceae*
– **canadensis** (L.) Wedd. · Bush Nettle, Wood Nettle | ♃ Ⓝ; Can.: E; USA: NE, NCE, SE, Fla., Okla.
– **moroides** Wedd. · Gympie Bush | ♄ ♄ ⓦ

&; Austr.: Queensl.

Lappa Scop. -f- *Asteraceae*
- *major* Gaertn. = Arctium lappa
- *minor* Hill = Arctium minus
- *tomentosa* (Mill.) Lam. = Arctium tomentosum

Lappula Moench -f- *Boraginaceae* · Igelsame
- **deflexa** (Wahlenb.) Garcke · Wald-Igelsame | ⊙ VI-VII; Eur.: Sc, Fr, C-Eur., EC-Eur., E-Eur., Sp.; N, mts.; Sib., Mong., Manch., N-Am.
- **heteracantha** (Ledeb.) Borbás | VI-VII; SC-Eur., S-Russ.; Cauc.
- **patula** (Lehm.) Menyh.; Eur.: Sp., Sic., H, Ba, EC-Eur.; TR, Cauc., Iran, Afgh., W-Sib., C-As., China, : Sinkiang, NW-Afr.
- **squarrosa** (Retz.) Dumort. · Kletten-Igelsame · Burr, Stickweed | ⊙ VI-VII Ⓝ; Eur.* exc. BrI, Sc; TR, Cauc., Iran, C-As., W-Sib., E-Sib., nat. in Sc, N-Am.

Lapsana L. -f- *Asteraceae*
- **communis** L. · Gewöhnlicher Rainkohl · Hawksbeard, Nipplewort | ⊙ ♃ VI-IX; Eur.*, TR, Lebanon, Syr., Cauc., N-Iraq, Iran, NW-Afr., nat. in N-Am.

Lardizabala Ruiz et Pav. -f- *Lardizabalaceae*
- **biternata** Ruiz et Pav. | ♄ Ⓚ & XII; Chile

Larix Mill. -f- *Pinaceae* · Lärche
- *americana* Michx. = Larix laricina
- *dahurica* (Loudon) Turcz. et Trautv. = Larix gmelinii
- **decidua** Mill. · Europäische Lärche · European Larch, Larch · Mélèze commun | ♄ Off. III-IV Ⓝ; Eur.: Fr, Ap, C-Eur., EC-Eur., Slove., Croatia, ? Bosn., E-Eur.; Alp., W-Carp., nat. in BrI, Sc
  - var. **polonica** (Racib. ex Wóycicki) Ostenf. et Syrach | ♄; W-Polen, NW-Ukraine
- × **eurokurilensis** Rohmeder et Dimpflm. (*L. decidua* × *L. gmelinii*) | ♄; cult.
- × **eurolepis** Henry (*L. decidua* × *L. kaempferi*) · Hybrid-Lärche · Dunkeld Larch | ♄; cult.
- *europaea* DC. = Larix decidua
- **gmelinii** (Rupr.) Kuzen. · Dahurische Lärche · Dahurian Larch ; E-Sib., Amur, Sachal., Kamchat., Manch., Korea
  - var. **japonica** (Regel) Pilg.
  - var. **olgensis** Henry | ♄; Amur
  - var. **principis-rupprechtii** (Mayr) Pilg. | ♄; N-China, Manch., Korea
- **kaempferi** (Lamb.) Carrière · Japanische Lärche · Japanese Larch · Mélèze du Japon | ♄ IV Ⓝ; C-Jap.
- *kurilensis* Mayr = Larix gmelinii var. japonica
- **laricina** (Du Roi) K. Koch · Amerikanische Lärche, Tamarack · American Larch, Tamarack | ♄ III Ⓝ; Alaska, Can., USA: NE, NCE
- *leptolepis* (Siebold et Zucc.) Siebold ex Gordon = Larix kaempferi
- **lyallii** Parl. · Rocky-Mountains-Lärche · Alpine Larch, Subalpine Larch | ♄; USA: N-Idaho, W-Mont.
- × **marschlinsii** hort. non Coaz
- **occidentalis** Nutt. · Westamerikanische Lärche · Western Larch | ♄ Ⓝ; B.C., USA: NW, Mont., Idaho
- × **pendula** (Sol.) Salisb. (*L. decidua* × *L. laricina*) · Weeping Larch | ♄ III-IV; cult.
- **potaninii** Batalin · Chinesische Lärche · Chinese Larch | ♄; W-China
- **russica** (Endl.) Sabine et Trautv. · Sibirische Lärche · Siberian Larch | ♄ Off. III-IV Ⓝ; Eur.: Russ.; W-Sib., E-Sib., C-As
- *sibirica* (Münchh.) Ledeb. = Larix russica
- *sukaczewii* Dylis = Larix russica

Laser P. Gaertn. , B. Mey. et Scherb. -n- *Apiaceae*
- **trilobum** (L.) Borkh. · Rosskümmel | ♃ V-VI; Eur.: Fr, Ap, C-Eur., EC-Eur., Ba, E-Eur.; TR, Lebanon, Cauc., N-Iran

Laserpitium L. -n- *Apiaceae*
- **archangelica** Wulfen · Engelwurz-Laserkraut ; Eur.: EC-Eur., Ba, RO; mts., nat. in A
- **gaudinii** Moretti · Schweizer Laserkraut | ♃ VII-VIII
- **halleri** Crantz · Hallers Laserkraut | ♃ VI-VIII; Eur.: F, Corse, I, CH, A; Alp., Corse
- **latifolium** L. · Breitblättriges Laserkraut | ♃ VII-VIII; Eur.* exc. BrI; Iran
- **peucedanoides** L. · Haarstrang-Laserkraut | ♃ VI-VIII; Eur.: I, A, Slove., Croatia; SE-Alp., Croatia

- **prutenicum** L. · Preußisches Laserkraut | ⊙ VII-VIII; Eur.* exc. BrI, Sc
- **siler** L. · Berg-Laserkraut | ♃ VI-VIII; Eur.: Ba, Fr, Ib, Ap, C-Eur.; mts.

Lasia Lour. -f- *Araceae*
- **spinosa** (L.) Thwaites · Sampi | ♄ Ⓦ ~ VI-IX; Him., Ind., Sri Lanka, Malay. Arch., China

Lasiagrostis = Stipa L.
- *calamagrostis* (L.) Link = Stipa calamagrostis

Lasthenia Cass. -f- *Asteraceae*
- **californica** DC. ex Lindl. | ⊙ VII-VIII; USA: Oreg., Calif., Ariz.; Baja Calif.
- *chrysostoma* (Fisch. et C.A. Mey.) Greene = Lasthenia californica
- **coronaria** (Nutt.) Ornduff | ⊙ VII-VIII; S-Calif., Baja Calif.

Lastrea = Oreopteris Holub
- *decursivepinnata* (H.C. Hall) Kunze = Phegopteris decursive-pinnata
- *dryopteris* (L.) Bory = Gymnocarpium dryopteris
  - var. *robertiana* (Hoffm.) Lawalrée = Gymnocarpium robertianum
- *hexagonoptera* (H.C. Hall) Ching = Phegopteris hexagonoptera
- *lepida* T. Moore = Cyclosorus arcuatus
- *limbosperma* (All.) Holub et Pouzar = Oreopteris limbosperma
- *noveboracensis* (L.) C. Presl = Parathelypteris noveboracensis
- *oreopteris* (Ehrh.) Bory = Oreopteris limbosperma
- *phegopteris* (L.) Bory = Phegopteris connectilis
- *rigida* (Sw.) C. Presl = Dryopteris villarii
- *robertiana* (Hoffm.) Newman = Gymnocarpium robertianum
- *sieboldii* (Van Houtte) T. Moore = Dryopteris sieboldii
- *spinulosa* (O.F. Müll.) C. Presl = Dryopteris carthusiana
- *thelypteris* (L.) Bory = Thelypteris palustris

Latania Comm. ex Juss. -f- *Arecaceae*
- *aurea* Duncan = Latania verschaffeltii
- *borbonica* hort. = Livistona chinensis
- *borbonica* Lam. = Latania lontaroides
- *commersonii* J.F. Gmel. = Latania lontaroides
- *glaucophylla* hort. = Latania loddigesii
- **loddigesii** Mart. | ♄ Ⓦ; Mauritius
- **lontaroides** (Gaertn.) H.E. Moore | ♄ Ⓦ; Maskarene Is.
- *rubra* Jacq. = Latania lontaroides
- **verschaffeltii** Lem. | ♄ Ⓦ; Maskarene Is. (Rodriguez)

Lathraea L. -f- *Scrophulariaceae* · Schuppenwurz
- **clandestina** L. | ♃ IV-V; Eur.: Sp., F, B, I, nat. in BrI
- **squamaria** L. · Gewöhnliche Schuppenwurz · Toothwort | ♃ III-V; Eur.*, TR, Cauc., Pakist., Him.

Lathyrus L. -m- *Fabaceae* · Platterbse
- **annuus** L. · Einjährige Platterbse ; Eur.: Ib, Fr, Ap, Ba; TR, Levante, Iraq, Cauc., C-As., N-Iran, N-Afr.
- **aphaca** L. · Ranken-Platterbse · Yellow Vetchling | ⊙ ≷ VI-VII ☠ Ⓝ; Eur.* exc. BrI, Sc; TR, Levante; Cauc., Iran, C-As., Afgh., Him., N-Afr., Eth., nat. in Jap., China
- **bauhini** Genty · Schwertblättrige Platterbse | ♃ V-VII; Eur.: Sp., F, CH, D, Ba; Pyr., Alp., Jura, Balkan
- **cicera** L. · Kicher-Platterbse | ⊙ ≷ V-VIII ☠ Ⓝ; Eur.: Ib, Fr, Ap, Ba, E-Eur., CH; TR, Levante, Iraq, Cauc., Iran, C-As., N-Afr.
- **clymenum** L. | ⊙ VII-VIII Ⓝ; Eur.: Ib, Fr, Ap, Ba; TR, NW-Afr., Libya
- **gmelinii** Fritsch · Gold-Platterbse | ♃ V-VII; Ural, C-As. mts.
- **grandiflorus** Sibth. et Sm. | ♃ ≷ VI-IX ∧; Eur.: Ap, Ba
- **heterophyllus** L. · Verschiedenblättrige Platterbse | ♃ VII-VIII; Eur.: Ib, Fr, Ap, C-Eur., EC-Eur., Sweden
- **hirsutus** L. · Rauhaarige Platterbse · Caley Pea, Hairy Vetchling | ⊙ ≷ VI-VIII; Eur.* exc. BrI, Sc; TR, Lebanon, Cauc., N-Iran, C-As., NW-Afr., Egypt
- **inconspicuus** L.; Eur.: Ib, Fr, Ap, Ba; TR, levante, Cauc., Iran, C-As., Alger.
- *japonicus* Willd. = Lathyrus maritimus
  - subsp. *maritimus* (L.) P.W. Ball = Lathyrus maritimus
  - var. *glaber* (Ser.) Fernald = Lathyrus maritimus
- **laevigatus** (Waldst. et Kit.) Gren. | ♃ V-VIII; Eur.* exc. BrI, Sc

- subsp. **occidentalis** (Fisch. et C.A. Mey.) Breistr. · Gelbe Platterbse | ♃ VI-VIII
– **latifolius** L. · Breitblättrige Platterbse · Everlasting Pea, Perennial Sweet Pea · Pois vivace | ♃ ⌇ VII-VIII; Eur.* exc. BrI, Sc; NW-Afr., nat. in BrI
– **linifolius** (Reichard) Bässler · Berg-Platterbse | ♃ IV-VI; Eur.*
– *luteus* (L.) Peterm. = Lathyrus gmelinii
– **maritimus** (L.) Bigelow · Strand-Platterbse · Beach Pea | ♃ ⌇ ⇝ VI-VIII ▽; Eur.: BrI, Sc, D, N-Russ.; ; coasts; Sib., Amur, Sachal., Kamchat., China, Jap., Chila, nat. in Eur.: BrI, Sc, C-Eur., EC-Eur., E-Eur.
– **niger** (L.) Bernh. · Schwarzwerdende Platterbse · Black Pea | ♃ VI; Eur.*, Cauc., TR, Syr., N-Iran, NW-Afr.
– **nissolia** L. · Gras-Platterbse | V-VII; Eur.* exc. Sc; Cauc., TR, N-Iraq, NW-Afr.
– **ochrus** (L.) DC. | ☉ ⌇ VI-VIII Ⓝ; Eur.: Ib, Fr, Ap, Ba; TR, Levante, NW-Afr., Libya
– **odoratus** L. · Duft-Wicke, Duftende Platterbse · Sweet Pea · Pois de senteur | ☉ ⌇ ⋈ D ⋈ VI-IX; S-I, Sic.
– **palustris** L. · Sumpf-Platterbse | ♃ VII-VIII; Eur.*, TR, Cauc., W-Sib., E-Sib., C-As, China: Sinkiang
– **pannonicus** (Jacq.) Garcke · Pannonische Platterbse | ♃ V-VI; Eur.* exc. BrI, Sc; Cauc., W-Sib.
– **pratensis** L. · Wiesen-Platterbse · Meadow Vetchling | ♃ VI-VII; Eur.*, TR, Syr., Cauc., Iran, W-Sib., E-Sib., C-As., W-Him., C-China, Maroc., Eth.
– **sativus** L. · Saat-Platterbse · Chickling Pea, Grass Pea | ☉ ⌇ V-VIII ☠ Ⓝ; ? W-As., nat. in Eur., SW-As., N-Afr.
– **sphaericus** Retz. · Kugelsamige Platterbse | V; Eur.: Ib, Fr, CH, Ap, Ba, Sc, RO, Krim; TR, Levante, Iraq, Cauc., Iran, C-As., Him., NW-Afr., Egypt
– **sylvestris** L. · Wald-Platterbse · Everlasting Pea | ♃ ⌇ VII-IX Ⓝ; Eur.*, Cauc.
– **tingitanus** L.; Eur.: Sp., P, Sard., Azor.; Alger .+
tuberosus L. · Knollen-Platterbse · Tuberous Pea | ♃ ⌇ ⇝ VI-VII Ⓝ; Eur.* exc. BrI, Sc; TR, Cauc., Iran, W-Sib., C-As., nat. in BrI, Sc
– **venetus** (Mill.) Wohlf. · Venezianische Platterbse | ♃ V-VI; Eur.: Ap, C-Eur., C-Eur., Ba, E-Eur.; TR
– **vernus** (L.) Bernh. · Frühlings-Platterbse, Zarte Platterbse · Spring Pea · Gesse du printemps, Pois printanier | ♃ IV-V; Eur.* exc. BrI; TR, Cauc., W-Sib., E-Sib.

Launaea Cass. *Asteraceae*
– **taraxacifolia** (Willd.) Amin ex J. jeffrey | Ⓝ; trop. Afr.

Laurentia Adans. -f- *Campanulaceae*
– **axillaris** (Lindl.) E. Wimm. · Rock Isotome | ☉ ♃ VII-IX; Austr.
– **canariensis** DC. | ♃ Ⓚ IV-VI; Eur.: Ib, Fr, Ap, Ba; TR, Syr., NW-Afr., nat. in GR, Crete
– **fluviatilis** (R. Br.) E. Wimm. | ♃ Ⓐ ⇝ ∧; NZ, Austr.: S-Austr., Tasman.
– *gasparrinii* (Tineo) Strobl = Laurentia canariensis
– **longiflora** L. · Laurentia
– *michelii* A. DC. = Laurentia canariensis
– **minuta** (L.) A. DC. | ♃ Ⓐ △ IV-VI; Eur.: Balear., Ap., Crete; Levante
– *tenella* (Biv.) A. DC. = Laurentia minuta

Laurocerasus = Prunus L.
– *lusitanica* (L.) Roem. = Prunus lusitanica
– *officinalis* M. Roem. = Prunus laurocerasus

Laurus L. -f- *Lauraceae* · Lorbeerbaum
– **azorica** (Seub.) Franco · Canary Laurel | ♄ Ⓚ IV-V; Azor., Madeira, Canar.
– *canariensis* Webb et Berthel. = Laurus azorica
– **nobilis** L. · Lorbeer · Bay, Bay Tree, Sweet Bay | ♄ Ⓚ Off. IV-V Ⓝ; Eur.: Ib, Fr, Ap, Ba; Cauc., nat. in Krim

Lavandula L. -f- *Lamiaceae* · Lavendel
– **angustifolia** Mill. · Echter Lavendel · English Lavender · Lavande vraie | ☉ △ D △ Off. VII-VIII Ⓝ; Eur.: Ib, Fr, Ap, ? Ba, nat. in Krim
– **canariensis** Mill. | ♄; Canar.
– **dentata** L. · French Lavender | ♄ Ⓚ D VI-VII; Eur.: Sp., Balear.; NW-Afr., nat. in P, I, Sic.
– × **intermedia** Lois. (*L. angustifolia* × *L. latifolia*) | ♄
– **lanata** Boiss. · Woolly Lavender | ♄ D VI-IX; Eur.: S-Sp.; Mts.
– **latifolia** Medik. · Großer Lavendel ·

Spike Lavender, Spikenard | ♄ △ D △ VI-VII ∧ Ⓝ; Eur.: Ib, Fr, Ap, Croatia
- *officinalis* Chaix = Lavandula angustifolia
- *pedunculata* Cav. = Lavandula stoechas subsp. pedunculata
- **pinnata** L. | ♄ Ⓚ D VIII-IX; Canar., Madeira
- *spica* L. = Lavandula angustifolia
- **stoechas** L. | ♄ Ⓚ D VII-X; Eur.: Ib, Fr, Ap, Ba; TR, NW-Afr.
  - subsp. **pedunculata** (Mill.) Samp. ex Rozeira | ♄ Ⓚ D VII-IX; Eur.: P, Sp.
- *vera* DC. = Lavandula angustifolia

Lavatera L. -f- *Malvaceae*
- **arborea** L. · Baum-Malve · Malva, Tree Mallow | ♄ Ⓚ VII-IX; Eur.: Ib, F, BrI, Ap, Ba, Azor., Canar.; TR, Alger., Tun
- **cachemiriana** Cambess. | ♃; Him.: Pakist., W-Ind.
- **olbia** L. · Strauch-Malve · Bush Mallow | ♄ Ⓚ VII-X; Eur.: Ib, Fr, Ap; Nw-Afr., Libya
- **punctata** All.; Eur.: Ib, Ap, Fr, Ba; N-Iran, Cauc., Syr., C-As.
- **thuringiaca** L. · Thüringer Strauchpappel · Lavatère arbustive | ♃ VII-IX; Eur.: C-Eur., EC-Eur., Ba, ApE-Eur.; TR, Cauc., Iran, W-Sib., E-Sib., C-As., Him., nat. in Sc
- **trimestris** L. · Becher-Malve, Garten-Strauchpappel · Rose Mallow · Lavatère d'un trimestre | ⊙ VII-X; Eur.: Ib, Fr, Ap, ? W-Ba; TR, Syr., Palaest., NW-Afr., nat. in E-Eur.

Lawrencia Hook. -f- *Malvaceae*
- **helmsii** (F. Muell. et Tate) Lander | ♄ Ⓚ ⋉; Austr.

Lawsonia L. -f- *Lythraceae*
- **inermis** L. · Henna | ♄ Ⓚ Ⓝ; Arab., Iran, Afgh., Ind., Sri Lanka, nat. in trop. Am.

× **Laycockara** Hort. -f- *Orchidaceae* (*Arachnis* × *Phalaenopsis* × *Vandopsis*)

Layia Hook. et Arn.ex DC. -f- *Asteraceae*
- *calliglossa* A. Gray = Layia chrysanthemoides
- **chrysanthemoides** (DC.) A. Gray | ⊙ VII-VIII; Calif.
- *elegans* Torr. et a. Gray = Layia platyglossa
- **glandulosa** (Hook.) Fisch. et C.A. Mey. · Tidytips | ⊙ VII-VIII; Can.: B.C.; USA: NW, Calif., Idaho, SW; Mex.
- **platyglossa** (Fisch. et C.A. Mey.) A. Gray · Tidy Tips | ⊙ VII-VIII; Calif.

Lecythis Loefl. -f- *Lecythidaceae*
- **pisonis** Cambess. | ♄ Ⓚ Ⓝ; Guyan., Bras.
- *urnigera* Mart. = Lecythis pisonis
- **zabucajo** Aubl. · Paradiesnüsse | ♄ Ⓝ; trop. Am., Guyan., Bras.

Ledebouria Roth -f- *Hyacinthaceae*
- *adlamii* Hook. f. = Ledebouria cooperi
- **cooperi** (Hook. f.) Jessop
- **socialis** (Baker) Jessop · Silver Squill | ♃ Ⓦ Ⓚ IV-V; S-Afr.

Ledenbergia Klotzsch ex Moq. -f- *Phytolaccaceae*
- *roseoaenea* Lem. = Trichostigma peruvianum

Ledum = Rhododendron L.
- **groenlandicum** Oeder · Grönländischer Porst · Labrador Tea · Lédum du Labrador | ♄ V-VI ☠; Greenl., Alaska, Can., USA: NE, NCE, Rocky Mts., NW, nat. in BrI, D
- **palustre** L. · Sumpf-Porst · Wild Rosemary · Lédum des marais | ♄ V-VII ▽ ☠; Eur.: Sc, C-Eur., EC-Eur., E-Eur.; W-Sib., E-Sib., Amur, Sachal., Kamchat., Manch., Alaska, Can., Greenl., nat. in BrI
  - subsp. *groenlandicum* (Oeder) Hultén = Ledum groenlandicum

Leea L. -f- *Leeaceae*
- **amabilis** hort. Veitch ex Mast. | ♄ Ⓦ; W-Kalimantan
- **rubra** Blume · West Indian Holly | ♄ Ⓦ; Java
- **sambucina** (L.) Willd. | ♄ Ⓦ; Him., Ind., Sri Lanka, Indochina, China, Malay. Arch., Phil., Austr.

Leersia Sw. -f- *Poaceae*
- **oryzoides** (L.) Sw. · Europäische Reisquecke · Rice Cut Grass · Léerzia faux-riz | ♃ ⇝ ~ X; Eur.*, As, , Can., USA*, W-Ind., S-Am.

Legousia Durande -f- *Campanulaceae*
- **hybrida** (L.) Delarbre · Kleiner Frauenspiegel | VI-VII; Eur.* exc. Sc,

EC-Eur.; TR, Cyprus, Palaest., Cauc., Iran, Maroc., Tun.
- **pentagonia** (L.) Druce | ⊙ VI-IX; Eur.: Ba; TR, Syr., Palaest., Cauc., Iraq, W-Iran, nat. in Sp., F
- **speculum-veneris** (L.) Chaix · Echter Frauenspiegel · Venus's Looking Glass | ⊙ VI-IX; Eur.* exc. BrI, Sc; TR, Levante, N-Iraq, Cauc., Egypt

Leiophyllum (Pers.) R. Hedw. -n- *Ericaceae* · Sandmyrte
- **buxifolium** (Bergius) Elliott · Sandmyrte · Sand Myrtle | ♄ ⇝ ⌓ V-VI; USA: NE, SE, Fla.
  - var. **hugeri** (Small) C.K. Schneid. | ♄; USA: NE, SE

Lemaireocereus = Pachycereus (A. Berger) Britton et Rose
- *beneckei* (C. Ehrenb.) Britton et Rose = Stenocereus beneckei
- *chende* (Rol.-Goss.) Britton et Rose = Heliabravoa chende
- *chichipe* (Rol.-Goss.) Britton et Rose = Polaskia chichipe
- *dumortieri* (Scheidw.) Britton et Rose = Stenocereus dumortieri
- *eruca* (Brandegee) Britton et Rose = Machaerocereus eruca
- *marginatus* (DC.) A. Berger = Stenocereus marginatus
- *pruinosus* (Otto) Britton et Rose = Stenocereus pruinosus
- *queretaroensis* (F.A.C. Weber) Saff. = Stenocereus queretaroensis
- *stellatus* (Pfeiff.) Britton et Rose = Stenocereus stellatus
- *thurberi* (Engelm.) Britton et Rose = Stenocereus thurberi
- *weberi* (J.M. Coult.) Britton et Rose = Pachycereus weberi

Lembotropis = Cytisus Desf.
- *emeriflorus* (Rchb.) Skalická = Cytisus emeriflorus
- *nigricans* (L.) Griseb. = Cytisus nigricans

Lemmaphyllum C. Presl -n- *Polypodiaceae*
- **carnosum** (Wall.) C. Presl

Lemna L. -f- *Lemnaceae* · Wasserlinse
- **aequinoctialis** Welw. · Schiefe Wasserlinse | ♃; Am., Afr., As
- **gibba** L. · Bucklige Wasserlinse · Fat Duckweed, Inflated Duckweed · Lentille d'eau bossue | ♃ ♆ IV-VI; Eur.*, Cauc., TR, Iran, C-As., Him., N-Afr., Eth., USA, Mex., C-Am., W.Ind., S-Am. (Anden)
- **minor** L. · Kleine Wasserlinse · Common Duckweed, Duckweed | ♃ ♆ V-VI; Eur.*, Cauc., Him., W-Sib., E-Sib., Amur, Sachal., Kamchat., C-As., Mong., China, Korea, Jap., Java, N-Afr., Eth., E-Afr., S-Afr., Can., USA*, Mex., S-Am. (Anden)
- **minuta** Humb., Bonpl. et Kunth · Winzige Wasserlinse | ♃ V-IX; N-Am.
- *polyrhiza* L. = Spirodela polyrhiza
- **trisulca** L. · Dreifurchige Wasserlinse · Ivy Duckweed, Star Duckweed · Lentille d'eau à trois lobes | ♃ ♆ VI; Eur.*, As., N-Afr., Alaska, Can.; USA* , Mex., Mauritius, S-Austr.
- **turionifera** Landolt · Rote Wasserlinse | ♃ VI-VII; TR, Sib., C-As., Ind., E-As., N-Am.

Lenophyllum Rose -n- *Crassulaceae*
- **guttatum** Rose | ♃ Ψ Ⓚ ⇝; Mex.
- **pusillum** Rose | ♃ Ψ Ⓚ ⇝; Mex.

Lens Mill. -f- *Fabaceae* · Linse
- **culinaris** Medik. · Linse · Lentil | ⊙ VI-VIII Ⓝ; orig. ?; cult. Eur., As., nat. in Eur.* exc. BrI, Sc
- **ervoides** (Brign.) Grande; Eur.: Ib, Ap, Ba, Krim; TR, Levante, Cauc., Maroc., Alger.

Leonotis (Pers.) R. Br. -f- *Lamiaceae* · Löwenohr
- **leonurus** (L.) R. Br. · Lion's Ear | ♄ Ⓚ IX-XI; S-Afr.

Leontice L. -f- *Berberidaceae* · Trapp
- *chrysogonum* L. = Bongardia chrysogonum
- **leontopetalum** L. · Leontice | ♃ IV ∧; Eur.: Ba; TR, Levante, Iraq, Iran, Pakist., C-As., N-Afr.
- *thalictroides* L. = Caulophyllum thalictroides

Leontodon L. -n- *Asteraceae*
- **autumnalis** L. · Herbst-Löwenzahn | ♃ VII-IX; Eur.*, W-Sib., NW-Afr., Greenl.
- **crispus** Vill. · Krauser Löwenzahn | ♃ VI-VII; Eur.*: Ib, Fr, Ap, Ba, E-Eur.; TR, Cauc.

- **croceus** Haenke · Safran-Löwenzahn | ♃ VII-VIII; Eur.: I, A, Ba, RO, W-Russ.; E-Alp., Carp., BG
- **helveticus** Mérat · Schweizer Löwenzahn | ♃ VII-IX; Eur.: F- Slove., Bosn.; Alp., Vosges, Schwarzwald
- **hispidus** L. · Rauer Löwenzahn | ♃ X-VI; Eur.*, TR, Cauc., N-Iran, N-Afr., nat. in N-Am.
- **incanus** (L.) Schrank · Grauer Löwenzahn | ♃ V-VI; Eur.: F, I, C-Eur., EC-Eur., Slove., Croatia, Bosn., ? RO; mts.
- **montaniformis** Widder · Nordostalpen-Löwenzahn | ♃ VII-VIII; Eur.: A, ; NE-Alp., Apenn.
- **montanus** Lam. · Berg-Löwenzahn | ♃ VII-VIII; Eur.* exc. BrI, Sc; mts.
- **saxatilis** Lam. · Hundslattich, Nickender Löwenzahn | ♃ ⊙ VII-VIII; Eur.* exc. Sc; NW-Afr., nat. in Sc
- *taraxacum* L. = Taraxacum officinale agg.
- **tenuiflorus** (Gaudin) Rchb. · Schmalblättriger Löwenzahn | ♃ IV-V; Eur.: I, CH

Leontopodium (Pers.) R.Br. ex Cass. -n- *Asteraceae* · Edelweiß
- **alpinum** Cass. · Alpen-Edelweiß · Edelweiss · Edelweiss des Alpes | ♃ △ VII-IX ▽; Eur.* exc. Sc, BrI; mts. Pyr., Alp., Carp., W-Ba
  - subsp. **nivale** (Ten.) Tutin | ♃ △ VI-VII ▽; I: Apenn.
  - var. *campestre* Beauverd = Leontopodium leontopodioides
  - var. *sibiricum* (Cass.) O. Fedtsch. = Leontopodium leontopodioides
  - var. *stracheyi* Hook. f. = Leontopodium stracheyi
- **calocephalum** Diels | ♃ △ VI-VII; SW-China, Tibet
- **hayachinense** (Takeda) Hara et Kitam. | ♃; Jap. Honshu; mts.
- **himalayanum** DC. | ♃ △ VI-VII; Him., China: Yunnan, Tibet
- **japonicum** Miq. | ♃ VI-VII; China, Jap.
- **leontopodioides** (Willd.) Beauverd | ♃ △ VI-VII; Kashmir, Him., SW-China
- *nivale* (Ten.) A. Huet ex Hand.-Mazz. = Leontopodium alpinum subsp. nivale
- *ochroleucum* Beauverd = Leontopodium leontopodioides
- **palibinianum** Beauverd | ♃ VI-VII; Sib., Mong.
- *sibiricum* DC. = Leontopodium palibinianum
- **souliei** Beauverd · Edelweiss | ♃ △ VI-VII; Yunnan, Sichuan
- **stracheyi** (Hook. f.) C.B. Clarke | ♃ VI-VII; SW-China

Leonurus L. -m- *Lamiaceae* · Herzgespann
- **cardiaca** L. · Echtes Herzgespann · Motherwort | ♃ VI-IX; Eur.* exc. BrI; TR, nat. in BrI, N-Am.
- **lanatus** (L.) Pers. · Woolly Motherwort | ♃ VII-VIII; E-Sib., Mong.
- **marrubiastrum** L. · Filziges Herzgespann, Katzenschwanz | ⊙ VII-VIII; Eur.: Ap, C-Eur., EC-Eur., Ba, E-Eur.; Cauc., W-Sib., C-As., nat. in F, N-Am.
- *villosus* d'Urv. = Leonurus cardiaca

Leopoldia = Muscari Mill.
- *comosa* (L.) Parl. = Muscari comosum

Leopoldinia Mart. -f- *Arecaceae*
- **piassaba** Wallace · Leopoldinia | ♄ Ⓦ Ⓝ; Venez., Bras.

Lepidium L. -n- *Brassicaceae* · Kresse
- **bonariense** L.; S-Am., nat. in B, NL, D, H, Sp.
- **campestre** (L.) R. Br. · Feld-Kresse | ⊙ V-VI; Eur.*, TR, Cauc., nat. in N-Am.
- **densiflorum** Schrad. · Dichtblütige Kresse | ⊙ V-VII; N-Am., nat. in Sc, Fr, C-Eur., EC-Eur., Ap
- **graminifolium** L. · Grasblättrige Kresse | ♃ VI-VIII; Eur.* exc. BrI, Sc; TR, Levante., Maroc., Alger., nat. in BrI
- **heterophyllum** Benth. · Verschiedenblättrige Kresse | ♃ V-VI; Eur.: Sc, BrI, Fr, Ib, EC-Eur., nat. in D
- **latifolium** L. · Breitblättrige Kresse | ♃ V-VII; Eur.*, TR, Levante, Cauc., Iran, W-Sib., C-As., Him., Tibet, Maroc., Egypt
- **meyenii** Walp. | ♃ Ⓝ; Peru, Bol.
- *neglectum* Thell. = Lepidium densiflorum
- **perfoliatum** L. · Durchwachsene Kresse | ⊙ V-VI; Eur.: A, EC-Eur., Ba, E-Eur.; TR, Levante, Cauc., Iran, W-Sib., C-As., Him., nat. in DK, Fr, Ib
- **ruderale** L. · Schutt-Kresse | ⊙ X-V; Eur.*, TR, Palaest., Iraq, Cauc., W-Sib., E-Sib., C-As.

– **sativum** L. · Garten-Kresse · Garden Cress, Pepperwort | ⊙ ⊙ V-VII Ⓝ; Egypt, Sudan, Eth., Arabia, TR, Palaest., Syr., Iran, Iraq, Pakist., W-Him., nat. in cosmop.
– **virginicum** L. · Virginische Kresse | ⊙ V-VIII; N-Am., nat. in Eur.* exc. Br

Lepidocoryphantha = Coryphantha (Engelm.) Lem.
– *macromeris* (Engelm.) Backeb. = Coryphantha macromeris

Lepidorrhachis (H. Wendl. et Drude) O.F. Cook -f- *Arecaceae*
– **mooreana** (F. Muell.) O.F. Cook | ♄ Ⓦ Ⓚ; Lord Howe Is.

Lepidozamia Regel -f- *Zamiaceae*
– **peroffskyana** Regel | ♄ Ⓦ ✻ ☠; Austr.: Queensl., N.S.Wales

Lepironia Rich. -f- *Cyperaceae*
– **articulata** (Retz.) Domin | ♃ Ⓦ Ⓝ; Madag., Sri Lanka, Malay. Arch., Austr., Fiji

Lepisanthes Blume -f- *Sapindaceae*
– **rubiginosa** (Roxb.) Leenh. · Woodland Rambutan | ♄ Ⓦ Ⓝ; Him., Ind., China, Myanmar, Malay. Arch., N-Austr.

Lepismium Pfeiff. -n- *Cactaceae*
– *cavernosum* Lindb. = Lepismium cruciforme
– *chrysocarpum* (Loefgr.) Backeb. = Rhipsalis puniceodiscus var. chrysocarpa
– *commune* Pfeiff. = Lepismium cruciforme
– **cruciforme** (Vell.) Miq. | ♄ Ψ Ⓦ ≹ ≹ ✻; Bras., Parag., Arg.
– *dissimile* Lindb. = Rhipsalis dissimilis
– *floccosum* (Salm-Dyck) Backeb. = Rhipsalis floccosa
– *gibberulum* (F.A.C. Weber) Backeb. = Rhipsalis floccosa
– *grandiflorum* (Haw.) Backeb. = Rhipsalis hadrosoma
– **houlletianum** (Lem.) Barthlott | ♄ Ψ Ⓦ ≹ ≹ ✻; E-Bras.
– *ianthothele* (Monv.) Barthlott = Pfeiffera ianthothele
– *marnierianum* Backeb. = Rhipsalis dissimilis
– *megalanthum* (Loefgr.) Backeb. = Rhipsalis megalantha
– *paradoxum* Salm-Dyck ex Pfeiff. = Rhipsalis paradoxa
– *pulvinigerum* (G. Lindb.) Backeb. = Rhipsalis pulvinigera
– *puniceodiscus* (Lindb.) Backeb. = Rhipsalis puniceodiscus
  - var. *chrysocarpum* (Loefgr.) Borg = Rhipsalis puniceodiscus var. chrysocarpa
– *trigonum* (Pfeiff.) Backeb. = Rhipsalis trigona

Leptandra = Veronicastrum Heist. ex Fabr.
– *virginica* (L.) Nutt. = Veronicastrum virginicum

Leptarrhena R. Br. -f- *Saxifragaceae*
– **pyrolifolia** (D. Don) R. Br. · Pearleaf | ♃ △ VI-VII ∧; Kamchat., Aleuten, Alaska, W-Can., USA: Wash.

Leptinella Cass. -f- *Asteraceae*
– **atrata** (Hook. f.) D.G. Lloyd et C.J. Webb | ♃ ⇝ △ VII-VIII; NZ
– **dioica** Hook. f. · Cotule dioîque | ♃ ⇝ △ VII-VIII; NZ
– **potentillina** F. Muell. | ♃ ⇝; NZ
– **squalida** Hook. f. · Fiederpolster · New Zealand Brass Buttons | ♃ ⇝ △ VI-VII ∧; NZ

Leptocallisia = Callisia Loefl.
– *monandra* (Sw.) W. Ludw. et Rohweder = Callisia monandra
– *multiflora* (M. Martens et Galeotti) Pichon = Callisia multiflora
– *umbellulata* (Lam.) Pichon = Callisia monandra

Leptocladodia = Mammillaria Haw.
– *densispina* (J.M. Coult.) Buxb. = Mammillaria densispina
– *elongata* (DC.) Buxb. = Mammillaria elongata
– *leona* (Poselg.) Buxb. = Mammillaria pottsii
– *microhelia* (Werderm.) Buxb. = Mammillaria microhelia
  - *f. microheliopsis* (Werderm.) Krainz = Mammillaria microhelia var. microheliopsis
– *sphacelata* (Mart.) Buxb. = Mammillaria sphacelata

Leptodermis Wall. -f- *Rubiaceae*
– **lanceolata** Wall. | ♄ Ⓚ VI-X; NW-Him.
– **oblonga** Bunge | ♄ VII-X ∧; N-China

× **Leptolaelia** Hort. -f- *Orchidaceae* (*Laelia* × *Leptotes*)

Leptopteris C. Presl -f- *Osmundaceae*
– **hymenophylloides** (A. Rich.) C. Presl | ♃ Ⓚ; NZ
– **superba** (Colenso) C. Presl · Prince-of-Wales Feathers | ♃ Ⓚ; NZ

Leptopyrum Rchb. -n- *Ranunculaceae*
– **fumarioides** (L.) Rchb.

Leptosiphon = Linanthus Benth.
– *grandiflorus* Benth. = Linanthus grandiflorus
– *luteus* Benth. = Linanthus androsaceus subsp. luteus

Leptospermum J.R. Forst. et G. Forst. -n- *Myrtaceae*
– *ambiguum* Sm. = Kunzea ambigua
– **arachnoideum** Sm. | ♄ Ⓚ VII-VIII; Austr.: N.S.Wales
– *attenuatum* Sm. = Leptospermum trinervium
– *citratum* Chall. = Leptospermum petersonii
– *cunninghamii* hort. = Leptospermum lanigerum 'Silver Sheen'
– *cunninghamii* S. Schauer = Leptospermum myrtifolium
– *flavescens* Sm. = Leptospermum polygalifolium
– **grandiflorum** Lodd. | ♄ Ⓚ VIII; Tasman.
– *humifusum* Cunnell ex S. Schauer = Leptospermum rupestre
– **laevigatum** (Sol. ex Gaertn.) F. Muell. · Australian Tea Tree | ♄ Ⓚ Ⓝ; Austr.: Queensl., N.S.Wales, Victoria, Tasman.
– **lanigerum** (Aiton) Sm. | ♄ Ⓚ VII-VIII; Austr.: N.S.Wales, Victoria, S-Austr., Tasman.
  - *'Cunninghamii'* = Leptospermum lanigerum 'Silver Sheen'
  - **'Silver Sheen'**
– **myrtifolium** Sieber ex DC. | ♄ Ⓚ; Austr.: N.S.Wales, Victoria, Tasman.
– *perforatum* J.R. Forst. et G. Forst. = Metrosideros perforata
– **petersonii** F.M. Bailey | ♄ ♄; Austr.: Queensl., N.S.Wales
– **polygalifolium** Salisb. | ♄ Ⓚ VII-VIII; Austr.: Queensl., N.S.Wales, Victoria, Tasman.
– *pubescens* Lam. = Leptospermum lanigerum
– *rodwayanum* Summerh. et Comber = Leptospermum grandiflorum
– *roseum* hort. = Leptospermum polygalifolium
– **rotundifolium** (Maiden et Betche) Domin | ♄ Ⓚ; Austr.: N.S.Wales
– **rupestre** Hook. f. | ♄ Ⓚ; Tasman.
– *scandens* J.R. Forst. et G. Forst. = Metrosideros fulgens
– **scoparium** J.R. Forst. et G. Forst. · Manuka | ♄ ♄ Ⓚ ✂ V-VI; Austr.: Victoria; NZ
  - **Nanum-Grp.**
– **sericeum** Labill. | ♄; Austr.: W-Austr., Tasman.
– **squarrosum** Gaertn. | ♄; Austr.: N.S.Wales, ?Queensl.
– **trinervium** (Sm.) J. Thomps. | ♄ Ⓚ V; Austr.: Queensl., N.S.Wales

Leptotes Lindl. -f- *Orchidaceae*
– **bicolor** Lindl. | Ⓦ I-III ✻; E-Bras.
– **unicolor** Barb. Rodr. | Ⓦ II ✻; S-Bras.

Lepyrodiclis Fenzl -f- *Caryophyllaceae*
– **holosteoides** (C.A. Mey.) J. Fisch. et C.A. Mey. · Spurrenähnliche Blasenmiere | V-VI; TR, Cauc., Iran, C-As., Him., W-China

Leschenaultia R. Br. -f- *Goodeniaceae*
– **biloba** Lindl. · Blue Leschenaultia | ♄ Ⓚ VII-VIII; W-Austr.
– **formosa** R. Br. | ♄ Ⓚ VII-VIII; W-Austr.

Lespedeza Michx. -f- *Fabaceae* · Buschklee
– **bicolor** Turcz. · Zweifarbiger Buschklee | ♄ VIII-IX Ⓝ; Jap., Korea, Manch., N-China, Amur
  - var. *alba* Bean = Lespedeza japonica
– **cuneata** (Dum.-Cours.) G. Don · Chinese Bush Clover | ♄ VIII-IX Ⓝ; Afgh, Ind., China, Korea, Jap., Taiwan, Phil., Austr., nat. in S-USA, E-USA
– *formosa* Koehne = Lespedeza thunbergii
– **japonica** L.H. Bailey | ♄ IX; Jap., Korea, Manch.
– *macrocarpa* Bunge = Campylotropis

macrocarpa
- **maximowiczii** C.K. Schneid. | ♄ VII-VIII; Jap., Korea
- *sericea* (Thunb.) Miq. non Benth. = Lespedeza cuneata
- *sieboldii* Miq. = Lespedeza thunbergii
- **stipulacea** Maxim. | ♄ Ⓝ; N-China, Amur, Manch., Korea, Jap., nat. in E-USA
- **striata** (Thunb. ex Murray) Hook. et Arn. | ♄ Ⓝ; Ind., China, E-Sib., Manch., Korea, Jap., Taiwan, nat. in S-USA, E-USA
- **thunbergii** (DC.) Nakai · Thunbergs Buschklee · Lespedeza de Thunberg | ♄ IX-X ∧; Jap., N-China

Leucadendron R. Br. -n- *Proteaceae*
- **aemulum** R. Br. | ♄ Ⓚ ✂; S-Afr.
- **argenteum** (L.) R. Br. · Silver Tree | ♄ Ⓚ; Kap
- **coniferum** (L.) Meisn. | ♄ Ⓚ ✂; Kap
- **corymbosum** Bergius | ♄ Ⓚ; Kap
- **grandiflorum** (Salisb.) R. Br. | ♄ Ⓚ ✂; Kap
- **levisianum** (L.) Bergius | ♄ Ⓚ; Kap
- **muirii** Phillips | ♄ Ⓚ ✂; Kap
- **nervosum** Phillips et Hutch. | ♄ Ⓚ ✂; Kap
- **platyspermum** R. Br. | ♄ Ⓚ ✂; Kap
- **plumosum** R. Br. | ♄ Ⓚ; S-Afr.
- **pubescens** R. Br. | ♄ Ⓚ ✂; Kap
- **sabulosum** T.M. Salter | ♄ ✂; Kap
- **salignum** Bergius | ♄ Ⓚ ✂; Kap
- **tortum** R. Br. | ♄ Ⓚ; S-Afr.

Leucaena Benth. -f- *Mimosaceae*
- *glauca* auct. = Leucaena leucocephala
- **leucocephala** (Lam.) de Wit · White Leadtree, Wild Tamarind | ♄ Ⓦ Ⓝ; Fla., W.Ind., S-Am., nat. in Tex., Calif., Hawaii

Leucanthemella Tzvelev -f- *Asteraceae*
- **serotina** (L.) Tzvelev · Spätblühende Wucherblume, Spätblühende Margerite · Hungarian Daisy, Moon Daisy · Chrysanthème tardif | ♃ X; Eur.: EC-Eur., Ba, E-Eur., nat. in CH

Leucanthemopsis (Giroux) Heywood -f- *Asteraceae*
- **alpina** (L.) Heywood · Alpen-Margerite, Alpen-Wucherblume, Zwerg-Margerite · Alpine Moon Daisy | ♃ △ VII-VIII; Eur.: Sp., F, Ap, C-Eur., EC-Eur., Bosn., E-Eur.; mts.

Leucanthemum Mill. -n- *Asteraceae*
- **adustum** (W.D.J. Koch) Gremli · Berg-Margerite | ♃ VII-VIII; Eur.: Sweden - SE-F, S-I, RO +
- *corymbosum* (L.) Gren. et Godr. = Tanacetum corymbosum
- **gaudinii** Dalla Torre · Hügel-Margerite | ♃ VI-VIII; Eur.: A, CH +
- *gayanum* hort. = Rhodanthemum gayanum
- **halleri** (Suter) Ducommun · Hallers Margerite, Schwarzrand-Margerite | ♃ VII-VIII; Eur.: Alp.
- **heterophyllum** (Willd.) DC. · Verschiedenblättrige Margerite | ♃ VII-VIII; Eur.: S-Alp., C-Appen.
- **ircutianum** DC. · Wiesen-Wucherblume | ♃ ⊙ X-V; Eur.:most; N-As, nat. in N-Am.
- **lithopolitanicum** (E. Mey.) Polatschek | ♃ VII-IX
- **maximum** (Ramond) DC. · Shasta Daisy | ♃ ✂ VI-VII; Eur.: Pyr.
- *paludosum* (Poir.) Bonnet et Barratte = Hymenostemma paludosum
- *parthenium* (L.) Gren. et Godr. = Tanacetum parthenium
- × **superbum** (J.W. Ingram) Bergmans ex Kent · Shasta Daisy · Marguerite d'été
- **vulgare** (Lam.) DC. · Frühblühende Margerite, Gewöhnliche Wucherblume · Moon Daisy, Ox-Eye Daisy · Grande marguerite | ♃ X-IX Ⓝ; Eur.*, TR, Cauc., W-Sib., E-Sib., Amur, Sachal., Kamchat., nat. in N-Am

Leuchtenbergia Hook. -f- *Cactaceae*
- **principis** Hook. | ᛘ Ⓚ ✻; N-Mex.

Leucocoryne Lindl. -f- *Alliaceae*
- **ixioides** (Hook.) Lindl. · Glory-of-the-Sun | ♃ Ⓚ ✂ III-IV; Chile

Leucogenes Beauverd -m- *Asteraceae*
- **leontopodium** (Hook. f.) Beauverd | ♃ Ⓐ; NZ

Leucojum L. -n- *Amaryllidaceae* · Knotenblume
- **aestivum** L. · Sommer-Knotenblume · Loddon Lily, Summer Snowflake · Nivéole d'été | ♃ V-VI ▽ ∧; Eur.* exc.

Sc; TR, Cauc., Iran, nat. in DK
- **autumnale** L. · Herbst-Knotenblume · Autumn Snowflake, Snowflake | ♃ Ⓐ IX-X; Eur.: Ib, Sard., Sic.? Crete
- **vernum** L. · Frühlings-Knotenblume, Märzenbecher · Spring Snowflake · Nivéole de printemps | ♃ II-IV ▽ ☠; Eur.: I, C-Eur., EC-Eur., Slove., Croatia, Serb.

Leucophyllum Bonpl. -n- *Scrophulariaceae*
- **frutescens** (Berland.) I.M. Johnst. | ♄ Ⓚ IV-VII; Tex.

Leucophyta R. Br. -f- *Asteraceae*
- *brownii* Cass. = Calocephalus brownii

Leucopogon R. Br. -m- *Epacridaceae*
- **fraseri** A. Cunn. | ♄ Ⓚ VII-VIII; Austr.: N.S.Wales, Tasman.; NZ
- **virgatus** (Labill.) R. Br. | ♄ Ⓚ VII-VIII; Austr.: S-Austr., Tasman.

Leucospermum R. Br. -n- *Proteaceae*
- **cordifolium** (Salisb. ex Knight) Fourc. · Nodding Pincushion, Pincushion | ♄ Ⓚ ✂; Kap
- **grandiflorum** (Salisb.) R. Br. | ♄ Ⓚ V-VII; Kap
- *nutans* R. Br. = Leucospermum cordifolium

Leucothoe D. Don -f- *Ericaceae* · Traubenheide
- **axillaris** (Lam.) D. Don · Achsenblütige Traubenheide · Dog Hobble | ♄ V-VI; USA: Va., SE, Fla.
- **catesbaei** A. Gray · Dog Hobble
- *catesbaei* hort. = Leucothoe fontanesiana
- *editorum* Fernald et Schub. = Leucothoe fontanesiana
- **fontanesiana** (Steud.) Sleumer · Fetter Bush | ♄ IV-VI; USA: NE, SE
- **grayana** Maxim. · Fetter Bush | ♄ V-VI; Jap.
- **keiskei** Miq. | ♄ Ⓚ VII ∧; Jap.
- **racemosa** (L.) A. Gray · Sommergrüne Traubenheide · Fetter Bush, Swamp Sweetbells | ♄ V-VI; USA: NE, SE, Fla.
- **recurva** (Buckland) A. Gray | ♄ IV-VI ∧; USA: Va., SE
- *walteri* (Willd.) Melvin = Leucothoe fontanesiana

Leuzea DC. -f- *Asteraceae*
- **conifera** (L.) DC. | ♃; Eur.:Ib, Ap, Fr +
- **rhapontica** (L.) Holub · Alpenscharte, Bergscharte | ♃ VII-VIII ▽; Eur.: F, I, CH, A; Alp.

Levisticum Hill -n- *Apiaceae* · Liebstöckel
- **officinale** W.D.J. Koch · Liebstöckel · Lovage | ♃ Off. VII-VIII Ⓝ; Iran, nat. in Eur.* exc. BrI, USA

Lewisia Pursh -f- *Portulacaceae*
- **brachycalyx** Engelm. ex A. Gray | ♃ Ⓐ △ V ∧; USA: Calif., Rocky Mts, SW
- **columbiana** (Howell) B.L. Rob. · Columbia Lewisia | ♃ Ⓐ △ VI-VIII ∧; Can.: W; USA: NW, Calif., Rocky Mts.
- **cotyledon** (S. Watson) B.L. Rob. · Gewöhnliche Bitterwurz · Imperial Lewisia ; USA: Oreg.
  - var. **heckneri** (C.V. Morton) Munz | ♃ Ⓐ △ VI ∧; Calif.
  - var. **howellii** (S. Watson) Jeps. | ♃ Ⓐ △ VI-VIII ∧; USA: Oreg.
- *heckneri* (C.V. Morton) Howell = Lewisia cotyledon var. heckneri
- **leana** (Porter) B.L. Rob. | ♃ Ⓐ △ VI-VIII ∧; USA: Oreg., Calif.
- **nevadensis** (A. Gray) B.L. Rob. · Nevada Bitter Root | ♃ Ⓐ △ VI-VII ∧; USA: NW, Calif., Rocky Mts.
- **oppositifolia** (S. Watson) B.L. Rob. | ♃ Ⓐ △ VI-VIII ∧; USA: Oreg., Calif.
- **pygmaea** (A. Gray) B.L. Rob.; Alaska, Can.: W; USA: NW, Calif., Rocky Mts.
  - var. *nevadensis* (A. Gray) Fosberg = Lewisia nevadensis
- **rediviva** Pursh · Bitter Root | ♃ Ⓐ △ VI-VIII ∧; Can.: W; USA: NC, SW, Rocky Mts., NW, Calif.
- **tweedyi** (A. Gray) B.L. Rob. · Große Bitterwurz | ♃ Ⓐ △ VI-VII ✻ ∧; USA: NW, Rocky Mts.

Leycesteria Wall. -f- *Caprifoliaceae*
- **crocothyrsos** Airy Shaw | ♄ Ⓚ IV; Ind: Assam
- **formosa** Wall. · Schöne Leycesterie · Himalayan Honeysuckle, Pheasant Berry · Arbre à faisan | ♄ VIII-IX ∧; Him., SW-China

Leymus Hochst. -m- *Poaceae*
- **arenarius** (L.) Hochst. · Gewöhnlicher Strandroggen, Strandroggen · Lyme Grass · Seigle de mer | ♃ VI-VIII Ⓝ;

Eur.: Sp., Fr, BrI, , D, ScFr, Russ..; N-As., Alaska, Can., USA: NE, SW, NW; Greenl., nat. in N-Am., Chila
- **racemosus** (Lam.) Tzvelev | ♃ VII-VIII; Eur.: E-Sp., BG; N-TR, Cauc., C-As.
- **secalinus** (Georgi) Tzvelev · Wild Rye | ♃ VII-VIII; Alaska, Can., USA* exc. SC

× **Liaopsis** Hort. -f- *Orchidaceae* (*Laelia* × *Laeliopsis*)

Liatris Gaertn. ex Schreb. -f- *Asteraceae* · Prachtscharte
- *callilepis* hort. = Liatris spicata
- **elegans** (Walter) Michx. | ♃ VIII-IX; USA: Va., SE, Fla.
- **graminifolia** (Walter) Willd. | ♃ VIII-X; USA: NE, SE, Fla.
- **punctata** Hook. · Snakeroot | ♃ VIII-X; Can.: W, Man.; USA NC, SC, SW, Rocky Mts, Ark
- **pycnostachya** Michx. · Prairie Blazing Star | ♃ VII-IX; USA: NCE, NC, Ky., SC, SO
- **scariosa** (L.) Willd. · Bunte Kansas-Scharte · Blazing Star | ♃ VIII-IX; USA: NE, SE
- **spicata** (L.) Willd. · Pracht-Scharte · Button Snakeroot, Gayfeather · Plume du Kansas | ♃ VII-IX; Can.: Ont.; USA: NE, NCE, SE, Fla.

Libanotis = Seseli L.
- *cretensis* (L.) Scop. = Athamanta cretensis
- *transcaucasica* Schischk. = Seseli libanotis

Libertia Spreng. -f- *Iridaceae*
- **caerulescens** Kunth | ♃ Ⓚ V; Chile
- **formosa** Graham · Snowy Mermaid | ♃ Ⓚ V-VI; Chile
- **grandiflora** (R. Br.) Sw. · New Zealand Satin Flower | ♃ Ⓚ VII-VIII; NZ
- **ixioides** (G. Forst.) Spreng. | ♃ Ⓚ IV-V; NZ
- **pulchella** (R. Br.) Spreng. | ♃ Ⓚ III-IV; Austr.: N.S.Wales, Victoria

Libidibia = Caesalpinia L.
- *coriaria* (Jacq.) Schltr. = Caesalpinia coriaria

Libocedrus Endl. -m- *Cupressaceae*
- *decurrens* Torr. = Calocedrus decurrens

Libonia = Justicia L.
- *floribunda* K. Koch = Justicia rizzinii
- × *penrhosiensis* Carrière = Justicia × penrhosiensis

Licania Aubl. -f- *Chrysobalanaceae*
- **arborea** Seem. | ₺ Ⓦ Ⓝ; Mex., C-Am., Col., Ecuad., Peru
- **crassifolia** Benth. | ₺ Ⓦ Ⓝ; Guyan.
- **rigida** Benth. | ₺ Ⓦ Ⓝ; Bras., French Guiana, Peru

Licaria Aubl. -f- *Lauraceae*
- *puchurymajor* (Mart.) Kosterm. = Ocotea puchury-major

Licuala Thunb. -f- *Arecaceae*
- *elegans* Blume = Licuala pumila
- **grandis** H. Wendl. | Ⓦ; Vanuatu
- **peltata** Roxb. | Ⓦ; Ind., Myanmar
- **pumila** Blume ex Schult. et Schult. f. | Ⓦ; Sumat., Java
- **spinosa** Thunb. | Ⓦ; Malay. Arch., Andam., Nicobar.

Ligularia Cass. -f- *Asteraceae*
- *clivorum* (Maxim.) Maxim. = Ligularia dentata
- **dentata** (A. Gray) Hara · Japanischer Goldkolben | ♃ ✂ VII-IX; China, Jap., nat. in BrI
- × **hessei** (Hesse) Bergmans (*L. dentata* × *L. wilsoniana*) · Riesen-Ligularie | ♃ ✂ VII; cult.
- **hodgsonii** Hook. | ♃ VII-IX; Jap., Sachal.
- **japonica** Less. ex DC. | ♃ VIII-IX; China, Korea, Jap., Taiwan
- *kaempferi* Siebold et Zucc. = Farfugium japonicum
- **macrophylla** (Ledeb.) DC. | ♃ VII-VIII; Cauc., Altai
- × **palmatiloba** hort. Hesse (*L. dentata* × *L. japonica*) · Palmblatt-Ligularie | ♃ ✂ VI-VII; cult.
- **przewalskii** (Maxim.) Diels | ♃ VIII-IX; China: Kansu
- **sibirica** (L.) Cass. · Sibirischer Goldkolben | ♃ VII-VIII; Eur.: F, A, H, EC-Eur., BG, E-Eur.; Cauc., W-Sib., E-Sib., Amur, Mong., Him., Jap., China
  - var. **speciosa** (Schrad. ex Link) DC. | ♃ ~ VII-VIII; China, E-Sib., Manch, Korea, Jap. Sachal.
- *speciosa* (Schrad. ex Link) Fisch. et C.A. Mey. = Ligularia sibirica var. speciosa

– **stenocephala** (Maxim.) Matsum. et Koidz. | ♃ VI-VIII; Jap., N-China, Taiwan
– *tangutica* (Maxim.) Bergmans = Sinacalia tangutica
– *tussilaginea* (Burm. f.) Makino = Farfugium japonicum
– **veitchiana** (Hemsl.) Greenm. | ♃ ~ IX-X; W-China
– **wilsoniana** (Hemsl.) Greenm. | ♃ ~ IX-X; C-China

Ligusticum L. -n- *Apiaceae* · Mutterwurz
– **lucidum** Mill. · Glänzender Liebstock | ♃ VII-VIII; Eur.: Sp., Balear., F, I, CH, Ba; mts.
– **mutellina** (L.) Crantz · Alpen-Mutterwurz | ♃ △ VI-VIII; Eur.: Fr, C-Eur., EC-Eur., E-Eur., Ap, Ba; mts.
– **mutellinoides** Vill. · Zwerg-Mutterwurz | ♃ VII-VIII; Eur.: F, I, C-Eur., EC-Eur., Croatia, N-Russ.; Alp., Sudeten, Carp., N-Russ.
– *paludapifolium* (Lam.) Asch. = Levisticum officinale
– *pyrenaeum* Gouan = Ligusticum lucidum
– **scoticum** L. · Schottische Mutterwurz | ♃; Eur.:BrI, Sc, Balt.; Greel., E-USA; coasts

Ligustrina = Syringa L.
– *amurensis* Rupr. = Syringa reticulata var. amurensis
  - var. *japonica* (Maxim.) Franch. et Sav. = Syringa reticulata
– *pekinensis* (Rupr.) hort. = Syringa pekinensis

Ligustrum L. -n- *Oleaceae* · Liguster, Rainweide
– *acuminatum* Koehne = Ligustrum tschonoskii
– **amurense** Carrière · Amur-Liguster · Amur Privet | ♄ VI-VII; N-China, nat. in USA: SE
– **chenaultii** Hickel | ♄ VII; SW-China, Him.
– *ciliatum* Rehder = Ligustrum tschonoskii
– *ciliatum* Siebold ex Blume = Ligustrum ibota
– **compactum** Hook. f. et Thomson ex Brandis | ♄ Ⓚ VI-VII ∧; Him., SW-China
– *coriaceum* Nois. ex Carrière = Ligustrum japonicum 'Rotundifolium'
– **delavayanum** Har. · Delavays Liguster | ♄ Ⓚ ∧; Myanmar, Yunnan
– **henryi** Hemsl. | ♄; C-China, SW-China
– × **ibolium** Coe ex Rehder (*L. obtusifolium* × *L. ovalifolium*) | ♄ VI-VII; cult.
– **ibota** Siebold et Zucc. · Bewimperter Liguster | ♄ VI; Jap.
– **indicum** (Lour.) Merr. | ♄ Ⓚ; Him., Indochina
– *ionandrum* Diels = Ligustrum delavayanum
– **japonicum** Thunb. · Japanischer Liguster · Japanese Privet | ♄ Ⓚ VI-VIII ∧; Jap., Korea
  - *'Coriaceum'* = Ligustrum japonicum 'Rotundifolium'
  - **Rotundifolium**
  - var. *rotundifolium* Blume = Ligustrum japonicum
– **lucidum** W.T. Aiton · Glänzender Liguster · Chinese Privet, White Wax Tree | ♄ ♄ Ⓚ VIII-IX Ⓝ; China, Korea
– **massalongianum** Vis. | ♄; Him.
– *medium* Franch. et Sav. = Ligustrum ovalifolium
– *medium* hort. = Ligustrum tschonoskii
– *nepalense* Wall. = Ligustrum indicum
– **obtusifolium** Siebold et Zucc. · Stumpfblättriger Liguster ; Jap.
  - var. **regelianum** (Koehne) Rehder | ♄ ♧ VI; Jap.
ovalifolium Hassk. · Japanischer Liguster · California Privet · Troène de Californie | ♄ D V-VII; Jap., nat. in S-USA
– *prattii* Koehne = Ligustrum delavayanum
– **purpusii** Hoefker | ♄ VIII; China
– **quihoui** Carrière · Quihois Liguster | ♄ IX ∧; China
– *regelianum* Koehne = Ligustrum obtusifolium var. regelianum
– **robustum** Blume | ♄ ♄; China, Myanmar, Malay. Arch.
– **sinense** Lour. · Chinesischer Liguster ; C-China
  - var. **stauntonii** (A. DC.) Rehder
– *stauntonii* A. DC. = Ligustrum sinense var. stauntonii
– **strongylophyllum** Hemsl. | ♄ Ⓚ VII ∧; C-China
– **tschonoskii** Decne. | ♄ ♧ VI; Jap.
  - var. **macrocarpum** (Koehne) Rehder | ♄; Jap.
– × **vicaryi** Rehder | ♄; cult.
– **vulgare** L. · Gewöhnlicher Liguster ·

Common Privet · Troène commun | ♄ ♣ D ♣ VI-VII ☠ Ⓝ; Eur.*, TR, Cauc., N-Iran, Maroc.
– *yunnanense* L. Henry = Ligustrum compactum

Lilaeopsis Greene -f- *Apiaceae*
– **attenuata** (Hook. et Arn.) Fernald | ♃ Ⓚ ⤳ ~ ; USA: Va., SE, Fla., nat. in Ib

Lilium L. -n- *Liliaceae* · Lilie
– **amabile** Palib. | ♃ VII ▽; Korea
– *aurantiacum* Weston = Lilium bulbiferum var. croceum
– **auratum** Lindl. · Goldband-Lilie · Golden Rayed Lily | ♃ ▭ D VI-VII ▽ ∧; Jap.
– **bolanderi** S. Watson · Thimble Lily | ♃ ▭ VII-VIII ▽ ∧; USA: S-Oreg., N-Calif.
– **brownii** F.E. Br. · Brown's Lily | ♃ ▭ VI-VII ▽ ∧; Myanmar, SE-China
– **bulbiferum** L. · Feuer-Lilie · Fire Lily, Orange Lily · Lis à bulbilles | ♃ VI-VII ▽; Eur.* exc. BrI, Sc, nat. in Sc
  - var. **croceum** (Chaix) Pers. | ♃ VI-VII ▽; Eur.: F, Cors., Ap.
– **callosum** Siebold et Zucc. | ♃ VII-VIII ▽ ∧; China: Hupeh, Manch.; Jap., Taiwan
– **canadense** L. · Kanadische Wiesen-Lilie · Canada Lily, Meadow Lily | ♃ VII ▽; Can.: E; USA; NE, NCE, SE
– **candidum** L. · Madonnen-Lilie, Weiße Lilie · Madonna Lily, White Lily | ♃ ⋈ D ⋈ VI-VII ▽; Eur.: Maced., GR; Cauc., nat. in F, Ap
– *carniolicum* Bernh. ex W.D.J. Koch = Lilium pyrenaicum subsp. carniolicum
– *carolinianum* Michx. = Lilium michauxii
– *cathayanum* Wilson = Cardiocrinum cathayanum
– **cernuum** Kom. | ♃ D VI-VII ▽; Manch., Amur, Korea
– **chalcedonicum** L. · Scarlet Martagon Lily | ♃ VII-VIII ▽; GR
– **columbianum** Hanson ex Baker · Columbia Lily | ♃ ▭ VII-VIII ▽; Can.: B.C.; USA: NW, Idaho, Nev., Calif.
– **concolor** Salisb. · Morning Star Lily | ♃ VI-VII ▽; China: Hunan, Hupeh, Yunnan
– *cordatum* Thunb. = Cardiocrinum cordatum
– *croceum* Chaix = Lilium bulbiferum var. croceum
– *dahuricum* Elwes = Lilium dauricum
– **dauricum** Ker-Gawl. | ⊙ ♃ VI ▽; Altai, Mong., Amur, Manch., N-Korea, Jap., Sachal.
– **davidii** Elwes · Père David's Lily ; W-China
  - var. **willmottiae** (E.H. Wilson) Raffill | ♃ VII-VIII ▽; China: Sichuan, Schansi, Hupeh
– *davuricum* Wilson = Lilium dauricum
– **duchartrei** Franch. | ♃ D VI-VII ▽ ∧; China: Yunnan, Kansu, Sichuan
– *elegans* Thunb. = Lilium maculatum
– *excelsum* Endl. et Hartinger = Lilium × testaceum
– *farreri* Turrill = Lilium duchartrei
– **formosanum** Wallace · Formosa Lily | ♃ Ⓚ ▭ ⋈ D ⋈ VII-VIII ▽ ∧; Taiwan
– *giganteum* Wall. = Cardiocrinum giganteum
– **grayi** S. Watson | ♃ VI-VII ▽; USA: Va., N.C., Tenn.
– **hansonii** Leichtlin ex D.D.T. Moore · Gold-Türkenbund-Lilie | ♃ VI ▽; Jap., Korea, Amur
– **harrisianum** Beane et Vollmer | ♃ VII ▽; N-Calif.
– *heldreichii* Freyn = Lilium chalcedonicum
– **henryi** Baker | ♃ VIII-IX ▽; China: Hubei, Jiangxi, Gouzhou
– × **hollandicum** Bergmans (*L. bulbiferum* × *L. maculatum*)
– **humboldtii** Roezl et Leichtlin ex Duch. · Humboldt Lily | ♃ ▭ VII-VIII ▽; C-Calif.
– *hyacinthinum* McDougal = Notholirion campanulatum
– **japonicum** Thunb. ex Houtt. · Bamboo Lily, Japanese Lily | ♃ Ⓚ ▭ D VII-VIII ▽; Jap.
– **kesselringianum** Miscz. | ♃ D VII-VIII ▽; NE-TR, Cauc.
– *krameri* Hook. f. = Lilium japonicum
– **lancifolium** Thunb. · Tiger-Lilie · Devil Lily, Tiger Lily | ♃ VIII-IX ▽ Ⓝ; Jap., Korea, Manch., E-China
– **lankongense** Franch. | ♃ D VIII ▽; NW-Yunnan
– **ledebourii** (Baker) Boiss. | ♃ D V-VI ▽; Cauc. (Aserb.)
– **leichtlinii** Hook. f.; Jap., Korea, Manch.
  - var. **maximowiczii** (Regel) Baker
– **leucanthum** (Baker) Baker; W-China

- var. **centifolium** (Stapf) Stearn | ♃ ▭ VII-VIII ▽; China: Kansu
- var. **chloraster** E.H. Wilson | ♃ ▭ VII-VIII ▽ ∧; China: Hupeh

– **longiflorum** Thunb. · Easter Lily | ♃ ⌂ ⋈ D ⋈ VIII-IX ▽; Jap., Riukiu-Is., Taiwan
- var. *formosanum* Baker = Lilium formosanum

– **mackliniae** Sealy | ♃ ▭ VI-VII ▽; NE-Ind. (Manipur)
– *macrophyllum* (D. Don) Voss = Notholirion macrophyllum
– **maculatum** Thunb. | ♃ ▽; Jap.
– *makinoi* Koidz. = Lilium japonicum
– × **marhan** Baker (*L. hansonii* × *L. martagon var. album*)
– **martagon** L. · Türkenbund-Lilie · Martagon, Martagon Lily, Turk's Cap · Lis martagon | ♃ VI-VII ▽; Eur.* exc. BrI, Sc; Cauc., W-Sib., E-Sib., N-Mong., nat. in BrI, Sc
- var. **albiflorum** Vuk.
- var. **album** Weston
- var. **cattaniae** Vis.
- var. *dalmaticum* Elwes = Lilium martagon var. cattaniae

– *maximowiczii* Regel = Lilium leichtlinii var. maximowiczii
– **medeoloides** A. Gray | ♃ VII ▽; China, Korea, Jap., Sachal., Kamchat.
– **michauxii** Poir. · Carolina Lily | ♃ ▭ D VIII ▽ ∧; USA: NE, SE, Fla.
– **monadelphum** M. Bieb. · Verwachsene Kaukasus-Lilie | ♃ VII ▽; NE-TR, N-Cauc.
- var. **armenum** (Miscz.) Davis et Hend.

– *myriophyllum* Franch. = Lilium sulphureum
– **nepalense** D. Don | ♃ ⌂ D VII-VIII ▽; Nepal, Bhutan; Him.
– **occidentale** Purdy · Eureka Lily, Western Lily | ♃ ▭ VII ▽; USA: S-Oreg., N-Calif.
– **papilliferum** Franch. | ♃ ⌂ ▽ ∧; NW-Yunnan
– **pardalinum** Kellogg · Panter-Lilie · Leopard Lily, Panther Lily | ♃ VII ▽; S-Oreg.
– **parryi** S. Watson | ♃ ▭ D VII ▽; Calif., Ariz.
– **parvum** Kellogg · Sierran Lily | ♃ VII ▽; Calif.; mts.
– *pensylvanicum* Ker-Gawl. = Lilium dauricum
– **philadelphicum** L. · Wild Lily, Wood Lily | ♃ VI-VIII ▽ ∧; Can., USA: NE, N.C., NCE, NC, Rocky Mts., SW
– **philippinense** Baker | ♃ ⌂ D VIII ▽; Phil.: Luzon
- var. *formosanum* Baker = Lilium formosanum

– **pomponium** L. · Red Lily | ♃ △ VI-VII ▽; Eur.: F, I , ? Sp.; Alp. Maritimes
– *pseudotigrinum* Carrière = Lilium leichtlinii var. maximowiczii
– **pumilum** DC. · Coral Lily | ♃ ♄ ♄ VII ▽; E-Sib., Mong., N-China, Manch., N-Korea
– **pyrenaicum** Gouan · Pyrenäen-Lilie · Pyrenean Lily | ♃ D V-VI ▽; Eur.: N-Sp., S-F, nat. in BrI
- subsp. **carniolicum** (W. Koch) Mathews · Krainer Lilie | ♃ VI ▽; Eur.: I, A, Ba, RO; SE-Alp., Balkan, RO

– **regale** E.H. Wilson · Regal Lily | ♃ ⋈ D ⋈ VII ▽; China: Sichuan
– **rubellum** Baker | ♃ D V-VI ▽; Jap.
– **rubescens** S. Watson · Chaparral Lily, Redwood Lily | ♃ ▭ D VI-VII ▽ ∧; USA: S-Oreg., N-Calif.
– **sargentiae** E.H. Wilson | ♃ D VII ▽; Sichuan
– **speciosum** Thunb. · Pracht-Lilie | ♃ ⋈ D ⋈ IX ▽; China: Anhwei, Kiangsi; Jap., Taiwan
– **sulphureum** Baker | ♃ ⌂ ▭ ⁞ D ⁞ IX ▽ ∧; N-Myanmar, Yunnan
– **superbum** L. · American Turkscap Lily, Turk's Cap | ♃ VII-VIII ▽; USA: NE, NCE, SE
– *szovitsianum* Fisch. et Avé-Lall. = Lilium monadelphum
– **taliense** Franch. | ♃ D VII ▽; NE-Yunnan
– *tenuifolium* Schrank = Lilium pumilum
– × **testaceum** Lindl. (*L. candidum* × *L. chalcedonicum*) · Isabellen-Lilie · Nankeen Lily | ♃ VII-VIII; cult.
– *thomsonianum* (Royle) Lindl. = Notholirion thomsonianum
– *thunbergianum* Schult. et Schult. f. = Lilium maculatum
– *tigrinum* Ker-Gawl. = Lilium lancifolium
– × *umbellatum* hort. = Lilium × hollandicum
– **wallichianum** Schult. et Schult. f. | ♃ ⌂ X-XI ▽; Him., S-Ind.
– **wardii** Stern | ♃ D VIII-IX ▽; SE-Tibet
– **washingtonianum** Kellogg · Cascade

Lily, Washington Lily | ♃ ▭ VI-VII ▽ ∧; USA: NW, Calif.
– *willmottiae* E.H. Wilson = Lilium davidii var. willmottiae

× **Limara** Hort. -f- *Orchidaceae* (*Arachnis* × *Renanthera* × *Vandopsis*)

Limnanthes R. Br. -f- *Limnanthaceae* · Sumpfblume
– **douglasii** R. Br. · Meadow Foam, Poached Egg Plant | ⊙ VI-VIII; USA: Oreg., Calif.

Limnobium Rich. -n- *Hydrocharitaceae*
– **spongia** (Bosc) Steud. | ♃ Ⓚ ♠; USA: NE, NCE, SC, SE, Fla.
– **stoloniferum** (G. Mey.) Griseb. | ♃ Ⓦ ♠; Mex., C-Am., W.Ind., trop. S-Am.

Limnocharis Bonpl. -f- *Limnocharitaceae* · Sumpflieb
– **flava** (L.) Buchenau | ♃ Ⓦ ~ ♠ VII-VIII; Mex., C-Am., W.Ind., trop. S-Am.
– *humboldtii* Rich. = Hydrocleys nymphoides

Limnophila R. Br. -f- *Scrophulariaceae*
– *gratioloides* R. Br. = Limnophila indica
– **heterophylla** (Roxb.) Benth. | ♃ Ⓦ ♠; Pakist., Ind., Sri Lanka, Malay. Arch., S-China, Taiwan, Jap.
– **indica** (L.) Druce | ♃ Ⓦ ♠; Afr., subtrop. As, trop. As., Austr.
– **sessiliflora** Blume | ♃ ♠; Pakist., Ind., Sri Lanka, China, Korea, Jap., Malay. Arch., Micron.

Limodorum Boehm. -n- *Orchidaceae* · Dingel
– **abortivum** (L.) Sw. · Dingel | ♃ V-VII ▽ ✻; Eur.: Ib, Fr, Ap, C-Eur., EC-Eur., Ba, Krim; TR, Cyprus, Syr., Cauc., Iran

Limonia L. -f- *Rutaceae*
– **acidissima** L. · Elephant's Apple, Wood Apple | ♄ Ⓦ Ⓝ; Ind., Sri Lanka
– *arborea* Roxb. = Glycosmis arborea
– *pentaphylla* Retz. = Glycosmis arborea
– *trifolia* Burm. f. = Triphasia trifolia

Limoniastrum Fabr. -n- *Plumbaginaceae*
– **monopetalum** (L.) Boiss. | ♄ Ⓚ VII-IX; Eur.: Ib, F, Ap, Crete; N-Afr., Sinai

Limonium Mill. -n- *Plumbaginaceae* · Widerstoß, Meerlavendel
– **arborescens** (Brouss.) Kuntze | ♄ Ⓚ VII-VIII ▽; Canar.: Las Palmas, Teneriffa
– **bellidifolium** (Gouan) Dumort. | ♃ Ⓚ △ VIII-X ▽ ∧; Eur.: Ib, Fr, Ap, Ba, E-Eur.; TR, C-As., Alger.
– **binervosum** (G.E. Sm.) C.E. Salmon | ♃ VIII-IX ▽ ∧; Eur.: BrI, F, Ib
– **bonduellei** (T. Lestib.) Kuntze | ⊙ ♃ ✂ VIII-X ▽; NW-Afr., Libya, nat. in I
– **bourgeaui** (Webb) Kuntze | ♄ Ⓚ VII-VIII ▽; Canar.
– *caspium* (Willd.) Gams = Limonium bellidifolium
– *elatum* (Fisch. ex Spreng.) Kuntze = Goniolimon elatum
– **ferulaceum** (L.) Chaz. | ♃ VII-VIII ▽ ∧; Eur.: Ib, Fr, Sic., Croatia
– *globulariifolium* (Desf.) Kuntze = Limonium ramosissimum
– **gmelinii** (Willd.) Kuntze | ♃ VII-VIII ▽; Eur.: EC-Eur., Ba, E-Eur.; W-Sib., O-Sib., C-As., Mong., Him.
– **gougetianum** (Girard) Kuntze | ♃ Ⓚ △ VII-VIII ▽ ∧; Alger., Balear.
– **humile** Mill.; Eur.: BrI, Sc, F, D
– **latifolium** (Sm.) Kuntze · Statice vivace | ♃ V-VII ▽; Eur.: RO, BG, SE-Russ.
– **macrophyllum** (Brouss.) Kuntze | ♄ Ⓚ VII-VIII ▽; Canar.: Teneriffa
– **minutum** (L.) Fourr. | ♃ Ⓐ ⟿ △ VII-VIII ▽ ∧; SE-F
– **perezii** (Stapf) F.T. Hubb. | ♄ Ⓚ VIII-X ▽; Canar.
– **puberulum** (Webb) Kuntze | ♄ Ⓚ V-VII ▽; Canar.
– **ramosissimum** (Poir.) Maire | ♃ VI-IX ▽ ∧; Eur.: Ib, Fr, Ap, GR; Alger.
– *sinense* (Girard) Kuntze = Limonium tetragonum
– **sinuatum** (L.) Mill. · Statice | ⊙ ♃ ✂ VII-IX ▽; Eur.: Ib, Fr, Ap, Ba; TR, Levante, Cauc. (Batumi), N-Afr.
– *suworowii* (Regel) Kuntze = Psylliostachys suworowii
– *tataricum* (L.) Mill. = Goniolimon tataricum
– **tetragonum** (Thunb.) Bullock | ⊙ ⊙ ♃ ✂; China
– *transwallianum* (Pugsley) Pugsley = Limonium binervosum
– **vulgare** Mill. · Gewöhnlicher Strandflieder · Marsh Rosemary, Sea Lavender | ♃ VIII-IX ▽; Eur.* exc. EC-

Eur.; coasts

Limosella L. -f- *Scrophulariaceae*
- **aquatica** L. · Gewöhnlicher Schlammling | X-VI; Eur.*, TR, Cauc., Iran, W-Sib., E-Sib., Amur, Kamchat., C-As., Him., Mong., Tibet, Manch., Jap., Afr., N-Am., S-Am., Austr.

Linanthus Benth. -m- *Polemoniaceae*
- **androsaceus** (Benth.) Greene · False Babystars ; USA: Calif.
  - subsp. **luteus** (Benth.) H. Mason | ⊙ VII-VIII; S-Calif.
  - subsp. **micranthus** (Steud. ex Benth.) H. Mason | ⊙ VII-VIII; S-Calif.
- **dianthiflorus** (Benth.) Greene | ⊙ 🄺 IV-VI; S-Calif., Baja Calif.
- **grandiflorus** (Benth.) Greene · Desert Trumpets, Mountain Phlox | ⊙ V-IX; Calif.
- **liniflorus** (Benth.) Greene | ⊙ VII-VIII; Calif.

Linaria Mill. -f- *Scrophulariaceae* · Leinkraut
- *aequitriloba* (Viv.) A. Spreng. = Cymbalaria aequitriloba
- **alpina** (L.) Mill. · Alpen-Leinkraut, Stein-Leinkraut · Alpine Toadflax · Linaire des Alpes | ⊙ ♃ ⇝ △ VI-VIII; Eur.: Ib, Fr, Ap, C-Eur., Slova., Ba, RO; mts.
- **amethystea** (Lam.) Hoffmanns. et Link | ⊙ V-VIII; P, Sp., N-Afr.
- **angustissima** (Loisel.) Borbás · Italienisches Leinkraut | ♃ VI-VIII
- **arvensis** (L.) Desf. · Acker-Leinkraut | VII-IX; Eur.: Ib, Fr, Ap, C-Eur., EC-Eur., Ba, ? RO; Maroc., Alger.
- **bipartita** (Vent.) Willd. · Zweiteiliges Leimkraut · Cloven Lip Toadflax | ⊙ VI-VII; Eur.: Ib; NW-Afr.
- **chalepensis** (L.) Mill. · Aleppisches Leinkraut ; Eur.: Balear., Fr, Ap, Ba; TR, SW-As., Egypt
- *cymbalaria* (L.) Mill. = Cymbalaria muralis
- *dalmatica* (L.) Mill. = Linaria genistifolia subsp. dalmatica
- **genistifolia** (L.) Mill. · Ginster-Leinkraut | ♃ X-VI; Eur.: I, A, EC-Eur., Ba, E-Eur.; TR, Cauc., W-Sib., C-As., nat. in D
  - subsp. **dalmatica** (L.) Maire et Petitm. · Dalmatiner Leinkraut · Dalmatian Toadflax | ♃ VII-VIII; Eur.: I, Ba, nat. in C-Eur
- *hepaticifolia* (Poir.) Steud. = Cymbalaria hepaticifolia
- *incarnata* (Vent.) Spreng. = Linaria bipartita
- **maroccana** Hook. f. · Baby Snapdragon | ⊙ VI-VII; Maroc.
- *origanifolia* (L.) Cav. = Chaenorhinum origanifolium
- *pallida* (Ten.) Guss. = Cymbalaria pallida
- *pilosa* (Jacq.) DC. = Cymbalaria pilosa
- **purpurea** (L.) Mill. · Purple Toadflax · Linaire pourpre | ♄ VII-X ∧; I, Sic., nat. in Brl
- **repens** (L.) Mill. · Gestreiftes Leinkraut | ♃ VII-VIII; Eur.: Sp., Fr, I, D, nat. in Brl, Sc, Balt., EC-Eur.
- **reticulata** (Sm.) Desf. | ♃ V-VII; Alger.
- **simplex** (Willd.) DC. · Einfaches Leinkraut | VI-VIII; Eur.: Ib, Fr, Ap, Ba, Krim; TR, Cyprus, Syr., Cauc., Iran, NW-Afr., Canar., nat. in CH
- **spartea** (L.) Willd.; Eur.:Ib, Fr
- **supina** (L.) Chaz.; Eur.: Ib, F, I, Brl, Sweden; Maroc.
- **triornithophora** (L.) Willd. | ♃ △ VI-IX ∧; Eur.: Ib
- **triphylla** (L.) Mill. | ♃; Eur.: Ib, Ap, Ba, Fr
- **tristis** (L.) Mill. | ⊙ ⊙ ♃ △ VI-IX; Eur.:S-P, S-Sp.; Maroc., Alger.
- *villosa* (L.) DC. = Chaenorhinum villosum
- **vulgaris** Mill. · Frauenflachs, Gewöhnliches Leinkraut · Butter-and-eggs, Common Toadflax, Yellow Toadflax | ♃ X; Eur.*, TR, Cauc., W-Sib., E-Sib., nat. in N-Am., Chile

Lindelofia Lehm. -f- *Boraginaceae*
- **anchusoides** (Lindl.) Lehm. | ♃ △ VI-VII; Afgh., W-Him.
- *anchusoides* hort. = Lindelofia longiflora
- **longiflora** (Benth.) Baill. | ♃ V-VI ∧; W-Him.

Lindenbergia Lehm. -f- *Scrophulariaceae*
- **grandiflora** (Buch.-Ham.) Benth. | ♄ 🄺 XI-II; S-Him.

Lindera Thunb. -f- *Lauraceae* · Fieberstrauch
- **benzoin** (L.) Blume · Wohlriechender Fieberstrauch · Benjamin Bush,

Spicebush | ♄ III-V; Ont.; USA: NE, NCE, Kans., SC, SE, Fla.
- **obtusiloba** Blume | ♄ ♄ IV ∧; China, Korea, Jap.
- **praecox** (Siebold et Zucc.) Blume · Frühzeitiger Fieberstrauch | ♄ IV ∧; Jap.
- **sericea** (Siebold et Zucc.) Blume | ♄ III-IV; Jap.

Lindernia All. -f- *Scrophulariaceae*
- **dubia** (L.) Pennell · Großes Büchsenkraut | VIII-IX; N-Am., nat. in Ib, F, I
- **procumbens** (Krock.) Borbás · Liegendes Büchsenkraut | VIII-IX; Eur.* exc. BrI, Sc; TR, W-Sib., Amur, China, Jap., Iran, Ind., Malay. Arch., Polyn., nat. in USA

Lindheimera A. Gray et Engelm. -f- *Asteraceae*
- **texana** A. Gray et Engelm. · Star Daisy | ⊙ VII-IX; Tex., Mex.

Lindleyella = Rudolfiella Hoehne
- *aurantiaca* (Lindl.) Schltr. = Rudolfiella aurantiaca

Lindmania Mez -f- *Bromeliaceae*
- *penduliflora* (C.H. Wright) Stapf = Fosterella penduliflora

Linnaea L. -f- *Caprifoliaceae* · Moosglöckchen
- *americana* Forbes = Linnaea borealis var. americana
- **borealis** L. · Moosglöckchen · Twinflower | ⊙ ♄ ⇝ VI-VIII ▽; Eur.* exc. Ib; N, mts.; Cauc., W-Sib., E-Sib., Amur, Sachal., Kamchat., Mong., Alaska, Can., USA: NE, NCE, NC, Rocky Mts., SW, NW, Calif.; Greenl.
  - var. **americana** (Forbes) Rehder · Amerikanisches Moosglöckchen
- *engleriana* Graebn. = Abelia engleriana
- *schumannii* Graebn. = Abelia schumannii
- *zanderi* Graebn. = Abelia zanderi

Linosyris Cass. -f- *Asteraceae*
- *vulgaris* Cass. ex DC. = Aster linosyris

Linum L. -n- *Linaceae* · Lein
- **alpinum** Jacq. · Alpen-Lein · Alpine Flax | ♃ △ VI-VIII ▽; Eur.: Sp., F, I, C-Eur., Ba; Mts.
  - subsp. *julicum* (Hayek) Hegi = Linum alpinum
- *angustifolium* Huds. = Linum bienne
- **arboreum** L. · Tree Flax | ♄ Ⓚ △ V-VI ▽ ∧; Eur.: GR, Crete; SW-TR, Rhodos
- **austriacum** L. · Österreichischer Lein | ♃ V-VII ▽; Eur.* exc. BrI, Sc; TR, Iraq, Cauc., Iran, Afgh., W-Sib., Maroc., Alger.
- **bienne** Mill. · Wild-Lein · Pale Flax | ♃ ⊙ VI-VII ▽; Eur.: Ib, Fr, Ap, Ba, Krim, BrI; TR, Levante, N-Iraq, Iran, NW-Afr., Libya
- **campanulatum** L. | ♄ Ⓐ VI-VII ▽ ∧; Eur.: Sp., F, I
- **capitatum** Kit. ex Schult. | ♃ △ VI-VII ▽ ∧; Eur.: I, Ba
- **catharticum** L. · Purgier-lein · White Flax | ⊙ VI-VIII; Eur.*, TR, Cauc., Iran, Maroc.
- *crepitans* (Boenn.) Dumort. = Linum usitatissimum Crepitans-Grp.
- **elegans** Spruner ex Boiss. | ♃ △ V-VI ▽; Eur.: Ba
- **flavum** L. · Gelber Lein · Golden Flax, Yellow Flax · Lin jaune | ♃ ♄ △ VI-VIII ▽ ∧; Eur.: C-Eur., EC-Eur., Ba, Ap, E-Eur.; TR, Cauc.
- **grandiflorum** Desf. · Red Flax, Scarlet Flax | ⊙ VI-IX; Alger.
- **hirsutum** L. · Zotten-Lein | ♃ VI-VIII; Eur.: A, EC-Eur., Ba, E-Eur.; TR
- **hypericifolium** C. Presl | ♃ △ V-VI; Cauc.
- *iberidifolium* Aucher ex Planch. = Linum elegans
- **leonii** F.W. Schultz · Lothringer Lein | ♃ V-VII; Eur.: F, W-D
- **maritimum** L. · Strand-Lein | ♃ X-VI; Sard.
- **narbonense** L. · Südfranzösischer Lein · Lin de Narbonne | ♃ VI-VII ▽ ∧; Eur.: Ib, Fr, Ap, Slove., Croatia, nat. in CH
- **ockendonii** Greuter et Burdet · Berg-Lein ; Eur.: F, D +
- **perenne** L. · Ausdauernder Lein · Blue Flax, Perennial Flax · Lin vivace | ♃ VI-VIII ▽; Eur.* exc. Sc; TR, W-Sib., E-Sib., Amur, nat. in N-Am.
  - subsp. *alpinum* (Jacq.) Ockendon = Linum alpinum
- *salsoloides* Lam. = Linum suffruticosum subsp. salsoloides
- **suffruticosum** L.; Eur.: Sp., F, I; NW-Afr.

- subsp. **salsoloides** (Lam.) Rouy | ♃ △ V-VII ▽ ∧; Eur.: Sp.
– **tenuifolium** L. · Schmalblättriger Lein | ♃ VI-VII; Eur.* exc. BrI, Sc; Cauc., N-Iran
– **usitatissimum** L. · Flachs, Saat-Lein · Common Flax, Flax, Linseed | ⊙ Off. VI-VII Ⓝ; orig. ?; cult., nat. in Ib, F
- **Crepitans-Grp.**
- **Mediterraneum-Grp.**
- subsp. *angustifolium* (Huds.) Thell. = Linum bienne
- **Usitassimum-Grp.**
– **viscosum** L. · Klebriger Lein · Lin visqueux | ♃ V-VII ▽ ∧; Eur.: Sp., F, I, C-Eur., Slove., Croatia

Liparis Rich. -f- *Orchidaceae*
– *elata* Lindl. = Liparis nervosa
– **loeselii** (L.) Rich. · Glanzkraut, Glanzstendel | ♃ VI-VII; Eur.* exc. Ib; W-Sib., C-As., N-Am.
– *longipes* Lindl. = Liparis viridiflora
– **nervosa** (Thunb.) Lindl. | ♃ Ⓦ VII-VIII ✻; trop. Am., trop. Afr., Ind., China, Jap., Phil.
– **reflexa** Lindl. | ♃ Ⓦ IX-X ✻; Austr.
– **viridiflora** (Blume) Lindl. | ♃ Ⓦ XII-I ✻; Him.: Sikkim; S-Ind., Sri Lanka, Java

Lippia L. -f- *Verbenaceae*
– *canescens* Humb., Bonpl. et Kunth = Phyla canescens
– *chamaedrifolia* (Cham.) Steud. = Aloysia chamaedrifolia
– *citriodora* (Lam.) Humb., Bonpl. et Kunth = Aloysia triphylla
– *nodiflora* (L.) Michx. = Phyla nodiflora
– *repens* hort. = Phyla nodiflora var. rosea
– *repens* Spreng. = Phyla nodiflora
– *triphylla* (L'Hér.) Kuntze = Aloysia triphylla

Liquidambar L. -f- *Hamamelidaceae* · Amberbaum
– **orientalis** Mill. · Orientalischer Amberbaum · Oriental Sweet Gum, Storax | ♄ Off. V ∧ Ⓝ; S-TR, Syr.
– **styraciflua** L. · Amerikanischer Amberbaum · Red Gum, Sweet Gum · Copalme d'Amérique | ♄ V Ⓝ; USA: NE, NCE, SE, Fla., SC; Mex., Guat.

Liriodendron L. -n- *Magnoliaceae* · Tulpenbaum
– **tulipifera** L. · Amerikanischer Tulpenbaum · Tulip Tree · Tulipier de Virginie | ♄ V-VII Ⓝ; Ont., USA: NE, NCE, SE, Fla.

Liriope Lour. -f- *Convallariaceae*
– **graminifolia** (L.) Baker | ♃; Jap., China
– **muscari** (Decne.) L.H. Bailey · Lily Turf | ♃ Ⓚ; China, Jap., Taiwan
– **spicata** (Thunb.) Lour. · Lily Turf | ♃ Ⓚ; China, Jap., Riukiu-Is.

Liriosma = Dulacia Vell.
– *ovata* Miers = Dulacia inopiflora

Lisianthus = Lisianthius P. Browne
– *russellianus* Hook. = Eustoma grandiflorum

Lissochilus = Eulophia R. Br. ex Lindl.
– *giganteus* Welw. = Eulophia gigantea
– *horsfallii* Bateman = Eulophia horsfallii

Listera R. Br. -f- *Orchidaceae* · Zweiblatt
– **cordata** (L.) R. Br. · Kleines Zweiblatt · Lesser Twayblade | ♃ V-VIII ▽ ✻; Eur.*, TR, Cauc., W-Sib., E-Sib., Amur, Sachal., Kamchat., Jap., Alaska, Can., USA*, Greenl.
– **ovata** (L.) R. Br. · Großes Zweiblatt · Common Twayblade | ♃ V-VII ▽ ✻; Eur.*, TR, Cyprus, Syr., Cauc., Iran, Afgh., Pakist., W-Sib., C-As.

Listrostachys Rchb. -f- *Orchidaceae*
– *bidens* Sw. ex Pers. = Diaphananthe bidens
– *mystacidioides* Kraenzl. = Diaphananthe bidens
– *pellucida* (Lindl.) Rchb. f. = Diaphananthe pellucida

Litchi Sonn. -f- *Sapindaceae*
– **chinensis** Sonn. · Lychee | ♄ Ⓦ V Ⓝ; S-China

Lithocarpus Blume -m- *Fagaceae*
– **henryi** (Seemen) Rehder et E.H. Wilson | ♄; C-China

Lithodora Griseb. -f- *Boraginaceae*
– **diffusa** (Lag.) I.M. Johnst. · Grémil étalé | ♄ Ⓐ △ V-VII ∧; Eur.: Sp.
– **fruticosa** (L.) Griseb. | ♄ Ⓚ V-VI; Eur.: Sp., F; Maroc., Alger.

– **oleifolia** (Lapeyr.) Griseb. | ♄ Ⓐ VI; Eur.: Sp. (E-Pyr.)
– **rosmarinifolia** (Ten.) I.M. Johnst. | ♄ Ⓐ I-II; S-I, Sic., Alger.
– **zahnii** (Heldr. ex Halácsy) I.M. Johnst. | ♄; S-GR

Lithops N.E. Br. -f- *Aizoaceae*
– *alpina* Dinter = Lithops pseudotruncatella
– **aucampiae** L. Bolus | ♃ Ψ Ⓚ; S-Afr. (NW-Kap, Transvaal)
– *aurantiaca* L. Bolus = Lithops turbiniformis
– **bella** (Dinter) N.E. Br. | ♃ Ψ; Namibia
 - var. **eberlanzii** (Dinter et Schwantes) de Boer et Boom | ♃ Ψ Ⓚ; Namibia
 - var. *lericheana* (Dinter et Schwantes) de Boer et Boom = Lithops karasmontana var. lericheana
– *brevis* L. Bolus = Lithops dinteri var. brevis
– **bromfieldii** L. Bolus | ♃ Ψ Ⓚ; Kap
 - var. **glaudinae** (de Boer) D.T. Cole | ♃ Ψ Ⓚ; Kap
– *christinae* de Boer = Lithops schwantesii var. christinae
– **comptonii** L. Bolus | ♃ Ψ Ⓚ; Kap
– **deboerii** Schwantes | ♃ Ψ Ⓚ; S-Afr.
– *dendritica* Nel = Lithops pseudotruncatella var. dentritica
– **dinteri** Schwantes; Namibia
 - var. **brevis** (L. Bolus) B. Fearn | ♃ Ψ Ⓚ; Kap
– *diutina* L. Bolus = Lithops marmorata
– **divergens** L. Bolus | ♃ Ψ Ⓚ; Kap, Namibia
– **dorotheae** Nel | ♃ Ψ Ⓚ; Kap
– *eberlanzii* (Dinter et Schwantes) N.E. Br. = Lithops bella var. eberlanzii
– *elevata* L. Bolus = Lithops herrei
– *elisae* de Boer = Lithops marmorata var. elisae
– **erniana** Tischer et H. Jacobsen | ♃ Ψ Ⓚ; Namibia
– *framesii* L. Bolus = Lithops marmorata
– **francisci** (Dinter et Schwantes) N.E. Br. | ♃ Ψ Ⓚ; Namibia
– **fulleri** N.E. Br. | ♃ Ψ Ⓚ; Kap
– **fulviceps** (N.E. Br.) N.E. Br. | ♃ Ψ Ⓚ; Namibia
– *glaudinae* de Boer = Lithops bromfieldii var. glaudinae
– **gracilidelineata** Dinter | ♃ Ψ Ⓚ; Namibia
– **herrei** L. Bolus | ♃ Ψ Ⓚ; Kap, Namibia
 - var. **geyeri** (Nel) de Boer et Boom | ♃ Ψ Ⓚ; Kap
– **julii** (Dinter et Schwantes) N.E. Br. | ♃ Ψ Ⓚ; Namibia
 - var. *pallida* Tischer = Lithops julii
– **karasmontana** (Dinter et Schwantes) N.E. Br. | ♃ Ψ Ⓚ Ⓐ; Namibia
 - var. **lericheana** (Dinter et Schwantes) D.T. Cole | ♃ Ψ Ⓚ; Namibia
 - var. *mickbergensis* (Dinter) de Boer et Boom = Lithops karasmontana
 - var. *opalina* Schwantes = Lithops karasmontana
 - var. *summitatum* (Dinter) de Boer et Boom = Lithops karasmontana
 - var. **tischeri** D.T. Cole
– *lactea* Schick et Tischer = Lithops julii
– *lericheana* (Dinter et Schwantes) N.E. Br. = Lithops karasmontana var. lericheana
– **lesliei** (N.E. Br.) N.E. Br. | ♃ Ψ; S-Afr.: Transvaal
 - var. **venteri** (Nel) de Boer et Boom | ♃ Ψ Ⓚ; Kap
– **localis** (N.E. Br.) Schwantes | ♃ Ψ Ⓚ; Kap
 - var. *peersii* (L. bolus) de Boer et Boom = Lithops localis
 - var. *terricolor* (N.E. Br.) de Boer et Boom = Lithops localis
– **marmorata** (N.E. Br.) N.E. Br. | ♃ Ψ Ⓚ; Kap
 - var. **elisae** (de Boer) D.T. Cole | ♃ Ψ Ⓚ; Kap
– **meyeri** L. Bolus | ♃ Ψ Ⓚ; Kap
– *mickbergensis* Dinter = Lithops karasmontana
– *nelii* Schwantes = Lithops ruschiorum
– **olivacea** L. Bolus | ♃ Ψ Ⓚ; Kap
– *opalina* Dinter = Lithops karasmontana
– **optica** (Marloth) N.E. Br. | ♃ Ψ Ⓚ; Namibia
– **pseudotruncatella** (A. Berger) N.E. Br. | ♃ Ψ Ⓚ; Namibia
 - var. *alpina* (Dinter) H. Jacobsen = Lithops pseudotruncatella
 - var. **dentritica** (Nel) de Boer et Boom | ♃ Ψ; Namibia
 - var. *groendrayensis* H. Jacobsen = Lithops vallis-mariae var. groendraaiensis
– *rugosa* Dinter = Lithops schwantesii var. rugosa
– **ruschiorum** (Dinter et Schwantes) N.E. Br. | ♃ Ψ Ⓚ; Namibia
 - var. *nelii* (Schwantes) de Boer et Boom

= Lithops ruschiorum
- **schwantesii** Dinter | ♃ ♆; Namibia
  - var. **christinae** (de Boer) B. Fearn | ♃ ♆ Ⓚ; Namibia
  - var. **rugosa** (Dinter) de Boer et Boom | ♃ ♆ Ⓚ; Namibia
  - var. *triebneri* (L. Bolus) de Boer et Boom = Lithops schwantesii
  - var. **urikosensis** (Dinter) de Boer et Boom | ♃ ♆ Ⓚ; Namibia
- **steineckeana** Tischer | ♃ ♆ Ⓚ; Namibia
- *summitatum* Dinter = Lithops karasmontana
- *terricolor* N.E. Br. = Lithops localis
- *translucens* L. Bolus = Lithops herrei
- *triebneri* L. Bolus = Lithops schwantesii
- **turbiniformis** (Haw.) N.E. Br. | ♃ ♆ Ⓚ; Kap
- *umdausensis* L. Bolus = Lithops marmorata
- *urikosensis* Dinter = Lithops schwantesii var. urikosensis
- **vallis-mariae** (Dinter et Schwantes) N.E. Br. | ♃ ♆ Ⓚ; Namibia
  - var. **groendraaiensis** (H. Jacobsen) de Boer | ♃ ♆
- *venteri* Nel = Lithops lesliei var. venteri

Lithospermum L. -n- *Boraginaceae* · Steinsame
- *angustifolium* Michx. = Lithospermum incisum
- **arvense** L. · Acker-Steinsame | IV-VII; Eur.*, TR, Levante, Iran, W-Sib., E-Sib., C-As., Him., N-Afr., nat. in E-As., N-Am., S-Am., S-Afr., Austr.
- **canescens** (Michx.) Lehm. · Indian Plant, Puccoon | ♃ △ IV-V ∧; Can.: E, Sask.; USA: NE, NCE, NC, SE, SC
- *diffusum* Lag. = Lithodora diffusa
- *doerfleri* hort. = Moltkia doerfleri
- *fruticosum* L. = Lithodora fruticosa
- **gastonii** Benth. | ♃ Ⓐ VI-VII; F; W-Pyr.
- *graminifolium* Viv. = Moltkia suffruticosa
- **incisum** Lehm. · Gromwell, Puccoon | ♃ V-VI ∧; Can., USA: NCE, NC, SC, SW, Rocky Mts.; N-Mex.
- × *intermedium* Froebel = Moltkia × intermedia
- **officinale** L. · Echter Steinsame · Gromwell | ♃ V-VII Ⓝ; Eur.*, Cauc., TR, Palaest., Iran, W-Sib., E-Sib., C-As., Mong., China, nat. in N-Am.
- *oleifolium* Lapeyr. = Lithodora oleifolia
- *petraeum* (Tratt.) DC. = Moltkia petraea
- *prostratum* Loisel. non Buckland = Lithodora diffusa
- **purpureocaeruleum** L. · Blauroter Steinsame, Purpurblauer Steinsame | ♃ IV-VI; Eur.* exc. Sc; TR, Syr., Cauc., N-Iran
- *rosmarinifolium* Ten. = Lithodora rosmarinifolia

Lithraea Miers ex Hook.et Arn. *Anacardiaceae*
- **molleoides** (Vell.) Engl. | ♄; S-Bras., Arg, Bol.

Litsea Lam. -f- *Lauraceae*
- **calophylla** (Miq.) Mansf. | ♄ Ⓦ Ⓝ; Malay. Pen., Java, Kalimantan
- *glauca* Siebold = Neolitsea sericea
- **japonica** (Thunb.) Juss. | ♄ Ⓚ IX-I; Jap., Riukiu-Is., S-Korea
- *sebifera* Blume non Pers. = Litsea calophylla

Littonia Hook. -f- *Colchicaceae*
- **modesta** Hook. f. · Climbing Lily | ♃ Ⓦ ≩ VI-VII; S-Afr.

Littorella Bergius -f- *Plantaginaceae* · Strandling
- **uniflora** (L.) Asch. · Europäischer Strandling · Shore Weed | ♃ ~ ♠ V-IX; Eur.* exc. Ba

Livistona R. Br. -f- *Arecaceae*
- **australis** (R. Br.) Mart. · Australian Fan Palm, Cabbage Palm | ♄ Ⓦ; Austr.: Queensl., N.S.Wales, Victoria
- **chinensis** (Jacq.) R. Br. ex Mart. · Chinese Fan Palm | ♄ Ⓦ; Japan (Shikoku, Kyushu, Ryukyu Is.), Taiwan
- **decipiens** Becc. | ♄; Austr.: Queensl.
- *hoogendorpii* Teijsm. et Binn. ex Miq. = Livistona saribus
- **rotundifolia** (Lam.) Mart. | ♄ Ⓦ; N-Kalimantan, Sulawesi, Molucca Is., Phil.
- **saribus** (Lour.) Merr. ex A. Chev. | ♄ Ⓦ; Malay. Arch., Phil.

Llavea Lag. -f- *Adiantaceae*
- **cordifolia** Lag. | ♃ Ⓚ; Mex.

Lloydia Salisb. ex Rchb. -f- *Liliaceae*
- **serotina** (L.) Rchb. · Späte Faltenlilie | ♃ VII-VIII; Eur.* exc. Ib, Sc; Cauc., W-

Sib., E-Sib., Amur, Sachal., Kamchat.

Loasa Adans. -f- *Loasaceae*
– **acanthifolia** Desr. | ⊙ ⊙ ♃ VII-IX; Chile
– *ambrosiifolia* Juss. = Loasa urens
– *aurantiaca* hort. = Caiophora lateritia
– *contorta* Lam. = Caiophora contorta
– *hispida* L. f. = Loasa urens
– *lateritia* (Hook.) Gillies ex Arn. = Caiophora lateritia
– *papaverifolia* Humb., Bonpl. et Kunth = Loasa triphylla var. papaverifolia
– **tricolor** Ker-Gawl. | ⊙ VII-VIII; Chile
– **triphylla** Juss.
  - var. **papaverifolia** (Humb., Bonpl. et Kunth) Urb. et Gilg
  - var. **volcanica** (André) Urb. et Gilg | ⊙ VII-IX; Col., Ecuad.
– **urens** Jacq. · Desert Stingbush | ⊙ VII-VIII; Peru
– *volcanica* André = Loasa triphylla var. volcanica
– *wallisii* André = Loasa triphylla var. volcanica

Lobelia L. -f- *Campanulaceae*
– *amoena* auct. non Michx. = Lobelia elongata
– *angulata* G. Forst. = Pratia angulata
– **cardinalis** L. · Cardinal Flower, Scarlet Lobelia · Lobélie écarlate | ♃ Ⓚ ~ VII-IX; Can.: E, Sask.; USA: NE, NCE, SC, SE, Fla., Rocky Mts., Calif.; Mex., C-Am.
– **dortmanna** L. · Wasser-Lobelie · Water Lobelia · Lobélie de Dortmann | ♃ Ⓚ ♠ VII-VIII ▽ ☠; Eur.: Fr, BrI, Sc, D, PL, Russ.; N-Afr., TR, Can.: E, B.C.; USA: NE, NCE, NW
– **elongata** Small | ♃ Ⓚ ~ VIII-X ∧; USA: NE, SE
– **erinus** L. · Blaue Lobelie · Edging Lobelia, Trailing Lobelia | ⊙ ⊙ ♃ X-VIII; Kap
– **fenestralis** Cav. | ⊙ ⊙ VII-VIII; USA: Tex., SW; Mex.
– *fulgens* Hemsl. = Lobelia splendens
– **fulgens** Willd.
– × **gerardii** Chabanne et Goujon ex Sauv. (*L. cardinalis* × *L. siphilitica*) | ♃ VIII-IX ∧; cult.
  - **'Vedrariensis'**
– **inflata** L. · Indian Tobacco | ⊙ Off. VII-VIII ☠; Can.: E, Sask.; USA: NE, NCE, NC, SE
– **laxiflora** Humb., Bonpl. et Kunth | ♃ ♄ Ⓚ VII-X; C-Am., Col.
– *longiflora* L. = Laurentia longiflora
– *ramosa* Benth. = Lobelia tenuior
– **sessilifolia** Lamb. | ♃ ~ VI-VII; Jap., Korea, Sachal., E-Sib., Manch., Taiwan
– **siphilitica** L. · Great Lobelia · Lobélie géante | ♃ ~ VII-IX; Can.: E; USA: NE, NCE, NC, SE, SC
– × **speciosa** hort. (*L. cardinalis* × *L. siphilitica* × *L. splendens*) | ♃ Ⓚ ✂ VIII-IX; cult.
– **splendens** Willd. | ♃ Ⓚ ~ VII-X; USA: Mo., SC, NC, Rocky Mts., Calif.; Mex.
– **tenuior** R. Br. | ♃ Ⓚ V-IX; W-Austr.
– **tupa** L. · Devil's Tobacco | ♃ ♄ Ⓚ IX-X ☠; Chile
– **urens** L. · Land-Lobelie | ♃; Eur.: Azor., BrI, Ib, Fr +
– **valida** L. Bolus | ♄ Ⓚ; Kap
– × *vedrariensis* hort. = Lobelia × gerardii 'Vedrariensis'

Lobivia Britton et Rose -f- *Cactaceae*
– *aculeata* Buining = Lobivia pentlandii
– *allegraiana* Britton et Rose = Lobivia hertrichiana
– *andalgalensis* F.A.C. Weber = Trichocereus huascha
– *arachnacantha* Buining et F. Ritter = Echinopsis arachnacantha
– *aurea* (Britton et Rose) Backeb. = Echinopsis aurea
– **backebergii** (Werderm.) Backeb. | ♆ Ⓚ ✻; E-Bol., S-Peru
– *binghamiana* Backeb. = Lobivia hertrichiana
– *boliviensis* Britton et Rose = Lobivia pentlandii
– *bruchii* Britton et Rose = Trichocereus bruchii
– *cabradai* Fric = Echinopsis hamatacantha
– *caespitosa* J.A. Purpus = Lobivia maximiliana
– *charazanensis* Cárdenas = Lobivia maximiliana
– *chorrillosensis* Rausch = Echinopsis hamatacantha
– **chrysantha** (Werderm.) Backeb. | ♆ Ⓚ ✻; Arg.: Salta, Jujuy
– **cinnabarina** (Hook.) Britton et Rose | ♆ Ⓚ; Bol.
– *claeysiana* Backeb. = Echinopsis ferox
– *corbula* Britton et Rose = Lobivia

maximiliana
- *cylindrica* Backeb. = Echinopsis aurea
- *draxleriana* Rausch = Lobivia cinnabarina
- *drijveriana* Backeb. = Lobivia kuehnrichii
- *echinata* Rausch = Lobivia hertrichiana
- *euanthema* Backeb. = Rebutia aureiflora
- **famatinensis** (Speg.) Britton et Rose | ♆ Ⓚ ✻; Arg.: La Rioja, San Juan
- *ferox* Britton et Rose = Echinopsis ferox
- *hastifera* Werderm. = Echinopsis ferox
- **hertrichiana** Backeb. | ♆ Ⓚ; SE-Peru
- *higginsiana* Backeb. = Lobivia pentlandii
- *hualvinensis* Rausch = Echinopsis hamatacantha
- *huascha* (F.A.C. Weber) W.T. Marshall = Trichocereus huascha
- *huilcanotha* Rauh et Backeb. = Lobivia hertrichiana
- *hyalacantha* Speg. = Acanthocalycium hyalacanthum
- *incaica* Backeb. = Lobivia hertrichiana
- *kieslingii* Rausch = Trichocereus formosus
- *klimpeliana* (Weidlich et Werderm.) Backeb. = Acanthocalycium klimpelianum
- *klusacekii* Fric = Lobivia kuehnrichii
- **kuehnrichii** Fric | ♆ Ⓚ ✻; Arg.: Jujuy
- *larabei* Johnson = Lobivia hertrichiana
- *larae* Cárdenas = Lobivia pentlandii
- *laui* Donald = Lobivia hertrichiana
- *lauramarca* Rauh et Backeb. = Lobivia pentlandii
- *leucorhodon* Backeb. = Lobivia pentlandii
- *leucoviolacea* Backeb. = Lobivia pentlandii
- *longispina* Britton et Rose = Echinopsis longispina
- **maximiliana** (Heyder) Backeb. | ♆ Ⓚ; S-Peru, N-Bol.
- *minuta* F. Ritter = Lobivia hertrichiana
- **pentlandii** (Hook.) Britton et Rose | ♆ Ⓚ; S-Peru, N-Bol.
  - var. *maximiliana* (Heyder) Backeb. = Lobivia maximiliana
- *planiceps* Backeb. = Lobivia hertrichiana
- *polaskiana* Backeb. = Lobivia chrysantha
- *prestoana* Cárdenas = Lobivia cinnabarina
- *purpureominiata* F. Ritter = Trichocereus huascha
- *schneideriana* Backeb. = Lobivia pentlandii
- *shaferi* Britton et Rose = Echinopsis aurea
- **silvestrii** (Speg.) G.D. Rowley | ♆ Ⓚ ✻; Arg.: Tucuman
- *varians* Backeb. = Lobivia pentlandii
- *vilcabambae* F. Ritter = Lobivia hertrichiana
- *walterspielii* Boed. = Lobivia cinnabarina
- *weghaiana* Backeb. = Lobivia pentlandii

Lobostemon Lehm. -m- *Boraginaceae*
- **argenteus** (Lehm.) H. Buek | ♄ Ⓚ VI; S-Afr.
- **fruticosus** (L.) H. Buek · Eighty Day Healing Bush | ♄ Ⓚ V; S-Afr.
- **glaucophyllus** (Pers.) H. Buek | ♄ Ⓚ V; S-Afr.

Lobularia Desv. -f- *Brassicaceae*
- **maritima** (L.) Desv. · Strand-Silberkraut · Sweet Alison, Sweet Alyssum | ♃ X-VI; Eur.: Ib, Fr, Ap, Ba; TR, N-Afr., Arab., nat. in BrI, Sc, A, EC-Eur., RO, Krim
  - var. **benthamii** (Voss) L.H. Bailey et E.Z. Bailey | ⊙; cult

Lochnera = Catharanthus G. Don
- *rosea* (L.) Rchb. = Catharanthus roseus

Lockhartia Hook. -f- *Orchidaceae*
- **lunifera** (Lindl.) Rchb. f. | ♃ Ⓦ VII-VIII ✻; Bras.
- **oerstedii** Rchb. f. | ♃ Ⓦ VI-VIII ✻; Guat.
- *robusta* Schltr. = Lockhartia oerstedii
- **verrucosa** Rchb. f. | ♃ Ⓦ V ✻; Guat.

Lodoicea Comm. ex DC. -f- *Arecaceae* · Seychellennußpalme
- **maldivica** (J.F. Gmel.) Pers. · Cocodemer, Double Coconut | ♄ Ⓦ; Seych.

Logania R. Br. -f- *Loganiaceae*
- **albiflora** (Andrews) Druce | ♄ Ⓚ IV-V; Austr.: Queensl., N.S.Wales, Victoria

Loiseleuria Desv. -f- *Ericaceae* · Felsenröschen
- **procumbens** (L.) Desv. · Alpenazalee, Gämsheide · Alpine Azalea, Mountain Azalea · Azalée des Alpes | ⊙ ♄ ⟿ △ VI-VII; Eur.* exc. EC-Eur.; E-Sib., Kamchat., Sachal., Jap., Alaska, Greenl.,

Can., USA: Maine, N.H., Wash.

Lolium L. -n- *Poaceae* · Lolch
- × **boucheanum** Kunth (*L. multiflorum* × *L. perenne*) | ♃ Ⓝ; cult.
- × *hybridum* Hausskn. = Lolium × boucheanum
- *italicum* A. Braun = Lolium multiflorum
- **multiflorum** Lam. · Italienisches Weidelgras, Vielblütiger Lolch · Common Ryegrass, Italian Ryegrass | ☉ ⊙ ♃ VI-VIII Ⓝ; Eur.: Ib, Fr, Ap, Ba, RO; TR, Palaest., Makaron., N-Afr., nat. in Iraq, Cauc., Iran, Ind., N-Am., S-Am., S-Afr., Tasman., NZ
- **perenne** L. · Ausdauernder Lolch, Deutsches Weidelgras, Englisches Raygras · Perennial Ryegrass, Rye | ♃ X Ⓝ; Eur.*, TR, Cauc., Iran, C-As., Him., Canar., NW-Afr., Egypt, nat. in N-Am.
- **remotum** Schrank · Lein-Lolch | VI-VIII; Eur.: E-, EC-Eur.; Afgh., Ind, Amur, nat. in N-Afr., Canar., Azor., W-Austr.
- **rigidum** Gaudin · Steifer Lolch | VI-IX; Eur.: Ib, Fr, CH, Ap, Ba, Krim; TR, Syr., Lebanon, Israel, Iraq, Cauc., Iran, Afgh., Kashmir, Ind, N-Afr., Madeira, Canar., nat. in S-Afr., N-Am., S-Am., Austr.
- **temulentum** L. · Taumel-Lolch · Darnel, Ryegrass | ☉ VI-VIII ☠; Eur.*, Levante, Iraq, Arab., Cauc., Iran, Afgh., Pakist., Sri Lanka, W-Sib., C-As, Ind., Amur, Sachal., N-Afr., nat. in E-As., Jap., Eth., trop. Afr., S-Afr., N-Am., S-Am., Austr., NZ

Lomaria = Blechnum L.
- *ciliata* T. Moore = Blechnum moorei
- *gibba* Labill. = Blechnum gibbum

Lomariopsis Fee -f- *Lomariopsidaceae*
- **sorbifolia** (L.) J. Sm. emend. Underw. | ♃ Ⓚ ⌇; trop. Afr., trop. As.

Lomatia R. Br. -f- *Proteaceae*
- **ferruginea** (Cav.) R. Br. · Lomatia | ♄ Ⓚ VII; Chile
- **hirsuta** (Lam.) Diels ex J.F. Macbr. | ♄ ♄ Ⓚ; Bras., Peru
- *longifolia* R. Br. = Lomatia myricoides
- **myricoides** (C.F. Gaertn.) Domin | ♄ Ⓚ VII; Austr.: N.S.Wales, Victoria
- *obliqua* (Ruiz et Pav.) R. Br. = Lomatia hirsuta

Lomatogonium A. Braun *Gentianaceae*
- **carinthiacum** (Wulfen) Rchb. · Kärntner Tauernblümchen | VIII-IX; Eur.: I, C-Eur., RO; Alp., S-Carp.; Cauc., W-Sib., E-Sib., Kamchat., C-As., Him., China: Sinkiang

Lonas Adans. -f- *Asteraceae*
- **annua** (L.) Vines et Druce | ☉ VIII-X; Eur.: S-I, Sic.; N-Afr., nat. in F

Lonchitis L. -f- *Dennstaedtiaceae*
- **hirsuta** L. | ♃ Ⓦ; Mex., C-Am., trop. S-Am.
- **pubescens** Willd. | ♃ Ⓦ; trop. Afr.

Lonchocarpus Kunth -m- *Fabaceae*
- **nicou** (Aubl.) DC. | ♄ Ⓦ ⌇ ☠ Ⓝ; ? Peru, ? W-Amazon.
- **urucu** Kill. et A.C. Sm. | ♄ Ⓦ ⌇ ☠ Ⓝ; Amazon.
- *utilis* A.C. Sm. = Lonchocarpus nicou

Lonicera L. -f- *Caprifoliaceae* · Heckenkirsche, Geißblatt
- **acuminata** Wall. | ⌇; Him.: Nepal, Sikkim
- **albertii** Regel · Dornige heckenkirsche · Clématite d'Albert | ♄ ⌇ D ⌇ V ☠; C-As., Tibet
- **alpigena** L. · Alpen-Heckenkirsche · Alpine Honeysuckle | ♄ ⚘ V ☠; Eur.* exc. Sc, BrI; mts.
- **alseuosmoides** Graebn. | ♄ ⌇ VI-VII; W-China
- **altmannii** Regel et Schmalh. | ♄ ⌇ IV-V; C-As.
- × **americana** (Mill.) K. Koch (*L. caprifolium* × *L. etrusca*) · Italienisches Geißblatt | ♄ ⌇ D ⌇ VI-VIII
- × **amoena** Zabel (*L. korolkowii* × *L. tatarica*) | ♄ VI; cult.
- **angustifolia** Wall. ex DC. · Schmalblättrige Heckenkirsche | ♄ V-VI; Kashmir, Him., SE-Tibet
- **arizonica** Rehder | ♄; Ariz., N.Mex.
- × **bella** Zabel (*L. morrowii* × *L. tatarica*) | ♄
- *brachypoda* DC. = Lonicera japonica var. repens
- × **brownii** (Regel) Carrière (*L. hirsuta* × *L. sempervirens*) · Scarlet Trumpet Honeysuckle | ♄ ⌇ V-VIII; cult.
  - **'Dropmore Scarlet'**
- **caerulea** L. · Blaue Heckenkirsche · Blue

Honeysuckle · Camérisier bleu | ♄ IV-V; Eur.* exc. BrI; ? TR
- **canadensis** Bartram ex Marshall · Kanadische Heckenkirsche · American Fly Honeysuckle, Fly Honeysuckle | ♄ V; Can.: E, Sask.; USA: NE, NCE, NC
- **caprifolium** L. · Jelängerjelieber, Wohlriechendes Geißblatt · Italian Honeysuckle · Clématite des jardins | ♄ ≷ D ≷ V-VI; Eur.: A, Ap, Ba, EC-Eur., RO; TR, Cauc., nat. in BrI, Sc, C-Eur., Fr, Ib
- **caucasica** Pall. | ♄ V-VII; Cauc.
- **chaetocarpa** (Batalin ex Rehder) Rehder | ♄ ♣ V; W-China
- *chinensis* P. Watson = Lonicera japonica
- **chrysantha** Turcz. · Gelbblütige Heckenkirsche | ♄ V-VI; Jap., Korea, Sachal., E-Sib.
  - var. **latifolia** Korsh.; Korea +
- *ciliata* (Pursh) Poir. = Lonicera canadensis
- **ciliosa** (Pursh) Poir. · Bewimperte Heckenkirsche · Orange Honeysuckle | ♄ ≷ VI; B.C., USA: NW, Rocky Mts., Calif.
- **deflexicalyx** Batalin · Krummkelchige Heckenkirsche | ♄ V-VI; Tibet, W-China
- **demissa** Rehder | ♄ V-VI; Jap.
- **dioica** L. · Blaugrüne Heckenkirsche · Glaucous Honeysuckle | ♄ ⁓ VI-VII; Can.: E; USA: NE, NCE, SE
  - var. *glaucescens* (Rydb.) Butters = Lonicera glaucescens
- **etrusca** Santi · Toskanisches Geißblatt | ♄ Ⓚ ≷ V-VIII ∧; Eur.: Ib, Fr, Ap, Ba, CH; TR, Levante, N-Afr., nat. in Krim
- **ferdinandi** Franch. · Ferdinands Heckenkirsche | ♄ ♣ VI; Mong., N-China
- **flava** Sims | ♄ ≷ D ≷ VI; USA: SE, SC
- *flexuosa* Thunb. = Lonicera japonica var. repens
- **fragrantissima** Lindl. et Paxton · Wohlriechende Heckenkirsche · Fragrant Honeysuckle · Clématite d'hiver | ♄ II-III ∧; E-China
- *gibbiflora* Maxim. non Dippel = Lonicera chrysantha
- **giraldii** Rehder · Clématite de Girald | ♄ ≷ VI-VII; NW-China
- *glauca* Hill = Lonicera dioica
- **glaucescens** (Rydb.) Rydb. | ♄ ≷ V-VI; Can., USA: NE, N.C., NCE, NC, Okla.
- **gracilipes** Miq. · Feinstielige Heckenkirsche | ♄ ♣ IV-V; Jap.
- × **heckrottii** Rehder (*L. americana* × *L. sempervirens*) · Coral Honeysuckle, Gold Flame Honeysuckle | ♄ D VI-IX; cult.
- **henryi** Hemsl. · Henrys Geißblatt · Clématite de Henry | ♄ ≷ ⇝ VI-VII; W-China
- **hildebrandiana** Collett et Hemsl. · Giant Honeysuckle | ♄ Ⓦ Ⓚ ≷ D ≷ VI-VIII; China, Myanmar, Thail.
- **hirsuta** Eaton · Rauhaariges Geißblatt | ♄ ≷ VI-VII; Can.: E, Sask.; USA: NE, NCE, NC
- **hispida** (Stephan ex Fisch.) Pall. ex Roem. et Schult. · Steifhaarige Heckenkirsche | ♄ V; C-As., Pakist., Him., SW-China
  - var. *chaetocarpa* Batalin ex Rehder = Lonicera chaetocarpa
- **iberica** M. Bieb. · Persische Heckenkirsche | ♄ VI; Cauc., Iran
- **implexa** Aiton · Macchien-Geißblatt · Minorca Honeysuckle | ♄ Ⓚ ≷ D ≷ VI-VIII; Eur.: Ib, Fr, Ap, Ba; TR, NW-Afr.
- **involucrata** (Richardson) Banks ex Spreng. · Behüllte Heckenkirsche · Black Twinberry, Twin Berry | ♄ ♣ V-VI; Alaska, Can.; USA: NW, Calif., Rocky Mts., SW, NCE; Mex.
  - fo. **serotina** Koehne | ♄ VII-VIII; Colo.
  - var. *ledebourii* (Eschsch.) Zabel = Lonicera ledebourii
- × *italica* Schmidt = Lonicera × americana
- **japonica** Thunb. · Japanisches Geißblatt · Japanese Honeysuckle · Clématite du Japon | ≷ ⇝ VI-IX; China, Manch., Korea, Jap., nat. in BrI, F, C-Eur., I, Sp.
  - var. *chinensis* (P. Watson) Baker = Lonicera japonica var. repens
  - var. **repens** (Siebold) Rehder | ♄ ≷ ⇝ D ⇝ V-VII; China, Jap.
- **kesselringii** Regel | ♄ V-VII; ? Kamchat.
- **korolkowii** Stapf · Korolkows Heckenkirsche | ♄ VI; C-As., Afgh, Pakist.
- **ledebourii** Eschsch. | ♄ ♣ VI; Calif.
- *ligustrina* Wall. = Lonicera nitida
  - var. *pileata* (Oliv.) Franch. = Lonicera pileata
  - var. *yunnanensis* Franch. = Lonicera nitida 'Fertilis'
- **maackii** (Rupr.) Maxim. · Maacks Heckenkirsche · Bush Honeysuckle · Clématite de Maack ; Amur, N-China, Manch., Korea, Jap.

- fo. **podocarpa** Franch. ex Rehder
– **maximowiczii** (Rupr.) Maxim. · Maximowiczs Heckenkirsche | ħ V-VI; Korea, Manch.
– **microphylla** Willd. ex Roem. et Schult. · Kleinblättrige Heckenkirsche | ħ V; C-As.
– × **minutiflora** Zabel (*L. morrowii* × *L. xylosteoides*) | ħ V-VI
– **morrowii** A. Gray · Morrows Heckenkirsche · Morrow's Honeysuckle · Clématite de Morrow | ħ ꕥ V-VI; Jap.
– × **muendeniensis** Rehder (*L. bella* × *L. ruprechtiana*) | ħ V; cult.
– × **myrtilloides** J.A. Purpus (*L. angustifolia* × *L. myrtillus*) | ħ D V-VI; cult.
– **myrtillus** Hook. f. et Thomson · Heidelbeerblättrige Heckenkirsche · Clématite myrtille | ħ D V-VI; Afgh., Pakist., Him., SW-China
- var. **depressa** (Royle) Rehder | ħ; Him.:Nepal, Sikkim
– **nigra** L. · Schwarze Heckenkirsche · Camérisier noir | ħ V-VI ☠ Ⓝ; Eur.* exc. BrI, Sc; mts.
– **nitida** E.H. Wilson · Glänzende Heckenkirsche, Immergrüne Strauch-Heckenkirsche · Box Honeysuckle · Clématite brillant | ħ V; W-China
- **'Fertilis'**
– **nummularifolia** Jaub. et Spach | ħ; S-GR, Crete, C-As.
– **oblongifolia** (Goldie) Hook. · Swamp Fly Honeysuckle | ħ V; Can.: E; USA: NCE, NE
– **obovata** Royle ex Hook. f. et Thomson | ħ V; Afgh., Kashmir, Him., SE-Tibet
– **orientalis** Lam. · Orientalische Heckenkirsche ; TR
- var. *caucasica* (Pall.) Rehder = Lonicera caucasica
- var. *longifolia* Dippel = Lonicera kesselringii
– *parviflora* Edgew. = Lonicera obovata
– *parviflora* Lam. = Lonicera dioica
– **periclymenum** L. · Wald-Geißblatt · Woodbine · Clématite des bois | ħ ≷ D ≷ VI ☠; Eur.* exc. EC-Eur.; Maroc.
– **pileata** Oliv. · Immergrüne Kriech-Heckenkirsche · Privet Honeysuckle · Clématite à cupule | ħ D V ☠; C-China, W-China
- *f. yunnanensis* (Franch.) Rehder = Lonicera nitida 'Fertilis'
– **prolifera** (Kirchn.) Rehder · Sprossendes Geißblatt | ħ VI-VII; Can.: E; USA: NE, NCE, NC, SE
– **prostrata** Rehder | ħ ⇝ VI ∧; W-China
– × **pseudochrysantha** A. Braun ex Rehder (*L. chrysantha* × *L. xylosteum*) | ħ V-VI; cult.
– *pubescens* Stokes = Lonicera xylosteum
– *pubescens* Sweet = Lonicera hirsuta
– × **purpusii** Rehder (*L. fragrantissima* × *L. standishii*) | ħ D II-IV; cult.
– **pyrenaica** L. · Pyrenäen-Heckenkirsche | ħ V; Eur.: Sp., F; Maroc.; mts.
– **quinquelocularis** Hardw. · Durchsichtige Heckenkirsche | ħ ꕥ VI; Afgh., Pakist., Him., SW-China
– **rupicola** Hook. f. et Thomson · Felsen-Heckenkirsche | ħ V-VI ∧; Him.
– **ruprechtiana** Regel · Ruprechts Heckenkirsche | ħ ꕥ V; Manch., China
– **sempervirens** L. · Trompeten-Geißblatt · Everblooming Honeysuckle, Trumpet Honeysuckle | ħ ≷ V-VIII ∧; USA: NE, NCE, NC, SC, SE, Fla.
– **similis** Hemsl.; SW-China
- var. **delavayi** (Franch.) Rehder | ħ Ⓚ ≷ VIII ∧; W-China
– **spinosa** Jacquem. ex Walp.; Afgh., Him., Tibet
- var. *albertii* (Regel) Rehder = Lonicera albertii
– **splendida** Boiss. | ħ Ⓚ ≷ VI-VIII ∧; S-Sp.
– **standishii** Jacques · Stinkende Heckenkirsche · Winter Honeysuckle | ħ D II-IV; China
- var. **lancifolia** Rehder | ħ III-IV; China: Sichuan
– **syringantha** Maxim. · Fliederblütige Heckenkirsche · Clématite à fleurs de lilas ; China, Tibet
- var. **wolfii** Rehder | ħ D V-VI; NW-China
– **tangutica** Maxim. · Tangutische Heckenkirsche | ħ ꕥ V-VI; W-China
– **tatarica** L. · Tataren-Heckenkirsche · Tartarian Honeysuckle · Clématite de Tartarie | ħ V-VI Ⓝ; Eur.: Russ.; W-Sib., C-As., nat. in Ib, Fr, C-Eur.EC-Eur.
– × **tellmanniana** Magyar ex Späth (*L. sempervirens* × *L. tragophylla*) | ħ ≷ VI ∧; cult.
– **thibetica** Bureau et Franch. · Tibetische Heckenkirsche | ħ VI-VII; W-China

- **tomentella** Hook. f. et Thomson · Flaum-Heckenkirsche | ♄ VI; Ind.: Sikkim
- **tragophylla** Hemsl. · Bocksblatt-Heckenkirsche · Yellow Honeysuckle | ♄ ≹ VI; W-China
- **trichosantha** Bureau et Franch. | ♄ VII; W-China, Tibet
- **webbiana** Wall. ex DC. · Webbs Heckenkirsche | ♄ IV-V; Afgh., Him.
- × **xylosteoides** Tausch (*L. tatarica* × *L. xylosteum*) | ♄ V; cult.
- **xylosteum** L. · Rote Heckenkirsche · Fly Honeysuckle · Camérisier à balais, Clématite des haies | ♄ V-VI ☠ Ⓝ; Eur.*, N-TR, W-Sib.
- **yunnanensis** Franch.
- *yunnanensis* hort. = Lonicera nitida

Lopezia Cav. -f- *Onagraceae*
- *minima* Lag. et Schrank = Lopezia racemosa
- *minuta* Lag. = Lopezia racemosa
- **racemosa** Cav. | ⊙ ⊙ ♃ IV-XI; Mex., C-Am.

Lophira Banks ex C.F. Gaertn. -f- *Ochnaceae*
- **lanceolata** Tiegh. ex Keay · African Oak | ♄ Ⓦ Ⓝ; W-Afr.

Lophocereus = Pachycereus (A. Berger) Britton et Rose
- **schottii** (Engelm.) Britton et Rose · Cinita, Senita Cereus | ♄ Ψ Ⓚ ✻; Ariz., NW-Mex.

Lophomyrtus Burret -f- *Myrtaceae*
- **bullata** (Sol. ex A. Cunn.) Burret | ♄ Ⓚ; NZ
- **obcordata** (Raoul) Burret | ♄ Ⓚ; NZ
- × **ralphii** (Hook. f.) Burret (*L. bullata* × *L. obcordata*)

Lophophora J.M. Coult. -f- *Cactaceae*
- *fricii* Haberm. = Lophophora williamsii
- **williamsii** (Lem. ex Salm-Dyck) J.M. Coult. · Dumpling Cactus, Mescal | Ψ Ⓚ; USA: Tex., N.Mex.; Mex.
  - var. **lutea** (Rouhier) Soulanger | Ψ Ⓚ; Mex.

Lophospermum D. Don -n- *Scrophulariaceae*
- *atrosanguineum* Zucc. = Rhodochiton atrosanguineum
- *scandens* D. Don = Asarina lophospermum

Loranthus Jacq. -m- *Loranthaceae*
- **europaeus** Jacq. · Eichenmistel, Riemenblume · Mistletoe | ♄ IV-VI; Eur.: C-Eur., EC-Eur., Ba, E-Eur., Ap: TR, Syr.

Loropetalum R. Br. ex Rchb. -n- *Hamamelidaceae* · Riemenblume
- **chinense** (R. Br.) Oliv. | ♄ Ⓚ XII-IV; Ind. (Assam, Khasi mts.) S-China, Jap.

Lotononis (DC.) Eckl. et Zeyh. -f- *Fabaceae*
- **bainesii** Baker | ♃ Ⓝ; S-Afr. (N-Transvaal), Zimbabwe, nat. in Austr.: Queensl.

Lotus L. -m- *Fabaceae* · Hornklee
- **alpinus** (DC.) Ramond · Alpen-Hornklee | ♃ VI-VIII; Eur.: Sp., F, I, C-Eur., Ba; Pyr., Apenn., Balkan; TR, Levante
- **berthelotii** Lowe ex Masf. · Lotier de Berthelot | ♃ Ⓚ ≹ ⟿ III-IV ▽; Canar.: Teneriffa
- **borbasii** Ujhelyi · Slowakischer Hornklee | ♃ V-VII; Eur.: A, EC-Eur., Ba
- **corniculatus** L. · Gewöhnlicher Hornklee · Bird's Foot Trefoil · Lotier corniculé | ♃ ⟿ △ VI-IX Ⓝ; Eur.*, TR, Cauc., Iran, C-As., Ind., NW-Afr.
- **edulis** L. | ⊙ Ⓝ; Eur.: Ib, Fr, Ap, Ba; TR, Levante, N-Afr.
- **jacobaeus** L. | ♃ Ⓚ IV-V; Cap Verde
- **maculatus** Breitf. | ♄ Ⓚ III-IV; Canar.
- **ornithopodioides** L. · Vogelfußartiger Hornklee ; Eur.: Ib, Fr, Ap, Ba, S-Russ.; TR, Levante, Cauc., N-Afr.
- *pedunculatus* Cav. = Lotus uliginosus
- *peliorhynchus* Hook. f. = Lotus berthelotii
- *siliquosus* L. = Tetragonolobus maritimus
- **tenuis** Waldst. et Kit. ex Willd. · Salz-Hornklee, Schmalblättriger Hornklee | ♃ VI-VIII; Eur.*, TR, Levante, Cauc., C-As., N-Afr.
- *tetragonolobus* L. = Tetragonolobus purpureus
- **uliginosus** Schkuhr · Sumpf-Hornklee · Greater Bird's Foot Trefoil | ♃ ⁓ VI-VII Ⓝ; Eur.*, Cauc.

Lourea = Christia Moench

– *vespertilionis* (L. f.) Desv. = Christia vespertilionis

Lourya = Peliosanthes Andrews
– *campanulata* Baill. = Peliosanthes teta

× **Lowara** Hort. -f- *Orchidaceae* (*Brassavola* × *Laelia* × *Sophronitis*)

Loxanthocereus = Borzicactus Riccob.
– *acanthurus* (Vaupel) Backeb. = Borzicactus acanthurus
– *aureispinus* (F. Ritter) Buxb. = Hildewintera aureispina

Luculia Sweet -f- *Rubiaceae*
– **grandifolia** Ghose | ŧ Ⓚ; Bhutan
– **gratissima** (Wall.) Sw. | ħ ŧ Ⓦ D XII-II; Him.
– **pinceana** Hook. | ŧ Ⓦ VII-VIII; Ind.: Khasia Hills

Lucuma = Pouteria Aubl.
– *caimito* (Ruiz et Pav.) Roem. et Schult. = Pouteria caimito
– *campechiana* Humb., Bonpl. et Kunth = Pouteria campechiana
– *obovata* Humb., Bonpl. et Kunth = Pouteria lucuma

Ludisia A. Rich. -f- *Orchidaceae* · Blutstendel
– **discolor** (Ker-Gawl.) A. Rich. | ♃ Ⓦ IX-XII; S-China, Vietn., Malay. Pen.
  - var. **dawsoniana** (H. Low ex Rchb. f.) Schltr. | ♃ Ⓦ IX-XII ✻; Malay. Pen.
  - var. **rubrivenia** (Rchb. f.) Schltr. | ♃ Ⓦ IX-XII ✻; Malay. Pen.

Ludovia Brongn. -f- *Cyclanthaceae*
– **lancifolia** Brongn. | Ⓦ §; trop. S-Am.

Ludwigia L. -f- *Onagraceae*
– **alternifolia** L. · Seedbox | ♃ Ⓦ ~~ ♠; Can.: Ont.; USA: NE, NCE, NC, SC, SE, Fla.; Mex., n S-Am., nat. in A (Kärnten)
– **arcuata** Walter | ♃ Ⓦ ~~ ♠; USA: S.C., Ga., Fla.
– **clavellina** L.D. Gómez et Molinet; USA: SE, Fla., nat. in USA: NE
  - var. **grandiflora** L.D. Gómez | ♃ Ⓦ ♠ VII-VIII; USA: SE, Fla.
– **helminthorrhiza** (Mart.) Hara | Ⓦ ♠; S-Mex. C-Am., S-Am.
– *macrocarpa* Michx. = Ludwigia alternifolia
– *mullertii* hort. = Ludwigia natans
– **natans** (L.) Elliott · Schwimm-Heusenkraut | ♃ Ⓦ ~~ ♠ VII-VIII; USA: NE, NCE, NC, SE, SC, NW, Calif.; Mex., W.Ind.
– **palustris** (L.) Elliott · Sumpf-Heusenkraut · Marsh Primrose Willow, Water Purslane | ♃ Ⓦ ~~ ♠ VII-VIII; Eur.* exc. Sc; TR, Syr., Palaest., Cauc., Iran, NW-Afr., S-Afr., Can., USA: NE, NCE, SE, SC, SW, Rocky Mts., NW, Calif., Mex., W.Ind., nat. in NZ
– **peruviana** (L.) Hara | ħ ŧ Ⓦ ♠ VII-VIII; USA: Fla.; C-Am., S-Am.
– **pulvinaris** Gilg | ♃ Ⓦ ~~ ♠; C-Afr., S-Afr.
– *repens* Sw. = Ludwigia palustris
– **suffruticosa** (L.) L.D. Gomez | ħ Ⓦ ♠ VII-VIII; Trop.

Lueddemannia Rchb.f. -f- *Orchidaceae*
– **pescatorei** (Lindl.) Rchb. f. | ♃ Ⓦ VII ✻; Col.

Luetkea Bong. -f- *Rosaceae*
– **pectinata** (Pursh) Kuntze | ħ VII-IX; Alaska, W-Can., Calif. Rocky M.

Luffa Mill. -f- *Cucurbitaceae*
– **acutangula** (L.) Roxb. · Dishcloth Gourd, Strainer Vine | ☉ Ⓦ § ꝏ Ⓝ; trop. As.
– *aegyptiaca* Mill. = Luffa cylindrica
– **cylindrica** (L.) M. Roem. · Loofah, Vegetable Sponge | ☉ Ⓦ § ꝏ Ⓝ; Afr., trop. As.
– **operculata** (L.) Cogn. | ☉ Ⓦ § ꝏ Ⓝ; Mex., C-Am., trop. S-Am.

× **Luisanda** Hort. -f- *Orchidaceae* (*Luisia* × *Vanda*)

Luisia Gaudich. -f- *Orchidaceae*
– **amesiana** Rolfe | Ⓦ VI-VII ✻; Myanmar
– **teretifolia** Gaudich. | Ⓦ VI-IX ✻; SE-As., Malay. Arch., N.Caled.

Luma A. Gray -f- *Myrtaceae*
– **apiculata** (DC.) Burret · Orange Bark Myrtle | ŧ Ⓚ Ⓝ; Arg., Chile
– **chequen** (Molina) A. Gray | ħ ŧ; Chile

Lunaria L. -f- *Brassicaceae* · Silberling
– **annua** L. · Einjähriges Silberblatt ·

Annual Honesty · Monnaie du pape | ⊙ ⊙ ꕥ ✂ IV-VI; Eur.: I, Ba, Ro, nat. in BrI, Sc, Fr, C-Eur., EC-Eur.
- *biennis* Moench = Lunaria annua
- **rediviva** L. · Ausdauerndes Silberblatt, Mondviole · Perennial Honesty | ♃ ꕥ D ꕥ V-VII ☠; Eur.* exc. BrI

Lupinus L. -m- *Fabaceae* · Lupine
- **albus** L. · Weiße Lupine · White Lupin | ⊙ VI-VIII Ⓝ; Eur.: Ba; TR, nat. in Fr, C-Eur., Ap, Ib, EC-Eur., Alg.
- **angustifolius** L. · Schmalblättrige Lupine | ⊙ VI-IX Ⓝ; Eur.: Ib, Fr, Ap, Ba; TR, Levante, N-Afr., nat. in C-Eur., EC-Eur., E-Eur.
- **arboreus** Sims · Baum-Lupine · Tree Lupin | ♄ Ⓚ VII-VIII; Calif., nat. in Wash., Br
- *cruckshanksii* Hook. = Lupinus mutabilis var. cruckshanksii
- **densiflorus** Benth. · White Whorl Lupin ; Calif.
  - var. **aureus** (Kellogg) Munz | ⊙ VI-IX; Calif.
  - var. *menziesii* (J. Agardh) C.P. Sm. = Lupinus densiflorus var. aureus
- **hartwegii** Lindl. | ⊙ VII-X; Mex.
- *hirsutus* L. = Lupinus micranthus
- **luteus** L. · Gelbe Lupine · Yellow Lupin | ⊙ VI-IX Ⓝ; Eur.: Ib; NW-Afr., nat. in Fr, Ap, C-Eur., EC-Eur., Ba, EC-Eur.
- *menziesii* J. Agardh = Lupinus densiflorus var. aureus
- **micranthus** Guss. | ⊙ VI-IX Ⓝ; Eur.: Ib, Fr, Ap, Ba; TR, Levante, NW-Afr., Libya
- **mutabilis** Sweet · Andean Lupine | ⊙ VII-X Ⓝ; cult. S-Am.
  - var. **cruckshanksii** (Hook.) Sweet | ⊙ VII-X Ⓝ; Peru; And.
- **nanus** Douglas · Ocean Blue Lupin | ⊙ VI-VII; Calif.
- **nootkatensis** Donn ex Sims | ♃; nw N-Am., NE-As.
- **perennis** L. · Ausdauernde Lupine · Blue Bean, Sundial Lupin | ♃ V-VIII Ⓝ; Ont., USA: NE, NCE, SE, Fla., nat. in C-Eur.
- **pilosus** Murray | ⊙ VI-VII Ⓝ; Eur.: GR; TR, Syr., Palaest., Egypt
- **polyphyllus** Lindl. · Vielblättrige Lupine · Garden Lupin | ♃ VI-VIII Ⓝ; Can.; W; USA: NW, Rocky Mts., Calif., nat. in ne N-Am., Eur.
- **pubescens** Benth.; Mex., Guat.
- **subcarnosus** Hook.; SW-USA
- *termis* Forssk. = Lupinus albus
- *varius* L. 1753 = Lupinus angustifolius
  - subsp. *orientalis* Franco et P. Silva = Lupinus pilosus
- *varius* L. 1763 = Lupinus pilosus

Luronium Raf. -n- *Alismataceae* · Schwimmlöffel
- **natans** (L.) Raf. · Froschkraut · Floating Water Plantain · Fluteau | ♃ ♄ ≈ V-VI; Eur.*

Luzula DC. -f- *Juncaceae* · Hainsimse, Marbel
- *albida* (Hoffm.) DC. = Luzula luzuloides
- **alpina** Hoppe · Alpen-Hainsimse | ♃ VI-VII; Eur.: D, A +
- **alpinopilosa** (Chaix) Breistr. · Braune Hainsimse | ♃ VI-VIII; Eur.* exc. BrI, Sc, mts.
- **campestris** (L.) DC. · Feld-Hainsimse, Hasenbrot · Field Wood Rush | ♃ III-IV; Eur.*, TR, Cauc.
- **congesta** (Thuill.) Lej. · Kopfige Hainsimse ; Eur.: Sc, BrI, Fr, D +
- **desvauxii** Kunth · Pyrenäen-Hainsimse | ♃ VI-VII; Eur.: Sp., F, D: mts.
- **divulgata** Kirschner · Schlanke Hainsimse | ♃ IV-V; Eur.: A, D +
- **forsteri** (Sm.) DC. · Forsters Hainsimse | ♃ IV-V; Eur.* exc. Sc; TR, Cauc., Syr., Iran, Alg.
- **glabrata** (Hoppe) Desv. · Kahle Hainsimse | ♃ VI-VII; Eur.: I, D, A; E-Alp.
- **lutea** (All.) DC. · Gelbe Hainsimse | ♃ VI-VIII; Eur.: Sp., F, I, D, A; Pyr., Alp., Apenn.
- **luzulina** (Vill.) Dalla Torre et Sarnth. · Gelbliche Hainsimse | ♃ VI-VII; Eur.* exc. BrI, Sc; mts.
- **luzuloides** (Lam.) Dandy et Wilmott · Weißliche Hainsimse · Oak Forest Wood Rush · Luzule blanchâtre | ♃ VI; Eur.: Fr, Ap, C-Eur., EC-Eur., Ba, E-Eur., ? Sp., nat. in BrI, Sc
- *maxima* (Reichard) DC. = Luzula sylvatica
- **multiflora** (Ehrh.) Lej. · Vielblütige Hainsimse | ♃ IV-V; Eur., As, N-Am., Austr.
- *nemorosa* (Pollich) E. Mey. = Luzula luzuloides
- **nivea** (L.) DC. · Schneeweiße Hainsimse · Snowy Woodrush · Luzule blanc de

neige | ♃ VI-VIII; Eur.: Sp., F, C-Eur., I, Slove.
- **pallidula** Kirschner · Bleiche Hainsimse | ♃ IV-V; Eur.: CZ, D +
- **pilosa** (L.) Willd. · Behaarte Hainbinse · Hairy Wood Rush · Luzule poilue | ♃ IV-V; Eur.*, Cauc., W-Sib., E-Sib.
- **spicata** (L.) DC. · Ähren-Hainsimse | ♃ VI-VIII; Eur.* exc. Ib; TR, Cauc., W-Sib., E-Sib., Amur, C-As, Him., N-Am.
- **sudetica** (Willd.) Schult. · Sudeten-Hainsimse | ♃ VI-VIII; Eur.* exc. BrI; TR
- **sylvatica** (Huds.) Gaudin · Wald-Hainsimse · Great Wood Rush · Luzule des bois | ♃ V-VI; Eur.*, TR, Cauc.

Lycaste Lindl. -f- *Orchidaceae*
- **aromatica** (Graham ex Hook.) Lindl. | ♃ Ⓦ D IV-V ✻; Mex., Guat., Hond., Belize
- **brevispatha** (Klotzsch) Lindl. | ♃ Ⓦ XII ✻; Nicar., Costa Rica, Panama
- *candida* Lindl. ex Rchb. f. = Lycaste brevispatha
- **ciliata** (Ruiz et Pav.) Rchb. f. | ♃ Ⓦ III-V ✻; Col., Ecuad., Peru
- *costata* (Lindl.) Lindl. = Lycaste ciliata
- **cruenta** (Lindl.) Lindl. | ♃ Ⓦ III-V ✻; Mex., C-Am.
- **deppei** (Lodd.) Lindl. | ♃ Ⓦ X-IV ✻; Mex., Guat.
- *fimbriata* (Poepp. et Endl.) Cogn. = Lycaste ciliata
- *gigantea* Lindl. = Lycaste longipetala
- **longipetala** (Ruiz et Pav.) Garay | ♃ Ⓦ VI-VIII ✻; Col., Ecuad., Peru, Venez.
- **macrophylla** (Poepp. et Endl.) Lindl. | ♃ Ⓦ XI-I ✻; C-Am., trop. S-Am.
- **skinneri** (Bateman ex Lindl.) Lindl. | ♃ Ⓚ XI-III ✻; Mex., Guat., Hond.
- **tricolor** (Klotzsch) Rchb. f. | ♃ Ⓦ ✻; Guat., Costa Rica, Panama
- *virginalis* (Scheidw.) Lindl. = Lycaste skinneri

× **Lycasteria** Hort. -m- *Orchidaceae* (*Bifrenaria* × *Lycaste*)

Lychnis L. -f- *Caryophyllaceae* · Lichtnelke
- *alba* Mill. = Silene latifolia subsp. alba
- **alpina** (Lodd.) Greuter et Burdet · Alpen-Pechnelke · Alpine Campion | ♃ △ VII-VIII; Eur.* exc. Ba, EC-Eur.; Can.: W; Greenl.
- × **arkwrightii** hort.
- *atropurpurea* (Griseb.) Nyman = Lychnis viscaria subsp. atropurpurea
- **coronaria** (L.) Desr. · Kronen-Lichtnelke · Crown Pink · Coquelourde | ⊙ ♃ VI-VIII; Eur.* exc. BrI, Sc; TR, Cauc., N-Iran, C-As., Him.
- **coronata** Thunb. | ♃ VI-VIII ∧; China
- *dioica* L. = Silene dioica
- *diurna* Sibth. = Silene dioica
- **flos-cuculi** L. · Kuckucks-Lichtnelke · Ragged Robin | ♃ V-VIII; Eur.*, Cauc., W-Sib., E-Sib., nat. in ne N-Am.
- **flos-jovis** (L.) Desr. · Jupiter-Lichtnelke · Flower-of-Jove · Lychnis fleur-de-Jupiter | ♃ VI-VII; Eur.: I, CH, D; Alp., nat. in A, EC-Eur.
- **fulgens** Fisch. ex Sims | ♃ VI-VIII ∧; Jap., N-Korea, Manch., Amur
- *grandiflora* Jacq. = Lychnis coronata
- × **haageana** Lemoine | ♃
- *lagascae* Hook. f. = Petrocoptis glaucifolia
- **miqueliana** Rohrb. ex Franch. et Sav. | ♃ VII-X; Jap.
- *pyrenaica* Bergeret = Petrocoptis pyrenaica
- *sartorii* Boiss. = Lychnis viscaria subsp. atropurpurea
- *vespertina* Sibth. = Silene latifolia subsp. alba
- **viscaria** (L.) K. Jess. · Gewöhnliche Pechnelke · Sticky Catchfly | ♃ V-VII; Eur.* exc. Ib; Cauc., W-Sib., nat. in N-Am.
  - subsp. **atropurpurea** (Griseb.) Chater | ♃ △ VI-VII
- **wilfordii** Regel ex Maxim. | ♃; E-Russ., Amur, Manch. Korea, Jap.

Lycianthes (Dunal) Hassl. -f- *Solanaceae*
- **rantonnetii** Carrière | ♄ Ⓚ ⚘ VII-X; Arg., Parag.

Lycium L. -n- *Solanaceae* · Bocksdorn, Teufelszwirn
- **barbarum** L. · Gewöhnlicher Bocksdorn · Box Thorn, Matrimony Vine · Lyciet commun | ♄ VI-IX ☠; C-China, nat. in Eur.*, TR, Cauc., C-As., N-Afr.
- **chinense** Mill. · Chinesischer Bocksdorn · Chinese Wolfberry, Duke of Argyle's Tea Tree · Lyciet de Chine | ♄ VI-IX; China
  - var. **ovatum** (Veill.) C.K. Schneid. | ♃ ⚘ VI-X ☠; N-China, nat. in Eur.

- **europaeum** L. · European Wolfberry | ♄ Ⓚ ⟿ ☠; Eur.: Ib, Fr, Ap, Ba; TR, N-Afr.
- *halimifolium* Mill. = Lycium barbarum
- **pallidum** Miers · Blasser Bocksdorn · Desert Thorn, Pale Desert Thorn, Wolf Berry | ♄ ✿ V-VIII ☠ ∧; USA: Calif., Utah, Colo., Ariz., N.Mex., Tex..; Mex.
- *rhombifolium* Dippel = Lycium chinense var. ovatum
- **ruthenicum** Murray | ♄ VII-VIII ☠; S-Russ., TR, Cauc., Iraq, Iran, Pakist., C-As., Tibet, Mong.
- **turcomanicum** Turcz. | ♄ VI-VIII ☠; TR, Syr., Cauc., C-As., Pakist.
- *vulgare* Dunal = Lycium barbarum

Lycopersicon Mill. -n- *Solanaceae*
- **cheesmanii** Riley | Ⓝ; Galapagos
- **esculentum** Mill. · Tomate · Tomato | X-VII; Ecuad., Peru
  - var. **cerasiforme** Dunal | ♃ Ⓚ ✿ Ⓝ; Peru
  - var. **pimpinellifolium** (Jusl.) Mill. · Currant Tomato | ⊙ Ⓚ ✿ Ⓝ; Ecuad., Galapagos, Peru
  - var. **pyriforme** (Dunal) Alef.
- *lycopersicum* L. = Lycopersicon esculentum
- *pimpinellifolium* (L.) Mill. = Lycopersicon esculentum var. pimpinellifolium

Lycopodiella Holub -f- *Lycopodiaceae*
- **inundata** (L.) Holub · Gewöhnlicher Sumpfbärlapp | ♃ X-VIII; Eur.*, Cauc., N-Am.

Lycopodium L. -n- *Lycopodiaceae* · Bärlapp
- **annotinum** L. · Sprossender Bärlapp · Stiff Clubmoss, Stiff Ground Pine | ♃ ⟿ VIII-IX ▽ ☠; Eur.*, Cauc., W-Sib., E-Sib., Amur, Sachal., Kamchat., Alaska, Can., USA: NE, NCE, NC, Rocky Mts., NW
- **clavatum** L. · Keulen-Bärlapp · Club Moss, Running Pine | ♃ ⟿ Off. VII-VIII ▽ ☠; Eur.*, TR, Cauc., W-Sib., E-Sib., Amur, Sachal., Kamchat., China, Korea, Jap. Taiwan, Ind., Malaysia, Polyn., Afr., Alaska, Can., USA: NE, NCE, SE, Rocky Mts., NW; Mex. W-Ind., C-Am., S-Am., Greenl. Afr.
- *complanatum* L. = Diphasiastrum complanatum
- **dubium** Zoega · Stechender Berg-Bärlapp | ♃ VI-IX; Eur.: CH +
- *hippuris* Desv. = Lycopodium squarrosum
- *selago* L. = Huperzia selago
- **squarrosum** G. Forst. | ♃ Ⓦ; Ind., Sri Lanka, Java

Lycopsis = Anchusa L.
- *echioides* L. = Arnebia pulchra

Lycopus L. -m- *Lamiaceae* · Wolfstrapp
- **europaeus** L. · Ufer-Wolfstrapp · Gipsywort · Chanvre d'eau, Lycope d'Europe | ♃ ~ VII-IX; Eur.*, TR, Syr., Iran, C-As., NW-Afr.
- **exaltatus** Ehrh. · Hoher Wolfstrapp | ♃ VII-IX; Eur.: Ap, C-Eur., EC-Eur., Ba, EC-Eur.; Cauc., W-Sib., E-Sib., C-As.
- **virginicus** L. · Bugleweed, Gipsyweed | ♃ ~ VII-IX; USA: NE, NCE, NC, SC, SE

Lycoris Herb. -f- *Amaryllidaceae*
- *africana* (Lam.) Roem. = Lycoris aurea
- **aurea** (L'Hér.) Herb. · Golden Lily, Golden Spider Lily | ♃ Ⓦ Ⓚ V-VIII; China, Jap., Riukiu-Is., Taiwan
- **incarnata** Comes ex Spreng. | ♃ ▭ VII-VIII ∧; C-China.
- **radiata** (L'Hér.) Herb. · Red Spider Lily | ♃ Ⓦ Ⓚ VIII-IX; Jap., Riukiu-Is.
- **sanguinea** Maxim. · Spider Lily | ♃ Ⓚ VII-VIII; China, Jap.
- **sprengeri** Comes ex Baker | ♃ ▭ VII-VIII ∧; C-China
- **squamigera** Maxim. · Magic Lily, Resurrection Lily | ♃ ▭ VII-VIII ∧; Jap.

Lygeum L. -n- *Poaceae*
- **spartum** Loefl. ex L. | ♃ Ⓚ Ⓝ; Eur.: Ib, Ap, Crete; NW-Afr.

Lygodium Sw. -n- *Schizaeaceae* · Kletterfarn
- **flexuosum** (L.) Sw. · Big Lygodium | ♃ Ⓦ ≹; Ind., Sri Lanka, S-China, Phil., Austr.: Queensl.
- **japonicum** (Thunb.) Sw. · Japanese Climbing Fern | ♃ Ⓦ ≹; China, Korea, Jap., Riukiu-Is., Taiwan
- **palmatum** (Bernh.) Sw. | ♃ Ⓚ ≹ ∧; USA: NE, Ohio, SE

- *pinnatifidum* Hook. = Lygodium flexuosum
- **scandens** (L.) Sw. · Snake Fern | ♃ ⓦ ⌇; trop. Afr., trop. As., Austr., Polyn.
- **volubile** Sw. | ♃ ⓦ; C-Am., W.Ind., trop. S-Am.

Lygos = Genista L.
- *monosperma* (L.) Heywood = Retama monosperma

Lyonia Nutt. -f- *Ericaceae*
- *calyculata* (L.) Rchb. = Chamaedaphne calyculata
- **ferruginea** (Walter) Nutt. | ♄ ♄ ⓚ II-III; USA: SE, Fla.
- **ligustrina** (L.) DC. · Rispige Lyonie · Maleberry | ♄ ~ V-VI ☠; USA: NE, NCE, SC, SE, Fla.
- **lucida** (Lam.) K. Koch · Glänzende Lyonie · Fetter Bush | ♄ ⓚ IV-V; USA: Va., SE, Fla.
- **mariana** (L.) D. Don · Marien-Lyonie · Stagger Bush | ♄ ~ V-VI ∧; USA: NE, SE, Fla., Tex.
- **ovalifolia** (Wall.) Drude | ♄ V-VI; Pakist., Him., Myanmar, China, Japan, Taiwan
- *racemosa* D. Don = Leucothoe racemosa

Lysichiton Schott -m- *Araceae*
- **americanus** Hultén et H. St. John · Gelbe Schein-Calla · Skunk Cabbage, Yellow Skunk Cabbage · Arum bananier | ♃ ~ IV-V; Kamchat., Alaska, Can., USA: NW, Calif., Rocky Mts.
- **camtschatcensis** (L.) Schott · Weiße Schein-Calla · Faux-arum blanc | ♃ ~ V-VI; Jap., Kuril., Sachal., Kamchat., Amur
- *japonicus* Schott = Lysichiton americanus

Lysimachia L. -f- *Primulaceae* · Felberich
- **barystachys** Bunge | ♃ VII-VIII; Jap., Korea, Manch., N-China
- **ciliata** L. · Fringed Loosestrife · Lysimaque ciliée | ♃ ~ VII-VIII; Can., USA* exc. Calif., SC
- **clethroides** Duby · Entenschnabel-Felberich · Gooseneck Loosestrife · Lysimaque à feuilles de cléthra | ♃ VI-VII; China, Jap., Indochina
- **congestiflora** Hemsl. | ♃ ⓚ ⌇ ⇝ V-IX; China
- **ephemerum** L. · Lysimaque éphémère | ♃ VI-IX ∧; Eur.: Ib, F
- **fortunei** Maxim. | ♃ ✂ VII-VIII; China, Korea, Jap., Taiwan
- **japonica** Thunb. | ♃; Jap., China, Taiwan, Malay. Arch.
- *monnieri* L. = Bacopa monnieri
- **nemorum** L. · Hain-Gilbweiderich · Wood Pimpernel, Yellow Pimpernel · Lysimaque des bois | ♃ ⇝ V-VII; Eur.*
- **nummularia** L. · Pfennig-Gilbweiderich, Pfennigkraut · Creeping Jenny · Lysimaque nummulaire | ♃ ⇝ V-VII; Eur.*, TR, Cauc., nat. in N-Am.
- **punctata** L. · Punktierter Gilbweiderich · Dotted Loosestrife · Lysimaque ponctuée | ♃ ~ VI-VIII; Eur.: A, Ap, Ba, EC-Eur.E-Eur.; TR, Cauc., nat. in Brl, Sc, Fr, N-Am.
- **thyrsiflora** L. · Straußblütiger Gilbweiderich · Tufted Loosestrife · Lysimaque à fleurs en thyrse | ♃ ~ V-VII; Eur.* exc. Ib, Ap; W-Sib., E-Sib., Amur, Sachal., Kamchat., C-As., Mong., China, Alaska, Can., USA: NE, NCE, NC, Rocky Mts., NW, Calif.
- **vulgaris** L. · Gewöhnlicher Gilbweiderich · Loosestrife, Yellow Loosestrife · Lysimaque commune | ♃ ~ VI-VIII; Eur.*, TR, Iraq, Cauc., Iran, W-Sib., E-Sib., C-As., Him., China, Jap., NW-Afr., Can.: E; USA: NE, NCE
  - var. **davurica** (Ledeb.) R. Knuth | ♃; Jap., E-As.

Lythrum L. -n- *Lythraceae* · Weiderich
- **alatum** Pursh · Winged Loosetrife | ♃ ~ VI-VIII; Can.; USA: NE, NCE, NC, SE, SC, Rocky Mts.
- **hyssopifolia** L. · Ysopblättriger Weiderich | VII-IX; Eur.* exc. Sc; TR, Levante, Cauc., W-Sib., C-As., N-Afr, nat. in Sc, S-Afr., C-Am., Austr., NZ
- **salicaria** L. · Blut-Weiderich · Purple Loosestrife, Spiked Loosestrife | ♃ VII-VIII; Eur.*, TR, Syr., Palaest., Cauc., Iran, W-Sib., E-Sib., Amur, Sachal., Mong., Tibet, Him., Korea, China, Korea, Jap., NW-Afr., Austr., Tasman., nat. in N-Am.
- **virgatum** L. · Ruten-Blutweiderich · Loosestrife | ♃ ~ VI-VIII; Eur.: C-Eur., EC-Eur., Ba, Ap, E-Eur., nat. in Fr

Lytocaryum Toledo -n- *Arecaceae*

– **weddellianum** (H. Wendl.) Toledo · Weddel Palm | ⌂W; trop. Bras.

Maackia Rupr. -f- *Fabaceae*
– **amurensis** Rupr. et Maxim. · Asiatisches Gelbholz · Amur Maackia · Maackia de l'Amour | ♄ VII-VIII; Amur, China, Manch., Korea, Jap., Taiwan
 - var. **buergeri** (Maxim.) C.K. Schneid. | ♄ VII-VIII; Jap.
– **chinensis** Takeda | ♄ VII-VIII; C-China: Hupeh

Macadamia F. Muell. -f- *Proteaceae*
– **integrifolia** Maiden et Betche · Queenslandnuss | ♄ Ⓝ; Austr.: Queensl.
– **ternifolia** F. Muell. · Macadamia, Queensland Nut | ♄ ⌂K Ⓝ; Austr.: Queensl., N.S.Wales
– **tetraphylla** L.A.S. Johnson · Queensland Nut, Rough Shell Macadamia | ♄ ⌂K Ⓝ; Austr.: Queensl., N.S.Wales

Macfadyena A. DC. -f- *Bignoniaceae*
– **unguis-cati** (L.) A.H. Gentry · Cat's Claw | ♄ ⌂K ≷; Mex.: Yucatan; Guat., Arg.

Machaerocereus Britton et Rose -m- *Cactaceae*
– **eruca** (Brandegee) Britton et Rose | ♄ ♆ ⌂K ⇝; Mex.: Baja Calif.

Machairophyllum Schwantes -n- *Aizoaceae*
– **acuminatum** L. Bolus | ♆ ⌂K; Kap

Mackaya Harv. -f- *Acanthaceae*
– **bella** Harv. | ♄ ⌂W VI-VIII; S-Afr.

Macleania Hook. -f- *Ericaceae*
– **angulata** Hook. | ♄ ⌂K VII-VIII; Peru
– **cordifolia** Benth. | ♄ ⌂K III-IV; Ecuad., Peru
– **insignis** M. Martens et Galeotti | ♄ ⌂K VII-VIII; Mex., Guat., Hond.
– **longiflora** Lindl.
– **ovata** Klotzsch | ♄ ⌂K; Costa Rica, Panama
– **pulchra** Hook. f.
– **punctata** Hook.

Macleaya R. Br. -f- *Papaveraceae* · Federmohn
– **cordata** (Willd.) R. Br. · Weißer Federmohn · Plume Poppy · Boconie à feuilles en coeur | ♃ VII-VIII; Jap., China, Taiwan
 - var. **thunbergii** (Miq.) Miq.
 - var. *yedoensis* (André) Fedde = Macleaya cordata
– × **kewensis** Turrill (*M. cordata* × *M. microcarpa*)
– **microcarpa** (Maxim.) Fedde · Ockerfarbiger Federmohn · Boconie à petits fruits | ♃ VII-VIII; China: Kansu, Schansi

× **Macludrania** André -f- *Moraceae*
– **hybrida** André (*Cudrania tricuspidata* × *Maclura pomifera*) | ♄; cult.

Maclura Nutt. -f- *Moraceae* · Osagedorn
– **pomifera** (Raf.) C.K. Schneid. · Osagedorn · Osage Orange · Oranger des Osages | ♄ ♧ Ⓝ; USA: Ark., SC, nat. in e N-Am.
– *tinctoria* D. Don ex Steud. = Chlorophora tinctoria

Macodes (Blume) Lindl. -f- *Orchidaceae*
– *marmorata* Blume = Dossinia marmorata
– **petola** (Blume) Lindl. | ♃ ⌂W ✻; Malay. Arch., Phil.

Macrodiervilla Nakai -f- *Caprifoliaceae*
– **middendorfiana** (Trautv. et C.A. Mey.) Nakai; E-As.

Macropidia J.L. Drumm. ex Harv. -f- *Haemodoraceae*
– **fumosa** J.R. Drumm. ex Harv. | ♃ ⌂K V-VI ✻; W-Austr.

Macroplectrum = Angraecum Bory
– *sesquipedale* (Thouars) Pfitzer = Angraecum sesquipedale

Macroptilium (Benth.) Urb. *Fabaceae*
– **atropurpureum** (DC.) Urb. | ♃ Ⓝ; USA:Tex., N.Mex., Mex., C-Am., Col., Ecuad. Peru, Arg.

Macrotyloma (Wight et Arn.) Verdc. -f- *Fabaceae*
– **geocarpum** (Harms) Maréchal et Baudet · Erdbohne, Kandelbohne | Ⓝ; W-Afr.
– **uniflorum** (Lam.) Verdc. · Pferdebohne | Ⓝ; Ind, Sri Lanka, Myanmar, nat. in SE-As., Afr.

Macrozamia Miq. -f- *Zamiaceae*
- **communis** L.A.S. Johnson · Burrawang | ⌂ ✻ ☠; Austr.: N.S.Wales
- *denisonii* C. Moore et F. Muell. = Lepidozamia peroffskyana
- **miquelii** (F. Muell.) A. DC. | ⌂ ✻; Austr.: Queensl., N.S.Wales
- **moorei** F. Muell. | ♄; Austr.: Queensl., N.S.Wales
- **pauli-guilielmi** W. Hill et F. Muell. | ⌂ ✻ ☠; Austr.: Queensl.
- *peroffskyana* (Regel) Miq. = Lepidozamia peroffskyana
- **riedlei** (Fisch. ex Gaudich.) Gardner | ♄; Austr.: W-Austr.
- **spiralis** (Salisb.) Miq. | ⌂ ✻ ☠; Austr.: N.S.Wales
- *tridentata* (Willd.) Regel = Macrozamia spiralis

Maddenia Hook.f. et Thomson -f- *Rosaceae*
- **hypoleuca** Koehne | ♄ ♄; C-China, W-China

Madhuca Ham. ex J.F. Gmel. -f- *Sapotaceae*
- *butyracea* (Roxb.) MacBryde = Diploknema butyracea
- **longifolia** (J. König) J.F. Macbr. · Mowra Butter | ♄ ⌂ Ⓝ; Ind., Sri Lanka, Myanmar

Madia Molina -f- *Asteraceae*
- **capitata** Nutt.
- **elegans** D. Don ex Lindl. · Common Tarweed | ⊙ VII-VIII; USA: NW, Calif.; Baja Calif.
- **sativa** Molina · Madie · Chilean Oil Plant, Chilean Tarweed, Tarplant | ⊙ VII-VIII Ⓝ; USA: NW, Calif.; Chile

Magnolia L. -f- *Magnoliaceae* · Magnolie
- **acuminata** (L.) L. · Gurken-Magnolie · Cucumber Tree · Arbre aux concombres, Magnolia à feuilles acuminées | ♄ V-VI Ⓝ; Ont., USA: NE, NCE, SE, Okla.
  - var. *cordata* (Michx.) Sarg. = Magnolia acuminata var. subcordata
  - var. **subcordata** (Spach) Dandy · Yellow Cucumber Tree | ♄ V-VI; USA: N.C, S.C., Ga.
- **biondii** Pamp. | ♄; C-China
- × **brooklynensis** Kalmb. (*M. acuminata* × *M. liliiflora*)
- **campbellii** Hook. f. et Thomson · Campbell Magnolia, Pink Tulip Tree | ♄; Him.: Nepal; Myanmar, SW-China
- *conspicua* Salisb. = Magnolia denudata
- *cordata* Michx. = Magnolia acuminata var. subcordata
- **cylindrica** E.H. Wilson | ♄ IV-V; China: Anhwei
- **dawsoniana** Rehder et E.H. Wilson | ♄ ♄; W-China, Sikiang
- **denudata** Desr. · Yulan-Magnolie · Lily Tree, Yulan · Magnolia dénudé | ♄ ♄ III-IV; C-China
- **fraseri** Walter · Berg-Magnolie · Ear Leaved Magnolia | ♄ V-VI; USA: Va., Ky., SE
- *glauca* L. = Magnolia virginiana
- *gracilis* Salisb. = Magnolia liliiflora 'Gracilis'
- **grandiflora** L. · Immergrüne Magnolie · Bull Bay, Evergreen Magnolia, Southern Magnolia · Magnolia à grandes fleurs | ♄ Ⓚ D VI-VIII Ⓝ; USA: SE, Tex., Fla.
- *heptapeta* (Buc'hoz) Dandy = Magnolia denudata
- × *highdownensis* Dandy = Magnolia wilsonii
- **hypoleuca** Siebold et Zucc. · Honoki-Magnolie · Big Leaved Magnolia · Magnolia du Japon | ♄ D V-VI ∧; Jap.
- × **kewensis** Pearce (*M. kobus* × *M. salicifolia*)
- **kobus** DC. · Kobushi-Magnolie · Kobus Magnolia · Magnolia de Kobé | ♄ IV-V; Jap.
  - **'Borealis'** | ♄ IV-V; Jap., Korea
  - var. *borealis* Sarg. = Magnolia kobus 'Borealis'
  - var. *loebneri* (Kache) Spongberg = Magnolia × loebneri
  - var. *stellata* (Siebold et Zucc.) Blackburn = Magnolia stellata
- **liliiflora** Desr. · Purpur-Magnolie · Magnolia pourpre | ♄ V; C-China
  - **'Gracilis'**
- × **loebneri** Kache (*M. kobus* × *M. stellata*) | ♄ IV; cult.
- **macrophylla** Michx. · Großblättrige Magnolie · Bigleaf Cucumber Tree | ♄ D VI-VIII ∧; USA: Ohio, W.Va., Ky., SE, Fla.
- *obovata* Thunb. = Magnolia hypoleuca
  - var. *purpurea* (Curtis) Sweet = Magnolia liliiflora
- **officinalis** Rehder et E.H. Wilson | ♄; W-

China, C-China
- *parviflora* Siebold et Zucc. non Blume = Magnolia sieboldii
- *precia* Corrêa ex Vent. = Magnolia denudata
- × **proctoriana** Rehder (*M. salicifolia* × *M. stellata*)
- *purpurea* Curtis = Magnolia liliiflora
- *quinquepeta* (Buc'hoz) Dandy = Magnolia liliiflora
- **salicifolia** (Siebold et Zucc.) Maxim. · Weidenblättrige Magnolie · Anise Magnolia, Willow Leafed Magnolia · Magnolia à feuilles de saule | ħ ħ D IV-V ∧; Jap.
- **sargentiana** Rehder et E.H. Wilson | ħ IV-V; W-China: Yunnan, Sichuan, Sikiang
  - var. **robusta** Rehder et E.H. Wilson | ħ III-IV; China: W-Sichuan
- **sieboldii** K. Koch · Siebolds Magnolie · Siebold Magnolia · Magnolia de Siebold | ħ ħ D VI-VII ∧; Jap., Korea
  - subsp. *sinensis* (Rehder et E.H. Wilson) Spongberg = Magnolia sinensis
- **sinensis** (Rehder et E.H. Wilson) Stapf | ħ Ⓚ D VI ∧; Sichuan
- × **soulangiana** Soul.-Bod. (*M. denudata* × *M. liliiflora*) · Tulpen-Magnolie · Lenne's Magnolia · Magnolia de Soulange | ħ IV-V; cult.
- **sprengeri** Pamp. | ħ; C-China
- **stellata** (Siebold et Zucc.) Maxim. Stern-Magnolie · Star Magnolia · Magnolia étoilé | ħ D III-IV; Jap.
- × **thompsoniana** (Loudon) de Vos (*M. tripetala* × *M. virginiana*) | ħ VI-VII; cult.
- *tomentosa* Thunb. = Magnolia stellata
- **tripetala** L. · Schirm-Magnolie · Magnolia parasol | ħ D VI-VII; USA: NE, NCE, SE, Okla.
- *umbrella* Desr. = Magnolia tripetala
- × **veitchii** Bean (*M. campbellii* × *M. denudata*) · Veitch Magnolia ; cult.
- **virginiana** L. · Sumpf-Magnolie · Laurel, Sweet Bay | ħ ħ D VI ∧ Ⓝ; USA: NE, SE, Fla., SC
- × *watsonii* Hook. f. = Magnolia × wieseneri
- × **wieseneri** Carrière (*M. hypoleuca* × *M. sieboldii*) · Wiesners Magnolie | ħ D VI-VIII; cult.
- **wilsonii** (Finet et Gagnep.) Rehder · Wilsons Magnolie · Wilson Magnolia · Magnolia de Wilson | ħ ħ VI; China: Sichuan, Yunnan, Kansu
- *yulan* Desf. = Magnolia denudata
- **Cultivars**
  - **'Charles Coates'** hort. | ħ; cult.

Magydaris W.D.J. Koch ex DC. -f- *Apiaceae*
- **pastinacea** (Lam.) Paol. | ♃ Ⓚ ✂; Eur.: S-I, Sard., Sic.

Mahernia = Hermannia L.
- *verticillata* L. = Hermannia verticillata

× **Mahoberberis** C.K. Schneid. -f- *Berberidaceae*
- **aquicandidula** Krüssm. (*Berberis candidula* × *Mahonia aquifolium*)
- **aquisargentii** Krüssm. (*Berberis sargentiana* × *Mahonia aquifolium*) | ħ; cult.
- **neubertii** (Baumann ex Lem.) C.K. Schneid. (*Berberis vulgaris* × *Mahonia aquifolium*) | ħ; cult.

Mahonia Nutt. -f- *Berberidaceae* · Mahonie
- **acanthifolia** Wall. ex G. Don | ħ Ⓚ IX-II; Him., SW-China
- **aquifolium** (Pursh) Nutt. · Gewöhnliche Mahonie · Oregon Grape · Mahonia faux-houx | ħ IV-V; B.C., USA: NW, nat. in F
- **bealei** (Fortune) Carrière · Beals Mahonie · Leatherleaf Mahonia · Mahonia de Beal | ħ Ⓚ D II-V ∧; China: Hupeh
- **eutriphylla** Fedde | ħ; Mex.
- *fascicularis* DC. = Mahonia pinnata
- **fortunei** (Lindl.) Fedde · Fortune Mahonia | ħ Ⓚ V; China: Hupeh, Sichuan
- **fremontii** (Torr.) Fedde · Holly Grape, Oregon Grape | ħ Ⓚ D VI; USA: Calif., Nev., Utah, Colo., SW
- × **heterophylla** (Zabel) C.K. Schneid. (*M. aquifolium* × *M. fortunei*) | ħ; orig. ?
- **japonica** (Thunb. ex Murray) DC. · Japanische Mahonie · Japanese Mahonia · Mahonia du Japon | ħ D II-V ∧; cult.
  - *'Bealei'* = Mahonia bealei
- **lomariifolia** Takeda | ħ Ⓚ D XI-III; Myanmar, W-China
- × **media** C.D. Brickell (*M. japonica* × *M. lomariifolia*) | ħ Ⓚ IX-III; cult.
- **napaulensis** DC. | ħ Ⓚ III-IV; Nepal
- **nervosa** (Pursh) Nutt. · Nervige Mahonie · Longleaf Hollygrape | ħ IV-V ∧; Can.:

B.C.; USA: NW, Calif.
– **pinnata** (Lag.) Fedde · Fiederblättrige Mahonie · Cluster Hollygrape | ♄ Ⓚ V ∧; USA: Oreg., Calif.; Mex.: Baja Calif.
– **piperiana** Abrams | ♄ III-IV; N-Calif., Oreg.
– **pumila** (Greene) Fedde | ♄; USA: Oreg., Calif.
– **repens** (Lindl.) G. Don · Kriechende Mahonie · Creeping Mahonia · Mahonia rampant | ♄ V; Can.: W; USA: NW, Calif., Rocky Mts., SW, NC
– × **wagneri** (Jouin) Rehder (*M. aquifolium* × *M. pinnata*) | ♄; cult.

Maianthemum Weber -n- *Convallariaceae* · Schattenblume
– **bifolium** (L.) F.W. Schmidt · Zweiblättriges Schattenblümchen · May Lily · Maïanthème à deux feuilles | ♃ V ☠; Eur.*, W-Sib., E-Sib., Amur, Sachal., Kamchat., Mong., N-Jap.

Maihuenia (F.A.C. Weber) K. Schum. -f- *Cactaceae*
– **patagonica** (Phil.) Britton et Rose | ♄ Ψ Ⓚ ✻; Arg.: Patag.
– **poeppigii** (Pfeiff.) K. Schum. | ♄ Ψ Ⓚ ✻; S-Chile

Majorana = Origanum L.
– *hortensis* Moench = Origanum majorana
– *onites* (L.) Benth. = Origanum onites

Malachium = Stellaria L.
– *aquaticum* (L.) Fr. = Stellaria aquatica

Malachra L. -f- *Malvaceae*
– **capitata** L. | ♃ Ⓝ; C-Am., S-Am., W-Afr., nat. in Trop.

Malacocarpus Fisch. et C.A. Mey. -m- *Zygophyllaceae*
– *erinaceus* (Haw.) Lem. ex C.F. Först. = Notocactus erinaceus
– *maasii* (Heese) Britton et Rose = Parodia maassii
– *vorwerkianus* (Werderm.) Backeb. = Notocactus erinaceus

Malaxis Sol. ex Sw. -f- *Orchidaceae*
– **discolor** (Lindl.) Kuntze | ♃ Ⓦ VII ✻; Sri Lanka
– **metallica** (Rchb. f.) Kuntze | ♃ Ⓦ V ✻; Kalimantan

– **monophyllos** (L.) Sw. · Einblattorchis, Kleinblütiges Einblatt | ♃ VI-VII; Eur.: Ap, C-Eur., EC-Eur., Ba, E-Eur., Sc; W-Sib., E-Sib., Amur, Sachal., Kamchat., Mong., China, Jap., N-Am.

Malcolmia R. Br. -f- *Brassicaceae*
– **africana** (L.) R. Br. · Afrikanische Meerviole | VI-VII; Eur.: Sp., Sic., GR, Crete, Krim, W-Russ; TR, Levante, Cauc., Iran, W-Sib., C-As., China: Sinkiang, Nw-Afr., Libya, nat. in F, EC-Eur.
– *bicolor* Boiss. et Heldr. = Malcolmia graeca subsp. bicolor
– **graeca** Boiss. et Spruner
  - subsp. **bicolor** (Boiss. et Heldr.) Stork | ⊙ VI-IX; GR, S-AL
– **maritima** (L.) R. Br. · Virginia Stock, Virginian Stock | ⊙ VI-IX; Eur.: S-AL, GR, nat. in Ib, Fr, Ap, Ba

Malephora N.E. Br. -f- *Aizoaceae*
– **engleriana** (Dinter et A. Berger) Schwantes | ♄ Ⓚ; Namibia

Mallotus Lour. -m- *Euphorbiaceae*
– **philippensis** (Lam.) Müll. Arg. · Mallotus | ♄ ♄ Ⓚ Off. Ⓝ; Ind., Sri Lanka, Myanmar, China, Malay. Arch., Austr.

Malope L. -f- *Malvaceae*
– **trifida** Cav. | ⊙ VII-X; S-P, SW-Sp., Maroc.

Malpighia L. -f- *Malpighiaceae*
– **coccigera** L. | ♄ Ⓦ VI-VIII; W.Ind.
– **glabra** L. · Barbados Cherry | ♄ Ⓦ III-IX Ⓝ; USA: Tex.; W-Ind., n S-Am.
– **mexicana** Juss. | ♄ Ⓦ Ⓝ; Mex.
– **punicifolia** L. · Barbados Cherry | ♄ Ⓦ VII Ⓝ; Tex., Mex., W.Ind., trop. S-Am.
– **urens** L. · Cow Itch Cherry | ♄ Ⓦ Ⓝ; W.Ind.

Malus Mill. -f- *Rosaceae* · Apfelbaum
– × **adstringens** Zabel (*M. baccata* × *M. pumila*) ; cult.
– **angustifolia** (Aiton) Michx. · Schmalblättriger Apfel · Southern Crabapple, Southern Crab | ♄ ♄ D IV-V; USA: NE, NCE, SE, Fla.
– × **arnoldiana** (Rehder) Sarg. (*M. baccata* × *M. floribunda*) | ♄ V; cult.

– × **atrosanguinea** (Späth) C.K. Schneid. (*M. halliana* × *M. sieboldii*) | ₺ ♄ V
– **baccata** (L.) Borkh. · Beeren-Apfel · Siberian Crab, Siberian Crabapple · Pommier à petits fruits | ♄ ♧ IV-V; N-China, Manch., Korea, Jap., Sachal.
  - var. **mandshurica** (Maxim.) C.K. Schneid. | ♄ ₺ ♧ D ♧ IV-V; Amur, China, Korea, Jap., Sachal.
– *communis* Poir. = Malus sylvestris
– **coronaria** (L.) Mill. · Kronen-Apfel · Crabapple, Sweet Crab Apple | ₺ D V; Can.: Ont.; USA: NE, NCE, NC, SE
– *crataegifolia* (Savi) Koehne = Malus florentina
– **dasyphylla** Borkh. · Filz-Apfel | ₺ V; Eur.: A, Ba, RO
– **domestica** Borkh. · Kultur-Apfel · Apple · Pommier commun | ♄ ♄ IV-V Ⓝ; cult.
– **eleyi** hort. ex Pollanetz (*M. pumila 'Niedzwetzkyana'* × *M. spectabilis*)
– **florentina** (Zuccagni) C.K. Schneid. · Italienischer Apfel · Hawthorn Leaved Crab Apple | ₺ V-VI; Eur.: I, Ba
– **floribunda** Siebold ex Van Houtte · Vielblütiger Apfel · Japanese Crab | ♄ ₺ ♧ V; cult. Jap.
– **fusca** (Raf.) C.K. Schneid. · Alaska-Apfel | ₺ ♄ V; Alaska, Can.: W; USA:NW, Calif.
– **halliana** Koehne · Halls Apfel · Hall's Crabapple | ♄ V-VI; cult. China, Jap.
– × **hartwigii** Koehne (*M. baccata* × *M. halliana*) | ₺ ♄; cult.
– **hupehensis** (Pamp.) Rehder · Tee-Apfel · Tea Crabapple · Pommier du Hou-Pei | ♄ ₺ D IV-V; China, N-Ind.
– **ioensis** (A. Wood) Britton · Prärie-Apfel · Prairie Crab, Wild Crabapple | ₺ D V-VI; USA: NCE, NC, SC, Ark.
– **kansuensis** (Batalin) C.K. Schneid. · Kansu-Apfel | ♄ ₺ V; NW-China
  - fo. **calva** Rehder | ₺ ♄; NW-China
– × **magdeburgensis** Hartwig | ₺ ♄ V; cult.
– × **micromalus** Makino | ₺ ♄ V; cult. Jap.
– × **moerlandsii** Door. | ₺ ♄ V; cult.
– *niedzwetzkyana* Dieck = Malus pumila 'Niedzwetzkyana'
– **prattii** (Hemsl.) C.K. Schneid. · Pommier de Pratt | ♄ ₺ V; W-China, C-China
– **prunifolia** (Willd.) Borkh. · Kirsch-Apfel · Pommier à feuilles de prunus | ₺ IV Ⓝ; cult. ? NE-As.
  - var. **rinkii** (Koidz.) Rehder | ₺ IV Ⓝ; cult. E-As.
– **pumila** Mill. · Apple, Paradise Apple ; Eur.: CH, N-Ba +
  - var. **paradisiaca** (L.) C.K. Schneid. · Paradies-Apfel | ♄ ₺ V Ⓝ; Eur.: Ba; W-As.
  - **'Niedzwetzkyana'**
– × **purpurea** (Barbier) Rehder (*M. pumila 'Niedzwetzkyana'* × *M.* × *atrosanguinea*) | IV-V; cult.
– *ringo* Siebold ex Dippel = Malus prunifolia var. rinkii
– × **robusta** (Carriére) Rehder (*M. baccata* × *M. prunifolia*) · Crabapples, Siberian Crab | ₺ ♄ IV-V; cult.
– **sargentii** Rehder · Sargent Crabapple | ♄ ♧ V; N-Jap.
– × **schiedeckeri** Späth ex Zabel (*M. floribunda* × *M. prunifolia*) | ₺ V; cult.
– *sempervirens* Desf. = Malus angustifolia
– *sieboldii* (Regel) Rehder = Malus toringo
– **sieboldii** (Rehder) Fiala | ₺ V; Jap.
  - **'Calocarpa'** Rehder | ♄ V; Jap.
– **sieversii** (Ledeb.) M. Roem. | ₺ V Ⓝ; C-As.
– **spectabilis** (Aiton) Borkh. · Pracht-Apfel · Asiatic Apple, Chinese Crab | ♄ ₺ IV-V; cult. China
– **sylvestris** (L.) Mill. · Holz-Apfel, Wild-Apfel · Apple, Wild Crab · Pommier sauvage | ₺ ♄ V Ⓝ; Eur.*, TR, Cauc., N-Iran
  - subsp. *mitis* (Wallr.) Mansf. = Malus pumila
  - var. *domestica* (Borkh.) Mansf. = Malus domestica
  - var. *paradisiaca* (L.) L.H. Bailey = Malus pumila var. paradisiaca
– *theifera* Rehder = Malus hupehensis
– **toringo** (Siebold) Siebold ex de Vriese · Toringo-Apfel · Toringo Crab ; Korea, Jap.
  - var. *sargentii* (Rehder) C.K. Schneid. = Malus sargentii
– **toringoides** (Rehder) Hughes · Chinesischer Apfel · Cutleaf Crabapple | ♄ ₺ ♧ V; NW-China
– **transitoria** (Batalin) C.K. Schneid. | ♄ ₺ ♧ V; NW-China
  - var. *toringoides* Rehder = Malus toringoides
– **trilobata** (Labill.) C.K. Schneid. · Dreilappiger Apfel | ♄ ₺; Eur.: N-GR; Lebanon, Syr., Israel, nat. in BG
– **tschonoskii** (Maxim.) C.K. Schneid. · Wolliger Apfel · Pillar Apple · Pommier

de Sukawa, Pommier-colonne | ♄ V; Jap.
- **yunnanensis** (Franch.) C.K. Schneid. · Yunnan-Apfel · Yunnan Crabapple | ♄ V; W-China
  - var. **veitchii** Rehder | ♄ V; C-China
- × *zumi* (Matsum.) Rehder = Malus sieboldii
- **Cultivars**
  - *'Kaido'* = Malus × micromalus

Malva L. -f- *Malvaceae* · Malve
- **alcea** L. · Rosen-Malve, Sigmarskraut · Cut Leaved Mallow · Mauve alcée | ♃ X-IX; Eur.*
- *capensis* L. = Anisodontea capensis
- *crispa* L. = Malva verticillata
- *involucrata* Torr. et A. Gray = Callirhoe involucrata
- *mauritiana* L. = Malva sylvestris
- *meluca* Graebn. ex Medw. = Malva verticillata
- **moschata** L. · Moschus-Malve · Musk Mallow · Mauve musquée | ♃ X-IX; Eur.* exc. Sc; W-TR, nat. in Sc, ne N-Am.
- *munroana* Douglas ex Lindl. = Sphaeralcea munroana
- **neglecta** Wallr. · Käsepappel, Weg-Malve · Common Mallow | ⊙ ⊙ Off. X-IX; Eur.*, TR, Levante, Cauc., Iran, C-As., Mong., Tibet, Him., W-China, N-China, Maroc., Alger., nat. in N-Am., Chile, Austr.
- **nicaeenesis** All. · Nizzäische Käsepappel ; Eur.: Ib, Fr, Ap, Ba, Krim; TR, Levante, Iran, N-Afr.
- *papaver* Cav. = Callirhoe papaver
- *pedata* Torr. et A. Gray = Callirhoe leiocarpa
- **pusilla** Sm. · Kleinblütige Malve | VI-IX; Eur.* exc. BrI, Ib; Cauc., NW-Iran, nat. in BrI
- **sylvestris** L. · Wilde Malve · Blue Mallow, High Mallow | ⊙ ⊙ ♃ Off. X-IX Ⓝ; Eur.*, TR, Levante, Cauc., C-As, Him., N-Afr., nat. in N-Am., Austr., NZ, S-Am.
  - var. **mauritiana** (L.) Boiss. ex Cout.
- *umbellata* Cav. = Phymosia umbellata
- **verticillata** L. · Quirl-Malve · Curled Mallow | ⊙ VII-IX Ⓝ; Pakist., Him., Ind , China, nat. in Eur.* exc. Sc, Ib
  - **'Crispa'** L.

Malvastrum A. Gray -n- *Malvaceae*
- *capense* (L.) Garcke = Anisodontea capensis
- *munroanum* (Douglas ex Lindl.) A. Gray = Sphaeralcea munroana

Malvaviscus Fabr. -m- *Malvaceae* · Beerenmalve
- **arboreus** Cav. · Wax Mallow | ♄ Ⓦ XII-II; Mex., C-Am., trop. S-Am.
- *mollis* (Aiton) DC. = Malvaviscus arboreus

Mamillopsis = Mammillaria Haw.
- *senilis* (G. Lodd.) F.A.C. Weber = Mammillaria senilis

Mammea L. -f- *Clusiaceae*
- **americana** L. · Mammee Apple | ♄ Ⓦ Ⓝ; C-Am., W.Ind., trop. S-Am.

Mammillaria Haw. -f- *Cactaceae* · Warzenkaktus
- *alamensis* R.T. Craig = Mammillaria sheldonii
- **albicans** (Britton et Rose) A. Berger | ♆ Ⓚ ✻; Mex.: Baja Calif.
- **albicoma** Boed. | ♆ Ⓚ ✻; C-Mex.
- **albilanata** Backeb. | ♆ Ⓚ ✻; Mex.: Guerrero
- *applanata* Engelm. = Mammillaria heyderi
- *atroflorens* Backeb. = Mammillaria mystax
- *aureiceps* Lem. = Mammillaria rhodantha
- **aureilanata** Backeb. | ♆ Ⓚ ✻; Mex.
- *aureoviridis* Heinrich = Mammillaria aurihamata
- **aurihamata** Boed. | ♆ Ⓚ ✻; C-Mex.
- **bachmannii** Boed. ex A. Berger | ♆ Ⓚ ✻; Mex.
- *balsasoides* R.T. Craig = Mammillaria beneckei
- **baumii** Boed. | ♆ Ⓚ ✻; NE-Mex.
- **beneckei** C. Ehrenb. | ♆ Ⓚ ✻; W-Mex.
- **blossfeldiana** Boed. | ♆ Ⓚ ✻; Mex.: Baja Calif.
- **bocasana** Poselg. · Powder Puff Cactus | ♆ Ⓚ ✻; Mex.: San Luis Potosí
- **bocensis** R.T. Craig | ♆ Ⓚ ✻; Mex.
- **bombycina** Quehl | ♆ Ⓚ ✻; C-Mex.
- **brandegeei** (J.M. Coult.) K. Brandegee | ♆ Ⓚ ✻; Mex.: Baja Calif.
- **brauneana** Boed. | ♆ Ⓚ ✻; Mex.: Tamaulipas
- **bravoae** R.T. Craig | ♆ Ⓚ ✻; Mex.

- *bucareliensis* R.T. Craig = Mammillaria magnimamma
- *caerulea* R.T. Craig = Mammillaria chionocephala
- **calacantha** Tiegel | Ψ Ⓚ ✻; Mex.: Guanajuato, Queretaro
- **camptotricha** Dams | Ψ Ⓚ ✻; C-Mex.
- **candida** Scheidw. | Ψ Ⓚ ✻; Mex.
- *caput-medusae* Otto = Mammillaria sempervivi var. caput-medusae
- **carnea** Zucc. | Ψ Ⓚ ✻; S-Mex.
- **carretii** Rebut ex K. Schum. | Ψ Ⓚ ✻; Mex.: Coahuila
- *celsiana* auct. non Lem. = Mammillaria muehlenpfordtii
- *centricirrha* Lem. = Mammillaria magnimamma
- *cephalophora* Quehl non Salm-Dyck = Mammillaria aureilanata
- **chionocephala** J.A. Purpus | Ψ Ⓚ ✻; NE-Mex.
- *collina* J.A. Purpus = Mammillaria haageana
- **columbiana** Salm-Dyck | Ψ Ⓚ ✻; Mex.
- **compressa** DC. | Ψ Ⓚ ✻; Mex.
- *confusa* (Britton et Rose) Orcutt = Mammillaria karwinskiana
- *conoidea* DC. = Neolloydia conoidea
- *conzattii* (Britton et Rose) Orcutt = Mammillaria karwinskiana
- *crinita* DC. = Mammillaria wildii
- *crispiseta* R.T. Craig = Mammillaria mystax
- *dasyacantha* (D.R. Hunt) Repp. = Escobaria dasyacantha
- *dealbata* A. Dietr. = Mammillaria haageana
- **densispina** (J.M. Coult.) Orcutt | Ψ Ⓚ ✻; C-Mex.
- **dioica** K. Brandegee | Ψ Ⓚ ✻; S-Calif., Baja Calif.
- *disciformis* DC. = Strombocactus disciformis
- **discolor** Haw. | Ψ Ⓚ ✻; Mex.: Puebla
- *droegeana* Hildm. ex Repp. = Mammillaria microhelia
- *dumetorum* J.A. Purpus = Mammillaria schiedeana
- *durispina* Boed. = Mammillaria kewensis
- **eichlamii** Quehl | Ψ Ⓚ ✻; Guat., Hond.
- *elegans* hort. = Mammillaria haageana
  - var. *haageana* (Pfeiff.) Krainz = Mammillaria haageana
- **elongata** DC. | Ψ Ⓚ ✻; C-Mex.
- *emskoetteriana* Quehl = Escobaria emskoetteriana
- *erectohamata* Boed. = Mammillaria aurihamata
- **eriacantha** Pfeiff. | Ψ Ⓚ ✻; Mex.: Veracruz
- **erythrosperma** Boed. | Ψ Ⓚ ✻; Mex.: San Luis Potosí
- *esperanzaensis* Boed. = Mammillaria discolor
- *essausieri* hort. = Mammillaria densispina
- *estanzuelensis* H. Möller = Mammillaria candida
- *euthele* Backeb. = Mammillaria melanocentra
- *felicis* Schreier = Mammillaria voburnensis
- *fischeri* Pfeiff. = Mammillaria karwinskiana
- *fissurata* Engelm. = Ariocarpus fissuratus
- *flavescens* (DC.) Haw. = Mammillaria nivosa
- *flavovirens* Salm-Dyck = Mammillaria magnimamma
- **formosa** Galeotti ex Scheidw. | Ψ Ⓚ ✻; C-Mex.
- **fraileana** (Britton et Rose) Boed. | Ψ Ⓚ ✻; Mex.: Baja Calif.
- *fuauxiana* Backeb. = Mammillaria albilanata
- *fuscata* Link et Otto = Mammillaria rhodantha
- **geminispina** Haw. | Ψ Ⓚ ✻; C-Mex.
- *gladiata* Mart. = Mammillaria magnimamma
- *glauca* A. Dietr. ex Linke = Mammillaria magnimamma
- *glochidiata* Mart. = Mammillaria wildii
- **gracilis** Pfeiff. | Ψ Ⓚ ✻; C-Mex.
- *graessneriana* Boed. = Mammillaria columbiana
- **guelzowiana** Werderm. | Ψ Ⓚ ✻; N-Mex.: Durango
- *gummifera* Engelm. = Mammillaria heyderi
- **haageana** Pfeiff. | Ψ Ⓚ ✻; Mex.
  - var. **schmollii** (R.T. Craig) D.R. Hunt | Ψ Ⓚ ✻; C-Mex.
- **hahniana** Werderm. | Ψ Ⓚ ✻; Mex.: Guanajuato
- **halei** K. Brandegee | Ψ Ⓚ ✻; Mex.: Baja Calif.
- *hemisphaerica* Engelm. = Mammillaria heyderi
- **herrerae** Werderm. | Ψ Ⓚ ✻; Mex.:

Queretaro, San Luis Potosí
– **heyderi** Muehlenpf. | Ψ Ⓚ ✻; USA: SW, SC; N-Mex.
- var. *applanata* hort. = Mammillaria heyderi
- var. *bullingtonia* Castetter = Mammillaria heyderi
– *hidalgensis* J.A. Purpus = Mammillaria polythele
– *hoffmanniana* (Tiegel) Bravo = Mammillaria polythele
– *horripila* Lem. = Turbinicarpus horripilus
– *infernillensis* R.T. Craig = Mammillaria parkinsonii
– *ingens* Backeb. = Mammillaria polythele
– **karwinskiana** Mart. | Ψ Ⓚ ✻; S-Mex: Puebla, Oaxaca
– *kelleriana* Salm-Dyck = Mammillaria kewensis
– **kewensis** Salm-Dyck | Ψ Ⓚ ✻; Mex.: Guanajuato, Hidalgo, Queretaro
– **klissingiana** Boed. | Ψ Ⓚ ✻; Mex.
– *kunthii* Ehrenb. = Mammillaria haageana
– *lanata* (Britton et Rose) Orcutt = Mammillaria supertexta
– **lasiacantha** Engelm. | Ψ Ⓚ ✻; USA: Tex., N.Mex.; Mex.
– **lenta** K. Brandegee | Ψ Ⓚ ✻; Mex.
– *leona* Poselg. = Mammillaria pottsii
– **leucantha** Boed. | Ψ Ⓚ ✻; C-Mex.
– *leucotricha* Scheidw. = Mammillaria mystax
– **lloydii** (Britton et Rose) Orcutt | Ψ Ⓚ ✻; Mex.: Zacatecas
– **longiflora** (Britton et Rose) A. Berger | Ψ Ⓚ ✻; Mex.: Durango
– **longimamma** DC. | Ψ Ⓚ ✻; C-Mex.
– *macracantha* DC. = Mammillaria magnimamma
– **magnimamma** Haw. | Ψ Ⓚ ✻; Mex.: Hidalgo, San Luis Potosí
– **mammillaris** (L.) G. Karst. | Ψ Ⓚ ≀ ✻; N-Venez., Curaçao
– **marksiana** Krainz | Ψ Ⓚ ✻; Mex.: Sinaloa
– **mazatlanensis** K. Schum. ex Gürke | Ψ Ⓚ ✻; Mex.: Sonora, Sinaloa, Nayarit
- var. **occidentalis** (Britton et Rose) Neutel. | Ψ Ⓚ ✻; Mex.: Colima
– *meissneri* C. Ehrenb. = Mammillaria haageana
– **melaleuca** Karw. ex Salm-Dyck | Ψ Ⓚ ✻; Mex.
– **melanocentra** Poselg. | Ψ Ⓚ ✻; Mex.: Nuevo León
– *melispina* Werderm. = Mammillaria roseoalba
– **mendeliana** (Bravo) Werderm. | Ψ Ⓚ ✻; Mex.: Guanajuato
– **microhelia** Werderm. | Ψ Ⓚ ✻; Mex.: Queretaro
- var. **microheliopsis** (Werderm.) Backeb. | Ψ Ⓚ △
– *microheliopsis* Werderm. = Mammillaria microhelia var. microheliopsis
– *micromeris* Engelm. = Epithelantha micromeris
– *missouriensis* Sweet = Escobaria missouriensis
– *mitlensis* Bravo = Mammillaria rekoi
– **moellendorffiana** Shurly | Ψ Ⓚ ✻; Mex.: Hidalgo
– **muehlenpfordtii** C.F. Först. | Ψ Ⓚ ✻; C-Mex.
– *multiceps* Salm-Dyck = Mammillaria prolifera
– **mundtii** K. Schum. | Ψ Ⓚ ✻; C-Mex. (Toluca); mts.
– **mystax** Mart. | Ψ Ⓚ ✻; C-Mex., S-Mex.
– *nejapensis* R.T. Craig et E.Y. Dawson = Mammillaria karwinskiana
– **nelsonii** (Britton et Rose) Boed. | Ψ Ⓚ ✻; Mex.: Guerreroa, Michoacan
– *neopotosina* R.T. Craig = Mammillaria muehlenpfordtii
– *neoschwarzeana* Backeb. = Mammillaria bocensis
– **neumanniana** Lem. | Ψ Ⓚ ✻; Mex.
– **nivosa** Link | Ψ Ⓚ ✻; W.Ind.
– **nunezii** (Britton et Rose) Orcutt | Ψ Ⓚ ✻ △; Mex.: Guerreroa
- var. *solisii* (Britton et Rose) Backeb. = Mammillaria nunezii
– *occidentalis* (Britton et Rose) Boed. = Mammillaria mazatlanensis var. occidentalis
– *ochoterenae* (Bravo) Werderm. = Mammillaria discolor
– **orcuttii** Boed. | Ψ Ⓚ ✻; Mex.
– *ortizrubiana* (Bravo) Werderm. = Mammillaria candida
– *papyracantha* Engelm. = Sclerocactus papyracanthus
– **parkinsonii** C. Ehrenb. | Ψ Ⓚ ✻; C-Mex.
– **pectinifera** F.A.C. Weber | Ψ Ⓚ ✻ Ⓝ; C-Mex.
– **pennispinosa** Krainz | Ψ Ⓚ ✻; Mex.: Coahuila
– **perbella** Hildm. ex K. Schum. | Ψ Ⓚ ✻; Mex.: Hidalgo, Queretaro, Mexico

- **petterssonii** Hildm. | Ψ Ⓚ; Mex.: Jalisco
- *pilensis* Shurly ex Eggli = Mammillaria petterssonii
- **plumosa** F.A.C. Weber · Feather Cactus | Ψ Ⓚ ✻; Mex.: Coahuila
- **polyedra** Mart. | Ψ Ⓚ ✻; Mex.
- **polythele** Mart. | Ψ Ⓚ ✻; Mex.: Hidalgo
- **poselgeri** Hildm. | Ψ Ⓚ ✻; Mex.: Baja Calif.
- **pottsii** Scheer ex Salm-Dyck | Ψ Ⓚ ✻; SW-Tex., N-Mex.
- **prolifera** (Mill.) Haw. | Ψ Ⓚ ✻; USA: Texas; NE-Mex., Cuba, Hispaniola
- *pseudocrucigera* R.T. Craig = Mammillaria sempervivi
- **pseudoperbella** Quehl | Ψ Ⓚ ✻; orig. ?
- *pseudoschiedeana* Schmoll = Mammillaria schiedeana
- **pugionacantha** C.F. Först. | Ψ Ⓚ ✻; Mex.
- *pyrrhocephala* Scheidw. = Mammillaria karwinskiana
- **rekoi** (Britton et Rose) Vaupel | Ψ Ⓚ ✻; Mex.: Oaxaca
- *rekoiana* R.T. Craig = Mammillaria rekoi
- **rettigiana** Boed. | Ψ Ⓚ ✻; Mex.
- **rhodantha** Link et Otto | Ψ Ⓚ ✻; N-Mex.: mts.
- *ritteriana* Boed. = Mammillaria chionocephala
- **roseoalba** Boed. | Ψ Ⓚ ✻; Mex.: Tamaulipas
- *rubida* Backeb. = Mammillaria bocensis
- **ruestii** Quehl | Ψ Ⓚ ✻; Guat., Hond.
- *runyonii* (Britton et Rose) Boed. = Mammillaria melanocentra
- *saetigera* Boed. et Tiegel = Mammillaria brauneana
- *saffordii* (Britton et Rose) Bravo = Mammillaria carretii
- **sartorii** J.A. Purpus | Ψ Ⓚ ✻; Mex.: Veracruz
- *scheerii* Muehlenpf. 1847 non 1845 = Coryphantha scheeri
- *scheidweileriana* Otto ex A. Dietr. = Mammillaria erythrosperma
- **schiedeana** C. Ehrenb. | Ψ Ⓚ ✻; Mex.: Hidalgo
- *schmollii* (Bravo) Werderm. = Mammillaria discolor
- **schumannii** Hildm. | Ψ Ⓚ ✻; Mex.: Baja Calif.
- **seideliana** Quehl | Ψ Ⓚ ✻; Mex.: Zacatecas, Queretaro
- *seitziana* Mart. = Mammillaria compressa
- **sempervivi** DC. | Ψ Ⓚ ✻; C-Mex.
  - var. **caput-medusae** (Otto) Backeb. | Ψ Ⓚ ✻; Mex.
- **senilis** Salm-Dyck | Ψ Ⓚ ✻; NW-Mex.; mts.
- **sheldonii** (Britton et Rose) Boed. | Ψ Ⓚ ✻; N-Mex.: Sonora
- *simplex* Haw. = Mammillaria mammillaris
- *soehlemannii* W. Haage et Backeb. = Mammillaria columbiana
- *solisii* (Britton et Rose) Boed. = Mammillaria nunezii
- **sphacelata** Mart. | Ψ Ⓚ ✻; S-Mex.: Puebla, Oaxaca
- **sphaerica** A. Dietr. | Ψ Ⓚ ✻; SE-Tex., NE-Mex.
- **spinosissima** Lem. | Ψ Ⓚ ✻; C-Mex.
- *subdurispina* Backeb. = Mammillaria kewensis
- **supertexta** Mart. | Ψ Ⓚ ✻; Mex.
- **surculosa** Boed. | Ψ Ⓚ ✻; NE-Mex.
- *tenampensis* (Britton et Rose) A. Berger = Mammillaria sartorii
- *tetracantha* Pfeiff. = Mammillaria polythele
- **tetrancistra** Engelm. | Ψ Ⓚ ✻; USA: Calif., Nev., Utah, Ariz.; N-Mex.
- **tiegeliana** Backeb. | Ψ Ⓚ ✻; Mex.
- *tolimensis* R.T. Craig = Mammillaria compressa
- *tuberculosa* Engelm. = Escobaria tuberculosa
- *uberiformis* Zucc. = Mammillaria longimamma
- *vagaspina* R.T. Craig = Mammillaria magnimamma
- **viereckii** Boed. | Ψ Ⓚ ✻; Mex.: Tamaulipas
- *vivipara* (Nutt.) Haw. = Escobaria vivipara
- **voburnensis** Scheer | Ψ Ⓚ ✻; S-Mex., Guat.
  - var. *eichlamii* (Quehl) Repp. = Mammillaria eichlamii
- *vonwyssiana* Krainz = Mammillaria parkinsonii
- **wildii** A. Dietr. | Ψ Ⓚ ✻; Mex.: Hidalgo
- *woburnensis* Scheer = Mammillaria voburnensis
- **woodsii** R.T. Craig | Ψ Ⓚ ⌓
- *wuthenauiana* Backeb. = Mammillaria nunezii
- *yucatanensis* (Britton et Rose) Orcutt = Mammillaria columbiana

- **zahniana** Boed. et F. Ritter | ψ Ⓚ ✻; Mex.
- **zeilmanniana** Boed. | ψ Ⓚ ✻; Mex.: Guanajuato
- **zephyranthoides** Scheidw. | ψ Ⓚ; C-Mex.
- **zeyeriana** Haage ex K. Schum. | ψ Ⓚ ✻; Mex.: Coahuila, Durango
- *zuccariniana* Mart. = Mammillaria magnimamma

Mammilloydia = Mammillaria Haw.
- *candida* (Scheidw.) Buxb. = Mammillaria candida

Mandevilla Lindl. -f- *Apocynaceae*
- × **amabilis** hort. Buckland (*? × M. splendens*)
- **atroviolacea** (Stadelm.) Woodson | ħ Ⓦ ≹ VII-VIII; Bras.
- **boliviensis** (Hook. f.) Woodson | ħ Ⓦ ≹ IV-X; Bol.
- **eximia** (Hemsl.) Woodson | ħ Ⓦ ≹ VI-VIII; Bras.
- **laxa** (Ruiz et Pav.) Woodson · Chilean Jasmine | ħ Ⓦ Ⓚ ≹ VI-VIII; Bol., Arg.
- **sanderi** (Hemsl.) Woodson | ħ Ⓦ ≹ VI-VIII; Bras.
- **splendens** (Hook.) Woodson | ħ Ⓦ ≹ VII-VIII; Bras.
- *suaveolens* Lindl. = Mandevilla laxa

Mandirola = Gloxinia L'Her.
- *lanata* Planch. et Linden ex Lem. = Eucodonia verticillata

Mandragora L. -f- *Solanaceae* · Alraunwurzel
- *acaulis* Gaertn. = Mandragora officinarum
- **autumnalis** Bertol. | ♃ V ☠; Eur.: Ib, Ap, GR, Crete; TR, NW-Afr.
- **officinarum** L. · Devil's Apple, European Mandrake | ♃ ☠; Eur.: N-I, W-Ba
- *vernalis* Bertol. = Mandragora officinarum

Manettia L. -f- *Rubiaceae*
- *bicolor* Paxton = Manettia luteorubra
- **glabra** Cham. et Schltdl. | ħ Ⓚ ≹ II-VI; Peru, Bol., Arg.
- *inflata* Sprague = Manettia luteorubra
- **luteorubra** Benth. | ♃ ħ Ⓚ ≹ IV-IX; Bras., Parag., Urug.

Manfreda Salisb. -f- *Agavaceae*
- **maculosa** (Hook.) Rose | ψ Ⓚ V-VIII; S-Tex., N-Mex.
- **variegata** (Jacobi) Rose | ψ Ⓚ IV-V; S-Tex., N-Mex.
- **virginica** (L.) Salisb. · Snake Chief Root | ψ VIII-IX ∧; USA: NE, NCE, NC, SE, Fla.

Mangifera L. -f- *Anacardiaceae*
- **caesia** Jack ex Wall. | ħ Ⓦ Ⓝ; Malay. Arch., Phil.
- **foetida** Lour. · Limus | ħ Ⓦ Ⓝ; Malay. Arch.
- **indica** L. · Mango | ħ Ⓦ Ⓝ; NE-Ind., N-Myanmar; cult. Trop.
- × **odorata** Griff. (*M. foetida* × *M. indica*) · Mango | ħ Ⓦ Ⓝ; orig. ?
- *pinnata* L. f. = Spondias pinnata

Manglesia = Beaufortia R. Br.
- *glabrata* Lindl. = Grevillea glabrata

Manihot Mill. -f- *Euphorbiaceae*
- **carthagenensis** (Jacq.) Müll. Arg. | ħ Ⓦ Ⓝ; Mex., C-Am., Col., Venez.
- **dichotoma** Ule | ħ Ⓦ Ⓝ; Bras.: Bahia
- **dulcis** (J.F. Gmel.) Pax; S-Am.
  - var. **multifida** (Graham) Pax | ♃ Ⓦ Ⓝ; Bras.: Parana
- **esculenta** Crantz · Cassava, Manioc, Tapioca | ħ Ⓦ Ⓝ; trop. Bras.
- **glaziovii** Müll. Arg. · Ceara Rubber | ħ Ⓦ Ⓝ; NE-Bras.
- *utilissima* Pohl = Manihot esculenta

Manilkara Adans. -f- *Sapotaceae*
- **achras** (Mill.) Fosberg | ħ Ⓝ; C-Am., Mex.
- *balata* Dubard = Manilkara bidentata
- **bidentata** (A. DC.) A. Chev. · Beef Wood | ħ Ⓦ Ⓝ; Panama, W.Ind., trop. S-Am.
- **elata** (Allemann ex Miq.) Monach. · Massaranduba | ħ Ⓝ; Amazon.
- **zapota** (L.) Royen · Marmalade Plum, Sapodilla | ħ Ⓦ Ⓝ; S-Mex., C-Am., nat. in Fla.

Manulea L. -f- *Scrophulariaceae*
- *hispida* Thunb. = Sutera hispida

Maoutia Wedd. -f- *Urticaceae*
- **puya** Wedd. | ♃ Ⓝ; Him., Ind.: Khasia Hills; Myanmar

Mapania Aubl. -f- *Cyperaceae*
- **humilis** Naves et Fern.-Vill. · Mapania | ♃ ⓦ ♠; Ind.

Maranta L. -f- *Marantaceae*
- *amabilis* Linden = Ctenanthe amabilis
- *argyraea* hort. = Calathea argyraea
- **arundinacea** L. · Arrowroot | ♃ ⓦ Ⓝ; trop. S-Am.
- *bachemiana* hort. = Calathea bachemiana
- **bicolor** Ker-Gawl. | ♃ ⓦ; Guyan., Bras.
- **depressa** E. Morren | ♃ ⓦ ⇝; Bras.
- *fasciata* Linden = Calathea fasciata
- *galanga* L. = Alpinia galanga
- *kegeliana* hort. = Calathea bachemiana
- *kummerana* E. Morren = Ctenanthe kummerana
- *leopardina* W. Bull = Calathea leopardina
- **leuconeura** E. Morren · Prayer Plant, Rabbit Tracks | ♃ ⓦ; Bras.
- *lietzei* hort. = Calathea lietzei
- *makoyana* hort. = Calathea makoyana
- *malaccensis* Burm. f. = Alpinia malaccensis
- *mediopicta* E. Morren = Calathea mediopicta
- **noctiflora** Regel et Körn. | ♃ ⓦ; ? Bras.
- *oppenheimiana* hort. = Ctenanthe oppenheimiana
- *ornata* Linden = Calathea majestica
- *roseopicta* Linden = Calathea roseopicta
- *warscewiczii* Matthieu ex Planch. = Calathea warscewiczii
- *wiotii* E. Morren = Calathea wiotii
- *zebrina* Sims = Calathea zebrina

Marattia Sw. -f- *Marattiaceae*
- **alata** Sw. | ♃ ⓦ; W.Ind., trop. S-Am.
- **cicutifolia** Kaulf. | ♃ ⓚ; S-Bras.
- **fraxinea** J. Sm. | ♃ ⓚ; trop. Afr, trop. As., Austr., NZ
- *kaulfussii* J. Sm. = Marattia alata
- *laevis* J. Sm. = Marattia alata
- **salicina** J. Sm.

Marcgravia L. -f- *Marcgraviaceae*
- **umbellata** L. · Marcgravia | ♄ ⓦ ≷; W.Ind., trop. S-Am.

Marginatocereus = Stenocereus (A. Berger) Riccob.
- *marginatus* (DC.) Backeb. = Stenocereus marginatus

Margyricarpus Ruiz et Pav. -m- *Rosaceae*
- **pinnatus** (Lam.) Kuntze · Pearl Berry, Pearl Fruit | ♄ ⓚ ♧ IV-VI; S-Am.; And.
- *setosus* Ruiz et Pav. = Margyricarpus pinnatus

Marica = Neomarica Sprague
- *brachypus* Baker = Neomarica brachypus
- *caerulea* Ker-Gawl. = Neomarica caerulea
- *gracilis* Herb. ex Hook. = Neomarica gracilis
- *northiana* (Schneev.) Ker-Gawl. = Neomarica northiana

Marlea Roxb. -f- *Alangiaceae*
- *begoniifolia* Roxb. = Alangium chinense
- *platanifolia* Siebold et Zucc. = Alangium platanifolium

Marniera = Epiphyllum Haw.
- *chrysocardium* (Alexander) Backeb. = Epiphyllum chrysocardium

Marrubium L. -n- *Lamiaceae* · Andorn
candidissimum auct. non L. = Marrubium incanum
- **incanum** Desr. · Weißfilziger Andorn | ♃ VI-VII ∧; Eur.: Sard., I, Sic, Ba
- **kotschyi** Boiss. et Hohen. | ♃ ⇝ △ VI-VII ∧; TR
- **libanoticum** Boiss. | ♃ ⇝ △ VI-VII ∧; Lebanon
- **peregrinum** L. · Ungarischer Andorn | ♃ VII-VIII; Eur.: A, EC-Eur., Ba, E-Eur.; TR, Cauc., nat. in F, I, D
- *sericeum* Boiss. = Marrubium supinum
- **supinum** L. · Spanisches Mauseohr · Spanish Horehound | ♃ ⇝ △ V-VII ∧; Eur.: Sp.; mts.
- **velutinum** Sibth. et Sm. | ♃ △ VI-VII ∧; GR
- **vulgare** L. · Gewöhnlicher Andorn · Common Horehound, Horehound, White Horehound | ♃ Off. VI-VIII; Eur.*, TR, Levante, Cauc. Iran, C-As., N-Afr., nat. in N-Am.

Marsdenia R. Br. -f- *Asclepiadaceae*
- **cundurango** Rchb. f. · Cundurango | ♄ ⓦ ≷ Off.; Col., Ecuad., Peru (And.)
- *erecta* (L.) R. Br. = Cionura erecta
- **reichenbachii** Triana · Cundurango | ♄ ⓦ; S-Am.
- **tinctoria** R. Br. · Climbing Indigo | ♄ ⓦ

Ⓝ; Him., China, Malay. Arch.

Marshallia Schreb. -f- *Asteraceae*
– **caespitosa** Nutt. ex DC. | ♃ Ⓚ △ V-VI ∧; USA: Mo., SC, SE

Marshallocereus = Stenocereus (A. Berger) Riccob.
– *thurberi* (Engelm.) Backeb. = Stenocereus thurberi

Marsilea L. -f- *Marsileaceae* · Kleefarn
– **drummondii** A. Braun · Nardoo | ♃ Ⓚ ～ ; Austr.: North Terr., Queensl., N.S.Wales, Victoria, S-Austr., Tasman., W-Austr.
– **hirsuta** R. Br. | ♃ Ⓚ ～ ; Austr.: Queensl., N.S.Wales
– **quadrifolia** L. · Vierblättriger Kleefarn · Pepperwort · Marsilia à quatre feuilles | ♃ ～ X-IX; Eur.* exc. BrI, Sc; Cauc., C-As., S-As., China, Jap., Can.:W; USA: NE, NCE

Martynia L. -f- *Pedaliaceae*
– **annua** L. · Unicorn Plant | ⊙ VII-VIII; Mex., C-Am., W.Ind.
– *craniolaria* Gloxin = Craniolaria annua
– *fragrans* Lindl. = Proboscidea fragrans
– *louisianica* Mill. = Proboscidea louisianica
– *proboscidea* Gloxin = Proboscidea louisianica
– *violacea* Engelm. = Proboscidea fragrans

Mascarena = Hyophorbe Gaertn.
– *lagenicaulis* L.H. Bailey = Hyophorbe lagenicaulis
– *verschaffeltii* (H. Wendl.) L.H. Bailey = Hyophorbe verschaffeltii

Masdevallia Ruiz et Pav. -f- *Orchidaceae*
– **amabilis** Rchb. f. et Warsz. | ♃ Ⓚ XII-II ✻; Peru
– *bella* Rchb. f. = Dracula bella
– **caloptera** Rchb. f. | ♃ Ⓦ ✻; S-Ecuad., N-Peru
– *candida* Klotzsch et H. Karst. = Masdevallia tovarensis
– **caudata** Lindl. | ♃ Ⓚ XI-III ✻; Col., Ecuad., Peru, Venez.
– *chimaera* Rchb. f. = Dracula chimaera
– **coccinea** Linden ex Lindl. | ♃ Ⓚ III-VI ✻; Col., Peru
– **coriacea** Lindl. | ♃ Ⓚ V-VII ✻; Col.
– *erythrochaete* Rchb. f. = Dracula erythrochaete
– *harryana* Rchb. f. = Masdevallia coccinea
– **horrida** Teusch. et Garay | ♃ Ⓚ ✻; Costa Rica
– **infracta** Lindl. | ♃ Ⓚ V-VII ✻; Peru, S-Bras.
– **liliputana** Cogn. | ♃ Ⓚ ✻; Bras.: Sao Paulo
– *lindenii* André = Masdevallia coccinea
– **macrura** Rchb. f. | ♃ Ⓚ II-III ✻; Col.
– **militaris** Rchb. f. et Warsz. | ♃ Ⓚ V-VI ✻; Col.
– *muscosa* Rchb. f. = Porroglossum echidnum
– *radiosa* Rchb. f. = Dracula radiosa
– **rolfeana** Kraenzl. | ♃ Ⓚ IV-VII ✻; Costa Rica
– **rosea** Lindl. | ♃ Ⓚ V-VII ✻; Col., Ecuad.
– **schlimii** Linden ex Lindl. | ♃ Ⓚ IV-V ✻; Col., Venez.
– **tovarensis** Rchb. f. | ♃ Ⓚ XI-II ✻; Venez.
– **veitchiana** Rchb. f. | ♃ Ⓚ V-VI ✻; Peru
– **velifera** Rchb. f. | ♃ Ⓚ XI-I ✻; Col.

Matricaria L. -f- *Asteraceae* · Mutterkraut
– *capensis* hort. non L. = Tanacetum parthenium
– *caucasica* (Willd.) Poir. = Tripleurospermum caucasica
– *chamomilla* L. = Matricaria recutita
– **discoidea** DC. · Strahlenlose Kamille · False Chamomile | X-VI; NE-As., w N-Am., nat. in Eur.* exc. Ib
– *inodorum* L. = Tripleurospermum perforatum
– *maritima* L. = Tripleurospermum maritimum
  - subsp. *inodora* (K. Koch) Soó = Tripleurospermum perforatum
– *matricarioides* (Less.) Porter = Matricaria discoidea
– *oreades* Boiss. = Tripleurospermum oreades
– *parthenioides* (Desf.) hort. = Tanacetum parthenium
– *parthenium* L. = Tanacetum parthenium
– *perforata* Mérat = Tripleurospermum perforatum
– **recutita** L. · Echte Kamille · Chamomile, German Chamomile | ⊙ D Off. V-VIII Ⓝ; Eur.*, TR, Palaest, Iraq, Cauc., Iran,

Afgh., NW-Ind., W-Sib., Canar., nat. in N-Am., S-Am., Austr., NZ
– *suaveolens* (Pursh) Buchenau non L. = Matricaria discoidea
– *tchihatchewii* (Boiss.) Voss = Tripleurospermum oreades var. tchihatchewii

Matteuccia Tod. -f- *Woodsiaceae* · Straußenfarn, Trichterfarn
– **orientalis** (Hook.) Trevis. · Fougère plume d'autruche | ♃ ∧; Him., China, Korea, Jap.
– **pensylvanica** (Willd.) Raymond · Fougère plume d'autruche | ♃; Alaska, Can., USA: NE, NCE, NC
– **struthiopteris** (L.) Tod. · Europäischer Straußfarn · Ostrich Fern · Fougère d'Allemagne | ♃ ⇝ VII-VIII ▽; Eur.* exc. BrI, Sc; TR, Sib., Sachal., Kamchat., China, Manch., Korea, Jap., Alaska, Can., USA: NE, NCE, nat. in BrI
  - var. *pensylvanica* (Willd.) C.V. Morton = Matteuccia pensylvanica

Matthiola R. Br. -f- *Brassicaceae* · Levkoje
– *bicornis* (Sibth. et Sm.) DC. = Matthiola longipetala subsp. bicornis
– **fruticulosa** (L.) Maire | ♃ △ V-VI ∧; Eur.: Ib, Fr, Ap, Ba, CH; TR, Cyprus, Lebanon, NW-Afr.
  - subsp. **valesiaca** (Gay ex Gaudin) P.W. Ball · Trübe Levkoje | ♃ V-VII; Eur.: Sp., Pyr., S-Alp., Ba
– **incana** (L.) R. Br. · Garten-Levkoje · Brompton Stock, Stock, Ten Week Stock | ⊙ ⊙ ♃ ♄ ⋈ D ⋈ X-VIII; Eur.: Ib, Fr, Ap, Ba, BrI; TR, Cyprus
– **longipetala** (Vent.) DC.; Eur.: Gr; TR, Levante, N-Afr., nat. in W-Russ., Krim
  - subsp. **bicornis** (Sibth. et Sm.) P.W. Ball · Night Scented Stock | ⊙ D V-VI; Eur.: GR; TR, Levante, Egypt, Libya
– *tristis* R. Br. = Matthiola fruticulosa
– *varia* (Sibth. et Sm.) DC. = Matthiola fruticulosa

Matucana Britton et Rose -f- *Cactaceae*
– **aurantiaca** (Vaupel) Buxb. | ♆ Ⓚ ✻; N-Peru
– *blancii* Backeb. = Matucana haynei
– *breviflora* Rauh et Backeb. = Matucana haynei
– *calocepahala* Skarupke = Matucana weberbaueri
– *comacephala* F. Ritter = Matucana weberbaueri
– *crinifera* F. Ritter = Matucana haynei
– *currundayensis* F. Ritter = Matucana aurantiaca
– *elongata* Rauh et Backeb. = Matucana haynei
– **haynei** (Otto ex Salm-Dyck) Britton et Rose | ♆ Ⓚ; N-Peru
– *hystrix* Rauh et Backeb. = Matucana haynei
  - var. *atrispina* Rauh et Backeb. = Matucana haynei
– *icosagona* (Humb., Bonpl. et Kunth) Buxb. = Borzicactus icosagonus
– *multicolor* Rauh et Backeb. = Matucana haynei
– **myriacantha** (Vaupel) Backeb. | ♆ Ⓚ; Peru
– *purpureoalba* F. Ritter = Matucana weberbaueri
– **ritteri** Buining | ♆ Ⓚ ✻; Peru
– *roseoalba* F. Ritter = Matucana myriacantha
– *variabilis* Rauh et Backeb. = Matucana haynei
– **weberbaueri** (Vaupel) Backeb. | ♆ Ⓚ
– *winteri* F. Ritter = Matucana weberbaueri
– *yanganucensis* Rauh et Backeb. = Matucana haynei

Maurandya Ortega -f- *Scrophulariaceae*
antirrhiniflora Humb. et Bonpl. ex Willd. = Asarina antirrhiniflora
– *barclayana* Lindl. = Asarina barclaiana
– *erubescens* (D. Don) A. Gray = Asarina erubescens
– *lophospermum* L.H. Bailey = Asarina lophospermum
– *purpurea* hort. = Asarina purpusii
– *purpusii* Brandegee = Asarina purpusii
– *scandens* Cav. = Asarina scandens

Mauritia L.f. -f- *Arecaceae*
– **flexuosa** L. f. | ♄ Ⓝ; S-Am.

Maxillaria Ruiz et Pav. -f- *Orchidaceae*
– **coccineum** (Jacq.) Hodge | Ⓦ VI-VII ✻; W.Ind.
– **densa** Lindl. | Ⓦ I-IV ✻; Mex., Guat.
– **elatior** Rchb. f. | ♃ Ⓦ ✻; Mex., Guat., Hond., Costa Rica
– **fucata** Rchb. f. | ♃ Ⓦ V-VI ✻; Ecuad.
– **grandiflora** (Humb., Bonpl. et Kunth) Lindl. | ♃ Ⓦ V-VI ✻; trop. S-Am.

- *heuchmannii* Hook. = Maxillaria variabilis
- **lepidota** Lindl. | ♃ Ⓦ V-VII ✻; Col., Ecuad., Peru, Venez.
- *longipetala* Ruiz et Pav. = Lycaste longipetala
- **luteoalba** Lindl. | ♃ Ⓦ II-IV ✻; Costa Rica, Panama, Col., Ecuad.
- **marginata** (Lindl.) Fenzl | ♃ Ⓦ VII-X ✻; Bras.
- **nigrescens** Lindl. | ♃ Ⓦ VI-VII ✻; Col., Venez.
- **ochroleuca** Lodd. | ♃ Ⓦ ✻; Bras.
- **picta** Hook. | ♃ Ⓚ I-IV ✻; E-Bras.
- **porphyrostele** Rchb. f. | ♃ Ⓦ II-IV ✻; Bras.
- **sanderiana** Rchb. f. | ♃ Ⓦ VIII-X ✻; Ecuad., Peru
- **sanguinea** Rolfe | ♃ Ⓦ ✻; Costa Rica, Panama
- **setigera** Lindl. | ♃ Ⓦ VI-VIII ✻; Col.
- **sophronitis** (Rchb. f.) Garay | Ⓦ V-IX ✻; Venez.
- **striata** Rolfe | ♃ Ⓦ VII-IX ✻; Ecuad., Peru
- **tenuifolia** Lindl. | ♃ Ⓦ VII-IX ✻; Mex., C-Am.
- **variabilis** Bateman ex Lindl. | ♃ Ⓦ I-XII ✻; C-Am.
- **venusta** Linden et Rchb. f. | ♃ Ⓦ IX-XI ✻; Col., Venez.
- *warreana* Lodd. ex Lindl. = Warrea warreana

Mayaca Aubl. -f- *Mayacaceae*
- **fluviatilis** Aubl. | ♃ Ⓦ ~ VI-VIII; Guyan.
- **sellowiana** Kunth | ♃ Ⓦ ~ VI-VIII; Bras.
- *vandellii* Schott et Endl. = Mayaca fluviatilis

Maytenus Molina -f- *Celastraceae*
- **boaria** Molina · Mayten, Mayten Tree | ♄ Ⓚ V; Chile

Mazus Lour. -m- *Scrophulariaceae*
- **japonicus** (Thunb.) Kuntze | ⊙ VI-VIII; Ind., China, Korea, Jap., Riukiu-Is., nat. in N-Am.
- **miquelii** Makino | ♃ ⇝ △ V-VI; Jap.
- **pumilio** R. Br. | ♃ △ V-VI ∧; Austr., Tasman., NZ
- **radicans** (Hook. f.) Cheeseman | ♃ ⇝ △ V-VI ∧; NZ
- **reptans** N.E. Br. | ♃; Him.
- *rugosus* Lour. = Mazus japonicus
- *stolonifer* (Maxim.) Makino = Mazus miquelii

Mecodium = Hymenophyllum Sm.
- *demissum* (G. Forst.) Copel. = Hymenophyllum demissum
- *polyanthon* (Sw.) Copel. = Hymenophyllum polyanthon

Meconopsis R. Vig. -f- *Papaveraceae* · Scheinmohn
- **aculeata** Royle | ⊙ △ VII-VIII; W-Him.
- *baileyii* Prain = Meconopsis betonicifolia
- × **beamishii** Prain (*M. grandis* × *M. integrifolia*)
- **betonicifolia** Franch. · Tibet-Scheinmohn · Blue Poppy, Himalayan Poppy · Pavot bleu | ♃ △ VI-VIII; China: Tibet, Yunnan; N-Myamar
- **cambrica** (L.) Vig. · Wald-Scheinmohn · Welsh Poppy · Pavot jaune des Pyrénées | ♃ VI-X; Eur.: BrI, F, Sp., nat. in DK, Norw.
- **chelidoniifolia** Bureau et Franch. | ♃ VII-VIII; W-Sichuan
- **dhwojii** G. Taylor ex Hay | ⊙ VI-VIII; Nepal
- **grandis** Prain · Großer Scheinmohn | ♃ VI-VII; Nepal, Sikkim, Tibet
- **horridula** Hook. f. et Thomson · Stachliger Scheinmohn | ⊙ ♃ VII-VIII; W-Nepal, Him., SW-China
- **integrifolia** (Maxim.) Franch. · Lampshade Poppy | ⊙ △ VII-VIII; China: Yunnan, Sichuan, Tibet, Kansu
- **napaulensis** DC. · Nepal Scheinmohn · Satin Poppy | ⊙ VI; W-Nepal, Him., SW-China
- **paniculata** (D. Don) Prain | ⊙ VI-VII; Him., SE-Tibet
- *prattii* (Prain) Prain = Meconopsis horridula
- **punicea** Maxim. | ⊙ ♃ VII-VIII; China: Tibet, Sichuan, Kansu
- **quintuplinervia** Regel · Harebell Poppy ♃ △ VII-VIII; Tibet, W-China
- **regia** G. Taylor | ⊙ VII-VIII; Nepal
- × **sarsonsii** Sarsons (*M. betonicifolia* × *M. integrifolia*)
- × **sheldonii** G. Taylor (*M. betonicifolia* × *M. grandis*)
- **simplicifolia** (D. Don) Walp. | ⊙ VII-VIII; Nepal, Tibet

– **sinuata** Prain | ⊙ VII-VIII; Nepal, Bhutan
– **superba** King ex Prain | ⊙ VII-VIII; Bhutan, Tibet
– **villosa** (Hook. f.) G. Taylor | ♃ △ VI ∧; E-Nepal, Bhutan
– **violacea** Kingdon-Ward | ⊙ VII-VIII; Tibet, N-Myanmar
– *wallichii* Wall. = Meconopsis napaulensis

Medeola L. -f- *Convallariaceae*
– *asparagoides* L. = Asparagus asparagoides

Medicago L. -f- *Fabaceae* · Schneckenklee
– **arabica** (L.) Huds. · Arabischer Schneckenklee | IV-VI; Eur.* exc. Sc; N-Afr., S-Afr., SW-As, nat. in CH, Sweden
– **arborea** L. | ♄; Eur.: Ib, Ap, Ba; TR, nat. in F
– **caerulea** Less. ex Ledeb. | ♃ VI-IX; Eur.: Krim, E-Russ.; TR, Cauc., Iran, C-As., Egypt
– **carstiensis** Jacq. · Karst-Schneckenklee | ♃ V-VI; Eur.: I, A, Ba
– **falcata** L. · Sichel-Luzerne, Sichelklee · Sickle Medick, Yellow Medick | ♃ VI; Eur.*, TR, Syr., Cauc., W-Sib., E-Sib., C-As., Maroc.
– **lupulina** L. · Hopfen-Schneckenklee, Hopfenklee · Black Medick, Shamrock | ⊙ ⊙ ♃ X ⓝ; Eur.*, TR, Levante, Cauc., Iran, W-Sib., E-Sib., Amur, C-As., Him., Mong., China, N-Afr., nat. in N-Am., Jap.
– **minima** (L.) L. · Zwerg-Schneckenklee | V-VI; Eur.*, TR, Levante, Cauc., Iran, Him., N-Afr., Eth.
– **orbicularis** (L.) Bartal. · Kreisfrüchtiger Schneckenklee, Scheibenklee ; Eur.: Ba, Ib, Ap, Fr; TR, Syr., Iraq, Iran, C-As.
– **polymorpha** L. · Rauer Schneckenklee | V-VII; Eur.: Ib, Fr, Ap, Ba, C-Eur., RO, Krim; TR, Levante, N-Afr., nat. in EC-Eur., Old World
– **prostrata** Jacq. · Niederliegender Schneckenklee | ♃ IV-VIII; Eur.: I, Ba, A
– **rigidula** (L.) All. · Steifer Schneckenklee ; Eur.: Ib, Fr, Ap, Ba, RO, S-Russ., Krim; TR, levante, Iraq, Cauc., Iran, Afgh., C-As., N-Afr., nat. in EC-Eur.
– **sativa** L. · Luzerne · Alfalfa, Lucerne | ♃ VI-IX ⓝ; Eur.*, TR, Cauc., Iran, W-Sib., Amur, C-As., Ind., China, N-Afr., nat. in N-Am.
  - subsp. *caerulea* (Less. ex Ledeb.) Schmalh. = Medicago caerulea
  - subsp. *falcata* (L.) Arcang. = Medicago falcata
  - subsp. *varia* (Martyn) Arcang. = Medicago × varia
– **scutellata** Mill.; Eur.: Ib, Fr, Ap, Ba, S-Russ., Krim; TR, Levante, NW-Afr., nat. in A
– **truncatula** Gaertn.; Eur.: Ib, Fr, Ap, Ba; TR, Levante, Cauc., ? N-Iran, N-Afr.
– × **varia** Martyn (*M. falcata* × *M. sativa*) · Bastard-Luzerne | ♃ VI-VIII

Medinilla Gaudich. -f- *Melastomataceae*
– **curtisii** Hook. f. | ♄ ⓦ; Sumat.
– *farinosa* hort. = Medinilla venosa
– **javanensis** Blume | ♄ ⓦ XII-III; Java
– **magnifica** Lindl. | ♄ ⓦ II-VIII; Phil.
– **sedifolia** Jum. et Perr. | ♄ ⓦ ⌇; Madag.
– **sieboldiana** Planch. | ♄ ⓦ II-III; Molucca I.
– **teysmannii** Miq. | ♄ ⓦ III-V; Sulawesi, N.Guinea
– **venosa** (Blume) Blume | ♄ ⓦ I-XII; Malay. Pen.

Meehania Britton -f- *Lamiaceae*
– **urticifolia** (Miq.) Makino · Blaue Nessel | ♃ ⤳ V-VI; Jap., Korea, Manch.

Megaclinium = Bulbophyllum Thouars
  falcatum Lindl. = Bulbophyllum falcatum
– *leucorhachis* Rolfe = Bulbophyllum leucorhachis

Megapterium = Oenothera L.
– *missouriense* (Sims) Spach = Oenothera macrocarpa

Meiracyllium Rchb.f. -n- *Orchidaceae*
– **wendlandii** Rchb. f. | ⓦ ✻; Mex., Guat.
– *wettstenii* Porsch = Isabelia pulchella

Melaleuca L. -f- *Myrtaceae* · Myrtenheide
– **acuminata** F. Muell. | ♄; Austr.: N.S.Wales, Victoria, S-Austr., W-Austr.
– **armillaris** (Sol. ex Gaertn.) Sm. · Bracelet Honey Myrtle, Drooping Melaleuca | ♄ ⓚ VI; Austr.: N.S.Wales, Victoria
– **citrina** Turcz. | ♄; W-Austr.
– **coccinea** A.S. George | ♄; W-Austr.
– **decussata** R. Br. ex W.T. Aiton | ♄ ⓚ VI; Austr.: S-Austr., Victoria

- *diffusa* G. Forst. = Metrosideros diffusa
- **diosmifolia** R. Br. | ħ Ⓚ; W-Austr.
- **ericifolia** Sm. · Heath Melaleuca | ħ Ⓚ; Austr.: Queensl., N.S.Wales, Victoria, Tasman.
- *florida* G. Forst. = Metrosideros fulgens
- **fulgens** R. Br. | ħ Ⓚ VI; W-Austr.
- **gibbosa** Labill. | ħ; Austr.: Victoria, S-Austr., Tasman.
- **huegelii** Endl. | ħ; W-Austr.
- **hypericifolia** (Salisb.) Sm. · Dotted Melaleuca | ħ Ⓚ VI-VIII; Austr.: Queensl., N.S.Wales
- **incana** R. Br. | ħ; W-Austr.
- **lanceolata** Otto | ħ ħ; W-Austr.
- **lateritia** A. Dietr. · Robin Red Breast | ħ Ⓚ VI-VIII; W-Austr.
- **leucadendra** (L.) L. | ħ Ⓚ Ⓝ; Myanmar, Malay. Arch., Austr.
- **linariifolia** Sm. · Paperbark Tea Tree | ħ ħ Ⓚ; Austr.: Queensl., N.S.Wales
- *lucida* G. Forst. non L. f. = Metrosideros umbellata
- **micromera** Schauer | ħ Ⓚ; W-Austr.
- **nematophylla** F. Muell. | ħ; W-Austr.
- **nesophila** F. Muell. · Pink Melaleuca | ħ ħ Ⓚ; W-Austr.
- **pulchella** R. Br. | ħ; W-Austr.
- **radula** Lindl. | ħ IX-X; W-Austr.
- **spathulata** Schauer | ħ; W-Austr.
- **squamea** Labill. | ħ; Austr.: N.S.Wales, Victoria, Tasman., S-Austr.
- **squarrosa** Sm. | ħ; Austr.: N.S.Wales, Victoria, Tasman., S-Austr.
- **styphelioides** Sm. | ħ Ⓚ V-VII; Austr.: N.S.Wales
- **thymifolia** Sm. | ħ Ⓚ; Austr.: N.S.Wales, Victoria
- **viridiflora** Sol. ex Gaertn. · Broad Leaf Tea Tree | ħ Ⓚ Off. Ⓝ; Austr.: W-Austr., N.Terr., Queensl.; N. Caled.
- **wilsonii** F. Muell. | ħ Ⓚ; Austr.: Victoria

Melampodium L. -n- *Asteraceae*
- **paludosum** Humb., Bonpl. et Kunth · Sterntaler | ♃ Ⓚ VI-IX; S-Am.

Melampyrum L. -n- *Scrophulariaceae* · Wachtelweizen
- **arvense** L. · Acker-Wachtelweizen | VI-IX; Eur.*, Cauc., W-Sib.
- **barbatum** Waldst. et Kit. ex Willd. · Bart-Wachtelweizen | V-VII; Eur.: I, A, EC-Eur., Ba, RO
  - subsp. **carstiense** Ronniger · Karst-Wachtelweizen | VI-VII; Eur.: I, A, Ba
- **cristatum** L. · Kamm-Wachtelweizen | VI-IX; Eur.*, Cauc., W-Sib., E-Sib., C-As.
- **nemorosum** L. · Hain-Wachtelweizen | V-IX; Eur.: Ap, C-Eur., EC-Eur., Sc, Ba, E-Eur.
- **polonicum** (Beauverd) Soó · Polnischer Wachtelweizen | VI-IX; Eur.: D, PL, E-Eur.
- **pratense** L. · Wiesen-Wachtelweizen · Common Cow Wheat, Cow Wheat | ⊙ VI-VIII; Eur.*, W-Sib., E-Sib.
- **subalpinum** (Jur.) A. Kern. · Schmalblättriger Wachtelweizen | VI-IX; Eur.: A, ? CZ
- **sylvaticum** L. · Wald-Wachtelweizen | VI-IX; Eur.*, Cauc., W-Sib.

Melandrium = Vaccaria Wolf
- *noctiflorum* (L.) Fr. = Silene noctiflora

Melanorrhoea Wall. -f- *Anacardiaceae*
- **usitata** Wall. | ħ Ⓝ; Malay. Arch., Myanmar, Thail.

Melanoselinum Hoffm. -n- *Apiaceae*
- **decipiens** (Schrad. et H.L. Wendl.) Hoffm. | ⊙ Ⓚ IV-VI; Azor., Madeira, Canar.

Melanthium L. -n- *Melanthiaceae*
- **hybridum** Walter | ♃ VII-VIII; USA: NE, SE
- *latifolium* Desr. = Melanthium hybridum
- **virginicum** L. · Bunchflower | ♃ VII-VIII; USA: NE, NCE, SC, SE, Fla.

Melastoma L. -n- *Melastomataceae*
- **candidum** D. Don | ħ; Ryukyu-Ins., Taiwan, Phil., SE-Austr.
- *decemfidum* Roxb. = Melastoma sanguineum
- **malabathricum** L. · Indian Rhododendron | ħ Ⓦ VII; Thail., Laos, Vietn., Malay. Pen., N-Austr., Polyn.
- **sanguineum** Sims | ħ Ⓦ IX-X; S-China, Malay. Arch.

Melia L. -f- *Meliaceae*
- **azadirachta** A. Juss. · Neem Tree | ħ Ⓦ ☠ Ⓝ
- **azedarach** L. · Bead Tree, China Berry, Pride-of-India | ħ Ⓚ VI ☠ Ⓝ; Him., Ind., China, nat. in F, Ba, TR, Trop. Am.,

SE-USA
– **toozendan** Siebold et Zucc.; Jap.

Melianthus L. -m- *Melianthaceae* · Honigstrauch
– **comosus** Vahl | ♄ Ⓚ VII-VIII; S-Afr.
– **major** L. · Honey Bush | ♄ Ⓚ V-VII; S-Afr., nat. in Canar., Ind., Bol.
– **minor** L. | ♄ Ⓚ V-VII; S-Afr.

Melica L. -f- *Poaceae* · Perlgras
– **altissima** L. · Hohes Perlgras | ♃ VI; Eur.: A, EC-Eur., Ba, E-Eur.; TR, Iran, nat. in Cauc., W-Sib., E-Sib., C-As.
– **bauhinii** All.; Eur.: Balear., F, Corse, I, ? W-Ba
– **ciliata** L. · Wimper-Perlgras · Eyelash Pearl Grass · Mélique ciliée | ♃ VI; Eur.* exc. BrI; TR, N-Iraq, Cauc., Iran, C-As.
– **mutica** Walter · Two Flower Melic Grass | ♃ V-VI; USA: NE, NCE, SC, SE, Fla.
– *nebrodensis* Parl. = Melica ciliata
– **nutans** L. · Nickendes Perlgras · Mountain Melick | ♃ V-VI; Eur.*, Cauc., Him., W-Sib., E-Sib., Amur, Sachal., C-As., N-China, Korea, Jap.
– **picta** K. Koch · Buntes Perlgras | ♃ V-VI; Eur.: C-Eur., EC-Eur., Ba, E-Eur., FIN; TR, Cauc.
– × **thuringiaca** Rauschert (*M. ciliata* × *M. transsilvanica*) · Thüringer Wimper-Perlgras ; Eur.: D +
– **transsilvanica** Schur · Siebenbürger Perlgras · Mélique de Transsylvanie | ♃ VI; Eur.: Fr, Me, EC-Eur., Ba, E-Eur., Ap; Cauc., W-Sib., E-Sib., C-As.
– **uniflora** Retz. · Einblütiges Perlgras · Wood Melick · Mélique uniflore | ♃ V-VI; Eur.*, TR, Cauc., N-Iran, NW-Afr.

Melicoccus P. Browne -m- *Sapindaceae*
– **bijugatus** Jacq. | ♄ Ⓚ Ⓝ; trop. Am.

Melicope J.R. Forst. et G. Forst. -f- *Rutaceae*
– **ternata** J.R. Forst. et G. Forst. | ♄ Ⓚ VI; NZ

Melicytus J.R. Forst. et G. Forst. -m- *Violaceae*
– **ramiflorus** J.R. Forst. et G. Forst. · Whitey Wood, Whiteywood | ♄ Ⓚ ♧; NZ

Melilotus Mill. -m- *Fabaceae* · Steinklee
– **albus** Medik. · Weißer Steinklee · White Clover | ⊙ VI-IX Ⓝ; Eur.* exc. BrI, nat. in BrI
– **altissimus** Thuill. · Hoher Steinklee | ⊙ VII-IX Ⓝ; Eur.* exc. BrI; W-Sib. (Altai), nat. in BrI
– **dentatus** (Waldst. et Kit.) Pers. · Gezähnter Steinklee, Salz-Steinklee | ⊙ VII-IX; Eur.: C-Eur., EC-Eur., W-Ba, Sc, E-Eur.; Cauc., W-Sib., E-Sib., C-As.
– **indicus** (L.) All. · Kleinblütiger Steinklee | VI-VII; Eur.: Ib, Fr, Ap, Ba; TR, Levante, Cauc., Ind, C-As., Canar., N-Afr., nat. in BrI, C-Eur., EC-Eur.; N-Am., Trop.
– **officinalis** (L.) Pall. · Echter Steinklee · Melilot, Sweet Clover | ⊙ VI-IX Ⓝ; Eur.* exc. BrI, Sc; TR, Cauc., Iran, W-Sib., E-Sib., C-As., Tibet, Him., nat. in N-Am.
– **sulcatus** Desf. · Gefurchter Honigklee | ⊙ VI-VIII; Eur.: Ib, Fr, Ap, Ba; TR, Levante, N-Afr.

Meliosma Blume -f- *Sabiaceae*
cuneifolia Franch. | ♄ ♄; W-China
– **oldhamii** Maxim. | ♄; Korea, China
– **tenuis** Maxim. | ♄ VII-VIII; Jap.

Melissa L. -f- *Lamiaceae* · Melisse
– **officinalis** L. · Melisse, Zitronen-Melisse · Bee Balm, Lemon Balm | ♃ D Off. VI-VIII Ⓝ; Eur.: Ib, Fr, Ap, Ba, RO; TR, Levante, Cauc., N-Iraq, N-Iran, Maroc., Tun., nat. in BrI, Sc, C-Eur., EC-Eur.

Melittis L. -f- *Lamiaceae* · Immenblatt
– **melissophyllum** L. · Bienensaug, Immenblatt · Bastard Balm · Mélitte à feuilles de mélisse | ♃ V-VI; Eur.* exc. Sc

Melocactus Link et Otto -m- *Cactaceae* · Melonenkaktus
– *amoenus* Hoffmanns. = Melocactus caesius
– **azureus** Buining et Brederoo | ψ Ⓦ ✻; E-Bras.: Bahia
– **caesius** H.L. Wendl. | ψ Ⓦ ✻; Trinidad
– *communis* (Aiton) Link et Otto = Melocactus intortus
– **curvispinus** Pfeiff. | ψ Ⓦ ✻; Mex., Guat.
– *delessertianus* Lem. ex Labour. = Melocactus curvispinus
– *depressus* Hook. = Melocactus violaceus

– **glaucescens** Buining et Brederoo | ♆ ⓦ ✻; E-Bras.: Bahia
– *guitartii* Léon = Melocactus curvispinus
– **intortus** (Mill.) Urb. | ♆ ⓦ ✻; W.Ind.
– *jansenianus* Backeb. = Melocactus peruvianus
– *loboguerreroi* Cárdenas = Melocactus curvispinus
– *maxonii* (Rose) Gürke = Melocactus curvispinus
– *melocactoides* (Hoffmanns.) DC. = Melocactus violaceus
– *oaxacensis* (Britton et Rose) Backeb. = Melocactus curvispinus
– **oreas** Miq. | ♆ ⓦ ✻; E-Bras.
– **peruvianus** Vaupel | ♆ ⓦ ✻; S-Ecuad., Peru
– **violaceus** Pfeiff. | ♆ ⓦ ✻; E-Bras.

Melocanna Trin. -f- *Poaceae*
– **baccifera** (Roxb.) Kurz | Ⓝ; Ind., Myanmar

Melothria L. -f- *Cucurbitaceae*
– *indica* (L.) Lour. = Zehneria indica
– *japonica* (Thunb.) Maxim. ex Cogn. = Zehneria indica
– *maderaspatana* (L.) Cogn. = Mukia maderaspatana
– **pendula** L. · Guadeloupe Cucumber, Moccasin Grass | ♃ ♣; USA: NE, NCE, SC, SE, Fla.; Mex.
– *punctata* (Thunb.) Cogn. = Zehneria scabra
– *scabra* Naudin = Zehneria scabra

Mendoncella A.D. Hawkes *Orchidaceae*
– **fimbriata** (Linden et Rchb. f.) Garay; Col.

Menispermum L. -n- *Menispermaceae* · Mondsame
– **canadense** L. · Amerikanischer Mondsame · Sarsaparilla, Yellow Sarsaparilla | ♄ ≷ VI-VII; Can.: E; USA: NE, NCE, NC, SE, Fla., SC
– **davuricum** DC. · Dahurischer Mondsame | ♄ ≷ VI-VII; Jap., Korea, Manch., N-China, E-Sib.

Mentha L. -f- *Lamiaceae* · Minze
– **aquatica** L. · Wasser-Minze · Horsemint, Water Mint · Menthe aquatique | ♃ D X Ⓝ; Eur.*, TR, Levante, Cauc., Iran, NW-Afr., Libya
– **arvensis** L. · Acker-Minze · Corn Mint, Wild Mint | ♃ D X-VI; Eur.*, TR, Cauc., W-Sib., E-Sib., Amur, Sachal., Kamchat., C-As., Him., China, Alaska, Can., USA*, nat. in Java, Phil., NZ
  - subsp. **haplocalyx** (Briq.) Briq. | ♃ D Off. VI-VIII Ⓝ; W-Sib., E-Sib., Amur, N-China, Korea, Jap.
  - var. *piperascens* Malinv. = Mentha arvensis subsp. haplocalyx
– × **carinthiaca** Host (*M. arvensis* × *M. suaveolens*) · Kärntner Minze ; Eur.: D, A, Slove., Croatia, F (Alsace) +
– × *citrata* Ehrh. = Mentha × piperita 'Citrata'
– × **dalmatica** Tausch (*M. arvensis* × *M. longifolia*) · Dalmatiner Minze ; Eur.: D, CZ, H, Slove., Croatia +
– × **dumetorum** Schult. (*M. aquatica* × *M. longifolia*) · Gebüsch-Minze | ♃ VII-IX
– × *gentilis* L. = Mentha × gracilis
– × **gracilis** Sole (*M. arvensis* × *M. spicata*) · Edel-Minze · Ginger Mint | ♃ D Ⓝ; cult. Eur.
– **longifolia** (L.) Huds. · Ross-Minze · Biblical Mint, Horse Mint | ♃ D VII-IX Ⓝ; Eur.* exc. Sc; TR, Levante, Cauc., Iraq, Iran, NW-Afr.
– × **maximilianea** F.W. Schultz (*M. aquatica* × *M. suaveolens*)
– × *niliaca* Juss. ex Jacq. = Mentha × rotundifolia
– × **piperita** L. (*M. aquatica* × *M. spicata*) · Pfeffer-Minze · Peppermint · Menthe poivrée | ♃ VI-VII; ? BrI; cult., nat. in Eur.*
  - **'Citrata'**; cult.
– **pulegium** L. · Polei-Minze · Pennyroyal | ♃ D VII-IX Ⓝ; Eur.*, TR, Levante, Iran, N-Afr.
– **requienii** Benth. · Corsican Mint | ♃ Ⓐ ⇝ D ⇝ VI-IX ∧; Eur.: Corse, Sard., Montecristo, nat. in BrI, P
– × **rotundifolia** (L.) Huds. (*M. longifolia* × *M. suaveolens*) · Apfel-Minze, Bastard-Rossminze | ♃ VI-IX; Eur.: BrI, NL, D, Canar.; TR, NW-Afr., Makaron., nat. in W-Sib., C-As., N-Am., C-Am.
– × **smithiana** R.A. Graham (*M. aquatica* × *M. arvensis* × *M. spicata*) · Rote Minze | , nat. in BrI, Fr, Ap, C-Eur., EC-Eur., RO
– **spicata** L. · Ährige Minze, Grüne Minze · Spearmint | ♃ D VII-IX Ⓝ; orig. ?
– **suaveolens** Ehrh. · Rundblättrige Minze ·

Apple Mint, Pineapple Mint | ♃ VII-IX Ⓝ; Eur.: Ib, Fr, Ap, Ba, Brl; TR, NW-Afr., nat. in Sc, C-Eur., EC-Eur., E-Eur.
– *sylvestris* L. = Mentha longifolia
– **verticillata** L. · Quirl-Minze | ♃ VII-VIII; Eur.* +
– × **villosa** Huds. (*M. spicata* × *M. suaveolens*) · Hain-Minze
– × **villosonervata** Opiz (*M. longifolia* × *M. spicata*) · Bastard-Grünminze
– *viridis* (L.) L. = Mentha spicata
– **Cultivars**
  - *'Nile Valle Mint'* = Mentha × rotundifolia

Mentzelia L. -f- *Loasaceae*
– *aurea* (Lindl.) Baill. non Nutt. = Mentzelia lindleyi
– *bartonioides* (Zucc.) Benth. et Hook. f. = Eucnide bartonioides
– **decapetala** (Pursh) Urb. et Gilg · Gumbo Lily | ⊙ ♃ ▭ VIII-X; Can.: W; USA: Roocky Mts., NC, SC, Iowa
– **lindleyi** Torr. et A. Gray · Blazing Star | ⊙ VII-VIII; Calif.
– *ornata* Nutt. = Mentzelia decapetala

Menyanthes L. -f- *Menyanthaceae* · Bitterklee, Fieberklee
– *exaltata* Sims = Villarsia exaltata
– *ovata* L. f. = Villarsia ovata
– **trifoliata** L. · Fieberklee · Bogbean, Water Trefoil · Trèfle d'eau | ♃ ~ ♣ Off. V-VI ▽; Eur.*, TR, Cauc., W-Sib., E-Sib., Amur, Sachal., Kamchat., C-As., Mong., Manch., Jap., Maroc., Alaska, Can., USA: NE, NCE; Greenl.

Menziesia Sm. -f- *Ericaceae*
– **ciliicalyx** (Miq.) Maxim. · Bewimperte Menziesie | ♄ V-VI; Jap.
  - var. **purpurea** (Maxim.) Makino · Bewimperte Menziesie | ♄ V-VI; Jap.
– **ferruginea** Sm. · Rostige Menziesie · False Azalea, Fool's Huckleberry | ♄ VI; Alaska, B.C., USA: NW
– **pilosa** (Michx.) Juss. · Borstige Menziesie | ♄ V-VI; USA: NE, SE
– **purpurea** Maxim. | ♄ V-VI; Jap.

Mercurialis L. -f- *Euphorbiaceae* · Bingelkraut
– **annua** L. · Einjähriges Bingelkraut · French Mercury | ⊙ X ☠; Eur.*, TR, Levante, Cauc., Canar., Azor., N-Afr.
– **ovata** Sternb. ex Hoppe · Eiblättriges Bingelkraut | ♄ ♃ IV-V; Eur.: I, C-Eur., EC-Eur., Ba, E-Eur.; TR, Levante, Cauc.
– × **paxii** Graebn. (*M. ovata* × *M. perennis*) | ♃ IV-V; D +
– **perennis** L. · Ausdauerndes Bingelkraut · Dog's Mercury · Mercuriale pérenne | ♃ IV-V ☠; Eur.*, Cauc.

Merremia Dennst. ex Endl. -f- *Convolvulaceae*
– **dissecta** (Jacq.) Hallier f. · Alamo Vine | ♃ ≹ VII-X; USA: SE, Fla., Tex.; S-Am.
– *macrocarpa* (L.) Roberty = Operculina macrocarpa
– **sibirica** (L.) Hallier f. | ⊙ ≹ VII-IX; E-Sib., Amur, Mong., Manch., N-China
– **tuberosa** (L.) Rendle · Wooden Rose, Yellow Morning Glory | ♃ Ⓝ; W.Ind., Bras., trop. Afr., Ind.
– *turpethum* (L.) Rendle = Operculina turpethum

Mertensia Roth -f- *Boraginaceae*
– **ciliata** (James) G. Don · Berg-Blauglöckchen · Chiming Bells, Mountain Bluebell | ♃ V-VII ∧; Can.: W; USA: NW, Calif., Rocky Mts., SW
– **echioides** Benth. | ♃ △ V-VI ∧; Tibet, W-Him.
– **elongata** Benth. | ♃ △ V-VI; Kashmir
– **lanceolata** (Pursh) DC. · Prairie Bluebells | ♃ △ IV-V ∧; Can.: W; USA: Rocky Mts., NC
– **maritima** (L.) Gray · Mertensie ; Eur.: BrI, Sc, N-Russ.; E-Sib., Amur, Sachal., Kamchat., Korea, Jap.
– **paniculata** (Aiton) G. Don · Rispiges Blauglöckchen · Tall Bluebells · Mertensia paniculé | ♃ V-VI ∧; Alaska, Can.; USA: Wash., Idaho, Mont., NC, NCE
– **primuloides** C.B. Clarke | ♃ ⇝ △ V-VI ∧; Him.
– **pterocarpa** Tatew. et Ohwi | ♃ △ V-VIII; Jap
– *pulmonarioides* Roth = Mertensia virginica
– **sibirica** (L.) G. Don | ♃ V-VI; E-Sib.
– **tibetica** C.B. Clarke | ♃ Ⓚ ⇝ V-VI; Tibet
– **virginica** (L.) Pers. · Virginisches Blauglöckchen · Virginia Bluebells, Virginia Cowslip · Mertensia de Virginie | ♃ △ IV-V ∧; Ont., USA: NE, NCE,

Kans., SE

Meryta J.R. Forst. et G. Forst. -f- *Araliaceae*
- **denhamii** Seem. | ⳩ Ⓦ; N.Caled.

Mesembryanthemum L. -n- *Aizoaceae* · Mittagsblume
- *acinaciforme* L. = Carpobrotus acinaciformis
- *cordifolium* L. f. = Aptenia cordifolia
- *criniflorum* L. f. = Dorotheanthus bellidiformis
- **crystallinum** L. · Ice Plant | ☉ ♆ VIII-IX Ⓝ; Eur.: Ib, F, Ap, Ba; Palaest., Sinai, NW-Afr., Libya, S-Afr., Namibia, nat. in Calif., Austr.
- *echinatum* Aiton non Lam. = Delosperma pruinosum
- *edule* L. = Carpobrotus edulis
- *muiri* L. = Carpobrotus muiri
- *oculatum* N.E. Br. = Sphalmanthus oculatus
- *pomeridianum* L. = Carpanthea pomeridiana
- *pruinosum* Thunb. = Delosperma pruinosum
- *velutinum* Dinter non L. Bolus = Astridia dinteri

Mesosphaerum = Hyptis Jacq.
- *spicigerum* (Lam.) Kuntze = Hyptis spicigera

Mesospinidium Rchb.f. -n- *Orchidaceae*
- *roseum* (Lindl.) Rchb. f. = Cochlioda rosea
- *sanguineum* Rchb. f. = Symphyglossum sanguineum

Mespilus L. -f- *Rosaceae* · Mispel
- *arbutifolia* L. = Aronia arbutifolia
  - var. *melanocarpa* Michx. = Aronia melanocarpa
- **germanica** L. · Echte Mispel · Medlar · Néflier commun | ħ ⳩ V-VI Ⓝ; Eur.: Ap, Ba, Krim; TR, Cauc., N-Iran, C-As., nat. in BrI, Fr, Ap, C-Eur., EC-Eur., EC-Eur.
- *prunifolia* Marshall = Aronia × prunifolia
- *prunifolia* Poir. = Crataegus persimilis

Mesua L. -f- *Clusiaceae*
- **ferrea** L. · Ironwood | ⳩ Ⓦ Ⓝ; Ind., Andaman I., Thail., Malay. Arch.

Metaplexis R. Br. -f- *Asclepiadaceae*
- **japonica** Makino | ♃; Jap., Korea, Manch., China

Metasequoia Miki ex Hu et W.C. Cheng -f- *Taxodiaceae*
- **glyptostroboides** Hu et W.C. Cheng · Urweltmammutbaum · Dawn Redwood | ⳩ V Ⓝ; China: Sichuan, Hupeh

Metrosideros Banks ex Gaertn. -f- *Myrtaceae* · Eisenholzbaum
- **angustifolia** (L.) Sm. | ⳩ ħ; S-Afr.
- *citrina* Curtis = Callistemon citrinus
- **diffusa** (G. Forst.) Sm. | ħ Ⓚ ⌇ ⇝ IV-V; NZ
- **excelsa** Sol. ex Gaertn. · New Zealand Christmas Tree, Pohutukawa | ħ ⳩ Ⓚ II-III; NZ
- *florida* (G. Forst.) Sm. = Metrosideros fulgens
- *florida* Hook. = Metrosideros robusta
- **fulgens** Sol. ex Gaertn. · Rata Vine | ħ Ⓚ ⌇ VIII; NZ
- *hypericifolia* A. Cunn. non Salisb. = Metrosideros diffusa
- **kermadecensis** W.R.B. Oliv. | ⳩ Ⓚ VI-VIII; NZ
- *lanceolata* Sm. = Callistemon citrinus
- **perforata** (J.R. Forst. et G. Forst.) A. Rich. | ħ Ⓚ ⌇ IV-V; NZ
- **robusta** A. Cunn. · North Island Rata, Rata | ⳩ Ⓚ III-IV; NZ
- *saligna* Sm. = Callistemon salignus
- *scandens* (J.R. Forst. et G. Forst.) Druce = Metrosideros fulgens
- *scandens* Sol. ex Gaertn. = Metrosideros perforata
- *semperflorens* Lodd. = Callistemon citrinus
- *speciosa* Sims = Callistemon speciosus
- *tomentosa* A. Rich. = Metrosideros excelsa
- **umbellata** Cav. | ħ ⳩ Ⓚ II-III; NZ
- *villosa* Kirk = Metrosideros kermadecensis

Metroxylon Rottb. -n- *Arecaceae* · Sagopalme
- *rumphii* (Willd.) Mart. = Metroxylon sagu
- **sagu** Rottb. · Sago, Sago Palm | ⳩ Ⓦ Ⓝ; Malay.Arch., N.Guinea

Meum Mill. -n- *Apiaceae* · Bärwurz

– **athamanticum** Jacq. · Gewöhnliche Bärwurz · Baldmoney, Bearwort, Spignel · Fenouil des Alpes | ♃ △ D △ V-VIII; Eur.* exc. Sc, EC-Eur.; mts.
– *mutellina* (L.) Gaertn. = Ligusticum mutellina

Meyenia Nees -f- *Acanthaceae*
– *erecta* Benth. = Thunbergia erecta

Mibora Adans. -f- *Poaceae*
– **minima** (L.) Desv. · Sand-Zwerggras | III-V; Eur.: BrI, Fr, D, Ib, Ba; Alger., nat. in NL, USA, Austr.

Michauxia L'Her. -f- *Campanulaceae*
– **campanuloides** L'Hér. | ⊙ VII-IX ∧; TR
– **laevigata** Vent. | ⊙ △ VII-VIII ∧; N-Iran
– **tchihatchewii** Fisch. et Heldr. | ⊙ VII-VIII ∧; S-TR

Michelia L. -f- *Magnoliaceae*
– **champaca** L. · Champaca | ♄ Ⓚ Ⓝ; Ind., Java
– **figo** (Lour.) Spreng. · Bananashrub | ♄ Ⓚ D IV-VI; SE-China
– *fuscata* (Andrews) Wall. = Michelia figo

Miconia Ruiz et Pav. -f- *Melastomataceae*
– **calvescens** DC. | ♄ Ⓦ; Mex.
– **hookeriana** Triana | ♄ Ⓦ; Ecuad., Peru

Micranthemum Michx. -n- *Scrophulariaceae*
– *orbiculatum* Michx. = Micranthemum umbrosum
– **umbrosum** (J.F. Gmel.) S.F. Blake | ♃ Ⓦ ~ ♠; USA: Tex., SE, Fla. Va.; Mex., C-Am., W-Ind., S-Am.

Micranthocereus Backeb. -m- *Cactaceae*
– *lehmannianus* (Werderm.) F. Ritter = Austrocephalocereus lehmannianus
– **polyanthus** (Werderm.) Backeb. | ♄ Ψ Ⓚ ✻; E-Bras.: Bahia
– *purpureus* (Gürke) F. Ritter = Austrocephalocereus purpureus

Microbiota Kom. -f- *Cupressaceae*
– **decussata** Kom. · Zwerglebensbaum | ♄ ⇝ △; E-Sib. (Prov. Primorskaja)

Microcachrys Hook.f. -f- *Podocarpaceae*
– **tetragona** Hook. f. | ♄; W-Tasman.

Microcitrus Swingle -f- *Rutaceae*
– **australasica** (F. Muell.) Swingle · Native Finger Lime | ♄ Ⓚ; Austr.: Queensl., N.S.Wales
– **australis** (Planch.) Swingle | ♄ Ⓚ; NE-Austr.

Microcoelum = Lytocaryum Toledo
– *martianum* (Glaz. ex Drude) Burret et Potztal = Lytocaryum weddellianum
– *weddellianum* (H. Wendl.) H.E. Moore = Lytocaryum weddellianum

Microcycas (Miq.) A. DC. -f- *Zamiaceae*
– **calocoma** (Miq.) A. DC. | ♄ Ⓦ ✻; W-Cuba

Microglossa DC. -f- *Asteraceae*
– *albescens* (DC.) C.B. Clarke = Aster albescens

Microgramma C. Presl -f- *Polypodiaceae*
– **vacciniifolia** (Langsd. et Fisch.) Copel. | ♃ Ⓦ ≹; trop. Am.

Microlepia C. Presl -f- *Dennstaedtiaceae*
– **hirta** C. Presl | ♃ Ⓦ; Ind., SE-As., Polyn.
– **platyphylla** (D. Don) J. Sm. | ♃ Ⓦ; Ind., Sri Lanka
– **speluncae** (L.) T. Moore · Limp Leaf Fern | ♃ Ⓦ; trop. Afr., S-Afr.

Micromeles = Sorbus L.
– *alnifolia* (Siebold et Zucc.) K. Koch = Sorbus alnifolia

Micromeria Benth. -f- *Lamiaceae*
– **croatica** (Pers.) Schott · Felsenlippe | ♄ △ VI-VII; Eur.: Croatia, Bosn., YU
– *pygmaea* (Siebold ex Vis.) Rchb. = Satureja montana subsp. illyrica
– *rupestris* (Wulfen ex Jacq.) Benth. = Micromeria thymifolia
– **thymifolia** (Scop.) Fritsch · Mountain Mint | ♃ ♄ △ VII-X; Eur.: N-I, H, Croatia, Bosn., YU, AL

Micropterum = Cleretum N.E. Br.
– *herrei* Schwantes = Cleretum herrei
– *pinnatifidum* (L. f.) Schwantes = Aethephyllum pinnatifidum

Micropus L. -m- *Asteraceae*
– **erectus** L. · Falzblume | VI-VII; Eur.: Ib,

F, Ap, CH, A, EC-Eur., Ba, E-Eur.; TR, Cauc., Iran, NW-Afr.

Micropyrum (Gaudin) Link -n- *Poaceae*
- **tenellum** (L.) Link · Kies-Dünnschwingel, Kies-Dünnschwanz, Trauben-Schwingel | V-VII; Eur.: Ib, Fr, Ap, C-Eur., Ba; TR, Maroc., Alger, Madeira

Microsorum Link -n- *Polypodiaceae*
- **musifolium** (Blume) Ching | ♃ Ⓦ; Malay. Arch., N.Guinea
- **pteropus** (Blume) Copel. | ♃ Ⓦ ♠; Ind., Sri Lanka, Java
- **punctatum** (L.) Copel. | ♃ Ⓦ; Austr., Pacific Is.
- **scandens** (G. Forst.) Tindale | ♃ Ⓦ; Austr., NZ

Microstrobos J. Garden et L.A.S. Johnson -m- *Podocarpaceae*
- **fitzgeraldii** (F. Muell.) J. Garden et L.a.S. Johnson; Austr.: N.S.Wales

Microstylis = Malaxis Sol. ex Sw.
- *discolor* Lindl. = Malaxis discolor
- *metallica* Rchb. f. = Malaxis metallica

Mikania Willd. -f- *Asteraceae*
- *apiifolia* DC. = Mikania ternata
- **scandens** (L.) Willd. · Climbing Hempvine, Louse Plaster | ♃ Ⓚ ⌇ ⁓→ VII-VIII Ⓝ; Can.: Ont.; USA: NE, NCE, SE, Fla., SC; trop. Am.
- **ternata** (Vell.) B.L. Rob. | ♃ Ⓦ ⌇ ⌇; W-Bras.

Mila Britton et Rose -f- *Cactaceae*
- **caespitosa** Britton et Rose | Ψ Ⓚ ✻; Peru
- *cereoides* Rauh et Backeb. = Mila caespitosa
- *fortalezensis* Rauh et Backeb. = Mila caespitosa
- *nealeana* Backeb. = Mila caespitosa

Milicia Sim -f- *Moraceae*
- **excelsa** (Welw.) C.C. Berg · Iroko | ♄ Ⓦ Ⓝ; trop. Afr.

Milium L. -n- *Poaceae* · Flattergras
- **effusum** L. · Wald-Flattergras, Waldhirse · Bowles' Golden Grass | ♃ ⁓→ V-VII; Eur.*, NW-TR, Cyprus, Cauc., N-Iran, Afgh., Ind. (Him.) W-Sib., E-Sib., Amur, Sachal., Kamchat., C-As., Afgh., Pakist., China, Manch., Korea, Jap., Taiwan, Can.: E; USA: NE, NCE, NC, nat. in NZ
- **vernale** M. Bieb. · Raues Flattergras ; Eur.: Ib, Fr, Ap, Ba, RO, W-Russ., Krim; TR, Cyprus, Syr., Iraq, Cauc., Iran, C-As., N-Afr.

Milla Cav. -f- *Alliaceae*
- **biflora** Cav. | ♃ Ⓚ ✂ VII-VIII; Mex., Guat.
- *uniflora* Graham = Ipheion uniflorum

Miltonia Lindl. -f- *Orchidaceae*
- **anceps** Lindl. | ♃ Ⓦ IV-V ✻; Bras.
- **candida** Lindl. | ♃ Ⓦ VIII-XI ✻; Bras.
- **clowesii** Lindl. | ♃ Ⓦ IX-X ✻; Bras.
- **cuneata** Lindl. | ♃ Ⓦ II-III ✻; Bras.
- *endresii* G. Nicholson = Miltoniopsis warscewiczii
- **flavescens** Lindl. | ♃ Ⓦ VI-X ✻; Bras.
- *phalaenopsis* (Lindl. et Rchb. f.) G. Nicholson = Miltoniopsis phalaenopsis
- **regnellii** Rchb. f. | ♃ Ⓦ VII-IX ✻; E-Bras.
- *roezlii* (Rchb. f.) G. Nicholson = Miltoniopsis roezlii
- **schroederiana** (Rchb. f.) Veitch | ♃ Ⓦ I-II ✻; C-Am.
- **spectabilis** Lindl. | ♃ Ⓦ VIII ✻; Bras.
- *vexillaria* (Rchb. f.) G. Nicholson = Miltoniopsis vexillaria
- **warscewiczii** Rchb. f. | ♃ Ⓦ III-IV ✻; Costa Rica, Col., Peru

× **Miltonidium** Hort. -n- *Orchidaceae* (*Miltonia* × *Oncidium*)

× **Miltonioda** Hort. -f- *Orchidaceae* (*Cochlioda* × *Miltonia*)

Miltoniopsis God.-Leb. -f- *Orchidaceae*
- **phalaenopsis** (Linden et Rchb. f.) Garay et Dunst. | ♃ Ⓚ VIII-XI ✻; Col.
- **roezlii** (Rchb. f.) Godefroy | ♃ Ⓦ X-XI ✻; Col.
- **vexillaria** (Rchb. f.) Godefroy | ♃ Ⓚ V-VI ✻; Col., Ecuad.
- **warscewiczii** (Rchb. f.) Garay et Dunst. | ♃ Ⓦ II ✻; Costa Rica, Panama

× **Miltonpasia** hort. -f- *Orchidaceae* (*Aspasia* × *Miltonia*)

× **Miltonpilia** hort. -f- *Orchidaceae*

(*Miltonia* × *Trichopila*)

Mimosa L. -f- *Mimosaceae*
- *glauca* L. 1763 = Leucaena leucocephala
- **invisa** Mart. | Ⓝ; C-Am., S-Am.
- *lebbeck* L. = Albizia lebbeck
- *leucocephala* Lam. = Leucaena leucocephala
- **polycarpa** Kunth
  - var. **spegazzinii** (Pirotta) Burkart | ♄ Ⓦ; Arg.
- **pudica** L. · Sensitive Plant, Touch-me-not | ♄ Ⓦ VII-VIII Ⓝ; Bras., nat. in Trop.
- **sensitiva** L. · Sensitive Plant | ♄ Ⓦ ≷; trop. Am.
- *spegazzinii* Pirotta = Mimosa polycarpa var. spegazzinii
- *ulicifolia* Salisb. = Acacia ulicifolia

Mimulus L. -m- *Scrophulariaceae* · Gauklerblume, Affenblume
- **aurantiacus** Curtis · Buschige Gauklerblume · Bush Monkey Flower, Shrubby Musk | ♄ Ⓚ V-VIII; Calif.
- × **burnetii** hort. (*M. cupreus* × *M. luteus*)
- **cardinalis** Douglas ex Benth. · Scarlet Monkey Flower, Scarlet Musk | ♄ VI-IX; USA: Rocky Mts., SW, Oreg., Calif.; Mex.: Baja Calif.
- **cupreus** hort. ex Dombr. · Kupferrote Gauklerblume | ♃ ⇝ △ VII-IX ∧; Chile
- *glutinosus* J.C. Wendl. = Mimulus aurantiacus
- **guttatus** Fisch. ex DC. · Gewöhnliche Gauklerblume · Common Monkey Flower, Monkey Flower, Musk | ♃ ⇝ ~ X-VIII; Alaska, Can.: W; USA: NCE, NC, SW, Rocky Mts., NW, Calif.; Mex., nat. in Eur., USA:NE
- × **hybridus** hort. ex Sieber et Voss (*M. guttatus* × *M. luteus*)
- *langsdorffii* Donn ex Greene = Mimulus guttatus
- **lewisii** Pursh · Great Purple Monkey Flower | ♃ ~ VI-VIII ∧; Can.: B.C.; USA: NW, Calif., Rocky Mts.
- **luteus** L. · Gelbe Gauklerblume · Monkey Musk, Yellow Monkey Flower · Mimule jaune | ♃ ~ V-VIII; Chile, nat. in Scotland
- *luteus* auct. non L. = Mimulus guttatus
- **moschatus** Douglas ex Lindl. · Moschus-Gauklerblume · Musk, Musk Plant, Muskflower | ♃ ⇝ ~ VI-VIII ∧; Can., USA: NW, Calif., Rocky Mts., NE, NCE, NC, nat. in Eur.
- **primuloides** Benth. · Yellow Creeping Monkey Flower | ♃ ⇝ △ VI-IX ∧; USA: Wash., Oreg., Calif.
- **repens** R. Br. | ♃ Ⓚ ⇝; Austr., Tasman., NZ
- **ringens** L. · Monkey Flower, Square Stemmed Monkey Flower | ♃ VI-VIII; Can.: E; USA: NE, NCE, NC, SE, SC, Colo.
- × *tigrinus* hort. = Mimulus × hybridus

Mimusops L. -f- *Sapotaceae*
- *balata* Crueg. ex Griseb. = Manilkara bidentata
- **elengi** L. · Brazilian Milktree, Spanish Cherry, Tanjong Tree | ♄ Ⓦ D Ⓝ; Ind., Sri Lanka, Myanmar, Malay. Arch., N.Guinea, Salom.

Mina = Ipomoea L.
- *lobata* Cerv. = Ipomoea lobata

Minuartia L. -f- *Caryophyllaceae* · Miere
- **austriaca** (Jacq.) Hayek · Österreichische Miere | ♃ VI-VIII; Eur.: I, D, A, Slove.; E-Alp.
- **biflora** (L.) Schinz et Thell. · Zweiblütige Miere | ♃ VII-VIII; Eur.: Sc, N-Russ., C-Eur., I
- **capillacea** (All.) Graebn. · Feinblättrige Miere | ♃ VII-VIII; Eur.: F, CH, I, Ba; mts.
- **cherleroides** (Hoppe) Bech. · Polster-Miere | ♃ VII-VIII; Eur.: I, C-Eur., Slove.; Alp.
- **glaucina** Dvoráková · Hügel-Miere | ♃ V-VIII; Eur.: A +
- **graminifolia** (Ard.) Jáv. · Minuartie à feuilles de graminée | ♃ ⌓ △ VII-VIII; Eur.: Ap, Ba, RO; mts.
- **hybrida** (Vill.) Schischk. · Schmalblättrige Miere, Zarte Miere | V-VII; Eur.* exc. Sc; TR, Levante, Iraq, N-Afr., nat. in DK
- **juniperina** (L.) Maire et Petitm. | ♃ ⇝ △ VI; Eur.:GR; TR, Syr., N-Iraq
- **langii** (Reuss) Holub · Karpaten-Miere | ♃ VI-VII; Eur.: A +
- **laricifolia** (L.) Schinz et Thell. · Nadelblättrige Miere · Minuartie à feuilles de mélèze | ♃ △ VII-VIII; Eur.: Ib, Fr, Ap, C-Eur., EC-Eur., RO; mts.
- **mutabilis** (Lapeyr.) Schinz et Thell. ·

Geschnäbelte Miere | ♃ VII-VIII; Eur.: Sp., F, Corse, I, CH
- **recurva** (All.) Schinz et Thell. · Krummblättrige Miere | ♃ ⌓ △ VII-VIII; Eur.* exc. Sc, EC-Eur.; TR
- **rubra** (Scop.) McNeill · Büschel-Miere | ⊙ VII-VIII; Eur.: Sp., F, I, C-Eur., EC-Eur., Slove., RO
- **rupestris** (Scop.) Schinz et Thell. · Felsen-Miere | ♃ VII-VIII; Eur.: F, I, C-Eur., Slove.; Alp.
- **sedoides** (L.) Hiern · Zwerg-Miere | ♃ VII-VIII; Eur.: Ib, Fr, BrI, C-Eur., EC-Eur., Ba, RO; Pyr., Alp., Carp., Balkan, Scotland
- **setacea** (Thuill.) Hayek · Borsten-Miere | ♃ V-VIII; Eur.: Fr, C-Eur., EC-Eur., Ba, E-Eur.
- **stellata** (E.D. Clarke) Maire et Petitm. | ♃ △ VII-VIII; Eur.: AL, GR; mts.
- **stricta** (Sw.) Hiern · Steife Miere | ♃ VI-VIII; Eur.: BrI, Sc, N-Russ., CH; W-Sib., E-Sib., Amur, N-Am., Greenl.
- **verna** (L.) Hiern · Frühlings-Miere · Spring Sandwort, Vernal Sandwort | ♃ ⌓ △ V-VIII; Eur.* exc. Sc; Cauc., W-Sib., E-Sib., Amur, Kachat., C-As., Mong., China, Jap., Maroc., Alger., Greenl.
  - subsp. **gerardii** (Sw.) Hiern · Alpen-Frühlings-Miere | ♃ VI-VIII; Eur.: Pyr., Corse, Alp., Apenn.Carp., Ba mts.
- **viscosa** (Schreb.) Schinz et Thell. · Klebrige Miere | V-VII; Eur.* exc. BrI, Ib; Cauc.

Mirabilis L. -f- *Nyctaginaceae* · Wunderblume
- **jalapa** L. · Four O' Clock Plant, Marvel of Peru · Belle de nuit | ♃ Ⓚ VI-X; Peru, nat. in N-Am.
- **longiflora** L. | ♃ Ⓚ D VII-VIII; Ariz., Tex., Mex.
- **nyctaginea** Michx.; N-Am., nat. in EC-Eur.
- **viscosa** Cav.

Mirbelia Sm. -f- *Fabaceae*
- **dilatata** R. Br. | ♄; W-Austr.

Miscanthus Andersson -m- *Poaceae* · Chinaschilf
- **floridulus** (Labill.) Warb. ex K. Schum. et Lauterb. · Pacific Island Silver Grass, Silver Grass | ♃ VII-VIII; Jap., Taiwan, Polyn.
- *japonicus* Andersson = Miscanthus floridulus
- **oligostachyus** Stapf | ♃ VIII-X; Jap.
- **purpurascens** Andersson | ♃ IX-X; Amur, China
- **sacchariflorus** (Maxim.) Hack. · Amur Silver Grass | ♃ Ⓚ VIII Ⓝ; Jap., Korea, Manch., N-China, Amur
- **sinensis** (Thunb.) Andersson · China-Schilf · Chinese Silver Grass, Tiger Grass · Eulalie | ♃ IX-X; China, Korea, Jap., Thail., nat. in E-USA
- **tinctorius** (Steud.) Hack. | ♃ VIII-IX; Jap.
- **transmorrisonensis** Hayata | ♃ IX-X; Taiwan

Misopates Raf. -n- *Scrophulariaceae*
- **orontium** (L.) Raf. · Gewöhnliches Ackerlöwenmaul, Katzenmaul | X-VII; Eur.: Ib, Fr, BrI, Ap, C-Eur., H, Ba, E-Eur.; TR, SW-As, N-Afr., Makaron., Eth., nat. in Sc

Mitchella L. -f- *Rubiaceae* · Rebhuhnbeere
- **repens** L. · Rebhuhnbeere · Partridgeberry, Squaw Vine, Twin Berry | ♃ ⟿ △ IV-VII; Can.: E; USA: NE, NCE, SE, Fla., SC; Mex.
- **undulata** Siebold et Zucc. | ♃; Jap., S-Korea

Mitella L. -f- *Saxifragaceae*
- **breweri** A. Gray | ♃; Can:: B.C., Alb.; USA: NW, Calif., Idaho
- **caulescens** Nutt. · Bischofskappe · Leafy Stemmed Mitrew | ♃ V; Can.: B.C.; USA: NW, Rocky Mts., Calif.
- **diphylla** L. · Mitrewort | ♃ IV-V; Can.: E; USA: NE, NCE, SE
- **ovalis** Greene · Bonnet d'évêque | ♃; B.C., USA: NW, Calif.
- **pentandra** Hook. · Five Point Mitrewort | ♃ IV-V; Alaska, Can.: E; USA: NW, Rocky Mts., Calif., NW

Mitraria Cav. -f- *Gesneriaceae*
- **coccinea** Cav. · Mitre Flower | ♄ Ⓚ ≹ V-IX; S-Chile

Mitrophyllum Schwantes -n- *Aizoaceae*
- **dissitum** (N.E. Br.) Schwantes | ♃ ¥ Ⓚ; Kap
- **gracile** (Schwantes) de Boer | ♃ ¥ Ⓚ; Kap

– **grande** N.E. Br. | ♃ ♆ Ⓚ; Kap
– **mitratum** (Marloth) Schwantes | ♃ ♆ Ⓚ; Kap

× **Mizutara** Hort. -f- *Orchidaceae* (*Cattleya* × *Caularthron* × *Schomburgkia*)

Moehringia L. -f- *Caryophyllaceae*
– **bavarica** (L.) Gren. · Steirische Nabelmiere | ♃ VI; Eur.: I, A, Slove., AL; mts.
– **ciliata** (Scop.) Dalla Torre · Bewimperte Nabelmiere | ♃ VI-VIII; Eur.: F, I, C-Eur., Ba; Alp., Balkan
– **diversifolia** Dolliner ex Koch · Verschiedenblättrige Nabelmiere | ⊙ V-VII; Eur.: SE-A
– **muscosa** L. · Moos-Nabelmiere · Moehringie mousse | ♃ △ V-VIII; Eur.* exc. Sc, BrI: mts.
– **trinervia** (L.) Clairv. · Dreinervige Nabelmiere | ♃ V-VII; Eur.*, TR, Cauc., Iran, W-Sib., E-Sib., C-As., China: Sinkiang; NW-Afr.

Moenchia Ehrh. -f- *Caryophyllaceae*
– **erecta** (L.) P. Gaertn., B. Mey. et Scherb. · Aufrechte Weißmiere | IV-V; Eur.: Ib, Fr, BrI, Ap, D, Ba; TR, Levante, NW-Afr., nat. in PL
– **mantica** (L.) Bartl. · Fünfzählige Weißmiere | V-VI; Eur.: I, C-Eur., EC-Eur., Ba, RO, TR

× **Moirara** Hort. -f- *Orchidaceae* (*Phalaenopsis* × *Renanthera* × *Vanda*)

Molinia Schrank -f- *Poaceae* · Pfeifengras
– *altissima* Link = Molinia arundinacea
– **arundinacea** Schrank · Rohr-Pfeifengras | ♃ ~ VII-IX; Eur.* exc. Ib, BrI, ? Sc; Cauc.
– **caerulea** (L.) Moench · Benthalm, Blaues Pfeifengras · Purple Moor Grass · Canche bleue, Molinie bleue | ♃ ~ VII-IX Ⓝ; Eur.*, TR, Lebanon, Syr., Israel, Cauc., W-Sib., C-As., Alger., Eth., N-Afr., Kenya (Mt. Kenya), nat. in USA
  - subsp. *altissima* (Link) Domin = Molinia arundinacea
  - subsp. *arundinacea* (Schrank) H.K.G. Paul = Molinia arundinacea
  - subsp. *litoralis* (Host) Braun-Blanq. = Molinia arundinacea

Mollugo L. -f- *Molluginaceae*
– **verticillata** L.; trop. Am., nat. in S-Eur.

Molopospermum W.D.J. Koch -n- *Apiaceae* · Striemendolde
– **peloponnesiacum** (L.) W.D.J. Koch · Striemensame · Striped Hemlock | ♃ ~ VI; Eur.: Sp., F, I, D, CH; Pyr., SE-Alp.

Moltkia Lehm. -f- *Boraginaceae*
– **coerulea** (Willd.) Lehm. | ♃ Ⓐ △ VI-VII ∧; TR
– **doerfleri** Wettst. | ♃ △ VI-VII; NE-AL
– *graminifolia* (Viv.) Nyman = Moltkia suffruticosa
– × **intermedia** (Froebel) Ingram (*M. petraea* × *M. suffruticosa*) | ♄ △ V-VIII; cult.
– **petraea** (Tratt.) Griseb. · Felsen-Moltkie · Moltkia des rochers | ♄ △ VI-VII; Eur.: Croatia, Bosn., Montenegro, AL, GR; mts.
– **suffruticosa** (L.) Brand | ♄ Ⓐ △ VI-VII ∧; I: Alp.

Moluccella L. -f- *Lamiaceae* · Muschelblume
– **laevis** L. · Bells-of-Ireland | ⊙ ✂ VII-VIII; TR, Cyprus, Syr., Iraq, Cauc.

Momordica L. -f- *Cucurbitaceae*
– **balsamina** L. · Balsam Apple | ⊙ Ⓚ ≹ ♣ VI-VIII Ⓝ; Afr., W-As., NW-Ind., Malay. Arch., Austr., nat. in trop. Am., Austr.
– **charantia** L. · Balsam Pear, Bitter Melon | ⊙ Ⓚ ≹ ♣ VI-VIII Ⓝ; Trop., nat. in SE-USA
– **cochinchinensis** (Lour.) Spreng. · Spiny Bitter Cucumber | ♃ Ⓚ ≹ VI-VIII; Ind., Vietn., Phil., Taiwan
– *cylindrica* L. = Luffa cylindrica
– *elaterium* L. = Ecballium elaterium
– **involucrata** E. Mey. ex Sond. | ♃ Ⓚ ≹ ♣ VI-VIII; S-Afr.: Natal
– *lanata* Thunb. = Citrullus lanatus
– *luffa* L. = Luffa cylindrica
– *muricata* Willd. = Momordica charantia

Monadenium Pax -n- *Euphorbiaceae*
– **lugardae** N.E. Br. | ♄ ♆ Ⓚ; Namibia, Zimbabwe, S-Afr.: Transvaal
– **schubei** (Pax) N.E. Br. | ♄ ♆ Ⓚ; S-Afr.: Transvaal; Zimbabwe

Monanthes Haw. -f- *Crassulaceae*
– *agriostaphis* (Webb et Berthel.) H. Christ = Monanthes laxiflora
– **anagensis** Praeger | ♃ ψ (K) V-VI ▽; Canar.: Teneriffa
– **atlantica** Baill. | ♃ ψ (K) V-VI ▽; Atlas
– **brachycaulos** (Webb et Berthel.) Lowe | ♃ ψ (K) ▽; Canar., Azor.
– **laxiflora** (DC.) Bolle | ♄ ψ (K) III-IV ▽; Canar.
– **muralis** (Webb) H. Christ | ♃ ♄ ♄ ψ (K) V-VI ▽; Canar.
– *muralis* Hook. f. non (Webb) H. Christ = Monanthes atlantica
– **pallens** (Webb) H. Christ | ♃ ψ (K) V-VI ▽; Canar.
– **polyphylla** Haw. | ♃ ψ (K) VI ▽; Canar.
– *subcrassicaulis* (Kuntze) Praeger = Monanthes muralis

Monarda L. -f- *Lamiaceae* · Indianernessel
– **bradburiana** Beck
– **didyma** L. · Scharlach-Monarde · Bergamot, Oswego Tea | ♃ VII-IX; USA: NE, NCE, SE
– **fistulosa** L. · Bee Balm | ♃ D VII-IX; Can., USA* exc. NW, Calif.; Mex.
– *fistulosa* Sims non L. = Monarda bradburiana
– **punctata** L. · Bergamot, Spotted Bee Balm | ♃ VII-IX; USA: NE, NCE, SC, SE, Fla.; Mex.
– **russeliana** Nutt. ex Sims · Russel's Monarda | ♃ VII-VIII; USA: Ky., NCE, SE, SC

Monardella Benth. -f- *Lamiaceae*
– **macrantha** A. Gray | ♃ △ VIII-IX; S-Calif.

Moneses Salisb. ex Gray -f- *Pyrolaceae*
– **uniflora** (L.) A. Gray · Einblütiges Wintergrün, Moosauge · Woodnymph | ♃ V-VII ▽; Eur.*, TR, Cauc., W-Sib., E-Sib., Amur, Sachal., Kamchat., C-As., Mong., Him., Alaska, Can., USA: NE, NCE, NC, SW, Rocky Mts, , NW, Calif., Greenl.

Moniera = Bacopa Aubl.
– *amplexicaulis* (Pursh) Michx. = Bacopa caroliniana
– *cuneifolia* Michx. = Bacopa monnieri

Monilaria Schwantes -f- *Aizoaceae*
– **globosa** (L. Bolus) L. Bolus | ♃ ψ (K); Kap

Monochaetum (DC.) Naudin -n- *Melastomataceae*
– **alpestre** Naudin | ♄ (K) II-IV; Mex.
– **bonplandii** (Kunth) Naudin | ♄ (K) II; Col., Peru, Venez.
– **hirtum** (H. Karst.) Triana | ♄ (K); Venez.
– *sericeum* hort. = Monochaetum bonplandii

Monodora Dunal -f- *Annonaceae*
– **myristica** (Gaertn.) Dunal · Calabash Nutmeg, Jamaica Nutmeg | ♄ (W) (N); W-Afr., C-Afr., Angola, Uganda

Monolena Triana -f- *Melastomataceae*
– **primuliflora** Hook. f. | ♃ (W); Col.

Monopsis Salisb. -f- *Campanulaceae*
– **unidentata** (W.T. Aiton) E. Wimm. | ⊙ ⦚ ⇝ VI-IX; S-Afr.

Monotropa L. -f- *Ericaceae*
– **hypophegea** Wallr. · Buchenspargel | ♃ VI-VII; Eur.: D, A, CH +
– **hypopitys** L. · Fichtenspargel | ♃ VI-VII; Eur.*, TR, Cyprus, Cauc., W-Sib., E-Sib., Amur, Sachal., C-As., Afgh., Him., Manch, S-Korea, Jap., Can., USA, Mex.

Monstera Adans. -f- *Araceae*
– **acuminata** K. Koch · Shingle Plant | ♄ (W) ↑⦚; C-Am.
– **adansonii** Schott · Monstera | ♄ (W) ↑⦚; C-Am., trop. S-Am.
– **deliciosa** Liebm. · Swiss Cheese Plant | ♄ (W) (K) ⦚ (N); Mex.
  - **'Borsigniana'**
– *lativaginata* hort. = Rhaphidophora celatocaulis
– **obliqua** (Miq.) Walp. | ♄ (W) ↑⦚; trop. S-Am.
– *pertusa* (L.) de Vriese = Monstera adansonii

Montanoa Cerv. -f- *Asteraceae*
– **bipinnatifida** (Kunth) K. Koch | ♄ (K) II-III; Mex.
– **mollissima** Brongn. et Groenland | ♄ (R) IX-X; Mex.

Montbretia = Tritonia Ker Gawl.
– *crocosmiiflora* Lemoine = Crocosmia ×

crocosmiiflora
– *pottsii* (Baker) Baker = Crocosmia pottsii

Montia L. -f- *Portulacaceae*
– **fontana** L. · Bach-Quellkraut · Montia des fontaines | VI-VIII; Eur.*, TR, Sib., Amur, Kamchat., Jap., NW-Afr., Eth., trop. Afr., N-Am., Austr., NZ
– **perfoliata** (Donn ex Willd.) J.T. Howell · Tellerkraut, Winterpostelein · Miner's Lettuce, Winter Purslane | ⊙ IV-VI Ⓝ; Can.: B.C.; USA: NW, Rocky Mts., Calif., SW; Mex.: Baja Calif., nat. in W-Eur., C-Eur., Cuba
– **sibirica** (L.) J.T. Howell · Sibirisches Tellerkraut · Siberian Purslane, Spring Beauty · Montia de Sibérie | ♃ △ IV-V; Alaska, B.C., USA. NW, Rocky Mts., Calif., nat. in NL, GB

Monvillea Britton et Rose -f- *Cactaceae*
– **anisitsii** (K. Schum.) A. Berger | ♄ ψ Ⓚ ✱; Parag.
– **cavendishii** (Monv.) Britton et Rose | ♄ ψ Ⓚ ✱; S-Bras., N-Arg.
– **diffusa** Britton et Rose | ♄ ψ Ⓚ ✱; S Ecuad., N-Peru
– **haageana** Backeb. | ψ Ⓚ § ✱; Parag.
– **lindenzweigiana** (Gürke) Backeb. | ψ Ⓚ ✱; Parag.
– **maritima** Britton et Rose | ♄ ψ Ⓚ ✱; S-Ecuad., N-Peru
– **phatnosperma** (K. Schum.) Britton et Rose | ψ Ⓚ ✱; Parag.
– **spegazzinii** (F.A.C. Weber) Britton et Rose | ♄ ψ Ⓚ § ⇝ ✱; Arg.

Moraea Mill. -f- *Iridaceae*
– **aristata** (D. Delaroche) Asch. et Graebn. | ♃ Ⓚ VI-VII; Kap
– *bicolor* Steud. = Dietes bicolor
– *collina* Thunb. = Homeria collina
– *glaucopis* (DC.) Drapiez = Moraea aristata
– *herbertii* Lindl. = Cypella herbertii
– *iridioides* L. = Dietes iridioides
– **neopavonia** R.C. Foster | ♃ Ⓚ VI-VII; Kap
– *pavonia* (L. f.) Ker-Gawl. = Moraea neopavonia
– **polyanthos** L. f. | ♃ Ⓚ VI-VII; Kap
– *robinsoniana* (F. Muell.) Benth. et F. Muell. = Dietes robinsoniana
– *spathacea* (Thunb.) Ker-Gawl. = Moraea spathulata
– **spathulata** (L. f.) Klatt | ♃ Ⓚ III-IV; S-Afr.: Kap, Natal, Orange Free State
– **tricuspidata** (L. f.) Lewis | ♃ Ⓚ V-VI; Kap
– *tricuspis* (Thunb.) Ker-Gawl. = Moraea tricuspidata

Morawetzia = Oreocereus (A. Berger) Riccob.
– *doelziana* Backeb. = Oreocereus doelzianus

Moricandia DC. -f- *Brassicaceae*
– **arvensis** (L.) DC. | ⊙ VII-VIII; Eur.: Ib, Ap, GR; NW-Afr.
– *sonchifolia* (Bunge) Ledeb. = Orychophragmus violaceus

Morina L. -f- *Morinaceae*
– **bulleyana** Forrest et Diels | ♃ VI-VII ∧; W-China
– **kokanica** Regel | ♃ VI-VII ∧; C-As.
– **longifolia** Wall. · Persische Steppen-Distel · Whorl Flower | ♃ VI-VIII ∧; Nepal
persica L. | ♃ VII-VIII ∧; Eur.: Ba; TR, Lebanon, Syr., Iran, C-As.

Morinda L. -f- *Rubiaceae*
– **citrifolia** L. · Indian Mulberry, Painkiller | ♄ Ⓦ Ⓝ; Him., Ind., Sri Lanka, China, Taiwan, Malay. Arch., Austr., Pacific Is.

Moringa Adans. -f- *Moringaceae*
– *arabica* (Lam.) Pers. = Moringa peregrina
– **oleifera** Lam. · Ben Oil, Horseradish Tree | ♄ ψ Ⓦ Ⓝ; Him., Ind., nat. in Trop.
– **peregrina** (Forssk.) Fiori | ♄ ψ Ⓚ Ⓝ; Israel, Egypt, Somalia
– *pterygosperma* Gaertn. = Moringa oleifera

Morisia J. Gay -f- *Brassicaceae*
– **monanthos** (Viv.) Asch. | ♃ Ⓐ △ V-VII ∧; Corse, Sard.

Mormodes Lindl. -f- *Orchidaceae*
– **aromatica** Lindl. | Ⓦ X ✱; Mex.
– **buccinator** Lindl. | Ⓦ X-XI ✱; Mex., Guat., Panama, Col., Venez., Guyana
– **colossus** Rchb. f. | Ⓦ III ✱; Costa Rica, Panama
– *macrantha* Lindl. et Paxton = Mormodes colossus

– **maculata** (Klotzsch) L.O. Williams | ⌂W IX-X ✻; Mex.
– *pardina* Bateman = Mormodes maculata
– **variabilis** Rchb. f. | ⌂W ✻; Ecuad.

Mormolyca Fenzl -f- *Orchidaceae*
– **ringens** (Lindl.) Schltr. | ⌂W V-X ✻; Mex., C-Am.

Morus L. -f- *Moraceae* · Maulbeerbaum
– **alba** L. · Weißer Maulbeerbaum · Silkworm Mulberry, White Mulberry · Mûrier blanc | ŧ ħ V Ⓝ; China, nat. in Sp., A, Ba, EC-Eur., TR, E-USA
  - var. **tatarica** (Pall.) Ser. | ŧ ħ
– **australis** Poir. | ŧ ħ; China, Korea, Jap., Taiwan
– *bombycis* Koidz. = Morus alba
– **cathayana** Hemsl. | ŧ ħ; C-China, E-China
– *kagayamae* Koidz. = Morus alba
– **mongolica** (Bureau) C.K. Schneid. | ŧ ħ; China, Manch., Korea
– **nigra** L. · Schwarzer Maulbeerbaum · Black Mulberry, Common Mulberry, Mulberry · Mûrier noir | ŧ ħ ⌂K V ∧ Ⓝ; C-As., nat. in Sp., I, Ba, RO, TR, Iran, se. USA
– **rubra** L. · Roter Maulbeerbaum · Red Mulberry | ŧ V Ⓝ; Can.: Ont.; USA: NE, NCE, NC, SC, SE, Fla., Bermudas

Moschosma = Tetradenia Benth.
– *riparia* Hochst. = Tetradenia riparia

Moussonia Regel -f- *Gesneriaceae*
– **elegans** Decne. | ♃ ⌂W VII-IX; S-Mex., C-Am.

Mucuna Adans. -f- *Fabaceae*
– **capitata** (Roxb.) Wight et Arn. | Ⓝ; Ind., Him., Java
– **pruriens** (L.) DC. · Velvetbean | ⊙ ⌂W ☠ Ⓝ; ? trop. As.
  - subsp. *deeringiana* (Bort) Hanelt = Mucuna pruriens var. utilis
  - var. **utilis** (Wall. ex Wight) Baker ex Burck | ⊙ ⌂W ☠ Ⓝ; cult.

Muehlenbeckia Meisn. -f- *Polygonaceae*
– **adpressa** (Labill.) Meisn. · Australian Ivy, Climbing Lignum | ħ ⌂K ≹ ⇝; Austr.: N.S.Wales, Victoria, S-Austr., Tasman., W-Austr.
– **axillaris** (Hook. f.) Walp. · Creeping Wire Vine | ħ △ ∧; NZ
– **complexa** (A. Cunn.) Meisn. · Maidenhair Vine, Mattress Vine, Wire Plant | ħ ⌂K ≹ ⇝; NZ
– *platyclada* (F. Muell.) Meisn. = Homalocladium platycladum

Muhlenbergia Schreb. -f- *Poaceae*
– **mexicana** (L.) Trin. | ♃ VII-IX; Can.; USA: NE, N.C., NCE, NC, Rocky Mts., SW, Calif.
– **schreberi** J.F. Gmel. · Tropfensame | ♃ X-IX; USA: NE, NCE, NC, SE, Fla., SC; E-Mex., nat. in S-Russ.

Mukdenia Koidz. -f- *Saxifragaceae*
– **rossii** (Oliv.) Koidz. · Ahornblatt | ♃; N-China, Manch., Korea

Mukia Arn. -f- *Cucurbitaceae*
– **maderaspatana** (L.) M. Roem. | ⊙ ≹ ♧; trop. Afr., trop. As., Austr.

Mundulea (DC.) Benth. -f- *Fabaceae*
– **sericea** (Willd.) A. Chev. · Silver Bush, Supti | ħ ⌂W ☠ Ⓝ; trop. Afr., Madag., S-Afr., Ind., Malay. Arch.

Muntingia L. -f- *Tiliaceae*
– **calabura** L. · Jamaica Cherry | ħ ŧ ⌂W Ⓝ; Mex., C-Am., trop. S-Am., nat. in Thail., Phil.

Murbeckiella Rothm. -f- *Brassicaceae*
– **pinnatifida** (Lam.) Rothm. · Fiederrauke | ♃ VII-VIII; Eur.: Sp., F, I, CH; Pyr., W-Alp.

Murraya L. -f- *Rutaceae*
– *exotica* L. = Murraya paniculata
– **koenigii** (L.) Spreng. · Curry Leaf | ħ ⌂W Ⓝ; Ind., Sri Lanka, Myanmar, Thail., Laos, Cambodia
– **paniculata** (L.) Jack · Barktree, Orange Jessamine, Satinwood | ħ ⌂W D Ⓝ; N-Ind., Sri Lanka, Sumat., Java, Phil., Austr., Pacific Is.

Musa L. -f- *Musaceae* · Banane
– **acuminata** Colla · Banana, Plantain | ♃ ⌂W Ⓝ; Ind. (Assam), Myanmar, Thail., Vietn., Malay. Arch., Phil., N.Guinea, Austr.
  - **'Dwarf Cavendish'**
  - **'Sumatrana'**

– *arnoldiana* De Wild. = Ensete ventricosum
– **balbisiana** Colla | ♃ Ⓦ Ⓝ; Ind., Myanmar, S-China, Phil., N.Guinea, New Britain
– **basjoo** Siebold et Zucc. · Japanese Banana | ♃ Ⓦ Ⓝ; Riukiu-Is.
– *cavendishii* Lamb. ex Paxton = Musa acuminata 'Dwarf Cavendish'
– *coccinea* Andrews = Musa uranoscopos
– *ensete* J.F. Gmel. = Ensete ventricosum
– *fehi* Bertero ex Vieill. = Musa troglodytarum
– *japonica* Thiébaut et Ketel. = Musa basjoo
– *malaccensis* Ridl. = Musa acuminata
– **mannii** Hook. | ♃ Ⓦ; Ind: Assam
– × **paradisiaca** L. (*M. acuminata* × *M. balbisiana*) · Banana, Edible Banana, Plantain | ♃ Ⓦ Ⓝ; cult. Trop.
  - *'Bluefields'* = Musa × paradisiaca 'Gros Michel'
  - **'Gros Michel'**
  - **'Vittata'**
– *rosacea* Jacq. = Musa × paradisiaca
– **sanguinea** Hook. f. | ♃ Ⓦ; Ind: Assam
– × *sapientum* L. = Musa × paradisiaca
  - var. *paradisiaca* (L.) Kuntze = Musa × paradisiaca
– *seminifera* Lour. p.p. = Musa balbisiana
– **sumatrana** Becc. ex André | ♃ Ⓦ; Sumat.
– **textilis** Née · Abaca, Manila Hemp | ♃ Ⓚ Ⓝ; Phil., N-Kalimantan
– **troglodytarum** L. | ♃ Ⓦ Ⓝ; N.Caled., Fiji, Tahiti
– **uranoscopos** Lour. · Scarlet Banana | ♃ Ⓦ; S-China
– **velutina** H. Wendl. et Drude | ♃; NE-Ind.
– *ventricosa* Welw. = Ensete ventricosum
– *zebrina* Van Houtte ex Planch. = Musa acuminata 'Sumatrana'

Musanga C. Sm. ex R. Br. -f- *Cecropiaceae*
– **smithii** R. Br. · Bosenge, Schirmbaum | ♄ Ⓝ; trop. Afr.

Muscadinia (Planch.) Small -f- *Vitaceae*
– *rotundifolia* (Michx.) Small = Vitis rotundifolia

Muscari Mill. -n- *Hyacinthaceae* · Traubenhyazinthe
– **armeniacum** Leichtlin ex Baker · Armenische Traubenhyazinthe | ♃ III-IV ▽; Eur.: Ba; TR, ? NW-Iran
– *atlanticum* Boiss. et Reut. = Muscari neglectum
– **aucheri** (Boiss.) Baker | ♃ III-IV ▽; N-TR
– **azureum** Fenzl | ♃ III-IV ▽; TR
– **botryoides** (L.) Mill. · Kleine Traubenhyazinthe · Grape Hyacinth · Muscari raisin | ♃ IV-V ▽; Eur.: Fr, Ap, C-Eur., EC-Eur., Ba, E-Eur.
  - var. **heldreichii** (Boiss.) D.C. Stuart | ♃ △ III-IV ▽; GR
– **comosum** (L.) Mill. · Schopfige Traubenhyazinthe · Tassel Hyacinth | ♃ V-VI ▽; Eur.* exc. BrI, Sc; TR, Syr., Arab., Iran, N-Afr., nat. in BrI, DK
  - *'Monstrosum'* = Muscari comosum 'Plumosum'
  - **'Plumosum'**
– *heldreichii* Boiss. = Muscari botryoides var. heldreichii
– **latifolium** Kirk | ♃ V-VI ▽; TR
– **macrocarpum** Sweet | ♃ IV-V ▽; Eur.: GR, Crete; W-TR
– **neglectum** Guss. ex Ten. · Weinbergs-Traubenhyazinthe · Common Grape Hyacinth | ♃ D IV ▽; Eur.* exc. BrI, Sc; TR, Cyprus, Syr., Cauc., Iran, C-As., N-Afr., nat. in BrI, USA
– *pinardii* Boiss. = Muscari comosum
– *polyanthum* Boiss. = Muscari armeniacum
– *racemosum* (L.) Mill. = Muscari neglectum
– **tenuiflorum** Tausch · Schmalblütige Traubenhyazinthe | ♃ V-VI; Eur.: C-Eur., EC-Eur., Ba, E-Eur.; TR, Syr., Iraq, Cauc., Iran
– *tubergenianum* Turrill = Muscari aucheri

Mussaenda L. -f- *Rubiaceae*
– **erythrophylla** Schumach. et Thonn. · Red Flag Bush | ♄ Ⓦ ⌇ VI-VIII; W-Afr.

Musschia Dumort. -f- *Campanulaceae*
– **aurea** (L. f.) Dumort. | ♃ Ⓚ VII-IX; Madeira
– **wollastonii** Lowe | ♄ Ⓚ VI-IX ▽; Madeira

Mutisia L.f. -f- *Asteraceae*
– **clematis** L. f. | ♄ Ⓦ ⌇ VII-X; Col., Ecuad., Peru
– **coccinea** A. St.-Hil. | ⌇; S-Bras., Parag., Urug., NE-Arg.

– **decurrens** Cav. | ♄ Ⓚ ⦚ VII-VIII; Chile
– **ilicifolia** Cav. | ♄ Ⓚ ⦚; Chile
– *inflexa* Cav. = Mutisia subulata
– **linearifolia** Cav. | ♄ Ⓚ ⇝; Chile
– **sinuata** Cav. | ♄ Ⓚ ⦚ ⇝; Chile
– **speciosa** Aiton | ♄ Ⓦ ⦚ VII-X; Bras.
– **subulata** Ruiz et Pav. | ♄ Ⓚ ⦚; Chile

Myagrum L. -n- *Brassicaceae*
– **perfoliatum** L. · Hohldotter | V-VII; Eur.: Fr, Ib, C-Eur., EC-Eur., Ap, Ba, E-Eur.; Syr., Cauc., Iran, N-Iraq, nat. in Sc
– *sativum* L. = Camelina sativa

Mycelis Cass. -m- *Asteraceae*
– **muralis** (L.) Dumort. · Mauerlattich | ♃ VII-VIII; Eur.*, TR, Cauc.

Myoporum Banks et Sol.ex G.Forst. -n- *Myoporaceae*
– **acuminatum** R. Br. | ♄ Ⓚ IV; Austr.
– **laetum** G. Forst. · Myoporum | ♄ Ⓚ IV-VII; NZ
– **parvifolium** R. Br. | ♄ Ⓚ VII-VIII; Austr., Tasman.
– *serratum* R. Br. = Myoporum tetrandrum
– **tetrandrum** (Labill.) Domin | ♄ ♄ Ⓚ V; Austr.

Myosotis L. -f- *Boraginaceae* · Vergißmeinnicht
– **alpestris** F.W. Schmidt · Alpen-Vergißmeinnicht · Alpine Forget-me-Not | ♃ VII-VIII; Eur.* exc. Sc; Cauc.
– *alpestris* hort. = Myosotis sylvatica
– **arvensis** (L.) Hill · Acker-Vergißmeinnicht · Common Forget-Me-Not | ⊙ ⊙ IV-VIII; Eur.*, TR, Cauc., W-Sib., E-Sib., C-As., NW-Afr., nat. in N-Am.
– **australis** R. Br. | ♃ Ⓚ VI-VIII; Austr., Tasman., NZ
– **azorica** H.C. Watson · Azores Forget-Me-Not | ♃ IV-X; Azor.
– *caespititia* (DC.) A. Kern. = Myosotis rehsteineri
– **caespitosa** Schultz
  - subsp. *rehsteneri* (Wartm.) Nyman = Myosotis rehsteineri
– **decumbens** Host · Niederliegendes Vergißmeinnicht | ♃ VI-VIII; Eur.* +
– **discolor** Pers. · Buntes Vergißmeinnicht | IV-VI; Eur.* exc. Ib; TR, Cyprus, NW-Afr.
– **explanata** Cheeseman | ♃ III-V; NZ
– **laxa** Lehm. · Rasen-Vergißmeinnicht | ⊙ V-VII; Eur.*, TR, Palaest., As., NW-Afr., N-Am.
– **nemorosa** Besser · Hain-Vergissmeinnicht | ♃ ⊙ VI-VII; Eur.* +
– *oblongata* Link = Myosotis sylvatica
– **palustris** (L.) Nath. · Sumpf-Vergißmeinnicht · Forget-Me-Not · Myosotis des marais | ♃ V-VIII; Eur.* exc. Ib; TR, Cauc., W-Sib., E-Sib., Mong., nat. in N-Am.
  - subsp. *caespititia* (DC.) E. Baumann = Myosotis rehsteineri
– **ramosissima** Rochel ex Schult. · Hügel-Vergissmeinnicht | IV-VI; Eur.*, TR, Levante, Cauc., NW-Iran, NW-Afr.
– **rehsteineri** Wartm. · Bodensee-Vergißmeinnicht | ♃ ～ IV-V ▽; Eur.: S-D, N-I, CH, A
– **scorpioides** L. · Gewöhnliches Sumpf-Vergissmeinnicht, Lockerblütiges Vergißmeinnicht · Water Forget-Me-Not · Myosotis des marais | ♃ V-IX; Eur.* +
  - subsp. **praecox** (Hülph.) Dickoré · Großblütiges Vergissmeinnicht, Großblütiges Sumpf-Vergissmeinnicht | ♃ VI-VII
– **sparsiflora** J.C. Mikan ex Pohl · Zerstreutblütiges Vergißmeinnicht | IV-VI; Eur.: C-Eur., EC-Eur., Ba, E-Eur.; TR, Cauc., Iran, C-As
– **stenophylla** Knaf · Schmalblatt-Vergißmeinnicht | ♃ V-VIII; Eur.: A, EC-Eur., E-Eur.; Cauc., W-Sib., E-Sib., Amur, Kamchat., C-As.
– **stricta** Link ex Roem. et Schult. · Sand-Vergißmeinnicht | III-VI; Eur.*, TR, Levante, Cauc., N-Iran, Him., W-Sib., E-Sib., C-As., N-Afr., nat. in N-Am.
– **sylvatica** Ehrh. ex Hoffm. · Wald-Vergißmeinnicht · Wood Forget-Me-Not · Myosotis des bois, Ne m'oubliez-pas | ♃ ⊙ Ⓚ V-VII; Eur.* exc. Ib; TR, Cauc., Iran

Myosoton = Stellaria L.
– *aquaticum* (L.) Moench = Stellaria aquatica

Myosurus L. -m- *Ranunculaceae* · Mäuseschwänzchen
– **minimus** L. · Kleines Mäuseschwänzchen · Mousetail, Tiny Mousetail | ⊙ IV-VI; Eur.*, Cyprus, Syr., Cauc., W-Sib., C-As., Maroc., Alger.,

Libya, Alaska, Can., USA*, Austr.

Myrciaria O. Berg -f- *Myrtaceae*
- **cauliflora** (DC.) O. Berg · Jaboticaba | ♄ Ⓚ Ⓝ; S-Bras.
- **myriophylla** (Casar.) O. Berg | ♄ Ⓦ; Bras.

Myrica L. -f- *Myricaceae* · Gagel
- *aspleniifolia* L. = Comptonia peregrina var. aspleniifolia
- **californica** Cham. et Schltdl. | ♄ ♄; USA: NW, Calif.
- *carolinensis* hort. = Myrica pensylvanica
- *caroliniensis* Mill. = Myrica cerifera
- **cerifera** L. · Wachsmyrte · Wax Myrtle, Waxberry · Cirier | ♄ ♄ ~ IV-V; USA: NE, SE, Fla., Tex.
- **gale** L. · Moor-Gagelstrauch · Bog Myrtle, Sweet Gale · Galé odorant, Piment royal | ♄ ~ D ~ IV; Eur.* exc. Ba, Ap
- *nagi* DC. non Thunb. = Myrica rubra
- **pensylvanica** Loisel. · Bayberry, Northern Bayberry | ♄ IV-V; Can.: E; USA: NE, Ohio, N.C., nat. in NL, S-GB
- **rubra** Siebold et Zucc. · Red Myrica | ♄ ♄ Ⓚ Ⓝ; Jap., Taiwan, China
- **tomentosa** (Aubl.) DC. | ♄ ♄; Panama, trop. S-Am.

Myricaria Desv. -f- *Tamaricaceae* · Rispelstrauch
- **germanica** (L.) Desv. · Deutsche Tamariske, Rispelstrauch · False Tamarisk · Myricaire d'Allemagne | ♄ VI-VIII; Eur.* exc. BrI; TR, Cauc., Iran, Afgh., Pakist.

Myriocarpa Benth. -f- *Urticaceae* · Tausendfrucht
- **densiflora** Benth. | ♄ Ⓦ; S-Am.
- **stipitata** Benth. | ♄ Ⓦ; Bras.

Myriophyllum L. -n- *Haloragaceae*
- **alterniflorum** DC. · Wechselblütiges Tausendblatt | ♃ ≈ VI-VIII; Eur.* exc. Ba; NW-Afr., Alaska, Can., USA: NE; Greenl.
- **aquaticum** (Vell.) Verdc. · Parrots Feather · Millefeuille d'eau, Myriophylle du Brésil | ♃ Ⓚ ≈; S-Am., nat. in Ib, F
- *brasiliense* Cambess. = Myriophyllum aquaticum
- **elatinoides** Gaudich. | ♃ Ⓚ ≈; Mex., S-Am., Falkland, Chatham Is., Austr., Tasman., NZ
- **heterophyllum** Michx. · Verschiedenblättriges Tausendblatt | ♃ Ⓚ ≈ VI-IX; Can.: E; USA: NE, NCE, NC, SC, SE, Fla., nat. in BrI, A
- **hippuroides** Nutt. ex Torr. et A. Gray · Western Water Milfoil | ♃ Ⓚ ≈; Can.: W; USA: NW, Calif.; Mex.
- **pinnatum** (Walter) Britton, Stearn et Poggenb. | ♃ Ⓦ Ⓚ ≈; USA: NE, NCE, SC, SE, Fla.; W.Ind.
- *proserpinacoides* Gilles ex Hook. et Arn. = Myriophyllum aquaticum
- *scabratum* Cham. et Schltdl. = Myriophyllum hippuroides
- *scabratum* Michx. = Myriophyllum pinnatum
- **spicatum** L. · Ähriges Tausendblatt · Millefolium, Spiked Water Milfoil · Myriophylle en épis | ♃ Ⓚ ≈ VII-VIII; Eur.*, cosmop. exc. S-Am., Austr.
- **verticillatum** L. · Quirliges Tausendblatt · Water Milfoil, Whorled Water Milfoil · Myriophylle verticillé | ♃ ≈ VI-VIII; Eur.*, Cauc., Syr., W-Sib., E-Sib., Kamchat., C-As., Mong., China, Jap., Maroc., Alger., N-Am., S-Am.

Myristica Gronov. -f- *Myristicaceae* · Muskatnußbaum
- **argentea** Warb. · Silver Nutmeg | ♄ Ⓦ Ⓝ; N.Guinea
- **fragrans** Houtt. · Nutmeg | ♄ Ⓦ Off. Ⓝ; Molucca I.
- **malabarica** Lam. | ♄ Ⓦ Ⓝ; Ind.
- *officinalis* L. f. = Myristica fragrans

Myrmecodia Jack -f- *Rubiaceae* · Ameisenknolle
- **antoinii** Becc. | ♄ Ⓦ; Austr.: Torres-Street
- **echinata** Miq. · Myrmecodia | ♄ Ⓦ; Malay. Pen.
- *inermis* DC. = Myrmecodia echinata
- **platytyrea** Becc. | ♄ Ⓦ; N.Guinea
- *tuberosa* Jack = Myrmecodia echinata

Myroxylon L.f. -n- *Fabaceae* · Balsambaum
- **balsamum** (L.) Harms · Tolu Tree, Tolubalsam ; Guat., Col., Ecuad., Venez., Bras.
  - var. **pereirae** (Royle) Harms | ♄ Ⓦ Off. Ⓝ; S-Mex., C-Am.

- *pereirae* (Royle) Klotzsch = Myroxylon balsamum var. pereirae
- *toluiferum* A. Rich. = Myroxylon balsamum

Myrrhis Mill. -f- *Apiaceae*
- **odorata** (L.) Scop. · Süßdolde · Myrrh, Sweet Cicely | ♃ VI Ⓝ; Eur.: Ib, Fr, Ap, Ba, C-Eur.; Cauc.

Myrrhoides Heist. ex Fabr. -f- *Apiaceae*
- **nodosa** (L.) Cannon · Europäische Knotendolde ; Eur.*: Ib, Fr, Ap, Ba, H, RO, Krim; TR, Syr., Iraq, Cauc., Iran, C-As

Myrsine L. -f- *Myrsinaceae*
- **africana** L. · African Boxwood, Cape Myrtle ; Azor., E-Afr.(mts.), S-Afr., Him., China
  - var. **microphylla** Drège | ♄ Ⓚ III-V; Azor., S-Afr., Afgh., Him.
  - var. **retusa** Aiton | ♄ Ⓚ III-V; Azor.

Myrsiphyllum = Asparagus L.
- *asparagoides* (L.) Willd. = Asparagus asparagoides

Myrtillocactus Console -m- *Cactaceae*
- **cochal** (Orcutt) Britton et Rose | ♄ Ψ Ⓦ ✻; Mex.: Baja Calif.
- **geometrizans** (Mart.) Console | ♄ Ψ Ⓦ ✻; Mex., Baja Calif.
- **schenckii** (J.A. Purpus) Britton et Rose | ♄ Ψ Ⓦ ✻; Mex.

Myrtus L. -f- *Myrtaceae* · Myrte
- *apiculata* DC. = Luma apiculata
- *bullata* (Sol.) A. Cunn. = Lophomyrtus bullata
- *chequen* (Molina) Spreng. = Luma chequen
- **communis** L. · Common Myrtle, Myrtle | ♄ Ⓚ D VI-X; Eur.: Ib, Fr, Ap, Ba; TR, Levante, Iran, C-As., Pakistan, NW-Afr., Libya
- *cumini* L. = Syzygium cumini
- *luma* Molina = Luma apiculata
- *obcordata* (Raoul) Hook. = Lophomyrtus obcordata
- *tomentosa* Aiton = Rhodomyrtus tomentosa
- *ugni* Molina = Ugni molinae

Nabalus Cass. -m- *Asteraceae*
- **albus** (L.) Hook. · Rattlesnake Root, White Lettuce | ♃ VII-IX; Can.: E, Sask.; USA: NE, NCE, NC, SE
- **serpentarius** (Pursh) Hook. · Cankerweed, Gall-of-the-Earth, Lion's Foot | ♃ VIII-IX; USA: NE, Ohio, SE, Fla.

Naegelia = Smithiantha Kuntze
- *amabilis* Regel = Smithiantha multiflora
- *cinnabarina* Linden = Smithiantha cinnabarina
- *multiflora* (M. Martens et Galeotti) Hook. = Smithiantha multiflora
- *zebrina* (Paxton) Regel = Smithiantha zebrina

Nageia Gaertn. -f- *Podocarpaceae*
- **nagi** (Thunb.) Kuntze | ♄ Ⓚ Ⓝ; S-Jap., Riukiu-Is., Taiwan

Nageliella L.O. Williams -f- *Orchidaceae*
- **purpurea** (Lindl.) L.O. Williams | ♃ Ⓦ VI-VIII ✻; Mex., Guat.

Najas L. -f- *Najadaceae*
- **flexilis** (Willd.) Rostk. et W.L.E. Schmidt · Biegsames Nixkraut | VI-VIII; Eur.: BrI, Sc, C-Eur., EC-Eur., E-Eur.; W-Sib., N-Am
- **graminea** Delile | ⊙ ⊙ ♃ Ⓦ Ⓚ ≈; C-Afr., NE-Afr., S-As., Austr., N.Caled., nat. in I, BG, RO
- **guadalupensis** (Spreng.) Morong | ♃ Ⓦ ≈; C-Am, S-Am.
- **indica** (Willd.) Cham. | ♃ Ⓦ ≈; trop. As.
- **malesiana** W.J. de Wilde | ♃ Ⓦ ≈; SE-As.
- **marina** L. · Großes Nixkraut, Meer-Nixkraut | VI-VIII; Eur.*, Cauc., W-Sib., E-Sib., Amur, C-As., S-As., E-As., N-Afr., N-Am., S-Am., Austr.
- *microdon* A. Braun = Najas guadalupensis
- **minor** All. · Kleines Nixkraut | VI-VIII; Eur.* exc. Sc, BrI; TR, Cauc., Iran, W-Sib., Amur, C-As., E-As., S-As., N-Afr., Afr.

× **Nakamotoara** Hort. -f- *Orchidaceae* (*Ascocentrum* × *Neofinetia* × *Vanda*)

Nananthus N.E. Br. -m- *Aizoaceae*
- **vittatus** (N.E. Br.) Schwantes | ♃ Ψ Ⓚ; S-Afr.

Nandina Thunb. -f- *Berberidaceae*
– **domestica** Thunb. ex Murray · Himmelsbambus · Heavenly Bamboo, Nandina, Sacred Bamboo · Bambou sacré | ♄ Ⓚ VI-VII ☠; Jap., C-China

Nannorrhops H. Wendl. -f- *Arecaceae*
– **ritchieana** (Griff.) Aitch.

Nanodes Lindl. -n- *Orchidaceae*
– *medusae* Rchb. f. = Epidendrum medusae
– *porpax* (Rchb. f.) Brieger = Epidendrum porpax

Napaea L. -f- *Malvaceae*
– **dioica** L. | ♃; USA

Narcissus L. -m- *Amaryllidaceae* · Narzisse
– **assoanus** Dufr. · Rush-Leaved Jonquil | ♃ △ III-IV ▽ ☠ ∧; Eur.: S-F, Sp., ? Corse, nat. in TR
– **asturiensis** (Jord.) Pugsley · Dwarf Daffodil | ♃ △ III-IV ▽ ∧; N-P, N-Sp.
– × *biflorus* Curtis = Narcissus × medioluteus
– **bulbocodium** L. · Reifrock-Narzisse · Bulbocodium, Hoop Petticoat Daffodil, Hoop Petticoat | ♃ IV-V ▽ ∧; SW-F, Ib., Maroc., Alger.
– *compressus* Haw. = Narcissus × intermedius
– **cyclamineus** DC. · Donkey's Ears | ♃ △ III-IV ▽ ∧, NW-P, NW-Sp.
– **elegans** (Haw.) Spach | ♃ Ⓚ D IX-X ▽ ∧; Eur.: Balear., I, Sic.; NW-Afr.
– *exsertus* Haw. = Narcissus poeticus
– × *gracilis* Salisb. = Narcissus × tenuior
– × *grenieri* A.G. Richt. = Narcissus × medioluteus
– **hispanicus** Gouan | ♃ IV-V ▽
– × **incomparabilis** Mill. (*N. poeticus* × *N. pseudonarcissus*) · Unvergleichliche Narzisse | ♃ III-IV ▽; F, nat. in S-Eur., W-Eur.
– × **intermedius** Loisel. (*N. jonquilla* × *N. tazetta*)
– × **johnstonii** (Baker) Pugsley (*N. pseudonarcissus* × *N. triandrus subsp. pallidulus*) | ♃ IV ▽; P
– **jonquilla** L. · Jonquille · Wild Jonquil | ♃ △ D △ IV ▽ ∧ Ⓝ; Eur.: Ib, nat. in F, I, Croatia, Montenegro
– *juncifolius* auct. = Narcissus assoanus
– × **medioluteus** Mill. (*N. poeticus* × *N. tazetta*) · Zweiblütige Narzisse | ♃ D IV-V ▽; F, nat. in S-Eur.
– *minimus* hort. = Narcissus asturiensis
– **minor** L.; Eur.: N-Sp., F; Pyr.
  - var. **conspicuus** Haw. | ♃ △ III-IV ▽ ∧; P, Sp.
– × **odorus** L. (*N. jonquilla* × *N. pseudonarcissus*) · Duft-Narzisse | ♃ D IV-V; cult.
– **papyraceus** Ker-Gawl. · Weihnachts-Narzisse · Paper-White Narcissus | ♃ Ⓚ D I-III ▽; Eur.: Ib, Fr, Ap, Ba
– × *poetaz* hort. ex L.H. Bailey = Narcissus × medioluteus
– **poeticus** L. · Dichter-Narzisse, Weiße Narzisse · Pheasant Eye Narcissus, Poet's Narcissus | ♃ ⋈ IV-V ▽ ☠ Ⓝ; Eur.: Ib, Fr, Ap, C-Eur., Ba, E-Eur., nat. in BrI
  - subsp. *radiiflorus* (Salisb.) Baker = Narcissus radiiflorus
  - var. **verbanensis** Herb. · Langensee-Narzisse | ♃ IV-V
– **pseudonarcissus** L. · Gelbe Narzisse, Osterglocke · Lent Lily, Tenby Daffodil, Wild Daffodil | ♃ ⋈ III-IV ▽ ☠; Eur.: BrI, Fr, Ib, CH, D, nat. in A, I, Ba, RO
  - subsp. *major* (Curtis) Baker = Narcissus hispanicus
  - var. *johnstonii* Baker = Narcissus × johnstonii
– **radiiflorus** Salisb. · Stern-Narzisse, Westalpen-Narzisse | ♃ ⋈ IV-V ▽ ☠; SC-Eur., W-Ba
  - var. **stellaris** (Haw.) A. Fern.
– *requienii* M. Roem. = Narcissus assoanus
– **rupicola** Dufour
  - subsp. **watieri** (Maire) Maire et Weiller | ♃ Ⓚ VI ▽; Maroc.
– **scaberulus** Henriq. | ♃; N-P (Mondego-Tal)
– *stellaris* Haw. = Narcissus radiiflorus var. stellaris
– **tazetta** L. · Tazette · Bunch-Flowered Narcissus | ♃ ⋈ D ⋈ III-V ▽; Eur.: Ib, Fr, Ap, Ba
  - subsp. *papyraceus* (Ker-Gawl.) G. Nicholson = Narcissus papyraceus
– × *tazettopoeticus* Gren. et Godr. = Narcissus × medioluteus
– × **tenuior** Curtis (*N. jonquilla* × *N. poeticus*) · Narcissus
– **triandrus** L. · Engelstränen-Narzisse · Angel's Tears | ♃ Ⓚ IV-V ▽; Eur.: Ib, F
  - var. *albus* (Haw.) Baker = Narcissus triandrus
– *watieri* Maire = Narcissus rupicola subsp.

watieri
– **Cultivars**
- *'Paperwhite'* = Narcissus papyraceus
- *'Totus Albus Grandiflorus'* = Narcissus papyraceus

Nardostachys DC. -f- *Valerianaceae*
– **grandiflora** DC. · Nard, Spikenard | ♃ △ Ⓝ; Him., SW-China
– *jatamansi* (D. Don) DC. = Nardostachys grandiflora

Nardus L. -f- *Poaceae*
– **stricta** L. · Borstgras · Mat Grass, Moor Mat Grass | ♃ △ V-VIII; Eur.*, TR, Cauc., Maroc., nat. in E-Sib., N-Am., Greenl., Tasman., NZ

Narthecium Huds. -n- *Melanthiaceae* · Beinbrech
– **ossifragum** (L.) Huds. · Beinbrech, Mohr-Ährenlilie · Bog Asphodel | ♃ ~ VII-VIII ▽ ☠; Eur.: BrI, Sc, D, Fr, Ib

Nasturtium = Rorippa Scop.
– **microphyllum** Boenn. ex Rchb. · Kleinblättrige Brunnenkresse | ⊙ ♃ ♠ X-VI Ⓝ; Eur.* exc. Ib, E-Eur.; Maroc.
– *nasturtium-aquaticum* (L.) H. Karst. = Nasturtium officinale
– **officinale** R. Br. · Echte Brunnenkresse · Water Cress, Watercress · Cresson de fontaine | ♃ ♠ X-VI Ⓝ; Eur.*, TR, Cauc., cosmop., nat. in N-Am., Eth.
- var. *microphyllum* (Boenn. ex Rchb.) Hyl. ex A. Löve et D. Löve = Nasturtium microphyllum
– × **sterile** (Airy Shaw) Oefelein (*N. microphyllum* × *N. officinale*) · Bastard-Brunnenkresse

Naumburgia = Lysimachia L.
– *thyrsiflora* (L.) Rchb. = Lysimachia thyrsiflora

Nauplius (Cass.) Cass. -m- *Asteraceae*
– **sericeus** (L. f.) Cass.

Nautilocalyx Linden ex Hanst. -m- *Gesneriaceae*
– **bullatus** (Lem.) Sprague | ♃ Ⓦ; Amazon., Peru
– **forgetii** (Sprague) Sprague | ♃ Ⓦ; Peru
– **lynchii** (Hook. f.) Sprague | ♃ Ⓦ; ? Peru, ? Ecuad.
– **pallidus** (Sprague) Sprague | ♃ Ⓦ; Peru
– **picturatus** L.E. Skog | ♃ Ⓦ; Peru
– **pictus** (Hook.) Sprague | ♃ Ⓦ; Amazon., Guyan.

Navarretia Ruiz et Pav. -f- *Polemoniaceae*
– **squarrosa** (Eschsch.) Hook. et Arn.; B.C., USA: NW, Calif.

Neanthe = Chamaedorea Willd.
– *bella* Cook = Chamaedorea elegans

Nectaroscordum Lindl. -n- *Alliaceae*
– **siculum** (Ucria) Lindl. | ♃ Ⓚ ✂ V; Eur.: F, Ap, Ba, RO, Krim; TR , W-Med.
- subsp. **bulgaricum** (Janka) Stearn | ♃; Eur.: Ba, EC-Eur., E-Rum., NW-TR, Krim

Negundo Boehm. ex Ludw. -n- *Aceraceae*
– *aceroides* Moench = Acer negundo
– *californicum* Torr. et A. Gray = Acer negundo subsp. californicum
– *cissifolium* Siebold et Zucc. = Acer cissifolium
– *fraxinifolium* (Raf.) de Vos = Acer negundo

Neillia D. Don -f- *Rosaceae*
– **affinis** Hemsl. · Rote Traubenspiere | ♄ V-VI; W-China
– *longiracemosa* Hemsl. = Neillia thibetica
– **sinensis** Oliv. · Blasse Traubenspiere | ♄ V-VI; C-China, W-China
– **thibetica** Franch. · Tibetische Traubenspiere | ♄ V-VI; Him., W-China
– **thyrsiflora** D. Don | ♄ VIII; Him.

Nelumbium Juss. -n- *Nelumbonaceae*
– *luteum* Willd. = Nelumbo lutea
– *nelumbo* (L.) Druce = Nelumbo nucifera
– *speciosum* Willd. = Nelumbo nucifera

Nelumbo Adans. -f- *Nelumbonaceae* · Lotosblume
– **lutea** (Willd.) Pers. · American Lotus | ♃ Ⓦ ♠ VII-VIII; Can.: Ont.; USA: NE, NCE, SE, Fla., SC; Mex., C-Am, W.Ind., Col.
– **nucifera** Gaertn. · Lotus, Sacred Indian Lotus | ♃ ♠ IV-VIII Ⓝ; Eur.: E-Russ.; Cauc., Amur, Him., China, Malay. Arch., Austr., nat. in I, RO, Jap.
– *pentapetala* (Walter) Fernald = Nelumbo lutea

– *speciosa* auct. = Nelumbo nucifera

Nematanthus Schrad. -m- *Gesneriaceae*
– **crassifolius** (Schott) Wiehler | ♄ ⓦ XII-II; Bras.
– **gregarius** D.L. Denham · Clog Plant, Goldfish Plant | ♄ ♄ ⓦ ⇝ VII-VIII; Mex., Guat., Costa Rica, Panama
– **hirtellus** (Schott) Wiehler | ♃ ♄ ♄ ⓦ; Bras.
– *longipes* DC. = Nematanthus crassifolius
– *perianthomegus* (Vell.) H.E. Moore = Nematanthus hirtellus
– *radicans* (Klotzsch et Hanst.) H.E. Moore = Nematanthus gregarius
– *radicans* C. Presl = Nematanthus strigillosus
– **strigillosus** (Mart.) H.E. Moore | ♄ ⓦ III-V; Bras.

Nemesia Vent. -f- *Scrophulariaceae*
– **floribunda** Lehm. | ⊙ VII-VIII; S-Afr.
– **lilacina** N.E. Br. | ⊙ VII-VIII; SW-Kap
– **strumosa** Benth. · Nemesia | ⊙ VI-IX; S-Afr.
– **versicolor** E. Mey. ex Benth. | ⊙ VII-VIII; S-Afr.

Nemopanthus Raf. -m- *Aquifoliaceae* · Berghülse
– **mucronatus** (L.) Trel. · Berghülse · Catberry | ♄ ~ V-VI; Can.: E; USA: NE, NCE

Nemophila Nutt. -f- *Hydrophyllaceae* · Hainblume
– **aurita** Lindl. · Blue Fiesta Flower | ⊙ VI-VII; Calif.
– *insignis* Douglas et Benth. = Nemophila menziesii
– **maculata** Benth. ex Lindl. · Five Spot, Five Spot Nemophila | ⊙ VI-VII; Calif.: Sierra Nevada
– **menziesii** Hook. et Arn. · Gefleckte Hainblume · Baby Blue Eyes, California Bluebell | ⊙ VI-VIII; Oreg., Calif.
  - var. **atomaria** (Fisch. et C.A. Mey.) Chandler
  - var. **discoidalis** (Lam.) Voss

Neoalsomitra Hutch. -f- *Cucurbitaceae*
– **sarcophylla** (Wall.) Hutch. | ♄ ⓦ ⌇; Myanmar, Thail., Timor

Neobesseya = Escobaria Britton et Rose
– *missouriensis* (Sweet) Britton et Rose = Escobaria missouriensis
– *wissmannii* (Hildm.) Britton et Rose = Escobaria missouriensis
– *zilziana* (Boed.) Boed. = Escobaria zilziana

Neobuxbaumia Backeb. -f- *Cactaceae*
– **euphorbioides** (Haw.) Buxb. | ♄ Ψ ⓚ ✻; Mex.
– **polylopha** (DC.) Backeb. | ♄ Ψ ⓚ ✻; C-Mex.

Neocardenasia = Neoraimondia Britton et Rose
– *herzogiana* Backeb. = Neoraimondia herzogiana

Neochilenia = Neoporteria Britton et Rose
– *aerocarpa* (F. Ritter) Backeb. = Neoporteria odieri
– *chilensis* (Hildm. ex K. Schum.) Backeb. = Neoporteria chilensis
– *napina* (Phil.) Backeb. = Neoporteria napina
– *odieri* (Lem.) Backeb. = Neoporteria odieri
– *taltalensis* (Hutchison) Backeb. = Neoporteria taltalensis

Neodypsis Baill. -f- *Arecaceae*
– **decaryi** Jum. · Triangle Palm | ♄ ⓦ ✻; Madag.

Neofinetia Hu -f- *Orchidaceae*
– **falcata** (Thunb.) Hu | ⓚ VI-VII ✻; Jap., Korea, Riukiu-Is.

Neoglaziovia Mez -f- *Bromeliaceae*
– **concolor** C.H. Wright | ♃ ⓦ Ⓝ; Bras.: Bahia
– **variegata** (Arruda) Mez | ♃ ⓦ Ⓝ; Bras.

Neogomesia = Ariocarpus Scheidw.
– *agavoides* A. Cast. = Ariocarpus agavoides

Neogyna Rchb.f. -f- *Orchidaceae*
– **gardneriana** (Lindl.) Rchb. f. | ⓦ XII ✻; Nepal, Yunnan

Neohenricia L. Bolus -f- *Aizoaceae*
– **sibbettii** (L. Bolus) L. Bolus | ♃ Ψ ⓚ; S-Afr.: Orange Free State

Neolauchea = Isabelia Barb.Rodr.
– *pulchella* Kraenzl. = Isabelia pulchella

Neolitsea (Benth.) Merr. -f- *Lauraceae*
– *glauca* hort. = Neolitsea sericea
– **sericea** (Blume) Koidz. · Neolitsea | ♄ Ⓚ VII-VIII; China, Korea, Jap., Taiwan

Neolloydia Britton et Rose -f- *Cactaceae*
– *ceratites* (Quehl) Britton et Rose = Neolloydia conoidea
– **conoidea** (DC.) Britton et Rose | 🌵 Ⓚ ✻; Tex., E-Mex.
– *gielsdorfiana* (Werderm.) F.M. Knuth = Turbinicarpus gielsdorfianus
– *grandiflora* (Pfeiff.) F.M. Knuth = Neolloydia conoidea
– *horripila* (Lem.) Britton et Rose = Turbinicarpus horripilus
– *lophophoroides* (Werderm.) E.F. Anderson = Turbinicarpus lophophoroides
– *mandragora* (A. Berger) E.F. Anderson = Turbinicarpus mandragora
– *odorata* (Boed.) Backeb. = Coryphantha odorata
– *pseudomacrochele* (Backeb.) E.F. Anderson = Turbinicarpus pseudomacrochele
– *pseudopectinata* (Backeb.) E.F. Anderson = Turbinicarpus pseudopectinatus
– *saueri* (Boed.) F.M. Knuth = Turbinicarpus saueri
– *schmiedickeana* (Boed.) Anderson = Turbinicarpus schmiedickeanus
– **smithii** (Muehlenpf.) Kladiwa et Fittkau | 🌵 Ⓚ ✻; Mex.: Coahuila, Nuevo Leon, San Luis Potosí
– *valdeziana* (H. Möller) E.F. Anderson = Turbinicarpus valdezianus
– *viereckii* (Werderm.) F.M. Knuth = Turbinicarpus viereckii

Neomarica Sprague -f- *Iridaceae*
– **brachypus** (Baker) Sprague | ♃ Ⓦ IV-VI; W.Ind.
– **caerulea** (Ker-Gawl.) Sprague | ♃ Ⓦ IV-VII; Bras.
– **gracilis** (Herb. ex Hook.) Sprague | ♃ Ⓦ IV-VII; Bras.
– **northiana** (Schneev.) Sprague | ♃ Ⓦ IV-VII; Bras.

Neomortonia Wiehler -f- *Gesneriaceae*
– *nummularia* (Hanst.) Wiehler = Nematanthus gregarius
– **rosea** Wiehler

Neonotonia Lackey -f- *Fabaceae*
– **wightii** (Arn.) J.A. Lackey | ♃ Ⓝ; Afr., nat. in Austr.

Neopanax = Pseudopanax K. Koch
– *arboreus* (G. Forst.) Allan = Pseudopanax arboreus

Neoporteria Britton et Rose -f- *Cactaceae*
– *andicola* hort. = Neoporteria curvispina
– **aricensis** (F. Ritter) Donald et G.D. Rowley | 🌵 Ⓚ ✻; Chile: Arica
– *armata* (F. Ritter) Krainz = Neoporteria tuberisulcata
– *atrispinosa* (Backeb.) Backeb. = Neoporteria villosa
– **bulbocalyx** (Werderm.) Donald et G.D. Rowley | 🌵 Ⓚ ✻; Arg.: La Rioja, Catamarca
– *castanea* F. Ritter = Neoporteria subgibbosa
– **chilensis** (K. Schum.) Britton et Rose | 🌵 Ⓚ ✻; Chile
– **curvispina** (Bertero) Donald et G.D. Rowley | 🌵 Ⓚ ✻; Chile (Santiago)
  - var. *lissocarpa* (F. Ritter) Donald et G.D. Rowley = Neoporteria curvispina
– *horrida* (Gay) D.R. Hunt = Neoporteria tuberisulcata
– **islayensis** (C.F. Först.) Donald et G.D. Rowley | 🌵 Ⓚ ✻; S-Peru, N-Chile
– *laniceps* F. Ritter = Neoporteria villosa
– *mammillarioides* (Hook.) Backeb. = Neoporteria curvispina
– *mitis* nom. inval. = Neoporteria napina
– **napina** (Phil.) Backeb. | 🌵 Ⓚ ✻; Chile: Huasco
– **nidus** (Söhrens) Britton et Rose | 🌵 Ⓚ ✻; Chile
– *nigricans* (Werderm. et Backeb.) Backeb. = Neoporteria tuberisulcata
– **odieri** (Lem.) Backeb. | 🌵 Ⓚ ✻; Chile
– *polyraphis* (Pfeiff.) Backeb. = Neoporteria villosa
– *rupicola* (F. Ritter) Donald et G.D. Rowley = Neoporteria taltalensis
– *scoparia* (F. Ritter) Donald et G.D. Rowley = Neoporteria taltalensis
– **subgibbosa** (Haw.) Britton et Rose | 🌵 Ⓚ ✻; Chile
– **taltalensis** Hutchison | 🌵 Ⓚ ✻; Chile
– **tuberisulcata** (Jacobi) Donald ex G.D.

Rowley | ♆ Ⓚ; Chile (Santiago)
– **villosa** (Monv.) A. Berger | ♆ Ⓚ ✻; Chile: Huasco
– *woutersiana* (Backeb.) Donald et G.D. Rowley = Neoporteria taltalensis

Neoraimondia Britton et Rose -f- *Cactaceae*
– **arequipensis** (Meyen) Backeb. | ♄ ♆ Ⓚ ✻; N-Peru
– **herzogiana** (Backeb.) Buxb. | ♄ ♆ Ⓚ ✻; Bol.
– *macrostibas* (K. Schum.) Backeb. = Neoraimondia arequipensis
– *roseiflora* (Werderm. et Backeb.) Backeb. = Neoraimondia arequipensis

Neoregelia L.B. Sm. -f- *Bromeliaceae*
– **ampullacea** (E. Morren) L.B. Sm. | ♃ Ⓦ; Bras.
– **binotii** (Antoine) L.B. Sm. | ♃ Ⓦ; S-Bras.
– **carolinae** (Beer) L.B. Sm. · Blushing Bromeliad | ♃ Ⓦ; Bras.
– **chlorosticta** (Baker) L.B. Sm. | ♃ Ⓦ; Bras.
– **concentrica** (Vell.) L.B. Sm. | ♃ Ⓦ; Bras.
– **farinosa** (Ule) L.B. Sm. | ♃ Ⓦ; Bras.
– **fosteriana** L.B. Sm. | ♃ Ⓦ; Bras.
– *morreniana* (Antoine) L.B. Sm. = Neoregelia pineliana
– **pineliana** (Lem.) L.B. Sm. | ♃ Ⓦ; Bras.
– **princeps** (Baker) L.B. Sm. | ♃ Ⓦ; Bras.
– **sarmentosa** (Regel) L.B. Sm. | ♃ Ⓦ; Bras.
– **spectabilis** (T. Moore) L.B. Sm. · Fingernail Plant | ♃ Ⓦ; Bras.
– **tristis** (Beer) L.B. Sm. | ♃ Ⓦ; Bras.
– **zonata** L.B. Sm. | ♃ Ⓦ; Bras.

× **Neostylis** Hort. -f- *Orchidaceae* (*Neofinetia* × *Rhynchostylis*)

Neottia Guett. -f- *Orchidaceae* · Nestwurz
– **nidus-avis** (L.) Rich. · Vogel-Nestwurz · Bird's Nest Orchid | ♃ V-VI ▽ ✻; Eur.*, TR, Cauc., Iran, W-Sib.

Nepenthes L. -f- *Nepenthaceae* · Kannenstrauch
– **albomarginata** Lobb | ♄ Ⓦ ▽ ✻; Malay. Arch.
– **ampullaria** Jack | ♄ Ⓦ ≷ ▽ ✻; Malay. Arch., N.Guinea
– **bicalcarata** Hook. f. | ♄ Ⓦ ≷ ▽ ✻; Kalimantan
– **burkei** Mast. | ♄ Ⓦ ▽ ✻; Phil.
– × **coccinea** Mast. (*N. mirabilis* × *N.* × *dominii*) | ♄ Ⓦ ▽; cult.
– *curtisii* Mast. = Nepenthes maxima
– **distillatoria** L. | ♄ Ⓦ ≷ ▽ ✻; Sri Lanka
– **gracilis** Korth. | ♄ Ⓦ ≷ ▽ ✻; Malay. Pen., Sumat., Kalimantan
– × **hookeriana** Lindl. (*N. ampullaria* × *N. rafflesiana*) | ♄ Ⓦ ≷ ▽ ✻; Kalimantan
– **khasiana** Hook. f. | ♄ Ⓦ ≷ ▽ ✻; Ind.: Khasia Hills
– **madagascariensis** Poir. | ♄ Ⓦ ▽ ✻; Madag.
– **maxima** Reinw. | ♄ Ⓦ ≷ ▽ ✻; N.Guinea, Kalimantan, Sulawesi
– **mirabilis** (Lour.) Druce · Monkey Cup | ♄ Ⓦ ≷ ▽ ✻; S-China, Indochina, Malay. Arch., N.Guinea, Austr.: Queensl.
– **northiana** Hook. f. | ♄ Ⓦ ≷ ▽ ✻; Kalimantan
– **rafflesiana** Jack | ♄ Ⓦ ≷ ▽ ✻; Malay. Pen., Sumat., Kalimantan
– **rajah** Hook. f. | ♄ Ⓦ ▽ ✻; Kalimantan
– **sanguinea** Lindl. | ♄ Ⓦ ≷ ▽ ✻; Malay. Pen.
– **veitchii** Hook. f. | ♄ Ⓦ ⇝ ▽; Kalimantan
– **ventricosa** Blanco | ♄ Ⓦ ▽ ✻; Phil.

Nepeta L. -f- *Lamiaceae* · Katzenminze
– **cataria** L. · Gewöhnliche Katzenminze · Catmint, Catnip | ♃ D VII-IX; Eur.* exc. Sc, C-Eur.; TR, Syr., Cauc., W-Sib., Amur, C-As., Him., nat. in N-Am., Jap., S-Afr.
– × **faassenii** Bergmans ex Stearn (*N. nepetella* × *N. racemosa*) · Blau-Minze · Catmint · Chataire, Herbe aux chats | ♃ V-IX; cult.
– **govaniana** Benth. | ♃; W-Him.
– **grandiflora** M. Bieb. · Großblütige Katzenminze | ♃ VII-VIII; Cauc., nat. in E-Eur., EC-Eur.öM, Queb., N.Y.
– *hederacea* (L.) Trevis. = Glechoma hederacea
– *macrantha* Fisch. ex Benth. = Nepeta sibirica
– *mussinii* hort. = Nepeta × faassenii
– *mussinii* Spreng. ex Henckel = Nepeta racemosa
– **nepetella** L.; Eur.: Sp., F, I
– **nervosa** Royle ex Benth. · Menthe aux chats | ♃ △ VII-IX; Kashmir

- **nuda** L. · Kahle Katzenminze, Pannonische Katzenminze | ♃ VII-VIII; Eur.* exc. BrI, Sc; Cauc., W-Sib., E-Sib., C-As.; Mong., China: Sichuan
  - subsp. **albiflora** (Boiss.) Gams | ♃; GR, Maced., TR, N-Iraq, Lebanon, Cauc., Iran
- **prattii** Lév.
- **racemosa** Lam. | ♃ VI-VIII; TR, Cauc., Iran
- **sibirica** L. | ♃ VII-VIII; S-Sib., Mong., China: Kansu

Nephelium L. -n- *Sapindaceae*
- **lappaceum** L. · Rambutan | ♄ Ⓦ Ⓝ; Ind., S-Vietn., Malay. Arch., Phil.
- **mutabile** Blume · Rambutan | ♄ Ⓦ Ⓝ; Malay. Arch., Phil.

Nephrodium = Dryopteris Adans.
- *oreopteris* (Ehrh.) Desv. = Oreopteris limbosperma
- *phegopteris* (L.) Prantl = Phegopteris connectilis
- *robertianum* (Hoffm.) Prantl = Gymnocarpium robertianum
- *thelypteris* (L.) Strempel = Thelypteris palustris
- *thelypteroides* F. Michx. = Thelypteris palustris

Nephrolepis Schott -f- *Nephrolepidaceae*
- **acuminata** (Houtt.) Kuhn | ♃ Ⓦ; Malay. Arch.
- *acuta* (Schkuhr) C. Presl = Nephrolepis biserrata
- **biserrata** (Sw.) Schott · Giant Sword Fern | ♃ Ⓦ; Trop.
- *cordata* hort. = Nephrolepis cordifolia
- **cordifolia** (L.) C. Presl · Erect Sword Fern, Narrow Sword Fern, Southern Sword Fern | ♃ Ⓦ; Trop., Jap., NZ
- *davallioides* (Sw.) Kuntze = Nephrolepis acuminata
- **exaltata** (L.) Schott · Boston Fern, Boston Sword Fern | ♃ Ⓦ; Trop.
- **pectinata** (Willd.) Schott | ♃ Ⓦ; S-Mex., W-Ind., C-Am., trop. S-Am.
- *tuberosa* Hook. = Nephrolepis cordifolia

Nephthytis Schott -f- *Araceae*
- **afzelii** Schott | ♃ Ⓦ; W-Afr.: Sierra Leone, Liberia
- *picturata* N.E. Br. = Rhektophyllum mirabile

Neptunia Lour. -f- *Mimosaceae*
- **oleracea** Lour. | ♃ Ⓦ ~ Ⓝ; Trop.
- **plena** (L.) Benth. | ♄ Ⓦ ♣ VI-VIII; Lat.Am., trop. As.

Nerine Herb. -f- *Amaryllidaceae* · Nerine
- *aurea* (L'Hér.) Bury = Lycoris aurea
- **bowdenii** W. Watson | ♃ Ⓚ IX; S-Afr.
- *corusca* Herb. = Nerine sarniensis var. corusca
- *curvifolia* (Jacq.) Herb. = Nerine sarniensis var. curvifolia
- **flexuosa** (Jacq.) Herb. | ♃ Ⓚ IX; S-Afr.
- **humilis** (Jacq.) Herb. | ♃ Ⓚ VIII-IX; Kap
- **pudica** Hook. f. | ♃ Ⓚ IX-X; S-Afr.
- **sarniensis** (L.) Herb. · Guernsey Lily ; Kap
  - var. **corusca** (Herb.) Baker | ♃ Ⓚ IX-X
  - var. **curvifolia** (Jacq.) Traub | ♃ Ⓚ IX-X
  - var. **venusta** (Ker-Gawl.) Baker | ♃ Ⓚ IX-X
- **undulata** (L.) Herb. | ♃ Ⓚ IX-X; Kap
- *venusta* (Ker-Gawl.) Herb. = Nerine sarniensis var. venusta

Nerium L. -n- *Apocynaceae* · Oleander
- *divaricatum* auct. non L. = Tabernaemontana divaricata
- **oleander** L. · Oleander, Rosebay · Laurier rose | ♄ VI-IX ☠; Eur.: Ib, Fr, Ap, Ba; TR, Levante, Iran, NW-Afr., Libya, nat. in Krim, Cauc.

Nertera Banks et Sol.ex Gaertn. -f- *Rubiaceae*
- **granadensis** (Mutis ex L. f.) Druce · Bead Plant | ♃ ⇝ ☘ V-VI; C-Am., S-Am., Austr.: N.S.Wales, Victoria, Tasman.; NZ

Neslia Desv. -f- *Brassicaceae*
- **paniculata** (L.) Desv. · Finkensame | V-VII; Eur, N-Afr., Cauc., Tien-Shan, nat. in Can.

Neviusia A. Gray -f- *Rosaceae*
- **alabamensis** A. Gray · Schneelocke | ♄ VI-VII; USA: Ala.

Nicandra Adans. -f- *Solanaceae*
- **physalodes** (L.) P. Gaertn. · Giftbeere · Apple-of-Peru | ⊙ X-IX ☠ Ⓝ; Peru, nat. in C-Eur., SE-Eur.

Nicodemia = Buddleja L.
– *diversifolia* Ten. = Buddleja indica

Nicolaia = Etlingera Giseke
– *elatior* (Jack) Horan. = Etlingera elatior

Nicotiana L. -f- *Solanaceae* · Tabak
– *affinis* T. Moore = Nicotiana alata 'Grandiflora'
– **alata** Link et Otto · Flügel-Tabak · Flowering Tobacco, Tobacco Plant | ⊙ ⊙ ♃ D VII-IX; SE-Bras., Urug., Parag., Arg., nat. in E-Eur.
  - **'Grandiflora'**
– **glauca** Graham · Tree Tobacco | ⊙ ⊙ ♃ ♄ ♄ Ⓚ D VII-X ☠; Arg., Parag., Bol., nat. in S-Eur., USA: SE, Fla.
– **langsdorffii** Weinm. | ⊙ VII-VIII; Bras., Chile
– **latissima** Mill. · Maryland-Tabak ; cult. USA
– **longiflora** Cav. | ♃ D VIII; Arg., Chile
– **rustica** L. · Bauern-Tabak · Indian Tobacco, Wild Tobacco | ⊙ ⊙ ♃ VI-IX ☠ Ⓝ; ? N-Am., nat. in Eur., USA: E
– × **sanderae** hort. Sander ex W. Watson (*N. alata* × *N. forgetiana*) · Tabac d'ornement | ⊙ VII-IX; cult.
– **suaveolens** Lehm. | ⊙ ⊙ D VII-VIII; SE-Austr.
– **sylvestris** Speg. et Comes · Berg-Tabak · Flowering Tobacco · Tabac sylvestre | ♃ D VII-IX; Arg.
– **tabacum** L. · Virginischer Tabak · Common Tobacco, Tobacco | ⊙ ⊙ ♃ VI-IX ☠ Ⓝ; ? S-Am., cult.
– **tomentosa** Ruiz et Pav. | ⊙ ♄ VII-VIII; Bras., Peru
– **wigandioides** K. Koch et Fintelm. | ♄ VII-VIII; Col.

Nidularium Lem. -n- *Bromeliaceae*
– *acanthocrater* E. Morren = Neoregelia concentrica
– *amazonicum* (Baker) Lindm. = Wittrockia amazonica
– *ampullaceum* E. Morren = Neoregelia ampullacea
– **billbergioides** (Schult. f.) L.B. Sm. | ♃ Ⓦ; E-Bras.
– *binotii* (Antoine) E. Morren = Neoregelia binotii
– **burchellii** (Baker) Mez | ♃ Ⓦ; Bras.
– *chlorostictum* (Baker) E. Morren = Neoregelia chlorosticta
– *citrinum* (Burch.) Mez = Nidularium billbergioides
– *farinosum* Ule = Neoregelia farinosa
– **fulgens** Lem. · Blushing Bromeliad | ♃ Ⓦ; E-Bras.
– **innocentii** Lem. | ♃ Ⓦ; E-Bras.
  - var. **lineatum** (Mez) L.B. Sm.; cult.
  - var. **paxianum** (Mez) L.B. Sm.; E-Bras.
  - var. **striatum** Wittm.; cult.
  - var. **wittmackianum** (Harms) L.B. Sm.; E-Bras.
– *lindenii* Regel = Canistrum lindenii
– *lineatum* Mez = Nidularium innocentii var. lineatum
– *meyendorffii* Regel = Neoregelia carolinae
– *morrenianum* (Antoine) hort. = Neoregelia pineliana
– *paxianum* Mez = Nidularium innocentii var. paxianum
– *princeps* (Baker) E. Morren = Neoregelia princeps
– **procerum** Lindm. | ♃ Ⓦ; E-Bras.
– **purpureum** Beer | ♃ Ⓦ; E-Bras.
– **regelioides** Ule | ♃ Ⓦ; Bras.
– **rutilans** E. Morren | ♃ Ⓦ; Bras.
– *sarmentosum* Regel = Neoregelia sarmentosa
– **scheremetiewii** Regel | ♃ Ⓦ; E-Bras.
– **seidelii** L.B. Sm. et Reitz | ♃ Ⓦ; Bras.
– *striatum* (Wittm.) hort. ex Mez = Nidularium innocentii var. striatum
– *triste* (Beer) Regel = Neoregelia tristis
– **utriculosum** Ule | ♃ Ⓦ; E-Bras.
– *wittmackianum* Harms = Nidularium innocentii var. wittmackianum

Nierembergia Ruiz et Pav. -f- *Solanaceae*
– *caerulea* Sealy = Nierembergia hippomanica
– *calycina* hort. non Hook. = Nierembergia gracilis
– *frutescens* Durieu = Nierembergia scoparia
– **gracilis** Hook. | ♃ Ⓦ VII-VIII; Arg.
– **hippomanica** Miers · Cup Flower ; Arg.
  - var. **violacea** Millán | ♃ Ⓚ VI-IX; Arg.
– **repens** Ruiz et Pav. · White Cup | ♃ Ⓚ ⇝ VII-IX; Urug., Arg., Chile
– *rivularis* Miers = Nierembergia repens
– **scoparia** Sendtn. | ♄ Ⓚ VII-IX; Arg., Urug.

Nigella L. -f- *Ranunculaceae* ·

Schwarzkümmel
- **arvensis** L. · Acker-Schwarzkümmel | VII-IX; Eur.: Fr, Ap, C-Eur., EC-Eur., Ba, E-Eur.; TR, Iraq, Levante, Cauc., C-As., N-Afr.
- **bucharica** Schipcz.
- **ciliaris** DC.; Syr.
- **damascena** L. · Gretel im Busch, Jungfer im Grünen · Love-in-a-Mist · Nigelle de Damas | ⊙ ✿ VI-IX; Eur.: Ib, Fr, Ap, Ba, Krim; TR, Cyprus, Cauc., Iran, NW-Afr., Libya, nat. in C-Eur.
- **hispanica** L. | ⊙ VII-VIII; Eur.: Ib, F
- **nigellastrum** (L.) Willk.; Eur.: Fr, Sp., GR, Crete, Krim; Cauc., N-Iraq, Cyprus
- **orientalis** L.; BG, Cauc, Krim, TR, Iran, C-As.
- **sativa** L. · Echter Schwarzkümmel · Black Cumin, Roman Coriander | ⊙ VI-VIII Ⓝ; ? SW-As., nat. in Eur.: Fr, Ap, Ba, EC-Eur.; Cauc., Iran, C-As. N-Afr., Eth.

Nigritella Rich. -f- *Orchidaceae*
- **archiducis-joannis** Teppner et E. Klein · Erzherzog-Johann-Kohlröschen | ♃ VII-VIII; Eur.: A (Steiermark)
- **nigra** (L.) Rchb. f. · Black Vanilla Orchid | ♃ △ V-VI ▽ ✱; Eur.: Ib, F, I, C-Eur., Sc, Ba, RO
  - subsp. **corneliana** Beauverd; Eur.: SW-Alp.
- *nigra* auct. = Nigritella rhellicani
- **rhellicani** Teppner et E. Klein · Schwarzes Kohlröschen | ♃ VI-VIII; C-Eur., S-Eur.
- **rubra** (Wettst.) K. Richt. · Rotes Kohlröschen | ♃ VI-VIII; Alp., mts. RO
- **stiriaca** (Rech.) Teppner et E. Klein · Steirisches Kohlröschen | ♃ VI-VIII; Eur.: A
- **widderi** Teppner et E. Klein · Steineralpen-Kohlröschen, Widders Kohlröschen | ♃ VII; Eur.: A, D, I; Alp., Apenn.

Niphidium J. Sm. -n- *Polypodiaceae*
- **crassifolium** (L.) Lellinger | ♃ Ⓦ; C-Am., trop. S-Am.

Niphobolus = Pyrrosia Mirb.
- *adnascens* (Sw.) Kaulf. = Pyrrosia lanceolata
- *lingua* (Thunb.) J. Sm. = Pyrrosia lingua
- *tricuspis* J. Sm. = Pyrrosia hastata

Nipponanthemum (Kitam.) Kitam. -n- *Asteraceae*
- **nipponicum** (Franch. ex Maxim.) Kitam. | ♄; Jap.; coasts

Nitraria L. -f- *Nitrariaceae*
- **schoberi** L. | ♄; S-Russ., Cauc., W-Sib., C-As, Iran, Mong., China:Sinkiang

Nivenia Vent. -f- *Iridaceae*
- **corymbosa** (Ker-Gawl.) Baker | ♄ Ⓚ II-IV; Kap

Noccaea = Thlaspi L.
- *alpina* (L.) Rchb. = Pritzelago alpina
- *auerswaldii* (Willk.) Willk. = Pritzelago alpina subsp. auerswaldii
- *montana* (L.) F.K. Mey. = Thlaspi montanum

Nolana L.f. -f- *Nolanaceae* · Glockenwinde
- *acuminata* Miers = Nolana paradoxa subsp. atriplicifolia
- *atriplicifolia* D. Don = Nolana paradoxa subsp. atriplicifolia
- **coelestis** (Lindl.) Miers | ♄ Ⓚ VI-X; Chile
- *grandiflora* Lehm. ex G. Don = Nolana paradoxa subsp. atriplicifolia
- **humifusa** (Gouan) I.M. Johnst. | ⊙ ⌇ ⟿ VII-VIII; Peru
- *lanceolata* (Miers) Miers ex Dunal = Nolana paradoxa subsp. atriplicifolia
- **napiformis** Phil. | ⊙ ⌇ ⟿ VII-VIII; Peru, Chile
- **paradoxa** Lindl. | ⊙ ⟿ VII-VIII; Chile
  - subsp. **atriplicifolia** (D. Don) Mesa | ⊙ VI-IX; Chile
- *prostrata* L. f. = Nolana humifusa
- × **tenella** Lindl. (*N. humifusa* × *N. paradoxa*)

Nolina Michx. -f- *Dracaenaceae*
- *gracilis* (Lem.) Cif. et Giacom. = Beaucarnea gracilis
- **longifolia** (Schult. et Schult. f.) Hemsl. · Mexican Grasstree | ♄ Ψ Ⓚ; S-Mex.
- *recurvata* (Lem.) Hemsl. = Beaucarnea recurvata
- *stricta* (Lem.) Cif. et Giacom. = Beaucarnea stricta
- *tuberculata* (Roezl) hort. = Beaucarnea recurvata

Noltea Rchb. -f- *Rhamnaceae*

– **africana** (L.) Rchb. · Soap Bush | ♄ Ⓦ V; S-Afr.

Nomocharis Franch. -f- *Liliaceae*
– **aperta** (Franch.) E.H. Wilson | ♃ VI-VII; China: Tibet, Yunnan; N-Myamar
– **farreri** (W.E. Evans) R.L. Harrow | ♃ VI-VII; NE-Myanmar
– *mairei* Lév. = Nomocharis pardanthina
– **pardanthina** Franch. | ♃ VI-VII; NW-Yunnan, Sichuan
 - var. *farreri* W.E. Evans = Nomocharis farreri

Nonea Medik. -f- *Boraginaceae*
– **lutea** (Desr.) DC. · Gelbes Mönchskraut | IV-VI; Russ., Cauc, N-Iran, nat. in H, W-Ba, RO
– **pulla** (L.) DC. · Braunes Mönchskraut | ♃ V-VIII; Eur.: C-Eur., EC-Eur., Ba, E-Eur.; Cauc., W-Sib., E-Sib., C-As., nat. in F, FIN
– **rosea** (M. Bieb.) Link · Rosenrotes Mönchskraut | ♃ VI-IX; TR, N-Iraq, Cauc., N-Iran
– **rosea** (M.Bieb.) Link; NE-TR, N-Iraq, Cauc., N-Iran

Nopalea = Opuntia Mill.
– *cochenillifera* (F. Ritter) Donald et G.D. Rowley = Opuntia cochenillifera

Nopalxochia Britton et Rose -f- *Cactaceae*
– **phyllanthoides** (DC.) Britton et Rose | ♄ Ⓦ ✻; Mex.

Normanbokea = Turbinicarpus (Backeb.) Buxb. et Backeb.
– *pseudopectinata* Kladiwa et Buxb. = Turbinicarpus pseudopectinatus
– *valdeziana* (H. Möller) Kladiwa et Buxb. = Turbinicarpus valdezianus

Nothofagus Blume -f- *Fagaceae* · Scheinbuche
– × **alpina** (Poepp. et Endl.) Krasser (*N. procera* × *N. pumilio*) | ♄ Ⓝ; Arg., Chile
– **antarctica** (G. Forst.) Oerst. · Scheinbuche, Südbuche · Antarctic Beech · Hêtre austral, Hêtre de Magellan | ♄ V; Chile
– **cunninghamii** (Hook. f.) Oerst. | ♄; Austr.: Tasman., Victoria
– **dombeyi** (Mirb.) Oerst. · Coigue | ♄ Ⓝ; Chile
– **menziesii** (Hook. f.) Oerst. | ♄; NZ
– **obliqua** (Blume) Oerst. · Roble Beech · Roble | ♄ Ⓝ; Chile, S-Arg.
– **procera** (Poepp. et Endl.) Oerst. · Rauli Beech

Notholaena = Cheilanthes Sw.
– *marantae* (L.) Desv. = Cheilanthes marantae

Notholirion Wall. ex Boiss. -n- *Liliaceae*
– **campanulatum** Cotton et Stearn | ♃ V-VI ∧; E-Him., W-China
– **macrophyllum** (D. Don) Boiss. | ♃ III-V ∧; Nepal, Bhutan, Sikkim, W-China
– **thomsonianum** (Royle) Stapf | ♃ V-VI ∧; Afgh., W-Him.

Nothopanax = Polyscias J.R. Forst. et G. Forst.
– *arboreus* (Murray) Seem. = Pseudopanax arboreus
– *davidii* (Franch.) Harms = Pseudopanax davidii
– *fruticosus* (L.) Miq. = Polyscias fruticosa
– *guilfoylei* (W. Bull) Merr. = Polyscias guilfoylei

Nothoscordum Kunth -n- *Alliaceae* · Bastardlauch
– **bivale** (L.) Britten
– *fragrans* (Vent.) Kunth = Nothoscordum gracile
– **gracile** (Aiton) Stearn | ♃ Ⓚ D V-VI; Mex.
– *inodorum* (Aiton) G. Nicholson = Nothoscordum gracile
– *striatum* (Jacq.) Kunth = Nothoscordum bivale

Notocactus (K. Schum.) Fric -m- *Cactaceae*
– *acutus* F. Ritter = Notocactus ottonis
– *agnetae* Vliet = Notocactus concinnus
– *ampliocostatus* (F. Ritter) S. Theun. = Notocactus schumannianus
– *apricus* (Arechav.) A. Berger = Notocactus concinnus
– *arechavaletae* (Speg.) Herter = Notocactus ottonis
– *bommeljei* Vliet = Notocactus concinnus
– **buenekeri** (Buining) Buxb. | ♆ Ⓚ; Bras.: Santa Catarina, Rio Grande do Sul
– **buiningii** Buxb. | ♆ Ⓚ ✻; Bras.: Rio Grande do Sul; N-Urug.

- **caespitosus** (Speg.) Backeb. | Ψ ⓚ ✻; Bras.: Rio Grande do Sul; Urug.
- *campestrensis* F. Ritter = Notocactus ottonis
- **concinnus** (Monv.) A. Berger | Ψ ⓚ; Bras.: Rio Grande do Sul; Urug.
- **erinaceus** (Haw.) Krainz | Ψ ⓚ; Bras.: Rio Grande do Sul; Urug., NE-Arg.
- *floricomus* (Arechav.) A. Berger = Notocactus mammulosus
- *glaucinus* F. Ritter = Notocactus ottonis
- *globularis* F. Ritter = Notocactus ottonis
- **graessneri** (K. Schum.) A. Berger | Ψ ⓚ ✻; Bras.: Rio Grande do Sul
- *grossei* (K. Schum.) Fric = Notocactus schumannianus
- **haselbergii** (Haage) A. Berger · Scarlet Ball Cactus | Ψ ⓚ ✻; Bras.: Rio Grande do Sul
- **herteri** Herter | Ψ ⓚ ✻; Bras.: Rio Grande do Sul; Urug.
- *ibicuiensis* (Osten) Herter = Notocactus ottonis
- *incomptus* Gerloff = Notocactus ottonis
- *laetevirens* F. ritter = Notocactus ottonis
- **leninghausii** (K. Schum.) A. Berger | Ψ ⓚ ✻; Bras.: Rio Grande do Sul
- *leucocarpus* (Arechav.) Schäfer = Notocactus erinaceus
- **mammulosus** (Lem.) Backeb. | Ψ ⓚ; Bras.: Rio Grande do Sul; Urug., NE-Arg.
- *megapotamicus* (Osten) Herter = Notocactus ottonis
- **mueller-melchersii** Fric ex Backeb. | Ψ ⓚ ✻; Urug.
- *mueller-moelleri* Fleischer et Schütz = Notocactus mammulosus
- *muricatus* (Pfeiff.) A. Berger = Notocactus concinnus
- **ottonis** (Lehm.) A. Berger | Ψ ⓚ; NE-Arg., S-Parag.
- *oxycostatus* Buining et Brederoo = Notocactus ottonis
- *roseoluteus* Vliet = Notocactus mammulosus
- **rutilans** Däniker et Krainz | Ψ ⓚ ✻; N-Urug.
- **schumannianus** (Nicolai) A. Berger | Ψ ⓚ; NE-Arg., S-Parag.
- **scopa** (Spreng.) A. Berger | Ψ ⓚ ✻; Bras.: Rio Grande do Sul; Urug.
- *securituberculatus* F. Ritter = Notocactus ottonis
- *sessiliflorus* (Pfeiff.) Krainz = Notocactus erinaceus
- *submammulosus* (Lem.) Backeb. = Notocactus mammulosus
- *tabularis* (Cels ex K. Schum.) A. Berger = Notocactus concinnus
- *vanvlietii* Rausch = Notocactus concinnus

Notospartium Hook.f. -n- *Fabaceae*
- **carmichaeliae** Hook. f. | ♄ ⓚ VII; NZ

Nuphar Sm. -f- *Nymphaeaceae* · Mummel, Teichrose
- **advena** (Aiton) W.T. Aiton · American Spatter Dock, Cow Lily, Yellow Water Lily · Nénuphar d'Amérique | ♃ ♠ V-VIII; USA: NE, NCE, NC, SC, SE, Fla.; Mex., W.Ind.
- *intermedia* Ledeb. = Nuphar × spenneriana
- **japonica** DC. · Nénuphar du Japon | ♃ ♠ VII-VIII; Jap.
- **lutea** (L.) Sibth. et Sm. · Gelbe Teichrose, Mummel · Brandy Bottle, Yellow Pond Lily, Yellow Water Lily · Nénuphar commun | ♃ ♠ VI-VIII ▽; Eur.*, TR, Cauc., W-Sib., E-Sib., C-As.
- **pumila** (Timm) DC. · Kleine Teichrose · Nénuphar nain | ♃ ♠ VII-VIII ▽; Eur.* exc. Ap; W-Sib., E-Sib., Amur, Sachal., Kamchat., Mong., China, Jap.
- × **spenneriana** Gaudin (*N. lutea* × *N. pumila*) · Bastard-Teichrose ; C-Eur., Sc, Russ.; W-Sib.

Nuttallia = Oemleria Rchb.
- *cerasiformis* Torr. et A. Gray ex Hook. et Arn. = Oemleria cerasiformis

Nyctanthes L. -f- *Verbenaceae*
- **arbor-tristis** L. · Tree-of-Sadness | ♄ ⓦ D VII Ⓝ; C-Ind.

Nycteranthus = Phyllobolus N.E. Br.
- *noctiflorus* (L.) Neck. = Aridaria noctiflora

Nycterinia = Zaluzianskya F.W. Schmidt
- *capensis* (Walp.) Benth. = Zaluzianskya capensis
- *selaginoides* (Thunb.) Benth. = Zaluzianskya villosa

Nyctocereus (A. Berger) Britton et Rose *Cactaceae*
- **serpentinus** (F. Ritter) Hewitt et Donald |

♆ Ⓚ ✻; Mex.

Nymphaea L. -f- *Nymphaeaceae* · Seerose
- **alba** L. · Weiße Seerose · White Water Lily · Nymphéa blanc | ♃ ♠ VI-VIII ▽; Eur.*, TR, Cauc.
- **amazonum** Mart. et Zucc. | ♃ Ⓦ ♠ D ♠ V-VIII; Mex., C-Am., trop. S-Am.
- **caerulea** Savigny · Blue Egyptian Lotus | ♃ Ⓦ Ⓚ ♠ V-VIII; Palaest., Egypt, trop. Afr.
- **candida** C. Presl · Glänzende Seerose · Nymphéa luisant | ♃ ♠ VI-VIII ▽; Eur.: Sc, Fr, C-Eur., EC-Eur., E-Eur.; Cauc., W-Sib., E-Sib., C-As.
- **capensis** Thunb. · Blaue Seerose · Blue Water Lily, Cape Blue Water Lily | ♃ Ⓦ ♠ V-VIII; E-Afr., S-Afr., Madag.
- **citrina** Peter | ♃ Ⓦ ♠ D ♠ V-VIII; E-Afr. (Malongwe)
- **colorata** Peter | ♃ Ⓦ ♠ V-VIII; Tanzania
- × **daubenyana** Daubeny (*N. caerulea* × *N. micrantha*) | ♃ Ⓦ ♠ III-X; cult.
- **elegans** Hook. | ♃ Ⓦ ♠ D ♠ V-VIII; Tex., N.Mex., Mex., Guat.
- *flava* Leitn. = Nymphaea mexicana
- **flavovirens** Lehm. | ♃ Ⓦ ♠ VI-VIII; Mex.
- **gigantea** Hook. · White Pond Lily | ♃ Ⓦ ♠ D ♠ VII-IX; N.Guinea, Austr.
- *gracilis* hort. non Zucc. = Nymphaea flavovirens
- × **helvola** hort. (*N. mexicana* × *N. tetragona*)
- **lotus** L. · Egyptian Lotus, White Egyptian Lotus | ♃ Ⓦ ♠ D ♠ VI-IX; NW-RO, Egypt, trop. Afr., Ind., Malay. Arch., Phil.
  - var. **dentata** (Schumach. et Thonn.) G. Nicholson | ♃ Ⓦ ♠ D ♠ VI-IX; trop. Afr.
  - var. **thermalis** (DC.) Tuzson | ♃ Ⓦ ♠ D ♠ VI-IX; NW-RO
- **mexicana** Zucc. | ♃ Ⓦ ♠ D ♠ VI-VIII; Tex., Fla., Mex.
- **micrantha** Guill. et Perrott | ♃ Ⓦ ♠ D ♠ III-X; W-Afr.
- **odorata** Aiton · Fragrant Water Lily · Nymphéa odorant | ♃ ♠ D ♠ VI-VIII; Can.: E; USA: NE, NCE, SE, Fla., SC ; Mex., C-Am., W.Ind., nat. in W-Eur.
  - *'Alba'* = Nymphaea odorata
  - var. **rosea** Pursh
- **rubra** Roxb. et Salisb. | ♃ Ⓦ ♠ VI-VIII; Ind., nat. in H
- **stellata** Willd. · Blue Lotus | ♃ Ⓦ ♠ VI-VIII; Ind., SE-As., Malay. Pen., Afr.
- **tetragona** Georgi · Pygmy Water Lily | ♃ ♠ D ♠ VI-VIII; Eur.: FIN, N-Russ; N-As, China, Jap. Him., Alaska, Can., USA: NE, NCE, Rocky Mts., Wash.
  - *'Alba'* = Nymphaea tetragona
  - *'Helvola'* = Nymphaea × helvola
- *thermalis* DC. = Nymphaea lotus
- **tuberosa** Paine · Nymphéa tubéreux | ♃ ♠ VI-VIII; Can.: E; USA: NE, NCE, NC, Ark.
- **Cultivars**
  - **Laydekeri Grp.** hort. Lat.-Marl. ex André
  - *'Pygmaea Alba'* = Nymphaea tetragona
  - *'Pygmaea Helvola'* = Nymphaea × helvola

Nymphoides Seg. -f- *Menyanthaceae* · Seekanne
- **aquatica** (Walter) Kuntze | ♃ Ⓦ ♠; USA: NE, SE, Fla., SC
- **humboldtiana** (Humb., Bonpl. et Kunth) Kuntze | ♃ Ⓦ ♠ VII-IX; trop. Am.
- **indica** (L.) Kuntze | ♃ Ⓦ ♠ VII IX; SW-China, Jap., SE-As., Austr., Fiji
- **peltata** (S.G. Gmel.) Kuntze · Seekanne · Faux nénuphar, Limnanthème | ♃ ♠ V-IX ▽; Eur.* exc. Sc; Cauc., Iran, W-Sib., E-Sib., Amur, C-As., Him., Mong., China, Jap., nat. in Sc

Nypa Steck -f- *Arecaceae* · Nipapalme
- **fruticans** Wurmb | ♄ Ⓦ ~ Ⓝ; Sri Lanka, Myanmar, Malay. Arch., Phil., trop. Austr.

Nyssa Gronov. ex L. -f- *Nyssaceae* · Tupelobaum
- **aquatica** L. · Wasser-Tupelo · Cotton Gum, Water Tupelo | ♄ V Ⓝ; USA: Va., Ky., SE, Fla., SC
- **sylvatica** Marshall · Wald-Tupelo · Black Gum, Black Tupelo, Sour Gum · Tupélo | ♄ ~ VI Ⓝ; Ont., USA: NE, NCE, SC, SE, Fla.; Mex.

Oakesiella Small -f- *Colchicaceae*
- *sessilifolia* (L.) Small = Uvularia sessilifolia

Obregonia Fric -f- *Cactaceae*
- **denegrii** Fric | ♆ Ⓚ ✻; Mex.: Tamaulipas

Ochagavia Phil. -f- *Bromeliaceae*
– **carnea** (Beer) L.B. Sm. et Looser | ♃ (K); Chile

Ochna L. -f- *Ochnaceae*
– **kirkii** Oliv. | ♄ (W); Kenya, Tanzania, N-Mozamb.
– **serrulata** (Hochst.) Walp. · Bird's Eye Bush, Mickey Mouse Plant | ♄ (W) (K) ♧ II-IV; trop. Afr.

Ochroma Sw. -n- *Bombacaceae*
– *lagopus* Sw. = Ochroma pyramidale
– **pyramidale** (Cav. ex Lam.) Urb. · Balsa Tree | ♄ (W) Ⓝ; Mex., C-Am., W.Ind., trop. S-Am.

Ocimum L. -n- *Lamiaceae*
– **americanum** L. · American Basil | ⊙ VII Ⓝ; trop. Afr., trop. As.
– **basilicum** L. · Basilienkraut · Basil | ⊙ D VI-VIII Ⓝ; orig. ?; cult. Trop., Subtrop.
– *canum* Sims = Ocimum americanum
– *crispum* Thunb. = Perilla frutescens var. nankinensis
– *frutescens* L. = Perilla frutescens
– *sanctum* L. = Ocimum tenuiflorum
– **tenuiflorum** L. · Gewöhnliches Basilikum, Kleines Basilikum | ♄ Ⓝ; W-As., Arab., Ind., Sri Lanka, Malay. Arch., Austr., Pacific Is.

Ocotea Aubl. -f- *Lauraceae*
– **bullata** E. Mey. · Black Stinkwood | ♄ (K) Ⓝ; S-Afr.
– **puchury-major** Mart. | ♄ (W) Ⓝ; Bras.
– **rodiaei** (R.H. Schomb.) Mez | ♄ (W) Ⓝ; Guyan.
– **usambarensis** Engl. | ♄ (W) Ⓝ; Kenya, Tanzania

Octomeria R. Br. -f- *Orchidaceae*
– **crassifolia** Lindl. | (W) ✻; Bras.
– **gracilis** Lindl. | (W) ✻; Bras.
– **graminifolia** (L.) R. Br. | (W) IV ✻; W.Ind., trop. S-Am.
– **grandiflora** Lindl. | (W) X ✻; Trinidad, Surinam, Bras., Parag., Bol.
– **juncifolia** Barb. Rodr. | (W) X ✻; Bras.

× **Odontioda** Hort. -f- *Orchidaceae* (*Cochlioda* × *Odontoglossum*)

Odontites Ludw. -f- *Scrophulariaceae*
– **litoralis** (M. Bieb.) Link · Salz-Zahntrost | V-VI; Eur.: Sc, N-D, PL, Balt.
– **luteus** (L.) Clairv. · Gelber Zahntrost | X-VII; Eur.* exc. BrI, Sc; TR, Cauc., C-As., NW-Afr.
– **vernus** (Bellardi) Dumort. · Acker-Zahntrost, Frühlings-Zahntrost | X-V; Eur.* +
– **viscosa** (L.) Clairv. · Klebriger Zahntrost ; Eur.: Ib, F, I, CH, NW-Afr.
– **vulgaris** Moench · Herbst-Zahntrost, Roter Zahntrost | VII-IX; Eur.*, TR, Iran, N-As.

× **Odontobrassia** Hort. -f- *Orchidaceae* (*Brassia* × *Odontoglossum*)

× **Odontocidium** Hort. -n- *Orchidaceae* (*Odontoglossum* × *Oncidium*)

Odontoglossum Kunth -n- *Orchidaceae*
– **aureum** (Lindl.) Garay | (K) V-VI ✻; Peru
– **bictoniense** (Bateman) Lindl. | (K) IX-X ✻; Mex., C-Am.
– **blandum** Rchb. f. | (K) ✻; Col.
– *brevifolium* Lindl. = Otoglossum brevifolium
– **cariniferum** Rchb. f. | (K) III-IV ✻; Costa Rica
– **cervantesii** La Llave et Lex. | (K) XI-III ✻; Mex., Guat.
– **cirrhosum** Lindl. | (K) IV-V ✻; Ecuad., Peru
– **constrictum** Lindl. | (K) X-XII ✻; Ecuad., Col., Venez.
– **convallarioides** (Schltr.) Ames et Correll | (K) IX-XI ✻; Costa Rica
– **cordatum** Lindl. | (K) VII-VIII ✻; Mex., Guat., Hond., El Salv., Costa Rica, Venez.
– **crispum** Lindl. · Lace Orchid | (K) II-IV ✻; Col.
– **cristatum** Lindl. | (K) IV-V ✻; Col., Ecuad.
– **cruentum** Rchb. f. | (K) ✻; Col., Ecuad.
– **edwardii** Rchb. f. | (K) II-III ✻; Ecuad.
– *grande* Lindl. = Rossioglossum grande
– **hallii** Lindl. | (K) III-IV ✻; Col., Ecuad., Peru
– **harryanum** Rchb. f. | (K) VII-VIII ✻; Col., Ecuad., Peru
– *hastilabium* Lindl. = Oncidium hastilabium
– **hunnewellianum** Rolfe | (K) X-IV ✻; Col.

- **krameri** Rchb. f. | Ⓚ VI-VIII ✻; Mex., Guat., Costa Rica
- **lindleyanum** Rchb. f. | Ⓚ V-VII ✻; Col.
- **londesboroughianum** Rchb. f. | Ⓚ XI-XII ✻; Mex.
- **loxense** F. Lehm. et Kraenzl. | Ⓚ ✻; Ecuad.
- **luteopurpureum** Lindl. | Ⓚ III-VI ✻; Col.
- **maculatum** La Llave et Lex. | Ⓚ III-IV ✻; Mex., Guat.
- **majale** Rchb. f. | Ⓚ ✻; Guat.
- **nevadense** Rchb. f. | Ⓚ ✻; Col.
- **nobile** Rchb. f. | Ⓚ III-V ✻; Col.
- **odoratum** Lindl. | Ⓚ III-V ✻; Col., Venez.
- **oerstedii** Rchb. f. | Ⓚ II-V ✻; Mex.
- *pescatorei* Lindl. = Odontoglossum nobile
- *phalaenopsis* Linden et Rchb. f. = Miltoniopsis phalaenopsis
- *platychelum* Weathers = Odontoglossum majale
- **pulchellum** Lindl. · Lily-of-the-Valley Orchid | Ⓚ D II-IV ✻; Guat.
- **reichenheimii** Linden et Rchb. f. | Ⓚ ✻; Mex.
- *roezlii* Rchb. f. = Miltoniopsis roezlii
- *roseum* Lindl. = Cochlioda rosea
- **rossii** Lindl. | Ⓚ II-IV ✻; Mex., Guat., Nicar.
- **sanderianum** Rchb. f. | Ⓚ ✻; Col., Venez.
- **stellatum** Lindl. | ♃ Ⓚ ✻; Mex.
- **triumphans** Rchb. f. | Ⓚ III-V ✻; Col.
- **uro-skinneri** Lindl. | Ⓚ VII-IX ✻; Guat., Hond.
- *vexillarium* Rchb. f. = Miltoniopsis vexillaria
- *warscewiczii* Rchb. f. = Miltoniopsis warscewiczii
- *williamsianum* Rchb. f. = Rossioglossum williamsianum

Odontonema Nees -n- *Acanthaceae*
- **schomburgkianum** (Nees) Kuntze | ♄ Ⓦ XII-I; Col.

× **Odontonia** Hort. -f- *Orchidaceae* (*Miltonia* × *Odontoglossum*)

Odontospermum Neck. ex Sch. Bip. -n- *Asteraceae*
- *maritimum* (L.) Sch. Bip. = Asteriscus maritimus
- *sericeum* (L. f.) Sch. Bip. = Asteriscus sericeus

Oeceoclades Lindl. -f- *Orchidaceae*
- **maculata** (Lindl.) Lindl. | ♃ Ⓦ VIII-X ✻; Fla., W.Ind., trop. S-Am., trop. Afr.

Oehmea = Mammillaria Haw.
- *nelsonii* Engelm. = Mammillaria nelsonii

Oemleria Rchb. -f- *Rosaceae*
- **cerasiformis** (Torr. et A. Gray) J.W. Landon · Oregon-Pflaume · Indian Plum, Osoberry | ♄ V; B.C., USA: NW, Calif.

Oenanthe L. -f- *Apiaceae* · Rebendolde
- **aquatica** (L.) Poir. · Großer Wasserfenchel, Pferdesaat · Fine Leaved Water Dropwort · Oenanthe aquatique | ☉ VI-VIII ☠ Ⓝ; Eur.*, Cauc., W-Sib., E-Sib., C-As., nat. in N-Am.
- **conioides** Lange · Schierlings-Wasserfenchel | ☉ VI-VII; Eur.: D (untere Elbe), B
- **fistulosa** L. · Röhriger Wasserfenchel | ♃ VI-VIII; NW-Afr., Lebanon, Palaest., Cauc. (Azerbeidschan), N-Iran
- **fluviatilis** (Bab.) Coleman · Flutender Wasserfenchel | VI-VII; Eur.: BrI, Fr, D, DK
- **javanica** (Blume) DC. · Javan Water Dropwort | ☉ Ⓝ; Ind., Indochina, China, Korea, Jap., Malay. Arch., Phil., Austr.
- **lachenalii** C.C. Gmel. · Wiesen-Wasserfenchel | ♃ VII-IX; Eur.* exc. EC-Eur.; Cauc., Alger
- **peucedanifolia** Pollich · Haarstrang-Wasserfenchel | ♃ VI-VII; Eur.: Ib, Fr, C-Eur., Ba, RO, öM; Maroc., Alger.
- *phellandrium* Lam. = Oenanthe aquatica
- **pimpinelloides** L. · Bibernell-Wasserfenchel ; Eur.: BrI, Ib, Fr, Ap, Ba, Krim; TR, Syr., Cauc.
- **silaifolia** M. Bieb. · Silaublättriger Wasserfenchel | ♃ V-VII; Eur.* exc. Sc, Ib; TR, Cauc., N-Iran, NW-Afr.

Oenothera L. -f- *Onagraceae* · Nachtkerze
- **acaulis** Cav. | ☉ ♃ △ D △ VI-X ∧; Chile
- × **arendsii** Silva Tar. et C.K. Schneid. (*O. rosea* × *O. speciosa*) | ♃ △ VI-IX ∧; cult.
- *berlandieri* (Spach) Walp. = Oenothera speciosa 'Rosea'

– **biennis** L. · Gewöhnliche Nachtkerze · Common Evening Primrose, Evening Primrose | ⊙ VI-IX Ⓝ; Can., USA*, Mex., nat. in Eur., TR, NZ
– × **braunii** Döll (*O. biennis* × *O. oakesiana*) · Brauns Nachtkerze
– **caespitosa** Nutt. · Large White Evening Primrose | ⊙ ♃ △ VI-VIII ∧; USA: NW, Rocky Mts., Calif., NC
– **drummondii** Hook. | ⊙ ⊙ VII-VIII; Tex., NE-Mex.
– *erythrosepala* Borbás = Oenothera glazioviana
– × **fallax** Renner (*O. biennis* × *O. glazoviana*) · Täuschende Nachtkerze
– **fruticosa** L. · Sundrops · Onagre tétragone | ♃ ♄ VI-VIII; USA: NE, NCE, Okla., SE, Fla.
  - subsp. **glauca** (Michx.) Straley | ♃ VI-VIII; USA: S-Appalachen
– *glauca* Michx. = Oenothera fruticosa subsp. glauca
– **glazioviana** Micheli · Rotkelchige Nachtkerze · Large Leaved Evening Primrose | ⊙ VI-IX; orig. ?, nat. in W-Eur, C-Eur., N-Am.
– **grandiflora** L'Hér.
– *lamarckiana* de Vries non Ser. = Oenothera glazioviana
– *linearis* Michx. = Oenothera fruticosa
– **macrocarpa** Nutt. · Missouri-Nachtkerze · Missouri Evening Primrose, Prairie Evening Primrose · Onagre du Missouri | ♃ ⇝ △ VI-IX; USA: SC, Mo., Kans., Nebr.
– *missouriensis* Sims = Oenothera macrocarpa
– **oakesiana** (A. Gray) Robbins ex Watson et Coult. · Sand-Nachtkerze ; N-Am., nat. in D +
– **odorata** hort. non Jaqu. · Duftende Nachtkerze · Onagre odorant | ♃; S-Am, Calif.
– **parviflora** L. · Kleinblütige Nachtkerze | ⊙ VI-VIII; N-Am., nat. in Fr, I, D, EC-Eur., Norw.
– **perennis** L. · Sundrops | ⊙ ♃ V-VIII; Can.: E; USA; NE, NCE, SE
– *pumila* L. = Oenothera perennis
– **rosea** L'Hér. ex Aiton · Pink Evening Primrose | ⊙ ♃ Ⓐ VI-VII ∧; USA: Tex.; S-Am., nat. in S-Eur.
– **speciosa** Nutt. · Weiße Nachtkerze · White Evening Primrose | ⊙ ♃ VI-IX ∧; USA: Mo., Kans., Tex.; Mex.
  - **'Rosea'**
  - var. *childsii* (Bailey) Munz = Oenothera speciosa 'Rosea'
– **stricta** Ledeb. ex Link | ♃; Calif., nat. in Ib, Fr, Ap, C-Eur., Krim
– *taraxacifolia* Sweet = Oenothera acaulis
– *tetragona* Roth = Oenothera fruticosa subsp. glauca
  - var. *fraseri* (Pursh) Munz = Oenothera fruticosa subsp. glauca
– **villosa** Thunb. · Graublättrige Nachtkerze ; N-Am., nat. in D

Oftia Adans. -f- *Scrophulariaceae*
– **africana** (L.) Bocq. | ♄ Ⓚ IV-IX; S-Afr.

Oldenburgia Less. -f- *Asteraceae*
– **arbuscula** DC. | ♄ Ⓚ; S-Afr.

Olea L. -f- *Oleaceae* · Ölbaum, Olive
– *africana* Mill. = Olea europaea subsp. africana
– *aquifolium* Siebold et Zucc. = Osmanthus heterophyllus
– *chrysophylla* Lam. = Olea europaea subsp. africana
– **europaea** L. · Ölbaum · Olive | ♄ ♄ Ⓚ Off. V Ⓝ; cult.
  - subsp. **africana** (Mill.) P.S. Green · Wild Olive | ♄ Ⓚ; trop. Afr., S-Afr., SW-China
  - subsp. **sylvestris** (Mill.) Rouy | ♄ Ⓚ VII-VIII; Eur.: Ib, Fr, Ap, Ba, Krim; TR, Palaest., NW-Afr., Libya, nat. in CH
  - var. *oleaster* (Hoffmanns. et Link) DC. = Olea europaea subsp. sylvestris
– *fragrans* Thunb. = Osmanthus fragrans
– *sativa* Hoffmanns. et Link = Olea europaea
– *yunnanensis* Franch. = Osmanthus yunnanensis

Oleandra Cav. -f- *Oleandraceae*
– **articulata** (Sw.) C. Presl | ♃ Ⓦ ⇝; trop. SE-As.

Olearia Moench -f- *Asteraceae*
– **albida** Hook. f. | ♄ ♄; NZ
– **angustifolia** Hook. f. | ♄ Ⓚ VII-VIII; NZ
– **arborescens** (J.R. Forst. et G. Forst.) Cockayne et Laing | ♄; NZ
– **argophylla** (Labill.) F. Muell. · Muskwood | ♄ Ⓚ VII-VIII; Austr.: Queensl., N.S.Wales, Victoria, S-Austr.,

Tasman., W-Austr.
– **avicenniifolia** (Raoul) Hook. f. | ♄ ♄; NZ
– **erubescens** (DC.) Dippel | ♄ Ⓚ V-VI; Austr.: N.S.Wales, S-Austr., Tasman., Victoria
– *forsteri* Hook. f. = Olearia paniculata
– *gunniana* (DC.) Hook. f. ex Hook. = Olearia phlogopappa
– × **haastii** Hook. f. (*O. avicenniifolia* × *O. moschata*) · Maßliebchenstrauch | ♄ Ⓚ VII-VIII; cult.
– **insignis** Hook. f. | ♄ Ⓚ VI-VII; NZ
– **macrodonta** Baker · New Zealand Holly | ♄ Ⓚ VII-VIII; NZ
– **moschata** Hook. f. | ♄ Ⓚ D VII-VIII; NZ
– **nummulariifolia** (Hook. f.) Hook. f. | ♄ Ⓚ; NZ
– **odorata** Petrie | ♄ Ⓚ VII-VIII; NZ
– **paniculata** (J.R. Forst. et G. Forst.) Druce | ♄ Ⓚ; NZ
– **phlogopappa** (Labill.) DC. · Tasmanian Daisy Bush | ♄ Ⓚ VI; Tasman.
– **ramulosa** (Labill.) Benth. | ♄ Ⓚ I-III; Austr., Tasman.
– **semidentata** Decne. ex Hook. f.
– *semidentata* hort. = Olearia 'Henry Travers'
– **solandri** (Hook. f.) Hook. f. | ♄ Ⓚ VIII-X; NZ
– **speciosa** Hutch. | ♄ Ⓚ IV-V; Austr.
– *stellulata* (Labill.) DC. = Olearia phlogopappa
– **traversii** F. Muell. ex J. Buch | ♄ ♄; NZ
– **virgata** (Hook. f.) Hook. f. | ♄; NZ
– **Cultivars**
  - **'Henry Travers'** | ♄ Ⓚ VII-VIII; NZ (Chatham Is.)

Olfersia Raddi -f- *Dryopteridaceae*
– **cervina** (L.) Kuntze | ♃ Ⓦ ⌇; Mex., C-Am., W.Ind., trop. S-Am.
– *corcovadensis* Raddi = Olfersia cervina

Oliveranthus = Echeveria DC.
– *elegans* Rose = Echeveria harmsii

Olmedia = Pseudolmedia Trecul
– *laevis* Ruiz et Pav. = Pseudolmedia laevis

Olsynium Raf. -n- *Iridaceae*
– **douglasii** (A. Dietr.) E.P. Bicknell · Grass Widow, Spring Bell | ♃ Ⓚ V-VI; B.C., USA: NW, N-Calif.
– **filifolium** (Gaudich.) Goldblatt

Omalotheca Cass. -f- *Asteraceae*
– *hoppeana* (W.D.J. Koch) Sch. Bip. et F.W. Schultz = Gnaphalium hoppeanum
– *norvegica* (Gunnerus) Sch. Bip. et F.W. Schultz = Gnaphalium norvegicum
– *supina* (L.) DC. = Gnaphalium supinum

Omphalodes Mill. -f- *Boraginaceae*
– **cappadocica** (Willd.) DC. · Navelwort · Nombril de Vénus | ♃ △ IV-V ∧; TR, W-Cauc.
– **linifolia** (L.) Moench · Venus's Navelwort | ⊙ VI-IX; Eur.: Ib, F; W-Cauc., nat. in E-Eur.
– **luciliae** Boiss. | ♃ △ V-VI; GR, TR
– *lusitanica* (L.) Pourr. ex Lange = Omphalodes nitida
– **nitida** Hoffmanns. et Link | ♃ △ V-VI ∧; N-P, NW-Sp.
– **scorpioides** (Haenke) Schrank · Wald-Nabelnüsschen | IV-V; Eur.: C-Eur., EC-Eur., E-Eur.; Cauc.
– **verna** Moench · Frühlings-Nabelnüsschen, Gedenkemein · Blue Eyed Mary · Petite bourrache | ♃ IV-V; Eur.: I, A, Slove., Croatia, Montenegro, GR, RO, nat. in BrI, Fr, EC-Eur., E-Eur.

Onagra = Oenothera L.
– *biennis* (L.) Scop. = Oenothera biennis

× **Oncidenia** Hort. -f- *Orchidaceae* (*Macradenia* × *Oncidium*)

× **Oncideza** hort. -f- *Orchidaceae* (*Gomesia* × *Oncidium*)

× **Oncidioda** Hort. -f- *Orchidaceae* (*Cochlioda* × *Oncidium*)

Oncidium Sw. -n- *Orchidaceae*
– **altissimum** (Jacq.) Sw. | Ⓦ IV-VII ✻; Lesser Antilles (Martinique, St. Vincent)
– **ampliatum** Lindl. | Ⓦ IV-V ✻; C-Am., Col., Ecuad., Peru, Venez., Trinidad
– **ansiferum** Rchb. f. | Ⓦ Ⓚ XI-I ✻; Guat., Costa Rica, Panama
– *aureum* Lindl. = Odontoglossum aureum
– **bicallosum** Lindl. | Ⓦ VIII-X ✻; Mex., Guat., El Salv.
– **brachyandrum** Lindl. | Ⓦ V-VII ✻; Mex., Guat.
– **bracteatum** Rchb. f. et Warsz. | Ⓚ ✻; Costa Rica, Panama
– *bryolophotum* Rchb. f. = Oncidium

heteranthum
- **carthagenense** (Jacq.) Sw. | (W) V-VI ✻; USA: Fla.; Mex., C-Am., W.Ind., Col., Venez.
- **cavendishianum** Bateman | (W) IV-V ✻; Mex., Guat., Hond.
- **cebolleta** (Jacq.) Sw. | (W) XI-V ✻; Mex., W-Ind., trop. S-Am.
- **cheirophorum** Rchb. f. · Colombia Buttercup | (K) X-XII ✻; Col., Panama
- **concolor** Hook. | (W) IV-V ✻; Bras.: Rio de Janeiro, Minas Gerais
- **cornigerum** Lindl. | (W) VIII-IX ✻; Bras.
- **crispum** Lodd. | (W) IX-XII ✻; Bras.
- **dasystyle** Rchb. f. | (W) V-VII ✻; Bras.
- **divaricatum** Lindl. | (W) IX-X ✻; Bras.
- **excavatum** Lindl. | (W) IX-X ✻; Ecuad., Peru
- **flexuosum** Sims · Dancing Doll Orchid | (W) IX-XII ✻; Bras., Parag., Arg.
- **forbesii** Hook. | (W) IX-XI ✻; Bras.
- **gardneri** Lindl. | (W) VI-VII ✻; Bras.
- *graminifolium* Lindl. = Oncidium brachyandrum
- *guttatum* (L.) Rchb. f. = Oncidium luridum
- **harrisonianum** Lindl. | (W) V ✻; Bras.
- **hastilabium** (Lindl.) Garay et Dunst. | (K) IV-VII ✻; Col.
- **heteranthum** Poepp. et Endl. | (W) IV-VII ✻; Costa Rica, Panama, Col. Venez., Ecuad., Peru, Bol.
- **hians** Lindl. | (W) IX-X ✻; Bras.
- **incurvum** Barker ex Lindl. | (W) IX-XI ✻; Mex.
- **jonesianum** Rchb. f. | (W) VIII-X ✻; Bras., Parag.
- **kramerianum** Rchb. f. | (W) I-XII ✻; Costa Rica, Panama, Ecuad., Peru
- **lanceanum** Lindl. | (W) VI-VIII ✻; Venez., Trinidad, Guyana, Bras.
- **leucochilum** Bateman ex Lindl. | (W) I-V ✻; Mex., Guat., Hond.
- **liebmannii** Rchb. f. ex Kraenzl. | (W) ✻; Mex.
- **longipes** Lindl. | (W) III-V ✻; Bras. (Serra dos Orgaos)
- **luridum** Lindl. | (W) V-VIII ✻; USA: Fla.; Mex., C-Am., W.Ind., n S-Am
- **macranthum** Lindl. | (K) V-VII ✻; Col., Ecuad., Peru
- **maculatum** (Lindl.) Lindl. | (W) V-VII ✻; Mex., Guat., Hond.
- **marshallianum** Rchb. f. | (W) V-VI ✻; Bras.
- **microchilum** Bateman ex Lindl. | (W) VI-VII ✻; Guat.
- **nanum** Lindl. | (W) IV-V ✻; Venez., Guyana, Bras., Peru
- **nubigenum** Lindl. | (W) XII-I ✻; Col., Ecuad., Peru
- **oblongatum** Lindl. | (K) VII-VIII ✻; Mex., Guat.
- **onustum** Lindl. | (W) IV-V ✻; Panama
- **ornithorhynchum** Humb., Bonpl. et Kunth | (K) X-XI ✻; Mex., Guat., El Salv., Costa Rica
- **papilio** Lindl. · Butterfly Orchid | (W) I-XII ✻; Col., Ecuad., Peru, Venez., Trinidad
- **phalaenopsis** Linden et Rchb. f. | (K) XII-IV ✻; Ecuad.
- **phymatochilum** Lindl. | (W) IV-VI ✻; Mex., Guat., Bras.
- **praetextum** Rchb. f. | (W) VII ✻; ? Bras.
- **pubes** Lindl. | (W) VI-VIII ✻; Bras.: Rio de Janeiro, Minas Gerais, Parana
- **pulvinatum** Lindl. | (W) VII-VIII ✻; Bras.
- **pumilum** Lindl. | (K) IV-V ✻; S-Bras.
- *pusillum* (L.) Rchb. f. = Psygmorchis pusilla
- **reflexum** Lindl. | (W) IX-X ✻; Mex., Guat.
- *rogersii* hort. ex Bateman = Oncidium varicosum var. rogersii
- **sanderae** Rolfe | (K) VII-VIII ✻; Peru
- **sarcodes** Lindl. | (W) IV-V ✻; Bras.
- **schillerianum** Rchb. f. | ♃ (W) VIII-X ✻; Bras.
- **serratum** Lindl. | (W) VII-VIII ✻; Peru
- **sphacelatum** Lindl. | (W) IV-VI ✻; Mex., C-Am.
- **sphegiferum** Lindl. | (W) VII-VIII ✻; Bras.
- **splendidum** A. Rich. ex Duch. | (W) X-XII ✻; Mex.
- *sprucei* Lindl. = Oncidium cebolleta
- **stenotis** Rchb. f. | (W) XII-II ✻; C-Am., Col., Ecuad.
- **stramineum** Bateman ex Lindl. | (W) IV-VI ✻; Mex.
- **superbiens** Rchb. f. | (K) IV-V ✻; Col., Venez.
- **tigrinum** La Llave et Lex. | (W) ≹ X-XII; Mex.
  - var. **unguiculatum** (Lindl.) Lindl. | (W) X-XII ✻; Mex.
- *unguiculatum* Klotzsch = Oncidium concolor
- *unguiculatum* Lindl. = Oncidium

tigrinum
- **varicosum** Lindl. · Dancing Lady ; Bras.
  - var. **rogersii** (hort. ex Bateman) Rchb. f. | ⌂ ⤳ X-I ✻; Bras.
- **volvox** Rchb. f. | ⌂ IX-X ✻; Venez.
- **wentworthianum** Bateman ex Lindl. | ⌂ VI-VIII ✻; Mex., Guat.

× **Oncidpilia** Hort. -f- *Orchidaceae* (*Oncidium* × *Trichopila*)

Ongokea Pierre -f- *Olacaceae*
- **gore** (Hua) Pierre | ♄ ⌂ Ⓝ; W-Afr., C-Afr., Angola

× **Onoara** Hort. -f- *Orchidaceae* (*Ascocentrum* × *Renanthera* × *Vanda* × *Vandopsis*)

Onobrychis Mill. -f- *Fabaceae*
- **arenaria** (Kit.) DC. · Sand-Esparsette | ♃ VI-VII; Eur.: Fr, Ap, C-Eur., EC-Eur., Ba, E-Eur.; TR
- **crista-galli** (L.) Lam.; S-Eur., N-Afr., TR, Cyprus, Syr., Iran
- **montana** DC. · Berg-Esparsette | ♃ VII-VIII; Eur.: Fr, Ap, C-Eur., EC-Eur., Ba, RO; TR, Levante
- **viciifolia** Scop. · Futter-Esparsette · Sainfoin | ♃ V-VII Ⓝ; ? C-Eur., nat. in Eur.*

Onoclea L. -f- *Woodsiaceae* · Perlfarn
- **sensibilis** L. · Perlfarn · Sensitive Fern · Fougère sensitive | ♃ ~ ; Can.: E; USA: NE, NCE, SE, Fla., SC ; E-Sib., Sachal., Jap., Korea, Manch., nat. in BrI
- *struthiopteris* (L.) Hoffm. = Matteuccia struthiopteris

Ononis L. -f- *Fabaceae* · Hauhechel
- **arvensis** L. · Bocks-Hauhechel | ♃ VI-VII; Eur.: Ap, C-Eur., EC-Eur., Sc, Ba, E-Eur.; Cauc., W-Sib.
- *cenisia* L. = Ononis cristata
- **cristata** Mill. | ♃ ⤳ △ VI-IX ∧; Eur.: Sp., F, I; Maroc., Alger.
- **fruticosa** L. · Strauchige Hauhechel · Shrubby Restharrow | ♄ △ VI-VIII ∧; SE-F, Sp., Alger.
- **natrix** L. · Gelbe Hauhechel · Goat Root, Large Yellow Restharrow | ♃ △ V-VIII; Eur.: Ib, Fr, Ap, Ba, C-Eur.; TR, Syr., Palaest., N-Afr.
- **pusilla** L. · Zwerg-Hauhechel | ♃ VI; Eur.* exc. BrI, Sc; TR, Levante, Cauc., W-Iran, NW-Afr.
- **repens** L. · Kriechende Hauhechel · Restharrow | ♃ ⊙ ⤳ VI-VII; Eur.*, TR, Maroc.
- **rotundifolia** L. · Rundblättrige Hauhechel · Round Leafed Restharrow | ♃ ♄ △ V-IX ∧; Eur.: Sp., F, I, CH, A
- **spinosa** L. · Dornige Hauhechel · Restharrow, Spiny Restharrow | ♃ ⊙ ⤳ Off. VI-IX; Eur.*, TR, Levante, N-Iraq, Iran, C-As., Pakist., NW-Afr., Libya

Onopordum L. -n- *Asteraceae* · Eselsdistel
- **acanthium** L. · Gewöhnliche Eselsdistel · Giant Thistle, Scotch Thistle | ⊙ VII-IX; Eur.*, TR, Levante, Arab., N-Iran, C-As., N-Afr., nat. in N-Am.
- **acaulon** L. | ⊙ VII-VIII ∧; Eur.: Sp., F; mts.; NW-Afr.
- **bracteatum** Boiss. et Heldr. | ⊙ VII-VIII; Eur.: GR, Crete, BG; TR, Cyprus
- **illyricum** L. · Illyrische Eselsdistel | ⊙ VII-VIII; Eur.: Ib, Fr, Ap, Ba; TR, Cyprus
- **tauricum** Willd. | ⊙ VII-VIII; Eur.: Ba, RO, Krim; TR, Cyprus, nat. in I, F
- *virens* DC. = Onopordum tauricum
- *viscosum* Hornem. ex Spreng. = Onopordum tauricum

Onoseris Willd. -f- *Asteraceae*
- **onoseroides** (Humb., Bonpl. et Kunth) B.L. Rob. | ♄ ⌂ I-V; S-Mex., Guat., Hond., Panama, Col., N-Venez.

Onosma L. -n- *Boraginaceae* · Lotwurz, Goldtropfen
- **alboroseum** Fisch. et C.A. Mey. | ♃ △ V-VI ∧; TR
- **arenaria** Waldst. et Kit. · Sand-Lotwurz | ♃ V-VI; Eur.: C-Eur., EC-Eur., Ba
- **bourgaei** Boiss. | ♃ △ V-VI ∧; Cauc. (Armen.)
- **echioides** L. · Yellowdrop | ♃ △ V-VI ▽ ∧; Eur.: I, Sic., Croatia, Bosn.Serb., AL
- **helvetica** (A. DC.) Boiss. · Schweizer Lotwurz | ⊙ V-VI; Eur.: A, ?H
- **pseudoarenaria** Schur · Zweifelhafte Lotwurz | ♃ V-VII; Eur.: F, I, CH, W-Ba, RO +
- **sericeum** Willd. | ♃ △ V-VI ∧; TR, Iran
- **sieheanum** Hayek | ♃ △ V-VI ∧; C-TR
- **stellulatum** Waldst. et Kit. | ♃ △ V-VI ▽; Eur.: W-Ba

– **tauricum** Pall. ex Willd. | ♃ V-VI ▽ ∧; Eur.: Ba, E-Eur.; TR, Syr., Cauc.
– **visianii** Clementi · Dalmatiner Lotwurz | ⊙ V-VI; Eur.: A, EC-Eur., Ba, RO, Krim; Cauc., ? C-As.

Onychium Kaulf. -n- *Adiantaceae* · Klauenfarn
– **japonicum** (Thunb.) Kunze | ♃ Ⓚ; Ind., China, Taiwan, S-Korea, Jap., Malay. Pen., nat. in Azor.

Oophytum N.E. Br. -n- *Aizoaceae*
– **oviforme** (N.E. Br.) N.E. Br. | ♃ Ψ Ⓚ; Kap

Operculina Silva Manso -f- *Convolvulaceae*
– *dissecta* (Jacq.) House = Merremia dissecta
– **macrocarpa** (L.) Urb. | ♃ Ⓝ; W.Ind., Bras.
– *tuberosa* (L.) Meisn. = Merremia tuberosa
– **turpethum** (L.) Silva Manso · Indian Jalap | ♄ ☠; E-Afr., trop. As., Austr., Polyn.

Ophioglossum L. -n- *Ophioglossaceae* · Natternzunge, Natternfarn
– **pendulum** L. · Ribbon Fern | ♃ Ⓦ ⌇; Madag., Seych., Ind., Sri Lanka, Indochina, Malay. Pen., Phil., Taiwan, Jap., Austr., Polyn.
– **vulgatum** L. · Gewöhnliche Natternzunge · Adder's Tongue | ♃ VI-VII; Eur.*, Cauc., W-Sib., Kamchat., N-Afr.

Ophiopogon Ker Gawl. -m- *Convallariaceae* · Schlangenbart
– **jaburan** (Kunth) Lodd. · Weißer Schlangenbart · White Lily Turf | ♃ Ⓚ VII-VIII; Jap., Riukiu-Is.
– **japonicus** (L. f.) Ker-Gawl. · Zwerglilienrasen · Mondo Grass | ♃ Ⓚ VII-VIII ∧; Jap., Korea, S-China, Phil.
– *muscari* Decne. = Liriope muscari
– **planiscapus** Nakai · Schwarzer Schlangenbart · Black Mondo | ♃ Ⓚ Ⓐ ✿ V-VI; Jap.
– *spicatus* (Thunb.) Lodd. = Liriope spicata

Ophrys L. -f- *Orchidaceae* · Kerfstendel
– **apifera** Huds. · Bienen-Ragwurz · Bee Orchid | ♃ V-VII ▽ ✻; Eur.* exc. Sc; TR, Lebanon., Palaest., Cauc., N-Iran, NW-Afr.
– *arachnites* (Scop.) Reichard = Ophrys holoserica
– **araneola** Rchb. · Kleine Spinnen-Ragwurz | IV-VI; Eur.: D +
– *aranifera* Huds. = Ophrys sphegodes
– *fuciflora* (Crantz) Moench = Ophrys holoserica
– **fusca** Link | ♃ Ⓚ IV-V ▽ ✻; Eur.: Ib, Fr, Ap, Ba, RO; TR, Med.
– **holoserica** (Burm. f.) Greuter · Hummel-Ragwurz · Late Spider Orchid | ♃ V-VI ▽ ✻; Eur.* exc. Sc; TR, Syr.
– **insectifera** L. emend. L. · Fliegen-Ragwurz · Fly Orchid | ♃ V-VI ▽ ✻; S-Chile, Falkland
– *muscifera* Huds. = Ophrys insectifera
– **speculum** Link | ♃ Ⓚ V ▽ ✻; Eur.: Ib, F, Ap, Ba; TR, Lebanon, Palaest., Libya
– *sphecodes* auct. = Ophrys sphegodes
– **sphegodes** Mill. · Gewöhnliche Spinnen-Ragwurz · Early Spider Orchid | ♃ IV-VI ▽ ✻; Eur.* exc. Sc; TR, Palaest., Cauc., Maroc., Alger.

Ophthalmophyllum Dinter et Schwantes -n- *Aizoaceae*
– *friedrichiae* (Dinter) Dinter et Schwantes = Conophytum friedrichiae
– *longum* (N.E. Br.) Tischer = Conophytum longum
– **schuldtii** Schwantes | ♃ Ⓚ; Namibia

Opithandra B.L. Burtt -f- *Gesneriaceae*
– **primuloides** (Miq.) B.L. Burtt | ♃ Ⓚ V-VI; Jap.

Oplismenus P. Beauv. -m- *Poaceae*
– *crus-galli* (L.) Humb., Bonpl. et Kunth = Echinochloa crus-galli
– *crus-pavonis* Humb., Bonpl. et Kunth = Echinochloa crus-pavonis
– **hirtellus** (L.) P. Beauv. · Basket Grass | ♃ Ⓚ ⌇ ⤳; Mex., C-Am., W.Ind., S-Am., Afr., Polyn.
– **imbecillis** (R. Br.) Reissek et Seem. | ♃ Ⓦ ⌇ ⤳; trop. Am., Afr., E-Austr., NZ, Polyn.
imbecillis Roem. et Schult. = Oplismenus hirtellus
– **undulatifolius** (Ard.) Roem. et Schult. · Grannenhirse | ♃ VII-IX; Eur.: I, Ba; TR, Cauc., N-Iran, N-Ind., China, Korea, Jap.

Java, nat. in Sp., CH

Oplopanax (Torr. et A. Gray) Miq. -m- *Araliaceae*
– **horridus** (Sm.) Miq. · Teufelskeule · Devil's Club, Devil's Walking Stick | ♄ ~ VII-VIII ∧; Alaska, Can.: W; USA: NW, Rocky Mts., Calif., Mich.; Jap.

Opopanax W.D.J. Koch -m- *Apiaceae*
– **chironium** (L.) W.D.J. Koch · Hercules All Heal | ♃ Ⓚ VI-VII Ⓝ; Eur.: Ib, Fr, Ap, Ba, RO

× **Opsisanda** Hort. -f- *Orchidaceae* (*Vanda* × *Vandopsis*)

× **Opsisanthe** hort. -f- *Orchidaceae*

Opuntia Mill. -f- *Cactaceae* · Opuntie, Feigenkaktus
– **acanthocarpa** Engelm. et Bigelow | ♄ Ψ Ⓚ ✻; USA: Calif., Nev., Ariz.; Mex.
– **alexandri** Britton et Rose | ♄ Ψ Ⓚ ✻; Arg.
– **andicola** Pfeiff. | ♄ Ψ Ⓚ ✻; Arg.
– **aoracantha** Lem. | Ψ Ⓚ ✻; W-Arg.
– **aurantiaca** Lindl. | ♄ Ψ Ⓚ ⇝ ✻; Urug., Arg., nat. in E-Austr.
– **azurea** Rose | ♄ Ψ Ⓚ ✻; Mex.
– **basilaris** Engelm. et Bigelow | ♄ Ψ Ⓚ ✻; USA: Rocky Mts, Calif., SW; Mex.: Sonora
– **beckeriana** K. Schum. | ♄ Ψ Ⓚ ✻; orig. ?
– **bergeriana** F.A.C. Weber ex A. Berger | ♄ ♄ Ψ Ⓚ ✻; orig. ?
– **bigelovii** Engelm. | ♄ Ψ Ⓚ ✻; USA: Calif., Rocky Mts, SW; Baja Calif.
– **bradtiana** (J.M. Coult.) K. Brandegee | ♄ Ψ Ⓚ; Mex.: Coahuila
– **brasiliensis** (Willd.) Haw. | ♄ Ψ Ⓚ ✻; S-Am.
– **bruchii** Speg. | ♄ Ψ Ⓚ ✻; Arg.
– **brunnescens** Britton et Rose | ♄ Ψ Ⓚ ✻; N-Arg.
– *camanchica* Engelm. = Opuntia phaeacantha var. camanchica
– **cholla** F.A.C. Weber | ♄ Ψ Ⓚ ✻; Mex.: Baja Calif.
– **clavarioides** Pfeiff. | ♄ Ψ Ⓚ ✻; Arg.
– **cochenillifera** (L.) Mill. · Cochineal Cactus | ♄ Ψ Ⓚ ✻ Ⓝ; orig. ?
– **compressa** (Salisb.) J.F. Macbr. | ♄ Ψ Ⓚ ⇝ VI ✻; Can.: Ont.; USA: NE, NCE, NC, Rocky Mts., SE, SC, nat. in Sp., F, Sard., I, Ba, Cyprus
– **corrugata** Salm-Dyck | ♄ Ψ Ⓚ ⇝ ✻; NW-Arg.
– **cylindrica** (Lam.) DC. · Cane Cactus | ♄ Ψ Ⓚ ✻; Peru, S-Ecuad.
– *decumana* (Willd.) Haw. = Opuntia maxima
– **decumbens** Salm-Dyck | ♄ Ψ Ⓚ ✻; Mex., Guat.
– **diademata** Lem. | ♄ Ψ Ⓚ ✻; W-Arg.
– *dillenii* (Ker-Gawl.) Haw. = Opuntia stricta
– **durangensis** Britton et Rose | ♄ Ψ Ⓚ ✻; Mex.
– **elata** Link et Otto | ♄ ♄ Ψ Ⓚ ✻; Bras., Parag.
– **engelmannii** Salm-Dyck | ♄ Ψ Ⓚ ✻; USA: SE, SC, SW
– **erinacea** Engelm. et Bigelow | ♄ Ψ Ⓚ ⇝ ✻; USA: Colo.
  - var. **utahensis** (Engelm.) L.D. Benson | ♄ Ψ Ⓚ ⇝ ✻; USA: NC, Rocky Mts., Calif., SW
– *exaltata* A. Berger = Opuntia subulata
– *extensa* Salm-Dyck = Opuntia aurantiaca
– **ficus-indica** (L.) Mill. | ♄ Ψ Ⓚ ✻ Ⓝ; Mex.
– **floccosa** Salm-Dyck | ♄ Ψ Ⓚ ✻; C-Peru, Bol.
– **fragilis** (Nutt.) Haw. | ♄ Ψ Ⓚ ⇝ ✻; Can.: W, Man.; USA: NCE, NC, SC, SW, Rocky Mts., NW, Calif.
– **fulgida** Engelm. | ♄ Ψ Ⓚ ✻; Ariz., Mex.
– **glomerata** Haw. | ♄ Ψ Ⓚ ✻; N-Arg.
– *guerrana* D.A. Griffiths = Opuntia robusta
– *halophila* Speg. = Opuntia alexandri
– *herrfeldtii* Kupper = Opuntia rufida
– **hickenii** Britton et Rose | ♄ Ψ Ⓚ ✻; S-Arg.
– *hossei* (Krainz et Gräser) G.D. Rowley = Opuntia paediophila
– *humifusa* (Raf.) Raf. = Opuntia compressa
– *hypogaea* Werderm. = Opuntia glomerata
– **hyptiacantha** F.A.C. Weber | ♄ Ψ Ⓚ ✻; Mex.
– *hystricina* Engelm. et Bigelow = Opuntia erinacea
– **imbricata** (Haw.) DC. | ♄ Ψ Ⓚ ✻; USA: Colo., N.Mex.; Mex.
– *inermis* DC. = Opuntia stricta
– **invicta** Brandegee | ♄ Ψ Ⓚ ✻; Mex.: Baja Calif.
– **kleiniae** DC. | ♄ Ψ Ⓚ ✻; USA: Tex., SW;

Mex.
- **kuehnrichiana** Werderm. et Backeb. | ψ Ⓚ ✻; C-Peru
- *labouretiana* Console = Opuntia maxima
- **lagopus** K. Schum. | ♄ ψ Ⓚ ✻; Peru, Bol.
- **leptocaulis** DC. · Prickly Pear | ♄ ψ Ⓚ ✻; USA: Tex., SW; N-Mex.
- **leucotricha** DC. | ♄ ψ Ⓚ ✻; C-Mex.
- **longispina** Haw. | ψ Ⓚ
  - var. *corrugata* (Salm-Dyck) Backeb. = Opuntia corrugata
- **macracantha** Griseb. | ♄ ψ Ⓚ ✻; Cuba
- *macrocalyx* D.A. Griffiths = Opuntia microdasys
- **macrocentra** Engelm. | ♄ ψ Ⓚ ✻; USA: Tex., SW; N-Mex.
- *mammillata* Schott ex Engelm. = Opuntia fulgida
- **marenae** Parsons | ♄ ψ Ⓚ ✻; N-Mex.: Sonora
- **marnieriana** Backeb. | ♄ ψ Ⓚ ✻; Mex.
- **maxima** Mill. | ♄ ψ Ⓚ ✻; orig. ?, nat. in S-Eur., N-Afr.
- *megacantha* Salm-Dyck = Opuntia ficus-indica
- **microdasys** (Lehm.) Pfeiff. | ♄ ψ Ⓚ ✻; Mex.
  - var. *rufida* K. Schum. = Opuntia rufida
- *microdisca* F.A.C. Weber = Opuntia corrugata
- **mieckleyi** K. Schum. | ♄ ψ Ⓚ ✻; Parag.
- **miquelii** Monv. | ♄ ψ Ⓚ ✻; Chile
- *missouriensis* DC. = Opuntia polyacantha
- **monacantha** Haw. · Gewöhnliche Opuntie | ♄ ψ Ⓚ VI ✻; Bras., Arg.
- **moniliformis** (L.) Haw. | Ⓚ ✻; Haiti
- *occidentalis* Engelm. et Bigelow = Opuntia ficus-indica
- **pachypus** K. Schum. | ♄ ψ Ⓚ ✻; Peru
- **paediophila** A. Cast. | Ⓚ ✻; W-Arg.
- **pailana** Weing. | ♄ ψ Ⓚ ✻; Mex.
- **pentlandii** Salm-Dyck | ♄ ψ Ⓚ ✻; Bol.
- **pestifer** Britton et Rose | ♄ ψ Ⓚ ✻; Ecuad., Peru
- **phaeacantha** Engelm. · Figuier de Barbarie à fruits violets | ♄ ψ Ⓚ; USA: Tex., SW; N-Mex.
  - var. **camanchica** (Engelm.) Borg | ♄ ψ Ⓚ ↝ ✻; USA: Colo., SW, Tex.
- **platyacantha** Salm-Dyck | ♄ ψ Ⓚ ✻; Arg.
- **polyacantha** Haw. · Figuier de Barbarie | ♄ ψ Ⓚ ↝ ✻; Can.: Alta.; USA: NC, Rocky Mts., NW, SC, SW
- **pycnantha** Engelm. | ♄ ψ Ⓚ ✻; Mex.: Baja Calif.
- *rafinesquei* Engelm. = Opuntia compressa
- *rauppiana* K. Schum. = Opuntia sphaerica
- *rhodantha* K. Schum. = Opuntia erinacea var. utahensis
- **robusta** H.L. Wendl. et Pfeiff. | ♄ ψ Ⓚ ✻; C-Mex.
- **rubescens** Salm-Dyck | ♄ Ⓚ ✻; W.Ind.
- **rufida** Engelm. | ♄ ψ Ⓚ ✻; Tex., N-Mex.
- *rutila* Nutt. ex Torr. et A. Gray = Opuntia polyacantha
- **salmiana** Pfeiff. | ♄ ψ Ⓚ ✻; Bol, E-Arg., Bras., Parag.
  - var. *spegazzinii* (F.A.C. Weber) G.D. Rowley = Opuntia spegazzinii
- **scheeri** F.A.C. Weber | ♄ ψ Ⓚ; Mex.: Queretaro
- **spegazzinii** F.A.C. Weber | ♄ ψ Ⓚ ✻; N-Arg.
- **sphaerica** C.F. Först. | ♄ ψ Ⓚ ✻; Arg.
- **spinosissima** (Martyn) Mill. · Semaphore Prickly Pear | ♄ Ⓚ ✻; Jamaica
- **stricta** Haw. | ♄ ψ Ⓚ ✻; USA: SE; Bermudas, W.Ind., N-Venez., nat. in USA: SC
- **strobiliformis** A. Berger | ♄ ψ Ⓚ ✻; W-Arg.
- **subulata** (Muehlenpf.) Engelm. | ♄ ψ Ⓚ ✻; S-Peru
- **tomentosa** Salm-Dyck | ♄ ψ Ⓚ ✻; Mex.
- **tunicata** (Lehm.) Link et Otto · Thistle Cholla | ♄ ψ Ⓚ ✻; Tex., Mex., nat. in Ecuad., Chile
- **verschaffeltii** Cels | ♄ ψ Ⓚ ✻; Bol., N-Arg.
- **vestita** Salm-Dyck | ♄ ψ Ⓚ ✻; Bol.
- *violacea* Engelm. = Opuntia macrocentra
  - var. *macrocentra* (Engelm.) L.D. Benson = Opuntia macrocentra
- *vulgaris* auct. non Mill. = Opuntia compressa
- *vulgaris* Mill. = Opuntia monacantha
- *xanthostemma* K. Schum. = Opuntia erinacea

Orbea Haw. -f- *Asclepiadaceae*
- **cooperi** (N.E. Br.) L.C. Leach | ♃ ψ Ⓚ; SE-Kap
- **maculata** (N.E. Br.) L.C. Leach | ♃ ψ Ⓚ; Botswana (N-Kalahari)
- **tapscottii** (Verd.) L.C. Leach | ♃ ψ Ⓚ; Botswana, S-Afr.: Kap, Transvaal
- **variegata** (L.) Haw. · Toad Plant | ♃ ψ

Ⓚ; SE-Kap
– **verrucosa** (Masson) L.C. Leach | ♃ Ψ Ⓚ; S-Afr.

Orbeopsis L.C. Leach -f- *Asclepiadaceae*
– **lutea** (N.E. Br.) L.C. Leach | ♃ Ψ Ⓚ; S-Afr., Namibia, Angola
 - subsp. **vaga** (N.E. Br.) L.C. Leach | ♃ Ψ Ⓚ; Angola, Namibia, Kap
– **melanantha** (Schltr.) L.C. Leach | ♃ Ψ Ⓚ; Zimbabwe, S-Afr.: Transvaal

Orbignya Mart. ex Endl. -f- *Arecaceae*
– **cohune** (Mart.) Dahlgren ex Standl. | ♄ Ⓦ Ⓝ; Mex., C-Am.
– **martiana** Barb. Rodr. · Babassú-Nüsse | Ⓝ; Amazon.
– **phalerata** Mart. | ♄ Ⓦ ✂; Bol.
– **spectabilis** (Mart.) Burret | ♄ Ⓦ Ⓝ; Bras.

Orchidantha N.E. Br. -f- *Lowiaceae*
– **maxillarioides** (Ridl.) K. Schum. | ♃ Ⓦ; Malay. Pen. (Pulan Tawor)

Orchis L. -f- *Orchidaceae* · Knabenkraut
– **coriophora** L. · Wanzen-Knabenkraut · Bug Orchid | ♃ VI-VIII ▽ ✻; Eur.* exc. BrI, Sc; TR, N-Iraq, Cauc., Iran, C-As., NW-Afr.
– *elata* Poir. = Dactylorhiza elata
– *fuchsii* Druce = Dactylorhiza fuchsii
– *fuciflora* Crantz = Ophrys holoserica
– *holoserica* Burm. f. = Ophrys holoserica
– *incarnata* L. = Dactylorhiza incarnata
– *latifolia* L. = Dactylorhiza majalis
– **laxiflora** Lam. · Lockerblütiges Knabenkraut | ♃ V
– *maculata* L. = Dactylorhiza maculata
– *majalis* Rchb. = Dactylorhiza majalis
– **mascula** (L.) L. · Stattliches Knabenkraut · Early Purple Orchid | ♃ V-VI ▽ ✻; Eur.*, TR, Lebanon, Cauc., N-Iran, NW-Afr.
– **militaris** L. · Helm-Knabenkraut · Military Orchid, Soldier Orchid | ♃ V-VI ▽ ✻ Ⓝ; Eur.*, Cauc., Iran, W-Sib., E-Sib., Mong.
– **morio** L. · Kleines Knabenkraut, Salep-Knabenkraut · Green Winged Orchid | ♃ IV-VI ▽ ✻ Ⓝ; Eur.*, TR, Cyprus, Syr., N-Iraq, Cauc., N-Iran, Maroc.
– **pallens** L. · Blasses Knabenkraut | ♃ IV-V; Eur.: Ib, Fr, C-Eur., Ap, EC-Eur., Ba, E-Eur., RO, Krim; TR, Cauc.
– **palustris** Jacq. · Sumpf-Knabenkraut | ♃ VI-VII; N-Eur., E-Eur., TR, Iraq, Cauc., Iran, C-As.
 - var. **elegans** (Heuff.) Beck · Zierliches Sumpf-Knabenkraut | VI-VII
– **provincialis** Balb. · Provenzalisches Knabenkraut | ♃ IV-V; Eur.: Ib, Fr, CH, Ap, Ba, Krim; TR, Cauc.
– **purpurea** Huds. · Purpur-Knabenkraut · Lady Orchid | ♃ V-VI ▽ ✻; Eur.*, TR, Cauc.
– *sambucina* L. = Dactylorhiza sambucina
– **simia** Lam. · Affen-Knabenkraut | ♃ V-VI; Eur.: Ib, Fr, BrI, C-Eur., Ap, H, Ba, RO, Krim; TR, Iraq, Cauc., Iran, C-As., NW-Afr.
– **spitzelii** W.D.J. Koch · Spitzels Knabenkraut | ♃ V-VII; Eur.: Sp., F, I, A, Ba, Sweden; TR, Cauc.
– *strictifolia* Opiz = Dactylorhiza incarnata
– **tridentata** Scop. · Dreizähniges Knabenkraut | ♃ V-VI; Eur.: Ib, Fr, C-Eur., Ap, EC-Eur., Ba, RO, Krim; TR, Iraq, Cauc., Iran, Maroc.
– **ustulata** L. · Brand-Knabenkraut · Burnt Tip Orchid | ♃ V-VII ▽ ✻; Eur.*, Cauc., W-Sib.

Oreocereus (A. Berger) Riccob. -m- *Cactaceae*
– **celsianus** (Cels ex Salm-Dyck) Riccob. | Ψ Ⓚ ✻; NW-Arg., Bol.
 - var. *hendriksenianus* (Backeb.) Krainz = Oreocereus hendriksenianus
 - var. *trollii* (Kupper) Krainz = Oreocereus trollii
– **doelzianus** (Backeb.) Borg | Ψ Ⓚ ✻; C-Mex.
– *fossulatus* (Labour.) Backeb. = Oreocereus pseudofossulatus
– *hempelianus* (Gürke) D.R. Hunt = Arequipa hempeliana
– **hendriksenianus** Backeb. | Ψ Ⓚ ✻
– *leucotrichus* (Phil.) Wagenkn. = Arequipa leucotricha
– *maximus* Backeb. = Oreocereus celsianus
– *neocelsianus* Backeb. = Oreocereus celsianus
– **pseudofossulatus** D.R. Hunt | ♄ Ψ Ⓚ ✻; Bol.
– *rettigii* (Quehl) Buxb. = Arequipa hempeliana
– **trollii** (Kupper) Backeb. | Ψ Ⓚ ✻; S-Bol., N-Arg.

Oreochloa Link -f- *Poaceae*

– **disticha** (Wulfen) Link · Zweizeiliges Kopfgras | ♃ VII-VIII; Eur.: Fr, Ap, C-Eur., EC-Eur., RO, W-Russ.; Alp., Carp.

Oreodoxa = Roystonea O.F. Cook
– *oleracea* (Jacq.) Mart. = Roystonea oleracea
– *regia* Humb., Bonpl. et Kunth = Roystonea regia

Oreopanax Decne. et Planch. -m- *Araliaceae* · Bergaralie
– **andreanus** Marchal | ♄ Ⓚ; Ecuad.
– **capitatus** (Jacq.) Decne. et Planch. | ♄ ♄; C-Am., S-Am.
– **dactylifolius** (Lindl.) hort. | ♄ ♄ Ⓚ I-III; Mex.
– **nymphaeifolius** Decne. et Planch. | ♄ ♄ Ⓚ I-III; Guat.
– *reticulatus* hort. = Meryta denhamii

Oreopteris Holub -f- *Thelypteridaceae*
– **limbosperma** (All.) Holub · Bergfarn, Gewöhnlicher Bergfarn · Lemon Scented Fern, Mountain Buckler Fern | ♃ VII-VIII; Eur.*, TR, Palaest., Cauc., E-Sib., Jap., Maroc., Alger., w N-Am.

Origanum L. -n- *Lamiaceae* · Dost
– **amanum** Post | ♃ Ⓐ △ VII-VIII ∧; TR: Amanus
– **dictamnus** L. · Cretan Dittany | ♄ Ⓚ Ⓐ ▭ VII-VIII; Crete
– *heracleoticum* L. = Origanum vulgare subsp. hirtum
– × **hybridum** Mill. (*O. dictamnus* × *O. sipyleum*) | ♃ Ⓐ △ VII; W-As.
– **laevigatum** Boiss. · Marjolaine vivace | ♃ △ VIII-IX ∧; Cyprus, TR: Amanus
– **majorana** L. · Majoran · Marjoram, Sweet Marjoram | ⊙ ⊙ ♃ VII-VI Ⓝ; N-Afr., Cyprus, Arab., SW-As., Ind., nat. in Sp., Corse, I, CH, Ba
– × **majoricum** Cambess. (*O. majorana* × *O. vulgare*)
– **onites** L. · Pot Marjoram | ♄ Ⓚ Ⓝ; Eur.: Sic., Ba, ? Sp.
– *pulchellum* Boiss. = Origanum × hybridum
– **rotundifolium** Boiss. | ♃ Ⓐ VII-VIII ∧; Cauc. (Armen.)
– **scabrum** Boiss. et Heldr. | ♃ △ VII-VIII ∧; S-GR
 - subsp. **pulchrum** (Boiss. et Heldr.) P.H. Davis | ♃ Ⓐ △ VII-VIII ∧; S-GR
– **vulgare** L. · Gewöhnlicher Dost · Oregano, Wild Marjoram · Marjolaine, Origan | ♃ VII-IX Ⓝ; Eur.*, TR, Cyprus, Iraq, Iran, W-Sib., E-Sib., C-As., Afgh., Pakist., Him., Mong. NW-Afr., nat. in N-Am., China
 - **'Aureum Crispum'**
 - **'Compactum'**
 - **'Gold Tip'**
 - *'Variegatum'* = Origanum vulgare 'Gold Tip'
 - subsp. **hirtum** (Link) Ietsw.; Eur.: Ap, Ba; TR
 - subsp. **viride** (Boiss.) Hayek | ♄ Ⓚ Ⓝ; Pakist., Ind., E-China

Orixa Thunb. -f- *Rutaceae*
– **japonica** Thunb. · Orixa | ♄ V; China, S-Korea, Jap.

Orlaya Hoffm. -f- *Apiaceae*
– **daucoides** (L.) Greuter; Eur, TR, Syr., Iraq, Cauc., N-Iran, Maroc., Alger.
– **grandiflora** (L.) Hoffm. · Strahlen-Breitsame | VI-VIII; Eur.* exc. BrI, Sc; TR, Palaest., Cauc., C-As., Alger.

Ormenis = Chamaemelum Mill.
– *nobilis* (L.) J. Gay ex Coss. et Germ. = Chamaemelum nobile

Ornithidium = Maxillaria Ruiz et Pav.
– *coccineum* (Jacq.) R. Br. = Maxillaria coccineum
– *densum* (Lindl.) Rchb. f. = Maxillaria densa
– *sophronitis* Rchb. f. = Maxillaria sophronitis

Ornithocephalus Hook. -m- *Orchidaceae*
– **grandiflorus** Hook. | Ⓦ VII-VIII ✻; Bras.
– **iridifolius** Rchb. f. | Ⓦ ✻; Mex.

Ornithogalum L. -n- *Hyacinthaceae*
– **angustifolium** Boreau; Eur.: D
– **arabicum** L. | ♃ Ⓚ ✂; Eur.: Ib, Ap, Ba; Med., nat. in F
– **boucheanum** (Kunth) Asch. · Bouchés Milchstern | ♃ IV-V; Eur.: I, C-Eur., EC-Eur., Ba, E-Eur. +
– *caudatum* Aiton = Ornithogalum longibracteatum
– **conicum** Jacq. | ♃ Ⓚ VI-VII; Kap
– *corymbosum* Ruiz et Pav. =

Ornithogalum arabicum
– *flavescens* Lam. = Ornithogalum pyrenaicum
– **gussonei** Guss.; Eur.: Ib, Fr, Ap, Ba; Cauc
– **kochii** Parl. · Kochs Milchstern | ♃ IV-V; Eur.: Ib, Ap, C-Eur., EC-Eur., Ba, E-Eur., ? F; TR, Cauc
– *lacteum* Jacq. = Ornithogalum conicum
– *lacteum* Vill. = Ornithogalum narbonense
– *latifolium* L. = Ornithogalum pyrenaicum
– **longibracteatum** Jacq. · Sea Onion | ♃ Ⓚ; S-Afr.
– **narbonense** L. · Pyrenäen-Milchstern · Bath Asparagus | ♃ V-VII; Eur.: Ib, Fr, Ap, Ba, ? RO; TR, N-Iraq, Cauc., NW-Iran, Med.
– **nutans** L. · Nickender Milchstern | ♃ IV-V; Eur.: GR, BG; TR, nat. in BrI, Sc, Fr, C-Eur., EC-Eur., Ib, Ap
– **pyramidale** L. · Pyramiden-Milchstern | ♃ VI-VII; Eur.: I, D, A, EC-Eur., Slove., Croatia, Bosn.Serb., RO, nat. in NL
  - subsp. *narbonense* (L.) Asch. et Graebn. = Ornithogalum narbonense
– *pyrenaicum* Desf. non L. = Ornithogalum narbonense
– **pyrenaicum** L. · Kugelfrüchtiger Milchstern | ♃ VI-VII; Eur.* exc. BrI, Sc; TR, Cauc., Maroc.
– **saundersii** Baker | ♃ Ⓚ ✂ I-V; S-Afr.
– *tenuifolium* Guss. = Ornithogalum kochii
– **thyrsoides** Jacq. · Chincherinchee | ♃ Ⓚ ✂ VI-VIII; Kap
– **umbellatum** L. · Dolden-Milchstern · Star-of-Bethlehem · Dame de onze heures | ♃ IV-V; Eur.* exc. Sc; TR, Levante, nat. in Sc

Ornithopus L. -m- *Fabaceae*
– **perpusillus** L. · Kleiner Vogelfuß, Mäusewicke | V-VI; Eur.* exc. Ib, Ba; Alger.
– **sativus** Brot. · Großer Vogelfuß, Serradella · Cultivated Bird's Foot | ⊙ VI-VII Ⓝ; Eur.: Ib, F; Maroc., Alger., nat. in C-Eur., EC-Eur., E-Eur.

Orobanche L. -f- *Orobanchaceae* · Sommerwurz
– **alba** Stephan ex Willd. · Thymian-Sommerwurz · Broomrape, Thyme Broomrape | ♃ VI-IX; Eur.*, TR, Syr., Iran, Him., Maroc., Alger.
– **alsatica** Kirschl. · Elsässer Sommerwurz | ♃ VI-VII; Eur.: Fr, I, C-Eur., EC-Eur., Slove., Bosn., E-Eur.; Maroc.
  - subsp. **libanotidis** (Rupr.) Pusch · Bartlings Sommerwurz | ♃ VI-VII; Eur.: D, A, CZ, Slove.
– **amethystea** Thuill. · Amethyst-Sommerwurz | ♃ VI; Eur.: Ib, Fr, Ap, Ba, BrI, C-Eur.; NW-Afr.
– **artemisiae-campestris** Vaucher ex Gaudin · Beifuß-Sommerwurz | ♃ VI-VII; Eur.*, Maroc.
– *caerulea* Vill. = Orobanche purpurea
– **caesia** Rchb. · Blaugraue Sommerwurz, Weißwollige Sommerwurz | ♃ VI-VII; Eur.: A, EC-Eur., E-Eur.; TR, Cauc., Iran, Afgh., Sib., W-Him.
– **caryophyllacea** Sm. · Labkraut-Sommerwurz, Nelken-Sommerwurz | ♃ VI-VII; Eur.* exc. Sc; TR, SW-As., Pakist., Maroc., Alger.
– **coerulescens** Stephan · Bläuliche Sommerwurz | ♃ VI-VII; Eur.: C-Eur., EC-Eur., E-Eur.
– **crenata** Forssk. · Prächtige Sommerwurz | ⊙ VI-VII; Eur.: Ib, Fr, Ap, Ba, Krim; TR, Levante, N-Iran, N-Afr.
– **elatior** Sutton · Große Sommerwurz | ♃ VI-VII; Eur.*, TR, SW-As., C-As., E-As.
– *epithymum* DC. = Orobanche alba
– **flava** Mart. ex F.W. Schultz · Hellgelbe Sommerwurz | ♃ VI-VII; Eur.: Fr, Ap, C-Eur., EC-Eur., E-Eur.; Maroc.; mts.
– **gracilis** Sm. · Blutrote Sommerwurz · Slender Broomrape | ♃ V-VII; Eur.* exc. BrI, Sc; TR, Cauc., Maroc., Alger.
– **hederae** Vaucher ex Duby · Efeu-Sommerwurz · Ivy Broomrape | ♃ V-VIII; Eur.* exc. Sc, EC-Eur.; Krim; TR, Cauc., N-Iran, Maroc., Alger.
– **laserpitii-sileris** Reut. ex Jord. · Laserkraut-Sommerwurz | ♃ VII; Eur.: F, CH, A, Ba; Alp., Balkan
– **lucorum** F.W. Schultz · Berberitzen-Sommerwurz | ♃ VI-VIII; Eur.: C-Eur., I, ? RO; E-Alp.
– **lutea** Baumg. · Gelbe Sommerwurz | ♃ V-VI; Eur.* exc. Sc; TR, Cauc., Iran, C-As., China: Sinkiang
– **minor** Sm. · Kleewürger, Kleine Sommerwurz | ♃ VI-VII; Eur.* exc. Sc; TR, Levante, N-Afr., nat. in Sc
– **picridis** F.W. Schultz · Bitterkraut-Sommerwurz | ♃ VI-VII; Eur.: Ib, Fr, BrI, C-Eur., DK, EC-Eur., Ba; TR, Palaest., Iraq, Cauc., W-As., Maroc.,

Alger.
– **purpurea** Jacq. · Violette Sommerwurz · Purple Broomrape | ♃ VI-VII; Eur.*, TR, Syr., Cauc., N-Iran, Afgh, Ind., Maroc., Alger., Canar.
– **ramosa** L. · Ästige Sommerwurz · Hemp Broomrape | ⊙ ♃ VII-VIII; Eur.* exc. BrI, Sc; TR, Levante, Cauc., Iran, Ind., N-Afr., Eth., nat. in BrI, N-Am.
– **rapum-genistae** Thuill. · Ginster-Sommerwurz | ♃ V-VI; Eur.: Ib, Fr, Ap, BrI, C-Eur.; Maroc., Alger.
– **reticulata** Wallr. · Distel-Sommerwurz | ♃ VI-VII; Eur.*, Maroc., Alger.
– **salviae** F.W. Schultz · Salbei-Sommerwurz | ♃ VII-VIII; Eur.: Fr, C-Eur., Ap, Slove., Croatia, RO
– *speciosa* DC. = Orobanche crenata
– **teucrii** Holandre · Gamander Sommerwurz | ♃ VI-VII; Eur.* exc. BrI, Sc; Alger.
– **variegata** Wallr. · Bunte Sommerwurz ; Eur.: Fr, Ap, Sp.; NW-Afr.

Orobus = Lathyrus L.
– *luteus* L. = Lathyrus gmelinii
– *niger* L. = Lathyrus niger
– *vernus* L. = Lathyrus vernus

Orontium L. -n- *Araceae* · Goldkeule
– **aquaticum** L. · Goldkeule · Goldenclub · Cryptocoryne américaine | ♃ ♠ V-VI; USA: NE, SE, Fla.

Orostachys Fisch. ex A. Berger -m- *Crassulaceae* · Sternwurz
– **aggregata** (Makino) Hara | ⊙ Ψ; Jap.: Hokkaido; coast
– **furusei** Ohwi | ⊙ Ψ; Jap.
– **iwarenge** (Makino) Hara | ⊙ Ψ; ? China
– **malacophyllus** (Pall.) Fisch. ex Sweet | ♃ Ψ △ VI-VII; E-Sib., Amur, Sachal., Mong., China, Jap.
– **spinosus** (L.) Sweet | ♃ Ψ △ VI-VII; Russ. (S-Ural), W-Sib., E-Sib., Amur, China: Sinkiang, C-As., Mong., Tibet

Oroxylum Vent. -n- *Bignoniaceae*
– **indicum** (L.) Kurz · Tree of Damocles | ♄ Ⓦ ✂ Ⓝ; Ind., Sri Lanka, China, Indochina, Malay. Arch.

Oroya Britton et Rose -f- *Cactaceae*
– *gibbosa* F. Ritter = Oroya peruviana
– **peruviana** (K. Schum.) Britton et Rose | Ψ Ⓚ ✻; C-Peru

Orphium E. Mey. -n- *Gentianaceae*
– **frutescens** (L.) E. Mey. | ♄ Ⓚ VII-VIII; Kap

Orthilia Raf. -f- *Pyrolaceae*
– **secunda** (L.) House · Birngrün, Nickendes Wintergrün | ♃ VI-VII; Eur.*, TR, Cauc., N-Iran, W-Sib., E-Sib., Amur, Sachal., Kamchat.

Orthophytum Beer -n- *Bromeliaceae*
– **foliosum** L.B. Sm. | ♃ Ⓦ; Bras.
– **navioides** (L.B. Sm.) L.B. Sm. | ♃ Ⓦ; E-Bras.
– **rubrum** L.B. Sm. | ♃ Ⓦ; E-Bras.
– **saxicola** (Ule) L.B. Sm. | ♃ Ⓦ; E-Bras.

Orthosiphon Benth. -m- *Lamiaceae*
– **aristatus** (Blume) Miq. | ♃ Ⓦ Off. VII-VIII; trop. Am., Ind., Malay. Pen., Phil., Austr.: Queensl.

Orthostemon = Acca O. Berg
– *sellowianus* O. Berg = Acca sellowiana

Orthrosanthus Sweet -m- *Iridaceae*
– **chimboracensis** (Humb., Bonpl. et Kunth) Baker | ♃ Ⓚ VI; Mex., C-Am., Col., Ecuad., Peru; And.
– **multiflorus** Sweet · Morning Flag | ♃ Ⓚ VI-VII; Austr.: Victoria, S-Austr., W-Austr.

Orychophragmus Bunge -m- *Brassicaceae*
– **violaceus** (L.) O.E. Schulz | ⊙ ⊙ VII-VIII; China

Oryza L. -f- *Poaceae*
– *clandestina* (Weber ex F.H. Wigg.) A. Braun = Leersia oryzoides
– **glaberrima** Steud. | Ⓝ; W-Afr.
– **longistaminata** A. Chev. et Roehr. | Ⓝ; trop. Afr., S-Afr.
– *oryzoides* (L.) Brand = Leersia oryzoides
– **perennis** Moench emend. Sampath | Ⓝ; Trop.
– **rufipogon** Griff. | ♃ Ⓝ; SE-As, Austr., Am.
– **sativa** L. · Rice | ⊙ ~ Off. Ⓝ; SE-As., trop. Afr., N-Austr.

Oryzopsis Michx. -f- *Poaceae*
– **miliacea** (L.) Asch. et Schweinf. ·

Gemeiner Grannenreis, Südliche Grannenhirse | ♃ X-V Ⓝ; Eur.: Ib, Fr, Ap, Ba; TR, Syr., N-Iraq, Sinai
– **virescens** (Trin.) Beck · Grünlicher Grannenreis, Welligblättrige Grannenhirse | ♃ V-VII; Eur.: F, I, A, EC-Eur., Ba, E-Eur.; TR, Cauc., N-Iran

Osbeckia L. -f- *Melastomataceae*
– **stellata** Wall. | ♄ Ⓦ VII-VIII; Ind., China

Oscularia Schwantes -f- *Aizoaceae*
– *deltoides* (L.) Schwantes = Lampranthus deltoides

Osmanthus Lour. -m- *Oleaceae* · Duftblüte
– **americanus** (L.) Gray | ♄ ♄ IV; SE-USA
– *aquifolium* (Siebold et Zucc.) Benth. et Hook. f. = Osmanthus heterophyllus
– **armatus** Diels | ♄ Ⓚ D VII; W-China
– × **burkwoodii** (Burkwood et Skipw.) P.S. Green (*O. decorus* × *O. delavayi*) · Burkwoods Duftblüte | ♄ D IV-V; cult.
– **decorus** (Boiss. et Balansa) Kasapligil · Stattliche Duftblüte · Osmanthe | ♄ V; NE-TR, Cauc.
– **delavayi** Franch. · Delavays Duftblüte · Delavay Osmanthus | ♄ Ⓚ IV; W-China
– *forrestii* Rehder = Osmanthus yunnanensis
– × **fortunei** Carrière (*O. fragrans* × *O. heterophyllus*) | ♄ Ⓚ D; cult.
– **fragrans** (Thunb.) Lour. · Fragrant Olive, Sweet Olive | ♄ Ⓚ D VI-VIII Ⓝ; Jap., SW-China, E-Him.
– **heterophyllus** (G. Don) P.S. Green · Stachelblättrige Duftblüte · Hollyleaf Osmanthus · Osmanthe à feuilles de houx | ♄ D IX-X; Jap., Taiwan
  - **'Goshiki'**
  - *'Tricolor'* = Osmanthus heterophyllus 'Goshiki'
– *ilicifolius* (Hassk.) hort. ex Carriére = Osmanthus heterophyllus
– **serrulatus** Rehder | ♄ Ⓚ D III-IV; Him., W-China
– **suavis** King ex C.B. Clarke | ♄ ♄; Him., Yunnan
– **yunnanensis** (Franch.) P.S. Green | ♄ Ⓚ D; W-China

× *Osmarea* = Osmanthus Lour.
– *burkwoodii* Burkwood et Skipw. = Osmanthus × burkwoodii

Osmaronia = Oemleria Rchb.
– *cerasiformis* (Torr. et A. Gray) Greene = Oemleria cerasiformis

× **Osmentara** Hort. -f- *Orchidaceae* (*Broughtonia* × *Cattleya* × *Laeliopsis*)

Osmunda L. -f- *Osmundaceae* · Königsfarn
– **cinnamomea** L. · Zimtfarn · Cinnamon Fern · Fougère cannelle, Osmonde cinnamon | ♃; Can.: E; USA: NE, NCE, SC, SE, Fla.; Mex., C-Am., W-Ind., trop. S-Am., E-As.
– **claytoniana** L. · Kronenfarn · Interrupted Fern · Osmonde de Clayton | ♃; Can.: E; USA: NE, NCE, SE; Amur, Korea, Manch., SW-China, Taiwan
– *imbricata* Kunze = Osmunda cinnamomea
– *interrupta* Michx. = Osmunda claytoniana
– **regalis** L. · Gewöhnlicher Rispenfarn, Königsfarn · Royal Fern · Osmonde royale | ♃ ~ VI-VII ▽; Can.: E; USA: NE, NCE, SC, Fla.
  - **'Crispa'**
  - **'Cristata'**
  - **'Gracilis'**
  - var. *gracilis* (Link) Hook. = Osmunda regalis 'Gracilis'

Osteomeles Lindl. -f- *Rosaceae*
– *anthyllidifolia* Franch. non Lindl. = Osteomeles schweriniae
– **schweriniae** C.K. Schneid. · Hawaii Hawthorn ; Yunnan
  - var. **microphylla** Rehder et E.H. Wilson | ♄ Ⓚ III-IV; W-China
– **subrotunda** K. Koch | ♄ Ⓚ III-IV; SE-China

Osteospermum L. -n- *Asteraceae*
– **barberiae** (Harv.) Norl. | ♃ ♄ Ⓚ ∧; S-Afr.
– **ecklonis** (DC.) Norl. · African Daisy | ⊙ ♄ ♄ VII-IX; S-Afr.
– *jucundum* hort. = Osteospermum barberiae

Ostrowskia Regel -f- *Campanulaceae*
– **magnifica** Regel · Giant Bellflower | ♃ △ VII-VIII ∧; C-As.

Ostrya Scop. -f- *Betulaceae* · Hopfenbuche
– **carpinifolia** Scop. · Gewöhnliche

Hopfenbuche · European Hop Hornbeam · Charme houblon, Ostryer commun | ♄ IV-V ⓝ; Eur.: Fr, Ap, CH, A, H, Ba; TR, Syr., Cauc.
- **japonica** Sarg. · Japanische Hopfenbuche · Japanese Hop Hornbeam | ♄; China, Korea, Jap.
- **knowltonii** Coville | ♄; Ariz., N.Mex., Utah, Tex.
- **virginiana** (Mill.) K. Koch · Virginische Hopfenbuche · American Hop Hornbeam | ♄; Can.: E; USA: NE, NCE, SC, SE, Fla.; Mex. Guat.

Ostryopsis Decne. -f- *Betulaceae*
- **davidiana** (Baill.) Decne. | ♄; China: Kansu, Schensi, Hopei

Otacanthus Lindl. -m- *Scrophulariaceae*
- **caeruleus** Lindl. | ♃ Ⓦ IV-VIII; Bras.

Otanthus Hoffmanns. et Link -m- *Asteraceae*
- **maritimus** (L.) Hoffmanns. et Link · Cotton Weed | ♃ Ⓚ ⁓→ VIII-IX; Eur.: Ib, Fr, Ap, Ba, BrI, Canar.; TR, Maroc.; coasts

Otatea = Sinarundinaria Nakai
- **acuminata** (Munro) Calderón et Soderstr. · Mexican Weeping Bamboo | ♄ Ⓚ; Mex.
  - subsp. *aztecorum* (McClure et E.W. Sm.) Guzmán et al. = Otatea acuminata

Othonna L. -f- *Asteraceae*
- **capensis** L.H. Bailey | ♃ Ψ Ⓚ ⁓→; Kap
- **carnosa** Less. | ♃ Ψ Ⓚ VII-VIII; Kap
- **cheirifolia** L. | ♄ Ψ Ⓚ Ⓐ △ V-VII; Alger., Tun.
- *crassifolia* Harv. = Othonna capensis
- **euphorbioides** Hutch. | ♄ Ψ Ⓚ; Kap
- **retrorsa** DC. | ♃ Ψ Ⓚ I-X; Kap

Othonnopsis Jaub. et Spach -f- *Asteraceae*
- *cheirifolia* Benth. et Hook. = Othonna cheirifolia

Otoglossum (Schltr.) Garay et Dunst. -n- *Orchidaceae*
- **brevifolium** (Lindl.) Garay et Dunst. | Ⓚ I-XII ✻; Col., Ecuad., Peru

Ottelia Pers. -f- *Hydrocharitaceae*
- **alismoides** (L.) Pers. · Ottelia | ♃ Ⓦ ♠; Egypt, Ind., Sri Lanka, China, Jap., Salom., N-Austr.
- *japonica* Miq. = Ottelia alismoides
- **ulvifolia** Walp. | ♃ Ⓦ ♠; W-Afr., Zambia, Zimbabwe

Ourisia Comm. ex Juss. -f- *Scrophulariaceae*
- **coccinea** (Cav.) Pers. | ♃ Ⓚ V-IX; Chile
- **elegans** Phil. | ♃ Ⓚ Ⓐ VII-VIII; Chile
- **macrophylla** Hook. f. · Mountain Foxglove | ♃ Ⓚ VII; NZ

Oxalis L. -f- *Oxalidaceae* · Sauerklee
- **acetosella** L. · Wald-Sauerklee · Common Wood Sorrel, Wood Sorrel · Oxalide petite oseille, Pain de coucou | ♃ IV-V ☠; Eur.*, TR, Cauc., W-Sib., E-Sib., Amur, Sachal., Kamchat., Mong., Him., China, Jap., Alaska, Can., USA: NE, NCE, SE
- **adenophylla** Gillies | ♃ △ IV ∧; Chile, W-Arg.
- **articulata** Savigny · Pink Oxalis ; Arg. Parag.
  - subsp. **rubra** (A. St.-Hil.) Lourteig | ♃ Ⓚ IX-XI; Arg., Parag.
- *bowieana* Lodd. = Oxalis bowiei
- **bowiei** Lindl. | ♃ Ⓚ; Kap
- **brasiliensis** Lodd. ex Westc. et Knowles | ♃ Ⓚ V; Bras.
- *carnosa* Molina = Oxalis megalorrhiza
- *cernua* Thunb. = Oxalis pes-caprae
- **corniculata** L. · Hornfrüchtiger Sauerklee · Yellow Sorrel | ⊙ VI-X; Eur.* exc. BrI, Sc; TR, Levante, Cauc., Iran, C-As., Him., China, Jap., Amur, Sachal., N-Afr., kosmop., nat. in cosmop. exc. Sib.
- **corymbosa** DC. · Sheep Sorrel | ♃ Ⓚ; Bras., Arg.
- **decaphylla** Kunth · Zehnblättriger Sauerklee ; S-Am., nat. in D
- *deppei* Lodd. ex Sweet = Oxalis tetraphylla
- **depressa** Eckl. et Zeyh.
- **dillenii** Jacq. · Dillenius Sauerklee | ♃ X; Can., USA *, Mex., nat. in Eur.
- **enneaphylla** Cav. | ♃ △ D △ IV ∧; Patag., Falkland
- *esculenta* Otto ex A. Dietr. = Oxalis tetraphylla
- *europaea* Jord. = Oxalis stricta
- *floribunda* Lehm. = Oxalis articulata
- *fontana* Bunge = Oxalis stricta

- **hedysaroides** Humb., Bonpl. et Kunth · Fire Fern | ♄ ⓦ I-XII; Col., Venez.
- **herrerae** Knuth | ♃ ⓚ; Peru, Chile
- **hirta** L. · Sorrel | ♃ ⓚ X-III; Kap
- *inops* Eckl. et Zeyh. = Oxalis depressa
- **lasiandra** Zucc. | ♃ ⓚ VIII-X; Mex.
- **latifolia** Humb., Bonpl. et Kunth | ♃ ⓚ; Mex., C-Am., W.Ind., trop. S-Am.
- **magellanica** G. Forst. | ♃ ⓚ IV-V; Austr., NZ, s S-Am.
- *martiana* Zucc. = Oxalis corymbosa
- **megalorrhiza** Jacq. | ♄ ⓚ I-XII; Galapagos, Peru, Bol., Chile
- **ortgiesii** Regel | ♄ ⓦ; Peru: And.
- **pes-caprae** L. · Bermuda Buttercup | ♃ ⓚ; S-Afr., nat. in BrI, Ib, Fr, Ap, Ba, TR, Cauc., Med.Ind., C-Am.
- **purpurata** Jacq.
  - var. *bowiei* (Lindl.) Sond. = Oxalis bowiei
- **purpurea** L. · Sorrel | ♃ ⓚ X-XII; Kap, nat. in SW-Eur.
- **regnellii** Miq. | ♃ ⓚ; Peru. Bol., Parag., Bras., Arg.
- **rosea** Jacq. | ☉ VI-VIII; Chile
- *rubra* A. St.-Hil. = Oxalis articulata subsp. rubra
- **rusciformis** J.C. Mikan | ♄ ⓦ; Bras.
- *speciosa* Jacq. = Oxalis purpurea
- **stricta** L. · Aufrechter Sauerklee · Yellow Sheep Sorrel | ♃ X; Can.: E; USA: NE, NCE, NC, Rocky Mts., SW, SC, SE, Fla., NW, nat. in Eur., E-As.
- *succulenta* Barnéoud = Oxalis herrerae
- **tetraphylla** Cav. · Lucky Clover | ♃ ⓚ VII-VIII; Mex., nat. in F, A, W-Ba
  - **'Iron Cross'**
- **triangularis** A. St.-Hil. | ♃ ⓚ; Bras.
- **tuberosa** Molina · Oca | ♃ ⓚ Ⓝ; cult. Col., Ecuad., Peru, Bol., Chile; And.
- **valdiviensis** Barnéoud | ☉ VII-VIII; Chile
- *variabilis* Jacq. = Oxalis purpurea
- **versicolor** L. | ♃ ⓚ II-III; Kap
- **vespertilionis** Zucc. | ♃ ⓚ; Mex.

Oxandra A. Rich. -f- *Annonaceae*
- **lanceolata** (Sw.) Baill. · Lancewood | ♄ ⓦ Ⓝ; S-Afr.

Oxyanthus DC. -m- *Rubiaceae*
- **formosus** Hook. f. | ♄ ⓦ D; trop. Afr.
- *palustris* Pers. = Vaccinium oxycoccos

Oxycoccus = Vaccinium L.
- *macrocarpus* (Aiton) Pursh = Vaccinium macrocarpon

Oxydendrum DC. -n- *Ericaceae* · Sauerbaum
- **arboreum** (L.) DC. · Sauerbaum · Sourwood | ♄ VII-VIII Ⓝ; USA: NE, NCE, SE, Fla.

Oxylobium Andrews -n- *Fabaceae*
- **lineariifolium** (G. Don) Domin | ♄ ⓚ VII-VIII; W-Austr.

Oxypetalum R. Br. -n- *Asclepiadaceae*
- *caeruleum* (D. Don) Decne. = Tweedia caerulea

Oxyria Hill -f- *Polygonaceae* · Säuerling
- **digyna** (L.) Hill · Säuerling · Mountain Sorrel | ♃ △ VI-IX; Eur.*, TR, Syr., Cauc., N-Iran, W-Sib., E-Sib., Amur, Kamchat., C-As.

Oxytenanthera Munro -f- *Poaceae*
- **abyssinica** (A. Rich.) Munro | ♄ Ⓝ; trop. Afr., Eth.

Oxytropis DC. -f- *Fabaceae* · Spitzkiel
- **campestris** (L.) DC. · Alpen-Spitzkiel · Yellow Oxytropis | ♃ △ VII-VIII; Eur.*, Cauc., W-Sib., E-Sib., Sachal., Alaska, Can., USA: NE, NCE, NC, Rocky Mts.
- **carinthiaca** Fisch.-Oost. (*O. campestris* × *O. jacquinii*) · Kärntner Spitzkiel | ♃
- **fetida** (Vill.) DC. · Drüsiger Spitzkiel, Klebriger Spitzkiel | ♃ VII-VIII; Eur.: F, I, CH; W-Alp.
- **halleri** Bunge ex W.D.J. Koch · Hallers Spitzkiel · Purple Oxytropis, Rocky Mountain Locoweed | ♃ △ IV-VIII ∧; Eur.* exc. Sc; Pyr., Alp, Carp., AL, Scotland
- **helvetica** Scheele · Schweizer Spitzkiel | ♃ VII-VIII; Eur.: F, I, CH
- **jacquinii** Bunge · Berg-Spitzkiel | ♃ △ VII-VIII; Eur.: F, I, CH, D, A; Alp., Jura
- **lapponica** (Wahlenb.) J. Gay · Lappländer Spitzkiel | ♃ VII-VIII; Eur.: Fr, Ap, C-Eur., Sc, Ba; N, Pyr., Alp., AL; Cauc., W-Sib. (Altai), C-As., Tibet
- **montana** auct.
  - subsp. *jacquinii* (Bunge) Hayek = Oxytropis jacquinii
- **neglecta** Gay et Ten. · Pyrenäen-Spitzkiel | ♃ VII-VIII; Eur.: Sp., F, I, C-Eur., RO;

mts.
- **pilosa** (L.) DC. · Zottiger Spitzkiel | ♃ VI-VII; Eur.: Fr, Ap, C-Eur., EC-Eur., Ba, E-Eur.; TR, Cauc., W-Sib., E-Sib., Mong.
- *sericea* (Lam.) Simonk. non Nutt. = Oxytropis halleri
- **triflora** Hoppe · Dreiblütiger Spitzkiel | ♃ VI-VIII; Eur.: A; E-Alp.

Ozothamnus R. Br. -m- *Asteraceae*
- **coralloides** Hook. f. | ♄; NZ
- **hookeri** Sond. | ♄; Austr.: N.S.Wales, Victoria, Tasman.; mts.
- **rosmarinifolius** (Labill.) DC. | ♄ Ⓚ ✂ VI; Austr.: N.S.Wales, Victoria, Tasman.
- **scutellifolius** Hook. f. | ♄; Tasman.
- **selaginoides** Sond. et F. Muell. | ♄ ♃; Tasman.
- **selago** Hook. f. | ♄ Ⓚ; NZ
- **thyrsoides** DC. | ♄; Austr.: N.S.Wales, Victoria, Tasman.

Pabstia Garay -f- *Orchidaceae*
- **jugosa** (Lindl.) Garay | ♃ Ⓦ V-VII ✻; Bras.

Pachira Aubl. -f- *Bombacaceae*
- **aquatica** Aubl. · Provision Tree | ♄ Ⓦ VI; S-Mex., C-Am., trop. S-Am.
- *fastuosa* (Moç. et Sessé ex DC.) Decne. = Pseudobombax ellipticum
- **insignis** (Sw.) Savigny | ♄ Ⓦ VII-VIII Ⓝ; SW-Col., NW-Peru, Bras., Guyana
- *macrocarpa* Cham. et Schltdl. = Pachira aquatica

Pachycereus (A. Berger) Britton et Rose -m- *Cactaceae*
- *marginatus* (DC.) Britton et Rose = Stenocereus marginatus
- **pecten-aboriginum** (Engelm.) Britton et Rose | ♄ ♆ Ⓚ ✻; W-Mex.
- **pringlei** (S. Watson) Britton et Rose | ♄ ♆ Ⓚ ✻; N-Mex., Baja Calif.
- *queretaroensis* (F.A.C. Weber) Britton et Rose = Stenocereus queretaroensis
- *schottii* (Engelm.) D.R. Hunt = Lophocereus schottii
- **weberi** (J.M. Coult.) Backeb. | ♄ ♆ Ⓚ ✻; S-Mex.

Pachycormus Coville ex Standl. -f- *Anacardiaceae*
- **discolor** (Benth.) Coville | ♄ Ⓦ; Mex.: Baja Calif.

Pachylophus = Oenothera L.
- *caespitosus* (Nutt.) Spach = Oenothera caespitosa

Pachyphragma (DC.) Rchb. -f- *Brassicaceae*
- **macrophylla** (Hoffm.) Busch · Haselwurzblättriges Schaumkraut | ♃ V-VI; Cauc., C-As.

Pachyphytum Link, Klotzsch et Otto -n- *Crassulaceae*
- *amethystinum* Rose = Graptopetalum amethystinum
- **bracteosum** Link, Klotzsch et Otto | ♃ ♆ Ⓚ IV-VI; Mex.
- **brevifolium** Rose | ♃ ♆ Ⓚ; Mex.
- **compactum** Rose | ♃ ♆ Ⓚ VI; Mex.
- **hookeri** (Salm-Dyck) A. Berger | ♃ ♄ ♆ Ⓚ IV-V; Mex.
- **longifolium** Rose | ♄ ♆ Ⓚ VII-VIII; Mex.
- **oviferum** J.A. Purpus · Moonstones, Sugared Almond Plum | ♃ ♆ Ⓚ V-VI; Mex.
- *uniflorum* Rose = Pachyphytum hookeri

Pachypodium Lindl. -n- *Apocynaceae*
- **baronii** Costantin et Bois; C-Madag.
  - var. **windsori** (Poiss.) Pichon
- **brevicaule** Baker | ♄ ♆ Ⓦ ✻; Madag.
- **densiflorum** Baker | ♄ ♆ Ⓚ ✻; S-Madag.
- **geayi** Costantin et Bois | ♄ ♆ Ⓚ ✻; SW-Madag.
- **horombense** Poiss. | ♄ ♆ Ⓦ ✻; Madag.
- **lamerei** Drake · Madagascar Palm | ♄ ♆ Ⓦ ✻; S-Madag.
- **namaquanum** (Wyley ex Harv.) Welw. | ♄ ♆ Ⓦ ✻; Kap, Namibia
- **rosulatum** Baker | ♄ ♆ Ⓦ ✻; Madag.
- **saundersii** N.E. Br. | ♄ ♆ Ⓦ ✻; Mozamb., Zimbabwe, S-Afr.
- **succulentum** (Thunb.) A. DC. | ♄ ♆ Ⓦ VI-VIII ✻; Kap

Pachyrhizus Rich. ex DC. -m- *Fabaceae*
- **ahipa** (Wedd.) Parodi | ♃ Ⓦ ≩ Ⓝ; orig. ?, cult. Bol, Arg.
- *angulatus* Rich. ex DC. = Pachyrhizus erosus
- **erosus** (L.) Urb. · Yam Beam, Yambean | ♃ Ⓦ ≩ ⇝ Ⓝ; Mex., C-Am., nat. in S-Fla., Trop. OW
- **tuberosus** (Lam.) A. Spreng. · Potato

Bean | ♃ ⌂ ⚘ VII Ⓝ; Amazon. , Ecuad., Peru, Bol.

Pachysandra Michx. -f- *Buxaceae*
– **axillaris** Franch. | ♄ IV ∧; China
– **procumbens** Michx. · Amerikanischer Ysander · Allegheny Spurge, Mountain Spurge | ♃ ⁓→ III-IV; USA: Ky., SE, Fla.
– **terminalis** Siebold et Zucc. · Japanischer Ysander · Japanese Spurge | ♄ ⁓→ IV ☠; China, Jap.

Pachystachys Nees -f- *Acanthaceae*
coccinea (Aubl.) Nees · Cardinal's Guard | ♄ ⌂; W.Ind., trop. S-Am.
– **lutea** Nees · Golden Candle, Lollipop Plant | ♃ ⌂ ▢ III-X; Peru

Pachystegia = Olearia Moench
– *insignis* (Hook. f.) Cheeseman = Olearia insignis

× **Pachyveria** Haage et E. Schmidt -f- *Crassulaceae* (*Echeveria* × *Pachyphytum*)
– **clavata** E. Walther (*Echeveria* × *Pachyphyllum bracteosum*) | ♆
– **scheideckeri** (De Smet) E. Walther (*Echeveria secunda* × *Pachyphyllum bracteosum*)

Packera A. Love et D. Love -f- *Asteraceae*
– **aurea** (L.) A. Löve et D. Löve · Golden Groundsel, Golden Ragwort, Squaw Weed | ♃ V-VII; Can.: E; USA: NE, NCE, SE, Fla.

Paederia L. -f- *Rubiaceae*
– **scandens** (Lour.) Merr. | ⚘ VII-VIII; Java +

Paederota L. -f- *Scrophulariaceae*
– **bonarota** (L.) L. · Blaues Mänderle | ♃ △ VII-VIII ∧; Eur.: I, A, Slove; E-Alp.
– × **churchilli** Huter (*P. bonarota* × *P. lutea*)
– **lutea** Scop. · Gelbes Mänderle | ♃ △ VI-VIII; Eur.: I, A, Slove.; E-Alp.

Paeonia L. -f- *Paeoniaceae* · Päonie, Pfingstrose
– *albiflora* Pall. = Paeonia lactiflora
– **anomala** L. · Pivoine de Chine ; Russ., W-Sib., E-Sib., C-As., Mong., China: Sinkiang
  - var. **intermedia** (C.A. Mey. ex Ledeb.) B. Fedtsch. et O. Fedtsch. | ♃ VI-VII ▽; Eur.: Russ; C-As.
– *arborea* Donn = Paeonia Suffruticosa-Grp.
– *arietina* Anderson = Paeonia mascula subsp. arietina
– *banatica* Rochel = Paeonia officinalis subsp. banatica
– **broteroi** Boiss. et Reut. | ♃ V ▽; P, Sp.
– **cambessedesii** (Willk.) Willk. | ♃ V-VI ▽; Balear.
– **caucasica** (Schipcz.) Schipcz.
– *chinensis* hort. = Paeonia lactiflora
– **clusii** Stern et Stearn | ♃; Crete
– *corallina* Retz. = Paeonia mascula
– **coriacea** Boiss. | ♃ V-VI ▽; S-Sp., Maroc.
– *cretica* Tausch = Paeonia clusii
– *daurica* Andrews = Paeonia mascula subsp. triternata
– *decora* Anderson = Paeonia peregrina
– **delavayi** Franch. · Delavays Pfingstrose · Tree Paeony | ♄ VI; China: Yunnan, Sinkiang
  - var. *angustiloba* Rehder et E.H. Wilson = Paeonia potaninii
  - var. *lutea* (Franch.) Finet et Gagnep. = Paeonia lutea
– *edulis* Salisb. = Paeonia lactiflora
– *fragrans* (Sabine) Redouté = Paeonia lactiflora
– *humilis* Retz. = Paeonia officinalis subsp. humilis
– *intermedia* C.A. Mey. ex Ledeb. = Paeonia anomala var. intermedia
– *kavachensis* Azn. = Paeonia mascula
– *laciniata* Siev. = Paeonia anomala
– **lactiflora** Pall. · Garten-Pfingstrose · White Paeony | ♃ VI-VII; E-Sib., China, Tibet, Manch., Korea
– × *lemoinei* Rehder = Paeonia Lutea-Grp.
– *lobata* Desf. = Paeonia peregrina
– **lutea** Delavay ex Franch. · Gelbe Pfingstrose · Yellow Paeony | ♄ V-VI ∧; China, Tibet
– **mascula** (L.) Mill. · Korallen-Pfingstrose · Coral Paeony | ♃ V ▽; Eur.: Ib, Fr, Ap, Ba, RO, Krim; TR, Levante, N-Iraq, Cauc., N-Iran, Maroc., Alger., nat. in BrI, A
  - subsp. **arietina** (Anderson) Cullen et Heywood | ♃ V-VI ▽; Eur.: N-I, N-Ba; TR

- subsp. **triternata** (Boiss.) Stearn et P.H. Davis | ♃ V-VI ▽; Eur.: ? Slove., Krim; TR
– *microcarpa* Salm-Dyck = Paeonia officinalis subsp. villosa
– **mlokosewitschii** Lomakin · Gelbe Kaukasus-Pfinstrose | ♃ IV-V; C-Cauc.
– *moutan* Sims = Paeonia Suffruticosa-Grp.
– **obovata** Maxim.; Amur, China, Manch., Korea, Jap., Sachal.
  - var. **willmottiae** (Stapf) Stern | ♃ VI; China
– **officinalis** L. · Echte Pfingstrose · Common Paeony, Cottage Paeony · Pivoine officinale | ♃ V-VI ▽ ☠ Ⓝ; Eur.: Ib, Fr, CH, H, Ba, RO; TR, Cauc., nat. in D
  - **'Rubra Plena'**
  - subsp. **banatica** (Rochel) Soó | ♃; Eur.: H, RO, Maced.
  - subsp. **humilis** (Retz.) Cullen et Heywood | ♃ V-VI ▽; Eur.: Sp., P, F
  - subsp. **villosa** (Huth) Cullen et Heywood | ♃; S-F, I
– *paradoxa* Sabine = Paeonia officinalis subsp. humilis
– **peregrina** Mill. · Scarlet Paeony · Pivoine voyageuse | ♃ V-VI ▽; Eur.: Ba, E-Eur., I; TR
  - var. *humilis* (Retz.) Huth = Paeonia officinalis
– **potaninii** Kom.; W-China
  - var. **trollioides** (Stapf ex Stearn) Stearn | ♄ VII-VIII; Tibet
– **rockii** (S.G. Haw et Lauener) T. Hong et J.J. Li
– *sinensis* (Sims) hort. = Paeonia lactiflora
– × **smouthii** Van Houtte (*P. lactiflora* × *P. tenuifolia*) | ♃
– *suffruticosa* Andrews = Paeonia Suffruticosa-Grp.
  - subsp. *rockii* S.G. Haw et Lauener = Paeonia rockii
– **tenuifolia** L. · Pivoine à feuilles menues | ♃ V-VI ▽ ∧; Eur.: Ba, RO, S-Russ.
– *triternata* Boiss. = Paeonia mascula subsp. triternata
– *trollioides* Stapf ex Stearn = Paeonia potaninii var. trollioides
– **veitchii** Lynch · Veitchs Pfingstrose · Veitch's Paeony ; China
  - var. **woodwardii** (Stapf et Cox) Stern | ♃ △ VI-VII; China: Kansu
– *willmottiae* Stapf = Paeonia obovata
– **wittmanniana** Hartwiss ex Lindl. · Kaukasus-Pfingstrose | ♃ V; NW-Cauc.
  - var. **nudicarpa** Schipcz. | ♃ V; W-Cauc.
– *woodwardii* Stapf et Cox = Paeonia veitchii var. woodwardii
– **Cultivars**
  - **Lutea-Grp.** · Strauch-Pfingstrose · Tree Paeony · Pivoine en arbre | ♄; cult.
  - **Suffruticosa-Grp.** · Strauch-Pfingstrose · Moutan, Tree Paeony · Pivoine en arbre | ♄ V-VI; Bhutan, NW-China, Tibet
  - *Suffruticosa-Grp.'Rock's Variety'* = Paeonia rockii

Paepalanthus Kunth -m- *Eriocaulaceae*
– **elongatus** (Bong.) Körn. | ♃ Ⓚ ✂; Bras.

Palafoxia Lag. -f- *Asteraceae*
– **hookeriana** Torr. et A. Gray | ⊙ VII-X; USA: NC, SC
– **texana** DC. | ⊙ VII-X; Tex.

Palaquium Blanco -n- *Sapotaceae*
– **gutta** (Hook. f.) Baill. · Gutta Percha | ♄ Ⓦ Ⓝ; Malay. Pen., Sumat., Kalimantan

Palaua Cav. -f- *Malvaceae*
– **dissecta** Benth. | ⊙ VI-VIII; Peru, Chile

Palisota Rchb. ex Endl. -f- *Commelinaceae*
– **albertii** Gentil | ♃ Ⓦ ♣; trop. Afr.
– **barteri** Hook. f. | ♃ Ⓦ ♣; trop. Afr.
– **bracteosa** C.B. Clarke | ♃ Ⓦ ♣; trop. Afr.
– *elizabethae* Gentil = Palisota pynaertii 'Elizabethae'
– **pynaertii** De Wild. | ♃ Ⓦ; trop. Afr.
  - **'Elizabethae'**

Paliurus Mill. -m- *Rhamnaceae*
– **orientalis** Hemsl. | ♄; W-China
– **ramosissimum** (Lour.) Poir. | ♄; China, Korea, Jap., Taiwan
– **spina-christi** Mill. · Gewöhnlicher Christdorn · Crown of Thorns, Jerusalem Thorn | ♄ Ⓚ VII ∧; Eur.: Ib, Fr, Ap, Ba; TR, Syr., N-Iraq, Cauc., Iran, C-As., Alger.

Panax L. -m- *Araliaceae* · Kraftwurz, Gilgen
– *fruticosus* L. = Polyscias fruticosa
– **ginseng** C.A. Mey. · Ginseng | ♃ Off. VI-VIII ∧ Ⓝ; China, Amur, N-Korea

– **japonicus** C.A. Mey. · Japanese Ginseng | ♃ VI-VIII ∧ Ⓝ; Jap., China, Vietn., Thail.
– **pseudoschinseng** Wall. | ♃ VI-VIII ∧ Ⓝ; N-Ind., Nepal, Myanmar, SW-China, N-Vietn.
– **quinquefolius** L. · American Ginseng, Ginseng | ♃ VII-VIII ✻ ∧ Ⓝ; Can.: E; USA: NE, NCE, Okla., SE, Fla.
– *schinseng* T. Nees = Panax ginseng
– **trifolius** L. | ♃ V-VI ∧; Can.: E; USA: NE, NCE, NC, SE

Pancratium L. -n- *Amaryllidaceae* · Pankrazlilie
– *calathinum* Ker-Gawl. = Hymenocallis narcissiflora
– *caribaeum* L. = Hymenocallis caribaea
– **illyricum** L. | ♃ ⌂K D V-VII ∧; Eur.: Corse, Sard., I (Capraia)
– **maritimum** L. · Sea Daffodil | ♃ ⌂K D VII-IX ∇; Eur.: Ib, Fr, Ap, Ba; TR, Cauc., N-Afr.
– *narcissiflorum* Jacq. = Hymenocallis narcissiflora
– *speciosum* (L. f. ex Salisb.) Salisb. = Hymenocallis speciosa
– *undulatum* Humb., Bonpl. et Kunth = Hymenocallis tubiflora

Pandanus Parkinson -m- *Pandanaceae* · Schraubenbaum
– **baptistii** Warb. | ħ ⌂W; N.Guinea: New Britannia
– **brosimos** Merr. et Perry | Ⓝ; N.Guinea
– **candelabrum** P. Beauv. | ħ ⌂W; W-Afr.
– **caricosus** Kurz | ħ ⌂W; Java
– **dubius** Spreng. | ħ ⌂W; Molucca I., N.Guinea, Pacific Is
– **furcatus** Roxb. | ħ ⌂W; Ind., Myanmar
– *horridus* Blume = Pandanus furcatus
– **houlletii** Carrière | ħ ⌂W; Malay. Pen.: Singapore
– **labyrinthicus** Kurz | ħ ⌂W; Sumat.
– **latifolius** Hassk. | ħ ⌂W Ⓝ; cult. Java, Molucca Is.
– *nitidus* Kurz = Pandanus stenophyllus
– *odoratissimus* L. f. = Pandanus tectorius
– *odorifer* (Forssk.) Kuntze = Pandanus tectorius
– **odorus** Ridl. | Ⓝ; Malay. Arch.
– *pacificus* Veitch ex Mast. = Pandanus dubius
– **pygmaeus** Thouars | ħ ⌂W; Madag.
– **reflexus** K. Koch | ħ ⌂W; E-Afr. (islands)
– **sanderi** Mast. | ħ ⌂W; Malay.Arch.
– **spurius** Miq. | Ⓝ; trop. As.
– **stenophyllus** Kurz | ħ ⌂W; W-Java
– **tectorius** Parkinson ex Du Roi | ħ ⌂W Ⓝ; Ind., Sri Lanka, Myanmar, Austr., Polyn., Mascarene Is.; coasts
– **utilis** Bory | ħ ⌂W Ⓝ; Madag.
– **vandermeeschii** Balf. f. | ħ ⌂W; Mauritius
– **variegatus** Miq. | ħ ⌂W; Polyn.
– **veitchii** hort. Veitch ex Mast. et T. Moore | ħ ⌂W; Polyn.

Pandorea (Endl.) Spach -f- *Bignoniaceae*
– **jasminoides** (Lindl.) K. Schum. · Bower Plant, Bower Vine | ħ ⌂K ⌇ D ⌇ VII-IX; Austr.
– **pandorana** (Andrews) Steenis · Spear Wood, Wonga Wonga Vine | ħ ⌂K ⌇; Austr.
– *ricasoliana* (Tanfani) Baill. = Podranea ricasoliana

Pangium Reinw. -n- *Flacourtiaceae*
– **edule** Reinw. · Pangium | ħ ⌂W ☠ Ⓝ; Malay.Arch.

Panicum L. -n- *Poaceae* · Hirse
– **antidotale** Retz. | ♃ Ⓝ; Ind., Arab., nat. in Austr.
– **capillare** L. · Haarästige Rispenhirse · Old Witch Grass, Witch Grass | ⊙ ✂ VII-IX; Can., USA *, Bermuda, nat. in CH, H
– **clandestinum** L. · Hirschzungen-Gras | ♃ VII-VIII; Can.: E; USA: NE, NCE, Kans. SC, SE, Fla.
– *colonum* L. = Echinochloa colonum
– **coloratum** L. · Buntes Guineagras, Marikarigras | ♃ Ⓝ; S-Afr.
– *crusgalli* L. = Echinochloa crus-galli
– *cruspavonis* (Humb., Bonpl. et Kunth) Nees = Echinochloa crus-pavonis
– **dichotomiflorum** Michx. · Gabelästige Rispenhirse | VII-IX; Arg., nat. in F, I, A, D
– *glaucum* L. = Setaria glauca
– **hillmanii** Chase · Hilmans Hirse | VII-VIII; USA, nat. in A
– *hirtellum* L. = Oplismenus hirtellus
– **laevifolium** Hack. · Südafrikanische Hirse | VII-IX; S-Afr., nat. in C-Eur.
– *lineare* Krock. = Digitaria ischaemum
– **maximum** Jacq. · Guinea Grass | ⊙ ⊙ ♃ Ⓝ; Eur.: Sic.; trop. Afr., S-Afr., Madag., Mascarene Is., nat. in Fla., trop. Am.
– **miliaceum** L. · Echte Hirse, Gewöhnliche

Rispenhirse · Common Millet, Millet | ☉ VI-VIII Ⓝ; SE-As.; cult.
– *miliare* auct. non Lam. = Panicum sumatrense
– *palmifolium* J. König = Setaria palmifolia
– *plicatum* Willd. non Lam. = Setaria palmifolia
– *sanguinale* L. = Digitaria sanguinalis
– *sulcatum* Bertol. non Aubl. = Setaria poiretiana
– **sumatrense** Roth ex Roem. et Schult. | ☉ Ⓝ; cult., Ind., Sri Lanka
– **virgatum** L. · Switch Grass | ♃ ⋊ VII-IX; Can.: E, Sask.; USA* exc. NW, Calif.; Mex., C-Am., W-Ind., Bermuda

Papaver L. -n- *Papaveraceae* · Mohn
– **alboroseum** Hultén | ♃ △ IV-VI; Alaska, Kamchat.
– **alpinum** L. · Bursers Alpen-Mohn · Alpine Poppy · Pavot de Burser, Pavot des Alpes | ♃ △ VI-VII; Eur.: A
  - subsp. **ernesti-mayeri** Markgr.
  - subsp. **kerneri** (Hayek) Fedde · Illyrischer Alpen-Mohn | ♃ △ VI-VII; Eur.: I, A, Slove., Bosn., Montenegro; mts.
  - subsp. **rhaeticum** (Leresche) Markgr. · Gelber Alpen-Mohn | ♃ △ VII; Eur.: F, I, A, Slove., Bosn., Montenegro; mts.
  - subsp. **sendtneri** (A. Kern.) Schinz et Keller · Weißer Alpen-Mohn | ♃ △ VII ▽; Eur.: CH, D, A; Alp.
– **apulum** Ten. · Apulischer Mohn | V-VI; Eur.: Ap, Ba
– **argemone** L. · Sand-Mohn | V-VII; Eur.*; N-Afr., SW-As
– **atlanticum** (Ball) Coss. · Pavot de l'Atlantique | ♃ VI-VIII; Maroc., nat. in GB
– **aurantiacum** Loisel. | ♃ VII-VIII; Eur.: F, I, Me, Ba, ? Sp.
– *burseri* Crantz = Papaver alpinum
– **croceum** Ledeb. · Altaischer Mohn | ♃ VII-VIII; W-Sib., E-Sib., C-As., Mong., Him., NE-China
– **dubium** L. · Saat-Mohn | V-VII; Eur.*, SW-As.
  - subsp. **confine** (Jord.) Hörandl · Verkannter Saat-Mohn | IV-V
  - subsp. **lecoqii** (Lamotte) Syme · Gelbmilchender Saat-Mohn, Lecoques Mohn | ♃ V-VII; Eur., TR, NW-Afr.
– **glaucum** Boiss. et Hausskn. · Tulip Poppy | ☉ VI-VIII; TR, Syr., N-Iraq, W-Iran
– × **hybridum** L. · Bastard-Mohn, Krummborstiger Mohn, Ziegelroter Mohn | V-VII; Eur.: Ib, Ap, F, Ba; W-As., nat. in BrI
– *kerneri* Hayek = Papaver alpinum subsp. kerneri
– **lateritium** K. Koch | ♃ △ VI-IX; Cauc. (Armen.), nat. in GB
– *miyabeanum* Tatew. = Papaver nudicaule subsp. xanthopetalum
– **monanthum** Trautv. | ♃ △ VI-VIII; Cauc.
– **nudicaule** L. · Iceland Poppy, Icelandic Poppy · Pavot d'Islande | ♃ △ VI-IX; N-As., Mong.
  - subsp. **xanthopetalum** Fedde | ♃ △ V
– **occidentale** (Markgr.) H.E. Hess et Landolt · Westlicher Alpen-Mohn | ♃ VII; Eur.: F, CH
– **orientale** L. · Oriental Poppy · Pavot d'Orient | ♃ ⋊ V-VI; TR, Cauc., N-Iran
– **pavoninum** Fisch. et C.A. Mey. · Peacock Poppy | ☉ VI-VII; Iran, C-As., China: Sinkiang
– **pilosum** Sibth. et Sm. · Pavot poilu | ♃ △ VI-VII; NW-TR
– **pyrenaicum** A. Kern.
  - subsp. *rhaeticum* (Leresche) Fedde = Papaver alpinum subsp. rhaeticum
  - subsp. *sendtneri* (A. Kern. ex Hayek) Fedde = Papaver alpinum subsp. sendtneri
– **radicatum** Rottb. · Arctic Poppy | ♃ △ V-VI; Eur.: Sc, N-Russ.; E-Sib., Alaska, Can.: W, USA: Rocky Mts.; Greenl.
– *rhaeticum* Leresche = Papaver alpinum subsp. rhaeticum
– **rhoeas** L. · Klatsch-Mohn · Corn Poppy, Field Poppy, Flanders Poppy | ☉ V-VII ☠; Eur.*, TR, Cauc., Iran, Canar., N-Afr.
– **rupifragum** Boiss. et Reut. · Spanish Poppy | ♃ VI-VIII; S-Sp.
– *sendtneri* A. Kern. ex Hayek = Papaver alpinum subsp. sendtneri
– *setigerum* DC. = Papaver somniferum subsp. setigerum
– **somniferum** L. · Schlaf-Mohn · Opium Poppy | ☉ Off. VI-VIII Ⓝ; cult., nat. in Eur., As.
  - subsp. **setigerum** (DC.) Corb.
  - var. *glaucum* (Boiss. et Hausskn.) Kuntze = Papaver glaucum
– *strigosum* (Boenn.) Schur = Papaver

rhoeas

Paphinia Lindl. -f- *Orchidaceae*
- **cristata** (Lindl.) Lindl. | Ⓦ VIII-IX ✻; Col., Venez., Trinidad, Guyan.
- **grandiflora** Rodr. | Ⓦ IX-XI ✻; Bras.
- *grandis* Rchb. f. = Paphinia grandiflora

Paphiopedilum Pfitzer -n- *Orchidaceae* · Venusschuh
- **acmodontum** Schoser ex M.W. Wood | ♃ Ⓦ III-IV ▽ ✻; Phil.
- **appletonianum** (Gower) Rolfe | ♃ Ⓦ III-V ▽ ✻; Cambodia, Laos, Thail.
- **argus** (Rchb. f.) Stein | ♃ Ⓦ IV-V ▽ ✻; Phil.: Luzon
- **armeniacum** S.C. Chen et H.L. Liu | ♃ Ⓦ ▽ ✻; Yunnan
- **barbatum** (Lindl.) Pfitzer | ♃ Ⓦ IV-V ▽ ✻; Malay. Pen.
- **bellatulum** (Rchb. f.) Pfitzer | ♃ Ⓦ III-IV ▽ ✻; W-Myanmar, Thail.
- **bullenianum** (Rchb. f.) Pfitzer | ♃ Ⓦ VI-VIII ▽ ✻; Malay. Pen., Sumat., Kalimantan
- **callosum** (Rchb. f.) Pfitzer | ♃ Ⓦ II-III ▽ ✻; Cambodia, Laos, Thail.
- **charlesworthii** (Rolfe) Pfitzer | ♃ Ⓦ IX-X ▽ ✻; E-Myanmar
- **ciliolare** (Rchb. f.) Stein | ♃ Ⓦ IV-VI ▽ ✻; Phil.
- **concolor** (Bateman) Pfitzer | ♃ Ⓦ XII-III ▽ ✻; China: Yunnan; Indochina
- **dayanum** (Lindl.) Stein | ♃ Ⓦ V-VI ▽ ✻; Kalimantan (Sabah)
- **delenatii** Guill. | ♃ Ⓦ ▽ ✻; Vietn.
- **druryi** (Bedd.) Stein | ♃ Ⓦ V-VI ▽ ✻; S-Ind.
- **exul** (O'Brien) Pfitzer | ♃ Ⓦ V-VI ▽ ✻; Thail.
- **fairrieanum** (Lindl.) Pfitzer | ♃ Ⓦ IX-X ▽ ✻; Bhutan, Sikkim, NE-Ind.
- **glanduliferum** (Blume) Pfitzer | ♃ Ⓦ ▽ ✻; N.Guinea
- **glaucophyllum** J.J. Sm. | ♃ Ⓦ I-XII ▽ ✻; Java
- **godefroyae** (Hemsl.) Pfitzer | ♃ Ⓦ IV-VI ▽ ✻; Thail.
- **gratrixianum** (Mast.) Guill. | ♃ Ⓚ ▽ ✻; Laos
- **haynaldianum** (Rchb. f.) Stein | ♃ Ⓦ I-III ▽ ✻; Phil. (Luzon, Negros)
- **hirsutissimum** (Lindl.) Pfitzer | ♃ Ⓚ III-V ▽ ✻; NE-Ind.
- **insigne** (Wall. ex Lindl.) Pfitzer | ♃ Ⓚ XI-III ▽ ✻; NE-Ind.
- **javanicum** (Reinw. ex Lindl.) Pfitzer | ♃ Ⓦ ▽ ✻; Java, Bali, Flores
- **lawrenceanum** (Rchb. f.) Stein | ♃ Ⓦ IV-V ▽ ✻; Kalimantan (Sarawak)
- **lowii** (Lindl.) Pfitzer | ♃ Ⓦ III-VII ▽ ✻; Malay. Pen., Sumat., Kalimantan, Java, Sulawesi
- **mastersianum** (Rchb. f.) Pfitzer | ♃ Ⓦ IV-VII ▽ ✻; Molucca I.
- **niveum** (Rchb. f.) Stein | ♃ Ⓦ IV-VII ▽ ✻; S-Thail., Malay. Pen.
- **papuanum** (Ridl.) Ridl. | ♃ Ⓦ ▽ ✻; N.Guinea; mts.
- **parishii** (Rchb. f.) Stein | ♃ Ⓦ IV-VII ▽ ✻; SW-China, Myanmar, Thail.
- **philippinense** (Rchb. f.) Pfitzer | ♃ Ⓦ V-VI ▽ ✻; Phil.
- *praestans* (Rchb. f.) Pfitzer = Paphiopedilum glanduliferum
- **primulinum** M.W. Wood et P. Taylor | ♃ Ⓦ ▽ ✻; N-Sumat.
- **purpuratum** (Lindl.) Stein | ♃ Ⓦ VI-IX ▽ ✻; China (Hongkong)
- **rothschildianum** (Rchb. f.) Stein | ♃ Ⓦ VII-IX ▽ ✻; Kalimantan
- **sanderianum** (Rchb. f.) Stein | ♃ Ⓦ VII-IX ▽ ✻; Kalimantan (Sarawak)
- **spicerianum** (Rchb. f. ex Mast. et T. Moore) Pfitzer | ♃ Ⓦ XI-I ▽ ✻; NE-Ind., NW-Myanmar
- **stonei** (Hook.) Stein | ♃ Ⓦ V-VII ▽ ✻; Kalimantan (Sarawak)
- **sukhakulii** Schoser et Senghas | ♃ Ⓦ IX-V ▽ ✻; NE-Thail.
- **superbiens** (Rchb. f.) Pfitzer | ♃ Ⓦ V-VII ▽ ✻; Sumat.
- **tonsum** (Rchb. f.) Pfitzer | ♃ Ⓦ III-VII ▽ ✻; Sumat.
- **venustum** (Wall.) Pfitzer | ♃ Ⓦ IX-I ▽ ✻; E-Nepal, Bhutan, NE-Ind.
- **victoria-regina** (Sand.) M.W. Wood | ♃ Ⓦ I-IX ▽ ✻; Sumat.
- **villosum** (Lindl.) Pfitzer | ♃ Ⓦ XII-IV ▽ ✻; NE-Ind., Myanmar, Thail.
- **violascens** Schltr. | ♃ Ⓦ IX-X ▽ ✻; N.Guinea
- **wardii** Summerh. | ♃ Ⓦ ▽ ✻; N-Myanmar, Thail.
- *wolterianum* (Kraenzl.) Pfitzer = Paphiopedilum appletonianum

Papilionanthe Schltr. -n- *Orchidaceae*
- *vandarum* (Rchb. f.) Garay = Aerides vandara

Paradisea Mazzuc. -f- *Asphodelaceae* · Paradieslilie
– **liliastrum** (L.) Bertol. · Trichterlilie · St. Bruno's Lily · Lis de Saint-Bruno | ♃ D VI ▽; Eur.: Sp., F, CH, I, A, Slove.; Pyr., Alp., Jura, Apenn.
– **lusitanica** (Cout.) Samp. | ♃; N-P, W-Sp.

Parageum = Geum L.
– *montanum* (L.) Hara = Geum montanum
– *reptans* (L.) M. Král = Geum reptans

Parahebe W.R.B. Oliv. -f- *Scrophulariaceae*
– × **bidwillii** (Hook.) W.R.B. Oliv. (*P. decora* × *P. lyallii*) | ♄ Ⓚ ⤳ VI-VII ∧; NZ
– **canescens** W.R.B. Oliv. | ♄; NZ
– **catarractae** (G. Forst.) W.R.B. Oliv. | ♄ Ⓚ; NZ
– **decora** Ashwin | ♄; NZ
– **lyallii** (Hook. f.) W.R.B. Oliv. | ♄ V-VI ∧; NZ
– **perfoliata** (R. Br.) B.G. Briggs | ♄; Austr.

Paraphalaenopsis A.D. Hawkes -f- *Orchidaceae*
– **denevei** (Sm.) A.D. Hawkes | Ⓦ ✻; Kalimantan

Parapholis C.E. Hubb. -f- *Poaceae*
– **strigosa** (Dumort.) C.E. Hubb. · Gekrümmter Dünnschwanz | VI-VII; Eur.: Sc, BrI, Fr, D, Ib, Ap, Ba; coasts

Parathelypteris (H. Ito) Ching -f- *Thelypteridaceae*
– **noveboracensis** (L.) Ching · New York Fern | ♃; Can.: E; USA: NE, NCE, SE

× **Pardancanda** hort. -f- *Iridaceae*
– **norrisii** hort.

Pardanthopsis (Hance) Lenz -f- *Iridaceae*
– **dichotoma** (Pall.) Lenz | ⊙ ♃ VIII-IX ▽; Sib., Mong., Manch.

Pardanthus Ker-Gawl. -m- *Iridaceae*
– *chinensis* (L.) Ker-Gawl. = Belamcanda chinensis

Parentucellia Viv. -f- *Scrophulariaceae*
– **viscosa** (L.) Caruel · Gelbe Bartsie | V-VIII; Eur.: Ib, Fr, BrAp, Ba; TR, Cyprus, Cauc., Iran, Azor., Canar., NW-Afr., Egypt, nat. in DK, N-Am., Austr.

Parietaria L. -f- *Urticaceae* · Glaskraut
– **diffusa** Mert. et Koch
– **judaica** L. · Mauer-Glaskraut | ♃ X-VI; Eur.* exc. EC-Eur., Sc; TR, Cauc., Iran, C-As., China: Sinkiang, N-Afr.
– **officinalis** L. · Aufrechtes Glaskraut · Parietaria | ♃ X Ⓝ; Eur.: Fr, Ap, C-Eur., EC-Eur., Ba, E-Eur., , Canar., Madeira, Azor.; TR, Cauc., W-Iran, N-Afr., nat. in Sc
– **pensylvanica** H.L. Mühl. ex Willd. · Pennsylvanisches Glaskraut | XI-V; N-Am., nat. in D

Parinari Aubl. -f- *Chrysobalanaceae*
– **campestris** Aubl. | ♄ Ⓦ Ⓝ; W.Ind., Guyan., Bras.
– **corymbosa** Miq. | ♄ Ⓦ Ⓝ; Java
– **excelsa** G. Don · Guinea Plum | ♄ Ⓦ Ⓝ; W-Afr.: Guinea
– **laurina** A. Gray | ♄ Ⓦ Ⓝ; Fiji
– **macrophylla** Sabine · Gingerbread Plum | ♄ Ⓦ Ⓝ; Seneg., W-Afr.: Sierra Leone, Ghana, Nigeria
– **scabra** Hassk. | ♄ Ⓦ Ⓝ; Java

Paris L. -f- *Trilliaceae* · Einbeere
– **quadrifolia** L. · Vierblättrige Einbeere · Herb Paris | ♃ V-VI ☠; Eur.*, Cauc., W-Sib., E-Sib., Mong.

Parkia R. Br. -f- *Mimosaceae*
– **biglobosa** (Jacq.) Benth. · Sudan-Kaffee | ♄ Ⓝ; W-Afr., W-Sudan, nat. in W.Ind.
– **speciosa** Hassk. | ♄ Ⓝ; Malay. Arch.

Parkinsonia L. -f- *Caesalpiniaceae*
– **aculeata** L. · Jerusalem Thorn | ♄ Ⓦ Ⓝ; USA: Tex., SW; Mex., W.Ind., S-Am., nat. in Calif., Fla., . W.Ind.

Parmentiera DC. -f- *Bignoniaceae*
– **aculeata** (Humb., Bonpl. et Kunth) Seem. | ♄ Ⓦ Ⓝ; Mex., Guat., Hond., El Salv., Costa Rica
– **cerifera** Seem. | Ⓝ; C-Am., nat. in W.Ind., Trop.

Parnassia L. -f- *Parnassiaceae* · Herzblatt
– **palustris** L. · Sumpf-Herzblatt · Grass of Parnassus · Parnassie des marais | ♃ ~ VII-IX ▽; Eur.*, TR, Iraq, Cauc., N-Iran, Pakist., W-Sib., E-Sib., Amur,

Sachal., Kamchat., C-As., Mong., Tibet, China, Korea, Jap., Maroc., Alg., Tun., Alaska

Parochetus Buch.-Ham. ex D. Don -m- *Fabaceae*
– **communis** Buch.-Ham. | ♃ Ⓚ ⇝ △ IX-II ∧; E-Afr., trop. As.

Parodia Speg. -f- *Cactaceae*
– *aglaisma* F.H. Brandt = Parodia maassii
– **alacriportana** Backeb. et Voll | ♆ Ⓚ ✻; Bras.: Rio Grande do Sul
– *andreae* F.H. Brandt = Parodia maassii
– *aureicentra* Backeb. = Parodia microsperma
– *aureispina* Backeb. = Parodia mutabilis
– **ayopayana** Cárdenas | ♆ Ⓚ ✻; Bol.: Cochabamba
– *brevihamata* W. Haage = Parodia alacriportana
– *bueneкeri* Buining = Notocactus buenekeri
– *buiningii* (Buxb.) N.P. Taylor = Notocactus buiningii
– *caespitosa* (Speg.) N.P. Taylor = Notocactus caespitosus
– *camargensis* F. Ritter = Parodia maassii
– *catamarcensis* Backeb. = Parodia microsperma
– **chrysacanthion** (K. Schum.) Backeb. | ♆ Ⓚ ✻; Arg.: Jujuy
– *concinna* (Monv.) N.P. Taylor = Notocactus concinnus
– *erinacea* (Haw.) N.P. Taylor = Notocactus erinaceus
– **erythrantha** (Speg.) Backeb. | ♆ Ⓚ ✻; Arg.: Salta
– *escayachensis* (Vaupel) Backeb. = Parodia maassii
– **faustiana** Backeb. | ♆ Ⓚ ✻; Arg.: Salta
– *fulvispina* F. Ritter = Parodia maassii
– *graessneri* (K. Schum.) F.H. Brandt = Notocactus graessneri
– *haselbergii* (Rümpler) F.H. Brandt = Notocactus haselbergii
– *herteri* (Werderm.) N.P. Taylor = Notocactus herteri
– *idiosa* F.H. Brandt = Parodia maassii
– *jujuyana* Fric et Subik = Parodia stuemeri
– *leninghausii* (K. Schum.) F.H. Brandt = Notocactus leninghausii
– *liliputana* (Werderm.) N.P. Taylor = Blossfeldia liliputana
– **maassii** (Heese) A. Berger | ♆ Ⓚ; S-Bol., Arg.: Jujuy
– *malyana* Rausch = Parodia microsperma
– *mammulosa* (Lem.) N.P. Taylor = Notocactus mammulosus
– **microsperma** (F.A.C. Weber) Speg. | ♆ Ⓚ ✻; Arg.: Salta
– *minuscula* Rausch = Parodia microsperma
– *mueller-melchersii* (Fric ex Backeb.) N.P. Taylor = Notocactus mueller-melchersii
– *muhrii* F.H. Brandt = Parodia microsperma
– **mutabilis** Backeb. | ♆ Ⓚ ✻
– **nivosa** Fric ex Backeb. | ♆ Ⓚ ✻; Arg.: Salta
– *obtusa* F. Ritter = Parodia maassii
– *ottonis* (Lehm.) N.P. Taylor = Notocactus ottonis
– *prestoensis* F.H. Brandt = Parodia maassii
– *pseudostuemeri* Backeb. = Parodia stuemeri
– *quechua* F.H. Brandt = Parodia maassii
– *ritteri* Buining = Parodia maassii
– *roseoalba* F. Ritter = Parodia maassii
– *rubellihamata* Backeb. = Parodia microsperma
– *rubristaminea* F. Ritter = Parodia microsperma
– *rutilans* (Däniker et Krainz) N.P. Taylor = Notocactus rutilans
– **schuetziana** Jajo | ♆ Ⓚ ✻
– *schumanniana* (Nicolai) F.H. Brandt = Notocactus schumannianus
– **schwebsiana** (Werderm.) Backeb. | ♆ Ⓚ ✻; Bol.: Cochabamba
– *scopa* (Spreng.) N.P. Taylor = Notocactus scopa
– *setifera* Backeb. = Parodia microsperma
– *setosa* Backeb. = Parodia stuemeri
– **stuemeri** (Werderm.) Backeb. | ♆ Ⓚ; Arg.: Jujuy
– *talaensis* F.H. Brandt = Parodia microsperma
– *tarabucina* Cárdenas = Parodia maassii
– *tilcarensis* (Werderm. et Backeb.) Backeb. = Parodia stuemeri
– *uhligiana* Backeb. = Parodia microsperma
– *varicolor* F. Ritter = Parodia microsperma
– *weberiana* F.H. Brandt = Parodia microsperma

Paronychia Mill. -f- *Illecebraceae* ·

Mauermiere
– **argentea** Lam. · Silver Nailroot | ♃ ⇝ △ IV-VI ∧; Eur.: Ib, Fr, Ap, Ba; TR, Levante, SW-As., N-Afr.
– **capitata** (L.) Lam. | ♃ ⇝ △ IV-VI ∧; Eur.: Ib, Fr, Ap, GR; Palaest., N-Afr.
– **kapela** (Hacq.) A. Kern. · Nagelkraut | ♃ ⇝ △ V-VI ∧; Eur.: Ib, Fr, Ap, Ba, RO; NW-Afr., Libya
  - subsp. **serpyllifolia** (Chaix) Graebn. · Paronyque à feuilles de serpolet | ♃ ⇝ △ V-VI ∧; Eur.: Sp., F, I; Pyr., SW-Alp.; Maroc., Alger.
– *serpyllifolia* (Chaix) DC. = Paronychia kapela subsp. serpyllifolia

Parrotia C.A. Mey. -f- *Hamamelidaceae*
– *jacquemontiana* Decne. = Parrotiopsis jacquemontiana
– **persica** (DC.) C.A. Mey. · Eisenholz, Parrotie · Ironwood, Parrotia · Parrotie de Perse | ♄ ♄ III-IV; N-Iran

Parrotiopsis (Nied.) C.K. Schneid. -f- *Hamamelidaceae*
– **jacquemontiana** (Decne.) Rehder · Scheinparrotie · Parrotia de Jacquemont | ♄ ♄ V; Him.

Parrya R. Br. -f- *Brassicaceae*
– *menziesii* Greene = Phoenicaulis cheiranthoides

Parthenium L. -n- *Asteraceae*
– **argentatum** A. Gray | ♄ Ⓚ Ⓝ; Tex., N-Mex.
– **integrifolium** L. · American Feverfew, Prairie Dock, Wild Quinine | ♃ VII-IX; USA: NE, NCE, SE, SC

Parthenocissus Planch. -f- *Vitaceae* · Jungfernrebe
– **henryana** (Hemsl.) Graebn. ex Diels et Gilg · Virginia Creeper | ♄ Ⓚ ≷; C-China
– **himalayana** (Royle) Planch. | ≷; Him.
– **inserta** (A. Kern.) Fritsch · Fünfblättrige Jungfernrebe, Fünfblättriger Wilder Wein · Virginia Creeper · Vigne vierge commune | ♄ ≷ VII-IX; Can.: E; USA: NE, NCE, NC, Rocky Mts., SW
– **quinquefolia** (L.) Planch. · Gewöhnliche Jungfernrebe · Woodbine · Vigne vierge vraie | ♄ ≷ VII-VIII; Can.: E; USA: NE, NCE, SC, SE, Fla.
  - **'Murorum'** (L.) Planch. | ≷ VII-VIII
  - var. **engelmannii** (Koehne et Graebn.) Rehder | ≷ VII-VIII; E-USA
  - var. **hirsuta** (Pursh) Planch. | ≷ VII-VIII; e USA, Mex.
  - var. **saint-paulii** (Koehne et Graebn.) Rehder | ≷ VII-VIII
  - var. *vitacea* (Knerr) L.H. Bailey = Parthenocissus inserta
– *thomsonii* (Lawson) Planch. = Cayratia thomsonii
– **tricuspidata** (Siebold et Zucc.) Planch. · Dreilappige Jungfernrebe · Boston Ivy, Japanese Creeper, Japanese Ivy · Vigne vierge de Veitch | ♄ ≷ VII-VIII; Jap., Korea, China
  - **'Lowii'**
  - **'Purpurea'**
  - *'Thompsonii'* = Cayratia thomsonii
  - **'Veitchii'**
– *veitchii* (Carrière) Graebn. = Parthenocissus tricuspidata 'Veitchii'
– *vitacea* (Knerr) Hitchc. = Parthenocissus inserta

Paspalum L. -n- *Poaceae*
– **ceresia** (Kuntze) Chase | ♃ Ⓦ VII-VIII; trop. S-Am.
– *commersonii* Lam. = Paspalum scrobiculatum
– **conjugatum** Berg. | ♃ Ⓝ; trop. Am., Afr.
– **dilatatum** Poir. · Dallis Grass | ♃ Ⓝ; C-Am., S-Am., nat. in S-Eur., USA
– **distichum** L. · Jointed Crown Grass | ♃ Ⓝ; USA: Va., SE, SC, Fla., SW, Rocky Mts., NW, Calif.; Mex. C-Am., W.Ind., S-Am., coasts trop. Old World, N-Afr., nat. in S-Eur.
– *exile* Kippist = Digitaria exilis
– **notatum** Flüggé · Bahiagras | ♃ Ⓝ; Mex., W.Ind., S-Am.
– *paspaloides* (Michx.) Scribn. = Paspalum distichum
– **scrobiculatum** L. · Kodo-Hirse · Indian Crown Grass, Kodo Millet | ♃ Ⓝ; trop. Afr., trop. As., S-China, Jap., Austr.

Passerina L. -f- *Thymelaeaceae*
– **ericoides** L. | ♄ Ⓚ VII-VIII; S-Afr.
– **filiformis** L. | ♄ Ⓚ VII-VIII; S-Afr.

Passiflora L. -f- *Passifloraceae*
– **alata** Dryand. | ♄ Ⓦ ≷ IV-VIII Ⓝ; Bras., Peru
– × *alato-caerulea* hort. = Passiflora × belotii

- *alba* Link et Otto = Passiflora subpeltata
- × **albo-nigra** hort. (*P. alata* × *P. raddiana*)
- × **allardii** Lynch (*P. caerulea 'Constance Eliot'* × *P. quadrangularis*) | ≹; cult.
- **amethystina** J.C. Mikan | ħ Ⓦ ≹ IX-IV; Bras.
- **antioquiensis** H. Karst. | ħ Ⓚ ≹; Col.
- *antioquiensis* hort. = Passiflora × exoniensis
- × *atropurpurea* hort. = Passiflora × violacea 'Atropurpurea'
- × **belotii** Pépin (*P. alata* × *P. caerulea*) | ≹; cult.
- **biflora** Lam. | ≹; Mex, C-Am., Bahamas, Venez., Col., Ecuad.
- *brasiliana* Desf. = Passiflora alata
- *bryonioides* hort. = Passiflora morifolia
- **caerulea** L. | ħ Ⓚ ≹ VI-IX ⋀; S-Bras., Parag., Arg., nat. in Trop.
  - **'Constance Eliott'**
- × *caeruleoracemosa* hort. = Passiflora × violacea
- **capsularis** L. | ħ Ⓦ ≹ D ≹ VI-VII; C-Am., W.Ind., trop. S-Am.
- **cinnabarina** Lindl. | ħ Ⓚ ≹ III-VIII; Austr.
- **coccinea** Aubl. | ħ Ⓦ ≹; S-Venez., Guana, Bras., Peru, Bol.
- × **colvillii** Sweet (*P. caerulea* × *P. incarnata*)
- **coriacea** Juss. | ħ Ⓦ ≹; Mex., C-Am., trop. S-Am.
- × **decaisneana** Planch. (*P. alata* × *P. quadrangularis*) | ħ Ⓦ ≹ V-VI; cult.
- **edulis** Sims · Granadilla, Passion Fruit | ♃ ħ ħ Ⓦ ≹ VI-VIII Ⓝ; Bras., nat. in n S-Am., W.Ind.
  - fo. **flavicarpa** Sims | ≹
- × **exoniensis** L.H. Bailey (*P. antioquiensis* × *P. molissima*) | ≹; cult.
- **foetida** L. · Stinking Granadilla, Wild Water Lemon | ♃ Ⓚ ≹ VII-IX Ⓝ; Puerto Rico, Jamaica, Lesser Antilles, S-Am., nat. in trop. Afr., trop. As.
- **gracilis** Jacq. ex Link · Annual Passion Flower | ☉ Ⓦ ≹ ☘ VII-VIII; Venez., nat. in trop. Am., subtrop. Am.
- **herbertiana** Ker-Gawl. | ≹; Austr.
- **holosericea** L. | ħ Ⓦ ≹ D ≹; C-Am.
- **incarnata** L. · May Apple, May Pop | ♃ Ⓚ ≹ Off. V-VII ⋀; USA: NE, NCE, SC, SE, Fla.; Bermudas
- *kermesina* Link et Otto = Passiflora raddiana
- **laurifolia** L. · Jamaica Honeysuckle, Water Lemon | ħ Ⓦ ≹ VI-VII Ⓝ; Venez., Bras., E-Peru, Arg.
- **ligularis** Juss. · Sweet Granadilla | ħ Ⓚ ≹ IX-X Ⓝ; Guat., Ecuad., Peru, Venez.
- **lutea** L. · Yellow Passion Flower | ħ Ⓚ ≹ VI-VIII; USA: NE, NCE, NC, SC, SE, Fla.
- *maculifolia* Mast. = Passiflora organensis
- **maliformis** L. · Sweet Calabash, Sweet Cup | ħ Ⓦ ≹ VII-XI Ⓝ; W.Ind., Col., Ecuad., Venez.
- *maliformis* Vell. = Passiflora alata
- **manicata** (Juss.) Pers. | ħ Ⓚ; Venez., Col., Ecuad., Peru, Bol.
- *mauritania* Thouars = Passiflora alata
- **membranacea** Benth. | ħ Ⓚ ≹ Ⓝ; Guat.
- *minima* L. = Passiflora suberosa
- *mollissima* (Humb., Bonpl. et Kunth) L.H. Bailey = Passiflora tripartita var. molissima
- **morifolia** Mast. | ≹; Col. , Bras., Parag.
- **organensis** Gardner | ħ Ⓦ ≹ VII-VIII; Bras.
- **pinnatistipula** Cav. | ħ Ⓚ Ⓝ; Col., Ecuad.
- *princeps* Lodd. = Passiflora racemosa
- **psilantha** (Sodiro) Killip | ħ Ⓚ ≹ Ⓝ; Ecuad.
- **quadrangularis** L. · Granadilla, Grenadine | ħ Ⓦ ≹ V-VII Ⓝ; C-Am., W.Ind.
- **racemosa** Brot. · Red Passion Flower | ħ Ⓦ ≹ V-IX; Bras.
- **raddiana** DC. | ħ Ⓦ ≹ V-IX; Bras.
- *sacrosepala* Barb.-Boiss. = Passiflora alata
- **sanguinolenta** Mast. | ≹; Ecuad.; mts.
- **suberosa** L. | ħ Ⓦ ≹ VI-VIII; trop. S-Am.
- **subpeltata** Ortega | ≹; Mex., C-Am., Col., Venez.
- *sycioides* hort. = Passiflora morifolia
- **trifasciata** Lem. | ħ Ⓦ ≹ D ≹ VII-VIII; Peru
- **tripartita** (Juss.) Poir.
  - var. **molissima** (Kunth) Holm-Niels. | ħ Ⓚ ≹ Ⓝ; Venez., Col., Peru, Bol.
- *van-volxemii* Triana et Planch. = Passiflora antioquiensis
- × **violacea** Vell. (*P. caerulea* × *P. racemosa*) | Ⓦ ≹ VIII-IX; E-Bras., Parag., Bol.
  - **'Atropurpurea'** | ≹; cult.
- *warmingii* Mast. = Passiflora morifolia

– **Cultivars**
  - *'Imperatrice Eugenie'* = Passiflora × belotii
  - *'Kaiserin Eugenie'* = Passiflora × belotii

Pastinaca L. -f- *Apiaceae* · Pastinak
– **sativa** L. · Pastinak · Parsnip | ⊙ VII-VIII Ⓝ; Eur.* exc. Sc; TR, Syr., Lebanon, Cauc., Iran, W-Sib., E-Sib, nat. in N-Am., S-Am., Austr., NZ

Patrinia Juss. -f- *Valerianaceae* · Goldbaldrian
– **gibbosa** Maxim. | ♃ V-VI; Jap.
– **intermedia** (Hornem.) Roem. et Schult.; China
– *palmata* Maxim. = Patrinia triloba var. palmata
– **scabiosifolia** Fisch. | ♃ V-VI; China, E-Sib., Manch., Korea, Jap., Sachal., Taiwan
– **triloba** Miq. · Gold-Baldrian · Valériane jaune | ♃ V-VI; Jap.
  - var. **palmata** (Maxim.) Hara
– **villosa** (Thunb.) Juss. | ♃; Jap., Korea, Manch., China

Paullinia L. -f- *Sapindaceae*
– **cupana** Humb., Bonpl. et Kunth · Guarana Shrub | ♄ Ⓦ ≀ Ⓝ; trop. S-Am.
– **thalictrifolia** Juss. | ♄ Ⓦ ≀; Bras.

Paulownia Siebold et Zucc. -f- *Scrophulariaceae*
– **elongata** Hu | ♄; China: Hupeh, Honan, Schantung, Hopei
– **fortunei** (Seem.) Hemsl. | ♄; China, Taiwan, Jap.
– *imperialis* Siebold et Zucc. = Paulownia tomentosa
– **kawakamii** Ito | ♄; S-China, Taiwan
– **tomentosa** (Thunb. ex Murray) Steud. · Chinesischer Blauglockenbaum · Foxglove Tree · Paulownia impérial | ♄ IV-V Ⓝ; China, nat. in E-USA, CH, I
  - **'Lilacina'** Sprague | ♄

Paurotis = Acoelorrhaphe H. Wendl.
– *wrightii* (Griseb. et H. Wendl.) Britten = Acoelorrhaphe wrightii

Pausinystalia Pierre ex Beille -f- *Rubiaceae*
– **johimbe** (K. Schum.) Pierre ex Beille · Yohimbe | ♄ Ⓦ Ⓝ; W-Afr.

Pavetta L. -f- *Rubiaceae*
– *caffra* L. f. = Pavetta capensis
– **capensis** (Houtt.) Bremek. | ♄ Ⓦ VI-VIII; S-Afr.
– **indica** L. · Jarum Jarum | ♄ Ⓦ D; Ind.

Pavonia Cav. -f- *Malvaceae*
– × **gledhillii** Cheek (*P. intermedia* × *P. mayokana* × *P. multiflora*) | ♄
– **multiflora** Juss. | ♄ Ⓦ IX-V; Bras.
– **spinifex** (L.) Cav. | ♄; SE-USA, Bermuda, W.Ind., Mex., trop. S-Am.

Paxistima Raf. -f- *Celastraceae*
– **canbyi** A. Gray | ♄ △ IV-V ∧; USA: Va., W.Va., Ohio, Ky.
– **myrsinites** (Pursh) Raf. · Oregon Boxwood | ♄ △ IV ∧; Can: B.C.; USA: NW, Calif.; Mex.

Payena A. DC. -f- *Sapotaceae*
– **leerii** (Teijsm. et Binn.) Kurz | ♄ Ⓦ Ⓝ; Myanmar, Malay. Pen.

Pecteilis Raf. -f- *Orchidaceae*
– **radiata** (Thunb.) Raf. | ♃ Ⓚ VIII ✻; Jap., Korea

Pectinaria Haw. -f- *Asclepiadaceae*
– **articulata** (Haw.) Haw. | ♃ Ψ Ⓚ; Kap
– **asperiflora** N.E. Br. | ♃ Ψ Ⓚ; Kap
– **saxatilis** N.E. Br. | ♃ Ⓚ; Kap

Pedicularis L. -f- *Scrophulariaceae*
– **ascendens** Schleich. ex Gaudin · Aufsteigendes Läusekraut | ♃ VII-VIII; Eur.: F, I, CH; W-Alp.
– **aspleniifolia** Flörke ex Willd. · Farnblättriges Läusekraut | ♃ VII-VIII; Eur.: I, Ch, A; E-Alp.
– **elongata** A. Kern. · Langähriges Läusekraut | ♃ VII-VIII; Eur.: I, A, Slove.; SE-Alp.
  - subsp. **julica** Hartl | ♃ VII-VIII; Eur.: I, A, Slove.; SE-Alp.
– **foliosa** L. · Durchblättertes Läusekraut | ♃ VI-VIII; Eur.: Sp., F, I, Me; mts.
– **gyroflexa** Vill. · Bogenblütiges Läusekraut | ♃ VI-VII; Eur.: F, I, CH; Pyr., Alp.
– **hacquetii** Graf · Karst Läusekraut | ♃ VII-VIII; Eur.: I, A, EC-Eur., Slove., RO, W-Russ.; SE-Alp., Apenn., Carp.
– **kerneri** Dalla Torre · Kerners Läusekraut | ♃ VII-VIII; Eur.: Sp., F, I, Ch, A; Pyr.,

Alp.
– **oederi** Vahl · Buntes Läusekraut | ♃ VI-VIII; Eur.* exc. BrI, Ib; W-Sib., E-Sib., Amur, Kamchat., C-As., China: Sinkiang; kashmir, Him., Tibet, Mong., N-Am.
– **palustris** L. · Sumpf-Läusekraut | ☉ V-VIII; Eur.* exc. Ib; TR
– **portenschlagii** Saut. ex Rchb. · Zweiblütiges Läusekraut | ♃ VI-VIII; Eur.: A; NE-Alp.
– **recutita** L. · Gestutztes Läusekraut | ♃ VII-VIII; Eur.: F, I, C-Eur., Slove.; Alp.
– **rosea** Wulfen · Rosarotes Läusekraut | ♃ VII-VIII; Eur.: F, I, A, Slove., Croatia; Pyr., Alp., Croatia
– **rostratocapitata** Crantz · Kopfiges Läusekraut | ♃ VI-VIII; Eur.: I, Me, Slove., Croatia; E-Alp., Croatia
– **rostratospicata** Crantz · Ähren-Läusekraut | ♃ VII-VIII; Eur.: F, I, C-Eur., Slove.; Pyr., Alp.
– **sceptrum-carolinum** L. · Karlszepter, Moorkönig | ♃ VI-VIII; Eur.: Sc, D, EC-Eur., E-Eur.; W-Sib., E-Sib., Mong., Manch., Jap.
– **sylvatica** L. · Wald-Läusekraut | ☉ V-VII; Eur.* exc. Ib
– **tuberosa** L. · Knolliges Läusekraut | ♃ VI-VIII; Eur.: Sp., F, I, CH, A; Pyr., Alp., Alpi Apuane, Apenn.
– **verticillata** L. · Quirlblättriges Läusekraut | ♃ VI-VIII; Eur.* exc. BrI, Sc; N-Russ, mts.; W-Sib., E-Sib., Amur, Kamchat., Mong., Korea, Jap., Alaska, NW-Am.

Pedilanthus Neck. ex Poit. -m- *Euphorbiaceae*
– *carinatus* Spreng. = Pedilanthus tithymaloides
– **pavonis** Boiss. · Slipper Spurge | ♄ Ψ Ⓚ ☠ Ⓝ
– **tithymaloides** (L.) Poit. · Devil's Backbone, Jew Bush, Redbird Flower | ♄ Ψ Ⓦ ☠; S-Mex., C-Am., Col.

Pediocactus Britton et Rose -m- *Cactaceae*
– *papyracanthus* (Engelm.) L.D. Benson = Sclerocactus papyracanthus
– **peeblesianus** (Croizat) L.D. Benson | Ψ Ⓚ ✻; USA: Ariz.
– **simpsonii** (Engelm.) Britton et Rose · Plains Cactus | Ψ Ⓚ ✻; USA: NW, Rocky Mts., SW

Peganum L. -n- *Zygophyllaceae* · Steppenraute
– **harmala** L. · Harmel, Wild Rue | ♃ Ⓚ VII-VIII ☠ Ⓝ; Eur.: Ib, Ap, Ba, EC-Eur.; TR, Cauc., Iran, C-As., Mong., Tibet, N-Afr.

Pelargonium L'Her. ex Aiton -n- *Geraniaceae* · Pelargonie, fälschlich als Geranie
– *acerifolium* hort. = Pelargonium vitifolium
– **acetosum** (L.) L'Hér. | ♄; S-Afr.
– *angulosum* (Mill.) L'Hér. ex Aiton = Pelargonium cucullatum
– *asperum* Willd. = Pelargonium × graveolens
– *betulifolium* Salisb. = Pelargonium betulinum
– **betulinum** (L.) L'Hér. ex Aiton | ♄ Ⓚ VII-VIII; Kap
– **capitatum** (L.) L'Hér. ex Aiton · Rose Scented Geranium | ♄ Ⓚ D VII-VIII Ⓝ; S-Afr.
– **carnosum** (L.) L'Hér. ex Aiton | ♄ Ⓚ V; Kap, Namibia
– × **citrosmum** Voigt ex Sprague (*? × P. crispum*) | ♄ Ⓚ D VII-VIII; cult.
– *clypeatum* (Eckl. et Zeyh.) Steud. = Pelargonium peltatum
– *cordatum* L'Hér. ex Aiton = Pelargonium cordifolium
– **cordifolium** (Cav.) Curtis | ♄ Ⓚ V; Kap
– **crassicaule** L'Hér. ex Aiton | ♄ Ⓚ VII; SW-Afr.
– **crispum** (L.) L'Hér. ex Aiton · Lemon Scented Geranium
– *crispum* hort. = Pelargonium × citrosmum
– **crithmifolium** Sm. | ♄ Ⓚ; Kap, Namibia
– **cucullatum** (L.) L'Hér. ex Aiton | ♄ Ⓚ VIII-IX; Kap
– **echinatum** Curtis | ♄ Ⓚ; S-Afr.
– **endlicherianum** Fenzl | ♃ Ⓐ △ VII ∧; S-TR, N-Syr., Cauc. (Armen.)
– **exstipulatum** (Cav.) L'Hér. ex Aiton | ♄ ♄ Ⓚ D VI-IX; S-Afr.
– *ferulaceum* (Burm. f.) Willd. = Pelargonium polycephalum
– × **fragrans** (Poir.) Willd. (*P. exstipulatum × P. odoratissimum*) · Scented Geranium | ♄ Ⓚ D VII-VIII Ⓝ; S-Afr.
– **fulgidum** (L.) L'Hér. ex Aiton | ♄ Ⓚ VIII-IX; Kap

- **gibbosum** (L.) L'Hér. ex Aiton | ♄ Ⓚ VI; Kap
- **grandiflorum** (Andrews) Willd. | ♄ Ⓚ IV-VI; Kap, Namibia
- × **graveolens** auct. non L'Hér. ex Aiton (?) · Rose Geranium | ♄ Ⓚ D VI-VIII Ⓝ; Kap
- × **hortorum** L.H. Bailey (*P. inquinans* × *P. zonale*) · Bedding Geranium, Geranium, Zonal Pelargonium
- **inquinans** (L.) L'Hér. ex Aiton | ♄ Ⓚ V-X; S-Afr.
- × **kewense** R.A. Dyer (*? × P. zonale*)
- **odoratissimum** (L.) L'Hér. ex Aiton · Apple Scented Geranium | ♄ Ⓚ D VII-VIII Ⓝ; S-Afr.
- **peltatum** (L.) L'Hér. ex Aiton · Ivy-leaved Geranium | ♄ Ⓚ ⌇ ↝ IV-X; S-Afr.
- **polycephalum** E. Mey. | ♄ Ⓚ
- **quercifolium** (L. f.) L'Hér. ex Aiton · Oak Leaved Geranium | ♄ Ⓚ D VII-VIII; Kap
- **radens** H.E. Moore · Balsam Scented Geranium | ♄ Ⓚ D VI-VIII Ⓝ; Kap
- *radula* (Cav.) L'Her. = Pelargonium radens
- **tetragonum** (L. f.) L'Hér. ex Aiton | ♄ Ⓚ VI; S-Afr.
- **tomentosum** Jacq. · Peppermint Scented Geranium | ♃ ♄ Ⓚ D; Kap
- **triste** (L.) L'Hér. ex Aiton | Ⓚ VII-VIII; Kap
- **vitifolium** (L.) L'Hér. ex Aiton; S-Afr.
- **zonale** (L.) L'Hér. ex Aiton | ♄ ♄ Ⓚ V-X; Kap
- *zonale* hort. = Pelargonium × hortorum

Pelecyphora Ehrenb. -f- *Cactaceae* · Asselkaktus
- **aselliformis** C. Ehrenb. | Ψ Ⓚ ✻; Mex.: San Luis Potosí
- *pseudopectinata* Backeb. = Turbinicarpus pseudopectinatus
- *strobiliformis* (Werderm.) Fric et Schelle = Encephalocarpus strobiliformis
- *valdeziana* H. Möller = Turbinicarpus valdezianus

Peliosanthes Andrews -f- *Convallariaceae*
- **teta** Andrews | ♃ Ⓦ; S-Vietn.

Pellaea Link -f- *Adiantaceae*
- **atropurpurea** (L.) Link · Purple Cliff Brake | ♃ Ⓚ ∧; Can.: Ont.; USA: NE, NCE, NC, SE, Fla.
- *cordata* (Cav.) J. Sm. = Pellaea sagittata var. cordata
- **falcata** (R. Br.) Fée · Sickle Fern | ♃ Ⓚ; Ind., SE-As., E-Austr., Tasman., NZ
- *flexuosa* Kaulf. ex Schltdl. et Cham. = Pellaea ovata
- *gracilis* Hook. = Cryptogramma stelleri
- *hastata* (L.) Link = Pellaea viridis
- **ovata** (Desv.) Weath. | ♃ Ⓚ; USA: Tex., N.Mex.; Mex., C-Am., Haiti, S-Am.
- **rotundifolia** (G. Forst.) Hook. | ♃ Ⓚ; NZ, Norfolk Is.
- **sagittata** (Cav.) Link; Tex., Mex.
  - var. **cordata** (Cav.) A.F. Tryon | ♃ Ⓚ; Tex., Mex.
- *stelleri* (S.G. Gmel.) Baker = Cryptogramma stelleri
- **viridis** (Forssk.) Prantl · Green Cliff Brake | ♃ Ⓚ; S-Afr., Madag., Mascarene Is., nat. in Azor., Sri Lanka

Pellionia = Elatostema J.R. Forst. et G. Forst.
- *daveauana* (Carrière) N.E. Br. = Pellionia repens
- **pulchra** N.E. Br. · Rainbow Vine | ♃ Ⓦ ↝; S-Vietn.
- **repens** (Lour.) Merr. · Anteater Scales, Hill Dragon | ♃ Ⓦ ↝; Myanmar, Malay. Pen., S-Vietn.
  - **'Repens'** | ♃ Ⓦ ↝
  - **'Viridis'**
  - var. *maculata* A. Chev. = Pellionia repens 'Repens'
  - var. *viridis* (N.E. Br.) A. Chev. = Pellionia repens 'Viridis'

Peltandra Raf. -f- *Araceae*
- **sagittifolia** (Michx.) Morong · White Arrow Arum | ♃ Ⓚ ♠; USA: NE, SE, Fla.
- *undulata* Raf. = Peltandra virginica
- **virginica** (L.) Schott et Endl. · Arrow Arum, Green Arrow Arum | ♃ Ⓚ ♠ ∧; Can.: E; USA: NE, SE, Fla.

Peltaria Jacq. -f- *Brassicaceae*
- **alliacea** Jacq. · Scheibenschötchen | ♃ V-VII; Eur.: A, H, Ju, Alb.RO

Peltastes Woodson -m- *Apocynaceae*
- **peltatus** (Vell.) Woodson | ♄ Ⓦ ⌇; Bras.

Peltiphyllum = Darmera Voss

– *peltatum* (Torr. ex Benth.) Engl. = Darmera peltata

Peltoboykinia (Engl.) Hara -f- *Saxifragaceae*
– **tellimoides** (Maxim.) Hara | ♃ VI-VII; C-Jap.

Peltogyne Vogel -f- *Caesalpiniaceae*
– **paniculata** Benth. | ♄ Ⓦ Ⓝ; Guyan., Bras.

Peltophorum (Vogel) Benth. -n- *Caesalpiniaceae*
– **africanum** Sond. | ♄; S-Afr.

Peniocereus (A. Berger) Britton et Rose -m- *Cactaceae*
– **greggii** (Engelm.) Britton et Rose · Night Blooming Cereus, Sweetpotato Cactus | Ψ Ⓚ ✻; N-Mex.
– *serpentinus* (Lag. et Rodr.) N.P. Taylor = Nyctocereus serpentinus
– **striatus** (K. Brandegee) Buxb. | Ψ Ⓚ ✻; S-Ariz., NW-Mex.
– **viperinus** (F.A.C. Weber) Kreuz. | Ψ Ⓚ ✻; S-Mex.

Pennisetum Rich. -n- *Poaceae* · Federborstengras
– **alopecuroides** (L.) Spreng. · Chinese Fountain Grass | ♃ VIII-IX; Korea, Jap., Phil.
– **americanum** (L.) Leeke · Pearl Millet | ☉ Ⓚ Ⓝ; cult.
– **clandestinum** Hochst. ex Chiov. · Kikuyugras | ♃ Ⓝ; E-Afr., nat. in Col.
– *compressum* R. Br. = Pennisetum alopecuroides
– *flaccidum* Griseb. = Pennisetum incomptum
– *glaucum* (L.) R. Br. = Pennisetum americanum
– **incomptum** Nees · Sibirisches Lampenputzergras | ♃ VII-IX; Him.
– *japonicum* Trin. = Pennisetum alopecuroides
– **latifolium** Spreng. | ♃ Ⓚ VIII-X; Peru, Bras., Urug., Arg.
– *longistylum* Vilm. non Hochst. = Pennisetum villosum
– **macrostachyum** (Brongn.) Trin.
– *macrostachyum* Fresen. = Pennisetum setaceum
– **macrourum** Trin. | ♃ ⋈ VIII-IX ∧; S-Afr.
– **orientale** Rich. | ♃ VIII-X; Egypt, TR, Lebanon, Syr., Palaest., Arab., Cauc.
– *purpurascens* (Thunb.) Kuntze = Pennisetum alopecuroides
– **purpureum** Schum. · Elefantengras | ♃ Ⓝ; trop. Afr., nat. in Trop.
– *rueppellianum* Hochst. = Pennisetum setaceum
– *rueppellii* Steud. = Pennisetum setaceum
– **setaceum** (Forssk.) Chiov. · Fountain Grass | ☉ ⊙ ♃ Ⓚ VIII-X; Eur.: Sic., N-Afr., SW-As., Arab.
– **spicatum** (L.) Roem. et Schult. · Negerhirse | Ⓝ
– *typhoides* (Burm. f.) Stapf et C.E. Hubb. = Pennisetum americanum
– *typhoideum* Rich. ex Pers. = Pennisetum americanum
– **villosum** R. Br. ex Fresen. · Feathertop | ☉ ⊙ ♃ VIII-IX; NE-Afr., Arab., nat. in Balear.

Penstemon Schmidel -m- *Scrophulariaceae* · Bartfaden
– **acaulis** L.O. Williams | ♃ ∧; USA: Wyo., Utah
– **acuminatus** Douglas ex Lindl. · Sharp Leaved Penstemon | ♃ VII-VIII ∧; USA: Oreg., Idaho, Nev.
– **alpinus** Torr. | ♃ △ VII-VIII; USA: Rocky Mts., SW
– *arizonicus* A. Heller = Penstemon whippleanus
– **attenuatus** Douglas ex Lindl. · Taper Leaved Penstemon | ♃ V; USA: Wash., Oreg., Idaho
– **auriberbis** Pennell | ♃ ∧; USA: Colo.
– **azureus** Benth. · Sky Blue Penstemon | ♃ ♄ Ⓐ VII-VIII ∧; Calif.
– **barbatus** (Cav.) Roth · Beard Tongue ; USA: Utah, Colo., SW; Mex.
  - subsp. **torreyi** (Benth.) Keck | ♃ VII-IX ∧; USA: Colo., SW
– **barrettiae** A. Gray | ♄ Ⓐ V ∧; USA: Oreg.
– **bridgesii** A. Gray · Scarlet Penstemon | ♄ VII-IX ∧; USA: SW, Colo., Calif.
– **caespitosus** Nutt. ex A. Gray | ♃ ⇝ △ VI-VII ∧; USA: Colo., Utah
– **campanulatus** (Cav.) Willd. · Penstemon campanulé | ♃ ♄ VII-IX ∧; Mex., Guat.
– **cardwellii** Howell | ♃; USA: Wash., Oreg.
– **cobaea** Nutt. · Cobaea Penstemon | ♃ Ⓚ

VII-IX; USA: NC, SC, Ark.
- **confertus** Douglas · Yellow Penstemon | ♃ △ VI-VII ∧; USA: Oreg., Calif., Rocky Mts.
- **cordifolius** Benth. · American Wild Fuchsia | ♄ Ⓚ ≷ VI-VIII; S-Calif.
- **cyananthus** Hook. | ♃ Ⓐ VI-IX; USA: Idaho, Wyo., Utah
- **davidsonii** Greene · Davidson's Penstemon | ♃ ⇝ △ VI-VIII ∧; USA: Wash., Oreg., Calif.
- *diffusus* Douglas ex Lindl. = Penstemon serrulatus
- **digitalis** Nutt. · Foxglove Penstemon | ♃ VII-VIII ∧; Can.: E; USA: NE, NCE, NC, SC, SE
- **eriantherus** Pursh · Crested Tongue | ♄ VI ∧; Alaska, Can.: W; USA: Wash., Rocky Mts, NC
- **gentianoides** (Humb., Bonpl. et Kunth) Poir. · Beard Tongue
- *gentianoides* Lindl. = Penstemon hartwegii
- **glaber** Pursh · Smooth Penstemon | ♃ V-VI ∧; USA: NC, Rocky Mts.
  - var. *alpinus* (Torr.) A. Gray = Penstemon alpinus
  - var. *cyananthus* (Hook.) A. Gray = Penstemon cyananthus
- *glaucus* Graham = Penstemon gracilis
- **gracilis** Nutt. · Slender Penstemon | ♃ △ VI-VII ∧; Can.; USA: NCE, NC, Rocky Mts, SW
- **hallii** A. Gray | ♃ △ VII-VIII ∧; USA: Colo.
- **hartwegii** Benth. | ♃ ♄ Ⓚ VI-VIII ∧; Mex.
- **heterophyllus** Lindl. · Foothill Penstemon | ♃ ♄ Ⓚ VI-VIII; Calif.
- **hirsutus** (L.) Willd. · Hairy Penstemon · Penstemon hirsute | ♃ VI-VIII ∧; Can.: E; USA: NE, NCE, Tenn.
- **humilis** Nutt. ex A. Gray | ♃ VI ∧; USA: Calif., Rocky Mts.
- **laevigatus** (L.) Aiton · Hairy Beardtongue | ♃ VI-VIII ∧; USA: NE, SE, Fla.
  - var. *digitalis* (Nutt.) A. Gray = Penstemon digitalis
- **linarioides** A. Gray · Toadflax Penstemon | ♃ △ VI-VII ∧; USA: Colo.
- **lyallii** (A. Gray) A. Gray | ♄ Ⓚ V-VI ∧; USA: Mont., Idaho
- **menziesii** Hook. | ♄ ⇝ △ VI-VII ∧; Can.: W; USA: Wash.
  - var. *davidsonii* (Greene) Piper = Penstemon davidsonii
  - var. *newberryi* (A. Gray) A. Gray = Penstemon newberryi
- *micranthus* Nutt. = Penstemon procerus
- *micranthus* Torr. = Penstemon strictus
- **newberryi** A. Gray · Mountain Pride | ♄ △ VI-VII ∧; Calif.
  - var. *rupicola* Piper = Penstemon rupicola
- **ovatus** Douglas · Broad Leaved Penstemon | ♃ VII; B.C., USA: NW
- **pinifolius** Greene · Penstemon à feuilles de pin | ♃ △ VII-VIII ∧; USA: Ariz., N.Mex.; Mex.
- **procerus** Douglas ex Graham · Short Flowered Penstemon | ♃ VI ∧; Alaska, Can.: W; USA: NW, Calif., Rocky Mts., NC
- *pubescens* Sol. = Penstemon hirsutus
- **richardsonii** Douglas · Cutleaved Penstemon | ♃ VII ∧; B.C., USA: NW
- **roezlii** Regel | ♄ △ VI-VIII ∧; USA: Oreg., Calif., Nev.
- **rupicola** (Piper) Howell · Rock Penstemon | ♄ ⇝ △ VI-VII ∧; USA: Wash., Oreg.
- **scouleri** Lindl. · Scoulers Bartfaden | ♄ △ VI-VII; Can.: B.C.; USA: Wash., Idaho
- **secundiflorus** Benth. | ♃ VI-VIII; USA: Colo., Wyo.
- **serrulatus** Menzel ex Sm. · Blue Penstemon, Cascade Penstemon | ♄ VI-VII ∧; B.C., USA: NW, Calif.
- **strictus** Benth. · Rocky Mountain Penstemon
- **teucrioides** Greene | ♄ VI ∧; USA: Colo.
- *torreyi* Benth. = Penstemon barbatus subsp. torreyi
- **venustus** Douglas · Blue Mountain Penstemon | ♄ VI-IX ∧; USA: NW, Idaho
- **whippleanus** A. Gray · Purple Penstemon | ♃ △ VII-VIII ∧; Ariz.
- **wrightii** Hook. | ♄ VI-VIII ∧; USA: Tex., SW

Pentace Hassk. -f- *Tiliaceae*
- **burmanica** Kurz | ♄ Ⓦ Ⓝ; Myanmar

Pentacme = Shorea Roxb. ex C.F. Gaertn.
- *contorta* (S. Vidal) Merr. et Rolfe = Shorea contorta

Pentactina Nakai -f- *Rosaceae*

– **rupicola** Nakai | ♄ VI; Korea

Pentaglottis Tausch -f- *Boraginaceae*
– *cespitosa* (Lam.) Tausch = Anchusa cespitosa
– **sempervirens** (L.) Tausch ex L.H. Bailey · Spanische Ochsenzunge · Alkanet, Green Alkanet | ♃ V-VI; SW-F, P, Sp., nat. in I, Br

Pentapterygium = Agapetes D. Don ex G. Don
– *rugosum* Hook. = Agapetes rugosa
– *serpens* (Wight) Klotzsch = Agapetes serpens

Pentas Benth. -f- *Rubiaceae*
– **lanceolata** (Forssk.) Deflers · Egyptian Star Cluster, Star Cluster | ♄ (W) IX-I; trop. Afr., Arab.

Penthorum L. -n- *Penthoraceae*
– **sedoides** L.

Peperomia Ruiz et Pav. -f- *Piperaceae* · Peperomie, Zwergpfeffer
– *angulata* Humb., Bonpl. et Kunth = Peperomia quadrangularis
– **argyreia** (Miq.) E. Morren · Water Melon Pepper | ♃ (W); trop. S-Am.
– **arifolia** Miq. | ♃ (W); orig. ?
  - var. *argyrea* (Miq.) Hook. f. = Peperomia argyreia
– **bicolor** Sodiro
– **blanda** (Jacq.) Humb., Bonpl. et Kunth | ♄ (W); Fla., C-Am., W.Ind., trop. S-Am.
– **caperata** Yunck. · Emerald Ripple | ♃ (W); ? Bras.
– **clusiifolia** (Jacq.) Hook. | ♃ (W); W.Ind.
– **columbiana** Miq. | ♃ (W); Col.
– **dolabriformis** Humb., Bonpl. et Kunth | ♃ (W); Peru
– *eburnea* hort. = Peperomia maculosa
– **eburnea** Sodiro
– **fraseri** C. DC. · Mignonette Peperomia | ♃ (W) D VI-VIII; Ecuad.
– **galioides** Humb., Bonpl. et Kunth | ♃ (W); C-Am., W.Ind., S-Am.
– **gardneriana** Miq. | ♃ (W); Bras.
– **glabella** (Sw.) A. Dietr. · Cypress Peperomia, Wax Privet | ♃ (W); C-Am., W.Ind., S-Am.
– **griseoargentea** Yunck. · Ivy Leaf Peperomia | ♃ (W); orig. ?
– *hederifolia* hort. = Peperomia griseoargentea
– **incana** (Haw.) Hook. | ♃ (W); SE-Bras.
– **maculosa** (L.) Hook. | ♃ (W); trop. S-Am.
– **marmorata** Hook. | ♃ (W); S-Bras.
– **metallica** Linden et Rodigas | ♃ (W); Peru
– **nivalis** Miq. | ♃ (K); Peru
– *nummularifolia* Humb., Bonpl. et Kunth = Peperomia rotundifolia
– *nummulariifolia* Humb., Bonpl. et Kunth = Peperomia rotundifolia
– **obtusifolia** (L.) A. Dietr. · Baby Rubber Plant | ♃ (W); Mex., C-Am., trop. S-Am.
  - var. *clusiifolia* (Jacq.) C. DC. = Peperomia clusiifolia
– **orba** Bunting | ♃ (W); orig. ?
– **ornata** Yunck. | ♃ (W); Venez., N-Bras.
– **pereskiifolia** (Jacq.) Humb., Bonpl. et Kunth | ♃ (W); C-Am., trop. S-Am.
– **polybotrya** Humb., Bonpl. et Kunth | ♃ (W); Col., Peru
– *prostrata* B.S. Williams = Peperomia rotundifolia var. pilosior
– *pulchella* A. Dietr. = Peperomia verticillata
– **puteolata** Trel. | ♃ (W); Col.
– **quadrangularis** (J.V. Thomps.) A. Dietr. | ♃ (W) ⇝; Panama, W.Ind., trop. S-Am.
– *resediflora* Lindl. et André = Peperomia fraseri
– **rotundifolia** (L.) Humb., Bonpl. et Kunth | ♃ (W) ⇝; C-Am., S-Am.
  - var. **pilosior** (Miq.) DC.
  rubella (Haw.) Hook. | ♃ (W); Jamaica
– *sandersii* DC. = Peperomia argyreia
– **scandens** Ruiz et Pav. | ♃ (W) ≀ ⇝; trop. S-Am.
– *serpens* hort. = Peperomia scandens
– *tithymaloides* Vahl = Peperomia obtusifolia
– **trichocarpa** Miq. | ♃ (W); Bras.
– **urocarpa** Fisch. et C.A. Mey. | ♃ (W); trop. S-Am.
– **velutina** Linden et André | ♃ (W); Ecuad.
– *verschaffeltii* Lem. = Peperomia marmorata
– **verticillata** (L.) A. Dietr. | ♃ (W); Jamaica, Cuba
– **Cultivars**
  - *'Astrid'* = Peperomia orba

Peplis = Lythrum L.
– **portula** L. · Gewöhnlicher Sumpfquendel | VII-IX; Eur.*, TR, ? Cauc., W-Sib., NW-Afr., N-Am.

Peraphyllum Nutt. -n- *Rosaceae* · Sandbirne
- **ramosissimum** Nutt. · Sandbirne | ♄ △ IV-V ∧; USA: Oreg., Calif., Rocky Mts.

Pereskia Mill. -f- *Cactaceae*
- **aculeata** Mill. | ♄ Ⓚ ≩ D ≩ ✻ Ⓝ; USA: Fla.; W.Ind., trop. S-Am.
- *amapola* F.A.C. Weber = Pereskia nemorosa
- **bleo** (Kunth) DC. | ♄ Ⓚ ✻; Col., Panama
- **grandifolia** Haw. | ♄ ♄ Ⓚ VIII-IX ✻; Bras.
- **nemorosa** Rojas Acosta | ♄ ♄ Ⓚ V-X ✻; Parag., Urug., Arg.
- *pereskia* (L.) H. Karst. = Pereskia aculeata
- **sacharosa** Griseb. | ♄ ♄ Ⓚ VIII-X ✻; Bol., Parag., Arg.

Pereskiopsis Britton et Rose -f- *Cactaceae*
- **diguetii** (F.A.C. Weber) Britton et Rose | ♄ Ⓚ ✻; Mex.
- **rotundifolia** (DC.) Britton et Rose | ♄ Ⓚ ✻; Mex.
- **spathulata** (Otto) Britton et Rose | ♄ Ⓚ ✻; Mex.
- *velutina* Rose = Pereskiopsis diguetii

Perezia Lag. -f- *Asteraceae*
- **multiflora** (Humb. et Bonpl.) Less. | ⊙ VII-VIII; Bras.
  - subsp. **sonchifolia** (Baker) Vuill. | ⊙ VII-VIII; Urug.
- *sonchifolia* Baker = Perezia multiflora subsp. sonchifolia
- **viscosa** Less. | ⊙ VI-VII; Chile

Pericallis D. Don -f- *Asteraceae*
- **cruenta** (L'Hér.) Nord. · Cineraria | ♃ Ⓚ III-IV; Canar.
- × **hybrida** hort. (*P. cruenta* × *P. lanata*)
- **lanata** (L'Hér.) Nord.

Perilepta = Strobilanthes Blume
- *dyeriana* (Mast.) Bremek. = Strobilanthes dyerianus

Perilla L. -f- *Lamiaceae* · Schwarznessel
- **frutescens** (L.) Britton · Beefsteak Plant | ⊙ D IX-X Ⓝ; Him., Myanmar, China, Jap.
  - var. *crispa* (Thunb.) Decne. ex L.H. Bailey = Perilla frutescens var. nankinensis
  - var. **nankinensis** (Lour.) Britton

Periploca L. -f- *Asclepiadaceae*
- **graeca** L. · Orientalische Baumschlinge · Silk Vine · Bourreau des arbres | ♄ ≩ VII-VIII ☠; Eur.: I, Ba, RO; TR, Syr., Palaest., Cauc., N-Iraq, N-Iran, nat. in Sp., F
- **sepium** Bunge · Chinesische Baumschlinge · Chinese Silk Vine | ♄ ≩ VI-VII ☠; N-China

Peristeria Hook. -f- *Orchidaceae* · Taubenorchis
- *barkeri* Bateman = Acineta barkeri
- **cerina** Lindl. | Ⓦ VI-VII ✻; C-Am.
- **elata** Hook. · Holy Ghost Flower | Ⓦ VII-VIII ✻; Costa Rica, Panama, Col., Venez.
- *maculata* hort. = Peristeria pendula
- **pendula** Hook. | Ⓦ I-III ✻; Venez., Guayana, Surinam, Peru

Peristrophe Nees -f- *Acanthaceae*
- *angustifolia* Nees = Peristrophe hyssopifolia
- **hyssopifolia** (Burm. f.) Bremek. | ♄ Ⓦ; Java
- *salicifolia* (Blume) Hassk. = Peristrophe hyssopifolia
- **speciosa** (Roxb. ex Wall.) Nees | ♄ Ⓦ XII-III; Ind.: Bengalen

Pernettya = Gaultheria Kalm ex L.
- *furiens* (Hook. et Arn.) Klotzsch = Gaultheria insana
- *mucronata* (L. f.) Gaudich. ex Spreng. = Gaultheria mucronata
- *prostrata* (Cav.) Sleumer = Gaultheria myrsinoides
  - var. *pentlandii* (DC.) Sleumer = Gaultheria myrsinoides var. pentlandii
- *tasmanica* Hook. f. = Gaultheria tasmanica

Perovskia Kar. -f- *Lamiaceae*
- **abrotanoides** Kar. · Fiederschnittige Perowskie | ♄ △ VIII-IX; Afgh., Him., C-As.
- **atriplicifolia** Benth. · Silber-Perowskie · Russian Sage · Pérovskia à feuilles d'arroche | ♄ △ VIII-IX; Afgh., Him., Tibet
- **scrophulariifolia** Bunge · Runzelige Perowskie | ♄ △ VIII-IX; C-As.

Persea Mill. -f- *Lauraceae*
- **americanica** Mill. · Avocado | ♄ Ⓦ Ⓚ Ⓝ; Mex., C-Am., trop. S-Am., nat. in Fla.
- *gratissima* C.F. Gaertn. = Persea americana
- **indica** (L.) Spreng. | ♄; Canar., Azor.
- *leiogyna* S.F. Blake = Persea americana
- **lingue** Nees | ♄ Ⓝ; S-Am., Chile, nat. in C-Afr.
- **schiedeana** Nees · Wild Avocado | ♄ Ⓦ Ⓝ; Mex., C-Am.
- *vulgaris* Mill. = Prunus persica

Persicaria (L.) Mill. -f- *Polygonaceae*
- *affinis* (D. Don) Ronse Decr. = Bistorta affinis
- *alata* (Ham. ex D. Don) H. Gross = Persicaria nepalensis
- *alpina* (L.) H. Gross = Aconogonon alpinum
- **amphibia** (L.) Delarbre · Wasser-Knöterich · Renouée amphibie | ♃ ♆ VI-IX; Eur.*, TR, Syr., Cauc., Iran, Him., W-Sib., E-Sib., Amur, Sachal., Kamchat., C-As., Mong., China, Jap., Maroc., Alger., Alaska, Can., S-Afr.
- *bistorta* (L.) Samp. = Bistorta officinalis
- *campanulata* (Hook. f.) Ronse Decr. = Aconogonon campanulatum
  - var. *lichinagense* (W.W. Sm.) Ronse Decr. = Aconogonon lichinagense
- **capitata** (Buch.-Ham. ex D. Don) H. Gross | ♃ Ⓚ ⤳ V-VIII; Pakist., Him., SW-China
- **dubia** (Stein) Fourr. · Milder Knöterich | X-VII; Eur.* exc. Sc; TR
- **filiformis** (Thunb.) Nakai | ♃ VII-VIII; Jap.
- **hydropiper** (L.) Delarbre · Wasserpfeffer-Knöterich · Red Knees | ⊙ ∼ VII-IX ☠; Eur.*, TR, Syr., Cauc., Iran, Him., W-Sib., E-Sib., Amur, C-As., China, Korea, Jap., Sri Lanka, Indochina, Malay. Arch., Maroc., Alger., nat. in Alaska, Can., USA*
- **lapathifolia** (L.) Delarbre · Ampfer-Knöterich | X-VII; Eur.*, TR, Levante, Cauc., W-Sib., E-Sib., Amur, Sachal., Him., Nw-afr., Egypt, N-Am., nat. in Jap.
  - subsp. **brittingeri** (Opiz) Soják · Donau-Knöterich, Fluss-Knöterich, Ufer-Knöterich | X-VII; Eur.: CH, D (obere Donau, Rhein)
- *maculata* (Raf.) Fourr. = Persicaria maculosa
- **maculosa** Gray · Floh-Knöterich | ⊙ X-IX; Eur.*, TR, Cauc., W-Sib., E-Sib., Amur, C-As., Him., China, Jap.
- **minor** (huds.) Opiz · Kleiner Knöterich | X-VII; Eur.*, TR, Cauc., W-Sib., E-Sib., Amur, C-As., Him., E-As., Java
- **nepalensis** (Ham. ex D. Don) H. Gross
- **odorata** (Lour.) Soják | ⊙ D Ⓝ; Indochina
- **orientalis** (L.) Spach · Östlicher Knöterich · Kiss-me-over-the-garden-gate, Smartweed, Willow Grass | ⊙ X; Iran, Ind., China, SE-As., nat. in I, D, Ba, EC-Eur.
- **pensylvanica** (L.) M. Gómez · Pennsylvanischer Knöterich ; N-Am., nat. in BrI
- *polystachya* (Wall. ex Meisn.) H. Gross = Aconogonon polystachyum
- *sericea* (Pall.) H. Gross = Aconogonon sericeum
- **tinctoria** (Aiton) Spach | ♃ Ⓝ; China
- *vacciniifolia* (Wall. ex Meisn.) Ronse Decr. = Bistorta vacciniifolia
- **virginiana** (L.) Gaertn.
- *vivipara* (L.) Ronse Decr. = Bistorta vivipara
- *wallichii* Greuter et Burdet = Aconogonon polystachyum
- *weyrichii* (F. Schmidt ex Maxim.) Ronse Decr. = Aconogonon polystachyum

Pertya Sch.Bip. -f- *Asteraceae*
- **sinensis** Oliv. | ♄; C-China

Peruvocereus = Haageocereus Backeb.
- *albispinus* Akers = Haageocereus albispinus

Pescatoria Rchb.f. -f- *Orchidaceae*
- **cerina** (Lindl.) Rchb. f. | ♃ Ⓦ VI-VII ✻; Costa Rica, Panama
- **dayana** Rchb. f. | ♃ Ⓦ VI-IX ✻; Col.
- **lamellosa** Rchb. f. | ♃ Ⓦ VII-VIII ✻; Col.

× **Pescoranthes** Hort. -f- *Orchidaceae* (*Cochleanthes* × *Pescatoria*)

Petasites Mill. -m- *Asteraceae* · Pestwurz
- **albus** (L.) Gaertn. · Weiße Pestwurz · White Butterbur · Pétasite blanc | ♃ △ ∼ IV; Eur.* exc. BrI, Ib; TR, Cauc., nat. in BrI
- **fragrans** (Vill.) C. Presl · Vanillen-

Pestwurz · Sweet Coltsfoot, Winter Heliotrope · Héliotrope d'hiver | ♃ △ ~ D ~ XII-III /\; Eur.: Sard., I, Sic.; Alger., Tun., Libya, nat. in Ib, Fr, BrI, CH, DK
– **hybridus** (L.) P. Gaertn., B. Mey. et Scherb. · Gewöhnliche Pestwurz · Butterbur, Umbrella Plant | ♃ ~ IV; Eur.* exc. Sc; TR, Cauc., N-Iran, nat. in Sc, N-Am.
– **japonicus** (Siebold et Zucc.) Maxim. · Butterbur | ♃ ~ D ~ III-IV; China, Korea, Jap., Sachal., Riukiu-Is.
– *niveus* (Vill.) Baumg. = Petasites paradoxus
– *officinalis* Moench = Petasites hybridus
– **paradoxus** (Retz.) Baumg. · Alpen-Pestwurz | ♃ △ ~ IV-V; Eur.: Sp., F, I, C-Eur., Bosn., Serbia, RO; mts.
– **spurius** (Retz.) Rchb. · Filzige Pestwurz | ♃ IV; Eur.: Sc, D, PL, E-Eur.; W-Sib., ? C-As.
– *tomentosus* DC. = Petasites spurius

Petrea L. -f- *Verbenaceae*
– **volubilis** L. · Purple Wreath | ♄ ⓦ ≀ III-IV; C-Am., W.Ind.

Petrocallis R. Br. -f- *Brassicaceae* · Steinschmückel
– **pyrenaica** (L.) R. Br. · Steinschmückel · Rock Beauty | ♃ ⌓ △ VI ▽; Eur.: Sp., F, I, C-Eur., Slova., Slove., Croatia, ? RO; Pyr., Alp., Carp.

Petrocoptis A. Braun ex Endl. -f- *Caryophyllaceae* · Pyrenäennelke
– **glaucifolia** (Lag.) Boiss. | ♃ △ VI-VIII; N-Sp.; mts.
– *lagascae* (Willk.) Willk. = Petrocoptis glaucifolia
– **pyrenaica** (Bergeret) A. Braun | ♃ △ VI-VII; Sp., F; Pyr., mts. N-Sp.

Petrocosmea Oliv. -f- *Gesneriaceae*
– **kerrii** Craib | ♃ ⓚ; Thail.
– **nervosa** Craib | ♃ ⓚ; Yunnan
– **parryorum** C.E.C. Fisch. | ♃ ⓚ; N-Ind.: Assam

Petrophytum (Nutt.) Rydb. -n- *Rosaceae*
– **caespitosum** (Nutt. ex Torr. et A. Gray) Rydb. | ♄ ⇝ △ VII-VIII; USA: NC, Rocky Mts., Calif., SW
– **cinerascens** (Piper) Rydb. | ♄ ⇝ △ IX; USA: NW, Rocky Mts.

Petrorhagia (Ser.) Link -f- *Caryophyllaceae*
– **prolifera** (L.) P.W. Ball et Heywood · Nelkenköpfchen, Sprossende Felsennelke · Proliferous Pink | ⊙ X; Eur.*, TR, Cauc., NW-Afr.
– **saxifraga** (L.) Link · Steinbrech-Felsennelke · Coat Flower, Tunic Flower · Oeillet des rochers, Tunique | ♃ △ VI-IX; Eur.* exc. BrI, Sc; TR, Cauc., N-Iran, Altai, nat. in BrI, Sc

Petroselinum Hill -n- *Apiaceae* · Petersilie
– **crispum** (Mill.) Nyman ex A.W. Hill · Petersilie · Parsley | ⊙ VI-VII; ? SE-Eur., ? NW-Afr.; cult., nat. in Eur.*
- var. **neapolitanum** Danert
- var. *radicosum* (Alef.) Danert = Petroselinum crispum var. tuberosum
- var. **tuberosum** (Bernh.) Mart Crov.

Petteria C. Presl -f- *Fabaceae*
– **ramentacea** (Sieber) C. Presl · Petterie · Dalmatian Laburnum | ♄ VI; Eur.: Croatia, Bosn.YU, AL

Petunia Juss. -f- *Solanaceae* · Petunie
– × **atkinsiana** D. Don · Garten-Petunie | ♃ VI-IX
– **axillaris** (Lam.) Britton, Stearn et Poggenb. | ⊙ ⊙ ♃ ♄ D VI-IX; S-Bras., Urug., Arg.
– **integrifolia** (Hook.) Schinz et Thell. | ⊙ ⊙ ♃ ♄ VI-IX; Bras., Urug., Arg.
– *nyctaginiflora* Juss. = Petunia axillaris
– *violacea* Lindl. = Petunia integrifolia

Peucedanum L. -n- *Apiaceae*
– **alsaticum** L. · Elsässer Haarstrang | ♃ VII-IX; Eur.: Fr, C-Eur., EC-Eur., Ba, E-Eur.
– *altissimum* (Mill.) Thell. = Peucedanum verticillare
– **austriacum** (Jacq.) Koch · Österreichischer Haarstrang | ♃ VII-VIII; Eur.: Fr, Ap, C-Eur., Ba, E-Eur.
- var. **rablense** (Wulfen) Koch · Raibler Haarstrang | ♃ VII-VIII; Eur.: I, CH, A, Slove.; SE-Alp.
– **carvifolia** Vill. · Kümmel-Haarstrang | ♃ VI-VIII; Eur.* exc. BrI, Sc; ? TR, Cauc.
– **cervaria** (L.) Lapeyr. · Hirschwurz | ♃ VII-IX; Eur.* exc. BrI, Sc; Cauc., W-

Sib., Alger.
– **officinale** L. · Echter Haarstrang | ♃ VII-IX; Eur.* exc. Sc
– **oreoselinum** (L.) Moench · Berg-Haarstrang | ♃ VII-VIII; Eur.* exc. BrI +
– **ostruthium** (L.) W.D.J. Koch · Meisterwurz · Hogfennel, Masterwort | ♃ VII-VIII Ⓝ; Eur.: Fr, C-Eur., EC-Eur., Ib, Ap, Ba, ?RO, ? Krim, nat. in BrI, N-Am.
– **palustre** (L.) Moench · Sumpf-Haarstrang | ♃ VII-VIII; Eur.* exc. Ib; W-Sib.
– **venetum** (Spreng.) Koch · Venezianischer Haarstrang | ♃ VII-VIII; Eur.: Sp., F, I, CH, Slove., Croatia; E-Pyr., S-Alp., Appen., Croatia
– **verticillare** (L.) K. Koch ex DC. · Riesen-Haarstrang | ⊙ ♃ VII-VIII ☠; Eur.: CH, I, A, H, Slove., Croatia

Peumus Molina -f- *Monimiaceae*
– **boldus** Molina · Boldo | ♄ Ⓚ Off.; Chile

Pfeiffera Salm-Dyck *Cactaceae*
– **ianthothele** (Monv.) F.A.C. Weber | ♄ Ⓚ ✻; Bol., Arg.

Phacelia Juss. -f- *Hydrophyllaceae*
– **campanularia** A. Gray · California Bluebell, Desert Bluebells | ⊙ VII-IX; Can.: W; USA: Calif., Colo.
– **congesta** Hook. · Büschelschön, Rainfarn-Phacelie · Blue Curls | ⊙ X-VIII Ⓝ; USA: Calif., Ariz., N.Mex., Tex.; Baja Calif.
– **divaricata** (Benth.) A. Gray | ⊙ VII-VIII; Calif.
– **grandiflora** (Benth.) A. Gray; S-Calif.
– **linearis** (Pursh) Holz. · Scorpion Weed | ⊙ ⊙ ♃ VII-IX; W-Can., USA: NW, Rocky Mts., Calif.
– *menziesii* Torr. = Phacelia linearis
– **minor** (Harv.) Thell. ex F. Zimm. · California Bluebell | ⊙ VII-VIII; S-Calif.
– **parryi** Torr. | ⊙ VI-IX; Calif., Mex.
– *tanacetifolia* A. DC. = Phacelia congesta
– **tanacetifolia** Benth.
– **viscida** (Benth. ex Lindl.) Torr. · Klebriges Büschelschön | ⊙ VI-VIII; Calif.
– *whitlavia* A. Gray = Phacelia minor

Phaedranassa Herb. -f- *Amaryllidaceae*
– **carniolii** Baker | ♃ Ⓚ; Costa Rica
– **lehmannii** Regel | ♃ Ⓦ; Col.
– **schizantha** Baker | ♃ Ⓚ; Ecuad., Peru

Phaedranthus = Distictis Mart. ex Meisn.
– *buccinatorius* (DC.) Miers = Distictis buccinatoria

Phaenocoma D. Don -f- *Asteraceae*
– **prolifera** (L.) D. Don | ♄ Ⓚ ⋊; Kap

× **Phaiocalanthe** Hort. -f- *Orchidaceae* (*Calanthe* × *Phaius*)

× **Phaiocymbidium** Hort. -n- *Orchidaceae* (*Cymbidium* × *Phaius*)

Phaius Lour. -m- *Orchidaceae*
– *blumei* Lindl. = Phaius tankervilleae
– **flavus** (Blume) Lindl. | ♃ Ⓦ ⋊ IV-V ✻; Ind., Malay. Arch.
– *grandifolius* Lour. = Phaius tankervilleae
– **humblotii** Rchb. f. | ♃ Ⓦ ⋊ VI-VII ✻; Madag.
– *maculatus* Lindl. = Phaius flavus
– **tankervilleae** (Banks) Blume | ♃ Ⓦ ⋊ II-VI ✻; Him., N-Ind., Sri Lanka, Myanmar, China, Malay. Arch., Austr.
– *wallichii* Hook. f. = Phaius tankervilleae

Phalaenopsis Blume -f- *Orchidaceae*
– **amabilis** (L.) Blume | Ⓦ X-II ✻; Malay. Arch., N.Guinea, Austr.: Queensl.
– **amboinensis** J.J. Sm. | Ⓦ XII-I ✻; Molacca I.. Ambon
– **aphrodite** Rchb. f. | Ⓦ XII-IV ✻; Phil., Taiwan
– *boxallii* Rchb. f. = Phalaenopsis mannii
– *buyssoniana* Rchb. f. = Doritis pulcherrima
– **cornu-cervi** (Breda) Blume et Rchb. f. | ♃ Ⓦ V-IX ✻; Myanmar, Thail., Nicobar. Is., Malay. Pen., Sumat., Kalimantan
– *denevei* J.J. Sm. = Paraphalaenopsis denevei
– **equestris** (Schauer) Rchb. f. | ♃ Ⓦ VIII-IX ✻; Phil., Taiwan
– *esmeralda* Rchb. f. = Doritis pulcherrima
– *grandiflora* Lindl. = Phalaenopsis amabilis
– **lueddemanniana** Rchb. f. | Ⓦ V-VI ✻; Phil.
– **mannii** Rchb. f. | Ⓦ V-VIII ✻; Ind.: Sikkim, Assam; Vietn.
– **mariae** Burbridge ex Warner et B.S. Williams | ♃ Ⓦ VI-VIII ✻; Kalimantan, Phil.

– **parishii** Rchb. f. | ⓦ V-VI ✻; Myanmar
– *pulcherrima* (Lindl.) J.J. Sm. = Doritis pulcherrima
– *rimestadiana* (Linden) Rolfe = Phalaenopsis amabilis
– *rosea* Lindl. = Phalaenopsis equestris
– **schilleriana** Rchb. f. | ⓦ I-III ✻; Phil.
– **stuartiana** Rchb. f. | ⓦ I-III ✻; Phil.
– **sumatrana** Korth. et Rchb. f. | ⓦ V-VI ✻; Thail., Malay. Pen., Sumat., Java, Kalimantan
– **violacea** Witte | ⓦ V-VII ✻; Malay. Pen., Sumat., Kalimantan

× **Phalaerianda** Hort. -f- *Orchidaceae* (*Aerides* × *Phalaenopsis* × *Vanda*)

× **Phalandopsis** Hort. -f- *Orchidaceae* (*Phalaenopsis* × *Vandopsis*)

× **Phalanetia** Hort. -f- *Orchidaceae* (*Neofinetia* × *Phalaenopsis*)

Phalaris L. -f- *Poaceae* · Glanzgras
– **arundinacea** L. · Rohr-Glanzgras · Gardener's Garters, Ribbon Grass · Baldingère, Phalaris-roseau | ♃ ~ ⋈ VI-VII Ⓝ; Eur.*, TR, Syr., Lebanon, Cauc., Iran, Him., N-Ind., Sri Lanka, W-Sib., E-Sib., Amur, Sachal., Kamchat., C-As., N-China, Korea, Jap., Taiwan, Java, Alger., Kenya (Mt. Kenya) Alaska, Can., USA*, Mex., nat. in S-Am., S-Afr., Austr., NZ
– **brachystachys** Link · Gedrungenblütiges Glanzgras ; Eur.: Ib, Fr, Ap, Ba; Cauc.
– **canariensis** L. · Kanariengras · Canary Grass | ⊙ ⋈ VI-VIII Ⓝ; Eur.: Ib, Fr, Ap, Ba, E-Eur., Canar. Is., Azor.; Tun., TR, nat. in Eur.* exc. BrI, Sc; Cauc.
– **coerulescens** Desf. · Ausdauerndes Glanzgras ; Eur.: Ib, Fr, Ap, Ba; TR
– **minor** Retz. · Kleines Glanzgras ; Eur.: Ib, Fr, Ap, Ba; TR, Cauc., Iran, C-As., Him., Ind., N-Afr., Kap, nat. in Krim
– **paradoxa** L. · Sonderbares Glanzgras ; Eur.: Ib, Fr, Ap, Ba; TR, Cauc., SW-As., N-Afr.
– **tuberosa** L. | ♃ Ⓝ

Phalaroides = Phalaris L.
– *arundinacea* (L.) Rauschert = Phalaris arundinacea

Phanerophlebia C. Presl -f- *Dryopteridaceae*
– *caryotidea* (Wall.) Copel. = Polystichum falcatum var. caryotideum
– *falcata* (L. f.) Copel. = Polystichum falcatum
– *fortunei* (J. Sm.) Copel. = Polystichum falcatum var. fortunei

Pharbitis = Ipomoea L.
– *acuminata* (Vahl) Choisy = Ipomoea indica
– *hederacea* (Jacq.) Choisy = Ipomoea hederacea
– *learii* (Paxton) Lindl. = Ipomoea indica
– *nil* (L.) Choisy = Ipomoea nil
– *purpurea* (Roth) Bojer = Ipomoea purpurea
– *rubrocaerulea* (Hook.) Planch. = Ipomoea tricolor

Pharus P. Browne -m- *Poaceae*
– **latifolius** L. | ♃ ⓦ; W.Ind.
  - **'Vittatus'**

Phaseolus L. -m- *Fabaceae* · Bohne
– *aconitifolius* Jacq. = Vigna aconitifolia
– **acutifolius** A. Gray · Wild Bean | ⊙ Ⓝ; USA: Ariz., N.Mex., Tex.; Mex.
  - var. **latifolius** G.F. Freeman | Ⓝ; N-Mex., Ariz., nat. in Afr.
– *angularis* W. Wight = Vigna angularis
– *caracalla* L. = Vigna caracalla
– **coccineus** L. · Feuer-Bohne · Runner Bean, Scarlet Runner | ⊙ ≷ VI-IX; ? Mex., ? C-Am.
– **lathyrides** L. | Ⓝ; trop. Am., Austr.:Queensl.; cult. E-Afr.
– *limensis* Macfad. = Phaseolus lunatus
– **lunatus** L. · Butter Bean, Lima Bean | ⊙ ≷ ☠ Ⓝ; S-Am.
– *max* L. = Glycine max
– *multiflorus* Lam. = Phaseolus coccineus
– *mungo* L. = Vigna mungo
– *radiatus* L. = Vigna radiata
– *retusus* Benth. = Phaseolus ritensis
– **ritensis** M.E. Jones | ♃ Ⓝ; USA: Ariz., N.Mex., Tex.
– **vulgaris** L. · Garten-Bohne · Bean, Flageolet, French Bean, Green Bean, Haricot, Kidney Bean | VI-IX; cult.
  - var. **nanus** (L.) Asch. | ⊙ Ⓝ; cult.

Phegopteris Fee -f- *Thelypteridaceae*
– **connectilis** (Michx.) D. Watt · Gewöhnlicher Buchenfarn · Long Beech

Fern · Fougère des hêtres | ♃ VII-VIII; Eur.*, TR, Cauc., W-Sib., E-Sib., Amur, Sachal., Kamchat., Manch., Korea, Jap., Alaska, Can., USA: NE, NCE, SE; Greenl.
- **decursive-pinnata** (H.C. Hall) Fée · Tausendfüßler-Farn | ♃; Ind., Indochina, China, Taiwan, Jap.
- *dryopteris* (L.) Fée = Gymnocarpium dryopteris
- **hexagonoptera** (Michx.) Fée · Broad Beech Fern · Fougère des hêtres américaine | ♃; Can.: E; USA: NE, NCE, Kans., SC, SE, Fla.
- *polypodioides* Fée = Phegopteris connectilis
- *robertiana* Hoffm. = Gymnocarpium robertianum
- *vulgaris* Mett. = Phegopteris connectilis

Phellandrium L. -n- *Apiaceae*
- *aquaticum* L. = Oenanthe aquatica

Phellodendron Rupr. -n- *Rutaceae* · Korkbaum
- **amurense** Rupr. · Amur Korkbaum · Amur Cork Tree · Phellodendron de l'Amour | ♄ VI Ⓝ; Amur, N-China, Manch., Korea, Jap.
- **chinense** C.K. Schneid. · Chinese Cork Tree | ♄ VI; C-China
- **japonicum** Maxim. · Japanischer Korkbaum · Japanese Cork Tree · Phellodendron du Japon | ♄ VI; Jap.
- **lavallei** Dode · Lavalle Cork Tree | ♄ VI; Jap.
- **sachalinense** (F. Schmidt) Sarg. · Sachalin-Korkbaum · Sakhalin Cork Tree | ♄ VI; Jap., Korea, Sachal., W-China

Phellosperma = Mammillaria Haw.
- *guelzowiana* (Werderm.) Buxb. = Mammillaria guelzowiana
- *longiflora* (Britton et Rose) Buxb. = Mammillaria longiflora
- *pennispinosa* (Krainz) Buxb. = Mammillaria pennispinosa
- *tetrancistra* (Engelm.) Britton et Rose = Mammillaria tetrancistra

Phelypaea L. -f- *Scrophulariaceae*
- *caerulea* (Vill.) C.A. Mey. = Orobanche purpurea
- *ramosa* (L.) C.A. Mey. = Orobanche ramosa

Philadelphus L. -m- *Hydrangeaceae* · Sommerjasmin, Pfeifenstrauch
- **argyrocalyx** Wooton | ♄ D VI-VIII; USA: N.Mex.
- *billiardii* Koehne = Philadelphus insignis
- **brachybotrys** (Koehne) Koehne | ♄ VI-VII
- **californicus** Benth. | ♄ D VI-VII; Calif.
- **caucasicus** Koehne · Kaukasischer Pfeifenstrauch | ♄ V-VI; Cauc.
- **coronarius** L. · Falscher Jasmin, Gewöhnlicher Pfeifenstrauch · Sweet Mock Orange · Seringat des jardins | ♄ D V-VI; Eur.: A (Steiermark), I, nat. in F, RO
  - **'Salicifolius'**
- **delavayi** L. Henry | ♄ VI; Yunnan
- **falconeri** Sarg. · Stern-Pfeifenstrauch | ♄; orig. ?
- **floridus** Beadle | ♄ VI; USA: Ga.
- *gloriosus* Beadle = Philadelphus inodorus var. grandiflorus
- *gordonianus* Lindl. = Philadelphus lewisii var. gordonianus
- *grandiflorus* Willd. = Philadelphus inodorus var. grandiflorus
- **hirsutus** Nutt. · Grauhaariger Pfeifenstrauch | ♄ VI; USA: Ky., SE
- **incanus** Koehne · Später Pfeifenstrauch | ♄ D VII; China: Hupeh, Schansi
- **inodorus** L. · Duftloser Pfeifenstrauch · Scentless Mock Orange ; USA: Va., SE, Fla.
  - var. **grandiflorus** (Willd.) A. Gray | ♄ VI
  - var. **laxus** (Schrad. ex DC.) S.Y. Hu | ♄ VI
  - var. **strigosus** Beadle | ♄ VI
- **insignis** Carrière | ♄ D VI-VII; USA: Oreg., Calif.
- **intectus** Beadle | ♄ VI; USA: SE
- **kansuensis** (Rehder) S.Y. Hu | ♄ D VII; NW-China
- *laxus* Schrad. ex DC. = Philadelphus inodorus var. laxus
- × **lemoinei** Lemoine (*P. coronarius* × *P. microphyllus*)
- **lewisii** Pursh · Oregon-Pfeifenstrauch · Wild Mock Orange ; Can.: W; USA. NW, Calif., Rocky Mts.
  - var. **gordonianus** (Lindl.) Koehne | ♄ VI-VII; Can.: B.C.; USA: NW, Idaho, Calif.
- *magdalenae* Koehne = Philadelphus subcanus var. magdalenae

– **microphyllus** A. Gray · Kleinblättriger Pfeifenstrauch | ♄ D VI; USA: Colo., SW
– **pekinensis** Rupr. · Peking-Pfeifenstrauch | ♄ D VI; N-China, Korea
  - var. *brachybotrys* Koehne = Philadelphus brachybotrys
  - var. *kansuensis* Rehder = Philadelphus kansuensis
– × **polyanthus** Rehder (*P. insignis* × *P.* × *lemoinei*)
– **pubescens** Loisel. · Weichhaariger Pfeifenstrauch ; USA: NE, NCE, SC, SE
  - var. *intectus* (Beadle) A.H. Moore = Philadelphus intectus
  - var. **verrucosus** (Schrad. ex DC.) S.Y. Hu | ♄ VI; USA: NCE, SE
– **purpurascens** (Koehne) Rehder | ♄ D VI; W-China
– × **purpureomaculatus** Lemoine (*P. crispum* × *P.* × *lemoinei*)
– *salicifolius* hort. = Philadelphus coronarius 'Salicifolius'
– **salicifolius** K. Koch | ♄ D VI; orig. ?
– *satsumanus* K. Koch = Philadelphus satsumi
– **satsumanus** Siebold ex Miq. | ♄ VI; Jap.
– **satsumi** (Siebold) S.Y. Hu | ♄ D VI; Jap.
– **schrenkii** Rupr. | ♄ D V-VI; Manch., Korea
– **sericanthus** Koehne | ♄ VI; W-China, C-China
– *strigosus* (Beadle) Rydb. = Philadelphus inodorus
– **subcanus** Koehne; W-China
  - var. **magdalenae** (Koehne) S.Y. Hu | ♄ D VI; W-China
– **tenuifolius** Rupr. et Maxim. · Mandschurischer Pfeifenstrauch | ♄ VI; Manch., Korea, E-Sib.
– **tomentosus** Wall. ex Royle · Filziger Pfeifenstrauch | ♄ D VI; Him.
– *verrucosus* Schrad. ex DC. = Philadelphus pubescens
– × **virginalis** Rehder (*?*)

Philesia Comm. ex Juss. -f- *Philesiaceae*
– **magellanica** J.F. Gmel. | ♄ ⌂K; Chile, S-Arg.

Philippicereus = Eulychnia Phil.
– *castaneus* (Phil.) Backeb. = Eulychnia castanea

Phillyrea L. -f- *Oleaceae* · Steinlinde
– **angustifolia** L. · Schmalblättrige Steinlinde | ♄ ⌂K V-VI; Eur.: Ib, Fr, Ap, Ba; NW-Afr., nat. in Krim
– *decora* Boiss. et Balansa = Osmanthus decorus
– **latifolia** L. · Breitblättrige Steinlinde | ♄ ⌂K V; Eur.: Ib, Fr, Ap, Ba; TR, Levante, NW-Afr., Libya
  - **'Buxifolia'** Link
– *media* L. = Phillyrea latifolia
– *vilmoriniana* Boiss. et Balansa = Osmanthus decorus

Philodendron Schott -n- *Araceae*
– **adamantinum** Mart. | ⌂W; Parag.
– *andreanum* Devansaye = Philodendron melanochrysum
– **angustisectum** Engl. | ⌂W ≷; W-Col.
– *asperatum* K. Koch = Philodendron ornatum
– **augustinum** K. Koch | ⌂W; S-Am.
– **bipennifolium** Schott · Fiddleleaf Philodendron | ⌂W ≷; S-Bras.
– **bipinnatifidum** Schott ex Endl. | ⌂W; SE-Bras.
– **cannifolium** Mart. | ⌂W; SE-Bras.
– **cordatum** (Vell.) Kunth · Heart Philodendron | ⌂W ≷; SE-Bras.
– *cordatum* hort. = Philodendron scandens
– × **corsinianum** Senoner (*? × P. verrucosum*) | ⌂W ≷; cult.
– **crassinervium** Lindl. | ⌂W; Guyan.
– *daguense* Linden = Philodendron verrucosum
– **devansayeanum** Linden | ⌂W; Ecuad., Peru; And.
– **domesticum** Bunting · Spade Leaf Philodendron | ♄ ⌂W; ? Bras.
– *duisbergii* Epple ex Bunting = Philodendron fendleri
– *eichleri* Engl. = Philodendron undulatum
– *elegans* K. Krause = Philodendron angustisectum
– **elongatum** Engl. | ⌂W ≷; Bras.
– **erubescens** K. Koch et Augustin · Blushing Philodendron, Redleaf Philodendron | ⌂W ≷; Col.
– **eximium** Schott | ⌂W ≷; Bras.
– **fendleri** K. Krause | ♄ ⌂W ≷; Col., Venez., Trinidad
– **giganteum** Schott | ⌂W ≷; W.Ind.
– **glaziovii** Hook. f. | ⌂W; Bras.
– **gloriosum** André | ⌂W ↝; Col.
– **grandifolium** (Jacq.) Schott | ⌂W ≷; Guyan.
– *hastatum* hort. = Philodendron

domesticum
- *hastatum* K. Koch et Sello = Philodendron elongatum
- **houlletianum** Engl. | Ⓦ ⌇; Guyan.
- **ilsemannii** hort. Saunders | Ⓦ ⌇; orig. ?
- **imbe** Schott ex Endl. | Ⓦ ⌇; S-Bras.
- **lacerum** (Jacq.) Schott | Ⓦ ⌇; Cuba, Haiti, Jamaica
- *laciniatum* (Vell.) Engl. = Philodendron pedatum
- *laciniosum* Schott = Philodendron pedatum
- **latifolium** K. Koch | Ⓦ; Venez.
- **latilobum** Schott | Ⓦ ⌇; Peru
- **longilaminatum** Schott | Ⓦ ⌇; S-Bras.
- *martianum* Engl. = Philodendron cannifolium
- **melanochrysum** Linden et André · Black Gold Philodendron | Ⓦ Ⓝ; Col.
- **melinonii** Brongn. ex Regel | Ⓦ; trop. S-Am.
- *micans* K. Koch = Philodendron scandens
- **ornatum** Schott | Ⓦ ⌇; trop. S-Am.
- *oxycardium* Schott = Philodendron scandens subsp. oxycardium
- *panduriforme* hort. = Philodendron bipennifolium
- **pedatum** (Hook.) Kunth | Ⓦ ⌇; Venez., Guyan., N-Bras
- *pertusum* Kunth et Bouché = Monstera deliciosa
- **pinnatifidum** (Jacq.) Schott | Ⓦ; Venez., Trinidad
- **radiatum** Schott | Ⓦ ⌇; SE-Mex., Guat.
- **rugosum** Bogner et Bunting | Ⓦ ⌇; Ecuad.
- **sagittifolium** Liebm. | Ⓦ ⌇; S-Mex.
- **sanguineum** Regel | Ⓦ ⌇; Mex.
- **scandens** K. Koch et Sello · Heartleaf Philodendron ; orig. ?
  - fo. **micans** (K. Koch) Bunting | Ⓦ ⌇; Panama
  - subsp. **oxycardium** (Schott) Bunting | Ⓦ ⌇; E-Mex.
- *selloum* K. Koch = Philodendron bipinnatifidum
- *sellowianum* Kunth = Philodendron latifolium
- **simsii** (Hook.) Kunth | Ⓦ; Venez.
- *sodiroi* hort. ex Bellair et St.-Léger = Philodendron ornatum
- **squamiferum** Poepp. | Ⓦ ⌇; Guyan., Bras.
- **tripartitum** (Jacq.) Schott | Ⓦ ⌇; C-Am., trop. S-Am.
- *triumphans* hort. = Philodendron verrucosum
- **tuxtlanum** Bunting | Ⓦ ⌇; Mex.
- **undulatum** Engl. | Ⓦ; Bras.
- **verrucosum** Mathieu ex Schott | Ⓦ ⌇; Costa Rica, Panama, Col., Ecuad.
- **wendlandii** Schott | Ⓦ; C-Am.

Philydrum Banks ex Gaertn. -n- *Philydraceae*
- **lanuginosum** Banks ex Gaertn. | ♃ Ⓦ ♠; Ind., Myanmar, China, Taiwan, Jap., Thail., Malay. Pen., Austr.

Phlebodium (R. Br.) J. Sm. -n- *Polypodiaceae*
- **aureum** (L.) J. Sm. · Golden Polypody, Hare's Foot Fern | ♃ Ⓦ ~~ ; trop. S-Am., nat. in Sri Lanka

Phlegmariurus = Huperzia Bernh.
- *squarrosus* (G. Forst.) A. Löve et D. Löve = Lycopodium squarrosum

Phleum L. -n- *Poaceae* · Lieschgras
- **alpinum** L. · Alpen-Lieschgras | ♃ VII-VIII; Eur.*, TR, Cauc., W-Sib., E-Sib., Kamchat., C-As., Afgh., E-As., nat. in N-Am., Mex., s S-Am.
- **arenarium** L. · Sand-Lieschgras | V-VI; Eur.: Sc, BrI, FR, D, Ib, Ap, ? Krim; Syr., NW-Afr., Libya; coasts
- **bertolonii** DC. · Knolliges Lieschgras | ♃ VI-VII; Eur.*, TR, N-Iran, W-Sib., E-Sib., C-As., NW-Afr., nat. in USA
- **hirsutum** Honck. · Matten-Lieschgras, Raues Lieschgras | ♃ VII-VIII; Eur.: Fr, Ap, C-Eur., EC-Eur., Ba, RO, W-Russ.; mts.
- **paniculatum** Huds. · Rispiges Lieschgras | V-VII; Eur.: Ib, Fr, C-Eur., Ap, H, Ba, RO, ? Krim; TR, Cauc., Iran, Afgh., C-As.
- **phleoides** (L.) Karst. · Steppen-Lieschgras | ♃ VI-VII; Eur.*, TR, Iraq, Cauc., Iran, W-Sib., E-Sib., C-As., Mong., China: Sinkiang; NW-Afr.
- **pratense** L. · Wiesen-Lieschgras · Cat's Tail, Timothy | ♃ VI-VII Ⓝ; Eur.*, TR, Cauc., C-As., E-Sib., Amur, Sachal., N-Afr., nat. in N-Am., Austr.
- **rhaeticum** (Humphries) Rauschert · Graubündener Lieschgras | ♃ VII-VIII; Eur.* exc. BrI, Sc; mts.
- **subulatum** (Savi) Asch. et Graebn. ·

Pfriemliches Lieschgras ; Eur.: Ib, Fr, Ap, Ba, PL, RO, Krim; TR, Syr., Iraq, Arab., Pakist., Egypt

Phlomis L. -f- *Lamiaceae* · Brandkraut
- **bracteosa** Royle | ♄; Him.
- **cashmeriana** Royle ex Benth. | ♃ VI-VII; Afgh., Kashmir, W-Him.
- **chrysophylla** Boiss. | ♄; Lebanon
- **fruticosa** L. · Strauchiges Brandkraut · Jerusalem Sage | ħ ♄ Ⓦ VI-VII; Eur.: Ap, Ba; TR, Cyprus, nat. in BrI, Fr, Krim
- **herba-venti** L. | ♃ VII-VIII; Eur.: Ib, Fr, Ap, Ba, E-Eur.; Iran
- **italica** L. | ħ; Balear.
- *laciniata* L. = Eremostachys laciniata
- **russeliana** (Sims) Benth. · Sauge de Jérusalem | ♃ ħ Ⓚ VI-VII; TR
- *samia* Boiss. = Phlomis russeliana
- **samia** L.
- **tuberosa** L. · Knollen-Brandkraut · Sauge de Jérusalem | ♃ VI-VII; Eur.: C-Eur., EC-Eur., Ba, E-Eur.; TR, Cauc., N-Iran, W-Sib., E-Sib., Amur, Mong.
- *viscosa* hort. = Phlomis russeliana
- **viscosa** Poir. | ħ Ⓚ

Phlox L. -f- *Polemoniaceae* · Phlox
- **adsurgens** Torr. · Woodland Phlox | ♃ ⇝ △ V-VI; USA: Oreg., Calif.
- *amoena* hort. = Phlox × procumbens
- **amoena** Sims
- × **arendsii** hort. (*P. divaricata* × *P. paniculata*)
- **bifida** Beck | ♃ ⇝ △ IV-V; USA: NCE, Ky., Okla.
- **borealis** Wherry | ♃ ⇝ △ IV-V; Alaska
- *brittonii* Small = Phlox subulata subsp. brittonii
- *canadensis* Sweet = Phlox divaricata
- **carolina** L. · Thick Leaf Phlox | ♃ VI-VII; USA: NE, Ind., SE
- **divaricata** L. · Blue Phlox, Louisiana Phlox, Wild Sweet William | ♃ △ V-VI; Can.: E; USA: NE, NCE, NC, SC, SE, Fla.
  - subsp. **laphamii** (Wood) Wherry | ♃ △ V-VI; USA: NE, NCE, NC, SC, SE, Fla.
  - var. *canadensis* hort. ex Wherry = Phlox divaricata
- **douglasii** Hook. · Alpine Phlox, Douglas Phlox · Phlox de Douglas | ♃ ⇝ △ V-VI; USA: Wash., Mont., Calif.
- **drummondii** Hook. · Einjähriger Phlox · Annual Phlox | ⊙ X-IX; Can.: E; USA: NE, NCE, SC, SE, Fla.
- **glaberrima** L. | ♃ 〰 VI-VIII; USA: NE, NCE, SE, Fla., SC
- **maculata** L. · Wiesen-Phlox · Sweet William Phlox · Phlox maculé | ♃ VI-VII; Can.: E; USA: NE, NCE, Tenn.
- **nivalis** Lodd. ex Sweet · Trailing Phlox | ♃ ⇝ △ III-V; USA: Va., SE, Fla, SC
- **ovata** L. | ♃ VII-VIII; USA: NE, NCE, SE
- **paniculata** L. · Stauden-Phlox · Garden Phlox, Phlox, Summer Phlox | ♃ VII-VIII; USA: NE, NCE, SE
- **pilosa** L. · Downy Phlox | ♃ IV-V; Ont., USA: NE, NCE, Kans., SC, SE, Fla.
- × **procumbens** Lehm. (*P. stolonifera* × *P. subulata*) | ♃ △ IV-V; USA: Ky., SE, Fla.
- *reptans* Michx. = Phlox stolonifera
- *setacea* L. = Phlox subulata
- *stellaria* A. Gray = Phlox bifida
- **stolonifera** Sims · Kriechender Phlox · Creeping Phlox · Phlox à stolons | ♃ ⇝ △ IV-V; USA: NE, Ohio, SE
- **subulata** L. · Moos-Phlox · Moss Phlox, Moss Pink · Phlox mousse | ♃ ⇝ △ IV-V; USA: NE, N.C., Tenn.
  - subsp. **brittonii** (Small) Wherry | ♃ ⇝ △ V-VI; USA: Va., N.C.
  - var. *nivalis* (Lodd. ex Sweet) Brand = Phlox nivalis
- *suffruticosa* Vent. = Phlox carolina

Phoebe Nees -f- *Lauraceae*
- **formosana** (Hayata) Hayata | ♄; China, Taiwan

Phoenicaulis Nutt. -m- *Brassicaceae*
- **cheiranthoides** Nutt. · Daggerpod | ♃ △ IV-VI; USA: NW, Idaho, Nev., N-Calif.

Phoenicophorium H. Wendl. -n- *Arecaceae*
- **borsigianum** (K. Koch) Stuntz | ♄ Ⓦ; Seych.

Phoenix L. -f- *Arecaceae*
- **acaulis** Buch.-Ham. | Ⓚ; Myanmar, Ind.: Assam
- **canariensis** hort. ex Chabaud · Canary Island Date Palm | ♄ Ⓚ; Canar.
- **dactylifera** L. · Date, Date Palm | ♄ Ⓚ Ⓝ; cult.
- *leonensis* Lodd. = Phoenix reclinata
- **loureirii** Kunth | Ⓚ; S-China, Ind.:

Assam
– **pusilla** Gaertn. | Ⓚ; S-Ind., Sri Lanka
– **reclinata** Jacq. · Senegal Date Palm | ħ Ⓚ; trop. Afr., S-Afr., Madag.
– **roebelenii** O'Brien · Miniature Date Palm, Pigmy Date Palm | Ⓦ; Laos
– **rupicola** T. Anderson · Cliff Date Palm, Cliff Date | ħ Ⓚ; Him.
– *spinosa* Schumach. = Phoenix reclinata
– **sylvestris** (L.) Roxb. · Silver Date Palm | ħ Ⓚ Ⓝ; Ind.
– **theophrasti** Greuter | ħ Ⓚ; Crete

Pholidota Lindl. ex Hook. -f- *Orchidaceae*
– **articulata** Lindl. | ♃ Ⓦ V-IX ✻; Him., Indochina, Malay. Arch.
– *imbricata* (Roxb.) Lindl. = Pholidota pallida
– **pallida** Lindl. | Ⓦ IV-VII ✻; Him., Ind., Sri Lanka, Indochina, Malay. Arch.
– **ventricosa** Rchb. f. | Ⓦ III-V ✻; Malay. Arch.

Pholistoma Lilja -f- *Hydrophyllaceae*
– *auritum* (Lindl.) Lilja = Nemophila aurita

Pholiurus Trin. -m- *Poaceae*
– **pannonicus** (Host) Trin. · Ungarischer Schuppenschwanz | VI-VII; Eur.: EC-Eur., Ba, E-Eur., ? Sp.; Cauc., W-Sib., C-As.

Phormium J.R. Forst. et G. Forst. -n- *Phormiaceae* · Neuseeländer Flachs
– *aloides* L. f. = Lachenalia aloides
– *colensoi* Hook. f. = Phormium cookianum
– **cookianum** Le Jol. · Mountain Flax | ♃ Ⓚ; NZ
– **tenax** J.R. Forst. et G. Forst. · New Zealand Flax | ♃ Ⓚ Ⓝ; NZ

Photinia Lindl. -f- *Rosaceae* · Glanzmispel
– *arbutifolia* (Aiton) Lindl. = Heteromeles arbutifolia
– **beauverdiana** C.K. Schneid. | ħ ♄ V; W-China, C-China
  - var. **notabilis** (C.K. Schneid.) Rehder et E.H. Wilson | ħ; China
– **davidiana** (Decne.) Cardot · Lorbeermispel · Stranvaesia ; W-China
  - var. **salicifolia** (Hutch.) Cardot | ħ ♧ VI ∧; W-China
  - var. **undulata** (Decne.) Cardot | ħ ♧ VI ∧; W-China, C-China
– × **fraseri** Dress (*P. glabra* × *P. serratifolia*) · Fraser's Photinia | ♄ Ⓚ; cult.
– **glabra** (Thunb.) Maxim. · Chinese Photinia, Christmasberry | ♄ Ⓚ V-VI ∧; Jap.
– **nussia** (D. Don) Kalkman
– **parvifolia** (Pritz.) C.K. Schneid. | ♄ V-VI; China:Hubei
– **serrulata** Lindl. · Kahle Glanzmispel · Japanese Photinia | ♄ Ⓚ V-VI ∧ Ⓝ; China
– **villosa** (Thunb.) DC. · Warzen-Glanzmispel · Photinia | ♄ VI; China, Korea, Jap.
  - var. **laevis** (Thunb.) Dippel | ♄ V-VI; Japan, Korea, ? China

Phragmipedium Rolfe -n- *Orchidaceae*
– **boissierianum** (Rchb. f.) Rolfe | ♃ Ⓦ VIII-X ✻; Peru, Bol.
– **caricinum** (Lindl.) Rolfe | ♃ Ⓦ IV-VII ✻; Peru, Bol.
– **caudatum** (Lindl.) Rolfe | ♃ Ⓦ II-V ✻; Panama, trop. S-Am.
lindleyanum (Lindl.) Rolfe | ♃ Ⓦ XI ✻; Venez., Guyan.
– **longifolium** (Rchb. f. et Warsz.) Rolfe; Costa Rica, Panama, Col. Ecuad.
  - var. **roezlii** (Rchb. f.) Veitch | ♃ Ⓦ I-XII ✻; Col.
– **schlimii** (Rchb. f.) Rolfe | ♃ Ⓚ I-XII ✻; Col.

Phragmites Adans. -m- *Poaceae* · Schilf, Rohr
– **australis** (Cav.) Trin. ex Steud. · Gewöhnliches Schilf · Common Reed, Reed, Reed Grass · Roseau | ♃ ♠ VII-IX Ⓝ; Eur.*, cosmop.
– *communis* Trin. = Phragmites australis

Phryma L. -f- *Phrymaceae*
– **leptostachya** L.
  - var. **asiatica** Hara | ♃; Jap.

Phrynella Pax et K. Hoffm. -f- *Caryophyllaceae*
– **ortegioides** (Fisch. et C.A. Mey.) Pax et K. Hoffm. | ♃ △ VIII-IX; TR

Phrynium Willd. -n- *Marantaceae*
– *confertum* (Benth.) K. Schum. = Ataenidia conferta
– *cylindricum* Roscoe = Calathea cylindrica

– *lubbersianum* hort. = Ctenanthe lubbersiana
– *setosum* Roscoe = Ctenanthe setosa

Phuopsis (Griseb.) Hook.f. -f- *Rubiaceae*
– **stylosa** (Trin.) B.D. Jacks. · Baldriangesicht · Crucianelle rose, Lilas de terre | ♃ △ VI-VIII; Cauc., Iran

Phygelius E. Mey. ex Benth. -m- *Scrophulariaceae*
– **aequalis** Harv. ex Hiern | ♄ VII-IX ∧; S-Afr.
– **capensis** E. Mey. ex Benth. · Kap-Fuchsie · Cape Figwort, Cape Fuchsia | ♄ Ⓚ VII-X ∧; S-Afr.
– × **rectus** Coombs (*P. aequalis* × *P. capensis*) | ♄; cult.

Phyla Lour. -f- *Verbenaceae*
– **canescens** (Humb., Bonpl. et Kunth) Greene
– **nodiflora** (L.) Greene · Turtle Grass | ♃; Eur.: Ib, Ap, Ba, Canar.; TR, Cauc., Iran, C-As., Him., N-Afr., trop. Am.
  - var. **canescens** (Humb., Bonpl. et Kunth) Moldenke | ♃ Ⓚ ⇝ VII-VIII; S-Am.
  - var. **rosea** (D. Don) Moldenke | ♃ Ⓚ ⇝ VII-VIII

Phylica L. -f- *Rhamnaceae* · Kapmyrte
– *acerosa* Willd. = Phylica ericoides
– **ericoides** L. | ♄ Ⓚ XI-III; Kap
– *myrtifolia* Poir. = Phylica paniculata
– **paniculata** Willd. | ♄ Ⓚ; S-Afr.: Kap, Natal, Transvaal; Zimbabwe
– **plumosa** L. | ♄ Ⓚ; Kap

Phyllagathis Blume -f- *Melastomataceae*
– **rotundifolia** (Jack) Blume · Phyllagathis | ♄ Ⓦ; Sumat.

Phyllanthus L. -m- *Euphorbiaceae*
– **acidus** (L.) Skeels · Indian Gooseberry | ♄ Ⓦ Ⓝ; Madag., Ind., Malay. Arch., nat. in Fla., W.Ind.
– **amarus** Schumach. et Thonn. · Carry-Me Seed | ♄ Ⓦ; W-Afr., nat. in Trop.
– **angustifolius** (Sw.) Sw. | ♄ Ⓦ; Jamaica, nat. in S-Fla.
– **arbuscula** (Sw.) J.F. Gmel. | ♄ Ⓦ; Jamaica
– *distichus* (L.) Müll. Arg. = Phyllanthus acidus
– **emblica** L. · Emblic, Emblic Myrobalan | ♄ Ⓦ Ⓚ Ⓝ; Ind., China, Malay. Arch., Mascarene Is.
– **grandifolius** L. | ♄ Ⓦ; S-Am.
– **mimosoides** Sw. | ♄ Ⓦ; W.Ind.
– *niruri* L. = Phyllanthus amarus
– *nivosus* W.G. Sm. = Breynia disticha
– **pulcher** (Baill.) Müll. Arg. · Dragon-of-the-World | ♄ Ⓦ; Thail., Malay. Pen., Sumat., Java
– *speciosus* Jacq. = Phyllanthus arbuscula

× **Phylliopsis** Cullen et Lancaster -f- *Ericaceae*
– **hillieri** Cullen et Lancaster (*Kalmiopsis leachiana* × *Phyllodoce breweri*)

Phyllitis = Asplenium L.
– *scolopendrium* (L.) Newman = Asplenium scolopendrium

Phyllobolus N.E. Br. -m- *Aizoaceae*
– *resurgens* (Kensit) Schwantes = Sphalmanthus resurgens

Phyllocactus = Epiphyllum Haw.
– *anguliger* Lem. = Epiphyllum anguligerum
– *biformis* (Lindl.) Labour. = Disocactus biformis
– *chiapensis* J.A. Purpus = Chiapasia nelsonii
– *crenatus* (Lindl.) Lem. = Epiphyllum crenatum
– *darrahii* K. Schum. = Epiphyllum anguligerum
– *eichlamii* Weing. = Disocactus eichlamii
– *grandis* Lem. = Epiphyllum oxypetalum
– *hookeri* (Link et Otto) Salm-Dyck = Epiphyllum hookeri
– *oxypetalus* (DC.) Link = Epiphyllum oxypetalum
– *phyllanthoides* (DC.) Link = Nopalxochia phyllanthoides
– *pittieri* F.A.C. Weber = Epiphyllum pittieri
– *stenopetalus* C.F. Först. = Epiphyllum stenopetalum
– *thomasianus* K. Schum. = Epiphyllum thomasianum

Phyllocladus Rich. ex Mirb. -m- *Phyllocladaceae* · Blatteibe
– **alpinus** Hook. f. · Celery Pine
– **asplenifolius** (Labill.) Hook. f. | ♄ Ⓚ;

NZ
– **trichomanoides** D. Don · Tanekaha | ♄ Ⓚ; NZ, Tasman.

Phyllodoce Salisb. -f- *Ericaceae* · Blauheide
– **aleutica** (Spreng.) A. Heller · Mountain Heath | ♄ ⟿ IV-V ∧; Alaska, Kamchat., Sachal., Jap.
– **breweri** (A. Gray) A. Heller · Red Mountain Heath · Phyllodoce de Brewer | ♄ V-VI ∧; USA: Calif.
– **caerulea** (L.) Bab. · Bläuliche Moosheide · Blue Mountain Heath | ♄ VI-VII ∧; Eur.: BrI, Sc, F, N-Russ.; E-Sib., Amur, Sachal., Mong., Korea, Jap., Alaska, Can., USA: NE; Greenl.
– **empetriformis** (Sm.) D. Don · Krähenbeerblättrige Moosheide · Pink Mountain Heath | ♄ V-VII ∧; B.C., USA: NW, Rocky Mts., Calif.
– × **intermedia** (Hook.) Rydb. (*P. empetriformis* × *P. glanduliflora*)
– **nipponica** Makino | ♄ V-VII ∧; Jap.

Phyllorachis Trimen -f- *Poaceae*
– **sagittata** Trimen | ♃ Ⓦ X-II; Angola, Zambia, Malawi, Tanzania

Phyllostachys Siebold et Zucc. -f- *Poaceae*
– **aurea** Carrière ex Rivière et C. Rivière · Fishpole Bamboo, Golden Bamboo | ♄ ∧ Ⓝ; S-China
– **aureosulcata** McClure · Yellow Groove Bamboo | ♄; NE-China
– **bambusoides** Siebold et Zucc. · Giant Timber Bamboo, Japanese Timber Bamboo | ♄ Ⓚ Ⓝ; C-China, S-China
  - var. *aurea* (Carrière) Makino = Phyllostachys aurea
– **bissetii** McClure | ♄; orig. ?
– **decora** McClure | ♄; orig. ?
– **edulis** (Carrière) Houz. | ♄ Ⓝ; ?, nat. in SE-China, Taiwan
  - fo. *pubescens* = Phyllostachys edulis
– *fastuosa* (Marliac et Mitford) Nichols = Semiarundinaria fastuosa
– **flexuosa** Rivière et C. Rivière · Zigzag Bamboo | ♄ ∧; China
– *heterocycla* (Carr) Matsum. = Phyllostachys edulis
– *marmorea* (Mitford) Asch. et Graebn. = Chimonobambusa marmorea
– *mitis* hort. = Phyllostachys sulphurea
– **nidularia** Munro | ♄ Ⓚ Ⓝ; China
– **nigra** (Lodd. ex Lindl.) Munro · Black Bamboo | ♄ ∧; China
  - fo. **henonis** (Mitford) Muroi | ♄; China
– **propinqua** McClure | ♄; China
– *pubescens* Mazel ex Lahaie = Phyllostachys edulis
– *quilioi* (Carr) Rivière et C. Rivière = Phyllostachys bambusoides
– *reticulata* (Rupr.) K. Koch = Phyllostachys bambusoides
– **sulphurea** (Carrière) Rivière et C. Riviere
  - fo. **viridis** (R.A. Young) Ohrnb. | ♄; China
– **viridiglaucescens** (Carrière) Rivière et C. Rivière | ♄ ∧ Ⓝ; C-China, S-China
– *viridis* (R.A. Young) McClure = Phyllostachys sulphurea 'viridis'

× **Phyllothamnus** C.K. Schneid. -m- *Ericaceae*
– **erectus** (Lindl. et Paxton) C.K. Schneid. | ⊙ VII-VIII

Phymatodes = Microsorum Link
punctatum (L.) C. Presl = Microsorum punctatum
– *scandens* (G. Forst.) C. Presl = Microsorum scandens

Phymosia Desv. -f- *Malvaceae*
– *acerifolia* (Nutt. ex Torr. et A. Gray) Rydb. = Sphaeralcea rivularis
– **umbellata** (Cav.) Kearney | ♄ Ⓚ X; S-Mex.

Phyodina = Callisia Loefl.
– *navicularis* (Ortgies) Rohweder = Callisia navicularis

Physalis L. -f- *Solanaceae* · Lampionblume
– **alkekengi** L. · Wilde Blasenkirsche · Strawberry Tomato, Winter Cherry | ♃ ⚘ ✂ V-VIII; Eur.* exc. BrI, Sc; TR, Cauc., Iran, C-As., China, Jap., nat. in BrI, N-Am.
  - var. **franchetii** (Mast.) Makino · Lampionpflanze, Laternen-Judenkirsche · Chinese Lantern Plant · Amour en cage | ♃ ⚘ ✂ VI-VII; Jap., Korea, N-China
– *bunyardii* Makino = Physalis alkekengi
– *edulis* Sims = Physalis peruviana
– *franchetii* Mast. = Physalis alkekengi var. franchetii

- var. *bunyardii* (hort.) Makino = Physalis alkekengi
– **ixocarpa** Brot. ex Hornem. · Tomatillo | ☉ ♣ ⓝ; USA: Tex., N.Mex.; Mex. ? W.Ind., nat. in N-Am.
– **peruviana** L. · Kapstachelbeere, Peruanische Judenkirsche · Cape Gooseberry | ☉ ♃ ♣ ⓝ; ? Peru, nat. in Eur.
– **philadelphica** Lam. · Mexikanische Blasenkirsche, Tomatillo | ⓝ; USA: N.Mex., S-Tex.; Mex., Guat., nat. in e N-Am.
– **pruinosa** L. | ☉ ♣ ⓝ; USA: NE, NCE, Kans., SE, Fla.
– **pubescens** L. · Groundcherry | ☉ ⓝ; Can., USA* exc. NW; Mex., trop. Am., nat. in S-Russ.

Physocarpus (Cambess.) Maxim. -m- *Rosaceae* · Blasenspiere
– **amurensis** (Maxim.) Maxim. · Amur-Blasenspiere · Physocarpe de l'Amour | ♄ VI-VII; Korea, Manch.
– **capitatus** (Pursh) Kuntze · Pacific Ninebark | ♄ VI ∧; USA: Oreg., Calif., Utah
– *intermedius* (Rydb.) C.K. Schneid. = Physocarpus opulifolius var. intermedius
– **malvaceus** (Greene) Kuntze · Oregon-Blasenspiere · Mallow Leaf Ninebark | ♄ VI; B.C., USA: Oreg., Rocky Mts.
– **monogynus** (Torr.) Coult. · Colorado-Blasenspiere · Physocarpe monogyne | ♄ △ V-VI; USA: NC, Rocky Mts., SW, SC
– **opulifolius** (L.) Maxim. · Schneeball-Blasenspiere · Atlantic Ninebark | ♄ V-VII; Can.: E; USA: NE, NCE, NC, Colo., SE
- var. **intermedius** (Rydb.) B.L. Rob.; Can.: Ont.; USA: NE, NCE, NC, SC, Ark., Colo.
- var. **tomentellus** (Ser.) Boom

Physochlaina G. Don -f- *Solanaceae*
– **orientalis** (M. Bieb.) G. Don | ♃; NE-TR, Cauc., NW-Iran

Physoplexis (Endl.) Schur -f- *Campanulaceae*
– **comosa** (L.) Schur · Schopfteufelskralle · Devil's Claw | ♃ △ VII-VIII; Eur.: I, A, Slove., ? Croatia; S-Alp.

Physosiphon = Pleurothallis R. Br.
– *loddigesii* Lindl. = Physosiphon tubatus
– **tubatus** (Lodd.) Rchb. f. | Ⓚ III-V ✻

Physostegia Benth. -f- *Lamiaceae* · Gelenkblume
– **virginiana** (L.) Benth. · Obedient Plant | ♃ ✂ VII-IX; Can.: E; USA: NE, NCE, N.C., Tenn.

Physostigma Balf. -n- *Fabaceae*
– **venenosum** Balf. · Calabar, Calabar Bean | ♃ Ⓦ ⚕ Off. ☠ ⓝ; W-Afr.

Phytelephas Ruiz et Pav. -f- *Arecaceae* · Elfenbeinpalme
– **macrocarpa** Ruiz et Pav. · Ivory Nut Palm | Ⓦ ⓝ; Panama, Col., Ecuad., Peru

Phyteuma L. -n- *Campanulaceae* · Teufelskralle
– **betonicifolium** Vill. · Ziestblättrige Teufelskralle | ♃ △ VI-IX; Eur.: F, I, C-Eur.; Alp., N-I
– *canescens* Waldst. et Kit. = Asyneuma canescens
– **charmelii** Vill. · Pyrenean Rampion | ♃ △ VI-VIII; Eur.: Sp., F, I; mts.
– *comosum* L. = Physoplexis comosa
– **globulariifolium** Sternb. et Hoppe · Kugelblumenblättrige Teufelskralle | ♃ VII-VIII; Eur.: Sp., F, I, CH, A; Pyr., Alp.
– *halleri* All. = Phyteuma ovatum
– **hedraianthifolium** R. Schulz · Rätische Rapunzel | ♃ VII-VIII; Eur.: CH, I; E-Alp.
– **hemisphaericum** L. · Halbkugelige Teufelskralle | ♃ VII-VIII; Eur.: Sp., F, I, C-Eur.; mts.
– **humile** Schleich. ex Murith · Niedrige Rapunzel | ♃ VII-VIII; Eur.: I, CH, ? F; W-Alp.
– **michelii** All. · Raiponce à feuilles de bétoine
- subsp. *betonicifolium* (All.) Arcang. = Phyteuma betonicifolium
– **nanum** A. Kern. · Zungenblättrige Teufelskralle | ♃ VII-IX; Eur.: A, Ba, RO; mts.
– **nigrum** F.W. Schmidt · Schwarze Teufelskralle · Black Rampion | ♃ V-VII; Eur.: F, B, D, A, CZ
– **orbiculare** L. · Kugel-Teufelskralle | ♃ △ VI-IX; Eur.* exc. Sc
- subsp. **tenerum** (R. Schulz) Korneck ·

Zarte Teufelskralle
- **ovatum** Honck. · Eirunde Teufelskralle | ♃ △ VII-V; Eur.: F, I, C-Eur., Slove.
- **scheuchzeri** All. · Scheuchzers Teufelskralle · Horned Rampion · Raiponce de scheuchzer | ♃ △ V-VIII; Eur.: F, I, CH, Slove., Croatia; S-Alp., Apenn.
- **scorzonerifolium** Vill. · Schwarzwurzelblättrige Rapunzel | ♃ VI-VII; Eur.: F, I, CH; Alp., Appen.
- **sieberi** Spreng. · Siebers Teufelskralle | ♃ △ VII-V; Eur.: I, A, Slove.; SE-Alp.
- **spicatum** L. · Ährige Teufelskralle · Spiked Rampion · Raiponce en épis | ♃ V-VII; Eur.*
- **zahlbruckneri** Vest · Steirische Teufelskralle | ♃ VII-VIII; Eur.: A, Slove., Croatia; E-Alp., Croatia

Phytolacca L. -f- *Phytolaccaceae* · Kermesbeere
- **acinosa** Roxb. · Indian Poke | ♃ ♧ VI-X Ⓝ; China, Jap., nat. in Ind., Eur.
- **americana** L. · Amerikanische Kermesbeere · American Pokeweed · Phytolaque américain | ♃ ♧ VI-VIII ☠ Ⓝ; Can.: E; USA: NE, SE, SC; Mex., nat. in S-Eur., N-Afr.
- **chilensis** Miers | ♃ Ⓝ; Chile
- *clavigera* W.W. Sm. = Phytolacca polyandra
- *decandra* L. = Phytolacca americana
- **dioica** L. · Elephant Tree, Ombu | ♄ Ⓚ Ⓝ; Bras., Urug., Parag., Arg., Peru, nat. in S-Eur.
- **esculenta** Van Houtte · Asiatische Kermesbeere, Essbare Kermesbeere · Pokeweed | ♃ ♧ VII-X Ⓝ; China, Korea, Jap.
- **polyandra** Batalin | ♃ ♧ VII-VIII; Yunnan

Piaranthus R. Br. -m- *Asclepiadaceae*
- **comptus** N.E. Br. | ♃ ♆ Ⓚ; Kap
- **foetidus** N.E. Br. | ♃ ♆ Ⓚ; Kap
- **globosus** A.C. White et B. Sloane | ♃ ♆ Ⓚ; orig. ?
- **parvulus** N.E. Br. | ♃ ♆ Ⓚ; Kap
- **pillansii** N.E. Br. | ♃ ♆ Ⓚ; Kap

Picea A. Dietr. -f- *Pinaceae* · Fichte
- **abies** (L.) H. Karst. · Gewöhnliche Fichte · Christmas Tree, Common Spruce, Norway Spruce · Epicéa commun, Sapin de Norvège | ♄ IV-VI Ⓝ; Eur.* exc. BrI, Ib, nat. in BrI, N-Sp. (Pyr.)
  - subsp. *obovata* (Ledeb.) Hultén = Picea obovata
  - fo. **chlorocarpa** (Purk.) Th. Fr.
  - fo. **erythrocarpa** (Purk.) Rehder
- *ajanensis* Fisch. ex Carrière = Picea jezoensis
- *alba* Link = Picea glauca
- *albertiana* S. Br. = Picea glauca var. albertiana
- *alcoquiana* (Veitch ex Lindl.) Carrière = Picea bicolor
- **asperata** Mast. · Raue Fichte · Chinese Spruce, Dragon Spruce · Epicéa de Chine | ♄ Ⓝ; China: Hupeh, Yunnan, Sichuan
  - var. **heterolepis** (Rehder et E.H. Wilson) Rehder | ♄
- **aurantiaca** Mast. | ♄; W-China
- **balfouriana** Rehder et E.H. Wilson; China: Sichuan
- **bicolor** (Maxim.) Mayr · Zweifarbige Fichte · Alcock Spruce · Epicéa d'Alcock | ♄ Ⓝ; C-Jap.
- **brachytyla** (Franch.) Pritz. · Silber-Fichte · Epicéa de Sargent | ♄ Ⓝ; NE-Ind., W-China
  - var. **complanata** (Mast.) Rehder | ♄; China: W-Yunnan, W-Sichuan
- **breweriana** S. Watson · Siskiyou-Fichte · Brewer's Weeping Spruce · Epicéa de Brewer | ♄; USA: S-Oreg., N-Calif.
- *canadensis* (Mill.) Britton, Stearn et Poggenb. = Picea glauca
- **engelmannii** Parry ex Engelm. · Engelmanns Fichte · Engelmann's Spruce · Epicéa d'Engelmann | ♄ Ⓝ; Can.; W; USA: NW, Rocky Mts., SW, Calif.
- *excelsa* (Lam.) Link = Picea abies
- × **fennica** (Regel) Kom. (*P. abies* × *P. obovata*)
- **glauca** (Moench) Voss · Kanadische Fichte, Schimmel-Fichte · Alberta Spruce, White Spruce · Epicéa blanc | ♄ Ⓝ; Alaska, Can., USA: NE, NCE, Mont., Wyo., S.Dak.
  - var. **albertiana** (S. Br.) Sarg. | ♄; NW-Can.: Rocky Mts., Alberta; USA: Mont.
- **glehnii** (F. Schmidt) Mast. · Sachalin-Fichte · Sakhalin Spruce | ♄; Jap., Sachal.
- *hondoensis* Mayr = Picea jezoensis var. hondoensis
- × **hurstii** de Hurst (*P. engelmannii* × *P. pungens*) | ♄; cult.
- **jezoensis** (Siebold et Zucc.) Carrière ·

Ajan-Fichte, Yedo-Fichte · Hondo Spruce, Yezo Spruce · Epicéa du Japon | ♄ Ⓝ; Jap., Manch., Sachal.
- var. **hondoensis** (Mayr) Rehder · Hondo-Fichte | ♄; C-Jap.
– **koyamai** Shiras. · Korea-Fichte · Koyama Spruce | ♄; Jap., Korea
– **likiangensis** (Franch.) Pritz. · Likiang-Fichte · Purple Spruce | ♄; Bhutan, W-China
- var. *balfouriana* (Rehder et E.H. Wilson) Hillier = Picea balfouriana
- var. *purpurea* (Mast.) Dallim. et Jacks. = Picea purpurea
– **mariana** (Mill.) Britton, Stearn et Poggenb. · Schwarz-Fichte · Black Spruce · Sapinette noire | ♄ Ⓝ; Alaska, Can., USA: NE, NCE
– × **mariorika** hort. (*P. mariana* × *P. omorika*)
– **maximowiczii** Regel ex Mast. · Maximowiczs Fichte | ♄; Jap.
– **morrisonicola** Hayata | ♄; Taiwan
– *nigra* (L.) Link = Picea mariana
– **obovata** Ledeb. · Siberian Spruce · Epicéa commun | ♄ Ⓝ; Eur.: Sc, Russ.; W-Sib., E-Sib., Amur, Mong., Manch., Korea
– **omorika** (Pancic) Purk. · Omorika-Fichte, Serbische Fichte · Serbian Spruce · Sapin de Serbie | ♄ V Ⓝ; Eur.: Bosn., YU, nat. in BrI, Sc
– **orientalis** (L.) Link · Kaukasus-Fichte · Oriental Spruce · Sapin du Caucase | ♄ Ⓝ; Cauc., TR
- **'Aurea'** Beissn.
- *'Aureospicata'* = Picea orientalis 'Aurea'
– **polita** (Siebold et Zucc.) Carrière · Tigerschwanz-Fichte · Japanese Spruce, Tiger Tail Spruce · Epicéa queue de tigre | ♄; Jap.
– **pungens** Engelm. · Blau-Fichte · Blue Spruce, Colorado Spruce · Epicéa du Colorado | ♄ IV-VI; USA: Rocky Mts., SW
– **purpurea** Mast. · Purpur-Fichte | ♄; W-China
– **retroflexa** Mast. | ♄; W-Sichuan
– **rubens** Sarg. · Rot-Fichte · American Red Spruce, Red Spruce | ♄ Ⓝ; Can.: E; USA: NE, Tenn., N.C.
– *rubra* (Du Roi) Link = Picea rubens
– *sargentiana* Rehder et E.H. Wilson = Picea brachytyla
– **schrenkiana** Fisch. et C.A. Mey. · Schrenks Fichte · Schrenk Spruce · Epicéa de Schrenk | ♄ Ⓝ; C-As.
– **sitchensis** (Bong.) Carrière · Sitka-Fichte · Sitka Spruce · Epicéa de Sitka | ♄ V Ⓝ; Alaska, Can.: B.C., USA: NW, Calif.
– **smithiana** (Wall.) Boiss. · Himalaya-Fichte · Himalayan Spruce, Morinda Spruce · Epicéa de l'Himalaya | ♄ Ⓝ; Him.: Afgh., Kashmir, NW-Ind., Nepal
– *vulgaris* Link = Picea abies
– **wilsonii** Mast. · Wilsons Fichte · Epicéa de Wilson | ♄; W-China, C-China

Picramnia Sw. -f- *Simaroubaceae*
– **antidesma** Sw. · Cascara | ♄ ⓦ; Mex., Hond, W.Ind.

Picrasma Blume -f- *Simaroubaceae* · Bitterholz
– *ailanthoides* (Bunge) Planch. = Picrasma quassioides
– **excelsa** (Sw.) Planch. · Bitter Ash, Bitterwood, Quassia | ♄ ⓚ Ⓝ; W.Ind.
– **quassioides** (D. Don) Benn. · Bitterholz | ♄ V-VI; Ind., N-China, Korea, Jap., Taiwan

Picris L. -f- *Asteraceae* · Bitterkraut
– **echioides** L. · Natterkopf-Bitterkraut, Wurmlattich · Bristly Ox Tongue | ⊙ VII-IX; Eur.: Ib, Fr, Ap, Ba, Krim; TR, Iran, N-Afr., Canar., nat. in Eur.: BrI, C-Eur., EC-Eur., RO, N-Am., S-Am., , N-Am., ; Austr.
– **hieracioides** L. · Gewöhnliches Bitterkraut · Hawkweed Ox Tongue | ⊙ ♃ X; Eur.*, TR, W-Sib., E-Sib., Amur, Sachal., Kamchat., C-As., Him., China, Korea, Jap., nat. in N-Am., S-Am., Austr.
- subsp. **villarsii** (Jord.) Nyman · Stängelumfassendes Bitterkraut | ♃ ⊙ X-VII; W-Eur., C-Eur.

Picrorhiza Royle ex Benth. -f- *Scrophulariaceae*
– **kurroa** Royle ex Benth. · Picrorhiza | ♃ VIII; W-Him.

Pieris D. Don -f- *Ericaceae*
– **floribunda** (Pursh ex Sims) Benth. et Hook. f. · Vielblütige Lavendelheide · Fetterbush, Mountain Pieris | ♄ IV-V; USA: Va., W.Va., SE
– **formosa** (Wall.) D. Don · Formosa Pieris | ♄ ⓚ IV-V; E-Him., N-Myanmar,

China: Yunnan
- var. **forrestii** (R.L. Harrow) Airy Shaw · Chinese Pieris
– *forrestii* R.L. Harrow = Pieris formosa var. forrestii
– **japonica** (Thunb. ex Murray) D. Don ex G. Don · Japanische Lavendelheide · Japanese Pieris, Lily-of-the-Valley Bush · Piéride du Japon | ♄ III-V ☠; Jap.
– *lucida* (Lam.) Rehder = Lyonia lucida
– *mariana* (L.) Benth. et Hook. f. = Lyonia mariana
– **nana** (Maxim.) Makino | ♄ △ III-V; Jap., Sachal., Kamchat.
– **taiwanensis** Hayata · Pieris | ♄ III-IV ∧; Taiwan

Pilea Lindl. -f- *Urticaceae*
– *callitrichoides* (Humb., Bonpl. et Kunth) Kunth = Pieris taiwanensis
– **cardierei** Gagnep. et Guillaumin | ♃ Ⓦ Ⓚ; N-Vietn.
– **crassifolia** (Willd.) Blume | ♃ Ⓦ III-V; Jamaica
– *globosa* Wedd. = Pilea serpyllacea
grandifolia (L.) Blume | ♄ Ⓦ; Jamaica
– *grandis* Wedd. = Pieris japonica
– **involucrata** (Sims) Urb. · Friendship Plant, Pan American Plant | ♃ Ⓦ; W.Ind., C-Am., S-Am.
– **microphylla** (L.) Liebm. · Artillery Plant, Rockweed | ♃ Ⓦ Ⓚ; Mex., C-Am., trop. S-Am., nat. in GR, TR
– *muscosa* Lindl. = Pilea microphylla
– **nummularifolia** (Sw.) Wedd. | ♃ Ⓦ ⇝; Panama, W.Ind., trop. S-Am.
– **peperomioides** Diels | ♃ Ⓦ Ⓚ; W-Yunnan
– *pubescens* hort. non Liebm. = Pieris nana
– **repens** (Sw.) Wedd. | ♃ Ⓦ; W.Ind.
– **serpyllacea** (Humb., Bonpl. et Kunth) Liebm. | ♄ Ⓚ; Peru
– *spruceana* Wedd. = Pilea involucrata

Pileostegia = Schizophragma Siebold et Zucc.
– **viburnoides** Hook. f. et Thomson | ♄ Ⓚ ⌇ IX ∧; N-Ind.: Khasia Hills; S-China, Taiwan

Pilocarpus Vahl -m- *Rutaceae*
– **jaborandi** Holmes · Jaborandi | ♄ Ⓦ Off. ☠; trop. S-Am.
– **microphyllus** Stapf · Maranhao Jaborandi | ♄ Ⓦ Off. ☠; NE-Bras.
– **pennatifolius** Lem. | ♄ Ⓦ Off. ☠; Parag., S-Bras.
– **racemosus** Vahl · Guadalupe Jaborandi | ♄ ♄ Ⓦ Off. ☠; W.Ind.
– **spicatus** A. St.-Hil. | ♄ Ⓦ ☠; Bras.

Pilocereus = Pilosocereus Byles et Rowley
– *celsianus* Salm-Dyck = Oreocereus celsianus
– *erythrocephalus* K. Schum. = Denmoza rhodacantha
– *fossulatus* Labour. = Oreocereus pseudofossulatus
– *glaucescens* Labour. = Pilosocereus glaucescens
– *lanatus* (Humb., Bonpl. et Kunth) F.A.C. Weber = Espostoa lanata
– *leucostele* Gürke = Stephanocereus leucostele
– *macrostibas* K. Schum. = Neoraimondia arequipensis
– *palmeri* (Rose) F.M. Knuth = Pilosocereus leucocephalus
– *pentaedrophorus* Labour. = Pilosocereus pentaedrophorus
– *schottii* (Engelm.) Lem. = Lophocereus schottii
– *senilis* (Haw.) Lem. = Cephalocereus senilis

Pilogyne = Myrsine L.
– *suavis* Schrad. = Zehneria scabra

Pilosocereus Byles et Rowley -m- *Cactaceae*
– **glaucescens** (Labour.) Byles et G.D. Rowley | ♄ Ψ Ⓚ ✻; E-Bras.
– **leucocephalus** (Poselg.) Byles et G.D. Rowley | ♄ Ψ Ⓚ ✻; E-Mex.
– *maxonii* (Rose) Byles et G.D. Rowley = Pilosocereus leucocephalus
– *palmeri* (Rose) Byles et G.D. Rowley = Pilosocereus leucocephalus
– **pentaedrophorus** (Labour.) Byles et G.D. Rowley | ♄ Ψ Ⓚ ✻; E-Bras.: Bahia
– **werdermannianus** (Buining et Brederoo) F. Ritter | ♄ Ψ Ⓚ ✻; E-Bras.: Minas Gerais

Pilularia L. -f- *Marsileaceae* · Pillenfarn
– **globulifera** L. · Gewöhnlicher Pillenfarn | ♃ ♠ VII-IX; Eur.*
– **minuta** Durieu ex A. Braun | ♃ Ⓦ ♠; Eur.: P, Balear., F, Corse, Sard., Sic.

Pimelea Banks et Sol. -f- *Thymelaeaceae* · Glanzstrauch
- *decussata* R. Br. = Pimelea ferruginea
- **ferruginea** Labill. | ♄ Ⓚ IV-V; W-Austr.
- **linifolia** Sm. | ♄ Ⓚ V; Austr., Tasman.
- **prostrata** (J.R. Forst. et G. Forst.) Willd. | ♄; NZ

Pimenta Lindl. -f- *Myrtaceae*
- *acris* (Sw.) Kostel. = Pimenta racemosa
- **dioica** (L.) Merr. · Allspice, Jamaica Pepper | ♄ Ⓦ Ⓝ; Mex., C-Am., W.Ind.
- *officinalis* Lindl. = Pimenta dioica
- **racemosa** (Mill.) J.W. Moore · Bayrum Tree | ♄ Ⓚ Ⓝ; W.Ind., Venez., Guyan.

Pimpinella L. -f- *Apiaceae* · Bibernelle
- **alpina** Host · Alpen-Bibernelle | ♃ X-VII; Eur.: A, CH +
- **anisum** L. · Anis · Anise, Aniseed, Common Anise | ⊙ Off. VII-VIII Ⓝ; ? W-As., nat. in Eur.
- **major** (L.) Huds. · Große Bibernelle · Greater Burnet Saxifrage | ♃ Off. VI-X Ⓝ; Eur.*, Cauc.
- **nigra** Mill. · Schwarze Bibernelle | ♃ VII-IX; Eur.: C-Eur. +
- **peregrina** L. · Fremde Bibernelle | ⊙ V-VII; Eur.: Ib, Fr, Ap, Ba, RO, Krim; TR, Syr., Cauc., C-As., Egypt
- **saxifraga** L. · Kleine Bibernelle · Burnet Saxifrage, Lesser Burnet Saxifrage | ♃ Off. VII-X Ⓝ; Eur.*, TR, Cauc., W-Iran, Him., W-Sib., E-Sib., C-As., nat. in N-Am., NZ

Pinanga Blume -f- *Arecaceae*
- **coronata** (Blume ex Mart.) Blume | ♄; Sumat., Java
- **decora** Linden et Rodigas | Ⓦ; Kalimantan
- **kuhlii** Blume | Ⓦ; Sumat., Java

Pinellia Ten. -f- *Araceae*
- **ternata** (Thunb.) Breitenb. · Dreizählige Pinellie · Pinellia | ♃ IV-VI; China, Korea, Jap.

Pinguicula L. -f- *Lentibulariaceae* · Fettkraut
- **alpina** L. · Alpen-Fettkraut | ♃ △ ⁓ V-VI ▽; Eur.*, E-Sib., Him., W-China; mts.
- *bakeriana* Sander = Pinguicula moranensis
- *caudata* Schltdl. = Pinguicula moranensis
- **cyclosecta** Casper | ♃ Ⓚ; Mex.
- **grandiflora** Lam. · Großblütiges Fettkraut · Butterwort, Greater Butterwort | ♃ △ ⁓ VI; Eur.: Sp.(Cordillera Cantábrica), F, CH, IRL, nat. in BrI
- **gypsicola** Brandegee | ♃ Ⓚ ▭ ⁓ VI-VIII; Mex.
- **leptoceras** Rchb. · Dünnsporniges Fettkraut | ♃ VI-VIII; Eur.: F, I, CH, A; Alp., Apenn., Alpi Apuani
- **lusitanica** L. | ♃ ⁓ ; Eur.:BrI, F, Ib; Maroc., Alger.
- **moranensis** Humb., Bonpl. et Kunth | ♃ Ⓦ Ⓚ ▭ ⁓ VI-IX; Mex.
- **villosa** L. · Hairy Butterwort | ♃ ⁓ ; Eur.: Sc, N-Russ.
- **vulgaris** L. · Gewöhnliches Fettkraut · Bog Violet, Butterwort, Common Butterwort | ♃ ⁓ V-VI ▽; Eur.*, W-Sib., Manch., Maroc., Greenl., Can., USA: NE, NCE, NC, NW

Pinus L. -f- *Pinaceae* · Kiefer
- *abies* L. = Picea abies
- **albicaulis** Engelm. · Weißstämmige Kiefer · Whitebark Pine | ♄; Can.: B.C., Alta.; USA: NW, Calif., Rocky Mts.
- **aristata** Engelm. · Grannen-Kiefer · Bristlecone Pine · Pin aristé | ♄ Ⓝ; USA: Colo., SW
- **armandii** Franch. · Armands Kiefer · Armand Pine, Chinese White Pine · Pin d'Armand | ♄ Ⓝ; W-China, C-China, Korea, Taiwan
- *australis* F. Michx. = Pinus palustris
- *austriaca* Höss = Pinus nigra
- **ayacahuite** C. Ehrenb. · Mexican White Pine | ♄ Ⓚ ✂ Ⓝ; Mex., Guat.
- **balfouriana** A. Murray · Fuchsschwanz-Kiefer | ♄; Calif.; mts.
- **banksiana** Lamb. · Banks Kiefer · Jack Pine, Northern Scrub Pine · Pin de Banks | ♄ ♄ V Ⓝ; Can., USA: NE, NCE
- **brutia** Ten. | ♄; GR, Krim, TR, Cyprus, Lebanon
- **bungeana** Zucc. ex Endl. · Bunges Kiefer · Lacebark Pine | ♄ ∧; NW-China
- **canariensis** C. Sm. · Canary Island Pine | ♄ Ⓚ Ⓝ; Canar.
- **caribaea** Morelet · Karibische Kiefer | ♄ Ⓝ; SE-USA, C-Am., Bahamas
- **cembra** L. · Arve, Zirbel-Kiefer · Arolla Pine, Swiss Stone Pine · Arolle, Pin cembro | ♄ VI-VII Ⓝ; Eur.: C-Eur., EC-

Eur., I, E-Eur., nat. in Sc
- var. *sibirica* (Du Tour) G. Don = Pinus sibirica

– **cembroides** Zucc. · Mexican Nut Pine, Mexican Stone Pine, Pinyon Pine | ₺ Ⓝ; SW-USA, Baja Calif.; Mex.
- var. *monophylla* (Torr.) Voss = Pinus monophylla

– *clusiana* Clemente = Pinus nigra subsp. salzmannii

– **contorta** Douglas ex Loudon · Dreh-Kiefer · Lodgepole Pine, Shore Pine · Pin tordu | ₺ IV-VI Ⓝ; Alaska, Can.:W; USA: NW, Rocky Mts., Calif., Nev., S.Dak.; Mex.: Baja Calif.
- var. **latifolia** Engelm. ex S. Watson | ₺; Alaska, Rocky Mts.
- var. **murrayana** (Balf.) Engelm. | ₺; USA: Wash., Oreg, Calif., Nev., Mex.: Baja Calif.

– **coulteri** D. Don · Coulters Kiefer · Big Cone Pine, Coulter Pine · Pin à gros cônes | ₺ /\; Calif., Baja Calif.

– **densiflora** Siebold et Zucc. · Japanische Rot-Kiefer · Japanese Red Pine · Pin rouge du Japon | ₺ Ⓝ; Jap., Korea

– *divaricata* (Aiton) Dum.-Cours. = Pinus banksiana

– *excelsa* Wall. ex D. Don = Pinus wallichiana

– **flexilis** James · Biegsame Kiefer · Limber Pine · Pin des Rocheuses | ₺ Ⓝ; Can.: B.C., Alta.; USA: NW, Rocky Mts., SW, NC

– **gerardiana** Wall. ex D. Don · Chilghoza Pine, Chilgoza Pine | ₺ Ⓚ Ⓝ; Afgh., Pakist., Kashmir

– *griffithii* McClell. = Pinus wallichiana

– × **hakkodensis** Makino (*P. parviflora* × *P. pumila*) | ₺; Jap.

– **halepensis** Mill. · Aleppo Pine | ₺ Ⓚ Off. /\ Ⓝ; Eur.: Ib, Fr, Ap, Ba, Krim; TR, Syr., Palaest., NW-Afr., Libya
- var. *brutia* (Ten.) A. Henry = Pinus brutia

– **heldreichii** H. Christ
- var. *leucodermis* (Antoine) Markgr. et Fitschen = Pinus leucodermis

– *inops* Bong. = Pinus contorta

– **jeffreyi** Grev. et Balf. ex A. Murray · Jeffreys Kiefer · Jeffrey's Pine · Pin de Jeffrey | ₺ Ⓝ; USA: S-Oreg., Calif.; Mex.: Baja Calif.

– **koraiensis** Siebold et Zucc. · Korea-Kiefer · Korean Pine · Pin de Corée | ₺ Ⓝ; Amur, Manch., Korea, Jap.

– **lambertiana** Douglas · Zucker-Kiefer · Sugar Pine | ₺ Ⓝ; USA: Oreg., Nev., Calif.; Baja Calif.

– *laricio* Poir. = Pinus nigra subsp. laricio

– **leucodermis** Antoine · Schlangenhaut-Kiefer · Bosnian Pine, Palebark Pine · Pin blanc de Bosnie | ₺ Ⓝ; Eur.: I, Ba

– **longaeva** D.K. Bailey · Langlebige Kiefer | ₺; USA: Calif., Utah, Nev.

– *longifolia* Roxb. ex Lamb. = Pinus roxburghii

– *maritima* Lam. = Pinus pinaster

– **merkusii** Jungh. et de Vriese · Merkus Kiefer | ₺ Ⓝ; Myanmar, Sumatra, Phil.

– **monophylla** Torr. et Frem. · Westliche Weymouths-Kiefer · One Leaf Pinon, Single Leaf Pinyon | ₺ Ⓝ; USA: Rocky Mts, Calif., Ariz.; Mex.: Baja Calif.

– *montana* Mill. = Pinus mugo
- subsp. *mughus* (Scop.) Asch. et Graebn. = Pinus mugo
- subsp. *pumilio* (Haenke) Asch. et Graebn. = Pinus mugo subsp. pumilio
- var. *rostrata* (Antoine) Asch. et Graebn. = Pinus uncinata
- var. *rotundata* (Link) Asch. et Graebn. = Pinus × rotundata

– **montezumae** Lamb. · Montezuma Pine, Rough Barked Mexican Pine | ₺ Ⓚ; B.C., USA: NW, Calif; Mex.

– **monticola** Douglas ex D. Don · Californian Mountain Pine, Silver Pine, Western White Pine | ₺ Ⓝ; Can.; W; USA: NW, Rocky Mts., Calif.

– *mughus* Scop. = Pinus mugo

– **mugo** Turra · Krummholz-Kiefer · Dwarf Mountain Pine, Mountain Pine · Pin mugho | ₺ V-VII; Eur.: Fr, Ap, C-Eur., EC-Eur., Ba, E-Eur.
- subsp. **pumilio** (Haenke) Franco · Legföhre, Zwergkiefer · Pin mugho nain | ₺ ₺ Off.
- var. *mughus* (Scop.) Zenari = Pinus mugo
- var. *pumilio* (Haenke) Zenari = Pinus mugo
- var. *rostrata* (Antoine) Hoopes = Pinus uncinata
- var. *rotundata* (Link) Hoopes = Pinus × rotundata
- var. *uncinata* Ramond ex DC. = Pinus uncinata

– **nigra** Arnold · Schwarz-Kiefer · Austrian Pine, Black Pine, Corsican Pine · Pin

laricio, Pin noir | ♄ Off. V-VI Ⓝ; Eur.: Ib, Fr, Ap, A, Ba, RO, Krim; TR, Cyprus, Cauc., Maroc., Alger., nat. in BrI, Sc, EC-Eur.
- subsp. **laricio** (Poir.) Maire · Korsische Kiefer | ♄; Eur.: Corse, I (Calabria), Sic.
- subsp. **pallasiana** (Lamb.) Holmboe · Taurische Kiefer | ♄; Eur.: Ba, Krim; TR, Cyprus, Cauc.
- subsp. **salzmannii** (Dunal) Franco · Pyrenäen-Kiefer | ♄; SW-F, Sp., NW-Maroc.
- var. *austriaca* (Höss) Badoux = Pinus nigra
- var. *calabrica* (Loudon) C.K. Schneid. = Pinus nigra subsp. laricio
- var. *caramanica* (Loudon) Rehder = Pinus nigra subsp. pallasiana
- var. *cebennensis* (Godr.) Rehder = Pinus nigra subsp. salzmannii
- var. *corsicana* (Loudon) Hyl. = Pinus nigra subsp. laricio
- var. *maritima* (Aiton) Melville = Pinus nigra subsp. laricio
- var. *poiretiana* (Loudon) C.K. Schneid. = Pinus nigra
- **'Pyramidata'** (Carrière) Fitschen | ♄

– *nigricans* Host = Pinus nigra
– *omorika* Pancic = Picea omorika
– *pallasiana* Lamb. = Pinus nigra subsp. pallasiana
– **palustris** Mill. · Sumpf-Kiefer · Longleaf Pine, Southern Pine | ♄ Ⓚ Off. Ⓝ; USA: Va., SE, Tex.
– **parviflora** Siebold et Zucc. · Mädchen-Kiefer · Japanese White Pine | ♄; Jap.
– *pentaphylla* Mayr = Pinus parviflora
– **peuce** Griseb. · Rumelische Kiefer · Macedonian Pine · Pin de Macédoine, Pin des Balkans | ♄ Ⓝ; Eur.: Ba; mts.
– *picea* L. = Abies alba
– **pinaster** Aiton · Strand-Kiefer · Cluster Pine, Maritime Pine, Pinaster | ♄ Ⓚ Off. Ⓝ; Eur.: Ib, Fr, Ap; NW-Afr, nat. in BrI, Ba
– **pinea** L. · Stone Pine, Umbrella Pine | ♄ Ⓚ Ⓝ; Eur.: Ib, Fr, Ap, Ba; TR, Levante
– **ponderosa** Douglas ex C. Lawson · Gelb-Kiefer · Ponderosa Pine, Western Yellow Pine · Pin jaune du Nouveau Monde | ♄ Ⓝ; Can.: B.C.; USA: NW, Calif., SW, Okla., NC; Mex.
- var. **scopulorum** Engelm. | ♄; Can.: B.C.; USA: Rocky Mts., N.Dak., S.Dak., Nebr., Tex.; Mex.

– **pumila** (Pall.) Regel · Ostasiatische Zwerg-Kiefer · Dwarf Siberian Pine, Japanese Stone Pine | ♄ △ Ⓝ; Jap., Kamchat., NE-Sib.
– *pumilio* Haenke = Pinus mugo
– **pungens** Lamb. · Stech-Kiefer · Hickory Pine, Prickly Pine, Table Mountain Pine | ♄; USA: NE, SE
– **radiata** D. Don · Monterey-Kiefer | ♄ Ⓝ; Calif., Baja Calif., nat. in NZ, Austr.
– **resinosa** Aiton · Amerikanische Rot-Kiefer · American Red Pine, Red Pine | ♄ Ⓝ; Can.: E; USA: NE, NCE, NCE
– **rigida** Mill. · Pech-Kiefer · Northern Pitch Pine | ♄ Ⓝ; Can.: E; USA: NE, Ohio, SE
– × **rotundata** Link (*P. mugo* × *P. uncinata*) · Moor-Kiefer | ♄ ♄
– **roxburghii** Sarg. · Chir Pine, Indian Longleaf Pine | ♄ Ⓝ; Him.: Afgh., Kashmir, NW-Ind., Nepal, Bhutan
– **sabiniana** Douglas ex D. Don · Weiß-Kiefer · Digger Pine | ♄ ⋈ ∧ Ⓝ; Calif.
– *salzmannii* Dunal = Pinus nigra subsp. salzmannii
– × **schwerinii** Fitschen (*P. strobus* × *P. wallichiana*) | ♄; cult.
– **sibirica** Du Tour | ♄ Ⓝ; E-Russ., Sib.
– **strobus** L. · Weymouths-Kiefer · Eastern White Pine, Weymouth Pine, White Pine · Pin Weymouth | ♄ IV-V Ⓝ; Can.: E; USA; NE, NCE, SE
– **sylvestris** L. · Föhre, Wald-Kiefer · Scots Pine · Pin sylvestre | ♄ Off. V-VI Ⓝ; Eur.*, TR, Cauc., W-Sib., E-Sib., Amur, Mong., Manch., nat. in N-Am.
– **tabulaeformis** Carrière · Chinese Pine | ♄ Ⓝ; W-China, N-China, Korea
– **taeda** L. · Loblolly Pine | ♄ Ⓝ; USA: NE, SE, Fla., SC
– *thunbergiana* Franco = Pinus thunbergii
– **thunbergii** Parl. · Thunbergs Kiefer · Black Pine, Japanese Black Pine | ♄ Ⓝ; Jap.
– **uncinata** Mill. ex Mirb. · Haken-Kiefer, Spirke · Mountain Pine | ♄ VI-VII; Eur.: Sp., F, I, C-Eur.; mts. C-Sp., Pyr., Alp.
- subsp. *rotundata* (Link) Janch. et Neumayer = Pinus × rotundata

– **wallichiana** A.B. Jacks. · Tränen-Kiefer · Bhutan Pine, Himalayan Pine · Pin pleureur de l'Himalaya | ♄ Ⓝ; Afgh., Him.

Piper L. -n- *Piperaceae* · Pfeffer

- **aduncum** L. · Big Pepper | ♄ ♄ Ⓦ; Mex., C-Am., W.Ind., trop. S-Am.
- **angustifolium** Ruiz et Pav. | ♄ Ⓝ; Mex., C-Am., Westind., S-Am.
- **betle** L. · Betel, Betel Pepper | ♄ Ⓦ ⌇ Ⓝ; Ind., Malay. Arch.
- *bicolor* Yunck. = Piper magnificum
- *celtidifolium* Desf. = Piper unguiculatum
- **clusii** C. DC. | Ⓝ; W-Afr.
- **crocatum** Ruiz et Pav. | ♄ Ⓦ ⌇; Peru
- **cubeba** L. f. · Tailed Pepper | ♄ Ⓦ ⌇ Ⓝ; w Malay. Arch.
- **guineense** Schumach. et Thonn. · Ashanti Pepper | ♄ Ⓦ Ⓝ; trop. Afr.
- **longum** L. · Indian Long Pepper, Long Pepper | ♄ Ⓦ Ⓝ; E-Him.
- **magnificum** Trel. | ♄ Ⓦ; Peru
- **methysticum** G. Forst. · Kava Kava, Kava Pepper | ♄ Ⓦ Ⓝ; Fiji, Pacific Is.
- **nigrum** L. · Pepper, Pepper Plant | ♄ Ⓦ ⌇ Off. Ⓝ; ? Ind. (Malabar Coast)
- **ornatum** N.E. Br. | ♄ Ⓦ ⌇; Sulawesi
- **porphyrophyllum** (Lindl.) N.E. Br. · Malay Pepper | ♄ Ⓦ ⌇; Malay. Pen., Kalimantan
- **retrofractum** Vahl · Java Longpepper | ♄ Ⓦ Ⓝ; Malay.Arch.
- **saigonense** C. DC. | ⌇ Ⓝ; Vietn.
- **sylvaticum** Roxb. | ♄ Ⓦ ⌇ ⤳; E-Him.
- **unguiculatum** Ruiz et Pav. | ♄ Ⓦ; Peru

Piptanthocereus = Cereus Mill.
- *azureus* (Pfeiff.) Riccob. = Cereus chalybaeus
- *chalybaeus* (C.F. Först.) Riccob. = Cereus chalybaeus
- *jamacaru* (DC.) Riccob. = Cereus jamacaru
- *peruvianus* (L.) Riccob. = Cereus peruvianus
- *validus* (Haw.) Riccob. = Cereus forbesii

Piptanthus Sweet -m- *Fabaceae*
- *laburnifolius* (D. Don) Stapf = Piptanthus nepalensis
- **nepalensis** (Hook.) Sweet · Evergreen Laburnum, Nepal Laburnum | ♄ Ⓚ V; Nepal, Sikkim, Bhutan

Piptatherum = Oryzopsis Michx.
- *miliaceum* (L.) Coss. = Oryzopsis miliacea

Piqueria Cav. -f- *Asteraceae*
- **trinervia** (Jacq.) Cav. | ♃ Ⓚ ✂ VII-II; Mex., Haiti

Piscidia L. -f- *Fabaceae*
- **piscipula** (L.) Sarg. · Fish Fuddle | ♄ Ⓦ Ⓝ; S-Fla., W.Ind., S-Mex.

Pisonia L. -f- *Nyctaginaceae*
- *alba* Span. = Pisonia grandis
- *brunoniana* Endl. = Pisonia umbellifera
- **grandis** R. Br. · Brown Cabbage Tree, Lettuce Tree | ♄ Ⓦ Ⓝ; E-Afr., Sri Lanka, Malay. Arch., N.Guinea, E-Austr., Polyn.
- **umbellifera** (J.R. Forst. et G. Forst.) Seem. · Bird Catcher Tree, Para Para | ♄ ♄ Ⓦ; Austr.: Queensl., N.S.Wales, Lord Howe Is., Norfolk; NZ, Mauritius

Pistacia L. -f- *Anacardiaceae* · Pistazie
- **chinensis** Bunge | ♄; China, Taiwan., Phil.
- **lentiscus** L. · Lentisk, Mastic | ♄ Ⓚ D; Eur.: Ib, Fr, Ap, Ba; TR, Levante, Canar., N-Afr.
- **terebinthus** L. · Terebinth, Turpentine | ♄ Ⓚ D Ⓝ; Eur.: Ib, Fr, Ap, Ba; TR, Levante, NW Afr., Libya
- **vera** L. · Pistachio | ♄ ♄ Ⓦ D Ⓝ; Iran, C-As.

Pistia L. -f- *Araceae* · Wassersalat
- **stratiotes** L. · Wassersalat · Water Lettuce | ♃ Ⓦ ♠ X-VII; Subtrop., Trop.

Pistorinia DC. -f- *Crassulaceae*
- **breviflora** Boiss.; S-Sp.
  - subsp. **salzmannii** (Boiss.) H. Jacobsen | ☉ VII-VIII; Maroc., Alger.
- **hispanica** (L.) DC.; Eur.: Ib
  - var. **maculata** (Maire) H. Jacobsen | ☉ VII-VIII; Maroc.
- *salzmannii* Boiss. = Pistorinia breviflora subsp. salzmannii

Pisum L. -n- *Fabaceae* · Erbse
- **sativum** L. · Erbse · Garden Pea, Pea | V-VII; cult.
  - **Arvense-Grp.**
  - **Macrocarpon-Grp.**
  - **Medullare-Grp.**
  - subsp. **abyssinicum** (A. Braun) A. Berger | ☉ ⌇ VI-IX Ⓝ; Yemen, Eth.
  - subsp. **asiaticum** Govorov | ☉ ⌇ VI-IX Ⓝ; N-Afr., SW-As., C-As., Ind., Tibet
  - subsp. **elatius** (Steven) Schmalh. | ☉ ⌇ VI-IX Ⓝ; Eur.: Ib, Ap, Ba, H, S-Russ.;

TR, Levante, Iraq, Cauc., Iran, Ind., Tibet, N-Afr.
- subsp. **syriacum** A. Berger | ⊙ ⌇ VI-IX Ⓝ; Cyprus, Lebanon, Syr., Israel, Jord., N-Iraq, NW-Iran
- subsp. **transcaucasicum** Govorov | ⊙ ⌇ VI-IX Ⓝ; Eur.: SE-Russ., Cauc.

Pitcairnia L'Her. -f- *Bromeliaceae*
– *albucifolia* Schrad. = Pitcairnia spicata
– **altenstenii** (Link, Klotzsch et Otto) Lem. | ♃ Ⓦ IV-V; Guat.
– **andreana** Linden | ♃ Ⓦ VI-VII; Col.
– **angustifolia** Sol. | ♃ Ⓦ IX; Puerto Rico
– **aphelandriflora** Lem. | ♃ Ⓦ VI-VII; Panama, Ecuad.
– **atrorubens** (Beer) Baker | ♃ Ⓦ VII-VIII; Mex., Costa Rica, Panama
– *cernua* Kunth et Bouché = Pitcairnia heterophylla
– **corallina** Linden et André | ♃ Ⓦ III-V; Col., Peru
– **echinata** Hook. | ♃ Ⓦ VI-VII; Col.
– *exscapa* Hook. = Pitcairnia heterophylla
– **flammea** Lindl.; Bras.
- var. **roezlii** (E. Morren) L.B. Sm. | ♃ Ⓦ X-XI; S-Am.; And.
– **heterophylla** (Lindl.) Beer | ♃ Ⓦ II-III; S-Mex., C-Am., trop. S-Am.
- var. *exscapa* (Hook.) Mez = Pitcairnia heterophylla
– **integrifolia** Ker-Gawl. | ♃ Ⓦ VIII; Venez.
– **maidifolia** (C. Morren) Decne. ex Planch. | ♃ Ⓦ IV-V; Hond., Costa Rica, Col., Venez., Guyan., Surinam
– **paniculata** (Ruiz et Pav.) Ruiz et Pav. | ♃ Ⓦ XI-I; Peru +
– **punicea** Scheidw. | ♃ Ⓦ IV-V; Mex., Guat.
– **recurvata** (Scheidw.) K. Koch | ♃ Ⓦ III-V; Col.
– *roezlii* E. Morren = Pitcairnia flammea
– **spicata** (Lam.) Mez | ♃ Ⓦ III-VIII; W.Ind.
– **tabuliformis** Linden | ♃ Ⓦ; S-Mex.
– **undulata** Scheidw. | ♃ Ⓦ VII-VIII; Bras.
– *venusta* Phil. ex Baker = Puya venusta
– *violacea* Brongn. = Puya coerulea var. violacea
– **xanthocalyx** Mart. | ♃ Ⓦ VI-VIII; Mex.

Pithecellobium Mart. -n- *Mimosaceae*
– **bigeminum** (L.) Mart. | ♄ Ⓦ Ⓝ; E-Him., Sri Lanka, Malay. Arch., Phil.
– **dulce** (Roxb.) Benth. | ♄ Ⓦ Ⓝ; Mex., C-Am., trop. S-Am.
– **jiringa** (Jack) Prain ex King · Jering Tamarind | ♄ Ⓦ Ⓝ; S-Myanmar, Malay. Arch.
– *saman* (Jacq.) Benth. = Albizia saman

Pithecoctenium Mart. ex Meisn. -n- *Bignoniaceae*
– **crucigerum** (L.) A.H. Gentry | ♄ Ⓦ ⌇ ✂; Mex., Cuba, Jamaica, trop. S-Am.
– *echinatum* (Jacq.) K. Schum. = Pithecoctenium crucigerum
– *laxiflorum* DC. = Distictis laxiflora

Pittosporum Banks ex Sol. -n- *Pittosporaceae* · Klebsame
– **bicolor** Hook. f. | ♄ ♄; Austr.: N.S.Wales, Victoria, Tasman.
– **colensoi** Hook. f. | ♄ Ⓚ IV; NZ
– **coriaceum** Aiton | ♄ Ⓚ D V-VI; Madeira, Canar.: Teneriffa
– **crassifolium** Banks et Sol. ex A. Cunn. · Karo, Stiff Leaf Cheesewood | ♄ ♄ Ⓚ VI-VIII; NZ
– **dallii** Cheeseman | ♄ Ⓚ D VI-VII; NZ
– **eugenioides** A. Cunn. · Lemonwood, Tarata | ♄ ♄ Ⓚ D VII-VIII; NZ
– **floribundum** Wight et Arn. · Golden Fragrance | ♄ Ⓚ D; S-Him.
– **glabratum** Lindl. | ♄ Ⓚ D V; S-China
– **heterophyllum** Franch. | ♄ Ⓚ V-VI; W-China
– **phillyraeoides** DC. · Desert Willow, Willow Pittosporum | ♄ Ⓚ; Austr.
– **ralphii** Kirk | ♄; NZ
– **resiniferum** Hemsl. | ♄ Ⓚ Ⓝ; Phil.
– **revolutum** W.T. Aiton | ♄ Ⓚ D II-IV; Austr.: Queensl., N.S.Wales, Victoria
– **rhombifolium** A. Cunn. ex Hook. · Queensland Pittosporum | ♄ Ⓚ XI; Austr.: Queensl., N.S.Wales
– **tenuifolium** Sol. ex Gaertn. · Pittosporum | ♄ ♄ Ⓚ D IV-V; NZ
- subsp. *colensoi* (Hook. f.) Kirk = Pittosporum colensoi
– **tobira** (Thunb. ex Murray) W.T. Aiton · Australian Laurel, Mock Orange, Tobira | ♄ Ⓚ D III-V; China, S-Korea, Jap.
– **undulatum** Vent. · Australian Cheesewood, Victoria Box | ♄ ♄ Ⓚ D V-VII Ⓝ; Austr.: Queensl., N.S.Wales, Victoria
– **viridiflorum** Sims · Cape Pittosporum | ♄

♄ ⓚ D V; S-Afr.

Pityrogramma Link -f- *Adiantaceae*
– **argentea** (Willd.) Domin | ♃ ⓦ; trop. Afr., S-Afr.
– **calomelanos** (L.) Link · Silver Fern | ♃ ⓦ; W.Ind., S-Am., nat. in Trop.
– **chrysophylla** (Sw.) Link | ♃ ⓦ; Puerto Rico, Lesser Antilles, nat. in Azor.
– **dealbata** (C. Presl) Tryon | ♃ ⓦ; Mex., C-Am.
– *ebenea* (L.) Proctor = Pityrogramma tartarea
– **pulchella** (T. Moore) Domin | ♃ ⓦ; Venez.
– *schaffneri* (Fée) Weath. = Pittosporum dallii
– **schizophylla** (Baker) Maxon | ♃ ⓦ; Jamaica
– **sulphurea** (Sw.) Maxon | ♃ ⓦ; W.Ind., nat. in Sri Lanka
– **tartarea** (Cav.) Maxon | ♃ ⓦ; Mex., C-Am., W.Ind., trop. S-Am.

Plagianthus J.R. Forst. et G. Forst. -m- *Malvaceae*
– **divaricatus** J.R. Forst. et G. Forst. | ♄ ⓚ VI; NZ

Plagiorhegma Maxim. -n- *Berberidaceae*
– *dubium* Maxim. = Jeffersonia dubia

Plagiospermum = Prinsepia Royle
– *sinense* Oliv. = Prinsepia sinensis

Plantago L. -f- *Plantaginaceae* · Wegerich
– **afra** L. | ⊙ Off. V-VII; Eur.: Ib, Fr, Ap, Ba; TR, Syr., Palaest., Iran, Pakist., N-Afr.
– **alpina** L. · Alpen-Wegerich | ♃ V-VII; Eur.: Sp., F, I, C-Eur.; mts., nat. in W-Russ.
– **altissima** L. · Hoher Wegerich | ♃ V-VII; Eur.: A, I, EC-Eur., Ba, E-Eur.; Tun., Alger., nat. in F, CH, D
– *arenaria* Waldst. et Kit. = Psyllium arenarium
– **argentea** Chaix · Silberhaariger Wegerich | ♃ VII-VIII; Eur.: Ib, Fr, Ap, Ba, H, RO; N-TR; mts.
– **atrata** Hoppe · Berg-Wegerich | ♃ V-VIII; Eur.: Ib, Fr, C-Eur., EC-Eur., Ba, RO, W-Russ.; TR, SW-As.; mts.
– **bellardii** All. · Haariger Wegerich ; Eur.: Ib, Fr, Ap, Ba; TR, Levante, Iraq, Iran, NW-Afr., Egypt
– **coronopus** L. · Krähenfuß-Wegerich | ♃ ⊙ VI-IX; Eur.*, TR +
– *cynops* L. = Plantago sempervirens
– **holosteum** Scop. · Kiel-Wegerich | ♃ V-VII; Eur.: Sp., F, I, Ba +; TR, Levante
– *indica* L. = Psyllium arenarium
– **lagopus** L. · Zottiger Wegerich ; Eur.: Ib, Fr, Ap, Ba; TR, Levante, Cauc., Iran, N-Afr.
– **lanceolata** L. · Spitz-Wegerich · English Plantain, Ribwort | ♃ Off. V-IX; Eur.*, TR, Levante, Iran, Him., C-As., W-Sib., N-Afr., nat. in N-Am.
– **major** L. · Breit-Wegerich, Großer Wegerich · Common Plantain, Plantain | ♃ X; Eur.*, TR, N-Afr., nat. in cosmop.
  - subsp. **intermedia** (Gilib.) Lange · Kleiner Wegerich, Vielsamiger Breit-Wegerich | ♃ X-VI; Eur., TR, Levante, Maroc., Alger., Egypt
  - subsp. **winteri** (Wirtg. ex Geisenh.) W. Ludw. · Salz-Wegerich, Salzwiesen-Breit-Wegerich | ♃ VI-VIII; C-Eur., NE-Eur.; saline habitats
– **maritima** L. · Strand-Wegerich | ♃ X-VII; Eur.*, Cyprus, Palaest., Cauc. (Armen.), Iran, C-As, N-Am., S-Am; coasts, saline habitats
  - subsp. **serpentina** (All.) Arcang. · Schlangen-Wegerich | ♃ V-VIII; S-Eur.
– **media** L. · Mittlerer Wegerich · Hoary Plantain | ♃ V-VI; Eur.*, TR, Cauc., N-Iraq, Iran, C-As., W-Sib., E-Sib., Amur, China, nat. in Can., NZ
– **nivalis** Boiss. | ♃ ⓐ △ VII-VIII ∧; Sp.: Sierra Nevada
– **ovata** Forssk. | Ⓝ; S-Eur., C-As., Ind., nat. in China
– *psyllium* L. 1753 = Psyllium arenarium
– *psyllium* L. 1759 = Plantago sempervirens
– *psyllium* L. 1762 = Plantago afra
– **sempervirens** Crantz · Halbstrauchiger Wegerich · Evergreen Plantain | ♃ ♄ ♄ △ VI-VII; Eur.: Ib, F, I, TR, nat. in CH, A
– *serpentina* All. = Plantago maritima subsp. serpentina
– **subulata** L.; Eur.: Ib, Fr, Ap, Ba, A, RO; Maroc., Alger.
  - subsp. **insularis** (Gren. et Godr.) Nyman | ♃ ⌓ △ V; Corse, Sard., Sic.
– *suffruticosa* Lam. = Plantago sempervirens
– **tenuiflora** Waldst. et Kit. · Dünnähren-

Wegerich | IV-VI; Eur.: A, EC-Eur., E-Eur., Sweden (Öland)
– *uniflora* L. = Littorella uniflora

Platanthera Rich. -f- *Orchidaceae* · Waldhyazinthe
– **bifolia** (L.) Rich. · Weiße Waldhyazinthe · Lesser Butterfly Orchid | ♃ V-VI ▽ ✱; Eur.*, TR, Cauc., N-Iran, W-Sib., E-Sib., Him.
– **chlorantha** (Custer) Rchb. · Grünliche Waldhyazinthe · Butterfly Orchid | ♃ V-VI ▽ ✱; Eur.*, TR, Cauc., N-Iran, N-As., N-China, NW-Afr.

Platanus L. -f- *Platanaceae* · Platane
– × *acerifolia* (Aiton) Willd. = Platanus × hispanica
– × **hispanica** Münchh. (*P. occidentalis* × *P. orientalis*) · Bastard-Platane, Gewöhnliche Platane · London Plane, Plane · Platane à feuilles d'érable | ħ V; orig. ?
– × *hybrida* Brot. = Platanus × hispanica
– **occidentalis** L. · Nordamerikanische Platane · American Plane, Button Tree, Sycamore · Platane d'Occident | ħ V Ⓝ; Ont., USA: NE, NCE, NC, SC, SE, Fla.
– **orientalis** L. · Morgenländische Platane · Chenar, Oriental Plane · Platane d'Orient | ħ V Ⓝ; Eur.: S-I, Sic., Ba; TR, Syr.

Platonia Mart. -f- *Clusiaceae*
– **esculenta** (Arruda) Rickett et Stafleu | ħ Ⓦ Ⓝ; trop. Bras.

Platycarya Siebold et Zucc. -m- *Juglandaceae*
– **strobilacea** Siebold et Zucc. · Zapfennuss | ħ ♄; China, Korea, Jap., Taiwan

Platycerium Desv. -n- *Polypodiaceae* · Geweihfarn
– *alcicorne* (Sw.) Desv. = Platycerium stemaria
– *alcicorne* (Willemet) Tardieu = Platycerium vassei
– *alcicorne* hort. = Platycerium bifurcatum
– **andinum** Baker | ♃ Ⓦ; Peru, Bol.
– **angolense** Welw. ex Baker | ♃ Ⓦ; trop. Afr.
– *biforme* (Sw.) Blume = Platycerium coronarium
– **bifurcatum** (Cav.) C. Chr. · Stag's Horn Fern | ♃ Ⓦ; N.Guinea, Austr.: Queensl.
- var. *hillii* (T. Moore) Domin = Platycerium hillii
- var. **lanciferum** Domin; Austr.: Queensl.
- var. *normale* Domin = Platycerium bifurcatum
- var. **subrhomboideum** Domin; Austr.: Queensl.
– **coronarium** (J. König ex O.F. Müll.) Desv. | ♃ Ⓦ; Indochina, Malay. Pen., Phil.
– *elephantotis* Schweinf. = Platycerium angolense
– **ellisii** Baker | ♃ Ⓦ; C-Madag.
– **grande** (J. Sm. ex Fée) C. Presl | ♃ Ⓦ; Phil.: Luzon (Mt. Christobal)
– *grande* auct. = Platycerium superbum
– **hillii** T. Moore | ♃ Ⓦ; Austr.: Queensl.
– **madagascariense** Baker | ♃ Ⓦ; Madag.
– **stemaria** (P. Beauv.) Desv. | ♃ Ⓦ; trop. Afr.
– *sumbawense* H. Christ = Platycerium willinckii
– **superbum** de Jonch. et Hennipman | ♃ Ⓦ; Java, Kalimantan, Austr.: Queensl., N.S.Wales
– **vassei** Poiss. | ♃ Ⓦ Ⓚ; Mozamb., Madag., Komor., Seych., Mauritius
– **veitchii** (Underw.) C. Chr. | ♃ Ⓦ; Austr.: Queensl.
– **wallichii** Hook. | ♃ Ⓦ; Malay. Pen.
– **wandae** Racib. | ♃ Ⓦ; N.Guinea
– *wilhelminae-reginae* Alderw. = Platycerium wandae
– **willinckii** T. Moore | ♃ Ⓦ; Java, Sulawesi, Timor, ? Austr.

Platycladus = Thuja L.
– *orientalis* (L. f.) Franco = Thuja orientalis
– *stricta* Spach = Thuja orientalis

Platycodon A. DC. -m- *Campanulaceae* · Ballonblume
– **grandiflorus** (Jacq.) A. DC. · Balloon Flower · Platycodon à grandes fleurs | ♃ VII-VIII; Jap., N-Korea, Manch., Amur

Platystemon Benth. -m- *Papaveraceae*
– **californicus** Benth. · California Creamcups, Creamcups | ⊙ VII-VIII; Calif.

Platystigma = Hesperomecon Greene
– *lineare* Benth. = Hesperomecon linearis

Plectranthus L'Her. -m- *Lamiaceae* · Harfenstrauch
– **amboinicus** (Lour.) Spreng. · Indian Mint | ♃ Ⓦ Ⓝ; Ind., Indochina, Malay. Arch.
– *australis* R. Br. = Plectranthus parviflorus
– *behrii* Compton = Plectranthus fruticosus
– *coleoides* hort. non Benth. = Plectranthus forsteri
– **edulis** (Vatke) Agnew · Gala-Kartoffel | Ⓝ; Eth.
– **esculentus** N.E. Br. | ♃ Ⓚ Ⓝ; W-Afr., C-Afr., S-Afr.
– **forsteri** Benth. · Swedish Ivy | ♃ Ⓚ; SE-Ind.
- **'Marginatus'**
- *'Variegatus'* = Plectranthus forsteri 'Marginatus'
– **fruticosus** L'Her. | ♄ Ⓚ II-V; S-Afr.
– **oertendahlii** Th. Fr. · Candle Plant | ♃ Ⓦ ⧘ ⁓→ IX-X; S-Afr.
– **parviflorus** Willd. · Little Spurflower | ♃ Ⓦ Ⓚ; Austr.: North Terr., Queensl., N.S.Wales, Victoria, S-Austr.
– **prostratus** Gürke | ♃ Ⓦ Ⓚ ⧘ ⁓→; Tanzania: Kilimandscharo
– **purpuratus** Harv. | ♃ Ⓦ Ⓚ ⧘ ⁓→; S-Afr.: Natal
– **rotundifolius** (Poir.) Spreng. · Hausa Potato | ♃ Ⓚ Ⓝ; cult.
– **thyrsoideus** (Baker) B. Mathew | ♄ Ⓚ XII-II; trop. Afr.

Pleioblastus = Arundinaria Michx.
– **auricoma** (MItford) D.C. McClint. | ♃ ∧; Jap.
- fo. **chrysophyllus** Makino
– **chino** (Franch. et Sav.) Makino | ♃; Jap.
- var. *viridis*fo. *humilis* (Mitford) S. Suzuki = Pleioblastus humilis
- var. *viridis*fo. *pumilus* (Mitford) S. Suzuki = Pleioblastus pumilus
– *distichus* (Mitford) Nakai = Pleioblastus pygmaeus var. distichus
– *fortunei* (Van Houtte) Nakai = Pleioblastus variegatus 'Fortunei'
- *'Variegatus'* = Pleioblastus variegatus 'Fortunei'
- *'Viridis'* = Pleioblastus humilis
– **gramineus** (Bean) Nakai | ♃ ∧; Jap.
– **hindsii** (Munro) Nakai | ♃ ∧; China (Hongkong)
– **humilis** (Mitford) Nakai | ♃ ∧; Jap.
- *'Gauntlettii'* = Pleioblastus humilis
- var. *pumilus* (Mitford) D.C. McClint. = Pleioblastus pumilus
– **pumilus** (Mitford) Nakai | ♃ ♄ ∧; Jap.
– **pygmaeus** (Miq.) Nakai | ♃ ⁓→; Jap.
- var. **distichus** (Mitford) Nakai | ♄; Jap.
– **simonii** (Carrière) Nakai · Simon Bamboo | ♃ ∧ Ⓝ; Jap.
– **variegatus** (Siebold ex Miq.) Makino · Whitestripe Bamboo ; Jap.
- **'Fortunei'**
– **viridistriatus** (Siebold ex André) Makino

Pleione D. Don -f- *Orchidaceae*
– **bulbocodioides** (Franch.) Rolfe | ♃ Ⓐ △ V ✻ ∧; China, Taiwan, Tibet
– **formosana** Hayata | ♃ Ⓚ IV-VI ✻; Yunnan
– **hookeriana** (Lindl.) B.S. Williams | ♃ Ⓚ V-VI ✻; Nepal, Ind.: Sikkim, Assam; Laos, Thailand
– **humilis** (Sm.) D. Don | ♃ Ⓚ VIII-V ✻; Nepal, Sikkim, Myanmar
– × **lagenaria** Lindl. (*P. maculata* × *P. praecox*) | ♃ Ⓚ VI-VII ✻; Bhutan, Ind.: Sikkim, Assam; Myamar, Thail.
– **maculata** (Lindl.) Lindl. | ♃ Ⓚ VII-VIII ✻; Bhutan, Ind.: Sikkim, Assam; Myamar, Thail.
– *pogonioides* (Rolfe) Rolfe = Pleione bulbocodioides
– **praecox** (Sm.) D. Don | ♃ Ⓚ VI-XII ✻; N-Ind.: Sikkim, Assam; Nepal, Myanmar, China
– *reichenbachiana* (T. Moore et Veitch) B.S. Williams = Pleione praecox
– *wallichiana* (Lindl.) Lindl. = Pleione praecox
– *yunnanensis* (Rolfe) Rolfe = Pleione bulbocodioides

Pleiospilos N.E. Br. -m- *Aizoaceae*
– **bolusii** (Hook. f.) N.E. Br. · Living Rock, Mimicry Plant | ♃ ♆ Ⓚ X-XI; Kap
– **nelii** Schwantes | ♃ ♆ Ⓚ X-XI; Kap
– *prismaticus* (Marloth) Schwantes = Tanquana prismatica
– **simulans** (Marloth) N.E. Br. | ♃ ♆ Ⓚ D X-XI; Kap

Pleomele = Dracaena Vand. ex L.
– *deremensis* (Engl.) N.E. Br. = Dracaena deremensis
– *reflexa* (Lam.) N.E. Br. = Dracaena reflexa

Pleopeltis Humb. et Bonpl.ex Willd. -f-

Polypodiaceae
– *crassifolia* (L.) T. Moore = Niphidium crassifolium
– *musifolia* (Blume) T. Moore = Microsorum musifolium
– *phyllitidis* (L.) Alston = Campyloneurum phyllitidis

Pleuropteropyrum = Aconogonon (Meisn.) Rchb.
– *polymorphum* Ledeb. = Aconogonon alpinum
– *undulatum* (Murray) A. Löve et D. Löve = Aconogonon alpinum

Pleurospermum Hoffm. -n- *Apiaceae*
– **austriacum** (L.) Hoffm. · Österreichischer Rippensame | ♃ VI-VII; Eur.* exc. BrI

Pleurothallis R. Br. -f- *Orchidaceae*
– **gelida** Lindl. · Pleurothallis Orchid | ♃ Ⓦ ✻; Fla., Mex., C-Am., W-Ind., S-Am.
– *ghiesbreghtiana* A. Rich. et Galeotti = Pleurothallis racemiflora
– **grandis** Rolfe | ♃ Ⓦ VIII-IX ✻; Costa Rica
– **grobyi** Bateman ex Lindl. | ♃ Ⓦ VII ✻; Mex., W.Ind., C-Am., S-Am.
– **immersa** Linden et Rchb. f. | ♃ Ⓦ I-II ✻; Mex., C-Am., Col., Venez.
– *macrophylla* Humb., Bonpl. et Kunth = Pleurothallis revoluta
– **pectinata** Lindl. | ♃ Ⓦ V-VII ✻; Bras.
– *quadrifida* (La Llave et Lex.) Lindl. = Pleurothallis racemiflora
– **racemiflora** Lindl. ex Hook. | ♃ Ⓦ ✻; Mex., C-Am., Jamaica, Col., Venez.
– **repens** Ames | ♃ Ⓦ ✻; Guat.
– **revoluta** (Ruiz et Pav.) Garay | ♃ Ⓦ I-III ✻; S-Am.
– **saurocephala** Lodd. | ♃ Ⓦ ✻; Bras.
– **tribuloides** (Sw.) Lindl. | ♃ Ⓦ ✻; Mex., C-Am., Cuba, Jamaica

Plukenetia L. -f- *Euphorbiaceae*
– *conophora* Müll. Arg. = Tetracarpidium conophorum
– **volubilis** L. | ♄ Ⓦ ≷ Ⓝ; W.Ind., trop. S-Am.

Plumbagella Spach -f- *Plumbaginaceae*
– **micrantha** (Ledeb.) Spach; C-As.

Plumbago L. -f- *Plumbaginaceae* · Bleiwurz
– **auriculata** Lam. · Cape Leadwort | ♄ Ⓚ VI-IX; S-Afr.
– *capensis* Thunb. = Plumbago auriculata
– *coccinea* Salisb. = Plumbago indica
– **europaea** L. | ♃ IX; Eur.: Ib, Fr, Ap, Ba, RO; TR, Syr., Palaest., Cauc. Iran, C-As., NW-Afr., nat. in CZ
– **indica** L. | ♄ Ⓦ ≷ VI-XI; Ind., SE-As.
– *larpentiae* Lindl. = Ceratostigma plumbaginoides
– *rosea* L. = Plumbago indica
– **scandens** L. | ≷; Ariz., Flor., W.Ind., Mex., C-Am., S-Am.
– **zeylanica** L. | ♄ Ⓦ ≷ I-III; Ind., SE-As.

Plumeria L. -f- *Apocynaceae* · Frangipani
– *acutifolia* Poir. = Plumeria rubra f. acutifolia
– **alba** L. · West Indian Jasmine | ♄ Ⓦ D VI-IX; Lesser Antilles, Puerto Rico
– *lutea* Ruiz et Pav. = Plumeria rubra f. lutea
– **rubra** L. · Frangipani, Temple Tree | ♄ Ⓦ D VI-IX; C-Am.
  - **f. acutifolia** (Poir.) Woodson
  - **f. lutea** (Ruiz et Pav.) Woodson; cult.
  - **f. tricolor** (Ruiz et Pav.) Woodson; cult.
– *tricolor* Ruiz et Pav. = Plumeria rubra

Pneumonanthe = Gentiana L.
– *vulgaris* F.W. Schmidt = Gentiana pneumonanthe

Poa L. -f- *Poaceae* · Rispengras
– *abyssinica* Jacq. = Eragrostis tef
– **alpina** L. · Alpen-Rispengras · Alpine Blue Grass, Alpine Meadow Grass | ♃ △ VI-VII; Eur.*, TR, Cauc., NW-Iran, W-Sib., E-Sib., C-As., Afgh., Pakist., Ind., Tibet, China, Korea, Alger., Maroc., Alaska, Can., USA: NCE, NC, Rocky Mts., NW; Greenl.
  - var. *vivipara* L. = Poa alpina
– *amabilis* hort. non L. = Eragrostis unioloides
– **angustifolia** L. · Schmalblättriges Rispengras | ♃ V-VI; Eur.*, Cauc., W-Sib., E-Sib., Amur, Sachal., Kamchat., SW-As., N-Ind., NW-Afr.
– **annua** L. · Einjähriges Rispengras · Annual Blue Grass | ⊙ ♃ I-XII; Eur.*, TR, Levante, Iraq, Arab., Cauc., Iran, W-Sib., E-Sib., C-As., Afgh., Pakist, N-Ind.,

Tibet, Mong., China, Korea, Jap., N-Afr., nat. in Greenl., N-Am., C-Am., S-Am., Phil., Austr., NZ
- *aquatica* (L.) Wahlenb. = Glyceria maxima
- **badensis** Haenke ex Willd. · Badener Rispengras | ♃ ⇝ △ V-VII; Eur.: F, C-Eur., EC-Eur., Ba, RO, ? N-I; Cauc.
- **bulbosa** L. · Knolliges Rispengras · Bulbous Blue Grass | ♃ V Ⓝ; Eur.*, TR, Levante, Cauc., Iran, Afgh., Pakist., W-Sib., C-As., NW-Afr., Libya, S-Afr., nat. in N-Am.
  - var. *vivipara* (Koeler) Willd. = Poa bulbosa
- *caesia* Sm. = Poa glauca
- **cenisia** All. · Mont Cenis-Rispengras | ♃ VI-VIII; Eur.: Ib, Fr, C-Eur., Ap, Ba, RO; TR
- **chaixii** Vill. · Wald-Rispengras | ♃ VI-VII; Eur.* exc. BrI, Sc; NE-TR, ? Cauc., nat. in BrI, Sc
- **compressa** L. · Flaches Rispengras · Flat Stem Blue Grass | ♃ ⇝ VI-VII; Eur.*, TR, Lebanon, Cauc., W-Sib., C-As., Him., Amur, Sachal., Korea, Jap., Alaska, Can., USA*, nat. in N-Am.
- **concinna** Gaudin · Niedliches Rispengras | ♃ IV-V; Eur.: F, Ap, CH
- **glauca** Vahl · Blaugrünes Rispengras · Blue Grass · Pâturin glauque | ♃ △ VI-VII; Eur.* exc. Ib; Cauc., N-Iran, Afgh., Pakist., Him., W-Sib., E-Sib., Amur, Sachal., Kamchat., Mong., China, Korea, Jap., Maroc., Alger., nat. in N-Am., Arg., Chile, S-Afr.
- **humilis** Ehrh. ex Hoffm. · Bläuliches Rispengras, Salzwiesen-Rispengras | ♃ VI-VII; Eur.: Sc, BrI, Fr, C-Eur., EC-Eur., nat. in N-Am., Kamchat.
- **hybrida** Gaudin · Gebirgs-Rispengras, Großes Rispengras | ♃ VI-VII; Eur.: C-Eur., Ba, RO, W-Russ.; Alp., Jura, Carp., Balkan; Cauc.
- **infirma** Kunth · Frühlings-Rispengras | IV-VI; Eur.: Ib, Fr, BrI, Ap, Ba; TR, Syr., Cauc., Iran, Ind., NW-Afr., Libya, nat. in S-Am.
- **jurassica** Chrtek et Jirásek
- **laxa** Haenke · Schlaffes Rispengras | ♃ VII-VIII; Eur.: Fr, Ap, C-Eur., EC-Eur., Ba, RO; mts.
- **minor** Gaudin · Kleines Rispengras | ♃ VII-VIII; Eur.: Sp., F, I, C-Eur., Slove., Bosn., Montenegro, RO; mts.
- **molineri** Balb. · Trocken-Rispengras | ♃ VII; Eur.: Ib, F, I, C-Eur., Slova., Ba, RO; mts.
- **nemoralis** L. · Hain-Rispengras · Forest Blue Grass, Wood Meadow Grass · Pâturin des bois | ♃ VI-VII Ⓝ; Eur.*, TR, Cauc., N-Iran, W-Sib., E-Sib., Amur, Sachal., Kamchat., C-As., Chin., NW-Afr., Greenl., nat. in N-Am.
- **palustris** L. · Sumpf-Rispengras · Marsh Meadow Grass | ♃ VI-VII Ⓝ; Eur.* exc. Ib; Cauc., C-As., Iran, Pakist., Him., W-Sib., E-Sib., Amur, Sachal., Kamchat., Mong., Manch., Korea, Jap., Taiwan, Alaska, Can., USA* exc. SC; Greenl., Arg.
- *pilosa* L. = Eragrostis pilosa
- **pratensis** L. · Wiesen-Rispengras · Kentucky Blue Grass, Meadow Grass | ♃ V-VII Ⓝ; Eur.*, TR, Iraq, Levante, Arab., Cauc., Iran, Afgh., Pakist., Him., W-Sib., E-Sib., Amur, Sachal., Kamchat., C-As., Mong., China, Korea, Jap., Maroc., Alger., nat. in Greenl., N-Am., S-Am., S-Afr., Austr., NZ
- **pumila** Host · Niedriges Rispengras | ♃ VI-VIII; Eur.: N-I, Ba, RO; E-Alp, Balkan
- **remota** Forselles · Lockerblütiges Rispengras | ♃ VI-VII; Eur.: C-Eur., EC-Eur., Sc, E-Eur.; Cauc., W-Sib., C-As.
- **stiriaca** Fritsch et Hayek ex Dörfl. · Steirisches Rispengras | ♃ VI-VIII; Eur.: A, EC-Eur., Slove., Montenegro, RO
- *sudetica* Haenke = Poa chaixii
- **supina** Schrad. · Läger-Rispengras | ♃ IV-VI; Eur.* exc. BrI, Ba; mts; Cauc.
- **trivialis** L. · Gewöhnliches Rispengras · Rough Meadow Grass | ♃ VI-VII Ⓝ; Eur.*, TR, Levante, Iraq, Cauc., Iran, Afgh., Pakist., Him., W-Sib., E-Sib., C-As., nat. in China, Korea, Jap., N-Am., S-Am., S-Afr., Tasman., NZ
  - subsp. **sylvicola** (Guss.) H. Lindb. · Waldbewohnendes Rispengras | ♃ VI-VII; Eur.: Ib, Fr, Ap, Ba, BrI, C-Eur.; TR, Cauc., C-As., Maroc., Alger., nat. in N-Am., S-Am., Austr.
- **violacea** Bellardi · Violettes Rispengras | ♃ VII-VIII

Podachaenium Benth. ex Oerst. -n- *Asteraceae*
- **eminens** (Lag.) Sch. Bip. · Tacote | ♄ Ⓚ D I-III; C-Am.

Podalyria Willd. -f- *Fabaceae*
– **argentea** Salisb. | ♄ Ⓚ VII-VIII; S-Afr.
– **calyptrata** (Retz.) Willd. · Water Blossom Pea | ♄ Ⓚ III-V; S-Afr.
– **sericea** (Andrews) R. Br. · Silver Sweetpea Bush | ♄ Ⓚ I-III; S-Afr.

Podanthum = Asyneuma Griseb. et Schenck
– *canescens* (Waldst. et Kit.) Boiss. = Asyneuma canescens

Podocarpus L'Her. ex Pers. -m- *Podocarpaceae* · Steineibe
– **alpinus** R. Br. ex Hook. f.
– *andinus* Poepp. ex Endl. = Prumnopitys andina
– *chilinus* Rich. = Podocarpus salignus
– *chinensis* Wall. ex Parl. = Podocarpus macrophyllus
– *dacrydioides* A. Rich. = Dacrycarpus dacrydioides
– **elongatus** (Aiton) L'Hér. ex Pers. · African Yellow Wood, Fern Pine | ♄ Ⓚ; W-Afr.
– **falcatus** (Thunb.) R. Br.
– *ferrugineus* D. Don = Prumnopitys ferruginea
– **glaucus** Foxw.
– *gracilior* Pilg. = Afrocarpus gracilior
– **latifolius** (Thunb.) R. Br. ex Mirb. | ♄ Ⓚ; S-Afr.
– **lawrencei** Hook. f. · Mountain Plum Pine | ♄ Ⓚ; Austr.: Victoria, Tasman.
– *lawrencei* auct. non Hook. f. = Podocarpus alpinus
– **macrophyllus** (Thunb.) D. Don · Big Leaf Yew Pine, Yew Pine | ♄ Ⓚ; S-China, S-Jap., Riukiu-Is.
– *nagea* R. Br. ex Mirb. = Nageia nagi
– *nagi* (Thunb.) Zoll. et Moritzi ex Makino = Nageia nagi
– **neriifolius** D. Don | ♄ Ⓚ; Him., Kalimantan
– **nivalis** Hook. · Alpine Totara | ♄ Ⓐ ∧; NZ
– **nubigenus** Lindl. | ♄ Ⓚ; Chile, Patag.
– **salignus** D. Don | ♄ Ⓚ; Chile
– **totara** G. Benn. ex D. Don · Totara | ♄ Ⓚ; NZ

Podolepis Labill. -f- *Asteraceae*
– *aristata* Benth. = Podolepis canescens
– **canescens** A. Cunn. | ☉ VII-IX; Austr.
– **gracilis** (Lehm.) Graham | ☉ VII-IX; Austr.

Podophyllum L. -n- *Berberidaceae* · Maiapfel, Fußblatt
– *diphyllum* L. = Jeffersonia diphylla
– *emodi* Wall. ex Hook. f. et Thomson = Podophyllum hexandrum
– **hexandrum** Royle · Himalaya-Maiapfel · Himalayan Mayapple · Pomme de mai | ♃ V ☠; Him.
– **peltatum** L. · Entenfuß, Gewöhnlicher Maiapfel · Common May Apple, May Apple, Wild Lemon · Podophylle pelté | ♃ Off. V ☠; Can.: E; USA: NE, NCE, SC, SE, Fla.
– **pleianthum** Hance · Chinesische Maiapfel · Chinese Mayapple | ♃ V ☠ ∧; China, Taiwan

Podranea Sprague -f- *Bignoniaceae*
– **brycei** (N.E. Br.) Sprague | ≷; Zimbabwe
– **ricasoliana** (Tanfani) Sprague · Pink Trumpet Vine | ♄ Ⓚ ≷ VII-X; S-Afr.

Poellnitzia Uitewaal -f- *Aloaceae*
– **rubriflora** (L. Bolus) Uitewaal | ♃ Ⓚ; S-Kap

Pogonatherum P. Beauv. -n- *Poaceae*
– **paniceum** (P. Beauv.) Hack. | ♃ Ⓦ ▽; S-China, Malay. Pen., NE-Austr.

Pogostemon Desf. -m- *Lamiaceae*
– **cablin** (Blanco) Benth. · Patchouly | ♄ Ⓦ D VII-IX Ⓝ; Phil.

Poinciana = Caesalpinia L.
– *coriaria* Jacq. = Caesalpinia coriaria
– *gilliesii* Wall. ex Hook. = Caesalpinia gilliesii
– *pulcherrima* L. = Caesalpinia pulcherrima
– *regia* Bojer = Delonix regia

Poinsettia = Euphorbia L.
– *pulcherrima* (Willd. ex Klotzsch) Graham = Euphorbia pulcherrima

Polanisia Raf. -f- *Capparaceae*
– **trachysperma** Torr. et A. Gray

Polaskia Backeb. -f- *Cactaceae*
– **chichipe** (Rol.-Goss.) Backeb. | ♄ Ψ Ⓚ ✻; Mex.

Polemonium L. -n- *Polemoniaceae* · Jakobsleiter, Sperrkraut

- **caeruleum** L. · Blaue Himmelsleiter · Jacob's Ladder · Valériane grecque | ♃ VI-VII ▽; Eur.* exc. Ib; TR, W-Sib., E-Sib.
  - subsp. **himalayanum** (Baker) Hara | ♃ VI-VIII; Him.
  - var. *grandiflorum* Manning = Polemonium caeruleum subsp. himalayanum
- **carneum** A. Gray | ♃ Ⓐ V-VI ∧; USA: Oreg., Calif.
- *confertum* A. Gray = Polemonium viscosum
- **foliosissimum** A. Gray · Towering Jacob's Ladder | ♃ VII-VIII ∧; USA: Rocky Mts., SW
- **pauciflorum** S. Watson | ⊙ ♃ VI-VII ∧; USA: Tex., SW; Mex.
- **pulcherrimum** Hook. | ♃; N-Am.:Aleuten, Alaska, Can:: Yucon, B.C.; USA: NW, Calif., Colo.
- **reptans** L. · Greek Valerian | ♃ IV-V; USA: NE, NCE, SE, SC
- × **richardsonii** hort. (*P. caeruleum* × *P. reptans*) | ♃ IV-VII; cult.
- **viscosum** Nutt. · Sticky Jacob's Ladder | ♃ △ VII-VIII ∧; Can.: B.C.; USA: Rocky Mts., SW

Polianthes L. -f- *Agavaceae* · Tuberose
- **geminiflora** (La Llave et Lex.) Rose · Twin Flower | ♃ Ⓚ VII-VIII; Mex.
- **tuberosa** L. · Tuberose | ♃ Ⓚ ✂ D ✂ VII-X Ⓝ; ? N-Mex.

Poliothyrsis Oliv. -f- *Flacourtiaceae*
- **sinensis** Oliv. | ♄ VII; C-China

Polyandrococos Barb.Rodr. -f- *Arecaceae*
- **caudescens** (Mart.) Barb. Rodr. | ♄ Ⓦ; Bras.

Polybotrya Humb. et Bonpl.ex Willd. -f- *Dryopteridaceae*
- *cervina* (L.) Kaulf. = Olfersia cervina
- **osmundacea** Humb. et Bonpl. ex Willd. | ♃ Ⓦ ≷; Mex., W.Ind., trop. S-Am.
- **serratifolia** Klotzsch | ♃ Ⓦ ≷; Mex., C-Am., trop. S-Am.

Polycarpon L. -n- *Caryophyllaceae*
- **tetraphyllum** (L.) L. · Vierblättriges Nagelkraut | ♃ ⊙ VII-IX; Eur.: Ib, BrI, Ap, C-Eur., Ba; TR, Levante, Arab., Cauc., N-Iran, N-Afr., nat. in CZ, S-Am., Austr., E-As.

Polycnemum L. -n- *Chenopodiaceae*
- **arvense** L. · Acker-Knorpelkraut | X-VII; Eur.* exc. BrI, Sc; TR, Cauc., W-Sib., E-Sib. , C-As.
- **heuffelii** Láng · Heuffels Knorpelkraut | VII-IX; Eur.: A, EC-Eur., Ba, E-Eur.
- **majus** A. Braun · Großes Knorpelkraut | X-VII; Eur.* exc. BrI, Sc; TR, Cauc., C-As.
- **verrucosum** Láng · Warziges Knorpelkraut | X-VII; Eur.: C-Eur., EC-Eur., W-Ba, E-Eur.; TR

Polycycnis Rchb.f. -f- *Orchidaceae*
- **barbata** (Lindl.) Rchb. f. | ♃ Ⓦ V-VII ✻; Costa Rica, Panama, Col., Venez., Bras.

Polygala L. -f- *Polygalaceae* · Kreuzblume
- **alpestris** Rchb. · Alpen-Kreuzblümchen | ♃ VI-VII; Eur.: Ib, Fr, Ap, C-Eur., Ba
- **alpina** (Poir.) Steud. · Alpen-Kreuzblume, Westalpen-Kreuzblümchen | ♃ VII-VIII; Eur.: Sp., F, I, CH; Pyr., W Alp.
- **amara** L. · Bitteres Kreuzblümchen · Milkwort | ♃ ⁓ V-VI; Eur.: C-Eur., EC-Eur., Ba, E-Eur.
- **amarella** Crantz · Sumpf-Kreuzblümchen | ♃ IV-VI; Eur.* exc. Ib
- **butyracea** Heckel | ♄ Ⓦ Ⓝ; W-Afr.
- **calcarea** F.W. Schultz · Kalk-Kreuzblümchen · Chalk Milkwort | ♃ Ⓐ IV-VI; Eur.: BrI, Fr, Ib, C-Eur.
- **chamaebuxus** L. · Buchsblättriges Kreuzblümchen, Zwergbuchs · Shrubby Milkwort | ⊙ ♄ △ IV-IX ∧; Eur.: Fr, C-Eur., EC-Eur., Ap, Slove., Croatia, RO
  - *'Purpurea'* = Polygala chamaebuxus var. grandiflora
  - var. **grandiflora** Gaudin | ♄ IV-V; CH: Tessin, Graubünden
- **comosa** Schkuhr · Schopfiges Kreuzblümchen | ♃ V-VII; Eur.* exc. BrI; Cauc.
- × **dalmaisiana** L.H. Bailey (*P. myrtifolia var. grandiflora* × *P. oppositifolia var. cordata*) · Sweet Pea Shrub | ♄ Ⓚ III-VIII; cult.
- **major** L. · Großes Kreuzblümchen | ♃ VI-VII; Eur.: Ap, A, EC-Eur., Ba, E-Eur.; TR, Cauc., N-Iran
- **myrtifolia** L.; S-Afr.

- var. **grandiflora** (Lodd.) Hook. | ♄ Ⓚ III-VII; Kap
– **nicaeensis** Risso ex Koch · Nizza-Kreuzblume, Pannonisches Kreuzblümchen | ♃ V-VII; Eur.: Fr, Ap, Me, H, Ba, E-Eur.; Alger., Tun.
– **oppositifolia** L.; Kap
- var. **cordata** Harv. | ♄ Ⓚ III-VII
- var. **latifolia** Ker-Gawl. | ♄ Ⓚ III-VII
– **senega** L. · Milkwort, Snakeroot | ♃ Off. V-VII; Can., USA: NE, NCE, NC, SE
– **serpyllifolia** Host · Thymianblättriges Kreuzblümchen | ♃ V-IX; Eur.* exc. EC-Eur.; Greenl.
– *speciosa* Sims = Polygala virgata var. speciosa
– **vayredae** Costa | ♄ Ⓐ △ IV-VIII ∧; Eur.: Sp.; E-Pyr.
– **virgata** Thunb. · Purple Broom ; S-Afr.
- var. **speciosa** (Sims) Harv. | ♄ Ⓚ III-VII; Kap
– **vulgaris** L. · Gewöhnliches Kreuzblümchen | ♃ V-VIII; Eur.*, TR, Sib.
- subsp. **oxyptera** (Rchb.) Schübl. et G. Martens · Spitzflügeliges Kreuzblümchen | ♃ V-VIII

Polygaloides Haller -f- *Polygalaceae*
– *chamaebuxus* (L.) Schwarz = Polygala chamaebuxus

Polygonatum Mill. -n- *Convallariaceae* · Salomonssiegel
– **biflorum** (Walter) Elliott · Giant Solomon's Seal | ♃ V; Can.: E; USA: NE, NCE, Okla
– *canaliculatum* (Muhl.) Pursh = Polygonatum biflorum
– *commutatum* (Schult. f.) A. Dietr. = Polygonatum biflorum
– **falcatum** A. Gray | ♃ V; Jap., Korea
– *giganteum* A. Dietr. = Polygonatum biflorum
– **hirtum** (Poir.) Pursh · Auen-Weißwurz | ♃ V-VI; Eur.: I, A, EC-Eur., Ba, Russ; NW-TR, Cauc.
– **hookeri** Baker | ♃ △ V; Sikkim, China: Yunnan, Tibet
– **humile** Maxim. | ♃; Jap., Sachal., Korea, Manch., Sib.
– × **hybridum** Brügger (*P. multiflorum* × *P. odoratum*) | ♃; N-Eur., W-Eur.
– *japonicum* C. Morren et Decne. = Polygonatum odoratum var. thunbergii
– *latifolium* (Jacq.) Desf. = Polygonatum hirtum
– *macranthum* (Maxim.) Koidz. = Polygonatum stenanthum
– *macrophyllum* Sweet = Polygonatum verticillatum
– **multiflorum** (L.) All. · Vielblütige Weißwurz · Solomon's Seal · Sceau de Salomon | ♃ V-VI ☠; Eur.*, TR, Cauc., Him., Jap.
– **odoratum** (Mill.) Druce · Echtes Salomonssiegel, Wohlriechende Weißwurz · Lesser Solomon's Seal | ♃ D V-VI ☠; Eur.*, Cauc., W-Sib., E-Sib., Amur, Mong., China, Korea, Jap., Maroc.
- var. **thunbergii** (C. Morren et Decne.) Hara | ♃ IV-V; Jap.
– *officinale* All. = Polygonatum odoratum
– **roseum** (Ledeb.) Kunth | ♃ V-VI; W-Sib., C-As., China: Sinkiang
– **stenanthum** Nakai | ♃ V-VII; Jap., Korea
– *thunbergii* C. Morren et Decne. = Polygonatum odoratum var. thunbergii
– **verticillatum** (L.) All. · Quirlblättrige Weißwurz | ♃ V-VI ☠; Eur.*, TR, Cauc., N-Iran, Him.

Polygonum L. -n- *Polygonaceae* · Knöterich
– *affine* D. Don = Bistorta affinis
– *alata* Ham. ex D. Don = Persicaria nepalensis
– *alpinum* All. = Aconogonon alpinum
– *amphibium* L. = Persicaria amphibia
– *amplexicaule* D. Don = Bistorta amplexicaulis
– **arenarium** Waldst. et Kit. · Sand-Vogelknöterich | VII-IX; Eur.: Fr, Ap, EC-Eur., Ba, E-Eur.; TR, Levante, Cauc., ? Maroc.
– **arenastrum** Boreau · Gewöhnlicher Vogelknöterich | X-VII; Eur.: most; TR, Levante, ? NW-Afr.
- subsp. **calcatum** (Lindm.) Wissk. · Niedriger Vogelknöterich | VII-IX; Eur.: most; TR
– *aubertii* L. = Fallopia baldschuanica
– **aviculare** L. · Acker-Vogelknöterich, Aufrechter Vogelknöterich, Breitblättriger Acker-Vogelknöterich, Verschiedenblättriger Vogelknöterich · Knotweed | ⊙ Off. XI-IX; Eur.*, Cauc., W-Sib., E-Sib. C-As.
- subsp. **rectum** Chrtek ·

Schmalblättriger Acker-Vogelknöterich
- subsp. **rurivagum** (Jord. ex Boreau) Berher · Unbeständiger Acker-Vogelknöterich, Unbeständiger Vogelknöterich | X-VII; Eur.* exc. E-Eur.; NW-Afr.
- *baldschuanicum* Regel = Fallopia baldschuanica
- **bellardii** All. · Ungarischer Vogelknöterich | X-VI; Eur.* exc. BrI, Sc; TR, Levante, SW-As., W-Sib., N-Afr.
- *bistorta* L. = Bistorta officinalis
- *campanulatum* Hook. f. = Aconogonon campanulatum
- *capitatum* Buch.-Ham. = Persicaria capitata
- *carneum* C. Koch = Bistorta officinalis subsp. carnea
- *coccineum* Mühlenb. = Persicaria amphibia
- *compactum* Hook. f. = Fallopia japonica var. compacta
- *complexum* A. Cunn. = Muehlenbeckia complexa
- *convolvulus* L. = Fallopia convolvulus
- *cuspidatum* Siebold et Zucc. = Fallopia japonica
- *dshawachischwilii* Kharkev. = Aconogonon alpinum
- *dumetorum* L. = Fallopia dumetorum
- **equisetiforme** Sibth. et Sm. | ♄ ⓚ IX-X; Eur.: Ib, Sic, Ba; TR, Levante, N-Afr.
- *fagopyrum* L. = Fagopyrum esculentum
- *filiforme* Thunb. = Persicaria filiformis
- **graminifolia** Wierzb. ex Heuff.; Eur.: EC-Eur., Serb., RO
- *hydropiper* L. = Persicaria hydropiper
- *japonicum* auct. = Fallopia japonica
  - var. *compactum* (Hook. f.) J.P. Bailey = Fallopia japonica var. compacta
- *lichiangense* W.W. Sm. = Aconogonon lichinagense
- *macrophyllum* D. Don = Bistorta macrophyllum
- *multiflorum* Thunb. = Fallopia multiflora
- *odoratum* Lour. = Persicaria odorata
- *orientale* L. = Persicaria orientalis
- **oxyspermum** Mey. et Bunge ex Ledeb. · Strand-Vogelknöterich | ⊙ VII-IX; Eur.* +
- *paleaceum* Wall. = Bistorta officinalis subsp. carnea
- **patulum** M. Bieb.; Eur.: H, RO, Russ.; Cauc., Iran, C-As., China: Sinkiang
- *persicaria* L. = Persicaria maculosa
- *polymorphum* Ledeb. = Aconogonon alpinum
- *polystachyum* Wall. ex Meisn. = Aconogonon polystachyum
- *reynoutria* Makino = Fallopia japonica
- *sachalinense* F. Schmidt = Fallopia sachalinensis
- **scoparium** Req. ex Loisel. | ♃ ♄ ⓚ; Corse, Sard.
- *sericeum* Pall. = Aconogonon sericeum
- *sieboldii* Reinw. ex De Vries = Fallopia japonica
  - *'Compacta'* = Fallopia japonica var. compacta
- *sphaerostachyum* Meisn. = Bistorta macrophyllum
- *tataricum* L. = Fagopyrum tataricum
- *tenuicaule* Bisset et S. Moore = Bistorta tenuicaule
- *tinctorium* Aiton = Persicaria tinctoria
- *vacciniifolium* Wall. ex Meisn. = Bistorta vacciniifolia
- *virginianum* L. = Persicaria virginiana
  - var. *filiforme* (Thunb.) Merr. = Persicaria filiformis
- *viviparum* L. = Bistorta vivipara
- *weyrichii* F. Schmidt ex Maxim. = Aconogonon weyrichii
- *zuccarinii* Small = Fallopia japonica

Polymnia L. -f- *Asteraceae*
- **sonchifolia** Poepp. et Endl. | ♃ ⓚ Ⓝ; Col. (And. Bogota)

Polypodium L. -n- *Polypodiaceae* · Tüpfelfarn
- **angustifolium** Sw. | ♃ ⓦ; USA: Fla.; Mex., W.Ind, trop. S-Am.
- *aureum* L. = Phlebodium aureum
- **australe** Fée · Südlicher Tüpfelfarn | ♃ V-VI; Eur.: Ib, Fr, BrI, CH, Ap, Ba, Krim; TR, Levante, NW-Afr.
- *bifrons* Hook. = Solanopteris bifrons
- *coronans* Wall. ex Mett. = Aglaomorpha coronans
- *crassifolium* L. = Niphidium crassifolium
- **decurrens** Raddi | ♃ ⓦ; W.Ind., Peru, Bras.
- *filix-femina* L. = Athyrium filix-femina
- *heracleum* Kuntze = Aglaomorpha heraclea
- **interjectum** Shivas · Gesägter Tüpfelfarn · Western Polypody | ♃ X-IX; Eur.*, TR, Iran
- *irioides* Poir. = Microsorum punctatum

- *juglandifolium* D. Don = Arthromeris wallichianum
- *leiorhizum* Wall. ex Mett. = Polypodium lucidum
- **longifolium** Mett. | ♃ Ⓦ; Malay. Pen., Phil.
- **lucidum** Roxb. | ♃ Ⓦ; Ind.
- **lycopodioides** L. | ♃ Ⓦ; trop. Am.
- × **mantoniae** Rothm. et U. Schneid. (*P. interjectum* × *P. vulgare*) · Mantons Tüpfelfarn
- *meyenianum* (Schott) Hook. = Aglaomorpha meyeniana
- *musifolium* Blume = Microsorum musifolium
- *phegopteris* L. = Phegopteris connectilis
- *phyllitidis* L. = Campyloneurum phyllitidis
- **polypodioides** (L.) D. Watt · Resurrection Fern | ♃ Ⓦ ⤳; USA: NE, NCE, SC, SE, Fla.; Mex., C-Am., S-Am., S-Afr.
- *pteropus* Blume = Microsorum pteropus
- *punctatum* L. = Microsorum punctatum
- *reinwardtii* Kuntze = Goniophlebium subauriculatum
- *rigidum* Hoffm. non Aubl. = Dryopteris villarii
- *scandens* G. Forst. = Microsorum scandens
- *subauriculatum* Blume = Goniophlebium subauriculatum
- *vacciniifolium* Langsd. et Fisch. = Microgramma vacciniifolia
- **vulgare** L. · Engelsüß, Gewöhnlicher Tüpfelfarn · Common Polypody · Polypode vulgaire | ♃ ⤳ VIII-IX; Eur.*, TR, Cyprus, Cauc., W-Sib., C-As., E-As., Maroc., N-Am.
  - subsp. *prionodes* (Asch.) Rothm. = Polypodium interjectum
- *wallichianum* Spreng. = Arthromeris wallichianum

Polypogon Desf. -m- *Poaceae* · Bürstengras
- **monspeliensis** (L.) Desf. · Bürstengras · Annual Beard Grass, Annual Rabbit's Foot Grass | ⊙ ✂ IV-VII; Eur.: Ib, F, Ap, Ba, RO, s-Russ., BrI; TR, Iraq, Cauc., Iran, C-As., Afgh., Pakist., Him., Ind., Sri Lanka, Tibet, Mong., China, Korea, Jap., Taiwan , Canar., nat. in Cz, W-Russ., N-Am., S-Afr., Austr., NZ
- **viridis** (Gouan) Breistr.; Eur.: Ib, Fr, CH, Ap, Ba, Krim; TR, Iran, Afgh., Pakist., Canar., Madeira, nat. in N-Am., S-Am., Afr., Austr.

Polyscias J.R. Forst. et G. Forst. -f- *Araliaceae* · Fiederaralie
- *balfouriana* (Sander ex André) L.H. Bailey = Polyscias scutellaria 'Balfourii'
- **cumingiana** (C. Presl) Fern.-Vill. | ♄ Ⓦ; Malay. Arch.
- **filicifolia** (C. Moore ex Fournet) L.H. Bailey
- **fruticosa** (L.) Harms · Tea Tree | ♄ Ⓦ Ⓝ; Malay. Arch., Polyn.
- **guilfoylei** (W. Bull) L.H. Bailey · Wild Coffee | ♄ Ⓦ Ⓝ; Malay. Arch., Pacific Is.
- *pinnata* J.R. Forst. et G. Forst. = Polyscias scutellaria
- *rumphiana* Harms = Polyscias cumingiana
- **scutellaria** (Burm. f.) Fosberg · Dinner Plate Aralia | ♄ ♄ Ⓦ; N.Caled.
  - **'Balfourii'**; cult.

Polystachya Hook. -f- *Orchidaceae*
- **affinis** Lindl. | ♃ Ⓦ VII-VIII ✻; W-Afr., C-Afr., Angola, Uganda

Polystichum Roth -n- *Dryopteridaceae* · Schildfarn
- **acrostichoides** (Michx.) Schott · Dolch-Farn, Weihnachts-Farn · Christmas Fern, Dagger Fern · Fougère de Noël | ♃ ✂; Can.: E; USA: NE, NCE, Mo., SC, SE, Fla; Mex.
- **aculeatum** (L.) Roth · Dorniger Schildfarn · Hard Shield Fern, Prickly Shield Fern · Aspidie lobée, Polystic à aiguillons | ♃ VIII-IX ▽; Eur.*, TR, Syr., Cauc., N-Iran, N-As., China, Jap., Maroc., Alger.
- *adiantiforme* (G. Forst.) J. Sm. = Rumohra adiantiformis
- **andersonii** Hopkins · Anderson's Shield Fern | ♃; Alaska, Can.: B.C.; USA: NW, Idaho, Mont.
- *angulare* (Kit. ex Willd.) C. Presl = Polystichum setiferum
- **auriculatum** (L.) C. Presl | ♃ Ⓚ; Ind., Sri Lanka
- **braunii** (Spenn.) Fée · Brauns Schildfarn, Zarter Schildfarn · Braun's Holly Fern, Shield Fern · Aspidie de Braun | ♃ Ⓚ VII-VIII ▽; Eur.* exc. BrI; Cauc., Amur, Alaska, Can.: E; USA: NE, NCE; Hawai
- **falcatum** (L. f.) Diels · Mondsichel-Farn

· Japanese Holly Fern | ♃ Ⓚ; Ind., China, Korea, Jap., Riukiu-Is., Taiwan, Malay. Arch., Polyn., S-Afr., nat. in GB, Azor.
- var. **caryotideum** (Wall.) Baker · Dwarf Net Vein Holly Fern | ♃ Ⓚ; Ind., China, Jap., Hawaii
- var. **fortunei** (J. Sm.) Baker · Ilex-Farn | ♃ Ⓚ Ⓐ ∧; China, Korea, Jap.

– *laserpitiifolium* (Mett.) Diels = Arachniodes standishii
– **lepidocaulon** (Hook.) J. Sm. | ♃ Ⓚ; China, Korea, Jap., Taiwan
– *lobatum* (Huds.) Bastard = Polystichum aculeatum
– **lonchitis** (L.) Roth · Lanzen-Schildfarn · Northern Holly Fern | ♃ VII-IX ▽; Eur.*, TR, Cauc., W-Sib., E-Sib., Sachal., Kamchat., Jap., C-As., Alaska, Can., USA: NE, NCE, NC, SW, Rocky Mts., NW, Calif., Greenl.; mts.
– **macrophyllum** (Makino) Tagawa | ♃ ∧; Him., China, Jap., Taiwan
– **mohrioides** (Bory) C. Presl | ♃; Can.: B.C.; USA: NW, Calif.
– **munitum** (Kaulf.) C. Presl · Sword Fern | ♃ ✂ ∧; Can.: B.C., Yukon; USA: NW, Calif., Idaho, Mont., S.Dak.; Mex.: Guadelupe Isl., nat. in Eur.
– *nipponicum* Rosenst. = Arachniodes nipponica
– *oreopteris* (Ehrh.) Bernh. = Oreopteris limbosperma
– **polyblepharum** (Roem.) C. Presl · Japanese Lace Fern · Aspidie du Japon | ♃; Jap., S-Korea
– **rigens** Tagawa | ♃; Jap.
– *rigidum* Hoffm. non Aubl. = Dryopteris villarii
– **setiferum** (Forssk.) T. Moore ex Woyn. · Borstiger Schildfarn · Alaska Fern, Hedge Fern, Soft Shield Fern · Polysticà cils raides | ♃ VIII-IX ▽; Eur.* exc. Sc; TR, Cauc., Iran, Him., Maroc., Afr.
– × **setigerum** (C. Presl) C. Presl (*P. braunii* × *P. munitum*)
– *standishii* (T. Moore) C. Chr. = Arachniodes standishii
– *thelypteris* (L.) Roth = Thelypteris palustris
– **tripteron** (Kunze) C. Presl | ♃; E-Sib., China, Jap.
– **tsus-simense** (Hook.) J. Sm. | ♃ Ⓚ ∧; China, Korea, Jap., Taiwan

Pomaderris Labill. -f- *Rhamnaceae*
– **apetala** Labill. | ♄ ♄ VI; Austr.: Victoria, Tasman.; NZ

Pometia J.R. Forst. et G. Forst. -f- *Sapindaceae*
– **pinnata** J.R. Forst. et G. Forst. | ♄ Ⓝ; Malay. Arch., N.Guinea, Pazific Is.

Poncirus Raf. -f- *Rutaceae*
– **trifoliata** (L.) Raf. · Bitterorange · Bitter Orange, Trifoliate Orange · Orange amère, Poncir | ♄ ♧ IV-V ∧; Him., C-China, nat. in Jap.

Pontederia L. -f- *Pontederiaceae*
– **cordata** L. · Pickerel Weed, Pickerelweed | ♃ Ⓚ ♠ VI-X; Can.: E; USA: NE, NCE, Okla., SE, Fla.; C-Am., s S-Am.
- var. *lancifolia* (Mühlenb.) Torr. = Pontederia lanceolata

– *crassipes* Mart. = Eichhornia crassipes
– **lanceolata** Nutt. | ♃ Ⓚ ♠ VI-X; USA: NE, NCE, SC, SE, Fla.; trop. Am.

Populus L. -f- *Salicaceae* · Pappel
– **alba** L. · Silber-Pappel · White Poplar · Peuplier blanc | ♄ III-IV Ⓝ; Eur.* exc. BrI, Sc; TR, Palaest., Cauc., W-Sib., C-As., Him., N-Afr., nat. in BrI, DK, N-Am.
- *'Bolleana'* = Populus alba 'Pyramidalis'
- **'Pyramidalis'** | ♄, C-As.
- var. *pyramidalis* Bunge = Populus alba 'Pyramidalis'

– **angustifolia** James ex Torr. · Schmalblättrige Pappel · Narrowleaf Cottonwood, Willow Leaved Poplar | ♄; Can.: W, Man.; USA: Rocky Mts., Calif., SW, SC, NC; N-Mex.
– **balsamifera** L. · Balsam-Pappel · Balsam Poplar, Tacamahaca · Peuplier baumier | ♄ D IV Ⓝ; Alaska, Can., USA: NE, NCE, NC, Rocky Mts., NW
- var. *fernaldiana* Rouleau = Populus balsamifera var. subcordata
- var. **subcordata** Hyl. | ♄ D; Can.: E; USA: NE, NCE

– × **berolinensis** (K. Koch) Dippel (*P. laurifolia* × *P. nigra 'Italica'*) · Berliner Pappel · Berlin Poplar · Peuplier de Berlin | ♄ Ⓝ; cult.
– × **canadensis** Moench (*P. deltoides* × *P. nigra*) · Bastard-Schwarz-Pappel, Kanada-Pappel · Canadian Poplar ·

Peuplier grisard, Peuplier hybride euraméricain | ₺ IV Ⓝ
- × *candicans* Aiton = Populus × jackii 'Gileadensis'
- × **canescens** (Aiton) Sm. (*P. alba* × *P. tremula*) · Grau-Pappel · Grey Poplar · Peuplier grisard | ₺ III-IV Ⓝ; Eur.* exc. Sc, Ib; TR, Cauc., nat. in Sc, Ib, USA
- **cathayana** Rehder | ₺; NW-China, Manch., Korea
- **deltoides** Bartram ex Marshall · Karolina-Pappel, Virginische Pappel · Eastern Cottonwood, Necklace Poplar | ₺ IV Ⓝ; Can.: E; USA: NE, NCE, NC, SC, SE, Fla., nat. in Eur.
  - subsp. *monilifera* (Aiton) Eckenw. = Populus sargentii
  - var. *occidentalis* Rydb. = Populus sargentii
- × *euroamericana* (Dode) Guinier = Populus × canadensis
- *fastigiata* Desf. = Populus nigra 'Italica'
- × **generosa** Henry (*P. deltoides* × *P. trichocarpa*) | ₺ Ⓝ; cult.
- *gileadensis* Rouleau = Populus × jackii 'Gileadensis'
- **grandidentata** Michx. · Großzähnige Pappel · Big Tooth Aspen | ₺ Ⓝ; Can.: E; USA: NE, NCE, NC, Tenn., N.C.
- *italica* (Münchh.) Moench = Populus nigra 'Italica'
- × **jackii** Sarg. (*P. balsamifera* × *P. deltoides*)
  - **'Gileadensis'** | ₺ IV Ⓝ; orig. ?, nat. in Eur.
- *koreana* Rehder = Populus maximowiczii
- **lasiocarpa** Oliv. · Großblatt-Pappel · Chinese Necklace Poplar · Peuplier à fruits velus | ₺ Ⓝ; W-China, C-China
- **laurifolia** Ledeb. · Lorbeerblättrige Pappel | ₺ Ⓝ; W-Sib., E-Sib., C-As., China: Sikiang, Mong., NW-Ind., Jap.
- **maximowiczii** Henry · Maximowiczs Pappel | ₺ Ⓝ; Amur, Manch., Korea, Jap., Sachal., Kamchat.
- **nigra** L. · Schwarz-Pappel · Black Poplar · Peuplier noir | ₺ IV Ⓝ; Eur.* exc. Sc; TR, Cauc., W-Sib., E-Sib., C-As., NW-Afr., nat. in DK
  - **'Italica'** L. | ₺
  - var. **betulifolia** (Pursh) Torr.
  - var. *italica* Münchh. = Populus nigra 'Italica'
  - var. *pyramidalis* (Rozanova) Spach = Populus nigra 'Italica'
- *pyramidalis* Rozanova = Populus nigra 'Italica'
- **sargentii** Dode · Great Plains Cottonwood, Sargent Cottonwood | ₺ Ⓝ; Can.: W, Man.; USA: Rocky Mts., SW, SC, NC
- **simonii** Carrière · Simons Pappel · Cottonwood · Peuplier de Simon | ₺ IV Ⓝ; N-China
- **suaveolens** Fisch. · Sibirische Balsam-Pappel · Poplar | ₺ Ⓝ; E-Sib., Amur, Kamchat., N-China, Korea, N-Jap.
- *suaveolens* Maxim. = Populus maximowiczii
- **szechuanica** C.K. Schneid. · Chinesische Balsam-Pappel | ₺ Ⓝ; Sichuan
- *tacamahacca* Mill. = Populus balsamifera
- **tremula** L. · Espe, Zitter-Pappel · Aspen · Peuplier tremble | ₺ ₺ III-IV Ⓝ; Eur.*, TR, Lebanon, Cauc., W-Sib., E-Sib., Amur, Sachal., Kamchat., C-As., Mong., Korea, N-China, Alger.
- **tremuloides** Michx. · Amerikanische Espe · American Aspen, Aspen, Quaking Aspen · Peuplier faux-tremble | ₺ Ⓝ; Alaska, Can., USA: NE, NCE, NC, Rocky Mts., SW, Calif., NW; N-Mex., Baja Calif.
- **trichocarpa** Torr. et A. Gray ex Hook. · Haarfrüchtige Pappel · Black Cottonwood, Western Balsam Poplar · Peuplier baumier | ₺ IV Ⓝ; Alaska, Can.: W; USA: NW, Rocky Mts., Calif; Mex.: Baja Calif.
- **tristis** Fisch. · Dunkelblättrige Pappel | ₺ Ⓝ; C-As.
- **wilsonii** C.K. Schneid. · Wilsons Großblatt-Pappel | ₺ Ⓝ; China: Hupeh, Sichuan
- **yunnanensis** Dode | ₺; SW-China: Yunnan

Porana Burm.f. -f- *Convolvulaceae*
- **paniculata** Roxb. · Bridal Bouquet, Snow Creeper | ₺ Ⓦ ≹ VIII; Ind., Malay. Pen.
- **racemosa** Roxb. | ⊙ Ⓦ VII-XI; Ind., Myanmar

Porlieria Ruiz et Pav. -f- *Zygophyllaceae*
- **hygrometra** Ruiz et Pav. · Soap Bush | ₺ Ⓚ IV; Peru

Porphyrocoma = Justicia L.
- *lanceolata* Scheidw. = Justicia ovata var.

lanceolata

Porroglossum Schltr. -n- *Orchidaceae*
- **echidnum** (Rchb. f.) Garay | ♃ Ⓚ V-VIII; Col., Ecuad.

Portea K. Koch -f- *Bromeliaceae*
- **kermesina** Brongn. ex K. Koch | ♃ Ⓦ; Bras.
- **petropolitana** (Wawra) Mez | ♃ Ⓦ; Bras.

Portulaca L. -f- *Portulacaceae* · Portulak
- **grandiflora** Hook. · Portulakröschen · Common Portulaca, Moss Rose, Sum Plant · Pourpier à grandes fleurs | ⊙ VI-VIII; Bras., Urug., Arg., nat. in C-Eur., SE-Eur.
- **oleracea** L. · Gemüse-Portulak · Purslane | VI-IX; Eur.*, TR, Levante, Cauc., Iran, C-As., Mong., Subtrop., Trop., nat. in Eur.* exc. Sk
  - var. **sativa** DC.; cult.
- **umbraticola** Humb., Bonpl. et Kunth | ⊙ VI-VIII; Col.

Portulacaria Jacq. -f- *Portulacaceae* · Strauchportulak
- **afra** Jacq. · Elephant Bush, Elephant's Food | ♄ Ⓚ; S-Afr.

Posidonia K. Koenig -f- *Posidoniaceae*
- **oceanica** (L.) Delile | ♃ Ⓝ; Eur.: Ib, F, , Ap, Ba +

Potamogeton L. -m- *Potamogetonaceae* · Laichkraut
- **acutifolius** Link · Spitzblättriges Laichkraut | ♃ VI-VIII; Eur.* exc. Ib
- **alpinus** Balb. · Alpen-Laichkraut | ♃ VI-VIII; Eur.*, Cauc., W-Sib., E-Sib., C-As.
- × **angustifolius** J. Presl (*P. gramineus* × *P. lucens*) · Schmalblättriges Laichkraut | ♃ VI-VII
- **berchtoldii** Fieber · Berchtolds Laichkraut · Potamot de Berchtold | ♃ VI-IX; Eur.* exc. Ib; TR, N-As., N-Am., ? NW-Afr.
- *caespitosus* Nolte = Potamogeton rutilus
- **coloratus** Hornem. · Gefärbtes Laichkraut | ♃ VI-VIII; Eur.*
- **compressus** L. · Flachstängeliges Laichkraut | ♃ VII-VIII; Eur.* exc. Ap; Sib., Amur, Kamchat.
- **crispus** L. · Krauses Laichkraut · Curled Pondweed, Water Caltrop · Potamot crépu | ♃ ♆ V-VIII; Eur.*, TR, Cauc., W-Sib., E-Sib., Amur, C-As., Him., Manch., Korea, Jap., Taiwan, Egypt, Afr., Austr., nat. in N-Am., NZ
- *densus* L. = Groenlandia densa
- **filiformis** Pers. · Faden-Laichkraut | ♃ VI-VII; Eur.*, TR, Cauc., NW-Iran, Afgh., Pakist., E-Sib., Amur, Kamchat
- **fluitans** Roth · Flutendes Laichkraut
- **friesii** Rupr. · Stachelspitziges Laichkraut | ♃ VI-VIII; Eur.* exc. Ib; W-Sib., E-Sib., Kamchat., Manch., N-Am., nat. in Arg.
- **gramineus** L. · Grasartiges Laichkraut | ♃ VI-VII; Eur.*, TR, Cauc., NW-Iran, Pakist., Sib., N-Am.
- **helveticus** (G. Fisch.) W. Koch · Schweizer Laichkraut | ♃ XI-VIII; Eur.: D, CH, H, A
- **lucens** L. · Glänzendes Laichkraut · Potamot luisant | ♃ VI-VIII; Eur.*, W-Afr.
- **natans** L. · Schwimmendes Laichkraut · Floating Pondweed, Pondweed · Potamot nageant | ♃ ♆ VI-VIII; Eur.*, TR, Syr., Cauc., W-Sib., E-Sib., Amur, Sachal., Kamchat., C-As., Afgh., Pakist., Manch., Korea, Jap., N-Afr., cosmop.
- × **nitens** Weber (*P. gramineus* × *P. perfoliatus*) · Schimmerndes Laichkraut | ♃ ♆ VI-VIII
- **nodosus** Poir. · Knoten-Laichkraut | ♃ VI-VIII; Eur.* exc. Sc; TR, Cauc., W-Sib., C-As., SE-As., N-Am., C-Am., Afr.
- **obtusifolius** Mert. et W.D.J. Koch · Stumpfblättriges Laichkraut | ♃ VI-VIII; Eur.* exc. Ib; Cauc., Iran, W-Sib., E-Sib., C-As., Mong., N-Am.
- **pectinatus** L. · Kamm-Laichkraut · Potamot pectiné | ♃ VI-VIII; Eur.*, E-USA, S-Am., Afr.
- **perfoliatus** L. · Durchwachsenes Laichkraut | ♃ VI-VIII; Eur.*, TR, Cauc., W-Sib., E-Sib., Amur, Sachal., Kamchat., C-As.
- **polygonifolius** Pourr. · Knöterich-Laichkraut | ♃ VI-VIII; Eur.* exc. E-Eur.
- **praelongus** Wulfen · Langblättriges Laichkraut | ♃ VI-VII; Eur.* exc. Ib; TR, Cauc., W-Sib., E-Sib., Amur, Kamchat., N-Am.
- **pusillus** Biv. · Zwerg-Laichkraut | ♃ VI-IX; Eur.*; cosmop. exc. Austr.
- **rutilus** Wolfg. · Rötliches Laichkraut | ♃

♣ VII-VIII; Eur.: BrI, Sc, F, D, EC-Eur.
- × **salicifolius** Wolfg. (*P. lucens* × *P. perfoliatus*) · Weidenblättriges Laichkraut | ♃
- × **sparganifolius** Laest. ex Fr. · Rippennerviges laichkraut
- × **spathulatus** Schrad. ex W.D.J. Koch et Ziz (*P. alpinus* × *P. polygonifolius*) · Spateliges Laichkraut
- **trichoides** Cham. et Schltdl. · Haarblättriges Laichkraut | ♃ VI-VII; Eur.*, TR, Cauc., W-Sib., E-Sib., C-As., Afr.

Potentilla L. -f- *Rosaceae* · Fingerkraut
- **alba** L. · Weißes Fingerkraut · White Cinquefoil · Potentille blanche | ♃ ⇝ IV-VI; Eur.: F, Ap, C-Eur., EC-Eur., Ba, E-Eur.
- **alchemilloides** Lapeyr. | ♃ ⇝ △ V-VI; Sp., F; Pyr.
- **alpicola** De la Soie · Alpen-Fingerkraut | ♃ V-VII; Eur.: I, CH
- *ambigua* Cambess. = Potentilla cuneata
- **anglica** Laichard. · Niederliegendes Fingerkraut | ♃ VII-IX; Eur.*
- **anserina** L. · Gänse-Fingerkraut · Silverweed, Wild Tansy | ♃ ⇝ V-VIII; Eur.*, Cauc., W-Sib., E-Sib., Amur, Sachal., Kamchat., C-As., Him., Alaska, Can., USA* exc. SE, Fla., SC, Austr., NZ
- **arenaria** P. Gaertn., B. Mey. et Scherb. · Sand-Fingerkraut | ♃ III-V
- **argentea** L. · Silber-Fingerkraut · Hoary Cinquefoil, Silver Leaf Cinquefoil | ♃ △ X-VIII; Eur.*, TR, Cauc., N-Iran, W-Sib., E-Sib., C-As., nat. in N-Am.
- *argyrophylla* Wall. ex Lehm. = Potentilla atrosanguinea var. argyrophylla
- **atrosanguinea** Lodd. ex D. Don · Potentille sanguine | ♃ VI-IX; Nepal
  - var. **argyrophylla** (Lehm.) Grierson et D.G. Long | ♃ △ VI-VII; W-Him.
- **aurea** L. · Gold-Fingerkraut · Potentille dorée | ♃ △ VI-IX; Eur.* exc. BrI, Sc; mts.
  - subsp. **chrysocraspeda** (Lehm.) Nyman | ♃ ⇝ △ VI-VII; Eur.: Ba, Carp.; NW-TR
- **brauneana** Hoppe ex Nestl. · Zwerg-Fingerkraut | ♃ VII-VIII; Eur.: Sp., F, I, C-Eur., Slove.; Pyr., Alp., Jura
- **caulescens** L. · Stängel-Fingerkraut | ♃ △ VII-VIII; Eur.: Ib, F, Ap, C-Eur., Ba; mts.; Maroc., Alger.
- *chrysocraspeda* Lehm. = Potentilla aurea subsp. chrysocraspeda
- *cinerea* Chaix = Potentilla incana
- **clusiana** Jacq. · Ostalpen-Fingerkraut | ♃ △ VI-VIII; Eur.: I, C-Eur., W-Ba; mts.
- **collina** Wibel · Gewöhnliches Hügel-Fingerkraut | ♃ IV-VIII; Eur.* exc. BrI, Ib
- **crantzii** (Crantz) Beck ex Fritsch · Zottiges Fingerkraut · Alpine Cinquefoil | ♃ △ V-VII; Eur.*, TR, Cauc., N-Iran, W-Sib., Can.: E; Greenl.
- **cuneata** (Wall.) Lehm. | ♃ ⇝ △ VII-VIII; Him.
- *davurica* Nestl. = Potentilla fruticosa var. davurica
- **erecta** (L.) Raeusch. · Aufrechtes Fingerkraut, Blutwurz, Tormentill · Bloodroot, Shepherd's Knot | ♃ Off. V-VIII; Eur.*, TR, Cauc., W-Sib.
- *fragiformis* Willd. = Potentilla megalantha
  - subsp. *megalantha* (Takeda) Hultén = Potentilla megalantha
- **frigida** Vill. · Gletscher-Fingerkraut | ♃ VII-VIII; Eur.: Sp., F, I, C-Eur.; Pyr., Alp.
- **fruticosa** L. · Gewöhnlicher Fingerstrauch, Strauch-Fingerkraut · Shrubby Cinquefoil · Potentille arbustive | ♄ VI-VIII; Eur.: Sp., F, I, BA, BrI, Sweden, Russ.; Cauc., Him., N-As., Jap., Alaska, Can., USA: NE, NCE, NC, Rocky Mts., SW, NW, Calif.; Greenl.
  - var. **arbuscula** (D. Don) Maxim.
  - var. **davurica** (Nestl.) Ser. | ♄ V-VIII; Sib., N-China
  - var. **mandshurica** (Maxim.) Wolf · Potentille arbustive de Mandchourie ; Jap., Manch., N-China
  - var. **rigida** (Wall. ex Lehm.) Wolf; Him., N-China
  - var. **unifoliolata** Ludlow
- *glabrata* Willd. ex Schltdl. = Potentilla fruticosa var. davurica
- **grammopetala** Moretti · Schmalkronblättriges Fingerkraut | ♃ VII Eur.: I, CH; Alp.
- **grandiflora** L. · Großblütiges Fingerkraut | ♃ VII-VIII; Eur.: Ib, Fr, Ap C-Eur.; Pyr., Alp.
- **heptaphylla** L. · Rötliches Fingerkraut | ♃ IV-VI; Eur.* exc. BrI, Ib; TR
- **incana** P. Gaertn., B. Mey. et Scherb. · Aschgraues Fingerkraut, Sand-

Fingerkraut · Grey Cinquefoil | ♃ ⇝ △ IV-V; Eur.* exc. BrI; Cauc.
– **inclinata** Vill. · Graues Fingerkraut | ♃ V-VIII; Eur.* exc. BrI, Sc; TR, Cauc., Iran, N-As., C-As.
– *insignis* Royle = Potentilla atrosanguinea
– **intermedia** L. · Mittleres Fingerkraut | ♃ ⊙ VI-IX; Eur.: Russ., nat. in BrI, Sc, Fr, Ap, C-Eur., EC-Eur.
– **leucopolitana** P.J. Müll. · Elsäßer Fingerkraut, Weißenburger Hügel-Fingerkraut | ♃ IV-VIII
– **megalantha** Takeda · Potentille à grandes fleurs | ♃ △ VI-VIII; Jap.
– **micrantha** Ramond ex DC. · Kleinblütiges Fingerkraut | ♃ III-V; Eur.* exc. BrI, Ib; TR, Syr., Cauc., Iran, NW-Afr.
– × **mixta** Nolte ex W.D.J. Koch (*P. anglica* × *P. reptans*) · Bastard-Fingerkraut | ♃ VI-IX
– **multifida** L. · Schlitzblättriges Fingerkraut | ♃ VII-VIII; Eur.: Sc, Russ., F, I, CH; N, Ural, Alp., Pyr.; Cauc., Iran, Afgh., Him., Tibet, Mong., W-Sib., E-Sib., Amur, China, N-Am.
– **neglecta** Baumg. · Übersehenes Fingerkraut | ♃ VI-VII; Eur.: most +
– **nepalensis** Hook. · Nepal Cinquefoil | ♃ VII-IX; W-Him.
– **neumanniana** Rchb. · Frühlings-Fingerkraut · Spring Cinquefoil · Potentille printanière | ♃ ⇝ IV-V; Eur.*
– **nevadensis** Boiss. | ♃ △ V-VI; S-Sp.: Sierra Nevada
– **nitida** L. · Dolomiten-Fingerkraut · Potentille brillante, Potentille des Dolomites | ♃ △ VI-VIII; Eur.: F, I, A, Slove.; Alp., Apenn.
– **nivea** L. · Schnee-Fingerkraut | ♃ VII-VIII; Eur.: Sc, Russ., F, I, C-Eur.; N, Alp., Apenn.; Cauc., W-Sib., E-Sib.
– **norvegica** L. · Norwegisches Fingerkraut | X-VI; Eur.: Ap, C-Eur., EC-Eur., Sc; W-Sib., E-Sib., Amur, Kamchat., Mong., Jap., N-Am., nat. in BrI, Fr, Ba
– **palustris** (L.) Scop. · Sumpf-Fingerkraut, Sumpfblutauge · Marsh Cinquefoil · Potentille des marais | ♃ ~ VI-VII; Eur.*, Cauc., W-Sib., E-Sib., Amur, Sachal., Kamchat., Mong., China, Alaska, Can., USA: NE, NCE, NC, Rocky Mts., Calif.; Greenl.
– **patula** Waldst. et Kit. · Ausgebreitetes Fingerkraut | ♃ IV-V; Eur.: C-Eur., EC-Eur., Ba, E-Eur. +
– **praecox** F.W. Schultz · Frühes Hügel-Fingerkraut | ♃ IV-V; Eur.: D, CH
– **pusilla** Host · Flaum-Fingerkraut | ♃ III-V; Eur.: Fr, Ap, C-Eur., EC-Eur., RO
– **pyrenaica** Ramond ex DC. | ♃ △ VII-VIII; Eur.: Sp., F; Pyr, NE-Sp.
– **recta** L. · Hohes Fingerkraut | ♃ VI-VII; Eur.* exc. BrI, Sc; TR, Syr., Cauc. Iran, W-Sib., C-As., NW-Afr., nat. in N-Am., S-Am.
– **reptans** L. · Kriechendes Fingerkraut · Creeping Cinquefoil | ♃ VI-VIII; Eur.*, TR, Syr., Cauc., Iran, W-Sib., C-As., Afgh., Kashmir, N-Afr.
– **rhenana** Zimmeter · Rheinisches Fingerkraut | ♃ IV-VIII; Eur.: D
– **rupestris** L. · Felsen-Fingerkraut · Prairie Tea, Rock Cinquefoil, Siberian Tea | ♃ V-VII; Eur.*, TR, Maroc.
– **salesoviana** Stephan · Asiatischer Fingerstrauch | ♄ △ VI-VIII; W-Sib., C-As., Mong., Tibet, Him.
– **silesiaca** Uechtr. | ♃ IV-VIII; Eur.: PL
– **sordida** Aspegren; Eur.: F, D, EC-Eur., BG
– **speciosa** Willd. | ♃ △ VI-VII; Eur.: Ba; TR, Syr., N-Iraq
– **sterilis** (L.) Garcke · Erdbeer-Fingerkraut | ♃ III-V; Eur.* exc. EC-Eur.
– **supina** L. · Niedriges Fingerkraut | ♃ ⊙ X-VI; Eur.: Fr, Ap, C-Eur., EC-Eur., Ba, E-Eur.; N-Afr.
– *sylvestris* Neck. = Potentilla erecta
– *tabernaemontani* Asch. = Potentilla neumanniana
– *ternata* Lehm. = Potentilla aurea subsp. chrysocraspeda
– **thuringiaca** Bernh. ex Link · Thüringer Fingerkraut | ♃ V-VII; Eur.: Fr, I, C-Eur., EC-Eur., RO; TR, Cauc., nat. in Sc
– **thyrsiflora** Zimmeter · Reichblütiges Hügel-Fingerkraut | ♃ VI-VIII; Eur.: I, D, EC-Eur., E-Eur.
– × **tonguei** hort. ex Baxt. (*P. anglica* × *P. nepalensis*) | ♃ ⇝ △ VII-VIII; cult.
– *tormentilla* Stokes = Potentilla erecta
– × *tormentilla-formosa* Maund = Potentilla × tonguei
– *tridentata* Aiton = Sibbaldiopsis tridentata
– *verna* auct. non L. = Potentilla neumanniana
– **villosa** Pall. ex Pursh · Northern Cinquefoil | ♃ △ V-IX; E-Sib., Alaska,

Can.: W; USA: NW, Rocky Mts.
– **wiemannii** Günther et Schummel · Wiemann-Fingerkraut ; Eur.: F, I, C-Eur., EC-Eur., Sc, Ba, Russ.

Poterium = Sanguisorba L.
– *muricatum* Spach = Sanguisorba minor subsp. polygama
– *officinale* (L.) A. Gray = Sanguisorba officinalis
– *polygamum* Waldst. et Kit. = Sanguisorba minor subsp. polygama
– *sanguisorba* L. = Sanguisorba minor
– *spinosum* L. = Sarcopoterium spinosum

Pothos L. -m- *Araceae*
– *argyraeus* (hort. ex Engl.) Engl. = Scindapsus pictus 'Argyraeus'
– *aureus* Linden et André = Epipremnum aureum
– **beccarianus** Engl. | Ⓦ ≷; Kalimantan
– *celatocaulis* N.E. Br. = Rhaphidophora celatocaulis
– *decipiens* Schott = Pothos scandens
– **lourerii** Hook. et Arn. | Ⓦ ≷; S-China
– *microphyllus* Schott = Pothos lourerii
– **scandens** L. · Pothos | Ⓦ ≷; Ind., Malay. Pen.
– *terminalis* Haenke = Pothos lourerii

× **Potinara** Hort. -f- *Orchidaceae* (*Brassavola* × *Cattleya* × *Laelia* × *Sophronitis*)

Pouteria Aubl. -f- *Sapotaceae*
– **caimito** (Ruiz et Pav.) Radlk. · Egg Fruit | ♄ Ⓦ Ⓝ; Ecuad., Peru, Bras.:Amazon.; Guyan.
– **campechiana** (Humb., Bonpl. et Kunth) Baehni · Canistel | ♄ Ⓦ Ⓝ; Mex., C-Am., Cuba, trop. S-Am., nat. in Fla.
– **lucuma** (Ruiz et Pav.) Kuntze | ♄ Ⓚ Ⓝ; Peru, Chile
– **sapota** (Jacq.) H.E. Moore et Stearn · Sapote | ♄ Ⓦ Ⓝ; Mex., C-Am.

Praecereus = Monvillea Britton et Rose
– *maritimus* (Britton et Rose) Buxb. = Monvillea maritima

Pratia Gaudich. -f- *Campanulaceae*
– **angulata** (G. Forst.) Hook. f. | ♃ Ⓚ Ⓐ ⇝ △ ☘ VI-VIII ∧; NZ
– *begoniifolia* (Wall. ex Roxb.) Lindl. = Pratia nummularia
– **macrodon** Hook. f. | ♃ Ⓚ ⇝ VII-VIII; NZ
– **nummularia** (Lam.) A. Braun et Asch. · Pratia | ♃ Ⓚ ⇝ VII-VIII; Him., Ind., S-China, C-China, Myanmar, Thail., Vietn., Taiwan, Phil.
– **pedunculata** (R. Br.) F. Muell. ex Benth. | ♃ ⇝ ∧; Austr.
– **repens** Gaudich. | ♃ Ⓚ ⇝ VII-X; Falkland

Premna L. -f- *Verbenaceae*
– **japonica** Miq. | ♄ ♄; Jap., Riukiu Is., Taiwan

Prenanthes L. -f- *Asteraceae* · Hasenlattich
– *alba* L. = Nabalus albus
– **purpurea** L. · Gewöhnlicher Hasenlattich · Purple Lettuce | ♃ VII-VIII; Eur.* exc. BrI, Sc; TR, Cauc., nat. in DK
– *serpentaria* Pursh = Nabalus serpentarius

Prenia = Phyllobolus N.E. Br.
– **relaxata** (Willd.) N.E. Br. | ♄ Ψ Ⓚ ⇝; Kap

Prepodesma = Nananthus N.E. Br.
– *orpenii* (N.E. Br.) N.E. Br. = Aloinopsis orpenii

Prestonia R. Br. -f- *Apocynaceae*
– **quinquangularis** (Jacq.) Spreng. | ♄ Ⓦ ≷; W.Ind., Venez., Guyan.

Primula L. -f- *Primulaceae* · Primel
– *abchasica* Sosn. = Primula vulgaris subsp. sibthorpii
– *acaulis* (L.) Hill = Primula vulgaris
  - var. *iberica* Hoffm. = Primula vulgaris subsp. sibthorpii
  - var. *rubra* (Sibth. et Sm.) Lüdi = Primula vulgaris subsp. sibthorpii
– **algida** Adams | ♃ △ V; Cauc., N-Iran, W-Sib., C-As., Mong.
– **allionii** Loisel. | ♃ Ⓐ III-IV ▽; Eur.: F, I; Alp. Maritimes
– **alpicola** Stapf · Moonlight Primrose | ♃ ⇝ V-VI; SE-Tibet (Tsangpo)
– **amoena** M. Bieb. | ♃ △ IV; NE-TR, Cauc.
– *angustidens* (Franch.) Pax = Primula wilsonii
– **anisodora** Balf. f. et Forrest | ♃ VI-VII; Yunnan, Sichuan
– **aurantiaca** W.W. Sm. et Forrest ·

Primevère à fleurs oranges | ♃ ~ VII; Yunnan
– **auricula** L. · Alpen-Aurikel · Auricula, Dusty Miller, Garden Auricula · Auricule | ♃ △ IV-VI ▽; Eur.: F, C-Eur., EC-Eur., Ap, Ba, E-Eur.; Alp., Apenn., Carp.
– **auriculata** H.J. Lam | ♃ △ IV-V; TR, Cauc.
– **beesiana** Forrest · Etagen-Primel · Primevère à étages | ♃ ~ VI-VII; Yunnan, Sichuan
– × *belluensis* hort. = Primula × pubescens
– × **berninae** A. Kern. (*P. hirsuta* × *P. latifolia*)
– × *bileckii* Sünd. = Primula × forsteri 'Bileckii'
– × **bullesiana** Janson. (*P. beesiana* × *P. bulleyana*) | ♃
– **bulleyana** Forrest · Bulleys Etagen-Primel · Primevère de Bulley | ⊙ ♃ VI-VII; NW-Yunnan, S-Sichuan
– **burmanica** Balf. f. et Kingdon-Ward | ♃ ~ VI-VII; N-Myanmar, Yunnan
– *cachemiriana* Munro = Primula denticulata 'Cashmeriana'
– *calycina* Duby = Primula glaucescens subsp. calycina
– *canescens* Opiz = Primula veris
– **capitata** Hook.; Bhutan, S-Tibet
- subsp. **crispa** (Balf. f. et Forrest) W.W. Sm. et Forrest
- subsp. **mooreana** (Balf. f. et Forrest) W.W. Sm. et Forrest | ♃ VII-VIII ∧; E-Him.
- subsp. **sphaerocephala** (Balf. f. et Forrest) W.W. Sm. et Forrest | ♃ VII-VIII ∧; W-China
– **carniolica** Jacq. | ♃ △ IV-V ▽; Eur.: Slove.
– *carpatica* (Griseb. et Schenk) W.W. Sm. et Forrest = Primula elatior
– **chionantha** Balf. f. et Forrest | ♃ ~ V-VI ∧; NW-Yunnan
– **chungensis** Balf. f. et Kingdon-Ward · Primevère du Yunnan | ♃ ~ V-VI; Bhutan, Ind.: Assam; China: Yunnan, Sichuan
– **clarkei** G. Watt | ♃ △ ~ IV; Kashmir
– **clusiana** Tausch · Clusius-Schlüsselblume · Primevère de Clusius | ♃ △ V-IV ▽; Eur.: D, A; NE-Alp.
– **cockburniana** Hemsl. | ⊙ ~ V-VI; SW-Sichuan
– *columnae* Ten. = Primula veris subsp. columnae
– *commutata* Schott = Primula villosa f. commutata
– *cordifolia* Rupr. = Primula elatior subsp. cordifolia
– **cortusoides** L. | ♃ △ IV-V; W-Sib.
– **daonensis** Leyb. · Inntaler Schlüsselblume, Rätische Schlüsselblume, Val Daone-Primel | ♃ △ VI-IV ▽; Eur.: I, CH, A; E-Alp.
– **darialica** Rupr.; Cauc.
– **denticulata** Sm. · Primevère sphérique | ♃ △ III-IV; Afgh., Him., W-China
- **'Cashmeriana'**
- var. *cachemiriana* (Munro) Hook. = Primula denticulata 'Cashmeriana'
– **elatior** (L.) Hill · Hohe Schlüsselblume · Oxlip, Paigles · Primevère élevée | ♃ Off. III-V; Eur.*
- subsp. *carpathica* (Fuss) Nyman = Primula elatior
- subsp. **cordifolia** (Rupr.) w.W. Sm. et Forrest
- subsp. **intricata** (Gren. et Godr.) Widmer · Pyrenäische Schlüsselblume | ♃ IV-V; S-Eur., SC-Eur.
- subsp. **leucophylla** (Pax) Hesl. Harr. ex W.W. Sm. et Fletcher; Eur.: E-Carp.
- subsp. **pallasii** (Lehm.) W.W. Sm. et Forrest; Cauc., Iran, Ural, Altai
- subsp. **pseudoelatior** (Kusn.) W.W. Sm. et Forrest; NE-TR, Cauc.
- var. *amoena* (M. Bieb.) Duby = Primula amoena
- var. *carpathica* Griseb. et Schenk = Primula elatior
– **ellisiae** Pollard et Cockerell
– × **facchinii** Schott (*P. minima* × *P. spectabilis*)
– **farinosa** L. · Mehl-Primel · Bird's Eye Primrose · Primevère farineuse | ♃ △ ~ ⋉ V ▽; Eur.*, W-Sib., E-Sib., Amur, Kamchat., N-Mong.
– **flaccida** N.P. Balakr. | ♃ △ IV-V; SW-Sichuan, Yunnan
– **floribunda** Wall. | ♃ Ⓚ II-III; Him.: Afgh., Kashmir, NW-Ind., Nepal
– **florindae** Kingdon-Ward · Tibet-Primel · Himalayan Cowslip · Primevère estivale du Tibet | ♃ ~ VII-IX; SE-Tibet (Tsangpo)
– **forbesii** Franch. | ⊙ Ⓚ ▽ I-V; N-Myanmar, Yunnan
– × **forsteri** Stein (*P. hirsuta* × *P. minima*) | ♃
- **'Bileckii'**

- **frondosa** Janka | ♃ △ ∼ V ▽; BG
- **gemmifera** Batalin | ♃ △ IV-V; China: Sichuan, E-Tibet, Kansu
- **geraniifolia** Hook. f. | ♃; E-Him., Yünnan
- *giraldiana* Balf. f. non Pax = Primula muscarioides
- **glaucescens** Moretti; Eur.: I; S-Alp.
  - subsp. **calycina** (Duby) Pax | ♃ △ III-IV ▽; I: Alp.
- **glutinosa** Wulfen · Klebrige Primel | ♃ △ VI-V ▽; Eur.: I, CH, A, Bosn.; mts.
- *glycocosma* Petitm. = Primula wilsonii
- **grandis** Trautv. | ♃ ∼ V-VI; Cauc.
- **halleri** J.F. Gmel. · Hallers Primel · Primevère de Halley | ♃ △ VI-V ▽; Eur.: Fr, C-Eur., EC-Eur.Ap, Ba, E-Eur.; Alp., Carp., Balkan
- × **heerii** Brügger (*P. hirsuta* × *P. integrifolia*) | ♃
- *helodoxa* Balf. f. = Primula prolifera
- *heterochroma* Stapf = Primula vulgaris subsp. heterochroma
- **heucherifolia** Franch. | ♃; Tibet, China
- **hirsuta** Vill. · Behaarte Schlüsselblume | ♃ △ IV ▽ ✻; Eur.: Sp., F, I, CH, A; Pyr., Alp.
- × **hortensis** Wettst. · Garten-Schlüsselblume
- *inflata* Duby = Primula veris
- **integrifolia** Scop. · Ganzblättrige Primel | ♃ △ VI-IV ▽; Eur.: F, I, CH, A; E-Pyr., Alp.
- × **intermedia** Porta (*P. clusiana* × *P. minima*) | ♃
- *intricata* Gren. et Godr. = Primula elatior subsp. intricata
- **involucrata** Wall. | ♃ △ ∼ IV; W-Him., Bhutan, Sikkim, SE-Tibet, Sichuan
- **ioessa** W.W. Sm. | ♃; SE-Tibet
- **japonica** A. Gray · Japanische Etagen-Primel · Primevère du Japon | ♃ V-VI; Jap., Taiwan
- **juliae** Kusn. · Purple Primrose · Primevère tapissante du Caucase | ♃ △ IV; Cauc. (Georgia)
- × **kewensis** W. Watson (*P. floribunda* × *P. verticillata*) | ♃ Ⓚ ⛉ II-IV; cult.
- **kitaibeliana** Schott | ♃ △ IV-V ▽; Eur.: Croatia, Bosn.
- **latifolia** Lapeyr. · Breitblättrige Primel | ♃ D VI ▽; Eur.: Sp., F, I, CH; E-Pyr., Alp.
- **laurentiana** Fernald | ♃ ∼ IV-V; Can.: E ; USA: Maine
- *leucophylla* Pax = Primula elatior subsp. leucophylla
- *lichiangensis* (Forrest) Forrest = Primula polyneura
- *littoniana* Forrest = Primula vialii
- × **loiseleurii** Sünd. (*P. allionii* × *P. auricula*)
- *longiflora* Jacq. = Primula halleri
- **luteola** Rupr. · Gelbe Kaukasus-Primel | ♃ △ ∼ IV-V; E-Cauc.
- *macrocalyx* Bunge = Primula veris subsp. macrocalyx
- **macrophylla** D. Don | ♃; Afgh., Him., SE-Tibet
- **malacoides** Franch. · Baby Primrose, Fairy Primrose | ⊙ Ⓚ ⛉ I-III; Yunnan
- **marginata** Curtis · Meeralpen-Primel · Priùmevère marginée | ♃ △ III-IV ▽; Eur.: F, I; SW-Alp.
- **megaseifolia** Boiss. | ♃ Ⓚ III-IV; TR (Pontus), Cauc.
- **melanops** W.W. Sm. | ♃; China
- **minima** L. · Zwerg-Schlüsselblume | ♃ △ VII-VI ▽; Eur.: C-Eur., Ap, Ba, EC-Eur.E-Eur.; mts.
- **mollis** Nutt. ex Hook. | ♃ △ VI-VII; Him., Bhutan, N-Ind.: Assam; Myanmar, China: Yunnan
- × **muretiana** Moritzi (*P. integrifolia* × *P. latifolia*)
- **muscarioides** Hemsl. | ♃ ♄ △ ∼ VI ∧; China: Sichuan, SE-Tibet, Yunnan
- *nutans* Delavay ex Franch. = Primula flaccida
- **obconica** Hance · German Primrose | ♃ Ⓚ ⛉ I-XII; China: Sichuan, Yunnan, Hupeh, Kwantung, Kweitschou
- *oenensis* D. Thomas ex Gremli = Primula daonensis
- *officinalis* (L.) Hill = Primula veris
- **palinuri** Petagna | ♃ Ⓚ Ⓐ D III-IV ▽; SW-I (Cap Palinuri)
- *pallasii* Lehm. = Primula elatior subsp. pallasii
  - subsp. *intricata* Gren. et Godr. = Primula elatior subsp. intricata
- *pannonica* A. Kern. = Primula veris
- **parryi** A. Gray | ♃; W-USA
- **pedemontana** D. Thomas ex Gaudin | ♃ IV ▽; Eur.: Sp., F, I; Cordillera Catábrica, SW-Alp.
- **poissonii** Franch. | ♃ ∼ VI-VII; W-Sichuan, W-Yunnan
- **polyneura** Franch. · Primevère à nervures nombreuses | ♃ ⸾ V-VI; China:

Sichuan, Yunnan, SE-Tibet, Kansu
– **praenitens** Ker-Gawl. · Chinese Primrose | ♃ Ⓚ ⌴ ⇝ XII-IV; orig. ?
– *prionotes* Balf. f. et G. Watt = Primula waltonii
– **prolifera** Wall. emend. Benth. · Glory-of-the-Marsh | ♃ ∼ VI-VII; NE-Myanmar, W-Yunnan
– *pseudoelatior* Kusn. = Primula elatior subsp. pseudoelatior
– × **pubescens** Jacq. (*P. auricula* × *P. hirsuta*) · Bastard-Aurikel, Garten-Aurikel | ♃ △ V-VI ▽
– **pulverulenta** Duthie · Primevère poudreuse | ♃ V-VI; W-Sichuan
– **reidii** Duthie | ♃; Him.
– **rosea** Royle · Rosen-Primel · Primevère rose | ♃ △ ∼ III-IV; NW-Him.: Afgh., Kashmir
– *rubra* J.F. Gmel. = Primula hirsuta
– **saxatilis** Kom. | ♃ IV-V; Manch., N-Korea
  - var. *pubescens* Pax et K. Hoffm. = Primula polyneura
– **scotica** Hook. | ♃ △ ∼ IV-V ▽; Eur.: BrI (Scotland)
– **secundiflora** Franch. | ♃ ♠ V-VI; NW-Yunnan, SW-Sichuan
– *sibthorpii* Hoffmanns. = Primula vulgaris subsp. sibthorpii
– **sieboldii** E. Morren · Siebolds Primel · Japanese Primrose · Primevère de Siebold | ♃ V-VI, N-Mong., Amur, Manch., Korea, Jap.
– **sikkimensis** Hook. | ♃ ∼ VI-VII; Him.: Nepal, Bhutan; China: Yunnan, Tibet, Sichuan
  - var. **pudibunda** (Balf. f. et Cooper) W.W. Sm. et Fletcher | ♃ △ VI-VII; Nepal, Bhutan, Sikkim, Sichuan, Tibet
– *sinensis* Sabine ex Lindl. = Primula praenitens
– **sinolisteri** Balf. f. | ♃ Ⓚ III-V; Yunnan
– **sinoplantaginea** Balf. f. et Forrest | ♃ △ VI-VII; China: Yunnan, Sichuan, Tibet
– **sinopurpurea** Balf. f. | ♃ △ VI; China
– **spectabilis** Tratt. · Primevère spectaculaire | ♃ △ IV-V ▽; I: Alp.
– *tsarongensis* Balf. f. et Forrest = Primula muscarioides
– **tyrolensis** Schott | ♃ △ IV ▽; Eur.: I (Dolomites)
– *uralensis* Fisch. = Primula veris subsp. macrocalyx
– × **variabilis** Goupil (*P. veris* × *P. vulgaris*) · Primevère élevée des jardins
– *veitchii* Duthie = Primula polyneura
– × **venusta** Host (*P. auricula* × *P. carniolica*) | ♃
– **veris** L. · Echte Schlüsselblume, Wiesen-Schlüsselblume · Cowslip · Primevère officinale | ♃ Off. IV-V ☠; Eur.: N-Sp., S-F, C-Eur.
  - subsp. *canescens* (Opiz) Hayek ex Lüdi = Primula veris
  - subsp. **columnae** (Ten.) Lüdi | ♃ ⋈ IV-V; S-Eur., NE-TR; mts.
  - subsp. **macrocalyx** (Bunge) Lüdi | ♃ ⋈ V; Eur.: SE-Russ., Krim; Cauc., N-Iran, W-Sib., E-Sib.
– **verticillata** Forssk. | ♃ Ⓚ ⌴ II-IV; Yemen
– **vialii** Delavay ex Franch. · Orchideen-Primel · Primevère du Père Vial, Primevère-orchidée | ♃ VI-VII ∧; NW-Yunnan, SW-Sichuan
– **villosa** Wulfen · Zottige Primel | ♃ △ IV-VI ▽; Eur.: F, I, A, Slove.; Alp.
  - **f. commutata** (Schott) Lüdi | ▽ ✻
– *viscosa* All. = Primula latifolia
  viscosa Vill. = Primula hirsuta
– *vittata* Bureau et Franch. = Primula secundiflora
– × **vochinensis** Gusmus (*P. minima* × *P. wulfeniana*) | ♃; I: E-Dolomiten
– **vulgaris** Huds. · Kissen-Primel, Stängellose Schlüsselblume · Primrose · Primevère acaule | ♃ II-V ▽ ✻; Eur.*, Cauc.
  - subsp. **heterochroma** (Stapf) W.W. Sm. et Forrest | ♃ IV ✻; N-Iran
  - subsp. **sibthorpii** (Hoffmanns.) W.W. Sm. et Forrest · Karnevals-Primel | ♃ IV ▽ ✻; Eur.: Ba, Krim; TR, Cauc., nat. in C-Eur.
  - var. *rubra* (Sibth. et Sm.) Lüdi = Primula vulgaris subsp. sibthorpii
– **waltonii** G. Watt ex Balf. f. | ♃ VI-VII; Bhutan, SE-Tibet
– *wardii* Balf. f. = Primula yargongensis
– **warshenewskiana** B. Fedtsch. | ♃ IV-V ∧; C-As., Him.
– **wilsonii** Dunn | ♃ ∼ VI-VII; W-Sichuan, W-Yunnan
– **wulfeniana** Schott · Wulfens Primel | ♃ △ V-IV ▽; Eur.: I, A, Slove., RO; SE-Alp., S-Carp.
– **yargongensis** Petitm. | ♃ △ ∼ IV-V; China: Sichuan, Yunnan, SE-Tibet

Prinsepia Royle -f- *Rosaceae*
- **sinensis** (Oliv.) Oliv. ex Bean · Mandschurische Dornkirsche | ħ IV; N-China
- **uniflora** Batalin · Chinesische Dornkirsche | ħ IV; N-China

Prionium E. Mey. -n- *Juncaceae* · Palmenschilf
- **serratum** (L. f.) Drège | ŧ ⓦ ≈ ; S-Afr.

Pritchardia Seem. et H. Wendl. -f- *Arecaceae*
- *filifera* Linden ex André = Washingtonia filifera
- **gaudichaudii** (Mart.) H. Wendl. | ŧ ⓦ Ⓝ; Hawaii
- **pacifica** Seem. et H. Wendl. ex H. Wendl. | ŧ ⓦ Ⓝ; Fiji, Samoa

Pritzelago Kuntze -f- *Brassicaceae*
- **alpina** (L.) Kuntze · Alpen-Gämskresse, Gämskresse · Chamois Cress, Chamois Grass | ♃ V-VIII; Eur.: Sp., F, I, C-Eur., Ba; mts.
  - subsp. **auerswaldii** (Willk.) Greuter et Burdet · Hutchinsie des Alpes | ♃ △ V-VI; Eur.: N-Sp. (Cordillera Cantábrica)
  - subsp. **brevicaulis** (Spreng.) Greuter et Burdet · Kurzstängelige Gämskresse | ♃ △ VII-VIII; Eur.: F, I, A, CH, Ba; mts.

Proboscidea Schmidel -f- *Pedaliaceae* · Gemshorn
- **fragrans** (Lindl.) Decne. · Sweet Unicornplant | ⊙ ♧ D ♧ VIII; Mex.
- *jussieui* Medik. = Proboscidea louisianica
- **louisianica** (Mill.) Thell. · Ram's Horn | ⊙ ♧ VII-VIII Ⓝ; USA: NE, NCE, SE, SC, N.Mex.; N-Mex.
- *lutea* Stapf = Ibicella lutea

Promenaea Lindl. -f- *Orchidaceae*
- *citrina* D. Don = Promenaea xanthina
- **lentiginosa** Lindl. | ⓦ VII-VIII ✻; Bras.
- **rollisonii** Lindl. | ⓦ VII-VIII ✻; Bras.
- **stapelioides** (Link et Otto) Lindl. | ⓦ VII-IX ✻; Bras.
- **xanthina** (Lindl.) Lindl. | ⓦ VII-VIII ✻; Bras.

Proserpinaca L. -f- *Haloragaceae*
- **palustris** L. | ♃ ⓦ ≈ ; Can.: E; USA: NE, NCE, SC, SE, Fla.; W.Ind.

Prosopis L. -f- *Mimosaceae*
- **alba** Griseb. · Argentine Mesquite | ŧ ⓚ Ⓝ; Bol., Arg.
- **chilensis** (Molina) Stuntz · Chilean Mesquite | ŧ ⓚ Ⓝ; W.Ind., Peru, Bol., Chile, Arg.
- **cineraria** (L.) Druce | ŧ ⓚ Ⓝ; Iran, Afgh., W-Ind., N-Afr.
- **juliflora** (Sw.) DC. · Mesquite | ħ ŧ ⓚ Ⓝ; USA: Kans., SC, SW, Calif.; Mex., W.Ind., Col., Venez.
- *spicigera* L. = Prosopis cineraria
- **tamarugo** F. Phil. | ŧ ⓚ; Chile

Prostanthera Labill. -f- *Lamiaceae*
- **cuneata** Benth. | ħ; Austr.: N.S.Wales, Victoria, Tasman.
- **nivea** A. Cunn. ex Benth. | ħ ⓚ D V; Austr.: Queensl., N.S.Wales, Victoria, Tasman.
- **ovalifolia** R. Br. | ħ ⓚ D I-III; Austr.: Queensl., N.S.Wales
- **rotundifolia** R. Br. · Mint Bush | ħ ⓚ D II-III; Austr.: N.S.Wales, Victoria, S-Austr., Tasman.
- **sieberi** Benth. | ħ ⓚ D III-IV; Austr.: N.S.Wales
- **violacea** R. Br. | ħ ⓚ D IV; Austr.: N.S.Wales

Protea L. -f- *Proteaceae*
- **barbigera** Meisn. · Woolly Protea | ħ ⓚ ✂; S-Afr.
- **cynaroides** (L.) L. · Giant Protea, King Protea | ħ ⓚ; Kap
- **eximia** (Knight) Fourc. | ħ ⓚ; S-Afr.
- **grandiceps** Tratt. | ħ ⓚ ✂; Kap
- *latifolia* R. Br. = Protea eximia
- *mellifera* (L.) L. non Thunb. = Protea repens
- **nana** (Bergius) Thunb. | ħ ⓚ; Kap
- **neriifolia** R. Br. | ħ ⓚ ✂; S-Afr.
- **repens** (L.) L. non Thunb. · Sugar Protea | ħ ⓚ; Kap
- **speciosa** L. | ħ ħ ⓚ; Kap

Prumnopitys Phil. -f- *Podocarpaceae*
- **andina** (Poepp. ex Endl.) de Laub. · Chilean Yew, Plum Fruited Yew | ŧ ⓚ; S-Chile, Arg. (And.), Austr.: W-Austr., N.Terr., Queensl., N.S.Wales
- **ferruginea** (D. Don) de Laub. · Miro | ŧ ⓚ; NZ

Prunella L. -f- *Lamiaceae* · Braunelle

– **grandiflora** (L.) Scholler · Großblütige Braunelle · Prunelle à grandes fleurs | ♃ VI-VIII; Eur.* exc. BrI; ? TR, Cauc.
  - subsp. **pyrenaica** (Gren. et Godr.) A. Bolòs et O. Bolòs | ♃ ⁓ VI-VIII; Eur.: P, Sp., F
– **laciniata** (L.) L. · Weiße Braunelle | ♃ VI-VIII; Eur.* exc. BrI, Sc; TR, Levante, Cauc., Iran, NW-Afr.
– × **pinnatifida** Pers. (*P. laciniata* × *P. vulgaris*) | ⁓ VI-VIII; cult.
– **vulgaris** L. · Gewöhnliche Braunelle · Self Heal · Prunelle commune | ♃ VI-IX; Eur.*, TR, Cyprus, Syr., Cauc., Iran, W-Sib., E-Sib., Amur, Sachal., Kamchat., C-As., Him., Ind. (Nilgiris), NW-Afr., Alaska, Can., USA*
– × **webbiana** Paul (*P. grandiflora* × *P. hastifolia*) | ♃ ⁓ VI-IX; cult.

Prunus L. -f- *Rosaceae* · Pflaume, Kirsche, Pfirsich, Mandel, Aprikose
– *acida* Dumort. = Prunus cerasus subsp. acida
– **americana** Marshall · Amerikanische Pflaume · American Plum, American Red Plum, Goose Plum | ♄ ♄̶ III-IV Ⓝ; Can.: E; USA: NE, NCE, NC, Rocky Mts., SW, SC, SE, Fla.; Mex.
– × **amygdalopersica** (Weston) Rehder | ♄̶ ♄̶ III-IV; cult.
– *amygdalus* Batsch = Prunus dulcis
– **angustifolia** Marshall · Chickasaw Plum | ♄̶ IV Ⓝ; USA: NE, NCE, NC, N-Mex., SC, SE, Fla.
– **argentea** (Lam.) Rehder | ♄; TR
– **armeniaca** L. · Aprikose, Marille · Apricot | ♄̶ III-IV Ⓝ; N-China, nat. in Eur.
  - var. *mandshurica* Maxim. = Prunus mandshurica
– *austera* (L.) Ehrh. = Prunus cerasus var. austera
– **avium** (L.) L. · Süß-Kirsche, Vogel-Kirsche · Gean, Mazzard, Wild Cherry · Cerisier des oiseaux, Merisier | ♄̶ IV-V Ⓝ; Eur.*, TR, Cauc., Iran, nat. in N-Am.
– **besseyi** L.H. Bailey | ♄ V; USA
– × **blireana** André (*P. cersifera 'Pissardii'* × *P. mume 'Rosea Plena'*) · Prunier double | ♄̶ ♄; cult.
– **brigantina** Vill. · Briancon-Aprikose · Briançon Apricot | ♄ ♄̶ V Ⓝ; SE-F
– **campanulata** Maxim. · Bell Flowered Cherry, Formosan Cherry, Taiwan Cherry | ♄̶ ⓚ III-IV; Riukiu-Is., Taiwan
– **canescens** Bois · Greyleaf Cherry | ♄ IV-V; W-China, C-China
– **capollin** Zucc.
– **caroliniana** (Mill.) Aiton | ♄̶; USA: SE, Tex., Fla.
– **cerasifera** Ehrh. · Kirschpflaume · Cherry Plum, Myrobalan Plum · Myrobolan, Prunier-cerise | ♄ ♄̶ III-IV Ⓝ; Eur.: Ba, Krim; TR, Cauc., Iran, C-As., nat. in Eur.* exc. Ib
  - *'Atropurpurea'* = Prunus cerasifera 'Pissardii'
  - **'Pissardii'**
  - subsp. **divaricata** (Ledeb.) C.K. Schneid.
  - var. *pissardii* (Carrière) L.H. Bailey = Prunus cerasifera 'Pissardii'
– **cerasus** L. · Sauer-Kirsche, Weichsel · Cherry, Sour Cherry · Cerisier aigre | ♄̶ Off. IV-V Ⓝ; cult. Eur., As., N-Am., nat. in Eur., N-Am.
  - subsp. **acida** Asch. et Graebn. · Schattenmorelle, Strauch-Sauer-Kirsche | ♄ IV-V; C-Eur.
  - var. **austera** L.
  - var. *frutescens* Neilr. = Prunus cerasus subsp. acida
  - var. **marasca** (Host) Vis.
– × **cistena** (Hansen) Koehne (*P. cersifera 'Pissardii'* × *P. pumila*) · Dwarf Red Leaf Plum | ♄ V; cult.
– *claudiana* (Pers.) Poit. et Turpin = Prunus domestica subsp. italica
– **cocomilia** Ten. | ♄ ♄ IV; S-Ba, S-I, Sic..; mts.
– *communis* (L.) Arcang. = Prunus dulcis
– **concinna** Koehne | ♄ ♄̶ IV; China: Hupeh
– *conradinae* Koehne = Prunus hirtipes
– **cornuta** (Royle) Steud. · Himalayan Bird Cherry | ♄̶ V; Him.
– **cyclamina** Koehne | ♄ ♄̶ V; C-China.
– × **dasycarpa** Ehrh. (*P. armeniaca* × *P. cerasifera*) | ♄̶ III ∧; cult.
– **davidiana** (Carrière) Franch. · Davids Pfirsich · Chinese Peach, Père David's Peach | ♄ ♄̶ III; N-China
– **dielsiana** C.K. Schneid. | ♄ ♄̶ IV; C-China
– **divaricata** Ledeb.; SE-Eur., SW-As
– **domestica** L. · Zwetschge und Pflaume · Plum | ♄̶ IV Ⓝ; TR, Cauc.; cult. Eur., W-As., N-Afr.
  - subsp. **insititia** (L.) C.K. Schneid. · Hafer-Pflaume, Haferschlehe | ♄̶ IV-V;

cult. Eur., W-As., Ind., N-Afr., N-Am.
- subsp. **italica** (Borkh.) Gams; cult. C-Eur., S-Eur., As.
- subsp. *oeconomica* (Borkh.) C.K. Schneid. = Prunus domestica
- subsp. **syriaca** (Borkh.) Janch.; cult. C-Eur., S-Eur., N-Afr.
- var. *cerea* L. = Prunus domestica subsp. syriaca

– **dulcis** (Mill.) D.A. Webb · Mandel, Mandelbaum · Almond, Bitter Almond · Amandier | ħ ħ̶ III-IV Ⓝ; TR, Cauc., Iran, C-As., Afgh.
- var. **amara** (DC.) Buchheim · Bitter-Mandel | ħ̶ Off. III-IV; cult.
- var. **fragilis** (Borkh.) Buchheim; cult.

– × **eminens** Beck (*P. cerasus* × *P. glabra*) · Mittlere Weichsel | ħ IV-V; cult.
– **fenzliana** Fritsch · Kaukasische Mandel | ħ III ∧; Cauc.
– × **fontanesiana** (Spach) C.K. Schneid. | ħ̶; cult.
– **fremontii** S. Watson | ħ̶ ħ; S-Calif.
– × **fruticans** Weihe (*P. domestica subsp. insititia* × *P. spinosa*) · Hafer-Schlehe | ħ IV Ⓝ; cult. D, A, CZ
– **fruticosa** Pall. · Steppen-Kirsche, Zwerg-Kirsche · Ground Cherry · Prunier nain | ħ IV-V; Eur.: Ap, C-Eur., EC-Eur., Ba, E-Eur.; Cauc., W-Sib., C-As.
– **glandulosa** Thunb. ex Murray · Drüsen-Kirsche · Chinese Bush Berry, Dwarf Flowering Almond · Amandier à fleurs du Japon | ħ V; China
– × **gondouinii** (Poit. et Turpin) Rehder (*P. avium* × *P. cerasus*)
– **grayana** Maxim. | ħ̶ VI; Jap.
– × **hillieri** hort. (*P. incisa* × *P. sargentii*) · Hilliers Kirsche | ħ̶ IV-V; cult.
– **hirtipes** Hemsl. | ħ III ∧; C-China.
– **hortulana** L.H. Bailey · Hortulan Plum | ħ̶ IV-V Ⓝ; USA: NCE, Okla., SE
– **ilicifolia** (Nutt.) Walp. | ħ̶ ħ; Calif., Baja Calif.
– **incana** (Pall.) Batsch · Graue Kirschmandel · Willow Cherry | ħ IV; TR
– **incisa** Thunb. ex Murray · März-Kirsche · Fuji Cherry | ħ̶ III-IV; Jap.
– *insititia* L. = Prunus domestica subsp. insititia
– *italica* Borkh. = Prunus domestica subsp. italica
– **jamasakura** Sieber ex Koidz. | ħ̶; Korea, ? Jap.
– **japonica** Thunb. ex Murray · Japanische Mandelkirsche · Chinese Plum Tree, Oriental Bush Cherry | ħ V; China, Korea
– × **juddii** E.F. Anderson | ħ̶; cult.
– *kurilensis* Miyabe = Prunus nipponica var. kurilensis
– **laurocerasus** L. · Kirschlorbeer, Lorbeer-Kirsche · Cherry Laurel, Laurel · Laurier-amande, Laurier-cerise | ħ Off. IV-V ☠ Ⓝ; Eur.: Ba; TR, Cauc., Iran, nat. in P, Fr, Cors., Br
- **'Bertinii'** L.

– **lusitanica** L. · Portugiesische Lorbeerkirsche · Portugal Laurel, Portuguese Laurel · Laurier du Portugal | ħ ħ̶ Ⓚ VI ∧; Ib, SW-F, Canar., Azor.
– **maackii** Rupr. · Amur-Traubenkirsche · Amur Cherry, Manchurian Cherry · Cerisier de Mandchourie | ħ̶ IV; Korea, Manch.
– **mahaleb** L. · Felsen-Kirsche, Stein-Weichsel · Mahaleb Cherry, St. Lucie Cherry · Cerisier de Sainte Lucie | ħ ħ̶ IV-V Ⓝ; Eur.* exc. BrI, Sc; TR, Iraq, Syr., Lebanon, Cauc., N-Iran, Afgh., C-As., Maroc., nat. in N-Am.
– **mandshurica** (Maxim.) Koehne | ħ̶ V; China, Korea, Mong., Amur
– *marasca* (Host) Rchb. = Prunus cerasus var. marasca
– **maritima** Marshall · Strand-Pflaume · Beach Plum | ħ IV; USA: NE
– **mume** Siebold et Zucc. · Japanische Aprikose · Japanese Apricot · Abricotier du Japon | ħ̶ III-IV; China
– **munsoniana** W. Wight et Hedrick · Wild Goose Plum | ħ̶ IV-V Ⓝ; USA: NCE, Kans., SC, SE
– *myrobalanus* (L.) Loisel. = Prunus cerasifera
– *myrobolana* Poit. et Turpin = Prunus cerasifera
– *nana* (L.) Stokes = Prunus tenella
– *nana* Du Roi = Prunus virginiana
– **nigra** Aiton · Bitter-Kirsche · Canada Plum, Canadian Plum | ħ̶ ħ V-IV Ⓝ; Can.: E; USA: NE, NCE, SE
– **nipponica** Matsum. · Japanese Alpine Cherry · Cerisier alpin du Japon | ħ V; Jap.
- var. **kurilensis** (Miyabe) E.H. Wilson · Kurilen-Kirsche · Petit cerisier des Kouriles | ħ IV; Sachal., Jap.: Hokkaido

– **padus** L. · Gewöhnliche Traubenkirsche · Merisier à grappes | ħ ħ̶ IV-V Ⓝ; Eur.* ; TR, Cauc., W-Sib., E-Sib., Amur,

Sachal., Kamchat., C-As., Korea, Jap., Maroc.
- subsp. **borealis** Cajander · Berg-Traubenkirsche | ♄; Sc, C-Eur. mts.

– **pensylvanica** L. f. · Feuer-Kirsche · Bird Cherry, Red Cherry | ♄ ♄ IV-V; Can., USA: NE, N.C., NCE, NC, Rocky Mts.

– **persica** (L.) Batsch · Pfirsich · Peach · Pêcher commun | ♄ ♄ IV Ⓝ; N-China, C-China
- var. *nectarina* (W.T. Aiton) Maxim. = Prunus persica var. nucipersica
- var. **nucipersica** (L.) C.K. Schneid. · Nektarine ; cult.

– **pilosiuscula** (C.K. Schneid.) Koehne | ♄ ♄ IV; W-China, C-China

– *pissardii* Carrière = Prunus cerasifera 'Pissardii'

– **prostrata** Labill. · Niedrige Kirschmandel · Mountain Cherry, Rock Cherry | ♄ △ IV ∧; Eur.: Ib, Corse, Sard., Ba; TR, Syr., Lebanon, NW-Afr.

– **pseudocerasus** Lindl. · False Cherry | ♄ III Ⓝ; China: Hupeh

– **pumila** L. · Sand-Kirsche · Sand Cherry | ♄ △ V; Can.: E; USA: NE, NCE
- var. **besseyi** (Bailey) Gleason
- var. **depressa** (Pursh) Bean | ♄

– **rufa** Hook. f. | ♄; Him.

– *sachalinensis* Miyoshi = Prunus sargentii

– **salicina** Lindl. · Japanese Plum | ♄ IV Ⓝ; N-China, SE-China

– **sargentii** Rehder (*P. avium* × *P. canescens*) · Berg-Kirsche · Sargent's Cherry · Cerisier de Sargent | ♄ V; Jap., Korea, Sachal.
- var. **pubescens** Tatew. | IV-V

– × **schmittii** Rehder | ♄

– **sericea** (Batalin) Koehne | ♄; China: Sichuan

– **serotina** Ehrh. · Späte Traubenkirsche, Späte Trauben-Kirsche · American Bird Cherry, Black Cherry, Rum Cherry · Cerisier tardif | ♄ V-VI Ⓝ; Can.: E; USA: NE, NCE, NC, SW, SC, SE, Fla.; Mex., Guat., nat. in Eur.

– **serrula** Franch. · Tibetische Kirsche · Birch Bark Cherry · Cerisier du Tibet | ♄ ♄ IV-V; W-China
- *'Tibetica'* = Prunus serrula

– **serrulata** Lindl. · Grannen-Kirsche, Japanische Blüten-Kirsche · Oriental Cherry · Cerisier des collines | ⊙ ♃ ♄ ♄ ♄ IV-V Ⓝ; China, Korea, Jap.
- *'Takasago'* = Prunus sieboldii
- var. *sachalinensis* (Schmidt) E.H. Wilson = Prunus sargentii
- var. *spontanea* (Maxim.) E.H. Wilson = Prunus jamasakura

– **sibirica** L. · Sibirische Aprikose | ♄ ♄ IV; E-Sib., Manch., N-China, Korea, Amur, Mong.

– **sieboldii** (Verl.) Wittm. | ♄ IV; orig. ?, nat. in Jap.

– **simonii** Carrière · Apricot Plum | ♄ IV-V Ⓝ; N-China

– × **skinneri** Rehder (*P. japonica* × *P. tenella*) | ♄; cult.

– **speciosa** (Koidz.) Ingram · Oshima Cherry | ♄ IV; Jap.

– **spinosa** L. · Gewöhnliche Schlehe, Schwarzdorn · Blackthorn, Sloe · Epine noire, Prunellier | ♄ IV-V Ⓝ; Eur.*, TR, Cauc., Iran, W-Sib., Alger., nat. in N-Am.

– **subhirtella** Miq. · Higan-Kirsche · Autumn Cherry, Winter Flowering Cherry · Cerisier d'hiver | ♄ IV-V; Jap.

– *syriaca* Borkh. = Prunus domestica subsp. syriaca

– **tenella** Batsch · Zwerg-Mandel · Dwarf Russian Almond, Russian Almond · Amandier nain | ♄ III-V; Eur.: C-Eur., EC-Eur., Ba, E-Eur.; Cauc., W-Sib., C-As., nat. in F

– **tomentosa** Thunb. ex Murray · Japanische Kirschmandel · Downy Cherry, Nanking Cherry | ♄ IV-V Ⓝ; Tibet, W-China, N-China, Korea

– **triloba** Lindl. · Mandelbäumchen · Flowering Almond · Amandier de Chine | ♄ III-IV; China
- var. **simplex** (Bunge) Rehder | ♄; China

– **ussuriensis** Kovalev et Kostina; Amur, Manch.

– **virens** (Wooton et Standl.) Shreve ex Sarg. | ♄ ♄; S-USA.; Mex.

– **virginiana** L. · Virginische Traubenkirsche · Virginian Bird Cherry, Western Choke Cherry | ♄ ♄ V Ⓝ; Can., USA: NE, N.C., NCE, NC, SC, Rocky Mts., Calif., SW

– × **yedoensis** Matsum. (*P. speciosa* × *P. subhirtella*) · Yoshino-Kirsche · Tokyo Cherry · Cerisier Yoshino | ♄ IV; Jap.

– **Cultivars**
- *'Crimson Dwarf'* = Prunus × cistena

Psammophora Dinter et Schwantes -f- *Aizoaceae*

– **modesta** (Dinter et A. Berger) Dinter et Schwantes | ♃ ♆ Ⓚ; Namibia

Pseudananas Hassl. ex Harms -m- *Bromeliaceae*
– **sagenarius** (Arruda) Camargo | ♃ Ⓦ; Bras., Parag.

Pseuderanthemum Radlk. -n- *Acanthaceae*
– **alatum** (Nees) Radlk. | ♄ Ⓦ VII-VIII; Mex.
– **albiflorum** (Hook.) Radlk. | ♄ Ⓦ VI-VIII; Bras.
– **atropurpureum** (W. Bull) L.H. Bailey | ♄ Ⓦ; Polyn.
– **reticulatum** (Hook. f.) Radlk. | ♄ Ⓦ; Polyn.
– *seticalyx* (C.B. Clarke) Stapf = Ruspolia seticalyx
– **sinuatum** (Vahl) Radlk. | ♄ Ⓦ VI-VIII; N.Caled.
– **tuberculatum** (Hook. f.) Radlk. | Ⓦ Ⓚ VIII-IX; Polyn.

Pseudobombax Dugand -n- *Bombacaceae*
– **ellipticum** (Humb., Bonpl. et Kunth) Dugand | ♄ ♆ Ⓦ; Mex., Guat.

Pseudocinchona = Corynanthe Welw.
– **africana** A. Chev. ex Perrot | ♄ Ⓦ; trop. Afr.

Pseudocydonia (C.K. Schneid.) C.K. Schneid. -f- *Rosaceae*
– **sinensis** (Dum.-Cours.) C.K. Schneid. · Holz-Quitte · Chinese Quince | ♄ V Ⓝ; China
  - **'Konstantinopler Apfelquitte'**
  - **'Portugieser Birnenquitte'**

Pseudoespostoa = Espostoa Britton et Rose
– *melanostele* (Vaupel) Backeb. = Espostoa melanostele

Pseudofumaria Medik. -f- *Fumariaceae*
– **alba** (Mill.) Lidén · Blassgelber Lerchensporn | ♃ △ VI-IX; Eur.: I, Slove., Croatia, Bosn., YU, Maced., AL, ? GR, nat. in Fr, D
  - subsp. **acaulis** (Wulfen) Lidén | ♃ X-VI; Eur.: Ba, nat. in Fr, D
– **lutea** (L.) Borkh. · Gelber Lerchensporn · Yellow Fumitory · Corydale jaune | ♃ △ X-IX; Eur.: N-I, CH, nat. in BrI, Sc, Fr, C-Eur., EC-Eur., E-Eur.

Pseudognaphalium Kirp. -n- *Asteraceae*
– **luteoalbum** (L.) Hilliard et B.L. Burtt · Gelbliches Ruhrkraut, Schein-Ruhrkraut | X-VII; Eur.*, TR, Cauc., Iran, C-As., S-As., N.Guinea, Afr., Austr., NZ, Pacific Is., nat. in N-Am., S-Am.
– **obtusifolium** (L.) Hilliard et B.L. Burtt · Everlasting | ⊙ VII-IX; Can.: E; USA: NE, NCE, SE, SC, Fla.

Pseudolarix Gordon -f- *Pinaceae* · Goldlärche
– **amabilis** (J. Nelson) Rehder · Goldlärche · Golden Larch · Mélèze de la Chine | ♄; E-China
– *kaempferi* (Lamb.) Gordon = Pseudolarix amabilis

Pseudolmedia Trecul -f- *Moraceae*
– **laevis** (Ruiz et Pav.) J.F. Macbr. | ♄ Ⓚ; Parag., Peru

Pseudolobivia = Echinopsis Zucc.
– *ancistrophora* Speg. = Echinopsis ancistrophora
– *aurea* (Britton et Rose) Backeb. = Echinopsis aurea
– *ferox* (Britton et Rose) Backeb. = Echinopsis ferox
– *fiebrigii* (Gürke) Backeb. = Echinopsis obrepanda var. fiebrigii
– *kermesina* Krainz = Echinopsis mamillosa var. kermesina
– *kratochviliana* (Backeb.) Backeb. = Echinopsis kratochviliana
– *leucorhodantha* (Backeb.) Backeb. = Echinopsis ancistrophora
– *longispina* (Britton et Rose) Backeb. = Echinopsis longispina
– *obrepanda* (Salm-Dyck) Backeb. = Echinopsis obrepanda
  - var. *fiebrigii* (Gürke) Backeb. = Echinopsis obrepanda var. fiebrigii

Pseudolysimachion (W.D.J. Koch) Opiz -n- *Scrophulariaceae*
– *incanum* (L.) Holub = Pseudolysimachion spicatum subsp. incanum
– **longifolium** (L.) Opiz · Langblättriger Blauweiderich · Véronique à longues feuilles | ♃ ～ VI-IX ▽; Eur.* exc. BrI, Ib; TR, Cauc., W-Sib., E-Sib., Amur, Sachal., C-As.
– **orchideum** (Crantz) Wraber · Knabenkrautartiger Ehrenpreis | ♃ X-VII

SE-Eur., N-I
- **spicatum** (L.) Opiz · Ähriger Blauweiderich · Spiked Speedwell · Véronique en épis | ♃ VI-VIII ▽; Eur.* +
  - subsp. **incanum** (L.) ? | ♃ △ VI-VII ▽; Eur.: EC-Eur., E-Eur.; W-Sib., E-Sib., C-As.
- **spurium** (L.) Rauschert · Rispiger Blauweiderich | ♃ VI; Eur.: EC-Eur., Ba, E-Eur.; Cauc., W-Sib., C-As.
- **subsessilis** (Miq.) Holub | ♃ VII-VIII; Jap.

Pseudomammillaria = Mammillaria Haw.
- *camptotricha* (Dams) Buxb. = Mammillaria camptotricha

Pseudopanax K. Koch -m- *Araliaceae*
- **arboreus** (Murray) K. Koch · Five Fingers | ♄ ⓚ VII-VIII; NZ
- **crassifolius** (Sol. ex A. Cunn.) K. Koch · Lancewood | ♄ ⓚ; NZ
- **davidii** (Franch.) Philipson | ♄ ⓚ VII-VIII; W-China, C-China
- **discolor** (Kirk) Harms | ♄ ⓚ; NZ
- **ferox** (Kirk) Kirk | ♄ ♄ ⓚ; NZ
- **lessonii** (DC.) K. Koch | ♄ ♄ ⓚ; NZ

Pseudopilocereus = Pilosocereus Byles et Rowley
- *glaucescens* (Labour.) Buxb. = Pilosocereus glaucescens
- *pentaedrophorus* (Labour.) Buxb. = Pilosocereus pentaedrophorus
- *werdermannianus* Buining et Brederoo = Pilosocereus werdermannianus

Pseudorchis Seg. -f- *Orchidaceae*
- **albida** (L.) E. Mey. · Gewöhnliches Weißzüngel, Weißzunge | ♃ V-VIII; Eur.* +

Pseudorhipsalis Britton et Rose -f- *Cactaceae*
- **himantoclada** (Rol.-Goss.) Britton et Rose | ♄ Ψ ⓦ ✻; Costa Rica
- **ramulosa** (Salm-Dyck) Barthlott | ♄ Ψ ⓦ ▽ ✻; W-Ind., trop. Am.

Pseudosasa Makino ex Nakai -f- *Poaceae*
- **amabilis** (McClure) Keng f. | ♄ Ⓝ; cult. Vietn., S-China
- **japonica** (Siebold et Zucc. ex Steud.) Makino ex Nakai · Arrow Bamboo | ♄; Jap., S-Korea

Pseudostellaria Pax -f- *Caryophyllaceae*
- **europaea** Schaeftl. · Knollenmiere | ♃ IV-V; Eur.: N-I, A, Slove.

Pseudotsuga Carriere -f- *Pinaceae* · Douglasie
- *douglasii* (Sabine ex D. Don) Carrière = Pseudotsuga menziesii
- *glauca* (Beissn.) Mayr = Pseudotsuga menziesii var. glauca
- **menziesii** (Mirb.) Franco · Gewöhnliche Douglasie · Douglas Fir | ♄ IV-V; Can.: B.C., Alta.; USA: NW, Rocky Mts., Calif., SW, W-Tex.
  - *'Caesia'* = Pseudotsuga menziesii var. glauca
  - *'Glauca'* = Pseudotsuga menziesii var. glauca
  - var. **glauca** (Beissn.) Franco · Blue Douglas Fir ; Can.: B.C.; w USA
- *taxifolia* (Lamb.) Britten et Sudw. = Pseudotsuga menziesii

Psidium L. -n- *Myrtaceae*
- *araca* Raddi = Psidium guineense
- *cattleianum* Salisb. = Psidium littorale var. longipes
- **friedrichsthalianum** (O. Berg) Nied. | ♄ ⓦ Ⓝ; Guat., Costa Rica
- **guajava** L. · Guava | ♄ ⓦ IV-V Ⓝ; Mex., C-Am., trop. S-Am., nat. in Trop., Subtrop.
- **guineense** Sw. | ♄ ⓦ Ⓝ; C-Am., W.Ind., trop. S-Am.
- **littorale** Raddi · Strawberry Guava | ♄ ⓦ Ⓝ; Bras., nat. in Fla., Calif., S-Am., Ind., China , Afr.
  - var. **longipes** (O. Berg) Fosberg · Purple Strawberry Guava, Strawberry Guava | ♄ ⓦ; S-Fla., Bahamas
- *longipes* (O. Berg) McVaugh = Psidium littorale var. longipes
- *pomiferum* L. = Psidium guajava
- *pyriferum* L. = Psidium guajava
- **sartorianum** (Berg.) Nied. | ♄ ♄ Ⓝ; Mex.

Psilanthus Hook.f. *Rubiaceae*
- **bengalensis** (Roem. et Schult.) J.-F. Leroy; Bengalen, Myanmar, Thail., Sumat. Java

Psilocaulon N.E. Br. -n- *Aizoaceae*
- **mentiens** (A. Berger) N.E. Br. | ♄ Ψ ⓚ;

Kap

Psilostemon DC. -n- *Boraginaceae*
– *orientalis* (L.) DC. = Trachystemon orientalis

Psilotum Sw. -n- *Psilotaceae*
– **nudum** (L.) P. Beauv. · Whisk Fern | ♃ Ⓦ; Trop., USA: SE, Fla.; S-Sp., Austr.

Psilurus Trin. -m- *Poaceae*
– **incurvus** (Gouan) Schinz et Thell. · Borstenschwanzgras ; Eur.: Ib, Fr, Ap, Ba, Ro, Krim; TR, Syr., Iraq, Cauc., Afgh., C-As., Pakist.

Psophocarpus DC. -m- *Fabaceae*
– **palustris** Desv. | ♃ Ⓝ; Sudan, W-Sudan
– **tetragonolobus** (L.) DC. · Asparagus Pea, Winged Bean | ♃ Ⓚ ≷ Ⓝ; S-As.

Psoralea L. -f- *Fabaceae*
– *bituminosa* L. = Bituminaria bituminosa

Psychotria L. -f- *Rubiaceae*
– **acuminata** Benth. · Wild Coffee | ♃ Ⓦ Off.; C-Am., N-Col.
– **ipecacuanha** (Brot.) Stokes · Wild Coffee | ♃ Ⓦ Off. ☠; Bras., Bol.

Psygmorchis Dodson et Dressler -f- *Orchidaceae*
– **pusilla** (L.) Dodson et Dressler | Ⓦ VII-VIII ✻; C-Am., S-Am.

Psylliostachys (Jaub. et Spach) Nevski -f- *Plumbaginaceae*
– **suworowii** (Regel) Roshkova | ⊙ ✂ VII-IX; C-As., Afgh.

Psyllium Mill. -n- *Plantaginaceae*
– **arenarium** (Waldst. et Kit.) Mirb. · Sand-Flohsame, Sand-Wegerich · Psyllium | ⊙ Off. VI-IX; Eur.* exc. BrI, Sc; TR, Cyprus, Palaest., W-Sib., C-As., Egypt, Libya, Maroc., nat. in N-Am.

Ptelea L. -f- *Rutaceae* · Lederstrauch
– **baldwinii** Torr. et A. Gray | ♄ ❀ D ❀ VI; Calif.
– **polyadenia** Greene | ♄; USA: Ariz., N.Mex., Okla., Tex.
– **trifoliata** L. · Dreiblättriger Lederstrauch · Hop Tree, Stinking Ash | ♄ ♄ ❀ D ❀ VI; Can.: E; USA: NE, NCE, NC, SW, SC, SE, Fla.; Mex.
  - var. **mollis** Torr. et A. Gray; S-USA, Tex.

Pteretis = Matteuccia Tod.
– *pensylvanica* (Willd.) Fernald = Matteuccia pensylvanica
– *struthiopteris* (L.) Nieuwl. = Matteuccia struthiopteris

Pteridium Gled. ex Scop. -n- *Dennstaedtiaceae* · Adlerfarn
– **aquilinum** (L.) Kuhn · Adlerfarn · Bracken | ♃ VII-IX ☠; Eur.*, cosmop.

Pteris L. -f- *Pteridaceae* · Saumfarn
– *arguta* Aiton = Pteris incompleta
– **argyrea** T. Moore | ♃ Ⓚ; Ind., Sri Lanka
– **biaurita** L. | ♃ Ⓚ; Subtrop., Trop.
– *crenata* Sw. = Pteris ensiformis
– **cretica** L. · Kretischer Saumfarn · Cretan Brake | ♃ Ⓚ VI-VIII; Eur.: Fr, Ap, CH, S-GR; TR, Cauc., Iran, Alger., trop. As, E-Afr., N-Am., Hawaii, nat. in BrI, Sp., H
– **dentata** Forssk. | ♃ Ⓚ; trop. Afr., S-Afr.
– **ensiformis** Burm. f. · Slender Brake, Sword Brake | ♃ Ⓚ; trop. As., Austr., Polyn.
– *flabellata* Thunb. = Pteris dentata
– **incompleta** Cav. | ♃ Ⓚ ▽; Eur.: Ib.; Maroc., nat. in P
– *laciniata* Willd. = Lonchitis hirsuta
– **multifida** Poir. · Spider Fern | ♃ Ⓚ; Jap., China, Indochina, nat. in Sri Lanka
– *palustris* Poir. = Pteris incompleta
– **quadriaurita** Retz. | ♃ Ⓚ; S-Ind., Sri Lanka
  - **'Tricolor'**
  - var. *argyrea* (T. Moore) hort. = Pteris argyrea
  - var. *biaurita* (L.) hort. = Pteris biaurita
  - var. *tricolor* (Linden) hort. = Pteris quadriaurita 'Tricolor'
– **semipinnata** L. | ♃ Ⓚ; trop. As., China, Taiwan, Jap.
– *serrulata* Forssk. = Pteris incompleta
– *serrulata* L. f. = Pteris multifida
– **tremula** R. Br. · Australian Brake, Trembling Brake | ♃ Ⓚ; Austr., NZ
tricolor Linden = Pteris quadriaurita 'Tricolor'
– **umbrosa** R. Br. | ♃ Ⓚ; Austr.
– **vittata** L. · Ladder Brake | ♃ Ⓚ; Trop., Subtrop. Old World, Sp.

Pterocactus K. Schum. -m- *Cactaceae* · Flügelkaktus
- **kuntzei** K. Schum. | ♄ ♆ Ⓚ ⟿ ✻; W-Arg., Patag.
- *tuberosus* (Pfeiff.) Britton et Rose = Pterocactus kuntzei

Pterocarpus Jacq. -m- *Fabaceae*
- **angolensis** DC. · Muninga, Ostafrikanischer Padouk | ♄ Ⓝ; C-Afr., E-Afr., S-Afr.
- **erinaceus** Poir. · Afrikanisches Sandelholz, Gambia-Kino | ♄ Ⓝ; W-Sudan, W-Afr., C-Afr.
- **indicus** Willd. · Burmese Rosewood, Padouk | ♄ Ⓦ Ⓝ; trop. As.
- **marsupium** Roxb. · Bastard Teak, Indian Kino | ♄ Ⓦ Ⓝ; Ind., Sri Lanka
- **santalinus** L. f. · Sandalwood Paduak | ♄ Ⓦ Ⓝ; S-Ind.
- **soyauxii** Taub. · Afrikanisches Padouk | ♄ Ⓝ; W-Afr.

Pterocarya Kunth -f- *Juglandaceae* · Flügelnuß
- *caucasica* C.A. Mey. = Pterocarya fraxinifolia
- **fraxinifolia** (Lam.) Spach · Kaukasische Flügelnuss · Caucasian Wingnut · Ptérocaryer du Caucase | ♄ VI; Cauc., N-Iran
- × **rehderiana** C.K. Schneid. (*P. fraxinifolia* × *P. stenoptera*) | ♄; cult.
- **rhoifolia** Siebold et Zucc. · Japanische Flügelnuss · Japanese Wingnut | ♄ VI; Jap.
- **stenoptera** C. DC. · Chinesische Flügelnuss · Chinese Wingnut | ♄ VI; China

Pteroceltis Maxim. -f- *Ulmaceae*
- **tatarinowii** Maxim. | ♄; N-China, C-China

Pterocephalus Adans. -m- *Dipsacaceae*
- *parnassi* Spreng. = Pterocephalus perennis
- **perennis** Coult. | ♃ ⟿ △ VII-VIII ∧; GR
  - subsp. *parnassii* (Spreng.) Vierh. = Pterocephalus perennis

Pteroceras Hasselt ex Hassk. -n- *Orchidaceae*
- **pallidum** (Blume) Holttum | Ⓦ I-XII ✻; Phil.

Pteronia L. -f- *Asteraceae*
- **fasciculata** L. f. | ♄ Ⓚ ✂; Kap

Pterostylis R. Br. -f- *Orchidaceae*
- **banksii** Hook. | ♃ Ⓚ VI-II; NZ
- **curta** R. Br.

Pterostyrax Siebold et Zucc. -f- *Styracaceae*
- **corymbosa** Siebold et Zucc. · Doldiger Flügelstorax | ♄ VI; China, Jap.
- **hispida** Siebold et Zucc. · Borstiger Flügelstorax · Epaulette Tree | ♄ ♄ VI; Jap.

Pterygota Schott et Endl. -f- *Sterculiaceae*
- **alata** (Roxb.) R. Br. · Pterygota | ♄ Ⓦ ✂; trop. As.

Ptilostemon Cass. -m- *Asteraceae*
- **afer** (Jacq.) Greuter · Ivory Thistle | ⊙ ♃ VII-VIII; Eur.: Ba, RO; mts.; TR
- **casabonae** (L.) Greuter | ⊙ ⊙ ♃ VII-VIII; Eur.: F, Corse, Sard., I, nat. in P
- *diacanthus* hort. = Ptilostemon afer

Ptilotrichum = Alyssum L.
- *spinosum* (L.) Boiss. = Alyssum spinosum

Ptilotus R. Br. -m- *Amaranthaceae* · Haarschöpfchen
- **manglesii** (Lindl.) F. Muell. | ♃ Ⓚ IV-VIII; W-Austr.

Ptychopetalum Benth. -n- *Olacaceae*
- **olacoides** Benth. · Potency Wood | ♄ Ⓦ; Bras., Guyan.
- **uncinatum** Anselmino · Potency Wood | ♄ Ⓦ; Amazon.

Ptychosperma Labill. -n- *Arecaceae*
- *alexandrae* F.J. Müll. = Archontophoenix alexandrae
- *cunninghamianum* H. Wendl. = Archontophoenix cunninghamiana
- **elegans** (R. Br.) Blume | ♄ Ⓚ; Austr.: Queensl.
- **macarthurii** (H. Wendl.) G. Nicholson | ♄ Ⓚ; N.Guinea

Ptychotis W.D.J. Koch -f- *Apiaceae*
- *ajowan* DC. = Trachyspermum ammi

– *coptica* (L.) DC. = Trachyspermum ammi
– **saxifraga** (L.) Loret et Barrandon · Bibernell-Faltenohr ; Eur.: Ib, Fr, Ap

Puccinellia Parl. -f- *Poaceae*
– **capillaris** (Lilj.) Jansen · Haar-Salzschwaden | ♃ VI-VII; Eur.: Brl, Sc, NL, D, Balt., Russ.; coasts
– **distans** (Jacq.) Parl. · Gewöhnlicher Salzschwaden | ♃ X-VIII; Eur.*, W-Sib.
– **fasciculata** (Torr.) E.P. Bicknell · Büscheliger Salzschwaden ; Eur.: Ib, Fr, N-I, Slova., Croatis; coasts
– **limosa** (Schur) E. Holmb. · Sumpf-Salzschwaden | ♃ VI; SE-Eur., C-Eur.
– **maritima** (Huds.) Parl. · Andel, Strand-Salzschwaden | ♃ VI-IX; Eur.: Sc, N-Russ., Balt., Brl, Fr, D, Ib, ? Ap; coasts, nat. in N-Am., NZ
– **nuttalliana** (Schult.) Hitchc. | ♃ Ⓝ; w. N-Am.
– **rupestris** (With.) Fernald et Weath. · Dichtblütiger Salzschwaden | ⊙ V-VI; Eur.: Brl, Norw., Fr, Sp.; coasts

Pueraria DC. -f- *Fabaceae*
– **lobata** (Willd.) Ohwi · Japanese Arrowroot, Kudzu | ♄ ⓚ ⸗ D ⸗ ∧ Ⓝ; China, Korea, Jap., nat. in USA: SE
– **phaseoloides** (Roxb.) Benth. · Kudzu, Puero | ♃ Ⓝ; N-Ind., Myanmar, China, Malay. Arch., nat. in Trop.

Pulicaria Gaertn. -f- *Asteraceae*
– **dysenterica** (L.) Bernh. · Großes Flohkraut, Ruhr-Flohkraut | ♃ VII-IX; Eur.*, N-Afr.
– **vulgaris** Gaertn. · Kleines Flohkraut | VII-VIII; Eur.*, TR, Cauc., Iran, NW-Ind., W-Sib., C-As., Mong., Amur, China: Sinkiang, N-Afr.

Pulmonaria L. -f- *Boraginaceae* · Lungenkraut
– **angustifolia** L. · Schmalblättriges Lungenkraut · Blue Lungwort · Pulmonaire à feuilles étroites | ♃ III-V ▽; Eur.* exc. Brl, Ib
  - **'Azurea'**
  - **'Blaues Meer'**
  - *'Blue Pearl'* = Pulmonaria angustifolia 'Blaues Meer'
  - *'Mawson's Variety'* = Pulmonaria angustifolia 'Blaues Meer'
– **australis** (Murr) W. Sauer · Südalpen-Lungenkraut | ♃ IV-VI; Eur.: S-Alp.
– *azurea* Besser = Pulmonaria angustifolia 'Azurea'
– **carnica** Sauer · Kärntner-Lungenkraut | ♃ IV-V; Eur.: A, Slove.
– **collina** W. Sauer · Hügel-Lungenkraut | ♃ III-V; Eur.: D, CH +
– **helvetica** Bolliger · Schweizerisches Lungenkraut | III-V; Eur.: CH +
– **kerneri** Wettst. · Kerners Lungenkraut | ♃ V-VII; Eur.: A; NE-Alp.
– **longifolia** (Bastard) Boreau | ♃; Eur.: Fr, Ib, England
– **mollis** Wulfen ex Hornem. · Weiches Lungenkraut | ♃ IV-V ▽; Eur.: Fr, ? Ap, C-Eur., EC-Eur., Ba, E-Eur.; +
– **montana** Lej. · Berg-Lungenkraut | ♃ III-V; Eur.: Fr, CH, D
  - subsp. *mollis* (Wulfen ex Hornem.) Gams = Pulmonaria mollis
– **obscura** Dumort. · Dunkles Lungenkraut | ♃ III-V; Eur.: Fr, C-Eur., EC-Eur., Sc, Ba, E-Eur., nat. in Brl
– **officinalis** L. · Echtes Lungenkraut, Geflecktes Lungenkraut · Lungwort, Soldiers-and-Sailors, Spotted Dog · Pulmonaire officinale | ♃ III-V; Eur.* exc. Brl, Ib
– *picta* Rouy = Pulmonaria saccharata
– **rubra** Schott · Ziegelrotes Lungenkraut · Pulmonaire rouge | ♃ IV-V; Eur.: Ba, RO, Russ.; mts.
– **saccharata** Mill. · Spanisches Lungenkraut · Bethlehem Sage · Pulmonaire saupoudrée | ♃ IV-V; Eur.: SE-F, I, nat. in B
– **stiriaca** A. Kern. · Steirisches Lungenkraut | ♃ IV-V; Eur.: A, Slove.; E-Alp.
– *virginica* L. = Mertensia virginica

Pulsatilla Mill. -f- *Ranunculaceae* · Kuhschelle, Küchenschelle
– *alba* Rchb. = Pulsatilla alpina subsp. alba
– **albana** (Steven) Bercht. et J. Presl | ♃ △ IV ▽; TR, Cauc., Iran
– **alpina** (L.) Delarbre · Große Alpen-Küchenschelle | ♃ △ V-VIII ▽; Eur.: Ib, Fr, Ap, Ba, C-Eur.; mts.
  - subsp. **alba** Domin · Brocken-Küchenschelle, Brockenanemone, Kleine Alpen-Küchenschelle · White Pasque Flower | ♃ V-VIII; Eur.: Sp., F, C-Eur., EC-Eur., Ba, RO, W-Russ.; mts
  - subsp. **apiifolia** (Scop.) Nyman ·

Schwefel-Anemon, Schwefelgelbe Alpen-Küchenschelle ; Eur.: Sp., F, I, A, Ba ; C-Alp., S-Alp.
- subsp. *sulphurea* auct. = Pulsatilla alpina subsp. apiifolia
– *grandis* Wender. = Pulsatilla vulgaris subsp. grandis
– **halleri** (All.) Willd. · Hallers Küchenschelle · Pulsatille de Haller | ♃ △ V-VII ▽; Eur.: Fr, Ap, C-Eur., EC-Eur., Ba, Krim; Alp., W-Carp., Balkan
- subsp. **grandis** (Wender.) Meikle | ♃; C-Eur., Ukraine
- subsp. **rhodopaea** K. Krause
- subsp. **slavica** (G. Reuss) Zamelis | ♃ △ III-IV ▽; W-Cauc.
- subsp. **styriaca** (Pritz.) Zamelis · Steirische Küchenschelle | ♃ III-IV; A (Steiermark)
- subsp. **taurica** (Juz.) K. Krause
– **montana** (Hoppe) Rchb. · Berg-Küchenschelle | ♃ △ III-V ▽; Eur.: Fr, I, CH, Ba, RO
– **patens** (L.) Mill. · Finger-Küchenschelle · Eastern Pasque Flower, Pasque Flower | ♃ △ IV ▽; Eur.: D, Sc, EC-Eur., EC-Eur.; W-Sib.
– **pratensis** (L.) Mill. · Wiesen-Küchenschelle · Pulsatilla | ♃ △ IV-V ▽; Eur.: C-Eur., EC-Eur., Ba, Sc, E-Eur.
- subsp. **nigricans** (Störck) Zamelis
– *slavica* G. Reuss = Pulsatilla halleri subsp. slavica
– **vernalis** (L.) Mill. · Frühlings-Küchenschelle | ♃ △ IV ▽; Eur.* exc. BrI, EC-Eur.
– **vulgaris** Mill. · Gewöhnliche Küchenschelle · Pasque Flower | ♃ △ IV ▽ ☠; Eur.* exc. BrI, Ap
- subsp. **grandis** (Wender.) Zamelis · Große Küchenschelle | ♃ IV-V; C-Eur., Ukraine

Pultenaea Sm. -f- *Fabaceae*
– **flexilis** Sm. | ♄ Ⓚ V; Austr.: N.S.Wales
– **gunnii** Benth. | ♄ Ⓚ V; Austr.: Victoria, Tasman.
– **rosea** F. Muell. | ♄ Ⓚ IV; Austr.: Victoria

Punica L. -f- *Punicaceae*
– **granatum** L. · Granatapfelbaum · Pomegranate | ♄ ♄ Ⓚ VI-VIII Ⓝ; TR, SW-As., C-As., nat. in Eur.: Ib, F, Ap, CH, BA, RO

- **'Nana'** L.

Pupalia Juss. -f- *Amaranthaceae*
– **atropurpurea** Moq. | ♃ Ⓦ; trop. Afr., trop. As., nat. in S-Sp.

Purshia DC. ex Poir. -f- *Rosaceae*
– **tridentata** (Pursh) DC. · Antelope Brush, Bitterbrush | ♄ V; USA: Oreg., Calif., Rocky Mts., SW

Puschkinia Adams -f- *Hyacinthaceae*
– *libanotica* Zucc. = Puschkinia scilloides var. libanotica
– **scilloides** Adams · Striped Squill | ♃ IV-V; Cauc., TR
- var. **libanotica** (Zucc.) Boiss. | ♃ IV-V; Lebanon

Putoria Pers. -f- *Rubiaceae*
– **calabrica** (L. f.) DC. | ♄; Eur.: Ba, Ib, Ap; TR +

Puya Molina -f- *Bromeliaceae*
– **alpestris** (Poepp.) Gay | ♄ Ⓚ; C-Chile
– **chilensis** Molina · Puya | ♄ Ⓚ; C-Chile
– **coerulea** Lindl. | ♃ Ⓚ; Chile
- var. **violacea** (Brongn.) L.B. Sm. et Loos | ♃ Ⓚ; Chile
– **gigas** André | ♄ Ⓚ; Col.
– **raimondii** Harms | ♄ Ⓚ; Peru, Bol., N-Chile
– **spathacea** (Griseb.) Mez | ♃ Ⓚ; C-Arg.
– **venusta** Phil. | ♃ Ⓚ; Chile
– *violacea* (Brongn.) Mez = Puya coerulea

Pycnanthus Warb. -f- *Myristicaceae*
– **angolensis** (Welw.) Warb. | ♄ Ⓦ Ⓝ; Angola

Pycnostachys Hook. -f- *Lamiaceae*
– **dawei** N.E. Br. | ♃ Ⓚ XII-II; Uganda
– **urticifolia** Hook. | ♃ Ⓚ ✂ VIII; trop. Afr., S-Afr.

Pyracantha M. Roem. -f- *Rosaceae* · Feuerdorn
– **angustifolia** (Franch.) C.K. Schneid. · Narrow Leaf Firethorn | ♄ Ⓚ ☘ VI-VII; SW-China
– **atalantioides** (Hance) Stapf · China-Feuerdorn | ♄ V-VI; China
– **coccinea** M. Roem. · Mittelmeer-Feuerdorn · Burning Bush · Buisson ardant | ♄ ☘ V; Eur.: Ib, Fr, Ap, AL,

Krim; TR, Cauc., N-Iran
– **crenatoserrata** (Hance) Rehder | ♄ Ⓚ ♧ V-VII ∧; W-China, C-China
– **crenulata** (D. Don) M. Roem. · Nepalese White Thorn
  - var. *rogersiana* A.B. Jacks. = Pyracantha rogersiana
– *fortuneana* (Maxim.) H.L. Li = Pyracantha crenatoserrata
– **rogersiana** (A.B. Jacks.) Bean · Gelbfrüchtiger Feuerdorn | ♄ Ⓚ ♧ VI; SW-China
– *yunnanensis* Chitt. = Pyracantha crenatoserrata

× **Pyracomeles** Rehder ex Guillaumin -f- *Rosaceae*
– **vilmorinii** Rehder ex Guillaumin (*Osteomeles subrotunda* × *Pyracantha crenatoserrata*) | ♄ V; cult.

Pyrethrum = Tanacetum L.
– *alpinum* (L.) Schrank = Leucanthemopsis alpina
– *balsamita* (L.) Willd. = Tanacetum balsamita
– *carneum* M. Bieb. = Tanacetum coccineum
– *cineraiifolium* Trevir. = Tanacetum cinerariifolium
– *corymbosum* (L.) Scop. = Tanacetum corymbosum
– *densum* Labill. = Tanacetum densum
– *gayanum* Coss. et Durieu = Rhodanthemum gayanum
– *macrophyllum* (Waldst. et Kit.) Willd. = Tanacetum macrophyllum
– *parthenium* (L.) Sm. = Tanacetum parthenium
– *roseum* M. Bieb. = Tanacetum coccineum

Pyrola L. -f- *Pyrolaceae* · Wintergrün
– **chlorantha** Sw. · Grünliches Wintergrün | ♃ VI-VII; Eur.*, TR, Cauc., W-Sib., E-Sib., Kamchat., N-Am.
– **media** Sw. · Mittleres Wintergrün | ♃ VI-VIII ▽; Eur.* exc. Ib; Cauc., W-Sib., E-Sib.
– **minor** L. · Kleines Wintergrün · Common Wintergreen | ♃ VI-VIII ▽; Eur.*, TR, Cauc., W-Sib., E-Sib., Amur, Sachal., Kamchat., C-As., Alaska, Can., USA: NE, NCE, NC, Rocky Mts., NW, Calif.; Greenl.
– **rotundifolia** L. · Rundblättriges Wintergrün · Round Leaved Wintergreen | ♃ VI-VIII ▽; Eur.*, Cauc., TR, N-Iran, W-Sib., E-Sib., C-As., Alaska, Can., USA* exc. SE, Fla., SC; Greenl.
– *uniflora* L. = Moneses uniflora
– *urceolata* Poir. = Galax urceolata

Pyrolirion Herb. -n- *Amaryllidaceae*
– **aureum** (Ruiz et Pav.) Herb. | ♃ Ⓚ XII-I; Peru

Pyrostegia C. Presl -f- *Bignoniaceae*
– **venusta** (Ker-Gawl.) Miers · Orange Trumpet Vine | ♄ Ⓦ ≷ X-I; Bras., Parag.

Pyrrheima = Siderasis Raf.
– *loddigesii* Hassk. = Siderasis fuscata

Pyrrhocactus = Neoporteria Britton et Rose
– *aricensis* F. Ritter = Neoporteria aricensis
– *bulbocalyx* (Werderm.) Backeb. = Neoporteria bulbocalyx
– *curvispinus* (Bertero) Backeb. et F.M. Knuth = Neoporteria curvispina
– *nigricans* (Linke) F. Ritter = Neoporteria tuberisulcata
– *tuberisulcatus* (Jacobi) Krainz = Neoporteria tuberisulcata

Pyrrocoma Hook. -f- *Asteraceae*
– **crocea** (A. Gray) Greene | ♃ △ VII-X ∧; USA: Rocky Mts., SW

Pyrrosia Mirb. -f- *Polypodiaceae*
– **confluens** (R. Br.) Ching · Robber Fern | ♃ Ⓦ; Him.
– **hastata** (Thunb.) Ching | ♃ Ⓦ; Jap., Korea, Manch.
– **heterophylla** (L.) M.G. Price · Dragon Scales | ♃ Ⓦ; Ind., SE-As., N.Guinea
– **lanceolata** (L.) Farw. | ♃ Ⓦ ≷; trop. Afr., trop. As.
– **lingua** (Thunb.) Farw. · Japanese Felt Fern | ♃ Ⓦ; China, Indochina, Taiwan, Jap.
– **niphoboloides** (Luerss.) M.G. Price | ♃ Ⓦ; Madag.

Pyrularia Michx. -f- *Santalaceae*
– **pubera** Michx. · Buffalo Nut | ♄ Ⓚ ☠ Ⓝ; USA: NE, SE

Pyrus L. -f- *Rosaceae* · Birnbaum
– *americana* (Marsh) DC. = Sorbus americana

– **amygdaliformis** Vill. · Almond Leaved Pear | ♄ V; Eur.: Ib, Fr, Ap, Ba; TR
  - var. **cuneifolia** (Guss.) Bean
– *angustifolia* Aiton = Malus angustifolia
– *arbutifolia* (L.) L. f. = Aronia arbutifolia
– *aria* (L.) Ehrh. = Sorbus aria
– *aucuparia* (L.) Gaertn. = Sorbus aucuparia
– **austriaca** A. Kern. · Österreichischer Birnbaum | ♄ V; Eur.: CH, A, Slova., H, ? RO
– *baccata* L. = Malus baccata
  - var. *mandshurica* Maxim. = Malus baccata var. mandshurica
– **betulifolia** Bunge · Birkenblättriger Flügelstorax · Birchleaf Pear | ♄ V; N-China
– **bourgaeana** Decne. | ♄; W-Sp., P, Maroc.
– **bretschneideri** Rehder | ♄ IV-V; N-China
– **calleryana** Decne. | ♄; C-China, S-China
  - var. **dimorphophylla** (Makino) Koidz. | ♄ V; Jap.
  - var. **fauriei** (C.K. Schneid.) Rehder | ♄ V; Korea
– × **canescens** Spach (*P. nivalis* × *P. salicifolia*)
– *chamaemespilus* (L.) Pall. = Sorbus chamaemespilus
– **communis** L. · Garten-Birnbaum, Kultur-Birne · Common Pear, Pear · Poirier commun | ♄ IV V Ⓝ; cult.
  - subsp. *salviifolia* (DC.) Gams = Pyrus salviifolia
  - var. *achras* Wallr. = Pyrus pyraster
  - var. *pyraster* (Burgsd.) Wallr. et DC. = Pyrus pyraster
– *coronaria* L. = Malus coronaria
  - var. *ioensis* A. Wood = Malus ioensis
– *decora* (Sarg.) Hyl. = Sorbus decora
– *domestica* (L.) Sm. = Sorbus domestica
– *domestica* Medik. = Pyrus communis
– **elaeagrifolia** Pall. · Ölweiden-Birne ; TR
  - var. **kotschyana** (Decne.) Boiss. | ♄ IV-V; TR
– *floribunda* Lindl. = Aronia × prunifolia
– *heterophylla* Regel et Schmalh. = Pyrus regelii
– *hupehensis* Pamp. = Malus hupehensis
– *ioensis* (A. Wood) L.H. Bailey = Malus ioensis
– *japonica* Thunb. = Chaenomeles japonica
– *kansuensis* Batalin = Malus kansuensis
– *malus* L. = Malus sylvestris
  - var. *paradisiaca* L. = Malus pumila var. paradisiaca
  - var. *sylvestris* L. = Malus sylvestris
– *maulei* (T. Moore) Mast. = Chaenomeles japonica
– *melanocarpa* (Michx.) Willd. = Aronia melanocarpa
– *niedzwetzkyana* (Dieck) Hemsl. = Malus pumila 'Niedzwetzkyana'
– **nivalis** Jacq. · Schnee-Birnbaum · Snow Pear | ♄ V Ⓝ; Eur.: Fr, Ap, C-Eur., EC-Eur., Ba, RO
– **pashia** Buch.-Ham. ex D. Don | ♄; Afgh., Him., W-China, Myanmar
– **phaeocarpa** Rehder | ♄ V; N-China
– *prattii* Hemsl. = Malus prattii
– *prunifolia* Willd. = Malus prunifolia
– *pumila* L. = Malus sylvestris
– **pyraster** Burgsd. · Wild-Birne, Wilder Birnbaum · Wild Pear · Poirier sauvage | ♄ IV-V; Eur.* exc. BrI, Sc; TR, Cauc., Iran
– **pyrifolia** (Burm. f.) Nakai · China-Birne · Sand Pear ; W-China, C-China
  - var. **culta** (Makino) Nakai · Nashi Pear | ♄ IV Ⓝ; cult.
– **regelii** Rehder · Poirier de Regel | ♄ V-VI; C-As.
– **salicifolia** Pall. · Weiden-Birne · Willow Leafed Pear · Poirier à feuilles de saule | ♄ IV-V; TR, Cauc., Iran
– **salviifolia** DC. · Salbeiblatt-Birnbaum | ♄ ♄ V; Eur.: Fr, C-Eur., EC-Eur., Ba, E-Eur.
– *sargentii* (Rehder) Bean = Malus toringo
– *serotina* Rehder = Pyrus pyrifolia
– *sieboldii* Regel = Malus toringo
– *sinensis* L.H. Bailey = Pyrus pyrifolia var. culta
– *spectabilis* Aiton = Malus spectabilis
– *spinosa* Forssk. = Pyrus amygdaliformis
– *suecica* (L.) Garcke = Sorbus intermedia
– *sylvestris* Gray = Malus sylvestris
– *toringoides* (Rehder) Osborn = Malus toringoides
– *torminalis* (L.) Ehrh. = Sorbus torminalis
– *transitoria* Batalin = Malus transitoria
– *trilobata* (Labill.) DC. = Malus trilobata
– *tschonoskii* Maxim. = Malus tschonoskii
– **ussuriensis** Maxim. · Ussuri-Birne · Ussurian Pear ; Amur, Manch., Korea
  - var. **hondoensis** (Kikuchi et Nakai) Rehder | ♄ IV; C-Jap.
  - var. **ovoidea** (Rehder) Rehder | ♄ IV; Korea, N-China

Quamoclit = Ipomoea L.
- *coccinea* (L.) Moench = Ipomoea coccinea
- *hederifolia* (L.) G. Don = Ipomoea hederifolia
- *lobata* (Cerv.) House = Ipomoea lobata
- × *multifida* Raf. = Ipomoea × multifida
- *pinnata* Bojer = Ipomoea quamoclit
- × *sloteri* House = Ipomoea × multifida
- *vulgaris* Choisy = Ipomoea quamoclit

Quaqua N.E. Br. -f- *Asclepiadaceae*
- **mammillaris** (L.) Bruyns | ♃ ℧ Ⓚ; Kap

Quassia L. -f- *Simaroubaceae*
- **amara** L. · Bitterwood, Jamaica Bark, Quassia | ♄ Ⓦ Ⓝ; Mex., W.Ind., Guyan., N-Bras.

Quercus L. -f- *Fagaceae* · Eiche
- **acuta** Thunb. | ♄ ♄; Jap., N-Korea, China
- **acutissima** Carruth. · Seidenraupen-Eiche · Sawtooth Oak · Chêne à dents de scie | ♄ Ⓝ; Him., China, Korea, Jap.
- *aegilops* Lam. non L. = Quercus macrolepis
- **alba** L. · Weiß-Eiche · White Oak · Chêne blanc | ♄ Ⓝ; Can.: E; USA: NE, NCE, SC, SE, Fla.
- **aliena** Blume | ♄ Ⓝ; Jap., Korea, China
  - var. **acuteserrata** Maxim. | ♄; Jap., Korea, C-China
- **alnifolia** Poech · Golden Oak | ♄ ♄ Ⓐ ∧; Cyprus
- *aquatica* Walter = Quercus nigra
- × **arkansana** Sarg. (*Q. marilandica* × *Q. nigra*) · Arkansas Oak
- *banisteri* Michx. = Quercus ilicifolia
- **bicolor** Willd. · Zweifarbige Eiche · Swamp White Oak · Chêne à gros glands | ♄ Ⓝ; Can.: E; USA: NE, NCE, NC, SC, SE
- *borealis* Michx. = Quercus rubra
  - var. *maxima* (Marsh) Sarg. = Quercus rubra
- *bungeana* F.B. Forbes = Quercus variabilis
- **bushii** Sarg. | ♄; USA: Okla. +
- × **calvescens** Vuk. · Flaumblättrige Bastard-Eiche
- **canariensis** Willd. | ♄; Eur.: Ib; Maroc., Alg., Tun.
- **castaneifolia** C.A. Mey. · Kastanienblättrige Eiche · Chêne à feuilles de châtaignier | ♄ Ⓝ; Cauc., Iran
- **cerris** L. · Zerr-Eiche · Turkey Oak · Chêne chevelu | ♄ IV Ⓝ; Eur.: Fr, Ap, C-Eur., EC-Eur., Ba, RO; TR, Syr., Lebanon, nat. in BrI
  - var. **austriaca** (Willd.) Loudon
- *chinensis* Blume = Quercus variabilis
- **coccifera** L. · Kermes Oak · Chêne à cochenilles | ♄ ♄ Ⓚ Ⓝ; Eur.: Ib, Fr, Ap, Ba; TR, Levante, NW-Afr., Libya
- **coccinea** Münchh. · Scharlach-Eiche · Scarlet Oak · Chêne écarlate | ♄ Ⓝ; Can.: E; USA: NE, NCE, SE, Okla.
- *conferta* Kit. = Quercus frainetto
- *daimio* hort. ex K. Koch = Quercus dentata
- **dalechampii** Ten. · Gelbliche Eiche | ♄ IV-V; Eur.: I, A, EC-Eur., Ba, RO, ? Sic.
- **dentata** Thunb. · Kaiser-Eiche · Daimio Oak · Chêne Daimyo | ♄ Ⓝ; Jap., Korea, N-China, W-China
- × **exacta** Trel. (*Q. imbricata* × *Q. palustris*) | ♄
- **fabrei** Hance | ♄; China, Korea
- **faginea** Lam. | ♄ ♄; Sp., P
- **falcata** Michx. · Sichelblättrige Eiche · Southern Red Oak | ♄; USA: NE, SE, Fla., SC
- *farnetto* Ten. = Quercus frainetto
- × **fernaldii** Trel. (*Q. ilicifolia* × *Q. rubra*)
- *ferruginea* F. Michx. = Quercus marilandica
- **frainetto** Ten. · Ungarische Eiche · Hungarian Oak · Chêne de Hongrie | ♄; Eur.: I, EC-Eur., Ba, RO; TR, Levante
- **garryana** Douglas ex Hook. | ♄; B.C., USA: Wash., Oreg., Calif.
- **glandulifera** Blume · Konara Oak | ♄; Jap., Korea, China
- **hartwissiana** Steven | ♄; Eur.: BG; TR, Cauc.
- × **heterophylla** F. Michx. · Verschiedenblättrige Eiche | ♄; USA: Philadelphia +
- × **hispanica** Lam. (*Q. cerris* × *Q. suber*) · Spanish Oak · Chêne de Lucombe | ♄
- **ilex** L. · Stein-Eiche · Evergreen Oak, Holm Oak · Chêne vert, Yeuse | ♄ Ⓚ IV-V Ⓝ; Eur.: Ib, Fr, Ap, Ba; TR, NW-Afr., nat. in Krim, CH, Br
  - var. *rotundifolia* (Lam.) Trab. = Quercus rotundifolia
- **ilicifolia** Wangenh. · Busch-Eiche · Bear Oak, Scrub Oak | ♄ ♄; USA: NE, N.C.
- **imbricaria** Michx. · Schindel-Eiche ·

Shingle Oak · Chêne à feuilles de laurier | ħ; USA: NE, NCE, NC, SE
- **infectoria** Olivier · Aleppo Oak | ħ Ⓚ Off.; Eur.: GR; TR, Cyprus, Palaest., Cauc., N-Iraq, Iran
- **ithaburensis** Decne.
  - subsp. **macroplepis** (Kotschy) Hedge et Yalt. · Valonea-Eiche | ħ Ⓝ
- *lanuginosa* Lam. = Quercus pubescens
- **laurifolia** Michx. · Laurel Oak | ħ Ⓚ /\; USA: NE, SE, SC, Fla.
- × **leana** Nutt. | ħ; USA
- × **libanerris** Boom | ħ; cult.
- **libani** Olivier · Libanon-Eiche · Lebanon Oak · Chêne du Liban | ħ ħ; TR, Syr.
  - var. **angustifolia** Dippel
- **lobata** Née | ħ; Calif.
- **lusitanica** Lam. | ħ; SW-Sp., S-P, Maroc.
- *lusitanica* Webb = Quercus faginea
- **lyrata** Walter · Leierblättrige Eiche · Overcup Oak, Water White Oak | ħ Ⓝ; USA: NE, NCE, SC, SE, Fla.
- **macranthera** Fisch. et C.A. Mey. ex Hohen. · Persische Eiche · Caucasian Oak · Chêne du Caucase | ħ; SE-Cauc., N-Iran
- **macrocarpa** Michx. · Großfrüchtige Eiche · Burr Oak, Mossy Cup Oak | ħ Ⓝ; Can.: E, Sask.; USA: NE, SE, SC, NCE, NC
  - var. **oliviformis** (F. Michx.) A. Gray; E-USA
- **macrolepis** Kotschy · Dyer's Oak, Vallonia Oak | ħ Ⓝ; Eur.: S I, Ba; TR, Syr.
- **marilandica** Münchh. · Schwarz-Eiche · Blackjack Oak, Scrub Oak · Chêne du Maryland | ħ; USA: NE, NCE, NC, SC, SE, Fla.
- **michauxii** Nutt. · Korb-Eiche | ħ; N-Am.
- **mongolica** Fisch. ex Turcz. · Mongolische Eiche · Mongolian Oak | ħ Ⓝ; E-Sib., N-China, Korea, N-Jap.
  - var. **grosseserrata** (Blume) Rehder et E.H. Wilson | ħ; Jap., Sachal.
- *montana* Willd. = Quercus prinus
- **muehlenbergii** Engelm. · Gelb-Eiche | ħ
- **myrsinifolia** Blume | ħ; Jap., China, Laos
- *nana* (Marsh) Sarg. non Willd. = Quercus ilicifolia
- **nigra** L. · Wasser-Eiche · Water Oak | ħ; USA: NE, NCE, SC, SE, Fla.
- *nigra* Wangenh. non L. = Quercus ilicifolia
- *obovata* E. Fourn. = Quercus dentata
- *obtusiloba* Michx. = Quercus stellata
- **palustris** Münchh. · Sumpf-Eiche · Pin Oak · Chêne des marais | ħ ~ V Ⓝ; Can.: E; USA: NE, NCE, Kans., SE
- *pedunculata* Ehrh. = Quercus robur
- **petraea** (Matt.) Liebl. · Trauben-Eiche · Durmast Oak, Sessile Oak · Chêne rouvre, Chêne sessile | ħ Off. V Ⓝ; Eur.*, TR, Syr., Cauc., N-Iran
  - subsp. **iberica** (Steven ex M. Bieb.) Krassiln. · Reichfrüchtige Eiche | ħ; Eur.: A, EC-Eur., Ba, RO; TR, Cauc., N-Iran
- **phellos** L. · Weiden-Eiche · Willow Oak · Chêne à feuilles de saule | ħ ~ ; USA: NE, NCE, SE, Fla., SC
- **phillyreoides** A. Gray | ħ ħ; C-China, E-China, Jap.
- *platanoides* Sudw. = Quercus bicolor
- **pontica** K. Koch · Pontische Eiche · Armenian Oak, Pontine Oak · Chêne d'Arménie | ħ; Cauc.
- **prinoides** Willd. · Chinquapin Oak, Dwarf Chinquapin Oak | ħ; USA: NE, NCE, SE, SC
- **prinus** L. · Kastanien-Eiche · Basket Oak, Chestnut Oak | ħ Ⓝ; Ont., USA: NE, NCE, SE
- *pseudosuber* Santi = Quercus × hispanica
- × *pseudoturneri* C.K. Schneid. = Quercus × turneri 'Pseudoturneri'
- **pubescens** Willd. · Adriatische Flaum-Eiche, Flaum-Eiche · Downy Oak · Chêne pubescent | ħ Off. IV-V Ⓝ; Eur.* exc. BrI, Sc; TR, Cauc.
  - subsp. *lanuginosa* (Lam.) Schwarz = Quercus pubescens
- *pumila* Walter = Quercus ilicifolia
- **pyrenaica** Willd. · Pyrenäen-Eiche · Pyrenean Oak | ħ ħ Ⓝ; Eur.: Ib, F, I; Maroc.
- **robur** L. · Stiel-Eiche · English Oak, Oak, Pedunculate Oak · Chêne commun, Chêne pédonculé | ħ Off. V Ⓝ; Eur.*, TR, Cauc.
- × **rosacea** Bechst. · Gewöhnliche Bastard-Eiche | ħ
- **rotundifolia** Lam. | ħ; Ib.F, NW-Afr.
- **rubra** L. · Rot-Eiche · American Red Oak · Chêne rouge d'Amérique | ħ V Ⓝ; Can.: E; USA: NE, NCE, NC, Okla., SE
  - var. **borealis** (F. Michx.) Farw.; Can.: E; USA: NE, NCE, N.C.
- × **saulii** C.K. Schneid. (*Q. alba* × *Q. prinus*)

– × **schochiana** Dieck (*Q. palustris* × *Q. phellos*) | ♄; E-USA
– *serrata* Carruth. = Quercus variabilis
– *serrata* Siebold et Zucc. = Quercus acutissima
– *serrata* Thunb. = Quercus glandulifera
– *sessiliflora* Salisb. = Quercus petraea
– *sessilis* Ehrh. = Quercus petraea
– **shumardii** Buckley | ♄; USA: Kans., Mich.-N.C., Flor, Tex.
– **stellata** Wangenh. · Pfahl-Eiche · Post Oak | ♄ Ⓝ; USA: NE, NCE, Kans., SC, SE, Fla.
– **suber** L. · Cork Oak · Chêne-liège | ♄ Ⓚ Ⓝ; Eur.: Ib, Fr, Ap; NW-Afr.
– **texana** Buckley | ♄; Tex., Okla.
– *tinctoria* Bartram ex Michx. = Quercus velutina
– *toza* Bastard = Quercus pyrenaica
– **trojana** Webb · Mazedonische Eiche | ♄ ♄; Eur.: SE-I, Ba; W-TR
– × **turneri** Willd. (*Q. ilex* × *Q. robur*) · Wintergrüne Eiche · Turner's Oak · Chêne de Turner | ♄; cult.
  - **'Pseudoturneri'**
– *uliginosa* Wangenh. = Quercus nigra
– **variabilis** Blume · Oriental Corkoak | ♄ Ⓝ; Jap., Korea, N-China, Taiwan
– **velutina** Lam. · Färber-Eiche · Black Oak · Chêne des teinturiers, Quercitron | ♄; Can.: E; USA: NE, NCE, NC, SC, SE, Fla.

Quesnelia Gaudich. -f- *Bromeliaceae*
– **arvensis** (Vell.) Mez | ♃ Ⓦ; Bras.
– **humilis** Mez | ♃ Ⓦ; Bras.
– **liboniana** (De Jonghe) Mez | ♃ Ⓦ; Bras.
– **marmorata** (Lem.) Read | ♃ Ⓦ; Bras.
– **quesneliana** (Brongn.) L.B. Sm. | ♃ Ⓦ; Bras.
– *roseomarginata* Carrière = Quesnelia quesneliana

Quillaja Molina -f- *Rosaceae*
– **saponaria** Molina · Soap Bark Tree, Soap Bark | ♄ Ⓚ Off. Ⓝ; Peru, Bol., Chile

Quisqualis L. -f- *Combretaceae*
– **indica** L. · Rangoon Creeper | ♄ Ⓦ ≩ VII-VIII; W-Afr., C-Afr., E-Afr., S-Afr., Ind., SE-As.

Rabiea N.E. Br. -f- *Aizoaceae*
– **albinota** (Haw.) N.E. Br. | ♃ ♆ Ⓚ; Kap

Racosperma = Acacia Mill.
– *mearnsii* (De Wild.) Pedley = Acacia mearnsii
– *melanoxylon* (R. Br.) Pedley = Acacia melanoxylon
– *pulchellum* (R. Br.) Pedley = Acacia pulchella

Radermachera Zoll. et Moritzi -f- *Bignoniaceae*
– **sinica** (Hance) Hemsl. | ♄ Ⓦ; SE-China

Radiola Hill -f- *Linaceae*
– **linoides** Roth · Zwergflachs | VII-VIII; Eur.*, Lebanon, N-As., NW-Afr., Madeira, trop. Afr.mts..

Raimannia = Oenothera L.
– *drummondii* (Hook.) Rose ex Sprague et Riley = Oenothera drummondii

Ramonda Rich. -f- *Gesneriaceae*
– *heldrechii* (Boiss.) Benth. et Hook. = Jancaea heldreichii
– **myconi** (L.) Rchb. · Ramonda | ♃ △ V-VI; Eur.: NE-Sp., F (Pyr.)
– **nathaliae** Pancic et Petrovic | ♃ △ V; Eur.: Serb.Maced., GR
– *pyrenaica* Pers. = Ramonda myconi
– × **regis-ferdinandi** Kellerer (*R. myconi* × *R. serbica*) | ♃ △ V
– **serbica** Pancic | ♃ △ V-VI; Eur.: Serb., Maced., AL, NW-GR, BG
  - var. *nathaliae* (Pancic et Petrovic) hort. = Ramonda nathaliae

Randia L. -f- *Rubiaceae*
– *maculata* DC. = Rothmannia longiflora

Ranunculus L. -m- *Ranunculaceae* · Hahnenfuß
– *acer* auct. = Ranunculus acris
– **aconitifolius** L. · Eisenhutblättriger Hahnenfuß · Batchelor's Buttons · Renoncule à feuilles d'aconit | ♃ V-VII; Eur.: Ib, Fr, Ap, Ba, C-Eur., EC-Eur.
  - subsp. *platanifolius* (L.) Berher = Ranunculus platanifolius
– **acris** L. · Scharfer Hahnenfuß · Buttercup, Meadow Buttercup · Bouton d'or, Renoncule âcre, Renoncule élevé | ♃ V-IX ☠; Eur.*, Cauc., W-Sib., ?C-As., nat. in N-Am.
– *africanus* hort. = Ranunculus asiaticus
– **alpestris** L. · Alpen-Hahnenfuß · Alpine

Buttercup | ♃ △ VI-VII; Eur.: Ib, Fr, Ap, C-Eur., EC-Eur., Ba, RO; mts.
- **amplexicaulis** L. · White Buttercup | ♃ △ V-VI; Eur.: Sp., F; mts.
- **aquatilis** L. · Gewöhnlicher Wasserhahnenfuß · Water Buttercup, Water Crowfoot · Renoncule aquatique | ♃ ♆ IV-VIII; Eur.*, Cauc., NW-Afr., nat. in NZ
- **arvensis** L. · Acker-Hahnenfuß · Corn Buttercup | ⊙ V-VII; Eur.*, TR, Levante, Cauc., Iran, C-As., Him., NW-Afr., Libya
- **asiaticus** L. · Turban Ranunculus | ♃ Ⓚ ✂ V-VI; Crete
- **auricomus** L. · Gold-Hahnenfuß | ♃ IV-V; Eur.*, Cauc., W-Sib.
  - **Fallax-Grp.** (Wimm. et Grab.) Schur
- **brevifolius** M. Bieb. | ♃ V-VII
- **breynianus** Crantz · Gebirgs-Hahnenfuß | ♃ V-VII; Eur.: Fr, Ap, C-Eur., EC-Eur., Ba, E-Eur.; TR; mts.
- **bulbosus** L. · Knolliger Hahnenfuß · Bulbous Buttercup, Buttercup · Renoncule bulbeuse | ♃ V-VIII ☠; Eur.*, TR, Cyprus, Syr., Iraq, Cauc., Iran, Egypt, Alger., Maroc., nat. in N-Am.
- **calandrinioides** Oliv. | ♃; Maroc.
- **carinthiacus** Hoppe · Kärntner Hahnenfuß | ♃ IV-VII; Eur.: Sp., F, I, C-Eur., Ba; mts.
- **cassubicus** L. · Kaschubischer Hahnenfuß | ♃ IV-VII; Eur.: C-Eur., Ap, EC-Eur., Ba, Sc, E-Eur.; W-Sib. (Altai)
- **circinatus** Sibth. · Spreizender Wasserhahnenfuß | ♃ ♆ V-IX; Eur.* exc. Ib; C-As., Sib., Alger.
- **crenatus** Waldst. et Kit. · Kerb-Hahnenfuß | ♃ VI-VII; Eur.: I, Ba, RO, W-Russ.; E-Alp., Apenn., Carp., Balkan
- *delphiniifolius* Torr. = Ranunculus flabellaris
- *divaricatus* Coste non Schrank = Ranunculus circinatus
- **ficaria** L. · Gewöhnliches Scharbockskraut · Celandine, Lesser Celandine, Pilewort · Ficaire | ♃ III-V; Eur.*, Cauc., W-Sib., C-As.
- **flabellaris** Raf. · Yellow Water Crowfoot | ♃ ♆ VI-VII; Can.; USA: NE, NCE, NC, SC, SE, Rocky Mts., NW, Calif.
- **flammula** L. · Brennender Hahnenfuß · Lesser Spearwort · Petite douve, Renoncule flamette | ♃ ~ V-X; Eur.*, W-Sib. (Altai)
- **fluitans** Lam. · Flutender Wasserhahnenfuß | ♃ VI-VIII; Eur.* exc. Ib
- *geraniifolius* Schinz et Thell. non Pourr. = Ranunculus montanus
- **glacialis** L. · Gletscher-Hahnenfuß | ♃ VII-VIII; Eur.: Sc, öM, Fr, Ib, Ap, EC-Eur., C-Eur.Alp., Pyren., Sierra nevada, Arkt. Eur., Island, Greenl.
- **gramineus** L. · Grasblättriger Hahnenfuß · Renoncule à feuilles de graminée | ♃ △ IV-VI; Eur.: Ib, Fr, Ap, CH; NW-Afr.
- **hederaceus** L. · Efeu-Wasserhahnenfuß | ♃ VI-IX; Eur.: BrI, Sc, Balt., Ib, Fr, D; Can.: E
- *hortensis* Pers. = Ranunculus asiaticus
- **hybridus** Biria · Bastard-Hahnenfuß, Nierenblättriger Hahnenfuß | ♃ VI-VIII; Eur.: I, D, A, Slove., Montenegro ? RO; E-Alp., Montenegro
- **illyricus** L. · Illyrischer Hahnenfuß | ♃ V-VI; Eur.: Ap, C-Eur., EC-Eur., Ba, Sc (Öland); TR, Cauc.
- **keupferi** Greuter et Burdet · Pyrenäen-Hahnenfuß | ♃ VI-VII; Eur.: F, Corse, I, CH, A; Alp., Corse
  lanuginosus L. · Wolliger Hahnenfuß · Ranunculus | ♃ V-VI; Eur.: C-Eur., Ap, EC-Eur., Ba, Sc, E-Eur.
  - **'Pleniflorus'** | ♃; cult.
- **lateriflorus** DC. · Seitenblütiger Hahnenfuß ; Eur.: Ib, Fr, Ap, EC-Eur., Ba, E-Eur.; TR, Levante, Cauc., C-As., W Sib., Maroc., Alger.
- **lingua** L. · Zungen-Hahnenfuß · Greater Spearwort · Grande douve | ♃ ~ VI-VIII ▽ ☠; Eur.*, TR, Cauc., W-Sib., E-Sib., C-As.
- **millefoliatus** Vahl | ♃ △ V-VI ∧; Eur.: Fr, Ap, EC-Eur., Ba, RO; TR, Syr., NW-Afr., Libya
- **monspeliacus** L. | ♃ IV-V ∧; Eur.: Ib, Fr, Ap, nat. in Sweden
- **montanus** Willd. · Berg-Hahnenfuß | ♃ △ IV-IX; Eur.: F, I, C-Eur., Slove., Croatia, Bosn., YU, Maced.; mts.
- **nemorosus** DC. · Wald-Hahnenfuß | ♃ V-VII; Eur.* exc. BrI
- **ololeucos** J. Lloyd · Reinweißer Wasserhahnenfuß | ♃ III-VI; Eur.: Ib, Fr, D
- **omiophyllus** Ten. · Lenormands Hahnenfuß ; Eur.: BrI, Fr, Ap, Ib
- **parnassifolius** L. · Herzblatt-Hahnenfuß | ♃ VII; Eur.: Sp., F, I, C-Eur.; N-Sp., Pyr., Alp.

– **peltatus** Schrank · Schild-Wasserhahnenfuß | ♃ V-IX; Eur.*, TR, Levante, N-Afr.
  - subsp. **baudotii** (Godr.) C.D.K. Cook · Brackwasser-Wasserhahnenfuß, Salz-Wasserhahnenfuß | ♃ V-IX; Eur.: coasts, F (Alsace), A (Burgenland); TR, Maroc.
– **penicillatus** (Dumort.) Bab. · Pinsel-Wasserhahnenfuß | ♃ V-IX; Eur.*, Maroc.
– **platanifolius** L. · Platanenblättriger Hahnenfuß | ♃ V-VI; Eur.* exc. BrI
– **polyanthemoides** Boreau · Falscher Vielblütiger Hahnenfuß, Schmalblättriger Hain-Hahnenfuß | ♃ VI-VIII; Eur.: F, I, C-Eur., Sc, EC-Eur., Ba
– **polyanthemophyllus** W. Koch et Hess · Schlitzblatt-Hahnenfuß | ♃ V-VII; Eur.: F, I, CH, D +
– **polyanthemos** L. · Vielblütiger Hahnenfuß | ♃ V-VII; Eur.* exc. BrI, Ib; W-Sib., E-Sib., C-As.
– **psilostachys** Griseb. | ♃ △ V ∧; Eur.: H, Ba
– **pygmaeus** Wahlenb. · Zwerg-Hahnenfuß | ♃ VII-VIII; Eur.: Sc, N-Russ., C-Eur., EC-Eur., I; N, E-Alp., W-Carp.; W-Sib., E-Sib., Kamchat.
– **pyrenaeus** L. · Pyrenean Buttercup | ♃ △ V-VII ∧; Eur.: Sp., F; mts.
  - subsp. *plantagineus* (All.) Rouy et Foucaud = Ranunculus keupferi
– *pyrenaicus* hort. = Ranunculus pyrenaeus
– **repens** L. · Kriechender Hahnenfuß · Creeping Buttercup | ♃ ⇝ V-VIII; Eur.*, TR, Cauc., Iran, W-Sib., E-Sib., Amur, Sachal., Kamchat., Manch., Korea, Jap., Maroc., Alger.
  - **'Pleniflorus'**
– **reptans** L. · Ufer-Hahnenfuß | ♃ VI-VIII; Eur.* exc. BrI, Ib, ? EC-Eur.; W-Sib., E-Sib., Amur, Kamchat., Mong., N-Am.
– **rionii** Lagger · Rions Waaserhahnenfuß | VI-VIII; Eur.: Fr, C-Eur., EC-Eur., Ba, E-Eur.; TR, Levante, Cauc., Iran, W-Sib., C-As., Him., W-China, w N-Am., S-Afr.
– **sardous** Crantz; Eur.*; ? TR
– **sceleratus** L. · Giftiger Hahnenfuß | ♃ X-VI Ⓝ; Eur.*, TR, Levante, Cauc., Iran, W-Sib., E-Sib., Amur, Sachal., Kamchat., C-As., Him., Mong., China, N-Am., S-Am., Egypt., Austr.
– **seguieri** Vill. · Seguiers Hahnenfuß | ♃ V-VII; Eur.: Sp., F, I, C-Eur., Slove., Montenegro; Cordillera Cantábrica, Alp., Apenn., Montenegro
– **serpens** Schrank · Wurzelnder Hahnenfuß | ⊙ V-VII; Eur.* exc. BrI
– **strigulosus** Schur; Eur.: EC-Eur., Ba, E-Eur.
– **thora** L. · Schildblättriger Hahnenfuß | ♃ △ V-VII ☠; Eur.* exc. BrI, Sc; mts.
– **traunfellneri** Hoppe · Traunfellners Hahnenfuß | ♃ V-VIII; Eur.: A, Slove.; SE-Alp.
– **trichophyllus** Chaix · Haarblättriger Wasserhahnenfuß | ♃ V-IX; Eur.*, TR, Levante, N-As., N-Afr., SW-Austr., Tasman., NZ
– **tripartitus** DC. · Dreiteiliger Wasserhahnenfuß | ♃ III-V; Eur.: Ib, Fr, BrI, D, GR; Maroc.
– **villarsii** DC. · Greniers Hahnenfuß, Villars Hahnenfuß | ♃ V-VIII; Eur.: F, I, C-Eur.; Alp.

Ranzania T. Ito -f- *Berberidaceae*
– **japonica** (T. Itô) T. Itô | ♃ V-VI; Jap.

Raoulia Hook.f. ex Raoul -f- *Asteraceae*
– *alboserícea* Colenso = Raoulia hookeri
– **australis** Hook. f.
– *australis* auct. = Raoulia hookeri
– **glabra** Hook. f. | ♃ Ⓐ ⇝ △ ∧; NZ
– **hookeri** Allan | ♃ ⇝ △ VII-IX ∧; NZ
– **subsericea** Hook. f. | ♃ Ⓐ ⇝ △ ∧; NZ
– **tenuicaulis** Hook. f. | ♃ Ⓐ ⇝ △ ∧; NZ

Raphanus L. -m- *Brassicaceae* · Rettich
– **caudatus** L. · Mougri | ⊙ Ⓝ; Ind., E-As.
– **landra** Moretti ex DC. · Kurzfrüchtiger Hederich ; Eur.: Ib, F, Ap, Ba; NW-Afr.
– **raphanistrum** L. · Acker-Hederich, Hederich · Sea Radish, Wild Radish | ⊙ X-VIII; Eur.*, TR, Levante, Cauc., C-As., N-Afr., nat. in Sib., E-As., N-Am.
– **sativus** L. · Garten-Rettich · Radish | ⊙ V-IX; orig. ?
  - var. **gayanus** (Fisch. et C.A. Mey.) Webb | ⊙ V
  - var. **longipinnatus** L.H. Bailey | ⊙ V Ⓝ
  - var. **mougri** Helm | ⊙ V Ⓝ
  - var. **niger** (Mill.) J. Kern. | ⊙ V Ⓝ
  - var. **oleiformis** Pers. | ⊙ V Ⓝ
  - var. *radicula* Pers. = Raphanus sativus

Raphia P. Beauv. -f- *Arecaceae*

– **farinifera** (Gaertn.) Hyl. | ♄ ⓦ Ⓝ; E-Afr., Madag.
– **hookeri** G. Mann et H. Wendl. · Raphia | ♄ Ⓝ; W-Afr.
– *pendunculata* P. Beauv. = Raphia farinifera
– *ruffia* (Jacq.) Mart. = Raphia farinifera
– **vinifera** P. Beauv. | ♄ ⓦ Ⓝ; W-Afr.

Rapistrum Crantz -n- *Brassicaceae*
– **perenne** (L.) All. · Ausdauernder Rapsdotter | ♃ VI-VIII; Eur.: Ap, C-Eur., EC-Eur., Ba, E-Eur., nat. in BrI, Fr
– **rugosum** (L.) All. · Runzliger Rapsdotter | ⊙ X-VI; Eur.: Ib, Fr, Ap, Ba, Krim; TR, Cauc., Iran, C-As., N-Afr., nat. in BrI, C-Eur., EC-Eur., EC-Eur.

Ratibida Raf. -f- *Asteraceae*
– **pinnata** (Vent.) Barnhart | ♃; N-Am., C-Am.

Rauvolfia L. -f- *Apocynaceae*
– *canescens* L. = Rauvolfia tetraphylla
– **serpentina** (L.) Benth. · Java Devil Pepper | ♄ ⓦ Off. Ⓝ; Ind., Sri Lanka, Thail., Sumat., Java
– **tetraphylla** L. · Four Leaf Devilpepper | ♄ ⓦ; trop. Am., subtrop. Am.
– **vomitoria** Afzel. · Swizzlestick | ♄ ⓦ; W-Afr., C-Afr., E-Afr., Sudan, Egypt

Ravenala Adans. -f- *Strelitziaceae*
– **madagascariensis** J.F. Gmel. · Traveller's Tree | ♄ ⓦ; Madag.

Reaumuria L. -f- *Tamaricaceae*
– **hypericoides** Willd. · Reaumuria | ♄ Ⓐ △ V-VI ∧; Syr., Iran

Rebutia K. Schum. -f- *Cactaceae*
– **albiflora** F. Ritter et Buining | Ψ Ⓚ ✻
– **albipilosa** F. Ritter | Ψ Ⓚ
– *arenacea* Cárdenas = Sulcorebutia arenacea
– *auranitida* (Wessner) Buining et Donald = Rebutia einsteinii
– **aureiflora** Backeb. | Ψ Ⓚ ✻; NW-Arg.
– **brachyantha** (Wessner) Buining et Donald | Ψ Ⓚ
– **brunneoradicata** F. Ritter | Ψ Ⓚ
– **buiningiana** Rausch | Ψ Ⓚ
– **cajasensis** F. Ritter | Ψ Ⓚ
– *calliantha* Bewer. = Rebutia wessneriana
– *carminea* Buining = Rebutia minuscula
– *chrysacantha* Backeb. = Rebutia senilis
– *cincinnata* Rausch = Rebutia steinmannii
– *colorea* F. Ritter = Rebutia pygmaea
– **costata** Werderm. | Ψ Ⓚ
– *cylindrica* (Donald) D.R. Hunt = Sulcorebutia cylindrica
– **deminuta** (F.A.C. Weber) A. Berger | Ψ Ⓚ ✻; NW-Arg.
  - *f. pseudominuscula* (Speg.) Buining et Donald = Rebutia pseudodeminuta
– **diersiana** Rausch | Ψ Ⓚ
– *digitiformis* Backeb. = Rebutia pygmaea
– **einsteinii** Fric | Ψ Ⓚ ✻; NW-Arg. (Volcan Chani)
  - var. *conoidea* (Wessner) Buining et Donald = Rebutia einsteinii
  - var. *rubroviridis* (Fric ex Backeb.) Buining et Donald = Rebutia einsteinii
– **fabrisii** Rausch | Ψ Ⓚ
– *famatinensis* (Speg.) Speg. = Lobivia famatinensis
– *fidaiana* (Backeb.) D.R. Hunt = Weingartia fidaiana
– **fiebrigii** (Gürke) Britton et Rose | Ψ Ⓚ ✻; Bol., NW-Arg.
fusca F. Ritter = Rebutia spegazziniana
– *glomeriseta* Cárdenas = Sulcorebutia glomeriseta
– *graciliflora* Backeb. = Rebutia xanthocarpa
– *hyalacantha* (Backeb.) Backeb. = Rebutia wessneriana
krainziana Kesselr. | Ψ Ⓚ ✻; ? Bol.
  - var. *hyalacantha* (Backeb.) Buchheim = Rebutia wessneriana
– **kupperiana** Boed. | Ψ Ⓚ ✻; Bol.: Tarija
  - var. *spiniflora* F. Ritter = Rebutia kupperiana
– **marsoneri** Werderm. | Ψ Ⓚ ✻; Arg.: Jujuy
– **minuscula** K. Schum. | Ψ Ⓚ ✻; Arg.: Salta, Tucuman
– *neocumingii* (Backeb.) D.R. Hunt = Weingartia neocumingii
– *neumanniana* (Backeb.) D.R. Hunt = Weingartia neumanniana
– *nidulans* Fric et Kreuz. = Rebutia aureiflora
– *potosina* F. Ritter = Rebutia steinmannii
– **pseudodeminuta** Backeb. | Ψ Ⓚ ✻; Bol., NW-Arg.
– **pygmaea** (R.E. Fr.) Britton et Rose | Ψ Ⓚ ✻; NW-Arg.
  - var. *longispina* Backeb. = Rebutia pygmaea

– *rauschii* (Frank) D.R. Hunt = Sulcorebutia rauschii
– *schmiedcheniana* (U. Köhler) W.T. Marshall = Rebutia einsteinii
– **senilis** Backeb. | ♆ Ⓚ ❄
– **spegazziniana** Backeb. | ♆ Ⓚ ❄; NW-Arg.
  - var. *atroviridis* Backeb. = Rebutia spegazziniana
– *steinbachii* Werderm. = Sulcorebutia steinbachii
– **steinmannii** (Solms) Britton et Rose | ♆ Ⓚ ❄; Bol.: Chuquisaca
  - var. *rauschii* (Frank) F. Ritter = Sulcorebutia rauschii
– *tarjensis* Rausch = Rebutia spegazziniana
– **wessneriana** Bewer. | ♆ Ⓚ ❄; N-Bol.
  - var. *calliantha* (Bewer.) Donald = Rebutia wessneriana
– **xanthocarpa** Backeb. | ♆ Ⓚ ❄; Arg.: Salta
  - var. *citricarpa* (Backeb.) Buining et Donald = Rebutia xanthocarpa
  - var. *coerulescens* Backeb. = Rebutia xanthocarpa
  - var. *luteirosea* Backeb. = Rebutia xanthocarpa

× **Recchara** Hort. -f- *Orchidaceae* (*Brassavola* × *Cattleya* × *Laelia* × *Schomburgkia*)

Rechsteineria = Sinningia Nees
– *canescens* (Mart.) Kuntze = Sinningia canescens
– *cardinalis* (Lehm.) Kuntze = Sinningia cardinalis
– *macropoda* (Sprague) C.H. Curtis = Sinningia macropoda
– *verticillata* (Vell.) L.B. Sm. = Sinningia verticillata
– *warscewiczii* (Bouché et Hanst.) Kuntze = Sinningia warscewiczii

Rectanthera = Callisia Loefl.
– *fragrans* (Lindl.) O. Deg. = Callisia fragans

Regelia Schauer -f- *Myrtaceae*
– **ciliata** Schauer | ♄ Ⓚ VII-VIII; W-Austr.

Regnellidium Lindm. -n- *Marsileaceae*
– **diphyllum** Lindm. | ♃ Ⓦ Ⓚ ∼ ; S-Bras., N-Arg.

Rehmannia Libosch.ex Fisch. et C.A. Mey. -f- *Scrophulariaceae*
– **angulata** (D. Don) Hemsl. | ♃ Ⓚ V-VII; China
– **elata** N.E. Br. | ♃ Ⓚ V-VI; China
– **glutinosa** (Gaertn.) Libosch. · Chinese Foxglove | ♃ Ⓚ V-VI; China
– **henryi** N.E. Br. | ♃ Ⓚ VI-VIII; China
– *sinensis* (Buc'hoz) Libosch. ex Fisch. et C.A. Mey. = Rehmannia glutinosa

Reicheocactus = Neoporteria Britton et Rose
– *floribundus* F.A.C. Weber = Neoporteria aricensis

Reineckea Kunth -f- *Convallariaceae*
– **carnea** (Andrews) Kunth · Reineckea | ♃ Ⓚ ⇝; China, Jap.

Reinhardtia Liebm. -f- *Arecaceae*
– **gracilis** (H. Wendl.) Drude ex Dammer | ♄ Ⓦ; Mex., Guat., Hond.

Reinwardtia Dumort. -f- *Linaceae*
– **indica** Dumort. · Yellow Flax | ♄ Ⓚ XI-III; N-Ind., mts.
– *trigyna* (Roxb.) Planch. = Reinwardtia indica

Relhania L'Her. -f- *Asteraceae*
– **quinquenervis** Thunb. | ♄ Ⓚ D VI-VIII; Kap

Remijia DC. -f- *Rubiaceae*
– **ferruginea** DC. | ♄ Ⓦ; S-Bras.

Remusatia Schott -f- *Araceae*
– **vivipara** (Roxb.) Schott | ♃ Ⓦ; Ind. mts.; Java

× **Renades** Hort. -f- *Orchidaceae* (*Aerides* × *Renanthera*)

× **Renancentrum** Hort. -n- *Orchidaceae* (*Ascocentrum* × *Renanthera*)

× **Renanetia** Hort. -f- *Orchidaceae* · Orchidaceae (*Neofinetia* × *Renanthera*)

× **Renanopsis** Hort. -f- *Orchidaceae* (*Renanthera* × *Vandopsis*)

× **Renanstylis** Hort. -f- *Orchidaceae* (*Renanthera* × *Rhynchostylis*)

× **Renantanda** Hort. -f- *Orchidaceae* (*Renanthera* × *Vanda*)

Renanthera Lour. -f- *Orchidaceae*
- **coccinea** Lour. | ♄ Ⓦ III-X ✻; S-Vietn.
- **imschootiana** Rolfe | ♄ Ⓦ V-VII ✻; Ind. (Assam), Indochina
- *lowii* (Lindl.) Rchb. f. = Dimorphorchis lowii
- **pulchella** Rolfe | ♄ Ⓦ VII ✻; Ind: Assam
- **storiei** Rchb. f. | ♄ Ⓦ VI-VII ✻; Phil.

× **Renanthoglossum** Hort. -n- *Orchidaceae* (*Ascoglossum* × *Renanthera*)

× **Renanthopsis** Hort. -f- *Orchidaceae* (*Phalaenopsis* × *Renanthera*)

Reseda L. -f- *Resedaceae* · Reseda
- **alba** L. · Weiße Resede · White Mignonette | ⊙ ♃ VI-IX; Eur.: Ib, Fr, Ap, Ba; W-TR, Levante, Arab., N-Afr., nat. in BrI, D, Cz, RO
- **glauca** L. | ♃; Eur.: F, E; Pyr., Cordillera Cantábrica
- **lutea** L. · Gelbe Resede, Gelber Wau | ♃ V-IX; Eur.* exc. BrI, Sc; TR, Levante, Cauc., Iran, W-Sib., C-As., N-Afr., nat. in BrI, Sc, N-Am.
- **luteola** L. · Färber-Resede, Färber-Wau · Woad | ⊙ VI-VIII Ⓝ; Eur.: Ib, Fr, Ap, EC-Eur., Ba, RO, Krim, DK; TR, Levante, Cauc., Iran, C-As, Afgh., N-Afr., nat. in C-Eur., Br
- **odorata** L. · Garten-Resede · Mignonette | ⊙ ⊙ ♃ D VII-IX Ⓝ; ? Libya, nat. in Eur.: Sp., Balear., F, I, A, CZ, RO, Russ.
- **phyteuma** L. · Rapunzel-Resede | ♃ VI-IX; Eur.: Ib, Ap, Fr, EC-Eur., Ba, E-Eur., CH; TR, N-Afr., nat. in D, A

Restrepia Kunth -f- *Orchidaceae*
- **antennifera** Humb., Bonpl. et Kunth | ♃ Ⓚ II-III ✻; Ecuad., Col., Venez.
- **elegans** H. Karst. | ♃ Ⓚ I-III ✻; Venez.
- **guttulata** Lindl. | ♃ Ⓚ I-II ✻; Ecuad., Col., Venez.
- *maculata* Lindl. = Restrepia guttulata

Retama Raf. -f- *Fabaceae* · Retamastrauch
- **monosperma** (L.) Boiss. · White Broom | ♄ Ⓚ II-III Ⓝ; Eur.: Ib; Maroc., Alger., Egypt

Retinispora Siebold et Zucc. -f- *Cupressaceae*
- *obtusa* Siebold et Zucc. = Chamaecyparis obtusa
- *pisifera* Siebold et Zucc. = Chamaecyparis pisifera

Reutealis Airy Shaw -f- *Euphorbiaceae*
- *trisperma* (Blanco) Airy Shaw = Aleurites trisperma

Reynoutria = Fallopia Adans.
- *aubertii* (L. Henry) Moldenke = Fallopia baldschuanica
- *baldschuanica* (Regel) Moldenke = Fallopia baldschuanica
- *japonica* Houtt. = Fallopia japonica
- *sachalinensis* (F. Schmidt) Nakai = Fallopia sachalinensis

Rhabdothamnus A. Cunn. -m- *Gesneriaceae*
- **solandri** A. Cunn. | ♄ Ⓚ IX-X; NZ

Rhagadiolus Scop. -m- *Asteraceae*
- **stellatus** (L.) Gaertn. · Sternfrüchtiger Sichelsalat ; Eur.*: Ib, Fr, Ap, Ba, Krim; TR, Iraq, Iran, N-Afr., Canar., Madeira

Rhamnella Miq. -f- *Rhamnaceae*
- **franguloides** (Maxim.) Weberb. | ♄ V-VI; Jap., S-Korea, E-China

Rhamnus L. -m- *Rhamnaceae* · Kreuzdorn
- **alaternus** L. · Italian Buckthorn | ♄ Ⓚ III-IV; Eur.: Ib, Fr, Ap, Ba, Krim; TR, Levante, NW-Afr., Libya
- **alnifolius** L'Hér. · Erlenblättriger Kreuzdorn | ♄ ⇝ △ V-VI; Can.; USA: NE, NCE, Rocky Mts., NW, Calif.
- **alpinus** L. · Alpen-Kreuzdorn | ♄ V-VI; Eur.: Sp., F, Ap; Alp.; Maroc., Alger.
  - subsp. *fallax* (Boiss.) Maire et Petitm. = Rhamnus fallax
- *carniolicus* A. Kern. = Rhamnus alpinus
- **catharticus** L. · Echter Kreuzdorn, Purgier-Kreuzdorn · Buckthorn · Nerprun purgatif | ♄ V-VI ☠ Ⓝ; Eur.*, TR, Cauc., Iran, W-Sib., C-As., Maroc., Alger., nat. in e N-Am.
- **costatus** Maxim. | ♄ V; Jap.; mts.
- **crenatus** Siebold et Zucc. | ♄ VI; Jap., Korea, N-China
- **davuricus** Pall. · Dahurischer Kreuzdorn | ♄ V; E-Sib., Amur, Mong., Manch., Korea

– *erythroxyloides* Hoffmanns. = Rhamnus pallasii
– **fallax** Boiss. · Krainer Kreuzdorn | ♄ V-VI; Eur.: I, A, Ba; TR, Syr.
– *frangula* L. = Frangula alnus
– **globosus** Bunge | ♄ Ⓝ; W-China, N-China
– **imeretinus** Booth · Kaukasischer Kreuzdorn | ♄ VI; TR, Cauc.
– *infectorius* L. = Rhamnus saxatilis
– **japonicus** Maxim. · Japanischer Kreuzdorn | ♄ V; Japan
– **koraiensis** C.K. Schneid. | ♄; Korea +
– **pallasii** Fisch. et C.A. Mey. | ♄; NE-TR, Cauc., NW-Iran, C-As.
– **pumilus** Turra · Zwerg-Kreuzdorn · Nerprun nain | ⊙ ⇝ △ VI-VII; Eur.: Ib, Fr, Ap, Ba, C-Eur.; mts.
– *purshianus* DC. = Frangula purshiana
– **rhodopensis** Velen.
– *rupestris* Scop. = Frangula rupestris
– **saxatilis** Jacq. · Felsen-Kreuzdorn · Stony Buckthorn | ♄ ⇝ △ IV-V; Eur.: Ib, Fr, C-Eur., Ap, EC-Eur., Ba, RO
– **utilis** Decne. · Chinesischer Kreuzdorn | ♄ IV-V Ⓝ; W-China

Rhaphidophora Hassk. -f- *Araceae*
– *aurea* (Linden et André) Birdsey = Epipremnum aureum
– **celatocaulis** (N.E. Br.) Knoll | ♄ Ⓦ ≹; Kalimantan
– **decursiva** (Wall.) Schott | ♄ Ⓦ ≹; Him., Ind., Indochina

Rhaphiolepis Lindl. -f- *Rosaceae*
– × **delacourii** André (*R. indica* × *R. umbellata*) | ♄ Ⓚ III-V; cult.
– **indica** (L.) Lindl. · India Hawthorn | ♄ Ⓚ II-VIII; S-China
– *japonica* Siebold et Zucc. = Rhaphiolepis umbellata
– *ovata* Briot = Rhaphiolepis umbellata 'Ovata'
– **umbellata** (Thunb.) Makino · Japanischer Traubenapfel | ♄ Ⓚ D V-VI; Jap., Korea, Riukiu-Is.
  - **'Ovata'**

Rhaphithamnus Miers -m- *Verbenaceae*
– **spinosus** (Juss.) Moldenke | ♄ Ⓚ III-IV; Arg., Chile

Rhapidophyllum H. Wendl. et Drude -n- *Arecaceae* · Nadelpalme
– **hystrix** (Pursh) H. Wendl. et Drude · Needle Palm | Ⓚ; USA: SE, Fla.

Rhapis L.f. ex Aiton -f- *Arecaceae* · Steckenpalme
– **excelsa** (Thunb.) Henry · Bamboo Palm, Ground Rattan Cane, Lady Palm | ♄ Ⓚ; ? S-China
– *flabelliformis* L'Hér. ex Aiton = Rhapis excelsa
– **humilis** Blume · Rattan Palm, Reed Rhapis, Slender Lady Palm | Ⓚ; S-China

Rhaponticum = Leuzea DC.
– *scariosum* Lam. = Leuzea rhapontica

Rhazya Decne. -f- *Apocynaceae*
– *orientalis* (Decne.) A. DC. = Amsonia orientalis

Rheedia = Garcinia L.
– *acuminata* (Ruiz et Pav.) Planch. et Triana = Garcinia madruno
– *madruno* (Humb., Bonpl. et Kunth) Planch. et Triana = Garcinia madruno

Rhektophyllum N.E. Br. -n- *Araceae*
– **mirabile** N.E. Br. | ♄ Ⓦ ≹; W-Afr., C-Afr., Uganda, Angola

Rheum L. -n- *Polygonaceae* · Rhabarber
– **acuminatum** Hook. f. et Thomson | ♃ V-VI; Sikkim
– **alexandrae** Batalin | ♃ VI-VII; Tibet, W-China
– **australe** D. Don · Himalaya Rhubarb | ♃ VI-VII; C-As., Him.
– × *cultorum* Thorsrud et Reis = Rheum rhabarbarum
– *emodi* Wall. = Rheum australe
– *hybridum* hort. = Rheum rhabarbarum
– **kialense** Franch. | ♃ △ V-VI; China
– **nobile** Hook. f. et Thomson | ♃ VI-VII; Ind.: Sikkim
– **officinale** Baill. · Gebräuchlicher Rhabarber, Südchinesischer Rhabarber · Chinese Rhubarb | ♃ Off. V-VII; Myanmar, SE-Tibet, SW-China
– **palmatum** L. · Handlappiger Rhabarber, Tangutischer Rhabarber · Turkey Rhubarb | ♃ Off. V-VI; E-Tibet, W-China
  - var. **tanguticum** Regel · Rhubarbe de Chine
– **rhabarbarum** L. · Gewöhnlicher

Rhabarber, Österreichischer Rhabarber, Sibirischer Rhabarber · Garden Rhubarb, Rhubarb | ♃ V-VI ▽ Ⓝ; BG (Rhodope)
– *rhaponticum* L. = Rheum rhabarbarum
– **ribes** L. · Syrian Rhubarb | ♃ V-VI; Iran, Lebanon

Rhexia L. -f- *Melastomataceae*
– **virginica** L. · Handsome Harry, Meadow Beauty | ♃ ~ VII-VIII ∧; Can.: E; USA: NE, NCR, Okla., SE, Fla.

Rhigozum Burch. *Scrophulariaceae*
– **obovatum** Burch. | ♄ ♄; S-Afr., Madag., Zimbabwe, Namibia

Rhinanthus L. -m- *Scrophulariaceae* · Klappertopf
– **alectorolophus** (Scop.) Pollich · Zottiger Klappertopf | ⊙ ⋊ V-IX; Eur.: Fr, I, C-Eur., EC-Eur., Slove., E-Eur.
  - subsp. **aschersonianus** (M. Schulze) Hartl · Drüsiger Klappertopf | V-VIII; Eur.: D (Jena)
  - subsp. **facchinii** (Chabert) Soó · Südtiroler Klappertopf ; Alp.
  - subsp. **freynii** (Sterneck) Hartl · Freyns Klappertopf ; Eur.: N-I, Slove.
– **alpinus** Baumg. · Alpen-Klappertopf | VI-VIII; Eur.: A, EC-Eur., BG, RO, W-Russ.; mts.
– **angustifolius** C.C. Gmel. · Großer Klappertopf ; Eur.* exc. Ib
  - subsp. **halophilus** (U. Schneid.) Hartl · Salz-Klappertopf, Salzwiesen-Klappertopf | V-IX; Eur.: D (Mecklenburg)
– **antiquuus** (Sterneck) Schinz et Thell. · Altertümlicher Klappertopf, Bergamasker Klappertopf | VIII; Eur.: I, CH; S-Alp.
– **borbasii** (Dörfl.) Soó · Puszta-Klappertopf | V; Eur.: A, EC-Eur., Ba, E-Eur.
– **carinthiacus** Widder · Kärntner Klappertopf | V-VIII; Eur.: A (Kärnten)
– **glacialis** Personnat · Grannen-Klappertopf | VI-IX; Eur.: Alp.
– **minor** L. · Kleiner Klappertopf | V-IX; Eur.*, Cauc., W-Sib.
– *serotinus* (Schönh.) Schinz et Thell. = Rhinanthus angustifolius

Rhinephyllum N.E. Br. -n- *Aizoaceae*
– **broomii** L. Bolus | ♃ ♆ Ⓚ; Kap

Rhipsalidopsis Britton et Rose -f- *Cactaceae*
– **gaertneri** (Regel) Moran · Easter Cactus | ♄ ♆ Ⓦ; E-Bras.: Minas Gerais
– × **graeseri** (Werderm.) Moran | ♄ ♆ Ⓦ; cult.
– **rosea** (Lagerh.) Britton et Rose | ♄ ♆ Ⓦ; Bras.: Parana

Rhipsalis Gaertn. -f- *Cactaceae* · Rutenkaktus, Binsenkaktus, Korallenkaktus
– **baccifera** (J.S. Mill.) Stearn | ♄ ♆ Ⓦ ⸾ ✻; Trop.
– *capilliformis* F.A.C. Weber = Rhipsalis teres 'capilliformis'
– *cassutha* Gaertn. = Rhipsalis baccifera
– *cassytha* auct. = Rhipsalis baccifera
– **cereuscula** Haw. | ♄ ♆ Ⓦ ✻; Bras., Parag., Urug., Arg.
– *chrysocarpa* Loefgr. = Rhipsalis puniceodiscus var. chrysocarpa
– **clavata** F.A.C. Weber | ♄ ♆ Ⓦ ✻; Bras.
– *conferta* Salm-Dyck = Rhipsalis teres
– *coralloides* Rauh = Rhipsalis baccifera
– *coriacea* Pol. = Pseudorhipsalis ramulosa
– *cribrata* (Lem.) Rümpler = Rhipsalis teres
– **crispata** (Haw.) Pfeiff. | ♄ ♆ Ⓦ ✻; E-Bras.
– *crispimarginata* Loefgr. = Rhipsalis crispata
cruciformis (Vell.) A. Cast. = Lepismium cruciforme
– **dissimilis** (G. Lindb.) K. Schum. | ♄ ♆ Ⓦ ✻; E-Bras.
– *fasciculata* Haw. = Rhipsalis baccifera
– **floccosa** Salm-Dyck | ♄ ♆ Ⓦ ⸾ ✻; Bras., Bol.
– *funalis* (Spreng.) Salm-Dyck = Rhipsalis grandiflora
– *gaertneri* (Regel) Moran = Rhipsalidopsis gaertneri
– *gibberula* F.A.C. Weber = Rhipsalis floccosa
– × *graeseri* (Werderm.) Moran = Rhipsalidopsis × graeseri
– **grandiflora** Haw. | ♄ ♆ Ⓦ ✻; Bras.: Rio de Janeiro
– **hadrosoma** G. Lindb. | ♄ ♆ Ⓦ
– *himantoclada* Rol.-Goss. = Pseudorhipsalis himantoclada
– *houlletiana* Lem. = Lepismium houlletianum
– *ianthothele* (Monv.) K. Brandegee =

Pfeiffera ianthothele
- *lindbergiana* K. Schum. = Rhipsalis baccifera
- **megalantha** Loefgr. | ♄ Ψ Ⓦ ✻
- *mesembryanthemoides* Steud. = Rhipsalis mesembryanthoides
- **mesembryanthoides** Haw. | ♄ Ψ Ⓦ ✻; Bras.
- **pachyptera** Pfeiff. | ♄ Ψ Ⓦ ✻; SE-Bras.
- **paradoxa** (Salm-Dyck) Salm-Dyck | ♄ Ψ Ⓦ ✻; Bras.
- *penduliflora* N.E. Br. = Rhipsalis teres
- *pilocarpa* Loefgr. = Erythrorhipsalis pilocarpa
- *pittieri* Britton et Rose = Rhipsalis floccosa
- *prismatica* Rümpler = Rhipsalis teres
- **pulvinigera** Lindb. | ♄ Ψ Ⓦ ✻; Bras., NE-Parag.
- **puniceodiscus** Lindb. | ♄ Ψ Ⓦ; Bras.
  - var. **chrysocarpa** (Loefgr.) Borg | ♄ Ψ Ⓦ ⧛ ✻; Bras.
- *purpusii* Weing. = Pseudorhipsalis ramulosa
- **rhombea** (Salm-Dyck) Pfeiff. | ♄ Ψ Ⓦ ⧛ ✻; Bras.
- *rosea* (Lagerh.) Britton et Rose = Rhipsalidopsis rosea
- *saglionis* (Lem.) Otto = Rhipsalis cereuscula
- *salicornioides* Haw. = Hatiora salicornioides
- *shaferi* A. Berger = Rhipsalis baccifera
- *squamulosa* (Salm-Dyck) K. Schum. = Lepismium cruciforme
- **teres** (Vell.) Steud. | ♄ Ψ Ⓦ ⧛ ✻; Bras.
  - fo. **capilliformis** (F.A.C. Weber) Barthlott et N.P. Taylor | ♄ Ψ Ⓦ ⧛ ✻
- **trigona** Pfeiff. | ♄ Ψ Ⓦ ✻; Bras.
- *virgata* F.A.C. Weber = Rhipsalis teres

Rhizophora L. -f- *Rhizophoraceae* · Mangrovebaum
- **conjugata** L. | ♄ Ⓦ ~ Ⓝ; trop. As., trop. Afr.; mangrove
- **mangle** L. · Red Mangrove | ♄ Ⓦ ~ Ⓝ; S-Fla., trop. Am., W-Afr., C-Afr., Angola, Polyn.; mangrove
- **mucronata** Lam. · Rhizophora | ♄ Ⓦ ~ Ⓝ; E-Afr., Ind., Sri Lanka, bis Austr.: N.Terr., Queensl.; Jap.; mangove

Rhodanthe Lindl. -n- *Asteraceae*
- **manglesii** (Lindl.) · Paper Daisy | ⊙ ✂ VII-VIII

Rhodanthemum (Vogt) K. Bremer et Humphries -n- *Asteraceae*
- **gayanum** (Coss. et Durieu) Wilcox, K. Bremer et Humphries | ♄ Ⓚ VII-VIII; Maroc., Alger.

Rhodiola L. -f- *Crassulaceae*
- **crassipes** (Hook. f. et Thomson) Boriss. | ♃ Ψ VI; Him., W-China, Tibet
- **heterodonta** (Hook. f. et Thomson) Boriss. | ♃ Ψ △; Afgh., W-Him., Tibet
- **hobsonii** (Prain ex Raym.-Hamet) S.H. Fu | ♃ Ψ △ VII-VIII; Tibet
- **kirilowii** (Regel) Regel ex Maxim. | ♃ Ψ △ VI; Him., Mong., NW-China
- *primuloides* (Franch.) S.H. Fu = Sedum pachyclados
- **rhodantha** (A. Gray) H. Jacobsen | ♃ Ψ △ VI-VII; USA: Rocky Mts., SW
- **rosea** L. · Rosenwurz · Roseroot | ♃ Ψ △ VI-VII; Eur.*, W-Sib., E-Sib., Amur, Sachal., Kamchat., Mong., Him., China (Schansi), Can. (Labrador), Greenl.
- **semenowii** (Regel et Herder) Boriss. | ♃ Ψ △ VI-IX; C-As.
- **yunnanensis** (Franch.) S.H. Fu | ♃ Ψ △ VI-IX; China: Sichuan, Yunnan, Hupeh, Schansi

Rhodocactus = Pereskia Mill.
- *bleo* (Kunth) F.M. Knuth = Pereskia bleo
- *grandifolius* (Haw.) F.M. Knuth = Pereskia grandifolia
- *sacharosus* (Griseb.) Backeb. = Pereskia sacharosa

Rhodochiton Zucc.ex Otto et A. Dietr. -n- *Scrophulariaceae*
- **atrosanguineum** (Zucc.) Rothm. · Purple Bell Vine
- *volubilis* Zucc. = Rhodochiton atrosanguineum

Rhododendron L. -n- *Ericaceae* · Alpenrose
- **aberconwayi** Cowan | ♄ V-VI; W-China, Yunnan
- **adenogynum** Diels | ♄ IV ∧; Yunnan
- *adenophorum* Balf. f. et W.W. Sm. = Rhododendron adenogynum
- *aechmophyllum* Balf. f. et Forrest = Rhododendron yunnanense
- **aganniphum** Forrest et W.W. Sm. · Rhododendron aganniphum
  - **Glaucopeplum Grp.**

- **Schizopeplum Grp.**
- var. **flavorufum** (Balf. f. et Forrest) D.F. Chamb. | ♃ IV-V; SE-Tibet, China: SE-Xizang
- var. **glaucopetalum** (Balf. f. et Forrest) D.F. Chamb. | ♄ V ∧; China: Xizang, Yunnan, Sichuan

– **alabamense** Rehder · Alabama Azalea | ♄ ⇝ V; USA: Ala.
– **albrechtii** Maxim. · Albrechts Azalee · Rhododendron d'Albrecht | ♄ IV-V; Jap.
– **ambiguum** Hemsl. | ♄ IV-V; Sichuan
– **arborescens** Torr. · Baumartige Azalee · Smooth Azalea, Sweet Azalea · Rhododendron arborescent | ♄ D VI; USA: NE, SE
– **arboreum** Sm. · Tree Rhododendron | ♄ ♄ ⌂ III-IV ☠; Pakist., Him., SE-Tibet, Sri Lanka
– **argyrophyllum** Franch. | ♄ IV-V; Tibet, W-Sichuan
– *astrocalyx* Balf. f. et Forrest = Rhododendron wardii
– **atlanticum** Rehder et E.H. Wilson · Atlantische Azalee · Dwarf Azalea | ♄ D V; USA: NE, SE, Tex.
– **augustinii** Hemsl. · Augustines Rhododendron · Blue Rhododendron | ♄ IV-V; Yunnan, Sichuan, Hupeh
– **aureum** Georgi | ♄ IV; W-Sib., E-Sib., Amur, Sachal., Kamchat., Mong., China, Korea, Jap.
– **auriculatum** Hemsl. | ♄ ⌂ VII-VIII; China: Hupeh
– *bakeri* Lemmon = Rhododendron calendulaceum
– **barbatum** Wall. | ♄ ♄ ⌂ IV; Nepal, Sikkim
– **brachyanthum** Franch. | ♄ VI; Myanmar, Yunnan
– **brachycarpum** D. Don ex G. Don | ♄ VI; Jap.
- subsp. **fauriei** (Franch.) D.F. Chamb.

– *brachysiphon* Balf. f. = Rhododendron maddenii
– *bullatum* Franch. = Rhododendron edgeworthii
– **burmanicum** Hutch. | ♄ V; SW-Myanmar
– **calendulaceum** (Michx.) Torr. · Gelbe Alpenrose, Pontische Azalee · Cumberland Azalea, Flame Azalea, Yellow Azalea · Rhododendron jaune | ♄ V-VI; USA: NE, Ohio, SE
– **callimorphum** Balf. f. et W.W. Sm. | ♄ VI ∧; NE-Myanmar, Yunnan
– **calophytum** Franch. | ♄ IV ∧; Tibet, W-Sichuan
– **calostrotum** Balf. f. et Kingdon-Ward | ♄ △ IV ∧; Ind., NE-Myanmar
- subsp. **keleticum** (Balf. f. et Forrest) Cullen | ♄ △ IV ∧; SE-Tibet
- subsp. **keleticum Radicans Grp.**

– **campanulatum** D. Don · Glockenblütiger Rhododendron | ♄ IV-V; Kashmir, Him., SE-Tibet
– **campylocarpum** Hook. f. | ♄ IV-V ☠ ∧; Him.: E-Nepal, Sikkim
– **campylogynum** Franch. | ♄ V-VI; Myanmar, SE-Tibet, W-Yunnan
- **Myrtilloides Grp.** | ♄ △ V-VI; W-Yunnan
- subsp. *myrtilloides* (Balf. f. et Kingdon-Ward) Cowan et Davidian = Rhododendron campylogynum Myrtilloides Grp.

– **camtschaticum** Pall. · Kamtschatka-Azalee · Kamchatka Rhododendron · Rhododendron du Kamtchatka | ♄ V; Kamchat., Sachal., Jap., Alaska
canadense (L.) Torr. · Kanadische Azalee · Rhodora · Rhododendron du Canada | ♄ IV-V; Can.: E; USA: NE
– *cantabile* Hutch. = Rhododendron russatum
– **capitatum** Maxim. non Franch. | ♄ V; China: Kansu
– *carolinianum* Rehder = Rhododendron minus
– **catawbiense** Michx. · Catawba Rhododendron, Catawba Rosebay, Mountain Rose Bay | ♄ ♄ V-VI ☠; USA: Va., W.Va., SE
– **caucasicum** Pall. · Kaukasus-Rhododendron · Rhododendron du Caucase | ♄ V ∧; Cauc.
– **cephalanthum** Franch. | ♄ ⌂ △ V ∧; Yunnan, Sichuan
– **charitopes** Balf. f. et Farrer
- subsp. **tsangpoense** (Kingdon-Ward) Cullen

– *chartophyllum* Franch. = Rhododendron yunnanense
– *chrysanthum* Pall. = Rhododendron aureum
– *chryseum* Balf. f. et Kingdon-Ward = Rhododendron rupicola var. chryseum
– **ciliatum** Hook. f. | ♄ ⌂ IV; Nepal, Bhutan, China
– **ciliicalyx** Franch. | ♄ ⌂ D III-IV;

Yunnan
- **cinnabarinum** Hook. f. | ♄ ⓚ V-VI ∧; Sikkim
- **clementinae** Forrest | ♄ V; NW-Yunnan, SW-Sichuan
- **concinnum** Hemsl. · Reizender Rhododendron | ♄ IV-V ∧; Sichuan
  - **Pseudoyanthinum Grp.** | ♄ IV-V; SW-China
  - var. *pseudoyanthinum* (Balf. f.) Dav. = Rhododendron concinnum Pseudoyanthinum Grp.
- **cuneatum** W.W. Sm. | ♄ △ IV; Yunnan, Sichuan
- *cyclium* Balf. f. et Forrest = Rhododendron callimorphum
- **dalhousiae** Hook. f. | ♄ ⓚ D V-VI; Ind., Nepal, Bhutan, China, Myanmar
  - var. **rhabdotum** (Balf. f. et R.E. Cooper) Cullen | ♄ VI; Bhutan
- **dauricum** L. · Dahurische Azalee · Chinese Alprose · Rhododendron nain de Sibérie | ♄ II-III; E-Sib., Amur, Mong., Manch.
  - **Sempervirens Grp.** Sims | ♄; W-Sib., Mong.
- **davidsonianum** Rehder et E.H. Wilson | ♄ IV-V ∧; Yunnan, Sichuan
- **decorum** Franch. | ♄ ⓚ D IV-VI ∧; Yunnan, Sichuan
  - subsp. **diaprepes** (Balf. f. et W.w. Sm.) T.L. Ming | ♄ ⓚ V; NE-Myanmar, Yunnan
- **degronianum** Carrière · Metternich's Rhododendron · Rhododendron de Metternich | ♄ IV ☠; Jap.
  - subsp. **yakushimanum** (Nakai) Hara · Yakushima-Rhododendron · Yak · Rhododendron de Yakushima | ♄ VI; Jap.
- *diaprepes* Balf. f. et W.W. Sm. = Rhododendron decorum subsp. diaprepes
- **dichroanthum** Diels | ♄ V-VI ∧; Yunnan
- *dilatum* Miq. = Rhododendron reticulatum
- *discolor* Franch. = Rhododendron fortunei subsp. discolor
- *drumonium* Balf. f. et W.W. Sm. = Rhododendron telmateium
- **dryophyllum** Balf. f. et Forrest
- *dryophyllum* hort. = Rhododendron phaeochrysum var. levistratum
- **edgeworthii** Hook. f. | ♄ ⓚ D IV-V; Ind., Bhutan, China, Myanmar
- **falconeri** Hook. f. | ♄ ⓚ IV-V; Him.: Nepal, Bhutan
- *fargesii* Franch. = Rhododendron oreodoxa var. fargesii
- **fastigiatum** Franch. · Azalea | ♄ △ IV-V; Yunnan
- *fauriei* Franch. = Rhododendron brachycarpum subsp. fauriei
- **ferrugineum** L. · Rostblättrige Alpenrose · Alp Rose, Rusty Leaved Alprose · Rhododendron ferrugineux, Rose des Alpes | ♄ V-VI ▽ ☠; Eur.: Sp., F, I, C-Eur., Slove., Croat.; Pyr., Alp., Jura
- *fictolacteum* Balf. f. = Rhododendron rex subsp. fictolacteum
- **flammeum** (Michx.) Sarg.; SE-USA
- *flavorufum* Balf. f. et Forrest = Rhododendron aganniphum var. flavorufum
- *flavum* G. Don = Rhododendron luteum
- **floribundum** Franch. | ♄ IV ∧; China: E-Yunnan, S-Sichuan
- **forrestii** Balf. f. ex Diels · Forrests Rhododendron | ♄ ⤳ △ IV; NW-Yunnan, SE-Tibet
  - **Repens Grp.** | ♄
  - var. *repens* (Balf. f. et Forrest) Cowan et Davidian = Rhododendron forrestii Repens Grp.
- **fortunei** Lindl. · Fortunes Rhododendron | ♄ D V-VII ∧; China: Tschekiang
  - subsp. **discolor** (Franch.) D.F. Chamb. · Verschiedenfarbiger Rhododendron | ♄ ♄ ⓚ VI-VII ∧; China: Hupeh, Sichuan
  - subsp. **discolor Houlstonii Group** | ♄ V-VI; China: Sichuan, Hupeh
- **fraseri** W. Watson | ♄ IV; cult.
- **fulgens** Hook. f. | ♄ ⓚ III ∧; Him: Nepal, Bhutan
- **fulvum** Balf. f. et W.W. Sm. | ♄ ⓚ III-V ∧; Sichuan, W-Yunnan
- *glaucopeplum* Balf. f. et Forrest = Rhododendron aganniphum var. glaucopetalum
- **glaucophyllum** Rehder | ♄ ⓚ ≷ △ V ∧; Ind., Nepal, Bhutan, China
- *glaucum* Hook. f. non Sweet = Rhododendron glaucophyllum
- **grande** Wight | ♄ ♄ ⓚ II-III; Bhutan, Sikkim
- **griersonianum** Balf. f. et Forrest | ♄ ⓚ V-VI; W-Yunnan
- **griffithianum** Wight | ♄ ⓚ D V; Him.: Sikkim, Bhutan
- *gymnocarpum* Balf. f. et Tagg =

Rhododendron microgynum 'Gymnocarpum Grp.'
- *haemaleum* Balf. f. et Forrest = Rhododendron sanguineum var. haemaleum
- **haematodes** Franch. · Blutroter Rhododendron | ♄ V ∧; Yunnan
- **hanceanum** Hemsl. | ♄; SW-China: Sichuan
- **heliolepis** Franch. | ♄ V-VI ∧; Myanmar, Yunnan
- **hemitrichotum** Balf. f. et Forrest | ♄ Ⓚ △ IV ∧; N-Yunnan, SW-Sichuan
- **hippophaeoides** Balf. f. et W.W. Sm. · Grauer Rhododendron | ♄ △ IV; Yunnan
- **hirsutum** L. · Bewimperte Alpenrose · Hairy Alpen Rose · Rhododendron pubescent, Rhododendron cilié | ♄ △ VI ▽; Eur.: F, I, C-Eur., Slove., Croatia, Bosn.; Alp., mts.
- **hodgsonii** Hook. f. | ♄ IV ∧; Him.: Nepal, Bhutan
- *houlstonii* Hemsl. et E.H. Wilson = Rhododendron fortunei subsp. discolor Houlstonii Group
- **hunnewellianum** Rehder et E.H. Wilson | ♄ III-IV ∧; W-Sichuan
- **hypolepidotum** Cullen
  - subsp. **tsangpoense** (Kingdon-Ward) Cullen | ♄ △ V ∧; Tibet
- **impeditum** Balf. f. et W.W. Sm. · Veilchenblauer Rhododendron · Rhododendron en coussinet | ♄ IV ∧; Yunnan, Sichuan
- **indicum** (L.) Sweet · Japanese Azalea | ♄ Ⓚ VI ∧; Jap.
- **insigne** Hemsl. et E.H. Wilson · Ausgezeichneter Rhododendron | ♄ V-VI ∧; SW-Sichuan
- × **intermedium** Tausch
- **intricatum** Franch. | ♄ IV ∧; W-Sichuan
- **irroratum** Franch. | ♄ ♄ Ⓚ III-IV; Yunnan
- *japonicum* (A. Gray) J.V. Suringar = Rhododendron molle subsp. japonicum
- **kaempferi** Planch. · Kaempfers Azalee | ♄ IV-V; Jap.
- **keiskei** Miq. · Keisukes Rhododendron | ♄ Ⓚ IV-V ☠ ∧; Jap.
- *keleticum* Balf. f. et Forrest = Rhododendron calostrotum subsp. keleticum
- **keysii** Nutt. | ♄ V ∧; C-Jap.
- **kiusianum** Makino · Kyushu-Azalee | ♄ IV-V ∧; Jap.
- **kyawii** Lace et W.W. Sm. | ♄ ♄ V ∧; NE-Myanmar
- × **laetevirens** Rehder (*R. carolinianum* × *R. ferrugineum*) | ♄ V-VI
- **lapponicum** (L.) Wahlenb. · Lapland Rhododendron | ♄ △ IV; Eur.: Sc, N-Russ.; E-Sib., Jap., Alaska, Can., USA: NE, NCE; Greenl.
- *ledifolium* (Hook.) G. Don = Rhododendron mucronatum
- **lepidostylum** Balf. f. et Forrest | ♄ Ⓚ IV-V ∧; W-Yunnan
- **lepidotum** Wall. ex G. Don | ♄ V-VI; Him., Myanmar, Sichuan, Yunnan, Tibet
- **leucaspis** Tagg | ♄ Ⓚ II III ∧; Tibet
- *linearifolium* Siebold et Zucc. = Rhododendron stenopetalum 'Linearifolium'
- *litiense* Balf. f. et Forrest = Rhododendron wardii
- **lutescens** Franch. | ♄ III-IV ∧; Sichuan
- *luteum* (L.) C.K. Schneid. = Rhododendron calendulaceum
- **luteum** Sweet · Pontische Azalee · Rhododendron jaune | ♄ D V ☠; Eur.: ? A, Slove., PL, Russ.; TR, Cauc., nat. in Br.
- *macrosepalum* Maxim. = Rhododendron stenopetalum
  - var. *linearifolium* (Siebold et Zucc.) Makino = Rhododendron stenopetalum 'Linearifolium'
- **maddenii** Hook. f. · Maddenii | ♄ Ⓚ D VI; Ind., Bhutan, China, Myanmar, Vietn.
- **makinoi** Tagg
- **mariesii** Hemsl. et E.H. Wilson | ♄ V ∧; C-China, SE-China
- **maximum** L. · Riesen-Rhododendron · Great Laurel, Rosebay | ♄ ♄ VI-VII Ⓝ; Can.: E; USA: NE, SE
- *metternichii* Siebold et Zucc. = Rhododendron degronianum
  - var. **angustifolium** (Makino) Bean | ♄; Japan: Honshu; mts.
  - var. *pentamerum* Matsum. = Rhododendron degronianum
  - var. *yakushimanum* (Nakai) Ohwi = Rhododendron degronianum subsp. yakushimanum
- **micranthum** Turcz. · Kleinblütiger Rhododendron | ♄ VI; N-China, N-Korea
- **microgynum** Balf. et Forrest
  - **Gymnocarpum Grp.** | ♄ V; SE-Tibet
- **minus** Michx. · Kleiner Rhododendron · Carolina Rhododendron · Petit

rhododendron, Rhododendron de Caroline | ♄ VI-VII ∧; USA: SE
- **molle** (Blume) G. Don · Chinesische Azalee · Chinese Azalea | ♄ V-VI ✻ ∧; C-China, E-China
  - subsp. **japonicum** (A. Gray) K. Kron · Japanische Azalee · Renge Tutuzi | ♄ V ✻ ☠; Jap.
- × **mortieri** Sweet (*R. calendulaceum* × *R. periclymenoides*)
- **moupinense** Franch. | ♄ Ⓚ I-II; E-Tibet, Sichuan
- **mucronatum** (Blume) G. Don · Porstblättriger Rhododendron | ♄ D V; Jap.
- **mucronulatum** Turcz. · Stachelspitzige Azalee | ♄ II-III; China, Amur, E-Sib., Mong., Korea, Jap.
- **myrtifolium** Schott et Kotschy · Rhododendron à feuilles de myrte | ♄ △ V; Eur.: BG, RO, W-Russ.
- **neriiflorum** Franch. | ♄ Ⓚ IV-V ∧; Yunnan
- **nipponicum** Matsum. | ♄ V; Jap.
- *nudiflorum* (L.) Torr. = Rhododendron periclymenoides
- **nuttallii** Booth | ♄ Ⓚ D IV-V; Ind., China
- × **obtusum** (Lindl.) Planch. (*R. kaempferi* × *R. kiusianum*) · Stumpfblättrige Azalee | ♄ IV-V; Jap.
  - var. *japonicum* Kitam. = Rhododendron kiusianum
  - var. *kaempferi* (Planch.) E.H. Wilson = Rhododendron kaempferi
- **occidentale** A. Gray · Westliche Azalee · Western Azalea | ♄ VI; USA: Oreg., Calif.
- **orbiculare** Decne. · Rundblättriger Rhododendron · Rhododendron à feuilles rondes | ♄ IV; W-Sichuan
- **oreodoxa** Franch. · Bergruhm-Rhododendron | ♄ III-IV; W-Sichuan
  - var. **fargesii** (Franch.) D.F. Chamb. | ♄ IV ∧; China: Hupeh, Sichuan
- **oreotrephes** W.W. Sm. | ♄ V ∧; Yunnan, SE-Tibet
- **orthocladum** Balf. f. et Forrest | ♄ △ IV; N-Yunnan, Sichuan
- *parviflorum* F. Schmidt = Rhododendron lapponicum
- **pemakoense** Kingdon-Ward | ♄ △ III-IV; Ind., Tibet (Pemako-Mts.)
- **pentaphyllum** Maxim. · Nikko-Azalee | ♄ IV-V; Jap.
- **peregrinum** Tagg | ♄ ♄ Ⓚ IV-V; SW-Sichuan
- **periclymenoides** (Michx.) Shinners · Nacktblütige Azalee · Pink Azalea, Pinxterbloom | ♄ V; USA: NE, Ohio, SE
- **phaeochrysum** Balf. f. et W.w. Sm.
  - var. **levistratum** (Balf. f. et Forrest) D.F. Chamb.
- **polycladum** Franch.
  - **Scintillans Grp.** | ♄ △ IV-V ∧; Yunnan (Likiang)
- **polylepis** Franch. | ♄ IV ∧; W-Sichuan
- **ponticum** L. · Pontischer Rhododendron · Ponticum, Purple Rhododendron | ♄ V-VI ∧; Eur.: Ib, BG; TR, Cauc., nat. in Fr, Br
- *poukhanense* (Lév.) Nakai = Rhododendron yedoense var. poukhanense
- × **praecox** Carrière (*R. ciliatum* × *R. dauricum*) · Vorfrühlings-Rhododendron · Rhododendron précoce | ♄ III-IV; cult.
- **prinophyllum** (Small) Millais · Early Azalea | ♄ D V; Can.: E; USA: NE, NCE, Okla., SE
- **przewalskii** Maxim. | ♄ VI; China: NW-China, Tibet, Sichuan
- *pseudoyanthinum* Balf. f. ex Hutch. = Rhododendron concinnum Pseudoyanthinum Grp.
- *punctatum* Andrews = Rhododendron minus
- **quinquefolium** Bisset et S. Moore · Fünfblättrige Azalee · Cork Azalea | ♄ IV-V ∧; Jap.
- **racemosum** Franch. · Traubiger Rhododendron | ♄ △ IV ∧; Yunnan
- *ravum* Balf. f. et W.W. Sm. = Rhododendron cuneatum
- **recurvioides** Tagg et Kingdon-Ward | ♄ V; N-Myanmar
- *repens* Balf. f. et Forrest = Rhododendron forrestii Repens Grp.
- **reticulatum** D. Don ex G. Don · Netzaderige Azalee | ♄ IV-V; Jap.
- **rex** Lév.
  - subsp. **fictolacteum** (Balf. f.) D.F. Chamb. | ⊙ ⊙ ♃ ♄ ♄ ♄ Ⓚ IV-V; Yunnan, Sichuan
- *rhabdotum* Balf. f. et R.E. Cooper = Rhododendron dalhousiae var. rhabdotum
- *rhombicum* Miq. = Rhododendron reticulatum
- **rubiginosum** Franch. | ♄ IV-V ∧; Yunnan

- Desquamatum Grp.
– **rupicola** W.W. Sm. | ♄ △ IV-V; Yunnan
  - var. **chryseum** (Balf. f. et Kingdon-Ward) Philipson et M.N. Phili · Goldener Rhododendron | ♄ V; SW-China: SW-Sichuan, NW-Yunnan; N-Myanmar
– **russatum** Balf. f. et Forrest · Rötlicher Rhododendron | ♄ △ IV-V; NW-Yunnan
– **saluenense** Franch. | ♄ IV-V ∧; NW-Yunnan
– **sanguineum** Franch. | ♄ Ⓚ V ∧; W-China
  - var. **haemaleum** (Balf. f. et Forrest) Cowan
– **sargentianum** Rehder et E.H. Wilson | ♄ Ⓚ V ∧; Sichuan
– **schlippenbachii** Maxim. · Schlippenbachs Azalee · Rhododendron de Schlippenbach | ♄ IV-V; Jap., Korea, NE-Manch.
– *scintillans* Balf. f. et W.W. Sm. = Rhododendron polycladum 'Scintillans Grp.'
– **searsiae** Rehder et E.H. Wilson | ♄ Ⓚ IV V ∧; W Sichuan
– **simsii** Planch. · Indian Azalea | ♄ Ⓚ V; China, Taiwan
– *sinense* (Lodd.) Sweet = Rhododendron molle
– **sinogrande** Balf. f. et W.W. Sm. | ♄ ♄ Ⓚ IV; NE-Myanmar, Yunnan, SE-Tibet
– **smirnowii** Trautv. · Smirnows Rhododendron · Rhododendron de Smirnow | ♄ V-VI; NE-TR, Cauc.
– **sperabile** Balf. f. et Farrer | ♄ Ⓚ V; NE-Myanmar
– **stenopetalum** (Hogg) Mabb. | ♄ IV-V ∧; Jap.
  - **'Linearifolium'**
– **strigillosum** Franch. | ♄ Ⓚ II-III; Sichuan
– **sutchuenense** Franch. · Sichuan-Rhododendron · Rhododendron du Sichuan | ♄ III-IV; China: Hupeh, Sichuan
– **taliense** Franch. | ♄ V; W-Yunnan
– **tapetiforme** Balf. f. et Kingdon-Ward | ♄ △ IV-V; Myanmar, China: Xizang, Yunnan
– **telmateium** Balf. f. et W.W. Sm. | ♄ △ IV; Yunnan
– **thomsonii** Hook. f. | ♄ Ⓚ IV ∧; Sikkim, Bhutan, Tibet
– **traillianum** Forrest et W.W. Sm. | ♄ IV-V; NW-Yunnan, SW-Sichuan
– **trichocladum** Franch. | ♄; W-China: Yunnan; NE-Myanmar, E-Nepal
– **trichostomum** Franch.
  - **Ledoides Grp.** Balf. f. | ♄; SW-China: Yunnan, Sichuan
– **triflorum** Hook. f. | ♄ IV-V ∧; Ind., Nepal, Bhutan, Tibet, NE-Myanmar
– *tsangpoense* Kingdon-Ward = Rhododendron hypolepidotum subsp. tsangpoense
– **tschonoskii** Maxim. | ♄ V; Jap., S-Korea
– **ungernii** Trautv. · Ungerns Rhododendron | ♄ VI ☠ ∧; NE-TR, Cauc.
– **vaseyi** A. Gray · Vaseys Azalee · Pinkshell Azalea · Rhododendron de Vasey | ♄ IV-V; USA: N.C.
– **vernicosum** Franch. | ♄ ♄ Ⓚ V ∧; W-Sichuan, W-Yunnan
– **viscosum** (L.) Torr. · Sumpf-Rhododendron · Swamp Azalea | ♄ D IV; USA: NE, Ohio, SE
– **wallichii** Hook. f. | ♄ Ⓚ IV ∧; Sikkim
– **wardii** W.W. Sm. · Wards Rhododendron · Rhododendron wardii | ♄ V ∧; SE-Tibet, Sichuan, W-Yunnan
– **wightii** Hook. f. · Wights Rhododendron | ♄ IV-V; Him.: Nepal, Sikkim, Buthan; N-Ind., SE-Tibet, W-China:Sinkiang
– **williamsianum** Rehder et E.H. Wilson · Williams Rhododendron | ♄ IV ∧; Sichuan
– *yakushimanum* Nakai = Rhododendron degronianum subsp. yakushimanum
  - subsp. *makinoi* D.F. Chamb. = Rhododendron makinoi
– *yanthinum* Bureau et Franch. = Rhododendron concinnum
– **yedoense** Maxim. et Regel
  - var. **poukhanense** (Lév.) Nakai | ♄ V ∧; C-Korea
– **yunnanense** Franch. · Yunnan-Rhododendron · Rhododendron du Yunnan | ♄ Ⓚ V ∧; NE-Myanmar, China: Sichuan, Yunnan, Tibet
– **Cultivars**
  - *Azalea-Grp.'Ledifolium'* = Rhododendron mucronatum

Rhodohypoxis Nel -f- *Hypoxidaceae*
– **baurii** (Baker) Nel | ♃ Ⓚ Ⓐ △ VII-VIII ∧; S-Afr.; mts.

Rhodomyrtus (DC.) Rchb. -f- *Myrtaceae*

– **tomentosa** (Aiton) Hassk. · Rhodomyrtus | ♄ ⌂W ♧ VI; trop. As.

Rhodophiala C. Presl -f- *Amaryllidaceae*
– **pratensis** (Poepp.) Traub | ♃ ⌂W III-V; Chile

Rhodospatha Poepp. -f- *Araceae*
– **heliconiifolia** Schott | ♄ ⌂W ⌇; trop. S-Am.

Rhodothamnus Rchb. -m- *Ericaceae* · Zwergalpenrose
– **chamaecistus** (L.) Rchb. · Zwergalpenrose · Rhodothamnus | ☉ ♄ △ VI ▽; Eur.: I, D, A, Slove.; E-Alp.
– **sessiliflorus** P.H. Davis | ♄; NE-TR

Rhodotypos Siebold et Zucc. -m- *Rosaceae* · Scheinkerrie
– *kerrioides* Siebold et Zucc. = Rhodotypos scandens
– **scandens** (Thunb.) Makino · Scheinkerrie · Rhodotypos · Rhodotype à quatre pétales | ♄ V-VI; China, Korea, Jap.

Rhoeo = Tradescantia L.
– *discolor* (L'Hér.) Hance = Tradescantia spathacea
– *spathacea* (Sw.) Stearn = Tradescantia spathacea

Rhoicissus Planch. -f- *Vitaceae*
– **capensis** (Burm. f.) Planch. · Evergreen Grape, Monkey Rope | ♄ ⌂K ⌇; S-Afr.: Natal
– **digitata** (L. f.) Gilg et M. Brandt | ♄ ⌂K ⌇; trop. Afr., S-Afr.
– *rhomboidea* hort. = Cissus rhombifolia

Rhombophyllum (Schwantes) Schwantes -n- *Aizoaceae*
– **nelii** Schwantes · Elk's Horns | ♃ Ψ ⌂K; Kap
– **rhomboideum** (Salm-Dyck) Schwantes | ♃ Ψ ⌂K; Kap

Rhopalostylis H. Wendl. et Drude -f- *Arecaceae* · Nikaupalme
– **baueri** (Seem.) H. Wendl. et Drude | ♄ ⌂K; Norfolk Is
– **sapida** (Sol. ex G. Forst.) H. Wendl. et Drude | ♄ ⌂K; NZ

Rhus L. -f- *Anacardiaceae* · Sumach
– **aromatica** Aiton · Duftender Sumach · Fragrant Sumach, Lemon Sumach, Skunkbush | ♄ D III-IV; Can.: E; USA: NE, NCE, NC, SC, SE, Fla.
– *canadensis* Marshall non Mill. = Rhus aromatica
– **chinensis** Mill. · Gallen-Sumach · Chinese Nut Gall Tree | ♄ ♄ VIII-IX; China, Taiwan, Manch., Korea, Jap., Malay. Arch.
– **copallina** L. · Korall-Sumach · Dwarf Sumach, Shining Sumach, Winged Sumach | ♄ ♄ VII-VIII; USA: NE, NCE, SE, SC, Fla.
– **coriaria** L. · Gerber-Sumach · Tanner's Sumach | ♄ ⌂K ☠ Ⓝ; Eur.: Ib, Fr, Ap, Ba, Krim, Azor., Canar., Madeira; TR, Cyprus, Syr., Sinai, Cauc., Iran, C-As., Alger.
– *cotinoides* Nutt. = Cotinus obovatus
– *cotinus* L. = Cotinus coggygria
– **glabra** L. · Scharlach-Sumach · Scarlet Sumach, Smooth Sumach, Upland Sumach · Vinaigrier | ♄ ♄ VII-VIII Ⓝ; Can., USA*, Mex.
  - var. *borealis* Britten = Rhus × pulvinata
– **hirta** (L.) Sudw. · Essigbaum, Kolben-Sumach · Stag's Horn Sumach · Sumac amarante, Sumac de Virginie | ♄ ♄ VI-VII Ⓝ; Can.: E, USA: NE, NCE, Tenn., N.C., nat. in Eur.: F, I, CH, Cz, Ba, RO
– × *hybrida* Rehder = Rhus × pulvinata
– *osbeckii* Decne. = Rhus chinensis
– **potaninii** Maxim. | ♄ V-VI; C-China, W-China
– × **pulvinata** Greene (*R. glabra* × *R. hirta*) | ♄ VII-VIII; Can.: E; USA: NE, NCE, N.C.
– **radicans** L. · Kletternder Gift-Sumach · Poison Ivy | ♄ ⌇ ⟿ VI-VII ☠; Can.; USA* exc. NW, Calif. ; Mex., Guat., W.Ind.
  - var. **rydbergii** (Small) Rehder | ♄ VI-VII
– *semialata* Murray = Rhus chinensis
– **succedanea** L. · Wax Tree | ♄ ♄ ⌂K Ⓝ; Ind., Malay. Pen., China, Jap., Taiwan
– **sylvestris** Siebold et Zucc. · Wald-Sumach · Wood Sumach | ♄ VI; China, Korea, Jap., Taiwan
– **toxicodendron** L. · Behaarter Gift-Sumach · Poison Ivy, Poison Oak | ♄ V-VI ☠; USA: NE, NCE, SC, SE, Fla.
– **trichocarpa** Miq. | ♄ VII; Jap., China, Korea

– **trilobata** Nutt. ex Torr. et A. Gray · Stink-Sumach · Skunkbush, Squawberry | ♄ III-IV ∧ Ⓝ; Can.: Alta., Sask.; USA: NCE, NC, NW, Calif., Rocky Mts., SC; Mex.
– *typhina* L. = Rhus hirta
– **verniciflua** Stokes · Lack-Sumach · Varnish Tree | ♄ IV ☠ Ⓝ; Jap., C-China
– **vernix** L. · Kahler Gift-Sumach · Poison Elder, Poison Sumach | ♄ VI-VII ☠; Can.: E; USA: NE, NCE, SC, SE, Fla.

Rhynchelytrum Nees -n- *Poaceae*
– **repens** (Willd.) C.E. Hubb. · Natal-Gras · Natal Grass, Ruby Grass | ☉ ♃ ⋊ VII-VIII Ⓝ; trop. Afr., S-Afr., nat. in USA: Fla.., Tex., Ariz.

× **Rhynchocentrum** Hort. -n- *Orchidaceae* (*Ascocentrum* × *Rhynchostylis*)

Rhynchoglossum Blume -n- *Gesneriaceae*
– **notonianum** (Wall.) B.L. Burtt | ♃ ⓦ III-IX; E-Ind., Sri Lanka

Rhyncholaelia Schltr. -f- *Orchidaceae*
– **digbyana** (Lindl.) Schltr. | ♃ ⓦ VI-VIII ✻; Mex., Belize
– **glauca** (Lindl.) Schltr. | ♃ ⓦ II-III ✻; Mex., Guat., Hond.

× **Rhynchonopsis** Hort. -f- *Orchidaceae* (*Phalaenopsis* × *Rhynchostylis*)

Rhynchosia Lour. -f- *Fabaceae*
– **phaseoloides** DC. · Rhynchosia | ♄ ⓦ ♣ ☠; Mex., trop. Am.

Rhynchospermum Reinw. -n- *Asteraceae*
– *jasminoides* Lindl. = Trachelospermum jasminoides

Rhynchospora Vahl -f- *Cyperaceae*
– **alba** (L.) Vahl · Weißes Schnabelried | ♃ VII-VIII; Eur.*, TR, Cauc., W-Sib., E-Sib., Kamchat., E-As., N-Am.
– **fusca** (L.) W.T. Aiton · Braunes Schnabelried | ♃ VI-VII; Eur.* exc. Ib

Rhynchostylis Blume -f- *Orchidaceae*
– **coelestis** (Rchb. f.) Rchb. f. ex Veitch | ♄ ⓦ VII-VIII ✻; Thail.
– **gigantea** (Lindl.) Ridl. | ♄ ⓦ XI ✻; China, Indochina, Malay. Pen., Kalimantan, Phil.
– **retusa** (L.) Blume | ♄ ⓦ VI-VII ✻; Him., Ind., Sri Lanka, Indochina, Malay. Arch., Phil.
– **violacea** (Lindl.) Rchb. | ♄ ⓦ II; Phil.

× **Rhynchovanda** Hort. -f- *Orchidaceae* (*Rhynchostylis* × *Vanda*)

× **Rhyndoropsis** Hort. -f- *Orchidaceae* (*Doritis* × *Phalaenopsis* × *Rhynchostylis*)

Rhytidophyllum Mart. -n- *Gesneriaceae*
– **tomentosum** (L.) G. Don | ♄ ⓦ VII-IX; Jamaica

Ribes L. -n- *Grossulariaceae* · Johannisbeere, Stachelbeere
– **alpestris** (Decne.) A. Berger; Him., W-China
  - var. **giganteum** Jancz. | ♄ IV-V Ⓝ; W-China
– **alpinum** L. · Alpen-Johannisbeere · Alpine Currant, Mountain Currant · Groseillier des Alpes | ♄ IV-V; Eur.*, Cauc.
– **americanum** Mill. · Kanadische Johannisbeere · American Blackcurrant, Black Currant · Groseillier d'Amérique | ♄ IV-V; Can.; USA: NE, NCE, NC, Rocky Mts., SW
– *aureum* Lindl. = Ribes odoratum
– **aureum** Pursh · Gold-Johannisbeere | ♄ IV-V Ⓝ; Can.: W; USA: NW, Calif., Rocky Mts., NC, SW
– *bieberstenii* Berl. = Ribes petraeum var. biebersteinii
– **bracteosum** Douglas ex Hook. | ♄; Alaska, Can.; W; USA. NW, N-Calif.
– **cereum** Douglas · Wüsten-Johannisbeere · Squaw Currant, Wax Currant | ♄ △ IV-V; B.C., USA: NW, Rocky Mts., NC, Calif., SW
– × **culverwellii** Macfarl. (*R. nigrum* × *R. uva-crispa*) | ♄; cult.
– **cynosbati** L. · Hunds-Stachelbeere | ♄; e USA
– **diacanthum** Pall.
– **divaricatum** Douglas · Oregon-Stachelbeere · Coastal Black Gooseberry, Common Gooseberry | ♄ IV-V; B.C., USA: NW, Calif.
– **fasciculatum** Siebold et Zucc. · Dolden-Johannisbeere · Gooseberry | ♄ IV-V; Jap., Korea, N-China
– *floridum* Mill. = Ribes americanum

– *fragrans* Lodd. non Pall. = Ribes odoratum
– × **fuscescens** (Jancz.) Jancz. (*R. bracteosum* × *R. nigrum*) | ♄; cult.
– **gayanum** (Spach) Steud. | ♄ ⌂K V; Chile
– **glaciale** Wall. | ♄ IV-V; Afgh., Him., China: Yunnan, Hubei, Xizang, Tibet
– **glandulosum** Grauer ex Weber · Stinktier-Johannisbeere · Skunk Currant, Wild Currant | ♄ ⁓→ △ IV; Alaska, Can., USA: NE, N.C., NCE
– × **gordonianum** Beaton (*R. odoratum* × *R. sanguineum*) · Gordons Johannisbeere | ♄ IV-V; cult.
– *grossularia* L. = Ribes uva-crispa var. reclinatum
– **hirtellum** Michx. · Hairy Stem Gooseberry, Wedgeleaf Gooseberry | ♄ IV-V Ⓝ; Can.: E; USA: NE, NCE, NC
– × **holosericum** Otto et A. Dietr. (*R. petraeum* × *R. rubrum*) | ♄; cult.
– **irriguum** Douglas | ♄ V-VI; B.C., Oreg., N-Idaho, W-Mont.
– **lacustre** (Pers.) Poir. · Sumpf-Stachelbeere · Bristly Black Gooseberry, Swamp Gooseberry | ♄ ⁓ V; Alaska, Can., USA: NE, Tenn., NCE, Rocky Mts., NW, Calif.
– **laurifolium** Jancz. | ♄ ⌂K II-III; N-China
– **leptanthum** A. Gray · Colorado-Stachelbeere · Trumpet Gooseberry | ♄ IV-V; USA: Utah, Colo., N.Mex.
– **lobbii** A. Gray · Gummy Gooseberry, Sticky Gooseberry | ♄ IV-V ∧; B.C., USA: NW, Calif.
– **maximowiczii** Batalin | ♄ V; Jap., Korea, Manch.
- var. **floribundum** Jesson | ♄; W-China
– **multiflorum** Kit. ex Roem. et Schult. · Troddel-Johannisbeere | ♄ IV-V; Eur.: Sard., I, Croatia, YU, GR, BG
– **nidigrolaria** R. Bauer et A. Bauer (*R. divaricatum* × *R. nigrum*) · Bastard-Johannisbeere
– **nigrum** L. · Schwarze Johannisbeere · Blackcurrant · Cassis, Cassissier | ♄ D IV-V Ⓝ; Eur.* exc. Ib; Cauc., W-Sib., E-Sib., C-As., Mong.
– **niveum** Lindl. · Schnee-Stachelbeere · Snake River Gooseberry | ♄ IV-V ∧; USA: NW, Idaho, Nev.
– **odoratum** H.L. Wendl. · Wohlriechende Johannisbeere · Buffalo Currant, Golden Currant · Groseillier doré | ♄ IV-V Ⓝ; USA: NCE, NC, SC, Ark.
– **oxyacanthoides** L. · Manitoba-Stachelbeere · Northern Gooseberry | ♄ ⁓ IV-V; Can., USA: NCE, N.Dak., Mont.
– **petraeum** Wulfen · Felsen-Johannisbeere · Stone Gooseberry · Groseillier des rochers | ♄ IV-VI Ⓝ; Eur.* exc. BrI, Sc; mts.; Cauc., W-As, Sib., Amur, NW-Afr.
- var. **biebersteinii** (Berl.) C.K. Schneid. | ♄; Cauc.
– **pinetorum** Greene · Arizona-Stachelbeere | ♄; Ariz., N.Mex.
– *pubescens* (W.D.J. Koch) Opiz = Ribes uva-crispa
– *reclinatum* L. = Ribes uva-crispa var. reclinatum
– **roezlii** Regel | ♄ V; Calif.
- var. **cruentum** (Greene) Rehder | ♄; USA: S-Oreg., Calif.
– **rubrum** L. · Rote Johannisbeere · Red Currant, White Currant · Groseillier rouge | ♄ IV-V Ⓝ; Eur.: BrI, Fr, D, I, nat. in Eur.
- var. **domesticum** Wallr. · Currant
– **sanguineum** Pursh · Blut-Johannisbeere · Flowering Currant · Groseillier sanguin | ♄ IV-V; B.C., USA: NW, N-Calif.
– *sativum* (Rchb.) Syme = Ribes rubrum var. domesticum
– **spicatum** Robson · Ährige Johannisbeere | ♄ IV-V Ⓝ; Eur.: BrI, Sc, C-Eur., EC-Eur., E-Eur.; Sib. Manch.
– *sylvestre* (Lam.) Hayek = Ribes rubrum
– **uva-crispa** L. · Stachelbeere · Gooseberry · Groseillier à maquereau | ♄ IV-V Ⓝ; Eur.* exc. Sc; Cauc., Sib., Manch., Him., NW-Afr., nat. in Sc
- subsp. *pubescens* (W.D.J. Koch) Schwarz = Ribes uva-crispa
- var. **reclinatum** (L.) Berl. | ♄ IV-V Ⓝ; cult.
- var. **sativum** DC. | ♄ IV-V Ⓝ; cult.
– *vulgare* Lam. = Ribes rubrum

Ricinodendron Mull.Arg. -n- *Euphorbiaceae*
– **heudelotii** (Baill.) Pierre ex Pax | ♄ ⌂W Ⓝ; trop. Afr.

Ricinus L. -m- *Euphorbiaceae*
– **communis** L. · Castor Oil Plant · Ricin | ♄ ♄ ♄ ⌂W ⌂K Off. VIII-X ☠ Ⓝ; ? trop. Afr., nat. in Trop., Subtrop.

× **Ridleyara** Hort. -f- *Orchidaceae*

(*Arachnis* × *Trichoglottis* × *Vanda*)

Ridolfia Moris -f- *Apiaceae*
– **segetum** Moris; Eur.: Ib, Fr, Ap, Croat.; TR, Syr., Canar., N-Afr.

Rindera Pall. -f- *Boraginaceae*
– **caespitosa** (DC.) Gürke | ♃ Ⓚ △ V-VIII ∧; TR
– **umbellata** (Waldst. et Kit.) Bunge | ♃ △ V-VII ∧; Eur.: Serb., BG, RO, W-Russ.

Ritterocereus = Stenocereus (A. Berger) Riccob.
– *pruinosus* (Otto) Backeb. = Stenocereus pruinosus
– *queretaroensis* (F.A.C. Weber) Backeb. = Stenocereus queretaroensis
– *weberi* (J.M. Coult.) Backeb. = Pachycereus weberi

Rivina L. -f- *Phytolaccaceae*
– **humilis** L. · Blood Berry, Rouge Plant ; S-USA, Mex., W.Ind., trop. S-Am.

Robinia L. -f- *Fabaceae* · Robinie (fälschlich als Akazie)
– × **ambigua** Poir. (*R. pseudoacacia* × *R. viscosa*) · Pink Locust | ♄; cult.
– **fertilis** Ashe | ♄; USA
– **hispida** L. · Borstige Robinie · Bristly Locust, Rose Acacia · Acacia rose | ♄ VI-IX; USA. Va., Ky., SE
– × **holdtii** Beissn. (*R. luxurians* × *R. pseudoacacia*) | ♄; cult.
– **kelseyi** Kelsey ex Hutch. · Kelseys Robinie | ♄ V-VI; USA: N.C.
– **luxurians** (Dieck) C.K. Schneid. · Üppige Robinie | ♄ ♄ VI Ⓝ; USA: Rocky Mts., SW, SC; Mex.
– **neomexicana** A. Gray · Neu-Mexiko-Robinie · New Mexican Locust | ♄ VI-VII; USA: N.Mex.
  - var. *luxurians* Dieck = Robinia luxurians
– *neomexicana* auct. non A. Gray = Robinia luxurians
– **pseudoacacia** L. · Gewöhnliche Scheinakazie, Robinie · Acacia, Black Locust, Robinia · Faux acacia | ♄ V-VI ☠ Ⓝ; USA: NE, NCE, SE, Okla., nat. in Eur.
  - *'Fastigiata'* = Robinia pseudoacacia 'Pyramidalis'
  - **'Pyramidalis'**
  - var. **angustifolia** Koehne | ♄
– × **slavinii** Rehder (*R. kelsey* × *R. pseudoacacia*)
– **viscosa** Vent. · Klebrige Robinie · Clammy Locust | ♄ VI-VIII; USA: NE, SE

Rochea = Crassula L.
– *coccinea* (L.) DC. = Crassula coccinea
– *falcata* DC. = Crassula perfoliata var. falcata
– *perfoliata* (L.) DC. = Crassula perfoliata
– *versicolor* (Burch. ex Ker-Gawl.) Link = Crassula coccinea

Rodgersia A. Gray -f- *Saxifragaceae*
– **aesculifolia** Batalin · Rodgersia à feuilles de marronnier | ♃ VI-VII; C-China
– **henrici** (Franch.) Franch. | ♃; China, N-Burma, SE-Tibet
– **pinnata** Franch. | ♃ VII; Yunnan
– **podophylla** A. Gray | ♃ VII-VIII; Jap., Korea
– **purdomii** hort. | ♃ VI-VII; China
– **sambucifolia** Hemsl. · Rodgersia à feuilles de sureau | ♃ VII-VIII; Yunnan
– *tabularis* (Forbes et Hemsl.) Komar. = Astilboides tabularis

× **Rodrassia** Hort. -f- *Orchidaceae* (*Brassia* × *Rodriguezia*)

× **Rodrettia** Hort. -f- *Orchidaceae* (*Comparettia* × *Rodriguezia*)

× **Rodricidium** Hort. -n- *Orchidaceae* (*Oncidium* × *Rodriguezia*)

× **Rodridenta** hort. -f- *Orchidaceae* (*Macradenia* × *Rodriguezia*)

Rodriguezia Ruiz et Pav. -f- *Orchidaceae*
– **decora** (Lem.) Rchb. f. | ♃ Ⓦ IX-X ✻; Bras.
– **secunda** Humb., Bonpl. et Kunth | ♃ Ⓦ V-VI ✻; Panama, trop. S-Am.
– **venusta** Rchb. f. | ♃ Ⓦ X ✻; Bras.

× **Rodritonia** Hort. -f- *Orchidaceae* (*Miltonia* × *Rodriguezia*)

Roegneria = Elymus L.
– *canina* (L.) Nevski = Elymus caninus
– *pauciflora* (Schwein.) Hyl. = Elymus pauciflorus

Roemeria Medik. -f- *Papaveraceae*
– **hybrida** (L.) DC. | ⊙ VII-VIII ☠; Eur.: Ib, Fr, Ap, Ba; TR, Levante, Iran, N-Afr.
– **refracta** DC. | ⊙ VII-VIII; TR, Cauc., Iran, C-As., China: Sinkiang

Roezlia = Monochaetum (DC.) Naudin
– *bulbifera* hort. ex Siebert et Voss = Furcraea bedinghausii

Rohdea Roth -f- *Convallariaceae*
– **japonica** (Thunb. ex Murray) Roth · Lily-of-China | ♃ (K); SW-China

× **Rolfeara** Hort. -f- *Orchidaceae* (*Cattleya* × *Rhyncholaelia* × *Sophronitis*)

Romanzoffia Cham. -f- *Hydrophyllaceae*
– **sitchensis** Bong. · Sitka Mistmaiden | ♃ (A) V-VI ∧; Alaska, Can.: W; USA: NW, Calif.
– **unalaschcensis** Cham. · Mistmaiden | ♃ V-VI ∧; E-Aleuten

Romneya Harv. -f- *Papaveraceae*
– **coulteri** Harv. · Kalifornischer Baum-Mohn · California Tree Poppy | ♃ VII-IX ∧; SW-Calif., NW-Mex.
  - **'White Cloud'**
  - var. **trichocalyx** (Eastw.) Jeps.
– × *hybrida* hort. = Romneya coulteri 'White Cloud'
– *trichocalyx* Eastw. = Romneya coulteri var. trichocalyx

Romulea Maratti -f- *Iridaceae*
– **bulbocodium** (L.) Sebast. et Mauri | ♃ (K) III-IV; Eur.: Ib, Fr, Ap, Ba; Levante, N-Afr.
– **linaresii** Parl. | ♃; Sic., GR, W-TR
– **tempskyana** Freyn | ♃; TR, Cyprus, Palaest.

Rondeletia L. -f- *Rubiaceae*
– **amoena** (Planch.) Hemsl. | ♄ (K) III-V; C-Am.
– **cordata** Benth. | ♄ (K) VI-VII; Guat.
– **odorata** Jacq. | ♄ (W) D XI-III; Panama, Cuba
– *speciosa* Lodd. = Rondeletia odorata

Ronnbergia E. Morren et Andre -f- *Bromeliaceae*
– **columbiana** E. Morren | ♃ (W); Col.
– **morreniana** Linden et André | ♃ (W); Col.

Roridula Burm.f. ex L. -f- *Roridulaceae* · Taupflanze
– **dentata** L. | ♄ (K); Kap
– **gorgonias** Planch. | ♄ (K); Kap

Rorippa Scop. -f- *Brassicaceae*
– **amphibia** (L.) Besser · Wasser-Sumpfkresse | ♃ V-VIII; Eur.*, Cauc., W-Sib., E-Sib., C-As.
– **anceps** (Wahlenb.) Rchb. · Niederliegende Sumpfkresse | ♃ V-IX; Eur.*, TR, Cauc., E-Sib.
– **armoracioides** (Tausch) Fuss (*R. austriaca* × *R. silvestris*) ; Eur.* exc. BrI, Sc +
– **astylax** (Rchb.) Rchb.
– **austriaca** (Crantz) Besser · Österreichische Sumpfkresse | ♃ VI-VIII; Eur.: C-Eur., EC-Eur., Ba, E-Eur.; TR, Cauc., C-As., nat. in BrI, Sc, F, I
– **islandica** (Oeder) Borbás · Ufer-Sumpfkresse ; Eur.* exc. EC-Eur.; cosmop.
– **lippizensis** (Wulfen) Rchb. · Karst-Sumpfkresse ; Eur.: Ba, I
– *microphylla* (Boenn.) Hyl. = Nasturtium microphyllum
– *nasturtium-aquaticum* (L.) Hayek = Nasturtium officinale
– **palustris** (L.) Besser · Gewöhnliche Sumpfkresse, Island-Sumpfkresse | ♃ VI-IX; Eur.*, TR, Cauc., W-Sib., E-Sib., Amur, Sachal., Kamchat., C-As., Him., Mong., E-As., N-Am., S-Am., Egypt, Austr.
– **pyrenaica** (L.) Rchb. · Pyrenäen-Sumpfkresse | ♃ V-VIII; Eur.: Fr, Ap, C-Eur., EC-Eur., Ba, E-Eur.
– **sylvestris** (L.) Besser · Wilde Sumpfkresse | ♃ V-IX; Eur.*, TR, Cauc., N-As., N-Afr.

Rosa L. -f- *Rosaceae* · Rose
– **abietina** Gren. ex H. Christ · Nadel-Rose · Needle Rose, Prickly Rose | ♄ D VI; Alaska, Can., USA: NE, NCE, NC, Rocky Mts.
– **acicularis** Lindl.
  - var. **bourgeauiana** (Crép.) Crép.
– **agrestis** Savi · Feld-Rose · Field Briar | ♄ VI; Eur.*, NW-TR, NW-Afr.
– × **alba** L. (? × *R. arvensis* × *R. gallica*) · Weiße Rose · White Rose, White Rose of

York | ♄ ꕥ D ꕥ VI Ⓝ; cult.
– *alpina* L. = Rosa pendulina
– *anemoniflora* Fortune ex Lindl. = Rosa × beanii
– **arkansana** Porter · Prairie Rose | ♄ VI-VII; Can., USA: NE, NCE, NC, SC, N.Mex.
– **arvensis** Huds. · Kriechende Rose · Field Rose, Musk Rose · Rosier des champs | ♄ ⸾ ⟿ D ⟿ VI-VII; Eur.* exc. Sc; TR
– *balearica* Desf. = Rosa sempervirens
– **banksiae** W.T. Aiton · Banksian Rose | ♄ Ⓚ ⸾ D ⸾ IV-VII; W-China, C-China
– × **beanii** Heath | ♄; cult. E-China
– **beggeriana** Schrenk | ♄ VI; Afgh., N Iran, C-As., China: Sinkiang
– **bella** Rehder et E.H. Wilson | ♄ D VI; N-China
– *bengalensis* Pers. = Rosa chinensis
– *berberifolia* Pall. = Rosa persica
– × *bifera* (Poir.) Pers. = Rosa × damascena var. semperflorens
– **blanda** Aiton · Labrador-Rose · Smooth Rose | ♄ V-VI; Can.: E; USA: NE, NCE, NC.
– *boissieri* Crep. = Rosa britzensis
– × **borboniana** Desp. (*R. chinensis* × *R. damascena*) · Bourbon-Rose · Bourbon Rose | ♄ VI-IX ∧; cult.
– **bracteata** J.C. Wendl. · Macartney Rose | ♄ Ⓚ VII-VIII; S-China, Taiwan, nat. in USA: SE
– **britzensis** Koehne | ♄ V-VI; TR, Iraq, Cauc., Iran
– × **bruantii** Rehder
– **brunonii** Lindl. · Himalayan Musk Rose | Ⓚ ⸾ D ⸾ VI-VII; Afgh., Pakist., Kashmir, Nepal, Sichuan
– **caesia** Sm. · Lederblättrige Rose | ♄ VI; Eur.*, TR
– *calendarum* Borkh. = Rosa × damascena
– **californica** Cham. et Schltdl. · Kalifornische Rose · California Rose | ♄ D V-VIII ∧; Oreg., Calif., Baja Calif.
– **canina** L. · Hunds-Rose · Common Briar, Dog Rose · Eglantier commun, Rosier des chiens | ♄ ꕥ Off. VI-VIII Ⓝ; Eur.*, TR, Syr., Cauc., Iran, C-As., Canar., Madeira, NW-Afr.
  - subsp. *dumetorum* (Thuill.) R. Keller = Rosa corymbifera
– *carelica* Fr. = Rosa abietina
– **carolina** L. · Carolina-Rose · Carolina Rose | ♄ VII-VIII; Can.: E; USA: NE, NCE, NC, SC, SE, Fla.
– *carolinensis* Marsh = Rosa virginiana
– **caryophyllacea** Besser | ♃ VI; Eur.: I, A, EC-Eur., Ba, E-Eur.; ? Cauc.
– **caudata** Baker | ♄ VI; W-China
– × **centifolia** L. · Hundertblättrige Rose · Cabbage Rose, Provence Rose · Rosier cent-feuilles | ♄ D Off. VI-VII; ? Cauc.
– **chavinii** Rapin (*R. canina* × *R. montana*) · Chavins Rose | ♄ VI-VII; Eur.: CH, F, I; Alp.
– **chinensis** Jacq. · China-Rose · China Rose | ♄ Ⓚ X-IX; China
  - **'Minima'**
  - **'Semperflorens'**
  - **'Viridiflora'**
  - var. *minima* (Sims) Voss = Rosa chinensis 'Minima'
– *cinnamomea* L. 1753 = Rosa pendulina
– *cinnamomea* L. 1759 = Rosa majalis
  - var. *plena* L. 1759 = Rosa majalis
– **coriifolia** Fr.
– **corymbifera** Borkh. · Déséglise-Rose, Hecken-Rose · Rose | ♄ ꕥ VI; Eur.*, TR, Cauc., C-As., Afgh., N-Afr.
– **corymbulosa** Rolfe | ♄; W-China: Hubei, Shensi
– × **damascena** Mill. (*R. gallica* × *R. moschata*) · Portland-Rose · Damask Rose | ♄ D Off. VI-IX Ⓝ; cult.
  - *'Bifera'* = Rosa × damascena var. semperflorens
  - var. **semperflorens** (Duhamel) G.D. Rowley | ♄ Ⓝ; cult.
– **davidii** Crép. | ♄ ꕥ VI-VII ∧; W-China
– **dumalis** Bechst. · Graugrüne Rose | ♄ VI-VII; Eur., TR
– *dumetorum* Thuill. = Rosa corymbifera
– × **dupontii** Déségl. (*R. gallica* × *R. moschata*) | ♄ VI; cult.
– **ecae** Aitch. | ♄ V-VI ∧; Afgh., NW-Pakist., C-As., N-China
– *eglanteria* L. = Rosa rubiginosa
– **elliptica** Tausch · Keilblättrige Rose | ♄ VI-VII; Eur.* exc. Sc +
– *fendleri* Crép. = Rosa woodsii var. fendleri
– *ferruginea* auct. non Vill. = Rosa glauca
– **filipes** Rehder et E.H. Wilson | ⸾; China
– **foetida** Herrm. · Gelbe Rose · Austrian Briar | ♄ D VI; Iran, Afgh., NW-Him.
– **foliolosa** Nutt. ex Torr. et A. Gray · White Prairie Rose | ♄ VII-VIII; USA: Ark., SC
– × **francofurtana** Münchh. (*?* × *R. gallica* × *R. majalis*) · Frankfurter Rose | ♄

– *fraxinifolia* C.C. Gmel. non Borkh. = Rosa blanda
– **gallica** L. · Essig-Rose · French Rose · Rosier de France, Rosier de Provins | ♄ D Off. VI Ⓝ; Eur.* exc. BrI, Sc, Ib; TR, N-Iraq, Cauc., nat. in Ib, USA
  - var. *damascena* (Mill.) Voss = Rosa × damascena
– **glauca** Pourr. · Bereifte Rose, Rotblättrige Rose · Rubrifolia · Rosier glauque | ♄ VI-VII; Eur.* exc. BrI, Sc, nat. in Sc
– *glaucophylla* Ehrh. = Rosa hemisphaerica
– *glutinosa* Sm. = Rosa pulverulenta
– **gymnocarpa** Nutt. ex Torr. et A. Gray · Wood Rose | ♄ △ VI-VII ∧; B.C., USA: NW, Calif., Rocky Mts.
– × **hardii** Paxton (*R. clinophylla* × *R. persica*) | ♄; cult.
– × **harisonii** Rivers (*R. foetida* × *R. pimpinellifolia*) · Harison's Yellow Rose | ♄ V; cult.
– **helenae** Rehder et E.H. Wilson | ♄ Ⓚ ♧ D ♧ VI-VII ∧; C-China
– **hemisphaerica** Herrm. · Sulphur Rose | ♄ VI-VII; cult.
  - **'Flore Pleno'**
– **hemsleyana** Täckh. | ♄ VI; C-China
– × **highdownensis** Hillier (*R. moyesii* × *R. sweginzowii*) | ♄
– **hirtula** (Regel) Nakai | ♄; Jap.
– *holodonta* Stapf = Rosa moyesii 'Rosea'
– *hugonis* Hemsl. = Rosa xanthina 'hugonis'
– *humilis* Marshall = Rosa carolina
– *indica* Lour. non L. = Rosa chinensis
  - var. *fragrans* Andrews = Rosa × odorata
  - var. *odorata* Thory = Rosa × odorata
– **inodora** Fr. · Geruchlose Rose | ♄ VI-VII; Eur.: D +
– **jundzillii** Besser · Raublättrige Rose | ♄ VI; Eur.: Fr, Ap, C-Eur., EC-Eur., Ba, E-Eur.; Cauc.
– × **kamtschatica** Vent. (*? × R. davurica × R. rugosa*)
– **laevigata** Michx. · Cherokee Rose | ♄ Ⓚ D V-VI; China: Hupeh, Fukien: Taiwan, nat. in USA: SE
– *lawrenceana* Sweet = Rosa chinensis 'Minima'
– **laxa** Retz. | ♄ VII; Sib., NW-China
– *lucida* Ehrh. = Rosa virginiana
– *lutea* Mill. = Rosa foetida
– × **macrantha** hort. non Desp. (*? × R. canina × R. gallica*)
– **macrophylla** Lindl. · Big Hip Rose | ♄ ♧ VI; Afgh., Pakist., Him., SW-China
– **majalis** Herrm. emend. Mansf. · Mai-Rose, Zimt-Rose · Cinnamon Rose, May Rose · Rosier cannelle, Rosier de mai | ♄ D V-VI; Eur.: Ap, Fr, C-Eur., EC-Eur., Sc, EC-Eur.; ? Cauc., W-Sib., E-Sib.
– × **mariae-graebneriae** Asch. et Graebn. (*? × R. palustris × R. virginiana*)
– **micrantha** Borrer ex Sm. · Kleinblütige Rose | ♄ V-VI; Eur.* exc. Sc; TR, Lebanon, Cauc., NW-Afr.
– *microphylla* Lindl. = Rosa roxburghii f. normalis
– × **micrugosa** Henkel (*R. roxburghii × R. rugosa*)
– **mollis** Sm. · Weichblättrige Rose, Weiche Rose | ♄ VI-VII; Eur.* exc. Ap; TR, W-As.
– **montana** Chaix · Berg-Rose | ♄ VI-VII; S-Eur., s C-Eur. N-Afr.
– **moschata** Herrm. · Moschus-Rose · Musk Rose | ♄ Ⓚ ≷ D ≷ IV-VII Ⓝ; Eth., Him., nat. in S-Eur., s USA
– **moyesii** Hemsl. et E.H. Wilson · Mandarin-Rose | ♄ ♧ VI; Sichuan
  - **'Rosea'** | ♄; W-China
– **multibracteata** Hemsl. et E.H. Wilson · Kragen-Rose | ♄ ♧ VII; Sichuan
– **multiflora** Thunb. ex Murray · Vielblütige Rose · Multiflora Rose · Rosier multiflore | ♄ ≷ ♧ VI-VII; Jap., Korea
– **nitida** Willd. · Glanzblättrige Rose · Shining Rose | ♄ ♧ VI-VII; Can.: E; USA: NE
– **nutkana** C. Presl · Nootka Rose | ♄ ♧ VI-VII; Alaska, Can.: W; USA: NW, Calif, Rocky Mts.
– *obtusifolia* auct. non Desv. = Rosa tomentella
– × **odorata** (Andrews) Sweet (*? × R. chinensis × R. gigantea*) · Tee-Rose · Tea Rose | ♃ ♄ ♄ Ⓚ ⇝ VI-IX ∧; China
– *omeiensis* Rolfe = Rosa sericea subsp. omeiensis
  - fo. *pteracantha* (Franch.) Rehder et E.H. Wilson = Rosa sericea subsp. omeiensis 'pteracantha'
– **orientalis** Dupont | ♄; Ba, W-As.
– **oxyodon** Boiss. | ♄ ♄ ♧ V-VI; E-Cauc.
– **palustris** Marshall · Sumpf-Rose · Swamp Rose | ♄ VII-VIII; Can.: E; USA: NE, NCE, SE, Fla.
– × **paulii** Rehder (*R. arvensis × R. rugosa*)

| ⌇; cult.
– **pendulina** L. · Alpen-Rose, Hängefrucht-Rose · Alpine Rose · Rosier des Alpes | ħ ♧ Off. VI-VII; Eur.* exc. BrI, Sc
  - var. *oxyodon* (Boiss.) Rehder = Rosa oxyodon
  - var. **pyrenaica** (Gouan) R. Keller; Pyr..
– *pensylvanica* Michx. = Rosa palustris
– **persica** Michx. ex Juss. | ħ ⓚ VI-VIII ⋀; Iran, C-As., Afgh., W-Sib.
– *pimpinellifolia* L. = Rosa spinosissima
– **pisocarpa** A. Gray · Cluster Rose, Pea Rose | ħ ♧ D ♧ VI-VIII; B.C., USA: NW, Idaho, Calif.
– × **polliniana** Spreng. (*R. arvensis* × *R. gallica*)
– *polyantha* Siebold et Zucc. = Rosa multiflora
– *pomifera* Herrm. = Rosa villosa
– **prattii** Hemsl. | ħ VI-VII; W-China
– **primula** Boulenger | ħ V; C-As., N-China
– **pseudoscabriuscula** (R. Keller) Henker et G.M. Schulze · Kratz-Rose | ħ VI-VII; Eur.* +
– × **pteragonis** W. Krause ex Kordes
– **pulverulenta** M. Bieb. | ħ; SE-Eur., I, W-As., TR, Lebanon, Cauc., Iran, Afgh.
– *regeliana* Linden et André = Rosa rugosa
– *repens* Scop. = Rosa arvensis
– **rhaetica** Gremli · Rätische Rose | ħ VI-VII; Eur.: A, CH, I; Alp.
– × **richardii** Rehder | ħ VI; Eth.
– **roxburghii** Tratt. · Igel-Rose · Chestnut Rose, Chinquapin Rose | ħ ♧ VI; China, Jap.
  - **f. normalis** Rehder et E.H. Wilson | ħ ⁞ V-VI; W-China, Jap.
– **rubiginosa** L. · Wein-Rose · Eglantine, Sweet Briar · Rosier rouillé | ħ ♧ VI Ⓝ; Eur.*, TR, Cauc., NW-Ind., nat. in N-Am.
– *rubrifolia* Vill. = Rosa glauca
– **rubus** Lév. et Vaniot | ħ ⌇; W-China, C-China
– **rugosa** Thunb. · Kartoffel-Rose · Japanese Rose · Rosier du Japon | ħ ♧ D ♧ V-IX Ⓝ; E-Sib., Sachal., Kamchat., N-China, Korea, Jap., nat. in Eur.: BrI, Sc, Fr, C-Eur., EC-Eur., E-Eur.
– × **rugotida** Darthuis (*R. nitida* × *R. rugosa*) · Eglantier odorant | ħ V-IX; cult.
– *sancta* Rich. non Andrews = Rosa × richardii
– **saturata** Baker; C-China
– *scabriuscula* auct. non Sm. = Rosa pseudoscabriuscula
– **scharnkeana** Graebn. (*R. californica* × *R. nitida*)
– **sempervirens** L. · Immergrüne Rose · Evergreen Rose | ħ ⓚ ⌇ VI-VII; Eur.: Ib, F, Ap, Ba; TR, Syr., NW-Afr.
– *sepium* Thuill. non Lam. = Rosa agrestis
– **serafinii** Viv. | ħ △ ♧ VI; Eur.: Ap, Ba, ? RO; NW-Afr.
– **sericea** Lindl. · Seiden-Rose · Mount Omei Rose | ħ V; W-Him.
  - subsp. **omeiensis** (Rolfe) A.V. Roberts | ħ; China
  - subsp. **omeiensis**fo. **pteracantha** Franch. | ħ ♧ V-VI; W-Sichuan
– **setigera** Michx. · Prärie-Rose · Prairie Rose | ħ ⌇ VII-VIII; Ont., USA: NE, NCE, NC, SC, SE, Fla.
– **setipoda** Hemsl. et E.H. Wilson · Borsten-Rose | ħ ♧ VII; C-China
– **sherardii** Davies · Samt-Rose | ħ VI-VII; Eur.* exc. Ap, E-Eur. +
– **sicula** Tratt. | ħ △ ♧ D ♧ VI ⋀; Eur.: Ib, Fr, Ap, Ba; W-TR, Syr., NW-Afr.
– *simplicifolia* Salisb. = Rosa persica
– *soongarica* Bunge = Rosa laxa
– **soulieana** Crep. | ħ ⌇ D ⌇ VI-VII ⋀; W-China
– **spinosissima** L. · Bibernell-Rose · Burnet Rose, Scotch Briar, Scotch Rose · Rosier à feuilles de pimprenelle, Rosier d'Ecosse | ħ V-VI; Eur.* exc. Ib; TR, Cauc., W-Sib., C-As., China, Korea, nat. in N-Am.
  - *'Altaica'* = Rosa spinosissima 'Grandiflora'
  - **'Grandiflora'** | ħ V-VI, Altai, Sib., China: Sinkiang
  - **'Hispida'** L. | ħ; Sib.
– **stellata** Wooton | ħ △ ♧ VI-VII; USA: N.Mex., Tex.
– **stylosa** Desv. · Griffel-Rose, Verwachsengriffige Rose | ħ VI; W-Eur., Bulg., W-As.
– **subcanina** (H. Christ) Dalla Torre et Sarnth. · Falsche Hunds-Rose | ħ; Eur.* exc. Ib +
– **subcollina** (H. Christ) R. Keller · Falsche Hecken-Rose ; Eur.* +
– *sulphurea* Aiton = Rosa hemisphaerica 'Flore Pleno'
– **sweginzowii** Koehne · Sweginzows Rose | ħ ♧ VI; NW-China
– *thea* Savi = Rosa × odorata
– **tomentella** Léman · Stumpfblättrige Rose

| ♄ V-VI; Eur.: BrI, C-Eur., S-Eur.; Alger..
- **tomentosa** Sm. · Filz-Rose · Downy Rose | ♄ ♧ VI-VII; Eur.*, TR, Cauc., Lebanon, nat. in Prince Edward Isl.
- **turcica** Rouy | ♄; SE-Eur. +
- **tuschetica** Boiss. | ♄ D V-VI; Cauc.
- **villosa** L. · Apfel-Rose · Apple Rose, Soft Leaved Rose | ♄ ♧ VI-VII ▽ Ⓝ; Eur.: Ap, Fr, C-Eur., EC-Eur, Ba, E-Eur.; TR, Cauc., Iran, C-As., nat. in Sc
- **virginiana** Herrm. · Virginische Rose · Virginia Rose | ♄ ♧ VI-VII ✻; Can.: E; USA; NE, NCE, SE
- **vosagiaca** Déségl.; Eur.* exc. BrI +
- **waitziana** Tratt. (*R. canina* × *R. gallica*) | ♄
- **watsoniana** Crép. | ♄ ≷ VI; cult.
- **webbiana** Royle | ♄; C-As., Afgh., Pakist., Him., China: Xizang
- **wichuraiana** Crép. · Wichuras Rose · Memorial Rose | ♄ ≷ ⇝ VI-VIII ∧; Jap., Korea, E-China, Taiwan
- **willmottiae** Hemsl. · Willmotts Rose | ♄ D VI-VII; W-China
- **woodsii** Lindl. · Woods Rose · Western Wild Rose ; Alaska, Can., USA: NCE, NE, NC, SC, Rocky Mts., NW, Calif.; N-Mex.
  - var. **fendleri** (Crép.) Rehder · Fendler Rose | ♄ VI-VII; Can.; USA: NCE, NC, Rocky Mts., SW, NW, Calif.; Mex.
- **xanthina** Lindl. · Goldgelbe Rose | ♄ V-VI; N-China, Korea
  - fo. **hugonis** (Hemsl.) A.V. Roberts | ♄ V-VI; C-China.
  - fo. **spontanea** Rehder | ♄ V-VI; N-China, Mong., C-As.
- **Cultivars**
  - *'Alba'* = Rosa × alba
  - *'Austrian Yellow'* = Rosa foetida
  - *'Holy Rose'* = Rosa × richardii
  - *'Macrantha'* = Rosa × macrantha

Roscoea Sm. -f- *Zingiberaceae*
- **alpina** Royle | ♃ △ VI-VIII ∧; Ind., Nepal, Bhutan, Sikkim, Tibet
- **cautleoides** Gagnep. | ♃ △ VI-VIII ∧; NW-Yunnan, Sichuan
- **humeana** Balf. f. et W.W. Sm. | ♃ △ V-VI ∧; Sichuan, W-Yunnan
- **purpurea** Sm. | ♃ △ VIII-IX ∧; Him.
- *yunnanensis* Loes. = Roscoea cautleoides

Roseocactus = Ariocarpus Scheidw.
- *fissuratus* (Engelm.) A. Berger = Ariocarpus fissuratus
- *kotschoubeyanus* (Lem.) A. Berger = Ariocarpus kotschoubeyanus
- *lloydii* (Rose) A. Berger = Ariocarpus fissuratus var. lloydii

Roseocereus = Eriocereus Riccob.
- *tetracanthus* (Labour.) Backeb. = Harrisia tetracantha

Rosmarinus L. -m- *Lamiaceae*
- *lavandulaceus* Noë = Rosmarinus officinalis
- **officinalis** L. · Rosmarin · Rosemary · Romarin | ♄ Ⓚ Ⓐ D Off. V-VI ∧ Ⓝ; Eur.: Ib, Fr, Ap, Ba; TR, Alger., Tun., nat. in CH, Krim

Rossioglossum (Schltr.) Garay et G.C. Kenn. -n- *Orchidaceae*
- **grande** (Lindl.) Garay et G.C. Kenn. · Tiger Orchid | ♃ Ⓚ IX-III ✻; Mex., Guat.
- **insleayi** (Barker ex Lindl.) Garay et G.C. Kenn. | Ⓚ X-XII ✻; Mex.
- **schlieperianum** (Rchb. f.) Garay et G.C. Kenn. | ♃ Ⓚ IX-III ✻; Costa Rica, Panama
- **williamsianum** (Rchb. f.) Garay et G.C. Kenn. | ♃ Ⓚ VII-IX ✻; Guat., Hond., Costa Rica

Rostraria Trin. -f- *Poaceae*
- **cristata** (L.) Tzvelev · Echtes Büschelgras | IV-VI; Eur.: Ib, Fr, Ap, Ba, Krim; TR, Levante, Iraq, Arab., Cauc., Iran, Afgh., pakist., Ind., N-Afr., nat. in USA, W.Ind., S-Afr., Jap., Austr.

Rosularia (DC.) Stapf -f- *Crassulaceae*
- **aizoon** (Fenzl) A. Berger | ♃ ♆ △ VII ∧; TR
- **chrysantha** (Boiss. et Heldr.) Takht. | ♃ ♆ △ VI-VIII; TR
- *libanotica* (L.) Samuelson = Rosularia serrata
- *libanotica* (Labill.) Muirhead = Rosularia sempervivum subsp. libanotica
- *pallida* (Schott et Kotschy) Stapf = Rosularia aizoon
- *pestalozzae* (Boiss.) Samuelson et Fröd. = Rosularia sempervivum subsp. amanensis
- **platyphylla** (Schrank) A. Berger | ♃ ♆; China

- **rechingeri** C.-A. Jansson | ♃ ♆
- **sedoides** (Decne.) H. Ohba · Himalaya-Hauswurz | ♃ ♆ III-IV ∧; Kashmir
- **sempervivum** (M. Bieb.) A. Berger | ♃ ♆ △ VI ∧; TR, Cauc., Iran
  - subsp. **amanensis** Eggli | ♃ ♆
  - subsp. **glaucophylla** Eggli | ♃ ♆
  - subsp. **libanotica** (Labill.) Eggli | ♃ ♆
- **serrata** (L.) A. Berger | ♃ ♆
- *spathulata* hort. = Rosularia sempervivum subsp. glaucophylla
- *turkestanica* hort. non (Regel et Winkler) A. Berger = Rosularia rechingeri

Rothmannia Thunb. -f- *Rubiaceae*
- **capensis** Thunb. · Scented Cups | ♄ Ⓚ VII; S-Afr.
- **globosa** (Hochst.) Keay | ♄ ♄ Ⓚ D VI; S-Afr.: Natal
- **longiflora** Salisb. | ♄ Ⓦ VI-VII; W-Afr.: Sierra Leone

Roupala Aubl. -f- *Proteaceae*
- **brasiliensis** Klotzsch | ♄ Ⓦ; Bras.
- *corcovadensis* hort. ex Meisn. = Roupala macrophylla
- **macrophylla** Pohl | ♄ Ⓚ; Bras.
- *pohlii* Meisn. = Roupala brasiliensis

Roystonea O.F. Cook -f- *Arecaceae* · Königspalme
- **oleracea** (Jacq.) O.F. Cook · Royal Palm, South American Royal Palm | ♄ Ⓦ; Barbados, Trinidad, Venez., E-Col.
- **regia** (Humb., Bonpl. et Kunth) O.F. Cook · Cuban Royal Palm, Royal Palm | ♄ Ⓦ; Cuba

Rubia L. -f- *Rubiaceae* · Krapp
- **cordifolia** L. · Indian Madder | ♃ Ⓝ; NW-Him., Mong., China: Sinkiang; Ind., Sri Lanka, Indochina, Malay. Pen., Java, , Jap., trop. Afr.
- **peregrina** L. · Kletten-Krapp · Madder, Wild Madder | ♃ Ⓦ Ⓝ; Eur.: Ib, Fr, Ap, Ba, BrI; TR, Palaest., Canar., Madeira, NW-Afr.
- **tinctoria** L. · Echte Färberröte, Krapp · Madder | ♃ Off. VI-VIII Ⓝ; Eur.: Ap, Ba; TR, Iran, C-As., NW-Him., nat. in Ib, Fr, C-Eur., EC-Eur.

Rubus L. -m- *Rosaceae* · Himbeere, Brombeere
- **adenophorus** Rolfe | ♄ VII; C-China: W-Hupeh.
- **allegheniensis** Porter · Allegheny Blackberry | ♄ ♣ Ⓝ; Can.: E; USA: NE, NCE, Tenn., N.C.
- **almus** L.H. Bailey | ♄ ♣ Ⓝ; Tex.
- **amabilis** Focke | ♄ VI-VII; W-China: W-Sichuan
- **arcticus** L. · Arctic Bramble | ♃ △ VI-IX; Eur.: Sc, E-Eur.; W-Sib., E-Sib., Amur, Sachal., Kamchat., Alaska, Can.:W; USA: Rocky Mts.
- **armeniacus** Focke | ♄ Ⓝ; Cauc., nat. in A, D
- **australis** G. Forst. | ♄ Ⓚ ≹; NZ
- *bambusarum* Focke = Rubus henryi var. bambusarum
- **bellobatus** L.H. Bailey | ♄ ♣ Ⓝ; Can.: E; USA: NE
- **biflorus** Buch.-Ham. · Gold-Himbeere | ♄ ≹ D ≹ V ∧; Him.
  - var. **quinqueflorus** Focke | ♄; W-China
- **bifrons** Vest ex Tratt. | ♄ ♣ Ⓝ; Eur.: BrI, Fr, Ap, C-Eur., EC-Eur.
- **caesius** L. · Acker-Brombeere, Kratzbeere · Ronce bleuâtre | ♄ VI-VIII Ⓝ; Eur., W-Sib., Altai
- *calycinoides* Hayata = Rubus pentalobus
- **chamaemorus** L. · Moltebeere · Cloudberry | ♃ △ V-VI ▽ Ⓝ; Eur.: Sc, BrI, EC-Eur., E-Eur.; W-Sib., E-Sib., Amur, Sachal., Kamchat., Korea, Alaska, Can., USA: NE; Greenl.
- **chroosepalus** Focke | ♄ VIII; C-China: Hupeh
- **cockburnianus** Hemsl. · Tangutische Himbeere | ♄ VI ∧; N-China, C-China
- **corchorifolius** L. f. | ♄ IV; C-China, Jap., S-Korea
- **coreanus** Miq. · Korea-Himbeere · Korean Blackberry | ♄ V-VI; China, Korea, Jap.
- **corylifolius** (Sm.) Aresch. · Haselblatt-Brombeere ; Eur.
- **crataegifolius** Bunge | ♄ V-VI; Jap., Korea, N-China, Mong.
- **cuneifolius** Pursh · Sand Blackberry | ♄ ♣ Ⓝ; USA: NE, SE, Fla.
- **deliciosus** Torr. · Colorado-Himbeere · Rocky Mountain Raspberry | ♄ V; USA: Colo.
- **flagellaris** Willd. · American Dewberry, Dewberry | ♄ ⇝ ♣ V-VI Ⓝ; Can.: E; USA; NE, NCE, SE
- **flagelliflorus** Focke | ♄; C-China, W-China

– **flosculosus** Focke | ♄ VI; China
– **frondosus** (Torr.) Bigelow · Blackberry, Yankee Blackberry | ♄ & Ⓝ; Can.: Ont.; USA: NE, NCE
– **fruticosus** L. · Brombeere, Echte Brombeere | ♄ V-VII
 - **agg.** L. | ♄ Ⓝ; Eur.
– *giraldianus* Focke = Rubus cockburnianus
– **glaucus** Benth. · Andes Berry | ♄ Ⓚ & Ⓝ; Costa Rica, Panama, Col., Ecuad.
– **henryi** Hemsl. et Kuntze · Kletter-Himbeere · Ronce de Henry ; W-China, C-China
 - var. **bambusarum** (Focke) Rehder | ♄ ≹ VI; C-China
– **idaeus** L. · Himbeere · Raspberry · Framboisier | ♄ Off. V-VIII Ⓝ; Eur.*, TR, Cauc., W-Sib., E-Sib., Amur, Sachal., Kamchat., C-As., Mong., Manch., Korea, Jap., Alaska, Can., USA* exc. SC, nat. in ne N-Am.
 - subsp. *strigosus* (Michx.) Focke = Rubus strigosus
– **illecebrosus** Focke · Strawberry Raspberry | ♄ & VII-X Ⓝ; Jap.
– *incisus* Thunb. = Rubus microphyllus
– *inermis* Pourr. = Rubus ulmifolius
– **laciniatus** Willd. · Geschlitztblättrige Brombeere · Cut Leaved Bramble | ♄ & V-VII Ⓝ; orig. ?, nat. in Eur., N-Am.
– **lasiostylus** Focke · Haar-Himbeere | ♄ & VI; C-China
– **leucodermis** Douglas ex Torr. et A. Gray · Oregon-Himbeere · Whitebark Raspberry | ♄ V-VI; B.C., USA: NW, Rocky Mts., Calif.
– **linkianus** Ser.; orig. ?
– **loganobaccus** L.H. Bailey · Loganbeere · Loganberry | ♄ & Ⓝ; cult. USA
– **macropetalus** Douglas ex Hook. · Blackberry | ♄ & Ⓝ; B.C., USA: NW, N-Calif.
– *macrostemon* Focke = Rubus procerus
– **microphyllus** L. f. | ♄ VI-VII; China, Jap.
– *moluccanus* hort. non L. = Rubus reflexus
– × **nobilis** Regel (*R. idaeus* × *R. odoratus*) | ♄ VI-VII; cult.
– *nutkanus* Moç. et Ser. = Rubus parviflorus
– **occidentalis** L. · Schwarze Himbeere · Black Cap, Black Raspberry | ♄ & V-VI Ⓝ; Can.: E; USA: NE, NCE, NC, Rocky Mts., SE
– **odoratus** L. · Zimt-Himbeere · Flowering Raspberry · Framboisier du Canada, Ronce odorante | ♄ V-VIII; Can.: E; USA; NE, NCE, SE
– **parviflorus** Nutt. · Nutka-Himbeere · Thimbleberry | ♄ VI-VIII; Alaska, Can.; USA: NW, Calif., Rocky Mts., SW, NCE
– **pentalobus** Hayata · Kriech-Himbeere | ♄ ⇝ △ V-VII ∧; Taiwan
– **phoenicolasius** Maxim. · Japanische Weinbeere, Rotborstige Himbeere · Wineberry | ♄ VI-VII Ⓝ; China, Korea, Jap.
– *polytrichus* Franch. = Rubus tricolor
– **procerus** P.J. Müll. · Himalaya Blackberry | ♄ &; Eur.
– × **pseudoidaeus** (Weihe) Lej. (*R. caesius* × *R. idaeus*)
– **reflexus** Ker-Gawl. | ♄ Ⓦ ≹; China
– **roribaccus** (L.H. Bailey) Rydb. | ♄ &; Can.: E; USA: NE
– **rosa** L.H. Bailey | ♄ & Ⓝ; Can.: E; USA: NE, NCE
– **rosifolius** Sm. | ♄ ≹; Him., Malay. Arch., Jap.
– **saxatilis** L. · Felsen-Himbeere, Steinbeere | ♃ V-VII; Eur.*, Cauc., W-Sib., E-Sib., Amur, Jap, China, , Him., Greenl.
– **spectabilis** Pursh · Pracht-Himbeere · Salmonberry | ♄ ∧; Alaska, Can.: W; USA: NW, Calif., Idaho, nat. in BrI, Fr, D
– **squarrosus** Fritsch | ♄ Ⓚ ≹; NZ
– **strigosus** Michx. · Wild Red Raspberry | ♄ & Ⓝ; Can.; USA: NE, NC, NCE, Rocky Mts.
– **thibetanus** Franch. · Tibet-Himbeere | ♄ VI; W-China
 - *'Silver Fern'* = Rubus thibetanus
– *titanus* L.H. Bailey = Rubus vitifolius var. titanus
– **tricolor** Focke · Dreifarbige Himbeere | ♄ VII-VIII ∧; W-China
– **trifidus** Thunb. | ♄ IV-V; Japan: Honshu
– **trivialis** Michx. · Dewberry, Southern Dewberry | ♄ & Ⓝ; USA: NE, NCE, SC, SE, Fla.
– **ulmifolius** Schott · Sand-Brombeere · Elm Leaf Blackberry | ♄ & VI-VII Ⓝ; Eur.*, NW-Afr., Makaron.
– **ursinus** Cham. et Schltdl. · California Dewberry, Pacific Dewberry | ♄ & Ⓝ; USA: Oreg., Calif.; Baja Calif.

- var. *loganobaccus* (l.H. Bailey) L.H. Bailey = Rubus loganobaccus
– **velox** L.H. Bailey | ♄ ♣ Ⓝ; cult.
– **vitifolius** Cham. et Schltdl. · California Dewberry, Pacific Dewberry ; cult.
- var. **titanus** (L.H. Bailey) L.H. Bailey | ♄ ♄ ♣ Ⓝ; cult.

Rudbeckia L. -f- *Asteraceae* · Sonnenhut
– *amplexicaulis* Vahl = Dracopsis amplexicaulis
– *angustifolia* (L.) L. = Helianthus angustifolius
– *bicolor* Nutt. = Rudbeckia hirta var. pulcherrima
– *deamii* S.F. Blake = Rudbeckia fulgida var. deamii
– **fulgida** Aiton · Cone Flower | ♃ VIII-X; USA: NE, NCE, SE, Fla.
- var. **deamii** (S.F. Blake) Perdue | ♃ VIII-IX; USA: Ind.
- var. **palustris** (Eggert ex Boynton et Beadle) Perdue
- var. **speciosa** (Wender.) Perdue | ♃ ✂ VIII-X; USA: NE, NCE, SE
- var. **sullivantii** (Boynton et Beadle) Cronquist | ♃ VIII-X; USA: NCE, SE
– **hirta** L. · Rauer Sonnenhut · Black-Eyed Susan | ☉ VII-IX; USA: NE, NCE, SE, nat. in C-Eur.
- var. **pulcherrima** Farw. | ☉ VIII-IX; USA: NCE, SE, SC, nat. in S-Can., USA , Mex.
– **laciniata** L. · Schlitzblättriger Sonnenhut · Cutleaf Coneflower | ♃ VII-VIII; Can.: E; USA* exc. Calif., nat. in C-Eur.
- var. **humilis** L.H. Gray | ♃ VII-IX; USA: Va., Ky., SE
– *laevigata* Pursh = Rudbeckia laciniata var. humilis
– **maxima** Nutt. | ♃ VII-IX; USA: Tex., Okla., Ark., La.
– *newmanii* Boynton et Beadle = Rudbeckia fulgida var. speciosa
– **nitida** Nutt. · Shiny Coneflower | ♃ VII-IX; USA: SE, Fla., Tex.
– **occidentalis** Nutt. | ♃; W-USA
– *palustris* Eggert ex Boynton et Beadle = Rudbeckia fulgida var. palustris
– *purpurea* L. = Echinacea purpurea
– *serotina* Nutt. = Rudbeckia hirta var. pulcherrima
– *speciosa* Wender. = Rudbeckia fulgida var. speciosa
- var. *sullivantii* (Boynton ex Beadle) B.L. Rob. = Rudbeckia fulgida var. sullivantii
– **subtomentosa** Pursh | ♃ VII-IX; USA: NCE, SC, SE
– *sullivantii* Boynton et Beadle = Rudbeckia fulgida var. sullivantii
– **triloba** L. | ☉ ⊙ VII-IX; USA: NE, NCE, SE, Okla.

Rudolfiella Hoehne -f- *Orchidaceae*
– **aurantiaca** (Lindl.) Hoehne | ♃ Ⓦ IX-X ✻; Venez., Guyana, Trinidad

Ruellia L. -f- *Acanthaceae*
– *amoena* Nees = Ruellia graecizans
– **devosiana** Jacob-Makoy ex E. Morren | ♄ Ⓦ IX-XII; Bras.
– **graecizans** Backer · Ruellia | ♄ Ⓦ V-X; S-Am.
– **humilis** Nutt. | ♃ Ⓚ VIII-IX; USA: NE, NCE, NC, SC, SE, Fla.
– *longifolia* (Pohl) Griseb. ex Lindau = Ruellia graecizans
– **macrantha** Mart. ex Nees · Christmas Pride | ♄ Ⓦ XII-V; Bras.
– *maculata* Wall. = Strobilanthes maculatus
– **makoyana** Closon · Trailing Velvet Plant | ♄ Ⓦ IX-XII; Bras.
– **portellae** Hook. f.
– *repanda* L. = Hemigraphis repanda
– **strepens** L. | ♃ Ⓐ VIII-IX ∧; USA: NE, NCE, NC, SC, SE

Rumex L. -m- *Polygonaceae* · Ampfer
– **acetosa** L. · Großer Sauerampfer · Garden Sorrel, Sorrel, Sour Dock | ♃ V-VII; Eur.*, Cauc., W-Sib., E-Sib., Amur, Sachal., C-As., Mong., Him., China, Jap., Maroc., N-Am., Greenl.
- var. *hortensis* Dierb. = Rumex rugosus
– **acetosella** L. · Kleiner Sauerampfer · Sheep Sorrel | ♃ ⟿ V-VII; Eur.*, Cauc., W-Sib., E-Sib., Amur, Sachal., Kamchat., nat. in N-Am.
- subsp. **pyernaica** (Pourr. ex Lapeyr.) Akeroyd · Hüllfrüchtiger Ampfer, Verwachsenblättriger Kleiner Sauerampfer | ♃ V-VII; W-Eur., Maroc., Alger
- var. **tenuifolius** (Wallr.) · Schmalblättriger Kleiner Sauerampfer | ♃ V-VII; Eur.: most; TR, Cauc., W-Sib., E-Sib., Greenl.
– *alpinus* L. = Rumex pseudoalpinus
– **aquaticus** L. · Wasser-Ampfer | ♃ VII-

VIII; Eur.* exc. Ib; Cauc., W-Sib., E-Sib., Amur, Kamchat., C-As., Mong., China, Jap.
– **arifolius** auct. non Jacq. · Berg-Sauerampfer, Gebirgs-Sauerampfer | ♃ VI-VIII; Eur.* exc. BrI; N, mts.; Cauc., W-Sib., Sachal., Kamchat.
– **confertus** Willd. · Gedrungener Ampfer | ♃ VII-VIII; Eur.: I, EC-Eur., E-Eur.; Cauc., W-Sib., E-Sib., Amur, C-As., nat. in BrI, FIN
– **conglomeratus** Murray · Knäuelblütiger Ampfer | ♃ VII-VIII; Eur.*, TR, Levante, Cauc., C-As., NW-Afr., Libya
– **crispus** L. · Krauser Ampfer · Curly Dock | ♃ ~ VI-VIII; Eur.*, TR, Cauc., Amur, Kamchat., C-As., Mong., China, nat. in cosmop.
– **cristatus** DC. · Griechischer Ampfer | ♃ VII-VIII; Eur.: Ap, H, Ba, RO; TR, Cyprus, nat. in Ib, Br
– **flexuosus** Sol. ex Hook. f. | ♃ VI-VII ∧; NZ
– **heterophyllus** Schultz (*R. aquaticus* × *R. hydroalpathum*) · Verschiedenblättriger Ampfer | ♃; Eur.: D, A, PL, CZ +
– **hydrolapathum** Huds. · Fluss-Ampfer · Patience aquatique | ♃ VII-VIII; Eur.*, TR, Cauc.
– **hymenosepalus** Torr. · Red Dock, Sand Dock | ♃ VII-VIII Ⓝ; USA: NC, SC, SW, Rocky Mts., Calif.
– **kerneri** Borbás · Kerner-Ampfer | ♃ VII-VIII; Eur.: H, RO, BG, GR
– **longifolius** DC. · Gemüse-Ampfer | ♃ VII-VIII; Eur.: Sc, BrI, Fr, D, Ib, EC-Eur.; Cauc., W-Sib., E-Sib., N-Am., nat. in EC-Eur.
– **maritimus** L. · Ufer-Ampfer | VII-IX; Eur.* exc. Ib; W-Sib., E-Sib., Amur, Sachal., C-As., Ind., Mong., Manch., Jap., Alger., Am.
– **nivalis** Hegetschw. · Schnee-Sauerampfer | ♃ VII-IX; Eur.: C-Eur., Slove., Montenegro, AL
– **obtusifolius** L. · Stumpfblättriger Ampfer · Bitter Dock | ♃ ~ VII; Eur.*, TR, Lebanon, Syr., Palaest., Cauc., N-Iran, Canar., Alger., nat. in N-Am., S-Am., S-Afr., Austr.
– **palustris** Sm. · Sumpf-Ampfer | VII-IX; Eur.* exc. Ib; TR, Levante, Maroc., Alger.
– **patientia** L. · Englischer Spinat, Garten-Ampfer · Patience, Patience Dock, Spinach Dock | ♃ VII-VIII Ⓝ; Eur.: Ap, EC-Eur., Ba., E-Eur.; TR, Syr., Cauc., Iran, W-Sib., Amur, Sachal., nat. in BrI, C-Eur., USA
– **pseudoalpinus** Höfft · Alpen-Ampfer · Monk's Rhubarb, Mountain Rhubarb | ♃ VI-VIII; Eur.* exc. BrI, Sc; TR, Cauc., W-Iran; mts., nat. in Engl.
– **pseudonatronatus** Borbás · Finnischer Ampfer | ♃ VII-VIII; Eur.: A, H, E-Eur., Sc; W-Sib., E-Sib., C-As.
– **pulcher** L. · Schöner Ampfer | ♃ V-VII; Eur.* exc. Sc; TR, Arab., Levante, Cauc., Iran, N-Afr.
– **rugosus** Campd. · Garten-Sauerampfer | ♃ V-VIII Ⓝ; cult.
– **salicifolius** Weinm. · Weidenblatt-Ampfer ; N-Am.
  - var. **triangulivalis** (Danser) Hickman | ♃ VI-IX; N-Am., nat. in BrI, Sc, D, EC-Eur.
– **sanguineus** L. · Blut-Ampfer, Hain-Ampfer | ♃ VI-VIII; Eur.*, Cauc., N-Iran, NW-Afr.
– **scutatus** L. · Schild-Sauerampfer · French Sorrel | ♃ V-VIII Ⓝ; Eur.* exc. BrI, Sc; TR, Cauc., Iran, nat. in BrI, Sc
– **stenophyllus** Ledeb. · Schmalblättriger Ampfer | ♃ VII-VIII; Eur.: C-Eur., EC-Eur., Ba, E-Eur.; Cauc., W-Sib., E-Sib., C-As.
– **thyrsiflorus** Fingerh. · Rispen-Sauerampfer | ♃ VII-VIII; Eur.* exc. BrI; W-Sib., E-Sib., Amur, C-As.
– **vesicarius** L. · Dock | ♃ Ⓝ; Eur.: GR; W-As., Ind., Malay. Pen., N-Afr.

Rumohra Raddi -f- *Dryopteridaceae*
– **adiantiformis** (G. Forst.) Ching · Leatherleaf Fern | ♃ Ⓚ; C-Am., S-Am., S-Afr., Austr., NZ, Polyn.

Rupicapnos Pomel -f- *Fumariaceae*
– **africana** (Lam.) Pomel | ♃ Ⓐ V-VI ▽; Eur.: SW-Sp.; Maroc., Alger.

Ruppia L. -f- *Ruppiaceae*
– **cirrhosa** (Petagna) Grande · Schraubige Salde | ♃ X-VI; Eur.*, cosmop. coasts
– **maritima** L. · Strand-Salde | ♃ X-VI; Eur.*, cosmop.

Ruschia Schwantes -f- *Aizoaceae*
– **odontocalyx** (Schltr. et Diels) Schwantes | ♄ ᛘ Ⓚ; Kap, Namibia

- **perfoliata** (Mill.) Schwantes | ♄ ψ Ⓚ; Kap
- *rupicola* (Engl.) Schwantes = Ruschia odontocalyx
- **semidentata** (Salm-Dyck) Schwantes | ♄ ψ Ⓚ; Kap
- **tumidula** (Haw.) Schwantes | ♄ ψ Ⓚ; Kap, Namibia
- **umbellata** (L.) Schwantes | ♄ ψ Ⓚ; Kap
- **uncinata** (L.) Schwantes | ♄ ψ Ⓚ; Kap, Namibia
- **vulvaria** (Dinter) Schwantes | ♄ ψ Ⓚ; Namibia

Ruscus L. -m- *Ruscaceae* · Mäusedorn
- **aculeatus** L. · Stacheliger Mäusedorn · Butcher's Broom | ♄ Ⓚ III-IV ∧; Eur.: Ib, Fr, Ap, Ba, Krim, H, CH, BrI, Azor.; TR, Cyprus, Syr., NW-Afr.
- *androgynus* L. = Semele androgyna
- **hypoglossum** L. · Hadernblatt · Butcher's Broom | ♄ Ⓚ IV-V; Eur.: NW-I, A, EC-Eur., BA, RO, Krim; TR
- **hypophyllum** L. · Butcher's Broom | ♄ Ⓚ V-VI; Eur.: S-Sp., F (Iles d`Hyeres?), Sic; NW-Afr.
- **ponticus** Woronow | ♄; Krim., Cauc., TR
- *racemosus* L. = Danae racemosa

Ruspolia Lindau -f- *Acanthaceae*
- **seticalyx** (C.B. Clarke) Milne-Redh. | ♄ Ⓦ; E-Afr.

Russelia Jacq. -f- *Scrophulariaceae*
- **equisetiformis** Schltdl. et Cham. · Coral Plant, Firecracker, Fountain Plant | ♄ Ⓚ ⌇ V-X; Mex., Col., Peru
- *juncea* Zucc. = Russelia equisetiformis
- **sarmentosa** Jacq. | ♄ Ⓚ V-X; Mex., Cuba

Ruta L. -f- *Rutaceae* · Raute
- **graveolens** L. · Wein-Raute · Rue | ♃ ♄ ♄ D VI-VII ☠ Ⓝ; Eur.: Ib, Fr, Ap, Ba, Krim, nat. in C-Eur., EC-Eur., RO
- *patavina* L. = Haplophyllum patavinum

Ruttya Harv. -f- *Acanthaceae*
- **fruticosa** Lindau | ♄ Ⓦ; trop. e Afr.

Ryania Vahl -f- *Flacourtiaceae*
- **pyrifera** (Rich.) Uittien | ♄ Ⓦ Ⓝ; W.Ind.

Rydbergia Greene -f- *Asteraceae*
- *grandiflora* (Torr. et A. Gray ex A. Gray) Greene = Hymenoxys grandiflora

Sabadilla Brandt et Ratzeb. -f- *Melanthiaceae*
- *officinalis* (Cham. et Schltdl.) Brandt = Schoenocaulon officinale

Sabal Adans. -f- *Arecaceae*
- *adansonii* Guers. = Sabal minor
- **blackburniana** Glazebr. ex Schult. et Schult. f. · Hispaniolan Palmetto | ♄ Ⓦ; orig. ?
- *domingensis* Becc. = Sabal blackburniana
- **mauritiiformis** (H. Karst.) Griseb. et H. Wendl. · Trinidad Palm | ♄ Ⓦ; Mex., C-Am., Col, Venez., Trinidad
- **minor** (Jacq.) Pers. · Dwarf Palmetto | ♄ Ⓚ; USA: SE, Fla., Tex.
- **palmetto** (Walter) Lodd. ex Schult. et Schult. f. · Cabbage Palmetto, Palmetto | ♄ Ⓦ; USA: SE, Fla.; Bahamas
- *umbraculifera* (Jacq.) Mart. = Sabal blackburniana

Sabatia Adans. -f- *Gentianaceae*
- **angularis** (L.) Pursh · Rose Pink | ⊙ Ⓚ ▭ VII-IX; Can.: Ont.; USA: NE, NCE, SE, Fla., Okla.
- **campestris** Nutt. · Texas Star | ⊙ Ⓚ ▭ VII-IX; USA: NCE, SC, Ark.
- **chloroides** Pursh | ⊙ Ⓚ ▭ VII-IX; USA: NE, N.C.

Saccharum L. -n- *Poaceae* · Zuckerrohr
- **arundinaceum** Retz. | ♃ Ⓦ Ⓝ; NE-Ind., Sri Lanka, SE-As.
- **barberi** Jeswiet | ♃ Ⓦ Ⓝ; cult. N Ind.
- **officinarum** L. · Sugar Cane | ♃ Ⓦ Ⓝ; cult., trop. SE-As., Polyn.
  - subsp. *barberi* (Jeswiet) Burk = Saccharum barberi
  - subsp. *sinense* (Roxb.) Burk = Saccharum sinense
- *paniceum* P. Beauv. = Pogonatherum paniceum
- **ravennae** (L.) Murray · Ravenna Grass | ♃ IX-X ∧; Eur.: Ib, Fr, Ap, Ba; TR, SW-As., Afgh., C-As., N-Ind., Alger., Somalia, nat. in RO, SE-USA
- **robustum** Brandis et Jeswiet ex Grassl | ♃ Ⓦ Ⓝ; N.Guinea
- *saccharoideum* P. Beauv. = Pogonatherum paniceum
- **sinense** Roxb. | ♃ Ⓦ Ⓝ; cult., nat. in N-Ind., S-China, Jap.

– **spontaneum** L. | ♃ (W); Egypt, SW-As., C-As., Ind., S-China, Malay. Arch., Phil., N-Guinea, E-Austr.

Saccolabium Blume -n- *Orchidaceae*
– *ampullaceum* Lindl. = Ascocentrum ampullaceum
– *bellinum* Rchb. f. = Gastrochilus bellinus
– *coeleste* Rchb. f. = Rhynchostylis coelestis
– *giganteum* Lindl. = Rhynchostylis gigantea
– *violaceum* (Lindl.) Rchb. f. = Rhynchostylis violacea

Sageretia Brongn. -f- *Rhamnaceae*
– **thea** (Osbeck) M.C. Johnst. | ♄ (W) (K) D; Ind., C-China, E-China, Jap., Riukiu-Is., Taiwan
– *theezans* (L.) Brongn. = Sageretia thea

Sagina L. -f- *Caryophyllaceae* · Mastkraut
– **apetala** Ard. · Kronblattloses Mastkraut, Wimper-Mastkraut | IV-VII; Eur.*, TR, Levante, Cauc., Canar., NW-Afr., Libya, N-Am.
– **boydii** F.B. White | ♃; Scotland +
– **glabra** (Willd.) Fenzl · Kahles Mastkraut | ♃ VII-VIII; Eur.: F, I, CH; Alp., Apenn, ? Pyr.
– **maritima** G. Don · Strand-Mastkraut | V-VIII; Eur.*, TR, Levante, NW-Afr., Libya
– **micropetala** Rauschert · Kronloses Mastkraut | V-IX; Eur.: Ib, F, I , C-Eur. +
– **nivalis** (Lindblad) Fr. | ♃; Eur.: BrI, Sc, N-Russ.; Sib.
– **nodosa** (L.) Fenzl · Knotiges Mastkraut | ♃ VI-VIII; Eur.* exc. Ba, Ap; W-Sib., E-Sib., N-Am., Greenl.
– **normaniana** Lagerh. · Normans Mastkraut | ♃ VI-VIII; Eur.: BrI, Sc, A; mts.
– **procumbens** L. · Niederliegendes Mastkraut | ♃ V-IX; Eur.*, TR, Cauc., W-Sib., Him., Tibet, NW-Afr., N-Am.
– **saginoides** (L.) H. Karst. · Alpen-Mastkraut | ♃ VI-VIII; Eur.*, TR, Cauc., W-Sib., E-Sib., Kamchat., C-As., Him., China: Sinkiang; NW-Afr., N-Am., Mex.; mts.
– **subulata** (Sw.) C. Presl · Pfriemen-Mastkraut, Sternmoos · Corsican Pearlwort, Pearlwort · Sagine à feuilles aiguës | ♃ ⁓→ VI-VIII; Eur.* exc. EC-Eur.

Sagittaria L. -f- *Alismataceae* · Pfeilkraut
– *alpina* Willd. = Sagittaria sagittifolia
– **chilensis** Cham. et Schltdl. | ♃ (K) ⁓ ♠; Chile
– *chinensis* Pursh = Sagittaria latifolia
– **engelmanniana** J.G. Sm. | ♃ (K) ⁓ ; USA: NE, SE
– *falcata* Pursh = Sagittaria lancifolia
– *filiformis* J.G. Sm. = Sagittaria subulata
– *gracilis* Pursh = Sagittaria latifolia
– **graminea** Michx. · Grass Leaf Arrowhead · Sagittaire à feuilles de graminée | ♃ (K) ⁓ ♠ (N); Ind., China, Korea, Jap., nat. in Panama, Java, Austr.
  - var. *platyphylla* Engelm. = Sagittaria platyphylla
  - var. *teres* (S. Watson) Bogin = Sagittaria teres
– *hastata* Pursh = Sagittaria latifolia
– **lancifolia** L. · Lance Laef Arrowhead | ♃ (W) ⁓ VII-IX; USA: NE, SE, Fla., SC; Mex., C-Am., W.Ind., n S-Am
– **latifolia** Willd. · Breitblättriges Pfeilkraut · Arrowhead, Duck Potato, Wapato · Sagittaire à larges feuilles | ♃ (K) ⁓ VIII-IX ∧; Can., USA*; Mex., C-Am., nw S-Am., nat. in Eur.
– *leucopetala* Miq. = Sagittaria sagittifolia subsp. leucopetala
– **longiloba** Engelm. ex Torr. | ♃ (K) ♠; USA: Calif., Rocky Mts., SW, SC, NC; Mex.
– *longirostra* (Michx.) J.G. Sm. = Sagittaria latifolia
– *lorata* (Chapm.) Small = Sagittaria subulata
– **macrophylla** Zucc. | ♃ (K) ⁓ ♠; S-USA, Mex.
– **montevidensis** Cham. et Schltdl. | ♃ (W) ⁓ VI-VIII; Bras., Urug., Arg.
  - subsp. *chilensis* (Cham. et Schltdl.) Bogin = Sagittaria chilensis
– *natans* Pall. = Sagittaria sagittifolia
– *obtusa* Mühlenb. ex Willd. = Sagittaria latifolia
– **platyphylla** (Engelm.) J.G. Sm. | ♃ (K) ⁓ ♠; USA: Mo., Kans., SC, SE; C-Am.
– **sagittifolia** L. · Gewöhnliches Pfeilkraut · Arrowhead, Common Arrowhead · Sagittaire nageante, Sagittaire à feuilles en flèche | ♃ ♄ ⁓ ♠ VI-VIII; Eur.: Sc, Russ.; Sib.
  - subsp. **leucopetala** (Miq.) Hartog ex

Steenis | ♃ ～ VI-VII Ⓝ; trop. As., Arab., S-China
– *simplex* Pursh = Sagittaria latifolia
– *sinensis* Sims = Sagittaria graminea
– **subulata** (L.) Buchenau | ♃ Ⓦ Ⓚ ♠; USA: NE, SE, Fla.; Col., Venez, S-Bras., nat. in H, RO
– **teres** S. Watson · Slender Arrowhead | ♃ Ⓚ ♠; USA: NE

Saintpaulia H. Wendl. -f- *Gesneriaceae* · Usambaraveilchen
– **confusa** B.L. Burtt | ♃ Ⓦ; Tanzania
– **goetzeana** Engl. | ♃ Ⓦ Ⓚ; Tanzania (Uluguru)
– **grotei** Engl. | ♃ Ⓦ; Tanzania
– **ionantha** H. Wendl. | ♃ Ⓦ I-XII; Tanzania
– *kewensis* C.B. Clarke = Saintpaulia ionantha
– *kewensis* hort. = Saintpaulia confusa
– **magungensis** E.P. Roberts | ♃ Ⓦ; Tanzania
– **tongwensis** B.L. Burtt | ♃ Ⓦ; NE-Tanzania

Salacca Reinw. -f- *Arecaceae*
– **zalucca** (Gaertn.) Voss | ♄ Ⓦ Ⓝ; Malay. Arch.

Salicornia L. -f- *Chenopodiaceae* · Glasschmalz, Queller
– **europaea** L. · Europäischer Queller · Salicorn | ⊙ X; Eur.*; coasts; TR, Levante, Iran, C-As., W-Sib., E-Sib., Amur, Sachal., China, Jap., N-Afr.
  - subsp. **brachystachys** (G. Mey.) Dahmen et Wissk. · Ästiger Queller, Gewöhnlicher Kurzähren-Queller | VIII; Eur.: BrI, Fr, D, Sc, +; coasts
– **procumbens** Sm. · Aufrechter Queller, Sandwatt-Queller | X-VIII; Eur.: D + ; coasts
– **stricta** Dumort. · Schlickwatt-Queller ; Eur.: BrI, Fr, D, Sc + ; coasts

Salix L. -f- *Salicaceae* · Weide
– **acutifolia** Willd. · Spitzblättrige Weide · Caspian Willow, Sharp Leaf Willow | ♄ III Ⓝ; Eur.: FIN, Russ.; Cauc., W-Sib., E-Sib
– *adenophylla* Hook. = Salix cordata
– **aegyptiaca** L. · Persische Weide · Musk Willow | ♄ ♄ III-V Ⓝ; Eur.: NE-GR; TR, Israel, C-As.
– **alba** L. · Silber-Weide · White Willow, Willow · Saule blanc | ♄ IV-V; Eur.* exc. Sc; TR, Cauc., Iran, W-Sib., C-As., W-Him., NW-Afr., nat. in Sc
  - **'Britzensis'**
  - **'Tristis'** L. (*Salix alba 'Vitellina'* × *Salix babylonica*) | ♄ IV-V
  - **'Vitellina'**
  - var. *argentea* Wimm. = Salix alba var. sericea
  - var. **sericea** Gaudin
  - var. *tristis* (Ser.) Gaudin = Salix alba 'Tristis'
  - var. *vitellina* (L.) Stokes = Salix alba 'Vitellina'
  - var. *vitellina-pendula* Rehder = Salix alba 'Tristis'
– **alopecuroides** Tausch (*S. fragilis* × *S. triandra*) · Fuschsschwanz-Weide
– **alpina** Scop. · Alpen-Weide, Myrten-weide | ♄ VI-VII; Eur.: I, C-Eur., EC-Eur., Slove., RO, W-Russ.; E-Alp., Carp.
– × **ambigua** Ehrh. (*S. aurita* × *S. repens*) · Bastard-Ohr-Weide
– × **americana** hort. ex Ulbr. (*S. rigida* × *S. petiolaris*)
– *amygdalina* L. = Salix triandra
– **amygdaloides** Andersson · Peach Leaf Willow | ♄ ♄ IV-V; Can., USA* exc. Fla., Calif.; N-Mex.
– **apennina** Skvortsov · Apenninen-Weide | ♄ IV-VII; Eur.: I, Sic.; Apenn., Sic.
– **apoda** Trautv. | ♄ △ IV; Cauc., N-Iran
– **appendiculata** Vill. · Großblättrige Weide · Saule à grandes feuilles | ♄ ♄ V; mts. C-Eur., EC-Eur., Ba, Fr, I
– **arbuscula** L.
  - *'Erecta'* = Salix waldsteiniana
– **arbutifolia** Pall. | ♄ V; Eur., Cauc, Sib.
– *arenaria* L. = Salix repens subsp. dunensis
– **aurita** L. · Ohr-Weide · Eared Willow · Saule à oreillettes | ♄ ～ IV-V Ⓝ; Eur.*, Cauc.
– **babylonica** L. · Trauer-Weide · Weeping Willow · Saule pleureur | ♄ IV-V ∧ Ⓝ; C-China, ? Cauc., ? Iran
– × **balfourii** E.F. Linton | ♄; cult. Engl.
– *bicolor* Willd. = Salix schraderiana
– × *blanda* Andersson = Salix × pendulina 'Blanda'
– **bockii** Seemen · Chinesische Myrten-Weide | ♄ VIII-IX ∧; W-China
– × **boydii** Linton (*S. lapponum* × *S. reticulata*) · Saule nain de Boyd | ♄ V;

Scotland
- **breviserrata** Flod. · Matten-Weide | ♄ VI-VII; Eur.: Sp., F, I, C-Eur.; N-Sp., Alp., I
- **caesia** Vill. · Blaugrüne Weide · Blue Willow | ♄ △ ~ VI-V; Eur.: I, F, CH, A; W-Sib., E-Sib., C-As., Mong.
- **calodendron** Wimm.; Eur.: BrI, Sc, D
- **candida** Flügge ex Willd. · Hoary Willow, Sage Willow, Silvery Willow · Saule drapé | ♄ ~ IV; Alaska, Can., USA: NE, NCE, Rocky Mts.
- **caprea** L. · Sal-Weide · Goat Willow, Pussy Willow, Sallow · Saule Marsault | ♄ ♄ III-IV Ⓝ; Eur.*, TR, Cauc., N-Iran, W-Sib., E-Sib., Amur, Sachal., Kamchat., China, Korea, Jap.
  - **'Kilmarnock'**
  - *'Pendula' (f)* = Salix caprea 'Weeping Sally'
  - *'Pendula' (m)* = Salix caprea 'Kilmarnock'
  - **'Weeping Sally'**
- **caspica** Pall. | ♄ ♄; SE-Russ., C-As., ? W-As.
- × *chrysocoma* Dode = Salix × sepulcralis 'Chrysocoma'
- **cinerea** L. · Grau-Weide · Grey Willow · Saule cendré | ♄ III-IV Ⓝ; Eur.*, TR, Cauc., W-Sib., C-As.
  - subsp. **oleifolia** (Sm.) Macreight | ♄; Eur.: Ib, BrI, Fr, Corse, Sard.
- **cordata** Michx. · Furry Willow | ♄ V; Can.: E; USA: NE, NCE
- *cordata* Mühlenb. = Salix eriocephala
- × **cottetii** A. Kern. (*S. myrsinifolia* × *S. retusa*) | ♄ △ ~ ; Eur.: CH, A(E-Tirol)
- **daphnoides** Vill. · Reif-Weide · Violet Willow · Saule faux-daphné | ♄ ♄ III-IV Ⓝ; Eur.* exc. BrI
  - subsp. *acutifolia* (Willd.) Dahl = Salix acutifolia
  - var. **pomeranica** (Willd.) Koch | ♄ III-IV
- × **dasyclados** Wimm. (*? × S. caprea × S. cinerea × S. viminalis*) · Bandstock-Weide | ♄ III-IV Ⓝ; cult.
- × **dichroa** Doell. (*S. aurita* × *S. purpurea*)
- **discolor** Muhl. · Verschiedenfarbige Weide · Pussy Willow | ♄ ♄ IV; Can., USA: NE, NCE, NC, Rocky Mts.
- **elaeagnos** Scop. · Lavendel-Weide · Saule drapé | ♄ IV-V; Eur.* exc. BrI, Sc; N-TR, NW-Afr.
- *elegantissima* K. Koch = Salix × pendulina 'Elegantissima'
- × **erdingeri** A. Kern. | ♄ VI; Eur.: C-Eur.
- **eriocephala** Michx. · Herzblättrige Weide | ♄ ♄ IV-V Ⓝ; Can., USA*, nat. in C-Eur.
- × *erythroflexuosa* Ragonese = Salix × sepulcralis 'Erythroflexuosa'
- **exigua** Nutt. · Coyote Willow | ♄ ♄ IV-V; Alaska, Can.: E, Sask.; USA: SE, SC, NC
- **fargesii** Burkill · Farges Weide | ♄ IV-V; W-China: W-Hubei, O-Sichuan
- **foetida** Schleich. ex DC. · Stink-Weide | ♄ VI-VII; Eur.: I, CH, D, A, ? F; Alp., ? Pyr.
- *formosa* Willd. = Salix arbutifolia
- **fragilis** L. · Bruch-Weide · Crack Willow · Saule cassant | ♄ ♄ III-V Ⓝ; Eur.* exc. BrI, Sc; TR, Cauc., Iran, W-Sib., nat. in BrI, Sc
- × **friesiana** Andersson (*S. repens* × *S. viminalis*)
- **glabra** Scop. · Kahle Weide | ♄ V; Eur.: I, C-Eur., Slove., Croatia, Bosn.; E-Alp., mts.
- **glauca** L. | VI-VII; Alp., N-As.
- **glaucosericea** Flod. · Seiden-Weide | ♄ VI-VII; Eur.: F, I, CH, A; Alp.
- *gracilis* Andersson = Salix petiolaris
- **gracilistyla** Miq. · Japanese Pussy Willow | ♄ III-IV; China, Manch., Korea, Jap.
  - var. *melanostachys* (Makino) C.K. Schneid. = Salix melanostachys
- × **grahamii** Borrer ex Baker | ♄; Scotland, IRL
- **hastata** L. · Spieß-Weide · Halberd Willow · Saule de l'Engadine, Saule hasté | ♄ V-VI; Eur.* exc. BrI; TR, Cauc., W-Sib., E-Sib., Amur, Sachal., Kamchat., C-As., Mong., Him.
  - **'Wehrhahnii'**
- **hegetschweileri** Heer · Hochtal-Weide | ♄ V-VII; Eur.: F, I, CH, A; Alp.
- × **helix** L. (*S. purpurea* × *S. viminalis*) | ♄ V-IV Ⓝ
- **helvetica** Vill. · Schweizer Weide · Swiss Sallow · Saule de Suisse | ♄ △ VI-VII; Eur.: I, F, CH, A, Slova., PL; Alp., W-Carp.
- **herbacea** L. · Kraut-Weide · Dwarf Willow · Saule herbacé | ☉ ♄ △ ~ VI; Eur.*; N, mts.; Alaska, Can., USA: NE; Greenl.
- × **holosericea** Willd. (*S. cinerea* × *S.*

viminalis) · Seidenblatt-Weide
– **hookeriana** Barratt | ħ ħ; Vancouver I., Wash., Oreg., Calif.
– **humilis** Marshall · Prairie Willow | ħ V-VI; Can.: E; USA: NE, NCE, NC, SC, SE, Fla.
– *incana* Michx. = Salix candida
– *incana* Schrank = Salix elaeagnos
– **integra** Thunb. | ħ IV; Jap., Korea
– *interior* Rowlee = Salix exigua
– **irrorata** Andersson · Amerikanische Reif-Weide · Blue Stem Willow | ħ IV; USA: Rocky Mts, SW, SC
– **laggeri** Wimm. · Weißfilzige Weide | ħ VI; Eur.: F, I, CH, A; Alp.
– **lanata** L. · Woll-Weide · Woolly Willow · Saule laineux | ħ △ V; Eur.: BrI, Sc, N-Russ.; W-Sib., E-Sib., Alaska
– **lapponum** L. · Lappland-Weide · Downy Willow, Lapland Willow | ħ V-VI; Eur.* exc. BrI; W-Sib., E-Sib.
– **lasiandra** Benth. · Zottige Weide · Pacific Red Willow, Pacific Willow | ħ V; Alaska, Can.: W; USA: NW, Calif., SW
– *longifolia* Mühlenb. = Salix exigua
– **lucida** Muhl. · Glanz-Weide · Shining Willow Bush | ħ V; Can.: E, Sask; USA: NE, NCE, NC
– **magnifica** Hemsl. · Pracht-Weide · Magnolia Leafed Willow | ħ V; W-China
– **matsudana** Koidz. · Korkenzieher-Weide · Peking Willow | ħ IV-V Ⓝ; Korea, Manch., N-China
– *medemii* Boiss. = Salix aegyptiaca
– **melanostachys** Makino | ħ; Jap.
– × **meyeriana** Rostk. ex Willd. (*S. fragilis* × *S. pentandra*) | ħ ħ; Eur.
– **milichhoferi** Saut. · Tauern-Weide | ħ V-VII; Eur.: I, A; E-Alp.
– × **mollissima** Hoffm. ex Elwert (*S. triandra* × *S. viminalis*) | ħ ħ IV Ⓝ
– **moupinensis** Franch. | ħ ħ; W-China: Sichuan
– × **multinervis** Döll (*S. aurita* × *S. cinerea*) · Vielnervige Weide
– **myrsinifolia** Salisb. · Schwarzwerdende Weide · Dark Leaved Willow · Saule à feuilles de myrte | ħ ~ IV-V; Eur.* exc. Ib; W-Sib., E-Sib.
– **myrsinites** L. · Heidelbeerblättrige Weide · Whortle Willow | ħ △ V; Eur.: BrI, Sc, N-Russ; W-Sib., E-Sib., Amur, Kamchat., Mong.
– **myrtilloides** L. · Heidelbeer-Weide | ħ ⇝ △ ~ IV-VI; Eur.: Sc, C-Eur., EC-Eur., E-Eur.; W-Sib., E-Sib., Amur, Jap.
– **nigra** Marshall · Schwarze Weide · Black Willow | ħ IV-V; Can.: E; USA: NE, NCE, NC, SC, SE, Fla.; NE-Mex.
– *nigricans* Sm. = Salix myrsinifolia
– × **pendulina** Wender. (*S. babylonica* × *S. fragilis*)
  - **'Blanda'** | ħ IV-V; cult.
  - **'Elegantissima'** | ħ IV-V
– **pentandra** L. · Lorbeer-Weide · Bay Willow, Laurel Willow · Saule à cinq étamines, Saule laurier | ħ ħ ~ V-VI; Eur.*, TR, Cauc., W-Sib., E-Sib., Amur, Kamchat., Mong., W-China
– **petiolaris** Sm. · Stiel-Weide · Meadow Willow | ħ IV Ⓝ; Can., USA: NE, NCE, NC, Rocky Mts.
– **phylicifolia** L. · Tea Leaf Willow | ħ V Ⓝ; Eur.: BrI, Sc, Russ, ? BG; Cauc., W-Sib., E-Sib.
  - subsp. *bicolor* (Ehrh. ex Willd.) O. Bolòs et Vigo = Salix phylicifolia
– **piperi** Bebb | ħ; NW-USA
– × *pontederiana* Willd. = Salix × sordida
– **purpurea** L. · Purpur-Weide · Purple Osier, Purple Willow · Osier rouge, Saule pourpre | ħ ħ III-IV Ⓝ; Eur.* exc. Sc; TR, Palaest., Cauc., N-Iran, W-Sib., C-As., China, Jap., NW-Afr., nat. in Sc
  - subsp. **lambertiana** (Sm.) A. Neumann ex Rech. f. | ħ III-IV; Eur. +
– **pyrifolia** Andersson · Balsam-Weide · Balsam Willow | ħ ħ IV; Can.; USA: NE, NCE
– **rehderiana** C.K. Schneid. ex Sarg. · Rehders Weide | ħ ħ IV Ⓝ; China: Sichuan, Kansu
– **reichardtii** A. Kern. (*S. caprea* × *S. cinerea*) · Reichhardts Weide
– **repens** L. · Kriech-Weide · Creeping Willow · Saule rampant | ħ IV-VI Ⓝ; Eur.*, W-As., C-As., Sib.
  - subsp. **dunensis** Rouy · Sand Willow · Saule rampant argenté | ⊙ ♃ ħ ħ IV-V; Eur.: BrI, Sc, Fr, D, Balt.
  - subsp. *rosmarinifolia* (L.) Hartm. = Salix rosmarinifolia
  - var. *argentea* (Sm.) Ser. = Salix repens subsp. dunensis
  - var. *nitida* Wender. = Salix repens subsp. dunensis
– **reticulata** L. · Netz-Weide · Net Leaved Willow · Saule à feuilles réticulées | ⊙ ħ △ ~ VII; Eur.*; N, mts.; W-Sib., E-

Sib., Amur, Kamchat., Mong., Alaska, Can.
– **retusa** L. · Stumpfblättrige Weide | ⊙ ♄ ⇝ △ VII-VIII; Eur.* exc. BrI, Sc; mts.
  - subsp. *serpillifolia* (Scop.) Asch. et Graebn. = Salix serpillifolia
– *rigida* Mühlenb. = Salix eriocephala
– **rosmarinifolia** L. · Rosmarin-Weide · Saule rampant à feuilles de romarin | ⊙ ♃ ħ ♄ IV-V; Eur.* exc. BrI, Ib; W-Sib., E-Sib., C-As.
– × **rubens** Schrank (*S. alba* × *S. fragilis*) · Fahl-Weide, Hohe Weide | ♄ III-V; Eur.: C-Eur. +
– × **rubra** Huds. (*S. purpurea* × *S. viminalis*) · Blend-Weide | ♄ ħ; Eur.
– *sachalinensis* F. Schmidt = Salix udensis
– **schraderiana** Willd. · Zweifarbige Weide | ♄ VI-VII
– × **sepulcralis** Simonk. (*S. alba 'Tristis'* × *S. babylonica*) · Weeping Willow | ♄; cult. Eur.
  - **'Chrysocoma'** (*S. alba var vitellina* × *S. babylonica*) | ♄ IV-V
  - **'Erythroflexuosa'** Simonk.
– × **sericans** Tausch ex A. Kern. (*S. caprea* × *S. viminalis*) | ħ ♄ III-IV; cult.
– **sericea** Marshall · Seidige Weide | ħ; e N-Am
– **serpillifolia** Scop. · Quendelblättrige Weide | ⊙ ♄ ⇝ △ VII; Eur.: F, I, C-Eur., Slove., Bosn.; Alp.
– **silesiaca** Willd. · Schlesische Weide | ħ; Carp., Ba
– × **simulatrix** F.B. White (*S. arbuscula* × *S. herbaceae*) | ħ ⇝; BrI: Scotland
– × **smithiana** Willd. (*S. cinerea* × *S. viminalis*) · Kübler-Weide | ♄ IV-V; Eur.: CH, D, A +
– × **sordida** A. Kern. (*S. cinerea* × *S. purpurea*) | ♄
– **starkeana** Willd. · Bleiche Weide | ħ IV-V; Sc, S-D, PL, E-Eur.
– × **stipularis** Sm. | ħ; cult.
– **subopposita** Miq. · Japanische Weide | ħ IV-V; Jap., Korea
– **triandra** L. · Mandel-Weide · Almond Leaved Willow · Saule à trois étamines, Saule amandier | ħ ♄ IV-V Ⓝ; Eur.*, TR, Iraq, Cauc., Iran, W-Sib., E-Sib., Amur, C-As., Afgh., Mong., China, Manch., Jap.
  - subsp. **discolor** (Koch) Arcang. | ♄ ħ; S-Eur., E-Eur, Alpen
– **udensis** Trautv. et Meyen · Sakhalin Willow | ♄; E-Sib., Amur, Sachal., Kamchat., Jap.
– **uva-ursi** Pursh · Bearberry Willow | ♄ ⇝ △; Alaska, Can., USA: NE; Greenl.
– **viminalis** L. · Korb-Weide · Common Osier, Osier · Osier des vanniers, Osier vert | ħ ♄ III-IV Ⓝ; Eur.: Fr, C-Eur., EC-Eur., Ba, E-Eur.; Cauc., Iran, Him., W-Sib., E-Sib., Mong., China (Sinkiang), Jap., nat. in BrI, Sc, Ib, Ap
– **waldsteiniana** Willd. · Bäumchen-Weide | ♄ VI-VII; Eur.: I, A, D, CH, Ba; Alp., Balkan
– *wehrhahnii* Bonstedt = Salix hastata 'Wehrhahnii'
– **wimmeriana** Gren. et Godr. | ♄ ħ

Salmalia = Bombax L.
– *malabarica* (DC.) Schott et Endl. = Bombax ceiba

Salpichroa Miers -f- *Solanaceae*
– **origanifolia** (Lam.) Baill. · Lily-of-the-Valley Vine | ħ ⌂ ≹ ♧ D ♧; S-Bras., Urug., Arg., nat. in S-Eur., NW-Afr.

Salpiglossis Ruiz et Pav. -f- *Solanaceae*
– **sinuata** Ruiz et Pav. · Painted Tongue, Salpiglossis | ⊙ VI-VIII; Chile

Salsola L. -f- *Chenopodiaceae*
– **kali** L. · Kali-Salzkraut | VII-IX; Eur.*, TR, Levante, As., N-Afr.
– **soda** L. · Soda-Salzkraut, Sodakraut ; Eur.: Ib, Fr, Ap, Ba, H, E-Eur.; TR, Levante, Cauc., W-Sib., C-As., NW-Afr.
– **vermiculata** L. | ħ; Eur.: Ib, Sard., Sic.; Maroc., Alg.

Salvia L. -f- *Lamiaceae* · Salbei
– **aethiopis** L. · Mohren-Salbei, Ungarischer Salbei · African Sage | ⊙ ♃ VI-VII Ⓝ; Eur.* exc. BrI, Sc; TR, Cauc., Iran, nat. in N-Am.
– **africana-lutea** L. | ħ; S-Afr. (Kap)
– **amplexicaulis** Lam. | ♃; Eur.: Ba; NW-TR
– **argentea** L. · Silver Sage · Sauge argentée | ⊙ VII-VIII; Eur.: Ib, Ap, Ba; TR, NW-Afr.
– *aurea* L. = Salvia africana-lutea
– **austriaca** Jacq. · Österreichischer Salbei | ♃ V-IX; Eur.: A, EC-Eur., Ba, E-Eur.
– **azurea** Michx. ex Lam. · Blue Sage ; USA: NCE, NC, SC, SE
  - subsp. *pitcheri* (Torr. ex Benth.) Epling

= Salvia azurea var. grandiflora
- var. **grandiflora** Benth. | ♃ Ⓚ VIII-X; USA: NE, NCE, NC, SC, Ark.
– **barrelieri** Etl. | ⊙ ♃ V-VIII ∧; Eur.: Sp.; NW-Afr.
– *bicolor* Desf. = Salvia barrelieri
– **blancoana** Webb et Heldr. | ♄; S-Sp., Maroc.
– **broussonetii** Benth. | ♄; Canar.
– **canariensis** L. | ♄ Ⓚ; Canar.
– **candelabrum** Boiss. | ♃ VII-VIII; S-Sp.
– *candidissima* Guss. = Salvia argentea
– *candidissima* M. Bieb. = Salvia verbascifolia
– **candidissima** Vahl
– **carduacea** Benth. · Thistle Sage | ♃ Ⓚ VII-IX; Calif.
– **coccinea** Buc'hoz ex Etl. · Blood Sage · Sauge écarlate | ⊙ ♃ ♄ Ⓚ VI-X; USA: SE, SC, Fla.; Mex., W.Ind., trop. Am.
– **columbariae** Benth. | ♃; SW-USA
– **concolor** Lamb. ex Benth. | ♄ Ⓚ IX-XII; Mex., C-Am.
– *cyanea* Benth. = Salvia concolor
– **discolor** Kunth | ♃; Peru
– **divinorum** Epling et Játiva | ♃ Ⓝ; ? Mex.: Oaxaca
– **elegans** Vahl | ♄ Ⓚ D VII-VIII; Mex., Guat.
– **farinacea** Benth. · Blue Sage, Mealy Sage · Sauge farineuse | ⊙ ♃ ♄ ♄ Ⓚ V-X; USA: N.Mex., Tex.
– **flava** G. Forst. | ♃ VII; China
– **fruticosa** Mill. | ♄ V; Eur.: I, Sic.Ba; TR, Levante, Libya
fulgens Cav. · Cardinal Sage, Mexican Red Sage | ♄ Ⓚ VIII-X; Mex.
– **glutinosa** L. · Klebriger Salbei · Jupiters Distaff, Sticky Sage · Sauge glutineuse | ♃ X-IX; Eur.* exc. Sc; TR, Cauc., N-Iran
– *grahamii* Benth. = Salvia microphylla
– **grandiflora** Etl. | ♃ VI-VII ∧; Eur.: Ba, Krim; TR, Syr.
– *grandiflora* Sessé et Moq. = Salvia fulgens
– **greggii** A. Gray · Autumn Sage | ♄ ♄ Ⓚ IX-X; Tex., Mex.
– *haematodes* (L.) = Salvia pratensis subsp. haematodes
– **heerii** Regel | ♄ Ⓚ I-XII; Peru
– **hians** Royle | ♃ VII-VIII; Kashmir
– *horminum* L. = Salvia viridis
– **involucrata** Cav. | ♄ ♄ Ⓚ VII-IX; Mex., C-Am.
– **judaica** Boiss. | ♃; Palaest.
– **jurisicii** Kosanin · Serbischer Salbei | ♃ △ VI-IX; Maced.
– *lanata* Moench = Salvia aethiopis
– **lavandulifolia** Vahl · Sauge à feuilles de lavande | ♃ ♄ D VI-VIII; Eur.: Sp., S-F
– *lemmonii* A. Gray = Salvia microphylla var. wislizenii
– **leucantha** Cav. · Mexican Bush Sage | ♄ Ⓚ ✂ VII-VIII; Mex.
– **microphylla** Humb., Bonpl. et Kunth | ♄ Ⓚ VII-IX; Mex.
- var. **neurepia** (Fernald) Epling
- var. **wislizenii** Kunth | ♄; Mex.
– **multicaulis** Vahl | ♄; TR, Palaest., Syr., Sinai, N-Iraq, Iran
– **nemorosa** L. · Steppen-Salbei · Wild Sage, Woodland Sage | ♃ VI-VII; Eur.: C-Eur., EC-Eur., Ba, Ap, E-Eur.; TR, Cauc., Iran, Afgh., nat. in BrI, Sc
- subsp. **tesquicola** L. | ♃; BG., Russ.
– *neurepia* Fernald = Salvia microphylla var. neurepia
– **nutans** L. | ♃ VI-VIII; Eur.: H, Maced., BG, E-Eur.
– **officinalis** L. · Echter Salbei · Common Sage · Sauge officinale | ⊙ ♄ D Off V-VII ∧ Ⓝ; Eur.: Sp., F, Slove., Croatia, Bosn., YU, Maced., AL, ? GR, nat. in Ap, CH, RO
- **'Albiflora'** L.
– **patens** Cav. · Blue Sage | ♃ Ⓚ VI-IX ∧; Mex.
pitcheri Torr. ex Benth. = Salvia azurea
– **pratensis** L. · Wiesen-Salbei · Meadow Clary · Sauge des prés | ♃ V-VIII; Eur.* exc. Sc; Cauc., nat. in Sc
- subsp. **haematodes** (L.) Briq. · Sauge des prés | ♃ VI-VIII; Eur.: I
– **przewalskii** Maxim. | ♃ VI; China
– **recognita** Fisch. et C.A. Mey. | ♃ VII-VIII; TR
– **ringens** Sibth. et Sm. | ♃ VI-VII ∧; Eur.: Ba, RO; Cauc.
– **rutilans** Carrière | ♄; cult.
– **scabiosifolia** Lam. | ♃ △ VII-VIII; NE-BG, Krim
– **sclarea** L. · Muskateller-Salbei · Clary · Toute-bonne | ⊙ D VI-VII Ⓝ; Eur.: Ib, Fr, Ap, Ba, E-Eur.; TR, Syr., Palaest., Cauc., Iran, C-As., NW-Afr., nat. in A, CH
– *silvestris* hort. = Salvia × superba
– **splendens** Buc'hoz ex Etl. · Scarlet Sage · Sauge écarlate | ♃ ♄ Ⓚ V-IX; Bras.
– × **superba** (Silva Tar. et C.K. Schneid.)

Stapf (*S. nemorosa* × *S. villicaulis*) · Perennial Sage | ♃ VI-VIII; cult.
– *sylvestris* auct. non L. = Salvia nemorosa
– **uliginosa** Benth. | ♃ VII-IX ∧; S-Bras., Urug., Arg.
– **verbascifolia** M. Bieb. | ⊙ ♃ VII-VIII; TR, Cauc.
– **verbenaca** L. · Eisenkraut-Salbei ; Eur.: Ib, Fr, BrI, Ap, Ba, Krim; TR, Levante, Cauc., N-Afr.
– **verticillata** L. · Quirlblütiger Salbei | ♃ VI-IX; Eur.* exc. BrI, Sc; TR, N-Iraq, Cauc., N-Iran, nat. in BrI, Sc, N-Am.
– **viridis** L. · Annual Clary, Bluebeard · Sauge verte | ⊙ ♃ VI-VIII; Eur.: Ib.Ap, Ba, Krim; TR, Levante, Cauc., N-Iraq, Iran, NW-Afr., nat. in A

Salvinia Seg. -f- *Salviniaceae* · Schwimmfarn
– **auriculata** Aubl. · Floating Fern | ♃ ⓦ ♠; USA: Fla.; Mex., Bermuda, W.Ind., S-Am.
– **minima** Baker | ♃ ⓦ ♠; Mex., C-Am., S-Am.
– **natans** (L.) All. · Gewöhnlicher Schwimmfarn · Salvinia nageante | ⊙ ♠ X-VIII ▽; Eur.: Ib, D, Ap, EC-Eur., Ba, E-Eur.; TR, Cauc., W-Sib., C-As., Him., Indochina., Amur, China, Korea, Jap., Alger.
– *rotundifolia* Willd. = Salvinia auriculata

Samanea = Albizia Durazz.
– *saman* (Jacq.) Merr. = Albizia saman

Sambucus L. -f- *Caprifoliaceae* · Holunder
– **caerulea** Raf. · Blauer Holunder · Blue Elder, Blue Elderberry | ♄ ⁂ D ⁂ VI-VII ∧ Ⓝ; Can.: B.C., USA: NW, Rocky Mts., Calif., SW, Tex.; N-Mex., Baja Calif.
– **callicarpa** Greene · Pacific Coast Red Elderberry | ⁂ VI-VII ∧; Alaska, Can.; USA: NW, Calif., SW, Rocky Mts.
– **canadensis** L. · Kanadischer Holunder · American Elder · Sureau du Canada | ♄ ⁂ D ⁂ VI-VII Ⓝ; Can.: E; USA: NE, NCE, SC, SE, Fla.; Mex., W.Ind.
– **ebulus** L. · Attich, Zwerg-Holunder · Danewort, Dwarf Elder | ♃ D VI-VIII ☠; Eur.* exc. BrI, Sc; TR, Syr. Lebanon, N-Iraq, W-Iran, nat. in BrI, Sc
– *glauca* Nutt. ex Torr. et A. Gray = Sambucus caerulea
– **kamtschatica** E. Wolf | ♄; Kamchat., E-Sib.
– **melanocarpa** A. Gray · Schwarzfrüchtiger Holunder · Black Elderberry | ♄ ⁂ VII-VIII ∧; Can.: B.C.; USA: NW, Idaho, Calif., SW
– **nigra** L. · Schwarzer Holunder · Common Elder, Elderberry · Sureau commun, Sureau noir | ♄ ♄ ⁂ D ⁂ Off. VI-VII Ⓝ; Eur.*, TR, N-Iraq, W-Iran
– **pubens** Michx. · Red Berried Elder, Red Elder | ♄ ⁂ VI-VII; Alaska, Can., USA* exc. SW
– **racemosa** L. · Roter Holunder, Trauben-Holunder · Red Berried Elder, Red Elderberry · Sureau à grappes, Sureau rouge | ♄ ⁂ IV-V Ⓝ; Eur.* exc. BrI, Sc, nat. in BrI, Sc
  - var. *callicarpa* (Greene) Jeps. = Sambucus callicarpa
– **sieboldiana** Blume ex Miq. · Japanischer Trauben-Holunder | ♄ ♄ IV-V; Jap., Korea, ? China

Samolus L. -m- *Primulaceae* · Bunge
– *floribundus* Humb., Bonpl. et Kunth = Samolus parviflorus
– **parviflorus** Raf. | ♃ ⓦ ~ ♠; Alaska, Can.: E, B.C.; USA: NE, NCE, SE, Fla., Calif.; Mex., trop. Am.
– **valerandi** L. · Salz-Bunge | ♃ X-VI; Eur.*, TR, Cauc., Iran, C-As., Him., China, N-Afr., cosmop.

Samuela Trel. -f- *Agavaceae*
– **carnerosana** Trel. | ♄ ⓦ; SW-Tex., Mex.
– **faxoniana** Trel. | ♄ ⓚ; SW-Tex., N-Mex.

Sanchezia Ruiz et Pav. -f- *Acanthaceae*
– **nobilis** Hook. f. | ♄ ⓦ; Ecuad.
– **parvibracteata** Sprague et Hutch. | ♄ ⓦ; trop. Am.

× **Sanderara** Hort. -f- *Orchidaceae* (*Brassia* × *Cochlioda* × *Odontoglossum*)

Sandersonia Hook. -f- *Colchicaceae* · Laternenlilie
– **aurantiaca** Hook. · Chinese Lantern Lily, Chinese Lanterns | ♃ ⓦ VII; S-Afr.

Sandoricum Cav. -n- *Meliaceae*
– **koetjape** (Burm. f.) Merr. | ♄ ⓦ ⁂ Ⓝ; Indochina, Malay. Pen.

Sanguinaria L. -f- *Papaveraceae* · Blutwurz
– **canadensis** L. · Blutwurz · Bloodroot · Sanguisorbe du Canada | ♃ IV-V ☠; Can.: E; USA: NE, NCE, SC, SE, Fla.
  - **'Multiplex'**
  - *'Plena'* = Sanguinaria canadensis 'Multiplex'

Sanguisorba L. -f- *Rosaceae* · Wiesenknopf
– **canadensis** L. | ♃ VII-X; Can.: E; USA: NE, NCE, SE
– **dodecandra** Moretti | ♃; N-I (Prov. Sondrio)
– *maior* Gilib. = Sanguisorba officinalis
– **minor** Scop. · Kleiner Wiesenknopf · Burnet, Salad Burnet, Small Burnet · Pimprenelle sanguisorbe | ♃ V-VIII Ⓝ; Eur.*, TR, Cauc., N-Iran, W-Him., W-Sib. (Altai), C-As., NW-Afr., Libya
  - subsp. *muricata* Briq. = Sanguisorba minor subsp. polygama
  - subsp. **polygama** (Waldst. et Kit.) Holub · Höckerfrüchtiger Wiesenknopf | ♃ VI-VII Ⓝ; Eur.*, TR, Cauc., C-As., W-As., N-Afr.
– *muricata* Gremli = Sanguisorba minor subsp. polygama
– **obtusa** Maxim. · Sanguisorbe du Japon | ♃ ✂ VII-IX; Jap.
– **officinalis** L. · Großer Wiesenknopf · Burnet, Great Burnet | ♃ VI-VIII Ⓝ; Eur.*, W-Sib., E-Sib., C-As.
– *polygama* (Waldst. et Kit.) Beck = Sanguisorba minor
– *spinosa* (L.) Bertol. = Sarcopoterium spinosum
– **tenuifolia** Fisch. ex Link · Sanguisorbe à feuilles fines | ♃ VIII; E-Sib., Kamchat., Sachal., Manch., Korea, Jap.

Sanicula L. -f- *Apiaceae* · Sanikel
– **europaea** L. · Wald-Sanikel · Butterwort, Sanicle | ♃ V-VII; Eur.*, TR, Cauc., N-Iran, W-Sib., Ind., Malay. Arch., N-Afr., Afr. (mts.), S-Afr.

Sansevieria Thunb. -f- *Dracaenaceae* · Bogenhanf
– **arborescens** Gérôme et Labroy | ♃ ♆ ⓦ; E-Afr.
– **cylindrica** Bojer | ♃ ♆ ⓦ Ⓝ; Angola
– *dooneri* N.E. Br. = Sansevieria parva
– **ehrenbergii** Baker | ♃ ♆ ⓦ; E-Afr.
– **gracilis** N.E. Br. | ♃ ♆ ⓦ; E-Afr.
– **grandis** Hook. f. | ♃ ♆ ⓦ; ? S-Afr.
– *guineensis* (L.) Willd. = Sansevieria hyacinthoides
– *guineensis* Baker = Sansevieria metallica
– *guineensis* Gérôme et Labroy = Sansevieria trifasciata
– *hahnii* hort. = Sansevieria trifasciata 'Hahnii'
– **hyacinthoides** (L.) Druce | ♃ ♆ ⓦ Ⓝ; S-Afr.
– **kirkii** Baker | ♃ ♆ ⓚ; E-Afr.
– *laurentii* De Wild. = Sansevieria trifasciata 'Lautrentii'
– **liberica** Gérôme et Labroy | ♃ ♆ ⓦ; Liberia
– **longiflora** Sims | ♃ ♆ ⓦ Ⓝ; W-Afr., C-Afr., Angola
– **metallica** Gérôme et Labroy | ♃ ♆ ⓦ; trop. Afr.
– **parva** N.E. Br. | ♃ ♆ ⓦ; E-Afr.
– **roxburghiana** Schult. et Schult. f. | ♃ ♆ ⓦ Ⓝ; E-Ind., Myanmar
– *spicata* Haw. = Sansevieria hyacinthoides
– *thyrsiflora* Thunb. = Sansevieria hyacinthoides
– **trifasciata** Prain · Mother-in-law's Tongue | ♃ ♆ ⓦ Ⓝ; W-Afr.
  - **'Hahnii'**
  - **'Lautrentii'**
– **zeylanica** (L.) Willd. · Devil's Tongue | ♃ ♆ ⓦ; Sri Lanka

Santalum L. -n- *Santalaceae*
– **album** L. · Sandalwood, White Sandalwood | ♄ ⓦ D Ⓝ; ? Malay Arch.; cult. trop. As.

Santolina L. -f- *Asteraceae* · Heiligenkraut
– **chamaecyparissus** L. · Graue Heiligenblume · Lavander Cotton · Santoline petit cyprès | ♄ △ D △ VII-VIII ∧; Eur.: Ib, Fr, Ap, Ba +
  - subsp. *tomentosa* (Pers.) Arcang. = Santolina pinnata subsp. neapolitana
– **elegans** Boiss. ex DC. | ♄ ⓚ △ ∧; S-Sp.: Sierra Nevada
– *ericoides* hort. = Santolina pinnata
– *ericoides* Poir. = Santolina chamaecyparissus
– *incana* Lam. = Santolina chamaecyparissus
– × **lindavica** Sünd. (*S. chamaecyparissus* × *subsp. tomentosa*) ; cult.
– *neapolitana* Jord. et Fourr. = Santolina pinnata subsp. neapolitana

– **pinnata** Viv. · Gefiederte Heiligenblume | ♄ VI-VII; I
  - subsp. **neapolitana** (Jord. et Fourr.) Guinea | ♄ Ⓚ △ D △ VII-VIII ∧
– **rosmarinifolia** L. · Grüne Heiligenblume · Green Santolina | ♄ Ⓚ D VII-VIII ∧; Eur.: Ib, S-F; Maroc.
– *tomentosa* Pers. = Santolina pinnata subsp. neapolitana
– *virens* Mill. = Santolina rosmarinifolia
– *viridis* Willd. = Santolina rosmarinifolia

Sanvitalia Lam. -f- *Asteraceae*
– **procumbens** Lam. · Husarenknopf · Creeping Zinnia | ⊙ VII-X; Mex., Guat.

Sapindus L. -m- *Sapindaceae*
– **mukorossii** Gaertn. | ♄ Ⓦ ☠ Ⓝ; Him., Myanmar, China, Jap.
– **rarak** DC. | ♄ Ⓦ ☠ Ⓝ; Indochina, Malay. Arch.
– **saponaria** L. | ♄ Ⓦ ☠ Ⓝ; USA: SE, Fla.; Mex., W.Ind., S-Am.
– **trifoliatus** L. | ♄ Ⓦ Ⓝ; Ind., Sri Lanka

Sapium P. Browne -n- *Euphorbiaceae*
– **sebiferum** (L.) Roxb. · Chinese Tallow Tree | ♄ Ⓦ ☠ Ⓝ; C-China, S-China, Hainan, Taiwan, N-Vietn., nat. in SE-USA

Saponaria L. -f- *Caryophyllaceae*
– **bellidifolia** Sm. | ♃ ⌓ △ V-VI; Eur.: Ib, Fr, Ap, Ba, RO
– × **boissieri** hort. (*S. caespitosa* × *S. ocymoides*)
– **caespitosa** DC. | ♃ ⌓ △ V-VI; Eur.: Sp., F; Pyr.
– **calabrica** Guss. · Calabrian Soapwort | ⊙ VI-IX; Eur.: I, Ba
– **cypria** Boiss. | ♃ Ⓐ VIII-IX ∧; Cyprus
– *graeca* Boiss. = Saponaria calabrica
– **haussknechtii** Simmler | ♃ △ VIII-IX; GR
– × **lempergii** hort. (*S. cypria* × *S. haussknechtii*) | ♃ △ VIII-IX; cult.
– **lutea** L. · Gelbes Seifenkraut · Yellow Soapwort | ♃ △ VII-VIII; Eur.: F, I, CH; Alp.
– **ocymoides** L. · Kleines Seifenkraut, Rotes Seifenkraut · Rock Soapwort, Tumbling Ted · Saponaire faux-basilic | ♃ ⇝ △ X-VII; Eur.: Ib, Fr, Ap, Ba, C-Eur., nat. in CZ
– **officinalis** L. · Echtes Seifenkraut · Saponaire officinale | ♃ VI-IX Ⓝ; Eur.* exc. Sc, BrI; TR, Cauc., W-Sib., , nat. in Sc, BrI, Jap., N-Am.
– × **olivana** Wocke (*S. caespitosa* × *S. pumilio*) · Saponaire rose hybride | ♃ △ VI-VII; cult.
– *ortegioides* (Fisch. et C.A. Mey.) Boiss. et Balansa = Phrynella ortegioides
– *pulvinaris* Boiss. = Saponaria pumilio
– *pumila* Janch. ex Hayek = Saponaria pumilio
– **pumilio** (L.) Fenzl ex A. Braun · Zwerg-Seifenkraut | ♃ ⌓ △ VIII; Eur.: I, A, RO; E-Alp., S-Carp.
– **sicula**
  - subsp. *intermedia* (Simmler) Chater = Saponaria haussknechtii
– *vaccaria* L. = Vaccaria hispanica
– × **wiemannii** Fritsch (*S. caespitosa* × *S. lutea*) | ♃ △ V-VI; cult.

× **Sappanara** Hort. -f- *Orchidaceae* (*Arachnis* × *Phalaenopsis* × *Renanthera*)

Sarcanthus = Cleisostoma Blume
– *filiformis* Lindl. = Cleisostoma filiformis
– *racemifer* (Lindl.) Rchb. f. = Cleisostoma racemifera

Sarcocapnos DC. -f- *Fumariaceae*
– **enneaphylla** (L.) DC. | ♃ Ⓐ △ VI ∧; Eur.: Sp., F (Pyr.); Maroc

Sarcocaulon (DC.) Sweet -n- *Geraniaceae* · Dickstengel, Buschmannskerze
– *burmannii* (DC.) Sweet = Sarcocaulon crassicaule
– **crassicaule** Rehm | ♄ Ⓚ; Namibia
– **flavescens** Rehm | ♄ Ⓚ; Namibia, NW-Kap
– **inerme** Rehm | ♄ Ⓚ; Namibia
– **multifidum** E. Mey. ex R. Knuth | ♄ Ⓚ; Namibia, NW-Kap
– **patersonii** (DC.) G. Don | ♄ Ⓚ; Namibia, NW-Kap
– *rigidum* Schinz = Sarcocaulon patersonii
– **vanderietiae** L. Bolus | ♄ Ⓚ; E-Kap

Sarcochilus R. Br. -m- *Orchidaceae*
– **falcatus** R. Br. | Ⓦ IV-V ✻; Austr.: Queensl., N.S.Wales
– **hartmannii** F. Muell. | Ⓦ III-IV ✻; W-Austr.
– *luniferus* (Rchb. f.) Hook. f. = Chiloschista lunifera

– *pallidus* (Blume) Rchb. f. = Pteroceras pallidum
– *unguiculatus* Lindl. = Pteroceras pallidum

Sarcococca Lindl. -f- *Buxaceae*
– **confusa** Sealy | ♄ D XII-III; orig. ?
– **hookeriana** Baill. · Sweet Box | ♄ Ⓚ D IX-XI; Afgh., W-Him.
 - var. **humilis** Rehder et E.H. Wilson | ♄ D I-III; N-China
– *humilis* (Rehder et E.H. Wilson) Stapf ex Sealy = Sarcococca hookeriana var. humilis
– *pruniformis* Lindl. p.p. = Sarcococca saligna
 - var. *hookeriana* (Baill.) Hook. = Sarcococca hookeriana
– **ruscifolia** Stapf · Mäusedornblättrige Fleischbeere | ♄ Ⓚ D XII-III; W-China, C-China
– **saligna** (D. Don) Müll. Arg. | ♄ Ⓚ XII-III; Him.

Sarcopoterium Spach -n- *Rosaceae*
 spinosum (L.) Spach | ♄ Ⓚ V-VIII; Eur.: Ap, Ba; TR, Lebanon, Syria, Palaest.

× **Sarcorhiza** hort. -f- *Orchidaceae* (*Rhinerhiza* × *Sarcochilus*)

Sarcostemma R. Br. -n- *Asclepiadaceae*
 aphylla (Thunb.) R. Br. = Cynanchum aphyllum
– **viminale** (L.) R. Br. · Sacred Soma | ♄ Ψ Ⓦ ⌇; trop. Afr., S-Afr.

× **Sarcothera** Hort. -f- *Orchidaceae* (*Renanthera* × *Sarcochilus*)

Sarmienta Ruiz et Pav. -f- *Gesneriaceae*
– **scandens** (Brandis) Pers. | ♄ Ⓚ ⌇ ⇝ II-III; Chile

Sarracenia L. -f- *Sarraceniaceae* · Schlauchpflanze
– **alata** (A. Wood) A. Wood | ♃ Ⓚ ▭ ~ D ~ ✻; USA: SE, Tex.
– *drummondii* Croom = Sarracenia leucophylla
– **flava** L. · Yellow Pitcher Plant | ♃ Ⓚ ▭ ~ ✻; USA: NE, SE, Fla.
– **leucophylla** Raf. · White Trumpet | ♃ Ⓚ ▭ ~ ✻; USA: SE, Fla.
– **minor** Walter · Hooded Pitcher Plant | ♃ Ⓚ ▭ ~ ✻; USA: SE, Fla.
– **oreophila** (Kearney) Wherry | ♃ Ⓚ ▭ ~ ✻; USA: SE
– **psittacina** Michx. · Parrot Pitcher Plant | ♃ Ⓚ ▭ ~ ✻; USA: SE, Fla.
– **purpurea** L. · Braunrote Schlauchpflanze, Krugpflanze · Huntsman's Cup | ♃ ▭ ~ VII ✻ ∧; Can.: E, Sask.; USA: NE, SE, Fla.
– **rubra** Walter · Sweet Pitcher Plant | ♃ Ⓚ ▭ ~ ✻; USA: SE, Fla.
– *sledgei* Macfarl. = Sarracenia alata
– *variolaris* Michx. = Sarracenia minor

Sasa Makino et Shibata -f- *Poaceae* · Zwergbambus
– *albomarginata* (Franch. et Sav.) Makino et Shibata = Sasa veitchii
– *borealis* (Hack.) Nakai = Sasamorpha borealis
– *disticha* (Mitf.) E.G. Camus = Pleioblastus pygmaeus var. distichus
– *humilis* (Mitford) E.G. Camus = Pleioblastus humilis
– *japonica* (Siebold et Zucc. ex Steud.) Makino = Pseudosasa japonica
– **kagamiana** Makino et Uchida | ♄; Jap.
 - subsp. **yoshinoi** (Koidz.) S. Suzuki
– **kurilensis** (Rupr.) Makino et Shibata | ♄; Jap., Korea
– **palmata** (Mitford) E.G. Camus · Palmate Bamboo | ♄ ∧; Jap., Sachal.
– *pumila* (Mitford) E.G. Camus = Pleioblastus pumilus
– *pygmaea* (Miq.) Rehder = Pleioblastus pygmaeus
– *ramosa* (Makino) Makino et Shibata = Sasaella ramosa
– *tessellata* (Munro) Makino et Shibata = Indocalamus tessellatus
– **tsuboiana** Makino | ♄; Jap.
– **vagans** Koidz.
– *variegata* (Siebold ex Miq.) E.G. Camus = Pleioblastus variegatus
– **veitchii** (Carrière) Rehder | ♄ ∧; Jap.

Sasaella = Sasa Makino et Shibata
– **ramosa** (Makino) Makino | ♄; Jap.

Sasamorpha = Sasa Makino et Shibata
– **borealis** (Hack.) Nakai | ♄; Jap., Korea

Sassafras Nees -n- *Lauraceae*
– **albidum** (Nutt.) Nees · Sassafras, Silky Sassafras | ♄ IV-V ∧; USA: NE, NCE,

Ark.
- var. **molle** (Raf.) Fernald | ♄ IV-V ∧ Ⓝ; USA: NE, NCE, Kans., SC, SE, Fla.

Satureja L. -f- *Lamiaceae* · Kölle
– *acinos* (L.) Scheele = Acinos alpinus
– *alpina* (L.) Scheele = Acinos alpinus
– **alternipilosa** (K. Koch) K. Koch
– *calamintha* (L.) Scheele = Calamintha nepeta
– *croatica* (Pers.) Briq. = Micromeria croatica
– *grandiflora* (L.) Scheele = Calamintha grandiflora
– **hortensis** L. · Sommer-Bohnenkraut · Savory, Summer Savory | ⊙ D VII-X Ⓝ; Eur.: Ib, Fr, Ba; TR
– *illyrica* Host = Satureja montana subsp. illyrica
– **montana** L. · Winter-Bohnenkraut · Winter Savory · Sarriette vivace | ⊙ △ X-VIII Ⓝ; Eur.: Ib, Fr, Ap, Ba, RO, Krim; TR, Syr.
- subsp. **illyrica** (Host) Nyman · Sarriette vivace | ♃ △ IX Ⓝ; Eur.: I, Slove., Croatia, AL
- var. *communis* Vis. = Satureja montana
– *pygmaea* Siebold ex Vis. = Satureja montana subsp. illyrica
– *repanda* hort. = Satureja spicigera
– **rumelica** Velen. | ♃ △ VIII-IX; Eur.: S-BG
– *rupestris* Wulfen = Micromeria thymifolia
– **spicigera** (K. Koch) Boiss. | ♃ IX Ⓝ; TR, Cauc., Iran
– *subspicata* Bartl. ex Vis. = Satureja montana subsp. illyrica
– *thymifolia* Scop. = Micromeria thymifolia
– *vulgaris* (L.) Fritsch = Clinopodium vulgare

Saurauia Willd. -f- *Actinidiaceae*
– **gigantea** DC. | ♄ Ⓦ; Nepal, Java
– **tomentosa** (Humb., Bonpl. et Kunth) Spreng. | ♄ Ⓦ; S-Am.

Sauromatum Schott -n- *Araceae* · Eidechsenwurz
– *guttatum* (Wall.) Schott = Sauromatum venosum
– **venosum** (Aiton) Kunth · Voodoo Lily | ♃ Ⓚ; Sudan, trop. Afr., Him., S-Ind.

Sauropus Blume -m- *Euphorbiaceae*
– **androgynus** (L.) Merr. · Sauropus | ♄ Ⓦ Ⓝ; Ind., Sri Lanka, China, SE-As.

Saururus L. -m- *Saururaceae* · Molchschwanz
– **cernuus** L. · American Swamp Lily, Lizard's Tail · Queue de lézard | ♃ ~ VI-VII ∧; Can.: E; USA: NE, NCE, Kans., SC, SE, Fla., nat. in N-I
– *cernuus* Thunb. = Saururus chinensis
– **chinensis** (Lour.) Baill. · Swamp Lily · Queue de renard | ♃ ~ VI-VII ∧; N-China, Korea, Jap., Phil.
– *loureirii* Decne. = Saururus chinensis
– *lucidus* Donn = Saururus cernuus

Saussurea DC. -f- *Asteraceae* · Alpenscharte
– **alpina** (L.) DC. · Gewöhnliche Alpenscharte | ♃ VII-VIII; Eur.*; N, mts.; W-Sib., E-Sib., C-As., ? Him.
– **costus** (Falc.) Lipsch. | ♃ VII-VIII ✻ Ⓝ; Kashmir
– **depressa** Gren. · Niedere Alpenscharte | ♃ VII-IX; Eur.: CH, F, I; Alp.
– **discolor** (Willd.) DC. · Zweifarbige Alpenscharte | ♃ VII-VIII; Eur.: F, I, C-Eur., Slova., Ba, RO, W-Russ.; Alp., Appen., Carp.
– *lappa* (Decne.) C.B. Clarke = Saussurea costus
– **pygmaea** (Jacq.) Spreng. · Zwerg-Alpenscharte | ♃ VII-VIII; Eur.: D, I, A, Slove., EC-Eur.; E-Alp., W-Carp.

Saxegothaea Lindl. -f- *Podocarpaceae*
– **conspicua** Lindl. | ♄ ♄ Ⓦ; Chile, W-Patag.

Saxifraga L. -f- *Saxifragaceae* · Steinbrech
– **adscendens** L. · Aufsteigender Steinbrech | ⊙ VII-VIII; Eur.* exc. BrI; TR, Cauc., N-Am.
– *affinis* D. Don = Saxifraga rosacea
– **aizoides** L. · Fetthennen-Steinbrech · Evergreen Saxifrage, Yellow Mountain Saxifrage | ♃ ⇝ △ ~ VI-IX ▽; Eur.*; N, mts.; W-Sib., Alaska, Can., USA: Ne, NCE; Greenl.
– *aizoon* Jacq. = Saxifraga paniculata
– *altissima* A. Kern. = Saxifraga hostii
– × **andrewsii** Harv. (*S. hirsuta* × *S. paniculata*) · Saxifrage d'Andrew | ♃
– **androsacea** L. · Mannsschild-Steinbrech | ♃ VI-VIII; Eur.* exc. BrI, Sc; mts.; W-

Sib., E-Sib.
– × **anglica** Horný, Soják et Webr (*S. aretoides* × *S. lilacina* × *S. media*) | ♃
– **aphylla** Sternb. · Blattloser Steinbrech | ♃ VII-IX; Eur.: I, CH, D, A; Alp.
– × **apiculata** Engl. (*S. marginata* × *S. sancta*) · Saxifrage Kabschia | ♃
– **aquatica** Lapeyr. | ♃ △ V-VI ▽; Eur.: Sp., F; Pyr.
– × **arco-valleyi** Sünd. (*S. lilacina* × *S. marginata*) | ♃
– × **arendsii** Engl. (*S. exarata* × *S. granulata* × *S. hypnoides* × *S. rosacea*)
– **aretioides** Lapeyr. | ♃ ⌓ △ IV ▽; Eur.: Sp., F; Cordillera Cantábrica, Pyr.
– **aspera** L. · Rauer Steinbrech | ♃ ⇝ ⌓ VII-VIII ▽; Eur.: Sp., F, I, CH, A; E-Pyr., Alp., Apenn., Alpi Apuane
  - subsp. *bryoides* (L.) Engl. et Irmsch. = Saxifraga bryoides
– × **bertolonii** Sünd. (*S. sempervivum* × *S. stribrnyi*) | ♃
– × **biasolettii** Sünd. (*S. federici-augusti* × *S. sempervivum*) | ♃
– **biflora** All. · Zweiblütiger Steinbrech | ♃ VII-VIII; Eur.: A, F, D, CH, I; GR; Alp
– × **borisii** Kellerer ex Sünd. (*S. ferdinandi-coburgi* × *S. marginata*) | ♃
– *boryi* Boiss. et Heldr. = Saxifraga marginata
– × **boydii** Dewar (*S. aretoides* × *S. burseriana*) | ♃
– **bronchialis** L. · Matted Saxifrage | ♃ ⌓ △ VI-VII ▽; Ural, N-As., Alaska, Can.: W; USA: NW, Rocky Mts., SW
– *brunoniana* Wall. = Saxifraga brunonis
– **brunonis** Wall. ex Ser. | ♃ ▭ ⇝ △ VI-VII ▽ ∧; Him.
– **bryoides** L. · Moos-Steinbrech | ♃ ⇝ △ VII-VIII ▽; Eur.* exc. BrI, Sc; mts.
– **bulbifera** L. · Zwiebel-Steinbrech | ♃ V; Eur.: Ap, C-Eur., EC-Eur., Ba, E-Eur.
– × **burnatii** Sünd. (*S. cochlearis* × *S. paniculata*) | ♃
– **burseriana** L. · Bursers Steinbrech · Saxifrage de Burser | ♃ ⌓ △ VI-IV ▽; Eur.: I, D, A, Slove.; E-Alp.
– **caesia** L. · Blaugrüner Steinbrech · Blue Saxifrage | ♃ ⌓ △ VI-VII ▽; Eur.: Sp., Fr, I, C-Eur., EC-Eur., Slove., Bosn., Montenegro; Pyr., Alp., Appen., Carp., Crna Gora
– **callosa** Sm. · Limestone Saxifrage | ♃ ⌓ △ VI ▽; Eur.: Sp., F, Sard., I, Sic.
  - subsp. **catalaunica** (Boiss. et Reut.) D.A. Webb · Saxifrage calleux | ♃ ⌓ △ VI ▽; SE-F, NE-Sp.
– **canaliculata** Boiss. et Reut. ex Engl. | ♃ △ VI ▽; N-Sp.
– *cartilaginea* Willd. = Saxifraga paniculata
– *catalaunica* Boiss. et Reut. = Saxifraga callosa
– **caucasica** Sommier et Levier | ♃; Cauc.
– **cebennensis** Rouy et E.G. Camus | ♃ ⌓ △ V ▽; Eur.: F (Cevennes)
– *ceratophylla* Dryand. = Saxifraga trifurcata
– **cernua** L. · Nickender Steinbrech | ♃ VII; Eur.: Sc, BrI, Ap, C-Eur., öM, EC-Eur.; N, Alp., Carp.; W-Sib., E-Sib., Kamchat., C-As.
– **cespitosa** L. · Tufted Saxifrage | ♃ ⌓ △ V ▽; Eur.: BrI, Sc, N-Russ.; W-Sib., E-Sib., Alaska, Can., USA: NW, Rocky Mts, SW; Greenl.
– × **churchillii** Huter (*S. hostii* × *S. paniculata*)
– × **clarkei** Sünd. (*S. media* × *S. vandellii*)
– **cochlearis** Rchb. · Saxifrage à feuilles spatulées | ♃ ⌓ △ V-VI ▽; Eur.: F, I; Alpes Maritimes, Liguria
– **conifera** Coss. et Durieu | ♃ Ⓚ ⌓ ▽; N-Sp., Alger.
– **cortusifolia** Siebold et Zucc. · Oktober-Steinbrech ; Jap.
  - var. *fortunei* (Hook. f.) Maxim. = Saxifraga fortunei
– **corymbosa** Boiss. | ♃ ⌓ △ IV ▽ ∧; Eur.: N-GR, BG; TR
– **cotyledon** L. · Strauß-Steinbrech · Pyramidal Saxifrage · Saxifrage cotylédon | ♃ △ V-VI ▽; Eur.: ? Sp., I, C-Eur., Sc; Pyr., S-Alp., Sc
– **crustata** Vest · Krusten-Steinbrech · Saxifrage incrusté | ♃ ⌓ △ VI ▽; Eur.: I, A, Slove., Bosn., YU; E-Alp., mts.
– **cuneata** Willd. | ♃ ⌓ △ VI ▽; Eur.: Sp., F; W-Pyr., N-Sp.
– **cuneifolia** L. · Keilblättriger Steinbrech · Saxifrage à feuilles en coin | ♃ △ V-VIII ▽; Eur.: Sp., F, I, CH, A, Slove., Croatia, RO; mts.
– **cuscutiformis** Lodd. | ♃ Ⓚ Ⓐ ⇝ ▽; China
– **cymbalaria** L. · Zymbelkraut-Steinbrech | ⊙ ⊙ △ V-VIII ▽; Eur.: RO; TR, Syr., Cauc., Iran
– *decipiens* Ehrh. = Saxifraga rosacea
– **diapensioides** Bellardi ·

Diapensienartiger Steinbrech | ♃ Ⓚ ⌓ △ VI-IV ▽; Eur.: F, I, CH; SW-Alp.
– **diversifolia** Wall. | ♃ △ VI-VIII ▽ ∧; Him.
– × **edithae** Sünd. (*S. marginata* × *S. stribrnyi*) | ♃
– × **elizabethae** Sünd. (*S. burseriana* × *S. sancta*) | ♃
– **erioblasta** Boiss. et Reut. | ♃ ⌓ △ VI ▽ ∧; Eur.: S-Sp.
– × **eudoxiana** Kellerer et Sünd. (*S. ferdinandi-coburgi* × *S. sancta*) | ♃
  - **'Haagei'** Kellerer ex Sünd.
– **exarata** Vill. · Gefurchter Steinbrech | ♃ V-VIII; Eur.: Ib, Fr, Ap, C-Eur., EC-Eur., Ba, RO; TR, Cauc., N-Iran
  - subsp. *moschata* (Wulfen) Cav. = Saxifraga moschata
– × **farreri** nom. inval. (*S. callosa* × *S. cochlearis*)
– **federici-augusti** Biasol.; Eur.: Montenegro, AL, GR
  - subsp. **grisebachii** (Degen et Dörfl.) D.A. Webb | ♃ ⌓ △ IV ▽; Eur.: Montenegro, Maced., N-GR
– **ferdinandi-coburgi** Kellerer et Sünd.; Eur.: N-GR, BG; mts.
  - **'Radoslavovii'** | ♃ ⌓ △ IV-V ▽; Maced.
– × **fleischeri** Sünd. (*S. federici-augusti* × *S. luteo-viridis*)
– **fortunei** Hook. f. · Saxifrage d'automne, Saxifrage de Fortune | ♃ IX-X ▽ ∧; China, Amur, Manch., Korea, Jap., Sachal.
– **geranioides** L. | ♃ △ VI ▽; Eur.: Sp., F; E-Pyr., NE-Sp.
– × **geuderi** Heinrich et Sünd. (*S. ferdinandi-coburgi* × *S.* × *boydii*)
– *geum* auct. = Saxifraga hirsuta
– × **geum** L. (*S. hirsuta* × *S. umbrosa*) | ♃ VI-VII ▽; Eur.: Sp., F; Pyr., nat. in Eur.: B, C-Eur., I, Br
– **globulifera** Desf. | ♃ Ⓐ ⌓ △ VI ▽; Eur.: S-Sp.; NW-Afr.
  - var. *erioblasta* (Boiss. et Reut.) Engl. et Irmsch. = Saxifraga erioblasta
– × **gloriana** hort. ex Horný, Soják et Webr (*S. lilacina* × *S. obtusa*)
– *granatensis* Boiss. et Reut. = Saxifraga globulifera
– **granulata** L. · Knöllchen-Steinbrech · Fair Maids Of France, Meadow Saxifrage | ♃ V-VI; Eur.*, Maroc.
– × **grata** Engl. et Irmsch. (*S. aretoides* × *S. ferdinandi-coburgi*)
– *grisebachii* Degen et Dörfl. = Saxifraga federici-augusti subsp. grisebachii
– × **hardingii** Horný, Soják et Webr (*S. aretoides* × *S. burseriana* × *S. media*)
– × **heinrichii** Sünd. (*S. aretoides* × *S. stribrnyi*)
– **hieraciifolia** Waldst. et Kit. ex Willd. · Habichtskraut-Steinbrech | ♃ VII-VIII; Eur.: Sc, F, A, EC-Eur., E-Eur.; W-Sib., E-Sib., Mong.
– **hirculus** L. · Moor-Steinbrech | ♃ VII-IX; Eur.* exc. Ba, Ib, ? Ap; TR, Cauc., W-Sib., Amur, Kamchat., C-As., As., Afgh., Pakist., Him., N-Am.
– **hirsuta** L. · Nieren-Steinbrech, Schatten-Steinbrech · Kidney Saxifrage · Saxifrage benoîte | ♃ VII ▽; Eur.: Sp., F, IRL, nat. in BrI
– × **hoerhammeri** Sünd. ex Engl. et Irmsch. (*S. federici-augusti subsp. grisebachii* × *S. marginata*)
– × **hofmannii** Sünd. (*S. burseriana* × *S. sempervivum*)
– × **hornibrookii** Horný, Soják et Webr (*S. lilacina* × *S. stribrnyi*) | ♃
– **hostii** Tausch · Host-Steinbrech | ♃ ⌓ V-VII ▽; Eur.: I, A, Slove., Croatia, ? H; E-Alp.
  - subsp. **rhaetica** (A. Kern.) Braun-Blanq. | ♃ ⌓ △ V-VI ▽; I: Alp.
  - var. *altissima* (A. Kern.) Engl. = Saxifraga hostii
– **hypnoides** L. · Astmoos-Steinbrech · Dovedale Moss, Mossy Rockfoil | ♃ △ V-VI ▽; Eur.: Iceland, Norw., BrI, N-F
– **iranica** Bornm. | ♃; Cauc., Iran
– **irrigua** M. Bieb. | ♃ ⌓ △ V-VI ▽; Krim
– × **irvingii** hort. ex A.S. Thompson (*S. burseriana* × *S. lilacina*)
– **juniperifolia** Adams · Saxifrage à feuilles de genévrier | ♃ ⌓ △ IV-V ▽; BG, Cauc.
  - subsp. *sancta* (Griseb.) D.A. Webb = Saxifraga sancta
– *juniperina* M. Bieb. = Saxifraga juniperifolia
– × **kellereri** Sünd. (*S. burseriana* × *S. stribrnyi*) | ♃
– × **kochii** Hornung (*S. biflora* × *S. oppositifolia*) · Großblütiger Steinbrech, Kochs Steinbrech | ♃ VII-VIII
– *kolenatiana* Regel = Saxifraga paniculata
– **kotschyi** Boiss. | ♃ ♄ △ IV ▽; TR

- **laevis** M. Bieb. | ♃ ⌓ △ IV-V ▽; Cauc.
- *latina* (Terracino) Hayek = Saxifraga oppositifolia var. latina
- **lilacina** Duthie | ♃ ⌓ △ IV ▽; W-Him.
- *lingulata* Bellardi = Saxifraga callosa
- **longifolia** Lapeyr. · Pyrenean Saxifrage | △ VI ▽; Eur.: Sp., F; Pyr., E-Sp.
- × **luteopurpurea** Lapeyr.
- *luteoviridis* Schott et Kotschy = Saxifraga corymbosa
- *macedonica* Degen = Saxifraga juniperifolia
- **manschuriensis** Kom. | ♃ VI ▽ ∧; Korea, Manch.
- **marginata** Sternb.; Eur.: I, Ba, RO; mts.
  - var. **coriophylla** (Griseb.) Engl. | ♃ ⌓ △ V ▽; Eur.: Ba
  - var. *eumarginata* Engl. et Irmsch. = Saxifraga marginata
  - var. **rocheliana** (Sternb.) Engl. et Irmsch. | ♃ ⌓ △ V ▽; Eur.: Ba, RO
- × **mariae-theresia** Sünd. (*S. burseriana × S. federici-augusti subsp. grisebachii*)
- × **megaseaflora** hort. ex A.S. Thompson (*S. aretoides × S. burseriana × S. lilacina × S. stribrnyi*) | ♃
- **moschata** Wulfen · Moschus-Steinbrech · Musky Saxifrage | ♃ ⌓ △ VI ▽; Eur.: Ib, Fr, Ap, C-Eur., E-Eur., Ba; mts.; TR, Cauc., W-Sib. (Altai)
- **murithiana** Tissière; Eur.: Sp. (Sierra Nevada, Pyr.), W-Alp., Apenn.
- *muscoides* All. = Saxifraga moschata
- **mutata** L. · Kies-Steinbrech | ⊙ △ VI-VII ▽; Eur.: F, I, CH, A, Slova., RO; Alp., Carp.
- **oppositifolia** L. · Gegenblättriger Steinbrech · Purple Saxifrage | ♃ ⤳ △ V-VI ▽; Eur.*, W-Sib., E-Sib., Kamchat., C-As., Mong., Him., China, Alaska, Can., USA: NE, NC, NW, Rocky Mts.; Greenl.
  - subsp. **blepharophylla** (A. Kern. et Hayek) Engl. et Irmsch. · Wimper-Steinbrech | ♃ IV-VII; E-Alp.
  - subsp. **rudolphiana** (Hornsch.) Engl. et Irmsch. · Rudolphs Steinbrech | ♃ IV-VII; Eur.: I, A, RO; E-Alp., E-Carp.
  - var. **latina** Terracino
- *oranensis* Munby = Saxifraga globulifera
- **paniculata** Mill. · Rispen-Steinbrech, Trauben-Steinbrech · Livelong Saxifrage · Saxifrage paniculé | ♃ VI-VII ▽; Eur.* exc. BrI, Sc; TR, Cauc., N-Iran, Can., USA: NE, NCE; Greenl.
  - subsp. **cartilaginea** (Willd.) D.A. Webb | ⊙ ⊙ ♃ ⌓ △ V-VI ▽; TR, Cauc., Iran
  - subsp. *kolenatiana* auct. = Saxifraga paniculata subsp. cartilaginea
- × **paradoxa** Sternb. · Glimmer-Steinbrech | ♃ VI-VIII; Eur.: A (Kärnten, Steiermark), Slove.
- × **paulinae** Sünd. (*S. burseriana × S. ferdinandi-coburgi*) | ♃
- **pedemontana** All. | ♃ △ VI ▽; Eur.: Ft, Ap, Ba, E-Eur.; mts.
  - subsp. **cervicornis** (Viv.) Engl. | ♃ △ VI ▽; Corse, Sard.
- *peltata* Torr. ex Benth. = Darmera peltata
- **pensylvanica** L. · Branch Lettuce, Swamp Saxifrage | ♃ V-VI ▽; USA: NE, NCE
- × **petraschii** Sünd. ex W. Irving (*S. burseriana × S. tombeanensis*) | ♃
- **porophylla** Bertol. | ♃ ⌓ △ IV-V ▽; Eur.: I
  - var. *montenegrina* (Halácsy et Bald.) Engl. et Irmsch. = Saxifraga federici-augusti subsp. grisebachii
  - var. *sibthorpiana* (Griseb.) Engl. et Irmsch. = Saxifraga sempervivum
- × **pragensis** Horný, Soják et Webr (*S. ferdinandi-coburgi × S. marginata × S. stribrnyi*)
- × **prossenii** (Sünd.) Ingw. (*S. sancta × S. stribrnyi*)
- *pseudosancta* Janka = Saxifraga juniperifolia
- **pubescens** Pourr. | ♃; Eur.: F, E ; Pyren.
- *purpurea* All. sec. H. Huber = Saxifraga retusa subsp. augustana
- **retusa** Gouan · Gestutzter Steinbrech | ♃ V-VI; Eur.: F, I, C-Eur., EC-Eur., RO, BG; Pyr., Alp., Carp., BG
  - subsp. **augustana** (Vacc.) Fournet; Eur.: F, I; SW-Alp.
- **rosacea** Moench · Rasen-Steinbrech | ♃ V-VII; Eur.: Fr, BrI, Sc, C-Eur., EC-Eur.
  - subsp. **sponhemica** (C.C. Gmel.) D.A. Webb · Rheinischer Steinbrech ; Eur.: Fr, D, EC-Eur.
- × **rosinae** Sünd. ex Horný, Soják et Webr (*S. diapensioides × S. marginata*)
- **rotundifolia** L. · Rundblättriger Steinbrech · Saxifrage à feuilles rondes | ♃ VI-IX ▽; Eur.: Ib, Fr, Ap, Ba, C-Eur., Slova., RO; TR, Cauc., nat. in BrI
  - var. **heucherifolia** (Griseb. et Schenk) Engl. | ♃ VI-VII ▽; Eur.: S-Ba, RO; mts.

- × **salmonica** Jenkins (*S. burseriana* × *S. marginata*) | ♃
- **sancta** Griseb. | ♃ ♄ ♄ ⌓ △ IV-V ▽; GR, TR
- *sarmentosa* L. f. = Saxifraga stolonifera
- *sartorii* Heldr. ex Boiss. = Saxifraga scardica
- **scardica** Griseb. | ♃ ⌓ △ V ▽; Eur.: Maced., AL, GR; mts.
- **sedoides** L. · Mauerpfeffer-Steinbrech | ♃ VI-IX; Eur.: I, A, Ba; E-Alp., Apenn., N-Ba
  - subsp. **hohenwartii** (Vest et Sternb.) O. Schwarz · Hohenwart-Steinbrech | ♃ VI-IX; Eur.: I, A, Slove.; E-Alp.
- **seguieri** Spreng. · Séguiers Steinbrech | ♃ VII-VIII; Eur.: F, I, CH, A; Alp.
- × **semmleri** Sünd. ex Horný, Soják et Webr (*S. ferdinandi-coburgi* × *S. pseudolaevis* × *S. sancta*)
- **sempervivum** K. Koch | ♃ ⌓ △ IV-V ▽; Eur.: Ba; NW-TR
- **spruneri** Boiss. | ♃ Ⓐ ▭ ⌓ V ▽; Eur.: ?AL, GR, BG; mts.
- **squarrosa** Sieber · Sparriger Steinbrech | ♃ VII-VIII; Eur.: I, A, Slove.; SE-Alp.
- **stellaris** L. · Stern-Steinbrech | ♃ V-VIII; Eur.* exc. EC-Eur.; W-Sib., Greenl.
- **stolonifera** Meerb. · Judenbart · Mother-of-Thousands | ♃ Ⓚ ⊍ V-VIII ▽; China, Jap.
  - *'Cuscutiformis'* = Saxifraga cuscutiformis
- × **stormonthii** Sünd. ex Horný, Soják et Webr (*S. desoulavyi* × *S. sancta*)
- **stribrnyi** (Velen.) Podp. | ♃ Ⓚ ▭ ⌓ △ V ▽; BG, N-GR
- × **stuartii** Sünd. (*S. aretoides* × *S. media* × *S. stribrnyi*)
  - *'Lutea'* = Saxifraga × stuartii
- **tenella** Wulfen · Zarter Steinbrech | ♃ ⇝ △ VI-VII ▽; Eur.: I, A, Slove.; SE-Alp.
- **tombeanensis** Boiss. ex Engl. | ♃ ▭ ⌓ △ V ▽; I: Alp.
- **tridactylites** L. · Dreifinger-Steinbrech | IV-VI; Eur.*, TR, Iraq, Syr., Cauc., Iran, C-As., N-Afr.
- **trifurcata** Schrad. | ♃ ♄ △ V-VI ▽; N-Sp.
- **umbrosa** L. · Porzellanblümchen, Schattenliebender Steinbrech · London Pride · Désespoir du peintre, Saxifrage des ombrages | ♃ VII-VI ▽; Eur.: Sp., F; Pyr., nat. in BrI, DK
- × **urbium** D.A. Webb (*S. hirsuta* × *S. umbrosa*) · Saxifrage panaché | ♃ V-VI; cult.
- × **urumoffii** Sünd. ex Horný, Soják et Webr (*S. ferdinandi-coburgi* × *S. luteo-viridis*)
- **valdensis** DC. | ♃ ⌓ △ VI ▽; Eur.: F, I; SW-Alp.
- **vandellii** Sternb. | ♃ ▭ ⌓ △ V ▽; I: Alp.
- **veitchiana** Balf. | ♃ ⇝ △ V-VI ▽; China: Hupeh
- × **wendelacina** Horný et Webr (*S. lilacina* × *S. wendelboi*)
- **wendelboi** Schönb.-Tem.
- × **zimmeteri** A. Kern. (*S. cuneifolia* × *S. paniculata*)
- **Cultivars**
  - *'Hirsuta'* = Saxifraga × geum

Scabiosa L. -f- *Dipsacaceae* · Skabiose
- *alpina* L. = Cephalaria alpina
- *arvensis* L. = Knautia arvensis
- **atropurpurea** L. · Samt-Skabiose · Mournful Widow, Sweet Scabious | ⊙ ⊙ ⋈ D ⋈ X; Eur.: Ib, Fr, Ap, Ba; TR, NW-Afr., Libya, nat. in BrI
- **canescens** Waldst. et Kit. · Graue Skabiose | ♃ XI-VII; Eur.: Fr, C-Eur., EC-Eur., Croatia, Bosn., Sc, ? RO
- **caucasica** M. Bieb. · Scabieuse du Caucase | ♃ ⋈ VII-IX; Cauc.
- **cinerea** Lapeyr. ex Lam.
  - subsp. **hladnickiana** (Host) Jasiewicz · Hladnicks Grindkraut, Krainer Krätzkraut, Krainer Skabiose ; Eur.: Alp., Slove., Croatia, Bosn.
- **columbaria** L. · Tauben-Skabiose · Small Scabious, Yellow Scabious | ♃ XI-IX; Eur.*, TR, Syr., ? Arab., Cauc., N-Iran, C-As., Maroc., Alger., Eth., C-Afr., S-Afr.
- **graminifolia** L. · Grasblättrige Skabiose · Scabieuse à feuilles de graminée | ♃ △ VI-VIII; Eur.: Sp., F, I, CH, Ba; Maroc.
- **japonica** Miq. · Pinchusion Flower | ⊙ VII-IX; Jap.
  - var. **alpina** Takeda · Scabieuse du Japon | ⊙ △ VII-IX; Jap.
- *longifolia* Waldst. et Kit. = Knautia longifolia
- **lucida** Vill. · Glänzende Skabiose · Shining Scabious · Scabieuse brillante | ♃ △ VII-IX; Eur.: Fr, Ap, C-Eur., EC-Eur., Ba.; mts.

– **ochroleuca** L. · Gelbe Skabiose · Scabieuse jaune | ⊙ ♃ X-IX; Eur.: Ap, C-Eur., EC-Eur., Ba, E-Eur.; TR, Cauc., W-Sib., E-Sib., C-As., nat. in F
– **portae** A. Kern. ex Huter; Eur.: I, Ba
– **prolifera** L. | ⊙ VI-VII; Syr.
– **reuteriana** Boiss. | ⊙ VII-VIII; TR
– *rumelica* hort. = Knautia macedonica
– **silenifolia** Waldst. et Kit. | ♃ △ VII-IX; Eur.: I, Slove., Croatia, Bosn., Montenegro, AL; Apenn., mts.
– **stellata** L. | ⊙ VI-VIII; Eur.: Ib, F, Sard., I; NW-Afr., Libya
– *succisa* L. = Succisa pratensis
– **triandra** L. · Südliche Skabiose | ♃ VI-VIII; Eur.: Ib, Fr, Ap, Ba, Me, EC-Eur.
– **vestina** Facchini ex W.D.J. Koch | ♃ △ VI-VIII; Eur.: I; S-Alp., N-Apenn.

Scadoxus Raf. -m- *Amaryllidaceae*
– **cinnabarinus** (Decne.) Friis et Nordal | ♃ Ⓦ IV-V; W-Afr., C-Afr., Angola, Uganda
– **multiflorus** (Martyn) Raf. · Blood Flower, Ox Tongue Lily | ♃ Ⓚ IV-V; trop. Afr., S-Afr., Yemen
  - subsp. **katherinae** (Baker) Friis et Nordal | ♃ Ⓚ IV-V; S-Afr.
– **puniceus** (L.) Friis et Nordal · Royal Paintbrush | ♃ Ⓚ III-IV; E-Afr., S-Afr.

Scaevola L. -f- *Goodeniaceae* · Goodeniaceae
– **calendulaceae** (Andrews) Druce | ♃ ♄ Ⓚ; Austr.
– **humilis** R. Br. | ♄ Ⓚ; Austr.
– **saligna** G. Forst. | ♃ ♄ Ⓚ; N.Caled.
– *suaveolens* R. Br. = Scaevola calendulaceae

Scandix L. -n- *Apiaceae*
– **pecten-veneris** L. · Gewöhnlicher Venuskamm, Nadelkerbel | V-VII; Eur.*, TR, Cauc., Iran, Pakist., C-As., Him., N-Afr., Canar., Madeira, nat. in N-Am., S-Afr., Chile, NZ

Scaphosepalum Pfitzer -n- *Orchidaceae*
– **ochthodes** (Rchb. f.) Pfitzer | ♃ Ⓦ I-XII ✻; Col.

Scaphyglottis Poepp. et Endl. -f- *Orchidaceae*
– **behrii** Rchb. f. | Ⓦ III-V ✻; Guat.

Sceletium = Phyllobolus N.E. Br.
– **namaquense** L. Bolus | ♆ Ⓚ IX-X; Kap

Schaueria Nees -f- *Acanthaceae*
– *calycotricha* (Link et Otto) Nees = Schaueria flavicoma
– **flavicoma** (Lindl.) N.E. Br. | ♄ Ⓦ VII-VIII; Bras.

Scheelea H. Karst. -f- *Arecaceae*
– **martiana** Burret | ♄ Ⓦ Ⓝ; Bras.

Schefflera J.R. Forst. et G. Forst. -f- *Araliaceae*
– **actinophylla** (Endl.) Harms · Queensland Umbrella Tree, Umbrella Tree | ♄ Ⓦ; N.Guinea, Austr.: North Terr., Queensl.
– **arboricola** (Hayata) Hayata · Parasol Plant | ♄ Ⓦ; Taiwan
– *cunninghamii* Miq. = Schefflera digitata
– **digitata** J.R. Forst. et G. Forst. | ♄ Ⓚ; NZ
– **elegantissima** (Veitch ex Mast.) Lowry et Frodin · False Aralia | ♄ Ⓦ; N. Caled.
– **heptaphylla** (L.) Frodin | ♄ ♄ Ⓦ; Jap., Riukiu-Is., S-China, Taiwan, Vietn.
– **kerchoveiana** (Veitch ex P.W. Richards) Frodin et Lowry | ♄ Ⓦ; Vanuatu
– *octophylla* (Lour.) Harms = Schefflera heptaphylla
– **pueckleri** (K. Koch) Frodin | ♄ ♄ Ⓚ; Ind., SW-China, Myanmar, N-Thail., Laos, N-Vietn.
– **veitchii** (Carrière) Frodin et Lowry | ♄ Ⓦ; N.Caled.
– **venulosa** (Wight et Arn.) Harms | ♄ Ⓦ; Ind.

Scheuchzeria L. -f- *Scheuchzeriaceae*
– **palustris** L. · Blasenbinse, Blumenbinse | ♃ V-VI; Eur.* exc. Ib; Cauc., W-Sib., E-Sib., Amur, Sachal., Kamchat., N-China, jap., N-Am.

Schinopsis Engl. -f- *Anacardiaceae*
– **balansae** Engl. | ♄ Ⓦ Ⓝ; Arg., Parag.
– *lorentzii* (Griseb.) Engl. = Schinopsis quebracho-colorado
– **quebracho-colorado** (Schltdl.) F.A. Barkley et T. Mey. | ♄ Ⓦ Ⓝ; Bras., Parag., Urug., Arg.

Schinus L. -m- *Anacardiaceae* · Pfefferbaum
– *dependens* DC. = Schinus longifolius

- *dependens* Ortega = Schinus polygamus
- **longifolius** (Lindl.) Speg. · Peru Peppertree
- **molle** L. · Pepper Tree | ħ Ⓚ V Ⓝ; Mex., C-Am., trop. S-Am., nat. in Sp., N-Afr.
  - var. **areira** L.; S-Bras., Parag., Bol.
- **polygamus** (Cav.) Cabrera | ♄ ħ Ⓚ V; w S-Am.
- **terebinthifolius** Raddi · Brazilian Peppertree | ħ Ⓚ IV Ⓝ; Bras., nat. in Ib

Schisandra Michx. -f- *Schisandraceae*
- **chinensis** (Turcz.) Baill. · Chinesisches Spaltkölbchen · Chinese Magnolia Vine | ♄ ≀ ♧ D ♧ V-VI; Amur. China, Korea, Jap., Sachal.
- **grandiflora** Hook. et Thoms.
  - var. **rubriflora** (Rehder et E.H. Wilson) C.K. Schneid. · Rotblühendes Spaltkölbchen | ≀ IV-V; W-China: Sichuan, Sikang; Ind.: Assam
- **repanda** (Siebold et Zucc.) A.C. Sm. | ≀; Jap. mts., S-Korea
- *rubriflora* (Franch.) Rehder et E.H. Wilson = Schisandra grandiflora var. rubriflora
- **sphenanthera** Rehder et E.H. Wilson | ≀ IV-V; C-China, W-China

Schismatoglottis Zoll. et Moritzi -f- *Araceae*
- **asperata** Engl. | ♃ Ⓦ; Kalimantan
- **concinna** Schott | ♃ Ⓦ; Sumat., Java, Kalimantan
- *lavallei* Linden = Schismatoglottis concinna
- **neoguineensis** (Linden) N.E. Br. | ♃ Ⓦ; N.Guinea
- **picta** Schott | ♃ Ⓦ; Sumat., Java, Kalimantan, Sulawesi
- **pulchra** N.E. Br. | ♃ Ⓦ; Kalimantan

Schivereckia Andrz. ex DC. -f- *Brassicaceae* · Zwerggänsekresse
- *bornmuelleri* Prantl = Schivereckia doerfleri
- **doerfleri** (Wettst.) Bornm. | ♃ △ IV-V; Eur.: Maced., AL, BG; TR
- **podolica** (Besser) Andrz. | ♃ △ IV; Eur.: RO, Russ

Schizachyrium Nees -n- *Poaceae*
- **scoparium** (Michx.) Nash · Blue Stem, Prairie Grass | ♃; Can., USA* exc. Calif, NW

Schizanthus Ruiz et Pav. -m- *Solanaceae* · Spaltblume
- **pinnatus** Ruiz et Pav. | ⊙ VII-IX; Chile
- **retusus** Hook. | ⊙ VII-IX; Chile
- × **wisetonensis** H. Low

Schizobasopsis MacBryde -f- *Hyacinthaceae*
- *volubilis* (Harv. et Hook. f.) J.F. Macbr. = Bowiea volubilis

Schizocapsa = Tacca J.R. Forst. et G. Forst.
- *plantaginea* Hance = Tacca plantaginea

Schizocasia = Alocasia (Schott) G. Don
- *portei* (Schott) Engl. = Alocasia plumbea

Schizocodon Siebold et Zucc. -m- *Diapensiaceae*
- **soldanelloides** Siebold et Zucc. | ♃ Ⓚ ▭ III-IV ∧; Jap.

Schizopetalon Sims -n- *Brassicaceae*
- **walkeri** Sims | ⊙ VI-VIII; Chile

Schizophragma Siebold et Zucc. -n- *Hydrangeaceae*
- **hydrangeoides** Siebold et Zucc. · Spalthortensie · Climbing Hydrangea | ♄ ≀ VII; Jap.
- **integrifolium** (Franch.) Oliv.
  - var. *molle* Rehder = Schizophragma molle
- **molle** (Rehder) Chun; W-China

Schizostylis Backh. et Harv. -f- *Iridaceae* · Spaltgriffel
- **coccinea** Backh. f. et Harv. · Kaffir Lily | ♃ Ⓚ X-XII; S-Afr.

Schleichera Willd. -f- *Sapindaceae*
- **oleosa** Merr. | ħ Ⓝ; Ind., Malay. Arch.

Schlumbergera Lem. -f- *Cactaceae*
- × **buckleyi** (Buckley) Tjaden (*S. russeliana* × *S. truncata*) | ♄ Ψ Ⓦ
- *gaertneri* (Regel) Britton et Rose = Rhipsalidopsis gaertneri
- **opuntioides** (Loefgr. et Dusén) D.R. Hunt | ♄ Ψ Ⓦ ≀ XII-III ✻; Bras.: Rio de Janeiro
- **orssichiana** Barthlott et McMillan | ♄ Ψ Ⓦ VIII-III ✻; SE-Bras. (Serra do Mar)
- **russelliana** (Hook.) Britton et Rose | ♄ Ψ Ⓦ ≀ ✻; SE-Bras. (Serra dos Orgaes)

– **truncata** (Haw.) Moran | ♄ ♆ ⓦ XII-I ✲; Bras.: Rio de Janeiro

Schoenia Steetz -f- *Asteraceae*
– **cassiniana** (Gaudich.) Steetz | ⊙ ⨯ VII-VIII; Austr.

Schoenocaulon A. Gray -n- *Melanthiaceae*
– **officinale** (Cham. et Schltdl.) A. Gray · Sabadilla | ♃ ⓚ Off. ☠; Mex., Guat., W.Ind., Venez.

Schoenoplectus (Rchb.) Palla -m- *Cyperaceae*
– *americanus* auct. non Pers. = Schoenoplectus pungens
– **carinatus** (Sm.) Palla · Gekielte Teichsimse | ♃ VII-VIII; W-Eur., C-Eur., I
– **kalmussii** (Asch., Abrom. et Graebn.) Palla · Ostsee-Teichsimse | ♃ VII-VIII; Eur.: D, PL, ? NL
– **kueckenthalianus** (Junge) D.H. Kent (*S. tabernaemontani* × *S. triqueter*) · Gekielte Salz-Teichsimse
– **lacustris** (L.) Palla · Gewöhnliche Teichsimse, Seebinse · Bulrush | ♃ ~ ♠ V-VII Ⓝ; Eur.*, cosmop.
  - subsp. *glaucus* (Sm.) Hartm. = Schoenoplectus tabernaemontani
  - subsp. *tabernaemontani* (C.C. Gmel.) Syme = Schoenoplectus tabernaemontani
– **litoralis** (Schrad.) Palla · Strand-Teichsimse | ♃ VI-VII; Eur.: Ib, Ap, Ba, RO, ? A; TR, Cauc., C-As., Ind., SE-As., S-Afr.
– **mucronatus** (L.) Palla · Stachelspitzige Teichsimse · Scirpe mucroné | ♃ X-VIII; Eur.* exc. BrI, Sc; TR, Cauc., Iran, Him., Amur, C-As., S-as., SE-As., Jap., China, Egypt, Cameroun, Austr., Polyn.
– **pungens** (Vahl) Palla · Amerikanische Teichsimse | ♃ VII-VIII; Eur.: Ib, Fr, Ap, C-Eur., EC-Eur. +, nat. in BrI
– **supinus** (L.) Palla · Niedrige Teichsimse | VII-IX; Eur.* exc. BrI, Sc; TR, Cauc., W-Sib., E-Sib., C-As, Him., Ind., Sri Lanka, Malay. Arch., Afr., N-Am., Austr.
– **tabernaemontani** (C.C. Gmel.) Palla · Salz-Teichsimse · Zebra Rush · Jonc des tonneliers, Scirpe des lacs | ♃ ~ ♠ VI-VII; Eur.*, Cauc., W-Sib., E-Sib., N-Am.
  - **'Zebrinus'**
– **triqueter** (L.) Palla · Dreikantige Teichsimse · Scirpe triquètre | ♃ VI-VII; Eur.* exc. Sc; TR, Cauc., C-As., Amur, Egypt., N-Am.

Schoenorchis Blume -f- *Orchidaceae*
– **juncifolia** Blume | ⓦ ⸾ V-VI ✲; Sumat., Java

Schoenus L. -m- *Cyperaceae*
– **ferrugineus** L. · Rostrotes Kopfried | ♃ V-VI; Eur.* exc. BrI, Ib +
– × **intermedius** Celak. (*S. ferrugineus* × *S. nigricans*) · Bastard-Kopfried | ♃; Eur.: CH, D, A, CZ
– **nigricans** L. · Schwarzes Kopfried | ♃ VI-VII; Eur.*, Cauc., Iran, Afgh., C-As., N-Afr., Somalia, S-Afr., N-Am.

× **Schombavola** Hort. -f- *Orchidaceae* (*Rhyncholaelia* × *Schomburgkia*)

× **Schombocattleya** Hort. -f- *Orchidaceae* (*Cattleya* × *Schomburgkia*)

× **Schombodiacrium** Hort. -n- *Orchidaceae* (*Caularthron* × *Schomburgkia*)

× **Schomboepidendrum** Hort. -n- *Orchidaceae* (*Epidendrum* × *Schomburgkia*)

× **Schombolaelia** Hort. -f- *Orchidaceae* (*Laelia* × *Schomburgkia*)

× **Schombonia** Hort. -f- *Orchidaceae* (*Broughtonia* × *Schomburgkia*)

Schomburgkia Lindl. -f- *Orchidaceae*
– *crispa* Lindl. = Schomburgkia gloriosa
– **gloriosa** Rchb. f. | ⓦ X-XII ✲; Col., Ecuad., Peru, Bol., Venez., Bras.
– **superbiens** (Lindl.) Rolfe | ♃ ⓦ IV-V ✲; Mex., Hond.
– **tibicinis** Bateman | ⓦ V-VI ✲; C-Am.
– **undulata** Lindl. | ⓦ V-VII ✲; Venez.

Schotia Jacq. -f- *Caesalpiniaceae*
– **afra** (L.) Bodin | ♄ ♄ ⓚ IX-X; S-Afr.
– **brachypetala** Sond. · Tree Fuchsia | ♄ ⓚ VIII; S-Afr.
– **latifolia** Jacq. | ♄ ♄; e S-Afr.
– *speciosa* Jacq. = Schotia afra

Schrebera Roxb. -f- *Oleaceae*
– **arborea** A. Chev. | ♄ ⓦ ⨯; W-Afr.:

Guinea

Schubertia Mart. -f- *Asclepiadaceae*
– **grandiflora** Mart. et Zucc. | ♄ Ⓦ ≹ D ≹ VII-VIII; Bras.

Schwantesia Dinter -f- *Aizoaceae*
– *dissita* (N.E. Br.) L. Bolus = Mitrophyllum dissitum
– **triebneri** L. Bolus | ♃ Ψ Ⓚ; Kap

Sciadocalyx = Kohleria Regel
– *digitaliflora* Linden et André = Kohleria digitaliflora

Sciadopitys Siebold et Zucc. -f- *Sciadopityaceae* · Schirmtanne
– **verticillata** (Thunb.) Siebold et Zucc. · Schirmtanne · Umbrella Pine · Pin parasol | ♄; Jap.

Scilla L. -f- *Hyacinthaceae*
– *adlamii* Baker = Ledebouria cooperi
– *amethystina* Vis. = Scilla litardierei
– **amoena** L. · Schöner Blaustern | ♃ IV-V ▽; orig. ?, nat. in F, Ba, RO
– **autumnalis** L. · Herbst-Blaustern · Autumn Squill | ♃ X-IX ▽ ∧; Eur.* exc. C-Eur., Sc; TR, N-Iraq, Syr., Cauc., N-Iran, NW-Afr.
– **bifolia** L. · Zweiblättriger Blaustern · Alpine Squill | ♃ III ▽; Eur.* exc. BrI, Sc; TR, Syr., Cauc.
– **bithynica** Boiss. | ♃ IV ▽; E-BG, NW-TR
– *campanulata* Aiton = Hyacinthoides hispanica
– *chinensis* Benth. = Scilla scilloides
– **drunensis** (Speta) Speta · Traun-Blaustern | ♃ III-IV; Eur.: A +
– **furseorum** Meikle | ♃ IV ▽; NE-Afgh.
– *hispanica* Mill. = Hyacinthoides hispanica
– **hohenackeri** Fisch. et C.A. Mey. | ♃ III ▽; Cauc. (Azerb.) S-Iran
– **hyacinthoides** L. | ♃ IV-V ▽ ∧; Eur.: Ib, Fr, Ap, Ba; TR, Syr., N-Iraq, nat. in Alger.
– *italica* L. = Hyacinthoides italica
– **litardierei** Breistr. | ♃ V-VI ▽; Eur.: Croatia, Bosn., Montenegro, Serb.
– *maritima* L. = Urginea maritima
– **mischtschenkoana** Grossh. | ♃ III-IV ▽; Cauc.
– *nana* (Schult. et Schult. f.) Speta = Chionodoxa nana
– *non-scripta* (L.) Hoffmanns. et Link = Hyacinthoides non-scripta
– *nutans* Sm. = Hyacinthoides non-scripta
– *paucifolia* Baker = Ledebouria socialis
– **peruviana** L. · Peruvian Scilla | ♃ Ⓚ V-VI ▽; Eur.: Ib, Ap; NW-Afr.
– *pratensis* Waldst. et Kit. = Scilla litardierei
– **puschkinioides** Regel | ♃ III-IV ▽; C-As.
– **scilloides** (Lindl.) Druce | ♃ VIII-IX ▽; China, Amur, Manch, Korea, Jap., Taiwan
– **siberica** Haw. · Sibirischer Blaustern · Scille de Sibérie | ♃ III-IV ▽; Eur.: Russ.; TR, N-Iraq, Cauc., ? Iran, nat. in NL, A, EC-Eur., Ba, RO
– *socialis* Baker = Ledebouria socialis
– **spetana** Kereszty · Speta-Blaustern | ♃ III-IV; Eur.: A, H
– *tubergeniana* Stearn = Scilla mischtschenkoana
– **vindobonensis** Speta · Wiener Blaustern | ♃ III-IV; Eur.: A, D, CZ, Slova., Croatia, AL
– *violacea* Hutch. = Ledebouria socialis

Scindapsus Schott -m- *Araceae*
– *aureus* (Linden et André) Engl. = Epipremnum pinnatum
– **pictus** Hassk. | Ⓦ ≹; Malay. Pen.
- **'Argyraeus'**

Scirpodendron Zipp. ex Kurz -n- *Cyperaceae*
– **ghaeri** (Gaertn.) Merr. | ♃ Ⓦ Ⓝ; Sri Lanka, Indochina, Malay. Pen., Austr. (Queensl.), Samoa

Scirpoides Seg. -m- *Cyperaceae*
– **holoschoenus** (L.) Soják · Kugelbinse | ♃ ≈ VI-VIII; Eur.* exc. Sc; Arab., Palaest., Cauc, Iran, Afgh., W-Sib., C-As., NW-Ind., N-Afr., Canar.

Scirpus L. -m- *Cyperaceae* · Simse
– *acicularis* L. = Eleocharis acicularis
– **cernuus** Vahl · Low Bulrush | ♃ Ⓦ ≈ ; Eur.: Ib, Fr, BrI, Ap, Ba; N-Afr., E-Afr., S-Afr., Madag., Austr., NZ
– *cespitosus* L. = Trichophorum cespitosum
– **cyperinus** (L.) Kunth · Zypergras-Simse ♃ VI-VII; N-Am., Mex.
– **georgianus** R.M. Harper · Dunkelgrüne

Simse, Schwarzgrüne Simse | ♃ V-VII; N-Am.
- *globulosus* Retz. = Fimbristylis globulosa
- *gracilis* (Poir.) Nees = Scirpus cernuus
- *holoschoenus* L. = Scirpoides holoschoenus
- *lacustris* L. = Schoenoplectus lacustris
  - subsp. *tabernaemontani* (C.C. Gmel.) Syme = Schoenoplectus tabernaemontani
- *maritimus* L. = Bolboschoenus maritimus
- *mucronatus* L. = Schoenoplectus mucronatus
- *palustris* L. = Eleocharis palustris
- *parvulus* Roem. = Eleocharis parvula
- *prolifer* Rottb. = Isolepis prolifera
- *pusillus* Vahl = Eleocharis parvula
- **radicans** Schkuhr · Wurzelnde Simse | ♃ VI-VII; Eur.: Fr, C-Eur., EC-Eur., Slove., Serb., BG, E-Eur., Sc; W-Sib., E-Sib., Amur, Sachal., Korea, Jap.
- **sylvaticus** L. · Wald-Simse · Wood Club Rush · Scirpe des bois | ♃ V-VII; Eur.*, Cauc., TR, W-Sib., E-Sib., Amur, Sachal., C-As., Mong., China, Jap.
- *tabernaemontani* C.C. Gmel. = Schoenoplectus tabernaemontani
- **tenellus** Willd. | ♃ Ⓦ ⇝ ~ ; Bras.
- *triqueter* L. = Schoenoplectus triqueter

Scleranthus L. -m- *Illecebraceae*
- **annuus** L. · Einjähriger Knäuel | X-IV; Eur.*, TR, Cauc., Maroc., Alger., nat. in N-Am.
- **perennis** L. · Ausdauernder Knäuel | ♃ V-IX; Eur.*, TR, Cauc., Maroc.
- **polycarpos** L. · Triften-Knäuel | IV-VII; Eur.: most; TR, Cauc., Maroc., Alger.
- **uniflorus** P.A. Will.
- **verticillatus** Tausch · Quirl-Knäuel | IV-V; Eur.: Ib, Fr, Ap, C-Eur., Ba; TR

Sclerocactus Britton et Rose -m- *Cactaceae*
- *erectocentrus* (J.M. Coult.) N.P. Taylor = Echinomastus erectocentrus
- **glaucus** (K. Schum.) L.D. Benson | ♆ Ⓚ ✻; USA: Utah, Colo.
- *intertextus* (Engelm.) N.P. Taylor = Echinomastus intertextus
  - var. *dasyacanthus* (Engelm.) N.P. Taylor = Echinomastus intertextus
- *johnsonii* (Engelm.) N.P. Taylor = Echinomastus johnsonii
- *mariposensis* (Hester) N.P. Taylor = Echinomastus mariposensis
- **papyracanthus** (Engelm.) N.P. Taylor | ♆ Ⓚ ✻; USA: Ariz., N.Mex.
- **polyancistrus** (Engelm. et Bigelow) Britton et Rose | ♆ Ⓚ ✻; USA: SW-Nev, S-Calif.
- **scheerii** (Salm-Dyck) N.P. Taylor | ♆ Ⓚ ✻; S-Tex., Mex.: Nuevo León, Tamaulipas
- **uncinatus** (Galeotti) N.P. Taylor · Cat Claw Cactus | ♆ Ⓚ; Tex., N-Mex.
  - var. **crassihamatus** (F.A.C. Weber) N.P. Taylor | ♆ Ⓚ; USA: N.Mex., Tex.
- *unguispinus* (Engelm.) N.P. Taylor = Echinomastus unguispinus
  - var. *durangensis* (Runge) N.P. Taylor = Echinomastus durangensis

Sclerochloa P. Beauv. -f- *Poaceae*
- **dura** (L.) P. Beauv. · Hartgras | IV-VII; Eur.* exc. BrI, Sc; TR, Levante, Iraq, Cauc., Iran, Afgh., Pakist., Him., C-As., NW-Afr.

Scolochloa Link -f- *Poaceae*
- **festucacea** (Willd.) Link · Schwingelschilf | ♃ VI-VII; Eur.: Sc, D, PL, Russ.; Cauc., W-Sib., E-Sib., Mong.

Scolopendrium = Asplenium L.
- *officinale* DC. = Asplenium scolopendrium
- *officinarum* Sw. = Asplenium scolopendrium
- *vulgare* Sm. = Asplenium scolopendrium

Scolymus L. -m- *Asteraceae*
- **hispanicus** L. · Goldwurzel, Spanische Golddistel · Golden Thistle, Spanish Oyster Plant | ⊙ VIII Ⓝ; Eur.: Ib, Fr, Ap, Ba, E-Eur.; TR, Canar., N-Afr.

Scopolia Jacq. -f- *Solanaceae* · Tollkraut
- **anomala** (Link et Otto) Airy Shaw | ♃; Nepal, Sikkim
- **carniolica** Jacq. · Tollkraut · Russian Belladonna, Scopolia | ♃ III-IV; Eur.: Ap, A, EC-Eur., Slove., Croatia, EC-Eur., nat. in DK, D
- *lurida* Dunal = Scopolia anomala
- **stramonifolia** Link et Otto | ♃; Kashmir, Him., SW-China

Scorpiurus L. -m- *Fabaceae*
- **muricatus** L. · Skorpionswicke ; Eur.: Ib, Fr, Ap, Ba, Krim; TR, Levante, Iraq, Iran,

N-Afr., E-Afr.

Scorzonera L. -f- *Asteraceae* · Schwarzwurzel
- **aristata** Ramond ex DC. · Grannen-Schwarzwurzel | ♃ VI-VIII; Eur.: Sp., F, I, A, Slove.; Pyr., S-Alp., Apenn.
- **austriaca** Willd. · Österreichische Schwarzwurzel | ♃ IV-V; Eur.: Fr, Ap, C-Eur., Ap, Ba, E-Eur.; ? Sib., E-China
- **cana** (C.A. Mey.) O. Hoffm. · Ausdauerndes Stielsamenkraut | ♃ V-VIII; Eur.: A, Ap, EC-Eur., Ba, E-Eur.; TR, Syr., Iraq, Cauc., Iran
- **hispanica** L. · Garten-Schwarzwurzel · Viper's Grass | ♃ VI-VIII ▽ Ⓝ; Eur.* exc. BrI, Sc; Cauc., W-Sib.
- **humilis** L. · Niedrige Schwarzwurzel | ♃ V-VI; Eur.*
- **laciniata** L. · Schlitzblättriger Stielsame, Schlitzblättrige Schwarzwurzel, Stielsamen | ⊙ V-VII; Eur.* exc. BrI, Sc; TR, Iran, C-As., NW-Afr.
- **parviflora** Jacq. · Kleinblütige Schwarzwurzel | ⊙ V-VII; Eur.: Ib.Fr, C-Eur., EC-Eur., Ba, E-Eur.; TR, Iran, Sib.
- **purpurea** L. · Purpur-Schwarzwurzel | ♃ V-VIII ▽; Eur.: F, I, C-Eur., EC-Eur., Ba, E-Eur.; W-Sib., C-As.
  - subsp. **rosea** (Waldst. et Kit.) Nyman · Rosenrote Schwarzwurzel | ♃ VI-VIII; Eur.: A, Slove., Ba, I, RO; mts.
- *rosea* Waldst. et Kit. = Scorzonera purpurea subsp. rosea
- **tau-saghyz** Lipsch. et Bose | Ⓝ; Kara-tau-Plateau

Scrophularia L. -f- *Scrophulariaceae* · Braunwurz
- *aquatica* L. = Scrophularia auriculata
- **auriculata** L. · Wasser-Braunwurz · Water Betony, Water Figwort | ♃ VI-VIII; Eur.: Ib, Fr, BrI, Ap, C-Eur, Azor.; NW-Afr.
- **canina** L. · Hunds-Braunwurz · Alpine Figwort | ♃ △ VI-VIII; Eur.: Ib, Fr, Ap, C-Eur., Ba, Krim; Cauc., N-Afr.
  - subsp. **hoppei** (W.D.J. Koch) P. Fourn. · Jurassische Braunwurz ; Eur.: Jura, S-Alp., Apenn.
- *hoppei* W.D.J. Koch = Scrophularia canina
- *juratensis* Schleich. = Scrophularia canina
- **nodosa** L. · Knotige Braunwurz · Figwort | ♃ VI-VIII; Eur.*, TR, Cauc., W-Sib., E-Sib., E-Him., nat. in N-Am.
- **scopolii** Hoppe · Drüsige Braunwurz | ♃ VI-IX; Eur.: Ap, A, EC-Eur., Ba, E-Eur.; TR, Iraq, Syr., Cauc., Iran, Him.
- **umbrosa** Dumort. · Geflügelte Braunwurz | ♃ VI-IX; Eur.* exc. Ib; TR, N-As.
- **vernalis** L. · Frühlings-Braunwurz | ♃ ⊙ V-VII; Eur.* exc. BrI, Sc, ?Ib; Cauc.

Scutellaria L. -f- *Lamiaceae* · Helmkraut
- **alpina** L. · Alpen-Helmkraut · Alpine Skullcap | ♃ △ VI-VIII; Eur.: Ib, Fr, Ap, Ba, C-Eur., E-Eur.; mts.; W-Sib.
  - var. *lupulina* (L.) Boiss. = Scutellaria alpina var. supina
  - var. **supina** (L.) I. Richardson | ♃ ♄ △ V-VII; Eur.: E-Eur.; W-Sib.
- **altissima** L. · Hohes Helmkraut | ♃ VI-VII; Eur.: Ap, EC-Eur., Ba, E-Eur.; TR, Cauc., nat. in Fr, Br
- **aurata** Lem. | ♃; Bras., Peru
- **baicalensis** Georgi · Chinese Skullcap · Scutellaire du lac Baîkal | ♃ △ VII-VIII; E-Sib., Mong., N-China
- *canescens* Nutt. = Scutellaria incana
- **costaricana** H. Wendl. | ♃ ♄ Ⓦ V-VII; Costa Rica
- **galericulata** L. · Sumpf-Helmkraut · Scutellaire casquée | ♃ VI-IX; Eur.*, TR, Palaest., N-As., N-Am.
- **hastifolia** L. · Spießblättriges Helmkraut | ♃ VI-VIII; Eur.* exc. BrI, Ib; TR, Cauc., W-Sib., nat. in BrI
- **incana** Spreng. · Blaues Herbst-Helmkraut · Skullcap · Scutellaire blanchâtre | ♃ VIII-IX; USA: NE, NCE, NC, SE
- **indica** L. | ♃; Jap., Korea, China
- *macrantha* Fisch. = Scutellaria baicalensis
- **minor** Huds. · Kleines Helmkraut | ♃ VII-IX; Eur.: Ib, Fr, BrI, I, D, Sweden, nat. in A
- *mociniana* hort. non Benth. = Scutellaria costaricana
- **orientalis** L. · Scutellaire jaune ; Eur.: Ib, Ba, RO, Krim; Cauc.
  - var. **pinnatifida** Boiss. | ♃ △ VII-IX; Eur.: Ba; TR
- **scordiifolia** Fisch. ex Schrank | ♃ △ VI-VIII; Sib.
- **ventenatii** Hook. | ♃ Ⓦ VII-VIII; Col.
- **violacea** Hayne | ♃ Ⓦ VI-IX; S-Ind., Sri

Lanka

Scuticaria Lindl. -f- *Orchidaceae*
- **hadwenii** (Lindl.) Hook. | ⌂W ⌇ V-VI ✻; Guyana, Bras.
- **steelii** (Hook.) Lindl. | ⌂W ⌇ V-X ✻; Venez., Guyana, Bras.
- **strictifolia** Hoehne | ♃ ⌂W ✻; Bras.

Scyphanthus Sweet -m- *Loasaceae*
- **elegans** Sweet | ♃ ⌂K ⌇ VII-VIII; Chile

Scyphularia Fee -f- *Davalliaceae*
- **pentaphylla** (Blume) Fée | ♃ ⌂W ⁓→; Java, N.Guinea, Polyn.

Seaforthia = Ptychosperma Labill.
- *elegans* R. Br. = Ptychosperma elegans

Secale L. -n- *Poaceae* · Roggen
- **cereale** L. · Roggen · Rye | ⊙ ⊙ V-VI Ⓝ; cult.
- **montanum** Guss. | ♃; Eur.: Ib, Ap, Ba, RO +; TR, Cauc., Syr., N-Iraq, Iran, W-Pakist., N-Afr.

Sechium P. Browne -n- *Cucurbitaceae* · Chayote
- **edule** (Jacq.) Sw. · Chayote | ♃ ⌂W ⌇ ♧ Ⓝ; cult.

Securigera = Coronilla L.
- **securidaca** (L.) Degen et Dörfl. · Beilwicke ; Eur.: Ap, Fr, Ba, Krim; Cauc., Syr., Iran
- **varia** (L.) Lassen · Bunte Kronwicke | ♃ VI-VIII; Eur.* exc. BrI, Sc; TR, Cauc., Iran, W-Sib., C-As., nat. in BrI, Sc

Securinega Comm. ex Juss. -f- *Euphorbiaceae*
- **suffruticosa** (Pall.) Rehder · Beilholz | ♄ VII-VIII Ⓝ; Mong., N-China

× **Sedatia** Moran -f- *Crassulaceae*
- **amecamecanum** (Praeger) Moran | ♄ ⌂K V; Mex.

Sedirea Garay et H.R. Sweet -f- *Orchidaceae*
- **japonica** (Linden et Rchb. f.) Garay et Sweet | ♃ ⌂W VI-VII; Korea, Jap., Riukiu Is.

Sedum L. -n- *Crassulaceae* · Fetthenne
- **acre** L. · Scharfer Mauerpfeffer · Stonecrop · Orpin âcre, Poivre des murailles | ♃ ᛘ ⁓→ △ VI-VII ☠; Eur.: ? S-Slova., nat. in N-Am.
- **adenotrichum** Wall. | ♃ △ V-VI; Him.
- **adolphi** Raym.-Hamet · Golden Sedum | ♄ ⌂K III-IV; Mex.
- **aizoon** L. · Deckblatt-Fetthenne | ♃ ᛘ VII-VIII; W-Sib., E-Sib., Amur, Sachal., Kamchat., Mong., Jap.
  - subsp. *kamtschaticum* (Fisch. et C.A. Mey.) Fröd. = Sedum kamtschaticum
  - subsp. *middendorffianum* (Maxim.) R.T. Clausen = Sedum kamtschaticum var. middendorffianum
  - subsp. *selskianum* (Regel et Maack) Fröd. = Sedum selskianum
- **alamosanum** S. Watson | ♃ ⌂K II-IV; NW-Mex.
- *albertii* Praeger = Sedum gracile
- *alboroseum* Baker = Sedum erythrostictum
- **album** L. · Weiße Fetthenne · White Stonecrop | ♃ ᛘ ⁓→ △ VI-IX; Eur.*, Cauc., TR, Lebanon, Iran, NW-Afr., Libya
  - subsp. *micranthum* (Bastard) Syme = Sedum album subsp. teretifolium
  - subsp. **teretifolium** (Lam.) Syme | ♃ ᛘ ⁓→ △ VII
- **allantoides** Rose | ♄ ⌂K VI-VII; Mex.
- **alpestre** Vill. · Alpen-Fetthenne | ♃ ⁓→ △ VI-VIII; Eur.* exc. BrI, Sc; TR
- *altissimum* Poir. = Sedum sediforme
- *amecamecanum* Praeger = × Sedatia amecamecanum
- *amplexicaule* DC. = Sedum tenuifolium
- **anacampseros** L. · Rundblättrige Fetthenne · Orpin courbé | ♃ ᛘ ⁓→ △ VII-VIII; Eur.: Sp., F, I, CH; Pyr., SW-Alp., Apenn., nat. in Norw.
- **anglicum** Huds. · English Stonecrop | ♃ ⁓→ △ VI-VII; Eur.: Ib, F, BrI, Sc
- **annuum** L. · Einjährige Fetthenne | VI-VIII; Eur.*, TR, Cauc., Iran, Greenl.
- *athoum* DC. = Sedum album
- **atratum** L. · Schwärzliche Fetthenne | VI-VIII; Eur.* exc. BrI, Sc
- *azureum* Desf. = Sedum caeruleum
- **bellum** Rose | ♃ ⌂K III-V; Mex.
- **bithynicum** Boiss. | ♃; TR
- *boloniense* Loisel. = Sedum sexangulare
- **caeruleum** L. | ⊙ ᛘ VII-IX; Corse, Sard., Sic., Alger.
- **cauticolum** Praeger | ♃ ⁓→ VI-VII; Jap.

– **cepaea** L. · Rispen-Fetthenne | ⊙ VI-VII; Eur.: Ap, Fr, Ba, E-Eur., D; TR; Syr., Alger., Tun., Libya, nat. in NL, D
– **compactum** Rose | ♃ Ⓚ ⇝ VI-VII; Mex.
– **compressum** Rose | ♃ ψ Ⓚ I-V; Mex.
– *corsicum* Duby = Sedum dasyphyllum
– **craigii** R.T. Clausen | ♄ Ⓚ; Mex.
– *crassipes* Hook. f. et Thomson = Rhodiola crassipes
– **cupressoides** Hemsl. | ♃ Ⓚ VII-VIII; Mex.
– **cyaneum** Rudolph | ♃ △ VII-VIII; E-Sib., Amur, Sachal., Kamchat.
– **dasyphyllum** L. · Dickblättrige Fetthenne · Thick Leaved Stonecrop · Orpin à feuilles glanduleuses | ♃ ψ ⇝ △ VI-VIII; Eur.: Fr, Ib, Ap, Ba, C-Eur., RO; TR, NW-Afr., nat. in BrI, DK
 - var. **suendermannii** Praeger | ♃ Ⓐ ⇝ △ VI-VIII ∧; Eur.: Sp.
– **dendroideum** Moç. et Sessé ex DC. · Woody Stonecrop | ♄ Ⓚ ⇝ V-VI; Mex., Guat.
 - subsp. *praealtum* (A. DC.) R.T. Clausen = Sedum praealtum
– **diffusum** S. Watson | ♃ Ⓚ ⇝; Mex.
– **divergens** S. Watson · Spreading Stonecrop | ♃ Ⓚ ⇝; B.C., USA: NW
– *diversifolium* Rose = Sedum greggii
– **ebracteatum** Moç. et Sessé ex DC. | ♃ ψ Ⓚ X; Mex.
– *elegans* Lej. = Sedum forsterianum
– *ellacombianum* Praeger = Sedum kamtschaticum var. ellacombianum
– **erythrostictum** Miq. | ♃ VI; cult. E-As.
– **ewersii** Ledeb. · Orpin de l'Himalaya | ♃ △ VII-VIII; W-Sib., C-As., Afgh., Mong., Him., China: Sinkiang
– **fabaria** W.D.J. Koch
– *farinosum* hort. non Lowe = Sedum griseum
– **floriferum** Praeger | ♃ ⇝ △ VII; NE-China
 - **'Weihenstephaner Gold'**
– **forsterianum** Sm. · Zierliche Fetthenne · Orpin de Forster | ♃ VI-VIII; Eur.: Ib, Fr, BrI, D; Maroc.
 - subsp. **elegans** (Lej.) E.F. Warb. | ♃ △ VI-VIII; W-Eur.; Maroc.
– *glaucophyllum* R.T. Clausen = Sedum nevii
– *glaucum* Waldst. et Kit. = Sedum hispanicum
– **gracile** C.A. Mey. · Schneepolster-Fetthenne · Orpin blanc | ♃ △ VI-VII; Cauc., N-Iran
– **greggii** Hemsl. | ♃ Ⓚ II-V; Mex.
– **griseum** Praeger | ♄ Ⓚ I-II; Mex.
– **hemsleyanum** Rose | ♃ Ⓚ; Mex.
– *henryi* Diels = Rhodiola yunnanensis
– *heterodontum* Hook. f. et Thomson = Rhodiola heterodonta
– **hirsutum** All. · Hairy Stonecrop | ♃
– **hispanicum** L. · Spanische Fetthenne | ⊙ ψ △ VI-VII; Eur.: Ap, C-Eur., E-Eur., H, Ba; TR, Lebanon, Palaest., Cauc., N-Iran, nat. in Sweden
 - var. **minus** Praeger | ♃ ψ ⇝ △
– *hobsonii* Prain ex Raym.-Hamet = Rhodiola hobsonii
– **hultenii** Fröd. | ♃ Ⓚ; Mex.
– **humifusum** Rose | ♃ Ⓚ ⇝ IV-VI; Mex.
– **hybridum** L. · Sibirische Fetthenne | ♃ ψ ⇝ V-VIII; Russ. (Ural), W-Sib., E-Sib., C-As., Mong
 - **'Immergrünchen'**
– *ibericum* M. Bieb. = Sedum stoloniferum
– *indicum* (Decne.) Raym.-Hamet = Sinocrassula indica
 - var. *yunnanense* (Franch.) Raym.-Hamet = Sinocrassula yunnanensis
– **kamtschaticum** Fisch. et C.A. Mey. · Orpin du Kamtchatka | ♃ ψ VII-VIII; Amur, N-China, Jap. Sachal., Kamchat.
 - var. **ellacombianum** (Praeger) R.T. Clausen | ♃ ψ VII-VIII; Jap.
 - var. **middendorffianum** (Maxim.) R.T. Clausen | ♃ ψ VII-VIII; E-Sib., Manch.
– *kirilowii* Regel = Rhodiola kirilowii
– *krajinae* Domin = Sedum acre
– *laxiflorum* DC. = Monanthes laxiflora
– *libanoticum* L. = Rosularia sempervivum
– **liebmannianum** Hemsl. | ♃ Ⓚ VI-VIII; Mex.
– **lineare** Thunb. | ♃ Ⓚ Ⓐ ⇝ △ V-VI ∧; Jap., Riukiu-Is.
– **lydium** Boiss. | ♃ ⇝ △ VI-VII; W-TR
– *maximowiczii* Regel = Sedum aizoon
– *maximum* (L.) Hoffm. = Sedum telephium subsp. maximum
– **mexicanum** Britton | ♃ Ⓚ IV-VI; Mex., nat. in NW-Sp.
– *micranthum* Bastard = Sedum album subsp. teretifolium
– *middendorffianum* Maxim. = Sedum kamtschaticum var. middendorffianum
– *mite* Gilib. = Sedum sexangulare
– **monregalense** Balb. | ♃ △ VII-VIII ∧;

Eur.: Corse, Sard., I; mts.
– **montanum** Perr. et Songeon · Berg-Mauerpfeffer | ♃ VII-IX; Eur.: Ba, Ib, Ap, H, A, CH; Pyr., Apenn., Alp.
– **moranense** Humb., Bonpl. et Kunth | ♄ Ⓚ VII; Mex.
– **morganianum** E. Walther · Beaver Tail, Donkey's Tail | ♃ ψ Ⓚ ≷ ⇝; cult. Mex.
– **multiceps** Coss. et Durieu | ♄ Ⓚ VII; Alger.
– **nevii** A. Gray · Orpin de l'Alabama | ♃ ⇝ △ VI; USA: Va, W-Va., SE
– *nicaeense* All. = Sedum sediforme
– **nussbaumerianum** Britton | ♄ Ⓚ; Mex.
– *nutans* Rose = Cremnophila nutans
– **oaxacanum** Rose | ♃ Ⓚ ⇝; Mex.
– **obcordatum** R.T. Clausen | ♄ Ⓚ; Mex.
– **ochroleucum** Chaix · Blassgelbe Fetthenne | ♃ △ VI-VII; Eur.: Sp., F, CH, Ba, RO; TR, nat. in Maine
– **oreganum** Nutt. · Oregon Sedum, Oregon Stonecrop | ♃ ⌓ △ VII-VIII ∧; Alaska, Can.: W; USA: NW, Calif.
– **oxypetalum** Humb., Bonpl. et Kunth | ♄ Ⓚ VI-VII; Mex.
pachyclados Aitch. ex Hemsl.; Afgh.
– **pachyphyllum** Rose | ♄ Ⓚ IV; Mex.
– **pallidum** Bréb.
- var. **bithynicum** (Boiss.) Chamb. | ♃; TR
– **palmeri** S. Watson | ♄ ψ Ⓚ I-VI; Mex.
– **pilosum** M. Bieb. | ⊙ ψ △ V-VI ∧; TR, Cauc., Iran
– **pluricaule** Kudô | ♃ △ VII-VIII; Sachal.
– **populifolium** Pall. · Orpin à feuilles de peuplier | ♃ ♄ ψ △ VI-VII; Sib.
– **praealtum** A. DC. | ♄ Ⓚ; Mex.
– *praegerianum* W.W. Sm. = Rhodiola hobsonii
– **pruinatum** Link ex Brot. | ♃ ⇝ △ VII ∧; Eur.: P
– **pulchellum** Michx. · Widow's Cross | ♃ △ VII-VIII; USA: NE, NCE, NC, SE, SC
– *purpureum* (L.) Link = Sedum telephium
– **reflexum** L. · Felsen-Fetthenne, Tripmadam · Rock Stonecrop · Orpin à inflorescence réfléchie | ♃ ψ ⌓ △ VI-VIII Ⓝ; Eur.* exc. BrI, nat. in BrI
– **retusum** Hemsl. | ♄ Ⓚ VI-IX; Mex.
– *rhodiola* DC. = Rhodiola rosea
– **rhodocarpum** Rose | ♃; Calif.: Sierra Nevada
– *roseum* (L.) Scop. = Rhodiola rosea
– *roseum* Stev. = Rhodiola rosea
– **rubens** L. · Rötliche Fetthenne | V-VI; Eur.: Ib, Fr, Ap, C-Eur., Ba, RO, Krim, Canar.; TR, Levante, N-Iran, NW-Afr., Libya
– **rubrotinctum** R.T. Clausen · Christmas Cheer, Pork-and-Beans | ♄ ψ Ⓚ; Mex.
– *rupestre* L. = Sedum reflexum
- subsp. *reflexum* (L.) Hegi et Schmid = Sedum reflexum
– *rupestre* Royle = Sedum ewersii
– **sarmentosum** Bunge · Ausläufer-Fetthenne | ♃ ψ △ VII ∧; Jap., Korea, Manch., N-China
– *sartorianum* Boiss. = Sedum urvillei
- subsp. *stribrnyi* (Velen.) D.A. Webb = Sedum urvillei
– **sediforme** (Jacq.) Pau | ♃ ψ Ⓐ △ V-VII; Eur.: Ib, Fr, Ap, Ba; TR, Cyprus, Lebanon
– **selskianum** Regel et Maack | ♃ ψ ▭ VII-VIII; Amur., Manch.
– *semenowii* Mast. = Rhodiola semenowii
– **sempervivoides** Fisch. ex M. Bieb. | ⊙ ψ △ VI-VIII ∧; TR, Cauc., Iran
– *sempervivum* Ledeb. = Sedum sempervivoides
– **sexangulare** L. · Milder Mauerpfeffer · Orpin de Boulogne | ♃ ψ ⇝ VI-VII; Eur.* exc. Ib, BrI
– **sieboldii** Sweet | ♃ ψ Ⓚ Ⓐ △ IX-X ∧; Jap.
– **spathulifolium** Hook. · Broad Leaf Stonecrop · Orpin spatulé | ♃ ψ ⇝ VI; B.C., USA: NW, Calif.
– **spectabile** Boreau · Schöne Fetthenne · Ice Plant · Orpin remarquable | ♃ ψ VIII-IX; Korea, Manch.
– **spurium** M. Bieb. · Kaukasus-Fetthenne Two Row Stonecrop · Orpin bâtard | ♃ ψ ⇝ △ VII-VIII; Cauc., TR, N-Iran, nat. in Eur.* exc. Ba
– **stahlii** Solms | ♃ Ⓚ ⇝ VIII-IX; Mex.
– **stellatum** L.; Eur.: Ib, Ap, Fr, Ba +
– **stenopetalum** Pursh · Wormleaf Stonecrop | ♃ △ VI-VII ∧; B.C., USA: NW, Rocky Mts., Calif.
– **stevenianum** Rouy et E.G. Camus | ♃ ⇝ △ VII-VIII; Cauc.
– **stoloniferum** S.G. Gmel. | ♃ ⇝ △ VI-VII; TR, Cauc. N-Iran
– *stribrnyi* Velen. = Sedum urvillei
– **tatarinowii** Maxim. | ♃ △ VII-IX; Mong., N-China
– **telephium** L. · Purpur-Fetthenne | ♃ ψ VII-IX; Eur.*, TR, nat. in N-Am.
- subsp. **fabaria** (W.D.J. Koch) Kirschl. ·

Berg-Fetthenne | ♃ ♆ VII-VIII; Eur.: Sp., F, , BrI, I, CH, D, CZ, Serb., BG, RO
- subsp. **maximum** (L.) Krock. · Große Fetthenne | ♃ ♆ VII-VIII; Eur., TR, Cauc.
– **tenuifolium** (Sibth. et Sm.) Strobl | ♃ △; Eur.: Ib, Fr, Ap, Ba; TR, Lebanon, NW-Afr.
– **ternatum** Michx. | ♃ △ VI; USA: NE, NCE, SE
– **thartii** L.P. Hebert · Harts Felsen-Mauerpfeffer, Östlicher Felsen-Mauerpfeffer | ♃ VI-VIII; Eur.: A, ? D +
– **treleasei** Rose | ♄ Ⓚ IV; Mex.
– *ukrainae* hort. = Sedum acre
– **urvillei** DC. · Ungarischer Mauerpfeffer | ♃ Ⓚ △ V-VII ∧; Eur.: A, EC-Eur., Ba, RO, Krim; TR, Levante
– **villosum** L. · Behaarte Fetthenne, Sumpf-Fetthenne | ⊙ VI-VII; Eur.*, Greenl.
– *vulgare* (Haw.) Link = Sedum telephium subsp. fabaria
– *weinbergii* (Rose) A. Berger = Graptopetalum paraguayense
– *yunnanense* Franch. = Rhodiola yunnanensis

Seemannia = Pentagonia Benth.
– *latifolia* Fritsch = Gloxinia sylvatica
– *sylvatica* (Humb., Bonpl. et Kunth) Hanst. = Gloxinia sylvatica

Selaginella P. Beauv. -f- *Selaginellaceae* · Mooskraut, Moosfarn
– *africana* A. Braun = Selaginella vogelii
– *albonitens* Spring = Selaginella tenella
– *amoena* W. Bull = Selaginella pulcherrima
– **apoda** (L.) Spring · Wiesen-Moosfarn · Meadow Spike Moss | ♃ Ⓚ ⇝; Can.: E; USA: NE, NCE, SC, SE, Fla., nat. in D (Berlin)
– *apus* Spring = Selaginella apoda
- var. *minor* hort. ex A. Braun = Selaginella apoda
– *azorica* Baker = Selaginella kraussiana
– **biformis** A. Braun ex Kuhn | ♃ Ⓦ ⇝; Ind., E-As., Malay. Arch., Phil.
– **braunii** Baker | ♃ Ⓚ; W-China
– *caesia* (hort.) hort. ex Kunze = Selaginella uncinata
- var. *arborea* (hort. ex Courtin) hort. = Selaginella willdenowii
– *canaliculata* hort. = Selaginella delicatula
– *caulescens* Wall. ex Hook. et Grev. = Selaginella involens
- var. *japonica* (T. Moore ex McNab) Baker = Selaginella involens
– **concinna** (Sw.) Spring | ♃ Ⓦ; Mascarene Is.
– *cuspidata* (Link) Link = Selaginella pallescens
– **delicatissima** A. Braun | ♃ Ⓚ; Col.
– **delicatula** (Desv.) Alston | ♃ Ⓚ; E-Him, S-China
– **denticulata** (L.) Link · Selaginella, Spike Moss | ♃ Ⓐ ⇝ △; Eur.: Ib, Fr, Ap, Ba; TR, Cyprus, Syr., NW-Afr., Libya
– *denticulata* hort. = Selaginella kraussiana
– **douglasii** (Hook. et Grev.) Spring · Douglas Selaginella | ♃ ⇝ △; B.C., USA: NW, Rocky Mts., Calif.
– *emmeliana* Van Geert = Selaginella pallescens
– **erythropus** (Mart.) Spring
- var. *major* Spring = Selaginella umbrosa
– **flabellata** (L.) Spring | ♃ Ⓦ; W.Ind.
– **galeottii** Spring | ♃ Ⓦ; Mex.
– **grandis** T. Moore | ♃ Ⓦ; Kalimantan
– **griffithii** Spring | ♃ Ⓦ; trop. As.
– **haematodes** (Kunze) Spring | ♃ Ⓦ; Panama, Col., Ecuad., Venez., Bol.
– **helvetica** (L.) Spring · Schweizer Moosfarn · Sélaginelle de Suisse | ♃ ⇝ △ VI-VII ▽; Eur.: Fr, Ap, C-Eur., EC-Eur., Ba, E-Eur.; TR, Cauc., Amur, Korea, N-China
– **inaequalifolia** (Hook. et Grev.) Spring
- var. *perelegans* (T. Moore) Baker = Selaginella plana
– **involens** (Sw.) Spring | ♃ Ⓦ; Ind., Sri Lanka, China, Jap., Malay. Pen., Java
– *japonica* T. Moore ex McNab = Selaginella involens
– **kraussiana** (Kunze) A. Braun · Krauss' Spike Moss | ♃ Ⓦ Ⓚ ⇝; trop. Afr., S-Afr., nat. in S-Eur., W-Eur., Azor.
– **lepidophylla** (Hook. et Grev.) Spring · Resurrection Plant, Rose-of-Jericho | ♃ Ⓦ; USA: Tex., SW; Mex., C-Am.
– **martensii** Spring | ♃ Ⓦ Ⓚ; Mex.
– **pallescens** (C. Presl) Spring · Arborvitae Fern | ♃ Ⓦ; Mex., C-Am., Col., Venez.
– **pilifera** A. Braun | ♃ Ⓦ; Tex., Mex.
– **plana** (Desv.) Hieron. | ♃ Ⓦ; E-Him.
– **pulcherrima** Liebm. et Fournet | ♃ Ⓦ; Mex.
– **rotundifolia** Spring | ♃ Ⓦ Ⓚ; W.Ind.

– *rubella* T. Moore = Selaginella concinna
– **rupestris** (L.) Spring · Ledge Spike Moss | ♃ ⇝ △; Can.: E; USA: NE, NCE, SE
– **selaginoides** (L.) P. Beauv. · Dorniger Moosfarn, Gezähnter Moosfarn · Lesser Club Moss, Northern Spike Moss | ♃ ⇝ △ VII-VIII ▽; Eur.*, Cauc., W-Sib., E-Sib., Kamchat., Jap., Greenl., Alaska, Can., USA: NE, NCE, Rocky Mts.
– **serpens** (Desv. ex Poir.) Spring | ♃ Ⓦ ⇝; W.Ind.
– **sibirica** (Milde) Hieron. | ♃ ⇝ △; E-Sib., Alaska, Sachal., N-Korea, Jap.
– *spinulosa* A. Braun ex Döll = Selaginella selaginoides
– **stenophylla** A. Braun | ♃ Ⓚ; Mex.
– **tenella** (P. Beauv.) Spring | ♃ Ⓦ ⇝; W.Ind.
– **umbrosa** Lem. ex Hieron. | ♃ Ⓦ; Mex.: Yucatan; C-Am., Col., Bras.
– **uncinata** (Desv.) Spring | ♃ Ⓦ ⇝; S-China
– **underwoodii** Hieron. | ♃ △; USA: Rocky Mts., SW, SC; Mex.
– **victoriae** T. Moore | ♃ Ⓦ; Kalimantan, Fiji
– **viticulosa** Klotzsch | ♃ Ⓦ; Costa Rica, Panama, Col., Venez.
– **vogelii** Spring | ♃ Ⓦ; W-Afr.
– **wallichii** (Hook. et Grev.) Spring · Vigorous Fern | ♃ Ⓦ; Ind.
– **willdenowii** (Desv. ex Poir.) Baker | ♃ Ⓦ ≷; Him., S-China, Malay. Arch.

Selenicereus (A. Berger) Britton et Rose -m- *Cactaceae* · Schlangencereus
– **boeckmannii** (Otto) Britton et Rose | ♄ Ψ Ⓚ ≷ ✻; E-Mex., Cuba, Haiti
– **brevispinus** Britton et Rose | ♄ Ψ Ⓚ ≷ ✻; Cuba
– *chrysocardium* (Alexander) Kimnach = Epiphyllum chrysocardium
– **coniflorus** (Weing.) Britton et Rose | ♄ Ψ Ⓚ ≷ ✻; Mex., Haiti
– **grandiflorus** (L.) Britton et Rose · Night Blooming Cereus, Queen-of-the-Night | ♄ Ψ Ⓚ ≷ ✻; E-Mex., ? Hond., Cuba, Hispaniola, Jamaica
– *grusonianus* (Weing.) A. Berger = Selenicereus macdonaldiae var. grusonianus
– *hallensis* (Weing.) Weing. = Selenicereus grandiflorus
– **hamatus** (Scheidw.) Britton et Rose | ♄ Ψ Ⓚ ≷ VII ✻; Mex.
– **hondurensis** (K. Schum.) Britton et Rose | ♄ Ψ Ⓚ ≷ ✻; Guat., Hond.
– **inermis** (Otto) Britton et Rose | ♄ Ψ Ⓚ ≷ ✻; Col., Venez.
– *kunthianus* (Otto ex Salm-Dyck) Britton et Rose = Selenicereus grandiflorus
– **macdonaldiae** (Hook.) Britton et Rose | ♄ Ψ Ⓚ ≷; ? Hond.
  - var. **grusonianus** (Weing.) Backeb. | ♄ Ψ Ⓚ ≷ D ≷ VII ✻; orig. ?
– **nelsonii** (Weing.) Britton et Rose | ♄ Ψ Ⓚ ≷ ✻; S-Mex.
– **pringlei** Rose | ♄ Ψ Ⓚ ≷ ✻
– **pteranthus** (Link et Otto) Britton et Rose | ♄ Ψ Ⓚ ≷ VII-VIII ✻; E-Mex.
– **spinulosus** (DC.) Britton et Rose | ♄ Ψ Ⓚ ≷ ✻; SE-Tex., E-Mex.
– *testudo* (Karw.) Buxb. = Deamia testudo
– **urbanianus** (Gürke et Weing.) Britton et Rose | ♄ Ψ Ⓚ ≷ ✻; Cuba, Haiti
– **vagans** (K. Brandegee) Britton et Rose | ♄ Ψ Ⓚ ≷ ✻; W-Mex.
– **vaupelii** (Weing.) A. Berger | ♄ Ψ Ⓚ ≷ ✻; Haiti

Selinum L. -n- *Apiaceae*
– **carvifolium** (L.) L. · Kümmel-Silge | ♃ VII-VIII; Eur.*, W-Sib., nat. in N-Am.
– *virosum* (L.) E.H.L. Krause = Cicuta virosa

Selliera Cav. -f- *Goodeniaceae*
– **radicans** Cav. | ♃ Ⓚ ⇝ ~ VII-IX; Chile, Austr., Tasman., NZ

Semecarpus L.f. -f- *Anacardiaceae*
– **anacardium** L. f. · Marking Nut | ♄ Ⓦ Ⓝ; Ind., mts.

Semele Kunth -f- *Ruscaceae*
– **androgyna** (L.) Kunth · Climbing Butcher's Broom | ♄ Ⓚ ≷; Canar.

Semiaquilegia Makino -f- *Ranunculaceae*
– **ecalcarata** (Maxim.) Sprague et Hutch. | ♃ △ VI-VII; W-China

Semiarundinaria Nakai -f- *Poaceae*
– **fastuosa** (Marliac ex Mitford) Makino ex Nakai · Narihira Bamboo | ♄ ∧; Jap.
  - var. *yashadake* Makino = Semiarundinaria yashadake
– **yashadake** (Makino) Makino | ♄; Jap.

Sempervivella = Rosularia (DC.) Stapf

– *alba* (Edgew.) Stapf = Rosularia sedoides
– *sedoides* (Decne.) Stapf = Rosularia sedoides

Sempervivum L. -n- *Crassulaceae* · Hauswurz
– *aizoon* (Bolle) H. Christ = Greenovia aizoon
– *album* Edgew. = Rosularia sedoides
– *allionii* (Jord. et Fourr.) Nyman = Jovibarba globifera subsp. allionii
– *alpestre* hort. = Sempervivum montanum
– **altum** Turrill | ♃ ♆ △ VI ▽; Cauc.
– *andreanum* Wale = Sempervivum tectorum subsp. alpinum
– *annuum* Cout. = Aichryson laxum
– *anomalum* hort. = Sempervivum montanum
– **arachnoideum** L. · Spinnweben-Hauswurz · Cobweb House Leek · Joubarbe aranéeuse | ♃ ♆ VII-IX; Eur.: Sp., F, Corse, I, C-Eur.; mts.
  - *'Webbianum'* = Sempervivum arachnoideum subsp. tomentosum
  - subsp. *doellianum* (C.B. Lehm.) Schinz et Keller = Sempervivum arachnoideum
  - subsp. **tomentosum** (C.B. Lehm. et Schnittsp.) Schinz et Thell. | ♃ ♆ △ VII-VIII ▽
– *arboreum* L. = Aeonium arboreum
– *arenarium* W.D.J. Koch = Jovibarba globifera subsp. arenaria
– **armenum** Boiss. et A. Huet | ♃ ♆ △ VII ▽; N-TR
– *assimile* Schott = Sempervivum marmoreum
– **atlanticum** Ball | ♃ ♆ Ⓐ VI ▽; Maroc.; Atlas
– *aureum* C. Sm. ex Hornem. = Greenovia aurea
– **balcanicum** Stoj. | ♃ ♆ △ VI-VII ▽; Eur.: BG
– **ballsii** Wale | ♃ ♆; GR, Cauc.
– *balsamiferum* (Webb et Berthel.) Webb et Berthel. = Aeonium balsamiferum
– × **barbulatum** Schott (*S. arachnoideum* × *S. montanum*) · Bärtige Hauswurz | ♃ ♆
– *borisii* Degen et Urum. = Sempervivum ciliosum 'Borisii'
– *caespitosum* C. Sm. ex Otto = Aeonium simsii
– **calcareum** Jord. · Joubarbe du calcaire | ♃ ♆ △ VI-VIII ▽; Eur.: F, I; SW-Alp.
– *canariense* L. = Aeonium canariense
– **cantabricum** J.A. Huber | ♃ ♆ Ⓐ ▽; N-Sp.
– **caucasicum** Rupr. ex Boiss. | ♃ ♆; Cauc.
– *ciliatum* Willd. = Aeonium ciliatum
– **ciliosum** Craib · Joubarbe ciliée | ♃ ♆ △ VI-VII ▽; Eur.: Maced., BG, GR
  - **'Borisii'** | ♃ ♆
– *cuneatum* Webb et Berthel. = Aeonium cuneatum
– *decorum* H. Christ = Aeonium decorum
– × **degenianum** Domokos
– *dichotomum* DC. = Aichryson laxum
– *dodrantale* Willd. = Greenovia dodrantalis
– *doellianum* C.B. Lehm. = Sempervivum arachnoideum
– **dolomiticum** Facchini | ♃ ♆ △ VI-VII ▽; Eur.: I; SE-Alp.
– *domesticum* Praeger = Aeonium × domesticum
– **erythraeum** Velen. | ♃ ♆ △ VII-VIII ▽; BG
– × **fauconnettii** Reut. (*S. arachnoideum* × *S. thunbergii*) | ♃ ♆
– × *fimbriatum* hort. = Sempervivum × roseum 'Fimbriatum'
– × **funckii** A. Braun ex Koch (*S. arachnoides* × *S. montanum* × *S. tectorum*) · Funcks Hauswurz | ♃ ♆; cult.
– *globiferum* auct. non L. nec Curt. = Sempervivum transcaucasicum
– *glutinosum* Aiton = Aeonium glutinosum
– *goochiae* Webb et Berthel. = Aeonium goochiae
– *gracile* Bolle = Greenovia dodrantalis
– **grandiflorum** Haw. · Gaudins Hauswurz · Joubarbe à grandes fleurs | ♃ ♆ VI-VIII; CH, I ; W-Alp. (Susa -Simplon)
– *haworthii* hort. ex Webb et Berthel. = Aeonium haworthii
– *heuffelii* Schott = Jovibarba heuffelii
– *hierrense* Murray = Aeonium hierrense
– *hirtum* L. = Jovibarba globifera subsp. hirta
– *holochrysum* Webb et Berthel. = Aeonium holochrysum
– *juratense* Jord. = Sempervivum tectorum
– **kindingeri** Adamovic | ♃ ♆ Ⓐ VII ▽; Maced.
– **kosaninii** Praeger | ♃ ♆ △ VII ▽; Eur.: Maced.
– *laggeri* Schott = Sempervivum arachnoideum subsp. tomentosum
– **leucanthum** Pancic | ♃ ♆ △ VII ▽; Eur.: BG; mts.
– *lindleyi* Webb et Berthel. = Aeonium

lindleyi
– **macedonicum** Praeger | ♃ ♆ △ VI ▽; Eur.: Maced.
– *manriqueorum* H. Christ = Aeonium arboreum
– **marmoreum** Griseb. | ♄ ♆ △ VII ▽; Eur.: H, Slova., Ba, RO, W-Russ.
– *monanthes* Aiton = Monanthes polyphylla
  - var. *subcrassicaule* Kuntze = Monanthes muralis
– **montanum** L. · Berg-Hauswurz · Joubarbe des montagnes | ♃ ♆ △ VII-VIII ▽; Eur.: Sp., F, Ap, C-Eur., EC-Eur., RO, W-Russ.; mts., nat. in Norw.
  - subsp. **burnatii** Wettst. ex Hayek | ♃ ♆ △ VI-VIII ▽; Eur.: SW-Alp.
  - subsp. **stiriacum** Wettst. ex Hayek | ♃ ♆ △ VI-VIII ▽; Eur.: E-A
– *murale* Bureau = Sempervivum tectorum
– **nevadense** Wale | ♃ ♆; Sp.: Sierra Nevada
– **octopodes** Turrill | ♃ ♆; SW-Maced.
– *patens* Griseb. et Schenk = Jovibarba heuffelii
percarneum Murray = Aeonium percarneum
– **pittonii** Schott , Nyman et Kotschy · Serpentin-Hauswurz | ♃ ♆ VII-VIII; A (Steiermark)
– **pumilum** M. Bieb. | ♃ ♆ △ VII ▽; Cauc.
– **reginae-amaliae** Heldr. et Guicc. ex Halácsy | ♃ ♆ △ VI-VII ▽; Eur.: S-AL, GR; mts.
– × **roseum** Huter et Sand.
  - **'Fimbriatum'** | ♃ ♆
– *ruthenicum* (W.D.J. Koch) Schnittsp. et C.B. Lehm. = Sempervivum wulfenii
– *schlehanii* Schott = Sempervivum marmoreum
– *sedifolium* (Webb) H. Christ = Aeonium sedifolium
– *sedoides* Decne. = Rosularia sedoides
– *simsii* Sweet = Aeonium simsii
– *soboliferum* Sims = Jovibarba globifera
– *spathulatum* Hornem. = Aeonium spathulatum
– *strepsicladum* (Webb et Berthel.) Bornm. = Aeonium spathulatum
– *tabuliforme* Haw. = Aeonium tabuliforme
– **tectorum** L. · Dach-Hauswurz, Gewöhnliche Hauswurz · Common House Leek, Houseleek · Joubarbe des toits | ♃ ♆ △ VII-IX ▽; cult.
  - subsp. **alpinum** (Griseb. et Schenk) Wettst. | ♃ ♆ △ VI-VIII ▽; Eur.: Pyr., Alp., Jura
  - subsp. *calcareum* (Jord.) Cariot ex St.-Lag. = Sempervivum calcareum
  - var. *atlanticum* (Ball) Hook. = Sempervivum atlanticum
– *tortuosum* (Aiton) Praeger = Aichryson tortuosum
– **transcaucasicum** Muirhead | ♃ ♆ △ VI ▽; TR, Cauc.
– *undulatum* Webb et Berthel. = Aeonium undulatum
– *urbicum* C. Sm. ex Hornem. = Aeonium urbicum
– **vicentei** Pau
  - subsp. *cantabricum* (J.A. Huber) Fern. Casas = Sempervivum cantabricum
– **wulfenii** Hoppe ex Mert. et W.D.J. Koch · Wulfens Hauswurz | ♃ ♆ △ VII-VIII ▽; Eur.: I, CH, A, Slove.; E-Alp.
– *youngianum* Webb et Berthel. = Aeonium undulatum
– **zeleborii** Schott | ♃ ♆ △ VI-VII ▽; BG, RO
– **Cultivars**
  - *'Aureum'* = Greenovia aurea
  - **'Kerneri'**

Senecio L. -m- *Asteraceae*
– **abrotanifolius** L. · Eberrauten-Greiskraut | ♃ △ VII-IX; Eur.: I, C-Eur., EC-Eur., Ba, RO, W-Russ.; Alp., Carp., Balkan
  - subsp. **carpathicus** (Herbich) Nyman | ♃ △ VI-VII; Eur.: Carp., Balkan
  - subsp. *tiroliensis* (A. Kern. ex Dalla Torre) Gams = Senecio abrotanifolius
– **acaulis** (L. f.) Sch. Bip. | ♃ Ⓡ III-IV; Kap
– **adonidifolius** Loisel. · Séneçon à feuilles d'adonis | ♃ △ VI; Eur.: Sp., F
– **aloides** DC. | ♄ Ⓚ; Namibia
– **alpinus** (L.) Scop. · Alpen-Greiskraut | ♃ ~ VII; Eur.: F, I, C-Eur., Slove.; Alp., Appen.
– *amaniensis* (Engl.) H. Jacobsen = Kleinia amaiensis
– *anteuphorbium* (L.) Sch. Bip. = Kleinia anteuphorbium
– **aquaticus** Hill · Wasser-Greiskraut · Séneçon aquatique | ♃ ⊙ VII-VIII; Eur.*
– **archeri** (Compton) H. Jacobsen | ♄ Ⓚ; Kap
– **articulatus** (L. f.) Sch. Bip. | ♄ ♆ Ⓚ; Kap
– *aurantiacus* (Willd.) Less. = Tephroseris integrifolia subsp. autrantiaca

- *aureus* L. = Packera aurea
- **barbertonicus** Klatt | ♄; Zimbabwe, Mozamb., S-Afr.
- *bicolor* (Willd.) Tod. = Senecio cineraria
- **cacaliaster** Lam. · Pestwurz-Greiskraut | ♃ VII-VIII; Eur.: F, I, A, Ba, Ro, ? Sp.
- *capitatus* (Wahlenb.) Steud. = Tephroseris integrifolia subsp. capitata
- *carniolicus* Willd. = Senecio incanus subsp. carniolicus
- *chrysanthemoides* DC. = Euryops chrysanthemoides
- **cineraria** DC. · Dusty Miller, Silver Groundsel · Séneçon bicolore | ♄ ⌂; Eur.: Ib, Fr, Ap, Ba; TR, nat. in BrI, Krim
  - var. *candidissima* hort. = Senecio viravira
- **citriformis** G.D. Rowley | ♃ Ψ ⌂ ⁓→; Kap
- *cordatus* W.D.J. Koch = Senecio alpinus
- *cruentus* (Masson ex L'Her.) DC. = Pericallis cruenta
- *cruentus* hort. = Pericallis × hybrida
- *cylindricus* (Berger) Jacobsen = Senecio spiculosus
- **doria** L. · Hohes Greiskraut · Séneçon doria | ♃ VII-VIII; Eur.: Ib, Fr, Ap, Ba, A, EC-Eur., E-Eur.; TR, W-Sib., Maroc., nat. in BrI
- **doronicum** (L.) L. · Gämswurz-Greiskraut | ♃ △ VII; Eur.: Ib, Fr, C-Eur., BA, RO; mts.
- **elegans** L. · Red Purple Ragwort | ⊙ ⊙ VII-X; S-Afr.
- **erraticus** Bertol. · Spreizendes Greiskraut | ♃ ⊙ X-VII; Eur.: ? Ib, Fr, BrI, I, C-Eur., EC-Eur., Ba; TR, Syr., N-Afr.
- **erucifolius** L. · Raukenblättriges Greiskraut | ♃ VII-IX; Eur.*, TR, Cauc., C-As.
- **ficoides** (L.) Sch. Bip. | ♄ ♄ ⌂ ⁓→; Kap
- *fuchsii* C.C. Gmel. = Senecio ovatus
- *fulgens* (Hook. f.) G. Nicholson = Kleinia fulgens
- *galpinii* (Hook. f.) H. Jacobsen = Kleinia galpinii
- **germanicus** Wallr. · Deutsches Greiskraut | ♃ VII-IX; Eur.: C-Eur., E-Eur., N-I
- *ghiesbreghtii* Regel = Senecio grandifolius
- **grandifolius** Less. | ♄ ♄ ♄ ⌂ I-III; Mex.
- *greyi* Hook. f. = Brachyglottis greyi
- **halleri** Dandy · Hallers Greiskraut | ♃ △ VII-VIII; Eur.: F, Ch, I; Alp.
- **haworthii** (Sweet) Sch. Bip. | ♄ Ψ ⌂; Kap
- *hectoris* Buchanan = Brachyglottis hectoris
- **hercynicus** Herborg · Hain-Greiskraut ; Eur.: Fr, N-I, Me, EC-Eur., Ba
- **heritieri** DC. | ♃ ⌂ II-III; Canar.: Teneriffa
- **herreianus** Dinter | ♃ Ψ ⌂ ⁓→; Namibia
- *hookerianus* (Hook. f.) Jacobsen = Kleinia fulgens
- **inaequidens** DC. · Schmalblättriges Greiskraut | ♃ XI-VII; S-Afr., nat. in BrI, F, I, D
- **incanus** L. · Weißgraues Greiskraut | ♃ VII-IX ▽; Eur.: F, I, C-Eur., EC-Eur., Slove., W-Russ.; Alp., Apenn., Carp.
  - subsp. **carniolicus** (Willd.) Braun-Blanq. · Krainer Greiskraut | ♃ VII-IX ▽; Eur.:CH, A, D, Slove.; Alp., Carp.
- *integrifolius* (L.) Clairv. = Tephroseris integrifolia
  - subsp. *aurantiacus* (Hoppe ex Willd.) Briq. et Cavill. = Tephroseris integrifolia subsp. autrantiaca
  - subsp. *capitatus* (Wahlenb.) Cuvier = Tephroseris integrifolia subsp. capitata
- **jacobaea** L. · Jakobs-Greiskraut · Jacobea, Staggerwort | ♃ ⊙ VII-X ☠; Eur.*, TR, Cauc., W-Sib., E-Sib., C-As., Maroc.
- *jacobsenii* G.D. Rowley = Kleinia petraea
- **kirkii** Hook. f. ex Kirk | ♃ ⌂ VII-VIII; N-NZ
- *kleinia* (L.) Less. = Kleinia neriifolia
- **kleiniiformis** Suess. | ♄ ⌂; S-Afr.
- **klinghardtianus** Dinter | ♃ ⌂; Kap, Namibia
- *laxifolius* Buchanan = Brachyglottis laxifolia
- *ledebourii* Sch. Bip. = Ligularia macrophylla
- *leucostachys* Baker = Senecio viravira
- *longiflorus* (DC.) Sch. Bip. = Kleinia longiflora
- **macroglossus** DC. · Natal Ivy, Wax Vine | ♃ Ψ ⌂ ≷ XII-II; S-Afr.
  - **'Variegatus'** DC. | ♄ Ψ
- **mandraliscae** (Tineo) H. Jacobsen | ♄ ⌂; ? Kap
- *maritimus* Koidz. = Senecio cineraria
- **medley-woodii** Hutch. | ♄ Ψ; S-Afr.: Natal
- *mikanioides* Otto ex Walp. = Delairea

odorata
- *monroi* Hook. f. = Brachyglottis monroi
- **nemorensis** L. · Wood Ragwort | ♃ VII-IX; Eur.* exc. BrI, Sc; TR, Cauc., Sib.
  - subsp. *fuchsii* (C.C. Gmel.) Celak. = Senecio ovatus
- **ovatus** (P. Gaertn., B. Mey. et Scherb.) Willd. · Fuchs-Greiskraut · Woundwort · Séneçon de Fuchs | ♃ VII-IX; Eur.* exc. BrI; Cauc., Sib.
- *palmatifidus* (Siebold et Zucc.) Juel = Ligularia japonica
- **paludosus** L. · Sumpf-Greiskraut | ♃ ~ VII-VIII; Eur.*, TR, W-Sib.
- **pendulus** (Forssk.) Sch. Bip. | ♃ Ⓚ ⇝; Yemen, Eth., Somalia
- **petasites** (Sims) DC. · Velvet Groundsel | ♃ Ⓚ I-III; S-Mex.
- *przewalskii* Maxim. = Ligularia przewalskii
- *pteroneurus* (DC.) Sch. Bip. = Kleinia anteuphorbium
- **pulcher** Hook. et Arn. | ♃ Ⓚ VII-X; Arg., Urug.
- **radicans** (L. f.) Sch. Bip. | ♃ Ψ Ⓚ ⇝; Kap, Namibia
- *reinoldii* Endl. = Brachyglottis rotundifolia
- *repens* (L.) Muschl. = Senecio serpens
- *sagittatus* (Vahl) Hoffm. = Emilia javanica
- **sarracenius** L. · Fluss-Greiskraut | ♃ VIII-IX; Eur.: Fr, C-Eur., EC-Eur., Ba, E-Eur.; ? TR, Sib., nat. in DK, Br
- **scandens** Buch.-Ham. · Climbing Groundsel | ħ Ⓚ ≩; Ind., China, Jap., Taiwan, Phil.
- **scaposus** DC. | ♃ Ψ; S-Afr.
  - var. **caulescens** Harv. | ħ Ⓚ; Kap
- *sempervivus* (Forssk.) Sch. Bip. = Kleinia semperviva
- **serpens** G.D. Rowley | ⊙ ⊙ ♃ Ⓚ VII-VIII; Kap
- *sibiricus* (L.) C.B. Clarke = Ligularia sibirica
- **spiculosus** (Sheph.) G.D. Rowley | ⊙ ♃ ħ ħ Ⓚ ⇝; Namibia
- **squalidus** L. · Felsen-Greiskraut | ⊙ V-VIII; Eur.: C-Eur., EC-Eur., Slove., Ba, RO, nat. in BrI, DK, F
- *stapeliiformis* Phillips = Kleinia stapeliiformis
- *stenocephalus* Maxim. = Ligularia stenocephala
- **subalpinus** Koch · Berg-Greiskraut | ♃ VII-IX; Eur.: D, A, EC-Eur., RO, Russ., ?GR; E-Alp., Bayerischer Wald, Carp., Balkan
- *succulentus* Sch. Bip. = Senecio serpens
- **sylvaticus** L. · Wald-Greiskraut | VI-VIII; Eur.*, W-As., E-As., nat. in N-Am.
- *tanguticus* Maxim. = Sinacalia tangutica
- *tiroliensis* A. Berger = Senecio abrotanifolius
- **tropaeolifolius** MacOwan | ħ Ⓚ; S-Afr.
- **umbrosus** Waldst. et Kit. · Schatten-Greiskraut | ♃ VII-IX; Eur.: A, CZ, Ba, S-Russ.; TR
- *uniflorus* (All.) All. = Senecio halleri
- *veitchianus* Hemsl. = Ligularia veitchiana
- **vernalis** Waldst. et Kit. · Frühlings-Greiskraut | XI-V; Eur.: A, EC-Eur., Ba, E-Eur.; TR, SW-As., C-As., nat. in Fr, D, CH, Sc
- **viravira** Hieron. | ♃ ħ ħ Ⓚ; Arg.
- **viscosus** L. · Klebriges Greiskraut | X-VI; Eur.* exc. Sc; TR, Cauc., nat. in Sc
- **vulgaris** L. · Gewöhnliches Greiskraut · Common Groundsel, Groundsel | ⊙ XI; Eur.*, TR, Levante, Cauc., Iran, W-Sib., E-Sib., Amur, Sachal., Kamchat., China, Jap., Taiwan, Eth., Kap., Austr., NZ, nat. in N-Am., S-Am.
- *wilsonianus* Hemsl. = Ligularia wilsoniana

Senegalia = Acacia Mill.
- *senegal* (L.) Britten = Acacia senegal

Senna Mill. -f- *Caesalpiniaceae*
- **alata** (L.) Roxb. | ħ; trop. Am, nat. in Afr., SE-As., Austr.
- **alexandrina** Mill. · Alexandrian Senna, Senna | ħ ħ Ⓦ Off.; trop. Afr., Alger., Egypt, Palaest., Ind., Mex.
- **artemisioides** (DC.) Randell · Silver Cassia | ħ Ⓚ; Austr.: Queensl., N.S.Wales, Victoria, S-Austr.
- **auriculata** (L.) Roxb. · Avarom | ħ Ⓝ; Ind., nat. in E-Afr., S-Afr.
- **corymbosa** (Lam.) Irwin et Barneby; Arg., Urug., S-Bras.
  - var. **plurijuga** Benth. | ħ Ⓚ VII-X; S-Bras., Urug., Arg.
- **didymobotrya** (Fresen.) Irwin et Barneby · Candle Bush, Golden Wonder | ħ Ⓚ; trop. Afr., nat. in Trop.
- × **floribunda** (Cav.) Irwin et Barneby (*S. multiglandulosa* × *S. septemtrionalis*)
- **hebecarpa** (Fernald) Irwin et Barneby ·

Wild Senna | ♃ VII-IX ∧; USA: NE, NCE, Tenn., N.C.
– **marilandica** (L.) Link
– **multiglandulosa** (Jacq.) Irwin et Barneby | ♄ Ⓚ; Mex., C-Am., trop. S-Am.
– **occidentalis** (L.) Link · Coffee Senna | ⊙ Ⓚ IX-X Ⓝ; Mex., W.Ind., S-Am., nat. in USA, trop. Afr., trop. As.
– **septemtrionalis** (Viv.) Irwin et Barneby · Smooth Senna | ♄ Ⓚ VII-VIII; Mex., trop. Am.
– **siamea** (Lam.) Irwin et Barneby · Siamese Senna | ♄ Ⓦ Ⓝ; Ind., Sri Lanka, Thail., Malay. Arch., nat. in trop. Am.
– **spectabilis** (DC.) Irwin et Barneby | ♄; C-Am., trop. S-Am.

Sequoia Endl. -f- *Taxodiaceae* · Mammutbaum, Redwood
– *gigantea* (Lindl.) Decne. = Sequoiadendron giganteum
– *glyptostroboides* (Hu et W.C. Cheng) Weide = Metasequoia glyptostroboides
– **sempervirens** (D. Don) Endl. · Küsten-Mammutbaum · California Redwood, Coast Redwood, Redwood | ♄ Ⓚ ∧ Ⓝ; USA: S-Oreg., Calif.
– *wellingtonia* Seem. = Sequoiadendron giganteum

Sequoiadendron Buchholz -n- *Taxodiaceae* · Mammutbaum
– **giganteum** (Lindl.) Buchholz · Mammutbaum · Giant Sequoia, Wellingtonia · Séquoia géant | ♄ Ⓝ; USA: Calif.

Serapias L. -f- *Orchidaceae*
– **cordigera** L. | ♃ Ⓚ ▭ V ▽ ✻; Eur.: Ib, Fr, Ap, Ba; NW-TR, N-Afr.
– **lingua** L. | ♃ Ⓚ ▭ V ▽ ✻; Eur.: Ib, Fr, Ap, Ba; N-Afr.
– **vomeracea** (Burm. f.) Briq. · Stendelwurz | ♃ V-VI; Eur.: Ib, Fr, CH, Ap, Ba; TR, Cyprus, Cauc., Syr., Palaest.

Serenoa Hook.f. -f- *Arecaceae*
– **repens** (W. Bartram) Small · Sabal, Saw Palmetto | ♄ Ⓚ ⇝; USA: SE

Sericographis = Justicia L.
– *pauciflora* Nees = Justicia rizzinii

Serissa Comm. ex Juss. -f- *Rubiaceae*
– **foetida** (L. f.) Lam. · Serissa | ♄ Ⓦ Off.; SE-As.
– *japonica* Thunb. = Serissa foetida

Serjania Mill. -f- *Sapindaceae*
– **curassavica** Radlk. | ♄ Ⓦ Ⓝ; Ind.
– **cuspidata** Cambess. | ♄ Ⓦ ≷; Bras.

Serratula L. -f- *Asteraceae* · Scharte
– *depressa* Stev. = Jurinella moschus
– **lycopifolia** (Vill.) A. Kern. · Ungarn-Scharte | ♃ VI-VII; Eur.: F, A, EC-Eur., Slove., Croatia, Bosn., E-Eur.
– **nudicaulis** (L.) DC. · Nacktstänglige Scharte | ♃ VI-VII; Eur.: Sp., F, I, CH; Maroc.; mts.
– **radiata** (Waldst. et Kit.) M. Bieb. | ♃; Eur.: EC-Eur., Ba, E-Eur.; Cauc.
– **seoanei** Willk. · Serratule des teinturiers | ♃ △ IX-X ∧; Eur.: Ib, S-F
– *shawii* hort. = Serratula seoanei
– **tinctoria** L. · Färber-Scharte · Alpine Saw Wort, Saw Wort | ♃ VII-VIII; Eur.*, Alger., ? TR
  - subsp. **macrocephala** (Bertol.) Wilczek et Schinz · Großköpfige Scharte, Großköpfige Färber-Scharte | ♃ VII-IX; Eur.: N-Sp., F, I, CH, A, Slove.; mts.
  - subsp. *seoanei* (Willk.) Lainz = Serratula seoanei
– **wolfii** Andrae | ♃ VIII; Eur.: RO, Russ.

Sesamoides Ortega -f- *Resedaceae*
– **canescens** (L.) Kuntze; Eur.: Ib, F, Ap; NW-Afr.
– **clusii** (Spreng.) Greuter et Burdet | ♃; Eur.: Fr, Ib, Ap, +

Sesamum L. -n- *Pedaliaceae*
– **alatum** Thonn. | Ⓝ; W-Sudan, Eth., E-Afr., trop. S-Afr.
– **indicum** L. · Sesame | ⊙ Ⓦ Off. Ⓝ; ? Eth., ? Ind.

Sesbania Scop. -f- *Fabaceae*
– **aculeata** (Pers.) Poir. | ♃ Ⓝ; Ind., Sri Lanka, China, trop. Afr.
– *aegyptica* (Poir.) Pers. = Sesbania sesban
– **cannabina** (Retz.) Pers. | ♄ Ⓦ Ⓝ; trop. Afr., trop. As., Austr.
– *cochinchinensis* (Lour.) DC. = Sesbania cannabina
– **grandiflora** (L.) Pers. · Wisteria Tree | ♄ Ⓦ VII-VIII Ⓝ; Ind., Sri Lanka, Mauritius, SE-As., N-Austr.

– **punicea** (Cav.) Benth. | ♄ Ⓦ IV-X; NE-Arg., S-Bras., Urug.
– **sesban** (L.) Merr. | ♄ Ⓦ VII-VIII Ⓝ; trop. Afr., S-Afr.
– **speciosa** Taub. ex Engl. | Ⓝ; ? Ind., cult. Ind.
– **tripetii** (Poit.) hort. ex F.T. Hubb. · Scarlet Wisteria Tree | ♄ Ⓚ V-X; Bras., N-Arg.

Seseli L. -n- *Apiaceae* · Sesel, Bergfenchel
– **annuum** l. · Steppen-Bergfenchel | ⊙ VII-IX; Eur.* exc. Brl, Sc
– **caespitosum** Sibth. et Sm. | ♃ △ VII-VIII; NW-TR
– **elatum** L.
  - subsp. **austriacum** (Beck) P.W. Ball · Österreichischer Bergfenchel | ♃ VIII-IX; Eur.: N-I, Slove.
  - subsp. **osseum** (Crantz) P.W. Ball · Meergrüner Bergfenchel | ♃ ⊙ VII-VIII; Eur.: Ib, Fr, A, EC-Eur., Ba, RO
– **hippomarathrum** Jacq. · Pferde-Bergfenchel | ♃ VII-IX; Eur.: C-Eur., EC-Eur., Serb., E-Eur.; W-Sib.
– **libanotis** (L.) K. Koch · Heilwurz | ⊙ VII-VIII; Eur.*, W-Sib., E-Sib., Mong.
– **montanum** L. · Echter Bergfenchel | ♃ VII-IX; Eur.: Sp., F, I, CH, Ba; Cauc., Maroc.
– **pallasii** Besser · Bunter Bergfenchel | ♃ ⊙ VII-VIII; Eur.: I, A, EC-Eur., Ba, E-Eur.; Cauc.

Sesleria Scop. -f- *Poaceae* · Blaugras
– **albicans** Kit. ex Schult. · Kalk-Blaugras · Blue Moor Grass · Seslérie blanchâtre | ♃ △ III-V; Eur.: Sp., Fr, Brl, I, C-Eur., EC-Eur., Slove., ? W-Russ.
  - var. *pseudo-uliginosa* (Braun-Blanq.) Oberd. = Sesleria albicans
– **argentea** (Savi) Savi | ♃ △ VI-VII; Eur.: Sp., F, I
– **autumnalis** (Scop.) F.W. Schultz | ♃ IX-X; Eur.: I, Slove., Croatia, Bosn., Montenegro, AL
– **caerulea** (L.) Ard. · Moor-Blaugras | ♃ △ V; Eur.: Sc, EC-Eur., N-I, A, Ba, E-Eur.
  - subsp. *varia* (Jacq.) Hayek = Sesleria albicans
– **heufleriana** Schur · Grünes Kopfgras · Balkan Blue Grass | ♃ IV-V; Eur.: Slova., H, RO, W-Russ.
– **nitida** Ten. | ♃ IV-V; Eur.: I, Sic.; mts.
– **ovata** (Hoppe) A. Kern. · Eiförmiges Blaugras, Zwerg-Blaugras | ♃ VII-VIII; Eur.: F, I, D, A, Slove.; Alp.
– **rigida** Heuff. ex Rchb. | ♃; Eur.: Ba, RO; mts.
– **sadleriana** Janka · Pannonisches Blaugras | ♃ III-V; Eur.: A, H, PL, Slove.
– *varia* (Jacq.) Wettst. = Sesleria albicans

Sesuvium L. -n- *Aizoaceae*
– **portulacastrum** (L.) L. · Shoreline Sea Purslane | ♃ Ⓚ ⟿ VII-VIII Ⓝ; Subtrop., Trop.; coasts

Setaria P. Beauv. -f- *Poaceae*
– **faberi** F. Herm. · Fabers Borstenhirse | VII-IX; China, nat. in Eur.:CH, D, CZ; N-Am.
– **glauca** (L.) P. Beauv. · Bristle Grass
– *glauca* auct. = Setaria pumila
– **italica** (L.) P. Beauv. · Kolbenhirse · Foxtail Bristle Grass, Italian Millet | ⊙ X-VIII Ⓝ; cult.
  - subsp. **moharica** (Alef.) Körn.
– *lutescens* (Stuntz) F.T. Hubb. = Setaria pumila
– **macrostachya** Humb., Bonpl. et Kunth | ♃ VII-VIII; USA: Colo., SW, Tex.; Mex.
– **palmifolia** (J. König) Stapf · Palm Grass | ♃ Ⓦ; trop. As.
– **poiretiana** (Schult.) Kunth | ♃ Ⓦ; Mex., C-Am., W.Ind., trop. S-Am.
– **pumila** (Poir.) Schult. · Fuchsrote Borstenhirse | ♃ Ⓚ ⋉ X-VII Ⓝ; Eur.* exc. Brl, Sc; TR, Levante, Cauc., Iran, Afgh., Pakist., Ind., Indochina, China, Jap., Canar., Maroc., Libya, Egypt, nat. in N-Am., S-Am., S-Afr., Austr.
– **sphacelata** (Schum.) Stapf et C.E. Hubb. | ♃ Ⓝ; S-Afr. trop. S-Afr., nat. in Afr., Austr.
– *sulcata* Raddi = Setaria poiretiana
– **verticillata** (L.) P. Beauv. · Quirlige Borstenhirse | VI-IX; Eur.: Ib, Ap, Fr, Ba, E-Eur.; TR, cauc., C-As., Him., E-As., N-Am., Subtrop., nat. in C-Eur., E-Eur.
  - var. **ambigua** (Guss.) Parl. · Kurzborstige Borstenhirse, Unbeständige Borstenhirse | VI-IX; Eur.: , S-Russ.; TR, Syr., Israel, Iraq, Arab., Cauc., Iran, N-Afr.
– **viridis** (L.) P. Beauv. · Grüne Borstenhirse · Green Bristle Grass | ⊙ X; Eur.*, TR, Iraq, Cyprus, Lebanon, Arab., Cauc., Iran, C-As., Afgh., Ind., W-Sib.,

E-Sib., Amur, China, Jap., Indochina, N-Afr., nat. in N-Am., S-Am., Phil., Austr.

Setcreasea = Tradescantia L.
– *groegeriana* hort. = Callisia elegans
– *purpurea* Boom = Tradescantia pallida
– *striata* hort. = Callisia elegans

Seticereus = Borzicactus Riccob.
– *chlorocarpus* (Kunth) Backeb. = Browningia chlorocarpa
– *icosagonus* (K. Schum.) Backeb. = Borzicactus icosagonus
– *roezelii* (Haage) Backeb. = Borzicactus roezlii

Setiechinopsis (Backeb.) de Haas *Cactaceae*
– **mirabilis** (Speg.) Backeb. | ᛘ Ⓚ ✻; Arg.

Severinia Ten. -f- *Rutaceae*
– **buxifolia** (Poir.) Ten. | ♄ ♄; S-China, Vietn.

Shepherdia Nutt. -f- *Elaeagnaceae* · Büffelbeere
– **argentea** (Pursh) Nutt. · Silber-Büffelbeere · Silver Buffalo Berry | ♄ ♄ III-IV Ⓝ; Can.: W, Man.; USA: NW, Calif., Rocky Mts., SW, NC, NCE
– **canadensis** (L.) Nutt. · Kanadische Büffelbeere · Buffalo Berry, Soapberry | ♄ IV-V; Alaska, Can.; USA: NE, NCE, NC, SW, Rocky Mts.

Sherardia L. -f- *Rubiaceae* · Ackerröte
– **arvensis** L. · Ackerröte · Field Madder | ⊙ X; Eur.*, TR, N-Iraq, Levante, Cauc., NW-Afr., Libya

Shibataea Makino ex Nakai -f- *Poaceae*
– **kumasasa** (Zoll. ex Steud.) Makino ex Nakai | ♄; Jap.

× **Shipmanara** Hort. -f- *Orchidaceae* · Orchidaceae (*Broughtonia* × *Caularthron* × *Schomburgkia*)

Shorea Roxb. ex C.F. Gaertn. -f- *Dipterocarpaceae*
– **contorta** S. Vidal | ♄ Ⓦ Ⓝ; Phil.
– **robusta** C.F. Gaertn. · Sal Tree | ♄ Ⓦ Ⓝ; Ind.
– **wiesneri** Schiffn. | ♄ Ⓦ Ⓝ; Ind., Sumat., Java, Phil.

Shortia Torr. et A. Gray -f- *Diapensiaceae*
– **galacifolia** Torr. et A. Gray · Winterblatt · Oconee Bells | ♃ V-VI ∧; USA: N.C.
– **uniflora** (Maxim.) Maxim. | ♃ IV-V; Jap.

Sibbaldia L. -f- *Rosaceae* · Alpengelbling
– **procumbens** L. · Alpen-Gelbling · Creeping Glow Wort, Sibbaldia | ♃ ⇝ △ VI; Eur.*, W-Sib., E-Sib., Amur, Sachal., Kamchat., C-As., Jap., Alaska, Can., USA: NE, SW, Rocky Mts., NW, Calif.; Greenl.

Sibbaldiopsis Rydb. -f- *Rosaceae*
– **tridentata** (Aiton) Rydb. | ♄ VI-VII; Can., USA: NE, NCE, SE; Greenl.

Sibiraea Maxim. -f- *Rosaceae* · Blauspiere
– **altaiensis** (Laxm.) C.K. Schneid. | ♄ V-VI; Eur.: Croatia, Bosn.; W-Sib. (Altai)
  - var. **croatica** (Degen) G. Back. | ♄; Croatia: Velebit
– *laevigata* (L.) Maxim. = Sibiraea altaiensis
– **tomentosa** Diels | ♄; SW-China

Sibthorpia L. -f- *Scrophulariaceae*
– **europaea** L. · Cornish Moneywort | ♃ Ⓐ ⇝ V-VIII; Eur.: BrI, Fr, Ib, GR, Crete, Azor.; Afr. mts.

Sicana Naudin -f- *Cucurbitaceae*
– **odorifera** (Vell.) Naudin · Cassabanana, Musk Cucumber | ♃ Ⓦ ≩ VI-VII Ⓝ; cult.

Sicyos L. -m- *Cucurbitaceae* · Haargurke
– **angulatus** L. · Haargurke · Bur Cucumber | ⊙ ≩ VI-VII; Can.: E; USA: NE, NCE, SC, SE, Fla.

Sida L. -f- *Malvaceae*
– *abutilon* L. = Abutilon theophrasti
– **hermaphrodita** (L.) Rusby | ♃; USA
– **rhombifolia** L. · Cuban Jute | ♄ Ⓦ Ⓝ; Subtrop., Trop.

Sidalcea A. Gray -f- *Malvaceae* · Präriemalve
– **candida** A. Gray · White Prairie Mallow | ♃ VII-VIII ∧; USA: Rocky Mts., N.Mex.
– **malviflora** (DC.) A. Gray · Checker Mallow | ♃ VI-VIII ∧; Calif.
– **neomexicana** A. Gray · Rocky Mountain Checker Mallow | ♃ VII-IX ∧; USA:

NW, Rocky Mts., Calif., SW; Mex.
– **oregana** (Nutt. ex Torr. et A. Gray) A. Gray | ♃ VII-IX ∧; USA: NW, Calif., Nev.

Siderasis Raf. -f- *Commelinaceae*
– **fuscata** (Lodd.) H.E. Moore | ♃ (w); Bras.

Sideritis L. -f- *Lamiaceae* · Gliedkraut
– **glacialis** Boiss. | ♃ △ VI-VII; S-Sp., N-Afr.
– **hyssopifolia** L. · Ysopblättriges Gliedkraut · Sideritis | ♃ △ VII; Eur.: Ib, F, I, CH, nat. in D
– **macrostachys** Poir. | ♄, Canar.
– **montana** L. · Berg-Gliedkraut | VII-VIII; Eur.: Ib, Fr, Ap, Ba, A, EC-Eur., E-Eur.; TR, Cauc., Iran, C-As., N-Afr., nat. in D
– **romana** L. · Römisches Gliedkraut ; Eur.: Ib, Fr, Ap, Ba; TR, NW-Afr., Libya
– **scardica** Griseb. | ♃ △ VI-VII; Eur.: Maced., AL, GR, BG
– **syriaca** L. | ♃; Eur.: Ba, Ap, Krim; TR

Sieversia Willd. -f- *Rosaceae*
montana (L.) Spreng. = Geum montanum
– *reptans* (L.) Spreng. = Geum reptans
– *triflora* (Pursh) R. Br. = Geum triflorum

Sigesbeckia L. -f- *Asteraceae*
– *orientalis* L. = Sigesbeckia serrata
– **serrata** DC. · Herzblättrige Siegesbeckie | VIII IX; S-Chile, nat. in Brl, D

Sigmatostalix Rchb.f. -f- *Orchidaceae*
– **radicans** Rchb. f. | ♃ (w) VII-IX ✻; Bras.

Silaum Mill. -n- *Apiaceae*
– **silaus** (L.) Schinz et Thell. · Wiesensilge | ♃ VI-IX; Eur.* , W-Sib.

Silene L. -f- *Caryophyllaceae* · Leimkraut
– **acaulis** (L.) Jacq. · Stängelloses Leimkraut · Moss Campion · Silène acaule | ♃ VI-IX; Eur.*, W-Sib., E-Sib., Kamchat., Alaska, Can., USA: NE, NCE, NC, Rocky Mts., SW, NW, Calif.; Greenl.
  - subsp. **exscapa** (All.) Braun-Blanq. · Kiesel-Polsternelke, Stielloses Leimkraut · Silène acaule | ♃ ⌓ △ VI-VIII; Eur.: Pyr., W-Alp.
– *alba* (Mill.) E.H.L. Krause = Silene latifolia subsp. alba
– **alpestris** Jacq. · Alpen-Leimkraut, Großer Strahlensame · Silène des Alpes | ♃ △ VI-VIII; Eur.: I, A, Slva., Slove., Croat.; mts.
– **altaica** Pers. | ♃ VI-VII; Russ. (S-Ural), W-Sib., E-Sib., C-As., China
– × *arkwrightii* hort. = Lychnis × arkwrightii
– **armeria** L. · Nelken-Leimkraut · Catchfly | ⊙ VI-VIII; Eur.: Fr, Ap, CH, PL, E-Eur., Ba; TR, nat. in Ib
– **asterias** Griseb. | ♃ △ VI; Eur.: ?Bosn., YU, Maced., AL, BG, N-GR
– **bupleuroides** L. · Langblütiges Leimkraut ; Eur.: EC-Eur., Ba, E-Eur.; TR, Cauc., N-Iran, C-As.
– **chlorantha** (Willd.) Ehrh. · Grünliches Leimkraut | ♃ VI-VIII; Eur.: D, PL, Ba, E-Eur.; Cauc., W-Sib., E-Sib., C-As.
– **coeli-rosa** (L.) Godr. · Himmelsröschen · Rose-of-Heaven | ⊙ VI-VIII; Eur.: Ib, Ap; NW-Afr., nat. in H
– **compacta** Fisch. | ⊙; Eur.: Ba, EC-Eur., TR, N-Iraq, Cauc., N-Iran
– **conica** L. · Kegelfrüchtiges Leimkraut | VI-VII; Eur.* exc. Sc; TR, Iraq, Arab., Cauc., N-Iran, C-As., Sib., NW-Afr., nat. in Sc
– **conoidea** L. · Großkegelfrüchtiges Leimkraut | VI-VII; Eur.: Sp., F, I; TR, Levante, Cauc., Iran, C-As., Him., China: Sinkiang; N-Afr., N-Am.
– *coronaria* (L.) Clairv. = Lychnis coronaria
– **cretica** L. · Kreta-Leimkraut | VI-VII; Eur.: Ib, Slove.; TR, Cyprus, Palaest.
– *cucubalus* Wibel = Silene vulgaris
– **dichotoma** Ehrh. · Gabel-Leimkraut | ⊙ VI-VIII; Eur.: I, H, Ba, E-Eur.; Cauc., W-Sib., nat. in Sc, Fr, C-Eur., N-Am.
– **dioica** (L. emend. Mill.) Clairv. · Rote Lichtnelke · Red Campion | ♃ ⊙ ⁓ IV-VII; Eur.*, Cauc., W-Sib., C-As., Maroc.
– **elisabethae** Jan | ♃ △ VI ∧; Eur.: I; S-Alp.
– *exscapa* All. = Silene acaulis subsp. exscapa
– *flos-cuculi* (L.) Clairv. = Lychnis flos-cuculi
– *flos-jovis* (L.) Clairv. = Lychnis flos-jovis
– **gallica** L. · Französisches Leimkraut | VI-VIII; Eur.* exc. Sc; TR, Levante, Cauc., Iran, N-Afr., nat. in cosmop.
– × *haageana* (Lemoine) hort. = Lychnis × haageana
– **hookeri** Nutt. ex Torr. et A. Gray ·

Hooker's Silene | ♃ △ V-VI; USA: SW-Oreg., NW-Calif.
- *inflata* Sm. = Silene vulgaris
- **insubrica** Gaudin · Insubrisches Leimkraut | ♃ VI-VII; Eur.: CH, I; Alp.
- **italica** (L.) Pers. · Italienisches Leimkraut | ♃ V; Eur.* exc. BrI, Sc; TR, Levante, Cauc., N-Iran, C-As., N-Afr., nat. in BrI
- **keiskei** (Miq.) Ohwi | ♃; Jap.; mts.
- **latifolia** Poir. · Weiße Lichtnelke · White Campion ; Eur.*, TR, Syr., Maroc., Alger., nat. in N-Am., S-Am.
  - subsp. **alba** (Mill.) Greuter et Burdet · Catchfly, Wild Campion | ⊙ ♃ VI-IX; Eur.*, TR, Syr., Maroc., Alger., nat. in N-Am.
- **linicola** C.C. Gmel. · Flachs-Leimkraut | VI-IX; Eur.: F, nat. in I, W-Ba
- *maritima* With. = Silene uniflora
- **multiflora** (Waldst. et Kit.) Pers. · Vielblütiges Leimkraut | ♃ VI-VII; Eur.: A, EC-Eur., E-Eur.; W-Sib., C-As.
- **nemoralis** (Waldst. et Kit.) Nyman · Hain-Leimkraut | ⊙ V-VII; Eur.: F, D, A, H, CZ, Slova., Slove.
- **noctiflora** L. · Acker-Lichtnelke | ⊙ VI-IX; Eur.* exc. Ib, Sc; TR, SW-As., N-Am., nat. in Ib
- **nutans** L. · Nickendes Leimkraut | ♃ V-VIII; Eur.*, Cauc., N-As., N-Afr.
- **otites** (L.) Wibel · Ohrlöffel-Leimkraut | ♃ V-VIII; Eur.*, Cauc., N-Iran, Sib.
- **pendula** L. | ⊙ VI-VIII; Eur.: I; ? TR, Cauc., nat. in Sp.
- **polypetala** (Walter) Fernald et Schub. · Eastern Fringed Catchfly | ♃ V-VI; USA: Ga., Fla
- *pratensis* (Rafn) Godr. et Gren. = Silene latifolia subsp. alba
- **pudibunda** Hoffmanns. ex Rchb. · Rosafarbiges Kleines Leimkraut | ♃ VII-IX; Eur.: A
- **pusilla** Waldst. et Kit. · Kleiner Strahlensame, Vierzähniges Leimkraut | ♃ △ VI-VIII; Eur.* exc. BrI, Sc; mts.
- *quadridentata* hort. = Silene alpestris
- *quadrifida* auct. non (L.) Rchb. = Silene pusilla
- **rupestris** L. · Felsen-Leimkraut | ♃ VII-VIII; Eur.* exc. BrI; mts.
- **saxifraga** L. · Karst-Leimkraut, Steinbrech-Leimkraut · Catchfly | ♃ △ V-VI; Eur.: Ib, Fr, Ap, Ba, C-Eur., RO
- **schafta** S.G. Gmel. ex Hohen. | ♃ △ VIII-IX; Cauc.
- *suecica* (Lodd.) Greuter et Burdet = Lychnis alpina
- **tatarica** (L.) Pers. · Tataren-Leimkraut | ♃ VII-IX; Eur.: D, PL, Sc, E-Eur.; Cauc.
- **uniflora** Roth · Catchfly, Sea Campion · Silène enflé | ♃ VI-VIII; Eur., N-Afr.; coasts
- **vallesia** L. · Waliser Leimkraut | ♃ △ VI-VIII; Eur.: F, I, CH, Croatia, Bosn., Montenegro, Al
- **veselskyi** (Janka) H. Neumayer · Wolliges Leimkraut | ♃ V-VII; Eur.: I, A, Slove.; SE-Alp.
- **virginica** L. · Fire Pink | ♃ △ VII-VIII ∧; Can.: Ont.; USA: NE, NCE, Okla., SE
- **viridiflora** L. · Grünblütiges Leimkraut | ♃ VII; Eur.: Ib, Fr, Ap, Ba, EC-Eur., E-Eur.; TR
- *viscaria* (L.) K. Jess. = Lychnis viscaria
- **viscosa** (L.) Celak. · Klebrige Lichtnelke, Klebriges Leimkraut | ♃ V-VII; Eur.: Sc, C-Eur., mÖ, EC-Eur., Bosn.; Cauc., Iran, W-Sib., E-Sib., C-As., Mong.
- **vulgaris** (Moench) Garcke · Gewöhnliches Leimkraut, Taubenkropf-Leimkraut · Bladder Campion | ♃ V-IX; Eur.*, Cauc., TR, Levante, Iran, W-Sib., E-Sib., Amur, Sachal., Kamchat., C-As., Him., N-Afr., nat. in N-Am.
  - subsp. *maritima* (With.) A. Löve et D. Löve = Silene uniflora
- **waldsteinii** Griseb. | ♃ ⇝ △ V-VI; Eur.: Ba; mts
- × **walkeri** hort. (*S. coronaria* × *S. flos-jovis*)
- **zawadzkii** Herbich | ♃ △ VI-VIII; Eur.: RO, W-Russ.; E-Carp.

Silphium L. -n- *Asteraceae*
- **integrifolium** Michx. · Rosin Weed | ♃ VIII-IX; USA: NCE, Kans., SE
- **laciniatum** L. · Compass Plant, Pilot Weed, Polar Plant | ♃ VII-VIII; USA: NCE, NC, SC, SE
- **perfoliatum** L. · Becherpflanze · Cup Plant, Indian Cup Plant, Indian Gum | ♃ VII-IX; Ont., USA: NE, NCE, NC, Okla., SE
- **terebinthinaceum** Jacq. · Prairie Dock | ♃ VII-IX; Can.: Ont.; USA: NE, NCE, SE
- **trifoliatum** L. | ♃ VII-IX; USA: NE, NCE, SE

Silybum Adans. -n- *Asteraceae* · Mariendistel
- **eburneum** Coss. et Durieu | ⊙ VI-IX; Eur.: Sp.; NW-Afr.
- **marianum** (L.) Gaertn. · Gewöhnliche Mariendistel · Milk Thistle, Our Lady's Thistle | ⊙ ⊙ Off. VII-IX; Eur.: Ib, Fr, Ap, Ba; TR, Iraq, Cauc., Iran, Afgh., N-Afr., Canar., Madeira, nat. in Eur.: BrI, CH, EC-Eur., E-Eur.; N-Am., S-Am., Austr.

Simmondsia Nutt. -f- *Simmondsiaceae*
- **chinensis** (Link) C.K. Schneid. · Bucknut, Goat Nut | ħ Ⓚ Ⓝ; USA: Calif., SW; N-Mex.

Sinacalia H. Rob. et Brettell -f- *Asteraceae*
- **tangutica** (Maxim.) B. Nord. · Tungusisches Greiskraut | ♃ ~ X; N-China

Sinapis L. -f- *Brassicaceae* · Senf
- **alba** L. · Weißer Senf · Mustard, White Mustard | VI-VII; Eur.*, TR, Cyprus, Syr., Iraq, Cauc., Iran, W Sib., E Sib., C-As., N-Afr.
- **arvensis** L. · Acker-Senf · Charlock, Field Mustard | ⊙ X-IX; Eur.*, TR, Syr., Iraq, Cauc., Iran, W-Sib., E-Sib., C-As., N-Afr.

Sinarundinaria Nakai -f- *Poaceae*
- *murieliae* (Gamble) Nakai = Fargesia murieliae
- *nitida* (Mitford) Nakai = Fargesia nitida

Sinningia Nees -f- *Gesneriaceae*
- **barbata** (Nees et Mart.) G. Nicholson | ♃ Ⓦ I-XII; Bras.
- **canescens** (Mart.) Wiehler | ♃ Ⓦ IV-VIII; Bras.: Parana
- **cardinalis** (Lehm.) H.E. Moore · Cardinal Flower, Helmet Flower | ♃ Ⓦ III-VIII; Bras.
- **concinna** (Hook. f.) G. Nicholson | ♃ Ⓦ I-XII; Bras.
- **eumorpha** H.E. Moore | ♃ Ⓦ VI-VII; S-Bras.
- **gesneriifolia** (Hanst.) Clayberg | ♃ Ⓦ VII-VIII; Bras.
- **hirsuta** (Lindl.) G. Nicholson | ♃ Ⓦ VI-VII; Bras.
- **macropoda** (Sprague) H.E. Moore | ♃ Ⓦ III-IV; S-Bras.
- **pusilla** (Mart.) Baill. | ♃ Ⓦ IV-VIII; Bras.
- *regina* Sprague = Sinningia speciosa
- **richii** Clayberg | ♃ Ⓦ IX-X; Bras.
- **speciosa** (Lodd.) Hiern · Gloxinia | ♃ Ⓦ VI-VIII; Bras.
- **tubiflora** (Hook.) Fritsch | ♃ Ⓦ; Arg.: Buenos Aires
- **verticillata** (Vell.) H.E. Moore | ♃ Ⓦ; Bras.
- **warscewiczii** (Bouché et Hanst.) H.E. Moore | ♃ Ⓦ; Mex.

Sinocrassula A. Berger -f- *Crassulaceae*
- **indica** (Decne.) A. Berger | ♃ ¥ Ⓚ IX-X; Ind.
- **yunnanensis** (Franch.) A. Berger | ♃ ¥ Ⓚ IX-X; Yunnan

Sinofranchetia (Diels) Hemsl. -f- *Lardizabalaceae*
- **chinensis** (Franch.) Hemsl. | ħ ⌇ ✿ V; W-China, C-China

Sinomenium Diels -n- *Menispermaceae*
- **acutum** (Thunb.) Rehder et E.H. Wilson | ⌇; Jap., C-China

Sinowilsonia Hemsl. -f- *Hamamelidaceae*
- **henryi** Hemsl. | ħ V; W-China, C-China

Siphocampylus Pohl -m- *Campanulaceae*
- **manettiiflorus** Hook. | ħ Ⓦ IV-X; Cuba

Sison L. -n- *Apiaceae*
- **amomum** L. · Gewürzdolde | ⊙ VII-VIII; Eur.: BrI, D, Ib, Ap, Ba, RO; TR, Cauc.

Sisymbrium L. -n- *Brassicaceae* · Wegrauke
- *alliaria* (L.) Scop. = Alliaria petiolata
- **altissimum** L. · Hohe Rauke, Ungarische Rauke | V-VII; Eur.: EC-Eur., Ba, E-Eur.; TR, Lebanon, Syr., Cauc., Iran, W-Sib., C-As., H, nat. in Eur.: BrI, Sc, Fr, C-Eur., Ib, Ap; N-Am.
- **austriacum** Jacq. · Österreichische Rauke | ♃ ⊙ V-VI; Eur.: Ib, Fr, I, C-Eur., EC-Eur., nat. in W-Russ.
- **irio** L. · Glanz-Rauke | V-VIII; Eur.: Ib, Fr, Ap, Ba C-Eur., RO; TR, Levante, Cauc., Iran, C-As., N-Afr., nat. in BrI, EC-Eur.
- **loeselii** L. · Loesels Rauke | VI-VIII; Eur.: Ap, C-Eur., EC-Eur., Ba, E-Eur.;

TR, Iraq, Cauc., Iran, Afgh., W-Sib., C-As., Him., Mong., Amur, nat. in BrI, Sc, Fr, Ib
- **officinale** (L.) Scop. · Weg-Rauke · Hedge Mustard, Mustard | ⊙ ⊙ X; Eur.*, TR, Levante, Iraq, Cauc., Iran, W-Sib., O-Sib., Amur, NW-Afr., Libya, nat. in N-Am., Austr.
- **orientale** L. · Orientalische Rauke | VI-VII; Eur.: Ib, Fr, Ap, Ba, H, RO; TR, Levante, Cauc., Iran, nat. in Eur.: BrI, Sc, C-Eur.; Austr.
- **strictissimum** L. · Steife Rauke | ♃ VI-VII; Eur.: Fr, Ap, C-Eur., EC-Eur., Ba, E-Eur., nat. in BrI, ?Ib
- **supinum** L. · Niedrige Rauke | VII-VIII; Eur.: Sp., Fr, CH, Sweden, Russ.
- **volgense** M. Bieb. ex E. Fourn. · Wolga-Rauke | ♃ V-VIII; Eur.: SE-Russ., nat. in BrI, D, EC-Eur.

Sisyrinchium L. -n- *Iridaceae* · Binsenlilie
- *anceps* Cav. = Sisyrinchium angustifolium
- **angustifolium** Mill. · Blue Eyed Grass · Herbe veuve, Tonique printanier | ♃ △ V-VI ∧; Alaska, Can., USA* exc. SE, Fla.
- *bellum* hort. = Sisyrinchium idahoense
- **bellum** S. Watson
- **bermudianum** L. · Grasschwertel, Schmalblättriges Blauaugengras, Schmalblättriges Grasschwertel · Strict Blue Eyed Grass | ♃ △ V-VII ∧; Can.; USA: NE, NCE, NC, Rocky Mts.
- *boreale* (C. Bicknell) J. Henry = Sisyrinchium californicum
- *brachypus* (C. Bicknell) J. Henry = Sisyrinchium californicum 'Brachypus'
- **californicum** W.T. Aiton · Golden Eyed Grass · Sisyrinchum de Californie | ♃ Ⓚ VI-VIII ∧; USA: Oreg., Calif.
  - **'Brachypus'**
- **convolutum** Nocca; C-Am.
- *douglasii* A. Dietr. = Olsynium douglasii
- *filifolium* Gaudich. = Olsynium filifolium
- *gramineum* Lam. = Sisyrinchium angustifolium
- **graminifolium** Lindl. | ♃ Ⓚ IV-V; Chile
- *grandiflorum* Douglas non Cav. = Olsynium douglasii
- **idahoense** C. Bicknell · Idaho Blue Eyed Grass | ♃ Ⓐ V-VI ∧; Can.: B.C.
  - var. **macounii** (E.P. Bicknell) D.M. Hend. | ♃ Ⓐ V-VI ∧
- *iridifolium* Humb., Bonpl. et Kunth = Sisyrinchium micranthum
- *macounii* E.P. Bicknell = Sisyrinchium idahoense var. macounii
- *majale* Link et Klotzsch = Sisyrinchium graminifolium
- **micranthum** Cav. | ♃ Ⓚ VI; C-Am., S-Am.
- *montanum* Greene = Sisyrinchium bermudianum
- **mucronatum** Michx. · Blue Eyed Grass | ♃ Ⓚ △ V-VI ∧; USA: NE, NCE, N.C.
- **striatum** Sm. | ♃ Ⓚ VI-VII; Arg., Chile

Sium L. -n- *Apiaceae* · Merk
- **latifolium** L. · Großer Merk · Water Parsnip | ♃ ♠ VII-VIII ☠; Eur.*, Cauc., N-Iraq, W-Sib., C-As., nat. in Austr.
- **sisarum** L. · Zucker-Merk · Skirret | ♃ VII-VIII Ⓝ; Eur.: H, BG, E-Eur.; TR, Syr., Cauc., N-Iraq, Iran, C-As., W-Sib., E-Sib., nat. in C-Eur., I

Skiatophytum L. Bolus -n- *Aizoaceae*
- **tripolium** (L.) L. Bolus | ⊙ ♃ Ⓚ; Kap

Skimmia Thunb. -f- *Rutaceae*
- × *foremanii* H. Knight = Skimmia japonica 'Veitchii'
- *fragrans* Carrière = Skimmia japonica
- **japonica** Thunb. · Japanische Skimmie · Japanese Skimmia · Skimmia du Japon | ♄ ♧ D ♧ V; Jap., Riukiu-Is., Taiwan
  - *'Foremannii'* = Skimmia japonica 'Veitchii'
  - **'Veitchii'**
  - **Rogersii-Grp.** | ♄ ♧ V; cult.
  - subsp. **reevesiana** (Fortune) N.P. Taylor et Airy Shaw · Reeves Skimmie · Reeves's Skimmia | ♄ ♧ V-VI; China, Taiwan, Phil.: Luzon
- **laureola** (DC.) Siebold et Zucc. | ♄ ♄ V-VI; Nepal, Him. Myanmar, China
- *oblata* Hoare = Skimmia japonica
- *reevesiana* Fortune = Skimmia japonica subsp. reevesiana
- × *rogersii* Mast. = Skimmia japonica Rogersii-Grp.

Smilacina = Maianthemum Weber
- **racemosa** (L.) Desf. · Duftsiegel · False Spikenard, Solomon's Plume | ♃ V-VI; Alaska, Can., USA* exc. Fla.
- **stellata** (L.) Desf. · Sternförmiges Duftsiegel · Starflower | ♃ V; Alaska,

Can., USA* exc. Fla.

Smilax L. -f- *Smilacaceae* · Stechwinde
- **argyraea** Linden et Rodigas | ♄ Ⓦ ≷; Peru, Bol.
- **aspera** L. · Raue Stechwinde · Rough Bindweed | ♄ Ⓚ ≷ ⇝ VIII-IX; Eur.: Ib, Fr, Ap, Ba, Canar.; TR, Eth., Him., Sri Lanka, N-Afr.
- **china** L. · Chinaroot | ♄ Ⓚ Ⓐ V; China, Korea, Jap.
- **excelsa** L. · Hohe Stechwinde | ≷; Eur.: BG, GR, Russ.Azor.; Cauc., TR, Iran
- **glauca** Walter · Saw Brier | ♄ Ⓚ Ⓐ ∧; USA: NE, NCE, SC, SE, Fla.
- **hispida** Muhl. · Steifborstige Stechwinde | ≷ VI; USA
- *mauritanica* Poir. = Smilax aspera
- **medica** Schltdl. · Veracruz-sarsaparille | Ⓝ; S-Mex.
- **regelii** Kill. et C.V. Morton · Honduras Sarsaparilla | ♄ Ⓦ ≷ Ⓝ; C-Am.
- **rotundifolia** L. · Rundblättrige Stechwinde · Green Briar, Horse Briar | ♄ Ⓚ ≷ ⇝ VI ∧; Can.: E; USA: NE, NCE, SC, SE, Fla.
- *saluberrima* Gilg = Smilax regelii
- *utilis* Hemsl. = Smilax regelii

Smithiantha Kuntze -f- *Gesneriaceae*
- *amabilis* (Regel) Kuntze = Smithiantha multiflora
- **cinnabarina** (Linden) Kuntze | ♃ Ⓦ IV-VI; S-Mex.
- **multiflora** (M. Martens et Galeotti) Fritsch | ♃ Ⓦ VII-VIII; S-Mex.
- **zebrina** (Paxton) Kuntze · Temple Bells | ♃ Ⓦ VIII-X; S-Mex.

Smyrnium L. -n- *Apiaceae*
- **olusatrum** L. · Alexanders | ☉ V-VI Ⓝ; Eur.: Ib, Fr, Ap, Ba; TR, Alger., Canar., nat. in BrI
- **perfoliatum** L. · Stängelumfassende Gelbdolde | ☉ VI-VII; Eur.: Ib, Fr, Ap, EC-Eur., Ba, RO, Krim; TR, Syr., ?Cauc., nat. in BrI, DK, C-Eur.

Sobralia Ruiz et Pav. -f- *Orchidaceae*
- **leucoxantha** Rchb. f. | ♃ Ⓦ VI-VIII ✻; Costa Rica, Panama
- **macrantha** Lindl. | ♃ Ⓦ V-VI ✻; Mex., C-Am.
- **sessilis** Lindl. | ♃ △ VI-VIII ✻; Guyan., Bras., Peru
- **xantholeuca** Rchb. f. | ♃ Ⓦ VI-VIII ✻; C-Am.

Soehrensia = Trichocereus (A. Berger) Riccob.
- *bruchii* (Britton et Rose) Backeb. = Trichocereus bruchii
- *formosa* (Pfeiff.) Backeb. = Trichocereus formosus
- *grandis* (Britton et Rose) Backeb. = Trichocereus bruchii
- *korethroides* (Werderm.) Backeb. = Trichocereus bruchii

Soja Moench -f- *Fabaceae*
- *hispida* Moench = Glycine max
- *max* (L.) Piper = Glycine max

Solandra Sw. -f- *Solanaceae*
- **grandiflora** Sw. | ♄ Ⓦ ≷ D ≷ VII-VIII; Jamaica, Mex.
- **guttata** D. Don ex Lindl. | ♄ Ⓦ ≷ D ≷ VII-VIII; Mex.
- *hartwegii* N.E. Br. = Solandra maxima
- **longiflora** Tussac | ♄ Ⓦ ≷ D ≷ IX-X; Jamaica
- **maxima** (Sessé et Moç.) P.S. Green · Chalice Vine | ♄ Ⓦ ≷ D ≷ VII-VIII; Mex.

Solanopteris Copel. -f- *Polypodiaceae*
- **bifrons** (Hook.) Copel. | ♃ Ⓦ ≷; Col., Ecuad., Peru

Solanum L. -n- *Solanaceae* · Nachtschatten
- **aculeatissimum** Jacq. · Dutch Eggplant | ♄ Ⓚ ⚘ VII-VIII; Trop.
- **aethiopicum** L. | Ⓝ; W-Afr., C-Afr., trop. As.
- **ajanhuiri** Juz. et Bukasov | ♃ Ⓝ; cult. N-Bol.
- *angustifolium* Lam. = Solanum rostratum
- **atropurpureum** Schrank | ♄ Ⓚ VII-VIII; Col., Bras., Parag., Urug., NE-Arg.
- *auriculatum* Aiton = Solanum mauritianum
- **aviculare** G. Forst. · Kangaroo Apple | ♄ Ⓚ VIII-IX; Austr.: Queensl., N.S.Wales, Victoria, S-Austr., Tasman.; NZ
- **berthaultii** Hawkes | ♃ Ⓚ Ⓝ; Bol.
- **bonariense** L. | ♄; S-Bras., Urug., NE-Arg.
- **capsicastrum** Link ex Schauer · False Jerusalem Cherry | ♄ Ⓚ ⚘ VI-VII; S-Bras., Urug.

- **citrullifolium** A. Braun | ⊙ VI-IX; USA: N.Mex., Tex., Mex.
- *cornutum* hort. = Solanum rostratum
- **crispum** Ruiz et Pav. · Chilean Potato Tree | ♄ Ⓚ ≀ D ≀ VI-IX; Chile
- **dasyphyllum** K. Schum. et Thonn. · Nightshade | ♃ Ⓚ Ⓝ; trop. Afr., S-Afr.
- *diflorum* Vell. = Solanum capsicastrum
- **dulcamara** L. · Bittersüßer Nachtschatten · Deadly Nightshade · Douce-amère, Morelle | ♄ ≀ ~ VI-IX ☠ Ⓝ; Eur.*, TR, Cauc., N-Iran, W-Sib., E-Sib., C-As., Afgh., Pakist., Him., NW-Afr., nat. in N-Am.
- *duplosinuatum* Klotzsch = Solanum dasyphyllum
- **erianthum** D. Don · Big Eggplant, China Flower Leaf | ♄ ♄ Ⓚ VII-VIII; Ind., SE-As., N-Austr., trop. Am., cult. Trop., Subtrop., nat. in Subtrop. , Trop.
- **giganteum** Jacq. | ♄ Ⓚ VII-VIII; Ind., Sri Lanka, S-Afr.
- **gilo** Raddi | ♄ Ⓝ; W-Afr., nat. in Bras.
- *goniocalyx* Juz. et Bukasov = Solanum tuberosum
- *heterodoxum* Britten = Solanum citrullifolium
- **hispidum** Pers. | ♄ Ⓚ VII-IX; Mex., C-Am., Peru
- **incanum** L. | ♄ Ⓝ; W-Sudan, W-Afr., E-Afr., Ind.
- **integrifolium** Poir. | ⊙ Ⓚ ⚘ VII-VIII; E-Afr.
- **jasminoides** Paxton · Potato Vine | ♄ Ⓚ ≀ II-XI; Bras.
- **laciniatum** Aiton · Kangaroo Apple | ♄ Ⓚ VIII-IX; Austr.: N.S.Wales, Victoria, Tasman.; NZ
- *lycopersicum* L. = Lycopersicon esculentum
- **macrocarpon** L. | ♃ Ⓚ Ⓝ; Madag., Mauritius, E-Afr.
- **mammosum** L. · Love Apple | ♃ Ⓚ; Col., Ecuad.
- **marginatum** L. f. · Purple African Nightshade | ♄ Ⓚ VII-VIII; Eth.
- **mauritianum** Scop. | ⊙ Ⓚ VII-VIII; C-Am., S-Am., nat. in Subtrop., Trop.
- **melanocerasum** All.; nat. in B, BrI, D, Sweden
- **melongena** L. · Aubergine, Eierfrucht · Aubergine, Eggplant | ⊙ ♃ Ⓚ ⚘ VI-VII Ⓝ; trop. Afr., Egypt, Arab., NW-Ind.
- **muricatum** L'Hér. ex Aiton · Melon Pear, Pepino | ♃ ♄ Ⓚ ⚘ Ⓝ; cult.
- **nigrum** L. · Schwarzer Nachtschatten · Black Nightshade, Common Nightshade | ⊙ X ☠; Eur.*; cosmop.
- **pensile** Sendtn. | ♄ Ⓦ ≀ V-X; Amazon., Guyan.
- **phureja** Juz. et Bukasov | ♃ Ⓚ Ⓝ; cult., nat. in Col. Ecuad., Peru, N-Bol., Venez.
- **physalifolium** Rusby; Arg.
  - var. **nitidibaccatum** (Bitter) Edmonds · Argentinischer Nachtschatten, Glanzfrüchtiger Nachtschatten | X-VI; Arg., nat. in D, A
- **pseudocapsicum** L. · Jerusalem Cherry | ♄ Ⓚ ⛉ ⚘ ☠; Madeira
- **pyracanthum** Jacq. | ♄ Ⓚ VII-IX; trop. Afr., Madag.
- **quitoense** Lam. · Quito Orange | ♄ Ⓚ Ⓝ; Col., Ecuad., Peru, Venez.
- *racemiflorum* Vilm. non Dunal = Lycopersicon esculentum var. pimpinellifolium
- *racemigerum* (Lange) Zodda = Lycopersicon esculentum var. pimpinellifolium
- *rantonnetii* Carrière ex Lesc. = Lycianthes rantonnetii
- **robustum** H. Wendl. | ♃ Ⓚ VIII-IX; Bras.
- **rostratum** Dunal · Stachel-Nachtschatten · Buffalo Bur, Horned Nightshade | ⊙ VI-IX; Can., USA* exc. NE; Mex., nat. in e. N-Am.
- **sarachoides** Sendtn. · Saracha-Nachtschatten | VI-IX; Bras., nat. in BrI, F, D
- **seaforthianum** Andrews · Brazilian Nightshade, Potato Creeper | ♄ Ⓦ Ⓚ ≀ II-XI; C-Am., W.Ind.
- **sessiliflorum** Dunal | ♃ Ⓚ Ⓝ; Amazon., Venez., Col., Ecuad., Peru
- **sisymbriifolium** Lam. · Sticky Nightshade | ⊙ Ⓚ VII-VIII ☠; S-Am., nat. in USA: SC, SW, Calif.
- **sodomaeum** L. | ♄; S-Afr., S-Austr.(), nat. in Eur.: Ib, Ap, Ba +; coasts
- **stenotomum** Juz. et Bukasov | ♃ Ⓚ Ⓝ; cult., nat. in S-Peru, Bol.
- **sublobatum** Willd. ex Roem. et Schult. · Zierlicher Nachtschatten | VI-IX; se S-Am., nat. in Sp., F, CH
- **torvum** Sw. | ♄ Ⓝ; Trop.
- **triflorum** Nutt. · Dreiblütiger Nachtschatten ; w N-Am., nat. in BrI, B
- **tuberosum** L. · Kartoffel · Potato | ♃ Ⓚ Off. X-VIII Ⓝ; cult., nat. in S-Am.

– **valdiviense** Dunal · Solanum | ♄ Ⓚ D VII-VIII; Chile
– *verbascifolium* L. = Solanum erianthum
– **viarum** Dunal | Ⓝ; S-Am.
– **villosum** Mill. · Gelber Nachtschatten | X-VI; Eur.* exc. Sc; TR, Cauc., SW-As., Pakist., C-As., nat. in Sc
 - subsp. **alatum** (Moench) Edmonds · Rotfrüchtiger Nachtschatten | X-VI; Eur.: CH, D, A, EC-Eur.; TR
– *warscewiczii* Weick ex Lambertye = Solanum hispidum
– **wendlandii** Hook. f. · Costa Rican Nightshade | ♄ Ⓦ ⚘ VI-VIII; Costa Rica

Soldanella L. -f- *Primulaceae* · Troddelblume, Alpenglöckchen
– **alpicola** F.K. Mey. · Zwerg-Troddelblume · Dwarf Snowbell ; Eur.: C-Eur., I, Slove., Croatia, Maced., BG, RO
– **alpina** L. · Alpen-Troddelblume · Alpine Snowbell · Soldanelle des Alpes | ♃ △ IV-V ▽; Eur.: Sp., F, C-Eur., I, Slove., Croatia, Bosn., YU, AL
– **austriaca** Vierh. · Österreichisches Alpenglöckchen | ♃ V-VII; Eur.: A; Alp.
– **carpatica** Vierh. | ♃ △ IV-V; W-Carp.
– **cyanaster** nom. nud.
– **dimoniei** Vierh. | ♃ △ IV-V; Eur.: Maced., AL, BG
– **hungarica** Simonk. · Ungarische Soldanelle | ♃ △ V; Eur.: I, A, EC-Eur., Ba, E-Eur.
– **minima** Hoppe · Kleinste Troddelblume | ♃ △ V ▽; Eur.: I, D, A, Slove.; E-Alp., Apenn.
– **montana** Willd. · Berg-Troddelblume · Mountain Tassel · Soldanelle des montagnes | ♃ △ V ▽; Eur.: C-Eur., EC-Eur., I, BG, E-Eur., nat. in FIN
– **pindicola** Hausskn. | ♃ △ IV-V ▽; NW-GR
– *pusilla* Baumg. = Soldanella alpicola
– **villosa** Darracq | ♃ △ IV-V ▽; Eur.: Sp., F; W-Pyr.

Soleirolia Gaudich. -f- *Urticaceae*
– **soleirolii** (Req.) Dandy · Angel's Tears, Baby's Tears | ♃ Ⓦ Ⓚ ⤳ ⋀; Eur.: Balear., Corse, Sard., I (islands), nat. in P, BrI, Fr

Solenanthus Ledeb. -m- *Boraginaceae* · Riesenboretsch
– **apenninus** (L.) Fisch. et C.A. Mey. | ⊙ V-VII; Eur.: I, Sic., ? AL, ? GR

Solenomelus Miers -m- *Iridaceae*
– **pedunculatus** (Hook.) Hochr. | ♃ Ⓚ VI; Chile
– **sisyrinchium** (Griseb.) Diels | ♃ Ⓚ VI; Chile

Solenopsis = Laurentia Adans.
– *laurentia* (L.) C. Presl = Laurentia canariensis
– *minuta* (L.) C. Presl = Laurentia minuta

Solenostemon Thonn. m *Lamiaceae*
– *blumei* (Benth.) Launert = Solenostemon scutellarioides
– *rotundifolius* (Poir.) J.K. Morton = Plectranthus rotundifolius
– **scutellarioides** (L.) Codd · Bunt-Nessel · Coleus | ⊙ ♃ Ⓚ ⚘ XI-I; Phil.: Luzon; N-Kalimantan
– **shirensis** (Gürke) Codd | ♃ Ⓚ XII-I; E-Afr.

Solidago L. -f- *Asteraceae* · Goldrute
– *alpestris* Waldst. et Kit. ex Willd. = Solidago virgaurea subsp. minuta
– *altissima* L. = Solidago canadensis var. scabra
– **arguta** Aiton | ♃ VII-IX; Can.: Ont.; USA: NE, NCE, SE
– *brachystachys* hort. = Solidago cutleri
– **caesia** L. · Goldbandrute · Wreath Goldenrod · Verge d'or bleuâtre | ♃ VIII-IX; Can.: E; USA: NE, NCE, SC, SE, Fla.
– **canadensis** L. · Kanadische Goldrute · Canada Goldenrod | ♃ X-IX; Can.: E, Sask.; USA: NE, NCE, NC, Rocky Mts., SW, nat. in Eur.* exc. Ap, Ba
 - var. **scabra** (Muhl.) Torr. et A. Gray | ♃
– **cutleri** Fernald | ♃ △ VII-IX; USA: NE
– **drummondii** Torr. et A. Gray | ♃ VIII-IX; USA: Ill., Mo., Ark., La.
– **flexicaulis** L. · Broad Leaved Goldenrod | ♃ VII-IX; Can.: E; USA: NE, NCE, NC, SE
– **gigantea** Aiton · Riesen-Goldrute, Späte Goldrute | ♃ VIII-IX; Can., USA* exc. Calif., nat. in Eur.*
– **graminifolia** (L.) Salisb. · Grasblättrige Goldrute · Fragrant Goldenrod | ♃ ～ X-IX; Can., USA: NE, NC, N.C., NCE, SC, SW, nat. in C-Eur.

– *latifolia* A. Gray = Solidago flexicaulis
– *minutissima* (Makino) Kitam. = Solidago virgaurea var. minutissima
– **missouriensis** Nutt. · Missouri Goldenrod | ♃ VII-IX, nat. in N.J.
– **multiradiata** Aiton · Northern Groundsel, Rocky Mountain Goldenrod | ♃ △ VII-VIII; Alaska, Can., USA: NW, Calif., Rocky Mts., SW
– **nemoralis** Aiton · Gray Goldenrod | ♃ VIII-IX; Can., USA: NE, NCE, NC, SC, SE
– **odora** Aiton · Sweet Goldenrod | ♃ D VII; USA: NE, NCE, SC, SE, Fla.
– **riddellii** Frank | ♃ ~ VIII-IX; Can.: Ont.; USA: NE, NCE
– **rigida** L. · Stiff Goldenrod | ♃ VIII-IX; Can.; USA: NE, NCE, NC, SC, SE, SW, Rocky Mts.
– **rugosa** Mill. · Rough Goldenrod | ♃ VIII-IX; Can.: E; USA: NE, NCE, SC, SE, Fla.
– **sempervirens** L. | ♃; NE-Am., nat. in Azor.
– **shortii** Torr. et A. Gray | ♃ VII-VIII; USA: Ky.
– **virgaurea** L. · Gewöhnliche Goldrute · European Goldenrod | ♃ X-IX; Eur.*, TR, Cauc., W-Sib., E-Sib., Amur, Sachal., Kamchat., C-As, Him., China, Korea, Jap., NW-Afr.
  - subsp. *alpestris* (Willd.) Hayek = Solidago virgaurea subsp. minuta
  - subsp. **minuta** (L.) Arcang. | ♃ △ VII-IX; Eur.: N, mts.
  - var. *alpina* Bigelow = Solidago cutleri
  - var. **minutissima** Makino | ♃ △ IX-X; Jap. (Kiuschu)

× **Solidaster** Wehrh. -m- *Asteraceae*
– **luteus** M.L. Green ex Dress (*Aster ptarmicoides* × *Solidago*) | ♃ ⋉ VII-IX; cult.

Solisia = Mammillaria Haw.
– *pectinata* (Stein) Britton et Rose = Mammillaria pectinifera

Sollya Lindl. -f- *Pittosporaceae*
– **heterophylla** Lindl. · Bluebell Creeper | ♄ Ⓚ ≷ VII; W-Austr.

Sonchus L. -m- *Asteraceae* · Saudistel, Gänsedistel
– *alpinus* L. = Cicerbita alpina
– **arboreus** DC. | ♄ Ⓚ IV-V; Canar.
– **arvensis** L. · Acker-Gänsedistel · Sow Thistle | ♃ X-VIII; Eur.*, TR, Cauc., W-Sib., E-Sib., Amur, Sachal., C-As., Mong., China, Korea, nat. in N-Am., Afr., Austr.
– **asper** (L.) Hill · Raue Gänsedistel · Prickly Sow Thistle | ⊙ X; Eur.*, TR, Cauc., Iran, W-Sib., E-Sib., Amur, Sachal., C-As., Him., China, Korea, Jap., nat. in N-Am.
– *macrophyllus* Willd. = Cicerbita macrophylla
– **oleraceus** L. · Kohl-Gänsedistel · Milk Thistle, Sow Thistle | ⊙ X; Eur.*, TR, Cauc., N-As., Arab., N-Afr., Canar., nat. in cosmop.
– **palustris** L. · Sumpf-Gänsedistel · Marsh Sow Thistle | ♃ ~ VII-IX; Eur.* exc. Ib; TR, Cauc.
– *plumieri* L. = Cicerbita plumieri

Sonerila Roxb. -f- *Melastomataceae*
– **margaritacea** Lindl. | ♄ Ⓦ X-XI; Java

Sonneratia L.f. -f- *Sonneratiaceae*
– **caseolaris** (L.) Engl. | ♄ Ⓝ; Malay. Pen., Kalimantan; Mangrove

Sophora L. -f- *Fabaceae* · Schnurbaum
– **davidii** (Franch.) Skeels · Wickenblättriger Schnurbaum | ♄ VI; W-China
– **flavescens** Aiton | ♃; China, Sib., Korea, Jap.
– **japonica** L. · Japanischer Schnurbaum · Japanese Pagoda Tree · Sophora du Japon | ♄ VIII; China, Korea
– **microphylla** Aiton | ♄ ♄ Ⓚ II-III; NZ
– **mollis** (Graham ex Royle) Baker | ♄; Him.
– **prostrata** Buchanan | ♄ Ⓚ; NZ
– **secundiflora** (Ortega) Lag. ex DC. | ♄; Tex., N.Mex.; N-Mex.
– **tetraptera** J. Mill. · Kowhai | ♄ ♄ Ⓚ IV; NZ, Lord Howe Is.
  - var. *microphylla* (Aiton) Hook. f. = Sophora microphylla
– *viciifolia* Hance = Sophora davidii

× **Sophrocattleya** Hort. -f- *Orchidaceae* (*Cattleya* × *Sophronitis*)

× **Sophrolaelia** Hort. -f- *Orchidaceae* (*Laelia* × *Sophronitis*)

× **Sophrolaeliocattleya** Hort. -f- *Orchidaceae* (*Cattleya* × *Laelia* × *Sophronitis*)

Sophronitella Schltr. -f- *Orchidaceae*
- **violacea** (Lindl.) Schltr. | ⌂ XI-II ✱; Bras.

Sophronitis Lindl. -f- *Orchidaceae*
- **cernua** (Lindl.) Lindl. | ⌂ XI-I ✱; Bras.
- **coccinea** Rchb. f. | ⌂ XI-II ✱; Bras.
- *grandiflora* Lindl. = Sophronitis coccinea
- *violacea* Lindl. = Sophronitella violacea

Sorbaria (Ser. ex DC.) A. Braun -f- *Rosaceae* · Fiederspiere
- *aitchisonii* (Hemsl.) Hemsl. ex Rehder = Sorbaria tomentosa var. angustifolia
- *arborea* C.K. Schneid. = Sorbaria kirilowii
- *assurgens* Vilm. et Bois = Sorbaria kirilowii
- **grandiflora** (Sweet) Maxim. | ♄ △ VII; E-Sib.
- **kirilowii** (Regel) Maxim. | ♄ VII; C-China.
- *lindleyana* (Wall. ex Loudon) Maxim. = Sorbaria tomentosa
- **sorbifolia** (L.) A. Braun · Sibirische Fiederspiere · False Spiraea | ♄ VI-VII; W-Sib., E-Sib., Amur, Sachal., Kamchat., Mong., Korea, Jap., nat. in ne N-Am.
  - var. **stellipila** Maxim.; Jap., Korea
- **tomentosa** (Lindl.) Rehder · Himalaya-Fiederspiere | ♄ VI-VIII ∧; C-As., Afgh., Pakist., Him.
  - var. **angustifolia** (Wenz.) Rahn · Kashmir False Spiraea | ♄ VII-VIII; Afgh., Pakist., Kashmir

× **Sorbaronia** C.K. Schneid. -f- *Rosaceae*
- **alpina** (Willd.) C.K. Schneid. (*Aronia arbutifolia* × *Sorbus aria*) | ♄ ♄ V; cult.
- **dippelii** (Zabel) C.K. Schneid. (*Aronia melanocarpa* × *Sorbus aria*) | ♄ ♄; cult.
- **fallax** (C.K. Schneid.) C.K. Schneid. (*Aronia melanocarpa* × *Sorbus aucuparia*) | ♄ ♄; cult.
- **hybrida** (Moench) C.K. Schneid. (*Aronia arbutifolia* × *Sorbus aucuparia*) | ♄ ♄; cult.
- **sorbifolia** (Poir.) C.K. Schneid. (*Aronia melanocarpa* × *Sorbus americana*) | ♄ ♄; cult.

× **Sorbocotoneaster** Pojark. -f- *Rosaceae*
- **pozdnjakovii** Pojark. (*Cotoneaster melanocarpa* × *Sorbus aria*) | ♄; cult. Sib.

× **Sorbopyrus** C.K. Schneid. -f- *Rosaceae* · Hagenbuttenbirne
- **auricularis** (Knoop) C.K. Schneid. (*Pyrus communis* × *Sorbus aria*) · Hagebuttenbirne | ♄ IV-V; cult.

Sorbus L. -f- *Rosaceae* · Eberesche
- **alnifolia** (Siebold et Zucc.) K. Koch · Erlenblättrige Mehlbeere · Korean Mountain Ash · Alisier à feuilles d'aulne | ♄ ♧ V-VI; China, Amur, Manch., Korea, Jap.
  - var. **submollis** Rehder | ♄; Jap., Korea, Mandsch., China, Amur
- × **ambigua** Michalet (*S. aria* × *S. chamaespilus*) · Bastard-Zwerg-Mehlbeere ; Eur.: F, I, CH, D, A, Ba, RO
- **americana** Marshall · Amerikanische Eberesche · American Mountain Ash · Sorbier d'Amérique | ♄ ♄ ~ ♧ V-VI; Can.: E; USA; NE, NCE, SE
- *arbutifolia* (L.) Heynh. = Aronia arbutifolia
- **aria** (L.) Crantz · Gewöhnliche Mehlbeere · Whitebeam · Alisier blanc, Alouchier | ♄ ♄ V Ⓝ; Eur.* exc. Sc; NW-Afr.
- × **arnoldiana** Rehder (*S. aucuparia* × *S. discolor*) · Arnolds Eberesche | ♄; cult.
- **arranensis** Hedl. | ♄; W-Scotland: Arran
- **aucuparia** L. · Eberesche, Vogelbeere · Mountain Ash, Rowan · Sorbier des oiseleurs | ♄ ♄ ♧ V-VI Ⓝ; Eur.*, TR, Cauc., W-Sib.
  - *'Dulcis'* = Sorbus aucuparia 'Edulis'
  - **'Edulis'** | ♄ ♧ V Ⓝ; Eur.: CZ; cult.
  - var. *edulis* Dieck = Sorbus aucuparia 'Edulis'
  - var. *moravica* (Zengerl) A. Löve = Sorbus aucuparia 'Edulis'
- **austriaca** (Beck) Hedl. · Österreichische Mehlbeere | ♄ ♄ V-VI; Eur.: A, EC-Eur., Ba, RO, W-Russ.; E-Alp., Carp., Balkan
- × **carpatica** Borbás (*S. aria* × *S. mougeotii*) · Karpaten-Mehlbeere ; Eur.: A, Slova., Ba, RO
- **cashmiriana** Hedl. · Himalaya-Eberesche · Kashmir Rowan · Sorbier du Cachemire | ♄ ♧ V; Afgh., Kashmir
- **chamaemespilus** (L.) Crantz · Zwerg-

Mehlbeere · False Medlar · Alisier nain | ♄ VI-VII; Eur.* exc. BrI, Sc
- **commixta** Hedl. · Japanische Eberesche · Chinese Scarlet Rowan · Sorbier du Japon | ♄ VI; Jap., Sachal.
  - **'Serotina'** | ♄ V; orig. ?
- *cuspidata* (Spach) Hedl. = Sorbus vestita
- **danubialis** (Jáv.) Kárpáti · Donau-Mehlbeere | ♄ V; Eur.: C-Eur., EC-Eur., RO, W-Russ., ? Ba
- **decora** (Sarg.) C.K. Schneid. · Labrador-Eberesche | ♄ ♄ ♲ V; Can.: E; USA: NE, NCE; Greenl.
- **discolor** (Maxim.) Maxim. · Snowberry Mountain Ash | ♄ ♲ V; N-China
- **domestica** L. · Speierling · Service Tree · Cormier | ♄ V-VI Ⓝ; Eur.* exc. BrI, Sc; TR, Cauc., Maroc., Alger.
  - fo. **pomifera** (Hayne) Rehder
  - fo. **pyriformis** (Hayne) Rehder
- **dubia** Hedl.; orig. ?
- **epidendron** Hand.-Mazz. | ♄ ♄ V; W-China
- **erubescens** A. Kern. ex Dippel
- **esserteauana** Koehne · Esserteaus Eberesche | ♄ ♄ ♲ V; W-China
- × *fennica* (Kalm) Fr. = Sorbus × hybrida
- **folgneri** (C.K. Schneid.) Rehder · Chinesische Mehlbeere · Folgner's Whitebeam | ♄ ♄ ♲ V; C-China
- **gracilis** (Siebold et Zucc.) K. Koch | ♄ V; Jap.
- **graeca** (Spach) Lodd. ex Schauer · Griechische Mehlbeere | ♄ ♄ V; Eur.: Ap, C-Eur., EC-Eur., Ba, RO, Krim; TR, Cauc.
- × **hostii** (J. Jacq.) K. Koch (*S. chamaespilus* × *S. mougeotii*) | ♄ ♲ V; Eur.: A, Slova; Alp., N-Carp.
- **hupehensis** C.K. Schneid. · Hupeh-Eberesche · Hupeh Mountain Ash · Sorbier du Hou-Pei | ♄ ♲ V; W-China, C-China
  - var. **obtusata** C.K. Schneid.; China: Hupeh
- × **hybrida** L. (*S. aucuparia* × *S. intermedia*) · Bastard-Mehlbeere · Hybrid Mountain Ash · Alisier de Finlande | ♄ ♲ V-VI; Eur.: Sc
- **intermedia** (Ehrh.) Pers. · Schwedische Mehlbeere · Swedish Whitebeam · Alisier de Suède | ♄ ♄ V Ⓝ; Eur.: Sc, D, PL, Balt.
- **japonica** (Decne.) Hedl. | ♄ V; Jap., Korea
- **javorkae** (Soó) Kárpáti; EC-Eur.
- × **kewensis** hort.
- **koehneana** C.K. Schneid. · Weißfrüchtige Eberesche | ♄ ♲ V; C-China
- **latifolia** (Lam.) Pers. · Breitblättrige Mehlbeere · Service Tree of Fontainebleau · Alisier de Fontainebleau | ♄ ♲ V-VI; Eur.: P, Sp., F, D, nat. in Sweden
- **megalocarpa** Rehder | ♄ ♲ V; N-China
- × **meinichii** (Lindeb.) Hedl. (*S. aria* × *S. aucuparia*) ; S-Norw.
- *melanocarpa* (Michx.) Heynh. = Aronia melanocarpa
- **minima** (Lév.) Hedl. | ♄ V-VI; Engl., Wales
- **mougeotii** Soy.-Will. · Vogesen-Mehlbeere · Pyrenean Whitebeam · Alisier de Mougeot | ♄ ♄ V; Eur.: Sp., F, CH, I; Pyr., Alp., Jura, Vosges
- *nepalensis* hort. = Sorbus vestita
- **pannonica** Kárpáti · Pannonische Mehlbeere ; Eur.: D, A, EC-Eur., ? RO
- **pluripinnata** (C.K. Schneid.) Koehne | ♄ ♄ V; W-China
- **pohuashanensis** (Hance) Hedl. · Pohuasha-Eberesche | ♄ V; N-China
- *pohuashanensis* hort. = Sorbus × kewensis
- **prattii** Koehne · Pratts Eberesche · Alisier de Pratt | ♄ ♲ V; W-China
  - var. **subarachnoidea** (Koehne) Rehder; China: W-Sichuan
- **pseudothuringiaca** Düll · Hersbrucker Mehlbeere ; Eur.: D
- **reducta** Diels · Creeping Mountain Ash, Pygmy Rowan | ♄ △ ∧; Myanmar, W-China
- **rufoferruginea** (C.K. Schneid.) C.K. Schneid. | ♄ ♄ VI; Jap.
- **rupicola** (Syme) Hedl. | ♄; BrI, S-Sc, Estland
- **sambucifolia** (Cham. et Schltdl.) Roem. | ♄ ♲ VI; Jap., Sachal., Kamchat.
- **sargentiana** Koehne · Saule de Sargent | ♄ ♲ V; W-China
- **scalaris** Koehne · Leiter-Eberesche · Saule scalariforme | ♄ ♄ ♲ V-VI; W-China
- × **schinzii** Düll (*S. chamaespilus* × *S. mougeotii*) · Schinzs Mehlbeere ; Eur.: CH, D, A
- *serotina* Koehne = Sorbus commixta 'Serotina'

– **simonkaiana** Kárpáti; H
– *suecica* (L.) Garcke = Sorbus intermedia
– × **thuringiaca** (Ilse) Fritsch (*S. aria* × *S. aucuparia*) · Thüringer Mehlbeere · Bastard Service Tree | ♄ V; Eur.: F, CH, D, A, CZ
– **tianschanica** Rupr. | ♄ ♧ VI; C-As., China: Sinkiang
– *toringo* Siebold = Malus toringo
– **torminalis** (L.) Crantz · Elsbeere · Wild Service Tree · Alisier torminal | ♄ ♧ V Ⓝ; Eur.*, TR, Cyprus, Lebanon, Syr., Cauc., N-Iran, Maroc., Alger.
– *trilobata* (Labill.) C.K. Schneid. = Malus trilobata
– **umbellata** (Desf.) Fritsch
  - var. *cretica* C.K. Schneid. = Sorbus graeca
– × **vagensis** Wilmott | ♄
– **vestita** (G. Don) Lodd. | ♄ V; Him., N-Myanmar
– **vilmorinii** C.K. Schneid. · Vilmorins Eberesche · Vilmorin Mountain Ash · Saule de Vilmorin | ♄ ♄ ♧ VI; W-China
– **zahlbruckneri** C.K. Schneid. | ♄ ♧ V; China
– **zolyomii** (Soó) Kárpáti

Sorghastrum Nash -n- *Poaceae*
– *avenaceum* (Michx.) Nash = Sorghastrum nutans
– **nutans** (L.) Nash · Yellow Indian Grass | ♃; Can., E, USA: NE, NCE, NC, Rocky Mts, SW, SC, SE, Fla.; Mex.

Sorghum Moench -n- *Poaceae* · Mohrenhirse
– **almum** Parodi · Columbusgras | ♃ Ⓝ; Arg., nat. in Austr.
– **bicolor** (L.) Moench · Gewöhnliche Mohrenhirse · Sorghum | VII-IX; ? Afr., ? S-As.
  - var. **arduinii** (Körn.) Snowden | ⊙ Ⓝ; cult.
– **caffrorum** (Retz.) P. Beauv. | ⊙ Ⓝ; cult.
– **caudatum** (Hack.) Stapf | Ⓝ; Afr.
– **cernuum** (Ard.) Host | ⊙ Ⓝ; cult.
– **dochna** (Forssk.) Snowden | ⊙ Ⓝ; cult.
– **durra** (Forssk.) Stapf | ⊙ Ⓝ; cult.
– **guineense** Stapf emend. Snowden | Ⓝ; W-Afr., Sudan
– **halepense** (L.) Pers. · Aleppohirse, Wilde Mohrenhirse · Johnson Grass | ♃ VI-VII Ⓝ; TR, Cauc., Levante, W-As., Ind., C-As., Malay. Arch., N-Afr., Austr., N-Am., Mex., W.Ind., S-Am., nat. in Eur.:Sp., F, CH, Ap, EC-Eur., Ba, RO; cosmop.
– **nervosum** Besser ex Schult. | ⊙ Ⓝ; orig. ?; cult E-As.
– **nigricans** (Ruiz et Pav.) Snowden | ⊙ Ⓝ; cult.
– *vulgare* Pers. = Sorghum bicolor
  - var. *angolense* Rendle = Sorghum nigricans
  - var. *caffrorum* (Retz.) F.T. Hubb. et Rehder = Sorghum caffrorum
  - var. *durra* (Forssk.) F.T. Hubb. et Rehder = Sorghum durra
  - var. *saccharatum* (Moench) Boerl. = Sorghum dochna

Sparaxis Ker Gawl. -f- *Iridaceae* · Fransenschwertel
– **bulbifera** (L.) Ker-Gawl. | ♃ Ⓚ ✂ V; SW-Kap
– **grandiflora** (F. Delaroche) Ker-Gawl. · Harlequin Flower | ♃ Ⓚ ✂ IV-V; SW-Kap
– **tricolor** (Schneev.) Ker-Gawl. · Harlequin Flower | ♃ Ⓚ ✂ VI-VII; SW-Kap

Sparganium L. -n- *Sparganiaceae* · Igelkolben
– **angustifolium** Michx. · Schmalblättriger Igelkolben | ♃ VI-VIII; Eur.*, Sib., Kamchat., N-Am.
– **emersum** Rehmann · Einfacher Igelkolben · Simple Stem Bur Reed · Rubanier simple | ♃ ♠ VI-VII; Eur.*, TR, As., Malay. Arch., N-Am.
– **erectum** L. · Ästiger Igelkolben · Bur Reed · Ruban d'eau | ♃ ♠ VI-VIII; Eur.*, TR, Cauc., W-Iran, Sib., N-Afr.
– *minimum* Wallr. = Sparganium natans
– **natans** L. · Zwerg-Igelkolben | ♃ VII-VIII; Eur.*, TR, N-As., N-Am.
– *ramosum* Huds. = Sparganium erectum
– *simplex* Huds. = Sparganium emersum

Sparrmannia L.f. -f- *Tiliaceae*
– **africana** L. f. | ♄ Ⓚ I-III; S-Afr.
– *palmata* E. Mey. ex Harv. = Sparrmannia ricinicarpa
– **pectinata** Link | ♃ VII; Can., USA* exc. Calif.
– **ricinicarpa** (Eckl. et Zeyh.) Kuntze | ♄ Ⓚ VI-VIII; S-Afr.

Spartina Schreb. -f- *Poaceae*
– **anglica** C.E. Hubb. · Englisches Schlickgras | ♃ VII-VIII; Eur.: BrI, nat. in Fr, D, DK
– **maritima** (Curtis) Fernald · Niederes Schlickgras | ♃; Eur.: Fr, BrI, Ib, Slove.; N-Afr., S-Afr., N-Am.; coasts
– *michauxiana* Hitchc. = Spartina pectinata
– **pectinata** Link · Kamm-Schlickgras | ♃ X-IX
– × **townsendii** H. Groves et J. Groves (*S. alterniflora* × *S. maritima*) · Townsends Schlickgras | ♃ X-VII; Eur.: BrI, Fr; coasts

Spartium L. -n- *Fabaceae* · Binsenginster
– **junceum** L. · Pfriemenginster, Spanischer Ginster · Spanish Broom | ♄ V-IX ∧; Eur.: Ib, Fr, Ap, Ba; TR, Syr., Palaest., Cauc., NW-Afr., Libya, nat. in Krim

Spartocytisus = Cytisus Desf.
– *filipes* Webb et Berthel. = Cytisus filipes

Spathicarpa Hook. -f- *Araceae*
– **sagittifolia** Schott | ♃ ⓦ I-XII; S-Bras., Parag., Arg.

Spathiphyllum Schott -n- *Araceae*
– **blandum** Schott | ♃ ⓦ; W.Ind., Surinam
– **cannifolium** (Dryand.) Schott | ♃ ⓦ; Col., Venez., Guyan.
– **cochlearispathum** (Liebm.) Engl. | ♃ ⓦ; S-Mex., Guat.
– **commutatum** Schott | ♃ ⓦ; Malay. Arch., Phil.
– **floribundum** (Linden et André) N.E. Br. · Snow Flower | ♃ ⓦ; Col.
– **ortgiesii** Regel | ♃ ⓦ; Mex.
– **patinii** (Hogg) N.E. Br. | ♃ ⓦ; Col.
– **phryniifolium** Schott | ♃ ⓦ; Costa Rica, Panama
– **wallisii** Regel · Peace Lily | ♃ ⓦ; Col., Venez.

Spathodea P. Beauv. -f- *Bignoniaceae*
– **campanulata** P. Beauv. · African Tulip | ♄ ⓦ; trop. Afr.

Spathoglottis Blume -f- *Orchidaceae*
– **aurea** Lindl. | ♃ ⓦ V ✻; Malay. Pen.
– **fortunei** Lindl. | ♃ ⓦ I ✻; China (Hongkong)
– **kimballiana** Hook. f. | ♃ ⓦ IV-V ✻; Kalimantan
– **plicata** Blume · Philippine Ground Orchid | ♃ ⓦ IV-V ✻; Ind., SE-As., Malay. Arch., Phil., N.Guinea
– **vieillardii** Rchb. f. | ♃ ⓦ IX ✻; Malay. Arch.

Specularia = Legousia Durande
– *pentagonia* (L.) A. DC. = Legousia pentagonia
– *speculum-veneris* (L.) A. DC. = Legousia speculum-veneris

Speirantha Baker -f- *Convallariaceae*
– **convallarioides** Baker | ♃ V-VI ∧; E-China

Spenceria Trimen -f- *Rosaceae*
– **ramalana** Trimen | ♃ VII-VIII; W-China

Spergula L. -f- *Caryophyllaceae* · Spark
– **arvensis** L. · Acker-Spark, Acker-Spergel · Corn Spurrey | X-VI; Eur.* ; cosmop. exc. trop. Afr.
  - subsp. **sativa** Celak. | ⊙ VI-X Ⓝ; cult.
– **morisonii** Boreau · Frühlings-Spergel, Frühlings-Spark | IV-VI; Eur.: Ib, Fr, C-Eur., Sc, EC-Eur., E-Eur.; Alger.
– **pentandra** L. · Fünfmänniger Spergel, Fünfmänniger Spark | IV-V; Eur.: Ib, Fr, Ap, Ba, C-Eur., EC-Eur., RO; TR, SW-As., N-Afr.

Spergularia (Pers.) J.Presl et C. Presl -f- *Caryophyllaceae*
– **echinosperma** (Celak.) Asch. et Graebn. · Igelsamige Schuppenmiere | ♃ X-VI; Eur.: Sp., F, D, A, CZ
– **media** (L.) C. Presl · Flügel-Schuppenmiere, Flügelsamige Schuppenmiere | ♃ X-VII; Eur.*, TR +
– **rubra** (L.) J. Presl et C. Presl · Rote Schuppenmiere | V-IX; Eur.*, Cauc., W-Sib., E-Sib., Amur, Sachal., Kamchat., C-As.
– **salina** J. Presl et C. Presl · Salz-Schuppenmiere | V-IX; Eur.*, Levante, Cauc., W-Sib., E-Sib. Amur, Sachal., C-As., Mong, China: Sinkiang; E-As., N-Afr., N-Am., S-Am., NZ
– **segetalis** (L.) G. Don · Saat-Schuppenmiere, Saatmiere | VI-VII; Eur.: Ib, F, C-Eur., PL; Maroc.

Sphaeralcea A. St. -Hil. -f- *Malvaceae* ·

Kugelmalve
– *acerifolia* Nutt. ex Torr. et A. Gray = Sphaeralcea rivularis
– **bonariensis** (Cav.) Griseb. | ♄ ⓚ VII-IX; S-Am.
– *cisplatina* A. St.-Hil. = Sphaeralcea bonariensis
– **fendleri** A. Gray | ♄; USA: Colo., SW, Tex.
– **munroana** (Douglas ex Lindl.) Spach · Orange Globemallow | ♃ ⓚ VI-IX; B.C., USA: NW, N-Calif.
– **rivularis** (Hook.) Torr. ex A. Gray · Mountain Hollyhock | ♃ ⓚ VI-IX; Can.: B.C.; USA: Rocky Mts., N.Mex.
– *umbellata* (Cav.) A. St.-Hil. = Phymosia umbellata

Sphaerocionium C. Presl -n- *Hymenophyllaceae*
– *hirsutum* (L.) Copel. = Hymenophyllum hirsutum

Sphaerogyne = Tococa Aubl.
– *cinnamomea* Linden = Tococa neocinnamomea

Sphaeropteris = Cyathea Sm.
– *cooperi* (F. Muell.) Tryon = Cyathea cooperi
– *insignis* (D.C. Eaton) Tryon = Cyathea insignis
– *medullaris* (G. Forst.) Bernh. = Cyathea medullaris

Sphalmanthus = Phyllobolus N.E. Br.
– **dinteri** (L. Bolus) L. Bolus | ♄ Ψ ⓚ; Namibia
– **oculatus** (N.E. Br.) N.E. Br. | ♃ Ψ ⓚ VII-VIII; Kap
– **resurgens** (Kensit) L. Bolus | ♃ Ψ ⓚ; Kap
– **salmoneus** (Haw.) N.E. Br. | ♃ Ψ ⓚ; S-Afr.

Sphenostylis E. Mey. -f- *Fabaceae*
– **stenocarpa** (Hochst.) Harms · Knollenbohne | Ⓝ; Afr.

Spigelia L. -f- *Loganiaceae*
– **anthelmia** L. · Pink Rouge of Demarara, West Indian Spigelia | ♃ ⓦ; USA: Fla.; Mex., trop. S-Am.
– **marilandica** (L.) L. · Indian Pink, Maryland Pink, Worm Grass | ♃ VII-IX ☠; USA: NE, NCE, SC, SE, Fla.
– **splendens** H. Wendl. ex Hook. | ♃ ⓚ VII-VIII; Guat., Costa Rica

Spilanthes Jacq. -f- *Asteraceae*
– **oleracea** L. · Cress | ♃ ⓚ Ⓝ; W.Ind., Bras., Ind.

Spinacia L. -f- *Chenopodiaceae* · Spinat
– **oleracea** L. · Spinat · Spinach | ⊙ VI Ⓝ; cult.
– **tukestanica** Iljin | Ⓝ; C-As.

Spiraea L. -f- *Rosaceae* · Spierstrauch
– *aitchisonii* Hemsl. = Sorbaria tomentosa var. angustifolia
– **alba** Du Roi · Weißer Spierstrauch · Meadow Sweet | ♄ VI-VIII; Can.: E, Sask.; USA: NE, N.C., NCE, N.Dak.
– *albiflora* (Miq.) Zabel = Spiraea japonica 'Albiflora'
– **alpina** Pall. | ♄ V-VI; W-Sib., E-Sib., Mong.
– **amoena** Spae · Aufrechter Spierstrauch | ♄ V-VI; NW-Him.
– **arcuata** Hook. f. | ♄ V ∧; Him.
– × **arguta** Zabel (*S. thunbergii* × *S.* × *multiflora*) · Braut-Spierstrauch · Garland Wreath | ♄ IV-V; cult.
– *aruncus* L. = Aruncus dioicus
– **bella** Sims · Schöner Spierstrauch | ♄ VI; Him.
– **betulifolia** Pall. · Birkenblättriger Spierstrauch · White Spiraea | ♄ △ VI; Jap., Sachal., E-Sib.
  - var. **aemiliana** (C.K. Schneid.) Koidz. | ♄; Jap.
  - var. **corymbosa** (Raf.) Maxim. | ♄; E-USA
  - var. **lucida** (Douglas ex Greene) C.L. Hitchc. | ♄; B.C., Wash., Oreg., Wyom., Mont.
– × **billardii** Hérincq (*S. douglasii* × *S. salicifolia*) · Billards Spierstrauch. | ♄ VI-VII
– × **blanda** Zabel (*S. cantonensis* × *S. chinensis*) | ♄ V-VI; cult.
– × **brachybotrys** Lange (*S. canescens* × *S. douglasii*) | ♄ VI-VII; cult.
– *bullata* Maxim. = Spiraea japonica 'Bullata'
– *bumalda* Burv. = Spiraea japonica 'Bumalda'
– *caespitosa* Nutt. = Petrophytum caespitosum

- **calcicola** W.W. Sm. | ♄ VI; Yunnan
- *callosa* Thunb. = Spiraea japonica
- **cana** Waldst. et Kit. · Graufilziger Spierstrauch | ♄ V; Eur.: NE-I, Croatia, Bosn., YU
- **canecens** D. Don · Grauer Spierstrauch | ♄ VI; Him.
- **cantoniensis** Lour. · Kanton-Spierstrauch · Reeves' Meadowsweet | ♄ V-VI; China, nat. in Ibiza
- **chamaedryfolia** L. · Gamander-Spierstrauch | ♄ V-VI; Eur.: Ap, C-Eur., EC-Eur.Ba, E-Eur.; W-Sib, E-Sib., C-As., Mong., nat. in F
  - var. **ulmifolia** (Scop.) Maxim. | ♄; SE-Eur., N-As, Jap.
- **chinensis** Maxim. | ♄; NE-China
- *cinerascens* Piper = Petrophytum cinerascens
- × **cinerea** Zabel (*S. cana* × *S. hypericifolia*) · Aschgrauer Spierstrauch | ♄ V; cult.
- × **concinna** Zabel (*S. albiflora* × *S. amoena*)
- **corymbosa** Raf. | ♄ VI-VII; USA: NE, SE
- *crataegifolia* Link = Spiraea corymbosa
- **crenata** L. · Kerb-Spierstrauch | ♄ V; Eur.: EC-Eur., Ba, E-Eur.; Cauc., W-Sib., C-As., nat. in Ib, Fr, C-Eur.
- **decumbens** W.D.J. Koch · Niederliegender Spierstrauch · Spirée prostrée | ♄ △ V-VI; Eur.: A (Kärnten), N-I, Slove.; SE-Alp.
  - subsp. **pumilionum** Zabel | ♄ △ VII-VIII
  - subsp. **tomentosa** (Poech) Dostál | ♄ △ V; NE-I
- **densiflora** Nutt. ex Rydb.
- *digitata* Willd. = Filipendula palmata
- *discolor* Pursh = Holodiscus discolor
- **douglasii** Hook. · Douglas Spierstrauch · Douglas Spiraea · Spirée de Douglas | ♄ VI-VIII; USA: Oreg., Calif.
  - subsp. **menziesii** Hook. · Menzies Spierstrauch | ♄ VI-VIII; USA: NW, Idaho
  - var. **roseata** (Rydb.) Hitchc.; USA: Oreg., Idaho
- *dumosa* Nutt. = Holodiscus dumosus
- *expansa* K. Koch = Spiraea amoena
- *expansa* Wall. = Spiraea bella
- *fastigiata* C.K. Schneid. = Spiraea amoena
- *filipendula* L. = Filipendula vulgaris
- *flexuosa* Fisch. = Spiraea chamaedryfolia
- × **fontenaysii** Lebas (*S. canescens* × *S. latifolia*) | ♄ VI-VII
- × **foxii** (Voss) Zabel (*S. corymbosa* × *S. japonica*) | ♄ VII
- **gemmata** Zabel | ♄ V; NW-China
- *glabrata* Lange = Spiraea japonica var. glabra
- × **grieseleriana** Zabel (*S. cana* × *S. chamaedryfolia*) | ♄
- *hacquetii* Fenzl et K. Koch = Spiraea decumbens subsp. tomentosa
- **henryi** Hemsl. · Henrys Spierstrauch | ♄ VI; W-China, C-China
- **hypericifolia** L. · Hartheu-Spierstrauch | ♄ V-VII; Eur.: Ib, Fr, Ba, E-Eur.; TR, Cauc., W-Sib., E-Sib., C-As., Mong., Him., nat. in Ap, EC-Eur.
  - subsp. **obovata** (Waldst. et Kit. ex Willd.) Dostál | ♄; SW-Eur., S-Frankr., ? SE-Eur.
- × **inflexa** Zabel (*S. cana* × *S. crenata*)
- **japonica** L. f. · Japanischer Spierstrauch · Japanese Meadowsweet · Spirée du Japon | ♄ VII-VIII; China, Jap.
  - **'Albiflora'** | ♄ VII-VIII; orig.?; cult Jap.
  - *'Alpina'* = Spiraea japonica 'Nana'
  - **'Bullata'** | ♄ △ VII; orig.?; cult Jap.
  - **'Bumalda'**
  - **'Nana'**
  - *'Nyewoods'* = Spiraea japonica 'Nana'
  - var. *alpina* hort. = Spiraea japonica 'Nana'
  - var. **fortunei** (Planch.) Rehder
  - var. **glabra** (Regel) Koidz. | ♄ VII-X; Him., China, Korea, Jap.
- *kamtschatica* Pall. = Filipendula kamtschatica
- *lancifolia* Hoffmanns. = Spiraea decumbens subsp. tomentosa
- **latifolia** (Aiton) Borkh. · Breitblättriger Spierstrauch | ♄ VI-VIII; Can.: E; USA: NE, NCE, N.C.
- *lobata* Gronov. ex Jacq. = Filipendula rubra
- **longigemmis** Maxim. | ♄ VII; NW-China
- × **macrothyrsa** Dippel (*S. douglasii* × *S. latifolia*)
- × **margaritae** Zabel (*S. japonica* × *S. superba*) | ♄ VI-VIII
- **media** Schmidt · Karpaten-Spierstrauch | ♄ V-IV; Eur.: C-Eur., EC-Eur., Ba, E-Eur.; W-Sib., E-Sib., Amur, Kamchat., Amur, C-As., Mong., Manch., N-Korea,

Jap.
- *menziesii* Hook. = Spiraea douglasii subsp. menziesii
- × **multiflora** Zabel (*S. crenata* × *S. hypericifolia*) | ♄ V; cult.
- **myrtilloides** Rehder; W-China
- **nipponica** Maxim. · Snowmound Spiraea | ♄ VI; Jap.
  - **'Snowmound'**
  - var. **tosaensis** (Yatabe) Makino
  - var. *tosaensis* hort. = Spiraea nipponica 'Snowmound'
- × **notha** Zabel (*S. betulifolia* × *S. latifolia*)
- *opulifolia* L. = Physocarpus opulifolius
- × **oxyodon** Zabel (*S. chamaedryfolia* × *S. media*)
- × **pachystachys** Zabel (*S. betulifolia* × *S. japonica*)
- *palmata* Miq. = Filipendula kamtschatica
- *palmata* Murray = Filipendula rubra
- *palmata* Pall. = Filipendula palmata
- *palmata* Thunb. = Filipendula purpurea
- × **pikoviensis** Besser (*S. crenata* × *S. media*) | V; S-Russ.
- × *pruinosa* hort. = Spiraea × brachybotrys
- **prunifolia** Siebold et Zucc. · Bridal Wreath | ♄ V ∧; Korea, C-China, Taiwan
  - fo. **simpliciflora** Nakai | ♄ IV-V; C-China, Taiwan, Korea
- **pubescens** Turcz. | ♄ V; N-China
- × *pumilionum* hort. = Spiraea decumbens subsp. pumilionum
- *reevesiana* Lindl. = Spiraea cantoniensis
- × **revirescens** Zabel (*S. amoena* × *S. japonica*) | ♄ VI-VII; cult.
- **salicifolia** L. · Weidenblättriger Spierstrauch · Bridewort · Spirée à feuilles de saule | ♄ VI-VII; Eur.: C-Eur., EC-Eur., Ba, E-Eur.; W-Sib., E-Sib., Amur, Sachal., Kamchat., Mong., N-Korea, Jap., nat. in BrI, Sc, Fr, Ap
- × **sanssouciana** K. Koch (*S. douglasii* × *S. japonica*) | ♄ VI-VIII; cult.
- **sargentiana** Rehder · Sargents Spierstrauch | ♄ VI; W-China
- × **schinabeckii** Zabel (*S. chamaedryfolia* × *S. trilobata*) | ♄
- **semperflorens** Zabel | ♄ VII-IX
- *sorbifolia* L. = Sorbaria sorbifolia
- *stipulata* Muhl. = Gillenia stipulata
- **syringaeflora** Lemoine
- **thunbergii** Siebold ex Blume | ♄ IV-V; China
- **tomentosa** L. · Filziger Spierstrauch · Hardhack, Steeplebush | ♄ ~ VII-IX; Can.: E; USA; NE, NCE, SE
- **trichocarpa** Nakai · Koreanischer Spierstrauch | ♄ V-VI; Korea
- *trifoliata* L. = Gillenia trifoliata
- **trilobata** L. · Dreilappiger Spierstrauch | ♄ V-VI; W-Sib., C-As., N-China, Korea
- *ulmaria* L. = Filipendula ulmaria
- *ulmifolia* Scop. = Spiraea chamaedryfolia var. ulmifolia
- × **vanhouttei** (Briot) Zabel (*S. cantonensis* × *S. trilobata*) · Belgischer Spierstrauch | ♄ V-VI; cult.
- **veitchii** Hemsl. · Veitchs Spierstrauch | ♄ VII; W-China, C-China

Spiraeanthus (Fisch. et C.A. Mey.) Maxim. -m- *Rosaceae*
- **schrenkianus** (Fisch. et C.A. Mey.) Maxim. | ♄; C-As.

Spiranthes Rich. -f- *Orchidaceae*
- **aestivalis** (Poir.) Rich. · Sommer-Drehwurz, Sommer-Wendelähre · Summer Lady's Tresses | ♃ ~ VII ▽ ✱; Eur.: Ib, Fr, Ap, Ba, C-Eur., EC-Eur.; Alger.
- *autumnalis* Rich. = Spiranthes spiralis
- **sinensis** (Pers.) Ames | ♃ ⓦ ✱; Sib., Sachal., China, Manch., Korea, Jap., Taiwan, Ind., Malay. Arch., Austr., NZ
- **spiralis** (L.) Chevall. · Herbst-Drehwurz, Herbst-Wendelähre · Autumn Lady's Tresses | ♃ ~ D ~ X ▽ ✱; Eur.*, TR, Cyprus, Syr., Cauc., N-Iran, Alger

Spirodela Schleid. -f- *Lemnaceae* · Teichlinse
- **polyrhiza** (L.) Schleid. · Vielwurzelige Teichlinse · Duckweed, Great Duckweed | ♃ ≈ V-VI; Eur.*, cosmop.

Spironema = Callisia Loefl.
- *fragrans* Lindl. = Callisia fragans
- *warscewiczianum* (Kunth et Bouché) G. Brückn. = Callisia warszewicziana

Spodiopogon Trin. -m- *Poaceae*
- **sibiricus** Trin. | ♃ VIII-IX; E-Sib., Amur, Mong., China, Manch., Korea, Jap.

Spondias L. -f- *Anacardiaceae*
- **cytherea** Sonn. · Ambarella, Polynesian Plum | ♄ ⓦ Ⓝ; Madag., Fiji, Samoa

- *dulcis* Parkinson = Spondias cytherea
- **mombin** L. · Hog Plum | ♄ Ⓦ Ⓝ; Mex., trop. Am., nat. in W-Afr.
- **pinnata** (J. König ex L. f.) Kurz · Yellow Plum | ♄ Ⓦ Ⓝ; Ind., SE-As., Phil.
- **purpurea** L. · Red Mombin | ♄ Ⓦ Ⓝ; ? C-Am., ? W.Ind., cult. trop. Am.

Sporobolus R. Br. -m- *Poaceae*
- **cryptandrus** (Torr.) A. Gray · Versteckblütiges Fallsamengras ; N-Am., N-Mex.
- **indicus** (L.) R. Br. | ♃ ; Trop., Subtrop., China, nat. in S-Eur.

Sprekelia Heist. -f- *Amaryllidaceae* · Jakobslilie
- **formosissima** (L.) Herb. · Jacobean Lily | ♃ Ⓚ IV-V; Mex., Guat.

Stachyphrynium K. Schum. -n- *Marantaceae*
- **jagorianum** (K. Koch) K. Schum. | ♃ Ⓦ; Malay. Pen.

Stachys L. -f- *Lamiaceae* · Ziest
- **affinis** Bunge · Knollen-Ziest · Chinese Artichoke | ♃ VII-VIII Ⓝ; N-China, C-China
- **alpina** L. · Alpen-Ziest | ♃ VII-IX; Eur.* exc. Sc; TR, Cauc., N-Iran
- × **ambigua** Sm. (*S. palustris* × *S. sylvatica*) · Bastard-Ziest
- **annua** (L.) L. · Einjähriger Ziest | X-VI; Eur.* exc. BrI, Sc; Cauc., W-Sib.
- **arvensis** (L.) L. · Acker-Ziest | X-VII; Eur.* exc. EC-Eur.; TR, Lebanon, Palaest., NW-Afr., Afr., S-Afr., Am.
- **byzantina** K. Koch · Woll-Ziest · Lamb's Ears, Lamb's Lugs · Epiaire laineuse | ♃ ⁞ VII-IX; TR, Krim, Cauc., N-Iran, nat. in Ont.
- **citrina** Boiss. et Heldr. | ♃ △ VI-VIII; TR
- **coccinea** Jacq. | ♃ Ⓚ VII-VIII; Tex., Mex.
- **corsica** Pers. | ⊙ ⊙ ♃ Ⓐ ⤳ VIII-IX; Corse, Sard.
- *densiflora* Benth. = Stachys monnieri
- **discolor** Benth. | ♃ △ VII-VIII; Cauc., Iran
- **germanica** L. · Deutscher Ziest | ♃ VI-VIII; Eur.* exc. Sc; TR, Cauc., Maroc.
- *grandiflora* Willd. = Stachys macrantha
- **labiosa** Bertol. · Großlippiger Ziest | ♃ X-VI; Eur.: Alp., Apenn., W-Balk.
- *lanata* Jacq. non Crantz = Stachys byzantina
- **lavandulifolia** Vahl · Epiaire à feuilles de lavande | ♃ △ VII-VIII; TR
- **macrantha** (K. Koch) Stearn | ♃ VII-VIII; TR, Cauc., Iran
- **monnieri** (Gouan) P.W. Ball · Zottiger Ziest | ♃ △ VII-VIII; Eur.: Sp., F, I, C-Eur., W-Ba, ? RO; Pyr., Alp.
- *nivea* Labill. = Stachys discolor
- *officinalis* (L.) Trevis. = Betonica officinalis
- *olympica* Briq. ex Poir. = Stachys byzantina
- **palustris** L. · Sumpf-Ziest · Epiaire des marais | ♃ VI-IX; Eur.* , N-As., N-Am.
- **recta** L. · Aufrechter Ziest | ♃ X-VI; Eur.* exc. BrI, Sc; TR, Cauc.
  - subsp. **subcrenata** Vis. · Karst-Ziest | ♃ VI-IX; SE-Eur., TR
- *sieboldii* Miq. = Stachys affinis
- *spicata* hort. = Stachys macrantha
- **sylvatica** L. · Wald-Ziest | ♃ VI-IX; Eur.*, N-Am.
- *tuberifera* Naudin = Stachys affinis

Stachytarpheta Vahl -f- *Verbenaceae*
- **mutabilis** (Jacq.) Vahl | ♄ Ⓦ II-XI; N-Am , n S-Am.

Stachyurus Siebold et Zucc. -m- *Stachyuraceae*
- **chinensis** Franch. · Chinesischer Perlschweif | ♄ Ⓚ IV; C-China
- **praecox** Siebold et Zucc. · Japanischer Perlschweif | ♄ III-IV; Jap., Riukiu-Is.

Staehelina L. -f- *Asteraceae*
- **uniflosculosa** Sibth. et Sm. | ♄; AL., GR, Maced.

Stangeria T. Moore -f- *Stangeriaceae*
- **eriopus** (Kunze) Nash | Ⓦ ✻; S-Afr.: Natal (Pondoland)

Stanhopea Frost ex Hook. -f- *Orchidaceae*
- *bucephalus* Lindl. = Stanhopea jenishiana
- *eburnea* Lindl. = Stanhopea grandiflora
- **ecornuta** Lem. | ♃ Ⓚ VII-IX ✻; Guat., Hond., Nicar., Costa Rica
- **grandiflora** (Lodd.) Lindl. | ♄ Ⓚ VIII-IX ✻; Venez., Trinidad, Guyana, Bras.
- **graveolens** Lindl. | ♃ Ⓚ VII-VIII ✻; Mex., Guat., Hond.

- **hernandezii** (Kunth) Schltr. | ♃ ⌂ VII-XI ✻; Mex., Guat.
- **insignis** Frost ex Hook. | ♃ ⌂ VIII-X ✻; Bras., ? Peru
- **jenishiana** Kramer ex Rchb. f. | ♃ ⌂ ✻; Col., Ecuad.
- **oculata** (Lodd.) Lindl. | ♃ ⌂ VII-X ✻; Mex., Guat., Hond., Belize
- **saccata** Bateman | ♃ ⌂ VII-VIII ✻; Guat.
- **tigrina** Bateman | ♃ ⌂ VIII-XI ✻; Mex., C-Am., trop. S-Am.
- **wardii** Lindl. | ♃ ⌂ VII-IX ✻; C-Am., trop. S-Am.

Stapelia L. -f- *Asclepiadaceae* · Aasblume
- **asterias** Masson | ♃ Ψ ⌂; Kap
- *barbata* Masson = Huernia barbata
- *campanulata* Masson = Huernia campanulata
- **concinna** Masson | ♃ Ψ ⌂; Kap
- *cooperi* N.E. Br. = Orbea cooperi
- **desmetiana** N.E. Br. | ♃ Ψ ⌂; SE-Kap
- *dinteri* A. Berger = Tridentea jucunda var. dinteri
- *europaea* Webb = Caralluma europaea var. confusa
- **flavopurpurea** Marloth | ♃ Ψ; W-Kap
  - var. **fleckii** (A. Berger et Schltr.) A.C. White et B. Sloane | ♃ Ψ ⌂; Namibia
- *fleckii* A. Berger et Schltr. = Stapelia flavopurpurea var. fleckii
- **gigantea** N.E. Br. · Giant Stapelia, Giant Toad Flower | ♃ Ψ ⌂; Zimbabwe, Zambia, S-Afr.: Transvaal, Natal
- **grandiflora** Masson | ♃ Ψ ⌂; S-Afr.: SE-Kap, Transvaal
- **hirsuta** L. | ♃ Ψ ⌂; SE-Kap
- *hystrix* Hook. f. = Huernia hystrix
- *macrocarpa* A. Rich. = Huernia penzigii
- *mammillaris* L. = Quaqua mammillaris
- *melanantha* Schltr. = Orbeopsis melanantha
- **mutabilis** Jacq. | ♃ Ψ ⌂; orig. ?
- **pillansii** N.E. Br. | ♃ Ψ ⌂; Kap
- *radiata* Sims = Duvalia radiata
- *replicata* Jacq. = Duvalia radiata
- *revoluta* Masson = Tromotriche revoluta
- **senilis** N.E. Br. | ♃ Ψ ⌂; Kap
- *tapscottii* Verd. = Orbea tapscottii
- *variegata* L. = Orbea variegata
- *verrucosa* Masson = Orbea verrucosa

Staphylea L. -f- *Staphyleaceae* · Pimpernuß
- **bolanderi** A. Gray · Sierran Bladdernut | ♄ IV-V ∧; Calif.
- **bumalda** DC. · Japanische Pimpernuss | ♄ VI; China, Manch., Korea, Jap.
- **colchica** Steven · Kolchische Pimpernuss | ♄ V; Cauc.
- × **elegans** Zabel (*S. colchica* × *S. pinnata*) | ♄ V; cult.
- **emodi** Wall. | ♄ ♄; Him.
- **holocarpa** Hemsl. · Chinese Bladdernut | ♄ IV-V; C-China
- **pinnata** L. · Gewöhnliche Pimpernuss · Bladdernut, European Bladdernut | ♄ V-VI ▽; Eur.: F, I, C-Eur., EC-Eur., Ba, E-Eur.; TR, Cauc., nat. in BrI
- **trifolia** L. · Amerikanische Pimpernuss · American Bladdernut, Bladdernut | ♄ V; Can.: E; USA: NE, NCE, SE, Okla.

Statice = Limonium Mill.
- *globulariifolia* (Desf.) Kuntze = Limonium ramosissimum
- *limonium* L. = Limonium vulgare
- *perezii* Stapf = Limonium perezii
- *plantaginea* All. = Armeria alliacea

Stauntonia DC. -f- *Lardizabalaceae*
- **hexaphylla** (Thunb.) Decne. · Stauntonia | ♄ ⌂ ≷ IV; Jap., Riukiu-Is., S-Korea
- *latifolia* (Wall.) Wall. = Holboellia latifolia

Stauropsis = Trichoglottis Blume
- *gigantea* (Lindl.) Benth. ex Pfitzer = Vandopsis gigantea
- *lissochiloides* (Gaudich.) Pfitzer = Vandopsis lissochiloides
- *violacea* (Witte) Rchb. f. = Phalaenopsis violacea

Steirodiscus Less. -m- *Asteraceae*
- **tagetes** (L.) Schltr. | ⊙ VI-VII; S-Afr.

Steironema = Lysimachia L.
- *ciliatum* (L.) Baudo = Lysimachia ciliata

Stelechocarpus Hook.f. et Thomson -m- *Annonaceae*
- **burakol** (Blume) Hook. f. et Thomson | ♄ Ⓝ; Malay. Arch., cult Java

Stellaria L. -f- *Caryophyllaceae* · Sternmiere
- **alsine** Grimm · Quell-Sternmiere | ♃ V-VII; Eur.*, Cauc., Sib., China, Korea, Jap., Taiwan, N-Afr., N-Am.

- **aquatica** (L.) Scop. · Wasserdarm · Chickweed | ♃ ≷ ⟿ VI-IX; Eur.*, TR, Cauc., W-As., Ind., N-As., Korea, Jap., Taiwan, N-Afr.
- **crassifolia** Ehrh. · Dickblättrige Sternmiere | ♃ VII-VIII; Eur.: Sc, D, PL, Russ.; Cauc., W-Sib., E-Sib. Kamchat., C-As., Jap., N-Am.
- **graminea** L. · Gras-Sternmiere | ♃ V-VII; Eur.*, TR, Cauc., W-Sib., E-Sib. , C-As., Mong. , Tibet, China: Sinkiang
- **holostea** L. · Große Sternmiere · Stitchwort | ♃ IV-VI; Eur.*, TR, Cauc., N-Iran, W-Sib., NW-Afr.
- **longifolia** H.L. Mühl. ex Willd. · Langblättrige Sternmiere | ♃ VI-VIII; Eur.: Ap, C-Eur., EC-Eur., Sc, E-Eur.; Cauc., W-Sib., E-Sib. Amur, Sachal., Kamch., C-As., Jap., N-Am.
- **media** (L.) Vill. · Vogel-Sternmiere, Vogelmiere · Common Chickweed | ⊙ I-XI; Eur.*, TR, Levante, N-Afr., N-As., Greenl., nat. in Can., USA*, cosmop.
- **neglecta** Weihe · Auwald-Sternmiere, Großblütige Vogelmiere | ♃ IV-VII; Eur.*, TR, Lebanon, Palaest., Cauc., C-As., China, Jap.., NW-Afr.
- **nemorum** L. · Hain-Sternmiere | ♃ V-IX; Eur.*, TR, Cauc.
  - subsp. **montana** (Pierrat) Berher · Berg-Hainsternmiere, Berg-Sternmiere | ♃ VI-VIII
- **pallida** (Dumort.) Crép. · Bleiche Sternmiere, Bleiche Vogelmiere | III-V; Eur.*, TR, Levante, Cauc., C-As., N-Afr.
- **palustris** Ehrh. ex Hoffm. · Sumpf-Sternmiere | ♃ V-VII; Eur.* exc. Ib; TR, Cauc., W-Sib., E-Sib. C-As., Him., Mong., China: Sinkiang; Jap.

Stellera L. -m- *Thymelaeaceae*
- **alberti** Regel | ♄ VI; C-As.; mts.

Stenandrium Nees -n- *Acanthaceae*
- *igneum* (Linden) André = Xantheranthemum igneum
- **lindenii** Nees | ♃ Ⓦ ⟿; Ecuad., Peru, Bol.

Stenia Lindl. -f- *Orchidaceae*
- *fimbriata* Linden et Rchb. f. = Chondrorhyncha fimbriata

Stenocactus = Echinofossulocactus Britton et Rose
- *albatus* A. Dietr. = Echinofossulocactus vaupelianus
- *coptonogonus* (Lem.) A.W. Hill = Echinofossulocactus coptonogonus
- *crispatus* (DC.) A.W. Hill = Echinofossulocactus crispatus
- *gladiatus* (Link et Otto) A. Berger = Echinofossulocactus gladiatus
- *lamellosus* (A. Dietr.) Britton et Rose = Echinofossulocactus crispatus
- *lloydii* (Britton et Rose) A. Berger = Echinofossulocactus multicostatus
- *multicostatus* (Hildm. ex K. Schum.) Britton et Rose = Echinofossulocactus multicostatus
- *phyllacanthus* (Mart.) A.W. Hill = Echinofossulocactus phyllacanthus
- *vaupelianus* (Werderm.) Backeb. = Echinofossulocactus vaupelianus
- *violaciflorus* (Quehl) A. Berger = Echinofossulocactus crispatus

Stenocarpus R. Br. -m- *Proteaceae*
- **salignus** R. Br. | ♄ Ⓚ; Austr.: Queensl., N.S.Wales
- **sinuatus** (A. Cunn.) Endl. · Firewheel Tree | ♄ Ⓚ VII-VIII; N.Guinea, Austr.: Queensl., N.S.Wales

Stenocereus (A. Berger) Riccob. -m- *Cactaceae*
- **beneckei** (C. Ehrenb.) Buxb. | ♄ Ψ Ⓚ ✻; W-Mex.
- **dumortieri** (Scheidw.) Buxb. | ♄ Ψ Ⓚ ✻; Mex.
- *eruca* (Brandegee) Gibson et Horak = Machaerocereus eruca
- **marginatus** (DC.) Buxb. · Organ Pipe Cactus | ♄ Ψ Ⓚ ✻; Mex.
- **pruinosus** (Otto) Buxb. | ♄ ♄ Ψ Ⓚ ✻; S-Mex.
- **queretaroensis** (F.A.C. Weber) Buxb. | ♄ Ψ Ⓚ ✻; C-Mex.
- **stellatus** (Pfeiff.) Riccob. | ♄ Ψ Ⓚ ✻; S-Mex.
- **thurberi** (Engelm.) Buxb. · Organpipe Cactus | ♄ Ψ Ⓚ ✻; USA: S-Calif., SW; Baja Calif.; N-Mex.
- *weberi* (J.M. Coult.) Buxb. = Pachycereus weberi

Stenochlaena J. Sm. -f- *Blechnaceae*
- **palustris** (Burm. f.) Bedd. · Stenochlaena | ♃ Ⓦ ≷; trop. As., Austr., Polyn.
- *sorbifolia* (L.) J. Sm. = Lomariopsis

sorbifolia
– **tenuifolia** (Desv.) T. Moore | ♃ ⓦ ≷; trop. Afr., Madag.

Stenoglottis Lindl. -f- *Orchidaceae*
– **fimbriata** Lindl. | ♃ ⓚ IX-X ✻; S-Afr.
– **longifolia** Hook. f. | ♃ ⓚ IX-XI ✻; S-Afr.: Natal (Zululand)

Stenolobium = Cybistax Mart. ex Meisn.
– *stans* (L.) Seem. = Tecoma stans

Stenorrhynchos Rich. ex Spreng. -m- *Orchidaceae*
– **orchioides** (Sw.) Rich. | ♃ ⓦ V ✻; trop. Am.
– **speciosus** (J.F. Gmel.) Rich. | ♃ ⓦ II-IV ✻; W.Ind., C-Am., trop. S-Am.

Stenospermation Schott -n- *Araceae*
– **popayanense** Schott | ♄ ⓦ; Col., Ecuad.

Stenotaphrum Trin. -n- *Poaceae*
– **secundatum** (Walter) Kuntze · Buffalo Grass, Shore Grass, St. Augustine Grass | ♃ ⓦ ⓚ ▽ ⇝ Ⓝ; trop. Am. , W-Afr., Pacific Is.; coasts

Stephanandra Siebold et Zucc. -f- *Rosaceae* · Kranzspiere
– **incisa** (Thunb.) Zabel · Kleine Kranzspiere | ♄ VI; Jap., Korea
– **tanakae** (Franch. et Sav.) Franch. et Sav. · Große Kranzspiere | ♄ VI-VII; Jap.

Stephanocereus A. Berger -m- *Cactaceae*
– **leucostele** (Gürke) A. Berger | ♄ Ψ ⓚ ✻; Bras.

Stephanophysum = Ruellia L.
– *longifolium* Pohl = Ruellia graecizans

Stephanotis Thouars -f- *Asclepiadaceae*
– **floribunda** (R. Br.) Brongn. · Madagascar Jasmine, Stephanotis. Wax Flower | ♄ ⓦ ≷ D ≷ VI-IX; Madag.

Sterculia L. -f- *Sterculiaceae*
– *acerifolia* A. Cunn. ex G. Don = Brachychiton acerifolius
– *alata* Roxb. = Pterygota alata
– **apetala** (Jacq.) H. Karst. · Panama Tree | ♄ ⓚ Ⓝ; Mex., C-Am., W.Ind., S-Am.
– *diversifolia* G. Don = Brachychiton populneus
– **foetida** L. · Java Olive | ♄ ⓦ ✂; trop. Afr., trop. As.
– *platanifolia* L. f. = Firmiana simplex
– *quinqueloba* K. Schum. = Cola quinqueloba
– *rupestris* (Michx. ex Lindl.) Benth. = Brachychiton rupestris
– **tragacantha** Lindl. | ♄ Ⓝ; trop. Afr.
– **urens** Roxb. | ♄ ⓦ Ⓝ; Ind., Pakist.

Stereospermum Cham. -m- *Bignoniaceae*
– *sinicum* Hance = Radermachera sinica

Sternbergia Waldst. et Kit. -f- *Amaryllidaceae* · Sternbergie
– **lutea** (L.) Ker-Gawl. ex Spreng. · Autumn Yellow Crocus, Sternbergia | ♃ △ IX-X ✻ ☠ ∧; Eur.: Ib, Ap, Ba; TR, Iraq, Cauc., Iran, C-As, nat. in F

Stetsonia Britton et Rose -f- *Cactaceae*
– **coryne** (Salm-Dyck) Britten et Rose · Toothpick Cactus | ♄ Ψ ⓚ ✻; NW-Arg., S-Bol.

Steudnera K. Koch -f- *Araceae*
– **colocasiifolia** K. Koch | ⓦ; Myanmar
– **discolor** W. Bull | ⓦ; Myanmar

Stevensonia = Phoenicophorium H. Wendl.
– *borsigiana* (K. Koch) L.H. Bailey = Phoenicophorium borsigianum
– *grandifolia* Duncan ex Balf. f. = Phoenicophorium borsigianum

Stevia Cav. -f- *Asteraceae*
– **rebaudiana** (Bertoni) Hemsl. · Sweet Leaf Of Paraguay | ⊙ ⓚ Ⓝ; NE-Parag.
– **serrata** Cav.

Stewartia L. -f- *Theaceae* · Scheinkamelie
– *koreana* Rehder = Stewartia pseudocamellia var. koreana
– **monadelpha** Siebold et Zucc. · Tall Stewartia | ♄ VII-VIII; Jap.
– **ovata** (Cav.) Weath. · Amerikanische Scheinkamelie · Mountain Camellia | ♄ VII; USA: Va., Ky., SE
  - var. **grandiflora** (Bean) Kobuski | ♄ ♄ VI-VII; USA: Ga.
– *pentagyna* L'Hér. = Stewartia ovata
– **pseudocamellia** Maxim. · Japanische Scheinkamelie · Japanese Stewartia ; Jap.
  - var. **koreana** (Nakai ex Rehder) Sealy · Korean Stewartia | ♄ ♄ VII-VIII; Korea

– **serrata** Maxim. | ♄ VI; Jap.
– **sinensis** Rehder et E.H. Wilson · Chinesische Scheinkamelie · Chinese Stewartia | ♄ ♄ ⓚ D VII; C-China

Sticherus C. Presl -m- *Gleicheniaceae*
– **flabellatus** (R. Br.) H. St. John | ⓚ; Austr., Tasman., NZ, N.Caled.

Stictocardia Hallier f. -f- *Convolvulaceae*
– **beraviensis** (Vatke) Hallier f. · Mile-a-Minute Climber | ♄ ⓦ ≹ ≹; W-Afr., E-Afr., Zambia, Madag.

Stillingia Garden ex L. -f- *Euphorbiaceae*
– **sylvatica** L. · Queen's Root, Yaw Root | ♃ ⓚ V-VI ☠ Ⓝ; USA: Va., SE, Fla., Tex.

Stipa L. -f- *Poaceae* · Pfriemengras, Federgras
– **avenacea** L. | ♃ V-VI; USA: NE, NCE, SC, SE, Fla.
– **barbata** Desf. · Stipa barbu | ♃ VII-VIII ▽; Sp., S-I, Sic.
– **borystenica** Klokov ex Prokudin · Sand-Federgras | ♃ V-VI; Eur.: C-Eur., EC-Eur., Ba, E-Eur.; Cauc., W-Sib., E-Sib., C-As.
– **bromoides** (L.) Dörfl. · Kurzgranniges Pfriemengras ; Eur.: Ib, Fr, Ap, H, Ba, RO, Krim; TR, Iraq, Syr., Lebanon, Palaest., Cauc., Iran, C-As., Maroc., Alger.
– **calamagrostis** (L.) Wahlenb. · Alpen-Rauhgras, Raugras · Calamagrostide argentée | ♃ VI-IX ∧; Eur.: Sp., F, I, C-Eur., Ba, RO
– **capillata** L. · Haar-Federgras, Haar-Pfriemengras · Stipa chevelu | ♃ VII ▽; Eur.* exc. BrI, Sc; TR, Cauc., N-Iran, W-Sib., E-Sib., C-As., Mong.
– **dasyphylla** (Cernjaev ex Lindem.) Trautv. · Weichhaariges Federgras | ♃ V-VI; Eur.: D, EC-Eur., E-Eur.; W-Sib.
– **effusa** (Maxim.) Nakai
– **elegantissima** Labill. | ♃ ⓚ VI-VII; Austr.
– **eriocaulis** Borbás · Zierliches Federgras | ♃ V-VI; Eur.: Ib, F, Ap, C-Eur., EC-Eur., Ba, E-Eur.; Alger.
– **gigantea** Link · Giant Feather Grass | ♄ VI-VII ▽ ∧; Eur.: Ib
– *grafiana* Steven = Stipa pulcherrima
– **grandis** Smirn. | ♃ VI-VII; Mong.
– *joannis* Celak. = Stipa pennata
– **pekinensis** Hance | ♃ VII-VIII; E-Sib., N-China, Jap., Sachal.
– **pennata** L. · Echtes Federgras · Feather Grass · Stipa penné | ♃ ♄ V-VI ▽; Eur.: Fr, C-Eur., EC-Eur., Ba, Sc, E-Eur.; TR, N-Iraq, Cauc., ? Iran, W-Sib., E-Sib., C-As.
  - subsp. *eriocaulis* (Borbás) Martinowský et Slaliký = Stipa eriocaulis
– **pulcherrima** K. Koch · Gelbscheidiges Federgras, Großes Federgras · Golden Feather Grass · Plumet | ♃ V-VII ▽ ∧; Eur.: Ib, Fr, C-Eur., EC-Eur., Ba, E-Eur., Ap; TR, Cauc., N-Iran, W-Sib., C-As., Maroc., Alger.
  - subsp. **bavarica** Martinovský et H. Scholz · Bayerisches Federgras | ♃ V-VII; Eur.: D (Neuburg a.D.)
– **splendens** Trin. · Glänzendes Rauhgras | ♃; W-Sib., E-Sib., C-As., Iran, Him., Tibet., Mong., China, Jap., S-As, nat. in Eur.
– *stenophylla* (Czern. et Lindem.) Trautv. = Stipa tirsa
– **styrica** Martinovský · Steirisches Federgras | ♃ V-VI; Eur.: A (Steiermark, Kärnten); mts.
– **tenacissima** L. · Esparto Grass | ♃ VII-VIII ▽ ∧; China: Hupeh, Sichuan
– **tirsa** Steven emend. Celak. · Rossschweif-Federgras | ♃ V-VI ▽; Eur.* exc. BrI, Sc; NE-TR, Cauc., C-As., W-Sib.
– **ucrainica** P.A. Smirn. | ♃; Eur.:E-Eur.
– **viridula** Trin.

Stirlingia Endl. -f- *Proteaceae*
– **latifolia** Steud. | ♄ ⓚ ✂; Austr.

Stizolobium = Mucuna Adans.
– *deeringianum* Bort = Mucuna pruriens var. utilis
– *pruriens* (L.) Medik. = Mucuna pruriens

Stoebe L. -f- *Asteraceae*
– **cinerea** Thunb. | ♄ ⓚ ✂; Kap

Stokesia L'Her. -f- *Asteraceae*
– **laevis** (Hill) Greene · Stoke's Aster, Stokesia | ♃ VIII-IX ∧; USA: SE, Fla.

Stomatium Schwantes -n- *Aizoaceae*
– **suaveolens** (Schwantes) Schwantes | ♃ ♆ ⓚ D; Kap

Stranvaesia = Photinia Lindl.
– *davidiana* Decne. = Photinia davidiana
  - var. *salicifolia* (Hutch.) Rehder = Photinia davidiana var. salicifolia
  - var. *undulata* (Decne.) Rehder = Photinia davidiana var. undulata
– *undulata* Decne. = Photinia davidiana var. undulata

Stratiotes L. -m- *Hydrocharitaceae* · Wasseraloe
– **aloides** L. · Krebsschere · Water Aloe, Water Soldier · Aloès d'eau | ♃ ♠ V-VIII ▽; Eur.*, Cauc., W-Sib.

Strelitzia Aiton -f- *Strelitziaceae*
– **alba** (L. f.) Skeels | ♄ (W) I-III; Kap
– *augusta* Wright = Strelitzia alba
– **caudata** R.A. Dyer | ♄ (W); S-Afr.: Transvaal
– *juncea* Link = Strelitzia reginae var. juncea
– **nicolai** Regel et Körn. · Giant Bird-of-Paradise, Wild Banana | ♄ (W) I-VI; S-Afr.: Natal
– **parvifolia** Dryand. | ♃ (K); SW Kap
– *parvifolia* W.T. Aiton = Strelitzia reginae
  - var. *juncea* Ker-Gawl. = Strelitzia reginae var. juncea
– **reginae** Banks · Bird-of-Paradise, Crane Flower | ♃ (K) ✂ II-VIII; Kap
  - var. **juncea** (Ker-Gawl.) H.E. Moore | ♄ (K) II-VIII; Kap

Streptocalyx Beer -m- *Bromeliaceae*
– **longifolius** (Rudge) Baker | ♃ (W); Col., Peru, Bol., Bras.
– **poeppigii** Beer | ♃ (W); Bras., Peru, Bol.
– *vallerandii* (Carrière) E. Morren = Streptocalyx poeppigii

Streptocarpus Lindl. -m- *Gesneriaceae* · Drehfrucht
– **caulescens** Vatke | ♃ (W) VI-VIII; trop. Afr.
– **cyaneus** S. Moore | ♃ (W) VI-VIII; S-Afr.: Transvaal, Swasiland
– **dunnii** Mast. ex Hook. f. | ♃ (W) VII-VIII; S-Afr.: Transvaal
– **galpinii** Hook. f. | ♃ (W) IX-X; S-Afr.: Transvaal
– **grandis** N.E. Br. ex C.B. Clarke | ♃ (W) VII-VIII; S-Afr.: Natal (Zululand)
– **haygarthii** N.E. Br. | ♃ (W); S-Afr.: Natal
– **holstii** Engl. | ♃ (W) VI-VIII; E-Afr.
– × **hybridus** Voss (*? × S. rexii*)
– **kirkii** Hook. f. | ♄ (W) VII-X; E-Afr.
– **parviflorus** E. Mey. | ♃ (W) VI-VIII; S-Afr.
– **polyanthus** Hook. · Cape Primrose | ♃ (W); S-Afr.: Natal
– **rexii** (Bowie ex Hook.) Lindl. · Cape Primrose | ♃ (W) V-VIII; Kap
– **saundersii** Hook. | ♃ (W) IX; S-Afr.: Natal
– **saxorum** Engl. · False African Violet | ♃ (W) VI-X; Tanzania
– **wendlandii** Sprenger ex Dammann | ♃ (W) VIII-XI; S-Afr.: Natal

Streptopus Michx. -m- *Convallariaceae* · Knotenfuß
– **amplexifolius** (L.) DC. · Knotenfuß · Liverberry, Twisted Stalk | ♃ ♧ VI-VIII; Eur.* exc. BrI, Sc; Amur, Sachal., Kamchat., Jap., W-China, Alaska, Can., USA* exc. SC; Greenl.
– **roseus** Michx. · Rose Mandarin, Rosy Twisted Stalk | ♃ VI-VII; Can.: E; USA: NE, NCE, SE

Streptosolen Miers -m- *Solanaceae*
– **jamesonii** (Benth.) Miers · Fire Bush, Marmalade Bush | ♄ (K) IV-VI; Col., Ecuad.

Strobilanthes Blume -m- *Acanthaceae*
– **anisophyllus** (Wall. ex Lodd.) T. Anderson | ♄ (W)
– **cusia** (Nees) Imlay | ♄ (W) (N); Ind.: Assam, Bengalen; N-Myanmar, S-China
– **dyerianus** Mast. · Persian Shield | ♄ (W); Myanmar
– **isophyllus** (Nees) Anderson | ♄ (W); ? Ind. (Assam)
– **maculatus** (Wall.) Nees | ♄ (W); Ind: Assam

Stromanthe Sond. -f- *Marantaceae*
– *amabilis* (Linden) E. Morren = Ctenanthe amabilis
– **porteana** Griseb. | ♃ (W); Bras.
– **sanguinea** (Hook.) Sond. | ♃ (W); Bras.

Strombocactus Britton et Rose -m- *Cactaceae*
– *denegrii* (Fric) G.D. Rowley = Obregonia denegrii
– **disciformis** (DC.) Britton et Rose | ♆ (K) ✳; Mex.: Hidalgo

– *lophophoroides* F.M. Knuth et Buxb. = Turbinicarpus lophophoroides
– *pseudomacrochele* Backeb. = Turbinicarpus pseudomacrochele
– *schmiedickeanus* (Boed.) A. Berger = Turbinicarpus schmiedickeanus

Strongylodon Vogel -m- *Fabaceae*
– **macrobotrys** A. Gray | ♄ Ⓦ ≹; Phil.

Strophanthus DC. -m- *Apocynaceae*
– **caudatus** (L.) Kurz | ♄ Ⓦ ≹ ☠; Thail., Malay. Arch., Phil.
– *dichotomus* DC. = Strophanthus caudatus
– **gratus** (Wall. et Hook. ex Benth.) Baill. | ♄ Ⓦ ≹ ∞ Off. ☠; W-Afr., C-Afr.
– **hispidus** DC. | ♄ Ⓦ ≹ ☠ Ⓝ; trop. Afr.
– **kombe** Oliv. | ♄ Ⓦ ≹ Off. ☠; C-Afr., N-Angola, SE-Afr.
– **sarmentosus** DC. | ♃ Ⓦ ☠; W-Afr.

Struthiopteris = Blechnum L.
– *filicastrum* All. = Matteuccia struthiopteris
– *germanica* Willd. = Matteuccia struthiopteris
– *orientalis* Hook. = Matteuccia orientalis
– *pensylvanica* Willd. = Matteuccia pensylvanica

Strychnos L. -f- *Loganiaceae* · Brechnußbaum
– **ignatii** Bergius · Ignatius Bean, Poison Nut | ♄ Ⓦ ≹ ☠; Malay. Arch., SE-Phil.
– **nux-vomica** L. · Nux Vomica, Strychnine | ♄ Ⓦ Off. ☠ Ⓝ; Ind., Sri Lanka, Malay. Arch., N-Austr.
– **spinosa** Lam. | ♄ Ⓦ Ⓝ; trop. Afr., S-Afr., Madag., Seych.
– **toxifera** R.H. Schomb. ex Benth. · Strychnine | ♄ Ⓦ ≹ ☠; Col., Ecuad., Peru, Venez., Guyan., Amazon.

Stuartia = Stewartia L.
– *pentagyna* L'Hér. = Stewartia ovata

Stultitia = Orbea Haw.
– *cooperi* (N.E. Br.) Phillips = Orbea cooperi
– *tapscotti* (Verd.) Phillips = Orbea tapscottii

Stylidium Sw. ex Willd. -n- *Stylidiaceae*
– **adnatum** R. Br. | ♃ Ⓚ VI-VII; Austr.
– **graminifolium** Sw. ex Willd. · Trigger Plant | ♃ Ⓚ V-VI; Austr.
– *majus* (Sw.) Druce = Stylidium graminifolium

Stylophorum Nutt. -n- *Papaveraceae*
– **diphyllum** (Michx.) Nutt. · Schöllkraut-Mohn · Celandine Poppy · Célandine | ♃ ~ VI-VII; USA: NE, NCE, Tenn.
– *japonicum* (Thunb.) Miq. = Hylomecon japonica

Stylophyllum = Dudleya Britton et Rose
– *densiflorum* Rose = Dudleya densiflora
– *edule* Britten et Rose = Dudleya edulis

Stylosanthes Sw. -f- *Fabaceae*
– **guianensis** (Aubl.) Sw. | Ⓝ; trop. Am., nat. in Austr.
– **humilis** Humb., Bonpl. et Kunth | Ⓝ; S-Afr., nat. in N-Austr.

Styrax L. -n- *Styracaceae* · Storaxbaum
– **americanum** Lam. | ♄; USA: Va, Mo, SE, Fla.
– **benzoides** Craib · Benzoin | ♄ Ⓦ Off.; Indochina
– **benzoin** Dryand. · Benzoin | ♄ Ⓦ Off. Ⓝ; Malay. Pen., Sumat., W-Java
– **hemsleyanum** Diels | ♄; W-China, C-China
– **japonicum** Siebold et Zucc. · Japanischer Storaxbaum · Japanese Snowbell | ♄ ♄ VI-VII ∧; China, Korea, Jap., Taiwan, Phil.
– **obassia** Siebold et Zucc. · Obassia-Storaxbaum · Fragrant Snowbell | ♄ ♄ V-VI ∧; China, Manch., Korea, Jap.
– **officinalis** L. · Snowdrop Bush, Storax | ♄ Ⓚ V Ⓝ; Eur.: I, Ba; TR, Cyprus, Syr., Calif., nat. in F
– **shiraiana** Makino | ♄ ♄; Jap.; mts.
– **tonkinensis** (Pierre) Craib ex Hartwich | ♄ Ⓚ Off. Ⓝ; E-Thail., Laos, Vietnam
– **wilsonii** Rehder | ♄ Ⓚ V-VI; W-China

Suaeda Forssk. ex Scop. -f- *Chenopodiaceae*
– **maritima** (L.) Dumort. · Strand-Sode | VII-IX; Eur.*, TR, Levante, NW-Afr., Egypt
 - subsp. **pannonica** (Beck) Soó ex P.W. Ball · Pannonische Salzmelde | VIII-IX; Eur.: A, H, Ba, RO
– **vera** Forssk. ex J.F. Gmel. · Horn-Salzmelde · Shrubby Sea Blite | ♄ Ⓚ Ⓐ

VII ∧; Eur.: Ib, Fr, Ap, Ba, BrI; Cyprus, Syr., N-Afr.

Submatucana = Matucana Britton et Rose
- *aurantiaca* (Vaupel) Backeb. = Matucana aurantiaca
- *myriacantha* (Vaupel) Backeb. = Matucana myriacantha
- *ritteri* (Buining) Backeb. = Matucana ritteri

Subularia L. -f- *Brassicaceae*
- **aquatica** L. · Pfriemenkresse | ⊙ VI-VII; Eur.: Sc, BrI, Fr, Ib, D, Ba, EC-Eur.

Succisa Haller -f- *Dipsacaceae* · Teufelsabbiß
- **pratensis** Moench · Gewöhnlicher Teufelsabbiß · Devil's Bit Scabious | ♃ VII-IX; Eur.*, TR, Cauc., W-Sib., NW-Afr., Madeira, nat. in N-Am.

Succisella Beck -f- *Dipsacaceae*
- **inflexa** Kluk · Moorabbiss | ♃ VI-IX; Eur.: A, EC-Eur., Ba, E-Eur., nat. in F, D

Succowia Medik. -f- *Brassicaceae*
- **balearica** (L.) Medik.; Eur.: Ib, Ap +

Sulcorebutia Backeb. -f- *Cactaceae*
- **arenacea** (Cárdenas) F. Ritter | Ψ Ⓚ ❄; Bol.: Cochabamba
- **cylindrica** Donald et A.B. Lau | Ψ Ⓚ ❄; Bol.: Cochabamba
- **glomeriseta** (Cárdenas) F. Ritter | Ψ Ⓚ ❄; Bol.: Cochabamba
- **rauschii** G. Frank | Ψ Ⓚ ❄; Bol.: Chuquisaca
- **steinbachii** (Werderm.) Backeb. | Ψ Ⓚ ❄; Bol.: Cochabamba

Sutera Roth -f- *Scrophulariaceae*
- **grandiflora** (Galpin) Hiern | ♄ Ⓚ VII-IX; S-Afr.
- **hispida** (Thunb.) Druce | ♄ Ⓚ VI-IX; S-Afr.
- **polyantha** (Benth.) Kuntze | ♄ Ⓚ VI-IX; S-Afr.

Sutherlandia R. Br. ex W.T. Aiton -f- *Fabaceae*
- **frutescens** (L.) R. Br. · Cancer Bush, Duck Plant | ♄ Ⓚ VII-IX Ⓝ; Kap

Swainsona Salisb. -f- *Fabaceae*
- **galegifolia** (Andrews) R. Br. | ♄ Ⓚ VII-IX; Austr.: Queensl., N.S.Wales

Swertia L. -f- *Gentianaceae* · Tarant
- **chirata** L. Buch · Chirata | ⊙ IX-X; Him.
- **kingii** Hook. f. | ♃; Him.
- **perennis** L. · Blauer Sumpfstern, Blauer Tarant · Felwort, Marsh Felwort | ♃ ~ VI-IX ▽; Eur.* exc. BrI, Sc
- **petiolata** D. Don | ♃; Afghan.- W-Nepal, SE-Tibet

Swida = Cornus L.
- *alba* (L.) Opiz = Cornus alba
- *sanguinea* Opiz = Cornus sanguinea

Swietenia Jacq. -f- *Meliaceae* · Mahagonibaum
- *chloroxylon* Roxb. = Chloroxylon swietenia
- **macrophylla** King · Mahogany | ♄ Ⓦ Ⓝ; Mex., C-Am., Col., Peru, Venez., Bras.
- **mahagoni** (L.) Jacq. · West Indian Mahogany | ♄ Ⓦ Ⓝ; S-Fla., W.Ind., Mex., Hond., Col., Ecuad., Peru

Syagrus Mart. -m- *Arecaceae*
- **coronata** (Mart.) Becc. · Ouricuripalme | Ⓝ; trop. S-Am.
- **romanzoffiana** (Cham.) Glassman; Bras.
- *weddelliana* (H. Wendl.) Becc. = Lytocaryum weddellianum

× **Sycoparrotia** Endress et Aulinker -f- *Hamamelidaceae*
- **semidecidua** Endress et Anliker (*Parrotia persica* × *Sycopsis sinensis*) | ♄; cult.

Sycopsis Oliv. -f- *Hamamelidaceae*
- **sinensis** Oliv. | ♄ Ⓚ II-III; W-China, C-China

Sympagis = Strobilanthes Blume
- *maculata* (Wall.) Bremek. = Strobilanthes maculatus

Symphoricarpos Duhamel -m- *Caprifoliaceae*
- **albus** (L.) S.F. Blake · Gewöhnliche Schneebeere · Snowberry, Waxberry | ♄ ♣ VII-VIII ☠; Alaska, Can., USA: NE, NCE, NC, SE, NW, Calif., Rocky Mts.
  - var. **laevigatus** (Fernald) Blake · Symphorine blanche | ♄ ♣ VII-VIII;

Alaska, Can.: W; USA: NW, Calif., Rocky Mts.
– × **chenaultii** Rehder (*S. microphyllus* × *S. orbiculatus*) · Bastard-Korallenbeere | ♄ ♣ VI-VII; cult.
– × **doorenbosii** Krüssm. (*S. albus var. laevigatus* × *S.* × *chenaultii*) | ♄; cult.
– **hesperius** G.N. Jones | ♄ ♣ VI-VII; B.C., USA:NW
– **microphyllus** Humb., Bonpl. et Kunth | ♄ Ⓚ VIII-IX ∧; Mex.
– **occidentalis** Hook. · Westamerikanische Schneebeere, Wolfsbeere · Wolfberry | ♄ VI-VII; Can.; USA: NCE, NC, Rocky Mts., SW, NW
– **orbiculatus** Moench · Korallenbeere · Coralberry, Indian Currant · Symphorine à baies-de-corail | ♄ ♣ VII-VIII; USA: NE, NCE, NC, Colo., SC, SE, Fla.; Mex.
– *racemosus* Michx. = Symphoricarpos albus
– *rivularis* Suksd. = Symphoricarpos albus var. laevigatus
– **sinensis** Rehder | ♄; C-China, SW-China
– *vulgaris* Michx. = Symphoricarpos orbiculatus

Symphyandra A. DC. -f- *Campanulaceae*
– **armena** (Steven) A. DC. | ♃; E-TR, Cauc., N-Iran
– **hofmannii** Pant. | ⊙ △ VII-IX; Eur.: Bosn.
– **pendula** (M. Bieb.) A. DC. | ♃ △ VI-VII; Cauc.
– **wanneri** (Rochel) Heuff. | ♃ △ V-VI; Eur.: Serb., BG, RO: mts.

Symphyglossum Schltr. -n- *Orchidaceae*
– **sanguineum** (Rchb. f.) Schltr. | ♃ Ⓚ X-XI ✻; Ecuad.

Symphytum L. -n- *Boraginaceae* · Beinwell
– **asperum** Lepech. · Rauer Beinwell · Rough Comfrey | ♃ VI-VIII Ⓝ; Cauc., nat. in BrI, Sc, Fr, C-Eur., Russ.
– **bulbosum** K.F. Schimp. · Knollen-Beinwell | ♃ IV-V
– **caucasicum** M. Bieb. · Kaukasus-Beinwell, Kaukasus-Wallwurz · Blue Comfrey · Consoude du Caucase | ♃ VI-VIII; Cauc.
– **grandiflorum** A. DC. · Kleiner Kaukasus-Beinwell · Dwarf Comfrey · Consoude à grandes fleurs | ♃ V-VII; Cauc.
– *ibericum* Steven = Symphytum grandiflorum
– **officinale** L. · Arznei-Beinwell, Gewöhnlicher Beinwell · Comfrey, Common Comfrey · Consoude officinale | ♃ V-VII Ⓝ; Eur.* exc. Sc; Cauc., W-Sib., C-As., nat. in Sc
  - subsp. **bohemicum** (F.W. Schmidt) Celak. · Weißgelber Beinwell
  - subsp. **uliginosum** (A. Kern.) Nyman · Sumpf-Beinwell | ♃ V-VII
– **orientale** L. · White Comfrey | ♃ VI-VII; Eur.: W-Russ.; TR, nat. in BrI, F, I
– *peregrinum* Ledeb. = Symphytum × uplandicum
– *tauricum* auct. non Willd. = Symphytum orientale
– **tuberosum** L. · Knolliger Beinwell · Tuberous Comfrey | ♃ IV-VI; Eur.* exc. Sc; TR
– × **uplandicum** Nyman (*S. asperum* × *S. officinale*) · Comfrey, Futter-Beinwell · Russian Comfrey · Consoude panachée | ♃ VI-VIII Ⓝ; Eur.: BrI, Sc, C-Eur. +, nat. in BrI, Sc, Fr, C-Eur.
– **Cultivars**
  - **'Rubrum'**

Symplocarpus Salisb. ex Nutt. -m- *Araceae* · Stinkkohl
– **foetidus** (L.) Nutt. · Polecat Weed, Skunk Cabbage | ♃ ~ III-IV; Can.: E; USA: NE, NCE, SE; Amur, Jap.

Symplocos Jacq. -f- *Symplocaceae* · Rechenblume
– **paniculata** (Thunb.) Miq. · Saphirbeere · Asiatic Sweetleaf, Sapphine Berry | ♄ ♣ V-VI; Him., China, Jap.

Synadenium Boiss. -n- *Euphorbiaceae* · Milchbaum
– **grantii** Hook. f. · African Milkbush | ♄ Ψ Ⓦ; Uganda, Tanzania, Mozamb.

Syndesmon = Anemonella Spach
– *thalictroides* (L.) Hoffmanns. = Anemonella thalictroides

Synechanthus H. Wendl. -m- *Arecaceae*
– **fibrosus** (H. Wendl.) H. Wendl. | ♄ Ⓦ; C-Am.

Syngonanthus Ruhland -m- *Eriocaulaceae*

– **elegans** (Bong.) Ruhland | ♃ ⌂ ✂; Bras.
– **niveus** (Kunth) Ruhland | ♃ ⌂ ✂; Bras.

Syngonium Schott -n- *Araceae*
– **auritum** (L.) Schott · Five Fingers | ♄ ⌂ ⚘; Hond.
– **podophyllum** Schott · Arrowhead | ♄ ⌂ ⚘; Mex., Guat., El Salv., Costa Rica
– **standleyanum** Bunting | ♄ ⌂ ⚘; Hond., Costa Rica
– *triphyllum* hort. = Syngonium standleyanum
– **wendlandii** Schott | ♄ ⌂ ⚘; Costa Rica

Synnema = Hygrophila R. Br.
– *triflorum* (Roxb. ex Nees) Kuntze = Hygrophila triflora

Synsepalum (A. DC.) Daniell -n- *Sapotaceae*
– **dulciferum** (Schum. et Thonn.) Baill. · Wunderbeere | ♄ ♄ Ⓝ; trop. W-Afr.

Synthyris Benth. -f- *Scrophulariaceae*
– *reniformis* hort. non Benth. = Synthyris stellata
– **stellata** Pennell · Frühlingsschelle · Snow Queen | ♃ IV; USA: Wash., Oreg.

Syringa L. -f- *Oleaceae* · Flieder
– **afghanica** C.K. Schneid. · Afghan Lilac, Cutleaf Lilac | ♄ V; Afgh., Him., Tibet
– *amurensis* Rupr. = Syringa reticulata var. amurensis
  - var. *japonica* (Maxim.) Franch. et Sav. = Syringa reticulata
– *bretschnederi* Lemoine = Syringa villosa
– × **chinensis** Willd. (*S. persica* × *S. vulgaris*) · Chinesischer Flieder · Chinese Lilac · Lilas de Rouen | ♄ D V; cult.
– *dielsiana* C.K. Schneid. = Syringa microphylla
– × **diversifolia** Rehder (*S. oblata var. giraldii* × *S. pinnatifolia*)
– **emodi** Wall. ex G. Don · Himalaya-Flieder · Himalayan Lilac | ♄ D V-VI; Him.: Afgh., Kashmir, NW-Ind., Nepal
– *formosissima* Nakai = Syringa wolfii
– × **henryi** C.K. Schneid. (*S. josikaea* × *S. villosa*) | ♄ V-VI; cult.
– × **hyacinthiflora** (Lemoine) Rehder (*S. oblata* × *S. vulgaris*)
– *japonica* (Maxim.) Decne. = Syringa reticulata
– **josikaea** J. Jacq. ex Rchb. · Ungarischer Flieder · Hungarian Lilac · Lilas de Hongrie | ♄ V-VI; Eur.: RO, W-Russ.; mts., nat. in D
– **julianae** C.K. Schneid. · Julianes Flieder | ♄ D V-VI; W-China
– **komarowii** C.K. Schneid. · Komarows Flieder | ♄ VI; N-China
– × **laciniata** Mill. (*S. protolacinata* × *S. vulgaris*) | ♄ V; China: NW-China, Kansu
– **meyeri** C.K. Schneid. · Meyers Flieder · Korean Lilac · Lilas de Meyer | ♄ V-VI; N-China
  - **'Palibin'**
– **microphylla** Diels · Kleinblättriger Flieder · Daphne Lilac | ♄ △ VI; N-China
– **oblata** Lindl. · Rundblättriger Flieder | ♄ D IV-V; N-China
  - var. **giraldii** (Lehm.) Rehder | ♄ D IV-V
– *palibiniana* hort. = Syringa meyeri 'Palibin'
– *palibiniana* Nakai = Syringa patula
– **patula** (Palib.) Nakai · Ausladender Flieder · Korean Lilac | ♄ D V-VI; Korea, N-China
– **pekinensis** Rupr. · Peking-Flieder | ♄ D VI; N-China
– × **persica** L. (*S. vulgaris* × *S.* × *laciniata*) · Persischer Flieder · Persian Lilac · Lilas de Perse | ♄ D V; cult.
  - *'Laciniata'* = Syringa × laciniata
– **pinnatifolia** Hemsl. · Fiederblättriger Flieder | ♄ V; SW-China
– **potaninii** C.K. Schneid. | ♄ D VI; W-China
– × **prestoniae** McKelvey (*S. reflexa* × *S. villosa*) | ♄
– **protolaciniata** P.S. Green et M.C. Chang
– **pubescens** Turcz. · Wolliger Flieder | ♄ D IV-V; N-China
– **reflexa** C.K. Schneid. · Bogen-Flieder | ♄ VI; C-China
– **reticulata** (Blume) Hara · Japanischer Flieder · Japanese Tree Lilac | ♄ ♄ VI-VII; Jap.
  - var. **amurensis** (Rupr.) Pringle · Amur Lilac | ♄ ♄ VI-VII; Manch.
  - var. *mandschurica* (Maxim.) Hara = Syringa reticulata var. amurensis
– × *rothomagensis* hort. = Syringa × chinensis
– × **swegiflexa** Hesse (*S. reflexa* × *S. sweginzowii*) · Pink Pearl Lilac | ♄ VI; cult.
– **sweginzowii** Koehne et Lingelsh. ·

Sweginzows Flieder · Lilas de Sweginzow | ħ VI; NW-China
– **tigerstedtii** H. Sm. · Tigerstedts Flieder · Lilas de Tigerstedt | ħ D VI; W-China
– **tomentella** Bureau et Franch. · Filziger Flieder | ħ D VI; W-China
– *velutina* hort. = Syringa meyeri 'Palibin'
– *velutina* Komar. = Syringa patula
– **villosa** Vahl · Zottiger Flieder | ħ V-VI; N-China
– **vulgaris** L. · Gewöhnlicher Flieder · Common Lilac, French Lilac · Lilas commun | ħ ŧ D IV-V Ⓝ; Eur.: Ba, RO, nat. in BrI, Fr, C-Eur., EC-Eur., Ap, Krim, TR, Iran, Cauc.
– *wilsonii* C.K. Schneid. = Syringa tomentella
– **wolfii** C.K. Schneid. · Wolfs Flieder | ħ D VI; Korea, Manch.
– **yunnanensis** Franch. · Yunnan-Flieder · Yunnan Lilac | ħ D VI; Yunnan

Syzygium Gaertn. -n- *Myrtaceae*
– **aqueum** (Burm. f.) Alston · Wasserjambuse | ŧ Ⓝ; Bangladesh, Myanmar, Sri Lanka, Sumat., Molucca I.
– **aromaticum** (L.) Merr. et L.M. Perry · Clove, Clove Tree | ŧ Ⓦ Off. Ⓝ; Molucca I.
– **cumini** (L.) Skeels · Jambolan | ŧ Ⓦ Ⓝ; Ind., Sri Lanka, S-China, Malay. Arch., E-Austr.
– *jambolana* (Lam.) DC. = Syzygium cumini
– **jambos** (L.) Alston · Malabar Plum, Rose Apple | ŧ Ⓦ Ⓝ; SE-As.
– **malaccense** (L.) Merr. et Perry | ŧ Ⓝ; orig. ?, nat. in Malay. Arch.
– **oleosum** (F. Muell.) B. Hyland | ŧ; Austr.: Queensl., N.S.Wales
– **paniculatum** Banks ex Gaertn. · Brush Cherry | ħ ŧ Ⓚ III-V; Austr.: Queensl., N.S.Wales
– **samarangense** (Blume) Merr. et Perry | ŧ Ⓝ; Ind., Malay. Arch., Phil.

Tabebuia Gomes ex DC. -f- *Bignoniaceae*
– *donell-smithii* Rose = Cybistax donnell-smithii
– **serratifolia** (Vahl) Nichols | ŧ ħ; W.Ind., Trinidad, trop. S-Am.

Tabernaemontana L. -f- *Apocynaceae*
– *amsonia* L. = Amsonia tabernaemontana
– *coronaria* (Jacq.) Willd. = Tabernaemontana divaricata
– **divaricata** (L.) R. Br. ex Roem. et Schult. · Adam's Apple, Crape Jasmine | ħ Ⓦ D VII; orig. ?; cult. Trop.

Tacca J.R. Forst. et G. Forst. -f- *Taccaceae*
– *aspera* Roxb. = Tacca integrifolia
– **chantrieri** André · Bat Flower, Cat's Whiskers, Devil Flower | ♃ Ⓦ; NE-Ind., SE-As.
– *cristata* Jack = Tacca integrifolia
– **integrifolia** Ker-Gawl. · Bat Plant | ♃ Ⓦ; NE-Ind., Thail., Malay. Pen., Sumat., Java, Kalimantan
– **leontopetaloides** (L.) Kuntze · Indian Arrowroot | ♃ Ⓦ Ⓝ; Malay. Pen., trop., Austr., Pacific Is.
– *pinnatifida* J.R. Forst. et G. Forst. = Tacca leontopetaloides
– **plantaginea** (Hance) Drenth | ♃ Ⓦ; S-China, N-Vietn., Laos, Thail.

Tacitus = Graptopetalum Rose
– *bellus* Moran et Meyrán = Graptopetalum bellum

Taeniatherum Nevski -n- *Poaceae*
– **caput-medusae** (L.) Nevski; Eur.: Fr, Ib, Ap, EC-Eur., Ba +

Tagetes L. -f- *Asteraceae* · Sammetblume, Studentenblume
– **erecta** L. · Hohe Studentenblume · African Marigold | ⊙ VII-IX; Mex.
– *glandulifera* Schrank = Tagetes minuta
– **lucida** Cav. · Sweet Marigold | ⊙ ♃ VIII-IX; Mex., Guat.
– **minuta** L. · Dwarf Marigold, Wild Marigold | ⊙ X Ⓝ; C-Am., S-Am., nat. in Trop., S-Eur.
– **patula** L. · Studentenblume · French Marigold | ⊙ VII-X; Mex., Guat.
– *signata* Bartl. = Tagetes tenuifolia
– **tenuifolia** Cav. · Signet Marigold · Tagète tachée | ⊙ VII-X; Mex.

Taiwania Hayata -f- *Taxodiaceae*
– **cryptomerioides** Hayata | ŧ Ⓝ; Yunnan, Taiwan

Talbotia Balf. -f- *Velloziaceae*
– **elegans** Balf. | ♄ Ⓚ VI-VIII; S-Afr.: Natal

Talinum Adans. -n- *Portulacaceae*

- **calycinum** Engelm. | ♃ Ⓚ; USA: NCE, NC, SC, Ark.
- **okanoganense** English | ♃ Ⓚ △ VI-VII ∧; Can.: B.C.
- **paniculatum** (Jacq.) Gaertn. · Jewels-of-Opar | ♄ Ⓚ VI-VIII; Mex., Lesser Antilles
- **teretifolium** Pursh | ♃ Ⓚ; USA: NE, SE
- **triangulare** (Jacq.) Willd. · Ceylonspinat | ♃ Ⓝ; C-Am , W.Ind., S-Am., nat. in trop. Afr.

Tamarindus L. -f- *Caesalpiniaceae* · Tamarinde
- **indica** L. · Tamarind | ♄ Ⓦ VI-VII Ⓝ; trop. Afr., nat. in Fla. bis Bras.

Tamarix L. -f- *Tamaricaceae* · Tamariske
- *aestivalis* hort. = Tamarix ramosissima
- **africana** Poir. | ♄ ♄ VIII-IX; Eur.: Ib, Ap, F +, nat. in BrI
- **articulata** Vahl | Ⓝ; Sahara, Arab., Iran
- **chinensis** Lour. · Chinese Tamarisk | ♄ VI-VIII Ⓝ; C-As., China, nat. in Oreg. , Calif.
- **gallica** L. · Französische Tamariske · French Tamarisk, Tamarisk | ♄ VI-VIII Ⓝ; Eur.: Ib, Fr, Ap, Canar., Madeira; N-Afr., nat. in E-USA, Calif.
- *germanica* L. = Myricaria germanica
- **hispanica** Boiss. | ♄ ♄
- *japonica* Dippel = Tamarix chinensis
- *odessana* Steven ex Bunge = Tamarix ramosissima
- **parviflora** DC. · Kleinblütige Tamariske · Small Flower Tamarisk · Tamaris à floraison printanière | ♄ ♄ V; Eur.: Ba; TR, N-Afr., nat. in Sp., Corse, I
- **pentandra** Pall. · Tamaris à floraison estivale
- *plumosa* Carrière = Tamarix chinensis
- **ramosissima** Ledeb. · Kaspische Tamariske · Salt Cedar · Tamaris à floraison estivale | ♄ ♄ VI-VIII; SE-Russ., Afgh., Iraq, Iran, Pakist., Mong., China, Korea
- **tetrandra** Pall. ex M. Bieb. emend. Willd. · Viermännige Tamariske · Erica · Tamaris à quatre étamines | ♄ IV-V; Eur.: Ba, Krim; N-TR, Syr., Cyprus, Cauc.

Tamus L. -m- *Dioscoreaceae* · Schmerwurz
- **communis** L. · Gewöhnliche Schmerwurz · Black Bryony, Bryony | ♃ Ⓚ ≷ V ☠ ∧; Eur.: Ib, Fr, Ap, Ba, Krim, RO, H, BrI, C-Eur.; TR, Cyprus, Syr., Iraq, Cauc., N-Iran, NW-Afr., Canar.

Tanacetum L. -n- *Asteraceae*
- **achilleifolium** (M. Bieb.) Sch. Bip. | ♃ D VI-VII; Eur.: SE-Russ., ? RO, ? BG
- *alpinum* (L.) Sch. Bip. = Leucanthemopsis alpina
- **argenteum** Willd. | ♃ △ VII ∧; TR
- **balsamita** L. · Balsamkraut, Frauenminze · Alecost, Costmary | ♃ D VII-VIII Ⓝ; TR, Cauc., N-Iran, C-As., nat. in Sp., F, I, EC-Eur., Russ.
- **cinerariifolium** (Trevir.) Sch. Bip. · Dalmatiner Insektenblume, Pyrethrum · Dalmatian Pyrethrum, Pyrethrum · Pyrèthre | ♃ Off. V-VII Ⓝ; Eur.: Croatia, Bosn., Montenegro, AL, nat. in Sp., I, A, H, Russ.
- **clusii** (Fisch. ex Rchb.) A. Kern.; Eur.: E-Alp., Carp., Balkan
- **coccineum** (Willd.) Grierson · Bunte Margerite · Painted Daisy, Pyrethrum · Tanaisie rose | ♃ ⚔ V-VI Ⓝ; Cauc., Iran
- **corymbosum** (L.) Sch. Bip. · Straußblütige Wucherblume · Chrysanthème en corymbe | ♃ VI-VII; Eur.* exc. BrI, Sc; TR, Cauc., nat. in Sc
- **densum** (Labill.) Sch. Bip. · Prince-of-Wales Feathers | △ VII-VIII; Syr.
- **haradjanii** (Rech. f.) Grierson · Silbergefieder | ♃ △ VII-VIII; Syr.
- **macrophyllum** (Waldst. et Kit.) Sch. Bip. · Großblättrige Wucherblume | ♃ VI-VIII; Eur.: Ba, RO; TR, Cauc., nat. in D, DK, EC-Eur., W-Russ.
- **millefolium** (L.) Tzvelev | ♃ VI-VII; Eur.: BG, E-Eur.; TR, Cauc.
- **parthenifolium** (Willd.) Sch. Bip. · Grauhaarige Wucherblume | ♃ VII-VIII; Eur.: Ba; TR, Cauc., N-Iran, nat. in Eur.*
- **parthenium** (L.) Sch. Bip. · Mutterkraut · Feverfew · Grande camomille | ⊙ ♃ ⚔ VI-IX; Eur.: Ba; TR, nat. in Eur.*; cosmop.
- **ptarmiciflorum** (Webb et Berthel.) Sch. Bip. · Silver Lace | ♄ Ⓚ; Canar.
- *serotinum* (L.) Sch. Bip. = Leucanthemella serotina
- **vulgare** L. · Rainfarn · Tansy · Barbotine, Tanaisie vulgaire | ♃ VII-IX ☠ Ⓝ; Eur.*, TR, Cauc., W-Sib., E-Sib., Amur, Sachal., Kamchat., C-As., Mong., Manch., nat. in N-Am., S-Am., Austr., NZ

Tanakaea Franch. et Sav. -f- *Saxifragaceae*
– **radicans** Franch. et Sav. · Japanese Foam Flower | ♃ ⁓→ VI-VII ∧; Jap.

Tanquana H.E.K. Hartmann et Liede -f- *Aizoaceae*
– **prismatica** (Schwantes) Hartmann et Liede | ♃ Ψ Ⓚ IX-XI; Kap

Tapeinochilos Miq. -m- *Costaceae*
– **ananassae** (Hassk.) K. Schum. | ♃ Ⓦ VII-VIII; Molucca I.: Ceram

Taraxacum Weber ex F.H. Wigg. -n- *Asteraceae* · Kuhblume
– **alpestre agg.** · Gebirgs-Löwenzahn | ♃ V-VII; Eur.: Sudeten, Carp., Balkan
– **alpinum agg.** Hegetschw. · Alpen-Löwenzahn | ♃ VI-IX; Eur.: Ib, Fr, C-Eur., EC-Eur., Ba, RO; mts.
– **aquilonare** Hand.-Mazz. · Nördliches Pfaffenröhrlein | ♃ VII-VIII; Eur.: F, CH, A +
– **bessarabicum** (Hornem.) Hand.-Mazz. · Kleinköpfige Kuhblume | ♃ X-VIII; Eur.: F, A, EC-Eur., BG, E-Eur.; TR, Syr., Iran, Afgh., Libya
– **ceratophorum** (Ledeb.) DC. · Gehörntes Pfaffenröhrlein | ♃ VI-VIII; Eur.: F, CH, A, Sc, N-Russ.
– **concucullatum** A.J. Richards | ♃ VI-VIII; Eur.: F, Ch, A
– **cucullatum agg.** Dahlst. · Kapuzen-Löwenzahn | ♃ VI-VIII; Eur.: F, Ch, A
– **dissectum** (Ledeb.) Ledeb. · Schlitzblättriges Pfaffenröhrlein | ♃ VII-VIII; Eur.: Sp., F, CH, I +
– **fontanum agg.** Hand.-Mazz. · Quell-Löwenzahn | ♃ VI-VIII; Eur.: Ch, A
– **handelii** Murr · Arktische Kuhblume | ♃ VII-VIII; Eur.: CH, A
– **hybernum** Steven | ♃ Ⓝ; Eur.: I, Ba, Krim; TR, Syr. N-As
– **kok-saghyz** Rodin | ♃ Ⓝ; C-As.(Kasach.)
– **laevigatum agg.** (Willd.) DC. · Schwielen-Löwenzahn | ♃ IV-VI; Eur.*, TR, Syr., Cauc., C-As., NW-Afr., nat. in N-Am., S-Am.
– **mazetti** Soest | ♃ VI-VIII; Eur.: A +
– **megalorhizum** (Forssk.) Hand.-Mazz. | Ⓝ
– **melzerianum** Soest | ♃ VI-VIII; Eur.: A +
– **nordstedtii** Dahlst. | ♃ V-VII; Eur.: BrI, Sc, Fr, Ib, D, EC-Eur.
– **obliquum agg.** (Fr.) Dahlst. · Dünen-Löwenzahn ; Eur.: Sc, BrI, NL, D
– **officinale agg.** F.H. Wigg. · Gewöhnlicher Löwenzahn, Gewöhnliche Kuhblume · Dandelion | ♃ Off. IV-VII Ⓝ; Eur.*, W-Sib., E-Sib., nat. in cosmop.
– **pacheri** Sch. Bip. · Pachers Pfaffenröhrlein | ♃ VII-VIII; Eur.: I, CH, A; E-Alp.
– **palustre agg.** (Lyons) Symons · Sumpf-Kuhblume, Sumpf-Löwenzahn | ♃ IV-VI; Eur.: BrI, Fr
– **reichenbachii** Huter ex Dahlst. | ♃ VII-VIII; Eur.: A
– **schroeterianum** Hand.-Mazz. · Schröters Pfaffenröhrlein | ♃ VII-VIII; Eur.: Sp., F, I, CH
– **serotinum** (Waldst. et Kit.) Poir. | ♃ X-VIII; Eur.: Sp., F, A, EC-Eur., Ba, E-Eur.; TR, Syr., Lebanon, Cauc., Iran, W-Sib.
– **spectabile agg.** Dahlst. · Stattlicher Löwenzahn | ♃ V-VII; Eur.: Sc, BrI, Sp.
– **tiroliense** Dahlst. | ♃ VI-VIII; Eur.: CH, A, D +

Tarchonanthus L. -m- *Asteraceae*
– **camphoratus** L. · Hottentot Tobacco | ♄ ♄ Ⓚ D; Eth., trop. Afr., S-Afr.

Tasmannia = Drimys J.R. Forst. et G. Forst.
– *lanceolata* (Poir.) A.C. Sm. = Drimys lanceolata

Tavaresia = Decabelone Decne.
– *grandiflora* K. Schum. = Decabelone grandiflora

Taxodium Rich. -n- *Taxodiaceae* · Sumpfeibe, Sumpfzypresse
– **ascendens** Brongn. · Pond Cypress
  - **'Nutans'** | ♄ ⁓ V Ⓝ; USA: Va., SE, Fla.
– **distichum** (L.) Rich. · Zweizeilige Sumpfzypresse · Bald Cypress, Swamp Cypress · Cyprès chauve | ♄ ⁓ V Ⓝ; USA: NE, NCE, SC, SE, Fla.
  - **'Pendens'**
  - var. *imbricatum* Croom = Taxodium ascendens
  - var. *nutans* (Aiton) Sweet = Taxodium ascendens 'Nutans'
  - var. *nutans* Carrière = Taxodium distichum 'Pendens'

Taxus L. -f- *Taxaceae* · Eibe
- **baccata** L. · Europäische Eibe, Gewöhnliche Eibe · Common Yew, English Yew · If commun | ♄ ♄ III-IV ▽ ☠; Eur.*, Cauc., N-Afr.
  - **'Adpressa'**
  - **'Dovastoniana'**
  - **'Nana'**
- **brevifolia** Nutt. · Pazifische Eibe · Pacific Yew, Western Yew | ♄ ☠ ∧ Ⓝ; Alaska, Can: B.C., Alta; USA: NW, Calif., Idaho, Mont.
- **canadensis** Marshall · Kanadische Eibe · Canadian Yew | ♄ ☠; Can.: E; USA: NE, NCE
- **chinensis** (Pilg.) Rehder
  - var. **mairei** (Lemée ex Lév.) W.C. Cheng et L.K. Fu
- **cuspidata** Siebold et Zucc. · Japanische Eibe · Japanese Yew · If du Japon | ♄ ♄ ☠; Jap., Korea, Manch.
- × **media** Rehder (*T. baccata* × *T. cuspidata*) · Wellesley Yew | ♄ ☠; cult.
- **sumatrana** (Miq.) de Laub. | ♄; China

Tecoma Juss. -f- *Bignoniaceae*
- *capensis* (Thunb.) Lindl. = Tecomaria capensis
- **castaneifolia** (D. Don) Melch. | ♄ Ⓚ I-XII; Ecuad.
- *grandiflora* (Thunb.) Loisel. = Campsis grandiflora
- *jasminoides* Lindl. = Pandorea jasminoides
- **leucoxylon** (L.) Mart. · Grünes Ebenholz | ♄ Ⓝ; W.Ind., S-Am.
- *radicans* (L.) Juss. = Campsis radicans
- **stans** (L.) Juss. ex Humb., Bonpl. et Kunth · Yellow Bells, Yellow Trumpet Flower | ♄ ♄ Ⓚ VI-VIII; USA: SC, SE, Fla.; Mex., S-Am.

Tecomaria = Tecoma Juss.
- **capensis** (Thunb.) Spach · Cape Honeysuckle | ♄ Ⓚ VIII-X; S-Afr.

Tecophilaea Bertero ex Colla -f- *Tecophilaeaceae*
- **cyanocrocus** Leyb. · Chilean Crocus | ♄ Ⓚ ▭ III; Chile

Tectaria Cav. -f- *Dryopteridaceae*
- **cicutaria** (L.) Copel. | ♃ Ⓦ; Trop.
- **decurrens** (C. Presl) Copel. | ♃ Ⓦ; Polyn.
- **incisa** Cav. | ♃ Ⓦ; Mex., W.Ind., C-Am., trop. S-Am.
- *martinicensis* (Spreng.) Copel. = Tectaria incisa
- **trifoliata** (L.) Cav. | ♃ Ⓦ; Mex., C-Am., W.Ind., trop. S-Am.

Tectona L.f. -f- *Verbenaceae*
- **grandis** L. f. · Teak | ♄ Ⓦ Ⓝ; Ind., Myanmar, Thail., Laos

Teesdalia R. Br. -f- *Brassicaceae*
- **nudicaulis** (L.) R. Br. · Kahler Bauernsenf | IV-V; Eur.*, Maroc.

Telekia Baumg. -f- *Asteraceae*
- **speciosa** (Schreb.) Baumg. · Telekie · Large Yellow Ox-Eye | ♃ ~ VI-VIII; Eur.: EC-Eur., Ba, E-Eur.; TR, Cauc., nat. in BrI, Fr, C-Eur.
- **speciosissima** (L.) Less. | ♃ △ VI-VII; Eur.: N-I (Alpi Orobie), nat. in cosmop.

Telephium L. -n- *Molluginaceae*
- **imperati** L. · Telephie | ♃ VI-VII; Eur.: Ba, Fr, Ap, Ib, CH

Telesonix = Boykinia Nutt.
- *jamesii* (Torr.) Raf. = Boykinia jamesii

Telfairia Hook. -f- *Cucurbitaceae*
- **occidentalis** Hook. f. · Oyster Nuts | ♄ Ⓦ ≹ Ⓝ; W Afr.
- **pedata** (Sm. ex Sims) Hook. · Zanzibar Oil | ♄ Ⓦ ≹ Ⓝ; E-Afr., Madag., Mascarene Is.

Teline = Genista L.
- *monspessulana* (L.) K. Koch = Genista monspessulana

Tellima R. Br. -f- *Saxifragaceae*
- **grandiflora** (Pursh) Douglas ex Lindl. · Falsche Alraunenwurzel · Fringecups | ♃ V-VI; Alaska, Can.: W; USA: NW, Calif.

Telopea R. Br. -f- *Proteaceae*
- **truncata** (Labill.) R. Br. | ♄ ♄; Tasman.

Teloxys Moq. -f- *Chenopodiaceae*
- **aristata** (L.) Moq. | ⊙ ⋊ VI-IX; W-Sib., E-Sib., Amur, C-As., Mong., China, Korea, Jap.

Templetonia R. Br. ex W.T. Aiton -f-

Fabaceae
– **retusa** (Vent.) R. Br. · Bullock Bush, Coral Bush | ħ ⓚ III-VI; Austr.: S-Austr., W-Austr.

Tephroseris (Rchb.) Rchb. -f- *Asteraceae*
– **crispa** (Jacq.) Rchb. · Krauses Greiskraut | ♃ V-VI; Eur.: I, D, A, EC-Eur., E-Eur.; mts.
– **helenitis** (L.) B. Nord. · Spatelblättriges Greiskraut | ♃ V-VI; Eur.: Sp., Fr, CH, D, A
– **integrifolia** (L.) Holub · Steppen-Greiskraut · Field Fleawort | ♃ V-VI; Eur.* exc. Ib; N-Russ.; N-As., Jap., Taiwan
  - subsp. **autrantiaca** Hoppe ex Willd. · Orangerotes Greiskraut | ♃ △ VI-VIII; Eur.* exc. Ib; ? N-As.
  - subsp. **capitata** (Wahlenb.) B. Nord. · Kopf-Greiskraut | ♃ △ VI-VII; Eur.: F, I, CH, A, RO; Alp., Carp.; Cauc., Sib., Kamchat., China, Alaska
  - subsp. **serpentini** (Gáyer) Nord. | ♃ V-VI; Eur.: E-A (Burgenland)
– **longifolia** (Jacq.) Griseb. et Schenk · Obir-Aschenkraut, Obir-Greiskraut, Voralpen-Kreuzkraut | ♃ V-VII; Eur.: D, A, Slove., Croatia; E-Alp., Croatia mts.
– **palustris** (L.) Fourr. · Moor-Greiskraut | ⊙ VI-VII; Eur.: BrI, Sc, Fr, D, EC-Eur., Russ; Sib.
– **pseudocrispa** (Fiori) Holub | ♃ VI-VIII; Eur.: D, A, PL, CZ, Slove., RO
– **tenuifolia** (Gaudin) Holub · Läger-Greiskraut, Schweizer Greiskraut | ♃ V-VII; Eur.: I, A, CH; Alp., Apenn.

Tephrosia Pers. -f- *Fabaceae*
– **candida** (Roxb.) A. DC. | ħ Ⓝ; Ind., Him., Myanmar, Malay. Arch.
– **purpurea** (L.) Pers. · Wild Indigo | ♃ ⓦ ☠ Ⓝ
– **singapou** (Buc'hoz) A. Chev. | Ⓝ; Mex., C-Am., Ttrop. S-Am.
– **virginiana** (L.) Pers. · Catgut, Goat's Rue | ♃ VI-VII ∧; Can.: Ont.; USA: NE, NCE, NC, SC, SE, Fla.
– **vogelii** Hook. f. · Fish Poison Bean | ♃ ⓦ ☠ Ⓝ; W-Afr.; Guinea, Sierra Leone; trop. S-Afr.: Mozamb.

Terebinthus Mill. -m- *Anacardiaceae*
– *lentiscus* (L.) Moench = Pistacia lentiscus

Terminalia L. -f- *Combretaceae* · Almend
– **bellirica** (Gaertn.) Roxb. · Belleric Myrobalan | ħ ⓦ Ⓝ; Ind., Sri Lanka, Myanmar, Thail., Malay. Pen.
– **catappa** L. · Indian Almond, Olive Bark Tree | ħ ⓦ Ⓝ; E-Afr., Madag., Pakist., Ind., Java, N.Guinea, nat. in S-Fla.
– **chebula** (Gaertn.) Retz. · Indian Myrobalan, Ink Nut | ħ ⓦ Ⓝ; Ind., Sri Lanka, Myanmar
– **superba** Engl. et Diels · Terminalia | ħ ⓦ Ⓝ; W-Afr.

Ternstroemia Mutis ex L.f. -f- *Theaceae*
– **gymnanthera** (Wight et Arn.) Sprague | ħ ⓚ; Ind., China, S-Korea, Jap., Taiwan, Kalimantan

Testudinaria Salisb. -f- *Dioscoreaceae* · Elefantenfuß, Schildkrötenpflanze
– *sylvatica* Kunth = Dioscorea sylvatica

Tetracarpidium Pax -n- *Euphorbiaceae*
– **conophorum** (Müll. Arg.) Hutch. et Dalziel | ħ ⓦ Ⓝ; W-Afr., C-Afr.

Tetracentron Oliv. -n- *Tetracentraceae*
– **sinense** Oliv. · Viersporbaum · Spur Leaf | ħ VI ∧; Nepal, NE-Ind., Myanmar, SW-China

Tetraclinis Mast. -f- *Cupressaceae* · Gliederzypresse
– **articulata** (Vahl) Mast. · Arar Tree | ħ ⓚ Ⓝ; Eur.: Sp. (Cartagena), Malta; NW-Afr., Libya

Tetradenia Benth. -f- *Lamiaceae*
– **riparia** (Hochst.) Codd | ♃ ⓚ XII-II; S-Afr.

Tetradium Lour. -n- *Rutaceae*
– **daniellii** (Benn.) Hartley · Samthaarige Stinkesche | ħ ♧ VII; Korea, N-China
  - **Hupehense Grp.** | ħ ♧ VIII-VII; China: Hupeh

Tetragonia L. -f- *Aizoaceae*
– **echinata** Aiton
– **tetragonioides** (Pall.) Kuntze · Neuseeländerspinat · New Zealand Spinach | ⊙ ⇝ VII-IX Ⓝ; Austr., NZ, nat. in Ib, I

Tetragonolobus Scop. -m- *Fabaceae*

– *edulis* Link = Tetragonolobus purpureus
– **maritimus** (L.) Roth · Gelbe Spargelerbse · Dragon's Teeth | ♃ V-IX; Eur.* exc. BrI, Sc; Cauc., TR, NW-Afr.
– **purpureus** Moench · Echte Spargelerbse · Asparagus Pea | ☉ VII-VIII Ⓝ; Eur.: Ib, F, Ap, Ba, E-Eur.; W-TR, Levante, Cauc., NW-Afr., Libya, nat. in Cz
– *siliquosus* Roth = Tetragonolobus maritimus

× **Tetraliopsis** Hort. -f- *Orchidaceae* (*Laeliopsis* × *Tetramicra*)

Tetramicra Lindl. -f- *Orchidaceae*
– *bicolor* (Lindl.) Benth. = Leptotes bicolor

Tetranema Benth. -n- *Scrophulariaceae*
– **roseum** (M. Martens et Galeotti) Standl. et Steyerm. | ♃ Ⓦ II-X; Mex., C-Am.

Tetraneuris Greene -f- *Asteraceae*
– *acaulis* (Pursh) Greene = Hymenoxys acaulis
– *grandiflora* (Torr. et A. Gray) K.F. Parker = Hymenoxys grandiflora
– *linearifolia* (Hook.) Greene = Hymenoxys linearifolia
– **scaposa** Greene

Tetrapanax (K. Koch) K. Koch -m- *Araliaceae* · Reispapierbaum
– **papyrifer** (Hook.) K. Koch | ♄ Ⓦ Ⓝ; S-China, Taiwan

Tetrastigma (Miq.) Planch. -n- *Vitaceae*
– **voinierianum** (Baltet) Pierre ex Gagnep. | ♄ Ⓦ ≷; N-Vietn. (Tongking)

× **Tetratonia** Hort. -f- *Orchidaceae* (*Broughtonia* × *Tetramicra*)

Teucrium L. -n- *Lamiaceae* · Gamander
– **arduini** L.; Ba
– **aroanium** Orph. ex Boiss. | ♄ ♄; GR
– *aureum* Schreb. = Teucrium polium subsp. aureum
– **botrys** L. · Trauben-Gamander | ☉ VII-IX; Eur.* exc. Sc
– *chamaedrys* hort. = Teucrium × lucidrys
– **chamaedrys** L. · Edel-Gamander | ♄ △ VII-VIII Ⓝ; Eur.* exc. BrI, Sc; TR, Cauc.
– *chamaepitys* L. = Ajuga chamaepitys
– **cinereum** Boiss. | ♃; Sp., Maroc.
– **compactum** Clemente ex Lag. | ♄; Sp., Tun., Alger.
– **flavum** L. | ♄; Eur.: Ba, Ib, Ap, Fr; NW-Afr., TR
– **fruticans** L. · Bush Germander | ♄ Ⓚ VII-VIII; Eur.: Ib, Fr, Ap, Croatia
– **hircanicum** L. | ♃; NE-TR, N-Iran, Cauc.
– × **lucidrys** Boom (*T. chamaedrys* × *T. lucidum*) · Bastard-Gamander · Wall Germander | ☉ ♄ VII-VIII; cult.
– **lucidum** L. | ♃; F, I; SW-Alp.
– **marum** L. · Cat Thyme | ♄ Ⓚ D Off.; Eur.: Balear., F, Corse, Sard., I, Croatia
– **massiliense** L. · Sweet Scented Germander · Germandrée de Marseille | ♄ ⁞ VI-VIII; Eur.: Sp., F, Corse, Sard., Crete
– **montanum** L. · Berg-Gamander · Alpine Pennyroyal, Mountain Germander | ☉ ♄ ⇝ △ Off. VII-VIII; Eur.* exc. BrI, Sc
– **musimonum** Humbert ex Maire | ♃ ⇝ △ VI-IX ∧; Maroc.; Atlas
– **orientale** L. | ♃ VII-VIII ∧; TR, Lebanon, Cauc., Iran
– **polium** L. · Golden Germander ; Eur.: Sp., S-F; NW-Afr.
  - subsp. **aureum** (Schreb.) Arcang. | ♄ ⇝ △ VII-VIII ∧; Eur.: Sp., F, Sic.; NW-Afr.
– **pyrenaicum** L. · Pyrenäen-Gamander · Pyrenean Germander · Germandrée des Pyrénées | ♃ ⇝ VII-VIII; SW-F, N-Sp.
– **rotundifolium** Schreb.
– **scordium** L. · Lauch-Gamander | ♃ ~ VII-VIII; Eur.*, W-Sib., C-As.
– **scorodonia** L. · Salbei-Gamander · Wood Sage · Germandrée scorodoine | ♃ ♄ VII-IX; Eur.* exc. EC-Eur., Sc, nat. in Sc
– **subspinosum** Pourr. ex Willd. | ♄; Balear.

Thalia L. -f- *Marantaceae*
– **dealbata** Fraser | ♃ Ⓦ ♠ VII-VIII; USA: MO, SE, SC., Fla.
– **geniculata** L. | ♃ Ⓦ ♠ VII-VIII; USA: SE, Fla.; W.Ind., S-Am., nat. in trop. Afr.

Thalictrum L. -n- *Ranunculaceae* · Wiesenraute
– **alpinum** L. · Alpen-Wiesenraute · Alpine Meadow Rue | ♃ △ VI-VIII; Eur.* exc. Ib, EC-Eur.; N, mts.; Cauc., W-Sib., E-Sib., Sachal., Kamchat., C-As., Him., Mong., China, Alaska, Can., USA: NC,

SW, Rocky Mts., Calif.; Greenl.
– *anemonoides* Michx. = Anemonella thalictroides
– **aquilegifolium** L. · Akeleiblättrige Wiesenraute · Columbine Meadow Rue · Pigamon à feuilles d'ancolie | ♃ ~ V-VII; Eur.* exc. BrI; NW-TR
– **coreanum** Lev. | ♃ △ V; E-China, N-China
– **delavayi** Franch. | ♃ VII-VIII; W-China
– **dipterocarpum** Franch. · Chinese Meadow Rue | ♃ VII-VIII; W-China
– *dipterocarpum* hort. = Thalictrum delavayi
– **flavum** L. · Gelbe Wiesenraute · Yellow Meadow Rue | ♃ VI-VII; Eur.*, Cauc., W-Sib., E-Sib., Amur, C-As.
  - subsp. **glaucum** (Desf.) Batt. · Pigamon jaune | ♃ VII-VIII; Eur.: Ib; Maroc., Alger.
– **foetidum** L. · Stinkende Wiesenraute · Meadow Rue | ♃ VI-VIII; Eur.* exc. BrI, Sc; TR, Cauc., Iran, W-Sib., O-Sib., Amur, C-As., ? Afgh., Mong., Tibet
– *glaucum* Desf. = Thalictrum flavum subsp. glaucum
– **isopyroides** C.A. Mey.; TR, Syr., N-Iraq, Cauc. (Armen.), Iran, Afgh., Altai
– **kiusianum** Nakai | ♃ △ VI-VIII; Jap.
– **lucidum** L. · Glänzende Wiesenraute | ♃ VI-VIII; Eur.: C-Eur., EC-Eur., I, Ba, E-Eur.; TR, nat. in FIN, Krim
– **minus** L. · Kleine Wiesenraute · Lesser Meadow Rue | ♃ ✂ V-VI; Eur.*, TR, Cauc., Iran, W-Sib., E-Sib., Amur, Sachal., Kamchat., C-As., Pakist., Mong., China, Korea
– **morisonii** C.C. Gmel. · Hohe Wiesenraute | ♃ VII-VIII; Eur.: Sp., F, Corse, I, CH
– **orientale** Boiss. | ♃ V-VI; S-GR, S-TR, N-Syr.
– **polygamum** Muhl.
– **rochebrunnianum** Franch. et Sav. | ♃; Jap.
– **simplex** L. · Einfache Wiesenraute | ♃ VI-VII; Eur.* exc. BrI, Ib; TR, Cauc., Iran, W-Sib., E-Sib., Amur, Kamchat.
  - subsp. **gallicum** (Rouy et Foucaud) Tutin; F
– *speciosissimum* L. = Thalictrum flavum subsp. glaucum
– **tuberosum** L. | ♃ △ VI-VII ∧; Eur.: Sp., F

Thamnocalamus Munro -m- *Poaceae*
– *spathaceus* (Franch.) Soderstr. = Fargesia murieliae
– **tessellatus** (Nees) Soderstr. et Ellis | ♄; S-Afr.

Thapsia L. -f- *Apiaceae*
– **garganica** L. | ♃ Ⓚ VII-VIII ☠; Eur.: Ib, Ap, Ba; TR , NW-Afr., Libya

Thaumatococcus Benth. -m- *Marantaceae*
– **danielii** Benth. | ♃ Ⓝ; W-Afr., C-Afr.

Thea = Camellia L.
– *bohea* L. = Camellia sinensis
– *sinensis* L. = Camellia sinensis
– *viridis* L. = Camellia sinensis

Thelesperma Less. -n- *Asteraceae*
– **burridgeanum** (Regel, Körn. et Rach) S.F. Blake | ⊙ VII-IX; Tex.
– **trifidum** (Poir.) Britten | ⊙ ⊙ VI-IX; USA: NC, SC, Colo., N.Mex., Mo.

Theligonum L. -n- *Theligonaceae*
– **cynocrambe** L.; Eur.: Ib, Ap, Fr, Ba, Krim

Thelocactus (K. Schum.) Britton et Rose -m- *Cactaceae*
– **bicolor** (Galeotti ex Pfeiff.) Britton et Rose · Texas Pride | ♆ Ⓚ ❄; Tex., N-Mex.
  - var. *bolaensis* (Runge) F.M. Knuth = Thelocactus bicolor
– *buekii* (Klein) Britton et Rose = Thelocactus tulensis
– **conothelos** (Regel et Klein) F.M. Knuth | ♆ Ⓚ ❄; NE-Mex.
– *ehrenbergii* (Pfeiff.) F.M. Knuth = Thelocactus leucacanthus
– *fossulatus* (Scheidw.) Britton et Rose = Thelocactus hexaedrophorus
– *gielsdorfianus* (Werderm.) Bravo = Turbinicarpus gielsdorfianus
– **heterochromus** (F.A.C. Weber) Oosten | ♆ Ⓚ ❄; Mex.: Chihuahua, Durango
– **hexaedrophorus** (Lem.) Britton et Rose | ♆ Ⓚ ❄; N-Mex.
– *horripilus* (Lem.) Kladiwa et Fittkau = Turbinicarpus horripilus
– **leucacanthus** (Zucc. ex Pfeiff.) Britton et Rose | ♆ Ⓚ ❄; E-Mex.
  - var. *schmollii* Werderm. = Thelocactus leucacanthus

- *lloydii* Britton et Rose = Thelocactus hexaedrophorus
- *lophophoroides* Werderm. = Turbinicarpus lophophoroides
- *lophothele* (Salm-Dyck) Britton et Rose = Thelocactus rinconensis
  - var. *nidulans* (Quehl) Kladiwa = Thelocactus rinconensis
- *matudae* Sánchez-Mej. et A.B. Lau = Thelocactus tulensis
- *nidulans* (Quehl) Britton et Rose = Thelocactus rinconensis
- *phymatothelos* (Poselg.) Britton et Rose = Thelocactus rinconensis
- **pottsii** (Salm-Dyck) Britton et Rose | Ψ Ⓚ
- *pottsii* hort. = Thelocactus heterochromus
- *pseudopectinatus* (Backeb.) E.F. Anderson et Boke = Turbinicarpus pseudopectinatus
- **rinconensis** (Poselg.) Britton et Rose | Ψ Ⓚ ✻; NE-Mex.
- *saueri* (Boed.) A. Berger = Turbinicarpus saueri
- *saussieri* (F.A.C. Weber) A. Berger = Thelocactus conothelos
- **setispinus** (Engelm.) E.F. Anderson · Strawberry Cactus | Ψ Ⓚ ✻; S-Tex., Mex.: Tamaulipas
- **tulensis** (Poselg.) Britton et Rose | Ψ Ⓚ ✻; NE-Mex.
- *valdezianus* (H. Möller) Bravo = Turbinicarpus valdezianus
- *viereckii* (Werderm.) Bravo = Turbinicarpus viereckii

Thelycrania = Cornus L.
- *alba* (L.) Pojark. = Cornus alba
- *sanguinea* Fourr. = Cornus sanguinea

Thelypteris Schmidel -f- *Thelypteridaceae*
- *decursivepinnata* (H.C. Hall) Ching = Phegopteris decursive-pinnata
- *dentata* (Forssk.) H. St. John = Christella dentata
- *hexagonoptera* (Michx.) Weath. = Phegopteris hexagonoptera
- **limbosperma** (All.) H.P. Fuchs · Bergfarn | ♃; Eur.*, TR, NE-As, Jap., Kamchat., Alaska, Can.: W
- *noveboracensis* (L.) Nieuwl. = Parathelypteris noveboracensis
- *oreopteris* (Ehrh.) Sloss. = Oreopteris limbosperma
- **palustris** Schott · Gewöhnlicher Sumpffarn · Eastern Marsh Fern, Marsh Fern · Agrostic, Thélypteris des marais | ♃ ~ VII-IX; Eur.*, TR, Palaest., Cauc., W-Sib., E-Sib., Amur, Sachal., Kamchat., C-As., Maroc., Alger., N-Am., W-Afr., S-Afr., NZ
- *phegopteris* (L.) Sloss. = Phegopteris connectilis
- *thelypteroides* (F. Michx.) Holub = Thelypteris palustris

Themeda Forssk. -f- *Poaceae*
- **triandra** Forssk.
  - var. **japonica** (Willd.) Tanaka | ♃; Jap., Korea, Manch., China, Ind.

Theobroma L. -n- *Sterculiaceae* · Kakaobaum
- **bicolor** Humb., Bonpl. et Kunth | ♄ Ⓝ; Mex., C-Am., Col., Bras.
- **cacao** L. · Cacao | ♄ Ⓦ Off. Ⓝ; C-Am., trop. S-Am.
  - subsp. **sphaerocarpum** (Chev.) Cuatrec. | ♄ Ⓝ; n S-Am.

Theophrasta L. -f- *Theophrastaceae*
- *imperialis* Linden ex K. Koch et Fintelm. = Chrysophyllum imperiale
- **jussieui** Lindl. | ♄ Ⓦ; Hispaniola
- *longifolia* Jacq. = Clavija longifolia

Thermopsis R. Br. -f- *Fabaceae* · Fuchsbohne
- **barbata** Benth. | ♃ VI; Him.
- *caroliniana* Curtis = Thermopsis villosa
- **fabacea** (Pall.) DC. · Fuchsbohne | ♃ VI-VII; Sib.
- **lanceolata** R. Br. | ♃ VI-VIII; SE-Russ., C-As.
- *lupinoides* (L.) Link = Thermopsis lanceolata
- **mollis** (Michx.) M.A. Curtis ex Gray | ♃; SE-USA
- *montana* Nutt. = Thermopsis rhombifolia
- **rhombifolia** (Pursh) Richardson · Buffalo Pea | ♃ V; USA: NW, Calif., Rocky Mts.
- **villosa** (Walter) Fernald et Schub. · Carolina Lupin | ♃ VI-VII; USA: SE

Thesium L. -n- *Santalaceae*
- **alpinum** L. · Alpen-Leinblatt | ♃ VI-VII; Eur.* exc. BrI; Cauc.
- **arvense** Horv. · Ästiger Bergflachs | ♃ VI-VIII; Eur.: Ap, C-Eur., EC-Eur., Ba,

E-Eur.; TR, Cauc., W-Sib., C-As. +
- **bavarum** Schrank · Bayerisches Leinblatt | ♃ VI-IX; Eur.: Fr, Ap, C-Eur., EC-Eur., Ba, RO
- **dollineri** Murb. · Niedriger Bergflachs | ♃ IV-IX; Eur.: A, EC-Eur., Ba, E-Eur.
- **ebracteatum** Hayne · Schopf-Leinblatt, Vorblattloses Leinblatt | ♃ V-VI; Eur.: C-Eur., DK, EC-Eur., E-Eur.; W-Sib.
- **humifusum** DC. · Niederliegendes Leinblatt ; Eur.: Sp., Fr, BrI, ? Corse
- **linophyllon** L. · Mittleres Leinblatt | ♃ VI-VII; Eur.: Fr, Ap, C-Eur., EC-Eur., Ba, E-Eur.
- **pyrenaicum** Pourr. · Wiesen-Leinblatt | ♃ VI-VII; Eur.: Ib, Fr, Ap, C-Eur., EC-Eur., Ba
- **rostratum** Mert. et W.D.J. Koch · Schnabelfrüchtiges Leinblatt | ♃ V-VII; Eur.: I, C-Eur., EC-Eur., Slove.

Thespesia Sol. ex Correa -f- *Malvaceae*
- **populnea** (L.) Sol. ex Corrêa · Portia Tree | ♄ Ⓦ Ⓝ; Afr., trop. As., nat. in W.Ind., Fla.

Thevetia L. -f- *Apocynaceae*
- **peruviana** (Pers.) K. Schum. · Yellow Oleander | ♄ ♄ Ⓦ VI-VIII ☠; USA: Fla.; Mex., C-Am., W.Ind., S-Am.

Thibaudia Ruiz et Pav. -f- *Ericaceae*
- **floribunda** Humb., Bonpl. et Kunth | ♄ Ⓚ; Col.

Thladiantha Bunge -f- *Cucurbitaceae* · Quetschblume
- **dubia** Bunge · Quetschgurke · Thladiantha | ♃ Ⓐ ♧ V-VII; Amur, N-China

Thlaspi L. -n- *Brassicaceae* · Täschelkraut, Hellerkraut
- **alliaceum** L. · Lauch-Hellerkraut | IV-VI; Eur.* exc. BrI, Sc; TR, nat. in BrI
- **alpestre** L. · Alpen-Hellerkraut, Alpen-Täschelkraut | ♃ △ V-VI; Eur.: F, I, D, A; Alp.
  - subsp. **sylvium** (Gaudin) P. Fourn. · Penninisches Täschelkraut | ♃ VI-VIII; Eur.: F, I, CH; Alp.
- *alpinum* Crantz = Thlaspi alpestre
- **arvense** L. · Acker-Hellerkraut · Pennycress | ⊙ IV-V; Eur.*, Cauc., TR, Syr., Palaest., Iran, W-Sib., E-Sib., Amur, Sachal., Kamchat., C-As., Him., Mong., China, Alger., Canar., Eth., nat. in N-Am.
- **brachypetalum** Jord. · Voralpen-Täschelkraut | ⊙ V-VII; Eur.: Sp., F, I, D; Pyr., Sw-Alp., Appen., nat. in Sweden
- **caerulescens** J. Presl et C. Presl · Gebirgs-Hellerkraut | IV-VI; Eur.* exc. Sc, E-Eur., nat. in Sc
- **calaminare** (Lej.) Lej. et Courtois · Galmei-Hellerkraut | ♃ V-VI; Eur.: B, D
- **cepaeifolium** (Wulfen) W.D.J. Koch; Eur.: F, I, C-Eur., Slove.; mts.
  - subsp. **rotundifolium** (L.) Greuter et Burdet · Rundblättriges Hellerkraut · Round Leaved Pennycress | ♃ △ VI; Eur.: F, I, C-Eur., Slove.; mts.
- **goesingense** Halácsy · Gösing-Hellerkraut | ♃ V-VI; Eur.: A, H, Ba
- **kerneri** Huter · Kerners Hellerkraut ; Eur.: Slove., A (Kärnten), N-I
- **montanum** L. · Berg-Hellerkraut | ♃ △ IV-V; Eur.: F, C-Eur., CZ, Slove., Croatia, Bosn., Montenegro, Maced.
- **perfoliatum** L. · Stngelumfassendes Hellerkraut | III-VI; Eur.*, TR, Levante, Cauc., Iran, W-Sib., C-As., NW-Afr., Libya
- **praecox** Wulfen · Frühes Hellerkraut | ♃ III-VI; Eur.: F, Ap, A, Ba; TR, Cauc.
- *rotundifolium* (L.) Gaudin = Thlaspi cepaeifolium subsp. rotundifolium
- **salisii** Brügger · Tiroler Hellerkraut ; Eur.: I, CH, A; Alp.
- **stylosum** (Ten.) Mutel | ♃ Ⓚ ⇝ △ IV-V ∧; Eur.: I; Apenn.
- **virens** Jord. · Grünes Täschelkraut | ⊙ IV-VI; Eur.: F, I, CH, BrI; SW-Alp., Br

Thomasia J. Gay -f- *Sterculiaceae*
- **purpurea** J. Gay | ♄ Ⓚ VI-VII; W-Austr.
- **quercifolia** J. Gay | ♄ Ⓚ VI; W-Austr.
- **solanacea** J. Gay | ♄ Ⓚ V-VII; W-Austr.

Thrinax Sw. -f- *Arecaceae*
- *floridana* Sarg. = Thrinax radiata
- *microcarpa* Sarg. = Thrinax morrisii
- **morrisii** H. Wendl. · Key Thatch Palm | Ⓦ; Fla., W.Ind.
- **parviflora** Sw. | Ⓦ; S-Fla., W.Ind., Belize, Mex.: Yucatan
- **radiata** Lodd. ex Schult. et Schult. f. · Florida Thatch Palm

Thrixanthocereus = Espostoa Britton et Rose

– *blossfeldiorum* (Werderm.) Backeb. = Espostoa blossfeldiorum

Thryallis Mart. -f- *Malpighiaceae*
– **glauca** (Poir.) Kuntze | ♄ Ⓦ; C-Am.

Thuja L. -f- *Cupressaceae* · Lebensbaum
– *articulata* Vahl = Tetraclinis articulata
– *gigantea* Nutt. = Thuja plicata
– **koraiensis** Nakai · Koreanischer Lebensbaum | ħ ♄ ☠; Korea
– **occidentalis** L. · Abendländischer Lebensbaum · Arborvitae, Red Cedar · Arbre de paradis, Thuya occidental | ħ ♄ III-V ☠ Ⓝ; Can.: E; USA: NE, NCE, Tenn., N.C.
  - **'Danica'**
  - *'Emerald'* = Thuja occidentalis 'Smaragd'
  - **'Holmstrup'**
  - **'Rheingold'**
  - **'Smaragd'**
– **orientalis** L. · Morgenländischer Lebensbaum · Arborvitae · Thuya d'Orient, Thuya de Chine | ħ ♄ IV-V ☠ Ⓝ; China, Korea
– **plicata** Donn ex D. Don · Riesen-Lebensbaum · Red Cedar, Western Red Cedar · Thuya géant de Californie | ħ ♄ IV ☠ Ⓝ; Alaska, Can.: B.C., Alta.; USA: NW, Calif., Idaho, Mont.
– **standishii** (Gordon) Carrière · Japanischer Lebensbaum · Japanese Thuja | ħ ☠; Jap.
– **sutchuenensis** Franch. | ħ ♄; China: NE-Sichuan

Thujopsis Siebold et Zucc.ex Endl. -f- *Cupressaceae* · Hibalebensbaum
– **dolabrata** (L. f.) Siebold et Zucc. · Hiba-Lebensbaum · Hiba | ħ Ⓝ; Jap.
  - var. **hondai** Makino | ħ; N-Jap.

Thunbergia Retz. -f- *Acanthaceae*
– **affinis** S. Moore | ♄ Ⓦ ≹ IX-X; E-Afr.
– **alata** Bojer ex Sims · Black-Eyed Susan · Suzanne aux yeux noirs | ⊙ ⊙ ♃ ≹ V-X; trop. Afr.
  - **'Lutea'**
– **battiscombei** Turrill | ♃ ≹ VI-VIII; trop. Afr.
– **coccinea** (Nees) Wall. | ♄ Ⓚ ≹ I-IV; Ind., Myanmar
– **erecta** (Benth.) T. Anderson | ♄ Ⓦ I-XII; W-Afr.
– **fragrans** Roxb. | ♃ Ⓚ ≹ D ≹ VI-VIII; Ind.
– *gibsonii* S. Moore = Thunbergia gregorii
– **grandiflora** (Roxb. ex Rottler) Roxb. · Bengal Trumpet, Blue Trumpet Vine | ♄ Ⓦ ≹ VIII-X; Ind.: Bengalen
– **gregorii** S. Moore · Orange Clock Vine | ♃ ≹ VI-VIII; E-Afr., S-Afr.
– **laurifolia** Lindl. · Babbler's Vine | ♄ Ⓦ ≹ IV-X; Malay. Pen.
– **mysorensis** (Wight) T. Anderson ex Bedd. | ♄ Ⓦ ≹ III-VIII; Ind.: Nilgiri
– **natalensis** Hook. | ♄ Ⓦ VI-VIII; S-Afr.: Natal
– **vogeliana** Benth. | ♄ Ⓦ VII-VIII; C-Afr.: Fernando Póo

Thunia Rchb.f. -f- *Orchidaceae*
– *alba* (Lindl.) Rchb. f. = Thunia bracteata
– **bensoniae** Hook. f. | ♃ Ⓦ Ⓚ VI-VII ✻; Myanmar
– **bracteata** (Roxb.) Schltr. | ♃ Ⓦ Ⓚ VI-VIII ✻; Indochina
– **marshalliana** Rchb. f. | ♃ Ⓦ Ⓚ VI-VII ✻; Myanmar, Thail., S-China

Thymelaea Mill. -f- *Thymelaeaceae*
– **passerina** (L.) Coss. et Germ. · Spatzenzunge | VII-VIII; Eur.* exc. BrI, Sc; TR, SW-As., C-As.

Thymophylla Lag. -f- *Asteraceae*
tenuiloba (DC.) Small · Gelbes Gänseblümchen · Dahlberg Daisy, Golden Fleece | ⊙ ⋉ VII-IX; USA: SC; Mex.

Thymus L. -m- *Lamiaceae* · Thymian
– *austriacus* Bernh. ex Rchb. = Thymus glabrescens
– **britannicus** Ronniger; Engl.
– **caespititius** Brot. | ♄; P, NW-Sp., Azor.
– **ciliatus** Desf. et Benth. non Lam.; NW-Afr.
– × **citriodorus** (Pers.) Schreb. ex Schweigg. et Körte (*T. pulegioides* × *T. vulgaris*) · Zitronen-Thymian · Lemon Thyme · Thym à odeur de citron | ♃ △ D △ VI-VII ∧; cult.
– **comosus** Heuff. ex Griseb. | ♄; RO
– **doerfleri** Ronniger | ♃ ⌓ △ V-VI; NE-AL
– *drucei* Ronniger = Thymus praecox subsp. arcticus
– **glabrescens** Willd. · Kahlblatt-Thymian,

Österreichischer Thymian ; Eur.: I, A, H, CZ, N-Ba, Russ.; C-As.
- subsp. **urumovii** (Velen.) Jalas | ♃ △ V-VI; Eur.: GR, BG, Krim; TR
– **hirsutus** M. Bieb.
- var. *doerfleri* (Ronniger) Ronniger = Thymus doerfleri
– *lanuginosus* hort. = Thymus praecox var. pseudolanuginosus
– **lanuginosus** Mill.
– **longicaulis** Ronniger · Langstängeliger Thymian | ♃ ⊙ IV-VIII; Eur.: F, Ap, Ba, RO, ?A, ?CH, ?H; TR, nat. in D
– **membranaceus** Boiss. | ♄; SE-Sp.
– *micans* Sol. ex Lowe = Thymus caespititius
– *montanus* Waldst. et Kit. = Thymus pulegioides subsp. montanus
– **neglectus** Ronniger; W-Eur.
– *odoratissimus* M.Bieb. = Thymus pallasianus
– **oenipontanus** Heinr. Braun ex Borbás · Tiroler Thymian | ♃ V-VIII; Eur.: F, I, CH, A; S-E-Alp.
– **pallasianus** Heinr. Braun | ♄ VI-VIII; S-Russ. +
– **pannonicus** Opiz · Steppen-Thymian | ⊙ VI-VIII; Eur.: A, EC-Eur., Ba, E-Eur., nat. in D
– *polytrichus* A. Kern. ex Borbás = Thymus praecox subsp. polytrichus
– **praecox** Opiz · Gewöhnlicher Frühblühender Thymian, Niedergestreckter Thymian · Alba Thyme, Hairy Thyme · Thym précoce | ⊙ V-VII; Eur.*, TR, Cauc., N-Iran
- *'Minor'* = Thymus praecox 'Pygmaeus'
- **'Pygmaeus'** Opiz
- subsp. **arcticus** (Durand) Jalas; Eur.: Sp., F, BrI
- subsp. **polytrichus** (A. Kern. ex Borbás) Ronniger · Alpen-Thymian | ♃ VII-IX; Eur.: mts. S-Eur., C-Eur.
- var. **pseudolanuginosus** Ronniger et Jalas · Woolly Creeping Thyme | ♃ ⟿ △ V-VI ∧; W-Eur.
– *pseudolanuginosus* Ronniger = Thymus praecox var. pseudolanuginosus
– **pulegioides** L. · Arznei-Thymian, Feld-Thymian · Lemon Thyme | ⊙ ♃ X Ⓝ; Eur.*
- subsp. **carniolicus** (Borbás) P.A. Schmidt · Krainer Thymian, Piemonteser Thymian | ♃ VI-VII; Eur.: Sp., F, I, CH, D, A, Slove.
- subsp. **montanus** (Benth.) Ronniger
– **rotundifolius** Schur
– **satureioides** Coss. et Balansa | ♄ Ⓚ Ⓝ; Maroc.
– **serpyllum** L. · Sand-Thymian · Wild Thyme · Thym serpolet | ⊙ ♃ ⟿ △ Off. VI-IX; Eur.: BrI, Sc, Fr, C-Eur., EC-Eur., E-Eur., nat. in e N-Am.
– **sibthorpii** Benth. | ♃; Ba +
– **thracicus** Velen. · Langzahn-Thymian ; Eur.: Ba, I; TR
– **villosus** L. | ♄ ♄ Ⓚ △ VII-IX ∧; S-P, SW-Sp.
– **vulgaris** L. · Echter Thymian · Common Thyme · Thym commun | ⊙ ♄ D Off. X-IX ∧ Ⓝ; Eur.: Sp., Balear., Fr, I; Maroc., nat. in CH
– **zygis** L. | ♄ Ⓚ Off. ∧; P, Sp., Maroc.

Thyrsacanthus = Odontonema Nees
– *rutilans* Planch. = Odontonema schomburgkianum
– *schomburgkianus* Nees = Odontonema schomburgkianum

Thysanolaena Nees -f- *Poaceae*
– **maxima** (Roxb.) Kuntze | ♃ Ⓦ Ⓝ; Ind., SE-As.

Thysanotus R. Br. -m- *Anthericaceae*
– **multiflorus** R. Br. · Fringe Lily | ♃ Ⓚ VIII; W-Austr.

Tiarella L. -f- *Saxifragaceae* · Schaumblüte
– *collina* hort. = Tiarella wherryi
– **cordifolia** L. · Wald-Schaumkraut, Wald-Schaumkerze · Foamflower · Tiarella à feuilles cordées | ♃ ⟿ V-VI; Can.: E; USA: NE, NCE, N.C., Tenn.
- var. *collina* Wherry = Tiarella wherryi
– **polyphylla** D. Don | ♃; China, Taiwan, Japan, Him.
– **trifoliata** L. · Three Leaf Foamflower | ♃ V; B.C., USA: NW
– **unifoliata** Hook. | ♃ V; Alaska, Can.: W; USA: NW, Calif.
– **wherryi** Lakela | ♃ D V-VI; USA: NE, SE

Tibouchina Aubl. -f- *Melastomataceae*
– *alba* hort. non Cogn. = Melastoma candidum
– **grandifolia** Cogn.
– **heteromalla** Cogn. | ♄; Bras.
– **holosericea** (Sw.) Baill. | ♄ Ⓚ VII; Bras.

- *semidecandra* hort. non (Schrank et Mart. ex DC.) Cogn. = Tibouchina urvilleana
- **urvilleana** (DC.) Cogn. · Glory Bush, Purple Glory Tree | ♄ ⌂K VIII-V; Bras.

Tieghemella Pierre -f- *Sapotaceae*
- **heckelii** Pierre · Afrikanischer Birnbaum, Makoré | ♄ Ⓝ; trop. W-Afr.

Tigridia Juss. -f- *Iridaceae* · Tigerblume
- **pavonia** (L. f.) DC. · Mexican Shell Flower, Tiger Flower | ♃ ⌂K VII-IX; Mex.

Tilia L. -f- *Tiliaceae* · Linde
- *alba* Aiton = Tilia tomentosa
- *alba* K. Koch = Tilia tomentosa 'Petiolaris'
- **americana** L. · Amerikanische Linde · American Basswood, American Lime · Tilleul d'Amérique | ♄ VII Ⓝ; Can.: E; USA: NE, NCE, SC, SE
- *argentea* DC. = Tilia tomentosa
- **cordata** Mill. · Winter-Linde · Little Leaf Linden · Tilleul à petites feuilles, Tilleul des bois | ♄ D Off. VI-VII Ⓝ; Eur.*, Cauc., N-Iran, W-Sib.
- **dasystyla** Steven · Kaukasische Linde | ♄ VI; Cauc., N-Iran
- × **euchlora** K. Koch (*T. cordata* × *T. dasystyla*) · Krim-Linde · Caucasian Lime, Crimean Lime · Tilleul de Crimée | ♄ D VII, Krim
- × *europaea* auct. non L. = Tilia × vulgaris
- × **flaccida** Host (*T. americana* × *T. platyphyllos*) | ♄ VII
- × **flavescens** A. Braun (*T. americana* × *T. cordata*) | ♄ VII; cult.
- *glabra* Vent. = Tilia americana
- *grandifolia* Ehrh. ex W.D.J. Koch = Tilia platyphyllos
- **henryana** Szyszyll. | ♄; C-China
- **heterophylla** Vent. · Verschiedenblättrige Linde · White Basswood | ♄ VII Ⓝ; USA: NE, SE, Fla.
- × *intermedia* DC. = Tilia × vulgaris
- **japonica** (Miq.) Simonk. | ♄ VII; Jap.; mts.
- **mandshurica** Rupr. et Maxim. · Mandschurische Linde | ♄ VII Ⓝ; Amur, NE-China, Manch, Korea
- **maximowicziana** Shiras. | ♄ VII; Jap.
- **miqueliana** Maxim. · Miquels Linde · Lime, Linden | ♄ VI; E-China
- × **moltkei** Späth (*T. americana* × *T. petiolaris*) | ♄ VII; cult.
- **mongolica** Maxim. · Mongolische Linde · Mongolian Linden | ♄ VII; Mong., N-China
- *monticola* Sarg. = Tilia heterophylla
- *nigra* Borkh. = Tilia americana
- **oliveri** Szyszyll. · Oliver's Lime | ♄ VI; C-China
- *parvifolia* Ehrh. = Tilia cordata
- *petiolaris* DC. = Tilia tomentosa 'Petiolaris'
- **platyphyllos** Scop. · Sommer-Linde · Large Leaved Lime · Tilleul à grandes feuilles, Tilleul de Hollande | ♄ D Off. VI Ⓝ; Eur.* exc. BrI; Cauc., nat. in BrI
- *rubra* Steven non DC. = Tilia dasystyla
- *spaethii* C.K. Schneid. = Tilia × flavescens
- **tomentosa** Moench · Silber-Linde · Silver Lime · Tilleul argenté, Tilleul de Hongrie | ♄ D VII Ⓝ; Eur.: Ba, EC-Eur.; TR, Syr.
  - **'Petiolaris'**
- **tuan** Szyszyll. | ♄ D VII; C-China
- *ulmifolia* Scop. = Tilia cordata
- × **vulgaris** Hayne (*T. cordata* × *T. platyphyllos*) · Holländische Linde · Common Lime, European Linden · Tilleul commun | ♄ D VI-VII; Eur.* exc. BrI, nat. in BrI

Tillandsia L. -f- *Bromeliaceae*
- **aeranthos** (Loisel.) L.B. Sm. | ⌂W; Bras., Parag., Urug., Arg.
- **albertiana** Verv. | ⌂W; Arg.
- *aloifolia* Hook. = Tillandsia flexuosa
- **anceps** Lodd. | ⌂W; trop. S-Am.
- **andicola** Gillies | ⌂W; Arg.
- **araujei** Mez | ⌂W; E-Bras.
- **argentea** Griseb. | ⌂W; Mex., Guat., Cuba, Jamaica
- **atroviridipetala** Matuda | ⌂W; Mex.
- *augustae-regiae* Mez = Tillandsia biflora
- **baileyi** Rose ex Small | ⌂W; USA: SC; N-Mex.
- **balbisiana** Schult. f. · Northern Needleleaf | ⌂W; USA: Fla.; Mex., C-Am., W.Ind., Venez.
- **bandensis** Baker | ⌂W; Bol., Arg., Parag., Urug.
- **bergeri** Mez | ⌂W; Arg.
- **biflora** Ruiz et Pav. | ⌂W; Costa Rica, Venez., Col., Ecuad., Peru, Bol.
- **bourgaei** Baker | ⌂W; S-Mex., C-Am.

- **brachycaulos** Schltdl. | Ⓦ; S-Mex., C-Am.
- **bryoides** Griseb. | Ⓦ; Peru, Bol., Arg.
- **bulbosa** Hook. | Ⓦ; S-Mex., C-Am., W.Ind., Col., Bras.
- **butzii** Mez | Ⓦ; Mex., C-Am.
- **cacticola** L.B. Sm. | Ⓦ; N-Peru
- **caerulea** Humb., Bonpl. et Kunth | Ⓦ; Ecuad., Peru
- *caldasina* Baker = Tillandsia geminiflora
- *candelifera* Rohweder = Tillandsia imperialis
- **capillaris** Ruiz et Pav. | Ⓦ; Mex., C-Am., Col., Ecuad., Peru, Bol., Chile, Arg.
- **capitata** Griseb.
- **caput-medusae** E. Morren | Ⓦ; Mex., Guat., Hond., El Salv., Costa Rica
- *caricifolia* E. Morren ex Mez = Tillandsia festucoides
- **caulescens** Brongn. | Ⓦ; Peru, Bol.
- **circinnatoides** Matuda | Ⓦ; Mex., Costa Rica
- *coarctata* Gillies ex Baker = Tillandsia bryoides
- *coccinea* Platzm. ex E. Morren = Tillandsia geminiflora
- *coerulea* Linden ex K. Koch = Tillandsia cyanea
- **complanata** Benth. | Ⓚ; C-Am., W.Ind., trop. S-Am.
- **concolor** L.B. Sm. | Ⓦ; Mex.
- *confusa* Hassl. = Tillandsia duratii var. confusa
- *cordobensis* Hieron. = Tillandsia capillaris
- **crocata** (E. Morren) Baker | Ⓦ; Bras., Arg.
- *cubensis* Gand. = Tillandsia balbisiana
- **cyanea** Linden ex K. Koch | Ⓦ; Ecuad.
- *decomposita* Baker = Tillandsia duratii var. saxatilis
- *depens* Hieron. ex Mez = Tillandsia capillaris
- **diaguitensis** A. Cast. | Ⓦ; Parag., N-Arg.
- *dianthoidea* Rossi = Tillandsia aeranthos
- **didisticha** (E. Morren) Baker | Ⓦ; Bol., Parag., Bras., Arg.
- **disticha** Humb., Bonpl. et Kunth | Ⓦ; Col., Ecuad., Peru
- **dura** Baker | Ⓦ; Bras.
- **duratii** Vis. | Ⓦ; Bol., Arg., Urug.
  - var. **confusa** (Hassl.) L.B. Sm. | Ⓦ; Parag.
  - var. **saxatilis** (Hassl.) L.B. Sm. | Ⓦ; Arg.
- **ehlersiana** Rauh | Ⓦ; S-Mex.
- *erubescens* H. Wendl. non Schltdl. = Tillandsia ionantha
- *espinosae* L.B. Sm. = Vriesea espinosae
- **fasciculata** Sw. · Giant Airplant | Ⓦ; Mex., C-Am., Col., Ecuad., Peru
- **festucoides** Brongn. ex Mez | Ⓦ; S-Mex., C-Am.
- **filifolia** Cham. et Schltdl. | Ⓦ; S-Mex., Guat., Hond., Costa Rica
- **flabellata** Baker | Ⓦ; Mex., Guat., El Salv.
- **flexuosa** Sw. · Twisted Airplant | Ⓦ; Fla., W.Ind., Panama, Col., Venez., Guyan.
- **floribunda** Humb., Bonpl. et Kunth | Ⓦ; Ecuad., Peru
- **funckiana** Baker | Ⓦ; Venez.
- **funebris** A. Cast. | Ⓦ; Bol., Parag., Arg.
- **gardneri** Lindl. | Ⓦ; Col., Venez., Trinidad, Bras.
- **geminiflora** Brongn. | Ⓦ; Bras., Parag., Urug., Arg.
- *glaucophylla* (Hook.) Baker = Tillandsia fasciculata
- **grandis** Schltdl. | Ⓦ; C-Am., S-Am.
- *grisebachiana* Baker = Tillandsia biflora
- *havanensis* Jacq. ex Beer = Tillandsia fasciculata
- *hieronymi* Mez = Tillandsia capillaris
- **hildae** Rauh | Ⓦ; N-Peru
- **imperialis** E. Morren | Ⓚ; Mex.
- *incana* Gillies ex Baker = Tillandsia capillaris
- **ionantha** Planch. | Ⓦ; Mex., Guat., Nicar.
- **juncea** (Ruiz et Pav.) Poir. | Ⓦ; USA: Fla.; Mex., C-Am. , W.Ind., trop. S-Am.
- *juncifolia* Regel = Tillandsia juncea
- **kalmbacheri** Matuda | Ⓦ; Mex.
- *langlassei* Poiss. et Menet = Tillandsia caput-medusae
- *lanuginosa* Gillies ex Baker = Tillandsia capillaris
- *lindeniana* Regel = Tillandsia lindenii
- **lindenii** Regel · Blue Flowered Torch | ☉ Ⓦ; S-Ecuad., N-Peru
  - var. *regeliana* E. Morren = Tillandsia lindenii
  - var. *vera* Dombr. = Tillandsia cyanea
- **linearis** Vell. | Ⓦ; Bras.
- **loliacea** Mart. | Ⓦ; Peru. Bol., Parag., Bras., Arg.
- **lorentziana** Griseb. | Ⓦ; Bol., Parag., Bras., Arg.

- **makoyana** Baker | Ⓚ; Mex., Guat., Hond., Costa Rica
- *mandonii* E. Morren = Tillandsia crocata
- **meridionalis** Baker | Ⓦ; Bras., Parag., Arg.
- *morreniana* Regel = Tillandsia cyanea
- **multicaulis** Steud. | Ⓦ; C-Mex., Costa Rica, Panama
- **myosura** Griseb. | Ⓦ; Bol., Arg.
- **narthecioides** C. Presl | Ⓦ D; Ecuad.
- **paleacea** C. Presl | Ⓦ; Col., Peru, Bol., Chile
- *pauciflora* Sessé et Moç. = Tillandsia recurvata
- **pedicellata** (Mez) A. Cast. | Ⓦ; Bol., Arg.
- *permutata* A. Cast. = Tillandsia capillaris
- *pilosa* L.B. Sm. = Tillandsia bandensis
- **plumosa** Baker | Ⓦ; Mex., C-Am.
- **pohliana** Mez | Ⓦ; Peru, Bras., Parag., Arg.
- **polystachya** (L.) L. | Ⓦ; Mex., C-Am., trop. S-Am.
- *polytrichioides* E. Morren = Tillandsia tricholepis
- *propinqua* Gay = Tillandsia capillaris
- **pruinosa** Sw. · Fuzzy Wuzzy Airplant | Ⓦ; Mex., C-Am., W.Ind., Bras. Ecuad.
- **pueblensis** L.B. Sm. | Ⓦ; Mex.
- **punctulata** Schltdl. et Cham. | Ⓦ; C-Am., Surinam
- *pungens* Mez = Tillandsia fasciculata
- *pusilla* Gillies ex Baker = Tillandsia capillaris
- *quadrangularis* Mart. et Galeotti = Tillandsia juncea
- *quadriflora* Baker = Tillandsia bandensis
- **rauhii** L.B. Sm. | Ⓦ; N-Peru
- **rectangula** Baker | Ⓦ; Arg.
- **recurvata** (L.) L. | Ⓦ; USA: SC, SW; S-Am.
- *regnellii* Mez = Tillandsia gardneri
- **remota** Wittm. | Ⓦ; Guat., El Salv.
- *rubentifolia* Poiss. et Menet = Tillandsia ionantha
- **schatzlii** Rauh | Ⓚ; Mex.
- **schiedeana** Steud. | Ⓦ; Mex., W.Ind., Venez., Col.
- *scopus* Hook. f. = Tillandsia ionantha
- **seleriana** Mez | Ⓦ; Mex., Guat.
- **setacea** Sw. · Southern Needleleaf | Ⓦ; USA: SE, Fla., SC; Mex., C-Am., Venez., Bras.
- *stolpi* Phil. = Tillandsia capillaris
- **streptophylla** Scheidw. | Ⓦ; Mex., Guat., Hond., Jamaica
- **stricta** Sol. | Ⓦ; Venez., Trinidad, Guyan., Bras., Parag., Arg.
- **subulifera** Mez | Ⓦ; Panama, Trinidad, Ecuad.
- **tectorum** E. Morren | Ⓦ; Peru
- *tenuifolia* Jacq. non L. = Tillandsia flexuosa
- **tenuifolia** L. | Ⓦ; W.Ind., trop. S-Am.
- *tephrophylla* Harms = Tillandsia capitata
- *tetrantha* Griseb. = Tillandsia biflora
- **tricholepis** Baker | Ⓦ; Bol., Parag., Bras., Arg.
- **tricolor** E. Morren | Ⓦ; Mex., Guat., Nicar., Costa Rica
- **umbellata** André | Ⓦ; S-Ecuad.
- *urbaniana* Wittm. = Tillandsia balbisiana
- **usneoides** (L.) L. · Spanish Moss | Ⓦ ≷; USA: Va., SE, Fla., SC; Mex. C-Am., W.Ind., S-Am.
- **utriculata** L. · Spreading Airplant | Ⓦ; USA: Fla., Ga.; Mex., C-Am., W.Ind., Venez.
- **valenzuelana** A. Rich. | Ⓦ; Fla., S-Mex., C-Am., Venez., Col. , Bol.
- *variegata* Schltdl. = Tillandsia butzii
- **vernicosa** Baker | Ⓦ; Bol., Parag., Arg.
- **violacea** Baker | Ⓚ; Mex.
- *virescens* Ruiz et Pav. = Tillandsia capillaris
- **viridiflora** (Beer) Baker | Ⓦ; C-Am.
- **wagneriana** L.B. Sm. | Ⓦ; Peru: Amazon.
- *williamsii* Rusby = Tillandsia capillaris
- **xerographica** Rohweder | Ⓦ; Mex., Guat., El Salv.
- **xiphioides** Ker-Gawl. | Ⓦ; Bol., Parag., Arg.

Tinantia Scheidw. -f- *Commelinaceae*
- **erecta** (Jacq.) Schltdl. | ☉ VI-VIII; C-Am., S-Am.
- *fugax* Scheidw. = Tinantia erecta

Tipuana (Benth.) Benth. -f- *Fabaceae*
- **tipu** Benth. | ħ; Bras., Arg., Bol.

Tischleria = Carruanthus (Schwantes) Schwantes
- *peersii* Schwantes = Carruanthus peersii

Titanopsis Schwantes -f- *Aizoaceae*
- **calcarea** (Marloth) Schwantes | ♃ Ψ Ⓚ; Kap
- **schwantesii** (Dinter ex Schwantes)

Schwantes | ♃ ♆ Ⓚ; Namibia

Titanotrichum Soler. -n- *Gesneriaceae*
- **oldhamii** (Hemsl.) Soler. | ♃ Ⓦ V-VIII; S-China, Taiwan

Tithonia Desf. ex Juss. -f- *Asteraceae*
- **diversifolia** (Hemsl.) A. Gray | ⊙ VIII-X; S-Mex., Guat.
- **rotundifolia** (Mill.) S.F. Blake · Mexican Sunflower | ⊙ VIII-X; Mex.
- *speciosa* (Hook.) Griseb. = Tithonia rotundifolia
- *tagetiflora* Desf. = Tithonia rotundifolia

Tithymalus = Euphorbia L.
- *characias* (L.) Hill = Euphorbia characias

Tococa Aubl. -f- *Melastomataceae*
- **neocinnamomea** Buchheim et Potztal | ♄ Ⓦ; Costa Rica

Todea Willd. ex Bernh. -f- *Osmundaceae*
- **barbata** (L.) T. Moore | ♄ Ⓦ; Austr.: Queensl., N.S.Wales, Victoria, S-Austr., Tasman.; NZ, S-Afr.
- *hymenophylloides* A. Rich. = Leptopteris hymenophylloides
- *superba* Colenso = Leptopteris superba

Tofieldia Huds. -f- *Melanthiaceae* · Liliensimse
- *alpina* Hoppe et Sternb. = Tofieldia pusilla
- *alpina* Sm. = Tofieldia calyculata
- *borealis* (Wahlenb.) Wahlenb. = Tofieldia pusilla
- **calyculata** (L.) Wahlenb. · Gewöhnliche Simsenlilie · Alpine Asphodel, German Asphodel | ♃ △ ~ VI-VIII; Eur.* exc. BrI
- *palustris* auct. non Huds. = Tofieldia calyculata
- *palustris* Huds. = Tofieldia pusilla
- **pusilla** (Michx.) Pers. · Kleine Simsenlilie · Scotch False Asphodel, Scottish Asphodel | ♃ △ ~ VII-VIII; Eur.: BrI, Sc, Fr, C-Eur., Croat., EC-Eur., E-Eur.; Sib, Alaska, Can., USA: NCE, NC

Tolmiea Torr. et A. Gray -f- *Saxifragaceae*
- **menziesii** (Pursh) Torr. et A. Gray · Lebendblatt · Mother-of-Thousands, Piggy Back Plant · La poule et les poussins ; Alaska, Can.: W; USA: NW, Calif.
  - fo. **gemmifera** Engl.

Tolpis Adans. -f- *Asteraceae*
- **barbata** (L.) Gaertn. | ⊙ VI-IX; Eur.: Ib, Fr, Ap, Ba, ? RO; TR, Syr., N-Afr.
- **staticifolia** (All.) Sch. Bip. · Großes Habichtskraut | ♃ VI-IX; Eur.: F, I, C-Eur., CZ, Slove., AL; Alp., Jura, AL

Toluifera L. -f- *Fabaceae*
- *balsamum* L. = Myroxylon balsamum
- *pereirae* (Royle) Baill. = Myroxylon balsamum var. pereirae

Tommasinia Bertol. -f- *Apiaceae*
- *altissima* (Mill.) Thell. = Peucedanum verticillare

Toona (Endl.) M. Roem. -f- *Meliaceae* · Surenbaum
- **ciliata** M. Roem. · Cedrela | ♄ Ⓚ D Ⓝ; Him., Myanmar, Thail.
- **sinensis** (A. Juss.) M. Roem. · Chinesischer Surenbaum · Cedrela, Toon | ♄ ∧ Ⓝ; China, Korea, Jap.

Tordylium L. -n- *Apiaceae*
- **apulum** L. · Apulischer Zirmet ; Eur.: Ib, Fr, Ba; TR, NW-Afr.
- **maximum** L. · Großer Zirmet | ⊙ VI-VIII; Eur.* exc. Sc; TR, Cauc., N-Iran

Torenia L. -f- *Scrophulariaceae*
- **asiatica** L. | ♃ Ⓦ VI-IX; S-Ind.
- **atropurpurea** Ridl. | ♃ Ⓦ VII-IX; Malay. Pen.
- *baillonii* God.-Leb. = Torenia flava
- **flava** Buch.-Ham. | ⊙ Ⓚ VI-VIII; S-Vietn.
- **fournieri** Linden · Bluewings, Wishbone Flower | ⊙ Ⓚ VII-IX; S-Vietn.

Torilis Adans. -f- *Apiaceae*
- **arvensis** (Huds.) Link · Acker-Klettenkerbel | VII-VIII; Eur.* exc. Sc; TR, Syr., Lebanon, Cauc., Iran, Afgh., C-As., E-As., N-Afr., Makaron., trop. Afr., nat. in N-Am., Austr.
- **japonica** (Houtt.) DC. · Gewöhnlicher Klettenkerbel · Hedge Parsley | ⊙ ⊙ VI-VIII; Eur.*, Cauc., Him., Amur, China, Korea, Jap., Taiwan, Vietn.
- **leptophylla** (L.) Rchb. f. · Feinblättrige

Borstendolde | VI-VII; Eur.*: Ib, Fr, Ap, Ba, Krim; TR, Iraq, Palaest., Cauc., Iran, C-As., Him., Canar., nat. in C-Eur., EC-Eur., Russ.
– **nodosa** (L.) P. Gaertn. · Knotiger Klettenkerbel | IV-V; Eur.: Brl, Ib, Fr, Ap, Ba, RO, Krim; TR, Cauc., Iran, C-As., N-Afr., Canar., Madeira, nat. in C-Eur., EC-Eur., USA

Torreya Arn. -f- *Taxaceae* · Nußeibe
– **californica** Torr. · Kalifornische Nusseibe · California Nutmeg Yew | ♄ ♄; Calif.
– **grandis** Fortune · Chinesische Nusseibe · Chinese Nutmeg Yew | ♄ Ⓚ Ⓝ; E-China
– **nucifera** (L.) Siebold et Zucc. · Japanische Nusseibe · Japanese Torreya | ♄ Ⓚ; Jap.
– **taxifolia** Arn. · Florida Nutmeg, Stinking Cedar Leaved Torreya | ♄ Ⓚ; USA: Ga., Fla

Toumeya = Sclerocactus Britton et Rose
– *lophophoroides* (Werderm.) Bravo et W.T. Marshall = Turbinicarpus lophophoroides
– *papyracantha* (Engelm.) Britton et Rose = Sclerocactus papyracanthus
– *pseudomacrochele* (Backeb.) Bravo et W.T. Marshall = Turbinicarpus pseudomacrochele
– *schmiedickeana* K. Schum. = Turbinicarpus schmiedickeanus

Townsendia Hook. -f- *Asteraceae*
– **exscapa** (Richardson) Porter · Stemless Townsend Daisy | ♃ △ V-VI ∧; Can.: W; USA: Rocky Mts., SW; Mex.
– **florifera** (Hook.) A. Gray | ⊙ ⊙ △ V-VI ∧; USA: NW, Nev., Utah
– **grandiflora** Nutt. · Large Flower Townsend Daisy | ⊙ △ V ∧; USA: NC, SW, Rocky Mts.
– **hookeri** Beaman · Hooker's Townsend Daisy | ♃ △ V-VI ∧; Can.: W; USA: Rocky Mts.
– **parryi** D.C. Eaton · Parry's Townsend Daisy | ⊙ △ V ∧; Can.: Alta.; USA: Rocky Mts.
– **rothrockii** A. Gray ex Rothr. | ♃ Ⓚ △ V-VI ∧; USA: W-Colo.
– *sericea* Hook. = Townsendia exscapa
– *wilcoxiana* A.W. Wood = Townsendia exscapa

Toxicodendron = Rhus L.
– *quercifolium* (Michx.) Greene = Rhus toxicodendron
– *radicans* (L.) Kuntze = Rhus radicans
– *succedaneum* (L.) Kuntze = Rhus succedanea
– *verniciflua* (Stokes) Kuntze = Rhus verniciflua
– *vernix* (L.) Kuntze = Rhus vernix

Tozzia L. -f- *Scrophulariaceae*
– **alpina** L. · Alpenrachen | VI-VIII; Eur.* exc. Brl, Sc; mts.

Trachelium L. -n- *Campanulaceae*
– **asperuloides** Boiss. et Orph. | ♃ Ⓚ △ VII ∧; S-GR
– **caeruleum** L. · Blue Throatwort | ♃ Ⓚ VII-IX ✂; Eur.: Ib, I, Sic.; Maroc., Alger., nat. in F
– **jacquinii** (Sieber) Boiss.; Eur.: BG, GR
- subsp. **rumelianum** (Hampe) Tutin | ♃ △ VII-VIII; BG, GR
– *rumelianum* Hampe = Trachelium jacquinii subsp. rumelianum

Trachelospermum Lem. -n- *Apocynaceae* · Sternjasmin
– **asiaticum** (Siebold et Zucc.) Nakai · Asian Jasmine | ♄ Ⓚ ⌇; Jap., Korea
– **jasminoides** (Lindl.) Lem. · Star Jasmine | ♄ Ⓚ ⌇ D ⌇; China, Korea, Jap.

Trachomitum = Apocynum L.
– *venetum* (L.) Woodson = Apocynum venetum

Trachycarpus H. Wendl. -f- *Arecaceae* · Hanfpalme
– *excelsus* hort. = Trachycarpus fortunei
– **fortunei** (Hook.) H. Wendl. · Chusan Palm | ♄ Ⓚ Ⓝ; Myanmar, China, S-Jap.

Trachylobium = Hymenaea L.
– **verrucosum** (Gaertn.) Oliv. | ♄ Ⓦ Ⓝ; Mozamb., Zanzibar, Madag., Mauritius

Trachymene Rudge -f- *Apiaceae*
– **coerulea** Graham · Blue Lace Flower · Trachymène bleu | ⊙ Ⓚ VII-IX; W-Austr.

Trachyspermum Link -n- *Apiaceae*
– **ammi** (L.) Sprague · Kummel | ♃ Ⓚ Ⓝ; cult.

– *copticum* (L.) Link = Trachyspermum ammi
– **roxburghianum** (DC.) Craib | ♃ (W) (N); orig. ?; cult. Ind.

Trachystemon D. Don -m- *Boraginaceae*
– **orientalis** (L.) G. Don · Abraham, Isaac and Jacob | ♃ IV-V; Eur.: BG; TR, Cauc.

Tradescantia L. -f- *Commelinaceae* · Dreimasterblume
– *albiflora* Kunth = Tradescantia fluminensis
– × **andersoniana** W. Ludw. et Rohweder (*T. ohiensis* × *T. subaspera* × *T. virginiana*) · Garten-Dreimasterblume · White Spiderwort · Ephémère de Virginie
 - **'J.C. Weguelin'**
 - **'Karminglut'**
 - **'Osprey'**
 - **'Zwanenburg Blue'**
– **bracteata** Small
– *canaliculata* Raf. = Tradescantia ohiensis
– **cerinthoides** Kunth | ♃ (W); Arg.
– **crassula** Link et Otto | ♃ (K); Urug.
– *diuretica* Mart. = Tripogandra diuretica
– **fluminensis** Vell. · Wandering Sailor | ♃ (W) (K) ⇝; SE-Bras., Arg., nat. in Ib, Corse
– *fuscata* Lodd. = Siderasis fuscata
– *geniculata* Jacq. = Gibasis geniculata
– *myrtifolia* hort. = Tradescantia fluminensis
– *navicularis* Ortgies = Callisia navicularis
– **occidentalis** (Britton) Smyth
– **ohiensis** Raf. | ♃ IV-VI; USA: NE, NCE, NC, SC, SE, Fla.
– **pallida** (Rose) D.R. Hunt · Purple Heart | ♃ (W); Mex.
– *pexata* H.E. Moore = Tradescantia sillamontana
– *pilosa* Lehm. = Tradescantia subaspera
– *reflexa* Raf. = Tradescantia ohiensis
– *reginae* Linden et Rodigas = Dichorisandra reginae
– **sillamontana** Matuda · White Velvet | ♃ (K); NE-Mex.
– **spathacea** Sw. · Boat Lily, Moses-in-the-Boat | ♃ (W); S-Mex., Guat., Belize
– **subaspera** Ker-Gawl. | ♃ VI-VII; USA: NE, NCE, SE, Fla.
– **virginiana** L. · Virginische Dreimasterblume · Spiderwort, Virginia Spiderwort | ♃ IV-V; USA: NE, NCE, SE
– *virginica* L. = Tradescantia virginiana
– *warscewicziana* Kunth et Bouché = Callisia warszewicziana
– **zanonia** (L.) Sw. | ♃ (K); Mex., C-Am., W.Ind., trop. S-Am.
– **zebrina** Bosse · Wandering Jew | ♃ (W) ⌇ ⇝; Mex.
 - **'Purpusii'** | ♃ (W) ⇝; Mex.
 - **var flocculosa** (G. Brückn.) D.R. Hunt | ♃ (W) ⇝; ? Mex.

Tragopogon L. -m- *Asteraceae* · Bocksbart
– *australis* Jord. = Tragopogon porrifolius subsp. australis
– **crocifolius** L. · Safranblättriger Bocksbart | ⊙ V-VII; Eur.: Ib, Fr, Ap, Ba; Maroc., Alger., nat. in Sweden
– **dubius** Scop. · Großer Bocksbart | ⊙ V-VII; Eur.: Ib, Fr, C-Eur., EC-Eur., Ba, E-Eur.; TR, Cauc.
– *orientalis* L. = Tragopogon pratensis subsp. orientalis
– **porrifolius** L. · Salsify, Vegetable Oyster | ⊙ ⊙ VI-VII (N); S-Eur., TR, +, nat. in Eur.
 - subsp. **australis** (Jord.) Nyman · Haferwurz | ♃ VI-VII; Eur.: Ib, Fr, Ap, Ba, RO, Canar.; +, nat. in BrI, Sc, C-Eur., EC-Eur.
 - subsp. *sativus* (Gaterau) Braun-Blanq. = Tragopogon porrifolius
– **pratensis** L. · Gewöhnlicher Wiesen-Bocksbart · Goat's Beard, Jack-Go-To-Bed-At-Noon | ⊙ ♃ V-VII ☠; Eur.*, TR, Cauc., C-As., nat. in N-Am.
 - subsp. **orientalis** (L.) Celak. · Östlicher Wiesen-Bocksbart, Orientalischer Bocksbart | ⊙ V-VII; C-Eur., E-Eur.
 - **supsp. minor** (Mill.) Wahlenb. · Kleinblütiger Bocksbart, Kleiner Wiesen-Bocksbart | ⊙ V-VII; Eur.: CH, D, PL, W-Eur.
– *sinuatus* Avé-Lall. = Tragopogon porrifolius

Tragus Haller -m- *Poaceae*
– **racemosus** (L.) All. · Traubiges Klettengras | VI-VII; Eur* exc. BrI, Sc; TR , Cauc., C-As., Trop. Subtrop. Old World, nat. in Am.

Trapa L. -f- *Trapaceae* · Wassernuß
– **natans** L. · Gewöhnliche Wassernuss · Jesuits Nut, Water Chestnut · Châtaigne d'eau | ⊙ ≈ VII-VIII ▽; Eur.* exc. BrI, Sc; TR, C-As., N-Afr., C-Afr.

- var. **bispinosa** (Roxb.) Makino | Ⓝ

Traunsteinera Rchb. *Orchidaceae*
– **globosa** (L.) Rchb. · Kugelknabenkraut, Kugelorchis | ♃ VI-VII; Eur.* exc. BrI, Sc; TR, Cauc.

Trautvetteria Fisch. et C.A. Mey. -f- *Ranunculaceae*
– **caroliniensis** (Walter) Vail | ♃; NE-USA

Treculia Decne. ex Trecul -f- *Moraceae*
– **africana** Decne. · Afrikanischer Brotfruchtbaum, Okwabaum | ♄ Ⓝ; trop. W-Afr.

Trema Lour. -f- *Ulmaceae*
– **orientalis** (L.) Blume | ♄; Ind., S-China, Taiwan, Jap., Malay. Arch., Austr.

Tremastelma = Scabiosa L.
– **palaestinum** (L.) Janch.; TR, Syr. +

Tretorhiza = Gentiana L.
– *cruciata* (L.) Opiz = Gentiana cruciata

Trevesia Vis. -f- *Araliaceae*
– **burckii** Boerl. | ♄ ⓦ; Sumat., Kalimantan
– **palmata** (Roxb. ex Lindl.) Vis. · Snowflake Tree | ♄ ⓦ; Ind.
– *sanderi* hort. = Trevesia burckii

Trevirana = Achimenes Pers.
– *grandiflora* Schiede = Achimenes grandiflora

× **Trevorara** Hort. -f- *Orchidaceae* (*Arachnis* × *Phalaenopsis* × *Vanda*)

Tribulus L. -m- *Zygophyllaceae*
– **terrestris** L. · Burzeldorn | X-V; Eur.: Ba, Ib, Ap, Fr, EC-Eur., E-Eur.; TR, Cauc., W-Sib., E-Sib., C-As., Ind., Mong., Tibet, China: Sinkiang, ; Jap., N-Afr., Canar., nat. in Am., Afr., Trop.

Trichantha = Columnea L.
– **illepida** (H.E. Moore) Morton | ♄ ⓦ; Panama
– **minor** Hook. | ♃ ⓦ ≹ XII-I; Ecuad.
– *teuscheri* C.V. Morton = Trichantha minor

Trichinium = Ptilotus R. Br.
– *manglesii* (Lindl.) F. Muell. = Ptilotus manglesii

Trichocaulon N.E. Br. -n- *Asclepiadaceae*
– *cactiforme* (Hook.) N.E. Br. = Trichocaulon clavatum
– **clavatum** (Willd.) H. Huber | ♃ ψ ⓚ; Botswana, Namibia
– *meloforme* Marloth = Trichocaulon clavatum
– **pedicellatum** Schinz | ♃ ψ ⓚ; Namibia
– **simile** N.E. Br. | ♃ ψ ⓚ; Kap

Trichocentrum Poepp. et Endl. -n- *Orchidaceae*
– **alboviolaceum** Rchb. f. | ♃ ⓦ VII-IX ✻; Bras.
– **orthoplectron** Rchb. f. | ♃ ⓦ X ✻; Bras.

Trichocereus (A. Berger) Riccob. -m- *Cactaceae*
– **bruchii** (Britton et Rose) F. Ritter | ψ ⓚ; Arg.: Tucuman
– **candicans** (Gillies) Britton et Rose | ψ ⓚ ✻; W-Arg.
– *courantii* K. Schum. = Trichocereus candicans
– **formosus** (Pfeiff.) F. Ritter | ψ ⓚ ✻; Arg.: Mendoza
– **huascha** (F.A.C. Weber) Britton et Rose | ψ ⓚ; Arg.: Catamarca, La Rioja
– **macrogonus** (Salm-Dyck) Riccob. | ψ ⓚ ✻; orig. ?
– **pachanoi** Britton et Rose | ψ ⓚ D ✻; Ecuad.
– **pasacana** (F.A.C. Weber) Britton et Rose | ψ ⓚ; N-Arg.
– **purpureopilosus** Weing. | ψ ⓚ
– *santiaguensis* (Speg.) Backeb. = Trichocereus spachianus
– **schickendantzii** (F.A.C. Weber) Britton et Rose | ψ ⓚ ✻; Arg.: Tucuman
– **spachianus** (Lem.) Riccob. · Golden Column, White Torch Cactus | ψ ⓚ ✻; Arg.
– **strigosus** (Salm-Dyck) Britton et Rose | ψ ⓚ ✻; W-Arg.
– **tarijensis** (Vaupel) Werderm. | ψ ⓚ ✻; S-Bol., Arg.: Jujuy
– **terscheckii** (Parm. ex Pfeiff.) Britton et Rose | ψ ⓚ ✻; N-Arg.
– **thelegonus** (K. Schum.) Britton et Rose | ψ ⓚ ✻; Arg.: Tucuman

× **Trichocidium** Hort. -n- *Orchidaceae*

(*Oncidium* × *Trichocentrum*)

Trichocladus Pers. -m- *Hamamelidaceae*
- **crinitus** (Thunb.) Pers. | ♄ Ⓚ VII-IX; S-Afr.

Trichodiadema Schwantes -n- *Aizoaceae*
- **densum** (Haw.) Schwantes | ♄ Ψ Ⓚ I-III; Kap

Tricholaena Schrad.ex Schult. et Schult.f. -f- *Poaceae*
- *repens* (Willd.) Hitchc. = Rhynchelytrum repens
- *rosea* Nees = Rhynchelytrum repens

Trichomanes L. -n- *Hymenophyllaceae* · Haarfarn
- *radicans* Sw. = Trichomanes speciosum
- **reniforme** G. Forst. | ♃ Ⓚ ⤳; NZ
- **scandens** L. | ♃ Ⓚ ⤳; Mex., W.Ind.
- **speciosum** Willd. · Prächtiger Dünnfarn · Killarney Fern | ♃ Ⓚ; Eur.: Sp., F, I, BrI, Azor.; Trop., nat. in P

Trichophorum Pers. -n- *Cyperaceae*
- **alpinum** (Michx.) Fernald · Alpen-Haarsimse, Alpen-Rasenbinse | ♃ IV-V; Eur.* exc. Br; W-Sib., E-Sib., Amur, N-Am.
- **cespitosum** (L.) Hartm. · Gewöhnliche Rasenbinse, Rasen-Haarsimse · Deer Grass, Tufted Bulrush | ♃ ⁓ V-VIII; Eur.*, TR, W-Sib., E-Sib., Sachal., Kamchat., Jap., N.Guinea, NW-Afr., N-Am., Jamaica, Greenl.
  - subsp. **germanicum** (Palla) Hegi · Deutsche Rasenbinse ; Eur.: BrI, Sc, Fr, D, ? PL +
- **pumilum** (Vahl) Schinz et Thell. · Zwerg-Haarried | ♃ VII; Eur.: F, I, CH, EC-Eur., Norw., E-Russ.; mts. ; TR, W-Sib., E-Sib., Iran, C-As., Mong., China, : Sinkiang, N-Am.

Trichopilia Lindl. -f- *Orchidaceae*
- *coccinea* Lindl. = Trichopilia marginata
- *crispa* Lindl. = Trichopilia marginata
- **fragrans** (Lindl.) Rchb. f. | Ⓚ D XII-I ✻; W.Ind., Venez., Col., Ecuad., Peru, Bol.
- **galeottiana** A. Rich. | Ⓦ VI-VII ✻; Mex.
- **laxa** (Lindl.) Rchb. f. | ♃ Ⓦ IX-XI ✻; Col., Peru, Venez.
- **marginata** Henfr. | Ⓦ IV-V ✻; C-Am., Col.
- *sanguinolenta* (Lindl.) Rchb. f. = Helcia sanguinolenta
- **suavis** Lindl. et Paxton | Ⓦ III-IV ✻; Costa Rica, Panama, Col.
- **tortilis** Lindl. | Ⓦ XII-II ✻; Mex., Guat., Hond., El Salv.
- *turialvae* Bateman = Trichopilia galeottiana

Trichosanthes L. -f- *Cucurbitaceae* · Haarblume
- *anguina* L. = Trichosanthes cucumerina var. anguina
- *bracteata* (Lam.) Voigt = Trichosanthes tricuspidata
- **cucumerina** L. · Viper Gourd ; Ind., Sri Lanka, Malay. Arch., N-Austr.
  - var. **anguina** (L.) Haines | ⊙ ⌇ ♧ VI-VIII Ⓝ; Ind.
- *cucumeroides* Maxim. ex Franch. et Sav. = Trichosanthes ovigera
- *japonica* Regel = Trichosanthes kirilowii var. japonica
- **kirilowii** Maxim. · Chinese Cucumber | ♃ ⌇ ♧ VII-VIII ∧; Mong.
  - var. **japonica** (Miq.) Kitam. | ♃ Ⓚ ⌇ VII-VIII ∧; Jap., Korea, Riukiu-Is.
- **ovigera** Blume · Snake Gourd | ♃ Ⓚ ⌇ ♧ VI-VIII; China, Jap., Taiwan
- **tricuspidata** Lour. · Trichosanthes | ♃ ⌇ ♧ VII-VIII Ⓝ; SW-As., Ind.

Trichostigma A. Rich. -n- *Phytolaccaceae*
- **peruvianum** (Moq.) H. Walter | ♄ Ⓦ IV-X; Ecuad., Peru

× **Trichovanda** Hort. -f- *Orchidaceae* (*Trichoglottis* × *Vanda*)

Tricuspidaria = Crinodendron Molina
- *dependens* Ruiz et Pav. = Crinodendron patagua
- *lanceolata* Miq. = Crinodendron hookerianum

Tricyrtis Wall. -f- *Convallariaceae* · Krötenlilie
- **affinis** Makino | ♃; Jap.
- *bakeri* Koidz. = Tricyrtis latifolia
- **formosana** Baker · Formosa-Krötenlilie · Formosa Toad Lily | ♃ VIII-IX; Taiwan
  - **Stolonifera-Grp.** · Ausläufertreibende Krötenlilie
- **hirta** (Thunb.) Hook. · Japanische Krötenlilie · Japanese Toad Lily | ♃ VIII-

X /\; Jap.
- **latifolia** Maxim. · Breitblättrige Krötenlilie | ♃ VI-VII /\; China, Jap.
- **macropoda** Miq. | ♃ VII-VIII /\; China, Jap.
- **maculata** (D. Don) Macbridge · Himalaya-Krötenlilie | ♃
- **puberula** Nakai et Kitam.
- *stolonifera* Matsum. = Tricyrtis formosana Stolonifera-Grp.

Tridax L. -f- *Asteraceae*
- **coronopifolia** (Humb., Bonpl. et Kunth) Hemsl. | ⊙ VII-VIII; Mex.
- **trilobata** (Cav.) Hemsl. | ⊙ VIII-X; Mex.

Tridentea Haw. -f- *Asclepiadaceae*
- **jucunda** (N.E. Br.) L.C. Leach | ♃ ψ
  - var. **dinteri** (A. Berger) L.C. Leach | ♃ ψ (K); Namibia

Trientalis L. -f- *Primulaceae* · Siebenstern
- **europaea** L. · Europäischer Siebenstern · Chickweed Wintergreen · Trientalis d'Europe | ♃ V-VII; Eur.* exc. Ib, Ba; W-Sib., E-Sib., Amur, Sachal., Kamchat., Mong., Manch., Jap., Alaska, Can.: W

Trifolium L. -n- *Fabaceae* · Klee
- **alexandrinum** L. · Alexandriner-Klee | ⊙ VI-IX Ⓝ; orig. ?; cult. SE-Eur., W-As., N-Afr.
- **alpestre** L. · Hügel-Klee | ♃ VI-VIII; Eur.: Fr, Ap, C-Eur., EC-Eur., Ba, E-Eur., DK, ? Ib; TR, Cauc.
- **alpinum** L. · Alpen-Klee · Alpine Clover | ♃ △ VI-VIII; Eur.: Sp., F, I, CH, A; mts.
- **angustifolium** L. · Fuchsschwanz-Klee, Schmalblättriger Klee ; Eur.: Ib, Fr, Ap, Ba, EC-Eur., RO, Krim; TR, Levante, Iraq, Cauc., N-Iran, N-Afr.
- **arvense** L. · Hasen-Klee · Field Clover | ⊙ ⊙ VI-VIII; Eur.*, TR, Levante, N-Iraq, Cauc., Iran, W-Sib., C-As., NW-Afr., Libya
- **aureum** Pollich · Gold-Klee | VI-VII; Eur.* exc. BrI; TR, Levante, Cauc., N-Iran, nat. in BrI
- **badium** Schreb. · Braun-Klee | ♃ VII-VIII; Eur.: Fr, Ap, C-Eur., EC-Eur., Ba, RO; mts.
- **campestre** Schreb. · Feld-Klee | VI-IX; Eur.*, TR, Levante, Iraq, Cauc., Iran, C-As., N-Afr.
- **cherleri** L. · Cherlers Klee ; Eur.: Ib, Fr, Ap, Ba; TR, Levante, Iraq, Iran, N-Afr.
- **diffusum** Ehrh.; Eur.: Ib, Fr, Ap, Ba, EC-Eur., E-Eur.; TR, Cauc.
- **dubium** Sibth. · Kleiner Klee | V-IX; Eur.*, TR, Cyprus, Cauc., Maroc., Tun.
- **fragiferum** L. · Erdbeer-Klee · Strawberry Clove | ♃ ⟿ VI-IX Ⓝ; Eur.*, Cauc., W-Sib., C-As., Him.; cult. USA, Austr.
- **glomeratum** L. · Knäuel-Klee ; Eur.: Ib, Fr, Ap, Ba, BrI; TR, Levant., Cauc., N-Iran, NW-Afr.
- **hirtum** All.; Eur.: Ib, Fr, Ap, Ba, Krim, ? RO; Levant., Iraq, Cauc., Maroc., Alg
- **hybridum** L. · Schweden-Klee · Clover | ⊙ ♃ V-IX Ⓝ; Eur.* exc. BrI, Sc; Cauc.; TR, Maroc., nat. in Sc, BrI, Can., USA, C-As.
- **incarnatum** L. · Inkarnat-Klee · Crimson Clover, Italian Clover | ⊙ ⊙ VI-VII Ⓝ; Eur.*, TR
- **lappaceum** L. · Kletten-Klee ; Eur.: Ib, Fr, Ap, Ba, Krim; TR, Levante, Iraq, Cauc., N-Iran, C-As., Canar., Nw-Afr., Libya, nat. in EC-Eur.
- **lupinaster** L. | ♃ △ VI-VII; Eur.: EC-Eur., E-Eur.; W-Sib., E-Sib., Amur, Sachal., C-As., Mong., Manch., NE-China
- **medium** L. · Mittlerer Klee | ♃ VI-VIII; Eur.*, TR, Cauc., NW-Iran, W-Sib., E-Sib.
- **michelianum** Savi; Eur.: Ib, Fr, Ap, Ba, Ro; TR, Alger., Maroc.
- **micranthum** Viv. · Kleinster Klee | V-VII; Eur.: Sc, BrI, Fr, Ib, D, H, Ba; TR, Levante, Cauc., N-Iran, Canar., NW-Afr., Libya
- **montanum** L. · Berg-Klee | ♃ V-VII; Eur.: Ba, Fr, EC-Eur., Sc, Ib, Ap, E-Eur., C-Eur.; TR, Cauc.
- **nigrescens** Viv. · Schwärzlicher Klee ; Eur.: Ib, Fr, Ap, Ba; TR, Levante., N-Afr.
- **noricum** Wulfen · Norischer Klee | ♃ VII-VIII; Eur.: I, A, Ba; E-Alp., Apenn., Balkan
- **ochroleucon** Huds. · Blassgelber Klee | ♃ VI-VII; Eur.* exc. Sc; TR, Iran, Maroc., Alger.
- **ornithopodioides** L. · Vogelfuß-Klee | VI-VII; Eur.: Ib, Fr, Ap, BrI, D, H, RO, Croatia; Maroc., Alger.
- **pallescens** Schreb. · Bleicher Klee | ♃ VII-VIII; Eur.: Sp., F, I, C-Eur., Ba, RO;

mts.
- **pannonicum** Jacq. · Ungarischer Klee | ♃ VI-VII Ⓝ; Eur.: Fr, Ap, EC-Eur., Ba
- **patens** Schreb. · Spreiz-Klee | VI-VII; Eur.: Ib, Fr, Ap, C-Eur., EC-Eur., Ba, RO; TR, Levant., Egypt
- **pratense** L. · Rot-Klee, Wiesen-Klee · Red Clover | ♃ VI-VII Ⓝ; Eur.*, TR, Iran, Cauc., W-Sib., E-Sib., C-As, Him., NW-Afr., Alaska, Can., USA*, Greenl.
- **repens** L. · Weiß-Klee · White Clover | ♃ ⟿ V-X Ⓝ; Eur.*, TR, Levante, Iran, W-Sib., E-Sib., Amur, Sachal., Kamchat., C-As., Mong., Him., China, NW-Afr., Egypt, nat. in N-Am., S-Afr., Jap.
- **resupinatum** L. · Persischer Klee | ⊙ IV-VI Ⓝ; Eur.: Ib, Fr, Ap, Ba, E-Eur.; TR, Levante, N-Iraq, Iran, N-Afr., nat. in BrI, C-Eur., EC-Eur.
  - subsp. **majus** Boiss. · Duftender Persischer Klee | VI-IX; cult. Ba, W-As.
- **retusum** L. · Kleinblütiger Klee | V-VI; Eur.: Ib, Fr, C-Eur., EC-Eur., Ba, E-Eur.; TR, Cauc., Alger., Maroc.
- **rubens** L. · Purpur-Klee · Red Trefoil | ♃ VI-VII; Eur.* exc. BrI, Sc
- **saxatile** All. · Felsen-Klee | VII-VIII; Eur.: F, I, CH, A, Alp.
- **scabrum** L. · Rauer Klee | V-VII; Eur.: Ib, Fr, BrI, Ap, C-Eur., Ba, RO, Krim; TR, Levant., Iraq, Cauc., Iran, N-Afr.
- **spadiceum** L. · Moor-Klee | ♃ VII-VIII; Eur.* exc. BrI; TR, Cauc., Iran, W-Sib.
- **squamosum** L.; Eur.: Ib, Fr, Ap, Ba, BrI; TR, Lebanon, N-Iran, NW-Afr.
- **stellatum** L. · Stern-Klee ; Eur.: Ib, Fr, Ap, Ba; TR, Levante, Iraq, Cauc., W-Iran, N-Afr.
- **striatum** L. · Gestreifter Klee | VI-VII; Eur.*, TR, Cyprus, Iraq, Cauc., Iran, NW-Afr.
- **strictum** L. · Steifer Klee ; Eur.: Ib, Fr, Ap, EC-Eur., Ba, RO; TR, Cauc., NW-Afr., Libya, nat. in D
- **subterraneum** L. · Erd-Klee · Burrowing Clover, Subterranean Clover | ⊙ Ⓝ; Eur.* exc. BrI, Sc; TR, Levante, Cauc., N-Iran, NW-Afr., Libya
- **thalii** Vill. · Rasiger Klee | ♃ VII-VIII; Eur.: Sp., F, I, C-Eur.; mts. N-Sp., Pyr., Alp., Apenn.

Triglochin L. -n- *Juncaginaceae*
- **maritimum** L. · Strand-Dreizack | ♃ VI-VIII; Eur.*, cosmop.; saline habitats
- **palustre** L. · Sumpf-Dreizack | ♃ VI-VIII; Eur.*, cosmop.

Trigonella L. -f- *Fabaceae* · Bockshornklee
- *besseriana* Ser. = Trigonella procumbens
- **caerulea** (L.) Ser. · Schabzigerklee | ⊙ VI-VII Ⓝ; orig. ?; cult.
  - subsp. *procumbens* (Besser) Thell. = Trigonella procumbens
- **corniculata** (L.) L. · Traubiger Bockshornklee ; Eur.: Ib, Fr, Ap, Ba; TR
- **foenum-graecum** L. · Griechischer Bockshornklee · Fenugreek, Halva | ⊙ Off. VI-VII Ⓝ; TR, Syr., N-Iraq, Arab., Iran, Eth., nat. in Eur.* exc. BrI, Sc
- *melilotus-caerulea* (L.) Asch. et Graebn. = Trigonella caerulea
- **monspeliaca** L. · Französischer Bockshornklee | III-V; Eur.* exc. BrI, Sc; TR, Levante, Iraq, Cauc., Iran, C-As., N-Afr.
- **procumbens** (Besser) Rchb. | ⊙ VI-VII; Eur.: C-Eur., EC-Eur., Ba, E-Eur.; TR, Cauc.

Trigonidium Lindl. -n- *Orchidaceae*
- *ringens* Lindl. = Mormolyca ringens
- **seemannii** Rchb. f. | Ⓦ ✻; Panama

Trillium L. -n- *Trilliaceae* · Dreiblatt, Waldlilie
- **catesbaei** Elliott · Rose Trillium | ♃ IV; USA: SE
- **cernuum** L. | ♃; e N-Am.
- **chloropetalum** (Torr.) Howell · Giant Trillium, Giant Wakerobin | ♃ V; USA: Wash., Oreg., Calif.
- **erectum** L. · Braunrote Dreizipfel-Lilie · Purple Trillium, Stinking Benjamin | ♃ IV-V; Can.: E; USA; NE, NCE, SE
- *erythrocarpum* Michx. = Trillium undulatum
- *giganteum* (Hook. et Arn.) A. Heller = Trillium chloropetalum
- **grandiflorum** (Michx.) Salisb. · Große Dreizipfel-Lilie · Large Flowered Trillium, Trillium | ♃ V-VI; Can.: E; USA; NE, NCE, SE
- **luteum** (Muhl.) Harb. · Gelbe Dreizipfel-Lilie | ♃; SE-USA
- **nivale** Ridd. · Kleine Dreizipfel-Lilie · Dwarf Trillium | ♃ IV-V; USA: NE, NCE
- **sessile** L. · Toadshade, White Trillium | ♃ V; USA: NE, NCE, SE

- var. *californicum* Torr. = Trillium chloropetalum
– *stylosum* Nutt. = Trillium catesbaei
– **undulatum** Willd. · Gewellte Dreizipfel-Lilie · Painted Trillium | ♃ IV-V; Can.: E; USA: NE, NCE

Trinia Hoffm. -f- *Apiaceae*
– **glauca** (L.) Dumort. · Blaugrüner Faserschirm | ♃ IV-V; Eur. :Ib, Fr, BrI, Ap, C-Eur., EC-Eur., Ba, E-Eur.; TR, N-Iran
– **ramosissima** (Fisch. ex Trevir.) Koch · Großer Faserschirm | ♃ ⊙ V-VI; Eur.: A, Ba, E-Eur.

Triodanis Raf. -f- *Campanulaceae*
– **perfoliata** (L.) Nieuwl.

Triolena Naudin -f- *Melastomataceae*
– **hirsuta** (Benth.) Triana | ♃ ⌂W; trop. Am.
– **pustulata** Triana | ♃ ⌂W; Ecuad.
– **scorpioides** Naudin | ♃ ⌂W; Mex.

Triosteum L. -n- *Caprifoliaceae* · Fieberwurz
– **aurantiacum** E.P. Bicknell | ♃; N-Am.
– **perfoliatum** L. · Feverwort, Tinker's Weed, Wild Coffee | ♃ V-VII; USA: NE, NCE, NC, SE
– **pinnatifidum** Maxim. | ♃ V-VI; NW-China
– **rosthornii** Diels et Graebn. | ♃ VI-VII; China

Tripetaleia Siebold et Zucc. -f- *Ericaceae*
– **bracteata** Maxim. | ♄ VII-VIII; Jap.; mts.
– **paniculata** Siebold et Zucc.

Triphasia Lour. -f- *Rutaceae*
– **trifolia** (Burm. f.) P. Wilson · Lime Berry | ♄ ⌂K D Ⓝ; trop. As.

Tripleurospermum Sch.Bip. -n- *Asteraceae*
– **caucasica** (Willd.) Hayek | ♃ ⇝ △ V-VII; AL, BG, TR, Cauc.
– *inodorum* (L.) Sch. Bip. = Tripleurospermum perforatum
– **maritimum** (L.) W.D.J. Koch · Küsten-Kamille · False Mayweed, Sea Mayweed ; Eur.: Ib, Fr, BrI, C-Eur., Sc, PL, EC-Eur.; coasts
– **oreades** (Boiss.) Rech. f. | ♃ ⇝ △ IV-VII; TR, Syr.
- var. **tchihatchewii** (Boiss.) E. Hossain | ♃ ⇝ △ V-VII; TR
– **perforatum** (Mérat) Lainz · Geruchlose Kamille · Scentless Chamomile, Scentless Mayweed | ⊙ ♃ X; Eur.*, TR, Cauc., W-Sib., E-Sib., Amur, Sachal., Kamchat., Manch., nat. in N-Am.
– *tchihatchewii* (Boiss.) Bornm. = Tripleurospermum oreades var. tchihatchewii
– **tenuifolium** (Kit.) Freyn · Feinblättrige Kamille | ♃ ⊙ X-VII; Eur.: A, H, Ba, RO; TR

Triplochiton K. Schum. -m- *Sterculiaceae*
– **scleroxylon** K. Schum. · Triplochiton | ♄ ⌂W Ⓝ; W-Afr., C-Afr.

Triplochlamys Ulbr. -f- *Malvaceae*
– *multiflora* (Juss.) Ulbr. = Pavonia multiflora

Tripogandra Raf. -f- *Commelinaceae*
– **diuretica** (Mart.) Handlos | ♃ ⌂W; trop. S-Am.
– *warscewicziana* (Kunth et Bouché) Woodson = Callisia warszewicziana

Tripsacum L. -n- *Poaceae*
– **andersonii** J.R. Gray | Ⓝ; ? Venez., ? Col.
– **dactyloides** (L.) L. | ♃ Ⓝ; USA: NE, Nce, NC, SC, SE, Fla., Mex., W.Ind., trop. S-Am.
– **laxum** Nash · Guatemalagras | ♃ Ⓝ; Mex.: Veracruz, Oaxaca, nat. in W.Ind. Trop. Am.

Tripterygium Hook.f. -n- *Celastraceae*
– **regelii** Sprague et Takeda · Japanische Dreiflügelfrucht | ♄ ⌂K ≹; Manch., Korea, Jap.
– **wilfordii** Hook. f. · Tripterygium | ♄ ⌂K ≹ X-XI ☠ Ⓝ; S-China, Taiwan

Trisetaria Forssk. -f- *Poaceae*
– **cavanillesii** (Trin.) Maire · Cavanilles Grannenhafer | IV-V; Eur.: Sp., CH, I; TR, Iraq, Cauc., Iran, Afgh., Pakist. C-As., N-Afr., nat. in E-Russ.
– **panicea** (Lam.) Paunero; Eur.: Ib, Fr, Ap; N-Afr., Makaron.

Trisetum Pers. -n- *Poaceae*
– **alpestre** (Host) P. Beauv. · Alpen-

Goldhafer | ♃ VI-VII; Eur.: C-Eur., EC-Eur., Slove., ? Bosn., Montenegro, RO, W-Russ.; Alp., Carp.
- **argenteum** (Willd.) Roem. et Schult. · Silber-Goldhafer | ♃ VI-VII; Eur.: I, ? CH, A, Slove.; E-Alp.
- **distichophyllum** (Vill.) P. Beauv. · Zweizeiliger Goldhafer | ♃ ⇝ △ VII-VIII; Eur.: Sp., F, I, C-Eur., Ba; Cauc.; mts.
- **flavescens** (L.) P. Beauv. · Wiesen-Goldhafer · Yellow Oat Grass | ♃ V-VI Ⓝ; Eur.*, TR, Cauc., N-Iran, C-As., N-Ind., NW-Afr., nat. in N-Am., NZ
- **spicatum** (L.) K. Richt. · Ähriger Goldhafer | ♃ VII-VIII; Eur.: Sc, N-Russ., Sp., F, I, C-Eur.; N. Pyr., Alp.; Cauc., W-Sib., E-Sib., Amur, sachal. kamchat., C-As., Mong., Tibet, China, Korea, Jap., N-Am., S-A

Tristania R. Br. *Myrtaceae*
- **conferta** R. Br. | ₺ Ⓚ; Austr.: Queensl., N.S.Wales

Triteleia Douglas ex Lindl. -f- *Alliaceae*
- **bridgesii** (S. Watson) Greene · Bridge's Brodiaea | ♃ Ⓚ VI ∧; USA: Oreg., Calif.
- **ixioides** (W.T. Aiton) Greene | ♃ Ⓚ VI ∧; USA: Oreg., Calif.
- **laxa** Benth. · Grass Nut, Triplet Lily | ♃ Ⓚ VI ∧; USA: Oreg., Calif.
- **peduncularis** Lindl. · Long Rayed Triteleia | ♃ Ⓚ VI-VII ∧; N-Calif.
- × **tubergenii** L.W. Lenz (*T. laxa* × *T. peduncularis*) | ♃ VII ∧; cult.
- *uniflora* Lindl. = Ipheion uniflorum

Trithrinax Mart. -m- *Arecaceae*
- **brasiliensis** Mart. | ₺ Ⓦ; Bras.

Triticum L. -n- *Poaceae* · Weizen
- **aestivum** L. emend. Fiori et Paol. · Saat-Weizen · Wheat | ⊙ Off. VI-VII Ⓝ; cult.
- **baeoticum** Boiss.; Eur.: Ba, ? Krim +
- *caninum* L. = Elymus caninus
- **carthlicum** Nevski | ⊙ Ⓝ; cult.
- *cereale* Schrank = Triticum aestivum
- **compactum** Host · Buckel-Weizen, Zwerg-Weizen | VII; cult. S-Eur., SC-Eur.
- *cristatum* (L.) Schreb. = Agropyron cristatum
- **dicoccoides** (Körn. ex Asch. et Graebn.) Aarons.
- **dicoccon** Schrank · Emmer, Zweikorn-Weizen | ⊙ VI-VII Ⓝ; cult.
- *dicoccum* Schübl. = Triticum dicoccon
- **durum** Desf. · Hart-Weizen · Durum Wheat | ⊙ VI-VII Ⓝ; cult.
- **georgicum** Dekapr. | ⊙ VI-VII Ⓝ; cult.
- *hybernum* L. emend. Mérat = Triticum aestivum
- *junceum* L. = Elymus farctus
- **macha** Dekapr. et Menabde | ⊙ Ⓝ; cult.
- **monococcum** L. · Einkorn-Weizen | ⊙ VI-VII Ⓝ; cult.
- *ovatum* (L.) Gren. et Godr. = Aegilops geniculata
- *pauciflorum* Schwein. = Elymus pauciflorus
- **polonicum** L. · Polnischer Weizen | ⊙ VI-VII Ⓝ; cult.
- *repens* L. = Elymus repens
- *sativum* Lam. = Triticum aestivum
- **spelta** L. · Dinkel, Spelz | VI
- **sphaerococcum** Percival | ⊙ Ⓝ; cult.
- **timophephi** Zhuk.
- *trachycaulum* Schwein. = Elymus pauciflorus
- *triunciale* (L.) Raspail = Aegilops triuncialis
- **turanicum** Jakubz. | ⊙ Ⓝ; cult.
- **turgidum** L. · Englischer Weizen · Branched Wheat | ⊙ VI-VII Ⓝ; cult.
- *vagans* (Jord. et Fourr.) Greuter = Aegilops geniculata
- *ventricosum* (Tausch) Ces. = Aegilops ventricosa
- *vulgare* Vill. = Triticum aestivum

Tritonia Ker Gawl. -f- *Iridaceae*
- *aurea* (Hook.) Planch. = Crocosmia aurea
- **crocata** (L.) Ker-Gawl. · Flame Freesia, Tritonia | ♃ Ⓚ V-VI; Kap
- *pottsii* Baker = Crocosmia pottsii

Triumfetta L. -f- *Tiliaceae*
- **rhomboidea** Jacq. | ♄ Ⓝ; W-Sudan, W-Afr., Trop.

Trochiscanthes W.D.J. Koch *Apiaceae*
- **nodiflorus** (All.) Koch · Radblüte | ♃ VI-VIII; Eur.: F, N-I, CH; mts.

Trochocarpa R. Br. -f- *Epacridaceae*
- **laurina** (Rudge) R. Br. | ♄ ₺ Ⓚ VI; Austr.: Queensl., N.S.Wales

Trochodendron Siebold et Zucc. -m- *Trochodendraceae*
- **aralioides** Siebold et Zucc. · Radbaum | ♄ V-VI; Jap., Riukiu-Is., Taiwan

Trollius L. -m- *Ranunculaceae* · Trollblume
- *americanus* Muhl. = Trollius laxus
- **asiaticus** L. | ♃ V-VI; Eur.: NE-Russ.; W-Sib., C-As.
- **chinensis** Bunge · Chinesische Trollblume · Chinese Globeflower · Trolle de Chine | ♃ VI-VIII; NE-China
- **europaeus** L. · Europäische Trollblume · European Globeflower, Globe Flower · Trolle d'Europe | ♃ V-VI ▽ ☠; Eur.*, W-Sib.
- **laxus** Salisb. · Amerikanische Trollblume · American Globeflower | ♄ △ ~ IV-V; USA: NE, Ohio
- *ledebourii* hort. non Rchb. = Trollius chinensis
- **ledebourii** Rchb.
- *patulus* Salisb. = Trollius ranunculinus
- **pumilus** D. Don · Trolle de l'Himalaya | ♃ △ VI-VII; Him.
  - var. *yunnanensis* Franch. = Trollius yunnanensis
- **ranunculinus** (Sm.) Stearn | ♃ V-VI; TR, Cauc., Iran
- **stenopetalus** (Regel) T.V. Egorova et Sipliv.
- **yunnanensis** (Franch.) Ulbr. · Yunnan-Trollblume · Yunnan Globeflower | ♃ VI-VII; Yunnan

Tromotriche Haw. -f- *Asclepiadaceae*
- **revoluta** Masson | ♃ ψ Ⓚ; Kap

Tropaeolum L. -n- *Tropaeolaceae* · Kapuzinerkresse
- *aduncum* Sm. = Tropaeolum peregrinum
- **azureum** Miers | ♃ Ⓚ ≹ IX-X; Chile
- **brachyceras** Hook. et Arn. | ♃ Ⓚ ≹ VI; Chile
- *canariense* hort. ex Lindl. et T. Moore = Tropaeolum peregrinum
- **leptophyllum** G. Don | ♃ Ⓚ ≹ VII-VIII Ⓝ; Bol., Chile
- *lobbianum* Veitch = Tropaeolum peltophorum
- **majus** L. · Große Kapuzinerkresse · Nasturtium | ⊙ ♃ X Ⓝ; Col., Ecuad., Peru
- **minus** L. | ⊙ ♃ VII-X; Peru
- **peltophorum** Benth. | ⊙ ⊙ ♃ ♄ Ⓚ I-XII; Col., Ecuad.
- **pentaphyllum** Lam. | ♃ Ⓚ ≹ VII-XI; C-Bras., Urug., Parg., Arg., E-Bol.
- **peregrinum** L. · Canary Creeper | ⊙ ≹ VII-X; Peru, ? Ecuad.
- **polyphyllum** Cav. | ♃ VI-X; Arg., Chile
- **speciosum** Poepp. et Endl. · Flame Flower, Scotch Creeper | ♃ Ⓚ ≹ VIII-X ∧; Chile
- **tricolor** Sw. | ♃ Ⓚ ≹ III-V; Bol., Chile
- **tuberosum** Ruiz et Pav. · Tropaeolum | ♃ Ⓚ ≹ VIII-IX Ⓝ; Peru, Bol.

Tsuga Carriere -f- *Pinaceae* · Hemlocktanne, Schierlingstanne
- **canadensis** (L.) Carrière · Kanadische Hemlocktanne · Eastern Hemlock · Sapin ciguë, Sapin du Canada | ♄ IV-V; Can.: E; USA; NE, NCE, SE
- **caroliniana** Engelm. · Carolina-Hemlocktanne · Carolina Hemlock | ♄; USA: Va., SE
- **chinensis** (Franch.) Pritz. | ♄; W-China
- **diversifolia** (Maxim.) Mast. · Japanische Hemlocktanne · Northern Japanese Hemlock · Tsuga du Japon | ♄; Jap.
- **heterophylla** (Raf.) Sarg. · Westliche Hemlocktanne · Western Hemlock | ♄ Ⓝ; Alaska, Can.: B.C., Alta.; USA: NW, Calif., Idaho, Mont.
- **mertensiana** (Bong.) Carrière · Berg-Hemlocktanne · Mountain Hemlock · Tsuga des montagnes | ♄; Alaska, Can.: B.C.; USA: NW, Calif., Rocky Mts. (Idaho, Mont., Nev.)
- *pattoniana* (Jeffrey) Engelm. = Tsuga mertensiana
- **sieboldii** Carrière · Araragi-Hemlocktanne · Southern Japanese Hemlock | ♄; Jap.
  - var. *nana* (Endl.) Carrière = Tsuga diversifolia

Tuberaria (Dunal) Spach -f- *Cistaceae*
- **guttata** (L.) Fourr. · Gefleckte Sandröschen | VI-IX; Eur.: Ib, Fr, BrI, D, Ap, Ba; TR, Levante, NW-Afr., Libya

Tulbaghia L. -f- *Alliaceae*
- **capensis** L. | ♃ Ⓚ VI-VII; Kap
- **violacea** Harv. · Society Garlic | ♃ Ⓚ VII-VIII; S-Afr.

Tulipa L. -f- *Liliaceae* · Tulpe
- **acuminata** Hornem. | ♃; cult.

– **agenensis** DC. | ♃ IV-V ▽; NW-Iran, nat. in S-F u. I
– **albertii** Regel | ♃; C-As.
– **armena** Boiss. | ♃ IV-V ▽; TR, Cauc. (Armen.)
– *australis* Link = Tulipa sylvestris subsp. australis
– *batalinii* Regel = Tulipa linifolia 'Batalinii'
– **biflora** Pall. | ♃ △ V-VI ▽; Eur.: W-Ba, E-Russ., Krim; TR, Palaest., Arab., Cauc., Iran, W-Sib., C-As., Egypt
– **celsiana** DC.
– *chrysantha* Boiss. ex Baker = Tulipa clusiana var. chrysantha
– **clusiana** DC. · Damen-Tulpe · Lady Tulip | ♃ ▽; Iran, NW-Pakist., N-Ind., nat. in S-Eur., TR
- var. **chrysantha** A.D. Hall | IV
- var. **stellata** (Hook.) Regel | IV
– **dasystemon** (Regel) Regel | ♃ IV ▽; C-As., China: Sinkiang
– *dasystemon* hort. = Tulipa tarda
– **didieri** Jord. · Didiers Tulpe | ♃ IV; Eur.: CH
– *eichleri* Regel = Tulipa undulatifolia
– **fosteriana** W. Irving | ♃ IV ▽; C-As.
– **gesneriana** L. · Garten-Tulpe | ♃ ⋊ IV-V ▽; SW-As., C-As., nat. in Sp., F, I, CH, ?GR
– **greigii** Regel | ♃ IV-V ▽; C-As.
– **grengiolensis** Thommen · Grengjer Tulpe | ♃ IV; Eur.: CH
– **hoogiana** B. Fedtsch. | ♃ ▭ IV-V ▽ ∧; C-As.
– **humilis** Herb. | ♃ V ▽; Cauc., Iran, N-Iraq
- **'Violacea'**
- var. **pulchella**
– **ingens** Hoog | ♃ IV ▽; C-As.
– **kaufmanniana** Regel · Waterlily Tulip | ♃ △ III ▽; C-As.
– **kolpakowskiana** Regel | ♃ IV ▽; C-As., Afgh.
– **lanata** Regel | ♃ IV ▽; C-As., Afgh., NE-Iran
– **linifolia** Regel | ♃ △ V ▽ ∧; C-As., N-Iran
- **'Batalinii'**
– **marjolettii** Perr. et Song | ♃; ? SW-As, ? C-As, nat. in Fr, Ap, Ba
– **montana** Lindl. | ♃ V ▽; C-As., N-Iran
– *oculis-solis* St.-Amans = Tulipa agenensis
– **orphanidea** Boiss. ex Heldr. | ♃ IV ▽; BG, GR, W-TR
- **'Whittallii'**
– *persica* hort. = Tulipa celsiana
– *polychroma* Stapf = Tulipa biflora
– **praecox** Ten. | ♃ III-IV ▽; orig. ?, nat. in S-Eur., W-TR
– **praestans** T.M. Hoog | ♃ IV ▽; C-As.
– *pulchella* (Regel) Baker = Tulipa humilis var. pulchella
- var. *humilis* hort. = Tulipa humilis
– **saxatilis** Sieber ex Spreng. · Kretische Tulpe | ♃ IV ▽; Crete, W-TR
– **schrenkii** Regel | ♃; SE-Russ.
– **sprengeri** Baker | ♃ V-VI ▽; TR
– *stellata* Hook. = Tulipa clusiana var. stellata
– **sylvestris** L. · Wilde Tulpe · Wild Tulip | ♃ D IV-V ▽; Eur.: Ib, Fr, Ap, Ba, E-Eur., CH; TR, Cauc., nat. in BrI, Sc, EC-Eur., N-Afr., Sib., Middle East
- subsp. **australis** (Link) Pamp. · Südalpine Tulpe | ♃ V ▽; Eur.: Ib, F, I, Ba; NW-Afr.
– **tarda** Stapf | ♃ △ IV ▽; C-As.
– **tubergeniana** T.M. Hoog | ♃ IV ▽; C-As.
– **turkestanica** Regel | ♃ △ III-IV ▽; C-As.
– **undulatifolia** Boiss. | ♃ IV-V ▽; Eur.: S-Ba; W-TR, Iran, C-As.
– **urumiensis** Stapf | ♃ △ IV ▽; NW-Iran
– *violacea* Boiss. et Buhse = Tulipa humilis 'Violacea'
- var. *pallida* Bornm. = Tulipa humilis
– **vvedenskyi** Botschantz. | ♃; C-As.
– *whitallii* Hall = Tulipa orphanidea 'Whittallii'
– *wilsoniana* T.M. Hoog = Tulipa montana

Tunica = Petrorhagia (Ser.) Link
– *prolifera* (L.) Scop. = Petrorhagia prolifera
– *saxifraga* (L.) Scop. = Petrorhagia saxifraga

Tupidanthus = Schefflera J.R. Forst. et G. Forst.
– *calyptratus* Hook. f. et Thomson = Schefflera pueckleri

Turbinicarpus (Backeb.) Buxb. et Backeb. -m- *Cactaceae*
– **gielsdorfianus** (Werderm.) V. John et Ríha | Ψ Ⓚ ✻; Mex.: Tamaulipas
– **horripilus** (Lem.) V. John et Ríha | Ψ Ⓚ

✻; Mex.: Hidalgo
- **lophophoroides** (Werderm.) Buxb. et Backeb. | ♆ Ⓚ; Mex.: San Suis Potosí
- **mandragora** (A. Berger) A. Zimm. | ♆ Ⓚ ✻; Mex.: Coahuila, Nuevo Leon
- **pseudomacrochele** (Backeb.) Buxb. et Backeb. | ♆ Ⓚ; Mex.: Queretaro
- **pseudopectinatus** (Backeb.) Glass et Foster | ♆ Ⓚ; Mex.: tamaulipas, Nuevo Leon
- **saueri** (Boed.) V. John ex Ríha | ♆ Ⓚ ✻; Mex.: Tamaulipas
- **schmiedickeanus** (Boed.) Buxb. ex Backeb. | ♆ Ⓚ ✻; Mex.: Nuevo León, San Luis Potosi, Tamaulipas
- **valdezianus** (H. Möller) Glass et Foster | ♆ Ⓚ; Mex.: Coahuila, Nuevo Leon
- **viereckii** (Werderm.) V. John et Ríha | ♆ Ⓚ ✻; Mex.: Nuevo León, Tamaulipas

Turgenia Hoffm. -f- *Apiaceae*
- **latifolia** (L.) Hoffm. · Breitblättrige Haftdolde, Turgenie | VI-VIII; Eur.: Ba, Fr, EC-Eur., Ib, Ap, E-Eur., C-Eur. +, nat. in N-Am.

Turnera L. -f- *Turneraceae*
- *aphrodisiaca* Ward = Turnera diffusa
- **diffusa** Willd. ex Schult. · Mexican Holly ; Bras.
  - var. **aphrodisiaca** (Ward) Urb. | ♄ Ⓦ; Bras.
- **ulmifolia** L. · Sage Rose, West Indian Holly | ♄ Ⓦ; Mex., C-Am., W.Ind., S-Am.

Turritis = Arabis L.
- **glabra** L.

Tussilago L. -f- *Asteraceae* · Huflattich
- **farfara** L. · Huflattich · Coltsfoot | ♃ Off. III-IV; Eur.*, TR, Levante, Cauc., Iran, W-Sib., E-Sib., C-As., Him., China, Maroc., Alger., nat. in N-Am.
- *japonica* L. = Farfugium japonicum

Tweedia Hook. et Arn. -f- *Asclepiadaceae*
- **caerulea** D. Don | ♄ Ⓚ ≷ VI-IX; S-Bras., Urug.

Tylecodon Toelken -m- *Crassulaceae*
- **cacalioides** (L. f.) Toelken | ♄ ♆ Ⓚ; Kap
- **reticulatus** (L. f.) Toelken | ♄ ♆ Ⓚ; Kap, Namibia

Typha L. -f- *Typhaceae* · Rohrkolben
- **angustifolia** L. · Schmalblättriger Rohrkolben · Lesser Bulrush · Massette à feuilles étroites | ♃ ~ VII-VIII; Eur.*, TR, Cauc., Iran, C-As., Mong., Can., USA* exc. SW, Austr.
- **gracilis** Jord. non Raf. · Massette soyeuse
- **latifolia** L. · Breitblättriger Rohrkolben · Bulrush, Cat Tail · Massette à feuilles larges | ♃ ~ VII-VIII Ⓝ; Eur.*, Cauc., Iran, W-Sib., E-Sib., C-As., Mong., N-China, N-Am.
  - subsp. *shuttleworthii* (W.D.J. Koch ex Sond.) Stoj. ex Stev. = Typha shuttleworthii
- **laxmannii** Lepech. · Laxmanns Rohrkolben · Massette de Laxmann | ♃ ~ VII-VIII; Eur.: E-Eur., Ba; TR, Cauc., W-Sib., E-Sib., Amur, C-As., Mong., N-China, nat. in F, I, D, EC-Eur.
- **lugdunensis** P. Chabert; Eur.: F, CH, D
- **minima** Funck ex Hoppe · Zwerg-Rohrkolben · Lesser Bulrush · Massette petite | ♃ ~ V-IX Ⓝ; Eur.: F, I, C-Eur., EC-Eur., Serb., RO; TR, Cauc., Iran, Afgh., Pakist., C-As., Mong., Jap.
- **shuttleworthii** W.D.J. Koch et Sond. · Shuttleworths Rohrkolben · Massette de Shuttleworth | ♃ ~ VI-VIII; Eur.: F, N-I, C-Eur., EC-Eur., Ba, RO; TR

Typhoides = Phalaris L.
- *arundinacea* (L.) Moench = Phalaris arundinacea

Typhonium Schott -n- *Araceae*
- **giganteum** Engl.; China
  - var. **giraldii** (Engl.) Baroni | ♃ Ⓦ; China (Peking)

Typhonodorum Schott -n- *Araceae*
- **lindleyanum** Schott | Ⓦ; trop. Afr., Madag., Mauritius

Uebelmannia Buining -f- *Cactaceae*
- **pectinifera** Buining | ♆ Ⓚ ✻; Bras.: Minas Gerais

Ugni Turcz. -f- *Myrtaceae*
- **molinae** Turcz. · Ugni | ♄ Ⓚ Ⓝ; Bol., Chile

Ulex L. -m- *Fabaceae* · Stechginster
- **europaeus** L. · Gewöhnlicher Stechginster · Furze, Gorse, Whin | ♄ V-

VII ☠ ∧ Ⓝ; Eur.: BrI, Fr, Ib, , Ap, C-Eur., nat. in Sc, EC-Eur., USA
- **gallii** Planch. | ħ; Sp., F
- *jussiaei* (D.A. Webb) D.A. Webb = Ulex parviflorus
- **minor** Roth | ħ; Ib., F
- **parviflorus** Pourr. | ħ; Ib, F, Maroc., Alger.

Ullucus Caldas -m- *Basellaceae*
- **tuberosus** Lozano · Ullucus | ♃ Ⓚ ⌇ ⇝ Ⓝ; Col., Peru, Bol.

Ulmaria Hill -f- *Rosaceae*
- *filipendula* (L.) Hill = Filipendula vulgaris

Ulmus L. -f- *Ulmaceae* · Ulme, Rüster
- **alata** Michx. | ħ; USA
- *alba* Raf. = Ulmus americana
- **americana** L. · American Elm, Water Elm, White Elm
- **bergmanniana** C.K. Schneid. | ħ; C-China
- *campestris* L. p.p. = Ulmus glabra
- *carpinifolia* Ruppius ex Suckow = Ulmus minor
- *effusa* Willd. = Ulmus laevis
- *foliacea* Hayek = Ulmus minor
- *fulva* Michx. = Ulmus rubra
- **glabra** Huds. · Berg-Ulme, Weißrüster · Elm, Scotch Elm, Wych Elm · Orme blanc, Orme de montagne | ħ III-IV Ⓝ; Eur.*, TR, Syr., Cauc., N-Iran
- *glabra* Mill. = Ulmus minor
- × **hollandica** Mill. (*U. glabra* × *U. minor*) · Bastard-Ulme · Dutch Elm · Orme de Hollande | ħ III-IV; S-F, CH, I
  - **'Elegantissima'** Horw.
- **japonica** (Rehder) Sarg. | ħ; Jap., NE-As
- **laciniata** (Trautv.) Mayr | ħ III-IV Ⓝ; Jap., Korea, N-China, Kamchat., E-Sib.
- **laevis** Pall. · Flatter-Ulme · Russian Elm · Orme diffus, Orme lisse | ħ III-IV; Eur.* exc. BrI, Ib; Cauc.
- **minor** Mill. · Feld-Ulme · European Field Elm · Orme champêtre, Ormeau | ħ ħ III-IV Ⓝ; Eur.*, TR, Cyprus, Syr., Libya
  - **'Cornubiensis'** (Weston) Rehder | ħ; S-Engl.: Cornwall, S-Devon
- *montana* With. = Ulmus glabra
- **parvifolia** Jacq. · Japanische Ulme · Chinese Elm | ħ VIII-IX Ⓝ; Jap., Korea, China, Taiwan
- **procera** Salisb. · Haar-Ulme · English Elm | ħ II-IV; Eur.: BrI, Ib, Fr, H, Ba
  - **'Aurea'** Rehder
- **pumila** L. · Sibirische Ulme · Siberian Elm ; E-Sib., Amur, C-As., Mong., N-China
  - var. **arborea** Litv. | ħ III
- **rubra** Muhl. · Rot-Ulme · Red Elm, Slippery Elm | ħ III-IV Ⓝ; Can.: E; USA: NE, NCE, NC, SC, SE, Fla.
- *scabra* Mill. = Ulmus glabra
- **thomasii** Sarg. · Cork Elm, Rock Elm | ħ IV Ⓝ; Can.: E; USA: NE, NCE, NC, SE
- *turkestanica* Regel = Ulmus pumila var. arborea
- **Cultivars**
  - **'Sarniensis'** Gled. (*U. minor* × *U.* × *hollandica*) ; Engl.

Umbellularia (Nees) Nutt. -f- *Lauraceae* · Berglorbeer
- **californica** (Hook. et Arn.) Nutt. · California Laurel | ħ Ⓚ I-VI Ⓝ; USA: Oreg., Calif.

Umbilicus DC. -m- *Crassulaceae* · Nabelkraut, Venusnabel
- *aizoon* Fenzl = Rosularia aizoon
- *chrysanthus* Boiss. et Heldr. = Rosularia chrysantha
- **erectus** DC. | ♃ ♆ Ⓚ; Eur.: S-I, Ba; TR, Lebanon, Syr.
- **horizontalis** (Guss.) DC. | ♃ ♆ Ⓚ; Eur.: Ib, Ap, Ba; TR, Cyprus, Syr., W-Iran, N-Afr.
- **intermedius** Boiss. | ♃ ♆ Ⓚ; TR, Syr., Palaest., W-Iran, Egypt
- *libanoticus* (Labill.) DC. = Rosularia sempervivum
- *malacophyllus* (Pall.) DC. = Orostachys malacophyllus
- *pendulinus* DC. = Umbilicus rupestris
- *pestalozzae* Boiss. = Rosularia sempervivum
- **rupestris** (Salisb.) Dandy · Navelwort, Pennywort | ♃ ♆ Ⓚ; Eur.: Ib, Fr, Ap, Ba, BrI; TR, Cyprus, Syr., Madeira, NW-Afr., Libya
- *sempervivum* (M. Bieb.) DC. = Rosularia sempervivum

Uncaria Schreb. -f- *Rubiaceae*
- **gambir** (Hunter) Roxb. · Gambir · Uncaria | ħ Ⓦ ⌇ Ⓝ; Malay. Arch.

Ungnadia Endl. -f- *Sapindaceae*

– **speciosa** Endl. · Mexican Buckeye, Spanish Buckeye | ♄ ♄ Ⓚ VI ☠; USA: Tex., N.Mex; N-Mex.

Uniola L. -f- *Poaceae* · Plattährengras
– *latifolia* Michx. = Chasmanthium latifolium
– **paniculata** L. | ♃ Ⓝ; USA: Va., SE, SC, Fla.; Mex., C-Am., W.Ind., S-Am.

Uragoga = Psychotria L.
– *granatensis* Baill. = Psychotria acuminata
– *ipecacuanha* (Brot.) Baill. = Psychotria ipecacuanha

Urbinia = Echeveria DC.
– *agavoides* (Lem.) Rose = Echeveria agavoides
– *purpusii* Rose = Echeveria purpusorum

Urena L. -f- *Malvaceae*
– **lobata** L. · Caesarweed | ⊙ Ⓦ VII-VIII Ⓝ; Trop.

Urera Gaudich. -f- *Urticaceae*
– **baccifera** (L.) Gaudich. ex Wedd. · Cow Itch | ♄ Ⓦ ♧; C-Am., W.Ind., trop. S-Am.

Urginea Steinh. -f- *Hyacinthaceae*
– **maritima** (L.) Baker · Sea Squill | ♃ Ⓚ Off. VII-VIII ☠ Ⓝ; Eur.: Ib, Fr, Ap, Ba; Canar., TR, S-Iran, N-Afr.

Urospermum Scop. -n- *Asteraceae*
– **dalechampii** (L.) Scop. ex F.W. Schmidt | ♃ VII-IX; Eur.: Ib, F, Ap, Croat.
– **picroides** (L.) Desf. · Bitterkrautartiger Schwefelsame ; Eur.: Ib, Fr, Ap, Ba; TR, Syr., Cauc., Iran, N-Afr.

Urostachys = Huperzia Bernh.
– *selago* (L.) Herter = Huperzia selago

Ursinia Gaertn. -f- *Asteraceae*
– **anethoides** (DC.) N.E. Br. | ⊙ VI-VIII; S-Afr.
– **anthemoides** (L.) Poir. | ⊙ VII-IX; S-Afr.
  - subsp. **versicolor** (DC.) Prassler | ⊙ VI-VIII; S-Afr.
– *pulchra* N.E. Br. = Ursinia anthemoides
– **speciosa** DC. | ⊙ VII-IX; S-Afr.
– *versicolor* (DC.) N.E. Br. = Ursinia anthemoides subsp. versicolor

Urtica L. -f- *Urticaceae* · Brennessel
– **cannabina** L. | ♃ Ⓝ; Eur.: S-Russ.; C-As., N-As.
– **dioica** L. · Große Brennnessel · Nettle, Stinging Nettle | ♃ X-IX Ⓝ; Eur.*, TR, Levante, Cauc., N-Iran, W-Sib., E-Sib., NW-Afr., Libya, Alaska, Can., USA: NE, NCE, NC, SC, SE, Fla., nat. in Polyn., N-Am., S-Am.
  - subsp. **galeopsifolia** (Wierzb. ex Opiz) Chrtek · Hohlzahn-Brennnessel ; Eur.: BrI, EC-Eur., Ba, E-Eur., ? C-Eur., ? Sweden
– **kioviensis** Rogow. · Sumpf-Brennnessel | ♃ VII-VIII; Eur.: Russ. (Dnjeper region)
– **pilulifera** L. · Pillen-Brennnessel · Roman Nettle | ⊙ X; Eur.: Ib, Fr, Ap, Ba, W-Russ., Krim; TR, SW-As., W-Sib., E-Sib., Amur, C-As., Mong., Him., E-As., N-Afr.
– **urens** L. · Kleine Brennnessel · Dog Nettle | ⊙ VI-IX Ⓝ; Eur.*, TR, Cauc., W-Sib., E-Sib., Amur, N-Afr., Alaska, Can., USA:NE, NCE, SC; Greenl., nat. in N-Am.

Utricularia L. -f- *Lentibulariaceae* · Wasserschlauch
– **alpina** L. | ♃ Ⓦ V-VI; W.Ind., S-Am.
– **australis** R. Br. · Südlicher Wasserschlauch | ♃ VI-VIII; Eur.*, TR, N-As., Ind., SE-As., C-Afr., S-Afr., Austr.
– **bremii** Heer ex Koell. · Bremis Wasserschlauch | ♃ VII-IX; Eur.: F, B, BrI, DK, C-Eur., EC-Eur., N-I, RO
– **caerulea** L. | ♃ Ⓦ ⤳ ∼ ; Ind.
– *coerulea* auct. = Utricularia caerulea
– **dichotoma** Labill. | ♃ Ⓦ; Tasman.
– **endresii** Rchb. f. | ♃ Ⓦ; Costa Rica
– *exoleta* R. Br. = Utricularia gibba subsp. exoleta
– **gibba** L. · Humped Bladderwort ; Eur.: Ib; N-Afr., Palaest., S-As., Austr.
  - subsp. **exoleta** (R. Br.) P. Taylor | ♃ Ⓦ ♠ XII-III; Eur.: Ib; Palaest., N-Afr.
– **globulariifolia** Mart. | ♃ Ⓦ; Bras.
– *ianthina* Hook. f. = Utricularia reniformis
– **intermedia** Hayne · Mittlerer Wasserschlauch | ♃ VII-VIII; Eur.* exc. Ib; W-Sib., E-Sib., Kamchat., Manch., Korea, Jap. N-Am., Greenl.
– *janthiana* hort. = Utricularia reniformis
– **lateriflora** R. Br. | ♃ Ⓦ; Austr., Tasman.
– **longifolia** Gardner | ♃ Ⓦ VI-VIII; Bras.

- **minor** L. · Kleiner Wasserschlauch · Lesser Bladderwort · Petite utriculaire | ♃ ♆ VI-IX ▽; Eur.*, Cauc., W-Sib., E-Sib., Amur, Sachal., Kamchat., C-As., W-Him., Manch., Jap., Alaska, Can., Greenl., USA: NE, NCE, NC, Rocky Mts., NW, Calif.
- *montana* Poir. = Utricularia alpina
- *neglecta* Lehm. = Utricularia australis
- **nelumbifolia** Gardner | ♃ Ⓦ; Bras.
- **ochroleuca** R.W. Hartm. · Blassgelber Wasserschlauch | ♃ VII-VIII; Eur.: BrI, Sc, F, D, A, EC-Eur., W-Russ.; Afgh, Can.: E.; USA: NW, Colo., Ill.; Greenl.
- *peltata* Spruce = Utricularia pubescens
- **prehensilis** E. Mey. | ⊙ Ⓦ ~ VI-VIII; trop. Afr.
- **pubescens** Sm. | ♃ Ⓦ; C-Am., S-Am., trop. Afr., Ind.
- **reniformis** A. St.-Hil. | ♃ Ⓦ ~ VII-IX; Bras.
- **stygia** G. Thor · Dunkelgelber Wasserschlauch ; Eur.: D, A, CH, F +
- *uliginoides* Wight = Utricularia caerulea
- **volubilis** R. Br. | ♃ Ⓦ; W-Austr.
- **vulgaris** L. · Gewöhnlicher Wasserschlauch · Common Bladderwort, Greater Bladderwort · Utriculaire commune | ♃ ♆ VI-VIII ▽; Eur.*, TR, Syr.

Uvularia L. -f- *Convallariaceae*
- **grandiflora** Sm. · Hänge-Goldglocke · Uvulaire à grandes fleurs | ♃ IV-VI; Can.: E; USA: NE, NCE, NC, SE
- **perfoliata** L. · Kleine Goldglocke | ♃ V; Can.: E; USA: NE, NCE, NC, SE, Fla.
- **sessilifolia** L. · Aufrechte Goldglocke | ♃ V-VI; Can.: E; USA: NE, NCE, NC, SE

Vaccaria Wolf -f- *Caryophyllaceae* · Kuhkraut
- **hispanica** (Mill.) Rauschert · Kuhkraut · Cow Cockle, Cowherb | ⊙ ✂ VI-VIII; Eur.* exc. Sc; TR, Levante, Cauc., Iran, W-Sib., Amur, C-As., Mong., Him., China, N-Afr., nat. in N-Am., Austr.
- *pyramidata* Medik. = Vaccaria hispanica

Vaccinium L. -n- *Ericaceae* · Heidelbeere
- **angustifolium** Aiton · Blueberry, Lowbush Blueberry | ♄ ❀ IV-V Ⓝ; Can.: E, Sask.; USA: NE, NCE
- **arctostaphylos** L. | ♄ V-VI; Cauc, ? TR
- **ashei** Reade | Ⓝ; N-Am.
- **atrococcum** (A. Gray) A. Heller | ♄ ❀ V Ⓝ; Can.: Ont.; USA: NE, NCE, SE, Fla.
- **australe** Small | Ⓝ
- **bracteatum** Thunb. | ♄ Ⓚ ❀ D ❀ VII-VIII; China, S-Korea, Jap., Riukiu-Is.
- *canadense* Rich. = Vaccinium myrtilloides
- **cespitosum** Michx. · Dwarf Blueberry | ♄ ❀ V-VIII ∧; Alaska, Can., USA: NE, NCE, Rocky Mts., NW, Calif.
- **corymbosum** L. · Amerikanische Heidelbeere · Blueberry, High Bush Blueberry · Myrtille en corymbe | ♄ ~ V Ⓝ; Can.: E; USA: NE, NCE, SE, Fla.
- **erythrinum** Hook.
- **hirsutum** Buckland · Hairy Huckleberry | ♄ ❀ V-VI; USA: SE
- × **intermedium** Ruthe · Bastard-Heidelbeere ; D, PL +
- **lucidum** (Blume) Miq. | ⊙ ♄ Ⓚ VI-V; Sumat., Java, Sulawesi
- **macrocarpon** Aiton · Großfrüchtige Moosbeere · Cranberry · Airelle à gros fruits | ♄ ⇝ ❀ VI-VIII Ⓝ; Can.: E; USA; NE, NCE, SE
- *maderense* Link = Vaccinium padifolium
- **microcarpum** (Turcz. ex Rupr.) Schmalh. · Kleinfrüchtige Moosbeere | ♄; D, M-Eur, BrI, EC-Eur., Sc, I, Ba, E-Eur.+
- **myrtilloides** Michx. · Canada Blueberry | ♄ ❀ VII-VIII; Can., USA: NE, NCE, Mont.
- **myrtillus** L. · Blaubeere, Heidelbeere · Bilberry, Blaeberry, Whinberry, Whortleberry | ⊙ ♄ ❀ Off. IV-VI Ⓝ; Eur.*, TR, Cauc., W-Sib., E-Sib., Mong., nat. in N-Am.
- **nummularium** Hook. f. et Thomson ex C.B. Clarke | ♄ Ⓚ IV-V; Bhutan, Sikkim
- **oxycoccos** L. · Gewöhnliche Moosbeere, Kleinfrüchtige Mossbeere · Wild Cranberry | ⊙ ♄ ⇝ ~ ❀ VI-VII; Eur.* exc. Ib.; N-As., Alaska, Can., USA: NE, NCE, NW, Rocky Mts.; Greenl.
- **padifolium** Sm. | ♄ Ⓚ ❀ VI; Madeira
- *rollisonii* Hook. = Vaccinium lucidum
- **stamineum** L. · Deerberry | ♄ IV-VI; Can.: Ont.; USA: NE, NCE, Kans., SE, Fla.
- **uliginosum** L. · Moorbeere, Rauschbeere, Trunkelbeere · Bog Bilberry, Bog Whortleberry | ⊙ ♄ ❀ V-VI; Eur.*, TR, Cauc., W-Sib., E-Sib., Amur, Sachal., Kamchat., Mong., Manch., Korea, Jap.,

Alaska, Can., USA: NE, Rocky Mts., NW, Calif.; Greenl.
- subsp. **pubescens** (Wormsk.) Young · Gaultheria-ähnliche Moorbeere, Gaultheria-ähnliche Moosbeere | ⊙ V-VII
- **varingiifolium** (Blume) Miq. | ♄ ⓚ X; Sumat., Java, Bali
- **vitis-idaea** L. · Kronsbeere, Preiselbeere · Cowberry, Foxberry · Airelle rouge | ⊙ ♄ ♧ Off. V-VI Ⓝ; Eur.* exc. Ib; Cauc., E-TR, W-Sib., E-Sib., Amur, Sachal., Kamchat., Mong., Manch., Korea, Jap., Alaska, Can., USA: NE, NCE, NW, Calif.; Greenl.

Valantia L. -f- *Rubiaceae*
- **hispida** L.; Eur.: Ib, Ap, Ba, F; TR, Canar., Iraq, Iran

Valeriana L. -f- *Valerianaceae* · Baldrian
- **alliariifolia** Adams | ♃ VI-VII; E-GR, TR, Cauc.
- **arizonica** A. Gray | ♃ Ⓐ △ VII-VIII ∧; USA: Colo., Utah, Ariz.; N-Mex.
- **celtica** L. · Keltischer Baldrian · Celtic Valerian | ♃ △ D △ VII-VIII Ⓝ; Eur.: F, CH, I, A; Alp.
- **dioica** L. · Kleiner Baldrian · Marsh Valerian | ♃ ~ V-VI; Eur.*, W-TR, Him., Alaska, Can., USA:NW
- **elongata** Jacq. · Ostalpen-Baldrian | ♃ VI-VIII; Eur.: I, A, Slove.; E-Alp.
- **globulariifolia** Ramond ex DC. | ♃ △ V-VI; Eur.: Sp., F; Cordillera Cantábrica, Pyr.
- **montana** L. · Berg-Baldrian · Mountain Valerian | ♃ △ IV-VI; Eur.* exc. BrI, Sc
- **officinalis** L. · Echter Baldrian · Common Valerian · Valériane officinale | ♃ Off. V-IX; Eur.*, TR, Cauc., W-Sib., E-Sib., Amur, Sachal., C-As., Mong, China
- **phu** L. | ♃ VII-VIII; ? TR
- **pratensis** Dierb. · Wiesen-Baldrian | ♃ V-VI; Eur.: D (Oberrhein)
- **procurrens** Wallr. · Ausläufer-Baldrian, Kriechender Baldrian | ♃ VI-VIII; W-Eur., WC-Eur.
- **pyrenaica** L. · Pyrenean Valerian | ♃ ~ VI-VIII; Eur.: Sp., E; Cordillera Cantábrica, Pyr.
- **saliunca** All. · Weidenblättriger Baldrian | ♃ VII-VIII; Eur.: F, I, CH, A; Alp., Apenn.
- **sambucifolia** J.C. Mikan ex Pohl · Holunderblättriger Baldrian | ♃ V-VI; N-Eur., C-Eur.
- **saxatilis** L. · Felsen-Baldrian | ♃ △ VI-VIII; Eur.: I, C-Eur., Ba; Alp., Apenn., Balkan
- **simplicifolia** (Rchb.) Kabath · Ganzblättriger Baldrian ; Eur.: A, Slova., CZ, PL, Russ, RO, nat. in C-Eur.
- × **suendermannii** Melch. (*V. montana* × *V. supina*) | ♃ △ D △ V-VI; cult.
- **supina** Ard. · Zwerg-Baldrian · Valériane naine | ♃ △ VII-VIII; Eur.: I, C-Eur., Slove.; Alp.
- **tripteris** L. · Dreischnittiger Baldrian | ♃ △ IV-VI; Eur.* exc. BrI, Sc
- **versifolia** Brügger · Verschiedenblättriger Baldrian | ♃ V-VI; Eur.: Alp.
- **wallrothii** Kreyer · Hügel-Baldrian | ♃ V-VI

Valerianella Mill. -f- *Valerianaceae*
- **carinata** Loisel. · Gekielter Feldsalat | IV-V; Eur.* exc. Sc; TR, Syr., Iraq, Cauc., Iran, N-Afr.
- **coronata** (L.) DC. · Krönchen Feldsalat | V-VI; Eur.: Ib, Fr, Ap, EC-Eur., Ba, E-Eur.; TR, SW-As., N-Afr.
- **dentata** (L.) Pollich · Gezähnter Feldsalat | VI-VIII; Eur.*, TR, Iraq, Cauc., Iran, C-As., N-Afr., Makaron.
- **eriocarpa** Desv. · Wollfrüchtiger Feldsalat | IV-V; Eur.: Ib, Fr, BrI, Ap, Ba, Krim, ? RO; Tr, N-Afr., Canar.
- **locusta** (L.) Laterr. · Gewöhnlicher Feldsalat · Corn Salad, Lamb's Lettuce | ⊙ IV-V Ⓝ; Eur.*, TR, Cauc., Makaron., N-Afr.
- **rimosa** Bastard · Gefurchter Feldsalat | IV-V; Eur.*, TR, Cauc.

Vallisneria L. -f- *Hydrocharitaceae*
- **americana** Michx. · American Eel Grass | ♃ ⓦ ♠; SE-As., Phil., N.Guinea, E-Austr., Tasman.
- *gigantea* Graebn. = Vallisneria americana
- **spiralis** L. · Gewöhnliche Wasserschraube · Eel Grass, Tape Grass | ♃ ⓦ ♠ VI-IX; Eur.: Ib, Fr, Ap, Ba, E-Eur., CH; Cauc., C-As., W-As., Alger., trop. Afr., S-Am., Austr.

Vallota = Cyrtanthus Aiton
- *purpurea* (Aiton) Herb. = Cyrtanthus purpureus

– *speciosa* (L. f.) T. Durand et Schinz = Cyrtanthus purpureus

× **Vancampe** Hort. -f- *Orchidaceae* (*Acampe × Vanda*)

Vancouveria C. Morren et Decne. -f- *Berberidaceae*
– **chrysantha** Greene | ♃ Ⓐ V ∧; USA: Oreg.
– **hexandra** (Hook.) C. Morren et Decne. · American Barrenwort, Inside Out Flower | ♃ VI ∧; USA: NW, Calif.
– **planipetala** Calloni · Redwood Ivy | ♃ Ⓐ V ∧; USA: Oreg., Calif.

Vanda Jones ex R. Br. -f- *Orchidaceae*
– **alpina** Lindl. | Ⓦ V-VI ✻; Him., N-Ind.: Khasia Hills
– **amesiana** Rchb. f. | Ⓦ XII-I ✻; Myanmar, China, Cambodia, ? Thail.
– *batemanii* Lindl. = Vandopsis lissochiloides
– **bensonii** Bateman | Ⓦ VIII-X ✻; Myanmar, Thail.
– *cathcartii* Lindl. = Esmeralda cathcartii
– **coerulea** Griff. ex Lindl. | Ⓦ IX-XI ✻; Ind.: Assam; Myanmar, Thail.
– **coerulescens** Griff. | Ⓦ III-V ✻; Myanmar, Thail.
– **concolor** Blume | Ⓦ I-IV ✻; Sumat., Java
– **cristata** (Wall.) Lindl. | Ⓦ XII-II ✻; Him: NW-Ind.
– **denisoniana** Benson et Rchb. f. | Ⓦ IV-V ✻; Myanmar (Arakan)
– *densiflora* Lindl. = Rhynchostylis gigantea
– *gigantea* (Lindl.) Pfitzer = Vandopsis gigantea
– **hookeriana** Rchb. f. · Bone Plant | Ⓦ VIII-IX ✻; Malay. Pen., Sumat., Kalimantan
– **insignis** Blume | Ⓦ X ✻; Molucca I., Timor
– **kimballiana** Rchb. f. | Ⓦ IX-XI ✻; S-China, Myanmar, Thail.
– **lamellata** Lindl. | Ⓦ XI-XII ✻; Phil., N-Kalimantan
– *lowii* Lindl. = Dimorphorchis lowii
– *multiflora* Lindl. = Acampe rigida
– *parishii* Rchb. f. = Vandopsis parishii
– **pumila** Hook. f. | Ⓦ VI-VII ✻; Bhutan, Sikkim, Thail.
– *sanderiana* Rchb. f. = Euanthe sanderiana
– *storiei* Storie ex Rchb. f. = Renanthera storiei
– **teres** Lindl. | Ⓦ VI-VIII ✻; Myanmar, Thail., Laos
– **tesselata** (Roxb.) G. Don | Ⓦ XI ✻; Ind., Sri Lanka, Myanmar
– **tricolor** Lindl. | Ⓦ XI-V ✻; Laos, Java
– *violacea* Lindl. = Rhynchostylis violacea

× **Vandachnis** Hort. -f- *Orchidaceae* (*Arachnis × Vandopsis*)

× **Vandaenopsis** Hort. -f- *Orchidaceae* (*Phalaenopsis × Vanda*)

× **Vandofinetia** Hort. -f- *Orchidaceae* (*Neofinetia × Vanda*)

× **Vandopsides** Hort. -f- *Orchidaceae* (*Aerides × Vandopsis*)

Vandopsis Pfitzer -f- *Orchidaceae*
– **gigantea** (Lindl.) Pfitzer | Ⓦ II-IV ✻; Myanmar, Thail.
– **lissochiloides** (Gaudich.) Pfitzer | Ⓦ VII-X ✻; Phil., Thail.
– *lowii* (Lindl.) Schltr. = Dimorphorchis lowii
– **parishii** (Rchb. f.) Schltr. | Ⓦ VII-VIII ✻; Ind., Myanmar

× **Vandoritis** Hort. *Orchidaceae* (*Doritis × Vanda*)

Vangueria Comm. ex Juss. -f- *Rubiaceae*
– **madagascariensis** J.F. Gmel. | Ⓝ; Afr., Madag., Mascarene Is.

Vanheerdea L. Bolus ex H.E.K. Hartmann -f- *Aizoaceae*
– **angusta** (L. Bolus) L. Bolus | Ψ Ⓚ; Kap

Vanilla Mill. -f- *Orchidaceae* · Vanille
– **aphylla** Blume | Ⓦ ≹ VII-VIII ✻; Myanmar, Malay. Pen., Java
– *fragrans* (Salisb.) Ames = Vanilla planifolia
– **planifolia** Andrews | Ⓦ ≹ VII-VIII ✻ Ⓝ; C-Am., W.Ind., S-Am.
– **pompona** Schiede | Ⓦ ≹ VI-VII ✻ Ⓝ; SE-Mex., C-Am., trop. S-Am.
– **tahitiensis** J.W. Moore · Tahiti-Vanille | Ⓝ; Tahiti, nat. in Hawai

Vanzijlia L. Bolus -f- *Aizoaceae*

– **annulata** (A. Berger) L. Bolus | ♄ ♆ Ⓚ; Kap

× **Vascostylis** Hort. -f- *Orchidaceae* (*Ascocentrum* × *Rhynchostylis* × *Vanda*)

Vataireopsis Ducke *Fabaceae*
– *araroba* (Aguiar) Ducke = Andira araroba

Vateria L. -f- *Dipterocarpaceae*
– **copallifera** (Retz.) Alston | ♄ Ⓦ Ⓝ; Sri Lanka
– **indica** L. | ♄ Ⓦ Ⓝ; Ind.

Vatricania = Espostoa Britton et Rose
– *guentheri* (Kupper) Backeb. = Espostoa guentheri

Vauanthes = Crassula L.
– *dichotoma* (L.) Kuntze = Crassula dichotoma

Veitchia H. Wendl. -f- *Arecaceae*
– **merrillii** (Becc.) H.E. Moore · Christmas Palm, Manila Palm | ♄ Ⓚ; Phil.

Vella DC. -f- *Brassicaceae*
– **pseudocytisus** L. | ♄ Ⓚ V-VI; Eur.:Sp.; Maroc., Alger.
– **spinosa** Boiss. | ♄ Ⓚ VI; S-Sp.

Vellozia Vand. -f- *Velloziaceae*
– **aloifolia** Mart. | ♄ Ⓦ ✂; Bras.
– *elegans* (Balf.) Oliv. = Talbotia elegans

Veltheimia Gled. -f- *Hyacinthaceae*
– **bracteata** Baker | ♃ Ⓚ I-III; S-Afr.
– **capensis** (L.) DC.; SW-Kap
  - var. **deasii** P.E. Barnes | ♃ Ⓚ I-III; S-Afr.
– *capensis* hort. = Veltheimia bracteata
– *edulis* (Vahl) Vahl = Veltheimia capensis
– *glauca* (Aiton) Jacq. = Veltheimia capensis
– *roodeae* Phillips = Veltheimia capensis
– *viridifolia* Jacq. = Veltheimia bracteata

Venidium = Arctotis L.
– *decurrens* Less. = Arctotheca calendula
– *fastuosum* (Jacq.) Stapf = Arctotis fastuosa

Ventenata Koeler -f- *Poaceae*
– **dubia** (Leers) Coss. · Zweifelhafter Schmielenhafer | VI; Eur.* exc. BrI, Sc; TR, Cauc., Alger.

Veratrum L. -n- *Melanthiaceae* · Germer
– **album** L. · White Veratrum | ♃ Off. VI-VIII ☠; Eur.* exc. BrI; TR, Cauc., W-Sib., E-Sib., Amur, C-As., Jap.
– **californicum** Durand · Kalifornischer Germer · California Veratrum | ♃ VII-VIII ☠; USA: NW, Calif., Rocky Mts., SW; Mex.: Baja Calif.
– **nigrum** L. · Schwarzer Germer · Black Veratrum · Vératre noir | ♃ D VII-VIII ☠; Eur.: Fr, Ap, C-Eur., EC-Eur., Ba, E-Eur.; W-Sib., E-Sib., Amur, C-As.
– **viride** Aiton · Green Veratrum | ♃ VII Ⓝ; Can.: E; USA; NE, NCE, SE

Verbascum L. -n- *Scrophulariaceae* · Königskerze
– **acaule** (Bory et Chaub.) Kuntze | ♃ Ⓐ VI-VII ∧; S-GR
– **alpinum** Turra · Wollige Königskerze | ♃ V-VII; Eur.: I, A, Ba, E-Eur.
– **arcturus** L. · Cretan Mullein | ⊙ Ⓚ ▭ V-VII; Crete
– **austriacum** Schott ex Roem. et Schult. · Österreichische Königskerze ; EC-Eur., Ba, , RO
– **blattaria** L. · Schaben-Königskerze · Moth Mullein, White Moth Mullein | ⊙ VI-VIII; Eur.: Ib, Fr, Ap, Ba, C-Eur., EC-Eur.; TR, Cauc., Iran, Afgh., C-As., W-Sib., NW-Afr., nat. in N-Am.
– **bombyciferum** Boiss. · Seidenhaar-Königskerze · Molène soyeuse | ⊙ VII-VIII; W-TR
– **bugulifolium** Lam. | ♃ Ⓐ V-VII ∧; N-GR
– **chaixii** Vill. · Chaix Königskerze · Molène de Chaix | ♃ VII-VIII; Eur.* exc. BrI, Sc
– **creticum** (L. f.) Cav. | ⊙ Ⓚ ▭ VI-VII; Eur.: Ib, Ap, ? F; Alger., Tun.
– **densiflorum** Bertol. · Großblütige Königskerze · Large Flowered Mullein | ⊙ Off. VII-VIII; Eur.* exc. BrI; Maroc.
– **dumulosum** P.H. Davis et Hub.-Mor. | ♄ Ⓐ △ V-VI ∧; TR
– **lagurus** Fisch. et C.A. Mey. | ⊙ VII-VIII; Eur.: BG; NW-TR
– *lagurus* hort. = Verbascum bombyciferum
– **leianthum** Benth. | ⊙ VII-VIII; TR
– **longifolium** Ten. · Mullein · Molène de

Pannonie | ⊙ ♃ VI-VIII; Eur.: I, Ba
- var. **pannosum** (Vis. et Pancic) Murb.
– **lychnitis** L. · Mehlige Königskerze · White Mullein | ⊙ VI-VIII; Eur.*, W-Sib., Maroc.
– **nigrum** L. · Schwarze Königskerze · Dark Mullein · Bouillon noir, Molène noire | ♃ ⊙ VI-IX; Eur.*, ? Cauc., W-Sib., E-Sib.
– **olympicum** Boiss. · Kandelaber-Königskerze · Molène d'Olympe | ⊙ VI-VIII; NW-TR (Ulu Dagh)
– *pannosum* Vis. et Pancic = Verbascum longifolium var. pannosum
– **pestalozzae** Boiss. | ♄ Ⓚ V-VI; W-TR
– **phlomoides** L. · Windblumen-Königskerze · Orange Mullein | ⊙ Off. VII-IX; Eur.* exc. BrI, Sc; TR, Cauc., nat. in BrI
– **phoeniceum** L. · Purpur-Königskerze · Purple Mullein · Molène rouge-pourpre | ⊙ ♃ ♄ V-VI; Eur.: Ap, C-Eur., EC-Eur., Ba, E-Eur.; TR, Cauc., Iran, W-Sib., C-As., nat. in NL
– **pseudo-tapsiforme** Rapin
– **pulverulantum** Vill. · Flockige Königskerze | ⊙ VII-VIII; Eur.: Ib, Fr, BrI, Ap, C-Eur., H, Ba, RO
– **sinuatum** L. · Gebuchtete Königskerze ; Eur.: Ib, Fr, Ap, Ba, W-Russ., Krim; TR, Cauc., Iran, C-As., N-Afr., Canar., Madeira
– **speciosum** Schrad. · Pracht-Königskerze | ⊙ VI-VII; Eur.: A, EC-Eur., Ba, E-Eur.; Cauc.
– **spinosum** L. | ♄ Ⓚ; Crete
– *thapsiforme* Schrad. = Verbascum densiflorum
– **thapsus** L. · Kleinblütige Königskerze · Aaron's Rod, White Mullein | ⊙ VII-IX; Eur.*, TR, Cauc., N-Iran, W-Sib., C-As., Him., W-China, nat. in Jap., Hawaii, N-Am.
  - subsp. **crassifolius** (Lam.) Murb. · Dickblättrige Königskerze | ⊙ VI-IX; Eur.: mts.
– **wiedemannianum** Fisch. et C.A. Mey. | ⊙ VI-VIII; TR

Verbena L. -f- *Verbenaceae* · Verbene
– *aubletia* Jacq. = Verbena canadensis
– **bipinnatifida** Nutt. | ♃; N-Am.
– **bonariensis** L. | ⊙ ♃ VII-X; S-Bras., Arg., nat. in Calif., S-USA, W.Ind., Austr.
– **canadensis** (L.) Britten · Rose Verbena | ⊙ ♃ VII-X; USA: NE, NCE, Kans., Colo., SC, SE, Fla.; Mex.
– *chamaedryfolia* Juss. = Verbena peruviana
– **elegans** Humb., Bonpl. et Kunth; USA: Tex.; Mex.
  - var. **asperata** L.M. Perry | ⊙ ♃ VII-X; Tex., Mex.
– **hastata** L. · Lanzen-Eisenkraut · American Vervain, Wild Hyssop | ♃ VII-IX; Can., USA*
– **incisa** Hook. | ♃ VII-X; S-Bras., Parag., N-Arg.
– **officinalis** L. · Echtes Eisenkraut · Simpler's Joy, Turkey Grass, Verbena | ♃ VII-VIII; Eur.*, TR, Cauc., Iran, C-As., Him., N-Afr., Sudan, Eth., nat. in cosmop. exc. Sib.
– *patagonica* auct. = Verbena bonariensis
– **peruviana** (L.) Britten | ♃ ♄ Ⓚ VII-IX; Peru, Bol., Bras., Arg.
– **phlogiflora** Cham. | ⊙ ♃ ♄ VII-IX; Bras., Parag., Urug., Arg.
– **platensis** Spreng. | ⊙ ♃ ♄ VII-IX; Peru, Chile, Bras., Parag., Urug., Arg.
– **rigida** Spreng. · Veined Verbena · Verveine rugueuse | ⊙ ♃ VI-X; S-Bras., Arg., nat. in USA: SE
– **tenera** Spreng. · Blue Verbena | ♃ ♄ ♄ ♄ ⇝ VI-IX; S-Bras., Arg.
– **tenuisecta** Briq. · Moss Verbena | ♃ Ⓚ ⌇ VII-IX; s S-Am.
– *teucrioides* Gillies et Hook. = Verbena platensis
– **urticifolia** L. | ♃
– *venosa* Gillies et Hook. = Verbena rigida

Verbesina L. -f- *Asteraceae*
– **alternifolia** (L.) Britten · Wingstem | ♃ VIII-IX; Ont., USA: NE, NCE, Okla., SE, Fla.
– **encelioides** (Cav.) Benth. et Hook. f. ex A. Gray · Verbesine · Golden Crownbeard | ⊙ X; USA: NC, SC, Rocky Mts, SW; Mex.
– **helianthoides** Michx. | ♃ VI-VII; USA: NCE, NC, SE, SC
– **purpusii** Brandegee | ♃ Ⓚ VIII-IX; Mex.

Vernicia Lour. -f- *Euphorbiaceae*
– *cordata* (Thunb.) Airy Shaw = Aleurites cordata
– *fordii* (Hemsl.) Airy Shaw = Aleurites

fordii
– *montana* Lour. = Aleurites montana

Vernonia Schreb. -f- *Asteraceae*
– *altissima* Nutt. = Vernonia gigantea
– **amygdalina** Delile | ♄ Ⓝ; trop. Afr.
– **anthelmintica** (L.) Willd. · Kinka Oil | ♃ Ⓚ Ⓝ; Ind.
– **arkansana** DC. | ♃ ~ VIII-X; USA: Mo., Kans., Okla., Ark.
– *crinita* Raf. = Vernonia arkansana
– **gigantea** (Walter) Trel. | ♃ ~ VIII-IX; USA: NE, NCE, SE
– **noveboracensis** (L.) Michx. · Ironweed, New York Ironweed | ♃ VIII-IX; USA: NE, NCE, SE

Veronica L. -f- *Scrophulariaceae* · Ehrenpreis
– **acinacifolia** L. · Drüsiger Ehrenpreis, Kölme-Ehrenpreis, Steinquendel-Ehrenpreis | IV-VI; Eur.: Ib, Fr, Ap, C-Eur., EC-Eur., Ba, RO, Krim; Cauc., Iran, Him..
– **agrestis** L. · Acker-Ehrenpreis | X-IV; Eur.*, TR, Palaest., NW-Afr., Makaron., nat. in USA
– **allionii** Vill. | ♃ ⇝ △ VII-VIII; Eur.: F, I; SW-Alp.
– **alpina** L. · Alpen-Ehrenpreis | ♃ VII-VIII; Eur.*; N, mts.; W-Sib., E-Sib., Manch., Korea
– *amethystina* Willd. = Pseudolysimachion spurium
– **anagallis-aquatica** L. · Gauchheil-Ehrenpreis · Mouron d'eau, Véronique mouron | ♃ X-V; Eur.*, TR, Cauc., Iran, W-Sib., E-Sib., C-As., Him., Mong., China, Jap., N-Afr., Eth., Makaron., N-Am., S-Am., NZ
– **anagalloides** Guss. · Schlamm-Ehrenpreis | X-VI; Eur.* exc. BrI, Sc; TR, Cauc., Iran, Afgh., W-Sib., Amur, C-As., Him., N-Afr.
– **aphylla** L. · Blattloser Ehrenpreis, Nacktstieliger Ehrenpreis | ♃ VI-VIII; Eur.* exc. BrI, Sc; mts.
– **argute-serrata** Regel et Schmalh. · Spitzzähniger Ehrenpreis | IV-VI; Eur., Cauc., Kashmir, Him., China: Sinkiang
– **armena** Boiss. et A. Huet | ♃ ⌓ △ VI-VII; TR, Cauc.
– **arvensis** L. · Feld-Ehrenpreis · Wall Speedwell | ☉ X-IX; Eur.*, TR, Cauc., C-As., Him., NW-Afr., nat. in N-Am., S-Am., Jap., Hawaii, Kap, Austr., NZ
– **austriaca** L. · Österreichischer Ehrenpreis · Large Speedwell | ♃ V-VII; Eur.* exc. BrI, Sc; Cauc.
  - subsp. **jacquinii** (Baumg.) Eb. Fisch. · Jacquins Ehrenpreis | ♃ V-VII; Eur.: PL, Russ., H, Slove., Croatia, Serb.; TR, Cauc., Iran
  - subsp. *teuricum* (L.) D.A. Webb = Veronica teucrium
– **beccabunga** L. · Bachbungen-Ehrenpreis · Brooklime, Water Pimpernel · Salade de chouette, Véronique beccabonga | ♃ ~ V-VIII; Eur.*, TR, Cauc., Iran, W-Sib., C-As., Him., NW-Afr., Eth.
– **bellidioides** L. · Gänseblümchen-Ehrenpreis | ♃ VII-VIII; Eur.* exc. BrI, Sc; mts.
– **bombycina** Boiss. et Kotschy | ♃ Ⓐ ⇝ △ VI-VIII ∧; S-TR, Lebanon, Syr.
– *bonarota* L. = Paederota bonarota
– **caespitosa** Boiss. | ♃ Ⓐ ⌓ △ V-VI ∧; TR, Lebanon, Syr.
– **catenata** Pennell · Wasser-Ehrenpreis | ♃ X-VI; Eur.*, Cauc., W-Sib., E-Sib., C-As., Alger., N Am.
– **chamaedrys** L. · Gamander Ehrenpreis · Bird's Eye, Speedwell | ♃ ⇝ V-VIII; Eur.*, TR, Cauc., W-Sib., E-Sib., C-As., nat. in N-Am.
  - subsp. **vindobonensis** M.A. Fisch. · Drüsiger Gamander-Ehrenpreis | ♃ IV-V
– **cinerea** Boiss. et Balansa | ♃ ⇝ △ VI-VII; TR
– **dillenii** Crantz · Dillenius Ehrenpreis | IV-V; Eur.* exc. BrI, Sc; TR, Cauc., Iran, W-Sib., C-As.
– *exaltata* Maund = Pseudolysimachion longifolium
– **filiformis** Sm. · Faden-Ehrenpreis · Round Leaved Speedwell · Véronique filiforme | ♃ ⇝ III-VI; Cauc., N-TR, N-Iran, nat. in BrI, Sc, Fr, C-Eur., EC-Eur., Krim
– **fruticans** Jacq. · Felsen-Ehrenpreis · Rock Speedwell · Véronique buissonnante | ☉ ♃ △ VI-VII; Eur.*, N, mts., Greenl.
– **fruticulosa** L. · Halbstrauch-Ehrenpreis | ☉ ♃ △ VI-VII; Eur.: Sp., F, I, C-Eur., Slove., Croatia; mts.
– **gentianoides** Vahl · Véronique fausse-gentiane | V-VI; TR, Cauc., NW-Iran
– *hectori* Hook. f. = Hebe hectoris

- **hederifolia** L. · Efeu-Ehrenpreis · Ivy-leaved Speedwell | ⊙ III-V; Eur.*, TR, Syr., Palaest., Cauc., N-Iran, Him., C-As., NW-Afr., nat. in USA, Jap.
  - subsp. **lucorum** (Klett et Richt.) Hartl · Hain-Efeu-Ehrenpreis | III-V; Eur.: BrI, Sc, C-Eur., EC-Eur., Ba
  - subsp. **triloba** (Opiz) Celak. · Dreilappiger Efeu-Ehrenpreis | III-V; Eur., Cauc., Iran, C-As., Him., China, Jap., N-Afr.
- *hendersonii* hort. = Pseudolysimachion subsessilis
- *incana* (L.) = Pseudolysimachion spicatum subsp. incanum
- **kellereri** Degen et Urum. | ♃; Maced.
- *latifolia* L. = Veronica teucrium
- *longifolia* L. = Pseudolysimachion longifolium
  - var. *subsessilis* Miq. = Pseudolysimachion subsessilis
- *lutea* (Scop.) Wettst. = Paederota lutea
- **montana** L. · Berg-Ehrenpreis | ♃ V-VI; Eur.*, Cauc., TR, NW-Afr.
- **officinalis** L. · Echter Ehrenpreis · Common Speedwell | ♃ VI-IX; Eur.*, TR, Cauc., NW-Iran, Azor.
- **opaca** Fr. · Glanzloser Ehrenpreis | X-III; Eur.* exc. BrI, Ib
- **orientalis** Mill. | ♃ ⌓ △ VI-VIII; Eur.: Krim, ? RO; TR, Syr., Lebanon, N-Iraq, Cauc., N-Iran
- *paniculata* L. = Pseudolysimachion spurium
- **pectinata** L. | ♃ ⇝ △ V-VI ∧; Eur.: BG; TR
- **peduncularis** M. Bieb. | ♃ ⇝ △ V-VI ∧; Eur.: Krim, E-Russ.; TR, Cauc.
- **peregrina** L. · Fremder-Ehrenpreis | V-VI; E-Sib., Amur, Jap., China, nat. in Eur.* exc. Ba, Sc
- *perfoliata* R. Br. = Parahebe perfoliata
- **persica** Poir. · Persischer Ehrenpreis | I-XII; TR, Cauc., nat. in Eur.*, N-Afr., C-As., Jap., Am., NZ
- **petraea** Steven | ♃ △ V-VI; Cauc.
- **poliifolia** Benth. | ♃ ⌓ △ VI-VIII; TR, Iraq, Syr., Cauc. (Armen.)
- **polita** Fr. · Glänzender Ehrenpreis | X-III; Eur.*, TR, Cauc., Iran, C-As., Him., Mong., Tibet, Jap., N-Afr., nat. in cosmop.
- **praecox** All. · Früher Ehrenpreis | III-V; Eur.* exc. BrI; TR, Cauc., NW-Afr., nat. in BrI
- **prostrata** L. · Liegender Ehrenpreis · Rockery Speedwell · Véronique prostrée | ♃ ⇝ △ IV-VI; Eur.* exc. BrI, Sc; Cauc., W-Sib.
- **repens** Clarion ex DC. · Corsican Speedwell | ♃ ⇝ △ V-VI ∧; Eur.: Sp., Corse; mts.
- *rupestris* hort. = Veronica prostrata
- **saturejoides** Vis. | ♃ Ⓚ ⌓ △ V-VI ∧; Eur.: Croatia, Bosn., Montenegro, Maced., AL, BG
- *saxatilis* Scop. = Veronica fruticans
- **scardica** Griseb. · Balkan-Ehrenpreis | ♃ X-VI; Eur.: A, EC-Eur., Ba, E-Eur.; TR
- **schmidtiana** Regel | ♃ △ VI-VIII; Jap., Sachal.
- **scutellata** L. · Schild-Ehrenpreis | ♃ VI-IX; Eur.*, Cauc., W-Sib., E-Sib., Sachal., Kamchat., C-As., Jap.
- **serpyllifolia** L. · Thymian-Ehrenpreis | ♃ V-IX; Eur.*, TR, Cauc., Iran, W-Sib., Amur, C-As., Him., China, Jap., N-Afr., Makaron., N-Am.
- *spicata* L. = Pseudolysimachion spicatum
  - subsp. *incana* (L.) Walters = Pseudolysimachion spicatum subsp. incanum
- *spuria* L. = Pseudolysimachion spurium
- *stelleri* Pall. ex Link = Veronica wormskjoldii
- **surculosa** Boiss. et Balansa | ♃ ⇝ △ V-VII; TR
- **teucrium** L. · Großer Ehrenpreis · Heavenly Blue Speedwell | ♃ V-VII; Eur.* exc. BrI, Sc; Cauc., W-Sib.
- **triphyllos** L. · Dreiteiliger Ehrenpreis | ⊙ III-V; Eur.*, TR
- **turrilliana** Stoj. et Stef. | ♃ △ V-VI; Eur.: BG, TR (Strandsha-mts.)
- **urticifolia** Jacq. · Nesselblättriger Ehrenpreis | ♃ VI-VIII; Eur.* exc. BrI, Sc
- **verna** L. · Frühlings-Ehrenpreis · Spring Speedwell | ⊙ IV-V; Eur.*, TR, Cauc., W-Sib., C-As.
- *virginica* L. = Veronicastrum virginicum
- **wormskjoldii** Roem. et Schult. · American Speedwell ; China

Veronicastrum Heist. ex Fabr. -n- *Scrophulariaceae*
- **virginicum** (L.) Farw. · Black Root, Culver's Root, Physic Root · Véronique de Virginie | ♃ VII-IX; Can.: E; USA: NE, NCE, SC, SE, Fla.

Verschaffeltia H. Wendl. -f- *Arecaceae*
– **splendida** H. Wendl. | ♄ Ⓦ; Seych.

Verticordia DC. -f- *Myrtaceae*
– **grandis** J.L. Drumm. ex Meisn. | ♄; W-Austr.
– **nitens** Schauer | ♄ Ⓚ ✂; W-Austr.

Vestia Willd. -f- *Solanaceae*
– **foetida** (Ruiz et Pav.) Hoffmanns. · Vestia | ♄ Ⓚ D IV-VI; Chile
– *lycioides* Willd. = Vestia foetida

Vetiveria Bory -f- *Poaceae*
– **zizanioides** (L.) Nash · Cus Cus, Vetiver | ♃ Ⓦ Ⓝ; Ind., Sri Lanka, Myanmar

Viburnum L. -n- *Caprifoliaceae* · Schneeball
– **acerifolium** L. · Ahornblättriger Schneeball · Dockmackie | ♄ V-VI ☠; Can.: E; USA; NE, NCE, SE
– *affine* Bush = Viburnum rafinesquianum var. affine
– *alnifolium* Marshall = Viburnum lantanoides
– *americanum* auct. non Mill. = Viburnum trilobum
– **atrocyaneum** C.B. Clarke | ♄; Him.
– **betulifolium** Batalin · Birkenblättriger Schneeball | ♄ ♧ VI-VII; W-China, C-China
– **bitchiuense** Makino | ♄ D V; Jap., Korea
– × **bodnantense** Aberc. (*V. farreri* × *V. grandiflorum*) · Bodnant-Schneeball · Winter Viburnum | ♄ D XI-III; cult.
– **buddleifolium** C.H. Wright · Buddlejablättriger Schneeball | ♄ V-VI; C-China
– **burejaeticum** Regel et Herder · Mongolischer Schneeball | ♄ V; Manch., N-China.
– × **burkwoodii** Burkwood et Skipw. (*V. carlesii* × *V. utile*) · Burkwoods Schneeball · Dawn Viburnum · Viorne de Burkwood | ♄ D III-IV; cult.
– × **carlcephalum** Burkwood ex Pike (*V. carlesii* × *V. macrocephalum*) · Fragrant Snowball | ♄ D IV-V; cult.
– **carlesii** Hemsl. · Koreanischer Schneeball · Sweet Viburnum · Viorne de Carles | ♄ D IV-V; Korea
– **cassinoides** L. · Birnblättriger Schneeball · Withe Rod | ♄ VI-VII; Can.: E; USA: NCE, NE, SE
– **cinnamomifolium** Rehder | ♄ Ⓚ VI; W-China
– **corylifolium** Hook. f. et Thomson | ♄ VI; E-Him., W-China, C-China
– **cotinifolium** D. Don | ♄ V-VI Ⓝ; Him.
– **cylindricum** Buch.-Ham. ex D. Don | ♄ Ⓚ VI-IX; Him., W-China
– **dasyanthum** Rehder | ♄ VI; C-China
– **davidii** Franch. · Davids Schneeball · Evergreen Viburnum · Viorne de David | ♄ VI ∧; W-China
– **dentatum** L. · Gezähnter Schneeball · Arrowwood, Southern Arrow Wood | ♄ VI-VII; USA: NE, NCE, SC, SE, Fla.
  - var. **pubescens** Aiton; E-USA
– **dilatatum** Thunb. · Breitdoldiger Schneeball · Linden Viburnum | ♄ ♧ V-VI; Jap.
– **erubescens** Wall. | ♄ ♄ D VI; Nepal, W-China
  - var. **gracilipes** Rehder; C-China
– **farreri** Stearn · Duftender Schneeball · Fragrant Viburnum · Viorne odorante | ♄ D XI-IV; N-China
– **foetidum** Wall. | ♄; Him., Myanmar, W-China
– *fragrans* Bunge non Loisel. = Viburnum farreri
– × **globosum** Coombs (*V. davidii* × *V. lobophyllum*)
– **grandiflorum** Wall. ex DC. | ♄ Ⓚ I-III; Him.
harryanum Rehder | ♄ Ⓚ; W-China
– **henryi** Hemsl. · Henrys Schneeball | ♄ VIII ∧; C-China
– *hessei* Koehne = Viburnum wrightii var. hessei
– × **hillieri** Stearn (*V. erubescens* × *V. henryi*) ; cult.
– **hupehense** Rehder · Hupeh-Schneeball | ♄ V-VI; C-China
– **ichangense** (Hemsl.) Rehder | ♄ VI; W-China, C-China
– × **jackii** Rehder (*V. lentago* × *V. prunifolium*) | ♄ V; cult.
– **japonicum** (Thunb.) Spreng. · Japanese Viburnum | ♄ Ⓚ D VI; Jap., Riukiu-Is., Taiwan
– × **juddii** Rehder (*B. bitchiuense* × *B. carlesii*) · Judds Schneeball | ♄ D IV-V; cult.
– **lantana** L. · Wolliger Schneeball · Wayfaring Tree · Mansienne, Viorne lantane | ♄ IV-VI ☠ Ⓝ; Eur.* exc. Sc; TR, Iran, Maroc., Alger., nat. in Sc

- **lantanoides** Michx. | ♄ V-VI; Can.: E; USA: NE, SE
- **lentago** L. · Kanadischer Schneeball · Sheepberry | ♄ V-VI; Can.: E, Sask.; USA: NE, NCE, NC, SE, Rocky Mts.
- **lobophyllum** Graebn. · Gelapptblättriger Schneeball | ♄ ⚘ VI-VII; W-China, C-China
- **macrocephalum** Fortune · Chinesischer Schneeball · Chinese Snowball | ♄ V; China
- *macrophyllum* Blume = Viburnum japonicum
- **maculatum** Pant.
- **molle** Michx. | ♄ VI; USA: NE, NCE, Ark.
- **mongolicum** (Pall.) Rehder | ♄ V; E-Sib., N-China
- **nudum** L. · Smooth Withe Rod | ♄ ~ VI-VII; USA: NE, SE, Fla., SC
- **odoratissimum** Ker-Gawl. · Sweet Viburnum | ♄ Ⓚ D V; Him.
- **opulus** L. · Gewöhnlicher Schneeball · Guelder Rose · Viorne obier | ♄ V-VI ☠ Ⓝ; Eur.*, TR, Cauc., W-Sib., E-Sib., C-As.
  - var. *americanum* Aiton = Viburnum trilobum
- **orientale** Pall. · Orientalischer Schneeball | ♄ VI; TR, W-Cauc.
- *oxycoccus* Pursh = Viburnum trilobum
- **phlebotrichum** Siebold et Zucc. | ♄ V-VI; Jap.
- **plicatum** Thunb. · Japanischer Schneeball · Lace Cup Viburnum · Viorne de Chine ; China, Jap., Taiwan
  - fo. **tomentosum** (Thunb.) Rehder
- × **pragense** Vik. (*V. rhyditophyllum* × *V. utile*) · Prager Schneeball | ♄ V; cult.
- **propinquum** Hemsl. | ♄; C-China, W-China, Taiwan, Phil.
- **prunifolium** L. · Kirschblättriger Schneeball · Black Haw | ♄ V-VI ☠ Ⓝ; USA: NE, NCE, Kans., SC, SE, Fla.
- **rafinesquianum** Schult. · Rafinesques Schneeball ; Can.: Ont.; USA: NE, NCE, Ark.
  - var. **affine** (Bush) House | ♄ V-VI; Can.: Ont.; USA: NE, NCE, Ark.
- × **rhytidocarpum** Lemoine (*V. buddleifolium* × *V. rhyditophyllum*) | ♄ V-VI; cult.
- × **rhytidophylloides** J.V. Suringar (*V. lantana* × *V. rhyditophyllum*) | ♄ V-VI; cult.
- **rhytidophyllum** Hemsl. · Runzelblättriger Schneeball · Leatherleaf Viburnum · Viorne à feuilles ridées | ♄ V-VI; W-China, C-China
- **rufidulum** Raf. · Southern Black Haw | ♄ ♄ V-VI; USA: NE, NCE, Kans., SC, SE, Fla.
- *sandankwa* Hassk. = Viburnum suspensum
- **sargentii** Koehne · Sargents Schneeball · Cramp Bark | ♄ ⚘ V-VI; China, Manch., Korea, Jap., Sachal.
- **setigerum** Hance · Borstiger Schneeball · Tea Viburnum | ♄ V-VI; W-China, C-China
- **sieboldii** Miq. · Stinkender Schneeball | ♄ ⚘ V-VI; Jap.
- **suspensum** Lindl. · Sandankwa Viburnum | ♃ ♄ ♄ Ⓚ D III-V; Jap., Riukiu-Is., Taiwan
- **tinus** L. · Immergrüner Schneeball, Lorbeer-Schneeball · Laurustinus | ♄ Ⓚ D V-VIII; Eur.: Ib, Fr, Ap, Ba; TR, Syr., Palaest., NW-Afr., Libya, nat. in BrI
- *tomentosum* Thunb. non Lam. = Viburnum plicatum 'tomentosum'
  - var. *sterile* Dippel = Viburnum plicatum 'tomentosum'
- **trilobum** Marshall · Amerikanischer Schneeball · American Cranberrybush | ♄ ~ ⚘ V-VI Ⓝ; Can., USA: NE, NCE, NC, Rocky Mts., Wash.
- **utile** Hemsl. · Nützlicher Schneeball | ♄ V; C-China
- **wrightii** Miq. | ♄ ⚘ V-VI; Jap., Korea, Sachal.
  - var. **hessei** (Koehne) Rehder | ♄ ♄ ⚘ V-VI

Vicia L. -f- *Fabaceae* · Wicke
- *angustifolia* L. = Vicia sativa subsp. angustifolia
- **articulata** Hornem. · Einblütige Wicke | ⊙ VI-VIII Ⓝ; Eur.: Ib, Ap, Ba; TR, Egypt, nat. in Fr, C-Eur., EC-Eur., RO
- **benghalensis** L. · Reddish Tufted Vetch | ⊙ Ⓝ; Eur.: Ib, Fr, Ap, GR; NW-Afr.
- **bithynica** (L.) L. · Bithynische Wicke ; Eur.: Ib, Fr, BrI, Ap, Ba, Krim; TR, Levante, Cauc., NW-Afr.
- **cassubica** L. · Kassuben-Wicke | ♃ VI-VII; Eur.* exc. BrI, Sc, TR, Lebanon, Cauc., N-Iran
- **cordata** Wulfen · Herzblättrige Wicke | V-VII; S-Eur., TR, Levante, Egypt,

Libya, Alger., Maroc.
– **cracca** L. · Vogel-Wicke · Tufted Vetch | ♃ VI-VII; Eur.*, TR, Cauc., W-Sib., E-Sib., Amur, C-As., nat. in N-Am.
– **dalmatica** Kern · Dalmatiner Vogel-Wicke ; Eur.: I, H, Ba, RO, Krim; TR, Levante, ? Iraq, Cauc., Iran
– *dasycarpa* Ten. = Vicia villosa
– **dumetorum** L. · Hecken-Wicke | ♃ VI-VIII; Eur.* exc. Ib, BrI +
– **ervilia** (L.) Willd. · Linsen-Wicke · Bitter Vetch | ⊙ VI-V Ⓝ; Eur.: Ib, Fr, Ap, Ba; TR, Cyprus, Syr., Cauc., Iran, Maroc., Alger., nat. in C-Eur., EC-Eur.
– **faba** L. · Ackerbohne, Saubohne · Broad Bean | ⊙ V-VII Ⓝ; cult.
– **grandiflora** Scop. · Großblütige Wicke | V-VI; Eur.: Ap, A, EC-Eur., Ba, E-Eur.; TR, Cauc., Iran, Afgh., nat. in D
– **hirsuta** (L.) Gray · Rauhaarige Wicke · Hairy Tare | ⊙ VI-VII Ⓝ; Eur.*, TR, Cyprus, Syr., Iran, Cauc., W-Sib., E-Sib., Amur, C-As., Him., China, Jap., NW-Afr., Egypt, Eth., nat. in N-Am.
– **hybrida** L. · Bastard-Wicke | ⊙ V; Eur.: Ib, Fr, Ap, Ba, RO, Krim; TR, Levante, Iraq, Cauc., Iran, C-As.
– **incana** Gouan · Graue Wicke | ♃ VI-VII; Eur.: Ib, Fr, Ap, Ba, EC-Eur., C-Eur.; TR
– **johannis** Tamamsch. · Maus-Wicke | V-VI; Eur.: Ib, Fr, Ap, Ba, H, RO, Krim; TR, Levante, Cauc., C-As., N-Afr., nat. in C-Eur., EC-Eur.
– **lathyroides** L. · Platterbsen-Wicke | IV-VI; Eur.*, Levante, Cauc., ? N-Iran, Maroc., Alger.
– **lutea** L. · Gelbe Wicke | VI-VII; Eur.: Ib, Fr, EC-Eur., Ap, Ba, E-Eur.; TR, Cauc., N-Afr., N-Iran, nat. in D
– **melanops** Sm. · Grünblütige Wicke ; Eur.: F, Ap, Ba; TR, nat. in EC-Eur.
– *monanthos* (L.) Desf. = Vicia articulata
– *narbonensis* L. = Vicia johannis
– **onobrychioides** L. · Esparsetten-Wicke | ♃ V-VII; Eur.: Fr, Ap, CH, Ba; NW-Afr.
– **oreophila** Chrtková | ♃; Eur.: EC-Eur. +
– **oroboides** Wulfen · Walderbsen-Wicke | ♃ V-VII; Eur.: I, A, H, Slove., Croatia, Bosn.
– **orobus** DC. · Heide-Wicke | ♃ VII-VIII; Eur.: Sc, BrI, Fr, C-Eur., Ib
– **pannonica** Crantz · Ungarische Wicke | ⊙ V-VI Ⓝ; Eur.* exc. BrI, Sc; TR, Cyprus, Cauc., Iran
– **parviflora** Cav. · Zierliche Wicke | VI-VII; Eur.: Ib, Fr, BrI, CH, Ap, Ba, RO, Krim; TR, Levante, N-Afr.
– **peregrina** L. · Fremde Wicke | IV-VI; Eur.: Ib, Fr, Ap, Ba, E-Eur.; TR, Levante, Cauc., Iran, C-As., Him., Maroc., Libya, Egypt, nat. in Ch, H
– **pisiformis** L. · Erbsen-Wicke | ♃ VI-VIII; Eur.* exc. Ib, BrI; Cauc.
– **pliniana** (Trab.) Muratova | ⊙ Ⓝ; Marpc., Alger.
– **pyrenaica** Pourr. | ♃ △ V-VI ∧; Eur.: Sp., F; mts.
– **sativa** L. · Futter-Wicke, Saat-Wicke · Common Vetch | V-VII; orig. ?.; cult.
  - subsp. **angustifolia** (L.) Asch. et Graebn. · Schmalblättrige Wicke ; Eur.*, TR, Levante, N-Afr., nat. in iN-Am.
  - subsp. *nigra* (L.) Ehrh. = Vicia sativa subsp. angustifolia
– **sepium** L. · Zaun-Wicke · Bush Vetch | ♃ V-VIII; Eur.*, Cauc., W-Sib., E-Sib., C-As., Mong., Kashmir, nat. in Can.: E, USA: NE
– **serratifolia** Jacq. · Gezähnte Wicke | V-VI; S-Eur. , TR, Levante, Cauc., N-Afr.
– **sylvatica** L. · Wald-Wicke | ♃ VI-VIII; Eur.*
– **tenuifolia** Roth · Feinblättrige Vogel-Wicke | ♃ VI-VIII; Eur.* exc. BrI; TR, Levante, Iraq, Cauc., Iran, W-Sib., E-Sib., C-As., nat. in BrI
tetrasperma (L.) Schreb. · Viersamige Wicke · Lentil Vetch, Smooth Tare | ⊙ VI-VII; Eur.*, TR, Palaest., Cauc., W-Sib., E-Sib., C-As., N-Afr.
– **unijuga** A. Braun | ♃ V-VI; Sib.
– **villosa** Roth · Kahle Wicke, Zottel-Wicke · Fodder Vetch | ⊙ VI-VII Ⓝ; Eur.* exc. BrI, Sc; TR, Levante, Iraq, Cauc., Iran, C-As., N-Afr., nat. in BrI, Sc, N-Am.
  - subsp. **varia** (Host) Corb. · Bunte Wicke | VI-VIII; S-Eur.; TR, Levante, N-Afr.

Victoria Lindl. -f- *Nymphaeaceae*
– **amazonica** (Poepp.) Sowerby · Giant Waterlily | ♃ ⓦ ♠ VII-X; Amazon., Guyan.
– **cruziana** Orb. | ♃ ⓦ ♠ VII-X; Bras: Parana; Parag., N-Arg.
– *regia* Lindl. = Victoria amazonica
– *trickeri* Tricker = Victoria cruziana

Vigna Savi -f- *Fabaceae*

- **aconitifolia** (Jacq.) Maréchal · Mat Bean, Moth Bean | ⊙ ⤳ Ⓝ; Arab., Ind.
- **angularis** (Willd.) Ohwi et Ohashi · Adzuki Bean | ⊙ Ⓝ; ? E-As.
- **caracalla** (L.) Verdc. · Snail Flower, Snail Vine | ♃ ≷ D ≷ VII-IX Ⓝ; W.Ind., S-Am.
- *catjang* (Burm. f.) Walp. = Vigna unguiculata subsp. cylindrica
- *cylindrica* (L.) Skeels = Vigna unguiculata subsp. cylindrica
- **hosei** (Craib) Backer | Ⓝ; Kalimantan (Sarawak), nat. in SE-As., Austr.: Queensl.
- **mungo** (L.) Hepper · Black Gram | ⊙ ⤳ Ⓝ; Ind. (Maharashtra); cult. Ind.
- **radiata** (L.) R. Wilczek · Mungbohne · Mungbean | Ⓝ; Jap.
  - var. **sublobata** (Roxb.) Verdc. | ⊙; E-Afr., Madag., Ind., Sri Lanka, SE-As., Malay. Arch., Austr.: Queensl.
- *sesquipedalis* (L.) Fruwirth = Vigna unguiculata subsp. sesquipedalis
- *sinensis* (L.) Savi ex Hassk. = Vigna unguiculata
- **subterranea** (L.) Verdc. · Groundbean | ⊙ Ⓚ Ⓝ; Cameroun, N-Nigeria
- **trilobata** (L.) Verdc. | Ⓝ
- **umbellata** (Thunb.) Ohwi et Ohashi | ⊙ Ⓝ; Ind., China, SE-As.
- **unguiculata** (L.) Walp. · Asparagus Bean, Cow Pea ; trop. Afr.
  - subsp. **cylindrica** (L.) Van Eselt. | ⊙ ≷ ⤳ Ⓝ; ? trop. Afr., ? Ind.
  - subsp. **sesquipedalis** (L.) Verdc. · Yardlong Bean | ⊙ ≷ ⤳ Ⓝ; cult.
- **vexillata** (L.) Rich. | ♃ Ⓝ; trop. As., Afr., Austr.

Villadia Rose -f- *Crassulaceae*
- **guatemalensis** Rose | ♃ Ψ Ⓚ; Guat.
- **imbricata** Rose | ♃ Ψ Ⓚ; Mex.

Villarsia Vent. -f- *Menyanthaceae*
- **exaltata** (Sims) F. Muell. | ♃ Ⓚ ∼ VII; Austr., Tasman.
- **ovata** (L. f.) Vent. | ♃ Ⓚ ∼ VI; Kap
- **parnassiifolia** R. Br. | ♃ Ⓚ ∼ VIII; Austr., Tasman.
- *reniformis* R. Br. = Villarsia exaltata

Vinca L. -f- *Apocynaceae* · Singrün, Immergrün
- *acutiflora* Bertol. = Vinca difformis
- **difformis** Pourr. | ♄; Eur.: Ib, Fr, I, Azor.; N-Afr.
- **herbacea** Waldst. et Kit. · Krautiges Immergrün · Periwinkle | ♃ ⤳ V-VI; Eur.: A, EC-Eur., Ba, E-Eur.; TR, Syr., Palaest., N-Iraq, Cauc., Iran
- **major** L. · Großes Immergrün · Greater Periwinkle · Grande pervenche | ♄ Ⓚ IV-V ∧; Eur.: Sp., F, I, Sic., Croatia; TR, Cyprus, Syr., Cauc., nat. in BrI, C-Eur., , EC-Eur.
- **minor** L. · Kleines Immergrün · Smaller Periwinkle · Petite pervenche | ♃ ♄ ⤳ IV-V; Eur.* exc. BrI, Sc; W-TR, Levante, Cauc. Iran, nat. in BrI, Sc
- *rosea* L. = Catharanthus roseus

Vincetoxicum Wolf -n- *Asclepiadaceae*
- **hirundinaria** Medik. · Weiße Schwalbenwurz · Swallowwort | ♃ V-VII ☠; Eur.* exc. BrI; TR, Cauc., Maroc., Alger.
- **nigrum** (L.) Moench · Swallowwort | ♃ ≷; Eur.: Ib, F, I, nat. in NL
- *officinale* Moench = Vincetoxicum hirundinaria
- **rossicum** (Kleopow) Barbar. | ♃ ≷; Eur.: Russ.

Viola L. -f- *Violaceae* · Veilchen
- **adunca** Sm. · Hook Spur Violet, Western Blue Violet
  - var. *minor* (Hook.) Fernald = Viola labradorica
- **alba** Besser · Weißes Veilchen | ♃ III-V; Eur.* exc. BrI; TR, Cauc., ? Iran, NW-Afr.
- **alpina** Jacq. · Alpen-Stiefmütterchen | ♃ △ VI-VII; Eur.: A, Slova., RO; NE-Alp., Carp.
- **altaica** Ker-Gawl. | ♃ V-VII; Altai, Sib.
- **ambigua** Waldst. et Kit. · Pontisches Veilchen, Steppen-Veilchen | ♃ IV-V; Eur.: A, EC-Eur., Ba, E-Eur., D; TR, Cauc.
- **arborescens** L. | ♄; Eur.: Ib, F, Sard.; NW-Afr.
- **arvensis** Murray · Acker-Stiefmütterchen | X-IV; Eur.*, TR, Cauc., W-Sib., E-Sib., nat. in N-Am.
- × **bavarica** Schrank (*V. reichenbachiana* × *V. riviniana*) · Bastard-Wald-Veilchen
- **bertolonii** Pio | ♃ △ V-VI ∧; Eur.: F, I, Sic.
- **biflora** L. · Zweiblütiges Veilchen · Yellow Wood Violet | ♃ △ ∼ V-VII;

Eur.* exc. BrI; Cauc., Him., W-Sib., E-Sib., Amur, Sachal., Kamchat., C-As., Mong., China, Jap., Alaska, Can.: W; USA: Rocky Mts., NW
– *bosniaca* Forman = Viola elegantula
– **calaminaria** (Ging.) Lej. · Galmei-Stiefmütterchen | ♃ VI-VIII; Eur.: NL, B, D
– **calcarata** L. · Langsporniges Stiefmütterchen · Spurred Violet | ♃ △ VI-VII ▽; Eur.: F, I, C-Eur., Ba
  - subsp. **zoysii** (Wulfen) Merxm. · Karawanken-Stiefmütterchen | ♃ V-VI; Eur.: Slove., Bosn., Montenegro, AL, Maced.
– **canadensis** L.
  - var. **rugulosa** (Greene) | ♃
– **canina** L. · Gewöhnliches Hunds-Veilchen · Dog Violet | ♃ V-VI; Eur.*, TR, Cauc., C-As., W-Sib., Canar., Greenl.
  - subsp. **montana** (L.) Hartm. · Berg-Veilchen | ♃ V-VI; Eur.: CH, D, Sc, A +; Sib.
  - subsp. **schultzii** (Billot) Kirschl. · Schultzes Hunds-Veilchen | ♃ V-VI; Eur.: C-Eur, N-I, S-RO
– **cenisia** L. · Mont Cenis-Stiefmütterchen | ♃ VII; Eur.: F, I, CH; Alp.
– **collina** Besser · Hügel-Veilchen | ♃ IV-V; Eur.* exc. BrI; Cauc., W-Sib., E-Sib., Amur, Sachal., C-As., Manch
– **cornuta** L. · Gehörntes Veilchen, Horn Veilchen, Pyrenäen-Stiefmütterchen · Horned Pansy · Violette cornue | ♃ △ VI-VIII; Eur.: Sp., F; Pyr., Cordillera Cantábrica, nat. in BrI, C-Eur., I, RO
– **cucullata** Aiton · Amerikanisches Veilchen · Marsh Blue Violet | ♃ ⇝ V-VI; Can.: E; USA: NE, NCE, NC, Tenn., Ark.
– *cyanea* Beck = Viola suavis
– **dissecta** Ledeb. · Dissected Viola ; W-Sib., E-Sib., Amur, C-As., Mong., China: Sinkiang, Manch.; Korea, Jap.
  - var. **chaerophylloides** (Regel) Makino | ♃ D IV; Jap.
  - var. **chaerophylloides'Eizanensis'**
– *eizanensis* (Makino) Makino = Viola dissecta var. chaerophylloides 'Eizanensis'
– **elatior** Fr. · Hohes Veilchen | ♃ V-VII; Eur.* exc. BrI, Ib; Cauc., W-Sib., C-As.
– **elegantula** Schott | ♃ △ VII-VIII; Eur.: Croatia, Bosn., Montenegro, AL; mts.
– **epipsila** Ledeb. · Torf-Veilchen | ♃ V-VI; Eur.: Sc, D, EC-Eur., E-Eur.; W-Sib.
– **eugeniae** Parl. | ♃; I; Apenn.
– × **florariensis** Correvon (*V. cornuta* × *V. tricolor*) | ♃ △ VI-VIII; cult.
– **gracilis** Sibth. et Sm. | ♃ V-VIII; Eur.: Ba; mts.
– **guestphalica** Nauenb. · Westfälisches Galmei-Veilchen | ♃ X-V; Eur.: D
– **hederacea** Labill. · Australian Violet | ♃ Ⓦ Ⓚ ⦚ ⇝ IV-XI; Austr.: Queensl., N.S.Wales, Victoria, S-Austr., Tasman.
– **hirta** L. · Rauhaariges Veilchen · Hairy Violet | ♃ IV-V; Eur.*, Cauc., W-Sib., E-Sib., C-As.
– **hymettia** Boiss. et Heldr.; Eur.: P, Fr, Ap, Ba
– **jooi** Janka | ♃ △ D △ IV-V; C-RO
– **kitaibeliana** Schult. · Kleines Stiefmütterchen | IV-VII; Eur.* exc. Sc; TR, Cyprus, Syr.Cauc.
– **labradorica** Schrank · Labrador Violet | ♃ IV-V; Alaska, Can.; USA: NE, NCE, NC, Rocky Mts., Calif., NW; Greenl.
– **lactea** Sm. · Milch-Veilchen ; Eur.: BrI, F, Ib
– **lanceolata** L. | ♃; e N-Am.
– **lutea** Huds. · Gelbes Stiefmütterchen · Mountain Pansy | ♃ VI-VIII; Eur.: Ib, Fr, BrI, C-Eur., EC-Eur.; mts.
– **mirabilis** L. · Wunder-Veilchen · Wonder Violet | ♃ IV-V; Eur.* exc. BrI, Sc; Cauc., W-Sib., E-Sib., Amur, C-As., Mong., Manch., Jap.
– *obliqua* Hill = Viola cucullata
– **odorata** L. · März-Veilchen, Wohlriechendes Veilchen · Sweet Violet, Violet | ♃ ⋈ D ⋈ III-IV Ⓝ; Eur.*, TR, Cyprus, Syr., N-Iraq, Cauc., N-Iran, NW-Afr., Canar.
– **palmata** L. | ♃ IV-V; Ont., USA: NE, NCE, SE, Fla.
– **palustris** L. · Sumpf-Veilchen | ♃ V-VI; Eur.*, As., N-Am.
– *papilionacea* Pursh = Viola sororia
– **pedata** L. | ♃
– **persicifolia** Schreb. · Gräben-Veilchen | ♃ VI-VII; Eur.*, W-Sib., E-Sib.
– **pinnata** L. · Fiederblättriges Veilchen · Pinnate Violet | ♃ △ D △ VI; Eur.: F, I, CH, C-Eur., A, Slove.; Alp.
– *pontica* W. Becker = Viola suavis
– **pumila** Chaix · Niedriges Veilchen | ♃ V-VI; Eur.* exc. BrI, Ib; W-Sib., E-Sib., C-As., China: Sinkiang

– **pyrenaica** Ramond ex DC. · Pyrenäen-Veilchen | ♃ IV-V; Eur.: Sp., Fr, I, C-Eur., Ba; Pyr., Alp., Jura, Apenn., Balkan; Cauc., Maroc.
– **reichenbachiana** Jord. ex Boreau · Wald-Veilchen · Early Dog Violet, Woodland Violet | ♃ III-VI; Eur.*, TR, Cauc., Kashmir, Maroc.
– *rhodopaea* hort. = Viola stojanowii
– *rhodopeia* W. Becker = Viola stojanowii
– **riviniana** Rchb. · Hain-Veilchen · Wood Violet | ♃ IV-VI; Eur.*, Alger., Madeira
– *rugulosa* Greene = Viola canadensis var. rugulosa
– **rupestris** F.W. Schmidt · Sand-Veilchen · Teesdale Violet | ♃ ⇝ △ V; Eur.*, Cauc., NE-TR, W-Sib., E-Sib., Amur, Sachal., C-As.
– × **scabra** DC. (*V. hirta × V. odorata*)
– *sepincola* Jord. = Viola suavis
– *silvatica* Fr. ex Hartm. = Viola reichenbachiana
– **sororia** Willd. · Pfingstveilchen · Confederate Violet, Woolly Blue Violet | ♃ IV-V; Can.: E; USA: NE, NCE, NC, Okl., SE
– **stojanowii** W. Becker | ♃ △ V-VII; NE-GR, S-BG
– **suavis** M. Bieb. · Blaues Veilchen, Kornblumen-Veilchen | ♃ Ⓚ ✂ III; Eur.* exc. BrI, Sc; Cauc., C-As.
– *sylvestris* Lam. = Viola reichenbachiana
– **thomasiana** Perr. et Songeon · Schweizer Veilchen | ♃ IV-VI; Eur.: F, I, CH, A; Alp.
– **tricolor** L. · Wildes Stiefmütterchen · Heartsease, Wild Pansy | ⊙ ♃ Off. IV-VIII; Eur.*, W-Sib.
– **uliginosa** Besser · Moor-Veilchen | ♃ ~ D ~ III-V; Eur.: Sc, D, PL, E-Eur., Slove.
– × **wittrockiana** Gams (*?*) · Garten-Stiefmütterchen · Garden Pansy, Pansy | ⊙ X-IV
– *zoysii* Wulfen = Viola calcarata subsp. zoysii

Virgilia Poir. -f- *Fabaceae*
– *capensis* (L.) Poir. = Virgilia oroboides
– *lutea* F. Michx. = Cladrastis lutea
– **oroboides** (Bergius) Salter | ♄ ♄ Ⓚ VII; S-Afr.

Virola Aubl. -f- *Myristicaceae*
– **surinamensis** Warb. · Baboen, Bank | ♄ Ⓝ; ne S-Am., Guyana, Venez.

Viscaria Rohl. -f- *Caryophyllaceae*
– *alpina* (L.) G. Don = Lychnis alpina
– *atropurpurea* Griseb. = Lychnis viscaria subsp. atropurpurea
– *oculata* Lindl. = Silene coeli-rosa
– *sartorii* Boiss. = Lychnis viscaria subsp. atropurpurea
– *viscosa* Asch. = Lychnis viscaria
– *vulgaris* Bernh. = Lychnis viscaria

Viscum L. -n- *Viscaceae* · Mistel
– **album** L. · Laubholz-Mistel · Mistletoe | ♄ ♣ II-IV; Eur.*, TR, Cauc., N-Iran, Him., Amur, China, Korea, Jap., Myanmar, Vietn., Alger.
  - subsp. **abietis** (Wiesb.) Janch. · Tannen-Mistel | ♄ III-V Ⓝ; Eur.: Sp., Corse, Fr, C-Eur., EC-Eur., Ba, E-Eur.; TR, Cauc.
  - subsp. **austriacum** (Wiesb.) Vollm. · Kiefern-Mistel | ♄ III-V; Eur.: Sp., F, Ap, C-Eur., EC-Eur., Ba, EC-Eur.; TR, Maroc.

Visnea L.f. -f- *Theaceae* · Mocanbaum
– **mocanera** L. f. · Visnea | ♄ ♄ Ⓚ D III; Canar., Madeira

Vitaliana Sesl. -f- *Primulaceae*
– **primuliflora** Bertol. · Goldprimel | ♃ VI-VII; Eur.: I; mts.
  - subsp. **cinerea** Sünd. | ♃ △ IV-V; Eur.: Sp., F, I; mts.
  - subsp. **praetutiana** (Buser ex Sünd.) I.K. Ferguson | ♃ △ IV-V; Eur.: I; mts.

Vitellaria C.F. Gaertn. -f- *Sapotaceae*
– **paradoxa** C.F. Gaertn. · Shea Butter Tree | ♄ Ⓦ Ⓝ; trop. Afr.

Vitex L. -f- *Verbenaceae*
– **agnus-castus** L. · Mönchspfeffer · Chaste Tree | ♄ Ⓐ IX-X ∧; Eur.: Ib, Fr, Ap, Ba, Krim; Med., TR, Cauc., Iran, C-As.
– *cienkowskii* Kotschy ex Peyr. = Vitex doniana
– *cuneata* Schumach. et Thonn. = Vitex doniana
– **doniana** Sweet | ♄ Ⓦ Ⓝ; trop. Afr.
– *incisa* Lam. = Vitex negundo var. heterophylla
– **negundo** L. · Vitex | ♄ Ⓚ VII-VIII; E-Afr., Madag., Ind., Sri Lanka, Afgh.,

China, SE-As., Phil.
- var. *cannabinifolia* hort. = Vitex negundo var. heterophylla
- var. **heterophylla** (Franch.) Rehder | ♄ ⓚ VII-VIII; Mong., N-China, C-China
- var. *incisa* (Lam.) C.B. Clarke = Vitex negundo var. heterophylla

Vitis L. -f- *Vitaceae* · Rebe
– **aestivalis** Michx. · Sommer-Rebe · Summer Grape | ♄ ≀ ☘ VI Ⓝ; USA: NE, NCE, NC, SC, SE
– **amurensis** Rupr. · Amur-Rebe | ♄ ≀ VI Ⓝ; Amur, N-China, Manch., Korea, Jap.
– *armata* Diels et Gilg = Vitis davidii
– **berlandieri** Planch. · Winter Grape | ♄ ≀ ☘ VI Ⓝ; USA: N.Mex., Tex.
– **cinerea** Engelm. | ≀ VI; N-Am.
– **coignetiae** Pulliat ex Planch. · Rostrote Rebe · Crimson Glory Vine | ♄ ≀ V-VII; Jap., Korea, Sachal.
– **davidii** (Carrière) Foex · Davids Rebe | ♄ ≀ VI-VII; China
– *dissecta* Carrière = Ampelopsis aconitifolia
– *elegans* K. Koch = Ampelopsis brevipedunculata var. maximowiczii 'Elegans'
– **flexuosa** Thunb. · Creeeping Grape | ♄ ≀ VI; China, Korea, Jap.
– *gongylodes* Burch. ex Baker = Cissus gongylodes
– *heterophylla* Thunb. = Ampelopsis brevipedunculata var. maximowiczii
  - var. *maximowiczii* Regel = Ampelopsis brevipedunculata var. maximowiczii
– *japonica* Thunb. = Cayratia japonica
– *labrusca* auct. mult. non L. = Vitis coignetiae
– **labrusca** L. · Fuchs-Rebe | ♄ ≀ ☘ VI Ⓝ; USA: NE, SE
– *orientalis* (Lam.) Boiss. = Ampelopsis orientalis
– **palmata** Vahl · Katzen-Rebe | ♄ ≀ VII-VIII; USA: NCE, SC, SE
– *pterophora* Baker = Cissus gongylodes
– *quinquefolia* (L.) Lam. = Parthenocissus quinquefolia
– **riparia** Michx. · Ufer-Rebe · Riverbank Grape | ♄ ≀ D ≀ VI Ⓝ; Can.: E; USA: NE, NCE, NC, Rocky Mts., SW, SC, SE
– **romanetii** Rom. Caill. ex Foëx | ≀; China
– **rotundifolia** Michx. · Muscadine | ♄ ≀ ☘ VI Ⓝ; USA: NE, NCE, SE, Fla., SC; Mex.
– **rupestris** Scheele · Sand-Rebe · Bush Grape, Sand Grape | ♄ ≀ VI Ⓝ; USA: NE, NCE, SC, SE
– *sylvestris* C.C. Gmel. = Vitis vinifera
– **thunbergii** Siebold et Zucc. · Thunbergs Weinrebe | ≀ VI-VII; Jap., China, Korea, Taiwan
– *veitchii* Lynch = Parthenocissus tricuspidata 'Veitchii'
– **vinifera** L. · Echter Weinstock, Weinrebe · Common Grape Vine, Grape, Vine | ≀ VI-VII; cult., nat. in Eur.
  - subsp. **caucasica** Vavilov | ♄ ≀ VI-VII; C-As.
  - subsp. **sylvestris** (C.C. Gmel.) Hegi · Wilde Weinrebe | ♄ ≀ VI-VII ▽; Eur.: Ap, Ba, EC-Eur., E-Eur.; TR, Cauc., N-Iran, C-As.
– *voinieriana* Baltet = Tetrastigma voinierianum
– **vulpina** L. · Winter-Rebe · Frost Grape | ♄ ≀ ☘ VI-VII Ⓝ; USA: NE, NCE, Kans., SC, SE, Fla.
– *vulpina* Leconte = Vitis riparia

Vittadinia A. Rich. -f- *Asteraceae*
– **australis** A. Rich. | ♄ ⓚ VII-IX; Austr., Tasman., NZ
– *triloba* hort. non DC. = Erigeron karvinskianus

Vittaria Sm. -f- *Vittariaceae* · Bandfarn
– **lineata** (L.) J. Sm. · Appalachian Shoestring Fern | ♃ ⓦ; Trop.

Voandzeia = Vigna Savi
– *subterranea* (L.) Thouars ex DC. = Vigna subterranea

Volkameria L. -f- *Verbenaceae*
– *fragrans* Vent. = Clerodendrum philippinum

Vriesea Lindl. -f- *Bromeliaceae*
– **atra** Mez | ♃ ⓦ; Bras.
– **barilletii** E. Morren | ♃ ⓦ; Bras.
– **bituminosa** Wawra | ♃ ⓦ; Bras.
– *blokii* (Hemsl.) Mez = Vriesea regina
– **carinata** Wawra | ♃ ⓦ; SE-Bras.
– **cereicola** (Mez) L.B. Sm. | ♃ ⓦ; N-Peru
– **chrysostachys** E. Morren | ♃ ⓦ; Col., Peru, Trinidad
– **conferta** Gaudich. | ♃ ⓦ; Bras.
– **corcovadensis** (Britten) Mez | ♃ ⓦ; Bras.

- **ensiformis** (Vell.) Beer | ♃ Ⓦ; Bras.
- **erythrodactylon** (E. Morren) E. Morren ex Mez | ♃ Ⓦ; Bras.
- **espinosae** (L.B. Sm.) Gilmartin | ♃ Ⓦ; S-Ecuad., N-Peru
- **fenestralis** Linden et André | ♃ Ⓦ; Bras.
- **flammea** L.B. Sm. | ♃ Ⓦ; Bras.
- **fosteriana** L.B. Sm. | ♃ Ⓦ; Bras.
- **friburgensis** Mez | ♃ Ⓦ; Bras., Arg.
- **gigantea** Gaudich. | ♃ Ⓦ; Bras.
- *glaziouana* Carrière = Vriesea imperialis
- **guttata** Linden et André | ♃ Ⓦ; Bras.
- **heliconioides** (Humb., Bonpl. et Kunth) Hook. ex Walp. | ♃ Ⓦ; C-Am., trop. S-Am.
- **hieroglyphica** (Carrière) E. Morren · King of Bromeliads | ♃ Ⓦ; Bras.
- **imperialis** E. Morren ex Baker | ♃ Ⓦ; Bras.
- **incurvata** Gaudich.; Bras.
  - var. **inflata** (Wawra) Mez | ♃ Ⓦ
- *inflata* Wawra = Vriesea incurvata var. inflata
- **jonghii** (Libon ex K. Koch) E. Morren | ♃ Ⓦ; Bras.
- *longibracteata* Baker = Vriesea splendens var. longibracteata
- **malzinei** E. Morren | ♃ Ⓦ; Mex.
- *musaica* (Linden et André) Cogn. et Marchal = Guzmania musaica
- **olmosana** L.B. Sm. | ♃ Ⓦ IV; N-Peru
- **pardalina** Mez | ♃ Ⓦ; Bras.
- **platynema** Gaudich. | ♃ Ⓦ; Bras.
- **platzmannii** E. Morren | ♃ Ⓦ; Bras.
- **psittacina** (Hook.) Lindl. | ♃ Ⓦ; Bras., Parag.
- **racinae** L.B. Sm. | ♃ Ⓦ; Bras.
- **regina** (Vell.) Beer | ♃ Ⓦ; Bras.
- **rodigasiana** E. Morren | ♃ Ⓦ; Bras.
- *rostrum-aquilae* Mez = Vriesea incurvata
- **saundersii** (Carrière) E. Morren ex Mez | ♃ Ⓦ; Bras.
- **scalaris** E. Morren | ♃ Ⓦ; Bras.
- **sceptrum** Mez | ♃ Ⓦ; Bras.
- **simplex** (Vell.) Beer | ♃ Ⓦ; Col., Bras., Trinidad
- **splendens** (Brongn.) Lem. · Flaming Sword ; Venez., Surinam
  - var. **longibracteata** (Baker) L.B. Sm. | ♃ Ⓦ; N-Venez., Trinidad, Tobago, Guyana
- *tesselata* (Linden et André) E. Morren = Vriesea gigantea
- **viridiflora** (Regel) Wittm. | ♃ Ⓦ; Costa Rica
- **zamorensis** (L.B. Sm.) L.B. Sm. | ♃ Ⓦ; Ecuad.

Vulpia C.C. Gmel. -f- *Poaceae*
- **bromoides** (L.) Gray · Trespen-Federschwingel | VI-VIII; Eur.*, TR, Syr., Cauc. N-Afr., Makaron., nat. in Afr., N-As., S-Am., Austr., NZ
- **ciliata** Dumort. · Behaarter Federschwingel | IV-VI; Eur.: Ib, Fr, BrI, Ap, Ba, RO, Krim; TR, Syr., Lebanon, Israel, Cauc., Iran, Afgh., Pakist., Him., C-As., M-Afr.
- **ligustica** (All.) Link; Eur.: Fr, Ap, Ba; TR, NW-Afr.
- **myuros** (L.) C.C. Gmel. · Mäuseschwanz-Federschwingel | X-VI; Eur.*, TR, Levante, Palaest., Iraq, Cauc., Iran, Afgh., Pakist., C-As., Him., N-Afr.
- **unilateralis** (L.) Stace · Strand-Dünnschwanz, Strand-Federschwingel | V-VI; Eur.: Fr, BrI, Ap, CH, Ba, Krim; TR, Syr., lebanon, Palaest., Arab., Iraq, Cauc., Afgh., pakist., Him., NW-Afr.

× **Vuylstekeara** Hort. -f- *Orchidaceae* (*Cochlioda* × *Miltonia* × *Odontoglossum*)

Wachendorfia Burm. -f- *Haemodoraceae*
- **hirsuta** Thunb. | ♃ Ⓚ IV; S-Afr.
- **paniculata** L. | ♃ Ⓚ IV; S-Afr.
- **thyrsiflora** L. | ♃ Ⓚ V; S-Afr.

Wahlenbergia Schrad. ex Roth -f- *Campanulaceae*
- **capensis** (L.) A. DC. · Cape Bluebell | ⊙ VII-VIII; S-Afr.
- *elongata* (Willd.) Schrad. ex Roth = Wahlenbergia capensis
- *grandiflora* (Jacq.) Schrad. = Platycodon grandiflorus
- **hederacea** (L.) Rchb. · Efeu-Moorglöckchen · Ivy-leaved Bellflower | ♃ ∼∼ VI ▽; Eur.: BrI, D, Fr, Ib

Waitzia J.C. Wendl. -f- *Asteraceae*
- **aurea** Steetz | ⊙ VII-VIII; Austr.
- **corymbosa** J.C. Wendl. | ⊙ VII-VIII; W-Austr.
- *grandiflora* J.V. Thomps. = Waitzia aurea
- **grandiflora** Naudin | ⊙ VII-VIII; Austr.
- *nivea* Benth. = Waitzia suaveolens
- *odontolepis* Turcz. = Waitzia suaveolens

– **suaveolens** (Benth.) Druce | ⊙ VII-VIII; Austr.

Waldsteinia Willd. -f- *Rosaceae*
– **fragarioides** (Michx.) Tratt. · Barren Strawberry | ♃ V-VI; Can.: E; USA: NE, NCE, SE
– **geoides** Willd. | ♃ IV-V; Eur.: EC-Eur., Ba, E-Eur., nat. in D
– *sibirica* Tratt. = Waldsteinia ternata
– **ternata** (Stephan) Fritsch · Dreiblättrige Waldsteinie | ♃ ⟿ IV-V; Eur.: C-Eur., EC-Eur., Ba, E-Eur.; E-Sib., Amur, Sachal., N-Jap., nat. in FIN
  - subsp. *trifolia* (Rochel ex W.D.J. Koch) Teppner = Waldsteinia ternata
– *trifolia* Rochel ex W.D.J. Koch = Waldsteinia ternata

Wallichia Roxb. -f- *Arecaceae*
– **caryotoides** Roxb. | Ⓦ; Ind., Myanmar
– **densiflora** (Mart.) Mart. | Ⓦ; Ind: Assam
– **disticha** T. Anderson | Ⓦ; Him., Ind., Myanmar

× **Warneara** Hort. -f- *Orchidaceae* (*Comparettia* × *Oncidium* × *Rodriguezia*)

Warrea Lindl. -f- *Orchidaceae*
– **warreana** (Lodd. ex Lindl.) C. Schweinf. | Ⓦ VII-VIII ✻; Col., Venez.

Warscewiczella = Chondrorhyncha Lindl.
– *amazonica* Rchb. f. et Warsz. = Cochleanthes amazonica
– *discolor* (Lindl.) Schult. et Garay = Cochleanthes discolor
– *flabelliformis* (Sw.) Schult. et Garay = Cochleanthes flabelliformis
– *wailesiana* (Lindl.) E. Morren = Cochleanthes wailesiana

Wasabia Matsum. -f- *Brassicaceae*
– **japonica** (Miq.) Matsum. · Japanese Horseradish | ♃ Ⓝ; Jap., E-Sib.

Washingtonia H. Wendl. -f- *Arecaceae*
– **filifera** (Linden ex André) H. Wendl. · California Fan Palm, California Washingtonia | ♄ Ⓚ; USA: S-Calif., Ariz.; Baja Calif.
  - var. *robusta* (H. Wendl.) Parish = Washingtonia robusta
– **robusta** H. Wendl. · Mexican Fan Palm, Mexican Washingtonia | ♄ Ⓚ; Mex.
– *sonorae* S. Watson = Washingtonia robusta

Watsonia Mill. -f- *Iridaceae*
– **beatricis** J.W. Mathews et L. Bolus | ♃ Ⓚ VI-IX; Kap
– **bulbillifera** J.W. Mathews et L. Bolus | ♃ Ⓚ IV-VI; Kap
– *coccinea* Herb. = Watsonia meriana
– **densiflora** Baker | ♃ Ⓚ VI-VII; S-Afr: Natal, Orange Free State, Transvaal
– **humilis** Mill. | ♃ Ⓚ VI; Kap
– **meriana** (L.) Mill. | ♃ Ⓚ V-VI; Kap
– **pyramidata** (Andrews) Stapf | ♃ Ⓚ V-VI; Kap
– *rosea* Ker-Gawl. = Watsonia pyramidata

Wattakaka = Dregea E. Mey.
– *sinensis* (Hemsl.) Stapf = Dregea sinensis

Weberbauerocereus Backeb. -m- *Cactaceae*
– **fascicularis** (Meyen) Backeb. | ♄ Ψ Ⓚ ✻; S-Peru, N-Chile
– *horridispinus* Rauh et BAckeb. = Weberbauerocereus weberbaueri
– **weberbaueri** (Vaupel) Backeb. | ♄ Ψ Ⓚ; Peru

Weberocereus Britton et Rose -m- *Cactaceae*
– **tonduzii** (F.A.C. Weber) G.D. Rowley | ♄ Ψ Ⓦ ≀ ≀ ⟿ ✻; Costa Rica

Wedelia Jacq. -f- *Asteraceae*
– **trilobata** (L.) Hitchc. · Goldcup | ♃ Ⓚ ≀ ≀ ⟿ VII-IX; USA: S-Fla.; W.Ind., trop. Am.

Weigela Thunb. -f- *Caprifoliaceae*
– *amabilis* Planch. = Weigela coraeensis
– **coraeensis** Thunb. · Koreanische Weigelie | ♄ V-VII; Jap.
– **decora** (Nakai) Nakai | ♄; Jap.
– **floribunda** (Siebold et Zucc.) K. Koch · Reichblütige Weigelie | ♄ V-VI; Jap.
– **florida** (Bunge) A. DC. · Liebliche Weigelie | ♄ X-VI; Korea, Manch., N-China
– *grandiflora* (Siebold et Zucc.) K. Koch = Weigela coraeensis
– **hortensis** (Siebold et Zucc.) C.A. Mey. | ♄ V-VI; Jap.
– **japonica** Thunb. · Japanische Weigelie |

ħ V-VI; China, Jap.
- **maximowiczii** (S. Moore) Rehder | ħ V-VI; Jap.
- **middendorffiana** (Trautv. et C.A. Mey.) K. Koch · Gelbblütige Weigelie | ħ V-VI; Amur, Sachal. Kurilen, Jap.
- **praecox** (Lemoine) L.H. Bailey · Frühblühende Weigelie | ħ V; Korea, Manch.
- *rosea* Lindl. = Weigela florida

Weingaertneria = Corynephorus P. Beauv.
- *canescens* (L.) Bernh. = Corynephorus canescens

Weingartia Werderm. -f- *Cactaceae*
- *buiningiana* F. Ritter = Weingartia neocumingii
- *corroana* Cárdenas = Weingartia neocumingii
- *erinacea* F. Ritter = Weingartia neocumingii
- **fidaiana** (Backeb.) Werderm. | ΨⓀ ✱; Bol.
- *knitzei* F.H. Brandt = Weingartia neocumingii
- *multispina* F. Ritter = Weingartia neocumingii
- **neocumingii** Backeb. | Ψ Ⓚ; Bol.
- **neumanniana** (Backeb.) Werderm. | Ψ Ⓚ ✱; Arg.: Jujuy
- *pilcomayensis* Cárdenas = Weingartia neocumingii
- *pulquinensis* Cárdenas = Weingartia neocumingii
- *trollii* Oeser = Weingartia neocumingii

Weldenia Schult.f. -f- *Commelinaceae*
- **candida** Schult. f. | ♃ Ⓚ IV-V; Mex., Guat.

Wellingtonia Lindl. -f- *Taxodiaceae*
- *gigantea* Lindl. = Sequoiadendron giganteum

Welwitschia Hook.f. -f- *Welwitschiaceae*
- **mirabilis** Hook. f. | Ⓦ ✱; Namibia, Angola

Wercklea Pittier et Standl. -f- *Malvaceae*
- **insignis** Pittier et Standl. | ħ Ⓚ; Costa Rica

Westringia Sm. -f- *Lamiaceae*
- **fruticosa** (Willd.) Druce · Australian Rosemary | ħ Ⓚ IV-VII; Austr.: Queensl., N.S.Wales
- *rosmariniformis* Sm. = Westringia fruticosa

Whitesloanea Chiov. -f- *Asclepiadaceae*
- **crassa** (N.E. Br.) Chiov. | ♃ Ψ Ⓚ; Somalia

Whitfieldia Hook. -f- *Acanthaceae*
- **elongata** C.B. Clarke | ♃ Ⓦ VI-VIII; W-Afr.
- **lateritia** Hook. | ħ Ⓦ I-V; Afr.: Sierra Leone

Whitlavia Harv. -f- *Hydrophyllaceae*
- *grandiflora* Harv. = Phacelia minor

Widdringtonia Endl. -f- *Cupressaceae*
- **cedarbergensis** J. Marshall · Clanwilliam Cedar | ħ Ⓚ Ⓝ; S-Afr.
- *cupressoides* (L.) Endl. = Widdringtonia nodiflora
- *dracomontana* Stapf = Widdringtonia nodiflora
- *juniperoides* (L.) Endl. = Widdringtonia cedarbergensis
- **nodiflora** (L.) Powrie · Milanji Cedar | ħ ħ Ⓚ Ⓝ; E-Afr., Zambia, Zimbabwe, S-Afr. (N-Transvaal)
- **schwarzii** (Marloth) Mast. | ħ; S-Afr.
- *whytei* Rendle = Widdringtonia nodiflora

Wigandia Kunth -f- *Hydrophyllaceae*
- **caracasana** Humb., Bonpl. et Kunth | ħ Ⓚ; S-Mex., C-Am., Col., Venez., nat. in SW-Eur.

Wigginsia = Notocactus (K. Schum.) Fric
- *arechavaletai* (Mackie) D.M. Porter = Notocactus erinaceus
- *corynodes* (Otto ex Pfeiff.) D.M. Porter = Notocactus erinaceus
- *erinacea* (Haw.) D.M. Porter = Notocactus erinaceus
- *fricii* (Arechav.) D.M. Porter = Notocactus erinaceus
- *leucocarpa* (Arechav.) D.M. Porter = Notocactus erinaceus
- *sellowii* (Link et Otto) D.M. Porter = Notocactus erinaceus
- *sessiliflora* (Mackie) D.M. Porter = Notocactus erinaceus
- *tephracantha* (Link et Otto) D.M. Porter = Notocactus erinaceus

– *vorwerkiana* (Backeb.) D.M. Porter = Notocactus erinaceus

Wilcoxia Britton et Rose -f- *Cactaceae*
– **albiflora** Backeb. | ♄ ♆ Ⓚ
– **poselgeri** (Lem.) Britten et Rose · Dahlia Cactus, Pencil Cactus | ♄ ♆ Ⓚ ✻; S-Tex., NE-Mex.
– **schmollii** (Weing.) Backeb. · Lamb's Tail Cactus | ♄ ♆ Ⓚ
– *striata* (K. Brandegee) Britton et Rose = Peniocereus striatus
– *viperina* (F.A.C. Weber) Britton et Rose = Peniocereus viperinus

Willemetia Neck. -f- *Asteraceae*
– **stipitata** (Jacq.) Dalla Torre · Gestielter Kronenlattich, Kronenlattich | ♃ VI-VIII; Eur.: F, I, C-Eur., Ba

Willughbeia Roxb. -f- *Apocynaceae*
– **firma** Blume · Willughbeia | ♄ Ⓦ ≷ Ⓝ; Malay. Pen.

× **Wilsonara** Hort. -f- *Orchidaceae*
– **Cultivars** hort. (*Cochlioda* × *Odontoglossum* × *Oncidium*)

Winteria = Hildewintera F. Ritter
– *aureispina* F. Ritter = Hildewintera aureispina

Wissadula Medik. -f- *Malvaceae*
– **periplocifolia** (L.) Thwaites | ♄ Ⓦ Ⓝ; Trop.

Wisteria Nutt. -f- *Fabaceae* · Glyzine, Wistarie
– *brachybotrys* Siebold et Zucc. = Wisteria floribunda
- var. *alba* W. Mill. = Wisteria venusta
– *chinensis* DC. = Wisteria sinensis
– **floribunda** (Willd.) DC. · Japanischer Blauregen · Japanese Wisteria | ♄ ≷ V-VI; Jap.
– × **formosa** Rehder (*W. floribunda* × *W. sinensis*) | ≷; cult.
– **frutescens** (L.) Poir. | ♄ ≷ VII-IX ∧; USA: NE, SE, Fla., SC
– **macrostachya** (Torr. et A. Gray) Nutt. · Amerikanischer Blauregen | ♄ ≷ VI-VII; USA: NCE, SC, SE
– **sinensis** (Sims) Sweet · Chinesischer Blauregen · Chinese Wisteria | ♄ ≷ IV-V ☠; China, nat. in USA: NE
– *speciosa* Nutt. = Wisteria frutescens
– **venusta** Rehder et E.H. Wilson · Silky Wisteria | ♄ ≷ VI-VII; China

Withania Pauquy -f- *Solanaceae*
– **somnifera** (L.) Dunal | ♄; Eur.:Ib, BrI, I; Canar.; Ind., Afr.

× **Withnerara** Hort. -f- *Orchidaceae* (*Aspasia* × *Miltonia* × *Odontoglossum* × *Oncidium*)

Witsenia Thunb. -f- *Iridaceae*
– *corymbosa* Ker-Gawl. = Nivenia corymbosa

Wittia = Wittiocactus Rauschert
– *amazonica* K. Schum. = Wittiocactus amazonicus
– *costaricensis* Britton et Rose = Pseudorhipsalis himantoclada
– *panamensis* Britton et Rose = Wittiocactus panamensis

Wittiocactus Rauschert -m- *Cactaceae*
– **amazonicus** (K. Schum.) Rauschert | ♄ ♆ Ⓦ ✻
– **panamensis** (Britton et Rose) Rauschert | ♄ ♆ Ⓦ ✻; Panama, Col., ? Venez.

Wittmackia = Aechmea Ruiz et Pav.
– *lingulata* (L.) Mez = Aechmea lingulata

Wittrockia Lindm. -f- *Bromeliaceae*
– **amazonica** (Baker) L.B. Sm. | ♃ Ⓦ; Bras.

Wolffia Horkel ex Schleid. -f- *Lemnaceae*
– **arrhiza** (L.) Horkel ex Wimm. · Wurzellose Zwergwasserlinse | ♃ ♠; Eur.* exc. Sc; Cauc., Ind., Afr., Austr.

Woodsia R. Br. -f- *Woodsiaceae* · Wimpernfarn
– **alpina** (Bolton) Gray · Alpen-Wimperfarn · Northern Cliff Fern, Northern Woodsia | ♃ △ VII-VIII ▽; Eur.*; N, mts.; TR, Cauc., Him., W-Sib., E-Sib., Kamchat., N-Am., Greenl.
– *hyperborea* (Lilj.) R. Br. = Woodsia alpina
– **ilvensis** (L.) R. Br. · Rostroter Wimperfarn, Südlicher Wimperfarn · Rusty Cliff Fern, Rusty Woodsia | ♃ △ VII-VIII ▽; Eur.* exc. Ib; W-Sib., E-

Sib., Amur, Sachal., Kamchat., C-As.
- subsp. *arvonica* (With.) Milde = Woodsia alpina
– **obtusa** (Spreng.) Torr. · Blunt Lobe Cliff Fern, Common Woodsia | ♃ △; Can.: E; USA: NE, NCE, NC, SC, SE
– **polystichoides** Eaton | ♃ △; Amur, China, Manch., Korea, Jap., Sachal., Taiwan
– **pulchella** Bertol. · Zierlicher Wimperfarn | ♃ △ VII-VIII ▽; Pyr., E-Alp., C-Alp.

Woodwardia Sm. -f- *Blechnaceae*
– **areolata** (L.) T. Moore · Netted Chain Fern | ♃ ~ ∧; Can.: E; USA: NE, NCE, SC, SE, Fla.
– **radicans** (L.) Sm. · European Chain Fern | ♃ Ⓚ; Eur.: Ib.Ap, Crete, Canar., Madeira; Alg.
– **virginica** (L.) Sm. · Virginia Chain Fern | ♃ ~ ∧; Can.: E; USA: NE, NCE, SC, SE, Fla.; Bermuda

Worsleya = Hippeastrum Herb.
– **rayneri** (Hook.) Traub et Moldenke | ♃ Ⓦ VII-IX; Bras. (Serra dos Orgaos)

Wulfenia Jacq. -f- *Scrophulariaceae*
– **amherstiana** Benth. | ♃ △ VI-VII; Afgh., Him.
– **baldaccii** Degen | ♃ △ V-VI; N-AL
– **carinthiaca** Jacq. · Kärntener Kuhtritt, Wulfenie | ♃ △ VII ▽; Eur.: I, A, Montenegro, ? AL; SE-Alp., Montenegro
– **orientalis** Boiss. | ♃ Ⓐ △ V-VI ∧; TR
– × **suendermannii** hort. (*W. baldaccii* × *W. carinthiaca*) | ♃ △ V-VI; cult.

Wurmbea Thunb. -f- *Colchicaceae*
– *campanulata* Willd. = Wurmbea capensis
– **capensis** Thunb. | ♃ Ⓚ V-VI; S-Afr.

Wyethia Nutt. -f- *Asteraceae*
– **angustifolia** (DC.) Nutt. · California Compassplant | ♃ VII-VIII ∧; USA: Wash., Oreg., Calif.
– **helenioides** (DC.) Nutt. · Mule's Ear Daisy | ♃ VII-VIII ∧; C-Calif.
– **mollis** A. Gray · Woolly Mule's Ears | ♃ VII-VIII ∧; USA: Calif., Nev.
– **ovata** Torr. et A. Gray ex Torr. | ♃ Ⓐ △ V-VI ∧; Calif.

Xantheranthemum Lindau -n- *Acanthaceae*
– **igneum** (Linden) Lindau | ♃ Ⓦ ⇝; Peru

Xanthium L. -n- *Asteraceae* · Spitzklette
– **albinum** (Widd.) H. Scholz · Ufer-Spitzklette | X-VIII; Eur.: Fr, C-Eur., EC-Eur., Sc, E-Eur.
- subsp. **riparium** (Celak.) Widder et Wagenitz | ⊙ Ⓝ; Eur.: D, PL, Balt.
– **brasilicum** Vell.; W-As.
– **italicum** Moretti · Italienische Spitzklette | X-VII; Eur.: Sp., F, I, Slove.; TR
– **orientale** L. · Großfrüchtige Spitzklette | VIII-IX; Eur.: F, D, A, CH +
– *riparium* Lasch = Xanthium albinum subsp. riparium
– *ripicola* Holub = Xanthium albinum subsp. riparium
– **saccharatum** Wallr. · Zucker-Spitzklette | X-VIII; N-Am., nat. in A, D
– **spinosum** L. · Dornige Spitzklette · Clotweed, Cocklebur | ⊙ VIII-IX; S-Am., nat. in Eur.* exc. Sc, Brl; cosmop. exc. trop. As.
– **strumarium** L. · Gewöhnliche Spitzklette | X-VII; Eur.* exc. Brl, Sc; TR, Cauc., Iran, W-Sib., C-As., N-Am., nat. in cosmop.

Xanthoceras Bunge -n- *Sapindaceae* · Gelbhorn
– **sorbifolium** Bunge · Gelbhorn | ♄ ♄ V-VI; N-China

Xanthorhiza Marshall -f- *Ranunculaceae*
– **simplicissima** Marshall · Gelbwurz · Yellowroot | ♄ IV-V; USA: NE, SE, Fla.

Xanthorrhoea Sm. -f- *Xanthorrhoeaceae* · Grasbaum
– **australis** R. Br. · Austral Grass Tree | ♃ Ⓚ; Austr.: N.S. Wales, S-Austr., Tasman., Victoria
– **hastilis** R. Br. | ♃ Ⓚ Ⓝ; Austr.: N.S.Wales, Victoria
– **quadrangulata** F. Muell. | ♃ Ⓚ; S-Austr.

Xanthosoma Schott -n- *Araceae*
– *atrovirens* K. Koch et Bouche = Xanthosoma sagittifolium
– **belophyllum** Kunth | Ⓝ; Venez., nat. in W.Ind., n S-Am.
– **brasiliense** (Desf.) Engl. | ♃ Ⓝ; W.Ind., trop. S-Am.

- **caracu** K. Koch et Bouché | ♃ Ⓝ; trop. Am., nat. in Afr.
- *jacquinii* Schott = Xanthosoma undipes
- *lindenii* (André) Engl. = Caladium lindenii
- *mafaffa* Schott = Xanthosoma sagittifolium
- **maximilianum** Schott | Ⓦ; Bras.
- *nigrum* (Vell.) Mansf. = Xanthosoma violaceum
- **robustum** Schott · Capote | Ⓦ; Mex., C-Am.
- **sagittifolium** (L.) Schott · Malanga | ♃ Ⓦ Ⓝ; orig. ?; cult. trop. Am., trop. Afr.
- **undipes** (K. Koch) K. Koch | ♃ Ⓦ Ⓝ; Mex., C-Am., trop. S-Am., cult. W.Ind.
- **violaceum** Schott · Blue Taro | ♃ Ⓦ Ⓝ; C-Am., W.Ind., trop. S-Am.

Xeranthemum L. -n- *Asteraceae* · Papierblume
- **annuum** L. · Einjährige Strohblume · Common Immortelle | ⊙ ⋊ VI-IX; Eur.: A, EC-Eur., Ba, E-Eur.; TR, Syr., Lebanon, Cauc., NW-Iran, nat. in Sp., I
- **inapertum** (L.) Mill. · Felsenheide-Strohblume | VI-VIII; Eur.: Ib, Fr, Ap, Ba, CH; TR, Cyprus, Lebanon, Cauc., NW-Afr.
- *sesamoides* L. = Edmondia sesamoides

Xerophyllum Michx. -n- *Melanthiaceae* · Bärengras
- **asphodeloides** (L.) Nutt. · Turkey Beard | ♃ V-VII ∧; USA: NE, SE
- **tenax** (Pursh) Nutt. · Bärengras · Elkgrass, Western Turkeybeard | ♃ ⋊ VI-VII ∧; B.C., USA: NW, Rocky Mts., Calif.

Xerosicyos Humbert -m- *Cucurbitaceae*
- **danguyi** Humbert | ♄ Ⓚ; Madag.
- **perrieri** Humbert | ♃ Ⓚ; Madag.

Ximenia L. -f- *Olacaceae*
- **americana** L. · Hog Plum, Tallow Wood | ♄ Ⓚ Ⓝ; USA: Fla.; Mex., W.Ind., C-Am., S-Am., Trop. Old World

Xiphidium Aubl. -n- *Haemodoraceae*
- **coeruleum** Aubl. | ♃ Ⓦ V-VI; Mex., C-Am., W.Ind., S-Am.

Xylia Benth. -f- *Mimosaceae*
- **xylocarpa** (Roxb.) Taub. | ♄ Ⓦ Ⓝ; Ind., Myanmar, S-Vietn., Malay. Pen., Phil.

Xylobium Lindl. -n- *Orchidaceae*
- **hyacinthinum** (Rchb. f.) Schltr. | Ⓦ VII-VIII ✻; Venez.
- *squalens* (Lindl.) Lindl. = Xylobium variegatum
- **variegatum** (Ruiz et Pav.) Garay et Dunst. | ♃ Ⓦ VIII-IX ✻; C-Am., trop. S-Am.

Xylomelum Sm. -n- *Proteaceae*
- **pyriforme** (Gaertn.) R. Br. · Woody Pear | ♄ Ⓚ ⋊ ✻; Austr.: Queensl., N.S.Wales

Xylopia L. -f- *Annonaceae*
- **aethiopica** (Dunal) A. Rich. · Guinea Pepper | ♄ Ⓦ Ⓝ; W-Afr., C-Afr.
- **aromatica** Baill. · Guineapfeffer, Malaguetapfeffer | Ⓝ; Afr., nat. in S-Am., Antill.
- **quintasii** Engl. et Diels · Negro Pepper | ♄ Ⓦ Ⓝ; W-Afr.
- *striata* Engl. = Xylopia quintasii

Xylopleurum = Oenothera L.
- *speciosum* (Nutt.) Raim. = Oenothera speciosa

Xylosma G. Forst. -f- *Flacourtiaceae*
- **japonicum** (Walp.) A. Gray | ♄; China, Taiwan, Jap.

Xyris L. -f- *Xyridaceae*
- **capensis** Thunb. | ♃ Ⓦ; trop. Afr., S-Afr.
- **indica** L. · Yelloweye Grass | ♃ Ⓦ; Ind.
- **operculata** Labill. | ♃ Ⓦ; Austr.

Xysmalobium R. Br. -n- *Asclepiadaceae*
- **undulatum** (L.) R. Br. | ♃ Ⓚ; S-Afr.

× **Yamadara** Hort. -f- *Orchidaceae* (*Cattleya* × *Epidendrum* × *Laelia* × *Rhyncholaelia*)

× **Yapara** Hort. -f- *Orchidaceae* (*Phalaenopsis* × *Rhynchostylis* × *Vanda*)

Yucca L. -f- *Agavaceae* · Palmlilie
- **aloifolia** L. · Dagger Plant, Spanish Bayonet | ♆ Ⓚ VIII-IX; USA: SE, Fla.; E-Mex., W.Ind.
- *angustifolia* Pursh = Yucca glauca
- **angustissima** Engelm. ex Trel. | ♆; USA: Ariz., N.Mex., Utah, Nev.

– *arborescens* (Torr.) Trel. = Yucca brevifolia
– **arizonica** McKelvey | ψ; Ariz., Mex: Sonora
– *australis* (Engelm.) Trel. = Yucca filifera
– **baccata** Torr. · Banana Yucca, Blue Yucca | ψ Ⓚ; USA: Rocky Mts., SW
- var. *australis* Haw. = Yucca torreyi
– **brevifolia** Engelm. · Joshua Tree | ψ Ⓚ; USA: Calif., Rocky Mts, SW
– *bulbifera* hort. = Furcraea bedinghausii
– **canabensis** McKelvey | ψ
– **decipiens** Trel. | ψ; Mex.
– **desmetiana** Baker | ψ Ⓚ; Mex.
– **elata** Engelm. · Soap Tree | ψ Ⓚ; USA: Ariz., N.Mex., Tex.; Mex.
– **elephantipes** Regel · Elephant Yucca | ψ Ⓚ VIII-IX; Mex., Guat.
– **filamentosa** L. · Fädige Palmlilie · Adam's Needle, Spoonleaf Yucca | ψ VIII-IX; USA: NE, SE, Fla.
– **filifera** Chabaud | ψ VII-IX; Mex.
– **flaccida** Haw. · Schlaffe Palmlilie | ψ VIII-IX; USA: SE
– **flexilis** Carrière | ψ Ⓚ; orig. ?
– *funifera* K. Koch = Hesperaloe funifera
– *gigantea* Baker = Yucca elephantipes
– **glauca** Nutt. ex Fraser · Blaugrüne Palmlilie · Bear Grass, Blue Yucca, Spanish Bayonet | ψ VIII-IX ∧; USA: NCE, NC, Rocky Mts, SW; SC, SE; Mex.
– **gloriosa** L. · Adam's Needle, Soft Tip Yucca | ψ Ⓚ VII-IX; USA: SE, Fla.
– *graminifolia* Zucc. = Dasylirion graminifolium
– *guatemalensis* Baker = Yucca elephantipes
– × **karlsruhensis** Graebener (*Y. filamentosa* × *Y. glauca*) | ψ; cult.
– *longifolia* Schult. = Nolina longifolia
– **louisianensis** Trel. | ψ; S-USA: La
– *macrocarpa* (Torr.) Coville = Yucca torreyi
– *macrocarpa* Engelm. = Yucca schottii
– *parviflora* Torr. = Hesperaloe parviflora
– *pendula* Siebold = Yucca recurvifolia
– *puberula* Haw. = Yucca flaccida
– *radiosa* (Engelm.) Trel. = Yucca elata
– *recurva* Haw. = Yucca recurvifolia
– **recurvifolia** Salisb. | ψ Ⓚ; USA: SE
– **rostrata** Engelm. ex Trel. | ψ Ⓚ; Tex., N-Mex.
– **schottii** Engelm. | ψ Ⓚ; USA: SW; N-Mex.
– *serratifolia* Karw. ex Schult. f. = Dasylirion serratifolium
– **torreyi** Shafer · Torrey Yucca | ψ Ⓚ; USA: Tex., N.Mex.; N-Mex.
– **treculeana** Carrière · Spanish Bayonet, Yucca | ψ Ⓚ; Tex., NE-Mex.
– **valida** Brandegee | ψ Ⓚ; Mex.
– **whipplei** Torr. · Our Lord's Candle | ψ Ⓚ; Calif., Baja Calif.

Yushania = Sinarundinaria Nakai
– **anceps** (Mitford) W.C. Lin · Himalayan Bamboo | ħ
– *jaunsarensis* (Gamble) Yi = Yushania anceps

Zaluzianskya F.W. Schmidt -f- *Scrophulariaceae* · Sternbalsam
– **capensis** (Benth.) Walp. | ⊙ ⊙ ♃ ♄ ħ Ⓚ D VII-IX; S-Afr.
– *selaginoides* Walp. = Zaluzianskya villosa
– **villosa** F.W. Schmidt | ⊙ D VII-IX; S-Afr.

Zamia L. -f- *Zamiaceae*
– *angustifolia* Jacq. = Zamia pumila
– *debilis* Aiton = Zamia pumila
– **fairchildiana** L.D. Gomez | Ⓦ ✱; Costa Rica
– **fischeri** Miq.; Mex.
– *floridana* A. DC. = Zamia pumila
– **furfuracea** L. f.
– **lindenii** Regel ex André | Ⓦ ✱; Ecuad.
– **loddigesii** Miq. | Ⓦ ✱; Mex.
– *media* Jacq. = Zamia pumila
– **muricata** Willd. | Ⓦ ✱; Mex., Col., Venez.
– **obliqua** A. Braun | Ⓦ ✱; Col.
– **pseudoparasitica** Yates | Ⓦ ✱; Col., Ecuad., Peru
– **pumila** L. · Coontie | Ⓦ; Fla., W.Ind.
- subsp. **pygmaea** (Sims) Eckenw. | Ⓦ ✱; W-Cuba
– *pygmaea* Sims = Zamia pumila subsp. pygmaea
– *roezlii* Regel = Zamia pseudoparasitica
– **skinneri** Warsz. | Ⓦ ✱; C-Am.
– **wallisii** A. Braun | Ⓦ ✱; Col.

Zamioculcas Schott -f- *Araceae*
– **zamiifolia** (Lodd.) Engl. | ♃ ψ Ⓦ; E-Afr.

Zannichellia L. -f- *Zannichelliaceae*
– **palustris** L. · Teichfaden | ♃ V-IX;

Eur.*, Cauc., cosmop. exc. Austr.

Zantedeschia Spreng. -f- *Araceae*
– **aethiopica** (L.) Spreng. · Calla · Arum Lily, Calla Lily, Pig Lily | ♃ Ⓚ ✂ I-VI; S-Afr.: Kap, Natal
 - *'Elliottiana'* = Zantedeschia elliottiana
– **albomaculata** (Hook. f.) Baill. · Gefleckte Calla · Spotted Arum | ♃ Ⓚ; S-Afr.: Kap, Natal
– **elliottiana** (W. Watson) Engl. · Goldene Calla · Golden Calla | ♃ Ⓚ ✂ VI-VIII; orig. ?
– **jucunda** Letty | ♃ Ⓚ ✂; S-Afr.: Transvaal
– **rehmannii** Engl. · Rosafarbene Calla · Pink Arum, Pink Calla | ♃ Ⓚ VIII; S-Afr.: Natal

Zanthorhiza L'Hér. -f- *Ranunculaceae*
– *apiifolia* L'Hér. = Xanthorhiza simplicissima

Zanthoxylum L. -n- *Rutaceae* · Gelbholz
– *alatum* Roxb. = Zanthoxylum armatum
 - var. *planispinum* (Siebold et Zucc.) Rehder et E.H. Wilson = Zanthoxylum planispinum
– **americanum** Mill. · Toothache Tree | ♄ ♄ IV Ⓝ; Can.: E; USA: NE, NCE, NC, SC, SE, Fla.
– **armatum** DC. | ♄; Pakist., Him., Ind., Malay. Arch., Phil.
– *bungeanum* Maxim. = Zanthoxylum simulans
– *bungei* Planch. = Zanthoxylum simulans
– *fraxineum* Willd. = Zanthoxylum americanum
– **piperitum** DC. · Japanischer Pfeffer | ♄ Ⓝ; China, Manch., Korea, Jap.
– **planispinum** Siebold et Zucc. | ♄ IV-V; China, Korea, Jap., Riukiu-Is., Taiwan
– **schinifolium** Siebold et Zucc. | ♄; Jap., Korea, O-China, Mandsch
– **simulans** Hance · Täuschende Stachelesche | ♄ V-VI Ⓝ; N-China, C-China

Zauschneria = Epilobium L.
– *californica* C. Presl = Epilobium canum subsp. angustifolium
 - subsp. *angustifolia* Keck = Epilobium canum subsp. angustifolium
 - subsp. *latifolia* (Hook.) Keck = Epilobium canum subsp. latifolium
 - subsp. *mexicana* (C. Presl) Raven = Epilobium canum subsp. mexicanum
 - var. *villosa* (Greene) Jeps. = Epilobium canum subsp. mexicanum
– *cana* Greene = Epilobium canum
– *garettii* A. Nelson = Epilobium canum subsp. garrettii
– *latifolia* (Hook.) Greene = Epilobium canum subsp. latifolium
 - var. *arizonica* (Davidson) Hilend = Epilobium canum subsp. latifolium
 - var. *garettii* (A. Nelson) Hilend = Epilobium canum subsp. garrettii

Zea L. -f- *Poaceae* · Mais
– **mays** L. · Mais · Corn, Maize, Sweet Corn | Off. X-VII; ? Mex., ? C-Am.
 - subsp. *mexicana* (Schrad.) Iltis = Zea mexicana
– **mexicana** (Schrad.) Reeves et Mangelsd. | ⊙ Ⓝ; Mex.

Zebrina = Tradescantia L.
– *flocculosa* G. Brückn. = Tradescantia zebrina var flocculosa
– *pendula* Schnizl. = Tradescantia zebrina
– *purpusii* G. Brückn. = Tradescantia zebrina 'Purpusii'

Zehneria Endl. -f- *Cucurbitaceae*
– **indica** (L.) Keraudren · Zehneria | ♃ ≹ ♧; Jap.
– **scabra** (L. f.) Sond. | ⊙ ⊙ ♃ Ⓚ ≹ ♧ D ♧ V-VIII; Mex.
– *suavis* (Schrad.) Endl. ex Walp. = Zehneria scabra

Zelkova Spach -f- *Ulmaceae*
– **carpinifolia** (Pall.) K. Koch · Kaukasische Zelkowe · Caucasian Elm | ♄ V Ⓝ; Cauc.
 - **'Verschaffeltii'** (Pall.) K. Koch | ♄ ♄; Cauc.
– *crenata* Spach = Zelkova carpinifolia
– *keaki* (Siebold) Maxim. = Zelkova serrata
– **serrata** (Thunb. ex Murray) Makino · Japanische Zelkowe · Japanese Zelkova, Sawleaf Zelkova | ♄ V Ⓝ; China, Korea, Jap.
– **sinica** C.K. Schneid. | ♄; C-China, E-China
– *ulmoides* C.K. Schneid. = Zelkova carpinifolia
– × *verschaffeltii* (Dippel) Nichols. = Zelkova carpinifolia 'Verschaffeltii'

Zenobia D. Don -f- *Ericaceae*
- **pulverulenta** (W. Bartram ex Willd.) Pollard · Zenobie | ♄ V-VI; USA: Va., N.C., S.C.
  - var. **viridis** (Veill.) Boom

Zephyranthes Herb. -f- *Amaryllidaceae* · Zephirblume
- **atamasca** (L.) Herb. | ♃ Ⓚ III-IV; USA: NE, SE, Fla.
- *aurea* Benth. et Hook. f. = Pyrolirion aureum
- *brasiliensis* (Traub) Traub = Zephyranthes drummondii
- **candida** (Lindl.) Herb. · Flower-of-the-Western-Wind | ♃ Ⓚ VII-X; Urug., Arg.
- *carinata* Herb. = Zephyranthes grandiflora
- **drummondii** D. Don | ♃ Ⓚ; Bras.
- **grandiflora** Lindl. | ♃ Ⓚ IV-VII; Mex., Guat., Cuba, Jamaica
- *robusta* (Herb.)Baker = Habranthus robustus
- **rosea** (Spreng.) Lindl. · Fairy Lily | ♃ Ⓚ X; Guat., W.Ind.
- *tubiflora* (L'Hér.) Schinz = Pyrolirion aureum
- **verecunda** Herb. | ♃ Ⓚ IV-VII; N-Mex.

Zigadenus Michx. -m- *Melanthiaceae*
- **elegans** Pursh · Jochblume · Death Camas | ♃ ~ VI-VIII; Alaska, Can.: W, Man.; USA* exc. Calif.
  - subsp. **glaucus** (Nutt.) Hulten | ♃; N-Am.
- **fremontii** (Torr.) Torr. ex S. Watson · Fremont's Deathcamas, Star Lily | ♃ ~ VI-VIII; USA: Oreg., Calif.; Mex.: Baja Calif.
- *glaucus* Nutt. = Zigadenus elegans subsp. glaucus
- **nuttallii** A. Gray · Poison Sego | ♃ V-VI; USA: Kans., Mo., SC, SE

Zingiber Boehm. -n- *Zingiberaceae* · Ingwer
- *cassumunar* Roxb. = Zingiber purpureum
- **mioga** (Thunb.) Roscoe · Mioga Ginger | ♃ Ⓦ Ⓝ; Jap.
- **officinale** Roscoe · Ginger | ♃ Ⓦ Off. Ⓝ; ? Pacific. Is.
- **purpureum** Roscoe · Bengal Ginger, Cassumunar Ginger | ♃ Ⓦ Ⓝ; ? Ind.; cult. trop. As.
- **spectabile** Griff. · Nodding Gingerwort | ♃ Ⓝ; Malay.Arch.
- **zerumbet** (L.) Sm. · Wild Ginger | ♃ Ⓦ VIII-IX Ⓝ; cult.

Zinnia L. -f- *Asteraceae* · Zinnie
- *angustifolia* auct. non Humb., Bonpl. et Kunth = Zinnia haageana
- **angustifolia** Humb., Bonpl. et Kunth | ⊙ VII-X; USA: Ariz.
- **elegans** Jacq. · Zinnie · Youth-and-Old-Age | ⊙ X-IX; Mex.
- **haageana** Regel | ⊙ VII-IX; Mex.
- *linearis* Benth. = Zinnia angustifolia
- *mexicana* hort. = Zinnia haageana
- *pauciflora* L. = Zinnia peruviana
- **peruviana** (L.) L. | ⊙ VII-IX; USA: Ariz.; Mex., W.Ind., S-Am.

Zizania L. -f- *Poaceae* · Wilder Reis
- **aquatica** L. · Annual Wild Rice, Canadian Wild Rice | ⊙ ♠ Ⓝ; ne N-Am., nat. in E-Eur.
- *caduciflora* (Turcz.) Hand.-Mazz. = Zizania latifolia
- **latifolia** (Griseb.) Turcz. · Water Rice, Wild Rice | ♃ ♠ Ⓝ; Eur.: E-Russ.; Sib., China, Jap., Taiwan, Myanmar, NE-Ind.
- *palustris* L. = Zizania aquatica

Zizia W.D.J. Koch -f- *Apiaceae*
- **aurea** (L.) W.D.J. Koch | ♃; Can.: E; USA

Ziziphora L. -f- *Lamiaceae*
- **capitata** L.; Eur.: Ba, E-Eur., ? Sp.; Cauc., Cyprus, Syr., N-Irak, Iran, TR, nat. in I

Ziziphus Mill. -f- *Rhamnaceae*
- **jujuba** Mill. · Jujube | ♄ ♄ Ⓚ IV-V Ⓝ; Cauc., Iran, C-As., Tibet, Him., Ind., Mong., China, Korea, Jap., nat. in Eur.: Sp., F, Ap, Ba, RO; TR
- **lotus** (L.) Lam. · Ziziphus | ♄ ♄ Ⓚ Ⓝ; Eur.: Sp., Sic., GR; S-TR, Levante, N-Afr.
- **mauritiana** Lam. · Indian Jujube | ♄ ♄ Ⓚ IV-V Ⓝ; trop. Afr., Alger., SW-As., Afgh., Ind., China, Malay. Pen., Austr.
- *vulgaris* Lam. = Ziziphus jujuba

Zostera L. -f- *Zosteraceae* · Seegras
- **marina** L. · Gewöhnliches Seegras, Schmalblättriges Seegras · Eel Grass, Grass Wrack | ♃ ♠ VI-IX Ⓝ; Eur.*, TR,

Cauc., Amur, Sachal., Kamchat., Manch., Korea, Jap., Maroc., Can.: E, B.C.; USA: NE, SE, NW, Calif.; coasts
– *nana* Mert. ex Roth p.p. = Zostera noltii
– **noltii** Hornem. · Zwerg-Seegras · Dwarf Eel Grass, Dwarf Grass Wrack | ♃ ≈ VI-VIII Ⓝ; Eur.*, TR, C-As., N-Iran, N-Afr., Canar., W-Afr.; coasts

Zosterella Small -f- *Pontederiaceae*
– *dubia* (Jacq.) Small = Heteranthera dubia

× **Zygobatemannia** Hort. -f- *Orchidaceae* (*Batemannia* × *Zygopetalum*)

Zygocactus = Schlumbergera Lem.
– *truncatus* (Haw.) K. Schum. = Schlumbergera truncata

× **Zygocaste** Hort. -f- *Orchidaceae* (*Lycaste* × *Zygopetalum*)

× **Zygocolax** Hort. -m- *Orchidaceae* (*Colax* × *Zygopetalum*)

Zygopetalum Hook. -n- *Orchidaceae*
– **brachypetalum** Lindl. | Ⓦ XI-XII ❄; Bras.
– *coeleste* Rchb. f. = Bollea coelestis
– **crinitum** Lodd. | Ⓦ D X-II ❄; Bras.
– *lalindei* Rchb. f. = Bollea lalindei
– *lamellosum* Rchb. f. = Pescatoria lamellosa
– **mackai** Hook. | Ⓦ D X-II ❄; Bras.
– **maxillare** Lodd. | Ⓦ VI-VII ❄; Bras. (Serra dos Orgaos)

× **Zygorhyncha** Hort. -f- *Orchidaceae* (*Chondrorhyncha* × *Zygopetalum*)

× **Zygostylis** Hort. -f- *Orchidaceae* (*Otostylis* × *Zygopetalum*)

VII Deutsche Pflanzennamen

Aasblume = Stapelia
Abelie, Englers = Abelia engleriana
Abelie, Graebners = Abelia graebneriana
Abelie, Großblütige = Abelia × grandiflora
Abelie, Reichblütige = Abelia floribunda
Abelie, Schumanns = Abelia schumannii
Abendmohn = Platystigma
Ackerbohne = Vicia faba
Ackerfrauenmantel, Gewöhnlicher = Aphanes arvensis
Ackerfrauenmantel, Kleinfrüchtiger = Aphanes inexpectata
Ackerkohl, Österreichischer = Conringia austriaca
Ackerkohl, Orientalischer = Conringia orientalis
Ackerlöwenmaul, Gewöhnliches = Misopates orontium
Ackerröte = Sherardia, Sherardia arvensis
Ackerwinde = Convolvulus
Adlerfarn = Pteridium, Pteridium aquilinum
Adonisröschen = Adonis
Adonisröschen, Flammen- = Adonis flammea
Adonisröschen, Frühlings- = Adonis vernalis
Adonisröschen, Herbst- = Adonis annua
Adonisröschen, Sommer- = Adonis aestivalis
Ährenhafer, Zerbrechlicher = Gaudinia fragilis
Ährenheide = Bruckenthalia
Ährenlilie, Mohr- = Narthecium ossifragum
Affenblume = Mimulus
Affodill = Asphodelus, Asphodelus albus
Affodill, Röhriger = Asphodelus fistulosus
Afrikanischer Baldrian = Fedia
Agave = Agave, Agave americana
Ahorn = Acer
Ahorn, Balkan- = Acer hyrcanum
Ahorn, Berg- = Acer pseudoplatanus
Ahorn, Cissusblättriger = Acer cissifolium
Ahorn, Davids = Acer davidii
Ahorn, Eschen- = Acer negundo
Ahorn, Fächer- = Acer palmatum
Ahorn, Feinzähniger = Acer argutum
Ahorn, Feld- = Acer campestre
Ahorn, Feuer- = Acer tataricum subsp. ginnala
Ahorn, Französischer = Acer monspessulanum
Ahorn, Griechischer = Acer heldreichii
Ahorn, Grossers = Acer grosseri
Ahorn, Hainbuchen- = Acer carpinifolium
Ahorn, Henrys = Acer henryi
Ahorn, Italienischer = Acer cappadocicum subsp. lobelii
Ahorn, Japanischer = Acer japonicum
Ahorn, Kahler = Acer glabrum subsp. douglasii
Ahorn, Kaukasischer = Acer heldreichii subsp. trautvetteri
Ahorn, Kolchischer = Acer cappadocicum
Ahorn, Mandschurischer = Acer mandshuricum
Ahorn, Miyabes = Acer miyabei
Ahorn, Nippon- = Acer mono
Ahorn, Oregon- = Acer macrophyllum
Ahorn, Rot- = Acer rubrum
Ahorn, Roter Schlangenhaut- = Acer capillipes
Ahorn, Rotnerviger = Acer rufinerve
Ahorn, Samt- = Acer velutinum var. glabrescens
Ahorn, Schneeballblättriger = Acer opalus
Ahorn, Schwarzer Zucker- = Acer saccharum subsp. nigrum
Ahorn, Siebolds- = Acer sieboldianum
Ahorn, Silber- = Acer saccharinum
Ahorn, Spitz- = Acer platanoides
Ahorn, Streifen- = Acer pensylvanicum
Ahorn, Tataren- = Acer tataricum
Ahorn, Vermont- = Acer spicatum
Ahorn, Wein- = Acer circinatum
Ahorn, Zimt- = Acer griseum
Ahorn, Zöschener = Acer × zoeschense
Ahorn, Zucker- = Acer saccharum
Ahornblatt = Mukdenia rossii
Akanthus = Acanthus
Akazie = Acacia
Akazie, Drehfrüchtige = Acacia tortilis
Akebie, Fingerblättrige = Akebia quinata
Akebie, Kleeblättrige = Akebia trifoliata
Akelei = Aquilegia
Akelei, Alpen- = Aquilegia alpina
Akelei, Dunkle = Aquilegia nigricans
Akelei, Einseles = Aquilegia einseleana
Akelei, Gewöhnliche = Aquilegia vulgaris
Akelei, Kleinblütige = Aquilegia einseleana
Akelei, Schwarzviolette = Aquilegia atrata
Alant = Inula
Alant, Christusaugen- = Inula oculus-christi
Alant, Deutscher = Inula germanica
Alant, Dürrwurz- = Inula conyzae
Alant, Echter = Inula helenium
Alant, Klebriger = Dittrichia graveolens
Alant, Rauhaariger = Inula hirta
Alant, Schweizer = Inula helvetica
Alant, Schwertblättriger = Inula ensifolia
Alant, Sparriger = Inula spiraeifolia

Alant, Weidenblättriger = Inula salicina
Alant, Wiesen- = Inula britannica
Aleppohirse = Sorghum halepense
Alerce = Fitzroya cupressoides
Algenfarn, Großer = Azolla filiculoides
Algenfarn, Kleiner = Azolla mexicana
Allermannsharnisch = Allium victorialis
Almend = Terminalia
Aloe = Aloe
Alpenazalee = Loiseleuria procumbens
Alpenbalsam = Erinus, Erinus alpinus
Alpendost = Adenostyles
Alpendost, Filziger = Adenostyles leucophylla
Alpendost, Grauer = Adenostyles alliariae
Alpendost, Kahler = Adenostyles glabra
Alpengelbling = Sibbaldia
Alpenglöckchen = Soldanella
Alpenglöckchen, Österreichisches = Soldanella austriaca
Alpenhelm, Europäischer = Bartsia alpina
Alpenlattich = Homogyne
Alpenlattich, Filziger = Homogyne discolor
Alpenlattich, Gewöhnlicher = Homogyne alpina
Alpenlattich, Wald- = Homogyne sylvestris
Alpenmaßliebchen = Aster bellidiastrum
Alpenrachen = Tozzia alpina
Alpenrose = Rhododendron
Alpenrose, Bewimperte = Rhododendron hirsutum
Alpenrose, Gelbe = Rhododendron calendulaceum
Alpenrose, Rostblättrige = Rhododendron ferrugineum
Alpenscharte = Leuzea rhapontica , Saussurea
Alpenscharte, Gewöhnliche = Saussurea alpina
Alpenscharte, Niedere = Saussurea depressa
Alpenscharte, Zweifarbige = Saussurea discolor
Alpenscharte, Zwerg- = Saussurea pygmaea
Alpenveilchen = Cyclamen
Alpenveilchen, Herbst- = Cyclamen hederifolium
Alpenveilchen, Neapolitanisches = Cyclamen hederifolium
Alpenveilchen, Sommer- = Cyclamen purpurascens
Alpenveilchen, Vorfrühlings- = Cyclamen coum
Alpenveilchen, Wildes = Cyclamen purpurascens
Alpenveilchen, Zimmer- = Cyclamen persicum
Alraunenwurzel, Falsche = Tellima grandiflora
Alraunwurzel = Mandragora
Amarant = Amaranthus
Amaranth, Kugel- = Gomphrena globosa
Amaryllis = Hippeastrum
Ambatsch = Aeschynomene elaphroxylon
Amberbaum = Liquidambar
Amberbaum, Amerikanischer = Liquidambar styraciflua
Amberbaum, Orientalischer = Liquidambar orientalis
Ambrosie, Stauden- = Ambrosia psilostachya
Ambrosie, Strand- = Ambrosia maritima
Ameisenbaum = Cecropia
Ameisenknolle = Myrmecodia
Ammei, Zahnstocher- = Ammi visnaga
Ampfer = Rumex
Ampfer, Alpen- = Rumex alpinus , Rumex pseudoalpinus
Ampfer, Blut- = Rumex sanguineus
Ampfer, Finnischer = Rumex pseudonatronatus
Ampfer, Fluss- = Rumex hydrolapathum
Ampfer, Garten- = Rumex patientia
Ampfer, Gedrungener = Rumex confertus
Ampfer, Gemüse- = Rumex longifolius
Ampfer, Griechischer = Rumex cristatus
Ampfer, Hain- = Rumex sanguineus
Ampfer, Hüllfrüchtiger = Rumex acetosella subsp. pyrenaica
Ampfer, Kerner- = Rumex kerneri
Ampfer, Knäuelblütiger = Rumex conglomeratus
Ampfer, Krauser = Rumex crispus
Ampfer, Schmalblättriger = Rumex stenophyllus
Ampfer, Schöner = Rumex pulcher
Ampfer, Stumpfblättriger = Rumex obtusifolius
Ampfer, Sumpf- = Rumex palustris
Ampfer, Ufer- = Rumex maritimus
Ampfer, Verschiedenblättriger = Rumex heterophyllus
Ampfer, Wasser- = Rumex aquaticus
Ampfer, Weidenblatt- = Rumex salicifolius
Anabaum = Faidherbia albida
Andel = Puccinellia maritima
Andenpolster = Azorella trifurcata
Andenrose = Bejaria
Andorn = Marrubium
Andorn, Gewöhnlicher = Marrubium vulgare

Andorn, Ungarischer = Marrubium peregrinum
Andorn, Weißfilziger = Marrubium incanum
Andrachne, Kolchische = Andrachne colchica
Anemon, Schwefel- = Pulsatilla alpina subsp. apiifolia
Anemone = Anemone
Anemone, Bach- = Anemone rivularis
Anemone, Kanadische = Anemone canadensis
Anemone, Schein- = Gillenia trifoliata
Anemone, Stern- = Anemone hortensis
Angelika = Angelica sylvestris
Angelikabaum, Chinesischer = Aralia chinensis
Angelikabaum, Japanischer = Aralia elata
Anis = Pimpinella anisum
Antilopengras = Echinochloa pyramidalis
Apfel, Alaska- = Malus fusca
Apfel, Beeren- = Malus baccata
Apfel, Chinesischer = Malus toringoides
Apfel, Dreilappiger = Malus trilobata
Apfel, Filz- = Malus dasyphylla
Apfel, Halls = Malus halliana
Apfel, Holz- = Malus sylvestris
Apfel, Italienischer = Malus florentina
Apfel, Johannis- = Malus sylvestris subsp. mitis
Apfel, Kansu- = Malus kansuensis
Apfel, Kirsch- = Malus prunifolia
Apfel, Kronen- = Malus coronaria
Apfel, Kultur- = Malus domestica
Apfel, Paradies- = Malus pumila var. paradisiaca
Apfel, Pracht- = Malus spectabilis
Apfel, Prärie- = Malus ioensis
Apfel, Sargents = Malus toringo var. sargentii
Apfel, Schmalblättriger = Malus angustifolia
Apfel, Tee- = Malus hupehensis
Apfel, Toringo- = Malus toringo
Apfel, Vielblütiger = Malus floribunda
Apfel, Wild- = Malus sylvestris
Apfel, Wolliger = Malus tschonoskii
Apfel, Yunnan- = Malus yunnanensis
Apfelbaum = Malus
Apfelbeere = Aronia
Apfelbeere, Filzige = Aronia arbutifolia
Apfelbeere, Kahle = Aronia melanocarpa
Apfelbeere, Pflaumenblättrige = Aronia × prunifolia
Aprikose = Prunus, Prunus armeniaca
Aprikose, Briancon- = Prunus brigantina
Aprikose, Japanische = Prunus mume
Aprikose, Sibirische = Prunus sibirica
Araukarie, Chilenische = Araucaria araucana
Aremonie = Aremonia agrimonoides
Arganbaum = Argania spinosa
Arnika = Arnica
Arnika, Echte = Arnica montana
Aronstab = Arum
Aronstab, Dänischer = Arum cylindraceum
Aronstab, Gefleckter = Arum maculatum
Aronstab, Italienischer = Arum italicum
Aronstab, Orientalischer = Arum cylindraceum
Aronstab, Südöstlicher = Arum alpinum , Arum cylindraceum
Arrakatscha = Arracacia xanthorrhiza
Artischocke = Cynara
Artischocke, Echte = Cynara scolymus
Artischocke, Wilde = Cynara cardunculus
Arve = Pinus cembra
Aschenkraut, Obir- = Tephroseris longifolia
Asselkaktus = Pelecyphora
Astblume = Cladanthus
Aster = Aster
Aster, Alpen- = Aster alpinus
Aster, Berg- = Aster amellus
Aster, Bunte Glattblatt- = Aster × versicolor
Aster, Erika- = Aster ericoides
Aster, Glattblatt- = Aster novi-belgii
Aster, Glatte = Aster laevis
Aster, Gold- = Aster linosyris
Aster, Graue = Aster sedifolius subsp. canus
Aster, Herzblättrige = Aster macrophyllus
Aster, Kalk- = Aster amellus
Aster, Kleinblütige = Aster parviflorus
Aster, Kleinköpfige = Aster pilosus var. demotus
Aster, Lanzettblättrige = Aster lanceolatus
Aster, Neubelgien- = Aster novi-belgii
Aster, Neuengland- = Aster novae-angliae
Aster, Raublatt- = Aster novae-angliae
Aster, Strand- = Aster tripolium
Aster, Tibet- = Aster tibeticus
Aster, Weidenblättrige = Aster × salignus
Aster, Weiße Herbst- = Aster divaricatus
Astilbe, Bach- = Astilbe rivularis
Astilbe, China- = Astilbe chinensis
Astilbe, Garten- = Astilbe × arendsii
Astilbe, Koreanische = Astilbe koreana
Astilbe, Zwerg- = Astilbe chinensis var. pumila
Atlasblume = Clarkia amoena
Attich = Sambucus ebulus

Aubergine = Solanum melongena
Auge, Gold- = Heterotheca villosa
Augentrost = Euphrasia, Euphrasia officinalis
Augentrost, Bläulicher = Euphrasia nemorosa
Augentrost, Blauer = Euphrasia nemorosa subsp. caerulea
Augentrost, Blauer Hain- = Euphrasia nemorosa subsp. caerulea
Augentrost, Bunter = Euphrasia officinalis subsp. picta
Augentrost, Dreispitziger = Euphrasia tricuspidata
Augentrost, Drüsiger = Euphrasia minima
Augentrost, Dünen- = Euphrasia dunensis
Augentrost, Gewöhnlicher = Euphrasia officinalis
Augentrost, Großblütiger = Euphrasia officinalis subsp. rostkoviana
Augentrost, Hain- = Euphrasia nemorosa
Augentrost, Kamm- = Euphrasia stricta
Augentrost, Kerners = Euphrasia officinalis subsp. kerneri
Augentrost, Niedlicher = Euphrasia minima
Augentrost, Niedriger = Euphrasia stricta
Augentrost, Nordischer = Euphrasia frigida
Augentrost, Salzburger = Euphrasia salisburgensis
Augentrost, Schlanker = Euphrasia micrantha
Augentrost, Steifer = Euphrasia stricta
Augentrost, Tatarischer = Euphrasia stricta
Augentrost, Zarter = Euphrasia stricta
Augentrost, Zottiger = Euphrasia hirtella
Augentrost, Zwerg- = Euphrasia minima
Augenwurz = Athamanta
Augenwurz, Zottige = Athamanta cretensis
Aukube = Aucuba
Aukube, Japanische = Aucuba japonica
Aurikel, Alpen- = Primula auricula
Aurikel, Bastard- = Primula × pubescens
Aurikel, Garten- = Primula × pubescens
Australheide = Epacris
Avarom = Senna auriculata
Azalee, Albrechts = Rhododendron albrechtii
Azalee, Atlantische = Rhododendron atlanticum
Azalee, Baumartige = Rhododendron arborescens
Azalee, Chinesische = Rhododendron molle
Azalee, Dahurische = Rhododendron dauricum
Azalee, Fünfblättrige = Rhododendron quinquefolium
Azalee, Japanische = Rhododendron molle subsp. japonicum
Azalee, Kaempfers = Rhododendron kaempferi
Azalee, Kamtschatka- = Rhododendron camtschaticum
Azalee, Kanadische = Rhododendron canadense
Azalee, Kyushu- = Rhododendron kiusianum
Azalee, Nacktblütige = Rhododendron periclymenoides
Azalee, Netzaderige = Rhododendron reticulatum
Azalee, Nikko- = Rhododendron pentaphyllum
Azalee, Pontische = Rhododendron calendulaceum , Rhododendron luteum
Azalee, Schlippenbachs = Rhododendron schlippenbachii
Azalee, Stachelspitzige = Rhododendron mucronulatum
Azalee, Stumpfblättrige = Rhododendron × obtusum
Azalee, Vaseys = Rhododendron vaseyi
Azalee, Westliche = Rhododendron occidentale
Azalee, Yadogawa- = Rhododendron poukhanense
Azaroldorn = Crataegus azarolus
Baboen = Virola surinamensis
Backenklee, Behaarter = Dorycnium hirsutum
Backenklee, Deutscher = Dorycnium germanicum
Backenklee, Fünfblättriger = Dorycnium pentaphyllum
Backenklee, Krautiger = Dorycnium pentaphyllum subsp. herbaceum
Backenklee, Zottiger = Dorycnium hirsutum
Bärengras = Xerophyllum, Xerophyllum tenax
Bärenklau = Heracleum
Bärenklau, Österreichischer = Heracleum austriacum
Bärenklau, Riesen- = Heracleum mantegazzianum
Bärenklau, Stacheliger = Acanthus spinosus
Bärenklau, Wiesen- = Heracleum sphondylium
Bärenohr = Arctotis
Bärenschote = Astragalus glycyphyllos
Bärentraube = Arctostaphylos
Bärentraube, Alpen- = Arctostaphylos

Bergfenchel, Echter = Seseli montanum
Bergfenchel, Meergrüner = Seseli elatum subsp. osseum
Bergfenchel, Österreichischer = Seseli elatum subsp. austriacum
Bergfenchel, Pferde- = Seseli hippomarathrum
Bergfenchel, Steppen- = Seseli annuum
Bergflachs, Ästiger = Thesium arvense
Bergflachs, Niedriger = Thesium dollineri
Berghähnlein = Anemone narcissiflora
Berghülse = Nemopanthus, Nemopanthus mucronatus
Bergknöterich, Himalaya- = Aconogonon polystachyum
Berglorbeer = Umbellularia
Berglorbeer, Schmalblättriger = Kalmia angustifolia
Bergmahagoni = Cercocarpus, Cercocarpus montanus
Bergminze, Aufsteigende = Calamintha menthifolia
Bergminze, Drüsige = Calamintha nepeta subsp. glandulosa
Bergminze, Einseles = Calamintha einseleana
Bergminze, Großblütige = Calamintha grandiflora
Bergminze, Kleinblütige = Calamintha nepeta
Bergminze, Wald- = Calamintha menthifolia
Bergpalme = Chamaedorea
Bergscharte = Leuzea rhapontica
Berle = Berula erecta
Bertramwurzel = Anacyclus clavatus
Berufkraut = Erigeron
Berufkraut, Alpen- = Erigeron alpinus
Berufkraut, Drüsiges = Erigeron atticus
Berufkraut, Einköpfiges = Erigeron uniflorus
Berufkraut, Gaudins = Erigeron gaudinii
Berufkraut, Kahles = Erigeron glabratus
Berufkraut, Kanadisches = Conyza canadensis
Berufkraut, Karwinskis = Erigeron karvinskianus
Berufkraut, Scharfes = Erigeron acris
Berufkraut, Südamerikanisches = Conyza bonariensis
Berufkraut, Verkanntes = Erigeron neglectus
Berufkraut, Voralpen- = Erigeron candidus
Berufkraut, Weißes = Conyza albida
Besenginster = Cytisus scoparius
Besenginster, Ausgebreiteter = Cytisus pseudoprocumbens
Besenginster, Niederliegender = Cytisus procumbens
Besenheide = Calluna, Calluna vulgaris
Besenrauke, Gewöhnliche = Descurainia sophia
Bete = Beta
Betelpalme = Areca
Bibernelle = Pimpinella
Bibernelle, Alpen- = Pimpinella alpina
Bibernelle, Fremde = Pimpinella peregrina
Bibernelle, Große = Pimpinella major
Bibernelle, Kleine = Pimpinella saxifraga
Bibernelle, Schwarze = Pimpinella nigra
Bienensaug = Melittis melissophyllum
Bilsenkraut = Hyoscyamus
Bilsenkraut, Schwarzes = Hyoscyamus niger
Bilsenkraut, Weißes = Hyoscyamus albus
Bingelkraut = Mercurialis
Bingelkraut, Ausdauerndes = Mercurialis perennis
Bingelkraut, Eiblättriges = Mercurialis ovata
Bingelkraut, Einjähriges = Mercurialis annua
Binse = Juncus
Binse, Alpen- = Juncus alpinus
Binse, Arktische = Juncus arcticus
Binse, Baltische = Juncus balticus
Binse, Blaugrüne = Juncus inflexus
Binse, Dreiblatt- = Juncus trifidus
Binse, Dreiblütige = Juncus triglumis
Binse, Dudleys = Juncus dudleyi
Binse, Einblütige = Juncus trifidus subsp. monanthos
Binse, Faden- = Juncus filiformis
Binse, Flatter- = Juncus effusus
Binse, Frosch- = Juncus ranarius
Binse, Glanzfrüchtige = Juncus articulatus
Binse, Glieder- = Juncus articulatus
Binse, Jacquins = Juncus jacquinii
Binse, Kanadische = Juncus canadensis
Binse, Kastanienbraune = Juncus castaneus
Binse, Kleinste = Juncus minutulus
Binse, Knäuel- = Juncus conglomeratus
Binse, Kopf- = Juncus capitatus
Binse, Kröten- = Juncus bufonius
Binse, Kugelfrüchtige = Juncus sphaerocarpus
Binse, Moor- = Juncus stygius
Binse, Rasen- = Juncus bulbosus
Binse, Salz- = Juncus gerardii
Binse, Sand- = Juncus tenageia

malvaceus
Blasenspiere, Schneeball- = Physocarpus opulifolius
Blasenstrauch = Colutea
Blasenstrauch, Bastard- = Colutea × media
Blasenstrauch, Gewöhnlicher = Colutea arborescens
Blasenstrauch, Orientalischer = Colutea orientalis
Blatteibe = Phyllocladus
Blattkaktus = Epiphyllum
Blauaugengras, Schmalblättriges = Sisyrinchium bermudianum
Blaubeere = Vaccinium myrtillus
Blaudolde = Didiscus
Blauglockenbaum, Chinesischer = Paulownia tomentosa
Blauglöckchen, Berg- = Mertensia ciliata
Blauglöckchen, Rispiges = Mertensia paniculata
Blauglöckchen, Virginisches = Mertensia virginica
Blaugras = Sesleria
Blaugras, Eiförmiges = Sesleria ovata
Blaugras, Kalk- = Sesleria albicans
Blaugras, Moor- = Sesleria caerulea
Blaugras, Pannonisches = Sesleria sadleriana
Blaugras, Zwerg- = Sesleria ovata
Blauheide = Phyllodoce
Blaukissen = Aubrieta
Blaukissen, Griechisches = Aubrieta deltoidea
Blauregen, Amerikanischer = Wisteria macrostachya
Blauregen, Chinesischer = Wisteria sinensis
Blauregen, Japanischer = Wisteria floribunda
Blauröhre, Forrests = Cyananthus forrestii
Blauröhre, Gelappte = Cyananthus lobatus
Blauröhre, Kleinblättrige = Cyananthus microphyllus
Blauröhre, Sheriffs = Cyananthus sheriffii
Blauspiere = Sibiraea
Blaustern, Herbst- = Scilla autumnalis
Blaustern, Schöner = Scilla amoena
Blaustern, Sibirischer = Scilla siberica
Blaustern, Speta- = Scilla spetana
Blaustern, Traun- = Scilla drunensis
Blaustern, Wiener = Scilla vindobonensis
Blaustern, Zweiblättriger = Scilla bifolia
Blauweiderich, Ähriger = Pseudolysimachion spicatum
Blauweiderich, Langblättriger = Pseudolysimachion longifolium
Blauweiderich, Rispiger = Pseudolysimachion spurium
Bleibusch, Duft- = Amorpha nana
Bleibusch, Weißgrauer = Amorpha canescens
Bleiholz = Dirca
Bleiwurz = Plumbago
Blumenbinse = Butomus, Scheuchzeria palustris
Blumenesche, Stachelspitzige = Fraxinus cuspidata
Blumenhasel, Chinesische = Corylopsis sinensis
Blumenrohr = Canna
Blutblume = Haemanthus
Blutstendel = Ludisia
Blutweiderich, Ruten- = Lythrum virgatum
Blutwurz = Potentilla erecta , Sanguinaria, Sanguinaria canadensis
Bocksbart = Tragopogon
Bocksbart, Gewöhnlicher Wiesen- = Tragopogon pratensis
Bocksbart, Großer = Tragopogon dubius
Bocksbart, Kleinblütiger = Tragopogon pratensis supsp. minor
Bocksbart, Kleiner Wiesen- = Tragopogon pratensis supsp. minor
Bocksbart, Östlicher Wiesen- = Tragopogon pratensis subsp. orientalis
Bocksbart, Orientalischer = Tragopogon pratensis subsp. orientalis
Bocksbart, Safranblättriger = Tragopogon crocifolius
Bocksdorn = Lycium
Bocksdorn, Blasser = Lycium pallidum
Bocksdorn, Chinesischer = Lycium chinense
Bocksdorn, Gewöhnlicher = Lycium barbarum
Bockshornklee = Trigonella
Bockshornklee, Französischer = Trigonella monspeliaca
Bockshornklee, Griechischer = Trigonella foenum-graecum
Bockshornklee, Traubiger = Trigonella corniculata
Bocksknöterich = Atraphaxis
Bocksknöterich, Dorniger = Atraphaxis spinosa
Bocksknöterich, Strauchiger = Atraphaxis frutescens
Bodenlorbeer, Asiatischer = Epigaea asiatica
Bogenhanf = Sansevieria
Bohne = Phaseolus

microphylla
Buchtenfarn = Hypolepis
Buchweizen = Fagopyrum
Buchweizen, Echter = Fagopyrum esculentum
Buchweizen, Tatarischer = Fagopyrum tataricum
Buddleie = Buddleja
Büchsenkraut, Großes = Lindernia dubia
Büchsenkraut, Liegendes = Lindernia procumbens
Büffelbeere = Shepherdia
Büffelbeere, Kanadische = Shepherdia canadensis
Büffelbeere, Silber- = Shepherdia argentea
Büffelgras = Cenchrus ciliaris
Bürstengras = Polypogon, Polypogon monspeliensis
Büschelglocke = Edraianthus
Büschelglocke, Dalmatinische = Edraianthus dalmaticus
Büschelglocke, Grasartige = Edraianthus graminifolius
Büschelglocke, Zwerg- = Edraianthus pumilio
Büschelgras, Echtes = Rostraria cristata
Büschelschön = Phacelia congesta
Büschelschön, Klebriges = Phacelia viscida
Buffonie, Rispige = Bufonia paniculata
Bukkostrauch = Barosma
Bunge = Samolus
Bunge, Salz- = Samolus valerandi
Buntschwingel, Kahler = Festuca calva
Buntschwingel, Südalpen- = Festuca alpestris
Burzeldorn = Tribulus terrestris
Busch, Brennender = Dictamnus albus
Busch, Gretel im = Nigella damascena
Buschgeißblatt, Bach- = Diervilla rivularis
Buschgeißblatt, Kanadisches = Diervilla lonicera
Buschgeißblatt, Stielloses = Diervilla sessilifolia
Buschklee = Lespedeza
Buschklee, Thunbergs = Lespedeza thunbergii
Buschklee, Zweifarbiger = Lespedeza bicolor
Buschmannskerze = Sarcocaulon
Butternuss = Juglans cinerea
Calla = Zantedeschia aethiopica
Calla, Gefleckte = Zantedeschia albomaculata
Calla, Gelbe Schein- = Lysichiton americanus
Calla, Goldene = Zantedeschia elliottiana
Calla, Rosafarbene = Zantedeschia rehmannii
Calla, Weiße Schein- = Lysichiton camtschatcensis
Camholz = Baphia nitida
Cauassuwachs = Calathea lutea
Ceylonspinat = Talinum triangulare
Chayote = Sechium
Chinakohl = Brassica rapa Pekinensis-Grp.
Chinarindenbaum = Cinchona
Chinaschilf = Miscanthus
Christdorn, Gewöhnlicher = Paliurus spina-christi
Christophskraut = Actaea
Christophskraut, Schwarzfrüchtiges = Actaea spicata
Christrose = Helleborus niger
Chrysantheme, Garten- = Dendranthema × grandiflorum
Citrus = Citrus
Clematis, Stauden- = Clematis × jouiniana
Coccobolo = Dalbergia retusa
Columbusgras = Sorghum almum
Comfrey = Symphytum × uplandicum
Commeline = Commelina communis
Conquirama = Ecclinusa balata
Dahlie = Dahlia
Dahlie, Garten- = Dahlia pinnata
Dattelpflaume = Diospyros
Delebpalme = Borassus aethiopum
Deutzie = Deutzia
Deutzie, Kleinblütige = Deutzia parviflora
Deutzie, Langblättrige = Deutzia longifolia
Deutzie, Purpur- = Deutzia purpurascens
Deutzie, Raue = Deutzia scabra
Deutzie, Vilmorins = Deutzia vilmorinae
Deutzie, Zierliche = Deutzia gracilis
Deutzie, Zweifarbige = Deutzia discolor
Dickblatt = Crassula
Dickblatt, Moos- = Crassula tillaea
Dickblatt, Nadelkraut- = Crassula helmsii
Dickblatt, Wasser- = Crassula aquatica
Dickstengel = Sarcocaulon
Dill = Anethum, Anethum graveolens
Dingel = Limodorum, Limodorum abortivum
Dinkel = Triticum spelta
Diptam = Dictamnus, Dictamnus albus
Distel = Carduus
Distel, Benadelte = Carduus acicularis
Distel, Berg- = Carduus defloratus
Distel, Dünnköpfige = Carduus tenuiflorus
Distel, Eberwurzblättrige = Carduus defloratus subsp. tridentatus

Distel, Färber- = Carthamus tinctorius
Distel, Hakige = Carduus hamulosus
Distel, Hügel- = Carduus collinus
Distel, Kletten- = Carduus personata
Distel, Knaulköpfige = Carduus pycnocephalus
Distel, Krause = Carduus crispus
Distel, Nickende = Carduus nutans
Distel, Persische Steppen- = Morina longifolia
Distel, Rätische = Carduus defloratus subsp. tridentatus
Distel, Stieglitz- = Carduus carduelis
Distel, Weg- = Carduus acanthoides
Donarsbart, Kurzhaar- = Jovibarba globifera subsp. hirta
Donarsbart, Sand- = Jovibarba globifera subsp. arenaria
Donarsbart, Sprossender = Jovibarba globifera
Doppelährengras, Amerikanisches = Beckmannia syzigachne
Doppelblüte = Disanthus cercidifolius
Doppelsame, Mauer- = Diplotaxis muralis
Doppelsame, Ruten- = Diplotaxis viminea
Doppelsame, Schmalblättriger = Diplotaxis tenuifolia
Doppelschild = Dipelta floribunda
Doppelschild, Ohr- = Dipelta ventricosa
Dornfarn, Breitblättriger = Dryopteris dilatata
Dornfarn, Dewewers = Dryopteris × dewevcrii
Dornfarn, Entferntfiedriger = Dryopteris remota
Dornfarn, Feingliedriger = Dryopteris expansa
Dornfarn, Gewöhnlicher = Dryopteris carthusiana
Dornfarn, Sarvelas = Dryopteris sarvelae
Dorngras, Starres = Crypsis aculeata
Dornkirsche, Chinesische = Prinsepia uniflora
Dornkirsche, Mandschurische = Prinsepia sinensis
Dornmelde = Bassia
Dornmelde, Rauhaarige = Bassia hirsuta
Dornulme = Hemiptelea davidii
Dost = Origanum
Dost, Gewöhnlicher = Origanum vulgare
Dotterblume = Caltha
Douglasie = Pseudotsuga
Douglasie, Gewöhnliche = Pseudotsuga menziesii
Drachenbaum = Dracaena
Drachenblatt = Dracophyllum
Drachenkopf = Dracocephalum
Drachenkopf, Nordischer = Dracocephalum ruyschianum
Drachenkopf, Österreichischer = Dracocephalum austriacum
Drachenkopf, Türkischer = Dracocephalum moldavicum
Drachenmaul = Horminum, Horminum pyrenaicum
Drachenwurz = Dracunculus, Dracunculus vulgaris
Drahtschmiele = Deschampsia flexuosa
Drehfrucht = Streptocarpus
Drehwurz, Herbst- = Spiranthes spiralis
Drehwurz, Sommer- = Spiranthes aestivalis
Dreiblatt = Trillium
Dreiflügelfrucht, Japanische = Tripterygium regelii
Dreimasterblume = Tradescantia
Dreimasterblume, Garten- = Tradescantia × andersoniana
Dreimasterblume, Virginische = Tradescantia virginiana
Dreizack, Strand- = Triglochin maritimum
Dreizack, Sumpf- = Triglochin palustre
Dreizahn = Danthonia decumbens
Dünnfarn, Prächtiger = Trichomanes speciosum
Dünnschwanz, Gekrümmter = Parapholis strigosa
Dünnschwanz, Kies- = Micropyrum tenellum
Dünnschwanz, Strand- = Vulpia unilateralis
Dünnschwingel, Kies- = Micropyrum tenellum
Dürrwurz = Inula conyzae
Duftblüte = Osmanthus
Duftblüte, Burkwoods = Osmanthus × burkwoodii
Duftblüte, Delavays = Osmanthus delavayi
Duftblüte, Stachelblättrige = Osmanthus heterophyllus
Duftblüte, Stattliche = Osmanthus decorus
Duftraute = Agathosma
Duftsiegel = Smilacina racemosa
Duftsiegel, Sternförmiges = Smilacina stellata
Dumpalme = Hyphaene
Duwok = Equisetum palustre
Ebenholz, Coromandel- = Diospyros melanoxylon
Ebenholz, Grünes = Tecoma leucoxylon
Ebenholz, Senegal- = Dalbergia melanoxylon

Eibisch, Rauhaariger = Althaea hirsuta
Eibisch, Strauch- = Hibiscus syriacus
Eiche = Quercus
Eiche, Adriatische Flaum- = Quercus pubescens
Eiche, Busch- = Quercus ilicifolia
Eiche, Färber- = Quercus velutina
Eiche, Flaum- = Quercus pubescens
Eiche, Flaumblättrige Bastard- = Quercus × calvescens
Eiche, Gelb- = Quercus muehlenbergii
Eiche, Gelbliche = Quercus dalechampii
Eiche, Gewöhnliche Bastard- = Quercus × rosacea
Eiche, Großfrüchtige = Quercus macrocarpa
Eiche, Kaiser- = Quercus dentata
Eiche, Kastanien- = Quercus prinus
Eiche, Kastanienblättrige = Quercus castaneifolia
Eiche, Korb- = Quercus michauxii
Eiche, Leierblättrige = Quercus lyrata
Eiche, Libanon- = Quercus libani
Eiche, Mazedonische = Quercus trojana
Eiche, Mongolische = Quercus mongolica
Eiche, Persische = Quercus macranthera
Eiche, Pfahl- = Quercus stellata
Eiche, Pontische = Quercus pontica
Eiche, Pyrenäen- = Quercus pyrenaica
Eiche, Reichfrüchtige = Quercus petraea subsp. iberica
Eiche, Rot- = Quercus rubra
Eiche, Scharlach- = Quercus coccinea
Eiche, Schindel- = Quercus imbricaria
Eiche, Schwarz- = Quercus marilandica
Eiche, Seidenraupen- = Quercus acutissima
Eiche, Sichelblättrige = Quercus falcata
Eiche, Stein- = Quercus ilex
Eiche, Stiel- = Quercus robur
Eiche, Sumpf- = Quercus palustris
Eiche, Trauben- = Quercus petraea
Eiche, Ungarische = Quercus frainetto
Eiche, Valonea- = Quercus ithaburensis subsp. macroplepis
Eiche, Verschiedenblättrige = Quercus × heterophylla
Eiche, Wasser- = Quercus nigra
Eiche, Weiden- = Quercus phellos
Eiche, Weiß- = Quercus alba
Eiche, Wintergrüne = Quercus × turneri
Eiche, Zerr- = Quercus cerris
Eiche, Zweifarbige = Quercus bicolor
Eichenfarn = Gymnocarpium dryopteris
Eichenmistel = Loranthus europaeus
Eidechsenwurz = Sauromatum
Eierfrucht = Solanum melongena
Einbeere = Paris
Einbeere, Vierblättrige = Paris quadrifolia
Einblatt, Kleinblütiges = Malaxis monophyllos
Einblattorchis = Malaxis monophyllos
Einknolle = Herminium monorchis
Eisenholz = Argania spinosa , Parrotia persica
Eisenholzbaum = Metrosideros
Eisenhut = Aconitum
Eisenhut, Blassgelber = Aconitum anthora
Eisenhut, Blauer = Aconitum napellus
Eisenhut, Bunter = Aconitum variegatum
Eisenhut, Fuchs- = Aconitum lycoctonum subsp. vulparia
Eisenhut, Garten- = Aconitum × cammarum
Eisenhut, Gelber = Aconitum lycoctonum
Eisenhut, Hahnenfußblättriger = Aconitum lycoctonum subsp. neapolitanum
Eisenhut, Klaffender = Aconitum plicatum
Eisenhut, Rispen- = Aconitum degenii subsp. paniculatum
Eisenhut, Tauern- = Aconitum tauricum
Eisenhut, Wolfs- = Aconitum lycoctonum
Eisenkraut, Echtes = Verbena officinalis
Eisenkraut, Lanzen- = Verbena hastata
Elefantenfuß = Testudinaria
Elefantengras = Pennisetum purpureum
Elemi, Manila- = Canarium luzonicum
Elemiharz = Canarium luzonicum
Elfenbeinginster = Cytisus × praecox
Elfenbeinginster, Zwerg- = Cytisus × kewensis
Elfenbeinpalme = Phytelephas
Elfenblume = Epimedium
Elsbeere = Sorbus torminalis
Emien = Alstonia congensis
Emmer = Triticum dicoccon
Endivie = Cichorium endivia
Engelsüß = Polypodium vulgare
Engelwurz, Echte = Angelica archangelica
Engelwurz, Pyrenäen- = Angelica pyrenaea
Engelwurz, Sumpf- = Angelica palustris
Engelwurz, Wald- = Angelica sylvestris
Entenfuß = Podophyllum peltatum
Enzian = Gentiana
Enzian, Alpen- = Gentiana alpina
Enzian, Baltischer = Gentianella campestris subsp. baltica
Enzian, Bayerischer = Gentiana bavarica
Enzian, Büschel- = Gentianella ramosa
Enzian, Clusius = Gentiana clusii
Enzian, Engadiner = Gentianella engadinensis
Enzian, Frühlings- = Gentiana verna

Enzian, Gelber = Gentiana lutea
Enzian, Gewöhnlicher Fransen- = Gentianella ciliata
Enzian, Insubrischer = Gentianella insubrica
Enzian, Julischer = Gentiana terglouensis
Enzian, Karawanken- = Gentiana froelichii
Enzian, Keulen- = Gentiana acaulis
Enzian, Kochs = Gentiana acaulis
Enzian, Kreuz- = Gentiana cruciata
Enzian, Kurzblättriger = Gentiana brachyphylla
Enzian, Lungen- = Gentiana pneumonanthe
Enzian, Niederliegender = Gentiana prostrata
Enzian, Niedriger = Gentiana pumila
Enzian, Österreichischer = Gentianella bohemica
Enzian, Purpur- = Gentiana purpurea
Enzian, Rundblättriger = Gentiana orbicularis
Enzian, Schlauch- = Gentiana utriculosa
Enzian, Schleichers = Gentiana schleicheri
Enzian, Schnee- = Gentiana nivalis
Enzian, Schwalbenwurz- = Gentiana asclepiadea
Enzian, Stängelloser Kalk- = Gentiana clusii
Enzian, Stängelloser Silikat- = Gentiana acaulis
Enzian, Tauern- = Gentiana frigida
Enzian, Tibet- = Gentiana tibetica
Enzian, Tüpfel- = Gentiana punctata
Enzian, Ungarischer = Gentiana pannonica
Enzian, Ungleichzähniger = Gentianella anisodonta
Enzian, Wellensittich- = Gentiana farreri
Enzian, Zwerg- = Gentianella nana
Eppich = Apium
Erbse = Pisum, Pisum sativum
Erbsenstrauch = Caragana
Erbsenstrauch, Busch- = Caragana frutex
Erbsenstrauch, Chinesischer = Caragana sinica
Erbsenstrauch, Dorniger = Caragana spinosa
Erbsenstrauch, Gewöhnlicher = Caragana arborescens
Erbsenstrauch, Kleinblättriger = Caragana microphylla
Erbsenstrauch, Mähnen- = Caragana jubata
Erbsenstrauch, Orangeblütiger = Caragana aurantiaca
Erbsenstrauch, Zwerg- = Caragana pygmaea
Erdbeerbaum = Arbutus
Erdbeerbaum, Östlicher = Arbutus andrachne
Erdbeerbaum, Westlicher = Arbutus unedo
Erdbeere = Fragaria
Erdbeere, Bastard- = Fragaria × hagenbachiana
Erdbeere, Garten- = Fragaria × ananassa
Erdbeere, Knack- = Fragaria viridis
Erdbeere, Kultur- = Fragaria × ananassa
Erdbeere, Schein- = Duchesnea indica
Erdbeere, Übersehene = Fragaria neglecta
Erdbeere, Wald- = Fragaria vesca
Erdbeere, Zimt- = Fragaria moschata
Erdbeerspinat, Echter = Chenopodium foliosum
Erdbeerspinat, Kopfiger = Chenopodium capitatum
Erdbirne = Apios, Helianthus tuberosus
Erdbirne, Amerikanische = Apios americana
Erdbohne = Macrotyloma geocarpum
Erdkastanie, Französische = Conopodium majus
Erdmandel = Cyperus esculentus
Erdnuß = Arachis
Erdrauch = Fumaria
Erdrauch, Dichtblütiger = Fumaria densiflora
Erdrauch, Geschnäbelter = Fumaria rostellata
Erdrauch, Gewöhnlicher = Fumaria officinalis
Erdrauch, Kleinblütiger = Fumaria parviflora
Erdrauch, Mauer- = Fumaria muralis
Erdrauch, Rankender = Fumaria capreolata
Erdrauch, Schleichers = Fumaria schleicheri
Erdrauch, Schramms = Fumaria vaillantii subsp. schrammii
Erdrauch, Vaillants = Fumaria vaillantii
Erdrauch, Wirtgens = Fumaria officinalis subsp. wirtgenii
Erle = Alnus
Erle, Färber- = Alnus hirsuta
Erle, Grau- = Alnus incana
Erle, Grün- = Alnus viridis
Erle, Hasel- = Alnus serrulata
Erle, Herzblättrige = Alnus cordata
Erle, Japanische = Alnus japonica
Erle, Kaukasische = Alnus subcordata
Erle, Oregon- = Alnus oregona
Erle, Runzelblättrige = Alnus rugosa
Erle, Schwarz- = Alnus glutinosa
Erle, Spaeths = Alnus × spaethii
Escallonie, Rote = Escallonia rubra
Escallonie, Weiße = Escallonia virgata
Esche = Fraxinus
Esche, Afghanische = Fraxinus xanthoxyloides

Esche, Arizona- = Fraxinus velutina
Esche, Behaarte = Fraxinus holotricha
Esche, Blau- = Fraxinus quadrangulata
Esche, Blumen- = Fraxinus ornus
Esche, Breitstielige = Fraxinus platypoda
Esche, Bunges Blumen- = Fraxinus bungeana
Esche, Chinesische Blumen- = Fraxinus paxiana
Esche, Einblättrige = Fraxinus anomala
Esche, Fluss- = Fraxinus potamophila
Esche, Gewöhnliche = Fraxinus excelsior
Esche, Langspitzige = Fraxinus longicuspis
Esche, Mandschurische = Fraxinus mandshurica
Esche, Manna- = Fraxinus ornus
Esche, Oregon- = Fraxinus latifolia
Esche, Pennsylvanische = Fraxinus pennsylvanica
Esche, Schmalblättrige = Fraxinus angustifolia
Esche, Schnabel- = Fraxinus chinensis var. rhynchophylla
Esche, Schwarz- = Fraxinus nigra
Esche, Siebolds = Fraxinus sieboldiana
Esche, Syrische = Fraxinus angustifolia subsp. syriaca
Esche, Weiß- = Fraxinus americana
Esche, Wollflaumige = Fraxinus lanuginosa
Eselsdistel = Onopordum
Eselsdistel, Gewöhnliche = Onopordum acanthium
Eselsdistel, Illyrische = Onopordum illyricum
Eskallonie, Bastard- = Escallonia × rigida
Esparsette, Berg- = Onobrychis montana
Esparsette, Futter- = Onobrychis viciifolia
Esparsette, Sand- = Onobrychis arenaria
Espe = Populus tremula
Espe, Amerikanische = Populus tremuloides
Essigbaum = Rhus hirta
Esskastanie = Castanea sativa
Estragon = Artemisia dracunculus
Fackelilie, Schopf- = Kniphofia uvaria
Fackellilie = Kniphofia
Fackellilie, Galpins = Kniphofia galpinii
Fackellilie, Kleine = Kniphofia pumila
Fadenenzian, Europäischer = Cicendia filiformis
fälschlich als Geranie = Pelargonium
Färberhülse = Baptisia
Färberröte, Echte = Rubia tinctoria
Fallsamengras, Verstecktblütiges = Sporobolus cryptandrus
Faltenlilie, Späte = Lloydia serotina
Faltenohr, Bibernell- = Ptychotis saxifraga
Falzblume = Micropus erectus
Farn, Dolch- = Polystichum acrostichoides
Farn, Ilex- = Polystichum falcatum var. fortunei
Farn, Mondsichel- = Polystichum falcatum
Farn, Pfauenrad- = Adiantum pedatum
Farn, Regenbogen- = Athyrium niponicum
Farn, Rotschleier- = Dryopteris erythrosora
Farn, Tausendfüßler- = Phegopteris decursive-pinnata
Farn, Weihnachts- = Polystichum acrostichoides
Farnmyrte = Comptonia peregrina
Farnrauke = Hugueninia tanacetifolia
Faserschirm, Blaugrüner = Trinia glauca
Faserschirm, Großer = Trinia ramosissima
Faulbaum = Frangula alnus
Faulbaum, Felsen- = Rhamnus rupestris
Faulbaum, Purgier- = Rhamnus purshianus
Federblume = Acroptilon repens
Federborstengras = Pennisetum
Federbuschstrauch = Fothergilla
Federbuschstrauch, Erlenblättriger = Fothergilla gardenii
Federbuschstrauch, Großer = Fothergilla major
Federgras = Stipa
Federgras, Bayerisches = Stipa pulcherrima subsp. bavarica
Federgras, Echtes = Stipa pennata
Federgras, Gelbscheidiges = Stipa pulcherrima
Federgras, Großes = Stipa pulcherrima
Federgras, Haar- = Stipa capillata
Federgras, Rossschweif- = Stipa tirsa
Federgras, Sand- = Stipa borystenica
Federgras, Steirisches = Stipa styrica
Federgras, Weichhaariges = Stipa dasyphylla
Federgras, Zierliches = Stipa eriocaulis
Federmohn = Macleaya
Federmohn, Ockerfarbiger = Macleaya microcarpa
Federmohn, Weißer = Macleaya cordata
Federschwingel, Behaarter = Vulpia ciliata
Federschwingel, Mäuseschwanz- = Vulpia myuros
Federschwingel, Strand- = Vulpia unilateralis
Federschwingel, Trespen- = Vulpia bromoides
Feenmoos = Azolla filiculoides
Feigenbaum = Ficus, Ficus carica
Feigenkaktus = Opuntia

Feinstrahl, Einjähriger = Erigeron annuus
Feinstrahl, Gemeiner = Erigeron annuus subsp. strigosus
Feinstrahl, Philadelphia- = Erigeron philadelphicus
Feinstrahl, Striegelhaariger = Erigeron annuus subsp. strigosus
Felberich = Lysimachia
Felberich, Entenschnabel- = Lysimachia clethroides
Feldsalat, Gefurchter = Valerianella rimosa
Feldsalat, Gekielter = Valerianella carinata
Feldsalat, Gewöhnlicher = Valerianella locusta
Feldsalat, Gezähnter = Valerianella dentata
Feldsalat, Krönchen- = Valerianella coronata
Feldsalat, Wollfrüchtiger = Valerianella eriocarpa
Felsenbirne = Amelanchier
Felsenbirne, Ährige = Amelanchier spicata
Felsenbirne, Blütenreiche = Amelanchier florida
Felsenbirne, Erlenblättrige = Amelanchier alnifolia
Felsenbirne, Gewöhnliche = Amelanchier ovalis
Felsenbirne, Japanische = Amelanchier asiatica
Felsenbirne, Kahle = Amelanchier laevis
Felsenbirne, Kanadische = Amelanchier lamarckii
Felsenbirne, Kupfer- = Amelanchier lamarckii
Felsenbirne, Schnee- = Amelanchier arborea
Felsenbirne, Vermont- = Amelanchier sanguinea
Felsenblümchen = Draba
Felsenblümchen, Bündener = Draba ladina
Felsenblümchen, Dolomiten- = Draba dolomitica
Felsenblümchen, Eis- = Draba dubia
Felsenblümchen, Filziges = Draba tomentosa
Felsenblümchen, Fladnitzer = Draba fladnizensis
Felsenblümchen, Graues = Draba incana
Felsenblümchen, Hain- = Draba nemorosa
Felsenblümchen, Hoppes = Draba hoppeana
Felsenblümchen, Immergrünes = Draba aizoides
Felsenblümchen, Kärntner = Draba siliquosa
Felsenblümchen, Karpaten- = Draba lasiocarpa
Felsenblümchen, Langgriffeliges = Draba stylaris
Felsenblümchen, Mauer- = Draba muralis
Felsenblümchen, Norwegisches = Draba norvegica
Felsenblümchen, Raues = Draba aspera
Felsenblümchen, Sauters = Draba sauteri
Felsenblümchen, Sternhaar- = Draba stellata
Felsenblümchen, Tauern- = Draba pacheri
Felsenkresse, Kleine = Hornungia petraea
Felsenlippe = Micromeria croatica
Felsennelke, Sprossende = Petrorhagia prolifera
Felsennelke, Steinbrech- = Petrorhagia saxifraga
Felsennuss = Juglans microcarpa
Felsenröschen = Loiseleuria
Fenchel = Foeniculum, Foeniculum vulgare
Ferkelkraut = Hypochaeris
Ferkelkraut, Einköpfiges = Hypochaeris uniflora
Ferkelkraut, Geflecktes = Hypochaeris maculata
Ferkelkraut, Gewöhnliches = Hypochaeris radicata
Ferkelkraut, Kahles = Hypochaeris glabra
Ferkelnuss = Carya glabra
Fetthenne = Sedum
Fetthenne, Alpen- = Sedum alpestre
Fetthenne, Ausläufer- = Sedum sarmentosum
Fetthenne, Behaarte = Sedum villosum
Fetthenne, Berg- = Sedum telephium subsp. fabaria
Fetthenne, Blassgelbe = Sedum ochroleucum
Fetthenne, Deckblatt- = Sedum aizoon
Fetthenne, Dickblättrige = Sedum dasyphyllum
Fetthenne, Einjährige = Sedum annuum
Fetthenne, Felsen- = Sedum reflexum
Fetthenne, Große = Sedum telephium subsp. maximum
Fetthenne, Kaukasus- = Sedum spurium
Fetthenne, Purpur- = Sedum telephium
Fetthenne, Rispen- = Sedum cepaea
Fetthenne, Rötliche = Sedum rubens
Fetthenne, Rundblättrige = Sedum anacampseros
Fetthenne, Schneepolster- = Sedum gracile
Fetthenne, Schöne = Sedum spectabile
Fetthenne, Schwärzliche = Sedum atratum
Fetthenne, Sibirische = Sedum hybridum
Fetthenne, Spanische = Sedum hispanicum
Fetthenne, Sumpf- = Sedum villosum

Fetthenne, Weiße = Sedum album
Fetthenne, Zierliche = Sedum forsterianum
Fettkraut = Pinguicula
Fettkraut, Alpen- = Pinguicula alpina
Fettkraut, Dünnsporniges = Pinguicula leptoceras
Fettkraut, Gewöhnliches = Pinguicula vulgaris
Fettkraut, Großblütiges = Pinguicula grandiflora
Feuerdorn = Pyracantha
Feuerdorn, China- = Pyracantha atalantioides
Feuerdorn, Gelbfrüchtiger = Pyracantha rogersiana
Feuerdorn, Mittelmeer- = Pyracantha coccinea
Feuerkolben = Arisaema
Feuerkolben, Japanischer = Arisaema ringens
Fichte = Picea
Fichte, Ajan- = Picea jezoensis
Fichte, Blau- = Picea pungens
Fichte, Engelmanns = Picea engelmannii
Fichte, Gewöhnliche = Picea abies
Fichte, Himalaya- = Picea smithiana
Fichte, Hondo- = Picea jezoensis var. hondoensis
Fichte, Kanadische = Picea glauca
Fichte, Kaukasus- = Picea orientalis
Fichte, Korea- = Picea koyamai
Fichte, Likiang- = Picea likiangensis
Fichte, Maximowiczs = Picea maximowiczii
Fichte, Omorika- = Picea omorika
Fichte, Purpur- = Picea purpurea
Fichte, Rauę = Picea asperata
Fichte, Rot- = Picea rubens
Fichte, Sachalin- = Picea glehnii
Fichte, Schimmel- = Picea glauca
Fichte, Schrenks = Picea schrenkiana
Fichte, Schwarz- = Picea mariana
Fichte, Serbische = Picea omorika
Fichte, Silber- = Picea brachytyla
Fichte, Siskiyou- = Picea breweriana
Fichte, Sitka- = Picea sitchensis
Fichte, Tigerschwanz- = Picea polita
Fichte, Wilsons = Picea wilsonii
Fichte, Yedo- = Picea jezoensis
Fichte, Zweifarbige = Picea bicolor
Fichtenspargel = Monotropa hypopitys
Fieberklee = Menyanthes, Menyanthes trifoliata
Fieberstrauch = Lindera
Fieberstrauch, Frühzeitiger = Lindera praecox
Fieberstrauch, Wohlriechender = Lindera benzoin
Fieberwurz = Triosteum
Fiederaralie = Polyscias
Fiederpolster = Leptinella squalida
Fiederrauke = Murbeckiella pinnatifida
Fiederspiere = Chamaebatia, Sorbaria
Fiederspiere, Afghanische = Sorbaria aitchisonii
Fiederspiere, Chinesische = Sorbaria assurgens
Fiederspiere, Himalaya- = Sorbaria tomentosa
Fiederspiere, Sibirische = Sorbaria sorbifolia
Filzkraut, Acker- = Filago arvensis
Filzkraut, Deutsches = Filago vulgaris
Filzkraut, Französisches = Filago gallica
Filzkraut, Gelbliches = Filago lutescens
Filzkraut, Kleines = Filago minima
Filzkraut, Spatelblättriges = Filago pyramidata
Filzkraut, Übersehenes = Filago neglecta
Fingeraralie, Amur- = Eleutherococcus sessiliflorus
Fingeraralie, Borstige = Eleutherococcus senticosus
Fingeraralie, Henrys = Eleutherococcus henryi
Fingeraralie, Siebolds = Eleutherococcus sieboldianus
Fingerhirse, Blut- = Digitaria sanguinalis
Fingerhirse, Faden- = Digitaria ischaemum
Fingerhut = Digitalis
Fingerhut, Gelber = Digitalis lutea
Fingerhut, Großblütiger = Digitalis grandiflora
Fingerhut, Roter = Digitalis purpurea
Fingerhut, Wolliger = Digitalis lanata
Fingerkraut = Potentilla
Fingerkraut, Alpen- = Potentilla alpicola
Fingerkraut, Aschgraues = Potentilla incana
Fingerkraut, Aufrechtes = Potentilla erecta
Fingerkraut, Ausgebreitetes = Potentilla patula
Fingerkraut, Bastard- = Potentilla × mixta
Fingerkraut, Dolomiten- = Potentilla nitida
Fingerkraut, Elsäßer = Potentilla leucopolitana
Fingerkraut, Erdbeer- = Potentilla sterilis
Fingerkraut, Felsen- = Potentilla rupestris
Fingerkraut, Flaum- = Potentilla pusilla
Fingerkraut, Frühes Hügel- = Potentilla praecox
Fingerkraut, Frühlings- = Potentilla

neumanniana
Fingerkraut, Gänse- = Potentilla anserina
Fingerkraut, Gewöhnliches Hügel- = Potentilla collina
Fingerkraut, Gletscher- = Potentilla frigida
Fingerkraut, Gold- = Potentilla aurea
Fingerkraut, Graues = Potentilla inclinata
Fingerkraut, Großblütiges = Potentilla grandiflora
Fingerkraut, Hohes = Potentilla recta
Fingerkraut, Kleinblütiges = Potentilla micrantha
Fingerkraut, Kriechendes = Potentilla reptans
Fingerkraut, Mittleres = Potentilla intermedia
Fingerkraut, Niederliegendes = Potentilla anglica
Fingerkraut, Niedriges = Potentilla supina
Fingerkraut, Norwegisches = Potentilla norvegica
Fingerkraut, Ostalpen- = Potentilla clusiana
Fingerkraut, Reichblütiges Hügel- = Potentilla thyrsiflora
Fingerkraut, Rheinisches = Potentilla rhenana
Fingerkraut, Rötliches = Potentilla heptaphylla
Fingerkraut, Sand- = Potentilla arenaria , Potentilla incana
Fingerkraut, Schlitzblättriges = Potentilla multifida
Fingerkraut, Schmalkronblättriges = Potentilla grammopetala
Fingerkraut, Schnee- = Potentilla nivea
Fingerkraut, Silber- = Potentilla argentea
Fingerkraut, Stängel- = Potentilla caulescens
Fingerkraut, Strauch- = Potentilla fruticosa
Fingerkraut, Sumpf- = Potentilla palustris
Fingerkraut, Thüringer = Potentilla thuringiaca
Fingerkraut, Übersehenes = Potentilla neglecta
Fingerkraut, Weißenburger Hügel- = Potentilla leucopolitana
Fingerkraut, Weißes = Potentilla alba
Fingerkraut, Wiemann- = Potentilla wiemannii
Fingerkraut, Zottiges = Potentilla crantzii
Fingerkraut, Zwerg- = Potentilla brauneana
Fingerstrauch, Asiatischer = Potentilla salesoviana
Fingerstrauch, Gewöhnlicher = Potentilla fruticosa
Finkensame = Neslia paniculata
Fioringras = Agrostis gigantea
Fiquefaser = Furcraea macrophylla
Fischgras = Beckmannia eruciformis
Fischkraut = Groenlandia densa
Fischschwanzpalme = Caryota
Flachbärlapp = Diphasiastrum
Flachbärlapp, Alpen- = Diphasiastrum alpinum
Flachbärlapp, Gewöhnlicher = Diphasiastrum complanatum
Flachbärlapp, Isslers = Diphasiastrum issleri
Flachbärlapp, Oelgards = Diphasiastrum oellgaardii
Flachbärlapp, Zeilers = Diphasiastrum zeilleri
Flachbärlapp, Zypressen- = Diphasiastrum tristachyum
Flachs = Linum usitatissimum
Flaschenbürstengras = Hystrix patula
Flaschenfrucht = Lagenaria
Flaschenkürbis, Gewöhnlicher = Lagenaria siceraria
Flattergras = Milium
Flattergras, Raues = Milium vernale
Flattergras, Wald- = Milium effusum
Flaumhafer = Helictotrichon pubescens
Fleischbeere, Mäusedornblättrige = Sarcococca ruscifolia
Fleischbeere, Niedere = Sarcococca humilis
Flieder = Syringa
Flieder, Ausladender = Syringa patula
Flieder, Bogen- = Syringa reflexa
Flieder, Chinesischer = Syringa × chinensis
Flieder, Fiederblättriger = Syringa pinnatifolia
Flieder, Filziger = Syringa tomentella
Flieder, Gewöhnlicher = Syringa vulgaris
Flieder, Himalaya- = Syringa emodi
Flieder, Japanischer = Syringa reticulata
Flieder, Julianes = Syringa julianae
Flieder, Kleinblättriger = Syringa microphylla
Flieder, Komarows = Syringa komarowii
Flieder, Meyers = Syringa meyeri
Flieder, Peking- = Syringa pekinensis
Flieder, Persischer = Syringa × persica
Flieder, Rundblättriger = Syringa oblata
Flieder, Sweginzows = Syringa sweginzowii
Flieder, Tigerstedts = Syringa tigerstedtii
Flieder, Ungarischer = Syringa josikaea
Flieder, Wolfs = Syringa wolfii
Flieder, Wolliger = Syringa pubescens
Flieder, Yunnan- = Syringa yunnanensis
Flieder, Zottiger = Syringa villosa

Fliegenblume = Caralluma
Flockenblume = Centaurea
Flockenblume, Alpen- = Centaurea scabiosa subsp. alpestris
Flockenblume, Berg- = Centaurea montana
Flockenblume, Duftende = Amberboa moschata
Flockenblume, Federige = Centaurea uniflora subsp. nervosa
Flockenblume, Filzige = Centaurea triumphettii
Flockenblume, Fritschs = Centaurea scabiosa subsp. fritschii
Flockenblume, Gefleckte = Centaurea stoebe
Flockenblume, Gelbe = Centaurea ruthenica
Flockenblume, Gewöhnliche Rispen- = Centaurea stoebe
Flockenblume, Glänzende = Centaurea splendens
Flockenblume, Hain- = Centaurea nigra subsp. nemoralis
Flockenblume, Hellschuppige = Centaurea bracteata
Flockenblume, Kleinfederige = Centaurea microptilon
Flockenblume, Kleinköpfige Rispen- = Centaurea stoebe subsp. micranthos
Flockenblume, Malteser = Centaurea melitensis
Flockenblume, Perücken- = Centaurea pseudophrygia
Flockenblume, Phrygische = Centaurea phrygia
Flockenblume, Rätische = Centaurea rhaetica
Flockenblume, Rispige = Centaurea paniculata
Flockenblume, Sandblütige = Centaurea psammogena
Flockenblume, Schmalblättrige = Centaurea scabiosa subsp. grineensis
Flockenblume, Schmalschuppige = Centaurea stenolepis
Flockenblume, Schwärzliche = Centaurea nigrescens
Flockenblume, Schwarze = Centaurea nigra
Flockenblume, Silber- = Centaurea pulcherrima
Flockenblume, Skabiosen- = Centaurea scabiosa
Flockenblume, Sonnwend- = Centaurea solstitialis
Flockenblume, Sparrige = Centaurea diffusa
Flockenblume, Stern- = Centaurea calcitrapa
Flockenblume, Südliche = Centaurea transsylvanica
Flockenblume, Walliser = Centaurea vallesiaca
Flockenblume, Wiesen- = Centaurea jacea
Flockenblume, Zierliche Silber- = Centaurea bella
Flohkraut, Großes = Pulicaria dysenterica
Flohkraut, Kleines = Pulicaria vulgaris
Flohkraut, Ruhr- = Pulicaria dysenterica
Flohsame, Sand- = Psyllium arenarium
Floridaklee = Desmodium tortuosum
Flügelblatt = Filicium
Flügelginster = Chamaespartium sagittale
Flügelginster, Gewöhnlicher = Chamaespartium sagittale
Flügelkaktus = Pterocactus
Flügelknöterich, Acker- = Fallopia convolvulus
Flügelknöterich, Bastard- = Fallopia × bohemica
Flügelknöterich, Hecken- = Fallopia dumetorum
Flügelknöterich, Japanischer = Fallopia japonica
Flügelknöterich, Sachalin- = Fallopia sachalinensis
Flügelknöterich, Schling- = Fallopia baldschuanica
Flügelnuss, Chinesische = Pterocarya stenoptera
Flügelnuss, Japanische = Pterocarya rhoifolia
Flügelnuss, Kaukasische = Pterocarya fraxinifolia
Flügelnuß = Pterocarya
Flügelstorax, Birkenblättriger = Pyrus betulifolia
Flügelstorax, Borstiger = Pterostyrax hispida
Flügelstorax, Doldiger = Pterostyrax corymbosa
Flusszeder, Kalifornische = Calocedrus decurrens
Flußzeder = Calocedrus
Föhre = Pinus sylvestris
Fontanesie, Chinesische = Fontanesia fortunei
Fontanesie, Kleinasiatische = Fontanesia phillyreoides
Forsythie = Forsythia
Forsythie, Europäische = Forsythia europaea
Forsythie, Grüne = Forsythia viridissima

Forsythie, Hänge- = Forsythia suspensa
Forsythie, Hybrid- = Forsythia × intermedia
Forsythie, Koreanische = Forsythia ovata
Frangipani = Plumeria
Franklinie = Franklinia alatamaha
Fransenenzian, Baltischer = Gentianella campestris subsp. baltica
Fransenenzian, Bitterer = Gentianella amarella
Fransenenzian, Deutscher = Gentianella germanica
Fransenenzian, Feld- = Gentianella campestris
Fransenenzian, Karpaten- = Gentianella lutescens
Fransenenzian, Österreichischer = Gentianella bohemica
Fransenenzian, Rauer = Gentianella aspera
Fransenenzian, Sumpf- = Gentianella uliginosa
Fransenenzian, Zarter = Gentianella tenella
Fransenried = Fimbristylis annua
Fransenschwertel = Sparaxis
Frauenfarn = Athyrium
Frauenfarn, Gebirgs- = Athyrium distentifolium
Frauenfarn, Wald- = Athyrium filix-femina
Frauenflachs = Linaria vulgaris
Frauenhaarfarn = Adiantum
Frauenmantel = Alchemilla
Frauenmantel, Alpen- = Alchemilla alpina
Frauenmantel, Gelbgrüner = Alchemilla xanthochlora
Frauenmantel, Gewöhnlicher = Alchemilla xanthochlora
Frauenmantel, Graugrüner = Alchemilla glaucescens
Frauenmantel, Keilblättriger = Alchemilla cuneata
Frauenmantel, Schimmernder = Alchemilla splendens
Frauenmantel, Schneetälchen- = Alchemilla pentaphyllea
Frauenmantel, Schwachseidiger = Alchemilla subsericea
Frauenmantel, Verbundener = Alchemilla conjuncta
Frauenmantel, Weicher = Alchemilla mollis
Frauenmantel, Zerschlitzter = Alchemilla fissa
Frauenminze = Tanacetum balsamita
Frauenschuh = Cypripedium
Frauenschuh, Behaarter = Cypripedium parviflorum var. pubescens
Frauenschuh, Gelber = Cypripedium calceolus
Frauenschuh, Getüpfelter = Cypripedium guttatum
Frauenschuh, Großblütiger = Cypripedium macranthos
Frauenschuh, Herztragender = Cypripedium cordigerum
Frauenschuh, Kleinblütiger = Cypripedium parviflorum
Frauenschuh, Königin- = Cypripedium reginae
Frauenschuh, Kurzstängeliger = Cypripedium acaule
Frauenspiegel, Echter = Legousia speculum-veneris
Frauenspiegel, Kleiner = Legousia hybrida
Froschbiss, Europäischer = Hydrocharis morsus-ranae
Froschbiß = Hydrocharis
Froschkraut = Luronium natans
Froschlöffel = Alisma
Froschlöffel, Gewöhnlicher = Alisma plantago-aquatica
Froschlöffel, Grasblättriger = Alisma gramineum
Froschlöffel, Lanzettblättriger = Alisma lanceolatum
Frühlingslichtblume = Bulbocodium
Frühlingsschelle = Synthyris stellata
Fuchsbohne = Thermopsis, Thermopsis fabacea
Fuchsie = Fuchsia
Fuchsie, Kap- = Phygelius capensis
Fuchsie, Scharlach- = Fuchsia magellanica
Fuchsschwanz, Aufsteigender = Amaranthus blitum
Fuchsschwanz, Ausgebreiteter = Amaranthus hybridus
Fuchsschwanz, Bouchons = Amaranthus bouchonii
Fuchsschwanz, Garten- = Amaranthus caudatus
Fuchsschwanz, Grünähriger = Amaranthus powellii
Fuchsschwanz, Krauser = Amaranthus crispus
Fuchsschwanz, Liegender = Amaranthus deflexus
Fuchsschwanz, Rispiger = Amaranthus cruentus
Fuchsschwanz, Standleys = Amaranthus standleyanus
Fuchsschwanz, Ufer- = Amaranthus blitum subsp. emarginatus
Fuchsschwanz, Weißer = Amaranthus albus

Fuchsschwanz, Westamerikanischer = Amaranthus blitoides
Fuchsschwanz, Wilder = Amaranthus graecizans
Fuchsschwanz, Zurückgekrümmter = Amaranthus retroflexus
Fuchsschwanzgras = Alopecurus
Fuchsschwanzgras, Acker- = Alopecurus myosuroides
Fuchsschwanzgras, Aufgeblasenes = Alopecurus rendleri
Fuchsschwanzgras, Knick- = Alopecurus geniculatus
Fuchsschwanzgras, Knolliges = Alopecurus bulbosus
Fuchsschwanzgras, Rohr- = Alopecurus arundinaceus
Fuchsschwanzgras, Rotgelbes = Alopecurus aequalis
Fuchsschwanzgras, Wiesen- = Alopecurus pratensis
Funkie = Hosta
Funkie, Blaublatt- = Hosta sieboldiana
Funkie, Glocken- = Hosta ventricosa
Funkie, Lilien- = Hosta plantaginea
Funkie, Schmalblatt- = Hosta sieboldii
Fußblatt = Podophyllum
Gabanholz = Baphia nitida
Gämsheide = Loiseleuria procumbens
Gämskresse = Pritzelago alpina
Gämskresse, Alpen- = Pritzelago alpina
Gämskresse, Kurzstängelige = Pritzelago alpina subsp. brevicaulis
Gämswurz, Clusius = Doronicum clusii
Gämswurz, Gletscher- = Doronicum glaciale
Gämswurz, Großblütige = Doronicum grandiflorum
Gämswurz, Herzblättrige = Doronicum columnae
Gämswurz, Kalkliebende = Doronicum glaciale subsp. calcareum
Gämswurz, Kaukasus- = Doronicum orientale
Gämswurz, Kriechende = Doronicum pardalianches
Gämswurz, Österreichische = Doronicum austriacum
Gämswurz, Steirische = Doronicum clusii var. villosum
Gämswurz, Sturzbach- = Doronicum cataractarum
Gämswurz, Wegerich- = Doronicum plantagineum
Gämswurz, Zottige = Doronicum clusii
Gänseblümchen = Bellis perennis
Gänseblümchen, Blaues = Felicia amelloides
Gänseblümchen, Einjähriges = Bellis annua
Gänseblümchen, Gelbes = Thymophylla tenuiloba
Gänseblümchen, Spanisches = Erigeron karvinskianus
Gänsedistel = Sonchus
Gänsedistel, Acker- = Sonchus arvensis
Gänsedistel, Kohl- = Sonchus oleraceus
Gänsedistel, Raue = Sonchus asper
Gänsedistel, Sumpf- = Sonchus palustris
Gänsefuß = Chenopodium
Gänsefuß, Australischer = Chenopodium pumilio
Gänsefuß, Berlandiers = Chenopodium berlandieri
Gänsefuß, Bocks- = Chenopodium hircinum
Gänsefuß, Dickblättriger = Chenopodium botryoides
Gänsefuß, Dickblatt- = Chenopodium botryoides
Gänsefuß, Durchblätterter = Chenopodium foliosum
Gänsefuß, Feigenblättriger = Chenopodium ficifolium
Gänsefuß, Gestreifter = Chenopodium strictum
Gänsefuß, Graugrüner = Chenopodium glaucum
Gänsefuß, Grüner = Chenopodium suecicum
Gänsefuß, Klebriger = Chenopodium botrys
Gänsefuß, Mauer- = Chenopodium murale
Gänsefuß, Probst- = Chenopodium probstii
Gänsefuß, Roter = Chenopodium rubrum
Gänsefuß, Schmalblättriger = Chenopodium pratericola
Gänsefuß, Schneeballblättriger = Chenopodium opulifolium
Gänsefuß, Schraders = Chenopodium schraderianum
Gänsefuß, Stechapfelblättriger = Chenopodium hybridum
Gänsefuß, Stinkender = Chenopodium vulvaria
Gänsefuß, Straßen- = Chenopodium urbicum
Gänsefuß, Unechter = Chenopodium hybridum
Gänsefuß, Vielsamiger = Chenopodium polyspermum
Gänsefuß, Weißer = Chenopodium album
Gänsefuß, Wohlriechender = Chenopodium

ambrosioides
Gänsekresse = Arabis
Gänsekresse, Alpen- = Arabis alpina
Gänsekresse, Armblütige = Arabis pauciflora
Gänsekresse, Behaarte = Arabis hirsuta
Gänsekresse, Blaue = Arabis caerulea
Gänsekresse, Doldige = Arabis hirsuta
Gänsekresse, Felsen- = Arabis nova
Gänsekresse, Flachschotige = Arabis nemorensis
Gänsekresse, Glänzende = Arabis soyeri
Gänsekresse, Hügel- = Arabis collina
Gänsekresse, Kahle = Arabis glabra
Gänsekresse, Kaukasische = Arabis caucasica
Gänsekresse, Mauer- = Arabis collina
Gänsekresse, Öhrchen- = Arabis auriculata
Gänsekresse, Pfeilblättrige = Arabis sagittata
Gänsekresse, Sternhaar- = Arabis soyeri subsp. subcoriacea
Gänsekresse, Sternhaarige Zwerg- = Arabis bellidifolia subsp. stellulata
Gänsekresse, Sudeten- = Arabis allionii
Gänsekresse, Turm- = Arabis turrita
Gänsekresse, Ungarische = Arabis procurrens
Gänsekresse, Wenigblütige = Arabis pauciflora
Gänsekresse, Wocheiner = Arabis vochinensis
Gagel = Myrica
Gagelstrauch, Moor- = Myrica gale
Gamander = Teucrium
Gamander, Bastard- = Teucrium × lucidrys
Gamander, Berg- = Teucrium montanum
Gamander, Edel- = Teucrium chamaedrys
Gamander, Lauch- = Teucrium scordium
Gamander, Pyrenäen- = Teucrium pyrenaicum
Gamander, Salbei- = Teucrium scorodonia
Gamander, Trauben- = Teucrium botrys
Gambagras = Andropogon gayanus
Gambir = Uncaria gambir
Ganiterbaum = Elaeocarpus
Garbe = Achillea
Garbe, Gold- = Achillea filipendulina
Garbe, Goldquirl- = Achillea clypeolata
Garbe, Griechische Edel- = Achillea × taygetea
Gartenaster = Callistephus chinensis
Gartenwinde, Bunte = Ipomoea purpurea
Gauchheil = Anagallis
Gauchheil, Acker- = Anagallis arvensis
Gauchheil, Blauer = Anagallis foemina
Gauchheil, Zarter = Anagallis tenella
Gauchheil, Zwerg- = Anagallis minima
Gauklerblume = Mimulus
Gauklerblume, Buschige = Mimulus aurantiacus
Gauklerblume, Gelbe = Mimulus luteus
Gauklerblume, Gewöhnliche = Mimulus guttatus
Gauklerblume, Kupferrote = Mimulus cupreus
Gauklerblume, Moschus- = Mimulus moschatus
Gedenkemein = Omphalodes verna
Geißbart = Aruncus, Aruncus dioicus
Geißbart, Wald- = Aruncus dioicus
Geißblatt = Lonicera
Geißblatt, Henrys = Lonicera henryi
Geißblatt, Italienisches = Lonicera × americana
Geißblatt, Japanisches = Lonicera japonica
Geißblatt, Macchien- = Lonicera implexa
Geißblatt, Rauhaariges = Lonicera hirsuta
Geißblatt, Sprossendes = Lonicera prolifera
Geißblatt, Toskanisches = Lonicera etrusca
Geißblatt, Trompeten- = Lonicera sempervirens
Geißblatt, Wald- = Lonicera periclymenum
Geißblatt, Wohlriechendes = Lonicera caprifolium
Geißfuß = Aegopodium, Aegopodium podagraria
Geißklee = Cytisus
Geißklee, Abführender = Cytisus purgans
Geißklee, Ardoines = Cytisus ardoini
Geißklee, Gestreifter = Cytisus striatus
Geißklee, Italienischer = Cytisus sessilifolius
Geißklee, Kahler = Cytisophyllum sessilifolius
Geißklee, Meergrüner = Cytisophyllum sessilifolius
Geißklee, Niederliegender = Cytisus decumbens
Geißklee, Österreichischer = Chamaecytisus austriacus
Geißklee, Schwarzwerdender = Cytisus nigricans
Geißklee, Strauchwicken- = Cytisus emeriflorus
Geißklee, Vielblütiger = Cytisus multiflorus
Geißraute = Galega
Geißraute, Echte = Galega officinalis
Gelbäugelchen = Hypecoum pendulum
Gelbdolde, Stängelumfassende = Smyrnium

perfoliatum
Gelbholz = Cladrastis, Zanthoxylum
Gelbholz, Amerikanisches = Cladrastis kentukea
Gelbholz, Asiatisches = Maackia amurensis
Gelbholz, Chinesisches = Cladrastis sinensis
Gelbhorn = Xanthoceras, Xanthoceras sorbifolium
Gelbling, Alpen- = Sibbaldia procumbens
Gelbstern = Gagea
Gelbstern, Acker- = Gagea villosa
Gelbstern, Felsen- = Gagea bohemica
Gelbstern, Gewöhnlicher Felsen- = Gagea bohemica subsp. saxatilis
Gelbstern, Kleiner = Gagea minima
Gelbstern, Pommerscher = Gagea pomeranica
Gelbstern, Röhriger = Gagea fragifera
Gelbstern, Scheiden- = Gagea spathacea
Gelbstern, Wald- = Gagea lutea
Gelbstern, Wiesen- = Gagea pratensis
Gelbstern, Zwerg- = Gagea pusilla
Gelbwurz = Xanthorhiza simplicissima
Gelbwurzel = Curcuma longa
Gelenkblume = Physostegia
Gemshorn = Proboscidea
Gemskresse = Hutchinsia
Gemswurz = Doronicum
Georgine = Dahlia
Gerberstrauch = Coriaria
Gerberstrauch, Europäischer = Coriaria myrtifolia
Gerberstrauch, Japanischer = Coriaria japonica
Gerberstrauch, Rispenblütiger = Coriaria terminalis
Germer = Veratrum
Germer, Kalifornischer = Veratrum californicum
Germer, Schwarzer = Veratrum nigrum
Gerste = Hordeum
Gerste, Mähnen- = Hordeum jubatum
Gerste, Mäuse- = Hordeum murinum
Gerste, Mehrzeilige = Hordeum vulgare
Gerste, Saat- = Hordeum vulgare
Gerste, Salz- = Hordeum geniculatum
Gerste, Strand- = Hordeum marinum
Geweihbaum = Gymnocladus
Geweihbaum, Amerikanischer = Gymnocladus dioicus
Geweihfarn = Platycerium
Gewürzdolde = Sison amomum
Gewürzlilie = Kaempferia
Gewürzrinde = Cassia
Gewürzstrauch = Calycanthus
Gewürzstrauch, Echter = Calycanthus floridus
Gewürzstrauch, Fruchtbarer = Calycanthus floridus var. laevigatus
Gewürzstrauch, Westlicher = Calycanthus occidentalis
Giersch, Gewöhnlicher = Aegopodium podagraria
Giftbeere = Nicandra physalodes
Gilbweiderich, Gewöhnlicher = Lysimachia vulgaris
Gilbweiderich, Hain- = Lysimachia nemorum
Gilbweiderich, Pfennig- = Lysimachia nummularia
Gilbweiderich, Punktierter = Lysimachia punctata
Gilbweiderich, Straußblütiger = Lysimachia thyrsiflora
Gilgen = Panax
Ginkgo = Ginkgo, Ginkgo biloba
Ginster, Abschreckender = Genista horrida
Ginster, Ätna- = Genista aetnensis
Ginster, Behaarter = Genista pilosa
Ginster, Deutscher = Genista germanica
Ginster, Eiblatt = Genista tinctoria
Ginster, Englischer = Genista anglica
Ginster, Färber- = Genista tinctoria
Ginster, Grauer = Genista cinerea
Ginster, Lydischer = Genista lydia
Ginster, Spanischer = Genista hispanica , Spartium junceum
Ginster, Strahlen = Genista radiata
Ginster, Wald- = Genista sylvestris
Gipskraut, Büschel- = Gypsophila fastigiata
Gipskraut, Durchwachsenblättriges = Gypsophila perfoliata
Gipskraut, Kriechendes = Gypsophila repens
Gipskraut, Mauer- = Gypsophila muralis
Gipskraut, Rispiges- = Gypsophila paniculata
Gipskraut, Schwarzwurzel- = Gypsophila scorzonerifolia
Gladiole = Gladiolus
Gladiole, Stern- = Gladiolus callianthus
Glanzgras = Phalaris
Glanzgras, Ausdauerndes = Phalaris coerulescens
Glanzgras, Gedrungenblütiges = Phalaris brachystachys
Glanzgras, Kleines = Phalaris minor
Glanzgras, Rohr- = Phalaris arundinacea
Glanzgras, Sonderbares = Phalaris paradoxa
Glanzkraut = Liparis loeselii

Glanzmispel = Photinia
Glanzmispel, Kahle = Photinia serrulata
Glanzmispel, Warzen- = Photinia villosa
Glanzstendel = Liparis loeselii
Glanzstrauch = Pimelea
Glaskraut = Parietaria
Glaskraut, Aufrechtes = Parietaria officinalis
Glaskraut, Mauer- = Parietaria judaica
Glaskraut, Pennsylvanisches = Parietaria pensylvanica
Glasschmalz = Salicornia
Glatthafer = Arrhenatherum
Glatthafer, Gewöhnlicher = Arrhenatherum elatius
Gleditschie, Amerikanische = Gleditsia triacanthos
Gleditschie, Chinesische = Gleditsia sinensis
Gleditschie, Japanische = Gleditsia japonica
Gleditschie, Kaspische = Gleditsia caspica
Gleiße = Aethusa
Gliederschote = Chorispora tenella
Gliederzypresse = Tetraclinis
Gliedkraut = Sideritis
Gliedkraut, Berg- = Sideritis montana
Gliedkraut, Römisches = Sideritis romana
Gliedkraut, Ysopblättriges = Sideritis hyssopifolia
Glockenblume = Campanula
Glockenblume, Acker- = Campanula rapunculoides
Glockenblume, Ährige = Campanula spicata
Glockenblume, Alpen- = Campanula alpina
Glockenblume, Auffällige = Campanula praesignis
Glockenblume, Ausgeschnittene = Campanula excisa
Glockenblume, Bärtige = Campanula barbata
Glockenblume, Becks = Campanula beckiana
Glockenblume, Bertols = Campanula bertolae
Glockenblume, Bologneser = Campanula bononiensis
Glockenblume, Borstige = Campanula cervicaria
Glockenblume, Breitblättrige = Campanula latifolia
Glockenblume, Dunkle = Campanula pulla
Glockenblume, Fremde = Campanula gentilis
Glockenblume, Hängepolster- = Campanula poscharskyana
Glockenblume, Karnische = Campanula linifolia
Glockenblume, Knäuel- = Campanula glomerata
Glockenblume, Knoblauchrauken- = Campanula alliariifolia
Glockenblume, Lanzettblättrige = Campanula baumgartenii
Glockenblume, Lauchblättrige = Campanula alliariifolia
Glockenblume, Mährische = Campanula moravica
Glockenblume, Marien- = Campanula medium
Glockenblume, Mont Cenis- = Campanula cenisia
Glockenblume, Nesselblättrige = Campanula trachelium
Glockenblume, Nickende = Campanula zoysii
Glockenblume, Pfirsichblättrige = Campanula persicifolia
Glockenblume, Punktierte = Campanula punctata
Glockenblume, Pyramiden- = Campanula pyramidalis
Glockenblume, Rasen- = Campanula cespitosa
Glockenblume, Rautenblättrige = Campanula rhomboidalis
Glockenblume, Riesen-Dolden- = Campanula lactiflora
Glockenblume, Rundblättrige = Campanula rotundifolia
Glockenblume, Scheuchzers = Campanula scheuchzeri
Glockenblume, Sibirische = Campanula sibirica
Glockenblume, Strauß- = Campanula thyrsoides
Glockenblume, Wiesen- = Campanula patula
Glockenblume, Witasek- = Campanula witasekiana
Glockenblume, Zois- = Campanula zoysii
Glockenblume, Zwerg- = Campanula cochleariifolia
Glockenheide = Erica
Glockenwinde = Codonopsis, Nolana
Glöckel = Cortusa
Glyzine = Wisteria
Gnadenkraut = Gratiola
Gnadenkraut, Gottes- = Gratiola officinalis
Gnadenkraut, Übersehenes = Gratiola neglecta

Gockenblume, Rapunzel- = Campanula rapunculus
Götterbaum, Chinesischer = Ailanthus altissima
Götterblume = Dodecatheon
Götterblume, Cleveland = Dodecatheon clevelandii
Götterblume, Gezähnte = Dodecatheon dentatum
Götterblume, Hendersons = Dodecatheon hendersonii
Götterblume, Meads = Dodecatheon meadia
Götterblume, Schöne = Dodecatheon pulchellum
Götterduft = Diosma
Goldaster = Chrysopsis
Goldbaldrian = Patrinia
Goldbandrute = Solidago caesia
Goldbart = Chrysopogon, Chrysopogon gryllus
Goldblume = Chrysanthemum coronarium
Golddistel = Carlina vulgaris
Golddistel, Mittlere = Carlina biebersteinii subsp. brevibracteata
Golddistel, Spanische = Scolymus hispanicus
Golddistel, Steife = Carlina biebersteinii
Goldfaden = Coptis
Goldfruchtpalme = Chrysalidocarpus
Goldglocke, Aufrechte = Uvularia sessilifolia
Goldglocke, Hänge- = Uvularia grandiflora
Goldglocke, Kleine = Uvularia perfoliata
Goldglöckchen = Forsythia
Goldhafer, Ähriger = Trisetum spicatum
Goldhafer, Alpen- = Trisetum alpestre
Goldhafer, Silber- = Trisetum argenteum
Goldhafer, Wiesen- = Trisetum flavescens
Goldhafer, Zweizeiliger = Trisetum distichophyllum
Goldkeule = Orontium, Orontium aquaticum
Goldkörbchen = Chrysogonum virginianum
Goldkolben, Japanischer = Ligularia dentata
Goldkolben, Sibirischer = Ligularia sibirica
Goldlack = Cheiranthus, Erysimum cheiri
Goldlack, Andrzejowski- = Erysimum andrzejowskianum
Goldlack, Gold- = Erysimum aureum
Goldlärche = Pseudolarix, Pseudolarix amabilis
Goldmohn = Eschscholzia
Goldnessel, Alpen- = Lamium flavidum
Goldnessel, Berg- = Lamium montanum
Goldnessel, Blassgelbe = Lamium flavidum
Goldnessel, Echte = Lamium galeobdolon
Goldnessel, Gewöhnliche = Lamium galeobdolon
Goldnessel, Silberblättrige = Lamium argentatum
Goldnessel, Silberblatt- = Lamium argentatum
Goldprimel = Vitaliana primuliflora
Goldregen = Laburnum
Goldregen, Adams = + Laburnocytisus adamii
Goldregen, Alpen- = Laburnum alpinum
Goldregen, Gewöhnlicher = Laburnum anagyroides
Goldröschen, Japanisches = Kerria japonica
Goldrute = Solidago
Goldrute, Gewöhnliche = Solidago virgaurea
Goldrute, Grasblättrige = Solidago graminifolia
Goldrute, Kanadische = Solidago canadensis
Goldrute, Riesen- = Solidago gigantea
Goldrute, Späte = Solidago gigantea
Goldstern, Röhriger = Gagea fragifera
Goldteller = Hacquetia epipactis
Goldtröpfchen = Chiastophyllum oppositifolium
Goldtropfen = Onosma
Goldwurzel = Scolymus hispanicus
Goodeniaceae = Scaevola
Gottvergeß = Ballota
Gränke = Andromeda
Granatapfelbaum = Punica granatum
Grannenhafer, Cavanilles = Trisetaria cavanillesii
Grannenhirse = Oplismenus undulatifolius
Grannenhirse, Südliche = Oryzopsis miliacea
Grannenhirse, Welligblättrige = Oryzopsis virescens
Grannenreis, Gemeiner = Oryzopsis miliacea
Grannenreis, Grünlicher = Oryzopsis virescens
Gras, Hirschzungen- = Panicum clandestinum
Gras, Natal- = Rhynchelytrum repens
Gras, Plattähren- = Chasmanthium latifolium
Grasbaum = Xanthorrhoea
Graslilie = Anthericum
Graslilie, Ästige = Anthericum ramosum
Graslilie, Astlose = Anthericum liliago
Grasnelke = Armeria

Grasnelke, Alpen- = Armeria alpina
Grasnelke, Galmei- = Armeria maritima subsp. halleri
Grasnelke, Purpur- = Armeria maritima subsp. purpurea
Grasnelke, Sand- = Armeria maritima subsp. elongata
Grasnelke, Strand- = Armeria maritima
Grasnelke, Wegerichartige = Armeria alliacea
Grasschwertel = Sisyrinchium bermudianum
Grasschwertel, Schmalblättriges = Sisyrinchium bermudianum
Graukresse = Berteroa
Graukresse, Gewöhnliche = Berteroa incana
Greiskraut, Alpen- = Senecio alpinus
Greiskraut, Berg- = Senecio subalpinus
Greiskraut, Deutsches = Senecio germanicus
Greiskraut, Eberrauten- = Senecio abrotanifolius
Greiskraut, Felsen- = Senecio squalidus
Greiskraut, Fluss- = Senecio sarracenius
Greiskraut, Frühlings- = Senecio vernalis
Greiskraut, Fuchs- = Senecio ovatus
Greiskraut, Gämswurz- = Senecio doronicum
Greiskraut, Gewöhnliches = Senecio vulgaris
Greiskraut, Hain- = Senecio hercynicus
Greiskraut, Hallers = Senecio halleri
Greiskraut, Hohes = Senecio doria
Greiskraut, Jakobs- = Senecio jacobaea
Greiskraut, Klebriges = Senecio viscosus
Greiskraut, Kopf- = Tephroseris integrifolia subsp. capitata
Greiskraut, Krainer = Senecio incanus subsp. carniolicus
Greiskraut, Krauses = Tephroseris crispa
Greiskraut, Läger- = Tephroseris tenuifolia
Greiskraut, Moor- = Tephroseris palustris
Greiskraut, Obir- = Tephroseris longifolia
Greiskraut, Orangerotes = Tephroseris integrifolia subsp. autrantiaca
Greiskraut, Pestwurz- = Senecio cacaliaster
Greiskraut, Raukenblättriges = Senecio erucifolius
Greiskraut, Schatten- = Senecio umbrosus
Greiskraut, Schein- = Erechtites hieraciifolia
Greiskraut, Schmalblättriges = Senecio inaequidens
Greiskraut, Schweizer = Tephroseris tenuifolia
Greiskraut, Spatelblättriges = Tephroseris helenitis
Greiskraut, Spreizendes = Senecio erraticus
Greiskraut, Steppen- = Tephroseris integrifolia
Greiskraut, Sumpf- = Senecio paludosus
Greiskraut, Tungusisches = Sinacalia tangutica
Greiskraut, Wald- = Senecio sylvaticus
Greiskraut, Wasser- = Senecio aquaticus
Greiskraut, Weißgraues = Senecio incanus
Grenadilla, Afrikanische = Dalbergia melanoxylon
Grindkraut, Hladnicks = Scabiosa cinerea subsp. hladnickiana
Grünen, Jungfer im = Nigella damascena
Grünminze, Bastard- = Mentha × villosonervata
Grundnessel = Hydrilla verticillata
Guatemalagras = Tripsacum laxum
Günsel = Ajuga
Günsel, Gelber = Ajuga chamaepitys
Günsel, Genfer = Ajuga genevensis
Günsel, Heide- = Ajuga genevensis
Günsel, Kriechender = Ajuga reptans
Günsel, Pyramiden- = Ajuga pyramidalis
Guineagras, Buntes = Panicum coloratum
Guineapfeffer = Xylopia aromatica
Gummiakazie, Seyal- = Acacia seyal
Gundermann = Glechoma
Gundermann, Gewöhnlicher = Glechoma hederacea
Gundermann, Rauhaariger = Glechoma hirsuta
Gurke = Cucumis sativus
Gurkenbaum = Averrhoa
Guttaperchabaum = Eucommia ulmoides
Haarblume = Trichosanthes
Haarfarn = Trichomanes
Haargerste = Elymus
Haargurke = Sicyos, Sicyos angulatus
Haarnixe, Nordamerikanische = Cabomba caroliniana
Haarried, Zwerg- = Trichophorum pumilum
Haarschöpfchen = Ptilotus
Haarsimse, Alpen- = Trichophorum alpinum
Haarsimse, Rasen- = Trichophorum cespitosum
Haarstrang, Berg- = Peucedanum oreoselinum
Haarstrang, Echter = Peucedanum officinale
Haarstrang, Elsässer = Peucedanum alsaticum
Haarstrang, Kümmel- = Peucedanum carvifolia

Haarstrang, Österreichischer = Peucedanum austriacum
Haarstrang, Raibler = Peucedanum austriacum var. rablense
Haarstrang, Riesen- = Peucedanum verticillare
Haarstrang, Sumpf- = Peucedanum palustre
Haarstrang, Venezianischer = Peucedanum venetum
Habichtskraut = Hieracium
Habichtskraut, Alpen- = Hieracium alpinum
Habichtskraut, Bitterkrautartiges = Hieracium picroides
Habichtskraut, Blasses = Hieracium schmidtii
Habichtskraut, Blaugraues = Hieracium caesium
Habichtskraut, Blaugrünes = Hieracium glaucum
Habichtskraut, Doldiges = Hieracium umbellatum
Habichtskraut, Endivien- = Hieracium intybaceum
Habichtskraut, Frühblühendes = Hieracium glaucinum
Habichtskraut, Gabeliges = Hieracium bifidum
Habichtskraut, Geflecktes = Hieracium pictum
Habichtskraut, Gewöhnliches = Hieracium lachenalii
Habichtskraut, Gezähntes = Hieracium dentatum
Habichtskraut, Glattes = Hieracium laevigatum
Habichtskraut, Gletscher- = Hieracium angustifolium
Habichtskraut, Grauzottiges = Hieracium piliferum
Habichtskraut, Großes = Tolpis staticifolia
Habichtskraut, Großköpfiges = Hieracium macranthum
Habichtskraut, Hasenlattich- = Hieracium prenanthoides
Habichtskraut, Hasenohr- = Hieracium bupleuroides
Habichtskraut, Hoppes = Hieracium hoppeanum
Habichtskraut, Jurassisches = Hieracium jurassicum
Habichtskraut, Kleines = Hieracium pilosella
Habichtskraut, Lauchblättriges = Hieracium porrifolium
Habichtskraut, Mausohrblütiges = Hieracium piloselloides
Habichtskraut, Natternkopf- = Hieracium echioides
Habichtskraut, Niedriges = Hieracium humile
Habichtskraut, Öhrchen- = Hieracium lactucella
Habichtskraut, Orangerotes = Hieracium aurantiacum
Habichtskraut, Peletiers = Hieracium peleterianum
Habichtskraut, Pfeilblättriges = Hieracium fuscocinereum
Habichtskraut, Reichblütiges = Hieracium floribundum
Habichtskraut, Savoyer = Hieracium sabaudum
Habichtskraut, Schwarzwurzelblättriges = Hieracium scorzonerifolium
Habichtskraut, Seidenhaariges = Hieracium alpicola
Habichtskraut, Siebenbürger = Hieracium transsilvanicum
Habichtskraut, Spätblühendes = Hieracium saussureoides
Habichtskraut, Stängelumfassendes = Hieracium amplexicaule
Habichtskraut, Traubiges = Hieracium racemosum
Habichtskraut, Trugdoldiges = Hieracium cymosum
Habichtskraut, Ungarisches = Hieracium bauhini
Habichtskraut, Vogesen- = Hieracium vogesiacum
Habichtskraut, Wald- = Hieracium murorum
Habichtskraut, Wiesen- = Hieracium caespitosum
Habichtskraut, Wolfstrappblättriges = Hieracium lycopifolium
Habichtskraut, Wollfilziges = Hieracium tomentosum
Habichtskraut, Wollköpfiges = Hieracium pilosum
Habichtskraut, Zerstreutköpfiges = Hieracium sparsum
Habichtskraut, Zottiges = Hieracium villosum
Hadernblatt = Ruscus hypoglossum
Händelwurz = Gymnadenia
Händelwurz, Mücken- = Gymnadenia conopsea
Händelwurz, Wohlriechende = Gymnadenia odoratissima
Hafer = Avena

Hafer, Bart- = Avena barbata
Hafer, Flug- = Avena fatua
Hafer, Saat- = Avena sativa
Hafer, Sand- = Avena nuda
Hafer, Schmielen- = Aira elegantissima
Hafer, Tauber = Avena sterilis
Hafer, Trauben- = Danthonia alpina
Haferschlehe = Prunus domestica subsp. insititia
Haferschmiele, Frühe = Aira praecox
Haferschmiele, Haar- = Aira elegantissima
Haferschmiele, Nelken- = Aira caryophyllea
Haferschmiele, Zierliche = Aira elegantissima
Haferwurz = Tragopogon porrifolius subsp. australis
Haftdolde, Acker- = Caucalis platycarpos
Haftdolde, Breitblättrige = Turgenia latifolia
Hagebuttenbirne = × Sorbopyrus auricularis
Hagenbuttenbirne = Sorbopyrus
Hahnenfuß = Ranunculus
Hahnenfuß, Acker- = Ranunculus arvensis
Hahnenfuß, Alpen- = Ranunculus alpestris
Hahnenfuß, Bastard- = Ranunculus hybridus
Hahnenfuß, Berg- = Ranunculus montanus
Hahnenfuß, Brennender = Ranunculus flammula
Hahnenfuß, Eisenhutblättriger = Ranunculus aconitifolius
Hahnenfuß, Falscher Vielblütiger = Ranunculus polyanthemoides
Hahnenfuß, Gebirgs- = Ranunculus breynianus
Hahnenfuß, Giftiger = Ranunculus sceleratus
Hahnenfuß, Gletscher- = Ranunculus glacialis
Hahnenfuß, Gold- = Ranunculus auricomus
Hahnenfuß, Grasblättriger = Ranunculus gramineus
Hahnenfuß, Greniers = Ranunculus villarsii
Hahnenfuß, Herzblatt- = Ranunculus parnassifolius
Hahnenfuß, Illyrischer = Ranunculus illyricus
Hahnenfuß, Kärntner = Ranunculus carinthiacus
Hahnenfuß, Kaschubischer = Ranunculus cassubicus
Hahnenfuß, Kerb- = Ranunculus crenatus
Hahnenfuß, Knolliger = Ranunculus bulbosus
Hahnenfuß, Kriechender = Ranunculus repens
Hahnenfuß, Lenormands = Ranunculus omiophyllus
Hahnenfuß, Nierenblättriger = Ranunculus hybridus
Hahnenfuß, Platanenblättriger = Ranunculus platanifolius
Hahnenfuß, Pyrenäen- = Ranunculus keupferi
Hahnenfuß, Scharfer = Ranunculus acris
Hahnenfuß, Schildblättriger = Ranunculus thora
Hahnenfuß, Schlitzblatt- = Ranunculus polyanthemophyllus
Hahnenfuß, Schmalblättriger Hain- = Ranunculus polyanthemoides
Hahnenfuß, Seguiers = Ranunculus seguieri
Hahnenfuß, Seitenblütiger = Ranunculus lateriflorus
Hahnenfuß, Traunfellners = Ranunculus traunfellneri
Hahnenfuß, Ufer- = Ranunculus reptans
Hahnenfuß, Vielblütiger = Ranunculus polyanthemos
Hahnenfuß, Villars = Ranunculus villarsii
Hahnenfuß, Wald- = Ranunculus nemorosus
Hahnenfuß, Wolliger = Ranunculus lanuginosus
Hahnenfuß, Wurzelnder = Ranunculus serpens
Hahnenfuß, Zungen- = Ranunculus lingua
Hahnenfuß, Zwerg- = Ranunculus pygmaeus
Hainbinse, Behaarte = Luzula pilosa
Hainblume = Nemophila
Hainblume, Gefleckte = Nemophila menziesii
Hainbuche = Carpinus
Hainbuche, Amerikanische = Carpinus caroliniana
Hainbuche, Gewöhnliche = Carpinus betulus
Hainbuche, Herzblättrige = Carpinus cordata
Hainbuche, Japanische = Carpinus japonica
Hainbuche, Orientalische = Carpinus orientalis
Hainbuche, Tschonoskis = Carpinus tschonoskii
Hainsalat = Aposeris foetida
Hainsimse = Luzula
Hainsimse, Ähren- = Luzula spicata
Hainsimse, Alpen- = Luzula alpina
Hainsimse, Bleiche = Luzula pallidula
Hainsimse, Braune = Luzula alpinopilosa
Hainsimse, Feld- = Luzula campestris
Hainsimse, Forsters = Luzula forsteri

corymbosum
Heidelbeere, Bastard- = Vaccinium × intermedium
Heideröschen = Daphne cneorum , Fumana
Heideröschen, Aufrechtes = Fumana ericoides
Heideröschen, Felsen- = Fumana ericoides
Heilglöckel, Alpen- = Cortusa matthioli
Heiligenblume, Gefiederte = Santolina chamaecyparissus subsp. tomentosa , Santolina pinnata
Heiligenblume, Graue = Santolina chamaecyparissus
Heiligenblume, Grüne = Santolina rosmarinifolia
Heiligenkraut = Santolina
Heilwurz = Seseli libanotis
Heinrich, Guter = Chenopodium bonus-henricus
Helianthi = Helianthus strumosus var. willdenowianus
Heliotrop = Heliotropium
Hellerkraut = Thlaspi
Hellerkraut, Acker- = Thlaspi arvense
Hellerkraut, Alpen- = Thlaspi alpestre
Hellerkraut, Berg- = Thlaspi montanum
Hellerkraut, Frühes = Thlaspi praecox
Hellerkraut, Galmei- = Thlaspi calaminare
Hellerkraut, Gebirgs- = Thlaspi caerulescens
Hellerkraut, Gösing- = Thlaspi goesingense
Hellerkraut, Kerners = Thlaspi kerneri
Hellerkraut, Lauch- = Thlaspi alliaceum
Hellerkraut, Rundblättriges = Thlaspi cepaeifolium subsp. rotundifolium
Hellerkraut, Stngelumfassendes = Thlaspi perfoliatum
Hellerkraut, Tiroler = Thlaspi salisii
Helmbohne = Dolichos
Helmgras = Ammophila
Helmkraut = Scutellaria
Helmkraut, Alpen- = Scutellaria alpina
Helmkraut, Blaues Herbst- = Scutellaria incana
Helmkraut, Hohes = Scutellaria altissima
Helmkraut, Kleines = Scutellaria minor
Helmkraut, Spießblättriges = Scutellaria hastifolia
Helmkraut, Sumpf- = Scutellaria galericulata
Helwingie, Japanische = Helwingia japonica
Hemlocktanne = Tsuga
Hemlocktanne, Araragi- = Tsuga sieboldii
Hemlocktanne, Berg- = Tsuga mertensiana
Hemlocktanne, Carolina- = Tsuga caroliniana
Hemlocktanne, Japanische = Tsuga diversifolia
Hemlocktanne, Kanadische = Tsuga canadensis
Hemlocktanne, Westliche = Tsuga heterophylla
Herkuleskeule = Aralia spinosa
Herkuleskraut = Heracleum
Herkulesstaude = Heracleum mantegazzianum
Herz, Tränendes = Dicentra spectabilis
Herzblatt = Parnassia
Herzblatt, Sumpf- = Parnassia palustris
Herzblattschale = Jeffersonia dubia
Herzblume, Zwerg- = Dicentra eximia
Herzgespann = Leonurus
Herzgespann, Echtes = Leonurus cardiaca
Herzgespann, Filziges = Leonurus marrubiastrum
Herzlöffel = Caldesia parnassiifolia
Heuschreckenbaum = Hymenaea
Heusenkraut, Schwimm- = Ludwigia natans
Heusenkraut, Sumpf- = Ludwigia palustris
Hexenkraut = Circaea
Hexenkraut, Alpen- = Circaea alpina
Hexenkraut, Gewöhnliches = Circaea lutetiana
Hexenkraut, Mittleres = Circaea × intermedia
Hibalebensbaum = Thujopsis
Hickory, Schuppenrinden- = Carya ovata
Hickorynuß = Carya
Himbeere = Rubus, Rubus idaeus
Himbeere, Colorado- = Rubus deliciosus
Himbeere, Dreifarbige = Rubus tricolor
Himbeere, Felsen- = Rubus saxatilis
Himbeere, Gold- = Rubus biflorus
Himbeere, Haar- = Rubus lasiostylus
Himbeere, Kletter- = Rubus henryi
Himbeere, Korea- = Rubus coreanus
Himbeere, Kriech- = Rubus pentalobus
Himbeere, Nutka- = Rubus parviflorus
Himbeere, Oregon- = Rubus leucodermis
Himbeere, Pracht- = Rubus spectabilis
Himbeere, Rotborstige = Rubus phoenicolasius
Himbeere, Schwarze = Rubus occidentalis
Himbeere, Tangutische = Rubus cockburnianus
Himbeere, Tibet- = Rubus thibetanus
Himbeere, Zimt- = Rubus odoratus
Himmelsbambus = Nandina domestica
Himmelsherold = Eritrichium, Eritrichium nanum

Himmelsleiter, Blaue = Polemonium caeruleum
Himmelsröschen = Silene coeli-rosa
Hiobsträne = Coix lacryma-jobi
Hirschsprung, Gewöhnlicher = Corrigiola litoralis
Hirschwurz = Peucedanum cervaria
Hirschzunge = Asplenium scolopendrium , Phyllitis
Hirse = Panicum
Hirse, Echte = Panicum miliaceum
Hirse, Faden- = Digitaria ischaemum
Hirse, Hilmans = Panicum hillmanii
Hirse, Japanische = Echinochloa utilis
Hirse, Kodo- = Paspalum scrobiculatum
Hirse, Südafrikanische = Panicum laevifolium
Hirse, Zwerg- = Eragrostis tef
Hirtentäschel = Capsella
Hirtentäschel, Gewöhnliches = Capsella bursa-pastoris
Hirtentäschel, Rötliches = Capsella rubella
Hohldotter = Myagrum perfoliatum
Hohlsame, Strahlen- = Bifora radians
Hohlsame, Warziger = Bifora testiculata
Hohlzahn = Galeopsis
Hohlzahn, Breitblättriger = Galeopsis ladanum
Hohlzahn, Bunter = Galeopsis speciosa
Hohlzahn, Gelber = Galeopsis segetum
Hohlzahn, Gewöhnlicher = Galeopsis tetrahit
Hohlzahn, Schmalblättriger = Galeopsis angustifolia
Hohlzahn, Weichhaariger = Galeopsis pubescens
Hohlzahn, Zweispaltiger = Galeopsis bifida
Hohlzunge = Coeloglossum viride
Holunder = Sambucus
Holunder, Blauer = Sambucus caerulea
Holunder, Japanischer Trauben- = Sambucus sieboldiana
Holunder, Kanadischer = Sambucus canadensis
Holunder, Roter = Sambucus racemosa
Holunder, Schwarzer = Sambucus nigra
Holunder, Schwarzfrüchtiger = Sambucus melanocarpa
Holunder, Trauben- = Sambucus racemosa
Holunder, Zwerg- = Sambucus ebulus
Honiggras = Holcus
Honiggras, Weiches = Holcus mollis
Honiggras, Wolliges = Holcus lanatus
Honigklee, Gefurchter = Melilotus sulcatus
Honigorchis, Gewöhnliche = Herminium monorchis
Honigpalme = Jubaea
Honigstrauch = Melianthus
Hopfen = Humulus
Hopfen, Gewöhnlicher = Humulus lupulus
Hopfen, Japanischer = Humulus japonicus
Hopfenbuche = Ostrya
Hopfenbuche, Gewöhnliche = Ostrya carpinifolia
Hopfenbuche, Japanische = Ostrya japonica
Hopfenbuche, Virginische = Ostrya virginiana
Hopfenklee = Medicago lupulina
Hornblatt = Ceratophyllum
Hornblatt, Raues = Ceratophyllum demersum
Hornblatt, Zartes = Ceratophyllum submersum
Hornfarn = Ceratopteris
Hornklee = Lotus
Hornklee, Alpen- = Lotus alpinus
Hornklee, Gewöhnlicher = Lotus corniculatus
Hornklee, Salz- = Lotus tenuis
Hornklee, Schmalblättriger = Lotus tenuis
Hornklee, Slowakischer = Lotus borbasii
Hornklee, Sumpf- = Lotus uliginosus
Hornklee, Vogelfußartiger = Lotus ornithopodioides
Hornköpfchen, Geradfrüchtiges = Ceratocephala testiculata
Hornköpfchen, Sichelfrüchtiges = Ceratocephala falcata
Hornkraut = Cerastium
Hornkraut, Acker- = Cerastium arvense
Hornkraut, Alpen- = Cerastium alpinum
Hornkraut, Bärtiges = Cerastium brachypetalum
Hornkraut, Bleiches = Cerastium glutinosum
Hornkraut, Breitblättriges = Cerastium latifolium
Hornkraut, Dreigriffeliges = Cerastium cerastoides
Hornkraut, Einblütiges = Cerastium uniflorum
Hornkraut, Filziges = Cerastium tomentosum
Hornkraut, Fünfmänniges = Cerastium diffusum subsp. subtetrandrum
Hornkraut, Gewöhnliches = Cerastium holosteoides
Hornkraut, Großfrüchtiges = Cerastium lucorum
Hornkraut, Julisches = Cerastium julicum

Hornkraut, Kärntner = Cerastium carinthiacum
Hornkraut, Klebriges = Cerastium dubium
Hornkraut, Kleinblütiges = Cerastium brachypetalum
Hornkraut, Knäuel- = Cerastium glomeratum
Hornkraut, Langstieliges = Cerastium pedunculatum
Hornkraut, Ligurisches = Cerastium ligusticum
Hornkraut, Niedriges = Cerastium pumilum
Hornkraut, Quellen- = Cerastium fontanum
Hornkraut, Sand- = Cerastium semidecandrum
Hornkraut, Sizilianisches = Cerastium siculum
Hornkraut, Südalpines = Cerastium carinthiacum subsp. austroalpinum
Hornkraut, Tenores = Cerastium tenoreanum
Hornkraut, Viermänniges = Cerastium diffusum
Hornkraut, Wald- = Cerastium sylvaticum
Hornmelde = Krascheninnikovia cerastoides
Hornmohn = Glaucium
Hornmohn, Gelber = Glaucium flavum
Hornmohn, Roter = Glaucium corniculatum
Hornnarbe, Kriechende = Ceratostigma plumbaginoides
Hornnarbe, Willmotts = Ceratostigma willmottianum
Hortensie = Hydrangea
Hortensie, Chinesische = Hydrangea heteromalla
Hortensie, Eichenblättrige = Hydrangea quercifolia
Hortensie, Garten- = Hydrangea macrophylla
Hortensie, Hüllblatt- = Hydrangea involucrata
Hortensie, Kletter- = Hydrangea anomala
Hortensie, Raue = Hydrangea aspera
Hortensie, Rispen- = Hydrangea paniculata
Hortensie, Samt- = Hydrangea aspera subsp. sargentiana
Hortensie, Sargents = Hydrangea aspera subsp. sargentiana
Hortensie, Schein- = Deinanthe caerulea
Hortensie, Wald- = Hydrangea arborescens
Hühnerhirse = Echinochloa
Hühnerhirse, Gewöhnliche = Echinochloa crus-galli
Hühnerhirse, Stachelfrüchtige = Echinochloa muricata
Hülse = Ilex aquifolium
Hülsen, Tari- = Caesalpinia digyna
Hufeisenklee = Hippocrepis
Hufeisenklee, Gewöhnlicher = Hippocrepis comosa
Hufeisenklee, Strauchiger = Hippocrepis emerus
Huflattich = Tussilago, Tussilago farfara
Hundsgift = Apocynum
Hundskamille = Anthemis
Hundskamille, Acker- = Anthemis arvensis
Hundskamille, Färber- = Anthemis tinctoria
Hundskamille, Höchste = Anthemis altissima
Hundskamille, Karpaten- = Anthemis carpatica
Hundskamille, Österreichische = Anthemis austriaca
Hundskamille, Ruthenische = Anthemis ruthenica
Hundskamille, Stinkende = Anthemis cotula
Hundskamille, Trionfettis = Anthemis triumfettii
Hundslattich = Leontodon saxatilis
Hundspetersilie = Aethusa cynapium
Hundsrauke = Erucastrum
Hundsrauke, Französische = Erucastrum gallicum
Hundsrauke, Stumpfkantige = Erucastrum nasturtiifolium
Hundswurz = Anacamptis, Anacamptis pyramidalis
Hundszahn = Erythronium
Hundszahn, Amerikanischer = Erythronium americanum
Hundszahn, Europäischer = Erythronium dens-canis
Hundszahn, Großblütiger = Erythronium grandiflorum
Hundszahn, Kalifornischer = Erythronium californicum
Hundszahngras, Gewöhnliches = Cynodon dactylon
Hundszunge = Cynoglossum
Hundszunge, Deutsche = Cynoglossum germanicum
Hundszunge, Geaderte = Cynoglossum creticum
Hundszunge, Gewöhnliche = Cynoglossum officinale
Hundszunge, Ungarische = Cynoglossum hungaricum
Hungerblümchen, Frühes = Erophila verna subsp. praecox
Hungerblümchen, Frühlings- = Erophila

verna
Hungerblümchen, Rundfrüchtiges = Erophila verna subsp. spathulatha
Husarenknopf = Sanvitalia procumbens
Hyazinthe = Hyacinthus, Hyacinthus orientalis
Igelginster = Erinacea, Erinacea anthyllis
Igelgurke = Echinocystis
Igelkolben = Sparganium
Igelkolben, Ästiger = Sparganium erectum
Igelkolben, Einfacher = Sparganium emersum
Igelkolben, Schmalblättriger = Sparganium angustifolium
Igelkolben, Zwerg- = Sparganium natans
Igelpolster = Acantholimon
Igelsäulenkaktus = Echinocereus
Igelsame = Lappula
Igelsame, Kletten- = Lappula squarrosa
Igelsame, Wald- = Lappula deflexa
Igelschlauch, Gewöhnlicher = Baldellia ranunculoides
Immenblatt = Melittis, Melittis melissophyllum
Immergrün = Vinca
Immergrün, Großes = Vinca major
Immergrün, Kleines = Vinca minor
Immergrün, Krautiges = Vinca herbacea
Indianernessel = Monarda
Indigo = Indigofera suffruticosa
Indigo, Schein- = Amorpha fruticosa
Indigostrauch = Indigofera
Indigostrauch, Himalaya- = Indigofera heterantha
Indigostrauch, Kirilows = Indigofera kirilowii
Indigostrauch, Potanins = Indigofera potaninii
Ingwer = Zingiber
Inkalilie = Alstroemeria, Alstroemeria ligtu
Inkalilie, Goldene = Alstroemeria aurea
Insektenblume, Dalmatiner = Tanacetum cinerariifolium
Iris, Englische = Iris latifolia
Iris, Geweih- = Iris bucharica
Iris, Holländische = Iris × hollandica
Iris, Kleine Netzblatt- = Iris reticulata
Iris, Pflaumenduft- = Iris graminea
Irische Heide = Daboecia
Ixtle, Tula- = Agave lophantha
Ixtlefaser = Agave lechuguilla
Jägerblume = Callianthemum
Jakobsleiter = Polemonium
Jakobslilie = Sprekelia
Jamauvefaser = Agave funkiana
Jamesie = Jamesia americana
Japanischer Rosinenbaum = Hovenia
Jasmin = Jasminum
Jasmin, Echter = Jasminum officinale
Jasmin, Falscher = Philadelphus coronarius
Jasmin, Strauch- = Jasminum fruticans
Jasmin, Winter- = Jasminum nudiflorum
Jelängerjelieber = Lonicera caprifolium
Jhingangummi = Lannea coromandelica
Jochblume = Zigadenus elegans
Johannisbeere = Ribes
Johannisbeere, Ährige = Ribes spicatum
Johannisbeere, Alpen- = Ribes alpinum
Johannisbeere, Bastard- = Ribes nidigrolaria
Johannisbeere, Blut- = Ribes sanguineum
Johannisbeere, Dolden- = Ribes fasciculatum
Johannisbeere, Felsen- = Ribes petraeum
Johannisbeere, Gold- = Ribes aureum
Johannisbeere, Gordons = Ribes × gordonianum
Johannisbeere, Kanadische = Ribes americanum
Johannisbeere, Rote = Ribes rubrum
Johannisbeere, Schwarze = Ribes nigrum
Johannisbeere, Stinktier- = Ribes glandulosum
Johannisbeere, Troddel- = Ribes multiflorum
Johannisbeere, Wohlriechende = Ribes odoratum
Johannisbeere, Wüsten- = Ribes cereum
Johannisbrotbaum = Ceratonia
Johanniskraut = Hypericum
Johanniskraut, Bart- = Hypericum barbatum
Johanniskraut, Bastard- = Hypericum × moserianum
Johanniskraut, Bastard-Flecken- = Hypericum × desetangsii
Johanniskraut, Behaartes = Hypericum hirsutum
Johanniskraut, Berg- = Hypericum montanum
Johanniskraut, Dichtblütiges = Hypericum densiflorum
Johanniskraut, Duftloses = Hypericum × inodorum
Johanniskraut, Forrests = Hypericum forrestii
Johanniskraut, Geflecktes = Hypericum maculatum
Johanniskraut, Geflügeltes = Hypericum tetrapterum
Johanniskraut, Gold- = Hypericum frondosum

Kapmyrte = Phylica
Kappenmohn, Kalifornischer = Eschscholzia californica
Kapstachelbeere = Physalis peruviana
Kapuzinerkresse = Tropaeolum
Kapuzinerkresse, Große = Tropaeolum majus
Karakabaum = Corynocarpus
Kardamon, Bastard- = Amomum xanthioides
Kardamon, Bengal- = Amomum aromaticum
Kardamon, Kambodja- = Amomum krervanh
Kardamon, Kamerun- = Aframomum angustifolium
Kardamon, Nepal- = Amomum subulatum
Karde = Dipsacus
Karde, Behaarte = Dipsacus pilosus
Karde, Schlanke = Dipsacus strigosus
Karde, Schlitzblättrige = Dipsacus laciniatus
Karde, Weber- = Dipsacus sativus
Karde, Wilde = Dipsacus fullonum
Karlszepter = Pedicularis sceptrum-carolinum
Kartoffel = Solanum tuberosum
Kartoffel, Gala- = Plectranthus edulis
Kassie = Cassia
Kastanie = Castanea
Kastanie, Amerikanische = Castanea dentata
Kastanie, Japanische = Castanea crenata
Kasuarine = Casuarina
Kathstrauch = Catha
Katsura = Cercidiphyllum japonicum
Katsurabaum = Cercidiphyllum
Katzenmaul = Misopates orontium
Katzenminze = Nepeta
Katzenminze, Gewöhnliche = Nepeta cataria
Katzenminze, Großblütige = Nepeta grandiflora
Katzenminze, Kahle = Nepeta nuda
Katzenminze, Pannonische = Nepeta nuda
Katzenpfötchen = Antennaria
Katzenpfötchen, Gewöhnliches = Antennaria dioica
Katzenpfötchen, Karpaten- = Antennaria carpatica
Katzenschwanz = Leonurus marrubiastrum
Kaukasusvergißmeinnicht = Brunnera
Kaurifichte = Agathis
Kelchgras = Danthonia alpina
Kerbel = Anthriscus
Kerbel, Garten- = Anthriscus cerefolium
Kerbel, Glanz- = Anthriscus nitida
Kerbel, Hunds- = Anthriscus caucalis
Kerbel, Wiesen- = Anthriscus sylvestris
Kerfstendel = Ophrys
Kermesbeere = Phytolacca
Kermesbeere, Amerikanische = Phytolacca americana
Kermesbeere, Asiatische = Phytolacca esculenta
Kermesbeere, Essbare = Phytolacca esculenta
Kerrie = Kerria, Kerria japonica
Kichererbse = Cicer arietinum
Kiebitzei = Fritillaria meleagris
Kiefer = Pinus
Kiefer, Amerikanische Rot- = Pinus resinosa
Kiefer, Armands = Pinus armandii
Kiefer, Banks = Pinus banksiana
Kiefer, Biegsame = Pinus flexilis
Kiefer, Bunges = Pinus bungeana
Kiefer, Coulters = Pinus coulteri
Kiefer, Dreh- = Pinus contorta
Kiefer, Fuchsschwanz- = Pinus balfouriana
Kiefer, Gelb- = Pinus ponderosa
Kiefer, Grannen- = Pinus aristata
Kiefer, Haken- = Pinus uncinata
Kiefer, Japanische Rot- = Pinus densiflora
Kiefer, Jeffreys = Pinus jeffreyi
Kiefer, Karibische = Pinus caribaea
Kiefer, Korea- = Pinus koraiensis
Kiefer, Korsische = Pinus nigra subsp. laricio
Kiefer, Krummholz- = Pinus mugo
Kiefer, Langlebige = Pinus longaeva
Kiefer, Mädchen- = Pinus parviflora
Kiefer, Merkus = Pinus merkusii
Kiefer, Monterey- = Pinus radiata
Kiefer, Moor- = Pinus × rotundata
Kiefer, Ostasiatische Zwerg- = Pinus pumila
Kiefer, Pech- = Pinus rigida
Kiefer, Pyrenäen- = Pinus nigra subsp. salzmannii
Kiefer, Rumelische = Pinus peuce
Kiefer, Schlangenhaut- = Pinus leucodermis
Kiefer, Schwarz- = Pinus nigra
Kiefer, Stech- = Pinus pungens
Kiefer, Strand- = Pinus pinaster
Kiefer, Sumpf- = Pinus palustris
Kiefer, Taurische = Pinus nigra subsp. pallasiana
Kiefer, Thunbergs = Pinus thunbergii
Kiefer, Tränen- = Pinus wallichiana
Kiefer, Wald- = Pinus sylvestris
Kiefer, Weiß- = Pinus sabiniana
Kiefer, Weißstämmige = Pinus albicaulis

Knöterich, Östlicher = Persicaria orientalis
Knöterich, Pennsylvanischer = Persicaria pensylvanica
Knöterich, Schlangen- = Bistorta officinalis
Knöterich, Teppich- = Bistorta affinis
Knöterich, Ufer- = Persicaria lapathifolia subsp. brittingeri
Knöterich, Vielähriger = Aconogonon polystachyum
Knöterich, Wasser- = Persicaria amphibia
Knöterich, Wasserpfeffer- = Persicaria hydropiper
Knöterich, Woll- = Eriogonum umbellatum
Knollenbohne = Sphenostylis stenocarpa
Knollenkümmel = Bunium bulbocastanum
Knollenmiere = Pseudostellaria europaea
Knopfbusch = Cephalanthus
Knopfkraut = Galinsoga
Knopfkraut, Behaartes = Galinsoga ciliata
Knopfkraut, Kleinblütiges = Galinsoga parviflora
Knorpelkraut = Illecebrum verticillatum
Knorpelkraut, Acker- = Polycnemum arvense
Knorpelkraut, Großes = Polycnemum majus
Knorpelkraut, Heuffels = Polycnemum heuffelii
Knorpelkraut, Warziges = Polycnemum verrucosum
Knorpellattich, Alpen- = Chondrilla chondrilloides
Knorpellattich, Binsen- = Chondrilla juncea
Knorpelmöhre = Ammi
Knorpelmöhre, Große = Ammi majus
Knotenblume = Leucojum
Knotenblume, Frühlings- = Leucojum vernum
Knotenblume, Herbst- = Leucojum autumnale
Knotenblume, Sommer- = Leucojum aestivum
Knotendolde, Europäische = Myrrhoides nodosa
Knotenfuß = Streptopus, Streptopus amplexifolius
Köcherblümchen = Cuphea
Kölle = Satureja
Königsblume = Daphne blagayana
Königsfarn = Osmunda, Osmunda regalis
Königskerze = Verbascum
Königskerze, Chaix = Verbascum chaixii
Königskerze, Dickblättrige = Verbascum thapsus subsp. crassifolius
Königskerze, Flockige = Verbascum pulverulantum
Königskerze, Gebuchtete = Verbascum sinuatum
Königskerze, Großblütige = Verbascum densiflorum
Königskerze, Kandelaber- = Verbascum olympicum
Königskerze, Kleinblütige = Verbascum thapsus
Königskerze, Mehlige = Verbascum lychnitis
Königskerze, Österreichische = Verbascum austriacum
Königskerze, Pracht- = Verbascum speciosum
Königskerze, Purpur- = Verbascum phoeniceum
Königskerze, Schaben- = Verbascum blattaria
Königskerze, Schwarze = Verbascum nigrum
Königskerze, Seidenhaar- = Verbascum bombyciferum
Königskerze, Windblumen- = Verbascum phlomoides
Königskerze, Wollige = Verbascum alpinum
Königsnuss = Carya laciniosa
Königspalme = Roystonea
Kohl = Brassica
Kohl, Abessinischer = Brassica carinata
Kohl, Gemüse- = Brassica oleracea
Kohl, Langtraubiger = Brassica elongata
Kohl, Peking- = Brassica rapa Pekinensis-Grp.
Kohl, Ruten- = Brassica juncea
Kohl, Senf- = Brassica nigra
Kohlröschen, Erzherzog-Johann- = Nigritella archiducis-joannis
Kohlröschen, Rotes = Nigritella rubra
Kohlröschen, Schwarzes = Nigritella rhellicani
Kohlröschen, Steineralpen- = Nigritella widderi
Kohlröschen, Steirisches = Nigritella stiriaca
Kohlröschen, Widders = Nigritella widderi
Kokardenblume = Gaillardia
Kokardenblume, Filzige = Galactites tomentosa
Kokardenblume, Großblütige = Gaillardia × grandiflora
Kokardenblume, Kurzlebige = Gaillardia pulchella
Kokkelstrauch = Cocculus
Kokkelstrauch, Carolina- = Cocculus

Lattich, Garten- = Lactuca sativa
Lattich, Gift- = Lactuca virosa
Lattich, Kompaß- = Lactuca serriola
Lattich, Ruten- = Lactuca viminea
Lattich, Tataren- = Lactuca tatarica
Lattich, Weidenblättriger = Lactuca saligna
Lauch = Allium
Lauch, Bär- = Allium ursinum
Lauch, Berg- = Allium senescens subsp. montanum
Lauch, Blauzungen- = Allium karataviense
Lauch, Enzian- = Allium cyaneum
Lauch, Gekielter = Allium carinatum
Lauch, Gelber = Allium flavum
Lauch, Gelblichweißer = Allium ericetorum
Lauch, Gold- = Allium moly
Lauch, Kantiger = Allium angulosum
Lauch, Kochs = Allium vineale
Lauch, Kohl- = Allium oleraceum
Lauch, Kugel- = Allium sphaerocephalon
Lauch, Paukenschläger- = Allium stipitatum
Lauch, Riesen- = Allium giganteum
Lauch, Rundköpfiger = Allium scorodoprasum subsp. rotundum
Lauch, Schlangen- = Allium scorodoprasum
Lauch, Schnitt- = Allium schoenoprasum
Lauch, Schöner = Allium carinatum subsp. pulchellum
Lauch, Schwarzer = Allium nigrum
Lauch, Schwarzpurpurner = Allium atropurpureum
Lauch, Seltsamer = Allium paradoxum
Lauch, Steifer = Allium lineare , Allium strictum
Lauch, Sternkugel- = Allium christophii
Lauch, Weinbergs- = Allium vineale
Lauch, Winter- = Allium porrum
Lauch, Wohlriechender = Allium suaveolens
Lauch, Zwiebelreicher = Allium nigrum
Lauchkraut = Alliaria
Laugenblume = Cotula
Laugenblume, Krähenfuß- = Cotula coronopifolia
Lavendel = Lavandula
Lavendel, Echter = Lavandula angustifolia
Lavendel, Großer = Lavandula latifolia
Lavendelheide = Andromeda
Lavendelheide, Japanische = Pieris japonica
Lavendelheide, Vielblütige = Pieris floribunda
Lebendblatt = Tolmiea menziesii
Lebensbaum = Thuja
Lebensbaum, Abendländischer = Thuja occidentalis
Lebensbaum, Hiba- = Thujopsis dolabrata
Lebensbaum, Japanischer = Thuja standishii
Lebensbaum, Koreanischer = Thuja koraiensis
Lebensbaum, Morgenländischer = Thuja orientalis
Lebensbaum, Riesen- = Thuja plicata
Leberbalsam = Ageratum, Ageratum houstonianum
Leberblümchen = Hepatica
Leberblümchen, Gewöhnliches = Hepatica nobilis
Leberblümchen, Siebenbürger = Hepatica transsylvanica
Lederholz = Dirca
Lederhülsenbaum = Gleditsia
Lederstrauch = Ptelea
Lederstrauch, Dreiblättriger = Ptelea trifoliata
Legföhre = Pinus mugo subsp. pumilio
Leimkraut = Silene
Leimkraut, Alpen- = Silene alpestris
Leimkraut, Felsen- = Silene rupestris
Leimkraut, Flachs- = Silene linicola
Leimkraut, Französisches = Silene gallica
Leimkraut, Gabel- = Silene dichotoma
Leimkraut, Gewöhnliches = Silene vulgaris
Leimkraut, Großkegelfrüchtiges = Silene conoidea
Leimkraut, Grünblütiges = Silene viridiflora
Leimkraut, Grünliches = Silene chlorantha
Leimkraut, Hain- = Silene nemoralis
Leimkraut, Insubrisches = Silene insubrica
Leimkraut, Italienisches = Silene italica
Leimkraut, Karst- = Silene saxifraga
Leimkraut, Kegelfrüchtiges = Silene conica
Leimkraut, Klebriges = Silene viscosa
Leimkraut, Kreta- = Silene cretica
Leimkraut, Langblütiges = Silene bupleuroides
Leimkraut, Nelken- = Silene armeria
Leimkraut, Nickendes = Silene nutans
Leimkraut, Ohrlöffel- = Silene otites
Leimkraut, Rosafarbiges Kleines = Silene pudibunda
Leimkraut, Stängelloses = Silene acaulis
Leimkraut, Steinbrech- = Silene saxifraga
Leimkraut, Stielloses = Silene acaulis subsp. exscapa
Leimkraut, Tataren- = Silene tatarica
Leimkraut, Taubenkropf- = Silene vulgaris
Leimkraut, Vielblütiges = Silene multiflora
Leimkraut, Vierzähniges = Silene pusilla
Leimkraut, Waliser = Silene vallesia
Leimkraut, Wolliges = Silene veselskyi

Lieschgras, Knolliges = Phleum bertolonii
Lieschgras, Matten- = Phleum hirsutum
Lieschgras, Pfriemliches = Phleum subulatum
Lieschgras, Raues = Phleum hirsutum
Lieschgras, Rispiges = Phleum paniculatum
Lieschgras, Sand- = Phleum arenarium
Lieschgras, Steppen- = Phleum phleoides
Lieschgras, Wiesen- = Phleum pratense
Ligularie, Palmblatt- = Ligularia × palmatiloba
Ligularie, Riesen- = Ligularia × hessei
Liguster = Ligustrum
Liguster, Amur- = Ligustrum amurense
Liguster, Bewimperter = Ligustrum ibota
Liguster, Chinesischer = Ligustrum sinense
Liguster, Delavays = Ligustrum delavayanum
Liguster, Gewöhnlicher = Ligustrum vulgare
Liguster, Glänzender = Ligustrum lucidum
Liguster, Japanischer = Ligustrum japonicum , Ligustrum ovalifolium
Liguster, Quihois = Ligustrum quihoui
Liguster, Stumpfblättriger = Ligustrum obtusifolium
Lilie = Lilium
Lilie, Belladonna- = Amaryllis bella-donna
Lilie, Braunrote Dreizipfel- = Trillium erectum
Lilie, Feuer- = Lilium bulbiferum
Lilie, Gelbe Dreizipfel- = Trillium luteum
Lilie, Gewellte Dreizipfel- = Trillium undulatum
Lilie, Gold-Türkenbund- = Lilium hansonii
Lilie, Goldband- = Lilium auratum
Lilie, Große Dreizipfel- = Trillium grandiflorum
Lilie, Isabellen- = Lilium × testaceum
Lilie, Kanadische Wiesen- = Lilium canadense
Lilie, Kleine Dreizipfel- = Trillium nivale
Lilie, Krainer = Lilium pyrenaicum subsp. carniolicum
Lilie, Madonnen- = Lilium candidum
Lilie, Panter- = Lilium pardalinum
Lilie, Pracht- = Lilium speciosum
Lilie, Pyrenäen- = Lilium pyrenaicum
Lilie, Riesen- = Cardiocrinum giganteum
Lilie, Tiger- = Lilium lancifolium
Lilie, Türkenbund- = Lilium martagon
Lilie, Verwachsene Kaukasus- = Lilium monadelphum
Lilie, Weiße = Lilium candidum
Lilienschweif, Afghanistan- = Eremurus stenophyllus
Lilienschweif, Himalaya- = Eremurus himalaicus
Lilienschweif, Isabellen- = Eremurus × isabellinus
Lilienschweif, Turkestan- = Eremurus robustus
Liliensimse = Tofieldia
Linde = Tilia
Linde, Amerikanische = Tilia americana
Linde, Holländische = Tilia × vulgaris
Linde, Kaukasische = Tilia dasystyla
Linde, Krim- = Tilia × euchlora
Linde, Mandschurische = Tilia mandshurica
Linde, Miquels = Tilia miqueliana
Linde, Mongolische = Tilia mongolica
Linde, Silber- = Tilia tomentosa
Linde, Sommer- = Tilia platyphyllos
Linde, Verschiedenblättrige = Tilia heterophylla
Linde, Winter- = Tilia cordata
Linse = Lens, Lens culinaris
Lobelie, Blaue = Lobelia erinus
Lobelie, Land- = Lobelia urens
Lobelie, Schein- = Downingia elegans
Lobelie, Wasser- = Lobelia dortmanna
Lochschlund = Anarrhinum bellidifolium
Löffelkraut, Alpen- = Cochlearia pyrenaica subsp. excelsa
Löffelkraut, Bayerisches = Cochlearia bavarica
Löffelkraut, Dänisches = Cochlearia danica
Löffelkraut, Echtes = Cochlearia officinalis
Löffelkraut, Englisches = Cochlearia anglica
Löffelkraut, Pyrenäen- = Cochlearia pyrenaica
Löwenmaul = Antirrhinum
Löwenmaul, Garten- = Antirrhinum majus
Löwenmaul, Großes = Antirrhinum majus
Löwenmaul, Nierenblättriges = Asarina procumbens
Löwenohr = Leonotis
Löwenzahn, Alpen- = Taraxacum alpinum agg.
Löwenzahn, Berg- = Leontodon montanus
Löwenzahn, Dünen- = Taraxacum obliquum agg.
Löwenzahn, Gebirgs- = Taraxacum alpestre agg.
Löwenzahn, Gewöhnlicher = Taraxacum officinale agg.
Löwenzahn, Grauer = Leontodon incanus
Löwenzahn, Herbst- = Leontodon autumnalis

Mäusedorn = Ruscus
Mäusedorn, Stacheliger = Ruscus aculeatus
Mäuseohr = Hieracium pilosella
Mäuseschwänzchen = Myosurus
Mäuseschwänzchen, Kleines = Myosurus minimus
Mäusewicke = Ornithopus perpusillus
Magnolie = Magnolia
Magnolie, Berg- = Magnolia fraseri
Magnolie, Gelbblütige Gurken- = Magnolia cordata
Magnolie, Großblättrige = Magnolia macrophylla
Magnolie, Gurken- = Magnolia acuminata
Magnolie, Honoki- = Magnolia hypoleuca
Magnolie, Immergrüne = Magnolia grandiflora
Magnolie, Kobushi- = Magnolia kobus
Magnolie, Purpur- = Magnolia liliiflora
Magnolie, Schirm- = Magnolia tripetala
Magnolie, Siebolds = Magnolia sieboldii
Magnolie, Stern- = Magnolia stellata
Magnolie, Sumpf- = Magnolia virginiana
Magnolie, Tulpen- = Magnolia × soulangiana
Magnolie, Weidenblättrige = Magnolia salicifolia
Magnolie, Wiesners = Magnolia × wieseneri
Magnolie, Wilsons = Magnolia wilsonii
Magnolie, Yulan- = Magnolia denudata
Mahagonibaum = Swietenia
Mahonie = Mahonia
Mahonie, Beals = Mahonia bealei
Mahonie, Fiederblättrige = Mahonia pinnata
Mahonie, Gewöhnliche = Mahonia aquifolium
Mahonie, Japanische = Mahonia japonica
Mahonie, Kriechende = Mahonia repens
Mahonie, Nervige = Mahonia nervosa
Maiapfel = Podophyllum
Maiapfel, Chinesische = Podophyllum pleianthum
Maiapfel, Gewöhnlicher = Podophyllum peltatum
Maiapfel, Himalaya- = Podophyllum hexandrum
Maiglöckchen = Convallaria
Maiglöckchen, Gewöhnliches = Convallaria majalis
Mais = Zea, Zea mays
Majoran = Origanum majorana
Makoré = Tieghemella heckelii
Malaguetapfeffer = Xylopia aromatica
Malettorinde = Eucalyptus occidentalis var. adstringens
Malve = Malva
Malve, Baum- = Lavatera arborea
Malve, Becher- = Lavatera trimestris
Malve, Kleinblütige = Malva pusilla
Malve, Mohn- = Callirhoe involucrata
Malve, Moschus- = Malva moschata
Malve, Quirl- = Malva verticillata
Malve, Rosen- = Malva alcea
Malve, Strauch- = Lavatera olbia
Malve, Weg- = Malva neglecta
Malve, Wilde = Malva sylvestris
Mammutbaum = Sequoia, Sequoiadendron, Sequoiadendron giganteum
Mammutbaum, Küsten- = Sequoia sempervirens
Mammutblatt = Gunnera manicata
Mandel = Prunus, Prunus dulcis
Mandel, Bitter- = Prunus dulcis var. amara
Mandel, Kaukasische = Prunus fenzliana
Mandel, Zwerg- = Prunus tenella
Mandelbäumchen = Prunus triloba
Mandelbaum = Prunus dulcis
Mandelkirsche, Japanische = Prunus japonica
Mangabeiragummi = Hancornia speciosa
Mangrovebaum = Rhizophora
Maniu = Dacrydium
Mannsblut = Hypericum androsaemum
Mannsschild = Androsace
Mannsschild, Alpen- = Androsace alpina
Mannsschild, Bewimperter = Androsace chamaejasme
Mannsschild, Charpentiers = Androsace brevis
Mannsschild, Dolomiten- = Androsace hausmannii
Mannsschild, Flaumigbehaarter = Androsace carnea
Mannsschild, Fleischroter = Androsace carnea
Mannsschild, Großer = Androsace maxima
Mannsschild, Hallers = Androsace carnea subsp. rosea
Mannsschild, Nördlicher = Androsace septentrionalis
Mannsschild, Schweizer = Androsace helvetica
Mannsschild, Stumpfblättriger = Androsace obtusifolia
Mannsschild, Vandellis = Androsace vandellii
Mannsschild, Wulfens = Androsace wulfeniana
Mannsschild, Zottiger = Androsace villosa
Mannsschild., Langgestielter = Androsace

Moorbinse, Flut- = Isolepis fluitans
Moorglöckchen, Efeu- = Wahlenbergia hederacea
Moorkönig = Pedicularis sceptrum-carolinum
Moosauge = Moneses uniflora
Moosbeere, Gaultheria-ähnliche = Vaccinium uliginosum subsp. pubescens
Moosbeere, Gewöhnliche = Vaccinium oxycoccos
Moosbeere, Großfrüchtige = Vaccinium macrocarpon
Moosbeere, Kleinfrüchtige = Vaccinium microcarpum
Moosfarn = Selaginella
Moosfarn, Dorniger = Selaginella selaginoides
Moosfarn, Gezähnter = Selaginella selaginoides
Moosfarn, Schweizer = Selaginella helvetica
Moosfarn, Wiesen- = Selaginella apoda
Moosglöckchen = Linnaea, Linnaea borealis
Moosglöckchen, Amerikanisches = Linnaea borealis var. americana
Moosheide, Bläuliche = Phyllodoce caerulea
Moosheide, Krähenbeerblättrige = Phyllodoce empetriformis
Mooskraut = Selaginella
Mormonentulpe = Calochortus
Moschuskraut = Adoxa, Adoxa moschatellina
Moskitogras = Bouteloua gracilis
Mossbeere, Kleinfrüchtige = Vaccinium oxycoccos
Mougri = Raphanus caudatus
Movingui = Distemonanthus benthamianus
Mummel = Nuphar, Nuphar lutea
Mungbohne = Vigna radiata
Muninga = Pterocarpus angolensis
Muschelblümchen = Isopyrum, Isopyrum thalictroides
Muschelblume = Moluccella
Muskatnuss, Amerikanische = Cryptocarya moschata
Muskatnußbaum = Myristica
Mutterkraut = Matricaria, Tanacetum parthenium
Mutterwurz = Ligusticum
Mutterwurz, Alpen- = Ligusticum mutellina
Mutterwurz, Schottische = Ligusticum scoticum
Mutterwurz, Zwerg- = Ligusticum mutellinoides
Myrrhenstrauch = Commiphora
Myrte = Myrtus
Myrtenheide = Melaleuca
Nabelkraut = Umbilicus
Nabelmiere, Bewimperte = Moehringia ciliata
Nabelmiere, Dreinervige = Moehringia trinervia
Nabelmiere, Moos- = Moehringia muscosa
Nabelmiere, Steirische = Moehringia bavarica
Nabelmiere, Verschiedenblättrige = Moehringia diversifolia
Nabelnüsschen, Frühlings- = Omphalodes verna
Nabelnüsschen, Wald- = Omphalodes scorpioides
Nachtkerze = Oenothera
Nachtkerze, Brauns = Oenothera × braunii
Nachtkerze, Duftende = Oenothera odorata
Nachtkerze, Gewöhnliche = Oenothera biennis
Nachtkerze, Graublättrige = Oenothera villosa
Nachtkerze, Kleinblütige = Oenothera parviflora
Nachtkerze, Missouri- = Oenothera macrocarpa
Nachtkerze, Rotkelchige = Oenothera glazioviana
Nachtkerze, Sand- = Oenothera oakesiana
Nachtkerze, Täuschende = Oenothera × fallax
Nachtkerze, Weiße = Oenothera speciosa
Nachtschatten = Solanum
Nachtschatten, Argentinischer = Solanum physalifolium var. nitidibaccatum
Nachtschatten, Bittersüßer = Solanum dulcamara
Nachtschatten, Dreiblütiger = Solanum triflorum
Nachtschatten, Gelber = Solanum villosum
Nachtschatten, Glanzfrüchtiger = Solanum physalifolium var. nitidibaccatum
Nachtschatten, Rotfrüchtiger = Solanum villosum subsp. alatum
Nachtschatten, Saracha- = Solanum sarachoides
Nachtschatten, Schwarzer = Solanum nigrum
Nachtschatten, Stachel- = Solanum rostratum
Nachtschatten, Zierlicher = Solanum sublobatum
Nachtviole = Hesperis

Nachtviole, Gewöhnliche = Hesperis matronalis
Nachtviole, Trübe = Hesperis tristis
Nachtviole, Wald- = Hesperis sylvestris
Nachtviole, Weiße = Hesperis candida , Hesperis matronalis subsp. candida
Nacktfarn = Anogramma leptophylla
Nacktried = Kobresia myosuroides
Nacktried, Europäisches = Kobresia myosuroides
Nadelkerbel = Scandix pecten-veneris
Nadelkraut = Crassula helmsii
Nadelpalme = Rhapidophyllum
Nadelröschen, Gewöhnliches = Fumana procumbens
Nagelkraut = Paronychia kapela
Nagelkraut, Vierblättriges = Polycarpon tetraphyllum
Narzisse = Narcissus
Narzisse, Dichter- = Narcissus poeticus
Narzisse, Duft- = Narcissus × odorus
Narzisse, Engelstränen- = Narcissus triandrus
Narzisse, Gelbe = Narcissus pseudonarcissus
Narzisse, Langensee = Narcissus poeticus var. verbanensis
Narzisse, Reifrock- = Narcissus bulbocodium
Narzisse, Stern- = Narcissus radiiflorus
Narzisse, Unvergleichliche = Narcissus × incomparabilis
Narzisse, Weihnachts = Narcissus papyraceus
Narzisse, Weiße = Narcissus poeticus
Narzisse, Westalpen- = Narcissus radiiflorus
Narzisse, Zweiblütige = Narcissus × medioluteus
Natternfarn = Ophioglossum
Natternkopf = Echium
Natternkopf, Gewöhnlicher = Echium vulgare
Natternkopf, Hoher = Echium italicum
Natternkopf, Wegerichblättriger = Echium plantagineum
Natternzunge = Ophioglossum
Natternzunge, Gewöhnliche = Ophioglossum vulgatum
Negerhirse = Pennisetum spicatum
Nektarine = Prunus persica var. nucipersica
Nelke = Dianthus
Nelke, Alpen- = Dianthus pavonius
Nelke, Bart- = Dianthus barbatus
Nelke, Büschel- = Dianthus armeria
Nelke, Busch- = Dianthus seguieri
Nelke, Feder- = Dianthus plumarius
Nelke, Garten- = Dianthus caryophyllus
Nelke, Gletscher- = Dianthus glacialis
Nelke, Hainburger = Dianthus plumarius
Nelke, Heide- = Dianthus deltoides
Nelke, Hügel- = Dianthus collinus
Nelke, Karthäuser- = Dianthus carthusianorum
Nelke, Montpellier- = Dianthus monspessulanus
Nelke, Pannonische Kartäuser- = Dianthus pontederae
Nelke, Pfingst- = Dianthus gratianopolitanus
Nelke, Pracht- = Dianthus superbus
Nelke, Raue = Dianthus armeria
Nelke, Sand- = Dianthus arenarius
Nelke, Spätblühende = Dianthus serotinus
Nelke, Stein- = Dianthus sylvestris
Nelkenköpfchen = Petrorhagia prolifera
Nelkenwurz = Geum
Nelkenwurz, Bach- = Geum rivale
Nelkenwurz, Berg- = Geum montanum
Nelkenwurz, Echte = Geum urbanum
Nelkenwurz, Japanische = Geum japonicum
Nelkenwurz, Kriechende = Geum reptans
Nelkenwurz, Pyrenäen- = Geum pyrenaicum
Nelkenwurz, Rote = Geum coccineum
Nelkenzimt = Dicypellium caryophyllatum
Nerine = Nerine
Nessel, Blaue = Meehania urticifolia
Nessel, Bunt- = Solenostemon scutellarioides
Nessel, Duft- = Agastache foeniculum
Nessel, Kreta- = Ballota pseudodictamnus
Nesselblatt, Virginisches = Acalypha virginica
Nestwurz = Neottia
Nestwurz, Vogel- = Neottia nidus-avis
Netzblatt = Goodyera
Netzblatt, Kriechendes = Goodyera repens
Netzblattstern = Coreopsis verticillata
Neuseeländer Flachs = Phormium
Neuseeländerspinat = Tetragonia tetragonioides
Nieswurz = Helleborus
Nieswurz, Duftende = Helleborus odorus
Nieswurz, Grüne = Helleborus viridis
Nieswurz, Hecken- = Helleborus dumetorum
Nieswurz, Korsische = Helleborus argutifolius
Nieswurz, Orientalische = Helleborus orientalis

Nieswurz, Schwarze = Helleborus niger
Nieswurz, Stinkende = Helleborus foetidus
Nigersaat = Guizotia abyssinica
Nikaupalme = Rhopalostylis
Nipapalme = Nypa
Nissegras = Gastridium ventricosum
Nixkraut, Biegsames = Najas flexilis
Nixkraut, Großes = Najas marina
Nixkraut, Kleines = Najas minor
Nixkraut, Meer- = Najas marina
Njabi = Baillonella toxisperma
Nüsse, Babassú- = Orbignya martiana
Nuss, Schwarz- = Juglans nigra
Nußbaum = Juglans
Nusseibe, Chinesische = Torreya grandis
Nusseibe, Japanische = Torreya nucifera
Nusseibe, Kalifornische = Torreya californica
Nußeibe = Torreya
Ochsenauge = Buphthalmum
Ochsenauge, Acker- = Anchusa arvensis
Ochsenauge, Weidenblättriges = Buphthalmum salicifolium
Ochsenzunge = Anchusa
Ochsenzunge, Gelbe = Anchusa ochroleuca
Ochsenzunge, Gewöhnliche = Anchusa officinalis
Ochsenzunge, Italienische = Anchusa azurea
Ochsenzunge, Spanische = Pentaglottis sempervirens
Ochsenzunge, Welligblättrige = Anchusa undulata
Odermennig = Agrimonia
Odermennig, Gewöhnlicher = Agrimonia eupatoria
Odermennig, Großer = Agrimonia procera
Odermennig, Nelkenwurz- = Aremonia agrimonoides
Ölbaum = Olea, Olea europaea
Ölfrucht = Elaeocarpus
Ölpalme = Elaeis
Ölrauke, Saat- = Eruca sativa
Ölweide = Elaeagnus
Ölweide, Doldige = Elaeagnus umbellata
Ölweide, Dornige = Elaeagnus pungens
Ölweide, Großblättrige = Elaeagnus macrophylla
Ölweide, Reichblütige = Elaeagnus multiflora
Ölweide, Schmalblättrige = Elaeagnus angustifolia
Ölweide, Silber- = Elaeagnus commutata
Ölweide, Wintergrüne = Elaeagnus × ebbingei
Ohnhorn = Aceras
Ohnsporn = Aceras anthropophorum
Okwabaum = Treculia africana
Oleander = Nerium
Olive = Olea
Opuntie = Opuntia
Opuntie, Gewöhnliche = Opuntia monacantha
Orangenbeere = Citriobatus
Orangenblume = Choisya
Orangenblume, Mexikanische = Choisya ternata
Orangenkirsche = Idesia, Idesia polycarpa
Orangenwurzel = Hydrastis
Orant, Kleiner = Chaenorhinum minus
Orchidaceae = Renanetia, Shipmanara
Orchidee, China- = Bletilla chinensis
Orchidee, Gestreifte China- = Bletilla striata
Osagedorn = Maclura, Maclura pomifera
Osterglocke = Narcissus pseudonarcissus
Osterluzei, Gewöhnliche = Aristolochia clematitis
Osterluzei, Rundblättrige = Aristolochia rotunda
Ouricuripalme = Syagrus coronata
Padouk, Afrikanisches = Pterocarpus soyauxii
Padouk, Ostafrikanischer = Pterocarpus angolensis
Päonie = Paeonia
Palisadengras = Brachiaria brizantha
Palisadengras, Niederliegendes = Brachiaria ruziziensis
Palmenschilf = Prionium
Palmlilie = Yucca
Palmlilie, Blaugrüne = Yucca glauca
Palmlilie, Fädige = Yucca filamentosa
Palmlilie, Schlaffe = Yucca flaccida
Pampasgras = Cortaderia selloana
Pangolagras = Digitaria decumbens
Pankrazlilie = Pancratium
Pantoffelblume = Calceolaria
Pantoffelblume, Darwins = Calceolaria uniflora var. darwinii
Pantoffelblume, Einblütige = Calceolaria uniflora
Pantoffelblume, Falkland- = Calceolaria falklandica
Pantoffelblume, Gekerbte = Calceolaria crenatiflora
Pantoffelblume, Patagonische = Calceolaria polyrrhiza
Papageienblatt = Alternanthera
Papau = Asimina
Papau, Dreilappige = Asimina triloba

Pfeifenblume = Aristolochia
Pfeifengras = Molinia
Pfeifengras, Blaues = Molinia caerulea
Pfeifengras, Rohr- = Molinia arundinacea
Pfeifenstrauch = Philadelphus
Pfeifenstrauch, Duftloser = Philadelphus inodorus
Pfeifenstrauch, Filziger = Philadelphus tomentosus
Pfeifenstrauch, Gewöhnlicher = Philadelphus coronarius
Pfeifenstrauch, Grauhaariger = Philadelphus hirsutus
Pfeifenstrauch, Kaukasischer = Philadelphus caucasicus
Pfeifenstrauch, Kleinblättriger = Philadelphus microphyllus
Pfeifenstrauch, Mandschurischer = Philadelphus tenuifolius
Pfeifenstrauch, Oregon- = Philadelphus lewisii
Pfeifenstrauch, Peking- = Philadelphus pekinensis
Pfeifenstrauch, Später = Philadelphus incanus
Pfeifenstrauch, Stern- = Philadelphus falconeri
Pfeifenstrauch, Weichhaariger = Philadelphus pubescens
Pfeifenwinde, Amerikanische = Aristolochia macrophylla
Pfeifenwinde, Chinesische = Aristolochia moupinensis
Pfeifenwinde, Filzige = Aristolochia tomentosa
Pfeilkraut = Sagittaria
Pfeilkraut, Breitblättriges = Sagittaria latifolia
Pfeilkraut, Gewöhnliches = Sagittaria sagittifolia
Pfeilkresse = Cardaria draba
Pfennigkraut = Lysimachia nummularia
Pferdebohne = Macrotyloma uniflorum
Pferdesaat = Oenanthe aquatica
Pfingstrose = Paeonia
Pfingstrose, Delavays = Paeonia delavayi
Pfingstrose, Echte = Paeonia officinalis
Pfingstrose, Garten- = Paeonia lactiflora
Pfingstrose, Gelbe = Paeonia lutea
Pfingstrose, Kaukasus- = Paeonia wittmanniana
Pfingstrose, Korallen- = Paeonia mascula
Pfingstrose, Strauch- = Paeonia Lutea-Grp., Paeonia Suffruticosa-Grp.
Pfingstrose, Veitchs = Paeonia veitchii
Pfingstveilchen = Viola sororia
Pfinstrose, Gelbe Kaukasus- = Paeonia mlokosewitschii
Pfirsich = Prunus, Prunus persica
Pfirsich, Davids = Prunus davidiana
Pflaume = Prunus
Pflaume, Amerikanische = Prunus americana
Pflaume, Hafer- = Prunus domestica subsp. insititia
Pflaume, Oregon- = Oemleria cerasiformis
Pflaume, Strand- = Prunus maritima
Pflaume, Zwetschge und = Prunus domestica
Pfriemenginster = Spartium junceum
Pfriemengras = Stipa
Pfriemengras, Haar- = Stipa capillata
Pfriemengras, Kurzgranniges = Stipa bromoides
Pfriemenkresse = Subularia aquatica
Phacelie, Rainfarn- = Phacelia congesta
Phlox = Phlox
Phlox, Einjähriger = Phlox drummondii
Phlox, Kriechender = Phlox stolonifera
Phlox, Moos- = Phlox subulata
Phlox, Stauden- = Phlox paniculata
Phlox, Wiesen- = Phlox maculata
Pilinuss = Canarium ovatum
Pillenfarn = Pilularia
Pillenfarn, Gewöhnlicher = Pilularia globulifera
Pimpernuss, Amerikanische = Staphylea trifolia
Pimpernuss, Gewöhnliche = Staphylea pinnata
Pimpernuss, Japanische = Staphylea bumalda
Pimpernuss, Kolchische = Staphylea colchica
Pimpernuß = Staphylea
Pinellie, Dreizählige = Pinellia ternata
Pippau = Crepis
Pippau, Abgebissener = Crepis praemorsa
Pippau, Alpen- = Crepis alpestris
Pippau, Belgischer = Crepis nemausensis
Pippau, Berg- = Crepis bocconii
Pippau, Borsten- = Crepis setosa
Pippau, Dach- = Crepis tectorum
Pippau, Felsen- = Crepis jacquinii
Pippau, Froelichs = Crepis froelichiana
Pippau, Gold- = Crepis aurea
Pippau, Großköpfiger = Crepis conyzifolia
Pippau, Kerners = Crepis jacquinii subsp. kerneri
Pippau, Kleinköpfiger = Crepis capillaris

Puero = Pueraria phaseoloides
Pyrenäennelke = Petrocoptis
Pyrethrum = Tanacetum cinerariifolium
Quecke = Agropyron
Quecke, Bastard-Binsen- = Elymus obtusiusculus
Quecke, Binsen- = Elymus farctus subsp. boreoatlanticus
Quecke, Dünen- = Elymus athericus
Quecke, Gewöhnliche = Elymus repens
Quecke, Graugrüne = Elymus hispidus
Quecke, Hunds- = Elymus caninus
Quecke, Lockerblütige Bastard- = Elymus laxus
Quecke, Pontische = Elymus obtusiflorus
Quecke, Sand- = Elymus arenosus
Quecke, Strand- = Elymus farctus
Quecke, Stumpfblütige = Elymus obtusiflorus
Queenslandnuss = Macadamia integrifolia
Queller = Salicornia
Queller, Ästiger = Salicornia europaea subsp. brachystachys
Queller, Aufrechter = Salicornia procumbens
Queller, Europäischer = Salicornia europaea
Queller, Gewöhnlicher Kurzähren- = Salicornia europaea subsp. brachystachys
Queller, Sandwatt- = Salicornia procumbens
Queller, Schlickwatt- = Salicornia stricta
Quellgras = Catabrosa
Quellgras, Europäisches = Catabrosa aquatica
Quellkraut, Bach- = Montia fontana
Quellried, Rotbraunes = Blysmus rufus
Quellried, Zusammengedrücktes = Blysmus compressus
Quetschblume = Thladiantha
Quetschgurke = Thladiantha dubia
Quinoa = Chenopodium quinoa
Quitte = Cydonia
Quitte, Echte = Cydonia oblonga
Quitte, Holz- = Pseudocydonia sinensis
Radbaum = Trochodendron aralioides
Radblüte = Trochiscantes nodiflorus
Radmelde, Besen- = Bassia scoparia
Radmelde, Halbstrauch- = Bassia prostrata
Radmelde, Sand- = Bassia laniflora
Radspiere, Chinesische = Exochorda racemosa
Radspiere, Dahurische = Exochorda giraldii
Radspiere, Turkestanische = Exochorda korolkowii
Ragwurz, Bienen- = Ophrys apifera
Ragwurz, Fliegen- = Ophrys insectifera
Ragwurz, Gewöhnliche Spinnen- = Ophrys sphegodes
Ragwurz, Hummel- = Ophrys holoserica
Ragwurz, Kleine Spinnen- = Ophrys araneola
Rainfarn = Tanacetum vulgare
Rainkohl, Gewöhnlicher = Lapsana communis
Rainweide = Ligustrum
Ramie = Boehmeria
Ramtillkraut = Guizotia abyssinica
Ranunkelstrauch = Kerria japonica
Raphia = Raphia hookeri
Raps = Brassica napus
Rapsdotter, Ausdauernder = Rapistrum perenne
Rapsdotter, Runzliger = Rapistrum rugosum
Rapunzel, Niedrige = Phyteuma humile
Rapunzel, Rätische = Phyteuma hedraianthifolium
Rapunzel, Schwarzwurzelblättrige = Phyteuma scorzonerifolium
Rasamala = Altingia excelsa
Rasenbinse, Alpen- = Trichophorum alpinum
Rasenbinse, Deutsche = Trichophorum cespitosum subsp. germanicum
Rasenbinse, Gewöhnliche = Trichophorum cespitosum
Rasselblume = Catananche
Raugras = Stipa calamagrostis
Rauhgras = Achnatherum
Rauhgras, Alpen- = Stipa calamagrostis
Rauhgras, Glänzendes = Stipa splendens
Rauhschopf = Dasylirion
Rauke = Eruca
Rauke, Glanz- = Sisymbrium irio
Rauke, Hohe = Sisymbrium altissimum
Rauke, Loesels = Sisymbrium loeselii
Rauke, Niedrige = Sisymbrium supinum
Rauke, Öl- = Eruca sativa
Rauke, Österreichische = Sisymbrium austriacum
Rauke, Orientalische = Sisymbrium orientale
Rauke, Steife = Sisymbrium strictissimum
Rauke, Ungarische = Sisymbrium altissimum
Rauke, Weg- = Sisymbrium officinale
Rauke, Wolga- = Sisymbrium volgense
Rühr-mich-nicht-an = Impatiens noli-tangere
Rauschbeere = Empetrum, Vaccinium uliginosum
Raute = Ruta

Raute, Wein- = Ruta graveolens
Raygras, Englisches = Lolium perenne
Rebe = Vitis
Rebe, Amur- = Vitis amurensis
Rebe, Davids = Vitis davidii
Rebe, Fuchs- = Vitis labrusca
Rebe, Glocken- = Cobaea scandens
Rebe, Katzen- = Vitis palmata
Rebe, Rostrote = Vitis coignetiae
Rebe, Sand- = Vitis rupestris
Rebe, Sommer- = Vitis aestivalis
Rebe, Ufer- = Vitis riparia
Rebe, Winter- = Vitis vulpina
Rebendolde = Oenanthe
Rebhuhnbeere = Mitchella, Mitchella repens
Rechenblume = Symplocos
Redwood = Sequoia
Reiherschnabel = Erodium
Reiherschnabel, Dänischer = Erodium danicum
Reiherschnabel, Drüsiger = Erodium lebelii
Reiherschnabel, Dünen- = Erodium ballii
Reiherschnabel, Gewöhnlicher = Erodium cicutarium
Reiherschnabel, Herzblatt- = Erodium malacoides
Reiherschnabel, Langschnäbliger = Erodium ciconium
Reiherschnabel, Moschus- = Erodium moschatum
Reiherschnabel, Pyrenäen- = Erodium manescavii
Reismelde = Chenopodium quinoa
Reispapierbaum = Tetrapanax
Reisquecke, Europäische = Leersia oryzoides
Reitgras = Calamagrostis
Reitgras, Buntes = Calamagrostis varia
Reitgras, Land- = Calamagrostis epigejos
Reitgras, Moor- = Calamagrostis × acutiflora
Reitgras, Purpur- = Calamagrostis phragmitoides
Reitgras, Sächsisches = Calamagrostis pseudopurpurea
Reitgras, Sumpf- = Calamagrostis canescens
Reitgras, Ufer- = Calamagrostis pseudophragmites
Reitgras, Wald- = Calamagrostis arundinacea
Reitgras, Wolliges = Calamagrostis villosa
Reseda = Reseda
Resede, Färber- = Reseda luteola
Resede, Garten- = Reseda odorata
Resede, Gelbe = Reseda lutea
Resede, Rapunzel- = Reseda phyteuma
Resede, Weiße = Reseda alba
Retamastrauch = Retama
Rettich = Raphanus
Rettich, Garten- = Raphanus sativus
Rhabarber = Rheum
Rhabarber, Gebräuchlicher = Rheum officinale
Rhabarber, Gewöhnlicher = Rheum rhabarbarum
Rhabarber, Handlappiger = Rheum palmatum
Rhabarber, Österreichischer = Rheum rhabarbarum
Rhabarber, Sibirischer = Rheum rhabarbarum
Rhabarber, Südchinesischer = Rheum officinale
Rhabarber, Tangutischer = Rheum palmatum
Rhododendron, Augustines = Rhododendron augustinii
Rhododendron, Ausgezeichneter = Rhododendron insigne
Rhododendron, Bergruhm- = Rhododendron oreodoxa
Rhododendron, Blutroter = Rhododendron haematodes
Rhododendron, Forrests = Rhododendron forrestii
Rhododendron, Fortunes = Rhododendron fortunei
Rhododendron, Glockenblütiger = Rhododendron campanulatum
Rhododendron, Goldener = Rhododendron rupicola var. chryseum
Rhododendron, Grauer = Rhododendron hippophaeoides
Rhododendron, Kaukasus- = Rhododendron caucasicum
Rhododendron, Keisukes = Rhododendron keiskei
Rhododendron, Kleinblütiger = Rhododendron micranthum
Rhododendron, Kleiner = Rhododendron minus
Rhododendron, Metternichs = Rhododendron metternichii
Rhododendron, Pontischer = Rhododendron ponticum
Rhododendron, Porstblättriger = Rhododendron mucronatum
Rhododendron, Reizender = Rhododendron concinnum
Rhododendron, Riesen- = Rhododendron

Rohrkolben, Laxmanns = Typha laxmannii
Rohrkolben, Schmalblättriger = Typha angustifolia
Rohrkolben, Shuttleworths = Typha shuttleworthii
Rohrkolben, Zwerg- = Typha minima
Rollfarn, Krauser = Cryptogramma crispa
Rose = Rosa
Rose, Alpen- = Rosa pendulina
Rose, Apfel- = Rosa villosa
Rose, Bereifte = Rosa glauca
Rose, Berg- = Rosa montana
Rose, Bibernell- = Rosa spinosissima
Rose, Borsten- = Rosa setipoda
Rose, Bourbon- = Rosa × borboniana
Rose, Carolina- = Rosa carolina
Rose, Chavins = Rosa chavinii
Rose, China- = Rosa chinensis
Rose, Chinesische Gold- = Rosa hugonis
Rose, Déséglise- = Rosa corymbifera
Rose, Essig- = Rosa gallica
Rose, Falsche Hecken- = Rosa subcollina
Rose, Falsche Hunds- = Rosa subcanina
Rose, Feld- = Rosa agrestis
Rose, Filz- = Rosa tomentosa
Rose, Frankfurter = Rosa × francofurtana
Rose, Gelbe = Rosa foetida
Rose, Geruchlose = Rosa inodora
Rose, Glanzblättrige = Rosa nitida
Rose, Goldgelbe = Rosa xanthina
Rose, Graugrüne = Rosa dumalis
Rose, Griffel- = Rosa stylosa
Rose, Hängefrucht- = Rosa pendulina
Rose, Hecken- = Rosa corymbifera
Rose, Hundertblättrige = Rosa × centifolia
Rose, Hunds- = Rosa canina
Rose, Igel- = Rosa roxburghii
Rose, Immergrüne = Rosa sempervirens
Rose, Kalifornische = Rosa californica
Rose, Kartoffel- = Rosa rugosa
Rose, Keilblättrige = Rosa elliptica
Rose, Kleinblütige = Rosa micrantha
Rose, Kragen- = Rosa multibracteata
Rose, Kratz- = Rosa pseudoscabriuscula
Rose, Kriechende = Rosa arvensis
Rose, Labrador- = Rosa blanda
Rose, Lederblättrige = Rosa caesia
Rose, Mai- = Rosa majalis
Rose, Mandarin- = Rosa moyesii
Rose, Moschus- = Rosa moschata
Rose, Nadel- = Rosa abietina
Rose, Omei- = Rosa omeiensis
Rose, Portland- = Rosa × damascena
Rose, Prärie- = Rosa setigera
Rose, Rätische = Rosa rhaetica
Rose, Raublättrige = Rosa jundzillii
Rose, Rotblättrige = Rosa glauca
Rose, Samt- = Rosa sherardii
Rose, Seiden- = Rosa sericea
Rose, Stumpfblättrige = Rosa tomentella
Rose, Sumpf- = Rosa palustris
Rose, Sweginzows = Rosa sweginzowii
Rose, Tee- = Rosa × odorata
Rose, Verwachsengriffige = Rosa stylosa
Rose, Vielblütige = Rosa multiflora
Rose, Virginische = Rosa virginiana
Rose, Weichblättrige = Rosa mollis
Rose, Weiche = Rosa mollis
Rose, Wein- = Rosa rubiginosa
Rose, Weiße = Rosa × alba
Rose, Wichuras = Rosa wichuraiana
Rose, Willmotts = Rosa willmottiae
Rose, Woods = Rosa woodsii
Rose, Zimt- = Rosa majalis
Rose von Jericho = Anastatica
Rosenholz = Dalbergia retusa
Rosenwurz = Rhodiola rosea
Rosmarin = Rosmarinus officinalis
Rosmarinheide = Andromeda
Rosmarinheide, Behaarte = Andromeda glaucophylla
Rosmarinheide, Kahle = Andromeda polifolia
Rosmarinweide, Amerikanische = Itea virginica
Rosskastanie, Carolina- = Aesculus × neglecta
Rosskastanie, Chinesische = Aesculus chinensis
Rosskastanie, Gelbe = Aesculus flava
Rosskastanie, Gewöhnliche = Aesculus hippocastanum
Rosskastanie, Indische = Aesculus indica
Rosskastanie, Japanische = Aesculus turbinata
Rosskastanie, Ohio- = Aesculus glabra
Rosskastanie, Rote = Aesculus × carnea
Rosskastanie, Strauch- = Aesculus parviflora
Roßkastanie = Aesculus
Rosskümmel = Laser trilobum
Rossminze, Bastard- = Mentha × rotundifolia
Rotangpalme = Calamus
Ruchgras = Anthoxanthum
Ruchgras, Alpen- = Anthoxanthum alpinum
Ruchgras, Gewöhnliches = Anthoxanthum odoratum
Ruchgras, Grannen- = Anthoxanthum puelii
Ruchgras, Japanisches = Anthoxanthum

alpinum
Rübe = Beta
Rübsaat = Brassica rapa Oleifera-Grp.
Rübsen = Brassica rapa Oleifera-Grp.
Rüster = Ulmus
Ruhmesblume = Clianthus
Ruhmeskrone = Gloriosa
Ruhmeslilie = Gloriosa superba
Ruhrkraut = Gnaphalium
Ruhrkraut, Gelbliches = Pseudognaphalium luteoalbum
Ruhrkraut, Hoppes- = Gnaphalium hoppeanum
Ruhrkraut, Norwegisches = Gnaphalium norvegicum
Ruhrkraut, Schein- = Pseudognaphalium luteoalbum
Ruhrkraut, Sumpf- = Gnaphalium uliginosum
Ruhrkraut, Wald- = Gnaphalium sylvaticum
Ruhrkraut, Zwerg- = Gnaphalium supinum
Ruke = Eruca sativa
Runkelrübe = Beta vulgaris
Runkelrübe, Dreiweibige = Beta trigyna
Ruprechtsfarn = Gymnocarpium robertianum
Ruprechtskraut = Geranium robertianum
Rutenkaktus = Rhipsalis
Rutenwolfsmilch, Schein- = Euphorbia × pseudovirgata
Saatmiere = Spergularia segetalis
Sadebaum = Juniperus sabina
Säckelblume = Ceanothus
Säckelblume, Amerikanische = Ceanothus americanus
Säckelblume, Ovalblättrige = Ceanothus ovatus
Säuerling = Oxyria, Oxyria digyna
Säulenkaktus = Cereus
Saflor, Färber- = Carthamus tinctorius
Saflor, Wolliger = Carthamus lanatus
Safran, Echter = Crocus sativus
Safranwurz = Curcuma
Sagopalme = Metroxylon
Salat, Chinesischer = Lactuca indica
Salat, Grüner = Lactuca sativa
Salbei = Salvia
Salbei, Echter = Salvia officinalis
Salbei, Eisenkraut- = Salvia verbenaca
Salbei, Klebriger = Salvia glutinosa
Salbei, Mohren- = Salvia aethiopis
Salbei, Muskateller- = Salvia sclarea
Salbei, Österreichischer = Salvia austriaca
Salbei, Quirlblütiger = Salvia verticillata
Salbei, Serbischer = Salvia jurisicii
Salbei, Steppen- = Salvia nemorosa
Salbei, Ungarischer = Salvia aethiopis
Salbei, Wiesen- = Salvia pratensis
Salde, Schraubige = Ruppia cirrhosa
Salde, Strand- = Ruppia maritima
Salomonssiegel = Polygonatum
Salomonssiegel, Echtes = Polygonatum odoratum
Salsifis = Helianthus strumosus var. willdenowianus
Salzkraut, Kali- = Salsola kali
Salzkraut, Soda- = Salsola soda
Salzkresse, Armblütige = Hymenolobus procumbens subsp. pauciflorus
Salzkresse, Niederliegende = Hymenolobus procumbens
Salzmelde, Horn- = Suaeda vera
Salzmelde, Pannonische = Suaeda maritima subsp. pannonica
Salzmelde, Stielfrüchtige = Atriplex pedunculata
Salzmelde, Strand- = Atriplex portulacoides
Salzschwaden, Büscheliger = Puccinellia fasciculata
Salzschwaden, Dichtblütiger = Puccinellia rupestris
Salzschwaden, Gewöhnlicher = Puccinellia distans
Salzschwaden, Haar- = Puccinellia capillaris
Salzschwaden, Strand- = Puccinellia maritima
Salzschwaden, Sumpf- = Puccinellia limosa
Salzstrauch = Halimodendron, Halimodendron halodendron
Salztäschel = Hymenolobus procumbens
Sammetblume = Tagetes
Sammetgras = Lagurus
Samtgras, Südliches = Lagurus ovatus
Samtpappel, Chinesische = Abutilon theophrasti
Sandbirne = Peraphyllum, Peraphyllum ramosissimum
Sanddorn = Hippophae
Sanddorn, Gewöhnlicher = Hippophae rhamnoides
Sanddorn, Weidenblättriger = Hippophae salicifolia
Sandelholz, Afrikanisches = Pterocarpus erinaceus
Sandglöckchen = Jasione
Sandglöckchen, Ausdauerndes = Jasione laevis
Sandglöckchen, Berg- = Jasione montana
Sandkraut = Arenaria
Sandkraut, Alpen- = Arenaria marschlinsii

Sandkraut, Gothisches = Arenaria gothica
Sandkraut, Grasblättriges- = Arenaria procera
Sandkraut, Großblütiges = Arenaria grandiflora
Sandkraut, Lloyds = Arenaria serpyllifolia subsp. lloydii
Sandkraut, Thymianblättriges = Arenaria serpyllifolia
Sandkraut, Wimper- = Arenaria ciliata
Sandkraut, Zartes = Arenaria leptoclados
Sandkraut, Zweiblütiges = Arenaria biflora
Sandmyrte = Leiophyllum, Leiophyllum buxifolium
Sandröschen, Geflecktes = Tuberaria guttata
Sandverbene = Abronia umbellata
Sanikel = Sanicula
Sanikel, Wald- = Sanicula europaea
Saphirbeere = Symplocos paniculata
sarsaparille, Veracruz- = Smilax medica
Satsumas = Citrus reticulata var. unshiu
Saubohne = Vicia faba
Saudistel = Sonchus
Sauerampfer, Berg- = Rumex arifolius
Sauerampfer, Garten- = Rumex rugosus
Sauerampfer, Gebirgs- = Rumex arifolius
Sauerampfer, Großer = Rumex acetosa
Sauerampfer, Kleiner = Rumex acetosella
Sauerampfer, Rispen- = Rumex thyrsiflorus
Sauerampfer, Schild- = Rumex scutatus
Sauerampfer, Schmalblättriger Kleiner = Rumex acetosella var. tenuifolius
Sauerampfer, Schnee- = Rumex nivalis
Sauerampfer, Verwachsenblättriger Kleiner = Rumex acetosella subsp. pyernaica
Sauerbaum = Oxydendrum, Oxydendrum arboreum
Sauerdorn = Berberis, Berberis vulgaris
Sauerklee = Oxalis
Sauerklee, Aufrechter = Oxalis stricta
Sauerklee, Dillenius = Oxalis dillenii
Sauerklee, Hornfrüchtiger = Oxalis corniculata
Sauerklee, Wald- = Oxalis acetosella
Sauerklee, Zehnblättriger = Oxalis decaphylla
Saumfarn = Pteris
Saumfarn, Kretischer = Pteris cretica
Sawahirse = Echinochloa frumentacea
Schabzigerklee = Trigonella caerulea
Schachblume, Gewöhnliche = Fritillaria meleagris
Schachtelhalm = Equisetum
Schachtelhalm, Acker- = Equisetum arvense
Schachtelhalm, Ästiger = Equisetum ramosissimum
Schachtelhalm, Bunter = Equisetum variegatum
Schachtelhalm, Dyces = Equisetum × dycei
Schachtelhalm, Moores = Equisetum × moorei
Schachtelhalm, Rauzähniger = Equisetum × trachyodon
Schachtelhalm, Riesen- = Equisetum telmateia
Schachtelhalm, Südlicher = Equisetum × meridionale
Schachtelhalm, Sumpf- = Equisetum palustre
Schachtelhalm, Teich- = Equisetum fluviatile
Schachtelhalm, Ufer- = Equisetum × litorale
Schachtelhalm, Wald- = Equisetum sylvaticum
Schachtelhalm, Wiesen- = Equisetum pratense
Schachtelhalm, Winter- = Equisetum hyemale
Schafgarbe, Bittere = Achillea clavennae
Schafgarbe, Blassrote = Achillea roseo-alba
Schafgarbe, Dolomiten- = Achillea oxyloba
Schafgarbe, Edle = Achillea nobilis
Schafgarbe, Farn- = Achillea aspleniifolia
Schafgarbe, Feinblättrige = Achillea setacea
Schafgarbe, Gelbe = Achillea tomentosa
Schafgarbe, Gewöhnliche = Achillea millefolium
Schafgarbe, Großblättrige = Achillea macrophylla
Schafgarbe, Hügel- = Achillea collina
Schafgarbe, Meerfenchelblättrige = Achillea crithmifolia
Schafgarbe, Moschus- = Achillea erba-rotta subsp. moschata
Schafgarbe, Ostalpen- = Achillea clusiana
Schafgarbe, Schwarzrandige = Achillea atrata
Schafgarbe, Straffe = Achillea stricta
Schafgarbe, Sumpf- = Achillea ptarmica
Schafgarbe, Ungarische = Achillea pannonica
Schafgarbe, Weidenblättrige = Achillea salicifolia
Schafgarbe, Wiesen- = Achillea pratensis
Schafgarbe, Zahnblatt- = Achillea distans
Schafgarbe, Zwerg- = Achillea nana
Schaftdolde = Hacquetia, Hacquetia epipactis
Schalotte = Allium cepa var. ascalonicum
Schamahirse = Echinochloa colonum

Scharbockskraut, Gewöhnliches = Ranunculus ficaria
Scharfkraut = Asperugo procumbens
Scharte = Serratula
Scharte, Bunte Kansas- = Liatris scariosa
Scharte, Färber- = Serratula tinctoria
Scharte, Großköpfige = Serratula tinctoria subsp. macrocephala
Scharte, Großköpfige Färber- = Serratula tinctoria subsp. macrocephala
Scharte, Nacktstänglige = Serratula nudicaulis
Scharte, Pracht- = Liatris spicata
Scharte, Ungarn- = Serratula lycopifolia
Schattenblümchen, Zweiblättriges = Maianthemum bifolium
Schattenblume = Maianthemum, Smilacina
Schattenmorelle = Prunus cerasus subsp. acida
Schaumblüte = Tiarella
Schaumkerze, Wald- = Tiarella cordifolia
Schaumkraut = Cardamine
Schaumkraut, Alpen- = Cardamine alpina
Schaumkraut, Bitteres = Cardamine amara
Schaumkraut, Haselwurzblättriges = Pachyphragma macrophylla
Schaumkraut, Kleeblättriges = Cardamine trifolia
Schaumkraut, Kleinblütiges = Cardamine parviflora
Schaumkraut, Morast- = Cardamine udicola
Schaumkraut, Resedablättriges = Cardamine resedifolia
Schaumkraut, Spring- = Cardamine impatiens
Schaumkraut, Sumpf- = Cardamine dentata
Schaumkraut, Viermänniges = Cardamine hirsuta
Schaumkraut, Voralpen-Wiesen- = Cardamine rivularis
Schaumkraut, Wald- = Cardamine flexuosa , Tiarella cordifolia
Schaumkraut, Weißes Wiesen- = Cardamine matthioli
Schaumkraut, Wiesen- = Cardamine pratensis
Schaumkresse, Felsen- = Cardaminopsis petraea
Schaumkresse, Hallers = Cardaminopsis halleri
Schaumkresse, Sand- = Cardaminopsis arenosa
Schaumkresse, Wiesen- = Cardaminopsis halleri
Schaumspiere, Wald- = Holodiscus discolor
Schaumspiere, Wüsten- = Holodiscus dumosus
Scheibenblume = Cyclanthus
Scheibenklee = Medicago orbicularis
Scheibenschötchen = Peltaria alliacea
Scheidenblütgras = Coleanthus subtilis
Scheinakazie, Gewöhnliche = Robinia pseudoacacia
Scheinanemone = Anemonopsis
Scheinbeere = Gaultheria
Scheinbeere, Chinesische = Gaultheria cuneata
Scheinbeere, Miquels = Gaultheria miqueliana
Scheinbeere, Niederliegende = Gaultheria procumbens
Scheinbeere, Shallon- = Gaultheria shallon
Scheinbuche = Nothofagus, Nothofagus antarctica
Scheineller = Clethra
Scheinhanf = Datisca
Scheinhasel = Corylopsis
Scheinhasel, Ährige = Corylopsis spicata
Scheinhasel, Armblütige = Corylopsis pauciflora
Scheinhasel, Kahle = Corylopsis glabrescens
Scheinhasel, Veitchs = Corylopsis veitchiana
Scheinhasel, Willmotts = Corylopsis willmottiae
Scheinkamelie = Stewartia
Scheinkamelie, Amerikanische = Stewartia ovata
Scheinkamelie, Chinesische = Stewartia sinensis
Scheinkamelie, Japanische = Stewartia pseudocamellia
Scheinkerrie = Rhodotypos, Rhodotypos scandens
Scheinlorbeer, Chinesischer = Daphniphyllum macropodum
Scheinmohn = Meconopsis
Scheinmohn, Großer = Meconopsis grandis
Scheinmohn, Nepal = Meconopsis napaulensis
Scheinmohn, Stachliger = Meconopsis horridula
Scheinmohn, Tibet- = Meconopsis betonicifolia
Scheinmohn, Wald- = Meconopsis cambrica
Scheinmyrte = Anamirta
Scheinparrotie = Parrotiopsis jacquemontiana
Scheinquitte, Chinesische = Chaenomeles

Schlüsselblume, Pyrenäische = Primula elatior subsp. intricata
Schlüsselblume, Rätische = Primula daonensis
Schlüsselblume, Stängellose = Primula vulgaris
Schlüsselblume, Wiesen- = Primula veris
Schlüsselblume, Zwerg- = Primula minima
Schlupfsame, Gewöhnlicher = Crupina vulgaris
Schmalwand, Acker- = Arabidopsis thaliana
Schmalwand, Schwedische = Arabidopsis suecica
Schmerwurz = Tamus
Schmerwurz, Gewöhnliche = Tamus communis
Schmetterlingsstrauch = Buddleja
Schmetterlingstrauch = Buddleja davidii
Schmiele = Deschampsia
Schmiele, Binsen- = Deschampsia media
Schmiele, Bodensee- = Deschampsia littoralis
Schmiele, Borst- = Deschampsia setacea
Schmiele, Draht- = Deschampsia flexuosa
Schmiele, Elbe- = Deschampsia wibeliana
Schmiele, Rasen- = Deschampsia cespitosa
Schmiele, Ufer- = Deschampsia littoralis
Schmiele, Wibels = Deschampsia wibeliana
Schmielenhafer = Aira
Schmielenhafer, Zweifelhafter = Ventenata dubia
Schmuckblume, Anemonen- = Callianthemum anemonoides
Schmuckblume, Fiederblättrige = Cosmos bipinnatus
Schmuckblume, Korianderblättrige = Callianthemum coriandrifolium
Schmuckkörbchen = Cosmos
Schnabelnuss = Corylus cornuta
Schnabelried, Braunes = Rhynchospora fusca
Schnabelried, Weißes = Rhynchospora alba
Schnabelschötchen = Euclidium syriacum
Schnabelsenf = Coincya monensis subsp. cheiranthos
Schnabelsenf, Goldlack- = Coincya monensis subsp. cheiranthos
Schneckenklee = Medicago
Schneckenklee, Arabischer = Medicago arabica
Schneckenklee, Hopfen- = Medicago lupulina
Schneckenklee, Karst- = Medicago carstiensis
Schneckenklee, Kreisfrüchtiger = Medicago orbicularis
Schneckenklee, Niederliegender = Medicago prostrata
Schneckenklee, Rauer = Medicago polymorpha
Schneckenklee, Steifer = Medicago rigidula
Schneckenklee, Zwerg- = Medicago minima
Schnee-auf-dem-Berge = Euphorbia marginata
Schneeball = Viburnum
Schneeball, Ahornblättriger = Viburnum acerifolium
Schneeball, Amerikanischer = Viburnum trilobum
Schneeball, Birkenblättriger = Viburnum betulifolium
Schneeball, Birnblättriger = Viburnum cassinoides
Schneeball, Bodnant- = Viburnum × bodnantense
Schneeball, Borstiger = Viburnum setigerum
Schneeball, Breitdoldiger = Viburnum dilatatum
Schneeball, Buddlejablättriger = Viburnum buddleifolium
Schneeball, Burkwoods = Viburnum × burkwoodii
Schneeball, Chinesischer = Viburnum macrocephalum
Schneeball, Davids = Viburnum davidii
Schneeball, Duftender = Viburnum farreri
Schneeball, Gelapptblättriger = Viburnum lobophyllum
Schneeball, Gewöhnlicher = Viburnum opulus
Schneeball, Gezähnter = Viburnum dentatum
Schneeball, Henrys = Viburnum henryi
Schneeball, Hupeh- = Viburnum hupehense
Schneeball, Immergrüner = Viburnum tinus
Schneeball, Japanischer = Viburnum plicatum
Schneeball, Judds = Viburnum × juddii
Schneeball, Kanadischer = Viburnum lentago
Schneeball, Kirschblättriger = Viburnum prunifolium
Schneeball, Koreanischer = Viburnum carlesii
Schneeball, Lorbeer- = Viburnum tinus
Schneeball, Mongolischer = Viburnum burejaeticum
Schneeball, Nützlicher = Viburnum utile
Schneeball, Orientalischer = Viburnum

Segge, Sparrige = Carex muricata
Segge, Stachelspitzige = Carex mucronata
Segge, Starre = Carex bigelowii
Segge, Steife = Carex elata
Segge, Steppen- = Carex supina
Segge, Strand- = Carex extensa
Segge, Strick- = Carex chordorrhiza
Segge, Stumpfe = Carex obtusata
Segge, Südalpine = Carex austroalpina
Segge, Sumpf- = Carex acutiformis
Segge, Torf- = Carex heleonastes
Segge, Ufer- = Carex riparia
Segge, Unterbrochenährige = Carex divulsa
Segge, Vogelfuß- = Carex ornithopoda
Segge, Vogelfußähnliche = Carex ornithopodioides
Segge, Wald- = Carex sylvatica
Segge, Walzen- = Carex elongata
Segge, Wasser- = Carex aquatilis
Segge, Weiße = Carex alba
Segge, Westfälische = Carex guestphalica
Segge, Wiesen- = Carex nigra
Segge, Wimper- = Carex pilosa
Segge, Winkel- = Carex remota
Segge, Zittergras- = Carex brizoides
Segge, Zweifarbige = Carex bicolor
Segge, Zweihäusige = Carex dioica
Segge, Zweinervige = Carex binervis
Segge, Zweizeilige = Carex disticha
Segge, Zypergras- = Carex bohemica
Seide = Cuscuta
Seide, Chilenische = Cuscuta suaveolens
Seide, Europäische = Cuscuta europaea
Seide, Flachs- = Cuscuta epilinum
Seide, Klee- = Cuscuta epithymum subsp. trifolii
Seide, Knöterich- = Cuscuta scandens
Seide, Nordamerikanische = Cuscuta campestris
Seide, Pappel- = Cuscuta lupuliformis
Seide, Südliche = Cuscuta scandens
Seide, Thymian- = Cuscuta epithymum
Seide, Weiden- = Cuscuta gronovii
Seidelbast = Daphne
Seidelbast, Alpen- = Daphne alpina
Seidelbast, Altai- = Daphne altaica
Seidelbast, Berg- = Daphne sericea
Seidelbast, Burkwoods = Daphne × burkwoodii
Seidelbast, Felsen- = Daphne petraea
Seidelbast, Gestreifter = Daphne striata
Seidelbast, Gewöhnlicher = Daphne mezereum
Seidelbast, Kaukasischer = Daphne caucasica
Seidelbast, Lorbeer- = Daphne laureola
Seidelbast, Pontischer = Daphne pontica
Seidelbast, Rosmarin- = Daphne cneorum
Seidenakazie = Albizia julibrissin
Seidenpflanze = Asclepias
Seidenpflanze, Gewöhnliche = Asclepias syriaca
Seidenpflanze, Knollige = Asclepias tuberosa
Seidenwurmdorn = Cudrania tricuspidata
Seifenkraut, Echtes = Saponaria officinalis
Seifenkraut, Gelbes = Saponaria lutea
Seifenkraut, Kleines = Saponaria ocymoides
Seifenkraut, Rotes = Saponaria ocymoides
Seifenkraut, Zwerg- = Saponaria pumilio
Sellerie, Echter = Apium graveolens
Sellerie, Flutender = Apium inundatum
Sellerie, Knotenblütiger = Apium nodiflorum
Sellerie, Kriechender = Apium repens
Senf = Sinapis
Senf, Acker- = Sinapis arvensis
Senf, Sarepta- = Brassica juncea
Senf, Schwarzer = Brassica nigra
Senf, Weißer = Sinapis alba
Serradella = Ornithopus sativus
Sesel = Seseli
Seychellennußpalme = Lodoicea
Sichelklee = Medicago falcata
Sichelmöhre = Falcaria vulgaris
Sichelsalat, Sternfrüchtiger = Rhagadiolus stellatus
Sicheltanne = Cryptomeria, Cryptomeria japonica
Siebenstern = Trientalis
Siebenstern, Europäischer = Trientalis europaea
Siegesbeckie, Herzblättrige = Sigesbeckia serrata
Siegwurz = Gladiolus
Siegwurz, Dachziegelartige = Gladiolus imbricatus
Siegwurz, Gewöhnliche = Gladiolus communis
Siegwurz, Illyrische = Gladiolus illyricus
Siegwurz, Saat- = Gladiolus italicus
Siegwurz, Sumpf- = Gladiolus palustris
Siegwurz, Wiesen- = Gladiolus imbricatus
Sigmarskraut = Malva alcea
Signalgras = Brachiaria decumbens
Silberblatt, Ausdauerndes = Lunaria rediviva
Silberblatt, Einjähriges = Lunaria annua
Silberdistel = Carlina acaulis
Silbergefieder = Tanacetum haradjanii

Silbergras = Corynephorus
Silbergras, Gewöhnliches = Corynephorus canescens
Silberimmortelle = Anaphalis margaritacea
Silberkerze = Cimicifuga
Silberkerze, Amerikanische = Cimicifuga americana
Silberkerze, August- = Cimicifuga dahurica
Silberkerze, Juli- = Cimicifuga racemosa
Silberkerze, Lanzen- = Cimicifuga racemosa var. cordifolia
Silberkerze, Oktober- = Cimicifuga simplex
Silberkerze, September- = Cimicifuga ramosa
Silberkerze, Spätherbst- = Cimicifuga japonica
Silberkraut, Strand- = Lobularia maritima
Silberling = Lunaria
Silberregen = Fallopia baldschuanica
Silberscharte = Jurinea, Jurinea mollis
Silberscharte, Sand- = Jurinea cyanoides
Silberwurz, Weiße = Dryas octopetala
Silge, Kümmel- = Selinum carvifolium
Simse = Scirpus
Simse, Dunkelgrüne = Scirpus georgianus
Simse, Schwarzgrüne = Scirpus georgianus
Simse, Wald- = Scirpus sylvaticus
Simse, Wurzelnde = Scirpus radicans
Simse, Zypergras- = Scirpus cyperinus
Simsenlilie, Gewöhnliche = Tofieldia calyculata
Simsenlilie, Kleine = Tofieldia pusilla
Singrün = Vinca
Skabiose = Scabiosa
Skabiose, Gelbe = Scabiosa ochroleuca
Skabiose, Glänzende = Scabiosa lucida
Skabiose, Grasblättrige = Scabiosa graminifolia
Skabiose, Graue = Scabiosa canescens
Skabiose, Krainer = Scabiosa cinerea subsp. hladnickiana
Skabiose, Samt- = Scabiosa atropurpurea
Skabiose, Südliche = Scabiosa triandra
Skabiose, Tauben- = Scabiosa columbaria
Skimmie, Japanische = Skimmia japonica
Skimmie, Reeves = Skimmia japonica subsp. reevesiana
Skorpionswicke = Scorpiurus muricatus
Sockenblume = Epimedium
Sockenblume, Alpen- = Epimedium alpinum
Sockenblume, Gefiederte = Epimedium pinnatum
Sodakraut = Salsola soda
Sode, Strand- = Suaeda maritima
Sojabohne = Glycine max
Soldanelle, Ungarische = Soldanella hungarica
Sommeraster = Callistephus, Callistephus chinensis
Sommerflieder, Gewöhnlicher = Buddleja davidii
Sommerflieder, Japanischer = Buddleja japonica
Sommerflieder, Schmalblättriger = Buddleja alternifolia
Sommerjasmin = Philadelphus
Sommerraps = Brassica napus var. annua
Sommerrübsen = Brassica napus var. annua
Sommerwurz = Orobanche
Sommerwurz, Ästige = Orobanche ramosa
Sommerwurz, Amethyst- = Orobanche amethystea
Sommerwurz, Bartlings = Orobanche alsatica subsp. libanotidis
Sommerwurz, Beifuß- = Orobanche artemisiae-campestris
Sommerwurz, Berberitzen- = Orobanche lucorum
Sommerwurz, Bitterkraut- = Orobanche picridis
Sommerwurz, Bläuliche = Orobanche coerulescens
Sommerwurz, Blaugraue = Orobanche caesia
Sommerwurz, Blutrote = Orobanche gracilis
Sommerwurz, Bunte = Orobanche variegata
Sommerwurz, Distel- = Orobanche reticulata
Sommerwurz, Efeu- = Orobanche hederae
Sommerwurz, Elsässer = Orobanche alsatica
Sommerwurz, Gamander = Orobanche teucrii
Sommerwurz, Gelbe = Orobanche lutea
Sommerwurz, Ginster- = Orobanche rapum-genistae
Sommerwurz, Große = Orobanche elatior
Sommerwurz, Hellgelbe = Orobanche flava
Sommerwurz, Kleine = Orobanche minor
Sommerwurz, Labkraut- = Orobanche caryophyllacea
Sommerwurz, Laserkraut- = Orobanche laserpitii-sileris
Sommerwurz, Nelken- = Orobanche caryophyllacea
Sommerwurz, Prächtige = Orobanche crenata
Sommerwurz, Salbei- = Orobanche salviae
Sommerwurz, Thymian- = Orobanche alba
Sommerwurz, Violette = Orobanche

purpurea
Sommerwurz, Weißwollige = Orobanche caesia
Sonnenauge = Heliopsis, Heliopsis helianthoides
Sonnenauge, Garten- = Heliopsis helianthoides var. scabra
Sonnenblume = Helianthus
Sonnenblume, Gewöhnliche = Helianthus annuus
Sonnenblume, Schönblumige = Helianthus × laetiflorus
Sonnenblume, Stauden- = Helianthus decapetalus
Sonnenbraut = Helenium
Sonnenbraut, Bigelows = Helenium bigelovii
Sonnenbraut, Gewöhnliche = Helenium autumnale
Sonnenbraut, Hoopes = Helenium hoopesii
Sonnenbraut, Purpur- = Helenium flexuosum
Sonnenflügel = Helipterum
Sonnenhut = Rudbeckia
Sonnenhut, Rauer = Rudbeckia hirta
Sonnenhut, Schlitzblättriger = Rudbeckia laciniata
Sonnenröschen = Helianthemum
Sonnenröschen, Alpen- = Helianthemum oelandicum subsp. alpestre
Sonnenröschen, Apeninnen- = Helianthemum apenninum
Sonnenröschen, Filziges = Helianthemum tomentosum
Sonnenröschen, Gewöhnliches = Helianthemum nummularium
Sonnenröschen, Graues = Helianthemum canum
Sonnenröschen, Großblütiges = Helianthemum nummularium subsp. grandiflorum
Sonnenröschen, Italienisches = Helianthemum oelandicum subsp. italicum
Sonnenröschen, Kahles = Helianthemum nummularium subsp. glabrum
Sonnenröschen, Ovalblättriges = Helianthemum nummularium subsp. obscurum
Sonnenröschen, Weidenblättriges = Helianthemum salicifolium
Sonnenröschen, Zweifarbiges = Helianthemum nummularium
Sonnentau = Drosera
Sonnentau, Bastard- = Drosera × obovata
Sonnentau, Langblättriger = Drosera longifolia
Sonnentau, Mittlerer = Drosera intermedia
Sonnentau, Rundblättriger = Drosera rotundifolia
Sonnenwende, Europäische = Heliotropium europaeum
Spaltblume = Schizanthus
Spaltgriffel = Schizostylis
Spalthortensie = Schizophragma hydrangeoides
Spaltkölbchen, Chinesisches = Schisandra chinensis
Spaltkölbchen, Rotblühendes = Schisandra grandiflora var. rubriflora
Spanischer Pfeffer = Capsicum
Spanisches Rohr = Calamus
Spargel = Asparagus
Spargel, Gemüse- = Asparagus officinalis
Spargel, Zartblättriger = Asparagus tenuifolius
Spargelerbse, Echte = Tetragonolobus purpureus
Spargelerbse, Gelbe = Tetragonolobus maritimus
Spark = Spergula
Spark, Acker- = Spergula arvensis
Spark, Frühlings- = Spergula morisonii
Spark, Fünfmänniger = Spergula pentandra
Spatzenzunge = Thymelaea passerina
Speerblume = Doryanthes
Speerfarn = Doryopteris
Speierling = Sorbus domestica
Spelz = Triticum spelta
Spergel, Acker- = Spergula arvensis
Spergel, Frühlings- = Spergula morisonii
Spergel, Fünfmänniger = Spergula pentandra
Sperrkraut = Polemonium
Spierstrauch = Spiraea
Spierstrauch, Aschgrauer = Spiraea × cinerea
Spierstrauch, Aufrechter = Spiraea amoena
Spierstrauch, Belgischer = Spiraea × vanhouttei
Spierstrauch, Birkenblättriger = Spiraea betulifolia
Spierstrauch, Braut- = Spiraea × arguta
Spierstrauch, Breitblättriger = Spiraea latifolia
Spierstrauch, Douglas = Spiraea douglasii
Spierstrauch, Dreilappiger = Spiraea trilobata
Spierstrauch, Filziger = Spiraea tomentosa
Spierstrauch, Gamander- = Spiraea

chamaedryfolia
Spierstrauch, Grauer = Spiraea canecens
Spierstrauch, Graufilziger = Spiraea cana
Spierstrauch, Hartheu- = Spiraea hypericifolia
Spierstrauch, Henrys = Spiraea henryi
Spierstrauch, Japanischer = Spiraea japonica
Spierstrauch, Kanton- = Spiraea cantoniensis
Spierstrauch, Karpaten- = Spiraea media
Spierstrauch, Kerb- = Spiraea crenata
Spierstrauch, Koreanischer = Spiraea trichocarpa
Spierstrauch, Menzies = Spiraea douglasii subsp. menziesii
Spierstrauch, Niederliegender = Spiraea decumbens
Spierstrauch, Sargents = Spiraea sargentiana
Spierstrauch, Schöner = Spiraea bella
Spierstrauch, Veitchs = Spiraea veitchii
Spierstrauch, Weidenblättriger = Spiraea salicifolia
Spierstrauch, Weißer = Spiraea alba
Spierstrauch., Billards = Spiraea × billardii
Spießtanne = Cunninghamia, Cunninghamia lanceolata
Spinat = Spinacia, Spinacia oleracea
Spinat, Englischer = Rumex patientia
Spindelstrauch = Euonymus
Spindelstrauch, Blut- = Euonymus sanguineus
Spindelstrauch, Bunges = Euonymus bungeanus
Spindelstrauch, Flachstieliger = Euonymus planipes
Spindelstrauch, Flügel- = Euonymus alatus
Spindelstrauch, Kletternder = Euonymus fortunei
Spindelstrauch, Kork- = Euonymus phellomanus
Spindelstrauch, Maacks = Euonymus hamiltonianus subsp. maackii
Spindelstrauch, Siebolds = Euonymus hamiltonianus subsp. sieboldianus
Spindelstrauch, Spitzblättriger = Euonymus oxyphyllus
Spindelstrauch, Zwerg- = Euonymus nanus
Spirke = Pinus uncinata
Spitzkiel = Oxytropis
Spitzkiel, Alpen- = Oxytropis campestris
Spitzkiel, Berg- = Oxytropis jacquinii
Spitzkiel, Dreiblütiger = Oxytropis triflora
Spitzkiel, Drüsiger = Oxytropis fetida
Spitzkiel, Hallers = Oxytropis halleri
Spitzkiel, Kärntner = Oxytropis carinthiaca
Spitzkiel, Klebriger = Oxytropis fetida
Spitzkiel, Lappländer = Oxytropis lapponica
Spitzkiel, Pyrenäen- = Oxytropis neglecta
Spitzkiel, Schweizer = Oxytropis helvetica
Spitzkiel, Zottiger = Oxytropis pilosa
Spitzklette = Xanthium
Spitzklette, Dornige = Xanthium spinosum
Spitzklette, Gewöhnliche = Xanthium strumarium
Spitzklette, Großfrüchtige = Xanthium orientale
Spitzklette, Italienische = Xanthium italicum
Spitzklette, Ufer- = Xanthium albinum
Spitzklette, Zucker- = Xanthium saccharatum
Spitzorchis = Anacamptis pyramidalis
Spornblume = Centranthus
Spornblume, Rote = Centranthus ruber
Spornblume, Schmalblättrige = Centranthus angustifolius
Spottnuss = Carya tomentosa
Springkraut = Impatiens
Springkraut, Balfours = Impatiens balfourii
Springkraut, Drüsiges = Impatiens glandulifera
Springkraut, Garten- = Impatiens balsamina
Springkraut, Großes = Impatiens noli-tangere
Springkraut, Indisches = Impatiens glandulifera
Springkraut, Kleinblütiges = Impatiens parviflora
Springkraut, Orangefarbenes = Impatiens capensis
Spurre, Doldige = Holosteum umbellatum
Stachelbeere = Ribes, Ribes uva-crispa
Stachelbeere, Arizona- = Ribes pinetorum
Stachelbeere, Colorado- = Ribes leptanthum
Stachelbeere, Hunds- = Ribes cynosbati
Stachelbeere, Manitoba- = Ribes oxyacanthoides
Stachelbeere, Oregon- = Ribes divaricatum
Stachelbeere, Schnee- = Ribes niveum
Stachelbeere, Sumpf- = Ribes lacustre
Stachelesche, Amerikanische = Zanthoxylum fraxineum
Stachelesche, Täuschende = Zanthoxylum simulans
Stachelgurke = Echinocystis lobata
Stachelmohn = Argemone
Stachelnüsschen, Blaugrünes = Acaena buchananii
Stachelnüsschen, Braunblättriges = Acaena microphylla

Stachelnüsschen, Graublaues = Acaena caesiiglauca
Stachelnüßchen = Acaena
Stachelträubchen = Coris
Staudenhafer, Steppen- = Helictotrichon desertorum
Staudenknöterich, Japanischer = Fallopia japonica
Staudenknöterich, Sachalin- = Fallopia sachalinensis
Stechapfel = Datura
Stechapfel, Weißer = Datura stramonium
Stechginster = Ulex
Stechginster, Gewöhnlicher = Ulex europaeus
Stechhülse, Rautenblättrige = Ilex pernyi
Stechpalme = Ilex
Stechpalme, Amerikanische = Ilex opaca
Stechpalme, Farges = Ilex fargesii
Stechpalme, Gewöhnliche = Ilex aquifolium
Stechpalme, Glatte = Ilex laevigata
Stechpalme, Grannenborstige = Ilex ciliospinosa
Stechpalme, Großblättrige = Ilex × altaclerensis
Stechpalme, Japanische = Ilex crenata
Stechpalme, Langstielige = Ilex pedunculosa
Stechpalme, Yunnan- = Ilex yunnanensis
Stechwinde = Smilax
Stechwinde, Hohe = Smilax excelsa
Stechwinde, Raue = Smilax aspera
Stechwinde, Rundblättrige = Smilax rotundifolia
Stechwinde, Steifborstige = Smilax hispida
Steckenkraut = Ferula
Steckenpalme = Rhapis
Steifgras, Gewöhnliches = Catapodium rigidum
Steifgras, Niederliegendes = Catapodium marinum
Steifhalm = Cleistogenes serotina
Steinbeere = Rubus saxatilis
Steinbrech = Saxifraga
Steinbrech, Astmoos- = Saxifraga hypnoides
Steinbrech, Aufsteigender = Saxifraga adscendens
Steinbrech, Blattloser = Saxifraga aphylla
Steinbrech, Blaugrüner = Saxifraga caesia
Steinbrech, Bursers = Saxifraga burseriana
Steinbrech, Diapensienartiger = Saxifraga diapensioides
Steinbrech, Dreifinger- = Saxifraga tridactylites
Steinbrech, Fetthennen- = Saxifraga aizoides
Steinbrech, Gefurchter = Saxifraga exarata
Steinbrech, Gegenblättriger = Saxifraga oppositifolia
Steinbrech, Gestutzter = Saxifraga retusa
Steinbrech, Glimmer- = Saxifraga × paradoxa
Steinbrech, Großblütiger = Saxifraga × kochii
Steinbrech, Habichtskraut- = Saxifraga hieraciifolia
Steinbrech, Hohenwart- = Saxifraga sedoides subsp. hohenwartii
Steinbrech, Host- = Saxifraga hostii
Steinbrech, Keilblättriger = Saxifraga cuneifolia
Steinbrech, Kies- = Saxifraga mutata
Steinbrech, Knöllchen- = Saxifraga granulata
Steinbrech, Kochs = Saxifraga × kochii
Steinbrech, Krusten- = Saxifraga crustata
Steinbrech, Mannsschild- = Saxifraga androsacea
Steinbrech, Mauerpfeffer- = Saxifraga sedoides
Steinbrech, Moor- = Saxifraga hirculus
Steinbrech, Moos- = Saxifraga bryoides , Saxifraga muscoides
Steinbrech, Moschus- = Saxifraga moschata
Steinbrech, Nickender = Saxifraga cernua
Steinbrech, Nieren- = Saxifraga hirsuta
Steinbrech, Oktober- = Saxifraga cortusifolia
Steinbrech, Rasen- = Saxifraga rosacea
Steinbrech, Rauer = Saxifraga aspera
Steinbrech, Rheinischer = Saxifraga rosacea subsp. sponhemica
Steinbrech, Rispen- = Saxifraga paniculata
Steinbrech, Rudolphs = Saxifraga oppositifolia subsp. rudolphiana
Steinbrech, Rundblättriger = Saxifraga rotundifolia
Steinbrech, Schatten- = Saxifraga hirsuta
Steinbrech, Schattenliebender = Saxifraga umbrosa
Steinbrech, Séguiers = Saxifraga seguieri
Steinbrech, Sparriger = Saxifraga squarrosa
Steinbrech, Stern- = Saxifraga stellaris
Steinbrech, Strauß- = Saxifraga cotyledon
Steinbrech, Trauben- = Saxifraga paniculata
Steinbrech, Wimper- = Saxifraga oppositifolia subsp. blepharophylla
Steinbrech, Zarter = Saxifraga tenella
Steinbrech, Zweiblütiger = Saxifraga biflora

Steinbrech, Zwiebel- = Saxifraga bulbifera
Steinbrech, Zymbelkraut- = Saxifraga cymbalaria
Steineibe = Podocarpus
Steinklee = Melilotus
Steinklee, Echter = Melilotus officinalis
Steinklee, Gezähnter = Melilotus dentatus
Steinklee, Hoher = Melilotus altissimus
Steinklee, Kleinblütiger = Melilotus indicus
Steinklee, Salz- = Melilotus dentatus
Steinklee, Weißer = Melilotus albus
Steinkraut = Alyssum
Steinkraut, Alpen- = Alyssum alpestre
Steinkraut, Berg- = Alyssum montanum
Steinkraut, Dorn- = Alyssum spinosum
Steinkraut, Felsen- = Aurinia saxatilis
Steinkraut, Karawanken- = Alyssum ovirense
Steinkraut, Kelch- = Alyssum alyssoides
Steinkraut, Kriechendes = Alyssum repens
Steinkraut, Mauer- = Alyssum murale
Steinkraut, Silbergraues = Alyssum argenteum
Steinkraut, Steppen- = Alyssum desertorum
Steinkraut, Wulfens = Alyssum wulfenianum
Steinkresse, Friauler = Aurinia petraea
Steinlinde = Phillyrea
Steinlinde, Breitblättrige = Phillyrea latifolia
Steinlinde, Schmalblättrige = Phillyrea angustifolia
Steinquendel = Calamintha
Steinquendel, Alpen- = Acinos alpinus
Steinquendel, Feld- = Acinos arvensis
Steinraute = Achillea clavennae
Steinröschen = Daphne striata
Steinsame = Lithospermum
Steinsame, Acker- = Lithospermum arvense
Steinsame, Blauroter = Lithospermum purpureocaeruleum
Steinsame, Echter = Lithospermum officinale
Steinsame, Purpurblauer = Lithospermum purpureocaeruleum
Steinschmückel = Petrocallis, Petrocallis pyrenaica
Steintäschel = Aethionema
Steintäschel, Felsen- = Aethionema saxatile
Steintäschel, Großblütiges = Aethionema grandiflorum
Steintäschel, Zierliches = Aethionema coridifolium
Stendelwurz = Serapias vomeracea
Stendelwurz, Braunrote = Epipactis atrorubens
Stendelwurz, Breitblättrige = Epipactis helleborine
Stendelwurz, Elbe- = Epipactis albensis
Stendelwurz, Greuters = Epipactis greuteri
Stendelwurz, Kleinblättrige = Epipactis microphylla
Stendelwurz, Kurzblättrige = Epipactis distans
Stendelwurz, Leutes = Epipactis leutei
Stendelwurz, Müllers = Epipactis muelleri
Stendelwurz, Norden- = Epipactis nordeniorum
Stendelwurz, Peitz = Epipactis peitzii
Stendelwurz, Pontus- = Epipactis pontica
Stendelwurz, Schmallippige = Epipactis leptochila
Stendelwurz, Sumpf- = Epipactis palustris
Stendelwurz, Violette = Epipactis purpurata
Stendelwurz, Zierliche = Epipactis confusa
Steppenhafer = Helictotrichon desertorum
Steppenkerze = Eremurus
Steppenraute = Peganum
Sternanis = Illicium
Sternauge, Gewöhnliches = Asteriscus aquaticus
Sternbalsam = Zaluzianskya
Sternbergie = Sternbergia
Sterndolde = Astrantia
Sterndolde, Bayerische = Astrantia bavarica
Sterndolde, Große = Astrantia major
Sterndolde, Kleine = Astrantia minor
Sterndolde, Krainer = Astrantia carniolica
Sternhortensie = Decumaria
Sternhyazinthe, Dunkle = Chionodoxa sardensis
Sternhyazinthe, Gewöhnliche = Chionodoxa forbesii
Sternhyazinthe, Große = Chionodoxa forbesii
Sternjasmin = Trachelospermum
Sternkaktus = Astrophytum
Sternmiere = Stellaria
Sternmiere, Auwald- = Stellaria neglecta
Sternmiere, Berg- = Stellaria nemorum subsp. montana
Sternmiere, Bleiche = Stellaria pallida
Sternmiere, Dickblättrige = Stellaria crassifolia
Sternmiere, Gras- = Stellaria graminea
Sternmiere, Große = Stellaria holostea
Sternmiere, Hain- = Stellaria nemorum
Sternmiere, Langblättrige = Stellaria longifolia
Sternmiere, Quell- = Stellaria alsine

Sternmiere, Sumpf- = Stellaria palustris
Sternmiere, Vogel- = Stellaria media
Sternmoos = Sagina subulata
Sternnußpalme = Astrocaryum
Sterntaler = Melampodium paludosum
Sternwinde = Quamoclit
Sternwurz = Orostachys
Stiefmütterchen, Acker- = Viola arvensis
Stiefmütterchen, Alpen- = Viola alpina
Stiefmütterchen, Galmei- = Viola calaminaria
Stiefmütterchen, Garten- = Viola × wittrockiana
Stiefmütterchen, Gelbes = Viola lutea
Stiefmütterchen, Karawanken- = Viola calcarata subsp. zoysii
Stiefmütterchen, Kleines = Viola kitaibeliana
Stiefmütterchen, Langsporniges = Viola calcarata
Stiefmütterchen, Mont Cenis- = Viola cenisia
Stiefmütterchen, Pyrenäen- = Viola cornuta
Stiefmütterchen, Wildes = Viola tricolor
Stielsame, Schlitzblättriger = Scorzonera laciniata
Stielsamen = Scorzonera laciniata
Stielsamenkraut, Ausdauerndes = Scorzonera cana
Stinkandorn = Ballota nigra
Stinkasant = Ferula foetida
Stinkesche, Henrys = Euodia henryi
Stinkesche, Hupeh- = Euodia hupehensis
Stinkesche, Koreanische = Euodia daniellii
Stinkesche, Samthaarige = Tetradium daniellii
Stinkkohl = Aposeris, Symplocarpus
Stinksalat = Aposeris
Stockmalve = Alcea
Stockrose = Alcea
Stockrose, Blasse = Alcea pallida
Stockrose, Chinesische = Alcea rosea
Stockrose, Gewöhnliche = Alcea rosea
Storaxbaum = Styrax
Storaxbaum, Japanischer = Styrax japonicum
Storaxbaum, Obassia- = Styrax obassia
Storchschnabel = Geranium
Storchschnabel, Armenischer = Geranium psilostemon
Storchschnabel, Blassblütiger = Geranium rivulare
Storchschnabel, Blutroter = Geranium sanguineum
Storchschnabel, Böhmischer = Geranium bohemicum
Storchschnabel, Brauner = Geranium phaeum
Storchschnabel, Felsen- = Geranium macrorrhizum
Storchschnabel, Glänzender = Geranium lucidum
Storchschnabel, Kaukasus- = Geranium renardii
Storchschnabel, Knotiger = Geranium nodosum
Storchschnabel, Pracht- = Geranium × magnificum
Storchschnabel, Purpur- = Geranium purpureum
Storchschnabel, Pyrenäen- = Geranium pyrenaicum
Storchschnabel, Rosa = Geranium endressii
Storchschnabel, Rundblättriger = Geranium rotundifolium
Storchschnabel, Schlitzblättriger = Geranium dissectum
Storchschnabel, Sibirischer = Geranium sibiricum
Storchschnabel, Spreizender = Geranium divaricatum
Storchschnabel, Stink- = Geranium robertianum
Storchschnabel, Sumpf- = Geranium palustre
Storchschnabel, Tauben- = Geranium columbinum
Storchschnabel, Wald- = Geranium sylvaticum
Storchschnabel, Weicher = Geranium molle
Storchschnabel, Wiesen- = Geranium pratense
Storchschnabel, Zurückgebogener = Geranium reflexum
Storchschnabel, Zwerg- = Geranium pusillum
Strahlengriffel, Kolomikta- = Actinidia kolomikta
Strahlengriffel, Scharfzähniger = Actinidia arguta
Strahlensame, Großer = Silene alpestris
Strahlensame, Kleiner = Silene pusilla
Stranddistel = Eryngium maritimum
Strandflieder, Gewöhnlicher = Limonium vulgare
Strandhafer, Baltischer = × Calammophila baltica
Strandhafer, Gewöhnlicher = Ammophila arenaria
Strandling = Littorella

Strandling, Europäischer = Littorella uniflora
Strandroggen = Leymus arenarius
Strandroggen, Gewöhnlicher = Leymus arenarius
Strandsimse, Gewöhnliche = Bolboschoenus maritimus
Strandtrespe, Aufrechte = Bromus hordeaceus subsp. divaricatus
Strauchehrenpreis, Buchsblättriger = Hebe buxifolia
Strauchehrenpreis, Fettblättriger = Hebe pinguifolia
Strauchehrenpreis, Hektors = Hebe hectoris
Strauchehrenpreis, Travers = Hebe traversii
Strauchehrenpreis, Zypressen- = Hebe cupressoides
Strauchpappel, Garten- = Lavatera trimestris
Strauchpappel, Thüringer = Lavatera thuringiaca
Strauchportulak = Portulacaria
Strauchveronika = Hebe
Straußenfarn = Matteuccia
Straußfarn, Europäischer = Matteuccia struthiopteris
Straußgras = Agrostis
Straußgras, Alpen- = Agrostis alpina
Straußgras, Felsen- = Agrostis rupestris
Straußgras, Kastilisches = Agrostis castellana
Straußgras, Raues = Agrostis scabra
Straußgras, Riesen- = Agrostis gigantea
Straußgras, Rotes = Agrostis nebulosa
Straußgras, Sand- = Agrostis vinealis
Straußgras, Schleichers = Agrostis schleicheri
Straußgras, Sumpf- = Agrostis canina
Straußgras, Weißes = Agrostis stolonifera
Straußgras, Zartes = Agrostis agrostiflora
Streifenfarn = Asplenium
Streifenfarn, Billots = Asplenium obovatum subsp. lanceolatum
Streifenfarn, Brauner = Asplenium trichomanes
Streifenfarn, Braungrüner = Asplenium adulterinum
Streifenfarn, Deutscher = Asplenium × alternifolium
Streifenfarn, Dolomit- = Asplenium seelosii
Streifenfarn, Französischer = Asplenium forisiense
Streifenfarn, Grüner = Asplenium viride
Streifenfarn, Jura- = Asplenium fontanum
Streifenfarn, Lanzettblättriger = Asplenium obovatum subsp. lanceolatum
Streifenfarn, Mauer- = Asplenium ruta-muraria
Streifenfarn, Nördlicher = Asplenium septentrionale
Streifenfarn, Schwäbischer = Asplenium murbeckii
Streifenfarn, Schwarzer = Asplenium adiantum-nigrum
Streifenfarn, Serpentin- = Asplenium cuneifolium
Streifenfarn, Spitzer = Asplenium onopteris
Streifenfarn, Zarter = Asplenium lepidum
Streifenfarn, Zerschlitzter = Asplenium fissum
Striemendolde = Molopospermum
Striemensame = Molopospermum peloponnesiacum
Strohblume = Helichrysum
Strohblume, Einjährige = Xeranthemum annuum
Strohblume, Felsenheide- = Xeranthemum inapertum
Strohblume, Garten- = Helichrysum bracteatum
Strohblume, Sand- = Helichrysum arenarium
Studentenblume = Tagetes, Tagetes patula
Studentenblume, Hohe = Tagetes erecta
Stuhlrohr = Calamus
Stundenblume = Hibiscus trionum
Südbuche = Nothofagus antarctica
Süßdolde = Myrrhis odorata
Süßholz = Glycyrrhiza
Süßholz, Deutsches = Glycyrrhiza glabra
Süßholz, Spanisches = Glycyrrhiza glabra
Süßklee = Hedysarum
Süßklee, Alpen- = Hedysarum hedysaroides
Süßklee, Mongolischer = Hedysarum multijugum
Sumach = Rhus
Sumach, Behaarter Gift- = Rhus toxicodendron
Sumach, Duftender = Rhus aromatica
Sumach, Gallen- = Rhus chinensis
Sumach, Gerber- = Rhus coriaria
Sumach, Kahler Gift- = Rhus vernix
Sumach, Kletternder Gift- = Rhus radicans
Sumach, Kolben- = Rhus hirta
Sumach, Korall- = Rhus copallina
Sumach, Lack- = Rhus verniciflua
Sumach, Scharlach- = Rhus glabra
Sumach, Stink- = Rhus trilobata
Sumach, Wald- = Rhus sylvestris
Sumpfbärlapp, Gewöhnlicher = Lycopodiella inundata

Sumpfbinse, Krainer = Eleocharis carniolica
Sumpfbinse, Schwarzrote = Eleocharis atropurpurea
Sumpfblume = Limnanthes
Sumpfblutauge = Potentilla palustris
Sumpfdotterblume = Caltha palustris
Sumpfeibe = Taxodium
Sumpffarn, Gewöhnlicher = Thelypteris palustris
Sumpfgras, Fuchsschwanz- = Crypsis alopecuroides
Sumpfgras, Knopfbinsen- = Crypsis schoenoides
Sumpfkalla = Calla
Sumpfkresse, Gewöhnliche = Rorippa palustris
Sumpfkresse, Island- = Rorippa palustris
Sumpfkresse, Karst- = Rorippa lippizensis
Sumpfkresse, Niederliegende = Rorippa anceps
Sumpfkresse, Österreichische = Rorippa austriaca
Sumpfkresse, Pyrenäen- = Rorippa pyrenaica
Sumpfkresse, Ufer- = Rorippa islandica
Sumpfkresse, Wasser- = Rorippa amphibia
Sumpfkresse, Wilde = Rorippa sylvestris
Sumpflieb = Limnocharis
Sumpfquendel, Gewöhnlicher = Peplis portula
Sumpfried = Eleocharis
Sumpfsimse, Armblütige = Eleocharis quinqueflora
Sumpfsimse, Eiförmige = Eleocharis ovata
Sumpfsimse, Einspelzige = Eleocharis uniglumis
Sumpfsimse, Gewöhnliche = Eleocharis palustris
Sumpfsimse, Kleine = Eleocharis parvula
Sumpfsimse, Nadel- = Eleocharis acicularis
Sumpfsimse, Österreichische = Eleocharis austriaca
Sumpfsimse, Vielstängelige = Eleocharis multicaulis
Sumpfsimse, Zitzen- = Eleocharis mamillata
Sumpfstern, Blauer = Swertia perennis
Sumpfzypresse = Taxodium
Sumpfzypresse, Zweizeilige = Taxodium distichum
Surenbaum = Toona
Surenbaum, Chinesischer = Toona sinensis
Surinamgras = Brachiaria decumbens
Tabak = Nicotiana
Tabak, Bauern- = Nicotiana rustica
Tabak, Berg- = Nicotiana sylvestris
Tabak, Flügel- = Nicotiana alata
Tabak, Maryland- = Nicotiana latissima
Tabak, Virginischer = Nicotiana tabacum
Tännel = Elatine
Tännel, Dreimänniger = Elatine triandra
Tännel, Quirl- = Elatine alsinastrum
Tännel, Sechsmänniger = Elatine hexandra
Tännel, Wasserpfeffer- = Elatine hydropiper
Tännelkraut, Eiblättriges = Kickxia spuria
Tännelkraut, Spießblättriges = Kickxia elatine
Täschelkraut = Thlaspi
Täschelkraut, Alpen- = Thlaspi alpestre
Täschelkraut, Grünes = Thlaspi virens
Täschelkraut, Penninisches = Thlaspi alpestre subsp. sylvium
Täschelkraut, Voralpen- = Thlaspi brachypetalum
Tafelblatt = Astilboides tabularis
Tagblume = Commelina tuberosa
Tagblume, Kletternde = Commelina diffusa
Taglilie = Hemerocallis
Taglilie, Bahnwärter- = Hemerocallis fulva
Taglilie, Braunrote = Hemerocallis fulva
Taglilie, Gelbe = Hemerocallis lilioasphodelus
Taglilie, Hohe = Hemerocallis altissima
Taglilie, Kleine = Hemerocallis minor
Taglilie, Middendorffs = Hemerocallis middendorffii
Taglilie, Thunbergs = Hemerocallis thunbergii
Taglilie, Vielblütige = Hemerocallis multiflora
Taglilie, Zitronen- = Hemerocallis citrina
Taglilie, Zwerg- = Hemerocallis nana
Tamarack = Larix laricina
Tamarinde = Tamarindus
Tamariske = Tamarix
Tamariske, Deutsche = Myricaria germanica
Tamariske, Französische = Tamarix gallica
Tamariske, Kaspische = Tamarix ramosissima
Tamariske, Kleinblütige = Tamarix parviflora
Tamariske, Viermännige = Tamarix tetrandra
Tanne = Abies
Tanne, Arizona- = Abies lasiocarpa var. arizonica
Tanne, Balsam- = Abies balsamea
Tanne, Bornmüllers = Abies × bornmuelleriana
Tanne, Cilicische = Abies cilicica
Tanne, Colorado- = Abies concolor

Tanne, Delavays = Abies delavayi
Tanne, Edle = Abies procera
Tanne, Felsengebirgs- = Abies lasiocarpa
Tanne, Frasers = Abies fraseri
Tanne, Griechische = Abies cephalonica
Tanne, Himalaya- = Abies spectabilis
Tanne, König-Boris- = Abies × borisii-regis
Tanne, Koreanische = Abies koreana
Tanne, Küsten- = Abies grandis
Tanne, Mandschurische = Abies holophylla
Tanne, Maries = Abies mariesii
Tanne, Momi- = Abies firma
Tanne, Nikko- = Abies homolepis
Tanne, Nordmanns- = Abies nordmanniana
Tanne, Numidische = Abies numidica
Tanne, Pindrow- = Abies pindrow
Tanne, Prächtige = Abies magnifica
Tanne, Purpur- = Abies amabilis
Tanne, Sachalin- = Abies sachalinensis
Tanne, Sibirische = Abies sibirica
Tanne, Spanische = Abies pinsapo
Tanne, Veitchs = Abies veitchii
Tanne, Weiß- = Abies alba
Tannenbärlapp = Huperzia selago
Tannenwedel = Hippuris, Hippuris vulgaris
Taragummi = Caesalpinia spinosa
Tarant = Swertia
Tarant, Blauer = Swertia perennis
Taro = Colocasia
Taubenbaum = Davidia
Taubenkropf = Cucubalus baccifer
Taubenorchis = Peristeria
Taublatt = Drosophyllum
Taubnessel = Lamium
Taubnessel, Bastard- = Lamium purpureum var. incisum
Taubnessel, Eingeschnittene = Lamium purpureum var. incisum
Taubnessel, Endtmanns = Lamium endtmannii
Taubnessel, Entferntblättrige = Lamium purpureum var. molucellifolium
Taubnessel, Gefleckte = Lamium maculatum
Taubnessel, Großblütige = Lamium orvala
Taubnessel, Mittlere = Lamium confertum , Lamium purpureum var. molucellifolium
Taubnessel, Rote = Lamium purpureum
Taubnessel, Stängelumfassende = Lamium amplexicaule
Taubnessel, Weiße = Lamium album
Tauchsimse, Flutende = Isolepis fluitans
Tauernblümchen, Kärntner = Lomatogonum carinthiacum
Taupflanze = Roridula
Tausendblatt, Ähriges = Myriophyllum spicatum
Tausendblatt, Quirliges = Myriophyllum verticillatum
Tausendblatt, Verschiedenblättriges = Myriophyllum heterophyllum
Tausendblatt, Wechselblütiges = Myriophyllum alterniflorum
Tausendfrucht = Myriocarpa
Tausendgüldenkraut = Centaurium
Tausendgüldenkraut, Echtes = Centaurium erythraea
Tausendgüldenkraut, Kleines = Centaurium pulchellum
Tausendgüldenkraut, Kopfiges = Centaurium erythraea
Tausendgüldenkraut, Strand- = Centaurium littorale
Tausendgüldenktaut, Ähriges = Centaurium spicatum
Tazette = Narcissus tazetta
Tee, Mexikanischer = Chenopodium ambrosioides
Teichfaden = Zannichellia palustris
Teichlinse = Spirodela
Teichlinse, Vielwurzelige = Spirodela polyrhiza
Teichrose = Nuphar
Teichrose, Bastard- = Nuphar × spenneriana
Teichrose, Gelbe = Nuphar lutea
Teichrose, Kleine = Nuphar pumila
Teichsimse, Amerikanische = Schoenoplectus pungens
Teichsimse, Dreikantige = Schoenoplectus triqueter
Teichsimse, Gekielte = Schoenoplectus carinatus
Teichsimse, Gekielte Salz- = Schoenoplectus kueckenthalianus
Teichsimse, Gewöhnliche = Schoenoplectus lacustris
Teichsimse, Niedrige = Schoenoplectus supinus
Teichsimse, Ostsee- = Schoenoplectus kalmussii
Teichsimse, Salz- = Schoenoplectus tabernaemontani
Teichsimse, Stachelspitzige = Schoenoplectus mucronatus
Teichsimse, Strand- = Schoenoplectus litoralis
Telekie = Telekia speciosa
Telephie = Telephium imperati
Tellerkraut = Montia perfoliata
Tellerkraut, Sibirisches = Montia sibirica

Teufelsabbiß = Succisa
Teufelsabbiß, Gewöhnlicher = Succisa pratensis
Teufelskeule = Oplopanax horridus
Teufelsklaue = Huperzia
Teufelsklaue, Europäische = Huperzia selago
Teufelskralle = Harpagophytum, Phyteuma
Teufelskralle, Ährige = Phyteuma spicatum
Teufelskralle, Eirunde = Phyteuma ovatum
Teufelskralle, Halbkugelige = Phyteuma hemisphaericum
Teufelskralle, Kugel- = Phyteuma orbiculare
Teufelskralle, Kugelblumenblättrige = Phyteuma globulariifolium
Teufelskralle, Scheuchzers = Phyteuma scheuchzeri
Teufelskralle, Schwarze = Phyteuma nigrum
Teufelskralle, Siebers = Phyteuma sieberi
Teufelskralle, Steirische = Phyteuma zahlbruckneri
Teufelskralle, Zarte = Phyteuma orbiculare subsp. tenerum
Teufelskralle, Ziestblättrige = Phyteuma betonicifolium
Teufelskralle, Zungenblättrige = Phyteuma nanum
Teufelszwirn = Lycium
Thymian = Thymus
Thymian, Alpen- = Thymus polytrichus , Thymus praecox subsp. polytrichus
Thymian, Arznei- = Thymus pulegioides
Thymian, Echter = Thymus vulgaris
Thymian, Feld- = Thymus pulegioides
Thymian, Gewöhnlicher Frühblühender = Thymus praecox
Thymian, Kahlblatt- = Thymus glabrescens
Thymian, Krainer = Thymus pulegioides subsp. carniolicus
Thymian, Langstängeliger = Thymus longicaulis
Thymian, Langzahn- = Thymus thracicus
Thymian, Niedergestreckter = Thymus praecox
Thymian, Österreichischer = Thymus glabrescens
Thymian, Piemonteser = Thymus pulegioides subsp. carniolicus
Thymian, Sand- = Thymus serpyllum
Thymian, Steppen- = Thymus pannonicus
Thymian, Tiroler = Thymus oenipontanus
Thymian, Zitronen- = Thymus × citriodorus
Tigerblume = Tigridia
Tigerglocke = Codonopsis clematidea
Tohabaum = Amherstia
Tolldocke = Isopyrum
Tollkirsche = Atropa
Tollkirsche, Echte = Atropa bella-donna
Tollkraut = Scopolia, Scopolia carniolica
Tomate = Lycopersicon esculentum
Tomatillo = Physalis philadelphica
Topinambur = Helianthus tuberosus
Torfgränke = Chamaedaphne calyculata
Torfmyrte = Pernettya, Pernettya mucronata
Tormentill = Potentilla erecta
Tragant = Astragalus
Tragant, Alpen- = Astragalus alpinus
Tragant, Blasen- = Astragalus vesicarius
Tragant, Dänischer = Astragalus danicus
Tragant, Dorniger = Astragalus sempervirens
Tragant, Esparsetten- = Astragalus onobrychis
Tragant, Französischer = Astragalus monspessulanus
Tragant, Fuchsschwanz- = Astragalus alopecuroides
Tragant, Gletscher- = Astragalus frigidus
Tragant, Hängeblütiger = Astragalus penduliflorus
Tragant, Kicher- = Astragalus cicer
Tragant, Niederliegender = Astragalus depressus
Tragant, Norwegischer = Astragalus norvegicus
Tragant, Österreichischer = Astragalus austriacus
Tragant, Purpur- = Astragalus hyoglottis
Tragant, Rau- = Astragalus asper
Tragant, Sand- = Astragalus arenarius
Tragant, Stängelloser = Astragalus exscapus
Tragant, Südlicher = Astragalus australis
Tragant, Süßer = Astragalus glycyphyllos
Tragant, Tiroler = Astragalus leontinus
Tragant, Ungarischer = Astragalus sulcatus
Trapp = Leontice
Traubenapfel, Japanischer = Rhaphiolepis umbellata
Traubendorn = Danae racemosa
Traubenheide = Leucothoe
Traubenheide, Achsenblütige = Leucothoe axillaris
Traubenheide, Catesbys = Leucothoe walteri
Traubenheide, Sommergrüne = Leucothoe racemosa
Traubenhyazinthe = Muscari
Traubenhyazinthe, Armenische = Muscari armeniacum

australe
Tulpe = Tulipa
Tulpe, Damen- = Tulipa clusiana
Tulpe, Didiers = Tulipa didieri
Tulpe, Garten- = Tulipa gesneriana
Tulpe, Grengjer = Tulipa grengiolensis
Tulpe, Kretische = Tulipa saxatilis
Tulpe, Südalpine = Tulipa sylvestris subsp. australis
Tulpe, Wilde = Tulipa sylvestris
Tulpenbaum = Liriodendron
Tulpenbaum, Amerikanischer = Liriodendron tulipifera
Tupelo, Wald- = Nyssa sylvatica
Tupelo, Wasser- = Nyssa aquatica
Tupelobaum = Nyssa
Turgenie = Turgenia latifolia
Turmkraut = Arabis glabra
Ulme = Ulmus
Ulme, Bastard- = Ulmus × hollandica
Ulme, Berg- = Ulmus glabra
Ulme, Feld- = Ulmus minor
Ulme, Flatter- = Ulmus laevis
Ulme, Haar- = Ulmus procera
Ulme, Japanische = Ulmus parvifolia
Ulme, Rot- = Ulmus rubra
Ulme, Sibirische = Ulmus pumila
Urnenpflanze = Dischidia
Urundayholz = Astronium balansae
Urweltmammutbaum = Metasequoia glyptostroboides
Usambaraveilchen = Saintpaulia
Vanille = Vanilla
Vanille, Tahiti- = Vanilla tahitiensis
Veilchen = Viola
Veilchen, Amerikanisches = Viola cucullata
Veilchen, Bastard-Wald- = Viola × bavarica
Veilchen, Berg- = Viola canina subsp. montana
Veilchen, Blaues = Viola suavis
Veilchen, Fiederblättriges = Viola pinnata
Veilchen, Gehörntes = Viola cornuta
Veilchen, Gewöhnliches Hunds- = Viola canina
Veilchen, Gräben- = Viola persicifolia
Veilchen, Hain- = Viola riviniana
Veilchen, Hohes = Viola elatior
Veilchen, Horn- = Viola cornuta
Veilchen, Hügel- = Viola collina
Veilchen, Kornblumen- = Viola suavis
Veilchen, März- = Viola odorata
Veilchen, Milch- = Viola lactea
Veilchen, Moor- = Viola uliginosa
Veilchen, Niedriges = Viola pumila
Veilchen, Pontisches = Viola ambigua
Veilchen, Pyrenäen- = Viola pyrenaica
Veilchen, Rauhaariges = Viola hirta
Veilchen, Sand- = Viola rupestris
Veilchen, Schultzes Hunds- = Viola canina subsp. schultzii
Veilchen, Schweizer = Viola thomasiana
Veilchen, Steppen- = Viola ambigua
Veilchen, Sumpf- = Viola palustris
Veilchen, Torf- = Viola epipsila
Veilchen, Wald- = Viola reichenbachiana
Veilchen, Weißes = Viola alba
Veilchen, Westfälisches Galmei- = Viola guestphalica
Veilchen, Wohlriechendes = Viola odorata
Veilchen, Wunder- = Viola mirabilis
Veilchen, Zweiblütiges = Viola biflora
Veilchenholz, Australisches = Acacia homalophylla
Veilchenstrauch = Iochroma
Venushaar = Adiantum capillus-veneris
Venuskamm, Gewöhnlicher = Scandix pecten-veneris
Venusnabel = Umbilicus
Venusschuh = Paphiopedilum
Verbene = Verbena
Verbesine = Verbesina encelioides
Vergissmeinnicht, Gewöhnliches Sumpf- = Myosotis scorpioides
Vergissmeinnicht, Großblütiges = Myosotis scorpioides subsp. praecox
Vergissmeinnicht, Großblütiges Sumpf- = Myosotis scorpioides subsp. praecox
Vergissmeinnicht, Hain- = Myosotis nemorosa
Vergissmeinnicht, Hügel- = Myosotis ramosissima
Vergißmeinnicht = Myosotis
Vergißmeinnicht, Acker- = Myosotis arvensis
Vergißmeinnicht, Alpen- = Myosotis alpestris
Vergißmeinnicht, Bodensee- = Myosotis rehsteineri
Vergißmeinnicht, Buntes = Myosotis discolor
Vergißmeinnicht, Großblättriges Kaukasus- = Brunnera macrophylla
Vergißmeinnicht, Lockerblütiges = Myosotis scorpioides
Vergißmeinnicht, Niederliegendes = Myosotis decumbens
Vergißmeinnicht, Rasen- = Myosotis laxa
Vergißmeinnicht, Sand- = Myosotis stricta
Vergißmeinnicht, Schmalblatt- = Myosotis stenophylla

Waldlilie = Trillium
Waldmeister = Galium odoratum
Waldrebe = Clematis
Waldrebe, Alpen- = Clematis alpina
Waldrebe, Armands = Clematis armandii
Waldrebe, Aufrechte = Clematis recta
Waldrebe, Berg- = Clematis montana
Waldrebe, Blaugrüne = Clematis glauca
Waldrebe, Braunblütige = Clematis viorna
Waldrebe, Brennende = Clematis flammula
Waldrebe, Farges = Clematis fargesii
Waldrebe, Ganzblättrige = Clematis integrifolia
Waldrebe, Gewöhnliche = Clematis vitalba
Waldrebe, Glockenblütige = Clematis campaniflora
Waldrebe, Goldschopfige = Clematis chrysocoma
Waldrebe, Großblättrige = Clematis heracleifolia
Waldrebe, Großblumige = Clematis macropetala
Waldrebe, Italienische = Clematis viticella
Waldrebe, Japanische = Clematis stans
Waldrebe, Koreanische = Clematis serratifolia
Waldrebe, Krause = Clematis crispa
Waldrebe, Macchien- = Clematis cirrhosa
Waldrebe, Mongolische = Clematis tangutica
Waldrebe, Offenblütige = Clematis patens
Waldrebe, Orientalische = Clematis orientalis
Waldrebe, Rehders = Clematis rehderiana
Waldrebe, Reichblütige = Clematis florida
Waldrebe, Rispenblütige = Clematis terniflora
Waldrebe, Sellerieblättrige = Clematis apiifolia
Waldrebe, Songarische = Clematis songarica
Waldrebe, Texas- = Clematis texensis
Waldrebe, Virginische = Clematis virginiana
Waldrebe, Wollige = Clematis lanuginosa
Waldrebe, Zottige = Clematis lasiandra
Waldrebe, Zungenblättrige = Clematis ligusticifolia
Waldsteinie, Dreiblättrige = Waldsteinia ternata
Waldvögelein, Bleiches = Cephalanthera damasonium
Waldvögelein, Langblättriges = Cephalanthera longifolia
Waldvögelein, Rotes = Cephalanthera rubra
Waldvöglein = Cephalanthera
Wallwurz, Kaukasus- = Symphytum caucasicum
Walnuss, Echte = Juglans regia
Walnuss, Herzfrüchtige = Juglans ailantifolia var. cordiformis
Walnuss, Japanische = Juglans ailantifolia
Walnuss, Mandschurische = Juglans mandshurica
Walnuss, Schmalfrüchtige = Juglans stenocarpa
Walnuss, Schwarze = Juglans nigra
Wandelklee, Ähriger = Desmodium elegans
Wandelröschen = Lantana
Wanzenkraut, Stinkendes = Cimicifuga europaea
Wanzensame, Dünen- = Corispermum intermedum
Wanzensame, Glanz- = Corispermum nitidum
Wanzensame, Grauer = Corispermum marschallii
Wanzensame, Großblättriger = Corispermum leptopterum
Wanzensame, Schmalflügeliger = Corispermum leptopterum
Warzenkaktus = Mammillaria
Wasserähre = Aponogeton
Wasseraloe = Stratiotes
Wasserbläuling = Hydrolea
Wasserblatt = Hydrophyllum
Wasserdarm = Myosoton, Stellaria aquatica
Wasserdost = Eupatorium
Wasserdost, Gewöhnlicher = Eupatorium cannabinum
Wasserfalle = Aldrovanda, Aldrovanda vesiculosa
Wasserfeder = Hottonia
Wasserfeder, Europäische = Hottonia palustris
Wasserfenchel, Bibernell- = Oenanthe pimpinelloides
Wasserfenchel, Flutender = Oenanthe fluviatilis
Wasserfenchel, Großer = Oenanthe aquatica
Wasserfenchel, Haarstrang- = Oenanthe peucedanifolia
Wasserfenchel, Röhriger = Oenanthe fistulosa
Wasserfenchel, Schierlings- = Oenanthe conioides
Wasserfenchel, Silaublättriger = Oenanthe silaifolia
Wasserfenchel, Wiesen- = Oenanthe lachenalii

Wasserfreund = Hygrophila
Wasserhahnenfuß, Brackwasser- = Ranunculus peltatus subsp. baudotii
Wasserhahnenfuß, Dreiteiliger = Ranunculus tripartitus
Wasserhahnenfuß, Efeu- = Ranunculus hederaceus
Wasserhahnenfuß, Flutender = Ranunculus fluitans
Wasserhahnenfuß, Gewöhnlicher = Ranunculus aquatilis
Wasserhahnenfuß, Haarblättriger = Ranunculus trichophyllus
Wasserhahnenfuß, Pinsel- = Ranunculus penicillatus
Wasserhahnenfuß, Reinweißer = Ranunculus ololeucos
Wasserhahnenfuß, Salz- = Ranunculus peltatus subsp. baudotii
Wasserhahnenfuß, Schild- = Ranunculus peltatus
Wasserhahnenfuß, Spreizender = Ranunculus circinatus
Wasserhornfarn = Ceratopteris thalictroides
Wasserjambuse = Syzygium aqueum
Wasserlinse = Lemna
Wasserlinse, Bucklige = Lemna gibba
Wasserlinse, Dreifurchige = Lemna trisulca
Wasserlinse, Kleine = Lemna minor
Wasserlinse, Rote = Lemna turionifera
Wasserlinse, Schiefe = Lemna aequinoctialis
Wasserlinse, Winzige = Lemna minuta
Wassermelone = Citrullus, Citrullus lanatus
Wassermohn = Hydrocleys
Wassernabel = Hydrocotyle
Wassernabel, Gewöhnlicher = Hydrocotyle vulgaris
Wassernuss, Gewöhnliche = Trapa natans
Wassernuß = Trapa
Wasserpest = Elodea
Wasserpest, Argentinische = Elodea callitrichoides
Wasserpest, Dichtblättrige = Egeria densa
Wasserpest, Große Wechselblatt- = Lagarosiphon major
Wasserpest, Kanadische = Elodea canadensis
Wasserpest, Nuttalls = Elodea nuttallii
Wasserpest, Schmalblättrige = Elodea nuttallii
Wasserquirl = Hydrilla
Wassersalat = Pistia, Pistia stratiotes
Wasserschierling = Cicuta
Wasserschierling, Giftiger = Cicuta virosa
Wasserschlauch = Utricularia
Wasserschlauch, Blassgelber = Utricularia ochroleuca
Wasserschlauch, Bremis = Utricularia bremii
Wasserschlauch, Dunkelgelber = Utricularia stygia
Wasserschlauch, Gewöhnlicher = Utricularia vulgaris
Wasserschlauch, Kleiner = Utricularia minor
Wasserschlauch, Mittlerer = Utricularia intermedia
Wasserschlauch, Südlicher = Utricularia australis
Wasserschraube, Gewöhnliche = Vallisneria spiralis
Wasserstern = Callitriche
Wasserstern, Flachfrüchtiger = Callitriche platycarpa
Wasserstern, Haken- = Callitriche hamulata
Wasserstern, Herbst- = Callitriche hermaphroditica
Wasserstern, Nussfrüchtiger = Callitriche obtusangula
Wasserstern, Stielfrüchtiger = Callitriche brutia
Wasserstern, Stumpfkantiger = Callitriche cophocarpa
Wasserstern, Sumpf- = Callitriche palustris
Wasserstern, Teich- = Callitriche stagnalis
Wau, Färber- = Reseda luteola
Wau, Gelber = Reseda lutea
Wegerich = Plantago
Wegerich, Alpen- = Plantago alpina
Wegerich, Berg- = Plantago atrata
Wegerich, Breit- = Plantago major
Wegerich, Dünnähren- = Plantago tenuiflora
Wegerich, Großer = Plantago major
Wegerich, Haariger = Plantago bellardii
Wegerich, Halbstrauchiger = Plantago sempervirens
Wegerich, Hoher = Plantago altissima
Wegerich, Kiel- = Plantago holosteum
Wegerich, Kleiner = Plantago major subsp. intermedia
Wegerich, Krähenfuß- = Plantago coronopus
Wegerich, Mittlerer = Plantago media
Wegerich, Salz- = Plantago major subsp. winteri
Wegerich, Salzwiesen-Breit- = Plantago major subsp. winteri
Wegerich, Sand- = Psyllium arenarium
Wegerich, Schlangen- = Plantago maritima

subsp. serpentina , Plantago serpentina
Wegerich, Silberhaariger = Plantago argentea
Wegerich, Spitz- = Plantago lanceolata
Wegerich, Strand- = Plantago maritima
Wegerich, Vielsamiger Breit- = Plantago major subsp. intermedia
Wegerich, Zottiger = Plantago lagopus
Wegrauke = Sisymbrium
Wegwarte = Cichorium
Wegwarte, Gewöhnliche = Cichorium intybus
Wegwarte, Glatzfrucht- = Cichorium calvum
Weichsel = Prunus cerasus
Weichsel, Mittlere = Prunus × eminens
Weichsel, Stein- = Prunus mahaleb
Weichwurz = Hammarbya paludosa
Weide = Salix
Weide, Alpen- = Salix alpina
Weide, Amerikanische Reif- = Salix irrorata
Weide, Apenninen- = Salix apennina
Weide, Bäumchen- = Salix waldsteiniana
Weide, Balsam- = Salix pyrifolia
Weide, Bandstock- = Salix × dasyclados
Weide, Bastard-Öhr- = Salix × ambigua
Weide, Blaugrüne = Salix caesia
Weide, Bleiche = Salix starkeana
Weide, Blend- = Salix × rubra
Weide, Bruch- = Salix fragilis
Weide, Chinesische Myrten- = Salix bockii
Weide, Fahl- = Salix × rubens
Weide, Farges = Salix fargesii
Weide, Fuschsschwanz- = Salix alopecuroides
Weide, Glanz = Salix lucida
Weide, Grau- = Salix cinerea
Weide, Großblättrige = Salix appendiculata
Weide, Heidelbeer- = Salix myrtilloides
Weide, Heidelbeerblättrige = Salix myrsinites
Weide, Herzblättrige = Salix eriocephala
Weide, Hochtal- = Salix hegetschweileri
Weide, Hohe = Salix × rubens
Weide, Japanische = Salix subopposita
Weide, Kahle = Salix glabra
Weide, Korb- = Salix viminalis
Weide, Korkenzieher- = Salix matsudana
Weide, Kraut- = Salix herbacea
Weide, Kriech- = Salix repens
Weide, Kübler- = Salix × smithiana
Weide, Lappland- = Salix lapponum
Weide, Lavendel- = Salix elaeagnos
Weide, Lorbeer- = Salix pentandra
Weide, Mandel- = Salix triandra
Weide, Matten- = Salix breviserrata
weide, Myrten- = Salix alpina
Weide, Netz- = Salix reticulata
Weide, Ohr- = Salix aurita
Weide, Persische = Salix aegyptiaca
Weide, Pracht- = Salix magnifica
Weide, Purpur- = Salix purpurea
Weide, Quendelblättrige = Salix serpillifolia
Weide, Rehders = Salix rehderiana
Weide, Reichhardts = Salix reichardtii
Weide, Reif- = Salix daphnoides
Weide, Rosmarin- = Salix rosmarinifolia
Weide, Sachalin- = Salix sachalinensis
Weide, Sal- = Salix caprea
Weide, Sandbank = Salix interior
Weide, Schlesische = Salix silesiaca
Weide, Schwarze = Salix nigra
Weide, Schwarzwerdende = Salix myrsinifolia
Weide, Schweizer = Salix helvetica
Weide, Seiden- = Salix glaucosericea
Weide, Seidenblatt- = Salix × holosericea
Weide, Seidige = Salix sericea
Weide, Silber- = Salix alba
Weide, Spieß- = Salix hastata
Weide, Spitzblättrige = Salix acutifolia
Weide, Stiel- = Salix petiolaris
Weide, Stink- = Salix foetida
Weide, Stumpfblättrige = Salix retusa
Weide, Tauern- = Salix milichhoferi
Weide, Trauer- = Salix babylonica
Weide, Verschiedenfarbige = Salix discolor
Weide, Vielnervige = Salix × multinervis
Weide, Weißfilzige = Salix laggeri
Weide, Woll- = Salix lanata
Weide, Zottige = Salix lasiandra
Weide, Zweifarbige = Salix schraderiana
Weidelgras, Deutsches = Lolium perenne
Weidelgras, Italienisches = Lolium multiflorum
Weidenröschen, Berg- = Epilobium montanum
Weidenröschen, Drüsiges = Epilobium ciliatum
Weidenröschen, Dunkelgrünes = Epilobium obscurum
Weidenröschen, Durieus = Epilobium duriaei
Weidenröschen, Fleischers = Epilobium fleischeri
Weidenröschen, Gauchheilblättriges = Epilobium anagallidifolium
Weidenröschen, Graugrünes = Epilobium tetragonum subsp. lamyi
Weidenröschen, Hartheu- = Epilobium

montanum
Weidenröschen, Hügel- = Epilobium collinum
Weidenröschen, Kies- = Epilobium fleischeri
Weidenröschen, Kleinblütiges = Epilobium parviflorum
Weidenröschen, Kurzfrüchtiges = Epilobium brachycarpum
Weidenröschen, Lanzettblättriges = Epilobium lanceolatum
Weidenröschen, Mierenblättriges = Epilobium alsinifolium
Weidenröschen, Nickendes = Epilobium nutans
Weidenröschen, Quirlblättriges = Epilobium alpestre
Weidenröschen, Rosenrotes = Epilobium roseum
Weidenröschen, Rosmarin- = Epilobium dodonaei
Weidenröschen, Schmalblättriges = Epilobium angustifolium
Weidenröschen, Sumpf- = Epilobium palustre
Weidenröschen, Vierkantiges = Epilobium tetragonum
Weidenröschen, Zottiges = Epilobium hirsutum
Weiderich = Lythrum
Weiderich, Blut- = Lythrum salicaria
Weiderich, Ysopblättriger = Lythrum hyssopifolia
Weigelie, Frühblühende = Weigela praecox
Weigelie, Gelbblütige = Weigela middendorffiana
Weigelie, Japanische = Weigela japonica
Weigelie, Koreanische = Weigela coraeensis
Weigelie, Liebliche = Weigela florida
Weigelie, Reichblütige = Weigela floribunda
Weihrauchbaum = Boswellia
Wein, Fünfblättriger Wilder = Parthenocissus inserta
Weinbeere, Japanische = Rubus phoenicolasius
Weinrebe = Vitis vinifera
Weinrebe, Thunbergs = Vitis thunbergii
Weinrebe, Wilde = Vitis vinifera subsp. sylvestris
Weinstock, Echter = Vitis vinifera
Weißbuche = Carpinus, Carpinus betulus
Weißdorn = Crataegus
Weißdorn, Altai- = Crataegus altaica
Weißdorn, Bastard- = Crataegus × media
Weißdorn, Blut- = Crataegus sanguinea
Weißdorn, Einblütiger = Crataegus uniflora
Weißdorn, Eingriffliger = Crataegus monogyna
Weißdorn, Fiederblatt- = Crataegus pinnatifida
Weißdorn, Filziger = Crataegus calpodendron
Weißdorn, Fünfgriffeliger = Crataegus pentagyna
Weißdorn, Gelbfrüchtiger = Crataegus flava
Weißdorn, Großfrüchtiger = Crataegus × macrocarpa
Weißdorn, Großkelchiger = Crataegus rhipidophylla
Weißdorn, Hahnensporn- = Crataegus crus-galli
Weißdorn, Krummkelch- = Crataegus rhipidophylla
Weißdorn, Langkelch- = Crataegus rhipidophylla var. lindmannii
Weißdorn, Lederblättriger = Crataegus × lavallei
Weißdorn, Lindmans = Crataegus rhipidophylla var. lindmannii
Weißdorn, Mittlerer = Crataegus × media
Weißdorn, Oregon- = Crataegus douglasii
Weißdorn, Orientalischer = Crataegus laciniata
Weißdorn, Palmstrauch- = Crataegus laevigata
Weißdorn, Punktierter = Crataegus punctata
Weißdorn, Rundblättriger = Crataegus chrysocarpa
Weißdorn, Saft- = Crataegus succulenta
Weißdorn, Scharlach- = Crataegus pedicellata
Weißdorn, Schwarzfrüchtiger = Crataegus nigra
Weißdorn, Verschiedenzähniger = Crataegus × subsphaerica
Weißdorn, Verworrener = Crataegus intricata
Weißdorn, Washington- = Crataegus phaenopyrum
Weißdorn, Weichhaariger = Crataegus mollis
Weißdorn, Zweigriffliger = Crataegus laevigata
Weißmiere, Aufrechte = Moenchia erecta
Weißmiere, Fünfzählige = Moenchia mantica
Weißrüster = Ulmus glabra
Weißwurz, Auen- = Polygonatum hirtum

Wolfsmilch, Ruten- = Euphorbia waldsteinii
Wolfsmilch, Saat- = Euphorbia segetalis
Wolfsmilch, Schlängelnde = Chamaesyce serpens
Wolfsmilch, Sichel- = Euphorbia falcata
Wolfsmilch, Sonnenwend- = Euphorbia helioscopia
Wolfsmilch, Spitzblatt- = Euphorbia acuminata
Wolfsmilch, Steife = Euphorbia stricta
Wolfsmilch, Steppen- = Euphorbia seguieriana
Wolfsmilch, Strand- = Euphorbia paralias
Wolfsmilch, Süße = Euphorbia dulcis
Wolfsmilch, Sumpf- = Euphorbia palustris
Wolfsmilch, Turiner = Euphorbia taurinensis
Wolfsmilch, Vielfarbige = Euphorbia polychroma
Wolfsmilch, Walzen- = Euphorbia myrsinites
Wolfsmilch, Warzen- = Euphorbia brittingeri , Euphorbia verrucosa
Wolfsmilch, Weidenblättrige = Euphorbia salicifolia
Wolfsmilch, Zierliche Rasen = Euphorbia capitulata
Wolfsmilch, Zottige = Euphorbia villosa
Wolfsmilch, Zweidrüsen- = Euphorbia rigida
Wolfsmilch, Zypressen- = Euphorbia cyparissias
Wolfsschwertel = Hermodactylus
Wolfstrapp = Lycopus
Wolfstrapp, Hoher = Lycopus exaltatus
Wolfstrapp, Ufer- = Lycopus europaeus
Wollblatt = Eriophyllum
Wollblatt, Großköpfiges = Eriophyllum lanatum
Wollfruchtkaktus = Ariocarpus
Wollgras = Eriophorum
Wollgras, Breitblättriges = Eriophorum latifolium
Wollgras, Scheiden- = Eriophorum vaginatum
Wollgras, Scheuchzers = Eriophorum scheuchzeri
Wollgras, Schlankes = Eriophorum gracile
Wollgras, Schmalblättriges = Eriophorum angustifolium
Wollknöterich = Eriogonum
Wollmispel = Eriobotrya
Wucherblume = Chrysanthemum
Wucherblume, Alpen- = Leucanthemopsis alpina
Wucherblume, Bunte = Ismelia carinata
Wucherblume, Gewöhnliche = Leucanthemum vulgare
Wucherblume, Grauhaarige = Tanacetum parthenifolium
Wucherblume, Großblättrige = Tanacetum macrophyllum
Wucherblume, Kronen- = Chrysanthemum coronarium
Wucherblume, Saat- = Chrysanthemum segetum
Wucherblume, Spätblühende = Leucanthemella serotina
Wucherblume, Straußblütige = Tanacetum corymbosum
Wucherblume, Wiesen- = Leucanthemum ircutianum
Wulfenie = Wulfenia carinthiaca
Wunderbeere = Synsepalum dulciferum
Wunderblume = Mirabilis
Wunderstrauch = Codiaeum
Wundklee = Anthyllis
Wundklee, Berg- = Anthyllis montana
Wundklee, Gewöhnlicher = Anthyllis vulneraria
Wundklee, Jacquins = Anthyllis montana subsp. jacquinii
Wurmfarn = Dryopteris
Wurmfarn, Breitblättriger = Dryopteris dilatata
Wurmfarn, Dorniger = Dryopteris carthusiana
Wurmfarn, Geröll- = Dryopteris oreades
Wurmfarn, Gewöhnlicher = Dryopteris filix-mas
Wurmfarn, Kamm- = Dryopteris cristata
Wurmfarn, Riesen- = Dryopteris goldiana
Wurmfarn, Spreuschuppiger = Dryopteris affinis
Wurmfarn, Starrer = Dryopteris villarii
Wurmlattich = Picris echioides
Xochinacatztli = Cymbopetalum penduliflorum
Yamswurzel = Dioscorea
Ysander, Amerikanischer = Pachysandra procumbens
Ysander, Japanischer = Pachysandra terminalis
Ysop = Hyssopus, Hyssopus officinalis
Zachunbaum = Balanites aegyptiaca
Zackenschötchen, Flügel- = Bunias erucago
Zackenschötchen, Orientalisches = Bunias orientalis
Zahntrost, Acker- = Odontites vernus
Zahntrost, Frühlings- = Odontites vernus

Zahntrost, Gelber = Odontites luteus
Zahntrost, Herbst- = Odontites vulgaris
Zahntrost, Klebriger = Odontites viscosa
Zahntrost, Roter = Odontites vulgaris
Zahntrost, Salz- = Odontites litoralis
Zahnwehholz = Zanthoxylum fraxineum
Zahnwurz = Dentaria
Zahnwurz, Dreiblättrige = Cardamine trifolia
Zahnwurz, Fieder- = Cardamine heptaphylla
Zahnwurz, Finger- = Cardamine pentaphyllos
Zahnwurz, Illyrische = Cardamine waldsteinii
Zahnwurz, Kitaibels = Cardamine kitaibelii
Zahnwurz, Quirl- = Cardamine enneaphyllos
Zahnwurz, Quirlblättrige = Cardamine enneaphyllos
Zahnwurz, Vielblättrige = Cardamine kitaibelii
Zahnwurz, Zwiebel- = Cardamine bulbifera
Zapfennuss = Platycarya strobilacea
Zaubernuss, Chinesische = Hamamelis mollis
Zaubernuss, Frühlings- = Hamamelis vernalis
Zaubernuss, Hybrid- = Hamamelis × intermedia
Zaubernuss, Japanische = Hamamelis japonica
Zaubernuss, Virginische = Hamamelis virginiana
Zaubernuß = Hamamelis
Zaunlilie = Anthericum
Zaunrebe, Riesenblättrige = Ampelopsis megalophylla
Zaunrebe, Sturmhutblättrige = Ampelopsis aconitifolia
Zaunrübe = Bryonia
Zaunrübe, Rotfrüchtige = Bryonia cretica subsp. dioica
Zaunrübe, Schwarzfrüchtige = Bryonia alba
Zaunrübe, Weiße = Bryonia alba
Zaunrübe, Zweihäusige = Bryonia cretica subsp. dioica
Zaunwinde, Gewöhnliche = Calystegia sepium
Zaunwinde, Schöne = Calystegia pulchra
Zaunwinde, Strand- = Calystegia soldanella
Zaunwinde, Wald- = Calystegia silvatica
Zeder = Cedrus
Zeder, Atlas- = Cedrus atlantica
Zeder, Himalaya- = Cedrus deodara
Zeder, Libanon- = Cedrus libani
Zeiland = Cneorum
Zeitlose = Colchicum
Zeitlose, Alpen- = Colchicum alpinum
Zeitlose, Herbst- = Colchicum autumnale
Zelkowe, Japanische = Zelkova serrata
Zelkowe, Kaukasische = Zelkova carpinifolia
Zenobie = Zenobia pulverulenta
Zephirblume = Zephyranthes
Zickzackstrauch = Corokia cotoneaster
Ziest = Stachys
Ziest, Acker- = Stachys arvensis
Ziest, Alpen- = Stachys alpina
Ziest, Aufrechter = Stachys recta
Ziest, Bastard- = Stachys × ambigua
Ziest, Deutscher = Stachys germanica
Ziest, Echter = Betonica officinalis
Ziest, Einjähriger = Stachys annua
Ziest, Großlippiger = Stachys labiosa
Ziest, Heil- = Betonica officinalis
Ziest, Karst- = Stachys recta subsp. subcrenata
Ziest, Knollen- = Stachys affinis
Ziest, Sumpf- = Stachys palustris
Ziest, Wald- = Stachys sylvatica
Ziest, Woll- = Stachys byzantina
Ziest, Zottiger = Stachys monnieri
Zigarettenblümchen = Cuphea ignea
Zimbelkraut, Mauer- = Cymbalaria muralis
Zimt, Saigon- = Cinnamomum lourei
Zimterle, Berg- = Clethra acuminata
Zimterle, Erlenblättrige = Clethra alnifolia
Zimterle, Farges = Clethra fargesii
Zimterle, Filzige = Clethra tomentosa
Zimterle, Japanische = Clethra barbinervis
Zimtfarn = Osmunda cinnamomea
Zindelkraut = Cicendia filiformis
Zinnie = Zinnia, Zinnia elegans
Zirmet, Apulischer = Tordylium apulum
Zirmet, Großer = Tordylium maximum
Zistrose = Cistus
Zistrose, Lorbeerblättrige = Cistus laurifolius
Zistrose, Salbeiblättrige = Cistus salviifolius
Zitrone = Citrus limon
Zitronenholz, Afrikanisches = Distemonanthus benthamianus
Zittergras = Briza
Zittergras, Größtes = Briza maxima
Zittergras, Kleines = Briza minor
Zittergras, Mittleres = Briza media
Zuckerpalme = Arenga
Zuckerpalme, Molukken- = Arenga pinnata
Zuckerrohr = Saccharum
Zürgelbaum = Celtis

VIII English plant names

Aaron's Beard = Hypericum calycinum
Aaron's Rod = Verbascum thapsus
Abaca = Musa textilis
Abelia, Glossy = Abelia × grandiflora
Abelia, Mexican = Abelia floribunda
Abraham = Trachystemon orientalis
Absinthe = Artemisia absinthium
Acacia = Robinia pseudoacacia
Acacia, Bailey = Acacia baileyana
Acacia, Black Wood = Acacia melanoxylon
Acacia, Bull Horn = Acacia cornigera
Acacia, Cachou = Acacia catechu
Acacia, Rose = Robinia hispida
Acacia, Sweet = Acacia farnesiana
Acalypha, Indian = Acalypha indica
Acanthus, Pink = Justicia carnea
Acidanthera = Gladiolus callianthus
Aconite = Aconitum carmichaelii
Aconite, Pale = Aconitum anthora
Aconite, Winter = Eranthis hyemalis
Adam's Apple = Tabernaemontana divaricata
Adder's Tongue = Ophioglossum vulgatum
Adder's Tongue, Yellow = Erythronium americanum
Adderwort = Bistorta officinalis
Adenostyles = Adenostyles alliariae
Adonis, Spring = Adonis vernalis
Adonis, Summer = Adonis aestivalis
Afghan Pea Shrub = Caragana decorticans
African Violet, False = Streptocarpus saxorum
Afrikander, Yellow Marsh = Gladiolus tristis
Agave = Agave americana
Agave, Royal = Agave victoriae-reginae
Agave, Thread = Agave filifera
Ageratum = Conoclinum coelestinum
Ageratum, Mexican = Ageratum conyzoides
Agrimony = Agrimonia eupatoria
Ague Root = Aletris farinosa
Airplant, Florida Strap = Catopsis floribunda
Airplant, Fuzzy Wuzzy = Tillandsia pruinosa
Airplant, Giant = Tillandsia fasciculata
Airplant, Nodding Strap = Catopsis nutans
Airplant, Powdery Strap = Catopsis berteroniana
Airplant, Spreading = Tillandsia utriculata
Airplant, Twisted = Tillandsia flexuosa
Airplant, West Indian Tufted = Guzmania monostachia
Akebia, Five Leaf = Akebia quinata
Akebia, Three-Leaf = Akebia trifoliata
Akee = Blighia sapida
Alangium = Alangium platanifolium
Albizia, Plume = Albizia lophantha
Alder = Alnus firma
Alder, African Red = Cunonia capensis
Alder, Caucasian = Alnus subcordata
Alder, Common = Alnus glutinosa
Alder, European = Alnus glutinosa
Alder, Green = Alnus viridis
Alder, Grey = Alnus incana
Alder, Italian = Alnus cordata
Alder, Japanese = Alnus japonica
Alder, Manchurian = Alnus hirsuta
Alder, Oregon = Alnus oregona
Alder, Red = Alnus oregona
Alder, Speckled = Alnus rugosa
Alder, White = Clethra acuminata, Clethra alnifolia
Alder, Witch = Fothergilla gardenii
Alecost = Tanacetum balsamita
Alehoof = Glechoma hederacea
Alexanders = Smyrnium olusatrum
Alfalfa = Medicago sativa
Alison, Hoary = Berteroa incana
Alison, Sweet = Lobularia maritima
Alkanet = Alkanna tuberculata, Anchusa officinalis, Pentaglottis sempervirens
Alkanet, Green = Pentaglottis sempervirens
Alkanet, Large Blue = Anchusa azurea
Allamanda = Allamanda cathartica
Alligator Tree = Forestiera acuminata
Allium, Blue = Allium caeruleum
Allium, Giant = Allium giganteum
Allium, Turkestan = Allium karataviense
Allspice = Calycanthus fertilis, Pimenta dioica
Allspice, Californian = Calycanthus occidentalis
Allspice, Carolina = Calycanthus floridus
Almond = Prunus dulcis
Almond, Bitter = Prunus dulcis
Almond, Dwarf Flowering = Prunus glandulosa
Almond, Dwarf Russian = Prunus tenella
Almond, Flowering = Prunus triloba
Almond, Indian = Terminalia catappa
Almond, Russian = Prunus tenella
Aloe, American False = Agave utahensis
Aloe, Candelabra = Aloe arborescens
Aloe, Cape = Aloe ferox
Aloe, Coral = Aloe striata
Aloe, Green = Furcraea foetida
Aloe, Jewelled = Aloe distans
Aloe, Lace = Aloe aristata
Aloe, Partridge Breast = Aloe variegata

Aloe, Short-leaved = Aloe brevifolia
Aloe, Soap = Aloe saponaria
Aloe, Tiger = Aloe variegata
Aloe, Water = Stratiotes aloides
Aloes, Bitter = Aloe vera
Alpine Saw Wort = Serratula tinctoria
Alprose, Chinese = Rhododendron dauricum
Alprose, Rusty Leaved = Rhododendron ferrugineum
Alyssum, Golden = Aurinia saxatilis
Alyssum, Mountain = Alyssum montanum
Alyssum, Spiny = Alyssum spinosum
Alyssum, Sweet = Lobularia maritima
Amaranth, Common = Amaranthus retroflexus
Amaranth, Globe = Gomphrena globosa
Amaranth, Purple = Amaranthus hybridus
Amaranth, Red = Amaranthus cruentus
Amaryllis = Hippeastrum reticulatum, Hippeastrum vittatum
Ambarella = Spondias cytherea
Ambay = Cecropia palmata
American Fringe Tree = Chionanthus virginicus
American Swamp Root = Anemopsis californica
Amethyst Flower = Browallia americana
Amur Cork Tree = Phellodendron amurense
Anabasis = Anabasis aphylla
Anacyclus, Apotheacry's = Anacyclus officinarum
Anarrhinum = Anarrhinum bellidifolium
Anchor Plant = Colletia paradoxa
Anchusa, Annual = Anchusa capensis
Andes Berry = Rubus glaucus
Anemone, Canada = Anemone canadensis
Anemone, De Caen = Anemone coronaria
Anemone, Japanese = Anemone hupehensis
Anemone, Monte Baldo = Anemone baldensis
Anemone, Narcissus Flowered = Anemone narcissiflora
Anemone, Pacific = Anemone multifida
Anemone, St Brigid's = Anemone coronaria
Anemone, Wood = Anemone nemorosa
Anemone, Yellow = Anemone ranunculoides
Angel's Hair = Artemisia schmidtiana
Angel's Tears = Billbergia nutans, Narcissus triandrus, Soleirolia soleirolii
Angelica Tree = Aralia cordata, Aralia elata
Angelica Tree, Chinese = Aralia chinensis
Angelica Tree, Japanese = Aralia elata
Angelica, Chinese = Aralia chinensis
Angelica, Garden = Angelica archangelica
Angelica, Wild = Angelica sylvestris
Angelin = Andira araroba
Angostura = Cusparia febrifuga, Galipea officinalis
Anise = Pimpinella anisum
Anise, Chinese = Illicium verum
Anise, Common = Pimpinella anisum
Anise, Star = Illicium anisatum
Aniseed = Pimpinella anisum
Aniseed Tree = Illicium anisatum
Annatto = Bixa orellana
Anthocephalus = Anthocephalus cadamba
Anthurium, Crystal = Anthurium crystallinum
Apple = Malus domestica, Malus pumila, Malus sylvestris
Apple Berry = Billardiera longiflora
Apple-of-Peru = Nicandra physalodes
Apple, Argyle = Eucalyptus cinerea
Apple, Asiatic = Malus spectabilis
Apple, Balsam = Clusia major, Momordica balsamina
Apple, Bitter = Citrullus colocynthis
Apple, Common May = Podophyllum peltatum
Apple, Devil's = Mandragora officinarum
Apple, Elephant = Dillenia indica
Apple, Elephant's = Limonia acidissima
Apple, Hawthorn Leaved Crab = Malus florentina
Apple, Kangaroo = Solanum aviculare, Solanum laciniatum
Apple, Love = Solanum mammosum
Apple, Mammee = Mammea americana
Apple, May = Passiflora incarnata, Podophyllum peltatum
Apple, Paradise = Malus pumila
Apple, Pillar = Malus tschonoskii
Apple, Prickly Custard = Annona muricata
Apple, Rose = Syzygium jambos
Apple, Star = Chrysophyllum cainito
Apple, Sweet Crab = Malus coronaria
Apple, Thornless Thorn = Datura stramonium var. inermis
Apple, Wild Balsam = Echinocystis lobata
Apple, Wood = Limonia acidissima
Apricot = Prunus armeniaca
Apricot, Briançon = Prunus brigantina
Apricot, Japanese = Prunus mume
Arabic, Sudan Gum = Acacia senegal
Aralia, Castor = Kalopanax septemlobus
Aralia, Dinner Plate = Polyscias scutellaria
Aralia, False = Schefflera elegantissima
Arar = Tetraclinis articulata

Arar Tree = Tetraclinis articulata
Arborvitae = Thuja occidentalis, Thuja orientalis
Arbutus, Trailing = Epigaea repens
Archangel = Angelica archangelica
Archangel, Purple = Lamium purpureum
Archangel, Yellow = Lamium galeobdolon
Aristolochia = Aristolochia clematitis
Arnica, Mountain = Arnica montana
Arnica, Soft Leaved = Arnica lanceolata
Aroid, Aglaonema = Aglaonema commutatum, Aglaonema nitidum, Aglaonema pictum
Arrow Poison Tree = Acokanthera schimperi
Arrowhead = Sagittaria latifolia, Sagittaria sagittifolia, Syngonium podophyllum
Arrowhead, Common = Sagittaria sagittifolia
Arrowhead, Grass Leaf = Sagittaria graminea
Arrowhead, Lance Laef = Sagittaria lancifolia
Arrowhead, Slender = Sagittaria teres
Arrowroot = Maranta arundinacea
Arrowroot, East Indian = Curcuma angustifolia
Arrowroot, Indian = Tacca leontopetaloides
Arrowroot, Japanese = Pueraria lobata
Arrowroot, Queensland = Canna edulis
Arrowwood = Viburnum dentatum
Artichoke = Cynara scolymus
Artichoke, Chinese = Stachys affinis
Artichoke, Globe = Cynara scolymus
Artichoke, Jerusalem = Helianthus tuberosus
Artillery Plant = Pilea microphylla
Arum, Arrow = Peltandra virginica
Arum, Bog = Calla palustris
Arum, Dragon = Dracunculus vulgaris
Arum, Green Arrow = Peltandra virginica
Arum, Italian = Arum italicum
Arum, Pink = Zantedeschia rehmannii
Arum, Spotted = Zantedeschia albomaculata
Arum, Umbrella = Amorphophallus konjac
Arum, Water = Calla palustris
Arum, White Arrow = Peltandra sagittifolia
Asarabacca = Asarum europaeum
Ash, Afghan = Fraxinus xanthoxyloides
Ash, American = Fraxinus americana
Ash, Bitter = Euonymus atropurpureus, Picrasma excelsa
Ash, Black = Fraxinus nigra
Ash, Blue = Fraxinus quadrangulata
Ash, Blueberry = Elaeocarpus cyaneus
Ash, Chinese = Fraxinus chinensis
Ash, Chinese Flowering = Fraxinus sieboldiana
Ash, Common = Fraxinus excelsior
Ash, European = Fraxinus excelsior
Ash, Flowering = Fraxinus ornus
Ash, Gully = Eucalyptus smithii
Ash, Japanese = Fraxinus longicuspis
Ash, Manna = Fraxinus ornus
Ash, Narrow Leaved = Fraxinus angustifolia
Ash, Northern = Fraxinus bungeana
Ash, Oregon = Fraxinus latifolia
Ash, Red = Fraxinus pennsylvanica
Ash, Siebold = Fraxinus sieboldiana
Ash, Single Leaf = Fraxinus anomala
Ash, Stinking = Ptelea trifoliata
Ash, Utah = Fraxinus anomala
Asparagus, Basket = Asparagus crispus, Asparagus scandens
Asparagus, Bath = Ornithogalum narbonense
Asparagus, Lucid = Asparagus lucidus
Asparagus, Sickle Thorn = Asparagus falcatus
Asparagus, Smilax = Asparagus asparagoides
Asparagus, Wild = Asparagus officinalis
Aspen = Populus tremula, Populus tremuloides
Aspen, American = Populus tremuloides
Aspen, Big Tooth = Populus grandidentata
Aspen, Quaking = Populus tremuloides
Asphodel = Asphodelus albus
Asphodel, Alpine = Tofieldia calyculata
Asphodel, Bog = Narthecium ossifragum
Asphodel, German = Tofieldia calyculata
Asphodel, Scotch False = Tofieldia pusilla
Asphodel, Scottish = Tofieldia pusilla
Asphodel, Yellow = Asphodeline lutea
Aspidistra = Aspidistra elatior
Aster = Aster × frikartii
Aster, Alpine = Aster alpigenus, Aster alpinus
Aster, Arctic = Aster sibiricus
Aster, Beach = Erigeron glaucus
Aster, Bigleaf = Aster macrophyllus
Aster, Bushy = Aster dumosus
Aster, China = Callistephus chinensis
Aster, Common Blue Wood = Aster cordifolius
Aster, Hairy False Golden = Heterotheca villosa
Aster, Italian = Aster amellus
Aster, Lindley's = Aster ciliolatus
Aster, Mexican = Cosmos bipinnatus

Aster, Mongolia = Kalimeris mongolica
Aster, New England = Aster novae-angliae
Aster, Rice Button = Aster dumosus
Aster, Sea = Aster tripolium
Aster, Short's = Aster shortii
Aster, Shrub = Felicia fruticosa
Aster, Shrubby = Aster albescens
Aster, Smooth = Aster laevis
Aster, Starved = Aster lateriflorus
Aster, Stoke's = Stokesia laevis
Aster, Tartarian = Aster tataricus
Aster, Tundra = Aster alpigenus
Aster, Umbelled = Aster umbellatus
Aster, White Heath = Aster ericoides
Aster, White Oldfield = Aster pilosus
Aster, White Wood = Aster divaricatus
Astilbe, Chinese = Astilbe chinensis
Astilbe, Japanese = Astilbe japonica
Astilbe, Korean = Astilbe koreana
Astilbe, Thunberg's = Astilbe thunbergii
Astrantia = Astrantia major
Athamanta = Athamanta cretensis
Aubergine = Solanum melongena
Aucuba = Aucuba japonica
Auricula = Primula auricula
Auricula, Garden = Primula auricula
Australian Flycatcher Plant = Cephalotus follicularis
Avens = Geum coccineum
Avens, Alpine = Geum montanum
Avens, Creeping = Geum reptans
Avens, Mountain = Dryas octopetala
Avens, Water = Geum rivale
Avens, Wood = Geum urbanum
Avens, Yellow Mountain = Dryas drummondii
Avocado = Persea americana
Avocado, Wild = Persea schiedeana
Azalea = Rhododendron fastigiatum, Rhododendron molle
Azalea, Alabama = Rhododendron alabamense
Azalea, Alpine = Loiseleuria procumbens
Azalea, Chinese = Rhododendron molle
Azalea, Cork = Rhododendron quinquefolium
Azalea, Cumberland = Rhododendron calendulaceum
Azalea, Desert = Adenium obesum
Azalea, Dwarf = Rhododendron atlanticum
Azalea, Early = Rhododendron prinophyllum
Azalea, False = Menziesia ferruginea
Azalea, Flame = Rhododendron calendulaceum
Azalea, Indian = Rhododendron simsii
Azalea, Japanese = Rhododendron indicum
Azalea, Mountain = Loiseleuria procumbens
Azalea, Pink = Rhododendron periclymenoides
Azalea, Pinkshell = Rhododendron vaseyi
Azalea, Smooth = Rhododendron arborescens
Azalea, Swamp = Rhododendron viscosum
Azalea, Sweet = Rhododendron arborescens
Azalea, Western = Rhododendron occidentale
Azalea, Yellow = Rhododendron calendulaceum
Azara, Boxleaf = Azara microphylla
Azarole = Crataegus azarolus
Baboon Flower = Babiana stricta
Babul = Acacia nilotica
Baby Blue Eyes = Nemophila menziesii
Baby Rubber Plant = Peperomia obtusifolia
Baby Tears = Bacopa monnieri
Baby's Breath = Gypsophila paniculata
Baby's Breath, False = Galium mollugo
Baby's Tears = Hypoestes phyllostachya, Soleirolia soleirolii
Babystars, False = Linanthus androsaceus
Baccaurea = Baccaurea motleyana
Backbone, Devil's = Pedilanthus tithymaloides
Badger's Bane = Aconitum lycoctonum
Bael Tree = Aegle marmelos
Bajang = Intsia bijuga
Balance, Red = Ixora chinensis
Baldmoney = Meum athamanticum
Balisier = Heliconia bihai
Balloon Flower = Platycodon grandiflorus
Ballota = Ballota nigra
Balm of Gilead = Abies balsamea, Cedronella canariensis, Commiphora opobalsamum
Balm, Bastard = Melittis melissophyllum
Balm, Bee = Melissa officinalis, Monarda didyma, Monarda fistulosa
Balm, Lemon = Melissa officinalis
Balm, Spotted Bee = Monarda punctata
Balsa Tree = Ochroma pyramidale
Balsam = Impatiens balsamina, Impatiens capensis, Impatiens sodenii
Balsam, Gurjun = Dipterocarpus turbinatus
Balsam, Himalayan = Impatiens glandulifera
Balsam, Orange = Impatiens capensis
Balsam, Small = Impatiens parviflora
Bamboo = Bambusa bambos
Bamboo, Arrow = Pseudosasa japonica

Bamboo, Black = Phyllostachys nigra
Bamboo, Buddha's Belly = Bambusa ventricosa
Bamboo, Common = Bambusa vulgaris
Bamboo, Fishpole = Phyllostachys aurea
Bamboo, Fountain = Fargesia nitida
Bamboo, Giant Timber = Phyllostachys bambusoides
Bamboo, Golden = Phyllostachys aurea
Bamboo, Heavenly = Nandina domestica
Bamboo, Hedge = Bambusa multiplex
Bamboo, Himalayan = Yushania anceps
Bamboo, Japanese Timber = Phyllostachys bambusoides
Bamboo, Marbled = Chimonobambusa marmorea
Bamboo, Mexican Weeping = Otatea acuminata
Bamboo, Muriel = Fargesia murieliae
Bamboo, Narihira = Semiarundinaria fastuosa
Bamboo, Palmate = Sasa palmata
Bamboo, Sacred = Nandina domestica
Bamboo, Simon = Pleioblastus simonii
Bamboo, Whitestripe = Pleioblastus variegatus
Bamboo, Yellow Groove = Phyllostachys aureosulcata
Bamboo, Zigzag = Phyllostachys flexuosa
Banana = Musa acuminata, Musa basjoo, Musa × paradisiaca
Banana, Abyssinian = Ensete ventricosum
Banana, Edible = Musa × paradisiaca
Banana, Japanese = Musa basjoo
Banana, Scarlet = Musa uranoscopos
Banana, Wild = Strelitzia nicolai
Bananashrub = Michelia figo
Baneberry = Actaea spicata
Baneberry, Red = Actaea rubra
Baneberry, White = Actaea pachypoda
Bangalay = Eucalyptus botryoides
Banksia, Bull = Banksia grandis
Banksia, Coast = Banksia integrifolia
Banksia, Scarlet = Banksia coccinea
Banyan Tree = Ficus benghalensis
Banyan, Australian = Ficus macrophylla
Banyan, Chinese = Ficus microcarpa
Baobab = Adansonia digitata
Barbados Pride = Caesalpinia pulcherrima
Barberry, Allegheny = Berberis canadensis
Barberry, Common = Berberis vulgaris
Barberry, Darwin = Berberis darwinii
Barberry, Magellan = Berberis buxifolia
Barberry, Purple-Leaf = Berberis thunbergii
Barberry, Rosemary = Berberis × stenophylla
Barberry, Warty = Berberis verruculosa
Barberry, Wilson's = Berberis wilsoniae
Barberry, Wintergreen = Berberis julianae
Bark, Cassia = Cinnamomum aromaticum
Bark, Cramp = Viburnum sargentii
Bark, Fever = Alstonia constricta
Bark, Jamaica = Quassia amara
Bark, Peruvian = Cinchona officinalis
Bark, Rope = Dirca palustris
Bark, Soap = Quillaja saponaria
Bark, Winter's = Drimys winteri
Barktree = Murraya paniculata
Barley = Hordeum vulgare
Barley, Foxtail = Hordeum jubatum
Barrenwort, American = Vancouveria hexandra
Barringtonia = Barringtonia asiatica
Barry, Rehana = Lallemantia royleana
Basil = Ocimum basilicum
Basil, American = Ocimum americanum
Basswood, American = Tilia americana
Basswood, White = Tilia heterophylla
Bat Flower = Tacca chantrieri
Bat Plant = Tacca integrifolia
Batchelor's Buttons = Ranunculus aconitifolius
Bay = Laurus nobilis
Bay Tree = Laurus nobilis
Bay, Bull = Magnolia grandiflora
Bay, Loblolly = Gordonia lasianthus
Bay, Sweet = Laurus nobilis, Magnolia virginiana
Bayberry = Myrica pensylvanica
Bayberry, Northern = Myrica pensylvanica
Bayonet Plant = Aciphylla squarrosa
Bayonette = Furcraea hexapetala
Bayrum Tree = Pimenta racemosa
Bead Plant = Nertera granadensis
Bead Tree = Adenanthera pavonina, Melia azedarach
Beam, Yam = Pachyrhizus erosus
Bean = Phaseolus vulgaris
Bean, Adzuki = Vigna angularis
Bean, Asparagus = Vigna unguiculata
Bean, Black = Kennedia nigricans
Bean, Blue = Lupinus perennis
Bean, Broad = Vicia faba
Bean, Butter = Phaseolus lunatus
Bean, Calabar = Physostigma venenosum
Bean, Chopper = Canavalia gladiata
Bean, Fish Poison = Tephrosia vogelii
Bean, French = Phaseolus vulgaris
Bean, Green = Phaseolus vulgaris
Bean, Hyacinth = Lablab purpureus

Bean, Ice Cream = Inga edulis, Inga feuillei
Bean, Ignatius = Strychnos ignatii
Bean, Jack = Canavalia ensiformis
Bean, Kidney = Phaseolus vulgaris
Bean, Lima = Phaseolus lunatus
Bean, Mat = Vigna aconitifolia
Bean, Moth = Vigna aconitifolia
Bean, Potato = Apios americana, Pachyrhizus tuberosus
Bean, Runner = Phaseolus coccineus
Bean, Soya = Glycine max
Bean, Tonka = Dipteryx odorata
Bean, Wild = Phaseolus acutifolius
Bean, Winged = Psophocarpus tetragonolobus
Bean, Yardlong = Vigna unguiculata subsp. sesquipedalis
Bear's Breeches = Acanthus ilicifolius, Acanthus mollis
Bearberry = Arctostaphylos uva-ursi
Bearberry, Alpine = Arctostaphylos alpina
Bearberry, Black = Arctostaphylos alpina
Beard Tongue = Penstemon barbatus, Penstemon gentianoides
Beardtongue, Hairy = Penstemon laevigatus
Bearwort = Meum athamanticum
Beauty Bush = Kolkwitzia amabilis
Beauty, California = Fremontodendron californicum, Fremontodendron mexicanum
Beauty, Meadow = Rhexia virginica
Beauty, Rock = Petrocallis pyrenaica
Beauty, Spring = Claytonia virginica, Montia sibirica
Beautyberry = Callicarpa bodinieri, Callicarpa dichotoma
Beaver Tail = Sedum morganianum
Bed, Granny Pop Out Of = Calystegia sepium
Bedstraw, Lady's = Galium verum
Bedstraw, Yellow = Galium verum
Beeblossom, Scarlet = Gaura coccinea
Beech = Fagus sylvatica
Beech, American = Fagus grandifolia
Beech, Antarctic = Nothofagus antarctica
Beech, Common = Fagus sylvatica
Beech, European = Fagus sylvatica
Beech, Oriental = Fagus orientalis
Beech, Rauli = Nothofagus procera
Beech, Roble = Nothofagus obliqua
Beef Wood = Manilkara bidentata
Beefsteak Plant = Acalypha wilkesiana, Iresine herbstii, Perilla frutescens
Beet, Sugar = Beta vulgaris
Beetleweed = Galax urceolata
Beetroot = Beta vulgaris
Begonia, Angelwing = Begonia coccinea
Begonia, Bedding = Begonia Semperflorens-Grp., Begonia cucullata var. hookeri
Begonia, Castor Oil = Begonia × ricinifolia
Begonia, Elephant's Ear = Begonia scharffii
Begonia, Evans = Begonia grandis subsp. evansiana
Begonia, Fern-leaved = Begonia foliosa
Begonia, Fibrous Rooted = Begonia cucullata var. hookeri
Begonia, Hardy = Begonia grandis
Begonia, Hollyhock = Begonia gracilis
Begonia, Iron Cross = Begonia masoniana
Begonia, Kidney = Begonia × erythrophylla
Begonia, Maple Leaf = Begonia dregei
Begonia, Metallic Leaf = Begonia metallica
Begonia, Palm Leaf = Begonia luxurians
Begonia, Rex = Begonia rex
Begonia, Tuberous = Begonia Tuberhybrida-Grp.
Begonia, Wax = Begonia Semperflorens-Grp.
Bell, Mondurup = Darwinia macrostegia
Bell, Spring = Olsynium douglasii
Bell, Tasmanian Christmas = Blandfordia punicea
Belladonna, Russian = Scopolia carniolica
Bellflower = Campanula excisa
Bellflower, Alpine = Campanula alpina
Bellflower, Bearded = Campanula barbata
Bellflower, Canary Island = Canarina canariensis
Bellflower, Chilean = Lapageria rosea
Bellflower, Chimney = Campanula pyramidalis
Bellflower, Clustered = Campanula glomerata
Bellflower, Creeping = Campanula rapunculoides
Bellflower, Giant = Adenophora triphylla, Ostrowskia magnifica
Bellflower, Greater = Campanula latifolia
Bellflower, Italian = Campanula isophylla
Bellflower, Ivy Leaved = Wahlenbergia hederacea
Bellflower, Mount Cenis = Campanula cenisia
Bellflower, Nettle-Leaved = Campanula trachelium
Bellflower, Peach Leaved = Campanula persicifolia
Bellflower, Pyrenean = Campanula speciosa
Bellflower, Rampion = Campanula

rapunculus
Bellflower, Spreading = Campanula patula
Bellflower, Yellow = Campanula thyrsoides
Bells-of-Ireland = Moluccella laevis
Bells, Beach = Kalanchoe laciniata
Bells, Cathedral = Bryophyllum pinnatum
Bells, Chiming = Mertensia ciliata
Bells, Merry = Uvularia grandiflora, Uvularia perfoliata, Uvularia sessilifolia
Bells, Oconee = Shortia galacifolia
Bells, Temple = Smithiantha zebrina
Bells, Yellow = Tecoma stans
Belvedere = Bassia scoparia
Benjamin Bush = Lindera benzoin
Benjamin, Stinking = Trillium erectum
Bennet, Herb = Geum urbanum
Bent, Black = Agrostis gigantea
Bent, Bristle = Agrostis curtisii
Bent, Common = Agrostis capillaris
Bent, Creeping = Agrostis stolonifera
Bent, Loose Silky = Apera spica-venti
Bent, Spreading = Agrostis stolonifera
Bentan = Cerbera manghas
Benzoin = Styrax benzoides, Styrax benzoin
Berberis, Mount Morrison = Berberis morrisonensis
Bergamot = Monarda didyma, Monarda fistulosa, Monarda punctata
Bergenia, Heart-leaf = Bergenia cordifolia
Bergenia, Winter-blooming = Bergenia crassifolia
Betel = Piper betle
Betony = Betonica officinalis
Betony, Water = Scrophularia auriculata
Betony, Wood = Betonica officinalis
Bicknell's Thorn = Crataegus chrysocarpa
Bidi Bidi = Acaena anserinifolia, Acaena splendens
Bilberry = Vaccinium myrtillus
Bilberry, Bog = Vaccinium uliginosum
Bilimbi = Averrhoa bilimbi
Bill, Parrot's = Clianthus puniceus
Bills, Mosquito = Dodecatheon hendersonii
Bindweed = Calystegia sepium, Convolvulus arvensis
Bindweed, Black = Fallopia convolvulus
Bindweed, Field = Convolvulus arvensis
Bindweed, Rough = Smilax aspera
Bindweed, Sea = Calystegia soldanella
Bintaru = Cerbera manghas
Biophytum = Biophytum sensitivum
Birch = Betula pendula
Birch, American Dwarf = Betula pumila
Birch, Asian Black = Betula davurica
Birch, Black = Betula lenta, Betula nigra
Birch, Canoe = Betula papyrifera
Birch, Cherry = Betula lenta
Birch, Chinese Red = Betula albosinensis
Birch, Costata = Betula costata
Birch, Downy = Betula pubescens
Birch, Dwarf = Betula nana
Birch, Erman's = Betula ermanii
Birch, European White = Betula pendula
Birch, Grey = Betula populifolia
Birch, Himalayan = Betula utilis
Birch, Jacquemont's = Betula utilis var. jacquemontii
Birch, Japanese White = Betula platyphylla
Birch, Monarch = Betula maximowicziana
Birch, Paper = Betula papyrifera
Birch, Red = Betula nigra
Birch, River = Betula nigra
Birch, Russian Rock = Betula ermanii
Birch, Silver = Betula pendula
Birch, Sweet = Betula lenta
Birch, Transcaucasian = Betula medwediewii
Birch, West Indian = Bursera simaruba
Birch, White = Betula papyrifera, Betula pubescens
Birch, White Barked Himalayan = Betula utilis var. jacquemontii
Birch, Yellow = Betula alleghaniensis
Bird Catcher Tree = Pisonia umbellifera
Bird Cherry = Prunus pensylvanica
Bird Cherry, Himalayan = Prunus cornuta
Bird Cherry, Virginian = Prunus virginiana
Bird-of-Paradise = Strelitzia reginae
Bird-of-Paradise Flower = Caesalpinia gilliesii
Bird's Eye = Veronica chamaedrys
Bird's Eye Bush = Ochna serrulata
Bird's Eyes = Gilia tricolor
Bird's Foot, Cultivated = Ornithopus sativus
Birthwort = Aristolochia clematitis, Aristolochia rotunda
Birthwort, Long = Aristolochia sempervirens
Bishop's Hood = Astrophytum myriostigma
Bishop's Weed = Aegopodium podagraria
Bishop's Weed, False = Ammi majus
Bishop's Wort = Betonica officinalis
Bistort = Bistorta officinalis
Bistort, Alpine = Bistorta vivipara
Bistort, Meadow = Bistorta officinalis
Bitter Root = Lewisia rediviva
Bitterbrush = Purshia tridentata
Bittercress = Barbarea vulgaris
Bittercress, Drooping = Cardamine enneaphyllos

Bittercress, Trifoliate = Cardamine trifolia
Bittersweet, American = Celastrus scandens
Bittersweet, Oriental = Celastrus orbiculatus
Bitterwood = Picrasma excelsa, Quassia amara
Black Bean Tree = Castanospermum australe
Black Cap = Rubus occidentalis
Black Jack = Berchemia scandens
Black Root = Veronicastrum virginicum
Black Wood = Dalbergia latifolia
Blackberry = Rubus frondosus, Rubus macropetalus
Blackberry, Allegheny = Rubus allegheniensis
Blackberry, Elm Leaf = Rubus ulmifolius
Blackberry, Himalaya = Rubus procerus
Blackberry, Korean = Rubus coreanus
Blackberry, Sand = Rubus cuneifolius
Blackberry, Yankee = Rubus frondosus
Blackcurrant = Ribes nigrum
Blackcurrant, American = Ribes americanum
Blackthorn = Prunus spinosa
Blackwood = Acacia melanoxylon
Bladdernut = Staphylea pinnata, Staphylea trifolia
Bladdernut, American = Staphylea trifolia
Bladdernut, Chinese = Staphylea holocarpa
Bladdernut, European = Staphylea pinnata
Bladdernut, Sierran = Staphylea bolanderi
Bladderwort, Common = Utricularia vulgaris
Bladderwort, Greater = Utricularia vulgaris
Bladderwort, Humped = Utricularia gibba
Bladderwort, Lesser = Utricularia minor
Blaeberry = Vaccinium myrtillus
Blanket Flower, Great = Gaillardia aristata
Blazing Star = Liatris scariosa, Mentzelia lindleyi
Blazing Star, Prairie = Liatris pycnostachya
Bleeding Heart = Dicentra spectabilis
Bletia = Bletia purpurea
Bletilla = Bletilla striata
Blite, Shrubby Sea = Suaeda vera
Blite, Strawberry = Chenopodium capitatum
Blood Berry = Rivina humilis
Blood Flower = Scadoxus multiflorus
Blood Leaf = Iresine herbstii
Bloodflower = Asclepias curassavica
Bloodroot = Potentilla erecta, Sanguinaria canadensis
Bloodwood Tree = Haematoxylum campechianum
Blossom, Mexican Orange = Choisya ternata
Blue Beard = Caryopteris × clandonensis
Blue Eyed Mary = Omphalodes verna
Blue Star = Amsonia tabernaemontana
Blue Stem = Schizachyrium scoparium
Bluebead = Clintonia borealis
Bluebeard = Salvia viridis
Bluebell = Hyacinthoides non-scripta, Mertensia virginica
Bluebell Creeper = Sollya heterophylla
Bluebell, California = Nemophila menziesii, Phacelia campanularia, Phacelia minor
Bluebell, Cape = Wahlenbergia capensis
Bluebell, Mountain = Mertensia ciliata
Bluebell, Spanish = Hyacinthoides hispanica
Bluebell, Texas = Eustoma grandiflorum
Bluebells, Desert = Phacelia campanularia
Bluebells, Prairie = Mertensia lanceolata
Bluebells, Tall = Mertensia paniculata
Bluebells, Virginia = Mertensia virginica
Blueberry = Billardiera longiflora, Vaccinium angustifolium, Vaccinium corymbosum
Blueberry Climber = Ampelopsis brevipedunculata
Blueberry, Canada = Vaccinium myrtilloides
Blueberry, Dwarf = Vaccinium cespitosum
Blueberry, High Bush = Vaccinium corymbosum
Blueberry, Lowbush = Vaccinium angustifolium
Bluemink = Ageratum houstonianum
Bluets = Houstonia caerulea
Bluets, Creeping = Houstonia serpyllifolia
Bluewings = Torenia fournieri
Bogbean = Menyanthes trifoliata
Boldo = Peumus boldus
Boltonia = Boltonia asteroides
Bombax = Bombax ceiba
Bon Dieu Soleil = Callisia repens
Bonavist = Lablab purpureus
Bone Plant = Vanda hookeriana
Boneset = Eupatorium perfoliatum
Boneset, Common = Eupatorium perfoliatum
Borage = Borago officinalis
Borage, Dwarf = Borago pygmaea
Boronia, Brown = Boronia megastigma
Boronia, Pink = Boronia elatior
Boronia, Scented = Boronia megastigma
Boronia, Tall = Boronia elatior
Bottle Tree, Queensland = Brachychiton rupestris

Bottlebrush, Albany = Callistemon speciosus
Bottlebrush, Crimson = Callistemon citrinus
Bougainvillea = Bougainvillea glabra
Bouvardia = Bouvardia ternifolia
Bower Plant = Pandorea jasminoides
Bowman's Root = Gillenia trifoliata
Box Elder = Acer negundo
Box Thorn = Lycium barbarum
Box, Balearic = Buxus balearica
Box, Common = Buxus sempervirens
Box, Marmalade = Genipa americana
Box, Sweet = Sarcococca hookeriana
Box, Victoria = Pittosporum undulatum
Boxwood = Buxus sempervirens
Boxwood, African = Myrsine africana
Boxwood, Japanese = Buxus microphylla
Boxwood, Korean = Buxus microphylla
Boxwood, Oregon = Paxistima myrsinites
Boykinia = Boykinia jamesii
Bracken = Pteridium aquilinum
Brake, Australian = Pteris tremula
Brake, Cretan = Pteris cretica
Brake, Green Cliff = Pellaea viridis
Brake, Ladder = Pteris vittata
Brake, Purple Cliff = Pellaea atropurpurea
Brake, Slender = Pteris ensiformis
Brake, Sword = Pteris ensiformis
Brake, Trembling = Pteris tremula
Bramble, Arctic = Rubus arcticus
Bramble, Cut Leaved = Rubus laciniatus
Brandy Bottle = Nuphar lutea
Brazil Wood = Caesalpinia echinata
Brazilnut = Bertholletia excelsa
Breadfruit = Artocarpus altilis
Breadnut = Brosimum alicastrum
Breakstone = Aphanes arvensis
Breath of Heaven = Adenandra fragrans
Breath of Heaven, White = Coleonema album
Briar = Erica arborea
Briar, Austrian = Rosa foetida
Briar, Common = Rosa canina
Briar, Field = Rosa agrestis
Briar, Green = Smilax rotundifolia
Briar, Horse = Smilax rotundifolia
Briar, Scotch = Rosa spinosissima
Briar, Sweet = Rosa rubiginosa
Bridal Bouquet = Porana paniculata
Bride's Bonnet = Clintonia uniflora
Bridewort = Spiraea salicifolia
Brier, Saw = Smilax glauca
Broadleaf = Griselinia littoralis
Brodiaea = Brodiaea coronaria
Brodiaea, Bridge's = Triteleia bridgesii
Broken Pot = Ixora chinensis
Brome, Barren = Bromus sterilis
Brome, Compact = Bromus madritensis
Brome, Drooping = Bromus tectorum
Brome, False = Brachypodium sylvaticum
Brome, Field = Bromus arvensis
Brome, Fox Tail = Bromus rubens
Brome, Hairy = Bromus ramosus
Brome, Hungarian = Bromus inermis
Brome, Japanese = Bromus japonicus
Brome, Poverty = Bromus sterilis
Brome, Rescue = Bromus catharticus
Brome, Rye = Bromus secalinus
Brome, Smooth = Bromus inermis
Brome, Soft = Bromus hordeaceus
Brome, Upright = Bromus erectus
Bromeliad, Blushing = Neoregelia carolinae, Nidularium fulgens
Bromeliads, King of = Vriesea hieroglyphica
Brooklime = Veronica beccabunga
Broom = Cytisus purgans, Cytisus scoparius
Broom, Arrow = Chamaespartium sagittale
Broom, Black = Cytisus nigricans
Broom, Blue = Erinacea anthyllis
Broom, Clustered = Chamaecytisus supinus
Broom, Common = Cytisus scoparius
Broom, Dalmatian = Genista sylvestris
Broom, Dyer's = Genista tinctoria
Broom, Genoa = Genista januensis
Broom, Lydia = Genista lydia
Broom, Montpelier = Genista monspessulana
Broom, Moroccan = Argyrocytisus battandieri
Broom, Mount Etna = Genista aetnensis
Broom, Pineapple = Argyrocytisus battandieri
Broom, Prostrate = Genista pilosa
Broom, Purple = Chamaecytisus purpureus, Polygala virgata
Broom, Scotch = Cytisus scoparius
Broom, Spanish = Spartium junceum
Broom, Warminster = Cytisus × praecox
Broom, White = Retama monosperma
Broom, White Spanish = Cytisus multiflorus
Broom, Winged = Chamaespartium sagittale
Broomrape = Orobanche alba
Broomrape, Hemp = Orobanche ramosa
Broomrape, Indian = Aeginetia indica
Broomrape, Ivy = Orobanche hederae
Broomrape, Purple = Orobanche purpurea
Broomrape, Slender = Orobanche gracilis
Broomrape, Thyme = Orobanche alba

Brunnera = Brunnera macrophylla
Brush, Antelope = Purshia tridentata
Brush, Weeping Bottle = Callistemon viminalis
Bryony = Bryonia alba, Tamus communis
Bryony, Black = Tamus communis
Bryony, Cretan = Bryonia cretica
Bryony, White = Bryonia cretica subsp. dioica
Buchu = Agathosma crenulata
Buchu, Round = Agathosma betulina
Buckbrush = Ceanothus fendleri
Buckeye, Dwarf = Aesculus parviflora
Buckeye, Mexican = Ungnadia speciosa
Buckeye, Ohio = Aesculus glabra
Buckeye, Red = Aesculus pavia
Buckeye, Spanish = Ungnadia speciosa
Buckeye, Sweet = Aesculus flava
Buckeye, Yellow = Aesculus flava
Bucknut = Simmondsia chinensis
Buckthorn = Frangula alnus, Rhamnus catharticus
Buckthorn, Alder = Frangula alnus
Buckthorn, Cascara = Frangula purshiana
Buckthorn, Italian = Rhamnus alaternus
Buckthorn, Stony = Rhamnus saxatilis
Buckwheat = Eriogonum jamesii, Fagopyrum esculentum
Buckwheat, Alpine Golden Wild = Eriogonum flavum
Buckwheat, Crisp Leaf Wild = Eriogonum corymbosum
Buckwheat, Tatary = Fagopyrum tataricum
Buddleia, Fountain = Buddleja alternifolia
Buffalo Berry = Shepherdia canadensis
Buffalo Ear = Blumea balsamifera
Bugbane = Cimicifuga dahurica
Bugbane, American = Cimicifuga americana
Bugbane, Kamchatka = Cimicifuga simplex
Bugle = Ajuga reptans
Bugle, Blue = Ajuga genevensis
Bugle, Pyramid = Ajuga pyramidalis
Bugle, Upright = Ajuga genevensis
Bugle, Yellow = Ajuga chamaepitys
Bugleweed = Lycopus virginicus
Bugloss = Echium plantagineum
Bugloss, Siberian = Brunnera macrophylla
Bulbocodium = Narcissus bulbocodium
Bullock Bush = Templetonia retusa
Bullock's Heart = Annona reticulata
Bulrush = Schoenoplectus lacustris, Typha latifolia
Bulrush, Lesser = Typha angustifolia, Typha minima
Bulrush, Low = Scirpus cernuus
Bulrush, Tufted = Trichophorum cespitosum
Bunch Berry = Cornus canadensis
Bunchflower = Melanthium virginicum
Bur, Buffalo = Solanum rostratum
Burdock, Common = Arctium minus
Burdock, Great = Arctium lappa
Burdock, Hairy = Arctium tomentosum
Burdock, Lesser = Arctium minus
Burnet = Sanguisorba minor, Sanguisorba officinalis
Burnet Saxifrage = Pimpinella saxifraga
Burnet Saxifrage, Greater = Pimpinella major
Burnet Saxifrage, Lesser = Pimpinella saxifraga
Burnet, Great = Sanguisorba officinalis
Burnet, Small = Sanguisorba minor
Burning Bush = Bassia scoparia, Dictamnus albus, Euonymus atropurpureus, Pyracantha coccinea
Burr = Lappula squarrosa
Burr, New Zealand = Acaena microphylla
Burrawang = Macrozamia communis
Burrhead, Creeping = Echinodorus cordifolius
Butcher's Broom = Ruscus aculeatus, Ruscus hypoglossum, Ruscus hypophyllum
Butcher's Broom, Climbing = Semele androgyna
Butt, Black = Eucalyptus pilularis
Butter-and-Eggs = Linaria vulgaris
Butter, Mowra = Madhuca longifolia
Butterbur = Petasites hybridus, Petasites japonicus
Butterbur, White = Petasites albus
Buttercup = Ranunculus acris, Ranunculus bulbosus
Buttercup, Alpine = Ranunculus alpestris
Buttercup, Bermuda = Oxalis pes-caprae
Buttercup, Bulbous = Ranunculus bulbosus
Buttercup, Colombia = Oncidium cheirophorum
Buttercup, Corn = Ranunculus arvensis
Buttercup, Creeping = Ranunculus repens
Buttercup, Meadow = Ranunculus acris
Buttercup, Pyrenean = Ranunculus pyrenaeus
Buttercup, Water = Ranunculus aquatilis
Buttercup, White = Ranunculus amplexicaulis
Butterfly Bush = Buddleja davidii
Butterfly Weed = Asclepias tuberosa

Butternut = Juglans cinerea
Butterwort = Pinguicula grandiflora, Pinguicula vulgaris, Sanicula europaea
Butterwort, Common = Pinguicula vulgaris
Butterwort, Greater = Pinguicula grandiflora
Butterwort, Hairy = Pinguicula villosa
Button Bush = Cephalanthus occidentalis
Button Tree = Platanus occidentalis
Buttons, Blue = Knautia arvensis
Buttons, New Zealand Brass = Leptinella squalida
Buttonsnake Root = Eryngium yuccifolium
Cabbage Tree = Andira inermis, Cussonia paniculata
Cabbage Tree, Brown = Pisonia grandis
Cabbage, Chinese White = Brassica rapa Chinensis-Grp.
Cabbage, Hare's Ear = Conringia orientalis
Cabbage, Wild = Brassica oleracea
Cacao = Theobroma cacao
Cacao, Madre de = Gliricidia sepium
Cactus, Barrel = Echinocactus grusonii
Cactus, Baseball = Euphorbia obesa
Cactus, Bishop's Cap = Astrophytum myriostigma
Cactus, Cane = Opuntia cylindrica
Cactus, Cat Claw = Sclerocactus uncinatus
Cactus, Chin = Gymnocalycium quehlianum
Cactus, Cochineal = Opuntia cochenillifera
Cactus, Compass Barrel = Ferocactus cylindraceus
Cactus, Corncob = Euphorbia mammillaris
Cactus, Cotton Ball = Espostoa lanata
Cactus, Cottontop = Echinocactus polycephalus
Cactus, Dahlia = Wilcoxia poselgeri
Cactus, Dumpling = Lophophora williamsii
Cactus, Easter = Rhipsalidopsis gaertneri
Cactus, Feather = Mammillaria plumosa
Cactus, Giant = Carnegiea gigantea
Cactus, Goat's Horn = Astrophytum capricorne
Cactus, Hedgehog = Echinocereus fendleri, Echinocereus pectinatus
Cactus, King Cup = Echinocereus triglochidiatus
Cactus, Lady Finger = Echinocereus pentalophus
Cactus, Lamb's Tail = Wilcoxia schmollii
Cactus, Nylon Hedgehog = Echinocereus viridiflorus
Cactus, Old Man = Cephalocereus senilis
Cactus, Organ Pipe = Stenocereus marginatus
Cactus, Organpipe = Stenocereus thurberi
Cactus, Pencil = Wilcoxia poselgeri
Cactus, Peruvian = Cereus peruvianus
Cactus, Plains = Pediocactus simpsonii
Cactus, Powder Puff = Mammillaria bocasana
Cactus, Rainbow = Echinocereus pectinatus
Cactus, Rat's Tail = Aporocactus flagelliformis
Cactus, Saints = Echinocereus engelmannii
Cactus, Scarlet Ball = Notocactus haselbergii
Cactus, Scarlet Hedgehog = Echinocereus triglochidiatus var. melanacanthus
Cactus, Silver Dollar = Astrophytum asterias
Cactus, Small Barrel = Ferocactus viridescens
Cactus, Spider = Gymnocalycium denudatum
Cactus, Star = Astrophytum ornatum
Cactus, Strawberry = Echinocereus enneacanthus, Thelocactus setispinus
Cactus, Sun = Heliocereus speciosus
Cactus, Sweetpotato = Peniocereus greggii
Cactus, Texas Rainbow = Echinocereus pectinatus var. dasyacanthus
Cactus, Toothpick = Stetsonia coryne
Cactus, White Torch = Trichocereus spachianus
Caesarweed = Urena lobata
Calabar = Physostigma venenosum
Calabash Tree = Crescentia cujete
Calabash, Sweet = Passiflora maliformis
Calamint, Alpine = Acinos alpinus
Calamint, Common = Calamintha nepeta subsp. glandulosa
Calamint, Lesser = Calamintha nepeta
Calamus = Acorus calamus
Calico Bush = Kalmia latifolia
Calico Flower = Aristolochia littoralis
Calico Flower, Blue = Downingia elegans
Calico Hearts = Adromischus maculatus
California Creamcups = Platystemon californicus
Calla Lily = Zantedeschia aethiopica
Calla, Black = Arum palaestinum
Calla, Golden = Zantedeschia elliottiana
Calla, Pink = Zantedeschia rehmannii
Calotropis = Calotropis gigantea, Calotropis procera
Caltrop, Water = Potamogeton crispus
Calumba Root = Jateorhiza palmata
Calypso = Calypso bulbosa
Camas, Cusick's = Camassia cusickii
Camas, Death = Zigadenus elegans

Camas, Leichtlin's = Camassia leichtlinii
Camel Thorn = Alhagi pseudalhagi
Camellia, Mountain = Stewartia ovata
Camomile = Chamaemelum nobile
Camphor Tree = Cinnamomum camphora
Camphor, Baru = Dryobalanops aromatica
Campion, Alpine = Lychnis alpina
Campion, Bladder = Silene vulgaris
Campion, Moss = Silene acaulis
Campion, Red = Silene dioica
Campion, Sea = Silene uniflora
Campion, White = Silene latifolia
Campion, Wild = Silene latifolia subsp. alba
Campsis = Campsis grandiflora
Canary Creeper = Tropaeolum peregrinum
Cancer Bush = Sutherlandia frutescens
Candelabra Tree = Araucaria angustifolia, Euphorbia candelabrum
Candle Bush = Senna didymobotrya
Candle Plant = Plectranthus oertendahlii
Candle, Our Lord's = Yucca whipplei
Candlenut = Aleurites moluccana
Candlenut Tree = Aleurites moluccana
Candlewood, American Desert = Fouquieria splendens
Candytuft, Annual = Iberis umbellata
Candytuft, Evergreen = Iberis sempervirens
Candytuft, Wild = Iberis amara
Cane, Ground Rattan = Rhapis excelsa
Canistel = Pouteria campechiana
Cankerweed = Nabalus serpentarius
Canna = Canna glauca
Cantala = Agave cantala
Canterbury Bells = Campanula medium
Cape Leadwort = Plumbago auriculata
Cape Treasure Flower = Gazania pavonia
Cape Weed = Arctotheca calendula
Caper Plant = Capparis spinosa
Capote = Xanthosoma robustum
Carambola = Averrhoa carambola
Caraway = Carum carvi
Cardamom = Elettaria cardamomum
Cardamomum = Amomum compactum
Cardinal Climber = Ipomoea quamoclit
Cardinal Flower = Lobelia cardinalis, Sinningia cardinalis
Cardinal's Guard = Pachystachys coccinea
Cardoon = Cynara cardunculus
Carex, Goldband = Carex morrowii
Caricature Plant = Graptophyllum pictum
Carnation = Dianthus caryophyllus
Carob = Ceratonia siliqua
Carpanthea = Carpanthea pomeridiana
Carpenteria = Carpenteria californica
Carrot = Daucus carota
Carrot, Candy = Athamanta cretensis, Athamanta turbith
Carry-Me Seed = Phyllanthus amarus
Cascara = Picramnia antidesma
Cascarilla = Croton eluteria
Cashew = Anacardium occidentale
Cassabanana = Sicana odorifera
Cassava = Manihot esculenta
Cassia = Cassia italica
Cassia, Purging = Cassia fistula
Cassia, Silver = Senna artemisioides
Castor Oil Plant = Ricinus communis
Cat Tail = Typha latifolia
Cat's Claw = Macfadyena unguis-cati
Cat's Foot = Antennaria dioica
Cat's Foot, Lesser = Antennaria neodioica
Cat's Tail = Phleum pratense
Cat's Tail, Red Hot = Acalypha hispida
Cat's Whiskers = Tacca chantrieri
Catalpa = Catalpa fargesii
Catalpa, Hybrid = Catalpa × erubescens
Catalpa, Manchurian = Catalpa bungei
Catalpa, Western = Catalpa speciosa
Catalpa, Yellow = Catalpa ovata
Catberry = Nemopanthus mucronatus
Catchfly = Silene armeria, Silene latifolia subsp. alba, Silene saxifraga, Silene uniflora
Catchfly, Berry = Cucubalus baccifer
Catchfly, Eastern Fringed = Silene polypetala
Catchfly, Sticky = Lychnis viscaria
Catgut = Tephrosia virginiana
Catmint = Nepeta cataria, Nepeta × faassenii
Catnip = Nepeta cataria
Cats Paw, Common = Anigozanthos humilis
Ceanothus, Santa Barbara = Ceanothus × lobbianus
Cedar of Goa = Cupressus lusitanica
Cedar-of-Lebanon = Cedrus libani
Cedar, Atlas = Cedrus atlantica
Cedar, Clanwilliam = Widdringtonia cedarbergensis
Cedar, Cyprus = Cedrus brevifolia
Cedar, Incense = Calocedrus decurrens
Cedar, Indian = Cedrus deodara
Cedar, Japanese = Cryptomeria japonica
Cedar, Milanji = Widdringtonia nodiflora
Cedar, Red = Thuja occidentalis, Thuja plicata
Cedar, Salt = Tamarix ramosissima
Cedar, Spanish = Cedrela odorata
Cedar, Western Red = Thuja plicata
Cedar, White = Chamaecyparis thyoides

Cedrela = Toona ciliata, Toona sinensis
Celandine = Ranunculus ficaria
Celandine, Greater = Chelidonium majus
Celandine, Lesser = Ranunculus ficaria
Celandine, Tree = Bocconia frutescens
Celery, Wild = Apium graveolens
Centaury = Centaurium erythraea
Centaury, Common = Centaurium erythraea
Centaury, Perennial = Centaurium scilloides
Centipede Plant = Homalocladium platycladum
Century Plant = Agave americana
Cereus = Hylocereus undatus
Cereus, Night Blooming = Peniocereus greggii, Selenicereus grandiflorus
Cereus, Senita = Lophocereus schottii
Cestrum, Orange = Cestrum aurantiacum
Cestrum, Red = Cestrum elegans
Chain Of Love = Antigonon leptopus
Chain Plant = Callisia navicularis
Chain, Golden = Laburnum anagyroides
Chain, Silver = Dendrochilum glumaceum
Chamise, Common = Adenostoma fasciculatum
Chamomile = Matricaria recutita
Chamomile, Corn = Anthemis arvensis
Chamomile, Dyer's = Anthemis tinctoria
Chamomile, False = Boltonia asteroides, Matricaria discoidea
Chamomile, German = Matricaria recutita
Chamomile, Roman = Anthemis sancti-johannis
Chamomile, Scentless = Tripleurospermum perforatum
Chamomile, Yellow = Anthemis tinctoria
Champaca = Michelia champaca
Chandelier Plant = Bryophyllum tubiflorum
Charlock = Brassica kaber, Sinapis arvensis
Chaste Tree = Vitex agnus-castus
Chayote = Sechium edule
Checkerberry = Gaultheria procumbens
Cheer, Christmas = Sedum rubrotinctum
Cheesewood, Australian = Pittosporum undulatum
Cheesewood, Stiff Leaf = Pittosporum crassifolium
Chenar = Platanus orientalis
Chengal = Hopea odorata
Cherimoya = Annona cherimola
Cherry = Prunus cerasus
Cherry Pie = Heliotropium arborescens
Cherry, American Bird = Prunus serotina
Cherry, Amur = Prunus maackii
Cherry, Autumn = Prunus subhirtella
Cherry, Barbados = Malpighia glabra, Malpighia punicifolia
Cherry, Bell Flowered = Prunus campanulata
Cherry, Birch Bark = Prunus serrula
Cherry, Black = Prunus serotina
Cherry, Brazil = Eugenia dombeyi
Cherry, Brush = Syzygium paniculatum
Cherry, Cornelian = Cornus mas
Cherry, Cow Itch = Malpighia urens
Cherry, Downy = Prunus tomentosa
Cherry, False = Prunus pseudocerasus
Cherry, Formosan = Prunus campanulata
Cherry, Fuji = Prunus incisa
Cherry, Greyleaf = Prunus canescens
Cherry, Ground = Prunus fruticosa
Cherry, Jamaica = Muntingia calabura
Cherry, Japanese Alpine = Prunus nipponica
Cherry, Japanese Cornelian = Cornus officinalis
Cherry, Mahaleb = Prunus mahaleb
Cherry, Manchurian = Prunus maackii
Cherry, Mountain = Prunus prostrata
Cherry, Nanking = Prunus tomentosa
Cherry, Oriental = Prunus serrulata
Cherry, Oriental Bush = Prunus japonica
Cherry, Oshima = Prunus speciosa
Cherry, Red = Prunus pensylvanica
Cherry, Rock = Prunus prostrata
Cherry, Rum = Prunus serotina
Cherry, Sand = Prunus pumila
Cherry, Sargent's = Prunus sargentii
Cherry, Sour = Prunus cerasus
Cherry, Spanish = Mimusops elengi
Cherry, St. Lucie = Prunus mahaleb
Cherry, Surinam = Eugenia uniflora
Cherry, Taiwan = Prunus campanulata
Cherry, Tokyo = Prunus × yedoensis
Cherry, Western Choke = Prunus virginiana
Cherry, Wild = Prunus avium
Cherry, Willow = Prunus incana
Cherry, Winter = Physalis alkekengi
Cherry, Winter Flowering = Prunus subhirtella
Chervil = Anthriscus cerefolium, Chaerophyllum temulum
Chervil, Hairy = Chaerophyllum hirsutum
Chervil, Rough = Chaerophyllum temulum
Chestnut, American = Castanea dentata
Chestnut, Chinese = Castanea mollissima
Chestnut, Earth = Bunium bulbocastanum
Chestnut, Horse = Aesculus hippocastanum
Chestnut, Japanese = Castanea crenata
Chestnut, Japanese Horse = Aesculus turbinata
Chestnut, Moreton Bay = Castanospermum

australe
Chestnut, Red Horse = Aesculus × carnea
Chestnut, Spanish = Castanea sativa
Chestnut, Sunrise Horse = Aesculus × neglecta
Chestnut, Sweet = Castanea sativa
Chestnut, Tahitian = Inocarpus fagifer
Chestnut, Water = Eleocharis dulcis, Trapa natans
Chickweed = Stellaria aquatica
Chickweed, Common = Stellaria media
Chicory = Cichorium intybus
Chihuahua Flower = Graptopetalum bellum
Chilean Fire Bush = Embothrium coccineum
Chilean Oil Plant = Madia sativa
China Berry = Melia azedarach
China Flower Leaf = Solanum erianthum
China Root = Dioscorea villosa
Chinaroot = Smilax china
Chincherinchee = Ornithogalum thyrsoides
Chinese Bush Berry = Prunus glandulosa
Chinese Evergreen = Aglaonema modestum
Chinese Hat Plant = Holmskioldia sanguinea
Chinese Jack-in-the- Pulpit = Arisaema consanguineum
Chinese Lantern Plant = Physalis alkekengi var. franchetii
Chinese Lanterns = Sandersonia aurantiaca
Chinese Silkworm Thorn = Cudrania tricuspidata
Chinese Trumpet Flower = Incarvillea delavayi
Chinkapin, Allegheny = Castanea pumila
Chinkapin, Golden = Chrysolepis chrysophylla
Chirata = Swertia chirata
Chives = Allium schoenoprasum
Chives, Chinese = Allium tuberosum
Chokeberry, Black = Aronia melanocarpa
Chokeberry, Purple = Aronia × prunifolia
Chokeberry, Red = Aronia arbutifolia
Cholla, Thistle = Opuntia tunicata
Chondrodendron = Chondrodendron tomentosum
Christmas Bell = Blandfordia cunninghamii
Christmas Pride = Ruellia macrantha
Christmas Tree = Picea abies
Christmas Tree, New Zealand = Metrosideros excelsa
Christmasberry = Photinia glabra
Chrysanthemum = Dendranthema grandiflorum
Chrysanthemum, Arctic = Arctanthemum arcticum
Chrysanthemum, Gold-and-Silver = Ajania pacifica
Chrysanthemum, Korean = Dendranthema zawadskii
Chufa = Cyperus esculentus
Chulan = Aglaia pinnata
Chulta = Dillenia indica
Cicely, Sweet = Myrrhis odorata
Cimarron = Costus spicatus
Cineraria = Pericallis cruenta
Cinita = Lophocereus schottii
Cinnamon, Ceylon = Cinnamomum zeylanicum
Cinnamon, Chinese = Cinnamomum aromaticum
Cinnamon, White = Canella winterana
Cinquefoil, Alpine = Potentilla crantzii
Cinquefoil, Creeping = Potentilla reptans
Cinquefoil, Grey = Potentilla incana
Cinquefoil, Hoary = Potentilla argentea
Cinquefoil, Marsh = Potentilla palustris
Cinquefoil, Nepal = Potentilla nepalensis
Cinquefoil, Northern = Potentilla villosa
Cinquefoil, Rock = Potentilla rupestris
Cinquefoil, Shrubby = Potentilla fruticosa
Cinquefoil, Silver Leaf = Potentilla argentea
Cinquefoil, Spring = Potentilla neumanniana
Cinquefoil, White = Potentilla alba
Cissus, Arabian Wax = Cissus rotundifolia
Cistus = Cistus incanus
Cistus, Gum = Cistus ladanifer
Cistus, Purple = Cistus × purpureus
Citrange = × Citroncirus webberi
Citronella = Cymbopogon nardus
Citronella, Java = Cymbopogon winterianus
Citrus = Citrus × nobilis
Citrus, Meyer's = Citrus junos
Clarkia = Clarkia unguiculata
Clarkia, Large-flowered = Clarkia pulchella
Clary = Salvia sclarea
Clary, Annual = Salvia viridis
Clary, Meadow = Salvia pratensis
Cleavers = Galium aparine
Clematis, Alpine = Clematis alpina
Clematis, Downy = Clematis macropetala
Clematis, Evergreen = Clematis armandii
Clematis, Fern Leaved = Clematis cirrhosa
Clematis, Orange Peel = Clematis orientalis
Clematis, Scarlet = Clematis texensis
Cleyera = Cleyera japonica
Clintonia, Speckled = Clintonia umbellulata
Clock Vine, Orange = Thunbergia gregorii
Clog Plant = Nematanthus gregarius

Clotweed = Xanthium spinosum
Cloudberry = Rubus chamaemorus
Clove = Syzygium aromaticum
Clove Root = Geum urbanum
Clove Tree = Syzygium aromaticum
Clover = Trifolium hybridum
Clover, Alpine = Trifolium alpinum
Clover, Burrowing = Trifolium subterraneum
Clover, Chinese Bush = Lespedeza cuneata
Clover, Crimson = Trifolium incarnatum
Clover, Elk = Aralia californica
Clover, Field = Trifolium arvense
Clover, Italian = Trifolium incarnatum
Clover, Lucky = Oxalis tetraphylla
Clover, Red = Trifolium pratense
Clover, Subterranean = Trifolium subterraneum
Clover, Sweet = Melilotus officinalis
Clover, White = Melilotus albus, Trifolium repens
Club Moss, Lesser = Selaginella selaginoides
Clubmoss, Fir = Huperzia selago
Clubmoss, Stiff = Lycopodium annotinum
Cluster, Egyptian Star = Pentas lanceolata
Cluster, Star = Pentas lanceolata
Coat Flower = Petrorhagia saxifraga
Cob = Corylus avellana
Coca = Erythroxylum novogranatense
Coca, Amazonian = Erythroxylum coca
Coca, Wild = Erythroxylum acuminatum
Cocklebur = Agrimonia eupatoria, Xanthium spinosum
Cockscomb = Celosia argentea var. cristata
Cocksfoot = Dactylis glomerata
Cockspur = Echinochloa crus-galli
Cockspur Thorn = Crataegus crus-galli
Cocodemer = Lodoicea maldivica
Coconut = Cocos nucifera
Coconut, Double = Lodoicea maldivica
Codiaeum = Codiaeum variegatum
Coffee, Arabian = Coffea arabica
Coffee, Liberian = Coffea liberica
Coffee, Robusta = Coffea canephora
Coffee, Wild = Polyscias guilfoylei, Psychotria acuminata, Psychotria ipecacuanha, Triosteum perfoliatum
Coigue = Nothofagus dombeyi
Cold Whisky Plant = Kolkwitzia amabilis
Coleus = Solenostemon scutellarioides
Coleus, Swamp = Cryptocoryne cordata
Colic Root = Aletris farinosa
Coltsfoot = Tussilago farfara
Coltsfoot, Alpine = Homogyne alpina
Coltsfoot, Sweet = Petasites fragrans
Columbine = Aquilegia vulgaris
Columbine, Alpine = Aquilegia alpina
Columbine, Dark = Aquilegia atrata
Columbine, Golden Spurred = Aquilegia chrysantha
Columbine, Limestone = Aquilegia jonesii
Columbine, Mancos = Aquilegia micrantha
Columbine, Red = Aquilegia canadensis
Columbine, Rocky Mountain = Aquilegia caerulea
Columbine, Western = Aquilegia formosa
Column, Golden = Trichocereus spachianus
Comfrey = Symphytum officinale, Symphytum tuberosum
Comfrey, Blue = Symphytum caucasicum
Comfrey, Common = Symphytum officinale
Comfrey, Dwarf = Symphytum grandiflorum
Comfrey, Rough = Symphytum asperum
Comfrey, Russian = Symphytum × uplandicum
Comfrey, Tuberous = Symphytum tuberosum
Comfrey, White = Symphytum orientale
Common Pearl Bush = Exochorda racemosa
Compass Plant = Silphium laciniatum
Compassplant, California = Wyethia angustifolia
Conandron = Conandron ramondioides
Cone Flower = Echinacea angustifolia, Rudbeckia fulgida
Cone Flower, Purple = Echinacea purpurea
Coneflower, Cutleaf = Rudbeckia laciniata
Coneflower, Shiny = Rudbeckia nitida
Consumptive's Weed = Eriodictyon californicum
Contrahierba = Dorstenia contrajerva
Convolvulus = Convolvulus scoparius
Convolvulus, Mauritanian = Ipomoea mauritiana
Convolvulus, Tree = Ipomoea arborescens
Convolvulus, Water = Ipomoea aquatica
Coon's Tail = Ceratophyllum demersum
Coontie = Zamia pumila
Copaifera = Copaifera langsdorffii
Copper Leaf = Acalypha wilkesiana
Coral Bush = Templetonia retusa
Coral Drops = Bessera elegans
Coral Plant = Russelia equisetiformis
Coral Root = Cardamine bulbifera
Coral Tree = Erythrina corallodendron
Coral Tree, Cockspur = Erythrina crista-galli
Coral Tree, Natal = Erythrina humeana

Coralbead = Cocculus laurifolius
Coralbead, Queen = Cocculus orbiculatus
Coralberry = Symphoricarpos orbiculatus
Coreopsis, Annual = Coreopsis tinctoria
Coreopsis, Columbia = Coreopsis tinctoria var. atkinsoniana
Coreopsis, Moonbeam = Coreopsis verticillata
Coriander = Coriandrum sativum
Coriander, Roman = Nigella sativa
Coris = Coris monspeliensis
Coris, Yellow = Hypericum coris
Cork Tree, Chinese = Phellodendron chinense
Cork Tree, Japanese = Phellodendron japonicum
Cork Tree, Lavalle = Phellodendron lavallei
Cork Tree, Sakhalin = Phellodendron sachalinense
Corkoak, Oriental = Quercus variabilis
Corkwood = Duboisia myoporoides
Corn = Zea mays
Corn Cockle = Agrostemma githago
Corn, Squirrel = Dicentra canadensis
Corn, Turkey = Dicentra eximia
Cornel, Bentham's = Cornus capitata
Cornel, Dwarf = Cornus suecica
Cornflag, African = Chasmanthe aethiopica
Cornflower = Centaurea cyanus
Cornflower, Perennial = Centaurea montana
Correa = Correa pulchella
Correa, Chef's Hat = Correa bauerlenii
Correa, Common = Correa reflexa
Corydalis = Corydalis solida
Corydalis, Bulbous = Corydalis cava
Corydalis, Pink = Capnoides sempervirens
Cosmos, Black = Cosmos atrosanguineus
Cosmos, Chocolate = Cosmos atrosanguineus
Cosmos, Garden = Cosmos bipinnatus
Cosmos, Yellow = Cosmos sulphureus
Costmary = Tanacetum balsamita
Cotoneaster, Bearberry = Cotoneaster dammeri
Cotoneaster, Cranberry = Cotoneaster apiculatus
Cotoneaster, Creeping = Cotoneaster adpressus
Cotoneaster, Franchet's = Cotoneaster franchetii
Cotoneaster, Herring Bone = Cotoneaster horizontalis
Cotoneaster, Himalayan = Cotoneaster simonsii
Cotoneaster, Spreading = Cotoneaster divaricatus
Cotoneaster, Willowleaf = Cotoneaster salicifolius
Cotton = Gossypium herbaceum
Cotton Weed = Otanthus maritimus
Cotton, Common = Gossypium herbaceum
Cotton, Lavander = Santolina chamaecyparissus
Cotton, Levant = Gossypium herbaceum
Cotton, Sea Island = Gossypium barbadense
Cotton, Tree = Gossypium arboreum
Cotton, Upland = Gossypium hirsutum
Cottonwood = Populus simonii
Cottonwood, Black = Populus trichocarpa
Cottonwood, Eastern = Populus deltoides
Cottonwood, Great Plains = Populus sargentii
Cottonwood, Narrowleaf = Populus angustifolia
Cottonwood, Sargent = Populus sargentii
Cotyledon = Cotyledon orbiculata
Couch, Bearded = Elymus caninus
Couch, Sand = Elymus farctus
Courgette = Cucurbita pepo
Cow Cockle = Vaccaria hispanica
Cow Itch Tree = Lagunaria patersonii
Cowbane = Cicuta virosa
Cowberry = Vaccinium vitis-idaea
Cowherb = Vaccaria hispanica
Cowslip = Primula veris
Cowslip, American = Dodecatheon meadia
Cowslip, Cape = Lachenalia aloides, Lachenalia mutabilis, Lachenalia orchioides
Cowslip, Himalayan = Primula florindae
Cowslip, Virginia = Mertensia virginica
Cowtree = Brosimum utile
Crab, Chinese = Malus spectabilis
Crab, Japanese = Malus floribunda
Crab, Prairie = Malus ioensis
Crab, Siberian = Malus baccata, Malus × robusta
Crab, Southern = Malus angustifolia
Crab, Toringo = Malus toringo
Crab, Wild = Malus sylvestris
Crabapple = Malus coronaria
Crabapple, Cutleaf = Malus toringoides
Crabapple, Hall's = Malus halliana
Crabapple, Sargent = Malus sargentii
Crabapple, Siberian = Malus baccata
Crabapple, Southern = Malus angustifolia
Crabapple, Tea = Malus hupehensis
Crabapple, Wild = Malus ioensis
Crabapple, Yunnan = Malus yunnanensis
Crabapples = Malus × robusta

Crabwood = Carapa guianensis
Cranberry = Vaccinium macrocarpon
Cranberry, Mountain = Arctostaphylos uva-ursi
Cranberry, Wild = Vaccinium oxycoccos
Cranberrybush, American = Viburnum trilobum
Crane Flower = Strelitzia reginae
Cranesbill, Bloody = Geranium sanguineum
Cranesbill, Cut Leaved = Geranium dissectum
Cranesbill, Dove's Foot = Geranium columbinum
Cranesbill, Dwarf = Geranium himalayense
Cranesbill, French = Geranium endressii
Cranesbill, Iberian = Geranium ibericum
Cranesbill, Soft = Geranium molle
Cranesbill, Spotted = Geranium maculatum
Cranesbill, White = Geranium richardsonii
Cream Bush = Holodiscus discolor
Creamcups = Platystemon californicus
Creeping Glow Wort = Sibbaldia procumbens
Creeping Jenny = Lysimachia nummularia
Cress = Spilanthes oleracea
Cress, Alpine Rock = Arabis alpina
Cress, American = Barbarea verna
Cress, Chamois = Pritzelago alpina
Cress, Garden = Lepidium sativum
Cress, Land = Barbarea verna
Cress, Persian Stone = Aethionema grandiflorum
Cress, Rock = Arabis soyeri
Cress, Rose Rock = Arabis blepharophylla
Cress, Variegated Wall Rock = Arabis caucasica
Cress, Violet = Ionopsidium acaule
Cress, Water = Nasturtium officinale
Crested Tongue = Penstemon eriantherus
Crocus, Autumn = Crocus sativus
Crocus, Autumn Yellow = Sternbergia lutea
Crocus, Celandine = Crocus korolkowii
Crocus, Chilean = Tecophilaea cyanocrocus
Crocus, Cloth-of-Gold = Crocus angustifolius
Crocus, Dutch = Crocus vernus
Crocus, Saffron = Crocus sativus
Crocus, Scotch = Crocus biflorus
Crocus, Yellow = Crocus flavus
Cross, Widow's = Sedum pulchellum
Crossflower = Chorispora tenella
Crowberry, Black = Empetrum nigrum
Crowberry, Portuguese = Corema album
Crowea = Crowea saligna
Crowfoot, Water = Ranunculus aquatilis
Crowfoot, Yellow Water = Ranunculus flabellaris
Crown of Thorns = Euphorbia milii, Paliurus spina-christi
Crownbeard, Golden = Verbesina encelioides
Cuckoo Flower = Cardamine pratensis
Cuckoo Pint = Arum maculatum
Cucumber = Cucumis sativus
Cucumber Tree = Magnolia acuminata
Cucumber Tree, Bigleaf = Magnolia macrophylla
Cucumber Tree, Yellow = Magnolia acuminata var. subcordata
Cucumber, Bur = Sicyos angulatus
Cucumber, Chinese = Trichosanthes kirilowii
Cucumber, Guadeloupe = Melothria pendula
Cucumber, Horny = Cucumis metuliferus
Cucumber, Musk = Sicana odorifera
Cucumber, Prickly = Echinocystis lobata
Cucumber, Spiny Bitter = Momordica cochinchinensis
Cucumber, Squirting = Ecballium elaterium
Cudweed = Artemisia ludoviciana, Gnaphalium norvegicum
Culver's Root = Veronicastrum virginicum
Cumin = Cuminum cyminum
Cumin, Black = Nigella sativa
Cundurango = Marsdenia cundurango, Marsdenia reichenbachii
Cup Flower = Nierembergia hippomanica
Cup Plant = Silphium perfoliatum
Cup-and-Saucer Plant = Campanula medium, Cobaea scandens
Cupid's Dart = Catananche caerulea
Currant = Ribes rubrum var. domesticum
Currant, Alpine = Ribes alpinum
Currant, Black = Ribes americanum
Currant, Buffalo = Ribes odoratum
Currant, Flowering = Ribes sanguineum
Currant, Golden = Ribes odoratum
Currant, Indian = Symphoricarpos orbiculatus
Currant, Mountain = Ribes alpinum
Currant, Red = Ribes rubrum
Currant, Skunk = Ribes glandulosum
Currant, Squaw = Ribes cereum
Currant, Wax = Ribes cereum
Currant, White = Ribes rubrum
Currant, Wild = Ribes glandulosum
Curry Leaf = Murraya koenigii
Cus, Cus = Vetiveria zizanioides
Custard Apple = Annona cherimola,

arenarium
Damocles, Tree of = Oroxylum indicum
Dancing Lady = Oncidium varicosum
Dandelion = Taraxacum officinale agg.
Dandelion, Cape = Arctotheca calendula
Dandelion, Pink = Crepis incana
Danewort = Sambucus ebulus
Danfordiae, Iris = Iris danfordiae
Dangleberry = Gaylussacia frondosa
Daphne, Chinese = Daphne genkwa
Daphne, February = Daphne mezereum
Daphne, Winter = Daphne odora
Daphniphyllum = Daphniphyllum macropodum
Darnel = Lolium temulentum
Dasheen = Colocasia esculenta
Date = Phoenix dactylifera
Date, Cliff = Phoenix rupicola
Datura, Oakleaf = Datura quercifolia
Dawn Flower, Blue = Ipomoea indica
Dayflower, Benghal = Commelina benghalensis
Dayflower, Climbing = Commelina diffusa
Daylily, Lemon = Hemerocallis lilioasphodelus
Daylily, Orange = Hemerocallis fulva
Deadnettle, Henbit = Lamium amplexicaule
Deathcamas, Fremont's = Zigadenus fremontii
Deerberry = Vaccinium stamineum
Delphinium = Delphinium brunonianum, Delphinium elatum, Delphinium semibarbatum, Delphinium staphisagria, Delphinium tricorne
Demarara, Pink Rouge of = Spigelia anthelmia
Dentaria = Cardamine heptaphylla
Deodar = Cedrus deodara
Derris Root = Derris elliptica
Desert Thorn = Lycium pallidum
Desert Thorn, Pale = Lycium pallidum
Deutzia = Deutzia scabra
Devil Flower = Tacca chantrieri
Devil Tree = Alstonia scholaris
Devil's Claw = Physoplexis comosa
Devil's Club = Oplopanax horridus
Devil's Tongue = Amorphophallus konjac, Ferocactus latispinus, Sansevieria zeylanica
Devilpepper, Four Leaf = Rauvolfia tetraphylla
Dewberry = Rubus flagellaris, Rubus trivialis
Dewberry, American = Rubus flagellaris
Dewberry, California = Rubus ursinus, Rubus vitifolius
Dewberry, Pacific = Rubus ursinus, Rubus vitifolius
Dewberry, Southern = Rubus trivialis
Diamond Flower = Ionopsidium acaule
Dill = Anethum graveolens
Dingle Dangle Tree = Euonymus planipes
Dischidia = Dischidia major
Distaff, Jupiters = Salvia glutinosa
Dittany = Dictamnus albus
Dittany, Cretan = Origanum dictamnus
Divi-divi = Caesalpinia coriaria
Dock = Rumex vesicarius
Dock, American Spatter = Nuphar advena
Dock, Bitter = Rumex obtusifolius
Dock, Curly = Rumex crispus
Dock, Patience = Rumex patientia
Dock, Prairie = Parthenium integrifolium, Silphium terebinthinaceum
Dock, Red = Rumex hymenosepalus
Dock, Sand = Rumex hymenosepalus
Dock, Sour = Rumex acetosa
Dock, Spinach = Rumex patientia
Dockmackie = Viburnum acerifolium
Dodder = Cuscuta epithymum, Cuscuta reflexa
Dodder, European = Cuscuta europaea
Dodder, Field = Cuscuta campestris
Dog Hobble = Leucothoe axillaris, Leucothoe catesbaei
Dog's Tail, Crested = Cynosurus cristatus
Dogbane, Spreading = Apocynum androsaemifolium
Dogberry = Cornus sanguinea
Dogwood, American = Cornus sericea
Dogwood, Brown = Cornus glabrata
Dogwood, Chinese = Cornus macrophylla
Dogwood, Common = Cornus sanguinea
Dogwood, Creek = Cornus occidentalis
Dogwood, Creeping = Cornus canadensis
Dogwood, Drummond = Cornus asperifolia var. dummondii
Dogwood, Eastern Flowering = Cornus florida
Dogwood, Giant = Cornus controversa
Dogwood, Japanese = Cornus kousa
Dogwood, Mountain = Cornus nuttallii
Dogwood, Pacific = Cornus nuttallii
Dogwood, Pagoda = Cornus alternifolia
Dogwood, Panicled = Cornus racemosa
Dogwood, Red Osier = Cornus sericea
Dogwood, Roundleaf = Cornus rugosa
Dogwood, Silky = Cornus amomum
Dogwood, Stiff = Cornus stricta
Dogwood, Tough Leaf = Cornus asperifolia

Dogwood, Westonbirt = Cornus alba 'Sibirica'
Dogwood, White = Cornus florida
Dollar, Sand = Astrophytum asterias
Dombeya, Pink = Dombeya burgessiae
Donana = Coryphantha macromeris
Donkey's Ears = Narcissus cyclamineus
Donkey's Tail = Sedum morganianum
Douglas Phlox = Phlox douglasii
Dove Tree = Davidia involucrata
Dragon Root = Arisaema dracontium
Dragon Tree = Dracaena draco, Dracaena marginata
Dragon-of-the-World = Phyllanthus pulcher
Dragon's Blood = Daemonorops draco
Dragon's Mouth = Dracunculus muscivorus, Horminum pyrenaicum
Dragon's Teeth = Tetragonolobus maritimus
Dragonhead = Dracocephalum ruyschianum
Drimys = Drimys winteri
Dropwort = Filipendula vulgaris
Dropwort, Fine Leaved Water = Oenanthe aquatica
Dropwort, Javan Water = Oenanthe javanica
Drosera = Drosera rotundifolia
Dryandra, Oak Leaved = Dryandra quercifolia
Duck Plant = Sutherlandia frutescens
Duckweed = Lemna minor, Spirodela polyrhiza
Duckweed, Common = Lemna minor
Duckweed, Fat = Lemna gibba
Duckweed, Great = Spirodela polyrhiza
Duckweed, Inflated = Lemna gibba
Duckweed, Ivy = Lemna trisulca
Duckweed, Star = Lemna trisulca
Dumbcane = Dieffenbachia maculata, Dieffenbachia seguine
Durian = Durio zibethinus
Dusty Miller = Artemisia stelleriana, Primula auricula, Senecio cineraria
Dutchman's Breeches = Dicentra cucullaria
Dutchman's Pipe = Aristolochia macrophylla
Dutchman's Pipe, Woolly = Aristolochia tomentosa
Dyer's Weed, Common = Isatis tinctoria
Eardrops, Golden = Dicentra chrysantha
Earth Star = Cryptanthus bivittatus
Earthnut = Apios americana
Earthnut, Great = Bunium bulbocastanum
Ebony = Diospyros ebenum
Ebony, Mountain = Bauhinia variegata
Edelweiss = Leontopodium alpinum
Egg Fruit = Pouteria caimito
Eggplant = Solanum melongena
Eggplant, Big = Solanum erianthum
Eggplant, Dutch = Solanum aculeatissimum
Eglantine = Rosa rubiginosa
Egyptian Paper Plant = Cyperus papyrus
Eighty Day Healing Bush = Lobostemon fruticosus
Elaeagnus, Autumn = Elaeagnus umbellata
Elder, American = Sambucus canadensis
Elder, Blue = Sambucus caerulea
Elder, Common = Sambucus nigra
Elder, Dwarf = Aralia hispida, Sambucus ebulus
Elder, Poison = Rhus vernix
Elder, Red = Sambucus pubens
Elder, Red Berried = Sambucus pubens, Sambucus racemosa
Elderberry = Sambucus nigra
Elderberry, Black = Sambucus melanocarpa
Elderberry, Blue = Sambucus caerulea
Elderberry, Pacific Coast Red = Sambucus callicarpa
Elderberry, Red = Sambucus racemosa
Elecampane = Inula helenium
Elephant Bush = Portulacaria afra
Elephant Tree = Phytolacca dioica
Elephant's Ear = Alocasia micholitziana, Caladium bicolor, Enterolobium cyclocarpum
Elephant's Food = Portulacaria afra
Elephant's Foot = Beaucarnea recurvata, Dioscorea elephantipes
Elkgrass = Xerophyllum tenax
Elm = Ulmus glabra
Elm, American = Ulmus americana
Elm, Caucasian = Zelkova carpinifolia
Elm, Chinese = Ulmus parvifolia
Elm, Cork = Ulmus thomasii
Elm, Dutch = Ulmus × hollandica
Elm, English = Ulmus procera
Elm, European Field = Ulmus minor
Elm, Red = Ulmus rubra
Elm, Rock = Ulmus thomasii
Elm, Russian = Ulmus laevis
Elm, Scotch = Ulmus glabra
Elm, Siberian = Ulmus pumila
Elm, Slippery = Ulmus rubra
Elm, Water = Ulmus americana
Elm, White = Ulmus americana
Elm, Wych = Ulmus glabra
Elsholtzia = Elsholtzia ciliata
Emblic = Phyllanthus emblica
Emerald Ripple = Peperomia caperata
Endive = Cichorium endivia
Epaulette Tree = Pterostyrax hispida

Ephedra = Ephedra equisetina
Ephedra, Pakistani = Ephedra gerardiana
Epigaea = Epigaea asiatica
Epimedium = Epimedium grandiflorum
Epimedium, Pink = Epimedium alpinum
Eriogonum, Redroot = Eriogonum racemosum
Eryngium = Eryngium planum
Eryngium, Amethyst = Eryngium amethystinum
Escabon = Chamaecytisus proliferus
Escallonia, Pink = Escallonia laevis
Escallonia, White = Escallonia bifida
Espino = Hydrolea spinosa
Eucalyptus, Ash Colored = Eucalyptus cinerea
Eucalyptus, Lemon = Eucalyptus citriodora
Eucommia = Eucommia ulmoides
Eucryphia = Eucryphia cordifolia
Eufragia = Euphrasia officinalis
Eufrasia = Euphrasia officinalis
Eulalia = Miscanthus sinensis
Euonymus, Dwarf = Euonymus fortunei
Euonymus, Evergreen = Euonymus japonicus
Euonymus, Japanese = Euonymus japonicus
Eupatorium, Triplinerved = Ayapana triplinervis
Eurya = Eurya japonica
Evening Primrose = Oenothera biennis
Evening Primrose, Common = Oenothera biennis
Evening Primrose, Large Leaved = Oenothera glazioviana
Evening Primrose, Large White = Oenothera caespitosa
Evening Primrose, Missouri = Oenothera macrocarpa
Evening Primrose, Pink = Oenothera rosea
Evening Primrose, Prairie = Oenothera macrocarpa
Evening Primrose, White = Oenothera speciosa
Everlasting = Pseudognaphalium obtusifolium
Everlasting, Pearly = Anaphalis margaritacea
Everlasting, Winged = Ammobium alatum
Excoecaria = Excoecaria cochinchinensis
Eyebright = Euphrasia officinalis
Fabiana = Fabiana imbricata
Fagraea = Fagraea fragrans
Fair-Maids-of-France = Saxifraga granulata
Fairy Lantern = Calochortus albus
Fairy Lantern, Golden = Calochortus amabilis
Fairyfan = Clarkia breweri
Fairyfan, Diamond = Clarkia rhomboidea
Fairywand = Chamaelirium luteum
Fat Hen = Chenopodium album
Fatshedera = × Fatshedera lizei
Fatsia = Fatsia japonica
Fawn Lily, Giant = Erythronium oregonum
Fawn Lily, Pink = Erythronium revolutum
Fawnlily, Henderson's = Erythronium hendersonii
Featherfoil = Hottonia palustris
Feathertop = Pennisetum villosum
Feijoa = Acca sellowiana
Felt Bush = Kalanchoe beharensis
Felt Plant = Kalanchoe beharensis
Felwort = Swertia perennis
Fendlera = Fendlera rupicola
Fennel = Foeniculum vulgare
Fennel, Giant = Ferula communis
Fenugreek = Trigonella foenum-graecum
Fern, Alaska = Polystichum setiferum
Fern, Alpine Wood = Dryopteris wallichiana
Fern, Anderson's Shield = Polystichum andersonii
Fern, Appalachian Shoestring = Vittaria lineata
Fern, Arborvitae = Selaginella pallescens
Fern, Asparagus = Asparagus setaceus
Fern, Australian Hare's Foot = Davallia pyxidata
Fern, Australian Maidenhair = Adiantum formosum
Fern, Basket = Drynaria rigidula
Fern, Bear's Foot = Humata tyermannii
Fern, Berry Bladder = Cystopteris bulbifera
Fern, Bird's Nest = Asplenium australasicum, Asplenium nidus
Fern, Bladder = Cystopteris dickieana
Fern, Blunt Lobe Cliff = Woodsia obtusa
Fern, Boston = Nephrolepis exaltata
Fern, Boston Sword = Nephrolepis exaltata
Fern, Braun's Holly = Polystichum braunii
Fern, Brittle Bladder = Cystopteris fragilis
Fern, Brittle Maidenhair = Adiantum tenerum
Fern, Broad Beech = Phegopteris hexagonoptera
Fern, Broad Buckler = Dryopteris dilatata
Fern, Byfield = Bowenia serrulata
Fern, Canary Island Hare's Foot = Davallia canariensis
Fern, Charterhouse Shield = Dryopteris carthusiana

Fern, Christmas = Dryopteris sieboldii, Polystichum acrostichoides
Fern, Cinnamon = Osmunda cinnamomea
Fern, Common Maidenhair = Adiantum aethiopicum
Fern, Crested Wood = Dryopteris cristata
Fern, Dagger = Polystichum acrostichoides
Fern, Deer = Blechnum spicant
Fern, Delta Maidenhair = Adiantum raddianum
Fern, Dwarf Net Vein Holly = Polystichum falcatum var. caryotideum
Fern, Eastern Marsh = Thelypteris palustris
Fern, Erect Sword = Nephrolepis cordifolia
Fern, European Chain = Woodwardia radicans
Fern, Fire = Oxalis hedysaroides
Fern, Five Finger = Adiantum pedatum
Fern, Floating = Salvinia auriculata
Fern, Foxtail = Asparagus densiflorus
Fern, Fragrant = Dryopteris fragrans
Fern, Giant Sword = Nephrolepis biserrata
Fern, Golden Shield = Dryopteris affinis
Fern, Golden Tree = Dicksonia fibrosa
Fern, Goldie's Wood = Dryopteris goldiana
Fern, Grass = Asplenium septentrionale
Fern, Hammock = Blechnum occidentale
Fern, Hard = Blechnum spicant
Fern, Hard Shield = Polystichum aculeatum
Fern, Hare's Foot = Davallia bullata, Phlebodium aureum
Fern, Hart's Tongue = Asplenium scolopendrium
Fern, Hawaiian Tree = Cibotium glaucum
Fern, Hay Scented = Dennstaedtia punctilobula
Fern, Hedge = Polystichum setiferum
Fern, Hen-and-Chicken = Asplenium bulbiferum
Fern, Interrupted = Osmunda claytoniana
Fern, Japanese Climbing = Lygodium japonicum
Fern, Japanese Felt = Pyrrosia lingua
Fern, Japanese Holly = Polystichum falcatum
Fern, Japanese Lace = Polystichum polyblepharum
Fern, Japanese Shield = Dryopteris erythrosora
Fern, Jersey = Anogramma leptophylla
Fern, Killarney = Trichomanes speciosum
Fern, Lady = Athyrium filix-femina
Fern, Large Mosquito = Azolla filiculoides
Fern, Leather = Acrostichum aureum
Fern, Leatherleaf = Rumohra adiantiformis
Fern, Lemon Scented = Oreopteris limbosperma
Fern, Limestone Oak = Gymnocarpium robertianum
Fern, Limp Leaf = Microlepia speluncae
Fern, Long Beech = Phegopteris connectilis
Fern, Male = Dryopteris filix-mas
Fern, Marginal Shield = Dryopteris marginalis
Fern, Marsh = Thelypteris palustris
Fern, Mediteranean Fan = Chamaerops humilis
Fern, Mexican Tree = Cibotium schiedei
Fern, Mother = Asplenium bulbiferum
Fern, Mountain Bladder = Cystopteris montana
Fern, Mountain Buckler = Oreopteris limbosperma
Fern, Mountain Male = Dryopteris oreades
Fern, Narrow Sword = Nephrolepis cordifolia
Fern, Netted Chain = Woodwardia areolata
Fern, New York = Parathelypteris noveboracensis
Fern, New Zealand Tree = Dicksonia squarrosa
Fern, Northern Cliff = Woodsia alpina
Fern, Northern Holly = Polystichum lonchitis
Fern, Oak = Gymnocarpium dryopteris
Fern, Ostrich = Matteuccia struthiopteris
Fern, Parsley = Cheilanthes hirta, Cryptogramma crispa
Fern, Prickly Shield = Polystichum aculeatum
Fern, Rabbit's Foot = Davallia fejeensis
Fern, Resurrection = Polypodium polypodioides
Fern, Ribbon = Ophioglossum pendulum
Fern, Robber = Pyrrosia confluens
Fern, Rough Tree = Cyathea australis
Fern, Royal = Osmunda regalis
Fern, Rusty Cliff = Woodsia ilvensis
Fern, Sensitive = Onoclea sensibilis
Fern, Shield = Polystichum braunii
Fern, Sickle = Pellaea falcata
Fern, Silver = Pityrogramma calomelanos
Fern, Silver King = Cyathea dealbata
Fern, Snake = Lygodium scandens
Fern, Soft Shield = Polystichum setiferum
Fern, Soft Tree = Dicksonia antarctica
Fern, Southern Lady = Athyrium filix-femina
Fern, Southern Lip = Cheilanthes microphylla

Fern, Southern Sword = Nephrolepis cordifolia
Fern, Spider = Pteris multifida
Fern, Sweet = Comptonia peregrina
Fern, Sword = Polystichum munitum
Fern, Tree = Cibotium barometz, Dicksonia antarctica
Fern, Turnip = Angiopteris evecta
Fern, Vigorous = Selaginella wallichii
Fern, Virginia Chain = Woodwardia virginica
Fern, Walking = Asplenium rhizophyllum
Fern, Walking Maidenhair = Adiantum philippense
Fern, Water = Ceratopteris thalictroides
Fern, Western Oak = Gymnocarpium dryopteris
Fern, Whisk = Psilotum nudum
Fern, Wild = Dennstaedtia punctilobula
Fernbush = Chamaebatiaria millefolium
Fescue, Bear Skin = Festuca gautieri
Fescue, Blue = Festuca cinerea, Festuca ovina
Fescue, Creeping = Festuca rubra
Fescue, Giant = Festuca gigantea
Fescue, Grey = Festuca cinerea
Fescue, Meadow = Festuca arundinacea, Festuca pratensis
Fescue, Red = Festuca rubra
Fescue, Sheep's = Festuca ovina
Fescue, Tall = Festuca arundinacea
Fescue, Tufted = Festuca amethystina
Fetter Bush = Leucothoe fontanesiana, Leucothoe grayana, Leucothoe racemosa, Lyonia lucida
Fetterbush = Pieris floribunda
Feverfew = Tanacetum parthenium
Feverfew, American = Parthenium integrifolium
Feverfuge = Dichroa febrifuga
Feverwort = Triosteum perfoliatum
Fiesta Flower, Blue = Nemophila aurita
Fig = Ficus carica
Fig, Cluster = Ficus racemosa
Fig, Country = Ficus racemosa
Fig, Creeping = Ficus pumila
Fig, Devil's = Argemone mexicana
Fig, Fiddleleaf = Ficus lyrata
Fig, Grey = Ficus virens
Fig, Hottentot = Carpobrotus edulis
Fig, Indian Laurel = Ficus microcarpa
Fig, Mistletoe = Ficus deltoidea
Fig, Moreton Bay = Ficus macrophylla
Fig, Mulberry = Ficus sycomorus
Fig, Natal = Ficus natalensis
Fig, Oak-Leaf = Ficus montana
Fig, Pharoah = Ficus sycomorus
Fig, River = Ficus hispida
Fig, Roxburgh = Ficus auriculata
Fig, Rusty = Ficus rubiginosa
Fig, Sacred = Ficus religiosa
Fig, Sharp = Ficus parietalis
Fig, Soft = Ficus hispida
Fig, Trailing = Ficus sagittata
Fig, Weeping = Ficus benjamina
Fig, Zulu = Ficus lutea
Figwort = Scrophularia nodosa
Figwort, Alpine = Scrophularia canina
Figwort, Cape = Phygelius capensis
Figwort, Water = Scrophularia auriculata
Filbert = Corylus maxima
Filipendula = Filipendula vulgaris
Fingernail Plant = Neoregelia spectabilis
Fingers, Five = Pseudopanax arboreus, Syngonium auritum
Fingers, Lady's = Abelmoschus esculentus, Anthyllis vulneraria
Finnochio = Foeniculum vulgare
Fir, Alpine = Abies lasiocarpa
Fir, Balsam = Abies balsamea, Abies fraseri
Fir, Blue Douglas = Pseudotsuga menziesii var. glauca
Fir, California Red = Abies magnifica
Fir, Caucasian = Abies nordmanniana
Fir, China = Cunninghamia lanceolata
Fir, Cilician = Abies cilicica
Fir, Colorado = Abies concolor
Fir, Douglas = Pseudotsuga menziesii
Fir, European Silver = Abies alba
Fir, Giant = Abies grandis
Fir, Grand = Abies grandis
Fir, Grecian = Abies cephalonica
Fir, Greek = Abies cephalonica
Fir, Himalayan = Abies spectabilis
Fir, Japanese = Abies firma
Fir, Joint = Ephedra sinica
Fir, Korean = Abies koreana
Fir, Manchurian = Abies holophylla
Fir, Maries = Abies mariesii
Fir, Momi = Abies firma
Fir, Nikko = Abies homolepis
Fir, Noble = Abies procera
Fir, Nordmann = Abies nordmanniana
Fir, Pacific Silver = Abies amabilis
Fir, Pindrow = Abies pindrow
Fir, Red = Abies magnifica
Fir, Red Silver = Abies amabilis
Fir, Sakhalin = Abies sachalinensis
Fir, Shasta Red = Abies mariesii
Fir, Siberian = Abies sibirica

Fir, Silver = Abies alba
Fir, Southern Balsam = Abies fraseri
Fir, Spinach Joint = Gnetum gnemon
Fir, Subalpine = Abies lasiocarpa
Fir, Veitch = Abies veitchii
Fir, Veitch's Silver = Abies veitchii
Fir, West Himalayan = Abies pindrow
Fir, White = Abies concolor
Fire Bush = Streptosolen jamesonii
Fire Weed = Epilobium angustifolium
Firecracker = Russelia equisetiformis
Firethorn, Narrow Leaf = Pyracantha angustifolia
Firewheel = Gaillardia pulchella
Firewheel Tree = Stenocarpus sinuatus
Fishwort = Houttuynia cordata
Fittonia = Fittonia verschaffeltii
Five Spot = Nemophila maculata
Flacourtia = Flacourtia indica
Flag Root = Acorus calamus
Flag, Blue = Iris versicolor
Flag, Butterfly = Diplarrhena moraea
Flag, Dwarf = Iris pumila
Flag, Golden = Iris crocea
Flag, Japanese Sweet = Acorus gramineus
Flag, Missouri = Iris missouriensis
Flag, Morning = Orthrosanthus multiflorus
Flag, Yellow = Iris pseudacorus
Flageolet = Phaseolus vulgaris
Flamboyant = Delonix regia
Flame Flower = Tropaeolum speciosum
Flame Tree = Brachychiton acerifolius, Delonix regia
Flame Tree, Australian = Brachychiton acerifolius
Flame-of-the-Wood = Ixora coccinea
Flame, Jungle = Ixora coccinea
Flamingo Flower = Anthurium crystallinum
Flannelbush = Fremontodendron californicum
Flannelbush, Mexican = Fremontodendron mexicanum
Flax = Linum usitatissimum
Flax, Alpine = Linum alpinum
Flax, Blue = Linum perenne
Flax, Common = Linum usitatissimum
Flax, Golden = Linum flavum
Flax, Mountain = Phormium cookianum
Flax, New Zealand = Phormium tenax
Flax, Pale = Linum bienne
Flax, Perennial = Linum perenne
Flax, Red = Linum grandiflorum
Flax, Scarlet = Linum grandiflorum
Flax, Tree = Linum arboreum
Flax, White = Linum catharticum
Flax, Yellow = Linum flavum, Reinwardtia indica
Fleabane = Erigeron compositus
Fleabane, Aspen = Erigeron speciosus
Fleabane, Canada = Conyza canadensis
Fleabane, Large Mountain = Erigeron coulteri
Fleabane, One Flower = Erigeron uniflorus
Fleabane, Philadelphia = Erigeron philadelphicus
Fleabane, Streamside = Erigeron glabellus
Fleawort, Field = Tephroseris integrifolia
Fleece, Golden = Thymophylla tenuiloba
Fleece, Mountain = Bistorta amplexicaulis
Fleeceflower, Chinese = Fallopia multiflora
Floss Flower = Ageratum houstonianum
Flower-of-an-Hour = Hibiscus trionum
Flower-of-Jove = Lychnis flos-jovis
Flower-of-the-Western-Wind = Zephyranthes candida
Foam Flower, Japanese = Tanakaea radicans
Foamflower = Tiarella cordifolia
Foamflower, Three Leaf = Tiarella trifoliata
Forever, Powdery Live = Dudleya farinosa
Forget-me-not = Myosotis palustris
Forget-me-not, Alpine = Eritrichium nanum, Myosotis alpestris
Forget-me-not, Azores = Myosotis azorica
Forget-me-not, Cape = Anchusa capensis
Forget-me-not, Common = Myosotis arvensis
Forget-me-not, Water = Myosotis scorpioides
Forget-me-not, Wood = Myosotis sylvatica
Forsythia, Green = Forsythia viridissima
Forsythia, Korean = Forsythia ovata
Forsythia, Weeping = Forsythia suspensa
Forsythia, White = Abeliophyllum distichum
Fountain Flower = Ceropegia sandersonii
Fountain Plant = Russelia equisetiformis
Four O' Clock Plant = Mirabilis jalapa
Foxberry = Vaccinium vitis-idaea
Foxglove Tree = Paulownia tomentosa
Foxglove, Chinese = Rehmannia glutinosa
Foxglove, Fairy = Erinus alpinus
Foxglove, Large Yellow = Digitalis grandiflora
Foxglove, Mountain = Ourisia macrophylla
Foxglove, Rusty = Digitalis ferruginea
Foxglove, Small Yellow = Digitalis lutea
Foxglove, Straw = Digitalis lutea
Foxglove, Woolly = Digitalis lanata
Foxnuts = Euryale ferox
Foxtail, Marsh = Alopecurus geniculatus

Foxtail, Marsh Meadow = Alopecurus geniculatus
Foxtail, Meadow = Alopecurus pratensis
Fragrance, Golden = Pittosporum floribundum
Fragrant Indigo Bush = Amorpha nana
Frangipani = Plumeria rubra
Frangipani, Native = Hymenosporum flavum
Franklin Tree = Franklinia alatamaha
Freesia, Flame = Tritonia crocata
Fremontia = Fremontodendron californicum, Fremontodendron mexicanum
Friar's Cap = Aconitum napellus
Friendship Plant = Billbergia nutans, Pilea involucrata
Fringe Tree, Chinese = Chionanthus retusus
Fringecups = Tellima grandiflora
Fritillary, Scarlet = Fritillaria recurva
Fritillary, Snake's Head = Fritillaria meleagris
Fritillary, Yellow = Fritillaria pudica
Frogs Bit = Hydrocharis morsus-ranae
Frost Root = Erigeron philadelphicus
Fuchsia, American Wild = Penstemon cordifolius
Fuchsia, Australian = Correa backhousiana
Fuchsia, Bush = Epacris longiflora
Fuchsia, California = Epilobium canum
Fuchsia, Cape = Phygelius capensis
Fuchsia, Creeping = Fuchsia procumbens
Fuchsia, Hardy = Fuchsia magellanica
Fuchsia, Tree = Fuchsia excorticata, Schotia brachypetala
Fuddle, Fish = Piscidia piscipula
Fumitory, Climbing = Adlumia fungosa
Fumitory, Common = Fumaria officinalis
Fumitory, Yellow = Pseudofumaria lutea
Furze = Ulex europaeus
Furze, Needle = Genista anglica
Fustic = Chlorophora tinctoria
Gaillardia, Annual = Gaillardia pulchella
Galangal = Alpinia galanga
Galangal, Lesser = Alpinia officinarum
Galega = Galega officinalis
Galingale = Boesenbergia rotunda, Cyperus longus
Galingale, Sweet = Cyperus longus
Gall-of-the-Earth = Nabalus serpentarius
Galtonia = Galtonia candicans
Gardener's Garters = Phalaris arundinacea
Gardenia = Gardenia augusta
Gardenia, Horned = Gardenia cornuta
Garland Flower = Daphne cneorum
Garlic = Allium sativum
Garlic, Black = Allium nigrum
Garlic, Crow = Allium vineale
Garlic, False = Allium vineale
Garlic, Fragrant = Allium ramosum
Garlic, German = Allium senescens
Garlic, Giant = Allium scorodoprasum
Garlic, Hedge = Alliaria petiolata
Garlic, Keeled = Allium carinatum
Garlic, Oriental = Allium tuberosum
Garlic, Rosy = Allium roseum
Garlic, Society = Tulbaghia violacea
Garlic, Wood = Allium ursinum
Gaura = Gaura lindheimeri
Gayfeather = Liatris spicata
Gean = Prunus avium
Gebang = Corypha utan
Genipap = Genipa americana
Genipap Fruit = Genipa americana
Genista = Genista canariensis
Genista, Florist's = Genista canariensis
Gentian = Gentiana triflora
Gentian, Closed = Gentiana andrewsii
Gentian, Cross = Gentiana cruciata
Gentian, Great Yellow = Gentiana lutea
Gentian, Marsh = Gentiana pneumonanthe
Gentian, Purple = Gentiana purpurea
Gentian, Southern = Gentiana alpina
Gentian, Spotted = Gentiana punctata
Gentian, Spring = Gentiana verna
Gentian, Summer = Gentiana septemfida
Gentian, Trumpet = Gentiana acaulis
Gentian, Tulip = Eustoma grandiflorum
Gentian, Willow = Gentiana asclepiadea
Gentian, Yellow = Gentiana lutea
Geranium = Pelargonium × hortorum
Geranium, Alpine = Erodium reichardii
Geranium, Apple Scented = Pelargonium odoratissimum
Geranium, Balsam Scented = Pelargonium radens
Geranium, Bedding = Pelargonium × hortorum
Geranium, Biokovo = Geranium × cantabrigiense
Geranium, Hardy = Geranium himalayense
Geranium, Ivy Leaved = Pelargonium peltatum
Geranium, Lemon Scented = Pelargonium crispum
Geranium, Oak Leaved = Pelargonium quercifolium
Geranium, Peppermint Scented = Pelargonium tomentosum
Geranium, Rock = Heuchera americana

Geranium, Rose = Pelargonium × graveolens
Geranium, Rose Scented = Pelargonium capitatum
Geranium, Scented = Pelargonium × fragrans
Geranium, Tuberous Wild = Geranium tuberosum
Gerbera = Gerbera jamesonii
Germander, Bush = Teucrium fruticans
Germander, Golden = Teucrium polium
Germander, Mountain = Teucrium montanum
Germander, Pyrenean = Teucrium pyrenaicum
Germander, Sweet Scented = Teucrium massiliense
Germander, Wall = Teucrium × lucidrys
Geum = Geum chiloense
Gherkin = Cucumis sativus
Gherkin, West Indian = Cucumis anguria
Ghost Plant = Graptopetalum paraguayense
Ghost Tree = Davidia involucrata
Giant Bird-of-Paradise = Strelitzia nicolai
Gilia, Scarlet = Ipomopsis aggregata
Gillenia = Gillenia trifoliata
Gilly Flower = Dianthus caryophyllus
Gily Flower, Blue Head = Gilia capitata
Gily Flower, California = Gilia achilleifolia
Ginger = Zingiber officinale
Ginger, Bengal = Zingiber purpureum
Ginger, Cassumunar = Zingiber purpureum
Ginger, Crape = Costus speciosus
Ginger, Hartweg's = Asarum hartwegii
Ginger, Indian = Alpinia calcarata
Ginger, Japanese = Alpinia japonica
Ginger, Malay = Costus speciosus
Ginger, Mioga = Zingiber mioga
Ginger, Red = Alpinia purpurata
Ginger, Shell = Alpinia zerumbet
Ginger, Spiral = Costus afer
Ginger, Variegated = Alpinia vittata
Ginger, Wild = Asarum canadense, Asarum caudatum, Zingiber zerumbet
Gingerwort, Nodding = Zingiber spectabile
Ginkgo = Ginkgo biloba
Ginseng = Panax ginseng, Panax quinquefolius
Ginseng, American = Panax quinquefolius
Ginseng, Japanese = Panax japonicus
Ginseng, Siberian = Eleutherococcus senticosus
Gipsyweed = Lycopus virginicus
Gipsywort = Lycopus europaeus
Gladiolus, Byzantine = Gladiolus communis subsp. byzantinus
Gladiolus, Field = Gladiolus communis, Gladiolus italicus
Gladwyn = Iris foetidissima
Globe Flower = Trollius europaeus
Globeflower, American = Trollius laxus
Globeflower, Chinese = Trollius chinensis
Globeflower, European = Trollius europaeus
Globeflower, Yunnan = Trollius yunnanensis
Globemallow, Orange = Sphaeralcea munroana
Gloriosa = Gloriosa superba
Glory Bower = Clerodendrum philippinum
Glory Bush = Tibouchina urvilleana
Glory Flower = Clerodendrum bungei, Eccremocarpus scaber
Glory Tree = Clerodendrum trichotomum
Glory-of-the-Marsh = Primula prolifera
Glory-of-the-Snow = Chionodoxa forbesii, Chionodoxa nana
Gloxinia = Sinningia speciosa
Gmelina = Gmelina arborea
Goat Root = Ononis natrix
Goat's Beard = Aruncus dioicus, Tragopogon pratensis
Goat's Beard, Dwarf = Aruncus aethusifolius
Goat's Foot = Ipomoea pes-caprae
Godetia = Clarkia amoena
Gold of Pleasure = Camelina sativa
Goldcup = Wedelia trilobata
Golden Candle = Pachystachys lutea
Golden Cup = Hunnemannia fumariifolia
Golden Rain Tree = Koelreuteria paniculata
Golden Star = Chrysogonum virginianum
Golden Wonder = Senna didymobotrya
Goldenchain Tree = Laburnum × watereri
Goldenclub = Orontium aquaticum
Goldenrod, Broad Leaved = Solidago flexicaulis
Goldenrod, Canada = Solidago canadensis
Goldenrod, European = Solidago virgaurea
Goldenrod, Fragrant = Solidago graminifolia
Goldenrod, Gray = Solidago nemoralis
Goldenrod, Missouri = Solidago missouriensis
Goldenrod, Rocky Mountain = Solidago multiradiata
Goldenrod, Rough = Solidago rugosa
Goldenrod, Stiff = Solidago rigida
Goldenrod, Sweet = Solidago odora
Goldenrod, Wreath = Solidago caesia

Goldenstars, Common = Bloomeria crocea
Goldfish Plant = Columnea gloriosa, Nematanthus gregarius
Goldilocks = Aster linosyris, Helichrysum stoechas
Gonystylus = Gonystylus bancanus
Good King Henry = Chenopodium bonus-henricus
Goose Plant = Asclepias fruticosa
Gooseberry = Ribes fasciculatum, Ribes uva-crispa, Ribes uva-crispa var. reclinatum
Gooseberry, Bristly Black = Ribes lacustre
Gooseberry, Cape = Physalis peruviana
Gooseberry, Chinese = Actinidia deliciosa
Gooseberry, Coastal Black = Ribes divaricatum
Gooseberry, Common = Ribes divaricatum
Gooseberry, Gummy = Ribes lobbii
Gooseberry, Hairy Stem = Ribes hirtellum
Gooseberry, Indian = Phyllanthus acidus
Gooseberry, Northern = Ribes oxyacanthoides
Gooseberry, Snake River = Ribes niveum
Gooseberry, Sticky = Ribes lobbii
Gooseberry, Stone = Ribes petraeum
Gooseberry, Swamp = Ribes lacustre
Gooseberry, Trumpet = Ribes leptanthum
Gooseberry, Wedgeleaf = Ribes hirtellum
Goosegrass = Galium aparine
Gorgon's Head = Euphorbia gorgonis
Gorse = Ulex europaeus
Gorse, Spanish = Genista hispanica
Gourd, Bottle = Lagenaria siceraria
Gourd, Calabash = Lagenaria siceraria
Gourd, Dishcloth = Luffa acutangula
Gourd, Fig Leaved = Cucurbita ficifolia
Gourd, Hedgehog = Cucumis dipsaceus
Gourd, Snake = Trichosanthes cucumerina var. anguina, Trichosanthes ovigera
Gourd, Stuffing = Cyclanthera pedata
Gourd, Viper = Trichosanthes cucumerina
Gourd, Wax = Benincasa hispida
Gozlukotu = Euphrasia officinalis
Grains of Paradise = Aframomum melegueta
Gram, Black = Vigna mungo
Grama, Blue = Bouteloua gracilis
Granadilla = Passiflora edulis, Passiflora quadrangularis
Granadilla, Stinking = Passiflora foetida
Granadilla, Sweet = Passiflora ligularis
Granny's Bonnet = Aquilegia vulgaris
Grape = Vitis vinifera
Grape Hyacinth = Muscari botryoides
Grape Hyacinth, Common = Muscari neglectum
Grape, Bush = Vitis rupestris
Grape, Creeeping = Vitis flexuosa
Grape, Evergreen = Rhoicissus capensis
Grape, Frost = Vitis vulpina
Grape, Holly = Mahonia fremontii
Grape, Oregon = Mahonia aquifolium, Mahonia fremontii
Grape, Riverbank = Vitis riparia
Grape, Sand = Vitis rupestris
Grape, Sea = Coccoloba uvifera
Grape, Summer = Vitis aestivalis
Grape, Winter = Vitis berlandieri
Grapefruit = Citrus × paradisi
Grapple Plant = Harpagophytum procumbens
Grass Tree, Austral = Xanthorrhoea australis
Grass Widow = Olsynium douglasii
Grass, Alpine Blue = Poa alpina
Grass, Alpine Meadow = Poa alpina
Grass, American Beach = Ammophila breviligulata
Grass, American Eel = Vallisneria americana
Grass, American Slough = Beckmannia syzigachne
Grass, Amur Silver = Miscanthus sacchariflorus
Grass, Annual Beard = Polypogon monspeliensis
Grass, Annual Blue = Poa annua
Grass, Annual Rabbit's Foot = Polypogon monspeliensis
Grass, Annual Vernal = Anthoxanthum puelii
Grass, Austrian Whitlow = Draba fladnizensis
Grass, Balkan Blue = Sesleria heufleriana
Grass, Bamboo = Chasmanthium latifolium
Grass, Barnyard = Echinochloa crus-galli
Grass, Basket = Oplismenus hirtellus
Grass, Beach = Ammophila arenaria
Grass, Bear = Yucca glauca
Grass, Bermuda = Cynodon dactylon
Grass, Black = Alopecurus myosuroides
Grass, Blue = Poa glauca
Grass, Blue Eyed = Sisyrinchium angustifolium, Sisyrinchium mucronatum
Grass, Blue Moor = Sesleria albicans
Grass, Bowles' Golden = Milium effusum
Grass, Bristle = Setaria glauca
Grass, Buffalo = Buchloe dactyloides, Stenotaphrum secundatum

Grass, Bulbous Blue = Poa bulbosa
Grass, Canary = Phalaris canariensis
Grass, Chamois = Pritzelago alpina
Grass, China = Boehmeria nivea
Grass, Chinese Fountain = Pennisetum alopecuroides
Grass, Chinese Silver = Miscanthus sinensis
Grass, Cloud = Agrostis nebulosa
Grass, Common Cotton = Eriophorum angustifolium
Grass, Common Quaking = Briza media
Grass, Common Scurvy = Cochlearia officinalis
Grass, Couch = Elymus repens
Grass, Crab = Digitaria ischaemum, Digitaria sanguinalis
Grass, Creeping Soft = Holcus mollis
Grass, Crested Hair = Koeleria macrantha
Grass, Dallis = Paspalum dilatatum
Grass, Deer = Trichophorum cespitosum
Grass, Dwarf Eel = Zostera noltii
Grass, Early Hair = Aira praecox
Grass, Eel = Vallisneria spiralis, Zostera marina
Grass, Esparto = Stipa tenacissima
Grass, Eyelash Pearl = Melica ciliata
Grass, False Oat = Arrhenatherum elatius
Grass, Feather = Stipa pennata
Grass, Feather Windmill = Chloris virgata
Grass, Fern = Catapodium rigidum
Grass, Finger = Digitaria ischaemum
Grass, Fish = Cabomba caroliniana
Grass, Flat Stem Blue = Poa compressa
Grass, Forest Blue = Poa nemoralis
Grass, Fountain = Pennisetum setaceum
Grass, Foxtail Bristle = Setaria italica
Grass, Geranium = Cymbopogon schoenanthus
Grass, Giant Feather = Stipa gigantea
Grass, Glaucous Hair = Koeleria glauca
Grass, Golden Eyed = Sisyrinchium californicum
Grass, Golden Feather = Stipa pulcherrima
Grass, Golden Japanese Forest = Hakonechloa macra
Grass, Golden Top = Lamarckia aurea
Grass, Greater Quaking = Briza maxima
Grass, Green Bristle = Setaria viridis
Grass, Grey Hair = Corynephorus canescens
Grass, Guinea = Panicum maximum
Grass, Hoary Whitlow = Draba incana
Grass, Holy = Hierochloe odorata
Grass, Idaho Blue Eyed = Sisyrinchium idahoense
Grass, Indian Crown = Paspalum scrobiculatum
Grass, Indian Goose = Eleusine indica
Grass, Japanese Blood = Imperata cylindrica
Grass, Japanese Love = Eragrostis tenella
Grass, Johnson = Sorghum halepense
Grass, Jointed Crown = Paspalum distichum
Grass, Kentucky Blue = Poa pratensis
Grass, Lesser Quaking = Briza minor
Grass, Love = Eragrostis tef, Eragrostis tenella
Grass, Lyme = Leymus arenarius
Grass, Marram = Ammophila arenaria
Grass, Marsh Meadow = Poa palustris
Grass, Mat = Nardus stricta
Grass, Meadow = Poa pratensis
Grass, Moccasin = Melothria pendula
Grass, Mondo = Ophiopogon japonicus
Grass, Moor Mat = Nardus stricta
Grass, Mosquito = Bouteloua gracilis
Grass, Natal = Rhynchelytrum repens
Grass, Oat = Helictotrichon sempervirens
Grass, Old Witch = Panicum capillare
Grass, Orchard = Dactylis glomerata
Grass, Pacific Island Silver = Miscanthus floridulus
Grass, Palm = Curculigo latifolia, Setaria palmifolia
Grass, Pampus = Cortaderia selloana
Grass, Para = Brachiaria mutica
Grass, Prairie = Schizachyrium scoparium
Grass, Purple Moor = Molinia caerulea
Grass, Ravenna = Saccharum ravennae
Grass, Reed = Phragmites australis
Grass, Reed Sweet = Glyceria maxima
Grass, Rescue = Bromus catharticus
Grass, Rhodes = Chloris gayana
Grass, Ribbon = Phalaris arundinacea
Grass, Rice Cut = Leersia oryzoides
Grass, Rosha = Cymbopogon martinii
Grass, Rough Meadow = Poa trivialis
Grass, Ruby = Rhynchelytrum repens
Grass, Scented Vernal = Anthoxanthum odoratum
Grass, Scurvy = Cochlearia officinalis
Grass, Serpent = Bistorta vivipara
Grass, Shore = Stenotaphrum secundatum
Grass, Sidcoats = Bouteloua curtipendula
Grass, Silver = Miscanthus floridulus
Grass, Silver Hair = Aira caryophyllea
Grass, Small Sweet Vernal = Anthoxanthum puelii
Grass, Sparrow = Asparagus officinalis
Grass, St. Augustine = Stenotaphrum secundatum
Grass, Strict Blue Eyed = Sisyrinchium

bermudianum
Grass, Sweet = Glyceria fluitans, Hierochloe odorata
Grass, Switch = Panicum virgatum
Grass, Swollen Windmill = Chloris barbata
Grass, Tape = Vallisneria spiralis
Grass, Tiger = Miscanthus sinensis
Grass, Tor = Brachypodium sylvaticum
Grass, Turkey = Verbena officinalis
Grass, Turtle = Phyla nodiflora
Grass, Tussock Cotton = Eriophorum vaginatum
Grass, Two Flower Melic = Melica mutica
Grass, Umbrella = Cyperus involucratus
Grass, Viper's = Scorzonera hispanica
Grass, Water Manna = Glyceria fluitans
Grass, Water Star = Heteranthera dubia
Grass, Wavy Hair = Deschampsia flexuosa
Grass, Weeping Love = Eragrostis curvula
Grass, White Cotton = Eriophorum scheuchzeri
Grass, Whorl = Catabrosa aquatica
Grass, Witch = Panicum capillare
Grass, Wood Meadow = Poa nemoralis
Grass, Worm = Spigelia marilandica
Grass, Yellow Blue Stem = Bothriochloa ischaemum
Grass, Yellow Indian = Sorghastrum nutans
Grass, Yellow Oat = Trisetum flavescens
Grass, Yellow Whitlow = Draba aizoides
Grass, Yelloweye = Xyris indica
Grasstree, Mexican = Nolina longifolia
Gratiola = Gratiola officinalis
Greasewood = Adenostoma sparsifolium
Green-and-Green = Chrysogonum virginianum
Greenweed, Dyer's = Genista tinctoria
Greenweed, German = Genista germanica
Greenwood, Hairy = Genista pilosa
Grenadine = Passiflora quadrangularis
Grevillea, Rosemary = Grevillea rosmarinifolia
Grevillea, Spider Net = Grevillea thelemanniana
Gromwell = Lithospermum incisum, Lithospermum officinale
Ground Elder = Aegopodium podagraria
Groundbean = Vigna subterranea
Groundcherry = Physalis pubescens
Groundnut = Arachis hypogaea
Groundsel = Kleinia anteuphorbium, Senecio vulgaris
Groundsel Tree = Baccharis halimifolia
Groundsel, Climbing = Senecio scandens
Groundsel, Common = Senecio vulgaris
Groundsel, Golden = Packera aurea
Groundsel, Northern = Solidago multiradiata
Groundsel, Silver = Senecio cineraria
Groundsel, Velvet = Senecio petasites
Guarana Shrub = Paullinia cupana
Guarea = Guarea guidonia
Guava = Psidium guajava
Guava, Pineapple = Acca sellowiana
Guava, Purple Strawberry = Psidium littorale var. longipes
Guava, Strawberry = Psidium littorale
Guinea Grains = Aframomum melegueta
Gum Ammoniac = Dorema ammoniacum
Gum Arabic Tree = Acacia nilotica, Acacia senegal
Gum Ghatti = Anogeissus latifolia
Gum, Black = Nyssa sylvatica
Gum, Blue = Eucalyptus globulus
Gum, Cider = Eucalyptus gunnii
Gum, Cotton = Nyssa aquatica
Gum, Forest Red = Eucalyptus tereticornis
Gum, Giant = Eucalyptus regnans
Gum, Grey = Eucalyptus tereticornis
Gum, Indian = Silphium perfoliatum
Gum, Lemon Scented = Eucalyptus citriodora
Gum, Manna = Eucalyptus viminalis
Gum, Oriental Sweet = Liquidambar orientalis
Gum, Red = Liquidambar styraciflua
Gum, Red Flowering = Eucalyptus ficifolia
Gum, Red River = Eucalyptus camaldulensis
Gum, Ribbon = Eucalyptus viminalis
Gum, River Red = Eucalyptus camaldulensis
Gum, Snow = Eucalyptus pauciflora
Gum, Sour = Nyssa sylvatica
Gum, Spotted = Eucalyptus maculata
Gum, Sugar = Eucalyptus cladocalyx
Gum, Sweet = Liquidambar styraciflua
Gum, Sydney Blue = Eucalyptus saligna
Gum, Tasmanian Blue = Eucalyptus globulus
Gumbo = Abelmoschus esculentus
Gumweed = Grindelia robusta, Grindelia squarrosa
Gumweed, Hairy = Grindelia hirsutula
Gumweed, Marsh = Grindelia hirsutula
Gumweed, Narrow Leaf = Grindelia lanceolata
Gutta Percha = Palaquium gutta
Gutta Percha Tree = Eucommia ulmoides
Gympie Bush = Laportea moroides

Gypsophila, Alpine = Gypsophila repens
Gypsophila, Annual = Gypsophila muralis
Hackberry = Celtis occidentalis
Hackberry, Chinese = Celtis sinensis
Hagenia = Hagenia abyssinica
Hairgrass, Tufted = Deschampsia cespitosa
Hakea, Pin Cushion = Hakea laurina
Halva = Trigonella foenum-graecum
Handkerchief Tree = Davidia involucrata
Handsome Harry = Rhexia virginica
Happy Tree = Camptotheca acuminata
Hardhack = Spiraea tomentosa
Hardy Ice Plant = Delosperma cooperi
Hare's Ear = Bupleurum rotundifolium
Hare's Ear, Shrubby = Bupleurum fruticosum
Hare's Tail = Lagurus ovatus
Harebell = Campanula rotundifolia
Harebell, Carpathian = Campanula carpatica
Harebell, Wall = Campanula portenschlagiana
Haricot = Phaseolus vulgaris
Harlequin Flower = Sparaxis grandiflora, Sparaxis tricolor
Harlequin, Rock = Capnoides sempervirens
Harmel = Peganum harmala
Hart's Tongue = Asplenium scolopendrium
Haw, Black = Viburnum prunifolium
Haw, Dotted = Crataegus punctata
Haw, Red = Crataegus mollis
Haw, Southern Black = Viburnum rufidulum
Haw, Summer = Crataegus flava
Haw, Yellow = Crataegus flava
Hawk's Beard = Crepis biennis, Crepis capillaris
Hawksbeard = Lapsana communis
Hawkweed = Hieracium pilosella
Hawkweed, Orange = Hieracium aurantiacum
Hawkweed, Shaggy = Hieracium villosum
Hawkweed, Woolly = Hieracium tomentosum
Hawthorn, Black = Crataegus douglasii
Hawthorn, Fleshy = Crataegus succulenta
Hawthorn, Frosted = Crataegus pruinosa
Hawthorn, Green = Crataegus viridis
Hawthorn, Hawaii = Osteomeles schweriniae
Hawthorn, India = Rhaphiolepis indica
Hawthorn, Lavell = Crataegus × lavallei
Hawthorn, Quebec = Crataegus submollis
Hawthorn, River = Crataegus rivularis
Hawthorn, Scarlet = Crataegus pedicellata
Hawthorn, Thicket = Crataegus intricata
Hazel = Corylus avellana
Hazel, Beaked = Corylus cornuta
Hazel, Chilean = Gevuina avellana
Hazel, Chinese = Corylus chinensis
Hazel, Japanese = Corylus sieboldiana
Hazel, Turkish = Corylus colurna
Hazel, Witch = Hamamelis × intermedia
Heart of Jesus = Caladium bicolor
Heart-of- Flame = Bromelia balansae
Heart, Purple = Tradescantia pallida
Heartsease = Viola tricolor
Heath, Australian = Epacris impressa
Heath, Besom = Erica scoparia
Heath, Blue Mountain = Phyllodoce caerulea
Heath, Connemara = Daboecia cantabrica
Heath, Cornish = Erica vagans
Heath, Corsican = Erica terminalis
Heath, Cross Leaved = Erica tetralix
Heath, Dorset = Erica ciliaris
Heath, Irish = Erica erigena
Heath, Mackays = Erica mackaiana
Heath, Margaret Porter = Erica × darleyensis
Heath, Mountain = Phyllodoce aleutica
Heath, Pink Mountain = Phyllodoce empetriformis
Heath, Portugal = Erica lusitanica
Heath, Prickly = Gaultheria mucronata
Heath, Red Mountain = Phyllodoce breweri
Heath, Red Signal = Erica mammosa
Heath, Sea = Frankenia laevis
Heath, Southern = Erica australis
Heath, Spanish = Erica australis
Heath, Spike = Bruckenthalia spiculifolia
Heath, Tree = Erica arborea
Heath, Winter = Erica carnea
Heather = Calluna vulgaris
Heather, Bell = Erica cinerea
Heather, Clubmoss Mountain = Cassiope lycopodioides
Heather, False = Cuphea hyssopifolia
Heather, Golden = Cassinia fulvida
Heather, Western Moss = Cassiope mertensiana
Heather, White Arctic Mountain = Cassiope tetragona
Heaven, Tree of = Ailanthus altissima
Heliconia, Beaked = Heliconia rostrata
Heliotrope = Heliotropium arborescens
Heliotrope, Winter = Petasites fragrans
Hellebore, Corsican = Helleborus lividus
Hellebore, Fragrant = Helleborus odorus
Hellebore, Green = Helleborus viridis
Hellebore, Stinking = Helleborus foetidus

Helleborine = Epipactis helleborine
Helleborine, Broad Leaved = Epipactis helleborine
Helleborine, Marsh = Epipactis palustris
Helleborine, Red = Cephalanthera rubra
Helleborine, White = Cephalanthera damasonium
Helmet Flower = Sinningia cardinalis
Heloniopsis = Heloniopsis orientalis
Hemlock, Carolina = Tsuga caroliniana
Hemlock, Eastern = Tsuga canadensis
Hemlock, Mountain = Tsuga mertensiana
Hemlock, Northern Japanese = Tsuga diversifolia
Hemlock, Poison = Conium maculatum
Hemlock, Southern Japanese = Tsuga sieboldii
Hemlock, Striped = Molopospermum peloponnesiacum
Hemlock, Water = Cicuta virosa
Hemlock, Western = Tsuga heterophylla
Hemp Agrimony = Eupatorium cannabinum
Hemp Nettle = Galeopsis tetrahit
Hemp Nettle, Common = Galeopsis tetrahit
Hemp Nettle, Downy = Galeopsis segetum
Hemp Nettle, Large Flowered = Galeopsis speciosa
Hemp Nettle, Red = Galeopsis ladanum
Hemp, American = Apocynum cannabinum
Hemp, False = Datisca cannabina
Hemp, Indian = Hibiscus cannabinus
Hemp, Manila = Musa textilis
Hemp, Sisal = Agave fourcroydes
Hempvine, Climbing = Mikania scandens
Hen's Eyes = Ardisia crenata
Henbane = Hyoscyamus niger
Henbane, Black = Hyoscyamus niger
Henbane, Egyptian = Hyoscyamus muticus
Henna = Lawsonia inermis
Heptacodium = Heptacodium jasminoides
Herb Paris = Paris quadrifolia
Herb Robert = Geranium robertianum
Hercules All-Heal = Opopanax chironium
Hercules' Club = Aralia spinosa
Heron's Bill = Erodium cicutarium
Heron's Bill, Common = Erodium moschatum
Heucherella = × Heucherella tiarelloides
Hiba = Thujopsis dolabrata
Hibiscus = Hibiscus syriacus
Hibiscus, Cape = Hibiscus diversifolius
Hibiscus, China = Hibiscus rosa-sinensis
Hibiscus, Coral = Hibiscus schizopetalus
Hibiscus, Japanese = Hibiscus schizopetalus
Hibiscus, Liliac = Alyogyne huegelii
Hibiscus, Manioc = Abelmoschus manihot
Hibiscus, Norfolk Island = Lagunaria patersonii
Hickory, Big Bud = Carya tomentosa
Hickory, Bitternut = Carya cordiformis
Hickory, Red = Carya ovalis
Hickory, Shagbark = Carya ovata
Hickory, Shellbark = Carya laciniosa
Hickory, Swamp = Carya cordiformis
Hill Dragon = Pellionia repens
Hillebrandia = Hillebrandia sandwicensis
Hogfennel = Peucedanum ostruthium
Hogweed = Heracleum sphondylium
Hogweed, Giant = Heracleum mantegazzianum
Hogweed, Laciniate = Heracleum stevenii
Holly, American = Ilex opaca
Holly, Azorean = Ilex perado
Holly, Boxleaf = Ilex crenata
Holly, Chinese = Ilex cornuta
Holly, Common = Ilex aquifolium
Holly, Elegance Female = Ilex integra
Holly, English = Ilex aquifolium
Holly, Giant Sea = Eryngium giganteum
Holly, Horned = Ilex cornuta
Holly, Japanese = Ardisia crispa, Ilex crenata
Holly, Koehneana = Ilex × koehneana
Holly, Madeira = Ilex perado
Holly, Mexican = Turnera diffusa
Holly, New Zealand = Olearia macrodonta
Holly, Perny's = Ilex pernyi
Holly, Possumhaw = Ilex decidua
Holly, Sea = Eryngium campestre, Eryngium maritimum
Holly, September Gem = Ilex ciliospinosa
Holly, Silver = Berberis hypokerina
Holly, Tarajo = Ilex latifolia
Holly, Topal = Ilex × attenuata
Holly, West Indian = Leea rubra, Turnera ulmifolia
Hollygrape, Cluster = Mahonia pinnata
Hollygrape, Longleaf = Mahonia nervosa
Hollyhock = Alcea rosea
Hollyhock, Mountain = Sphaeralcea rivularis
Holy Ghost Flower = Peristeria elata
Holy Herb = Eriodictyon californicum
Honesty, Annual = Lunaria annua
Honesty, Perennial = Lunaria rediviva
Honey Bush = Melianthus major
Honeysuckle, Alpine = Lonicera alpigena
Honeysuckle, American Fly = Lonicera canadensis
Honeysuckle, Blue = Lonicera caerulea

Honeysuckle, Box = Lonicera nitida
Honeysuckle, Bush = Diervilla lonicera, Lonicera maackii
Honeysuckle, Cape = Tecomaria capensis
Honeysuckle, Coral = Lonicera × heckrottii
Honeysuckle, Everblooming = Lonicera sempervirens
Honeysuckle, Fly = Lonicera canadensis, Lonicera xylosteum
Honeysuckle, Fragrant = Lonicera fragrantissima
Honeysuckle, French = Hedysarum coronarium
Honeysuckle, Giant = Lonicera hildebrandiana
Honeysuckle, Glaucous = Lonicera dioica
Honeysuckle, Gold Flame = Lonicera × heckrottii
Honeysuckle, Himalayan = Leycesteria formosa
Honeysuckle, Italian = Lonicera caprifolium
Honeysuckle, Jamaica = Passiflora laurifolia
Honeysuckle, Japanese = Lonicera japonica
Honeysuckle, Minorca = Lonicera implexa
Honeysuckle, Morrow's = Lonicera morrowii
Honeysuckle, Orange = Lonicera ciliosa
Honeysuckle, Privet = Lonicera pileata
Honeysuckle, Scarlet Trumpet = Lonicera × brownii
Honeysuckle, Swamp Fly = Lonicera oblongifolia
Honeysuckle, Tartarian = Lonicera tatarica
Honeysuckle, Trumpet = Lonicera sempervirens
Honeysuckle, Winter Lonicera standishii
Honeysuckle, Yellow = Lonicera tragophylla
Honeywort = Cerinthe major
Honeywort, Smooth = Cerinthe glabra
Hooded Pitcher Plant = Sarracenia minor
Hop = Humulus lupulus
Hop Bush = Dodonaea viscosa
Hop Hornbeam, American = Ostrya virginiana
Hop Hornbeam, European = Ostrya carpinifolia
Hop Hornbeam, Japanese = Ostrya japonica
Hop Tree = Ptelea trifoliata
Hop, Common = Humulus lupulus
Hop, Japanese = Humulus japonicus
Hopwood = Dodonaea viscosa
Horehound = Marrubium vulgare
Horehound, Black = Ballota nigra
Horehound, Common = Marrubium vulgare
Horehound, Spanish = Marrubium supinum
Horehound, White = Marrubium vulgare
Horn of Plenty = Datura metel, Fedia cornucopiae
Hornbeam, American = Carpinus caroliniana
Hornbeam, Common = Carpinus betulus
Horns, Elk's = Rhombophyllum nelii
Hornwort = Ceratophyllum demersum
Hornwort, Soft = Ceratophyllum submersum
Horse Weed = Conyza canadensis
Horsefly Weed = Baptisia tinctoria
Horsemint = Mentha aquatica
Horseradish = Armoracia rusticana
Horseradish Tree = Moringa oleifera
Horseradish, Japanese = Wasabia japonica
Horsetail = Equisetum palustre
Horsetail Tree = Casuarina equisetifolia
Horsetail, Common = Equisetum arvense
Horsetail, Giant = Equisetum giganteum, Equisetum telmateia
Horsetail, Marsh = Equisetum palustre
Horsetail, Sedge = Equisetum scirpoides
Horsetail, Wood = Equisetum sylvaticum
Horseweed = Collinsonia canadensis
Hortensia = Hydrangea macrophylla
Hottentot Bread = Dioscorea elephantipes
Hound's Tongue = Cynoglossum grande
Hound's Tongue, Common = Cynoglossum officinale
House Leek, Cobweb = Sempervivum arachnoideum
House Leek, Common = Sempervivum tectorum
House, Meeting = Aquilegia canadensis
Houseleek = Sempervivum tectorum
Houttuynia = Houttuynia cordata
Huckleberry = Gaylussacia baccata
Huckleberry, Black = Gaylussacia baccata
Huckleberry, Blue = Gaylussacia frondosa
Huckleberry, Box = Gaylussacia brachycera
Huckleberry, Dwarf = Gaylussacia dumosa
Huckleberry, Fool's = Menziesia ferruginea
Huckleberry, Hairy = Vaccinium hirsutum
Hummingbird Bush = Grevillea thelemanniana
Hummingbird Flower = Epilobium canum
Hungarian Thorn = Crataegus nigra
Huntsman's Cup = Sarracenia purpurea
Hyacinth = Hyacinthus orientalis
Hyacinth, Roman = Bellevalia romana
Hyacinth, Summer = Galtonia candicans
Hyacinth, Tassel = Muscari comosum
Hyacinth, Water = Eichhornia crassipes

Hyacinth, Wild = Camassia scilloides, Dichelostemma multiflorum, Lachenalia contaminata, Triteleia hyacintha
Hydrangea, Climbing = Hydrangea anomala, Hydrangea scandens, Schizophragma hydrangeoides
Hydrangea, Lace Cap = Hydrangea macrophylla
Hydrangea, Oak-Leafed = Hydrangea quercifolia
Hydrangea, Pee Gee = Hydrangea paniculata
Hydrangea, Rough Leaved = Hydrangea aspera
Hydrangea, Tree = Hydrangea arborescens
Hyssop = Hyssopus officinalis
Hyssop, Hedge = Gratiola officinalis
Hyssop, Mexican Giant = Agastache mexicana
Hyssop, Nettle Leaf Giant = Agastache urticifolia
Hyssop, Wild = Verbena hastata
Hyssops, Water = Bacopa monnieri
Ice Plant = Mesembryanthemum crystallinum, Sedum spectabile
Iceland Poppy = Papaver nudicaule
Igiri Tree = Idesia polycarpa
Immortelle, Common = Xeranthemum annuum
Incense Plant = Calomeria amaranthoides
India Rubber Tree = Ficus elastica
Indian Bean Tree = Catalpa bignonioides
Indian Chocolate Root = Geum rivale
Indian Cup Plant = Silphium perfoliatum
Indian Plant = Lithospermum canescens
Indian Shot = Canna indica
Indigo = Indigofera tinctoria
Indigo, Bastard = Amorpha fruticosa
Indigo, Blue False = Baptisia australis
Indigo, Climbing = Marsdenia tinctoria
Indigo, Common = Indigofera tinctoria
Indigo, True = Indigofera tinctoria
Indigo, White False = Baptisia leucantha
Indigo, Wild = Tephrosia purpurea
Inkberry = Ilex glabra
Innocence = Collinsia bicolor, Houstonia caerulea
Inside-Out Flower = Vancouveria hexandra
Inula, Giant = Inula magnifica
Inula, Narrow Leaved = Inula ensifolia
Iochroma = Iochroma fuchsioides
Ipecac, American = Gillenia stipulata
Ipomoea, Star = Ipomoea coccinea
Iris = Iris versicolor
Iris, Algerian = Iris unguicularis
Iris, Beach Head = Iris setosa
Iris, Butterfly = Iris orientalis, Iris spuria
Iris, Common = Iris germanica
Iris, Crested = Iris cristata
Iris, Dalmatian = Iris pallida
Iris, Douglas = Iris douglasiana
Iris, Dwarf = Iris verna
Iris, English = Iris latifolia
Iris, Flag = Iris pseudacorus
Iris, German = Iris germanica
Iris, Japanese Water = Iris ensata
Iris, Louisiana = Iris brevicaulis, Iris fulva
Iris, Mountain = Iris douglasiana
Iris, Mourning = Iris susiana
Iris, Netted = Iris reticulata
Iris, Orchid = Iris japonica
Iris, Oregon = Iris tenax
Iris, Rainbow = Iris innominata
Iris, Red = Iris fulva
Iris, Rocky Mountain = Iris missouriensis
Iris, Roof = Iris tectorum
Iris, Siberian = Iris sanguinea, Iris sibirica
Iris, Siskiyou = Iris bracteata
Iris, Spanish = Iris xiphium
Iris, Stinking = Iris foetidissima
Iris, Vernal = Iris verna
Iris, Widow = Hermodactylus tuberosus
Iris, Winter = Iris reticulata, Iris unguicularis
Iroko = Milicia excelsa
Ironbark, Grey = Eucalyptus paniculata
Ironbark, Pink = Eucalyptus sideroxylon
Ironbark, White = Eucalyptus leucoxylon
Ironweed = Vernonia noveboracensis
Ironweed, New York = Vernonia noveboracensis
Ironwood = Mesua ferrea, Parrotia persica
Ironwood, South Sea = Casuarina equisetifolia
Isaac & Jacob = Trachystemon orientalis
Isotome, Rock = Laurentia axillaris
Itch, Cow = Urera baccifera
Ivy = Hedera helix
Ivy, Algerian = Hedera algeriensis
Ivy, Aralia = × Fatshedera lizei
Ivy, Atlantic = Hedera hibernica
Ivy, Australian = Muehlenbeckia adpressa
Ivy, Boston = Parthenocissus tricuspidata
Ivy, Canary Island = Hedera algeriensis
Ivy, Common = Hedera helix
Ivy, Devil's = Epipremnum aureum
Ivy, English = Hedera helix
Ivy, German = Delairea odorata
Ivy, Grape = Cissus rhombifolia
Ivy, Ground = Glechoma hederacea

Ivy, Himalayan = Hedera nepalensis
Ivy, Irish = Hedera hibernica
Ivy, Japanese = Hedera rhombea, Parthenocissus tricuspidata
Ivy, Miniature Grape = Cissus striata
Ivy, Natal = Senecio macroglossus
Ivy, Parlour = Delairea odorata
Ivy, Persian = Hedera colchica
Ivy, Poison = Rhus radicans, Rhus toxicodendron
Ivy, Red = Hemigraphis alternata
Ivy, Redwood = Vancouveria planipetala
Ivy, Swedish = Plectranthus forsteri
Ixia, Green = Ixia viridiflora
Ixora = Ixora coccinea
Jaborandi = Pilocarpus jaborandi
Jaborandi, Guadalupe = Pilocarpus racemosus
Jaborandi, Maranhao = Pilocarpus microphyllus
Jaboticaba = Myrciaria cauliflora
Jack-by-the-Hedge = Alliaria petiolata
Jack-Go-To-Bed-At-Noon = Tragopogon pratensis
Jack-in-the- Pulpit = Arisarum vulgare
Jackfruit = Artocarpus heterophyllus
Jacob's Coat = Acalypha wilkesiana
Jacob's Ladder = Polemonium caeruleum
Jacob's Ladder, Sticky = Polemonium viscosum
Jacob's Ladder, Towering = Polemonium foliosissimum
Jacobea = Senecio jacobaea
Jade Plant = Crassula ovata
Jalap = Ipomoea purga
Jalap, Indian = Operculina turpethum
Jambolan = Syzygium cumini
Japanese Creeper = Parthenocissus tricuspidata
Japanese Lady's Slipper = Cypripedium japonicum
Japanese Pagoda Tree = Sophora japonica
Japanese Raisin Tree = Hovenia dulcis
Japonica = Chaenomeles japonica
Jarrah = Eucalyptus marginata
Jarum Jarum = Pavetta indica
Jasmine = Jasminum volubile
Jasmine, Angelwing = Jasminum nitidum
Jasmine, Arabian = Jasminum sambac
Jasmine, Asian = Trachelospermum asiaticum
Jasmine, Bastard Rock = Androsace chamaejasme
Jasmine, Cape = Gardenia augusta
Jasmine, Chilean = Mandevilla laxa
Jasmine, Common = Jasminum officinale
Jasmine, Crape = Tabernaemontana divaricata
Jasmine, Dwarf = Jasminum parkeri
Jasmine, False = Gelsemium sempervirens
Jasmine, Italian = Jasminum humile
Jasmine, Madagascar = Stephanotis floribunda
Jasmine, Milkwhite Rock = Androsace lactea
Jasmine, Pink Rock = Androsace carnea
Jasmine, Primrose = Jasminum mesnyi
Jasmine, Rock = Androsace lanuginosa, Androsace septentrionalis
Jasmine, Star = Jasminum multiflorum, Trachelospermum jasminoides
Jasmine, West Indian = Plumeria alba
Jasmine, White = Jasminum officinale
Jasmine, Wild = Jasminum volubile
Jasmine, Winter = Jasminum nudiflorum
Jasmine, Yellow = Jasminum odoratissimum
Javillo = Aleurites trisperma
Jericho, Rose-of- = Anastatica hierochuntica, Selaginella lepidophylla
Jerusalem Cherry = Solanum pseudocapsicum
Jerusalem Cherry, False = Solanum capsicastrum
Jerusalem Thorn = Paliurus spina-christi, Parkinsonia aculeata
Jessamine = Jasminum officinale
Jessamine, False = Gelsemium sempervirens
Jessamine, Orange = Murraya paniculata
Jessamine, Willow Leafed = Cestrum parqui
Jew Bush = Pedilanthus tithymaloides
Jewels-of-Opar = Talinum paniculatum
Jewelweed = Impatiens capensis
Jivanti = Coelogyne ovalis
Job's Tears = Coix lacryma-jobi
Jobo = Bursera simaruba
Joe Pye Weed = Eupatorium maculatum, Eupatorium purpureum
Jonquil, Rush-Leaved = Narcissus assoanus
Jonquil, Wild = Narcissus jonquilla
Joshua Tree = Yucca brevifolia
Judas Tree = Cercis siliquastrum
Jujube = Ziziphus jujuba
Jujube, Indian = Ziziphus mauritiana
June Berry = Amelanchier arborea
Juniper = Juniperus communis
Juniper, African = Juniperus procera
Juniper, Blue Star = Juniperus squamata
Juniper, Chinese = Juniperus chinensis

Juniper, Coffin = Juniperus recurva
Juniper, Colorado = Juniperus scopulorum
Juniper, Common = Juniperus communis
Juniper, Creeping = Juniperus horizontalis
Juniper, Drooping = Juniperus recurva
Juniper, Phoenicean = Juniperus phoenicea
Juniper, Prickly = Juniperus oxycedrus
Juniper, Rocky Mountain = Juniperus scopulorum
Juniper, Shore = Juniperus conferta
Juniper, Spanish = Juniperus thurifera
Juniper, Syrian = Juniperus drupacea
Juniper, Temple = Juniperus rigida
Jute = Corchorus capsularis, Corchorus olitorius
Jute, China = Abutilon theophrasti
Jute, Cuban = Sida rhombifolia
Kadsura = Kadsura japonica
Kaki = Diospyros kaki
Kaksinia = Caccinia glauca
Kale, Sea = Crambe maritima
Kangaroo Paw = Anigozanthos manglesii, Anigozanthos rufus
Kangaroo Paw, Green = Anigozanthos viridis
Kangaroo Paw, Tall = Anigozanthos flavidus
Kangaroo Thorn = Acacia paradoxa
Kapok Tree = Ceiba pentandra
Karo = Pittosporum crassifolium
Karri = Eucalyptus diversicolor
Katsura Tree = Cercidiphyllum japonicum
Kauri, Queensland = Agathis robusta
Kava, Kava = Piper methysticum
Kebrako = Aspidosperma quebracho-blanco
Kentia = Howea forsteriana
Kernera = Kernera saxatilis
Kerria = Kerria japonica
Khat = Catha edulis
Khat Tree = Catha edulis
King of the Alps = Eritrichium nanum
King's Crown = Justicia carnea
Kingcup = Caltha palustris
Kino, Indian = Pterocarpus marsupium
Kiss Me Quick = Brunfelsia latifolia
Kiss-me-over-the-garden-gate = Persicaria orientalis
Kiwi Fruit = Actinidia deliciosa
Knapweed, Brown = Centaurea jacea
Knapweed, Great Golden = Centaurea macrocephala
Knapweed, Greater = Centaurea scabiosa
Knapweed, Mountain = Centaurea montana
Knapweed, Plume = Centaurea uniflora subsp. nervosa
Knapweed, White = Centaurea diffusa
Knotgrass, Desert = Fallopia dumetorum
Knotweed = Bistorta tenuicaule, Polygonum aviculare
Knotweed, Giant = Fallopia sachalinensis
Knotweed, Japanese = Fallopia japonica
Kola = Cola acuminata
Kopal = Copaifera officinalis
Kowhai = Sophora tetraptera
Kris Plant = Alocasia sanderiana
Kudzu = Pueraria lobata
Kummel = Trachyspermum ammi
Kumquat, Round = Fortunella japonica
Kurrajong = Brachychiton populneus
Kurrat = Allium ampeloprasum
Lablab = Lablab purpureus
Labrador Tea = Ledum groenlandicum
Laburnum, Adam's = + Laburnocytisus adamii
Laburnum, Common = Laburnum anagyroides
Laburnum, Dalmatian = Petteria ramentacea
Laburnum, Evergreen = Piptanthus nepalensis
Laburnum, Indian = Cassia fistula
Laburnum, Nepal = Piptanthus nepalensis
Laburnum, Scotch = Laburnum alpinum
Lace Flower = Episcia dianthiflora
Lace Flower, Blue = Trachymene coerulea
Lace Leaf = Aponogeton madagascariensis
Lace, Silver = Tanacetum ptarmiciflorum
Lacebark = Hoheria glabrata
Lacebark, New Zealand = Hoheria populnea
Lad's Love = Artemisia abrotanum
Lady-of-the-Night = Brunfelsia americana
Lady's Mantle = Alchemilla xanthochlora
Lady's Mantle, Alpine = Alchemilla alpina
Lady's Slipper = Cypripedium parviflorum var. pubescens
Lady's Smock = Cardamine pratensis
Lady's Tresses, Autumn = Spiranthes spiralis
Lady's Tresses, Summer = Spiranthes aestivalis
Ladybell, Bush = Adenophora potaninii
Lakum = Cayratia japonica
Lamb's Ears = Stachys byzantina
Lamb's Lugs = Stachys byzantina
Lambkill = Kalmia angustifolia
Lamium = Lamium maculatum
Lancewood = Oxandra lanceolata, Pseudopanax crassifolius
Lansium = Lansium domesticum
Lantana = Lantana camara, Lantana montevidensis

Lantern Tree = Crinodendron hookerianum
Larch = Larix decidua
Larch, Alpine = Larix lyallii
Larch, American = Larix laricina
Larch, Chinese = Larix potaninii
Larch, Dahurian = Larix gmelinii
Larch, Dunkeld = Larix × eurolepis
Larch, European = Larix decidua
Larch, Golden = Pseudolarix amabilis
Larch, Japanese = Larix kaempferi
Larch, Siberian = Larix russica
Larch, Subalpine = Larix lyallii
Larch, Weeping = Larix × pendula
Larch, Western = Larix occidentalis
Larkspur, Flat Head = Delphinium bicolor
Larkspur, Red = Delphinium nudicaule
Larkspur, Scarlet = Delphinium cardinale
Laurel = Magnolia virginiana, Prunus laurocerasus
Laurel, Alexandrian = Calophyllum inophyllum, Danae racemosa
Laurel, Australian = Pittosporum tobira
Laurel, Bog = Kalmia polifolia
Laurel, California = Umbellularia californica
Laurel, Canary = Laurus azorica
Laurel, Cherry = Prunus laurocerasus
Laurel, Egg = Elaeocarpus floribundus
Laurel, Great = Rhododendron maximum
Laurel, Mountain = Kalmia latifolia
Laurel, New Zealand = Corynocarpus laevigatus
Laurel, Portugal = Prunus lusitanica
Laurel, Sheep = Kalmia angustifolia
Laurel, Spotted = Aucuba japonica
Laurel, Spurge = Daphne laureola
Laurel, Swamp = Kalmia polifolia
Laurel, Tropic = Ficus benjamina
Laurentia = Laurentia longiflora
Laurustinus = Viburnum tinus
Lavender, English = Lavandula angustifolia
Lavender, French = Lavandula dentata
Lavender, Spike = Lavandula latifolia
Lavender, Woolly = Lavandula lanata
Lead Plant = Amorpha canescens
Leadtree, White = Leucaena leucocephala
Leadwort = Ceratostigma plumbaginoides
Leather Coat Tree = Coccoloba pubescens
Leather Flower = Clematis crispa, Clematis viorna
Leatherleaf = Chamaedaphne calyculata
Leatherwood = Dirca palustris
Lechuguilla = Agave lophantha
Leek = Allium porrum
Leek, Alpine = Allium victorialis
Leek, Few-flowered = Allium paradoxum
Leek, Lily = Allium moly
Leek, Round-headed = Allium sphaerocephalon
Leek, Sand = Allium scorodoprasum
Leek, Three-cornered = Allium triquetrum
Leek, Wild = Allium ampeloprasum
Lemon = Citrus limon
Lemon, Ichang = Citrus ichangensis
Lemon, Water = Passiflora laurifolia
Lemon, Wild = Podophyllum peltatum
Lemon, Wild Water = Passiflora foetida
Lemongrass = Cymbopogon citratus, Cymbopogon flexuosus
Lemonwood = Pittosporum eugenioides
Lentil = Lens culinaris
Lentil, Wild = Astragalus cicer
Lentisk = Pistacia lentiscus
Leontice = Leontice leontopetalum
Leopard Plant = Farfugium japonicum
Leopard's Bane = Doronicum pardalianches
Leopardsbane, Leafy = Arnica chamissonis
Leopoldinia = Leopoldinia piassaba
Leschenaultia, Blue = Leschenaultia biloba
Lespedeza = Lespedeza stipulacea
Lettuce = Lactuca sativa
Lettuce Tree = Pisonia grandis
Lettuce, Bitter = Lactuca virosa
Lettuce, Branch = Saxifraga pensylvanica
Lettuce, Lamb's = Valerianella locusta
Lettuce, Miner's = Montia perfoliata
Lettuce, Prickly = Lactuca serriola
Lettuce, Purple = Prenanthes purpurea
Lettuce, Water = Pistia stratiotes
Lettuce, White = Nabalus albus
Levant Berry = Anamirta paniculata
Lewisia, Columbia = Lewisia columbiana
Lewisia, Imperial = Lewisia cotyledon
Life-of-Man = Aralia racemosa
Lignum, Climbing = Muehlenbeckia adpressa
Lignumvitae, Holywood = Guajacum sanctum
Lilac, Afghan = Syringa afghanica
Lilac, Amur = Syringa reticulata var. amurensis
Lilac, Chinese = Syringa × chinensis
Lilac, Common = Syringa vulgaris
Lilac, Cutleaf = Syringa afghanica
Lilac, Daphne = Syringa microphylla
Lilac, French = Syringa vulgaris
Lilac, Himalayan = Syringa emodi
Lilac, Hungarian = Syringa josikaea
Lilac, Japanese Tree = Syringa reticulata
Lilac, Korean = Syringa meyeri, Syringa

patula
Lilac, New Zealand = Hebe hulkeana
Lilac, Persian = Syringa × persica
Lilac, Pink Pearl = Syringa × swegiflexa
Lilac, Vine = Hardenbergia violacea
Lilac, Yunnan = Syringa yunnanensis
Lily Tree = Magnolia denudata
Lily-of-China = Rohdea japonica
Lily-of-the-Valley = Convallaria majalis
Lily-of-the-Valley Bush = Pieris japonica
Lily-of-the-Valley Tree = Clethra arborea, Crinodendron patagua
Lily, African = Agapanthus africanus
Lily, African Corn = Ixia maculata
Lily, Amazon = Eucharis amazonica
Lily, American Swamp = Saururus cernuus
Lily, American Turkscap = Lilium superbum
Lily, Arum = Zantedeschia aethiopica
Lily, August = Hosta plantaginea
Lily, Australian Giant = Doryanthes excelsa
Lily, Avalanche = Erythronium grandiflorum
Lily, Bamboo = Lilium japonicum
Lily, Barbados = Hippeastrum puniceum
Lily, Blackberry = Belamcanda chinensis
Lily, Boat = Tradescantia spathacea
Lily, Brown's = Lilium brownii
Lily, Butterfly = Hedychium coronarium
Lily, Canada = Lilium canadense
Lily, Carolina = Lilium michauxii
Lily, Cascade = Lilium washingtonianum
Lily, Chaparral = Lilium rubescens
Lily, Chinese Lantern = Sandersonia aurantiaca
Lily, Climbing = Littonia modesta
Lily, Cluster = Brodiaea elegans
Lily, Cobra = Darlingtonia californica
Lily, Columbia = Lilium columbianum
Lily, Coral = Lilium pumilum
Lily, Cow = Nuphar advena
Lily, Devil = Lilium lancifolium
Lily, Easter = Lilium longiflorum
Lily, Elephant = Crinum × powellii
Lily, Eureka = Lilium occidentale
Lily, Fairy = Zephyranthes rosea
Lily, Fawn = Erythronium californicum, Erythronium citrinum
Lily, Fire = Lilium bulbiferum
Lily, Formosa = Lilium formosanum
Lily, Fringe = Thysanotus multiflorus
Lily, Giant Himalayan = Cardiocrinum giganteum
Lily, Ginger = Hedychium spicatum
Lily, Globe = Calochortus albus
Lily, Glory = Gloriosa superba
Lily, Golden = Lycoris aurea
Lily, Golden Rayed = Lilium auratum
Lily, Golden Spider = Lycoris aurea
Lily, Guernsey = Nerine sarniensis
Lily, Gumbo = Mentzelia decapetala
Lily, Harvest Cluster = Brodiaea coronaria
Lily, Humboldt = Lilium humboldtii
Lily, Ifafa = Cyrtanthus mackenii
Lily, Jacobean = Sprekelia formosissima
Lily, Japanese = Lilium japonicum
Lily, Josephine's = Brunsvigia josephinae
Lily, Kaffir = Clivia gardenii, Clivia × cyrtanthiflora, Schizostylis coccinea
Lily, Kahila Ginger = Hedychium gardnerianum
Lily, Leek = Bulbine semibarbata
Lily, Lent = Narcissus pseudonarcissus
Lily, Leopard = Belamcanda chinensis, Lilium pardalinum
Lily, Loddon = Leucojum aestivum
Lily, Madonna = Lilium candidum
Lily, Magic = Lycoris squamigera
Lily, Martagon = Lilium martagon
Lily, May = Maianthemum bifolium
Lily, Meadow = Lilium canadense
Lily, Mexican = Hippeastrum reginae
Lily, Morning Star = Lilium concolor
Lily, Nankeen = Lilium × testaceum
Lily, Orange = Lilium bulbiferum
Lily, Ox Tongue = Scadoxus multiflorus
Lily, Panther = Lilium pardalinum
Lily, Parrot = Alstroemeria psittacina
Lily, Peace = Spathiphyllum wallisii
Lily, Père David's = Lilium davidii
Lily, Peruvian = Alstroemeria psittacina
Lily, Pig = Zantedeschia aethiopica
Lily, Pyrenean = Lilium pyrenaicum
Lily, Red = Lilium pomponium
Lily, Red Spider = Lycoris radiata
Lily, Redwood = Lilium rubescens
Lily, Regal = Lilium regale
Lily, Resurrection = Kaempferia rotunda, Lycoris squamigera
Lily, Rienga = Arthropodium cirrhatum
Lily, Rio Grande Copper = Habranthus tubispathus
Lily, Rock = Arthropodium cirrhatum
Lily, Scarborough = Cyrtanthus purpureus
Lily, Scarlet Ginger = Hedychium coccineum
Lily, Scarlet Martagon = Lilium chalcedonicum
Lily, Sierran = Lilium parvum
Lily, Spear = Doryanthes excelsa

Lily, Spider = Hymenocallis caribaea, Hymenocallis speciosa, Lycoris sanguinea
Lily, St. Bernard's = Anthericum liliago
Lily, St. Bruno's = Paradisea liliastrum
Lily, Star = Arthropodium candidum, Zigadenus fremontii
Lily, Swamp = Saururus cernuus, Saururus chinensis
Lily, Thimble = Lilium bolanderi
Lily, Tiger = Lilium lancifolium
Lily, Torch = Kniphofia uvaria
Lily, Triplet = Triteleia laxa
Lily, Trout = Erythronium americanum, Erythronium tuolumnense
Lily, Voodoo = Sauromatum venosum
Lily, Washington = Lilium washingtonianum
Lily, Western = Lilium occidentale
Lily, White = Lilium candidum
Lily, White Ginger = Hedychium coronarium
Lily, Wild = Lilium philadelphicum
Lily, Wood = Lilium philadelphicum
Lime = Citrus aurantiifolia, Tilia miqueliana
Lime Berry = Triphasia trifolia
Lime, American = Tilia americana
Lime, Caucasian = Tilia × euchlora
Lime, Common = Tilia × vulgaris
Lime, Crimean = Tilia × euchlora
Lime, Kaffir = Citrus hystrix
Lime, Large Leaved = Tilia platyphyllos
Lime, Mandarin = Citrus × limonia
Lime, Native Finger = Microcitrus australasica
Lime, Oliver's = Tilia oliveri
Lime, Silver = Tilia tomentosa
Limus = Mangifera foetida
Linden = Tilia miqueliana
Linden, European = Tilia × vulgaris
Linden, Little Leaf = Tilia cordata
Linden, Mongolian = Tilia mongolica
Ling = Calluna vulgaris
Linseed = Linum usitatissimum
Lion's Ear = Leonotis leonurus
Lion's Foot = Nabalus serpentarius
Lips, Blue = Collinsia grandiflora
Lipstick Plant = Aeschynanthus radicans
Lipstick Tree = Bixa orellana
Liquorice = Glycyrrhiza glabra
Liquorice, Indian = Abrus precatorius
Liquorice, Roman = Glycyrrhiza echinata
Liquorice, Wild = Astragalus glycyphyllos
Liriope = Liriope muscari
Lithodora = Lithodora fruticosa
Lithospermum = Lithospermum officinale
Live Forever, Canyon = Dudleya cymosa
Liverberry = Streptopus amplexifolius
Living Rock = Ariocarpus fissuratus, Ariocarpus retusus, Pleiospilos bolusii
Lizard's Tail = Anemopsis californica, Saururus cernuus
Lizzie, Busy = Impatiens walleriana
Lobelia, Edging = Lobelia erinus
Lobelia, Great = Lobelia siphilitica
Lobelia, Scarlet = Lobelia cardinalis
Lobelia, Trailing = Lobelia erinus
Lobelia, Water = Lobelia dortmanna
Lobster's Claw = Clianthus puniceus
Locoweed, Rocky Mountain = Oxytropis halleri
Locust Tree = Hymenaea courbaril
Locust, Black = Robinia pseudoacacia
Locust, Bristly = Robinia hispida
Locust, Chinese Honey = Gleditsia sinensis
Locust, Clammy = Robinia viscosa
Locust, Honey = Gleditsia triacanthos
Locust, New Mexican = Robinia neomexicana
Locust, Pink = Robinia × ambigua
Loganberry = Rubus loganobaccus
Logwood = Haematoxylum campechianum
Lollipop Plant = Pachystachys lutea
Lomatia = Lomatia ferruginea
London Pride = Saxifraga umbrosa, Saxifraga × urbium
Longan Fruit = Dimocarpus longan
Longpepper, Java = Piper retrofractum
Loofah = Luffa cylindrica
Loosestrife = Lysimachia vulgaris, Lythrum virgatum
Loosestrife, Dotted = Lysimachia punctata
Loosestrife, Fringed = Lysimachia ciliata
Loosestrife, Gooseneck = Lysimachia clethroides
Loosestrife, Purple = Lythrum salicaria
Loosestrife, Spiked = Lythrum salicaria
Loosestrife, Tufted = Lysimachia thyrsiflora
Loosestrife, Yellow = Lysimachia vulgaris
Loosetrife, Winged = Lythrum alatum
Loquat = Eriobotrya japonica
Lords-and-Ladies = Arum maculatum
Lotus = Nelumbo nucifera
Lotus, American = Nelumbo lutea
Lotus, Blue = Nymphaea stellata
Lotus, Blue Egyptian = Nymphaea caerulea
Lotus, Egyptian = Nymphaea lotus
Lotus, Sacred Indian = Nelumbo nucifera
Lotus, White Egyptian = Nymphaea lotus
Louse Plaster = Mikania scandens

Lovage = Levisticum officinale
Love Lies Bleeding = Amaranthus caudatus
Love-in-a-Mist = Nigella damascena
Lucerne = Medicago sativa
Lungwort = Pulmonaria officinalis
Lungwort, Blue = Pulmonaria angustifolia
Lupin, Carolina = Thermopsis villosa
Lupin, Garden = Lupinus polyphyllus
Lupin, Ocean Blue = Lupinus nanus
Lupin, Sundial = Lupinus perennis
Lupin, Tree = Lupinus arboreus
Lupin, White = Lupinus albus
Lupin, White Whorl = Lupinus densiflorus
Lupin, Yellow = Lupinus luteus
Lupine, Andean = Lupinus mutabilis
Lychee = Litchi chinensis
Lycium = Berberis lycium
Lycium, Indian = Berberis lycium
Lygodium, Big = Lygodium flexuosum
Maackia, Amur = Maackia amurensis
Macadamia = Macadamia ternifolia
Macadamia, Rough Shell = Macadamia tetraphylla
Maddenii = Rhododendron maddenii
Madder = Rubia peregrina, Rubia tinctoria
Madder, Field = Sherardia arvensis
Madder, Indian = Rubia cordifolia
Madder, Wild = Rubia peregrina
Madeira, Pride of = Echium candicans
Madrona = Arbutus menziesii
Madrone = Arbutus menziesii
Madwort, Hoary False = Berteroa incana
Magnolia Vine, Chinese = Schisandra chinensis
Magnolia, Anise = Magnolia salicifolia
Magnolia, Big Leaved = Magnolia hypoleuca
Magnolia, Campbell = Magnolia campbellii
Magnolia, Ear Leaved = Magnolia fraseri
Magnolia, Evergreen = Magnolia grandiflora
Magnolia, Kobus = Magnolia kobus
Magnolia, Lenne's = Magnolia × soulangiana
Magnolia, Siebold = Magnolia sieboldii
Magnolia, Southern = Magnolia grandiflora
Magnolia, Star = Magnolia stellata
Magnolia, Veitch = Magnolia × veitchii
Magnolia, Willow Leafed = Magnolia salicifolia
Magnolia, Wilson = Magnolia wilsonii
Mahaut = Hibiscus tiliaceus
Mahogany = Swietenia macrophylla
Mahogany, Little Mountain = Cercocarpus ledifolius var. intricatus
Mahogany, Mountain = Cercocarpus ledifolius, Cercocarpus montanus,
Mahogany, Red = Eucalyptus resinifera
Mahogany, Swamp = Eucalyptus robusta
Mahogany, West Australian = Eucalyptus marginata
Mahogany, West Indian = Swietenia mahagoni
Mahonia, Creeping = Mahonia repens
Mahonia, Fortune = Mahonia fortunei
Mahonia, Japanese = Mahonia japonica
Mahonia, Leatherleaf = Mahonia bealei
Maid-of-the-Mist = Gladiolus dalenii
Maidenhair Fern = Adiantum capillus-veneris
Maidenhair Fern, Evergreen = Adiantum venustum
Maidenhair Tree = Ginkgo biloba
Maidenhair, American = Adiantum pedatum
Maidenhair, Brittle = Adiantum concinnum
Maidenhair, Fan = Adiantum tenerum
Maidenhair, Four Leaf = Adiantum tetraphyllum
Maidenhair, Rosy = Adiantum hispidulum
Maidenhair, Rough = Adiantum hispidulum
Maidenhair, Silver Dollar = Adiantum peruvianum
Maidenhair, Southern = Adiantum capillus-veneris
Maidenhair, Venus = Adiantum capillus-veneris
Maize = Zea mays
Malanga = Xanthosoma sagittifolium
Maleberry = Lyonia ligustrina
Malee Scrub, Silver = Eucalyptus fruticetorum
Mallee, Pear Shaped = Eucalyptus pyriformis
Mallotus = Mallotus philippensis
Mallow = Lavatera olbia, Malva neglecta
Mallow, Armenian = Althaea cannabina
Mallow, Blue = Malva sylvestris
Mallow, Bush = Lavatera olbia
Mallow, Checker = Sidalcea malviflora
Mallow, Common = Malva neglecta
Mallow, Curled = Malva verticillata
Mallow, Cut Leaved = Malva alcea
Mallow, High = Malva sylvestris
Mallow, Indian = Abutilon indicum
Mallow, Jew's = Kerria japonica
Mallow, Marsh = Althaea officinalis
Mallow, Musk = Abelmoschus moschatus, Malva moschata
Mallow, Painted Indian = Abutilon pictum
Mallow, Purple Poppy = Callirhoe

involucrata
Mallow, Rocky Mountain Checker = Sidalcea neomexicana
Mallow, Tall Poppy = Callirhoe leiocarpa
Mallow, Tree = Lavatera arborea
Mallow, Wax = Malvaviscus arboreus
Mallow, White = Althaea officinalis
Mallow, White Prairie = Sidalcea candida
Mallow, Woodland Poppy = Callirhoe papaver
Malva = Lavatera arborea
Man-of-the-Earth = Ipomoea pandurata
Mandarin = Citrus reticulata
Mandarin, Rose = Streptopus roseus
Mandragora = Mandragora autumnalis
Mandrake = Mandragora autumnalis, Mandragora officinarum
Mandrake, European = Mandragora officinarum
Mango = Mangifera indica, Mangifera × odorata
Mangold = Beta vulgaris
Mangosteen = Garcinia mangostana
Mangrove, Red = Rhizophora mangle
Manioc = Manihot esculenta
Manna Tree = Alhagi maurorum
Manuka = Leptospermum scoparium
Manzanilla = Hippomane mancinella
Manzanita = Arctostaphylos manzanita
Mapania = Mapania humilis
Maple, Amur = Acer tataricum subsp. ginnala
Maple, Ash Leafed = Acer negundo
Maple, Balkan = Acer hyrcanum
Maple, Big Leaf = Acer macrophyllum
Maple, Caucasian = Acer cappadocicum
Maple, Cretan = Acer sempervirens
Maple, Field = Acer campestre
Maple, Forrets's = Acer forrestii
Maple, Full Moon = Acer japonicum
Maple, Hedge = Acer campestre
Maple, Italian = Acer opalus
Maple, Japanese = Acer japonicum, Acer palmatum
Maple, Lobel's = Acer cappadocicum subsp. lobelii
Maple, Montpellier = Acer monspessulanum
Maple, Mountain = Acer spicatum
Maple, Nikko = Acer maximowiczianum
Maple, Norway = Acer platanoides
Maple, Oregon = Acer macrophyllum
Maple, Paperbark = Acer griseum
Maple, Père David's = Acer davidii
Maple, Red = Acer rubrum
Maple, Red Bud = Acer heldreichii subsp. trautvetteri
Maple, Red Snake Bark = Acer capillipes
Maple, Rough-Barked = Acer triflorum
Maple, Scarlet = Acer rubrum
Maple, Siebold's = Acer sieboldianum
Maple, Silver = Acer saccharinum
Maple, Snakebark = Acer davidii, Acer forrestii, Acer grosseri, Acer pensylvanicum
Maple, Sugar = Acer saccharum
Maple, Tatarian = Acer tataricum
Maple, Three-Flowered = Acer triflorum
Maple, Vine = Acer circinatum
Maple, Vine-Leafed = Acer cissifolium
Maple, Zoeschen = Acer × zoeschense
Marcgravia = Marcgravia umbellata
Mare's Tail = Hippuris vulgaris
Marguerite = Argyranthemum frutescens
Marguerite, Blue = Felicia amelloides
Marie, Bois = Calophyllum brasiliense
Marie, Dame = Calophyllum brasiliense
Marigold = Calendula officinalis
Marigold, African = Tagetes erecta
Marigold, Corn = Chrysanthemum segetum
Marigold, Dwarf = Tagetes minuta
Marigold, French = Tagetes patula
Marigold, Marsh = Caltha leptosepala, Caltha palustris
Marigold, Signet = Tagetes tenuifolia
Marigold, Sweet = Tagetes lucida
Marigold, Wild = Tagetes minuta
Marijuana = Cannabis sativa
Mariposa Lily, Superb = Calochortus superbus
Mariposa Lily, White = Calochortus venustus
Mariposa, Sagebrush = Calochortus macrocarpus
Marjoram = Origanum majorana
Marjoram, Pot = Origanum onites
Marjoram, Sweet = Origanum majorana
Marjoram, Wild = Origanum vulgare
Marmalade Bush = Streptosolen jamesonii
Marri = Eucalyptus calophylla
Marrow, Vegetable = Cucurbita pepo
Marsh Felwort = Swertia perennis
Martagon = Lilium martagon
Marvel of Peru = Mirabilis jalapa
Mary, Little = Bellium minutum
Mask Flower = Alonsoa warscewiczii
Master, Rattlesnake = Eryngium yuccifolium
Masterwort = Heracleum lanatum, Peucedanum ostruthium

Masterwort, Great = Astrantia major
Masterwort, Lesser = Astrantia minor
Mastic = Pistacia lentiscus
Mate = Ilex paraguariensis
May = Crataegus laevigata, Crataegus monogyna
May Pop = Passiflora incarnata
Mayapple, Chinese = Podophyllum pleianthum
Mayapple, Himalayan = Podophyllum hexandrum
Mayflower = Epigaea repens
Mayten = Maytenus boaria
Mayten Tree = Maytenus boaria
Mayweed, False = Tripleurospermum maritimum
Mayweed, Scentless = Tripleurospermum perforatum
Mayweed, Sea = Tripleurospermum maritimum
Mazzard = Prunus avium
Meadow Foam = Limnanthes douglasii
Meadow Rue = Thalictrum flavum, Thalictrum foetidum
Meadow Rue, Alpine = Thalictrum alpinum
Meadow Rue, Chinese = Thalictrum dipterocarpum
Meadow Rue, Columbine = Thalictrum aquilegifolium
Meadow Rue, Lesser = Thalictrum minus
Meadow Rue, Yellow = Thalictrum flavum
Meadow Sweet = Filipendula ulmaria, Spiraea alba
Meadowrue = Thalictrum alpinum
Meadowsweet, Japanese = Spiraea japonica
Meadowsweet, Reeves' = Spiraea cantoniensis
Medick, Black = Medicago lupulina
Medick, Sickle = Medicago falcata
Medick, Yellow = Medicago falcata
Medlar = Mespilus germanica
Medlar, False = Sorbus chamaemespilus
Medlar, Japanese = Eriobotrya japonica
Medusa's Head = Euphorbia caput-medusae
Melaleuca, Dotted = Melaleuca hypericifolia
Melaleuca, Drooping = Melaleuca armillaris
Melaleuca, Heath = Melaleuca ericifolia
Melaleuca, Pink = Melaleuca nesophila
Melick, Mountain = Melica nutans
Melick, Wood = Melica uniflora
Melilot = Melilotus officinalis
Melon = Cucumis melo
Melon, Bitter = Momordica charantia
Mercury, Dog's = Mercurialis perennis
Mercury, French = Mercurialis annua
Mercury, Vegetable = Brunfelsia uniflora
Mermaid, Snowy = Libertia formosa
Mescal = Agave parryi, Lophophora williamsii
Mespilus, Snowy = Amelanchier canadensis
Mesquite = Prosopis juliflora
Mesquite, Argentine = Prosopis alba
Mesquite, Chilean = Prosopis chilensis
Messmate = Eucalyptus obliqua
Mexican Blood Flower = Distictis buccinatoria
Mexican Cigar Plant = Cuphea ignea
Mexican Creeper = Antigonon leptopus
Mexican Fire Plant = Euphorbia heterophylla
Mexican Shell Flower = Tigridia pavonia
Mezereon = Daphne mezereum
Mickey Mouse Plant = Ochna serrulata
Mignonette = Reseda odorata
Mignonette, White = Reseda alba
Mile-a-Minute Climber = Stictocardia beraviensis
Mile-a-Minute Plant = Fallopia baldschuanica
Milk, Wolf's = Euphorbia esula, Euphorbia helioscopia
Milkbush, African = Synadenium grantii
Milkhedge = Euphorbia nivulia
Milktree, Brazilian = Mimusops elengi
Milkweed = Asclepias speciosa
Milkweed, Giant = Calotropis procera
Milkweed, Swamp = Asclepias incarnata
Milkwort = Polygala amara, Polygala senega
Milkwort, Chalk = Polygala calcarea
Milkwort, Shrubby = Polygala chamaebuxus
Millefolium = Myriophyllum spicatum
Millet = Panicum miliaceum
Millet, Common = Panicum miliaceum
Millet, Italian = Setaria italica
Millet, Kodo = Paspalum scrobiculatum
Millet, Pearl = Pennisetum americanum
Mimicry Plant = Pleiospilos bolusii
Mimosa = Acacia dealbata
Mint Bush = Elsholtzia stauntonii, Prostanthera rotundifolia
Mint, Apple = Mentha suaveolens
Mint, Biblical = Mentha longifolia
Mint, Corn = Mentha arvensis
Mint, Corsican = Mentha requienii
Mint, Ginger = Mentha × gracilis
Mint, Horse = Mentha longifolia
Mint, Indian = Plectranthus amboinicus

Mint, Mountain = Micromeria thymifolia
Mint, Pineapple = Mentha suaveolens
Mint, Water = Mentha aquatica
Mint, Wild = Mentha arvensis
Miro = Prumnopitys ferruginea
Misery, Sierran Mountain = Chamaebatia foliolosa
Miss Willmott's Ghost = Eryngium giganteum
Mist Flower = Ageratina altissima, Conoclinum coelestinum
Mistletoe = Loranthus europaeus, Viscum album
Mistmaiden = Romanzoffia unalaschcensis
Mistmaiden, Sitka = Romanzoffia sitchensis
Mitre Flower = Mitraria coccinea
Mitrew, Leafy Stemmed = Mitella caulescens
Mitrewort = Mitella diphylla
Mitrewort, Five Point = Mitella pentandra
Mock Orange, Scentless = Philadelphus inodorus
Mock Orange, Sweet = Philadelphus coronarius
Mock Orange, Wild = Philadelphus lewisii
Mockernut = Carya tomentosa
Mole Plant = Euphorbia lathyris
Moly = Allium moly
Mombin, Red = Spondias purpurea
Monarda, Russel's = Monarda russeliana
Mondo, Black = Ophiopogon planiscapus
Moneywort, Cornish = Sibthorpia europaea
Monk's Hood, Ornamental = Astrophytum ornatum
Monkey Flower = Mimulus guttatus, Mimulus ringens
Monkey Flower Bush = Mimulus aurantiacus
Monkey Flower, Common = Mimulus guttatus
Monkey Flower, Great Purple = Mimulus lewisii
Monkey Flower, Scarlet = Mimulus cardinalis
Monkey Flower, Square Stemmed = Mimulus ringens
Monkey Flower, Yellow Creeping = Mimulus primuloides
Monkey Pod Tree = Albizia saman
Monkey Puzzle = Araucaria araucana
Monkshood = Aconitum lycoctonum subsp. vulparia
Monkshood, Garden = Aconitum napellus
Monkshood, Yellow = Aconitum anthora
Monstera = Monstera adansonii
Montbretia = Crocosmia aurea, Crocosmia × crocosmiiflora
Moon Flower = Ipomoea alba
Moonseed, Carolina = Cocculus carolinus
Moonstones = Pachyphytum oviferum
Moonwort = Botrychium lunaria
Moonwort, Common = Botrychium lunaria
Moosewood = Acer pensylvanicum
Morning Glory Bush = Ipomoea carnea subsp. fistulosa
Morning Glory Tree = Ipomoea arborescens
Morning Glory, Beach = Ipomoea pes-caprae
Morning Glory, Blue = Ipomoea nil
Morning Glory, Brazilian = Ipomoea setosa
Morning Glory, Common = Ipomoea purpurea
Morning Glory, Dwarf = Convolvulus tricolor
Morning Glory, Ground = Convolvulus sabatius
Morning Glory, Ocean Blue = Ipomoea indica
Morning Glory, Red = Ipomoea coccinea
Morning Glory, Woolly = Argyreia nervosa
Morning Glory, Yellow = Merremia tuberosa
Mosaic Plant = Fittonia verschaffeltii var. argyroneura
Moses-in-the-Boat = Tradescantia spathacea
Moss, Club = Lycopodium clavatum
Moss, Dovedale = Saxifraga hypnoides
Moss, Fairy = Azolla caroliniana
Moss, Spanish = Tillandsia usneoides
Mother-in-law's Seat = Echinocactus grusonii
Mother-in-law's Tongue = Sansevieria trifasciata
Mother-of-Pearl Plant = Graptopetalum paraguayense
Mother-of-Thousands = Saxifraga stolonifera, Tolmiea menziesii
Motherwort = Leonurus cardiaca
Motherwort, Woolly = Leonurus lanatus
Mound, Silver = Artemisia schmidtiana
Mountain Ash = Eucalyptus regnans, Sorbus aucuparia
Mountain Ash, American = Sorbus americana
Mountain Ash, Creeping = Sorbus reducta
Mountain Ash, Hupeh = Sorbus hupehensis
Mountain Ash, Hybrid = Sorbus × hybrida
Mountain Ash, Korean = Sorbus alnifolia
Mountain Ash, Snowberry = Sorbus discolor

Mountain Ash, Vilmorin = Sorbus vilmorinii
Mountain Fringe = Adlumia fungosa
Mountain Lady's Slipper = Cypripedium montanum
Mountain Pride = Penstemon newberryi
Mountain Tassel = Soldanella montana
Mournful Widow = Scabiosa atropurpurea
Mouse Ear, Alpine = Cerastium alpinum
Mousetail = Myosurus minimus
Mousetail, Tiny = Myosurus minimus
Moutan = Paeonia Suffruticosa-Grp.
Mrs Robb's Bonnet = Euphorbia robbiae
Mugga = Eucalyptus sideroxylon
Mugwort = Artemisia vulgaris
Mugwort, Western = Artemisia ludoviciana
Mulberry = Callicarpa americana, Morus nigra
Mulberry, Black = Morus nigra
Mulberry, Common = Morus nigra
Mulberry, Indian = Morinda citrifolia
Mulberry, Paper = Broussonetia papyrifera
Mulberry, Red = Morus rubra
Mulberry, Silkworm = Morus alba
Mulberry, White = Morus alba
Mule's Ears, Woolly = Wyethia mollis
Mullein = Verbascum longifolium
Mullein, Cretan = Verbascum arcturus
Mullein, Dark = Verbascum nigrum
Mullein, Large Flowered = Verbascum densiflorum
Mullein, Moth = Verbascum blattaria
Mullein, Orange = Verbascum phlomoides
Mullein, Purple = Verbascum phoeniceum
Mullein, White = Verbascum lychnitis, Verbascum thapsus
Mullein, White Moth = Verbascum blattaria
Mungbean = Vigna radiata
Muscadine = Vitis rotundifolia
Musk = Mimulus guttatus, Mimulus moschatus
Musk Plant = Mimulus moschatus
Musk Root = Ferula moschata
Musk, Monkey = Mimulus luteus
Musk, Scarlet = Mimulus cardinalis
Musk, Shrubby = Mimulus aurantiacus
Muskflower = Mimulus moschatus
Muskroot = Adoxa moschatellina
Muskwood = Olearia argophylla
Mustard = Sinapis alba, Sisymbrium officinale
Mustard, Black = Brassica nigra
Mustard, Buckler = Biscutella laevigata
Mustard, Candy = Aethionema saxatile
Mustard, Chinese = Brassica juncea
Mustard, Field = Brassica rapa, Sinapis arvensis
Mustard, Hedge = Sisymbrium officinale
Mustard, Indian = Brassica juncea
Mustard, White = Sinapis alba
Mustard, Wormseed = Erysimum cheiranthoides
Myoporum = Myoporum laetum
Myrica, Red = Myrica rubra
Myrmecodia = Myrmecodia echinata
Myrobalan, Belleric = Terminalia bellirica
Myrobalan, Emblic = Phyllanthus emblica
Myrobalan, Indian = Terminalia chebula
Myrrh = Commiphora molmol, Myrrhis odorata
Myrtle = Myrtus communis
Myrtle, Bog = Myrica gale
Myrtle, Bracelet Honey = Melaleuca armillaris
Myrtle, Cape = Myrsine africana
Myrtle, Common = Myrtus communis
Myrtle, Crape = Lagerstroemia indica
Myrtle, Orange Bark = Luma apiculata
Myrtle, Sand = Leiophyllum buxifolium
Myrtle, Sweet = Acorus calamus
Myrtle, Sweet Willow = Agonis flexuosa
Myrtle, Wax = Myrica cerifera
Mysore Thorn = Caesalpinia decapetala, Caesalpinia sepiaria
Nailroot, Silver = Paronychia argentea
Naked Ladies = Colchicum autumnale
Nandina = Nandina domestica
Narcissus, Bunch-Flowered = Narcissus tazetta
Narcissus, Paper-White = Narcissus papyraceus
Narcissus, Pheasant Eye = Narcissus poeticus
Narcissus, Poet's = Narcissus poeticus
Nard = Nardostachys grandiflora
Nardoo = Marsilea drummondii
Nasturtium = Tropaeolum majus
Navelwort = Omphalodes cappadocica, Umbilicus rupestris
Navelwort, Venus's = Omphalodes linifolia
Needle, Adam' = Yucca filamentosa
Needle, Adam's = Yucca gloriosa
Needleleaf, Northern = Tillandsia balbisiana
Needleleaf, Southern = Tillandsia setacea
Needles, Devil's Darning = Clematis virginiana
Neem Tree = Melia azadirachta
Nemesia = Nemesia strumosa
Nemophila, Five Spot = Nemophila maculata

Neolitsea = Neolitsea sericea
Nepalese White Thorn = Pyracantha crenulata
Nettle = Urtica dioica
Nettle Tree = Celtis australis
Nettle, Bush = Laportea canadensis
Nettle, Dog = Urtica urens
Nettle, Giant Dead = Lamium orvala
Nettle, Roman = Urtica pilulifera
Nettle, Stinging = Urtica dioica
Nettle, White = Cnidoscolus urens
Nettle, White Dead = Lamium album
Nettle, Wood = Laportea canadensis
Nevada Bitter Root = Lewisia nevadensis
Never Never Plant = Ctenanthe oppenheimiana
New Jersey Tea = Ceanothus ovatus
New Zealand Lily Plant = Dianella ensifolia
New Zealand Satin Flower = Libertia grandiflora
Nightshade = Solanum dasyphyllum
Nightshade, Black = Solanum nigrum
Nightshade, Brazilian = Solanum seaforthianum
Nightshade, Common = Solanum nigrum
Nightshade, Costa Rican = Solanum wendlandii
Nightshade, Deadly = Solanum dulcamara
Nightshade, Enchanter's = Circaea alpina
Nightshade, Horned = Solanum rostratum
Nightshade, Malabar = Basella alba
Nightshade, Paris = Circaea lutetiana
Nightshade, Purple African = Solanum marginatum
Nightshade, Sticky = Solanum sisymbriifolium
Ninebark, Atlantic = Physocarpus opulifolius
Ninebark, Mallow Leaf = Physocarpus malvaceus
Ninebark, Pacific = Physocarpus capitatus
Nipplewort = Lapsana communis
North Island Rata = Metrosideros robusta
Nut Gall Tree, Chinese = Rhus chinensis
Nut, Barbados = Jatropha curcas
Nut, Betel = Areca catechu
Nut, Brazil = Bertholletia excelsa
Nut, Buffalo = Pyrularia pubera
Nut, Chilean = Gevuina avellana
Nut, Goat = Simmondsia chinensis
Nut, Goora = Cola acuminata
Nut, Grass = Triteleia laxa
Nut, Gru Gru = Acrocomia totai
Nut, Ink = Terminalia chebula
Nut, Jesuits = Trapa natans
Nut, Kola = Cola nitida
Nut, Marking = Semecarpus anacardium
Nut, Monkey = Arachis hypogaea
Nut, Physic = Jatropha curcas
Nut, Poison = Strychnos ignatii
Nut, Queensland = Macadamia ternifolia, Macadamia tetraphylla
Nut, St. Vincent Physic = Jatropha multifida
Nut, Tiger = Cyperus esculentus
Nutgrass = Cyperus rotundus
Nutmeg = Myristica fragrans
Nutmeg Yew, California = Torreya californica
Nutmeg Yew, Chinese = Torreya grandis
Nutmeg, Calabash = Monodora myristica
Nutmeg, Florida = Torreya taxifolia
Nutmeg, Jamaica = Monodora myristica
Nutmeg, Silver = Myristica argentea
Nuts, Oyster = Telfairia occidentalis
Nux Vomica = Strychnos nux-vomica
Oak = Quercus robur
Oak, African = Lophira lanceolata
Oak, Aleppo = Quercus infectoria
Oak, American Red = Quercus rubra
Oak, Arkansas = Quercus × arkansana
Oak, Armenian = Quercus pontica
Oak, Basket = Quercus prinus
Oak, Bear = Quercus ilicifolia
Oak, Black = Quercus velutina
Oak, Blackjack = Quercus marilandica
Oak, Burr = Quercus macrocarpa
Oak, Caucasian = Quercus macranthera
Oak, Chestnut = Quercus prinus
Oak, Chinquapin = Quercus prinoides
Oak, Cork = Quercus suber
Oak, Daimio = Quercus dentata
Oak, Downy = Quercus pubescens
Oak, Durmast = Quercus petraea
Oak, Dwarf Chinquapin = Quercus prinoides
Oak, Dyer's = Quercus macrolepis
Oak, English = Quercus robur
Oak, Evergreen = Quercus ilex
Oak, Golden = Quercus alnifolia
Oak, Holm = Quercus ilex
Oak, Hungarian = Quercus frainetto
Oak, Indoor = Buddleja indica
Oak, Jerusalem = Chenopodium botrys
Oak, Kermes = Quercus coccifera
Oak, Konara = Quercus glandulifera
Oak, Laurel = Quercus laurifolia
Oak, Lebanon = Quercus libani
Oak, Mongolian = Quercus mongolica
Oak, Mossy Cup = Quercus macrocarpa
Oak, Overcup = Quercus lyrata

Oak, Pedunculate = Quercus robur
Oak, Pin = Quercus palustris
Oak, Poison = Rhus toxicodendron
Oak, Pontine = Quercus pontica
Oak, Post = Quercus stellata
Oak, Pyrenean = Quercus pyrenaica
Oak, Red = Quercus falcata, Quercus rubra
Oak, Red-flowered Silky = Grevillea glabrata
Oak, River = Casuarina cunninghamiana
Oak, Sawtooth = Quercus acutissima
Oak, Scarlet = Quercus coccinea
Oak, Scrub = Quercus ilicifolia, Quercus marilandica
Oak, Sessile = Quercus petraea
Oak, Shingle = Quercus imbricaria
Oak, Silky = Grevillea robusta
Oak, Southern Red = Quercus falcata
Oak, Spanish = Quercus × hispanica
Oak, Swamp White = Quercus bicolor
Oak, Turkey = Quercus cerris
Oak, Turner's = Quercus × turneri
Oak, Vallonia = Quercus macrolepis
Oak, Water = Quercus nigra
Oak, Water White = Quercus lyrata
Oak, White = Quercus alba
Oak, Willow = Quercus phellos
Oat = Avena sativa
Oat, Animated = Avena sterilis
Oat, Common Red = Avena byzantina
Oat, Downy = Helictotrichon pubescens
Oat, Naked = Avena nuda
Oat, Sea = Chasmanthium latifolium
Obedient Plant = Physostegia virginiana
Oca = Oxalis tuberosa
Ocotillo = Fouquieria splendens
Octopus Plant = Aloe arborescens
Oil, Ben = Moringa oleifera
Oil, Kinka = Vernonia anthelmintica
Oil, Zanzibar = Telfairia pedata
Oilseed Rape = Brassica napus
Okra = Abelmoschus esculentus
Old Man's Beard = Clematis vitalba
Old Man's Whiskers = Geum triflorum
Old Woman = Artemisia stelleriana
Oleander = Nerium oleander
Oleander, Yellow = Thevetia peruviana
Oleaster = Elaeagnus angustifolia
Olive = Olea europaea
Olive Bark Tree = Terminalia catappa
Olive, Autumn = Elaeagnus umbellata
Olive, Chinese = Canarium album
Olive, Desert = Forestiera neomexicana
Olive, Fragrant = Osmanthus fragrans
Olive, Java = Canarium indicum, Sterculia foetida
Olive, Russian = Elaeagnus angustifolia
Olive, Sweet = Osmanthus fragrans
Olive, Wild = Olea europaea subsp. africana
Ombu = Phytolacca dioica
Onion = Allium cyathophorum
Onion, Climbing = Bowiea volubilis
Onion, Crinkled = Allium crispum
Onion, Hooker's = Allium acuminatum
Onion, Japanese Bunching = Allium fistulosum
Onion, Nodding = Allium cernuum
Onion, One-leaf = Allium unifolium
Onion, Sea = Ornithogalum longibracteatum
Onion, Small Yellow = Allium flavum
Onion, Taper Tip = Allium acuminatum
Onion, Tree = Allium cepa
Onion, Welsh = Allium fistulosum
Onion, Wild = Allium cernuum, Allium unifolium
Orach = Atriplex hortensis
Orach, Common = Atriplex patula
Orange = Citrus sinensis
Orange Ball Tree = Buddleja globosa
Orange, Bergamot = Citrus bergamia
Orange, Bitter = Citrus aurantium, Poncirus trifoliata
Orange, Osage = Maclura pomifera
Orange, Quito = Solanum quitoense
Orange, Sweet = Citrus sinensis
Orange, Trifoliate = Poncirus trifoliata
Orchid Tree = Bauhinia variegata
Orchid, Bamboo = Arundina graminifolia
Orchid, Bee = Ophrys apifera
Orchid, Bird's Nest = Neottia nidus-avis
Orchid, Black = Coelogyne pandurata
Orchid, Black Vanilla = Nigritella nigra
Orchid, Broad Leaved Marsh = Dactylorhiza majalis
Orchid, Bug = Orchis coriophora
Orchid, Burnt Tip = Orchis ustulata
Orchid, Butterfly = Oncidium papilio, Platanthera chlorantha
Orchid, Clamshell = Encyclia cochleata
Orchid, Comet = Angraecum sesquipedale
Orchid, Common Spotted = Dactylorhiza fuchsii
Orchid, Cow Horn = Cyrtopodium punctatum
Orchid, Cradle = Anguloa clowesii
Orchid, Cricket = Brassia caudata
Orchid, Dancing Doll = Oncidium flexuosum
Orchid, Delicate Violet = Ionopsis utricularioides

Orchid, Dollar = Encyclia boothiana
Orchid, Early Marsh = Dactylorhiza incarnata
Orchid, Early Purple = Orchis mascula
Orchid, Early Spider = Ophrys sphegodes
Orchid, Fairy Slipper = Calypso bulbosa
Orchid, Fly = Ophrys insectifera
Orchid, Fragrant = Gymnadenia conopsea
Orchid, Frog = Coeloglossum viride
Orchid, Green Winged = Orchis morio
Orchid, Heath Spotted = Dactylorhiza maculata
Orchid, King = Dendrobium speciosum
Orchid, Lace = Odontoglossum crispum
Orchid, Lady = Orchis purpurea
Orchid, Lady-of-the-Night = Brassavola nodosa
Orchid, Lady's Slipper = Cypripedium calceolus
Orchid, Late Spider = Ophrys holoserica
Orchid, Lesser Butterfly = Platanthera bifolia
Orchid, Lily-of-the-Valley = Odontoglossum pulchellum
Orchid, Man = Aceras anthropophorum
Orchid, Military = Orchis militaris
Orchid, Mountain = Bauhinia acuminata
Orchid, Night Scented = Epidendrum nocturnum
Orchid, Philippine Ground = Spathoglottis plicata
Orchid, Pleurothallis = Pleurothallis gelida
Orchid, Pyramid = Anacamptis pyramidalis
Orchid, Rock = Dendrobium speciosum
Orchid, Soldier = Orchis militaris
Orchid, Southern Marsh = Dactylorhiza praetermissa
Orchid, Star-of-Bethlehem = Angraecum sesquipedale
Orchid, Tampa Butterfly = Encyclia tampensis
Orchid, Tiger = Rossioglossum grande
Orchid, Umbrella Star = Epidendrum difforme
Ordeal Tree = Erythrophleum suaveolens
Oregano = Origanum vulgare
Oriental Thorn = Crataegus laciniata
Orixa = Orixa japonica
Orostachys = Orostachys malacophyllus
Orris = Iris germanica
Osier = Salix viminalis
Osier, Common = Salix viminalis
Osier, Purple = Salix purpurea
Osmanthus, Delavay = Osmanthus delavayi
Osmanthus, Hollyleaf = Osmanthus heterophyllus
Osoberry = Oemleria cerasiformis
Oswego Tea = Monarda didyma, Monarda fistulosa, Monarda punctata
Ottelia = Ottelia alismoides
Ox Tongue, Bristly = Picris echioides
Ox Tongue, Hawkweed = Picris hieracioides
Ox-Eye = Heliopsis helianthoides
Ox-Eye, Large Yellow = Telekia speciosa
Ox-Eye, Yellow = Buphthalmum salicifolium
Oxalis, Pink = Oxalis articulata
Oxlip = Primula elatior
Oxytropis, Purple = Oxytropis halleri
Oxytropis, Yellow = Oxytropis campestris
Padouk = Pterocarpus indicus
Paeony, Common = Paeonia officinalis
Paeony, Coral = Paeonia mascula
Paeony, Cottage = Paeonia officinalis
Paeony, Scarlet = Paeonia peregrina
Paeony, Tree = Paeonia Suffruticosa-Grp., Paeonia delavayi
Paeony, Veitch's = Paeonia veitchii
Paeony, White = Paeonia lactiflora
Paeony, Yellow = Paeonia lutea
Paigles = Primula elatior
Painkiller = Morinda citrifolia
Paintbrush, Royal = Scadoxus puniceus
Painted Drop Tongue = Aglaonema crispum
Painted Lady = Echeveria derenbergii
Painted Tongue = Salpiglossis sinuata
Pak Choi = Brassica rapa Chinensis-Grp.
Palas, Climbing = Butea superba
Palm, African Oil = Elaeis guineensis
Palm, Alexandra = Archontophoenix alexandrae
Palm, American Oil = Elaeis oleifera
Palm, Australian Fan = Livistona australis
Palm, Bamboo = Chamaedorea erumpens, Rhapis excelsa
Palm, Bangalow = Archontophoenix cunninghamiana
Palm, Betel = Areca catechu
Palm, Blue = Brahea armata
Palm, Blue Fan = Brahea armata
Palm, Burmese Fishtail = Caryota mitis
Palm, Butterfly = Chrysalidocarpus lutescens
Palm, Cabbage = Livistona australis
Palm, California Fan = Washingtonia filifera
Palm, Canary Island Date = Phoenix canariensis
Palm, Chilean Wine = Jubaea chilensis

Palm, Chinese Fan = Livistona chinensis
Palm, Christmas = Veitchia merrillii
Palm, Chusan = Trachycarpus fortunei
Palm, Cliff Date = Phoenix rupicola
Palm, Coconut = Cocos nucifera
Palm, Cuban Royal = Roystonea regia
Palm, Curly = Howea belmoreana
Palm, Date = Phoenix dactylifera
Palm, Doum = Hyphaene thebaica
Palm, Florida Thatch = Thrinax radiata
Palm, Guadalupe = Brahea edulis
Palm, Ivory Nut = Phytelephas macrocarpa
Palm, Jelly = Butia capitata
Palm, Key Thatch = Thrinax morrisii
Palm, King = Archontophoenix alexandrae
Palm, Lady = Rhapis excelsa
Palm, Madagascar = Chrysalidocarpus lutescens, Pachypodium lamerei
Palm, Manila = Veitchia merrillii
Palm, Mexican Blue = Brahea armata
Palm, Mexican Fan = Washingtonia robusta
Palm, Mexican Fern = Dioon edule
Palm, Miniature Date = Phoenix roebelenii
Palm, Needle = Rhapidophyllum hystrix
Palm, Palmira = Borassus flabellifer
Palm, Paradise = Howea forsteriana
Palm, Parlour = Chamaedorea elegans
Palm, Peach = Bactris gasipaes
Palm, Piccabeen = Archontophoenix cunninghamiana
Palm, Pigmy Date = Phoenix roebelenii
Palm, Princess = Dictyosperma album
Palm, Rattan = Rhapis humilis
Palm, Reed = Chamaedorea seifrizii
Palm, Royal = Roystonea oleracea, Roystonea regia
Palm, Sago = Caryota urens, Metroxylon sagu
Palm, San José Hesper = Brahea brandegeei
Palm, Sealing Wax = Cyrtostachys renda
Palm, Senegal Date = Phoenix reclinata
Palm, Sentry = Howea belmoreana
Palm, Silver Date = Phoenix sylvestris
Palm, Silver Thatch = Coccothrinax argentea
Palm, Slender Lady = Rhapis humilis
Palm, South American Royal = Roystonea oleracea
Palm, Spindle = Hyophorbe verschaffeltii
Palm, Sugar = Arenga pinnata
Palm, Talipot = Corypha umbraculifera
Palm, Triangle = Neodypsis decaryi
Palm, Trinidad = Sabal mauritiiformis
Palm, Wax = Copernicia prunifera
Palm, Weddel = Lytocaryum weddellianum
Palm, Wine = Caryota urens, Jubaea chilensis
Palm, Yatay = Butia yatay
Palmetto = Sabal palmetto
Palmetto, Cabbage = Sabal palmetto
Palmetto, Dwarf = Sabal minor
Palmetto, Hispaniolan = Sabal blackburniana
Palmetto, Saw = Serenoa repens
Palmito = Chamaerops humilis
Pan American Plant = Pilea involucrata
Panama Hat Plant = Carludovica palmata
Panama Tree = Sterculia apetala
Panda Plant = Kalanchoe tomentosa
Pangium = Pangium edule
Pansy = Viola × wittrockiana
Pansy, Garden = Viola × wittrockiana
Pansy, Horned = Viola cornuta
Pansy, Mountain = Viola lutea
Pansy, Wild = Viola tricolor
Papaya, Mountain = Carica pentagona
Papoose Root = Caulophyllum thalictroides
Papyrus = Cyperus papyrus
Para, Para = Pisonia umbellifera
Parachute Plant = Ceropegia sandersonii
Paraguay Tea = Ilex paraguariensis
Paraguay, Sweet Leaf Of = Stevia rebaudiana
Parana Tree = Araucaria angustifolia
Parasol Plant = Schefflera arboricola
Parasol Tree, Chinese = Firmiana simplex
Parietaria = Parietaria officinalis
Parnassus, Grass of = Parnassia palustris
Parrot Pitcher Plant = Sarracenia psittacina
Parrotia = Parrotia persica
Parrots' Feather = Myriophyllum aquaticum
Parsley = Petroselinum crispum
Parsley, Cow = Anthriscus sylvestris
Parsley, Fool's = Aethusa cynapium
Parsley, Hedge = Torilis japonica
Parsnip = Pastinaca sativa
Parsnip, Cow = Heracleum lanatum
Parsnip, Water = Sium latifolium
Partridgeberry = Mitchella repens
Pasque Flower = Pulsatilla patens, Pulsatilla vulgaris
Pasque Flower, Eastern = Pulsatilla patens
Pasque Flower, White = Pulsatilla alpina subsp. alba
Passion Flower, Annual = Passiflora gracilis
Passion Flower, Red = Passiflora racemosa
Passion Flower, Yellow = Passiflora lutea
Passion Fruit = Passiflora edulis
Patchouly = Pogostemon cablin
Patience = Rumex patientia

Pauciflorus = Helianthus pauciflorus
Pavia, Shrubby = Aesculus parviflora
Pawpaw = Asimina triloba
Pea = Pisum sativum
Pea Tree = Caragana arborescens
Pea, Asparagus = Psophocarpus tetragonolobus, Tetragonolobus purpureus
Pea, Beach = Lathyrus maritimus
Pea, Black = Lathyrus niger
Pea, Buffalo = Thermopsis rhombifolia
Pea, Butterfly = Centrosema virginianum, Clitoria ternatea
Pea, Caley = Lathyrus hirsutus
Pea, Chick = Cicer arietinum
Pea, Chickling = Lathyrus sativus
Pea, Coral = Hardenbergia violacea
Pea, Cow = Vigna unguiculata
Pea, Dusky Coral = Kennedia rubicunda
Pea, Everlasting = Lathyrus latifolius, Lathyrus sylvestris
Pea, Garden = Pisum sativum
Pea, Glory = Clianthus formosus
Pea, Grass = Lathyrus sativus
Pea, Heart = Cardiospermum halicacabum
Pea, Kachang = Cajanus cajan
Pea, Perennial Sweet = Lathyrus latifolius
Pea, Rosary = Abrus precatorius
Pea, Spring = Lathyrus vernus
Pea, Sturt's Desert = Clianthus formosus
Pea, Swan River = Brachysema lanceolatum
Pea, Sweet = Lathyrus odoratus
Pea, Tuberous = Lathyrus tuberosus
Pea, Water Blossom = Podalyria calyptrata
Peach = Prunus persica
Peach, Chinese = Prunus davidiana
Peach, Père David's = Prunus davidiana
Peacock Flower = Caesalpinia pulcherrima
Peacock Plant = Calathea makoyana
Peanut = Arachis hypogaea
Pear = Pyrus communis
Pear Thorn = Crataegus calpodendron
Pear, Almond Leaved = Pyrus amygdaliformis
Pear, Balsam = Momordica charantia
Pear, Birchleaf = Pyrus betulifolia
Pear, Common = Pyrus communis
Pear, Melon = Solanum muricatum
Pear, Nashi = Pyrus pyrifolia var. culta
Pear, Prickly = Opuntia leptocaulis
Pear, Sand = Pyrus pyrifolia
Pear, Semaphore Prickly = Opuntia spinosissima
Pear, Snow = Pyrus nivalis
Pear, Ussurian = Pyrus ussuriensis
Pear, Wild = Pyrus pyraster
Pear, Willow Leafed = Pyrus salicifolia
Pear, Woody = Xylomelum pyriforme
Pearl Berry = Margyricarpus pinnatus
Pearl Bush = Exochorda giraldii, Exochorda × macrantha
Pearl Fruit = Margyricarpus pinnatus
Pearleaf = Leptarrhena pyrolifolia
Pearlflower = Heterocentron subtriplinervium
Pearlwort = Sagina subulata
Pearlwort, Corsican = Sagina subulata
Peas, Deer's = Erythrina herbacea
Pecan = Carya illinoinensis
Peepul Tree = Ficus religiosa
Pelargonium, Zonal = Pelargonium × hortorum
Pelican Flower = Aristolochia grandiflora
Pellitory = Anacyclus pyrethrum
Pen Wiper Plant = Kalanchoe marmorata
Pencil Tree = Euphorbia tirucalli
Pennycress = Thlaspi arvense
Pennycress, Round Leaved = Thlaspi cepaeifolium subsp. rotundifolium
Pennyroyal = Mentha pulegium
Pennyroyal, Alpine = Teucrium montanum
Pennyroyal, American = Hedeoma pulegioides
Pennywort = Cymbalaria muralis, Hydrocotyle vulgaris, Umbilicus rupestris
Pennywort, Indian = Centella asiatica
Pennywort, Marsh = Hydrocotyle vulgaris
Penstemon, Blue = Penstemon serrulatus
Penstemon, Blue Mountain = Penstemon venustus
Penstemon, Broad Leaved = Penstemon ovatus
Penstemon, Cascade = Penstemon serrulatus
Penstemon, Cobaea = Penstemon cobaea
Penstemon, Cutleaved = Penstemon richardsonii
Penstemon, Davidson's = Penstemon davidsonii
Penstemon, Foothill = Penstemon heterophyllus
Penstemon, Foxglove = Penstemon digitalis
Penstemon, Hairy = Penstemon hirsutus
Penstemon, Purple = Penstemon whippleanus
Penstemon, Rock = Penstemon rupicola
Penstemon, Rocky Mountain = Penstemon strictus
Penstemon, Scarlet = Penstemon bridgesii
Penstemon, Sharp Leaved = Penstemon acuminatus

Penstemon, Short Flowered = Penstemon procerus
Penstemon, Sky Blue = Penstemon azureus
Penstemon, Slender = Penstemon gracilis
Penstemon, Smooth = Penstemon glaber
Penstemon, Taper Leaved = Penstemon attenuatus
Penstemon, Toadflax = Penstemon linarioides
Penstemon, Yellow = Penstemon confertus
Peperomia, Cypress = Peperomia glabella
Peperomia, Ivy Leaf = Peperomia griseoargentea
Peperomia, Mignonette = Peperomia fraseri
Pepino = Solanum muricatum
Pepper = Capsicum baccatum, Piper nigrum
Pepper Plant = Piper nigrum
Pepper Tree = Schinus molle
Pepper, Ashanti = Piper guineense
Pepper, Betel = Piper betle
Pepper, Big = Piper aduncum
Pepper, Bush = Berberis canadensis
Pepper, Green = Capsicum annuum
Pepper, Guinea = Xylopia aethiopica
Pepper, Hot = Capsicum frutescens
Pepper, Indian Long = Piper longum
Pepper, Jamaica = Pimenta dioica
Pepper, Java Devil = Rauvolfia serpentina
Pepper, Kava = Piper methysticum
Pepper, Long = Piper longum
Pepper, Malay = Piper porphyrophyllum
Pepper, Mountain = Drimys lanceolata
Pepper, Negro = Xylopia quintasii
Pepper, Red = Capsicum annuum
Pepper, Sweet = Capsicum annuum
Pepper, Tailed = Piper cubeba
Pepper, Water Melon = Peperomia argyreia
Peppermint = Mentha × piperita
Peppermint, Black = Eucalyptus amygdalina
Peppermint, Narrow Leaved = Eucalyptus radiata
Peppermint, Willow = Agonis flexuosa
Peppertree, Brazilian = Schinus terebinthifolius
Peppertree, Peru = Schinus longifolius
Pepperwort = Lepidium sativum, Marsilea quadrifolia
Periwinkle, Greater = Vinca major
Periwinkle, Madagascar = Catharanthus roseus
Periwinkle, Rosy = Catharanthus roseus
Periwinkle, Smaller = Vinca minor
Persian Shield = Strobilanthes dyerianus
Persimmon = Diospyros kaki
Persimmon, American = Diospyros virginiana
Petticoat, Hoop = Narcissus bulbocodium
Phalsa = Grewia asiatica
Pheasant Berry = Leycesteria formosa
Pheasant's Eye = Adonis annua
Pheasant's Eye, Amur = Adonis amurensis
Pheasant's Eye, Summer = Adonis aestivalis
Pheasant's Eye, Yellow = Adonis vernalis
Phillyrea = Phillyrea latifolia
Philodendron, Black Gold = Philodendron melanochrysum
Philodendron, Blushing = Philodendron erubescens
Philodendron, Fiddleleaf = Philodendron bipennifolium
Philodendron, Heart = Philodendron cordatum
Philodendron, Heartleaf = Philodendron scandens
Philodendron, Redleaf = Philodendron erubescens
Philodendron, Spade Leaf = Philodendron domesticum
Phlox = Phlox paniculata
Phlox, Alpine = Phlox douglasii
Phlox, Annual = Phlox drummondii
Phlox, Blue = Phlox divaricata
Phlox, Creeping = Phlox stolonifera
Phlox, Downy = Phlox pilosa
Phlox, Garden = Phlox paniculata
Phlox, Louisiana = Phlox divaricata
Phlox, Moss = Phlox subulata
Phlox, Mountain = Linanthus grandiflorus
Phlox, Summer = Phlox paniculata
Phlox, Sweet William = Phlox maculata
Phlox, Thick Leaf = Phlox carolina
Phlox, Trailing = Phlox nivalis
Phlox, Woodland = Phlox adsurgens
Photinia = Photinia villosa
Photinia, Chinese = Photinia glabra
Photinia, Fraser's = Photinia × fraseri
Photinia, Japanese = Photinia serrulata
Phyllagathis = Phyllagathis rotundifolia
Physic Root = Veronicastrum virginicum
Physic, Indian = Gillenia trifoliata
Pichi = Fabiana imbricata
Pick Tooth = Ammi visnaga
Pickerel Weed = Pontederia cordata
Pickerelweed = Pontederia cordata
Picrorhiza = Picrorhiza kurroa
Pieris = Pieris taiwanensis
Pieris, Chinese = Pieris formosa var. forrestii
Pieris, Formosa = Pieris formosa

Pieris, Japanese = Pieris japonica
Pieris, Mountain = Pieris floribunda
Pigeon Berry = Duranta erecta
Piggy Back Plant = Tolmiea menziesii
Pignut = Carya glabra
Pigweed = Amaranthus retroflexus
Pilewort = Ranunculus ficaria
Pilot Weed = Silphium laciniatum
Pimpernel, Scarlet = Anagallis arvensis
Pimpernel, Water = Veronica beccabunga
Pimpernel, Wood = Lysimachia nemorum
Pimpernel, Yellow = Lysimachia nemorum
Pin Wheel = Aeonium haworthii
Pinaster = Pinus pinaster
Pinchusion Flower = Scabiosa japonica
Pincushion = Leucospermum cordifolium
Pincushion, Nodding = Leucospermum cordifolium
Pincushion, Yellow = Chaenactis glabriuscula
Pine, African Fern = Afrocarpus gracilior
Pine, Aleppo = Pinus halepensis
Pine, American Red = Pinus resinosa
Pine, Armand = Pinus armandii
Pine, Arolla = Pinus cembra
Pine, Austrian = Pinus nigra
Pine, Bhutan = Pinus wallichiana
Pine, Big Cone = Pinus coulteri
Pine, Big Leaf Yew = Podocarpus macrophyllus
Pine, Black = Pinus nigra, Pinus thunbergii
Pine, Bosnian = Pinus leucodermis
Pine, Brazilian = Araucaria angustifolia
Pine, Bristlecone = Pinus aristata
Pine, Californian Mountain = Pinus monticola
Pine, Canary Island = Pinus canariensis
Pine, Celery = Phyllocladus alpinus
Pine, Chile = Araucaria araucana
Pine, Chilgoza = Pinus gerardiana
Pine, Chinese = Pinus tabulaeformis
Pine, Chinese White = Pinus armandii
Pine, Chir = Pinus roxburghii
Pine, Cluster = Pinus pinaster
Pine, Corsican = Pinus nigra
Pine, Coulter = Pinus coulteri
Pine, Digger = Pinus sabiniana
Pine, Dwarf Mountain = Pinus mugo
Pine, Dwarf Siberian = Pinus pumila
Pine, Eastern White = Pinus strobus
Pine, Fern = Podocarpus elongatus
Pine, Ground = Ajuga chamaepitys, Diphasiastrum complanatum
Pine, Hickory = Pinus pungens
Pine, Himalayan = Pinus wallichiana
Pine, Hoop = Araucaria cunninghamii
Pine, Indian Longleaf = Pinus roxburghii
Pine, Jack = Pinus banksiana
Pine, Japanese Black = Pinus thunbergii
Pine, Japanese Red = Pinus densiflora
Pine, Japanese Stone = Pinus pumila
Pine, Japanese White = Pinus parviflora
Pine, Jeffrey's = Pinus jeffreyi
Pine, Joint = Ephedra distachya
Pine, Kauri = Agathis australis
Pine, Korean = Pinus koraiensis
Pine, Lacebark = Pinus bungeana
Pine, Limber = Pinus flexilis
Pine, Loblolly = Pinus taeda
Pine, Lodgepole = Pinus contorta
Pine, Longleaf = Pinus palustris
Pine, Macedonian = Pinus peuce
Pine, Maritime = Pinus pinaster
Pine, Mexican Nut = Pinus cembroides
Pine, Mexican Stone = Pinus cembroides
Pine, Mexican White = Pinus ayacahuite
Pine, Montezuma = Pinus montezumae
Pine, Moreton Bay = Araucaria cunninghamii
Pine, Mountain = Pinus mugo, Pinus uncinata
Pine, Mountain Plum = Podocarpus lawrencei
Pine, New Zealand White = Dacrycarpus dacrydioides
Pine, Norfolk Island = Araucaria heterophylla
Pine, Northern Pitch = Pinus rigida
Pine, Northern Scrub = Pinus banksiana
Pine, Palebark = Pinus leucodermis
Pine, Pinyon = Pinus cembroides
Pine, Pitch = Pinus palustris, Pinus rigida
Pine, Ponderosa = Pinus ponderosa
Pine, Port Jackson = Callitris rhomboidea
Pine, Prickly = Pinus pungens
Pine, Prince's = Chimaphila umbellata
Pine, Red = Dacrydium cupressinum, Pinus resinosa
Pine, Red Cypress = Callitris endlicheri
Pine, Rough Barked Mexican = Pinus montezumae
Pine, Running = Lycopodium clavatum
Pine, Scots = Pinus sylvestris
Pine, Screw = Pandanus tectorius
Pine, Shore = Pinus contorta
Pine, Silver = Pinus monticola
Pine, Southern = Pinus palustris
Pine, Stiff Ground = Lycopodium annotinum
Pine, Stone = Pinus pinea

Pine, Sugar = Pinus flexilis, Pinus lambertiana
Pine, Swiss Stone = Pinus cembra
Pine, Table Mountain = Pinus pungens
Pine, Tahitian Screw = Pandanus tectorius
Pine, Umbrella = Pinus pinea, Sciadopitys verticillata
Pine, Western White = Pinus monticola
Pine, Western Yellow = Pinus ponderosa
Pine, Weymouth = Pinus strobus
Pine, White = Pinus strobus
Pine, White Cypress = Callitris columellaris
Pine, Whitebark = Pinus albicaulis
Pine, Yew = Podocarpus macrophyllus
Pineapple = Ananas comosus
Pineapple Flower = Eucomis comosa
Pineapple, Red = Ananas bracteatus
Pineapple, Wild = Ananas bracteatus, Bromelia pinguin
Pinellia = Pinellia ternata
Pinguin = Bromelia pinguin
Pink = Dianthus plumarius, Dianthus superbus
Pink Ball Tree = Dombeya wallichii
Pink Lady's Slipper = Cypripedium acaule
Pink Shower = Cassia grandis
Pink, Allwood = Dianthus × allwoodii
Pink, Alpine = Dianthus pavonius
Pink, Annual = Dianthus chinensis
Pink, Charterhouse = Dianthus carthusianorum
Pink, Cheddar = Dianthus gratianopolitanus
Pink, Crown = Lychnis coronaria
Pink, Fire = Silene virginica
Pink, Glacier = Dianthus glacialis
Pink, Indian = Spigelia marilandica
Pink, Maryland = Spigelia marilandica
Pink, Moss = Phlox subulata
Pink, Proliferous = Petrorhagia prolifera
Pink, Rose = Sabatia angularis
Pink, Swamp = Helonias bullata
Pinon, One Leaf = Pinus monophylla
Pinxterbloom = Rhododendron periclymenoides
Pinyon, Single Leaf = Pinus monophylla
Pistachio = Pistacia vera
Pitch Tree = Agathis philippinensis
Pittosporum = Pittosporum tenuifolium
Pittosporum, Cape = Pittosporum viridiflorum
Pittosporum, Queensland = Pittosporum rhombifolium
Pittosporum, Willow = Pittosporum phillyraeoides
Plane = Platanus × hispanica
Plane, American = Platanus occidentalis
Plane, London = Platanus × hispanica
Plane, Oriental = Platanus orientalis
Plantain = Musa acuminata, Musa × paradisiaca, Plantago major
Plantain, Common = Plantago major
Plantain, English = Plantago lanceolata
Plantain, Evergreen = Plantago sempervirens
Plantain, Floating Water = Luronium natans
Plantain, Hoary = Plantago media
Plantain, Lesser Water = Baldellia ranunculoides
Plantain, Mud = Heteranthera reniformis
Plantain, Narrow Leaf Water = Alisma gramineum
Plantain, Parrot's = Heliconia psittacorum
Plantain, Rattlesnake = Goodyera repens
Plantain, Robin's = Erigeron pulchellus
Plantain, Water = Alisma plantago-aquatica
Plantain, Wild = Heliconia wagneriana
Pleione = Pleione bulbocodioides
Pleurisy Root = Asclepias tuberosa
Plover Eggs = Adromischus cooperi
Plum = Prunus domestica
Plum Tree, Chinese = Prunus japonica
Plum Yew = Cephalotaxus harringtonia var. drupacea
Plum Yew, Chinese = Cephalotaxus fortunei
Plum Yew, Japanese = Cephalotaxus harringtonia
Plum, American = Prunus americana
Plum, American Red = Prunus americana
Plum, Apricot = Prunus simonii
Plum, Beach = Prunus maritima
Plum, Canada = Prunus nigra
Plum, Canadian = Prunus nigra
Plum, Cherry = Prunus cerasifera
Plum, Chickasaw = Prunus angustifolia
Plum, Coco = Chrysobalanus icaco
Plum, Date = Diospyros lotus
Plum, Dwarf Red Leaf = Prunus × cistena
Plum, Gingerbread = Parinari macrophylla
Plum, Goose = Prunus americana
Plum, Guinea = Parinari excelsa
Plum, Hog = Spondias mombin, Ximenia americana
Plum, Hortulan = Prunus hortulana
Plum, Indian = Oemleria cerasiformis
Plum, Japanese = Prunus salicina
Plum, Kaffir = Harpephyllum caffrum
Plum, Madagascar = Flacourtia indica
Plum, Malabar = Syzygium jambos
Plum, Marmalade = Manilkara zapota

Plum, Myrobalan = Prunus cerasifera
Plum, Natal = Carissa macrocarpa
Plum, Polynesian = Spondias cytherea
Plum, Sugared Almond = Pachyphytum oviferum
Plum, Wild Goose = Prunus munsoniana
Plum, Winter = Diospyros virginiana
Plum, Yellow = Spondias pinnata
Plumbago, Chinese = Ceratostigma willmottianum
Plumbago, Dwarf = Ceratostigma plumbaginoides
Plume Bush = Calomeria amaranthoides
Plume Flower = Celosia Plumosa-Grp.
Plume Flower, Brazilian = Justicia carnea
Plume, Apache = Fallugia paradoxa
Plume, Scarlet = Euphorbia fulgens
Plume, Solomon's = Smilacina racemosa
Poached Egg Plant = Limnanthes douglasii
Pocketbook Flower = Calceolaria crenatiflora
Pohutukawa = Metrosideros excelsa
Poinciana = Caesalpinia gilliesii
Poinsettia = Euphorbia pulcherrima
Poinsettia, Japanese = Euphorbia heterophylla
Poison Bulb = Crinum zeylanicum
Poison Bulb, Asiatic = Crinum asiaticum
Poison, Bushman's = Acokanthera oppositifolia
Poison, Dog = Aethusa cynapium
Poison, Fish = Derris malaccensis
Poke, Indian = Phytolacca acinosa
Pokeweed = Phytolacca esculenta
Pokeweed, American = Phytolacca americana
Polar Plant = Silphium laciniatum
Polecat Weed = Symplocarpus foetidus
Polemonia = Hypericum olympicum
Policeman's Helmet = Impatiens glandulifera
Polypody, Common = Polypodium vulgare
Polypody, Golden = Phlebodium aureum
Polypody, Knight's = Goniophlebium subauriculatum
Polypody, Western = Polypodium interjectum
Pomegranate = Punica granatum
Pomelo = Citrus maxima
Pond Lily, White = Nymphaea gigantea
Pond Lily, Yellow = Nuphar lutea
Pondapple = Annona glabra
Pondweed = Potamogeton natans
Pondweed, Canadian = Elodea canadensis
Pondweed, Cape = Aponogeton distachyos
Pondweed, Curled = Potamogeton crispus
Pondweed, Floating = Potamogeton natans
Ponticum = Rhododendron ponticum
Pony Tail = Beaucarnea recurvata
Poplar = Populus suaveolens
Poplar, Balsam = Populus balsamifera
Poplar, Berlin = Populus × berolinensis
Poplar, Black = Populus nigra
Poplar, Canadian = Populus × canadensis
Poplar, Chinese Necklace = Populus lasiocarpa
Poplar, Grey = Populus × canescens
Poplar, Necklace = Populus deltoides
Poplar, Queensland = Homalanthus populifolius
Poplar, Western Balsam = Populus trichocarpa
Poplar, White = Populus alba
Poplar, Willow Leaved = Populus angustifolia
Poppy, Alpine = Papaver alpinum
Poppy, Arctic = Papaver radicatum
Poppy, Blue = Meconopsis betonicifolia
Poppy, California = Eschscholzia californica
Poppy, California Tree = Romneya coulteri
Poppy, Celandine = Stylophorum diphyllum
Poppy, Corn = Papaver rhoeas
Poppy, Crested = Argemone platyceras
Poppy, Field = Papaver rhoeas
Poppy, Flanders = Papaver rhoeas
Poppy, Harebell = Meconopsis quintuplinervia
Poppy, Himalayan = Meconopsis betonicifolia
Poppy, Horned = Glaucium corniculatum
Poppy, Icelandic = Papaver nudicaule
Poppy, Lampshade = Meconopsis integrifolia
Poppy, Mexican = Argemone mexicana
Poppy, Mexican Tulip = Hunnemannia fumariifolia
Poppy, Opium = Papaver somniferum
Poppy, Oriental = Papaver orientale
Poppy, Peacock = Papaver pavoninum
Poppy, Plume = Macleaya cordata
Poppy, Prickly = Argemone platyceras
Poppy, Red Horned = Glaucium corniculatum
Poppy, Satin = Meconopsis napaulensis
Poppy, Sea = Glaucium corniculatum
Poppy, Slender California = Eschscholzia caespitosa
Poppy, Spanish = Papaver rupifragum
Poppy, Tree = Dendromecon rigida

Poppy, Tufted = Eschscholzia caespitosa
Poppy, Tulip = Papaver glaucum
Poppy, Water = Hydrocleys nymphoides
Poppy, Welsh = Meconopsis cambrica
Poppy, White Prickly = Argemone polyanthemos
Poppy, Yellow Horned = Glaucium flavum
Porcupine Flower = Barleria prionitis
Pork-and-Beans = Sedum rubrotinctum
Portia Tree = Thespesia populnea
Portuguese Laurel = Prunus lusitanica
Portulaca, Common = Portulaca grandiflora
Pot = Cannabis sativa
Potato = Solanum tuberosum
Potato Creeper = Solanum seaforthianum
Potato Tree, Chilean = Solanum crispum
Potato Vine, Wild = Ipomoea pandurata
Potato, Air = Dioscorea bulbifera
Potato, Duck = Sagittaria latifolia
Potato, Hausa = Plectranthus rotundifolius
Potato, Sweet = Ipomoea batatas
Potency Wood = Dulacia inopiflora, Ptychopetalum olacoides, Ptychopetalum uncinatum
Pothos = Pothos scandens
Prairie Smoke = Geum triflorum
Prairie Tea = Potentilla rupestris
Pratia = Pratia nummularia
Prayer Plant = Maranta leuconeura
Prickly Moses = Acacia pulchella
Pride-of-India = Lagerstroemia speciosa, Melia azedarach
Pride-of-Madeira = Echium candicans
Pride-of-Table-Mountain = Disa uniflora
Primrose = Primula vulgaris
Primrose, Baby = Primula malacoides
Primrose, Bird's Eye = Primula farinosa
Primrose, Cape = Streptocarpus polyanthus, Streptocarpus rexii
Primrose, Chinese = Primula praenitens
Primrose, Fairy = Primula malacoides
Primrose, German = Primula obconica
Primrose, Japanese = Primula sieboldii
Primrose, Moonlight = Primula alpicola
Primrose, Purple = Primula juliae
Prince-of-Wales Feathers = Leptopteris superba, Tanacetum densum
Prince's Feather = Amaranthus hypochondriacus
Privet, Amur = Ligustrum amurense
Privet, California = Ligustrum ovalifolium
Privet, Chinese = Ligustrum lucidum
Privet, Common = Ligustrum vulgare
Privet, Japanese = Ligustrum japonicum
Privet, New Mexico = Forestiera neomexicana
Privet, Wax = Peperomia glabella
Propeller Plant = Crassula perfoliata var. falcata
Protea, Giant = Protea cynaroides
Protea, King = Protea cynaroides
Protea, Sugar = Protea repens
Protea, Woolly = Protea barbigera
Provision Tree = Pachira aquatica
Psyllium = Psyllium arenarium
Pterygota = Pterygota alata
Puccoon = Lithospermum canescens, Lithospermum incisum
Puccoon, Yellow = Hydrastis canadensis
Pukapuka = Brachyglottis repanda
Pulsatilla = Pulsatilla pratensis
Pumpkin = Cucurbita maxima
Purple Glory Tree = Tibouchina urvilleana
Purslane = Portulaca oleracea
Purslane, Rock = Calandrinia umbellata
Purslane, Shoreline Sea = Sesuvium portulacastrum
Purslane, Siberian = Montia sibirica
Purslane, Water = Ludwigia palustris
Purslane, Winter = Montia perfoliata
Pussy Ears = Cyanotis somaliensis, Kalanchoe tomentosa
Pussytoes, Alpine = Antennaria alpina
Pussytoes, Field = Antennaria neglecta
Pussytoes, Little Leaf = Antennaria parvifolia
Puya = Puya chilensis
Pyrethrum = Anacyclus pyrethrum, Tanacetum cinerariifolium, Tanacetum coccineum
Pyrethrum, Dalmatian = Tanacetum cinerariifolium
Quaker Ladies = Houstonia caerulea
Quamash = Camassia quamash
Quamoclit = Ipomoea quamoclit
Quassia = Picrasma excelsa, Quassia amara
Quauhxiotl = Bursera fagaroides
Quebracho = Aspidosperma quebracho-blanco
Queen Anne's Lace = Anthriscus sylvestris
Queen of the Meadow = Filipendula ulmaria
Queen of the Prairie = Filipendula rubra
Queen-of-the-Night = Hylocereus undatus, Selenicereus grandiflorus
Queen's Cup = Clintonia uniflora
Queen's Root = Stillingia sylvatica
Quillwort, Western Lake = Isoetes lacustris
Quince = Cydonia oblonga
Quince, Bengal = Aegle marmelos
Quince, Chinese = Pseudocydonia sinensis

Quince, Chinese Flowering = Chaenomeles cathayensis
Quince, Flowering = Chaenomeles speciosa, Chaenomeles × superba
Quince, Japanese = Chaenomeles japonica
Quinine Tree = Cinchona officinalis
Quinine, Wild = Parthenium integrifolium
Quinoa = Chenopodium quinoa
Rabbit Tracks = Maranta leuconeura
Radish = Raphanus sativus
Radish, Sea = Raphanus raphanistrum
Radish, Wild = Raphanus raphanistrum
Ragged Robin = Lychnis flos-cuculi
Ragweed = Ambrosia psilostachya
Ragweed, Annual = Ambrosia artemisiifolia
Ragweed, Common = Ambrosia artemisiifolia
Ragweed, Giant = Ambrosia trifida
Ragweed, Western = Ambrosia psilostachya
Ragwort, Golden = Packera aurea
Ragwort, Red Purple = Senecio elegans
Ragwort, Wood = Senecio nemorensis
Rain Tree = Albizia saman
Rainbow Plant = Byblis liniflora
Ram's Head Lady's Slipper = Cypripedium arietinum
Ram's Horn = Proboscidea louisianica
Rambutan = Nephelium lappaceum, Nephelium mutabile
Rambutan, Woodland = Lepisanthes rubiginosa
Rami = Boehmeria nivea
Ramonda = Ramonda myconi
Rampion = Campanula rapunculus
Rampion, Black = Phyteuma nigrum
Rampion, Horned = Phyteuma scheuchzeri
Rampion, Pyrenean = Phyteuma charmelii
Rampion, Spiked = Phyteuma spicatum
Ramsons = Allium ursinum
Rangoon Creeper = Quisqualis indica
Ranunculus = Ranunculus lanuginosus
Ranunculus, Turban = Ranunculus asiaticus
Rape = Brassica napus
Raspberry = Rubus idaeus
Raspberry, Black = Rubus occidentalis
Raspberry, Flowering = Rubus odoratus
Raspberry, Rocky Mountain = Rubus deliciosus
Raspberry, Strawberry = Rubus illecebrosus
Raspberry, Whitebark = Rubus leucodermis
Raspberry, Wild Red = Rubus strigosus
Rata = Metrosideros robusta
Rattlebox = Crotalaria retusa
Rattlesnake Root = Nabalus albus
Reaumuria = Reaumuria hypericoides
Red Flag Bush = Mussaenda erythrophylla
Red Hot Poker = Kniphofia triangularis, Kniphofia uvaria
Red Knees = Persicaria hydropiper
Red Maids = Calandrinia ciliata var. menziesii
Redbird Flower = Pedilanthus tithymaloides
Redbud = Cercis canadensis
Redbud, Chinese = Cercis chinensis
Redbud, Eastern = Cercis canadensis
Redtop = Agrostis gigantea
Redwood = Sequoia sempervirens
Redwood, California = Sequoia sempervirens
Redwood, Coast = Sequoia sempervirens
Redwood, Dawn = Metasequoia glyptostroboides
Reed = Phragmites australis
Reed, Bur = Sparganium erectum
Reed, Common = Phragmites australis
Reed, Giant = Arundo donax
Reed, Simple Stem Bur = Sparganium emersum
Reichenbachii = Echinocereus reichenbachii
Reineckea = Reineckea carnea
Resin Bush = Euryops tenuissimus
Restharrow = Ononis repens, Ononis spinosa
Restharrow, Large Yellow = Ononis natrix
Restharrow, Round Leafed = Ononis rotundifolia
Restharrow, Shrubby = Ononis fruticosa
Restharrow, Spiny = Ononis spinosa
Resurrection Plant = Anastatica hierochuntica, Selaginella lepidophylla
Rhapis, Reed = Rhapis humilis
Rhatany = Krameria triandra
Rheumatism Root = Jeffersonia diphylla
Rhizophora = Rhizophora mucronata
Rhododendron, Blue = Rhododendron augustinii
Rhododendron, Carolina = Rhododendron minus
Rhododendron, Catawba = Rhododendron catawbiense
Rhododendron, Indian = Melastoma malabathricum
Rhododendron, Kamchatka = Rhododendron camtschaticum
Rhododendron, Lapland = Rhododendron lapponicum
Rhododendron, Metternich's = Rhododendron degronianum
Rhododendron, Purple = Rhododendron ponticum

Rhododendron, Tree = Rhododendron arboreum
Rhodomyrtus = Rhodomyrtus tomentosa
Rhodora = Rhododendron canadense
Rhodothamnus = Rhodothamnus chamaecistus
Rhodotypos = Rhodotypos scandens
Rhubarb = Rheum rhabarbarum
Rhubarb, Chile = Gunnera manicata
Rhubarb, Chinese = Rheum officinale
Rhubarb, Garden = Rheum rhabarbarum
Rhubarb, Guatemalan = Jatropha podagrica
Rhubarb, Himalaya = Rheum australe
Rhubarb, Indian = Darmera peltata
Rhubarb, Monk's = Rumex alpinus
Rhubarb, Mountain = Rumex alpinus
Rhubarb, Syrian = Rheum ribes
Rhubarb, Turkey = Rheum palmatum
Rhynchosia = Rhynchosia phaseoloides
Ribbon Bush = Homalocladium platycladum
Ribbon Plant = Dracaena sanderiana
Ribbon, Mountain = Hoheria glabrata
Ribbons, Red = Clarkia concinna
Ribbonwood = Adenostoma sparsifolium
Ribwort = Plantago lanceolata
Rice = Oryza sativa
Rice, Annual Wild = Zizania aquatica
Rice, Canadian Wild = Zizania aquatica
Rice, Water = Zizania latifolia
Rice, Wild = Zizania latifolia
Riceroot = Fritillaria affinis
Rimu = Dacrydium cupressinum
Roast Beef Plant = Iris foetidissima
Robe, Golden Hunters = Epipremnum aureum
Robin Redbreast = Melaleuca lateritia
Robinia = Robinia pseudoacacia
Rock Rose, Montpelier = Cistus monspeliensis
Rock Rose, Sage-leaved = Cistus salviifolius
Rockbrake, American = Cryptogramma crispa var. acrostichoides
Rockbrake, Fragile = Cryptogramma stelleri
Rocket = Eruca sativa
Rocket, Hairy = Erucastrum gallicum
Rocket, Sweet = Hesperis matronalis
Rocket, Yellow = Barbarea vulgaris
Rockfoil, Mossy = Saxifraga hypnoides
Rockweed = Pilea microphylla
Rope, Monkey = Rhoicissus capensis
Rose = Rosa corymbifera
Rose Bay, Mountain = Rhododendron catawbiense
Rose Mallow = Hibiscus moscheutos, Lavatera trimestris
Rose Mallow, Swamp = Hibiscus moscheutos
Rose of China = Hibiscus rosa-sinensis
Rose of Venezuela = Brownea ariza
Rose of York, White = Rosa × alba
Rose-of-Heaven = Silene coeli-rosa
Rose, Alp = Rhododendron ferrugineum
Rose, Alpine = Rosa pendulina
Rose, Apple = Rosa villosa
Rose, Banksian = Rosa banksiae
Rose, Big Hip = Rosa macrophylla
Rose, Bourbon = Rosa × borboniana
Rose, Burnet = Rosa spinosissima
Rose, Cabbage = Rosa × centifolia
Rose, California = Rosa californica
Rose, Carolina = Rosa carolina
Rose, Cherokee = Rosa laevigata
Rose, Chestnut = Rosa roxburghii
Rose, China = Rosa chinensis
Rose, Chinquapin = Rosa roxburghii
Rose, Christmas = Helleborus niger
Rose, Cinnamon = Rosa majalis
Rose, Cluster = Rosa pisocarpa
Rose, Confederate = Hibiscus mutabilis
Rose, Cotton = Hibiscus mutabilis
Rose, Damask = Rosa × damascena
Rose, Desert = Adenium obesum
Rose, Dog = Rosa canina
Rose, Downy = Rosa tomentosa
Rose, Evergreen = Rosa sempervirens
Rose, Fendler = Rosa woodsii var. fendleri
Rose, Field = Rosa arvensis
Rose, French = Rosa gallica
Rose, Giant Velvet = Aeonium canariense
Rose, Guelder = Viburnum opulus
Rose, Hairy Alpen = Rhododendron hirsutum
Rose, Harison's Yellow = Rosa × harisonii
Rose, Himalayan Musk = Rosa brunonii
Rose, Japanese = Kerria japonica, Rosa rugosa
Rose, Lenten = Helleborus orientalis
Rose, Macartney = Rosa bracteata
Rose, May = Rosa majalis
Rose, Memorial = Rosa wichuraiana
Rose, Moss = Portulaca grandiflora
Rose, Mount Omei = Rosa sericea
Rose, Multiflora = Rosa multiflora
Rose, Musk = Rosa arvensis, Rosa moschata
Rose, Needle = Rosa abietina
Rose, Nootka = Rosa nutkana
Rose, Pea = Rosa pisocarpa

Rose, Prairie = Rosa arkansana, Rosa setigera
Rose, Prickly = Rosa abietina
Rose, Provence = Rosa × centifolia
Rose, River = Bauera rubioides
Rose, Rock = Cistus incanus, Cistus populifolius, Helianthemum nummularium
Rose, Sage = Turnera ulmifolia
Rose, Scotch = Rosa spinosissima
Rose, Shining = Rosa nitida
Rose, Smooth = Rosa blanda
Rose, Soft Leaved = Rosa villosa
Rose, Sulphur = Rosa hemisphaerica
Rose, Swamp = Rosa palustris
Rose, Tea = Rosa × odorata
Rose, Virginia = Rosa virginiana
Rose, Western Wild = Rosa woodsii
Rose, White = Rosa × alba
Rose, White Prairie = Rosa foliolosa
Rose, Wood = Rosa gymnocarpa
Rose, Wooden = Merremia tuberosa
Rosebay = Nerium oleander, Rhododendron maximum
Rosebay, Catawba = Rhododendron catawbiense
Roselle = Hibiscus sabdariffa
Rosemary = Rosmarinus officinalis
Rosemary, Australian = Westringia fruticosa
Rosemary, Bog = Andromeda glaucophylla
Rosemary, Common Bog = Andromeda polifolia
Rosemary, Marsh = Limonium vulgare
Rosemary, Wild = Croton cascarilla, Ledum palustre
Roseroot = Rhodiola rosea
Rosewood, Burmese = Pterocarpus indicus
Rosin Weed = Silphium integrifolium
Rouge Plant = Rivina humilis
Rowan = Sorbus aucuparia
Rowan, Chinese Scarlet = Sorbus commixta
Rowan, Kashmir = Sorbus cashmiriana
Rowan, Pygmy = Sorbus reducta
Rubber Plant = Ficus elastica
Rubber Tree = Castilla elastica, Hevea brasiliensis
Rubber, Ceara = Manihot glaziovii
Rubber, Para = Hevea brasiliensis
Rubrifolia = Rosa glauca
Rue = Ruta graveolens
Rue, Goat's = Galega officinalis, Tephrosia virginiana
Rue, Wall = Asplenium ruta-muraria
Rue, Wild = Peganum harmala
Ruellia = Ruellia graecizans
Runner, Scarlet = Phaseolus coccineus
Running Strawberry Bush = Euonymus obovatus
Rupturewort, Glabrous = Herniaria glabra
Rupturewort, Hairy = Herniaria hirsuta
Rush, Chestnut = Juncus castaneus
Rush, Common = Juncus effusus
Rush, Dutch = Equisetum hyemale
Rush, Field Wood = Luzula campestris
Rush, Great Wood = Luzula sylvatica
Rush, Hairy Wood = Luzula pilosa
Rush, Hard = Juncus inflexus
Rush, Joint Leaf = Juncus articulatus
Rush, Jointed = Juncus articulatus
Rush, Little Head Spike = Eleocharis parvula
Rush, Needle Spike = Eleocharis acicularis
Rush, Oak Forest Wood = Luzula luzuloides
Rush, Scouring = Equisetum hyemale, Equisetum variegatum
Rush, Soft = Juncus effusus
Rush, Spike = Eleocharis palustris
Rush, Toad = Juncus bufonius
Rush, Wood Club = Scirpus sylvaticus
Rush, Zebra = Schoenoplectus tabernaemontani
Rye = Lolium perenne, Secale cereale
Rye, Canada Wild = Elymus canadensis
Rye, Wild = Leymus secalinus
Ryegrass = Lolium temulentum
Ryegrass, Common = Lolium multiflorum
Ryegrass, Italian = Lolium multiflorum
Ryegrass, Perennial = Lolium perenne
Sabadilla = Schoenocaulon officinale
Sabal = Serenoa repens
Sabine = Juniperus sabina
Sacred Soma = Sarcostemma viminale
Saffron, Dyer's = Carthamus tinctorius
Saffron, Fake = Carthamus tinctorius
Sage Brush = Artemisia tridentata
Sage, African = Salvia aethiopis
Sage, Antelope = Eriogonum jamesii
Sage, Autumn = Salvia greggii
Sage, Bethlehem = Pulmonaria saccharata
Sage, Big = Artemisia tridentata
Sage, Blood = Salvia coccinea
Sage, Blue = Salvia azurea, Salvia farinacea, Salvia patens
Sage, Cardinal = Salvia fulgens
Sage, Common = Salvia officinalis
Sage, Jerusalem = Phlomis fruticosa
Sage, Mealy = Salvia farinacea
Sage, Mexican Bush = Salvia leucantha
Sage, Mexican Red = Salvia fulgens

Sage, Perennial = Salvia × superba
Sage, Russian = Perovskia atriplicifolia
Sage, Scarlet = Salvia splendens
Sage, Silver = Salvia argentea
Sage, Sticky = Salvia glutinosa
Sage, Thistle = Salvia carduacea
Sage, Wild = Salvia nemorosa
Sage, Wood = Teucrium scordium, Teucrium scorodonia
Sage, Woodland = Salvia nemorosa
Sagebrush, Boreal = Artemisia campestris subsp. borealis
Sago = Metroxylon sagu
Saguaro = Carnegiea gigantea
Sainfoin = Onobrychis viciifolia
Sainfoin, Alpine = Hedysarum hedysaroides
Saitas, Northern = Dichelostemma congestum
Sal Tree = Shorea robusta
Salad Burnet = Sanguisorba minor
Salad, Corn = Valerianella locusta
Salad, Shawnee = Hydrophyllum virginianum
Salal = Gaultheria shallon
Salicorn = Salicornia europaea
Sallow = Salix caprea
Sallow, Swiss = Salix helvetica
Salmonberry = Rubus spectabilis
Salmwood = Cordia alliodora
Salpiglossis = Salpiglossis sinuata
Salsify = Tragopogon porrifolius
Samphire = Crithmum maritimum
Sampi = Lasia spinosa
Sandal, Bastard = Erythroxylum monogynum
Sandalwood = Santalum album
Sandalwood Paduak = Pterocarpus santalinus
Sandalwood Tree, Red = Adenanthera pavonina
Sandalwood, White = Santalum album
Sandbox Tree = Hura crepitans
Sandwort = Arenaria serpyllifolia
Sandwort, Alpine = Arenaria montana
Sandwort, Corsican = Arenaria balearica
Sandwort, Mountain = Arenaria montana
Sandwort, Pink = Arenaria purpurascens
Sandwort, Spring = Minuartia verna
Sandwort, Thyme Leaved = Arenaria serpyllifolia
Sandwort, Vernal = Minuartia verna
Sanicle = Sanicula europaea
Santolina, Green = Santolina rosmarinifolia
Sapele = Entandrophragma cylindricum
Sapodilla = Manilkara zapota
Sapote = Pouteria sapota
Sapote, Black = Diospyros digyna
Sapote, White = Casimiroa edulis
Sapphine Berry = Symplocos paniculata
Sapphire Flower = Browallia speciosa
Sarana, Black = Fritillaria camschatcensis
Sarsaparilla = Menispermum canadense
Sarsaparilla, American = Aralia nudicaulis
Sarsaparilla, Bristly = Aralia hispida
Sarsaparilla, Honduras = Smilax regelii
Sarsaparilla, Wild = Aralia nudicaulis
Sarsaparilla, Yellow = Menispermum canadense
Sassafras = Sassafras albidum
Sassafras, Silky = Sassafras albidum
Satin Flower = Clarkia amoena
Satin Wood = Chloroxylon swietenia
Satinwood = Murraya paniculata
Satsuma = Citrus reticulata
Saucer Plant = Aeonium undulatum
Sauropus = Sauropus androgynus
Sausage Tree = Kigelia africana
Saussurea = Saussurea costus
Savory = Satureja hortensis
Savory, Mint = Calamintha grandiflora
Savory, Summer = Satureja hortensis
Savory, Winter = Satureja montana
Saw Wort = Serratula tinctoria
Saxifrage, Blue = Saxifraga caesia
Saxifrage, Evergreen = Saxifraga aizoides
Saxifrage, Golden = Chrysosplenium alternifolium, Chrysosplenium oppositifolium
Saxifrage, Kidney = Saxifraga hirsuta
Saxifrage, Limestone = Saxifraga callosa
Saxifrage, Livelong = Saxifraga paniculata
Saxifrage, Matted = Saxifraga bronchialis
Saxifrage, Meadow = Saxifraga granulata
Saxifrage, Musky = Saxifraga moschata
Saxifrage, Purple = Saxifraga oppositifolia
Saxifrage, Pyramidal = Saxifraga cotyledon
Saxifrage, Pyrenean = Saxifraga longifolia
Saxifrage, Swamp = Saxifraga pensylvanica
Saxifrage, Tufted = Saxifraga cespitosa
Saxifrage, Yellow Mountain = Saxifraga aizoides
Scabious, Alpine = Cephalaria alpina
Scabious, Devil's Bit = Succisa pratensis
Scabious, Field = Knautia arvensis
Scabious, Sheep's Bit = Jasione montana
Scabious, Shining = Scabiosa lucida
Scabious, Small = Scabiosa columbaria
Scabious, Sweet = Scabiosa atropurpurea
Scabious, Yellow = Scabiosa columbaria
Scabwort = Inula helenium

Scales, Anteater = Pellionia repens
Scales, Dragon = Pyrrosia heterophylla
Scammony = Convolvulus scammonia
Scarlet Bush = Hamelia patens
Scarole = Lactuca serriola
Scented Cups = Rothmannia capensis
Scilla, Peruvian = Scilla peruviana
Scopolia = Scopolia carniolica
Scorpion Weed = Phacelia linearis
Scotch Attorney = Clusia major
Scotch Creeper = Tropaeolum speciosum
Sea Buckthorn = Hippophae rhamnoides
Sea Lavender = Limonium vulgare
Seal, Golden = Hydrastis canadensis
Sedge, Birds Foot = Carex ornithopoda
Sedge, Cyperus = Carex pseudocyperus
Sedge, Dwarf = Carex humilis
Sedge, Elk = Cladium mariscus
Sedge, Fen = Cladium mariscus
Sedge, Fingered = Carex digitata
Sedge, Flat = Cyperus gracilis
Sedge, Fox = Carex vulpina
Sedge, Heath = Carex ericetorum
Sedge, Mace = Carex grayi
Sedge, Mountain = Carex montana
Sedge, Pendulous = Carex pendula
Sedge, Plantain Leaved = Carex plantaginea
Sedge, Pond = Carex riparia
Sedge, Sand = Carex arenaria
Sedge, Spring = Carex caryophyllea
Sedge, Tall Flat = Cyperus eragrostis
Sedge, Tufted = Carex elata
Sedge, White = Carex alba
Sedge, Wood = Carex sylvatica
Sedge, Yellow = Carex flava
Sedum = Sedum telephium
Sedum, Golden = Sedum adolphi
Sedum, Oregon = Sedum oreganum
Seed, Niger = Guizotia abyssinica
Seedbox = Ludwigia alternifolia
Sego, Poison = Zigadenus nuttallii
Selaginella = Selaginella denticulata
Selaginella, Douglas = Selaginella douglasii
Self Heal = Prunella vulgaris
Senna = Senna alexandrina
Senna, Alexandrian = Senna alexandrina
Senna, Bladder = Colutea arborescens, Colutea gracilis
Senna, Coffee = Senna occidentalis
Senna, Oriental Bladder = Colutea × media
Senna, Scorpion = Coronilla emerus, Coronilla scorpioides
Senna, Siamese = Senna siamea
Senna, Smooth = Senna septemtrionalis
Senna, Wild = Senna hebecarpa
Sensitive Plant = Mimosa pudica, Mimosa sensitiva
Sepang = Caesalpinia sappan
Sequoia, Giant = Sequoiadendron giganteum
Serissa = Serissa foetida
Service Berry, Allegheny = Amelanchier lamarckii
Service Berry, Canadian = Amelanchier canadensis
Service Berry, Downy = Amelanchier arborea
Service Berry, Running = Amelanchier stolonifera
Service Berry, Saskatoon = Amelanchier alnifolia
Service Berry, Utah = Amelanchier utahensis
Service Berry, Western = Amelanchier florida
Service Tree = Sorbus domestica
Service Tree of Fontainebleau = Sorbus latifolia
Service Tree, Bastard = Sorbus × thuringiaca
Service Tree, Wild = Sorbus torminalis
Sesame = Sesamum indicum
Shadblow, Garden = Amelanchier spicata
Shaddock = Citrus maxima
Shallot = Allium cepa
Shamrock = Medicago lupulina
Sharon, Rose of = Hypericum calycinum
Shawl, Spanish = Heterocentron elegans
Shea Butter Tree = Vitellaria paradoxa
Sheep's Bit = Jasione montana
Sheepberry = Viburnum lentago
Shepherd's Knot = Potentilla erecta
Shepherd's Purse = Capsella bursa-pastoris
Shingle Plant = Monstera acuminata
Shining Willow Bush = Salix lucida
Shootingstar, Arctic = Dodecatheon frigidum
Shootingstar, Cleveland = Dodecatheon clevelandii
Shore Weed = Littorella uniflora
Showy Lady's Slipper = Cypripedium reginae
Shrimp Plant = Justicia brandegeana
Sibbaldia = Sibbaldia procumbens
Siberian Tea = Potentilla rupestris
Sideritis = Sideritis hyssopifolia
Silene, Hooker's = Silene hookeri
Silk Cotton Tree = Ceiba pentandra
Silk Tassel Bush = Garrya elliptica
Silk Tree = Albizia julibrissin

Silk-Cotton Tree, Red = Bombax ceiba
Silkweed = Asclepias syriaca
Silver Berry = Elaeagnus commutata
Silver Buffalo Berry = Shepherdia argentea
Silver Bush = Mundulea sericea
Silver Crown = Cotyledon undulata
Silver Net Leaf = Fittonia verschaffeltii var. argyroneura
Silver Sweetpea Bush = Podalyria sericea
Silver Tree = Leucadendron argenteum
Silver Wire Netting Plant = Calocephalus brownii
Silverbell, Carolina = Halesia carolina
Silverbell, Mountain = Halesia monticola
Silverweed = Potentilla anserina
Simpler's Joy = Verbena officinalis
Siris = Albizia lebbeck
Siris, Pink = Albizia julibrissin
Sisal = Agave sisalana
Skimmia, Japanese = Skimmia japonica
Skimmia, Reeves's = Skimmia japonica subsp. reevesiana
Skirret = Sium sisarum
Skullcap = Scutellaria incana
Skullcap, Alpine = Scutellaria alpina
Skullcap, Chinese = Scutellaria baicalensis
Skunk Cabbage = Lysichiton americanus, Symplocarpus foetidus
Skunk Cabbage, Yellow = Lysichiton americanus
Skunkbush = Rhus aromatica, Rhus trilobata
Skyflower = Duranta erecta
Skyrocket = Ipomopsis aggregata
Sloe = Prunus spinosa
Smartweed = Persicaria orientalis
Smoke Tree = Cotinus coggygria
Smoketree, American = Cotinus obovatus
Smooth Withe Rod = Viburnum nudum
Smotherweed, Five-Horn = Bassia hyssopifolia
Snail Flower = Vigna caracalla
Snake Chief Root = Manfreda virginica
Snakeroot = Liatris punctata, Polygala senega
Snakeroot, Black = Cimicifuga racemosa
Snakeroot, Button = Liatris spicata
Snakeroot, Spreading = Ageratina riparia
Snakeroot, Virginia = Aristolochia serpentaria
Snakewood Tree = Cecropia palmata
Snapdragon = Antirrhinum majus
Snapdragon, Baby = Linaria maroccana
Snapdragon, Creeping = Asarina procumbens
Sneezeweed = Helenium autumnale
Sneezeweed, Bigelow's = Helenium bigelovii
Sneezeweed, Common = Helenium autumnale
Sneezeweed, Orange = Helenium hoopesii
Sneezeweed, Purple Head = Helenium flexuosum
Sneezewort = Achillea ptarmica
Snow Berry = Gaultheria hispida
Snow Bush = Breynia disticha
Snow Creeper = Porana paniculata
Snow Flower = Spathiphyllum floribundum
Snow Flower, Japanese = Deutzia gracilis
Snow On The Mountain = Arabis caucasica, Euphorbia marginata
Snow Queen = Synthyris stellata
Snow-in-Summer = Cerastium tomentosum
Snowball, Chinese = Viburnum macrocephalum
Snowball, Fragrant = Viburnum × carlcephalum
Snowball, Pink = Dombeya × cayeuxii
Snowball, Wild = Ceanothus americanus
Snowbell, Alpine = Soldanella alpina
Snowbell, Dwarf = Soldanella pusilla
Snowbell, Fragrant = Styrax obassia
Snowbell, Japanese = Styrax japonicum
Snowberry = Chiococca alba, Symphoricarpos albus
Snowdrop = Galanthus nivalis
Snowdrop Bush = Styrax officinalis
Snowdrop Tree = Halesia carolina, Halesia monticola
Snowdrop, Common = Galanthus nivalis
Snowdrop, Giant = Galanthus elwesii
Snowflake = Leucojum autumnale
Snowflake Tree = Trevesia palmata
Snowflake, Autumn = Leucojum autumnale
Snowflake, Spring = Leucojum vernum
Snowflake, Summer = Leucojum aestivum
Soap Bark Tree = Quillaja saponaria
Soap Bush = Noltea africana, Porlieria hygrometra
Soap Tree = Yucca elata
Soapberry = Shepherdia canadensis
Soapbush = Clidemia hirta
Soapwort, Calabrian = Saponaria calabrica
Soapwort, Rock = Saponaria ocymoides
Soapwort, Yellow = Saponaria lutea
Solanum = Solanum valdiviense
Soldier, Gallant = Galinsoga parviflora
Soldier, Shaggy = Galinsoga ciliata
Soldier, Water = Stratiotes aloides
Soldiers-and-Sailors = Pulmonaria

officinalis
Solomon's Seal = Polygonatum multiflorum
Solomon's Seal, Giant = Polygonatum biflorum
Solomon's Seal, Lesser = Polygonatum odoratum
Song of India = Dracaena reflexa
Sop, Sour = Annona muricata
Sop, Sweet = Annona squamosa
Sorghum = Sorghum bicolor
Sorrel = Oxalis hirta, Oxalis purpurea, Rumex acetosa
Sorrel, Common Wood = Oxalis acetosella
Sorrel, French = Rumex scutatus
Sorrel, Garden = Rumex acetosa
Sorrel, Jamaica = Hibiscus sabdariffa
Sorrel, Mountain = Oxyria digyna
Sorrel, Sheep = Oxalis corymbosa, Rumex acetosella
Sorrel, Wood = Oxalis acetosella
Sorrel, Yellow = Oxalis corniculata
Sorrel, Yellow Sheep = Oxalis stricta
Sourwood = Oxydendrum arboreum
Southern Arrow Wood = Viburnum dentatum
Southernwood = Artemisia abrotanum
Sowbane = Chenopodium hybridum
Spaniard, Golden = Aciphylla aurea
Spanish Bayonet = Yucca aloifolia, Yucca glauca, Yucca treculeana
Spanish Oyster Plant = Scolymus hispanicus
Spanish Savin = Juniperus sabina
Spear Wood = Pandorea pandorana
Speargrass = Aciphylla squarrosa
Spearmint = Mentha spicata
Spearwort, Greater = Ranunculus lingua
Spearwort, Lesser = Ranunculus flammula
Speedwell = Veronica chamaedrys
Speedwell, American = Veronica wormskjoldii
Speedwell, Common = Veronica officinalis
Speedwell, Corsican = Veronica repens
Speedwell, Heavenly Blue = Veronica teucrium
Speedwell, Ivy Leaved = Veronica hederifolia
Speedwell, Large = Veronica austriaca
Speedwell, Rock = Veronica fruticans
Speedwell, Rockery = Veronica prostrata
Speedwell, Round Leaved = Veronica filiformis
Speedwell, Spiked = Pseudolysimachion spicatum
Speedwell, Spring = Veronica verna
Speedwell, Wall = Veronica arvensis
Spice Bush = Calycanthus occidentalis
Spicebush = Lindera benzoin
Spider Flower = Cleome gynandra
Spider Plant = Chlorophytum comosum, Cleome hassleriana
Spiderwort = Tradescantia virginiana
Spiderwort, Queen's = Dichorisandra reginae
Spiderwort, Virginia = Tradescantia virginiana
Spiderwort, White = Tradescantia × andersoniana
Spigelia, West Indian = Spigelia anthelmia
Spignel = Meum athamanticum
Spike Moss = Selaginella denticulata
Spike Moss, Krauss' = Selaginella kraussiana
Spike Moss, Ledge = Selaginella rupestris
Spike Moss, Meadow = Selaginella apoda
Spike Moss, Northern = Selaginella selaginoides
Spike, Saffron = Aphelandra squarrosa
Spikenard = Lavandula latifolia, Nardostachys grandiflora
Spikenard, American = Aralia racemosa
Spikenard, California = Aralia californica
Spikenard, False = Smilacina racemosa
Spinach = Spinacia oleracea
Spinach, Australian = Chenopodium murale
Spinach, Chinese = Amaranthus tricolor
Spinach, Indian = Basella alba
Spinach, New Zealand = Tetragonia tetragonioides
Spinach, Red = Celosia argentea
Spinach, Tree = Chenopodium giganteum
Spinach, Water = Ipomoea aquatica
Spindle, Broad Leaved = Euonymus latifolius
Spindle, Common = Euonymus europaeus
Spindle, Winged = Euonymus alatus
Spiraea, Blue = Caryopteris × clandonensis
Spiraea, Douglas's = Spiraea douglasii
Spiraea, False = Sorbaria sorbifolia
Spiraea, Kashmir False = Sorbaria tomentosa var. angustifolia
Spiraea, Rock = Holodiscus dumosus
Spiraea, Snowmound = Spiraea nipponica
Spiraea, White = Spiraea betulifolia
Spleenwort, Ebony = Asplenium platyneuron
Spleenwort, Green = Asplenium viride
Spleenwort, Maidenhair = Asplenium trichomanes
Spleenwort, Rusty = Asplenium ceterach
Sponge, Vegetable = Luffa cylindrica

Spotted Dog = Pulmonaria officinalis
Spotted Lady's Slipper = Cypripedium guttatum
Spray, Ocean = Holodiscus discolor
Spruce, Alberta = Picea glauca
Spruce, Alcock = Picea bicolor
Spruce, American Red = Picea rubens
Spruce, Black = Picea mariana
Spruce, Blue = Picea pungens
Spruce, Brewer's Weeping = Picea breweriana
Spruce, Chinese = Picea asperata
Spruce, Colorado = Picea pungens
Spruce, Common = Picea abies
Spruce, Dragon = Picea asperata
Spruce, Engelmann's = Picea engelmannii
Spruce, Himalayan = Picea smithiana
Spruce, Hondo = Picea jezoensis
Spruce, Japanese = Picea polita
Spruce, Koyama = Picea koyamai
Spruce, Morinda = Picea smithiana
Spruce, Norway = Picea abies
Spruce, Oriental = Picea orientalis
Spruce, Purple = Picea likiangensis
Spruce, Red = Picea rubens
Spruce, Sakhalin = Picea glehnii
Spruce, Schrenk = Picea schrenkiana
Spruce, Serbian = Picea omorika
Spruce, Siberian = Picea obovata
Spruce, Sitka = Picea sitchensis
Spruce, Tiger Tail = Picea polita
Spruce, White = Picea glauca
Spruce, Yezo = Picea jezoensis
Spur Leaf = Tetracentron sinense
Spurflower, Little = Plectranthus parviflorus
Spurge = Euphorbia pugniformis
Spurge, Allegheny = Pachysandra procumbens
Spurge, American = Euphorbia corollata
Spurge, Blue = Euphorbia myrsinites
Spurge, Cactus = Euphorbia ingens
Spurge, Candelabra = Euphorbia lactea
Spurge, Caper = Euphorbia lathyris
Spurge, Cushion = Euphorbia polychroma
Spurge, Cypress = Euphorbia cyparissias
Spurge, Dwarf = Euphorbia exigua
Spurge, Flowering = Euphorbia corollata
Spurge, Japanese = Pachysandra terminalis
Spurge, Large Mediterranean = Euphorbia characias
Spurge, Leafy = Euphorbia esula
Spurge, Marsh = Euphorbia palustris
Spurge, Mountain = Pachysandra procumbens
Spurge, Official = Euphorbia officinarum
Spurge, Petty = Euphorbia peplus
Spurge, Resin = Euphorbia resinifera
Spurge, Slipper = Pedilanthus pavonis
Spurge, Sun = Euphorbia helioscopia
Spurge, Triangular = Euphorbia antiquorum
Spurge, Wavy-leaved = Euphorbia undulatifolia
Spurge, Wood = Euphorbia amygdaloides
Spurge, Woody = Euphorbia dendroides
Spurrey, Corn = Spergula arvensis
Squash = Cucurbita maxima
Squaw Root = Caulophyllum thalictroides
Squaw Weed = Packera aurea
Squawberry = Rhus trilobata
Squill, Alpine = Scilla bifolia
Squill, Autumn = Scilla autumnalis
Squill, Sea = Urginea maritima
Squill, Silver = Ledebouria socialis
Squill, Striped = Puschkinia scilloides
Squinancy Wort = Asperula cynanchica
Squirrel Head = Drynaria quercifolia
Squirrel Tail = Hordeum jubatum
St. John's Wort, Bushy = Hypericum densiflorum
St. John's Wort, Creeping = Hypericum humifusum
Stag's Horn Fern = Platycerium bifurcatum
Stagger Bush = Lyonia mariana
Staggerwort = Senecio jacobaea
Stapelia, Giant = Stapelia gigantea
Star Fruit = Averrhoa carambola
Star of Persia = Allium christophii
Star-of-Bethlehem = Campanula isophylla, Ornithogalum umbellatum
Star-of-Bethlehem, Yellow = Gagea lutea
Starflower = Eriastrum densifolium, Smilacina stellata
Starflower, Lavender = Grewia occidentalis
Starflower, Spring = Ipheion uniflorum
Stargrass = Hypoxis hirsuta
Starwort, Autumn Water = Callitriche hermaphroditica
Starwort, Italian = Aster amellus
Starwort, Summer = Erinus alpinus
Starwort, Water = Callitriche stagnalis
Statice = Limonium sinuatum
Stauntonia = Stauntonia hexaphylla
Steeplebush = Spiraea tomentosa
Stenochlaena = Stenochlaena palustris
Sternbergia = Sternbergia lutea
Stewartia, Chinese = Stewartia sinensis
Stewartia, Japanese = Stewartia pseudocamellia
Stewartia, Korean = Stewartia pseudocamellia var. koreana

Stewartia, Tall = Stewartia monadelpha
Stick, Devil's Walking = Aralia spinosa, Oplopanax horridus
Stickweed = Lappula squarrosa
Stingbush, Desert = Loasa urens
Stinkwood, Black = Ocotea bullata
Stitchwort = Stellaria holostea
Stock = Matthiola incana
Stock, Brompton = Matthiola incana
Stock, Night Scented = Matthiola longipetala subsp. bicornis
Stock, Ten Week = Matthiola incana
Stock, Virginia = Malcolmia maritima
Stock, Virginian = Malcolmia maritima
Stokesia = Stokesia laevis
Stompie = Brunia nodiflora
Stone Root = Collinsonia canadensis
Stonecress = Aethionema coridifolium
Stonecrop = Sedum acre
Stonecrop, Broad Leaf = Sedum spathulifolium
Stonecrop, English = Sedum anglicum
Stonecrop, Hairy = Sedum hirsutum
Stonecrop, Oregon = Sedum oreganum
Stonecrop, Rock = Sedum reflexum
Stonecrop, Spreading = Sedum divergens
Stonecrop, Thick Leaved = Sedum dasyphyllum
Stonecrop, Two Row = Sedum spurium
Stonecrop, White = Sedum album
Stonecrop, Woody = Sedum dendroideum
Stonecrop, Wormleaf = Sedum stenopetalum
Storax = Liquidambar orientalis, Styrax officinalis
Stork's Bill = Erodium cicutarium, Erodium rupestre
Stork's Bill, Long Beaked = Erodium gruinum
Stork's Bill, Musky = Erodium moschatum
Strapfern = Campyloneurum phyllitidis
Strawberry = Fragaria × ananassa
Strawberry Bush = Euonymus americanus
Strawberry Clove = Trifolium fragiferum
Strawberry Tree = Arbutus unedo
Strawberry Tree, Cyprus = Arbutus andrachne
Strawberry Tree, Grecian = Arbutus andrachne
Strawberry Tree, Hybrid = Arbutus × andrachnoides
Strawberry, Alpine = Fragaria vesca
Strawberry, Barren = Waldsteinia fragarioides
Strawberry, Beach = Fragaria chiloensis
Strawberry, Chiloe = Fragaria chiloensis
Strawberry, Garden = Fragaria × ananassa
Strawberry, Hautbois = Fragaria moschata
Strawberry, Indian = Duchesnea indica
Strawberry, Mock = Duchesnea indica
Strawberry, Virginia = Fragaria virginiana
Strawberry, Wild = Fragaria vesca
Strychnine = Strychnos nux-vomica, Strychnos toxifera
Stud Flower = Helonias bullata
Succory, Lamb's = Arnoseris minima
Sudu = Euphorbia trigona
Sugar Cane = Saccharum officinarum
Sugarberry = Celtis laevigata
Sulphur Flower = Eriogonum umbellatum
Sum Plant = Portulaca grandiflora
Sumach = Cotinus coggygria
Sumach, Dwarf = Rhus copallina
Sumach, Fragrant = Rhus aromatica
Sumach, Lemon = Rhus aromatica
Sumach, Poison = Rhus vernix
Sumach, Scarlet = Rhus glabra
Sumach, Shining = Rhus copallina
Sumach, Smooth = Rhus glabra
Sumach, Stag's Horn = Rhus hirta
Sumach, Tanner's = Coriaria myrtifolia
Sumach, Tanner's = Rhus coriaria
Sumach, Upland = Rhus glabra
Sumach, Winged = Rhus copallina
Sumach, Wood = Rhus sylvestris
Summer, Farewell = Aster lateriflorus
Summersweet = Clethra acuminata
Sun, Glory-of-the- = Leucocoryne ixioides
Sundew, Cape = Drosera capensis
Sundew, Climbing = Drosera planchonii
Sundew, English = Drosera longifolia
Sundew, Forked = Drosera binata
Sundew, Great = Drosera longifolia
Sundew, Long Leaved = Drosera intermedia
Sundew, Round Leaved = Drosera rotundifolia
Sundew, Thread-leaf = Drosera filiformis
Sundrops = Oenothera fruticosa, Oenothera perennis
Sunflower = Helianthus annuus, Helianthus salicifolius
Sunflower, Common = Helianthus annuus
Sunflower, Giant = Helianthus giganteus
Sunflower, Mexican = Tithonia rotundifolia
Sunflower, Native = Helianthus angustifolius
Sunflower, Nodding Dwarf = Helianthella quinquenervis
Sunflower, Pale Leaved = Helianthus strumosus

Sunflower, Pigmy = Hymenoxys grandiflora
Sunflower, Purple Disk = Helianthus atrorubens
Sunflower, Showy = Helianthus × laetiflorus
Sunflower, Thin Leaved = Helianthus decapetalus
Sunflower, Woolly = Eriophyllum lanatum
Sunhemp = Crotalaria juncea
Supple Jack = Berchemia scandens
Supti = Mundulea sericea
Susan, Black-Eyed = Rudbeckia hirta, Thunbergia alata
Swallowwort = Vincetoxicum hirundinaria, Vincetoxicum nigrum
Swan Plant = Asclepias physocarpa
Swede = Brassica napus subsp. rapifera
Sweet Corn = Zea mays
Sweet Cup = Passiflora maliformis
Sweet Gale = Myrica gale
Sweet Pea Shrub = Polygala × dalmaisiana
Sweet Pepper Bush = Clethra alnifolia
Sweet Pitcher Plant = Sarracenia rubra
Sweet Sultan = Amberboa moschata
Sweet Thorn = Acacia karroo
Sweet William = Dianthus barbatus
Sweet William, Wild = Phlox divaricata
Sweetbells, Swamp = Leucothoe racemosa
Sweetleaf, Asiatic = Symplocos paniculata
Sweetshade = Hymenosporum flavum
Sweetspire = Itea virginica
Sweetspire, Hollyleaf = Itea ilicifolia
Swiss Cheese Plant = Monstera deliciosa
Swizzlestick = Rauvolfia vomitoria
Sword, Flaming = Vriesea splendens
Sword, Malayan = Aglaonema simplex
Sycamore = Acer pseudoplatanus, Platanus occidentalis
Taboda = Artocarpus integer
Tacamahaca = Populus balsamifera
Tacote = Podachaenium eminens
Tall Shooting Star = Dodecatheon jeffreyi
Tallow Tree, Chinese = Sapium sebiferum
Tallow Wood = Eucalyptus microcorys, Ximenia americana
Tamarack = Larix laricina
Tamarind = Tamarindus indica
Tamarind, Jering = Pithecellobium jiringa
Tamarind, Wild = Leucaena leucocephala
Tamarisk = Tamarix gallica
Tamarisk, Chinese = Tamarix chinensis
Tamarisk, Erica = Tamarix tetrandra
Tamarisk, False = Myricaria germanica
Tamarisk, French = Tamarix gallica
Tamarisk, Small Flower = Tamarix parviflora
Tanekaha = Phyllocladus trichomanoides
Tangerine = Citrus reticulata
Tanjong Tree = Mimusops elengi
Tansy = Tanacetum vulgare
Tansy Leaved Thorn = Crataegus tanacetifolia
Tansy, Wild = Potentilla anserina
Tapioca = Manihot esculenta
Tarata = Pittosporum eugenioides
Tare, Hairy = Vicia hirsuta
Tare, Smooth = Vicia tetrasperma
Taro = Colocasia esculenta
Taro, Blue = Xanthosoma violaceum
Taro, Giant = Alocasia macrorrhiza
Tarplant = Madia sativa
Tarragon = Artemisia dracunculus
Tarweed, Chilean = Madia sativa
Tarweed, Common = Madia elegans
Tasmanian Daisy Bush = Olearia phlogopappa
Tassel Flower = Emilia javanica
Tea Oil Plant = Camellia oleifera
Tea Plant = Camellia sinensis
Tea Tree = Polyscias fruticosa
Tea Tree, Australian = Leptospermum laevigatum
Tea Tree, Botany Bay = Correa alba
Tea Tree, Broad Leaf = Melaleuca viridiflora
Tea Tree, Duke of Argyle's = Lycium chinense
Tea Tree, Paperbark = Melaleuca linariifolia
Tea-Leaves, Wild = Adiantum philippense
Teak = Tectona grandis
Teak, Bastard = Pterocarpus marsupium
Teasel = Dipsacus fullonum, Dipsacus sativus
Teasel, Common = Dipsacus fullonum
Teasel, Fuller's = Dipsacus sativus
Teddy Bear Plant = Cyanotis kewensis
Teff = Eragrostis tef
Telegraph Plant = Desmodium motorium
Temple Plant = Crateva adansonii
Temple Tree = Plumeria rubra
Terebinth = Pistacia terebinthus
Terminalia = Terminalia superba
Texas Pride = Thelocactus bicolor
Texas Star = Sabatia campestris
Thalia = Thalia geniculata
Thimbleberry = Rubus parviflorus
Thistle = Cirsium arvense, Cirsium vulgare
Thistle, Alpine = Carduus defloratus
Thistle, American Star = Centaurea americana

Thistle, Big = Cirsium altissimum
Thistle, Blessed = Cnicus benedictus
Thistle, Blue Globe = Echinops bannaticus
Thistle, Blue Sow = Cicerbita macrophylla
Thistle, Brook = Cirsium rivulare
Thistle, Bull = Cirsium vulgare
Thistle, Cabbage = Cirsium oleraceum
Thistle, Canada = Cirsium arvense
Thistle, Carline = Carlina vulgaris
Thistle, Creeping = Cirsium arvense
Thistle, Giant = Onopordum acanthium
Thistle, Golden = Scolymus hispanicus
Thistle, Great Globe = Echinops sphaerocephalus
Thistle, Ground = Cirsium acaule
Thistle, Ivory = Ptilostemon afer
Thistle, Marsh = Cirsium palustre
Thistle, Marsh Sow = Sonchus palustris
Thistle, Melancholy = Cirsium heterophyllum
Thistle, Milk = Silybum marianum, Sonchus oleraceus
Thistle, Mountain Sow = Cicerbita alpina
Thistle, Musk = Carduus nutans
Thistle, Our Lady's = Silybum marianum
Thistle, Prickly Sow = Sonchus asper
Thistle, Scotch = Onopordum acanthium
Thistle, Siberian = Cirsium oleraceum
Thistle, Sow = Sonchus arvensis, Sonchus oleraceus
Thistle, Spiny = Cirsium spinosissimum
Thistle, St. Barnaby's = Centaurea solstitialis
Thistle, Star = Centaurea calcitrapa
Thistle, Stemless Carline = Carlina acaulis
Thistle, Tiger = Cirsium japonicum
Thistle, Woolly = Cirsium eriophorum
Thladiantha = Thladiantha dubia
Thorn Apple = Datura stramonium
Thornapple = Datura inoxia
Thornapple, Downy = Datura metel
Thoroughwort = Eupatorium perfoliatum
Thoroughwort, Tall = Eupatorium altissimum
Thread, Gold = Coptis trifolia
Thrift = Armeria maritima
Thrift, Common = Armeria maritima
Thrift, Jersey = Armeria alliacea
Throatwort, Blue = Trachelium caeruleum
Thuja, Japanese = Thuja standishii
Thyme = Thymus serpyllum, Thymus vulgaris
Thyme, Alba = Thymus praecox
Thyme, Cat = Teucrium marum
Thyme, Common = Thymus vulgaris
Thyme, Greater Water = Elodea callitrichoides
Thyme, Hairy = Thymus praecox
Thyme, Lemon = Thymus pulegioides, Thymus × citriodorus
Thyme, Wild = Thymus serpyllum
Thyme, Woolly Creeping = Thymus praecox var. pseudolanuginosus
Tickseed = Coreopsis pubescens, Coreopsis tinctoria
Tickseed, Bigelow's = Coreopsis bigelovii
Tickseed, California = Coreopsis californica
Tickseed, Crown = Coreopsis nuecensis
Tickseed, Douglas' = Coreopsis douglasii
Tickseed, Lance Leaf = Coreopsis lanceolata
Tickseed, Leaf Stem = Coreopsis calliopsidea
Tickseed, Pink = Coreopsis rosea
Tickseed, Stiff = Coreopsis palmata
Tickseed, Stillman's = Coreopsis stillmanii
Tickseed, Tall = Coreopsis tripteris
Tidy Tips = Layia platyglossa
Tidytips = Layia glandulosa
Tiger Flower = Tigridia pavonia
Tiger Jaw = Faucaria tigrina
Timothy = Phleum pratense
Tincture Plant = Collinsia tinctoria
Tinker's Weed = Triosteum perfoliatum
Toad Flower, Giant = Stapelia gigantea
Toad Lily, Formosa = Tricyrtis formosana
Toad Lily, Japanese = Tricyrtis hirta
Toad Plant = Orbea variegata
Toadflax, Alpine = Linaria alpina
Toadflax, Cloven Lip = Linaria bipartita
Toadflax, Common = Linaria vulgaris
Toadflax, Dalmatian = Linaria genistifolia subsp. dalmatica
Toadflax, Ivy Leaved = Cymbalaria muralis
Toadflax, Purple = Linaria purpurea
Toadflax, Yellow = Linaria vulgaris
Toadshade = Trillium sessile
Tobacco = Nicotiana tabacum
Tobacco Plant = Nicotiana alata
Tobacco, Common = Nicotiana tabacum
Tobacco, Devil's = Lobelia tupa
Tobacco, Flowering = Nicotiana alata, Nicotiana sylvestris
Tobacco, Hottentot = Tarchonanthus camphoratus
Tobacco, Indian = Lobelia inflata, Nicotiana rustica
Tobacco, Tree = Nicotiana glauca
Tobacco, Wild = Nicotiana rustica
Tobacco, Woman's = Antennaria

plantaginifolia
Tobira = Pittosporum tobira
Toes, Baby's = Fenestraria rhopalophylla subsp. aurantiaca
Tolu Tree = Myroxylon balsamum
Tolubalsam = Myroxylon balsamum
Tomatillo = Physalis ixocarpa
Tomato = Lycopersicon esculentum
Tomato, Currant = Lycopersicon esculentum var. pimpinellifolium
Tomato, Strawberry = Physalis alkekengi
Tomato, Tree = Cyphomandra betacea
Tomorrow, Today and = Brunfelsia pauciflora
Tongavine = Epipremnum pinnatum
Tonka = Dipteryx odorata
Toon = Toona sinensis
Toona = Cedrela odorata
Toothache Tree = Zanthoxylum americanum
Toothwort = Lathraea squamaria
Torch Plant = Aloe arborescens
Torch, Blue Flowered = Tillandsia lindenii
Torchwood = Bursera penicillata
Torchwood, Balsam = Amyris balsamifera
Torreya, Japanese = Torreya nucifera
Torreya, Stinking Cedar Leaved = Torreya taxifolia
Totara = Podocarpus totara
Totara, Alpine = Podocarpus nivalis
Touch-me-not = Impatiens noli-tangere, Mimosa pudica
Tournesol = Chrozophora tinctoria
Tower-of-Jewels = Echium wildpretii
Town Hall Clock = Adoxa moschatellina
Tragacanth, Gum = Astragalus gummifer
Trailing Ice Plant = Lampranthus spectabilis
Trailing Velvet Plant = Ruellia makoyana
Traveller's Joy = Clematis vitalba
Traveller's Tree = Ravenala madagascariensis
Tree-of-Sadness = Nyctanthes arbor-tristis
Treebine, Ivy = Cissus trifoliata
Trefoil, Bird's Foot = Lotus corniculatus
Trefoil, Canada Tick = Desmodium canadense
Trefoil, Greater Bird's Foot = Lotus uliginosus
Trefoil, Red = Trifolium rubens
Trefoil, Stinking Bean = Anagyris foetida
Trefoil, Water = Menyanthes trifoliata
Trichosanthes = Trichosanthes tricuspidata
Trigger Plant = Stylidium graminifolium
Trillium = Trillium grandiflorum
Trillium, Dwarf = Trillium nivale
Trillium, Giant = Trillium chloropetalum
Trillium, Large Flowered = Trillium grandiflorum
Trillium, Painted = Trillium undulatum
Trillium, Purple = Trillium erectum
Trillium, Rose = Trillium catesbaei
Trillium, White = Trillium sessile
Triphyllon = Bituminaria bituminosa
Triplochiton = Triplochiton scleroxylon
Tripterygium = Tripterygium wilfordii
Triteleia, Long Rayed = Triteleia peduncularis
Tritonia = Tritonia crocata
Tropaeolum = Tropaeolum tuberosum
Trout Lily, White = Erythronium albidum
Trumpet Creeper = Campsis radicans
Trumpet Flower = Incarvillea sinensis
Trumpet Flower, Yellow = Tecoma stans
Trumpet Tree = Cecropia peltata
Trumpet Vine = Bignonia capreolata
Trumpet Vine, Blue = Thunbergia grandiflora
Trumpet Vine, Chinese = Campsis grandiflora
Trumpet Vine, Orange = Pyrostegia venusta
Trumpet Vine, Pink = Podranea ricasoliana
Trumpet Vine, Violet = Clytostoma callistegioides
Trumpet Vine, Yellow = Anemopaegma chamberlaynii
Trumpet, Angel's = Brugmansia arborea, Brugmansia suaveolens
Trumpet, Bengal = Thunbergia grandiflora
Trumpet, Golden = Allamanda cathartica
Trumpet, Golden Angel's = Brugmansia aurea
Trumpet, Herald's = Beaumontia grandiflora
Trumpet, Mountain = Collomia grandiflora
Trumpet, Red Angel's = Brugmansia sanguinea
Trumpet, White = Sarracenia leucophylla
Trumpet, White Angel's = Brugmansia × candida
Trumpets, Desert = Linanthus grandiflorus
Tuart = Eucalyptus gomphocephala
Tuba Root = Derris elliptica
Tuberose = Polianthes tuberosa
Tuft, Golden = Aurinia saxatilis
Tulip Tree = Liriodendron tulipifera
Tulip Tree, Pink = Magnolia campbellii
Tulip, African = Spathodea campanulata
Tulip, Lady = Tulipa clusiana
Tulip, Namaqualand = Hesperantha vaginata

Tulip, Waterlily = Tulipa kaufmanniana
Tulip, Wild = Tulipa sylvestris
Tumbling Ted = Saponaria ocymoides
Tungoil Tree = Aleurites fordii
Tunic Flower = Petrorhagia saxifraga
Tupelo, Black = Nyssa sylvatica
Tupelo, Water = Nyssa aquatica
Turf, Lily = Liriope muscari, Liriope spicata
Turf, White Lily = Ophiopogon jaburan
Turk's Cap = Lilium martagon, Lilium superbum
Turk's Head = Ferocactus hamatacanthus
Turkey Beard = Xerophyllum asphodeloides
Turkeybeard, Western = Xerophyllum tenax
Turmeric = Curcuma longa
Turmeric, Indian = Hydrastis canadensis
Turmeric, Wild = Curcuma aromatica
Turnip = Brassica napus subsp. rapifera
Turnip, Indian = Arisaema triphyllum
Turpentine = Pistacia terebinthus
Turtlehead = Chelone glabra
Tutsan = Hypericum androsaemum
Tutsan, Stinking = Hypericum hircinum
Tutsan, Tall = Hypericum × inodorum
Tutuzi, Renge = Rhododendron molle subsp. japonicum
Twayblade, Common = Listera ovata
Twayblade, Lesser = Listera cordata
Twin Berry = Lonicera involucrata, Mitchella repens
Twin Flower = Polianthes geminiflora
Twin-Leaf = Jeffersonia dubia
Twinberry, Black = Lonicera involucrata
Twinflower = Linnaea borealis
Twisted Stalk = Streptopus amplexifolius
Twisted Stalk, Rosy = Streptopus roseus
Udo = Aralia cordata
Ugni = Ugni molinae
Ullucus = Ullucus tuberosus
Ulmo = Eucryphia cordifolia
Umbrella Leaf = Diphylleia cymosa
Umbrella Plant = Darmera peltata, Petasites hybridus
Umbrella Tree = Schefflera actinophylla
Umbrella Tree, Queensland = Schefflera actinophylla
Uncaria = Uncaria gambir
Unicorn Plant = Martynia annua
Unicorn Root = Aletris farinosa
Unicornplant, Sweet = Proboscidea fragrans
Upas Tree = Antiaris toxicaria
Urchin, Sea = Hakea laurina
Urn Plant = Aechmea fasciata
Valerian = Centranthus ruber
Valerian, Celtic = Valeriana celtica
Valerian, Common = Valeriana officinalis
Valerian, Greek = Polemonium reptans
Valerian, Marsh = Valeriana dioica
Valerian, Mountain = Valeriana montana
Valerian, Pyrenean = Valeriana pyrenaica
Vanilla Leaf = Achlys triphylla
Varnish Tree = Rhus verniciflua
Vase Plant = Aechmea fasciata
Vegetable Oyster = Tragopogon porrifolius
Velvet Leaf = Abutilon theophrasti
Velvet Plant = Gynura procumbens
Velvetbean = Mucuna pruriens
Venus's Fly Trap = Dionaea muscipula
Venus's Looking Glass = Legousia speculum-veneris
Veratrum, Black = Veratrum nigrum
Veratrum, California = Veratrum californicum
Veratrum, Green = Veratrum viride
Veratrum, White = Veratrum album
Verbena = Verbena officinalis
Verbena, Blue = Verbena tenera
Verbena, Lemon = Aloysia triphylla
Verbena, Moss = Verbena tenuisecta
Verbena, Pink Sand = Abronia umbellata
Verbena, Rose = Verbena canadensis
Verbena, Veined = Verbena rigida
Vervain, American = Verbena hastata
Vestia = Vestia foetida
Vetch, Bitter = Vicia ervilia
Vetch, Bush = Vicia sepium
Vetch, Common = Vicia sativa
Vetch, Crown = Coronilla varia
Vetch, Fodder = Vicia villosa
Vetch, Horseshoe = Hippocrepis comosa
Vetch, Kidney = Anthyllis vulneraria
Vetch, Lentil = Vicia tetrasperma
Vetch, Narrow Leaved = Vicia sativa subsp. nigra
Vetch, Purple Milk = Astragalus danicus
Vetch, Reddish Tufted = Vicia benghalensis
Vetch, Scorpion = Coronilla coronata, Coronilla valentina subsp. glauca
Vetch, Tufted = Vicia cracca
Vetchling, Hairy = Lathyrus hirsutus
Vetchling, Meadow = Lathyrus pratensis
Vetchling, Yellow = Lathyrus aphaca
Vetiver = Vetiveria zizanioides
Viburnum, Dawn = Viburnum × burkwoodii
Viburnum, Evergreen = Viburnum davidii
Viburnum, Fragrant = Viburnum farreri
Viburnum, Japanese = Viburnum japonicum
Viburnum, Lace Cup = Viburnum plicatum
Viburnum, Leatherleaf = Viburnum rhytidophyllum

Viburnum, Linden = Viburnum dilatatum
Viburnum, Sandankwa = Viburnum suspensum
Viburnum, Sweet = Viburnum carlesii, Viburnum odoratissimum
Viburnum, Tea = Viburnum setigerum
Viburnum, Winter = Viburnum × bodnantense
Vine = Vitis vinifera
Vine, Alamo = Merremia dissecta
Vine, Allegheny = Adlumia fungosa
Vine, Babbler's = Thunbergia laurifolia
Vine, Balloon = Cardiospermum halicacabum
Vine, Bleeding Heart = Clerodendrum thomsoniae
Vine, Bower = Pandorea jasminoides
Vine, Chalice = Solandra maxima
Vine, Chinese Silk = Periploca sepium
Vine, Chocolate = Akebia quinata, Akebia trifoliata
Vine, Common Grape = Vitis vinifera
Vine, Coral = Antigonon leptopus
Vine, Crab's Eye = Abrus precatorius
Vine, Creeping Wire = Muehlenbeckia axillaris
Vine, Crimson Glory = Vitis coignetiae
Vine, Cypress = Ipomoea quamoclit
Vine, Drinking = Entada phaseoloides
Vine, Easter Lily = Beaumontia grandiflora
Vine, Fig = Ficus pumila
Vine, Guinea Gold = Hibbertia scandens
Vine, Japanese Pepper = Ampelopsis japonica
Vine, Kangaroo = Cissus antarctica
Vine, Lace Flower = Episcia dianthiflora
Vine, Lily-of-the-Valley = Salpichroa origanifolia
Vine, Madeira = Anredera cordifolia
Vine, Maidenhair = Muehlenbeckia complexa
Vine, Matrimony = Lycium barbarum
Vine, Mattress = Muehlenbeckia complexa
Vine, Potato = Solanum jasminoides
Vine, Princess = Cissus sicyoides
Vine, Purple Bell = Rhodochiton atrosanguineum
Vine, Rainbow = Pellionia pulchra
Vine, Rata = Metrosideros fulgens
Vine, Rex Begonia = Cissus discolor
Vine, Rosary = Ceropegia linearis subsp. woodii
Vine, Rubber = Cryptostegia grandiflora
Vine, Russian = Fallopia baldschuanica
Vine, Silk = Periploca graeca
Vine, Silver = Actinidia polygama
Vine, Snail = Vigna caracalla
Vine, Snake = Hibbertia scandens
Vine, Squaw = Mitchella repens
Vine, Strainer = Luffa acutangula
Vine, Tara = Actinidia arguta
Vine, Wax = Senecio macroglossus
Vine, Wonga Wonga = Pandorea pandorana
Vine, Zebra Basket = Aeschynanthus marmoratus
Viola, Dissected = Viola dissecta
Violet = Viola odorata
Violet, Australian = Viola hederacea
Violet, Bog = Pinguicula vulgaris
Violet, Confederate = Viola sororia
Violet, Dog = Viola canina
Violet, Dog's Tooth = Erythronium dens-canis
Violet, Early Dog = Viola reichenbachiana
Violet, German = Exacum affine
Violet, Hairy = Viola hirta
Violet, Hook Spur = Viola adunca
Violet, Labrador = Viola labradorica
Violet, Marsh Blue = Viola cucullata
Violet, Phillippine = Barleria cristata
Violet, Pinnate = Viola pinnata
Violet, Spurred = Viola calcarata
Violet, Sweet = Viola odorata
Violet, Teesdale = Viola rupestris
Violet, Water = Hottonia palustris
Violet, Western Blue = Viola adunca
Violet, Wonder = Viola mirabilis
Violet, Wood = Viola riviniana
Violet, Woodland = Viola reichenbachiana
Violet, Woolly Blue = Viola sororia
Violet, Yellow Wood = Viola biflora
Viper's Bugloss = Echium vulgare
Virgin's Bower = Clematis flammula, Clematis virginiana
Virginia Creeper = Parthenocissus henryana, Parthenocissus inserta
Visnea = Visnea mocanera
Vitex = Vitex negundo
Vulvaria = Chenopodium vulvaria
Wahoo = Euonymus atropurpureus
Wakerobin, Giant = Trillium chloropetalum
Walking Leaf = Asplenium rhizophyllum
Wallflower = Erysimum cheiri
Wallflower, Alpine = Erysimum hieraciifolium
Wallflower, Siberian = Erysimum × allionii
Walnut, Black = Juglans nigra
Walnut, California = Juglans hindsii
Walnut, English = Juglans regia
Walnut, Japanese = Juglans ailantifolia

Walnut, Manchurian = Juglans mandshurica
Walnut, Persian = Juglans regia
Walnut, Texas = Juglans microcarpa
Walnut, White = Juglans cinerea
Wampee = Clausena lansium
Wand Plant = Galax urceolata
Wandering Jew = Tradescantia zebrina
Wandering Sailor = Tradescantia fluminensis
Wapato = Sagittaria latifolia
Washington Thorn = Crataegus phaenopyrum
Washingtonia, California = Washingtonia filifera
Washingtonia, Mexican = Washingtonia robusta
Water Lily, White = Nymphaea alba
Water Lily, Yellow = Nuphar advena, Nuphar lutea
Water Milfoil = Myriophyllum verticillatum
Water Milfoil, Spiked = Myriophyllum spicatum
Water Milfoil, Western = Myriophyllum hippuroides
Water Milfoil, Whorled = Myriophyllum verticillatum
Water Shield = Brasenia schreberi
Waterchestnut, Chinese = Eleocharis dulcis
Watercress = Nasturtium officinale
Waterleaf = Hydrophyllum canadense
Waterleaf, Virginia = Hydrophyllum virginianum
Waterlily = Nymphaea alba
Waterlily, Blue = Nymphaea capensis
Waterlily, Cape Blue = Nymphaea capensis
Waterlily, Fragrant = Nymphaea odorata
Waterlily, Giant = Victoria amazonica
Waterlily, Pygmy = Nymphaea tetragona
Watermelon = Citrullus lanatus
Waterweed, Western = Elodea nuttallii
Wattle, Black = Acacia mearnsii
Wattle, Blue Leaf = Acacia saligna
Wattle, Broom = Acacia calamifolia
Wattle, Cootamundra = Acacia baileyana
Wattle, Drummond's = Acacia drummondii
Wattle, Early Black = Acacia decurrens
Wattle, Golden = Acacia pycnantha
Wattle, Green = Acacia decurrens
Wattle, Hedge = Acacia paradoxa
Wattle, Juniper = Acacia ulicifolia
Wattle, Knife Leaf = Acacia cultriformis
Wattle, Queensland Silver = Acacia podalyriifolia
Wattle, Scented = Acacia farnesiana
Wattle, Silver = Acacia dealbata
Wattle, Sweet Scented = Acacia suaveolens
Wattle, Sydney Golden = Acacia longifolia
Wattle, Water = Acacia retinodes
Wattle, Winged = Acacia alata
Wax Flower = Stephanotis floribunda
Wax Tree = Rhus succedanea
Wax, Thorow = Bupleurum rotundifolium
Waxberry = Myrica cerifera, Symphoricarpos albus
Waxberry, Tasmanian = Gaultheria hispida
Waxflower, Geraldton = Chamelaucium uncinatum
Waxwork = Celastrus scandens
Wayfaring Tree = Viburnum lantana
Wellingtonia = Sequoiadendron giganteum
Wheat = Triticum aestivum
Wheat, Branched = Triticum turgidum
Wheat, Common Cow = Melampyrum pratense
Wheat, Cow = Melampyrum pratense
Wheat, Durum = Triticum durum
Wheatgrass, Crested = Agropyron cristatum
Whin = Ulex europaeus
Whin, Petty = Genista anglica
Whinberry = Vaccinium myrtillus
White Cup = Nierembergia repens
White Sally = Eucalyptus pauciflora
White Snake Root = Ageratina altissima
White Velvet = Tradescantia sillamontana
White Wax Tree = Ligustrum lucidum
Whitebeam = Sorbus aria
Whitebeam, Folgner's = Sorbus folgneri
Whitebeam, Pyrenean = Sorbus mougeotii
Whitebeam, Swedish = Sorbus intermedia
Whiteweed, Tropical = Ageratum conyzoides
Whitey Wood = Melicytus ramiflorus
Whiteywood = Melicytus ramiflorus
Whorl Flower = Morina longifolia
Whortleberry = Vaccinium myrtillus
Whortleberry, Bog = Vaccinium uliginosum
Willow = Salix alba
Willow Herb, Rosebay = Epilobium angustifolium
Willow, Almond Leaved = Salix triandra
Willow, Balsam = Salix pyrifolia
Willow, Bay = Salix pentandra
Willow, Bearberry = Salix uva-ursi
Willow, Black = Salix nigra
Willow, Blue = Salix caesia
Willow, Blue Stem = Salix irrorata
Willow, Button = Cephalanthus occidentalis
Willow, Caspian = Salix acutifolia
Willow, Coyote = Salix exigua
Willow, Crack = Salix fragilis

Willow, Creeping = Salix repens
Willow, Dark Leaved = Salix myrsinifolia
Willow, Desert = Pittosporum phillyraeoides
Willow, Downy = Salix lapponum
Willow, Dwarf = Salix herbacea
Willow, Eared = Salix aurita
Willow, Furry = Salix cordata
Willow, Goat = Salix caprea
Willow, Grey = Salix cinerea
Willow, Halberd = Salix hastata
Willow, Hoary = Salix candida
Willow, Japanese Pussy = Salix gracilistyla
Willow, Lapland = Salix lapponum
Willow, Laurel = Salix pentandra
Willow, Magnolia Leafed = Salix magnifica
Willow, Marsh Primrose = Ludwigia palustris
Willow, Meadow = Salix petiolaris
Willow, Musk = Salix aegyptiaca
Willow, Net Leaved = Salix reticulata
Willow, Pacific = Salix lasiandra
Willow, Pacific Red = Salix lasiandra
Willow, Peach Leaf = Salix amygdaloides
Willow, Peking = Salix matsudana
Willow, Prairie = Salix humilis
Willow, Purple = Salix purpurea
Willow, Pussy = Salix caprea, Salix discolor
Willow, Sage = Salix candida
Willow, Sakhalin = Salix udensis
Willow, Sand = Salix repens subsp. dunensis
Willow, Sharp Leaf = Salix acutifolia
Willow, Silvery = Salix candida
Willow, Tea Leaf = Salix phylicifolia
Willow, Violet = Salix daphnoides
Willow, Virginian = Itea virginica
Willow, Weeping = Salix babylonica, Salix × sepulcralis
Willow, White = Salix alba
Willow, Whortle = Salix myrsinites
Willow, Woolly = Salix lanata
Willowherb, Alpine = Epilobium dodonaei
Willughbeia = Willughbeia firma
Wind Flower = Anemone nemorosa
Windflower = Anemone blanda
Windflower, Rock = Anemone rupicola
Windflower, Snowdrop Snowdrop = Anemone sylvestris
Wine Cup = Geissorhiza radians
Wineberry = Aristotelia chilensis, Rubus phoenicolasius
Wingnut, Caucasian = Pterocarya fraxinifolia
Wingnut, Chinese = Pterocarya stenoptera
Wingnut, Japanese = Pterocarya rhoifolia
Wingstem = Verbesina alternifolia
Winks, Tiddly = Exacum affine
Winter Hazel, Buttercup = Corylopsis pauciflora
Winter Hazel, Chinese = Corylopsis sinensis
Winter Hazel, Spike = Corylopsis spicata
Winterberry = Ilex vomitoria
Wintergreen, Chickweed = Trientalis europaea
Wintergreen, Common = Pyrola minor
Wintergreen, Round Leaved = Pyrola rotundifolia
Wintersweet = Chimonanthus praecox
Wintersweet, African = Acokanthera oblongifolia
Wire Netting Bush = Corokia cotoneaster
Wire Plant = Muehlenbeckia complexa
Wirilda = Acacia retinodes
Wishbone Flower = Torenia fournieri
Wisteria Tree = Sesbania grandiflora
Wisteria Tree, Scarlet = Sesbania tripetii
Wisteria, Chinese = Wisteria sinensis
Wisteria, Japanese = Wisteria floribunda
Wisteria, Silky = Wisteria venusta
Wisteria, Water = Hygrophila angustifolia
Witch Hazel, American = Hamamelis virginiana
Witch Hazel, Chinese = Hamamelis mollis
Witch Hazel, Japanese = Hamamelis japonica
Witch Hazel, Spring = Hamamelis vernalis
Withe Rod = Viburnum cassinoides
Woad = Reseda luteola
Woad, Dyer's = Isatis tinctoria
Wolf Berry = Lycium pallidum
Wolfberry = Symphoricarpos occidentalis
Wolfberry, Chinese = Lycium chinense
Wolfberry, European = Lycium europaeum
Wolfsbane = Aconitum lycoctonum
Woodbine = Lonicera periclymenum, Parthenocissus quinquefolia
Woodnymph = Moneses uniflora
Woodruff = Asperula lilaciflora, Galium odoratum
Woodruff, Dyer's = Asperula tinctoria
Woodruff, Sweet = Galium odoratum
Woodrush, Snowy = Luzula nivea
Woodsia, Common = Woodsia obtusa
Woodsia, Northern = Woodsia alpina
Woodsia, Rusty = Woodsia ilvensis
Woolstar, Giant = Eriastrum densifolium
Wormseed = Chenopodium ambrosioides
Wormwood, Alpine = Artemisia splendens

Wormwood, Common = Artemisia absinthium
Wormwood, Field = Artemisia campestris
Wormwood, Glacier = Artemisia glacialis
Wormwood, Levant = Artemisia cina
Wormwood, Roman = Artemisia pontica
Wormwood, Sea = Artemisia maritima
Wormwood, Sweet = Artemisia annua
Wormwood, Valais = Artemisia vallesiaca
Woundwort = Senecio ovatus, Solidago virgaurea
Wrack, Dwarf Grass = Zostera noltii
Wrack, Grass = Zostera marina
Wreath, Bridal = Francoa sonchifolia, Spiraea prunifolia
Wreath, Garland = Spiraea × arguta
Wreath, Maiden's = Francoa sonchifolia var. ramosa
Wreath, Purple = Petrea volubilis
Wu Lan = Canarium pimela
Wurzel, Mangel = Beta vulgaris
Yak = Rhododendron degronianum subsp. yakushimanum
Yam, Chinese = Dioscorea batatas
Yam, Coco = Colocasia esculenta
Yam, Elephant = Amorphophallus paeoniifolius
Yam, Ornamental = Dioscorea vittata
Yam, Water = Dioscorea alata
Yam, White = Dioscorea alata
Yam, White Guinea = Dioscorea rotundata
Yam, Wild = Dioscorea villosa
Yam, Yellow = Dioscorea cayenensis
Yambean = Pachyrhizus erosus
Yarrow, Common = Achillea millefolium
Yarrow, Fernleaf = Achillea filipendulina
Yarrow, Greek = Achillea ageratifolia
Yarrow, Siberian = Achillea sibirica
Yarrow, Woolly = Achillea tomentosa
Yate, Bushy = Eucalyptus lehmannii
Yaupon = Ilex vomitoria
Yaw Root = Stillingia sylvatica
Yellow Monkey Flower = Mimulus luteus
Yellow Pitcher Plant = Sarracenia flava
Yellow Wood = Cladrastis lutea
Yellow Wood, African = Podocarpus elongatus
Yellow Wood, Chinese = Cladrastis sinensis
Yellowdrop = Onosma echioides
Yellowroot = Xanthorhiza simplicissima
Yesterday = Brunfelsia pauciflora
Yew, Canadian = Taxus canadensis
Yew, Chilean = Prumnopitys andina
Yew, Common = Taxus baccata
Yew, English = Taxus baccata
Yew, Japanese = Taxus cuspidata
Yew, Pacific = Taxus brevifolia
Yew, Plum Fruited = Prumnopitys andina
Yew, Wellesley = Taxus × media
Yew, Western = Taxus brevifolia
Ylang Ylang = Cananga odorata
Yohimbe = Pausinystalia johimbe
Yorkshire Fog = Holcus lanatus
Youth-and-Old-Age = Aichryson × domesticum, Zinnia elegans
Yucca, Banana = Yucca baccata
Yucca, Blue = Yucca baccata, Yucca glauca
Yucca, Elephant = Yucca elephantipes
Yucca, Red Flowered = Hesperaloe parviflora
Yucca, Soft Tip = Yucca gloriosa
Yucca, Spoonleaf = Yucca filamentosa
Yucca, Torrey = Yucca torreyi
Yulan = Magnolia denudata
Zebra Plant = Aphelandra squarrosa, Calathea zebrina
Zedgary = Curcuma heyneana, Curcuma zedoaria
Zehneria = Zehneria indica
Zelkova, Japanese = Zelkova serrata
Zelkova, Sawleaf = Zelkova serrata
Zinnia, Creeping = Sanvitalia procumbens
Ziziphus = Ziziphus lotus
Zucchini = Cucurbita pepo

IX Noms de plantes français

Abricotier du Japon = Prunus mume
Absinthe romaine = Artemisia pontica
Acacia de Constantinople = Albizia julibrissin
Acacia rose = Robinia hispida
Acanthe de Hongrie = Acanthus hungaricus
Acanthe épineuse = Acanthus spinosus
Acanthe molle = Acanthus mollis
Achillée à cheveux dorés = Achillea chrysocoma
Achillée à feuilles d'agérate = Achillea ageratifolia
Achillée de Grèce = Achillea aegyptica
Achillée de Serbie = Achillea ageratifolia subsp. serbica
Achillée jaune = Achillea filipendulina
Achillée laineuse = Achillea tomentosa
Achillée millefeuille = Achillea millefolium
Aconit blanc = Aconitum napellus
Aconit d'automne = Aconitum carmichaelii
Aconit des Pyrénées = Aconitum lycoctonum subsp. neapolitanum
Aconit tue-loup = Aconitum lycoctonum subsp. vulparia
Acore à feuilles de graminée = Acorus gramineus
Acore odorant = Acorus calamus
Actée blanche = Actaea pachypoda
Actée en épis = Actaea spicata
Actée rouge = Actaea rubra
Adonis de l'Amour = Adonis amurensis
Adonis de printemps = Adonis vernalis
Aethionema à grandes fleurs = Aethionema grandiflorum
Aethionema de Perse = Aethionema grandiflorum
Agrostic = Thelypteris palustris
Agrostide brouillard = Agrostis nebulosa
Aiguille de Cléopâtre = Eremurus robustus
Ail à boule étoilée = Allium christophii
Ail à carène élégant = Allium carinatum subsp. pulchellum
Ail à tête ronde = Allium sphaerocephalon
Ail azuré = Allium caeruleum
Ail décoratif = Allium oreophilum
Ail doré = Allium moly
Ail du Turkestan = Allium karataviense
Ail géant de l'Himalaya = Allium giganteum
Ail jaune = Allium flavum
Ail penché = Allium cernuum
Airelle à gros fruits = Vaccinium macrocarpon
Airelle rouge = Vaccinium vitis-idaea
Akébie à cinq feuilles = Akebia quinata
Akébie à trois feuilles = Akebia trifoliata
Alangium à feuilles de platane = Alangium platanifolium
Alchémille de Hoppe = Alchemilla hoppeana
Alchémille des Alpes = Alchemilla alpina
Alisier à feuilles d'aulne = Sorbus alnifolia
Alisier blanc = Sorbus aria
Alisier de Finlande = Sorbus × hybrida
Alisier de Fontainebleau = Sorbus latifolia
Alisier de Mougeot = Sorbus mougeotii
Alisier de Pratt = Sorbus prattii
Alisier de Suède = Sorbus intermedia
Alisier nain = Sorbus chamaemespilus
Alisier torminal = Sorbus torminalis
Aloès d'eau = Stratiotes aloides
Alouchier = Sorbus aria
Alysse des montagnes = Alyssum montanum
Alysse des murailles = Alyssum murale
Alysse des rochers = Aurinia saxatilis
Amandier = Prunus dulcis
Amandier à fleurs du Japon = Prunus glandulosa
Amandier de Chine = Prunus triloba
Amandier nain = Prunus tenella
Amarante queue-de -renard = Amaranthus hybridus
Amarante queue-de-renard = Amaranthus caudatus
Amarantine = Gomphrena globosa
Amaryllis Belle-dame = Amaryllis bella-donna
Amélanchier à feuilles d'aulne = Amelanchier alnifolia
Amélanchier des bois = Amelanchier ovalis
Amélanchier sanguin = Amelanchier sanguinea
Amour en cage = Physalis alkekengi var. franchetii
Ancolie à fleur dorée = Aquilegia chrysantha
Ancolie du Canada = Aquilegia canadensis
Ancolie du Japon = Aquilegia flabellata
Ancolie noirâtre = Aquilegia atrata
Ancolie vulgaire = Aquilegia vulgaris
Andrachne de Colchide = Andrachne colchica
Andromède à feuilles de polium = Andromeda polifolia
Andromède à feuilles glauques = Andromeda glaucophylla
Androsace de Chine = Androsace sarmentosa
Androsace naine de l'Himalaya = Androsace sempervivoides

Aulne glutineux = Alnus glutinosa
Aulne vert = Alnus viridis
Aunée à feuilles en épée = Inula ensifolia
Auricule = Primula auricula
Avoine toujours verte = Helictotrichon sempervirens
Azalée des Alpes = Loiseleuria procumbens
Baguenaudier commun = Colutea arborescens
Baguenaudier hybride = Colutea × media
Baldingère = Phalaris arundinacea
Bambou sacré = Nandina domestica
Barbe bleue = Caryopteris incana
Barbe de bouc = Aruncus aethusifolius , Aruncus dioicus
Barbotine = Tanacetum vulgare
Bâton de Jacob = Asphodeline lutea
Belle de nuit = Mirabilis jalapa
Benoîte bulgare = Geum bulgaricum
Benoîte rampante = Geum reptans
Benoîte rouge = Geum coccineum
Berbéris à feuilles de buis = Berberis buxifolia
Berce de Steven = Heracleum stevenii
Berce géante du Caucase = Heracleum mantegazzianum
Bergenia à feuilles épaisses = Bergenia crassifolia
Bergenia cilié = Bergenia ciliata
Bétoine = Stachys officinalis
Bignone de Virginie = Campsis radicans
Bignone du Chili = Eccremocarpus scaber
Blechne de la Terre de Feu = Blechnum penna-marina
Blechne en épi = Blechnum spicant
Boconie à feuilles en coeur = Macleaya cordata
Boconie à petits fruits = Macleaya microcarpa
Bois à encens = Juniperus virginiana
Bois gentil = Daphne mezereum
Bois joli = Daphne mezereum
Bonnet d'évêque = Mitella ovalis
Bonnet de prêtre = Euonymus europaeus
Bouillon noir = Verbascum nigrum
Boule azurée = Echinops bannaticus
Boule bleue = Echinops niveus
Bouleau à canots = Betula papyrifera
Bouleau à écorce rouge = Betula albosinensis
Bouleau à papier = Betula papyrifera
Bouleau blanc = Betula pendula
Bouleau de l'Himalaya = Betula utilis
Bouleau du Japon = Betula ermanii
Bouleau monarque = Betula maximowicziana
Bouleau nain = Betula nana
Bouleau noir = Betula nigra
Bouleau pubescent = Betula pubescens
Bouleau verruqueux = Betula pendula
Bourdaine = Frangula alnus
Bourreau des arbres = Celastrus orbiculatus , Periploca graeca
Bourreau des singes = Araucaria araucana
Bouton d'or = Ranunculus acris
Brachycome à feuilles d'ibéris = Brachyscome iberidifolia
Brachypode penné = Brachypodium pinnatum
Brize intermédiaire = Briza media
Brome à grands épillets = Bromus macrostachys
Brouillard = Gypsophila paniculata
Bruyère à quatre angles = Erica tetralix
Bruyère cendrée = Erica cinerea
Bruyère commune = Calluna vulgaris
Bruyère couleur chair = Erica carnea
Bruyère de saint Daboec = Daboecia cantabrica
Bruyère des neiges = Erica carnea
Bruyère hybride de Darleyens = Erica × darleyensis
Bruyère vagabonde = Erica vagans
Bugle rampante = Ajuga reptans
Buis commun = Buxus sempervirens
Buisson ardant = Pyracantha coccinea
Buisson de beauté = Kolkwitzia amabilis
Busserolle = Arctostaphylos nevadensis , Arctostaphylos uva-ursi
Busserolle des Alpes = Arctostaphylos alpina
Calamagrostide argentée = Stipa calamagrostis
Calament à grandes fleurs = Calamintha grandiflora
Calament des Alpes = Acinos alpinus
Callune = Calluna vulgaris
Camarine noire = Empetrum nigrum
Camélia du Japon = Camellia japonica
Camérisier à balais = Lonicera xylosteum
Camérisier bleu = Lonicera caerulea
Camérisier noir = Lonicera nigra
Caminet = Erica tetralix
Camomille à petites fleurs = Antennaria parvifolia
Camomille argentée = Anthemis marschalliana
Camomille des teinturiers = Anthemis tinctoria
Camomille marocaine = Anacyclus

pyrethrum var. depressus
Campanille = Edraianthus pumilio
Campanule à feuilles d'ail = Campanula alliariifolia
Campanule à feuilles de bouleau = Campanula betulifolia
Campanule à feuilles de pêcher = Campanula persicifolia
Campanule à feuilles rondes = Campanula rotundifolia
Campanule agglomérée = Campanula glomerata
Campanule carillon = Campanula medium
Campanule de Dalmatie = Campanula portenschlagiana
Campanule de Sarmatie = Campanula sarmatica
Campanule des Carpathes = Campanula carpatica
Campanule des Carpathes en toupie = Campanula carpatica var. turbinata
Campanule du Gargano = Campanula garganica
Campanule élégante = Campanula cochleariifolia
Campanule fausse raiponce = Campanula rapunculoides
Campanule fluette = Campanula cochleariifolia
Campanule gantelée = Campanula trachelium
Canche bleue = Molinia caerulea
Canche cespiteuse = Deschampsia cespitosa
Canche flexueuse = Deschampsia flexuosa
Canne- à-pêche-des-anges = Dierama pendulum
Capillaire cheveux de Vénus = Adiantum venustum
Capillaire pédalée = Adiantum pedatum
Caragan arborescent = Caragana arborescens
Caragan nain = Caragana pygmaea
Cardamine à trois feuilles = Cardamine trifolia
Cardamine des prés = Cardamine pratensis
Carline à feuilles d'acanthe = Carlina acanthifolia
Carline à tige courte = Carlina acaulis
Carline argentée = Carlina acaulis subsp. simplex
Cassis = Ribes nigrum
Cassissier = Ribes nigrum
Catalpa commun = Catalpa bignonioides
Catalpa de la Caroline = Catalpa bignonioides
Catalpa jaune = Catalpa ovata
Céanothe à feuilles de thyrse = Ceanothus thyrsiflorus
Céanothe d'été = Ceanothus × delilianus
Cèdre de l'Atlas = Cedrus atlantica
Cèdre de l'Himalaya = Cedrus deodara
Célandine = Stylophorum diphyllum
Célosie crête de coq = Celosia argentea var. cristata
Centaurée à grosse tête = Centaurea macrocephala
Centaurée blanchâtre = Centaurea dealbata
Centaurée des montagnes = Centaurea montana
Centaurée élégante = Centaurea bella
Centaurée scabieuse = Centaurea scabiosa
Céraiste des champs = Cerastium arvense
Céraiste feutré = Cerastium tomentosum
Céraiste laineux = Cerastium tomentosum
Cératophylle émergé = Ceratophyllum demersum
Cératophylle submergé = Ceratophyllum submersum
Cerisier aigre = Prunus cerasus
Cerisier alpin du Japon = Prunus nipponica
Cerisier d'hiver = Prunus subhirtella
Cerisier de Mandchourie = Prunus maackii
Cerisier de Sainte Lucie = Prunus mahaleb
Cerisier de Sargent = Prunus sargentii
Cerisier des collines = Prunus serrulata
Cerisier des oiseaux = Prunus avium
Cerisier du Tibet = Prunus serrula
Cerisier tardif = Prunus serotina
Cerisier Yoshino = Prunus × yedoensis
Chalef argenté = Elaeagnus commutata
Chanvre d'eau = Lycopus europaeus
Chardon- soleil = Carlina acanthifolia
Charme commun = Carpinus betulus
Charme houblon = Ostrya carpinifolia
Charmille = Carpinus betulus
Châtaigne d'eau = Trapa natans
Châtaignier commun = Castanea sativa
Chataire = Nepeta × faassenii
Chêne à cochenilles = Quercus coccifera
Chêne à dents de scie = Quercus acutissima
Chêne à feuilles de châtaignier = Quercus castaneifolia
Chêne à feuilles de laurier = Quercus imbricaria
Chêne à feuilles de saule = Quercus phellos
Chêne à gros glands = Quercus bicolor
Chêne blanc = Quercus alba
Chêne chevelu = Quercus cerris
Chêne commun = Quercus robur
Chêne d'Arménie = Quercus pontica

Chêne Daimyo = Quercus dentata
Chêne de Hongrie = Quercus frainetto
Chêne de Lucombe = Quercus × hispanica
Chêne de Turner = Quercus × turneri
Chêne des marais = Quercus palustris
Chêne des teinturiers = Quercus velutina
Chêne du Caucase = Quercus macranthera
Chêne du Liban = Quercus libani
Chêne du Maryland = Quercus marilandica
Chêne écarlate = Quercus coccinea
Chêne pédonculé = Quercus robur
Chêne pubescent = Quercus pubescens
Chêne rouge d'Amérique = Quercus rubra
Chêne rouvre = Quercus petraea
Chêne sessile = Quercus petraea
Chêne vert = Quercus ilex
Chêne- liège = Quercus suber
Chimonanthe odorant = Chimonanthus praecox
Chrysanthème des moissons = Chrysanthemum segetum
Chrysanthème en corymbe = Tanacetum corymbosum
Chrysanthème nain d'Extrême-Orient = Dendranthema weyrichii
Chrysanthème tardif = Leucanthemella serotina
Ciboulette = Allium schoenoprasum
Cirier = Myrica cerifera
Cirse du Japon = Cirsium japonicum
Citronnelle aurone = Artemisia abrotanum
Citronnelle verveine = Aloysia triphylla
Cladium marisque = Cladium mariscus
Clématite à cupule = Lonicera pileata
Clématite à feuilles de berce = Clematis heracleifolia
Clématite à fleurs de lilas = Lonicera syringantha
Clématite bleue = Clematis viticella
Clématite brillant = Lonicera nitida
Clématite d'Albert = Lonicera albertii
Clématite d'Armand = Clematis armandii
Clématite d'hiver = Lonicera fragrantissima
Clématite de Girald = Lonicera giraldii
Clématite de Henry = Lonicera henryi
Clématite de Maack = Lonicera maackii
Clématite de Morrow = Lonicera morrowii
Clématite de Tartarie = Lonicera tatarica
Clématite des Alpes = Clematis alpina
Clématite des bois = Lonicera periclymenum
Clématite des haies = Clematis vitalba , Lonicera xylosteum
Clématite des jardins = Lonicera caprifolium
Clématite des montagnes = Clematis montana
Clématite droite = Clematis recta
Clématite du Japon = Lonicera japonica
Clématite herbacée = Clematis × jouiniana
Clématite hybride de Jackmann = Clematis × jackmanii
Clématite myrtille = Lonicera myrtillus
Cléthra à feuilles d'aulne = Clethra alnifolia
Cockayne = Crassula helmsii
Coeur de Marie = Dicentra spectabilis
Cognassier commun = Cydonia oblonga
Cognassier du Japon = Chaenomeles japonica
Colchique d'automne = Colchicum autumnale
Consoude à grandes fleurs = Symphytum grandiflorum
Consoude du Caucase = Symphytum caucasicum
Consoude officinale = Symphytum officinale
Consoude panachée = Symphytum × uplandicum
Copalme d'Amérique = Liquidambar styraciflua
Coquelourde = Lychnis coronaria
Corbeille d'or = Aurinia saxatilis
Coréopsis à feuilles en aiguilles = Coreopsis verticillata
Coréopsis à grandes fleurs = Coreopsis grandiflora
Coréopsis lancéolé = Coreopsis lanceolata
Corête du Japon = Kerria japonica
Cormier = Sorbus domestica
Cornouiller à feuilles alternes = Cornus alternifolia
Cornouiller à fleurs = Cornus florida
Cornouiller blanc = Cornus alba
Cornouiller de Bentham = Cornus capitata
Cornouiller de Drummond = Cornus asperifolia var. dummondii
Cornouiller de Nutall = Cornus nuttallii
Cornouiller des pagodes = Cornus controversa
Cornouiller discuté = Cornus controversa
Cornouiller du Canada = Cornus canadensis
Cornouiller kousa = Cornus kousa
Cornouiller mâle = Cornus mas
Cornouiller officinal = Cornus officinalis
Cornouiller sanguin = Cornus sanguinea
Coronille des jardins = Coronilla emerus
Corydale creux = Corydalis cava
Corydale jaune = Pseudofumaria lutea
Corylopsis à petites fleurs = Corylopsis

pauciflora
Corylopsis de Miss Willmontt = Corylopsis willmottiae
Corylopsis en épis = Corylopsis spicata
Cotonéaster à feuilles de saule = Cotoneaster salicifolius
Cotonéaster à petites feuilles = Cotoneaster microphyllus
Cotonéaster de Dammer = Cotoneaster dammeri
Cotonéaster horizontal = Cotoneaster horizontalis
Cotonéaster rampant = Cotoneaster adpressus
Cotule à feuilles de sénebière = Cotula coronopifolia
Cotule dioïque = Leptinella dioica
Coudrier = Corylus avellana
Couronne impériale = Fritillaria imperialis
Coussin des Andes = Azorella trifurcata
Crépide rouge = Crepis rubra
Cresson de fontaine = Nasturtium officinale
Crucianelle rose = Phuopsis stylosa
Cryptocoryne américaine = Orontium aquaticum
Cryptoméria du Japon = Cryptomeria japonica
Cyclamen d'Europe = Cyclamen purpurascens
Cyclamen de Kos = Cyclamen coum
Cyclamen de Naples = Cyclamen hederifolium
Cyprès blanc = Chamaecyparis thyoides
Cyprès chauve = Taxodium distichum
Cyprès de Lawson = Chamaecyparis lawsoniana
Cyprès de Nootka = Chamaecyparis nootkatensis
Cyprès nain = Chamaecyparis obtusa
Cyprès pleureur de l'Alaska = Chamaecyparis nootkatensis
Cyprès porte-pois = Chamaecyparis pisifera
Cystoptéris bulbifère = Cystopteris bulbifera
Cytise d'Adam = + Laburnocytisus adamii
Cytise des Alpes = Laburnum alpinum
Cytise faux ébénier = Laburnum anagyroides
Cytise rampant = Cytisus decumbens
Dame de onze heures = Ornithogalum umbellatum
Dauphinelle à grandes fleurs = Delphinium grandiflorum
Dauphinelle du Setchouan = Delphinium tatsienense
Dentelaire bleue = Ceratostigma plumbaginoides
Désespoir du peintre = Saxifraga umbrosa
Digitale à grandes fleurs = Digitalis grandiflora
Digitale jaune = Digitalis lutea
Digitale pourpre = Digitalis purpurea
Doronic du Caucase = Doronicum orientale
Doronic plantain = Doronicum plantagineum
Dorycnium hérissé = Dorycnium hirsutum
Douce- amère = Solanum dulcamara
Drave de Sibérie = Draba sibirica
Drave de Sündermann = Draba × suendermannii
Drave faux-aizoon = Draba aizoides
Dryade à huit pétales = Dryas octopetala
Dryoptéris de la Chartreuse = Dryopteris carthusiana
Dryoptéris géant = Dryopteris goldiana
Echinacée pourpre = Echinacea purpurea
Edelweiss = Leontopodium souliei
Edelweiss des Alpes = Leontopodium alpinum
Edraianthus à feuilles de graminée = Edraianthus graminifolius
Eglantier commun = Rosa canina
Eglantier odorant = Rosa × rugotida
Eleocharis des marais = Eleocharis palustris
Elodée du Canada = Elodea canadensis
Epervière dorée = Hieracium aurantiacum
Epervière piloselle = Hieracium pilosella
Epervière rouge = Hieracium × rubrum
Epervière velue = Hieracium villosum
Ephémère de Virginie = Tradescantia × andersoniana
Epiaire à feuilles de lavande = Stachys lavandulifolia
Epiaire des marais = Stachys palustris
Epiaire laineuse = Stachys byzantina
Epiaire officinale = Stachys officinalis
Epicéa blanc = Picea glauca
Epicéa commun = Picea abies , Picea obovata
Epicéa d'Alcock = Picea bicolor
Epicéa d'Engelmann = Picea engelmannii
Epicéa de Brewer = Picea breweriana
Epicéa de Chine = Picea asperata
Epicéa de l'Himalaya = Picea smithiana
Epicéa de Sargent = Picea brachytyla
Epicéa de Schrenk = Picea schrenkiana
Epicéa de Sitka = Picea sitchensis
Epicéa de Wilson = Picea wilsonii
Epicéa du Colorado = Picea pungens
Epicéa du Japon = Picea jezoensis

Fleur des elfes à grandes fleurs = Epimedium grandiflorum
Fleur des elfes alpinum = Epimedium alpinum
Flouve odorante = Anthoxanthum odoratum
Fluteau = Alisma plantago-aquatica , Luronium natans
Fluteau d'eau fausse renoncule = Baldellia ranunculoides
Forsythia de Paris = Forsythia × intermedia
Fougère à écailles dorées = Dryopteris affinis
Fougère à indusies rouges = Dryopteris erythrosora
Fougère aquatique = Azolla caroliniana
Fougère cannelle = Osmunda cinnamomea
Fougère d'Allemagne = Matteuccia struthiopteris
Fougère de Noël = Polystichum acrostichoides
Fougère des hêtres = Phegopteris connectilis
Fougère des hêtres américaine = Phegopteris hexagonoptera
Fougère dilatée = Dryopteris dilatata
Fougère femelle = Athyrium filix-femina
Fougère fer-à-cheval = Adiantum pedatum
Fougère mâle = Dryopteris filix-mas
Fougère plume d'autruche = Matteuccia orientalis , Matteuccia pensylvanica
Fougère sensitive = Onoclea sensibilis
Fougère trompe-d'éléphant = Dryopteris atrata
Fraisier des bois = Fragaria vesca
Framboisier = Rubus idaeus
Framboisier du Canada = Rubus odoratus
Frêne à fleurs = Fraxinus ornus
Frêne à manne = Fraxinus ornus
Frêne commun = Fraxinus excelsior
Fritillaire à fleurs pâles = Fritillaria pallidiflora
Fritillaire de Perse = Fritillaria persica
Fromental élevé = Arrhenatherum elatius
Fusain ailé = Euonymus alatus
Fusain d'Europe = Euonymus europaeus
Fusain du Japon = Euonymus fortunei
Fustet = Cotinus coggygria
Galane en épis = Chelone glabra
Galane oblique = Chelone obliqua
Galé odorant = Myrica gale
Gaulthérie du Canada = Gaultheria procumbens
Gazon d'Espagne = Armeria maritima
Genêt à balais = Cytisus scoparius
Genêt ailé = Chamaespartium sagittale
Genêt de Lydie = Genista lydia
Genêt des teinturiers = Genista tinctoria
Genêt poilu = Genista pilosa
Genêt pourpre = Chamaecytisus purpureus
Genêt précoce = Cytisus × praecox
Genêt rayonnant = Genista radiata
Genévrier à aiguilles = Juniperus rigida
Genévrier bleu = Juniperus squamata
Genévrier commun = Juniperus communis
Genévrier de Chine = Juniperus chinensis
Genévrier de Virginie = Juniperus virginiana
Genévrier des Montagnes Rocheuses = Juniperus scopulorum
Genévrier des rivages = Juniperus conferta
Genévrier rampant = Juniperus horizontalis
Genévrier sabine = Juniperus sabina
Génistelle = Chamaespartium sagittale
Gentiane à feuilles étroites = Gentiana angustifolia
Gentiane à tige courte = Gentiana acaulis
Gentiane acaule = Gentiana acaulis
Gentiane croisette = Gentiana cruciata
Gentiane d'été = Gentiana septemfida var. lagodechiana
Gentiane de Sibérie = Gentiana dahurica
Gentiane des Alpes Dinariques = Gentiana dinarica
Gentiane du Tibet = Gentiana tibetica
Gentiane fausse asclépiade = Gentiana asclepiadea
Gentiane jaune = Gentiana lutea
Gentiane pneumonanthe = Gentiana pneumonanthe
Géranium à feuilles de crêpe = Geranium renardii
Géranium brun = Geranium phaeum
Géranium cendré = Geranium cinereum
Géranium de Dalmatie = Geranium dalmaticum
Géranium de l'Himalaya = Geranium himalayense
Géranium des Balkans = Geranium macrorrhizum
Géranium des bois = Geranium sylvaticum
Géranium des marais = Geranium palustre
Géranium des prés = Geranium pratense
Géranium des Pyrénées = Geranium endressii
Géranium en coussinet = Geranium endressii
Géranium noueux = Geranium nodosum
Géranium sanguin = Geranium sanguineum , Geranium sanguineum var. striatum
Germandrée de Marseille = Teucrium massiliense

Hyssope = Hyssopus officinalis
If commun = Taxus baccata
If du Japon = Taxus cuspidata
Igname = Dioscorea batatas
Immortelle d'argent = Anaphalis margaritacea
Immortelle de l'Himalaya = Anaphalis triplinervis
Immortelle du Tian-Shan = Helichrysum thianschanicum
Incarvillée à grandes fleurs = Incarvillea mairei var. grandiflora
Incarvillée de Delavay = Incarvillea delavayi
Inule d'Orient = Inula orientalis
Inule hérissée = Inula hirta
Iris à bulbe des Pyrénées = Iris latifolia
Iris à feuilles de graminée = Iris graminea
Iris de Forrest = Iris forrestii
Iris de Sibérie = Iris sibirica
Iris des marais = Iris pseudacorus
Iris des steppes = Iris spuria
Iris du Japon = Iris ensata
Iris gigot = Iris foetidissima
Iris puant = Iris foetidissima
Iris sans feuille = Iris aphylla
Iris variable = Iris versicolor
Itéa de Virginie = Itea virginica
Jacinthe = Hyacinthus orientalis
Jacinthe d'eau = Eichhornia crassipes
Jasione lisse = Jasione laevis
Jasmin d'hiver = Jasminum nudiflorum
Jasmin officinal = Jasminum officinale
Jasmin rose = Jasminum beesianum
Jonc comprimé = Juncus compressus
Jonc courbé = Juncus inflexus
Jonc de la Baltique = Juncus balticus
Jonc des tonneliers = Schoenoplectus tabernaemontani
Jonc épars = Juncus effusus
Jonc fleuri = Butomus umbellatus
Jonc maritime = Juncus maritimus
Joubarbe à grandes fleurs = Sempervivum grandiflorum
Joubarbe aranéeuse = Sempervivum arachnoideum
Joubarbe ciliée = Sempervivum ciliosum
Joubarbe des montagnes = Sempervivum montanum
Joubarbe des toits = Sempervivum tectorum
Joubarbe du calcaire = Sempervivum calcareum
Julienne des dames = Hesperis matronalis
Kalopanax du Japon = Kalopanax septemlobus
Ketmie des marais = Hibiscus moscheutos
Keulérie bleue = Koeleria glauca
Kiwi d'ornement = Actinidia kolomikta
Kiwi de Chine = Actinidia deliciosa
Knautie de Macédoine = Knautia macedonica
Koelérie à crête = Koeleria macrantha
Koelérie du Valais = Koeleria vallesiana
La poule et les poussins = Tolmiea menziesii
Laîche à feuilles de plantain = Carex plantaginea
Laîche blanchâtre = Carex canescens
Laîche de Buchanan = Carex buchananii
Laîche des bois = Carex sylvatica
Laîche des marais = Carex acutiformis
Laîche des montagnes = Carex montana
Laîche des ombrages = Carex umbrosa
Laîche des rives = Carex riparia
Laîche digitée = Carex digitata
Laîche élevée = Carex elata
Laîche faux-souchet = Carex pseudocyperus
Laîche géante = Carex pendula
Laîche glauque = Carex flacca
Laîche hérissée = Carex hirta
Laîche humble = Carex humilis
Laîche paniculée = Carex paniculata
Laîche pendante = Carex pendula
Laîche pied-d'oiseau = Carex ornithopoda
Laîche sombre = Carex nigra
Lamier à grandes fleurs = Lamium orvala
Lamier doré = Lamium galeobdolon
Lamier maculé = Lamium maculatum
Larme- de-Job = Coix lacryma-jobi
Laurier des montagnes = Kalmia latifolia
Laurier des moutons = Kalmia angustifolia
Laurier du Portugal = Prunus lusitanica
Laurier rose = Nerium oleander
Laurier- amande = Prunus laurocerasus
Laurier- cerise = Prunus laurocerasus
Lavande vraie = Lavandula angustifolia
Lavatère arbustive = Lavatera thuringiaca
Lavatère d'un trimestre = Lavatera trimestris
Lédum des marais = Ledum palustre
Lédum du Labrador = Ledum groenlandicum
Léerzia faux-riz = Leersia oryzoides
Lentille d'eau à trois lobes = Lemna trisulca
Lentille d'eau bossue = Lemna gibba
Lespedeza de Thunberg = Lespedeza thunbergii
Lierre d'Irlande = Hedera hibernica
Lierre de Perse = Hedera colchica
Lierre du Caucase = Hedera colchica
Lierre grimpant = Hedera helix

Lierre terrestre = Glechoma hederacea
Lilas commun = Syringa vulgaris
Lilas d'Espagne = Centranthus ruber
Lilas d'été = Buddleja davidii
Lilas de Hongrie = Syringa josikaea
Lilas de Meyer = Syringa meyeri
Lilas de Perse = Syringa × persica
Lilas de Rouen = Syringa × chinensis
Lilas de Sweginzow = Syringa sweginzowii
Lilas de terre = Phuopsis stylosa
Lilas de Tigerstedt = Syringa tigerstedtii
Limnanthème = Nymphoides peltata
Lin de Narbonne = Linum narbonense
Lin jaune = Linum flavum
Lin visqueux = Linum viscosum
Lin vivace = Linum perenne
Linaigrette à feuilles étroites = Eriophorum angustifolium
Linaigrette gainée = Eriophorum vaginatum
Linaigrtte à feuilles larges = Eriophorum latifolium
Linaire des Alpes = Linaria alpina
Linaire pourpre = Linaria purpurea
Lis à bulbilles = Lilium bulbiferum
Lis d'un jour = Hemerocallis citrina
Lis de Saint-Bruno = Paradisea liliastrum
Lis des Incas = Alstroemeria aurea
Lis des steppes = Eremurus robustus
Lis martagon = Lilium martagon
Liseron d'été = Convolvulus tricolor
Lobélie de Dortmann = Lobelia dortmanna
Lobélie écarlate = Lobelia cardinalis
Lobélie géante = Lobelia siphilitica
Lotier corniculé = Lotus corniculatus
Lotier de Berthelot = Lotus berthelotii
Lupin indigo = Baptisia australis
Luzule blanc de neige = Luzula nivea
Luzule blanchâtre = Luzula luzuloides
Luzule des bois = Luzula sylvatica
Luzule poilue = Luzula pilosa
Lychnis fleur-de-Jupiter = Lychnis flos-jovis
Lyciet commun = Lycium barbarum
Lyciet de Chine = Lycium chinense
Lycope d'Europe = Lycopus europaeus
Lysimaque à feuilles de cléthra = Lysimachia clethroides
Lysimaque à fleurs en thyrse = Lysimachia thyrsiflora
Lysimaque ciliée = Lysimachia ciliata
Lysimaque commune = Lysimachia vulgaris
Lysimaque des bois = Lysimachia nemorum
Lysimaque éphémère = Lysimachia ephemerum
Lysimaque nummulaire = Lysimachia nummularia
Lysimaque ponctuée = Lysimachia punctata
Maackia de l'Amour = Maackia amurensis
Magnolia à feuilles acuminées = Magnolia acuminata
Magnolia à feuilles de saule = Magnolia salicifolia
Magnolia à grandes fleurs = Magnolia grandiflora
Magnolia de Kobé = Magnolia kobus
Magnolia de Siebold = Magnolia sieboldii
Magnolia de Soulange = Magnolia × soulangiana
Magnolia de Wilson = Magnolia wilsonii
Magnolia dénudé = Magnolia denudata
Magnolia du Japon = Magnolia hypoleuca
Magnolia étoilé = Magnolia stellata
Magnolia parasol = Magnolia tripetala
Magnolia pourpre = Magnolia liliiflora
Mahonia de Beal = Mahonia bealei
Mahonia du Japon = Mahonia japonica
Mahonia faux-houx = Mahonia aquifolium
Mahonia rampant = Mahonia repens
Maïanthème à deux feuilles = Maianthemum bifolium
Mansienne = Viburnum lantana
Manteau de Notre-Dame = Alchemilla mollis
Marguerite d'été = Leucanthemum × superbum
Marguerite du Cap = Felicia amelloides
Marjolaine = Origanum vulgare
Marjolaine vivace = Origanum laevigatum
Marronnier aurore = Aesculus glaucescens , Aesculus × neglecta
Marronnier bicolore = Aesculus discolor
Marronnier d'Inde = Aesculus hippocastanum
Marronnier de l'Himalaya = Aesculus indica
Marronnier de l'Ohio = Aesculus glabra
Marronnier du Japon = Aesculus turbinata
Marronnier hybride = Aesculus × hybrida , Aesculus × mutabilis
Marronnier jaune = Aesculus flava
Marronnier rouge = Aesculus × carnea
Marsilia à quatre feuilles = Marsilea quadrifolia
Massette à feuilles étroites = Typha angustifolia
Massette à feuilles larges = Typha latifolia
Massette de Laxmann = Typha laxmannii
Massette de Shuttleworth = Typha shuttleworthii
Massette petite = Typha minima
Massette soyeuse = Typha gracilis

Maté = Ilex paraguariensis
Mauve alcée = Malva alcea
Mauve musquée = Malva moschata
Mélèze commun = Larix decidua
Mélèze de la Chine = Pseudolarix amabilis
Mélèze du Japon = Larix kaempferi
Mélique ciliée = Melica ciliata
Mélique de Transsylvanie = Melica transsilvanica
Mélique uniflore = Melica uniflora
Mélitte à feuilles de mélisse = Melittis melissophyllum
Menthe aquatique = Mentha aquatica
Menthe aux chats = Nepeta nervosa
Menthe de montagne = Calamintha nepeta
Menthe poivrée = Mentha × piperita
Mercuriale pérenne = Mercurialis perennis
Merisier = Prunus avium
Merisier à grappes = Prunus padus
Mertensia de Virginie = Mertensia virginica
Mertensia paniculé = Mertensia paniculata
Millefeuille d'eau = Myriophyllum aquaticum
Millepertuis à grandes fleurs = Hypericum calycinum
Millepertuis à quatre ailes = Hypericum tetrapterum
Millepertuis coris = Hypericum coris
Mimule jaune = Mimulus luteus
Minuartie à feuilles de graminée = Minuartia graminifolia
Minuartie à feuilles de mélèze = Minuartia laricifolia
Moehringie mousse = Moehringia muscosa
Molène d'Olympe = Verbascum olympicum
Molène de Chaix = Verbascum chaixii
Molène de Pannonie = Verbascum longifolium
Molène noire = Verbascum nigrum
Molène rouge-pourpre = Verbascum phoeniceum
Molène soyeuse = Verbascum bombyciferum
Molinie bleue = Molinia caerulea
Moltkia des rochers = Moltkia petraea
Monnaie du pape = Lunaria annua
Montia de Sibérie = Montia sibirica
Montia des fontaines = Montia fontana
Morelle = Solanum dulcamara
Morène = Hydrocharis morsus-ranae
Mouron = Anagallis monellii subsp. linifolia
Mouron d'eau = Veronica anagallis-aquatica
Mousse des fées = Azolla caroliniana
Muflier = Antirrhinum majus
Muguet = Convallaria majalis
Mûrier blanc = Morus alba
Mûrier noir = Morus nigra
Muscari raisin = Muscari botryoides
Myosotis des bois = Myosotis sylvatica
Myosotis des marais = Myosotis palustris , Myosotis scorpioides
Myosotis du Caucase = Brunnera macrophylla
Myricaire d'Allemagne = Myricaria germanica
Myriophylle du Brésil = Myriophyllum aquaticum
Myriophylle en épis = Myriophyllum spicatum
Myriophylle verticillé = Myriophyllum verticillatum
Myrobolan = Prunus cerasifera
Myrtille en corymbe = Vaccinium corymbosum
Ne m'oubliez-pas = Myosotis sylvatica
Néflier commun = Mespilus germanica
Nénuphar commun = Nuphar lutea
Nénuphar d'Amérique = Nuphar advena
Nénuphar du Japon = Nuphar japonica
Nénuphar nain = Nuphar pumila
Nerprun nain = Rhamnus pumilus
Nerprun purgatif = Rhamnus catharticus
Nigelle de Damas = Nigella damascena
Nivéole d'été = Leucojum aestivum
Nivéole de printemps = Leucojum vernum
Noisetier commun = Corylus avellana
Noisetier de Byzance = Corylus colurna
Noisetier franc = Corylus maxima
Nombril de Vénus = Omphalodes cappadocica
Noyer cendré = Juglans cinerea
Noyer commun = Juglans regia
Noyer de Mandchurie = Juglans mandshurica
Noyer du Japon = Juglans ailantifolia var. cordiformis
Noyer noir d'Amérique = Juglans nigra
Nymphéa blanc = Nymphaea alba
Nymphéa luisant = Nymphaea candida
Nymphéa odorant = Nymphaea odorata
Nymphéa tubéreux = Nymphaea tuberosa
Oeillet à delta = Dianthus deltoides
Oeillet bleuâtre = Dianthus gratianopolitanus
Oeillet de Chine = Dianthus chinensis
Oeillet de la Pentecôte = Dianthus gratianopolitanus
Oeillet des bois = Dianthus sylvestris
Oeillet des Chartreux = Dianthus

petite Thymélée = Daphne cneorum
Petite utriculaire = Utricularia minor
Peuplier à fruits velus = Populus lasiocarpa
Peuplier baumier = Populus balsamifera , Populus trichocarpa
Peuplier blanc = Populus alba
Peuplier de Berlin = Populus × berolinensis
Peuplier de Simon = Populus simonii
Peuplier faux-tremble = Populus tremuloides
Peuplier grisard = Populus × canadensis , Populus × canescens
Peuplier hybride euraméricain = Populus × canadensis
Peuplier noir = Populus nigra
Peuplier tremble = Populus tremula
Phalangère faux-lis = Anthericum liliago
Phalangère rameuse = Anthericum ramosum
Phalaris- roseau = Phalaris arundinacea
Phellodendron de l'Amour = Phellodendron amurense
Phellodendron du Japon = Phellodendron japonicum
Phlox à stolons = Phlox stolonifera
Phlox de Douglas = Phlox douglasii
Phlox maculé = Phlox maculata
Phlox mousse = Phlox subulata
Phyllodoce de Brewer = Phyllodoce breweri
Physocarpe de l'Amour = Physocarpus amurensis
Physocarpe monogyne = Physocarpus monogynus
Phytolaque américain = Phytolacca americana
Pied d'alouette = Delphinium maackianum , Delphinium semibarbatum
Pied de chat = Antennaria dioica
Pied- de-griffon = Helleborus foetidus
Piéride du Japon = Pieris japonica
Pigamon à feuilles d'ancolie = Thalictrum aquilegifolium
Pigamon jaune = Thalictrum flavum subsp. glaucum
Piment royal = Myrica gale
Pimprenelle sanguisorbe = Sanguisorba minor
Pin à gros cônes = Pinus coulteri
Pin aristé = Pinus aristata
Pin blanc de Bosnie = Pinus leucodermis
Pin cembro = Pinus cembra
Pin d'Armand = Pinus armandii
Pin de Banks = Pinus banksiana
Pin de Corée = Pinus koraiensis
Pin de Jeffrey = Pinus jeffreyi
Pin de Macédoine = Pinus peuce
Pin des Balkans = Pinus peuce
Pin des Rocheuses = Pinus flexilis
Pin jaune du Nouveau Monde = Pinus ponderosa
Pin laricio = Pinus nigra
Pin mugho = Pinus mugo
Pin mugho nain = Pinus mugo subsp. pumilio
Pin noir = Pinus nigra
Pin parasol = Sciadopitys verticillata
Pin pleureur de l'Himalaya = Pinus wallichiana
Pin rouge du Japon = Pinus densiflora
Pin sylvestre = Pinus sylvestris
Pin tordu = Pinus contorta
Pin Weymouth = Pinus strobus
Pivoine à feuilles menues = Paeonia tenuifolia
Pivoine de Chine = Paeonia anomala
Pivoine en arbre = Paeonia Lutea-Grp., Paeonia Suffruticosa-Grp.
Pivoine officinale = Paeonia officinalis
Pivoine voyageuse = Paeonia peregrina
Plantain d'eau = Alisma plantago-aquatica
Plantain d'eau américain = Alisma plantago-aquatica var. parviflorum
Plantain d'eau lancéolé = Alisma lanceolatum
Plante des savetiers = Bergenia cordifolia
Platane à feuilles d'érable = Platanus × hispanica
Platane d'Occident = Platanus occidentalis
Platane d'Orient = Platanus orientalis
Platycodon à grandes fleurs = Platycodon grandiflorus
Plume du Kansas = Liatris spicata
Plumet = Stipa pulcherrima
Podophylle pelté = Podophyllum peltatum
Poirier à feuilles de saule = Pyrus salicifolia
Poirier commun = Pyrus communis
Poirier de Regel = Pyrus regelii
Poirier sauvage = Pyrus pyraster
Pois de senteur = Lathyrus odoratus
Pois printanier = Lathyrus vernus
Pois vivace = Lathyrus latifolius
Poivre des murailles = Sedum acre
Polypode vulgaire = Polypodium vulgare
Polystic à aiguillons = Polystichum aculeatum
Polysticà cils raides = Polystichum setiferum
Pomme de mai = Podophyllum hexandrum
Pommier à feuilles de prunus = Malus prunifolia
Pommier à petits fruits = Malus baccata

Pommier commun = Malus domestica
Pommier de Pratt = Malus prattii
Pommier de Sukawa = Malus tschonoskii
Pommier du Hou-Pei = Malus hupehensis
Pommier sauvage = Malus sylvestris
Pommier- colonne = Malus tschonoskii
Poncir = Poncirus trifoliata
Populage des marais = Caltha palustris
Populage nageant = Caltha natans
Potamot crépu = Potamogeton crispus
Potamot de Berchtold = Potamogeton berchtoldii
Potamot luisant = Potamogeton lucens
Potamot nageant = Potamogeton natans
Potamot pectiné = Potamogeton pectinatus
Potentille à grandes fleurs = Potentilla megalantha
Potentille arbustive = Potentilla fruticosa
Potentille arbustive de Mandchourie = Potentilla fruticosa var. mandshurica
Potentille blanche = Potentilla alba
Potentille brillante = Potentilla nitida
Potentille des Dolomites = Potentilla nitida
Potentille des marais = Potentilla palustris
Potentille dorée = Potentilla aurea
Potentille printanière = Potentilla neumanniana
Potentille sanguine = Potentilla atrosanguinea
Pourpier à grandes fleurs = Portulaca grandiflora
Prêle d'hiver = Equisetum hyemale var. robustum
Prêle des bourbiers = Equisetum fluviatile
Prêle des marais = Equisetum palustre
Prêle panachée = Equisetum variegatum
Primevère à étages = Primula beesiana
Primevère à fleurs oranges = Primula aurantiaca
Primevère à nervures nombreuses = Primula polyneura
Primevère acaule = Primula vulgaris
Primevère de Bulley = Primula bulleyana
Primevère de Clusius = Primula clusiana
Primevère de Halley = Primula halleri
Primevère de Siebold = Primula sieboldii
Primevère du Japon = Primula japonica
Primevère du Père Vial = Primula vialii
Primevère du Yunnan = Primula chungensis
Primevère élevée = Primula elatior
Primevère élevée des jardins = Primula × variabilis
Primevère estivale du Tibet = Primula florindae
Primevère farineuse = Primula farinosa
Primevère officinale = Primula veris
Primevère poudreuse = Primula pulverulenta
Primevère rose = Primula rosea
Primevère spectaculaire = Primula spectabilis
Primevère sphérique = Primula denticulata
Primevère tapissante du Caucase = Primula juliae
Primevère- orchidée = Primula vialii
Priùmevère marginée = Primula marginata
Prunelle à grandes fleurs = Prunella grandiflora
Prunelle commune = Prunella vulgaris
Prunellier = Prunus spinosa
Prunier double = Prunus × blireana
Prunier nain = Prunus fruticosa
Prunier- cerise = Prunus cerasifera
Ptérocaryer du Caucase = Pterocarya fraxinifolia
Pulmonaire à feuilles étroites = Pulmonaria angustifolia
Pulmonaire officinale = Pulmonaria officinalis
Pulmonaire rouge = Pulmonaria rubra
Pulmonaire saupoudrée = Pulmonaria saccharata
Pulsatille de Haller = Pulsatilla halleri
Pyrèthre = Tanacetum cinerariifolium
Quercitron = Quercus velutina
Queue de cheval = Hippuris vulgaris
Queue de lézard = Saururus cernuus
Queue de lièvre = Lagurus ovatus
Queue de renard = Saururus chinensis
Raiponce à feuilles de bétoine = Phyteuma michelii
Raiponce de scheuchzer = Phyteuma scheuchzeri
Raiponce en épis = Phyteuma spicatum
Raisin d'ours = Arctostaphylos uva-ursi
Reine des prés = Filipendula ulmaria
Reine- marguerite = Callistephus chinensis
Renoncule à feuilles d'aconit = Ranunculus aconitifolius
Renoncule à feuilles de graminée = Ranunculus gramineus
Renoncule âcre = Ranunculus acris
Renoncule aquatique = Ranunculus aquatilis
Renoncule bulbeuse = Ranunculus bulbosus
Renoncule éleve = Ranunculus acris
Renoncule flamette = Ranunculus flammula
Renouée amphibie = Persicaria amphibia
Renouée bistorte = Bistorta officinalis
Renouée de l'Himalaya = Aconogonon campanulatum

Sanguisorbe à feuilles fines = Sanguisorba tenuifolia
Sanguisorbe du Canada = Sanguinaria canadensis
Sanguisorbe du Japon = Sanguisorba obtusa
Santoline petit cyprès = Santolina chamaecyparissus
Sapin ciguë = Tsuga canadensis
Sapin de Norvège = Picea abies
Sapin de Serbie = Picea omorika
Sapin du Canada = Tsuga canadensis
Sapin du Caucase = Picea orientalis
Sapinette noire = Picea mariana
Saponaire faux-basilic = Saponaria ocymoides
Saponaire officinale = Saponaria officinalis
Saponaire rose hybride = Saponaria × olivana
Sarriette vivace = Satureja montana , Satureja montana subsp. illyrica
Sauge à feuilles de lavande = Salvia lavandulifolia
Sauge argentée = Salvia argentea
Sauge de Jérusalem = Phlomis russeliana , Phlomis tuberosa
Sauge des prés = Salvia pratensis , Salvia pratensis subsp. haematodes
Sauge écarlate = Salvia coccinea , Salvia splendens
Sauge farineuse = Salvia farinacea
Sauge glutineuse = Salvia glutinosa
Sauge officinale = Salvia officinalis
Sauge verte = Salvia viridis
Saule à cinq étamines = Salix pentandra
Saule à feuilles de myrte = Salix myrsinifolia
Saule à feuilles réticulées = Salix reticulata
Saule à grandes feuilles = Salix appendiculata
Saule à oreillettes = Salix aurita
Saule à trois étamines = Salix triandra
Saule amandier = Salix triandra
Saule blanc = Salix alba
Saule cassant = Salix fragilis
Saule cendré = Salix cinerea
Saule de l'Engadine = Salix hastata
Saule de Sargent = Sorbus sargentiana
Saule de Suisse = Salix helvetica
Saule de Vilmorin = Sorbus vilmorinii
Saule drapé = Salix candida , Salix elaeagnos
Saule épineux = Hippophae rhamnoides
Saule faux-daphné = Salix daphnoides
Saule hasté = Salix hastata
Saule herbacé = Salix herbacea
Saule laineux = Salix lanata
Saule laurier = Salix pentandra
Saule Marsault = Salix caprea
Saule nain de Boyd = Salix × boydii
Saule pleureur = Salix babylonica
Saule pourpre = Salix purpurea
Saule rampant = Salix repens
Saule rampant à feuilles de romarin = Salix rosmarinifolia
Saule rampant argenté = Salix repens subsp. dunensis
Saule scalariforme = Sorbus scalaris
Savonnier = Koelreuteria paniculata
Saxifrage à feuilles de genévrier = Saxifraga juniperifolia
Saxifrage à feuilles en coin = Saxifraga cuneifolia
Saxifrage à feuilles rondes = Saxifraga rotundifolia
Saxifrage à feuilles spatulées = Saxifraga cochlearis
Saxifrage benoîte = Saxifraga hirsuta
Saxifrage calleux = Saxifraga callosa subsp. catalaunica
Saxifrage cotylédon = Saxifraga cotyledon
Saxifrage d'Andrew = Saxifraga × andrewsii
Saxifrage d'automne = Saxifraga fortunei
Saxifrage de Burser = Saxifraga burseriana
Saxifrage de Fortune = Saxifraga fortunei
Saxifrage des ombrages = Saxifraga umbrosa
Saxifrage incrusté = Saxifraga crustata
Saxifrage Kabschia = Saxifraga × apiculata
Saxifrage panaché = Saxifraga × urbium
Saxifrage paniculé = Saxifraga paniculata
Saxifrage pelté = Darmera peltata
Scabieuse à feuilles de graminée = Scabiosa graminifolia
Scabieuse brillante = Scabiosa lucida
Scabieuse du Caucase = Scabiosa caucasica
Scabieuse du Japon = Scabiosa japonica var. alpina
Scabieuse jaune = Scabiosa ochroleuca
Sceau de Salomon = Polygonatum multiflorum
Scille d'Espagne = Hyacinthoides hispanica
Scille de Sibérie = Scilla siberica
Scirpe des bois = Scirpus sylvaticus
Scirpe des lacs = Schoenoplectus tabernaemontani
Scirpe épingle = Eleocharis acicularis
Scirpe maritime = Bolboschoenus maritimus
Scirpe mucroné = Schoenoplectus mucronatus

Scirpe triquètre = Schoenoplectus triqueter
Scolopendre = Asplenium scolopendrium
Scutellaire blanchâtre = Scutellaria incana
Scutellaire casquée = Scutellaria galericulata
Scutellaire du lac Baîkal = Scutellaria baicalensis
Scutellaire jaune = Scutellaria orientalis
Seigle de mer = Leymus arenarius
Sélaginelle de Suisse = Selaginella helvetica
Séneçon à feuilles d'adonis = Senecio adonidifolius
Séneçon aquatique = Senecio aquaticus
Séneçon bicolore = Senecio cineraria
Séneçon de Fuchs = Senecio ovatus
Séneçon doria = Senecio doria
Séquoia géant = Sequoiadendron giganteum
Seringat des jardins = Philadelphus coronarius
Serratule des teinturiers = Serratula seoanei
Seslérie blanchâtre = Sesleria albicans
Silène acaule = Silene acaulis , Silene acaulis subsp. exscapa
Silène des Alpes = Silene alpestris
Silène enflé = Silene uniflora
Sisyrinchum de Californie = Sisyrinchium californicum
Skimmia du Japon = Skimmia japonica
Soldanelle des Alpes = Soldanella alpina
Soldanelle des montagnes = Soldanella montana
Soleil à feuilles de saule = Helianthus salicifolius
Soleil vivace = Helianthus atrorubens
Sophora du Japon = Sophora japonica
Sorbier d'Amérique = Sorbus americana
Sorbier des oiseleurs = Sorbus aucuparia
Sorbier du Cachemire = Sorbus cashmiriana
Sorbier du Hou-Pei = Sorbus hupehensis
Sorbier du Japon = Sorbus commixta
Souchet odorant = Cyperus longus
Souci = Calendula officinalis
Spirée à feuilles de saule = Spiraea salicifolia
Spirée à trois feuilles = Gillenia trifoliata
Spirée de Douglas = Spiraea douglasii
Spirée du Japon = Spiraea japonica
Spirée prostrée = Spiraea decumbens
Statice de Tartarie = Goniolimon tataricum
Statice vivace = Limonium latifolium
Stipa barbu = Stipa barbata
Stipa chevelu = Stipa capillata
Stipa penné = Stipa pennata
Stranvaesia = Photinia davidiana
Sumac amarante = Rhus hirta
Sumac de Virginie = Rhus hirta
Sureau à grappes = Sambucus racemosa
Sureau commun = Sambucus nigra
Sureau du Canada = Sambucus canadensis
Sureau noir = Sambucus nigra
Sureau rouge = Sambucus racemosa
Suzanne aux yeux noirs = Thunbergia alata
Symphorine à baies-de-corail = Symphoricarpos orbiculatus
Symphorine blanche = Symphoricarpos albus var. laevigatus
Tabac d'ornement = Nicotiana × sanderae
Tabac sylvestre = Nicotiana sylvestris
Tagète tachée = Tagetes tenuifolia
Tamaris à floraison estivale = Tamarix pentandra , Tamarix ramosissima
Tamaris à floraison printanière = Tamarix parviflora
Tamaris à quatre étamines = Tamarix tetrandra
Tanaisie rose = Tanacetum coccineum
Tanaisie vulgaire = Tanacetum vulgare
Thélypteris des marais = Thelypteris palustris
Thlaspi des rochers = Iberis saxatilis
Thlaspi toujours vert = Iberis semperflorens
Thuya d'Orient = Thuja orientalis
Thuya de Chine = Thuja orientalis
Thuya géant de Californie = Thuja plicata
Thuya occidental = Thuja occidentalis
Thym à odeur de citron = Thymus × citriodorus
Thym commun = Thymus vulgaris
Thym précoce = Thymus praecox
Thym serpolet = Thymus serpyllum
Thymélée des Alpes = Daphne cneorum
Tiarella à feuilles cordées = Tiarella cordifolia
Tilleul à grandes feuilles = Tilia platyphyllos
Tilleul à petites feuilles = Tilia cordata
Tilleul argenté = Tilia tomentosa
Tilleul commun = Tilia × vulgaris
Tilleul d'Amérique = Tilia americana
Tilleul de Crimée = Tilia × euchlora
Tilleul de Hollande = Tilia platyphyllos
Tilleul de Hongrie = Tilia tomentosa
Tilleul des bois = Tilia cordata
Tonique printanier = Sisyrinchium angustifolium
Toute- bonne = Salvia sclarea
Toute- saine = Hypericum androsaemum
Trachymène bleu = Trachymene coerulea
Trèfle d'eau = Menyanthes trifoliata
Trientalis d'Europe = Trientalis europaea

Troène commun = Ligustrum vulgare
Troène de Californie = Ligustrum ovalifolium
Trolle d'Europe = Trollius europaeus
Trolle de Chine = Trollius chinensis
Trolle de l'Himalaya = Trollius pumilus
Tsuga des montagnes = Tsuga mertensiana
Tsuga du Japon = Tsuga diversifolia
Tulipier de Virginie = Liriodendron tulipifera
Tunique = Petrorhagia saxifraga
Tupélo = Nyssa sylvatica
Utriculaire commune = Utricularia vulgaris
Uvulaire à grandes fleurs = Uvularia grandiflora
Valériane grecque = Polemonium caeruleum
Valériane jaune = Patrinia triloba
Valériane naine = Valeriana supina
Valériane officinale = Valeriana officinalis
Valériane rouge = Centranthus ruber
Vélard = Erysimum cheiri
Vérâtre noir = Veratrum nigrum
Verge d'or bleuâtre = Solidago caesia
Véronique à longues feuilles = Pseudolysimachion longifolium
Véronique beccabonga = Veronica beccabunga
Véronique buissonnante = Veronica fruticans
Véronique de Virginie = Veronicastrum virginicum
Véronique en épis = Pseudolysimachion spicatum
Véronique fausse-gentiane = Veronica gentianoides
Véronique filiforme = Veronica filiformis
Véronique mouron = Veronica anagallis-aquatica
Véronique prostrée = Veronica prostrata
Verveine rugueuse = Verbena rigida
Vigne vierge à fruits bleus = Ampelopsis brevipedunculata
Vigne vierge à fruits jaunes = Ampelopsis aconitifolia
Vigne vierge commune = Parthenocissus inserta
Vigne vierge de Veitch = Parthenocissus tricuspidata
Vigne vierge du Japon = Ampelopsis japonica
Vigne vierge vraie = Parthenocissus quinquefolia
Vinaigrier = Rhus glabra
Violette cornue = Viola cornuta
Viorne à feuilles ridées = Viburnum rhytidophyllum
Viorne de Burkwood = Viburnum × burkwoodii
Viorne de Carles = Viburnum carlesii
Viorne de Chine = Viburnum plicatum
Viorne de David = Viburnum davidii
Viorne lantane = Viburnum lantana
Viorne obier = Viburnum opulus
Viorne odorante = Viburnum farreri
Vipérine faux-plantain = Echium plantagineum
Virgilier à bois jaune = Cladrastis lutea
Yeuse = Quercus ilex

X Autoren der Pflanzennamen

X Authors of plant names

X Auteurs des noms de plantes

- Eine maßgebliche Änderung erfolgt mit dieser Auflage im Gegensatz zu den vorherigen im Hinblick auf die Autorennamen. Die Abkürzungen folgen jetzt strikt der Liste von BRUMMITT & POWELL, *Authors of Plant Names* (1992). Obwohl es ungewöhnlich ist, sind wir der Meinung, dass es am sinnvollsten ist, nach der Abkürzung zu sortieren und nicht nach dem Nachnamen des Autors. Hinter diesem finden Sie in Klammern dessen Lebensdaten, sind diese unbekannt, steht dort das Jahr der Veröffentlichung, gekennzeichnet durch die Abkürzung „fl." für „floruit", wirkte, oder „publ." für „publicavit", veröffentlichte. Robert Brown (1773-1858) finden Sie also nicht unter Brown, sondern unter **R. Br.** - wobei die Einsortierung unter dem Buchstaben R erfolgt! Alle Abkürzungen werden im Abschnitt VI/3 erläuterter.

- A significant change in this edition – in constrast to previous editions – has been made with respect to authors' names. The abbreviations now strictly follow the list by BRUMMITT & POWELL, *Authors of Plant Names* (1992). Although it is not usual practice, we believe that it is wisest to sort according to the abbreviation, and not the author's surname. The latter is followed by the author's years of birth and death in parentheses; if these are not known, the year of publication is given instead, denoted by the abbreviation "fl." for "floruit", meaning when the person concerned was active, or "publ." for "publicavit", meaning published. Hence, Robert Brown (1773-1858) is not to be found under Brown, but instead under **R. Br.** – whereby the entry is listed under the letter R. All abbreviations are explained in Chapter VI/3.

- Une modification importante a eu lieu dans cette édition par rapport aux précédents en ce qui concerne les noms des auteurs. Les abréviations suivent maintenant strictement la liste de BRUMMITT & POWELL, *Authors of Plant Names* (1992). Bien que ce soit inhabituel, nous pensons que le plus rationnel est de ranger les noms des auteurs selon leur abréviation et non selon le nom complet de l'auteur. C'est ainsi que Robert BROWN est classé à R. Br., et non à BROWN, et se trouve à la lettre R! Derrière le nom d'auteur, entre parenthèses, les dates de vie sont indiquées; si elles sont inconnues, l'année de la publication est indiquée, marquée par l'abréviation "fl." pour "floruit" ce qui signifie "fut actif" ou "publ." pour "a publié en". Toutes les abréviations sont expliquées dans le chapitre VI/3.

A. Berger = Alwin Berger, 1871-1931
A. Bolòs = Antonio de Bolòs y Vaireda, 1889-1975
A. Br. = Addison Brown, 1830-1913
A. Braun = Alexander Karl (Carl) Heinrich Braun, 1805-1877
A. Cast. = Alberto Castellanos, 1896-1968
A. Chev. = Auguste Jean Baptiste Chevalier, 1873-1956
A. Cunn. = Allan Cunningham, 1791-1839
A. DC. = Alphonse Louis Pierre Pyramus de Candolle, 1806-1893
A. Dietr. = Albert Gottfried Dietrich, 1795-1856
A. Froehner = Albrecht Froehner, fl. 1897
A. Gray = Asa Gray, 1810-1888
A. Huet = Alfred Huet du Pavillon, 1829-1907
A. Juss. = Adrien Henri Laurent de Jussieu, 1797-1853
A. Kern. = Anton Joseph Kerner, 1831-1898
A. Löve = Askell Löve, 1916-1994
A. Murray = Andrew Murray, 180?-1850
A. Nelson = Aven Nelson, 1859-1952
A. Neumann = Alfred Neumann, 1916-1973
A. Rich. = Achille Richard, 1794-1852
A. Rutherf. = Alison Rutherford
A. Spreng. = Anton Sprengel, 1803-1851
A. St.-Hil. = Auguste François César Prouvençal de Saint-Hilaire, 1779-1853
A.B. Jacks. = Albert Bruce Jackson, 1876-1947
A.B. Lau = Alfred B. Lau, fl. 1940-1980
A.C. Sm. = Albert Charles Smith, 1906-1999
A.C. White = Alain Campbell White, 1880-
A.M. Stoor = A.M. Stoor
A.R. Ferguson = Allan Ross Ferguson, 1943-
A.W. Hill = Arthur William Hill, 1875-1941
Abrams = Le Roy Abrams, 1874-1956
Abrom. = Johannes Abromeit, 1857-1946
Adams = Johannes Michael Friedrich Adams, 1780-1838
Aedo = Aedo
Afzel. = Adam Afzelius, 1750-1837
Airy Shaw = Herbert Kenneth Airy Shaw, 1902-1985
Aitch. = James Edward Tierney Aitchison, 1836-1898
Aiton = William Aiton, 1731-1793
Akers = John F. Akers, 1906-
al. = (weitere) al. = altera
Alex. = M.A. Alexeenko, 1861-1919
Allan = Harry Howard Barton Allan, 1882-1957
Allemann = Franz Allemann
Allen = Timothy Field Allen, 1837-1902
Ames = Oakes Ames, 1874-1950
Amin = Amal Amin, 1929-
Andr. = Gábor (Gabriel) Andréanszky, 1895-1967
André = Éduard-François André, 1840-1911
Andrews = Henry Charles Andrews, 1794-1830
Andrz. = Antoni Lukianowicz Andrzejowski, 1785-1868
Anliker = Anliker
Antoine = Franz Antoine, 1815-1886
Arcang. = Giovanni Arcangeli, 1840-1921
Ardoino = Honoré Jean Baptiste Ardoino, 1819-1874
Arn. = George Arnott Walker Arnott, 1799-1868
Arnold = Ferdinand Christian Gustav Arnold, 1829-1901
Asch. = Paul Friedrich August Ascherson, 1834-1913
Aubl. = Jean Baptiste Christophore Fusée Aublet, 1720-1778
Aucher = Pierre Martin Rémi Aucher-Éloy, 1792-1838
Augustin = K. Augustin, fl. 1854
Auquier = Paul Henri Auquier, 1939-1980
Avé-Lall. = Julius Léopold Edouard Avé-Lallemant, 1803-1867
B. Fedtsch. = Boris Alexjewitsch(Alexeevich) Fedtschenko, 1872-1947
B. Juss. = Bernard de Jussieu, 1699-1777
B. Keller = Boris Aleksandrovich(Alexandrovic) Keller, 1874-1945
B. Mathew = Brian Frederick Mathew, 1936-
B. Mey. = Bernhard Meyer, 1767-1836
B. Sloane = Boyd Lincoln Sloane, 1885-
B. Walln. = Bruno Wallnöfer, 1960-
B.L. Burtt = Brian Laurence ('Bill') Burtt, 1913-
B.S. Williams = Benjamin Samuel Williams, 1824-1890
Bab. = Charles Cardale Babington, 1808-1895
Bacig. = Rimo Carlo Felice Bacigalupi, 1901-

Backeb. = Curt Backeberg, 1894-1966
Backer = Cornelis Andries B. Backer, 1874-1963
Backh. = James Backhouse, 1794-1869
Backh. f. = James Backhouse, 1825-1890
Baill. = Henri Ernest Baillon, 1827-1895
Bailly = Émile Bailly, 1829-1894
Baker = John Gilbert Baker, 1834-1920
Baker f. = Edmund Gilbert Baker, 1864-1949
Balansa = Benedict (Benjamin) Balansa, 1825-1892
Bald. = Antonio Baldacci, 1867-1950
Balf. = John Hutton Balfour, 1808-1884
Balf. f. = Isaac Bayley Balfour, 1853-1922
Ball = John Ball, 1818-1889
Banks = Joseph Banks, 1743-1820
Barbey = William Barbey, 1842-1914
Barker = George Barker, 1776-1845
Barneby = Rupert Charles Barneby, 1911-
Barney = E.E. Barney, fl. 1877-79
Barrandon = Auguste Barrandon, 1814-1897
Barratte = Jean François Gustave Barratte, 1857-1920
Barthlott = Wilhelm A. Barthlott, 1946-
Bartl. = Friedrich Gottlieb Bartling, 1798-1875
Bartram = John Bartram, 1699-1777
Bassi = Ferdinando Bassi, 1710-1774
Batalin = Alexander Theodorowicz Batalin, 1847-1896
Bateman = James Bateman, 1811-1897
Batt. = Jules Aimé Battandier, 1848-1922
Baudet = Jean C. Baudet, fl. 1970
Baum = Hugo Baum, 1866-1950
Baumann = Constantin Auguste Napoleon Baumann, 1804-1884
Baumg. = Johann Christian Gottlob Baumgarten, 1765-1843
Beadle = Chauncey Delos Beadle, 1866-1950
Bean = William Jackson Bean, 1863-1947
Beane = Lawrence Beane, 1901-
Becc. = Odoardo Beccari, 1843-1920
Bech. = Alfred Becherer, 1897-1977
Beck = Günther von Mannagetta und Lërchenau Beck, 1856-1931
Becker = Johannes Becker, 1769-1833
Bedd. = Richard Henry Beddome, 1830-1911
Beer = Johann Georg Beer, 1803-1873
Bég. = Augusto Béguinot, 1875-1940
Beille = Lucien Beille, 1862-1946
Bél. = Charles Paulus Bélanger, 1805-1881
Benary = Ernst Benary, 1819-1892
Benson = Robson Benson, 1822-1894
Benth. = George Bentham, 1800-1884
Bercht. = Bedricha (Friedrich) Wssemjra von Berchtold, 1781-1876
Bergius = Bengt (Benedictus) Bergius, 1723-1784
Bergmans = Johannes (John) Baptista Bergmans, 1892-1980
Berland. = Jean Louis Berlandier, 1805-1851
Bernh. = Johann Jakob Bernhardi, 1774-1850
Bertero = Carlo Luigi Guiseppe Bertero, 1789-1831
Berthault = François Berthault, 1857-1916
Berthel. = Sabin Berthelot, 1794-1880
Bertol. = Antonio Bertoloni, 1775-1869
Besser = Wilibald Swibert Joseph Gottlieb von Besser, 1784-1842
Betche = Ernst Betche, 1851-1913
Bidwill = John Carne Bidwill, 1815-1853
Bien. = Theophil Bienert, -1873
Bigelow = Jacob Bigelow, 1787-1879
Binn. = Simon Binnendijk, 1821-1883
Bisset = James Bisset, 1843-1911
Biv. = Antonius de Bivona-Bernardi, 1774-1837
Bizzarri = Maria Paola Bizzarri, 1937-
Blakeley = William Faris Blakeley, 1875-1941
Blanche = Emanuel Blanche, 1824-1908
Blaxell = Donald Frederick Blaxell, 1934-
Bluff = Mathias Joseph Bluff, 1805-1837
Blume = Carl (Karl) Ludwig von Blume, 1796-1862
Boed. = Friedrich Boedeker, 1867-1937
Boenn. = Clemens Maria Griedrich von Boenninghausen, 1785-1864
Bogner = Josef Bogner, 1939-
Bois = Désiré Georges Jean Marie Bois, 1856-1946
Boiss. = Pierre Edmond Boissier, 1810-1885
Bojer = Wenceslas (Wenzel) Bojer, 1797-1856
Boke = Norman Hill Boke, 1913-
Bolle = Carl (Karl) August Bolle, 1821-1909
Bolus = Harry Bolus, 1834-1911
Bonnet = Edmond Bonnet, 1848-1922
Bonnier = Gaston Eugène Marie Bonnier, 1851-1922
Bonpl. = Aimé Jacques Alexandre Bonpland, 1773-1858

Boom = Boudewijn Karel Boom, 1903-1980
Bor = Norman Loftus Bor, 1893-1972
Borbás = Vinczé (Vincent) Borbás, 1844-1905
Boreau = Alexandre Boreau, 1803-1875
Borkh. = Moritz (Moriz) Balthasar Borkhausen, 1760-1806
Bornm. = Joseph Friedrich Nicolaus Bornmüller, 1862-1948
Borrer = William J. Borrer, 1781-1862
Borsos = Olga Borsos, 1926-
Bory = Jean Baptiste Georges Geneviève Marcellin Bory, 1778-1846
Bose = S.R. Bose, 1888-1970
Bouché = Peter Carl Bouché, 1783-1856
Boucher = Jules Armand Guillaume Boucher de Crèvecoeur, 1757-1844
Bowie = James Bowie, 1789-1869
Bowles = Edward Augustus Bowles, 1865-1954
Boynton = Kenneth Rowland Boynton, 1891-
Brandis = Dietrich Brandis, 1824-1907
Braun-Blanq. = Josias Braun-Blanquet, 1884-1980
Bravo = Helia Bravo Hollis, 1903-
Brederoo = A.J. ('Nol') Brederoo, fl. 1971
Bremek. = Cornelis Eliza Bertus Bremekamp, 1888-1984
Bremer = Hans Bremer, fl. 1947
Brenan = John Patrick Micklethwait Brenan, 1917-1985
Briq. = John Isaac Briquet, 1870-1931
Britten = James Britten, 1846-1924
Britton = Nathaniel Lord Britton, 1859-1934
Brongn. = Adolphe Théodore (de) Brongniart, 1801-1876
Brot. = Felix de (Silva) Avellar Brotero, 1744-1828
Brouss. = Pierre Marie Auguste Broussonet, 1761-1807
Brownsey = Patrick J. Brownsey, 1948-
Bruant = Georges Bruant, 1842-1912
Brummitt = Richard Kenneth Brummitt, 1937-
Buc'hoz = Pierre Joseph Buc'hoz, 1731-1807
Buch.-Ham. = Francis Buchanan-Hamilton, 1762-1829
Buchenau = Franz Georg Philipp Buchenau, 1831-1906
Buchheim = Arno Fritz Günther Buchheim, 1924-
Buckland = William Buckland, 1784-1856
Buhse = Friedrich Alexander Buhse, 1821-1898
Buining = Albert Frederik Hendrik Buining, 1901-1980
Buist = Robert Buist, 1805-1880
Bukasov = Sergej (Sergei) Mikhailovich Bukasov, 1891-1983
Bull. = Jean Baptiste François ('Pierre') Bulliard, 1752-1793
Bullock = Arthur Allman Bullock, 1906-1980
Bunge = Alexander Andrejewitsch (Aleksandr Andreevic Bunge, 1803-1890
Bunting = R.H. Bunting, fl. 1923
Burbridge = Patricia P. Burbridge
Burch. = William John Burchell, 1781-1863
Burck = William Burck, 1848-1910
Burdet = Hervé Maurice Burdet, 1939-
Bureau = Louis Édouard Bureau, 1830-1918
Burgsd. = Friedrich August Ludwig von Burgsdorff, 1747-1802
Burkill = Isaac Henry Burkill, 1870-1965
Burkwood = A. Burkwood, fl. 1929
Burm. = Johannes Burman, 1707-1779
Burm. f. = Nicolaas Laurens (Nicolaus Laurent) Burman, 1734-1793
Burret = (Maximilian) Karl Ewald Burret, 1883-1964
Burtt Davy = Joseph Burtt Davy, 1870-1940
Buser = Robert Buser, 1857-1931
Bush = Benjamin Franklin Bush, 1858-1937
Buxb. = Franz Buxbaum, 1900-1979
Buxton = Richard Buxton, 1786-1865
Byles = Ronald Stewart Byles, fl. 1957
C. Lawson = Charles Lawson, 1794-1873
C. Marquand = Cecil Victor Boley Marquand, 1897-1943
C. Moore = Charles Moore, 1820-1905
C. Morren = Charles François Antoine Morren, 1807-1858
C. Presl = Carl (Karl) Presl, 1794-1852
C. Rivière = Charles Marie Rivière, 1845-
C. Sm. = Christen Smith, 1785-1816
C. Weber = Claude Weber, fl. 1968
C. Winkl. = C. Winkler, fl. 1887
C.A. Mey. = Carl Anton (Andreevic) von Meyer, 1795-1855
C.B. Clarke = Charles Baron Clarke, 1832-1906
C.B. Lehm. = Carl Berhard Lehmann,

1811-1875
C.C. Gmel. = Carl (Karl) Christian Gmelin, 1762-1837
C.D. Brickell = Christopher David Brickell, 1932-
C.D. Darl. = Cyril Dean Darlington, 1903-
C.E. Hubb. = Charles Edward Hubbard, 1900-1980
C.F. Baker = Charles Fuller Baker, 1872-1927
C.F. Först. = Carl Friedrich Förster, fl. 1846
C.F. Liang = Chou Fen(g) Liang, 1921-
C.H. Wright = Charles Henry Wright, 1864-1941
C.J. Webb = Colin James Webb, 1949-
C.K. Schneid. = Camillo Karl Schneider, 1876-1951
C.M. Evrard = Charles Marie Evrard, 1926-
C.T. White = Cyril Tenison White, 1890-1950
C.V. Morton = Conrad Vernon Morton, 1905-1972
Calder = James (Jim) Alexander Calder, 1915-1990
Calderón = Graciela Calderón, 1931-
Cambess. = Jacques Cambessèdes, 1799-1863
Camus = Giulio Camus, 1847-1917
Cariot = Antoine Cariot, 1820-1883
Carr = Cedric Errol Carr, 1892-1936
Carretero = José Luis Carretero, 1941-
Carrière = Élie Abel Carrière, 1818-1896
Cass. = Alexandre Henri Gabriel de Cassini, 1781-1832
Cav. = Antonio Jose(Joseph) Cavanilles, 1745-1804
Cavara = Fridiano Cavara, 1857-1929
Cavill. = François Georges Cavillier, 1868-1953
Celak. = Ladislav Josef Celakovsky, 1834-1902
Cels = Jacques Philippe Martin Cels, 1743-1806
Ces. = Vincenzo de Cesati, 1806-1883
Chabanne = Charles Gabriel Chabanne, 1862-1906
Cham. = Ludolf Karl Adelbert von Chamisso, 1781-1838
Champ. = John George Champion, 1815-1854
Chase = Mary Agnes Chase, 1869-1963
Chater = Arthur Oliver Chater, 1933-
Chaub. = Louis Athanase(Anastase) Chaubard, 1785-1854
Chiov. = Emilio Chiovenda, 1871-1941
Choisy = Jacques Denys (Denis) Choisy, 1799-1859
Chouard = Pierre Chouard, 1903-1983
Christm. = Gottlieb Friedrich Christmann, 1752-1836
Chrtek = Jindrich Chrtek, 1930-
Chrtková = Anna Chrtková, 1930-
Cif. = Raffaele Ciferri, 1897-1964
Clairv. = Joseph Philippe de Clairville, 1742-1830
Clapham = Abraham Clapham, fl. 1860-1880
Clarion = Jacques Clarion, 1776-1844
Clem. = Frederick Edward Clements, 1874-1945
Clemente = Simón de Roxas (Rojas) Clemente y Rubio, 1777-1827
Cockayne = Leonard C. Cockayne, 1855-1934
Cockerell = Theodore Dru Alison Cockerell, 1866-1948
Coe = Ernest F. Coe, 1867-1951
Cogn. = Célestin Alfred Cogniaux, 1841-1916
Coincy = Auguste Henri Cornut de Coincy, 1837-1903
Colenso = (John) William Colenso, 1811-1899
Collett = Henry Collett, 1836-1901
Comber = Thomas Comber, 1837-1902
Comes = Orazio Comes, 1848-1923
Const. = Ion (Ioan) Constantineanu, 1860-1931
Coode = Mark James Elgar Coode, 1937-
Cooper = Daniel Cooper, 1817?-1842
Cordem. = Eugène Jacob de Cordemoy, 1835-1911
Corrêa = José Francisco Corrêa da Serra, 1751-1823
Correll = Donovan Stewart Correll, 1908-1983
Correvon = Louis Henry Correvon, 1854-1939
Coss. = Ernest Staint-Charles Cosson, 1819-1889
Costantin = Julien Noël Costantin, 1857-1936
Coste = Jean François Coste, 1741-1819
Cotton = Arthur Disbrowe Cotton, 1879-1962
Coult. = Thomas Coulter, 1793-1843
Courtois = Richard Joseph Courtois, 1806-1835

Cout. = António Xavier Pereira Coutinho, 1851-1939
Covas = Guillermo Covas, 1915-
Cowan = John Macqueen Cowan, 1891-1960
Cox = Euan Hillhouse Methven Cox, 1893-1977
Craib = William Grant Craib, 1882-1933
Crantz = Heinrich Johann Nepomuk von Crantz, 1722-1799
Cronquist = Arthur John Cronquist, 1919-1992
Crueg. = Hermann Crueger, 1818-1864
Cullen = James Cullen, 1936-
Cunnell = G.J. Cunnell, fl. 1956
Curran = Mary Katherine Curran, 1844-1920
Curtis = William Curtis, 1746-1799
Czern. = Vassilii Matveievitch Czernajew, 1796-1871
D. Don = David Don, 1799-1841
D. Löve = Doris Benta Maria Löve, 1918-
D. Mohr = Daniel Matthias Heinrich Mohr, 1780-1808
D. Thomas = David Thomas, 1776-1859
D. Wolff = D. Wolff
D.A. Webb = David Allardice Webb, 1912-1994
D.C. McClint. = David Charles McClintock, 1913-
D.D.T. Moore = Daniel David Tompkins Moore, 1820-1892
D.G. Lloyd = David G. Lloyd, 1937-
D.G. Long = David Geoffrey Long, 1948-
Däniker = Albert Ulrich Däniker, 1894-1957
Dahlgren = Bror Eric Dahlgren, 1877-1961
Dahlst. = Gustav Adolf Hugo Dahlstedt, 1856-1934
Dalla Torre = Karl (Carl) Wilhelm von Dalla Torre, 1850-1928
Dallim. = William Dallimore, 1871-1959
Dalziel = John McEwan Dalziel, 1872-1948
Dammann = Hildegard Dammann
Dammer = Carl Lebrecht Udo Dammer, 1860-1920
Dandy = James Edgar Dandy, 1903-1976
Davidian = Hagop Haroutune Davidian, 1907-
Davis = John Jefferson Davis, 1852-1937
Dawe = Morley Thomas Dawe, 1880-1943
Day = Mary Anna Day, 1852-1924
DC. = Augustin Pyramus de Candolle, 1778-1841
de Boer = Hendrik Wijbrand de Boer, 1885-1970
de Jonch. = Gerardus J. de Joncheere, 1909-1989
de Lannoy = de Lannoy, fl. 1863
De Not. = Giuseppe(Josephus) De Notaris, 1805-1877
de Vries = Hugo de Vries, 1848-1935
de Vriese = Willem Hendrik de Vriese, 1806-1862
De Wild. = Émile Auguste(e) Joseph De Wildeman, 1866-1947
Dean = Richard Dean, 1830-1905
Decne. = Joseph Decaisne, 1807-1882
Deflers = M.A. Deflers, fl. 1894
Degen = Arpád von Degen, 1866-1934
Dekapr. = Leonard Leonardovicz Dekaprelevicz, 1886-
Delacr. = Edouard Georges Delacroix, 1858-1907
Delavay = Pierre Jean Marie Delavay, 1834-1895
Deleuil = J.B.A. Deleuil, fl. 1874
Delile = Alire Raffeneau Delile, 1778-1850
Desf. = René Louiche Desfontaines, 1750-1833
Desp. = Jean Baptiste Réné Pouppé Desportes, 1704-1748
Desr. = Louis Auguste Joseph Desrousseaux, 1753-1838
Desv. = Nicaise Auguste Desvaux, 1784-1856
Dicks. = James (Jacobus) J. Dickson, 1738-1822
Dieck = Georg Dieck, 1847-1925
Diels = Friedrich Ludwig Emil Diels, 1874-1945
Dimpflm. = Dimpflmeier
Dinter = Moritz Kurt Dinter, 1868-1945
Dippel = Leopold Dippel, 1827-1914
Dodson = Calaway H. Dodson, 1928-
Döll = Johann(es) Christoph (Christian) Döll, 1808-1885
Dölz = Bruno Dölz, -1945
Dörfl. = Ignaz Dörfler, 1866-1950
Dolliner = George Dolliner, 1794-1872
Dombr. = Anna V. Dombrovskaja, 1926-
Domin = Karel Domin, 1882-1953
Don = George Don, 1764-1814
Donald = John Donald Donald, 1923-
Donn = James Donn, 1758-1813
Door. = Simon Gottfried Albert Doorenbos, 1891-1980
Douglas = David Douglas, 1798-1834
Dress = William John Dress, 1918-
Dressler = Robert Louis Dressler, 1927-

Druce = George Claridge Druce, 1850-1932
Drude = Carl Georg Oscar Drude, 1852-1933
Dryand. = Jonas Carlsson Dryander, 1748-1810
Du Roi = Johann Philipp Du Roi, 1741-1785
Duby = Jean Étienne Duby, 1798-1885
Duch. = Pierre Étienne Simon Duchartre, 1811-1894
Duchesne = Antoine Nicolas Duchesne, 1747-1827
Ducros = Ducros de St. Germain, fl. ?1828
Dudley = William Russel Dudley, 1849-1911
Düben = Magnus Wilhelm von Düben, 1814-1845
Dunal = Michel Félix Dunal, 1789-1856
Duncan = James Duncan, 1802-1876
Dunst. = Galfrid Clement Keyworth Dunsterville, 1905-1988
Durand = Elias (Elie) Magloire Durand, 1794-1873
Durieu = Michel Charles Durieu de Maisonneuve, 1796-1878
Dusén = Per Karl Hjalmar Dusén, 1855-1926
Duthie = John Firminger Duthie, 1845-1922
Dyer = William Turner Thiselton (Thistleton) Dyer, 1843-1928
E. Fourn. = Eugène Pierre Nicolas Fournier, 1834-1884
E. Klein = Erich Klein, fl. 1989
E. Mey. = Ernst Heinrich Friedrich Meyer, 1791-1858
E. Morren = Charles Jacques Édouard Morren, 1833-1886
E. Perrier = E. Perrier, 1844-1921
E. Pritz. = Ernst Georg Pritzel, 1875-1946
E. Schmidt = Ernst Schmidt, 1834-1902
E.B. Sm. = Edwin Burnell Smith, 1936-
E.F. Anderson = Edward Frederick Anderson, 1932-
E.F. Warb. = Edmund Frederic Warburg, 1908-1966
E.G. Camus = Edmond Gustav(e) Camus, 1852-1915
E.H. Wilson = Ernest Henry Wilson, 1876-1930
E.W. Sm. = Elmer William Smith, 1920-1981
E.Y. Dawson = Elmer Yale Dawson, 1918-1966
E.Z. Bailey = Ethel Zoe Bailey, 1889-1983
Eames = Edwin Hubert Eames, 1865-1948
Eberm. = Johann Erdwin Christopher Ebermaier, 1769-1825
Eckl. = Christian Friedrich (Frederik) Ecklon, 1795-1868
Eggert = Heinrich Karl Daniel Eggert, 1841-1904
Eggli = Urs Eggli, 1959-
Ehr. Bayer = Ehrentraud Bayer, fl. 1982
Ehrenb. = Christian Gottfried Ehrenberg, 1795-1876
Ehrend. = Friedrich Ehrendorfer, 1927-
Ehrh. = Jakob Friedrich Ehrhart, 1742-1795
Eichler = August Wilhelm Eichler, 1839-1887
Ekman = Erik Leonard Ekman, 1883-1931
Elliott = Stephen Elliott, 1771-1830
Ellis = Job Bicknell Ellis, 1829-1905
Elwert = Johann Caspar Philipp Elwert, 1760-1827
Em. Schmid = Emil Schmid, 1891-
Endl. = Stephan Friedrich Ladislaus Endlicher, 1804-1849
Endress = Philipp Anton Christoph Endress, 1806-1831
Engelm. = Georg (George) Engelmann, 1809-1884
Engl. = Heinrich Gustav Adolf Engler, 1844-1930
Epling = Carl Clawson Epling, 1894-1968
Epple = Paul Epple, fl. 1951
Etl. = Andreas Ernst Etlinger, fl. 1777
Everett = Thomas Henry Everett, 1903-
Exell = Arthur Wallis Exell, 1901-
F. Lehm. = Friedrich Carl Lehmann, 1850-1903
F. Maly = Franz de Paula Maly, 1823-1891
F. Muell. = Ferdinand Jacob Heinrich von Mueller, 1825-1896
F. Ritter = Friedrich Ritter, 1898-1989
F. Schmidt = Friedrich (Karl) (Fedor Bogdanovich) Schmidt, 1832-1908
F. Weber = Friedrich Weber, 1781-1823
F. Zimm. = Friedrich Zimmermann, 1855-1928
F.A. Barkley = Fred Alexander Barkley, 1908-1989
F.A.C. Weber = Frédéric Albert Constantin Weber, 1830-1903
F.E. Briggs = F.E. Briggs
F.H. Lewis = Frank Harlan Lewis, 1919-
F.H. Wigg. = Friedrich Heinrich (Fridrich Hindrich) Wiggers, 1746-1811
F.M. Bailey = Frederick Manson Bailey, 1827-1915

F.M. Knuth = Frederik Marcus Knuth, 1904-1970
F.T. Hubb. = Frederic Tracy Hubbard, 1875-1962
F.W. Schmidt = Franz Wilibald Schmidt, 1764-1796
F.W. Schultz = Friedrich Wilhelm Schultz, 1804-1876
F.W. Taylor = F.W. Taylor
Facchini = Francesco Facchini, 1788-1852
Falkenb. = Paul Falkenberg, fl. 1900
Farrer = Reginald John Farrer, 1880-1920
Favrat = Louis Favrat, 1827-1893
Fawc. = William Fawcett, 1851-1926
Fée = Antoine Laurent Apollinaire Fée, 1789-1874
Fenzl = Eduard Fenzl, 1808-1879
Fern.-Vill. = Celestino Fernández-Villar, 1838-1907
Fernald = Merritt Lyndon Fernald, 1873-1950
Fielding = Henry Barron Fielding, 1805-1851
Finet = Achille Eugène Finet, 1863-1913
Fingerh. = Carl Anton Fingerhuth, 1802-1876
Fintelm. = Gustav Adolf Fintelmann, 1803-1871
Fiori = Adriano Fiori, 1865-1950
Fisch. = Friedrich Ernst Ludwig von (Fedor Bogdanovic) Fischer, 1782-1854
Fitschen = Jost Fitschen, 1869-1947
Fittkau = H.W. Fittkau, fl. 1971
Fletcher = James Fletcher, 1852-1908
Flinck = Karl Evert Flinck, 1915-
Flörke = Heinrich Gustav Flörke, 1764-1835
Flüggé = Johannes Flüggé, 1775-1816
Foëx = Gustave Louis Émile Foëx, 1844-1906
Font Quer = Pio(Pius) Font Quer, 1888-1964
Forbes = John Forbes, 1798-1823
Ford = Neridah Clifton Ford, 1926-
Forkel = Forkel
Forrest = George Forrest, 1873-1932
Forssk. = Pehr (Peter) Forsskål, 1732-1763
Fortune = Robert Fortune, 1812-1880
Fosberg = Francis Raymond Fosberg, 1908-1993
Foster = Michael Foster, 1836-1907
Foucaud = Julien Foucaud, 1847-1904
Fournet = J. Fournet, fl. 1973
Fourr. = Jules Pierre Fourreau, 1844-1871
Fr. = Elias Magnus Fries, 1794-1878
Franch. = Adrien René Franchet, 1834-1900
Franco = Joao Manuel Antonio do Amaral Franco, 1921-
Frapp. = Charles Frappier, fl. 1853-1895
Fraser = John Fraser, 1750-1811
Fraser-Jenk. = Christopher Roy Fraser-Jenkins, 1948-
Frém. = John Charles Frémont, 1813-1890
Fresen. = Johann Baptist Georg (George) Wolfgang Fresenius, 1808-1866
Freyn = Josef Franz Freyn, 1845-1903
Fric = Alberto Vojtech Fric, 1882-1944
Friedr. = Emanuel von Friedrichsthal, 1809-1842
Friedrich = Hans Christian Friedrich, 1925-
Friis = Ib Friis, 1945-
Fritsch = Karl Fritsch, 1864-1934
Frodin = David Gamman Frodin, 1940-
Fröd. = Harald August Fröderström, 1876-1944
Froel. = Joseph Aloys von Froelich, 1766-1841
Frost = Charles Christopher Frost, 1805-1880
Fürnr. = August Emanuel Fürnrohr, 1804-1861
Funck = Heinrich Christian Funck, 1771-1839
G. Benn. = George Bennett, 1804-1893
G. Don = George Don, 1798-1856
G. Forst. = Johann Georg Adam Forster, 1754-1794
G. Frank = Gerhard R.W. Frank, fl. 1963-1990
G. López = Ginés Alejandro López González, 1950-
G. Mann = Gustav Mann, 1836-1916
G. Martens = George Matthias von Martens, 1788-1872
G. Nicholson = George Nicholson, 1847-1908
G. Simpson = George Simpson, 1880-1952
G. Taylor = George Taylor, 1904-1993
G. Watt = George Watt, 1851-1930
G.C. Kenn. = George C. Kennedy, fl. 1976
G.D. Rowley = Gordon Douglas Rowley, 1921-
G.E. Pollard = Glenn E. Pollard, 1901-1976
G.H. Loos = G.H. Loos
G.M. Schulze = Georg Martin Schulze, 1906-1985
Gaertn. = Joseph Gaertner, 1732-1791
Gagnep. = François Gagnepain, 1866-1952

Gaill. = Charles Gaillardot, 1814-1883
Galeotti = Henri Guillaume Galeotti, 1814-1858
Garay = Leslie Andrew Garay, 1924-
Gardner = George Gardner, 1812-1849
Garnier = Max Garnier, fl. 1895-1918
Gaudich. = Charles Gaudichaud-Beaupré, 1789-1854
Gaudin = Jean François Aimée Gottlieb Philippe Gaudin, 1766-1833
Gaussen = Henri Marcel Gaussen, 1891-1981
Gay = Claude Gay, 1800-1873
Gáyer = Gyula(Julius) Gáyer, 1883-1932
Geisenh. = Franz Adolf Ludwig Geisenheyner, 1841-1926
Germ. = Jacques Nicolas Ernest Germain de Saint-Pierre, 1815-1882
Gérôme = Joseph Gérôme, 1863-1928
Gerrard = William Tyrer Gerrard, -1866
Gerstl. = Lorenz Gerstlauer, 1863-1949
Giacom. = Valerio Giacomini, 1914-1981
Gibson = George Stacey Gibson, 1818-1883
Gilg = Ernest Friedrich Gilg, 1867-1933
Gilles = Gérard Gilles, fl. 1969
Gillies = John Gillies, 1792-1834
Glaetzle = W. Glaetzle, fl. 1983
Glass = Charles Glass, fl. 1975
Glaz. = Auguste François Marie Glaziou, 1828-1906
Glazebr. = Thomas Kirkland Glazebrook, 1780-1885
Glend. = Robert Glendinning, 1805-1862
Goaty = Etienne Louis Henri Goaty, 1830-1890
Godr. = Dominique Alexandre Godron, 1807-1880
Gontsch. = Nikolai Fedorovich Gontscharow, 1900-1942
Gordon = George Gordon, 1806-1879
Gorschk. = Sofia Gennadievna Gorschkova, 1889-1972
Goujon = Joseph Goujon, 1858-
Grab. = Heinrich Emanuel Grabowski, 1792-1842
Graebn. = Karl Otto Robert Peter Paul Graebner, 1871-1933
Gräbner = K.-E. Gräbner, fl. 1954
Gräser = Robert Gräser, 1893-1977
Graham = Robert C. Graham, 1786-1845
Grande = Loreto Grande, 1878-1965
Grassl = Carl Otto Grassl, 1908-
Grauer = Sebastian Grauer, 1758-1820
Gray = Samuel Frederick Gray, 1766-1828
Greene = Edward Lee Greene, 1843-1915
Gremli = August(e) Gremli, 1833-1899
Gren. = Jean Charles Marie Grenier, 1808-1875
Greuter = Werner Rodolfo Greuter, 1938-
Grev. = Robert Kaye Greville, 1794-1866
Grierson = Andrew John Charles Grierson, 1929-1990
Griff. = William Griffith, 1810-1845
Griseb. = August Heinrich Rudolf Grisebach, 1814-1879
Groenland = Johannes Groenland, 1824-1891
Gronov. = Johan Frederik (Jan Fredrik) Gronovius, 1686-1762
Grosser = Wilhelm Carl Heinrich Grosser, 1869-
Günther = Johann Christian Carl Günther, 1769-1833
Gürke = Robert Louis August Maximilian Gürke, 1854-1911
Guicc. = Giacinto Guicciardi, fl. 1855
Guill. = Jean Baptiste Antoine Guillemin, 1796-1842
Guillaumin = André Guillaumin, 1885-1974
Guin. = Marcel Guinochet, 1909-
Guss. = Giovanni Gussone, 1787-1866
Guzmán = Gastón Guzmán, 1938-
H. Baumann = Helmut Baumann, 1937-
H. Christ = Konrad Hermann Heinrich Christ, 1833-1933
H. Deane = Henry Deane, 1847-1924
H. Groves = Henry Groves, 1855-1912
H. Huber = Heribert Franz Josef Huber, 1931-
H. Jacobsen = Hermann Johannes Heinrich Jacobsen, 1898-1978
H. Johnson = Joseph Harry Johnson, 1894-
H. Karst. = Gustav Karl Wilhelm Hermann Karsten, 1817-1908
H. Low = Hugh Low, 1824-1905
H. Pearson = Henry Harold Welch Pearson, 1870-1916
H. Perrier = Joseph Marie Henry Alfred Perrier de la Bâthie, 1873-1958
H. Rob. = Harold Ernest Robinson, 1932-
H. Scholz = Hildemar Wolfgang Scholz, 1928-
H. St. John = Harold St. John, 1892-1991
H. Wendl. = Hermann Wendland, 1825-1903
H.A. Kenn. = Helen Alberta Kennedy, 1944-
H.E. Hess = Hans E. Hess, 1920-

H.E. Moore = Harold Emery Moore, 1917-1980
H.F. Lewis = Harrison Flint Lewis, 1893-1974
H.G. Sm. = Henry George Smith, 1852-1924
H.H. Thomas = Hugh Hamshaw Thomas, 1885-1962
H.J. Coste = Hippolyte Jacques Coste, 1858-1924
H.L. Liu = Huo Lin Liu, fl. 1982
H.L. Mühl. = Henry Ludwig Mühlenberg, 1756-1817
H.L. Wendl. = Heinrich Ludolph Wendland, 1792-1869
H.M. Hall = Harvey Monroe Hall, 1874-1932
H.M. Parker = H.M. Parker, fl. 1975
H.P. Fuchs = Hans Peter Fuchs, 1928-1999
H.R. Sweet = Herman Royden Sweet, 1909-
H.S. Irwin = Howard Samuel Irwin, 1928-
Haage = Friedrich Adolph Haage, 1796-1866
Hack. = Eduard Hackel, 1850-1926
Haenke = Thaddäus(Tadeás) Peregrinus Xaverius Haenke, 1761-1817
Haens. = Felix Haenseler, 1766-1841
Halácsy = Eugen von (Eugène de) Halácsy, 1842-1913
Halda = Josef J. Halda, fl. 1971
Ham. = William Hamilton, 1783-1856
Hance = Henry Fletcher Hance, 1827-1886
Hand.-Mazz. = Heinrich R.E. Handel-Mazzetti, 1882-1940
Hanson = Peter Hanson, 1824-1887
Hanst. = Johannes Ludwig Emil Robert von Hanstein, 1822-1880
Hara = Kanesuke Hara, 1885-1962
Harms = Hermann August Theodor Harms, 1870-1942
Hartinger = Anton Hartinger, 1806-1890
Hartm. = Carl Johan(n) Hartman, 1790-1849
Hartmann = Franz Xaver von Hartmann, 1737-1791
Hartog = Cornelis den Hartog, 1931-
Hartw. = Karl Theodor Hartweg, 1812-1871
Hartwich = Carl Hartwich, fl. 1902
Hartwiss = Nicolai Anders von Hartwiss, 1791-1860
Harv. = William Henry Harvey, 1811-1866
Harz = Carl (Karl) Otto Harz, 1842-1906
Hassk. = Justus Carl Hasskarl, 1811-1894
Hauskn. = Anton Hausknecht, fl. 1988
Hausskn. = Heinrich Carl Haussknecht, 1838-1903
Havemeyer = Havemeyer
Haw. = Adrian Hardy Haworth, 1768-1833
Hay = William Perry Hay, 1872-1947
Hayek = August von Hayek, 1871-1928
Hedge = Ian Charleson Hedge, 1928-
Hedrick = Ulysses Prentiss Hedrick, 1870-1951
Heer = Oswald von Heer, 1809-1883
Hegi = Gustav Hegi, 1876-1932
Heinr. Braun = Heinrich Braun, 1851-1920
Heinrich = Walter Heinrich, fl. 1925
Heldr. = Theodor Heinrich Hermann von Heldreich, 1822-1902
Hemsl. = William Botting Hemsley, 1843-1924
Henckel = Leo Victor Felix Henckel von Donnersmarck, 1785-1861
Hend. = Edward George Henderson, 1782-1876
Henkel = Johann Baptist Henkel, 1815-1871
Henker = Henker
Hennipman = Elbert Hennipman, 1937-
Henry = Aimé Constant Fidèle Henry, 1801-1875
Hensch. = August Wilhelm Eduard Theodor Henschel, 1790-1856
Herb. = William Herbert, 1778-1847
Herder = Ferdinand Gottfried Theobald Maximilian von Herder, 1828-1896
Hérincq = François Hérincq, 1820-1891
Herklotz = A. Herklotz
Herrm. = Johann (Jean) Herrmann, 1738-1800
Hesl.-Harr. = John William Heslop-Harrison, 1881-1967
Hess = Johann Jakob Hess, 1844-1883
Hesse = Hermann Albrecht Hesse, 1852-1937
Heuff. = János(Johann) A. Heuffel, 1800-1857
Hewitt = Florence Ellen Hewitt, 1910-1979
Heynh. = Gustav Heynhold, 1800-1860
Heywood = Vernon Hilton Heywood, 1927-
Hibberd = James Shirley Hibberd, 1825-1890
Hickel = Paul Robert Hickel, 1865-1935
Hiern = William Philip Hiern, 1839-1925
Hieron. = Georg Hans Emmo (Emo) Wolfgang Hieronymus, 1846-1921
Hildebr. = Friedrich Hermann Gustav Hildebrand, 1835-1915

Hildm. = H. Hildmann, -1895
Hillc. = Jean Olive Dorothy Hillcoat, 1904-1990
Hilliard = Olive Mary Hilliard, 1926-
Hilsenb. = Richard A. Hilsenbeck, 1952-
Hitchc. = Albert Spear Hitchcock, 1865-1935
Hochst. = Christian Ferdinand Friedrich Hochstetter, 1787-1860
Hoffm. = George Franz Hoffmann, 1761-1826
Hoffmanns. = Johann Centurius von Hoffmannsegg, 1766-1849
Hohen. = Rudolph Friedrich Hohenacker, 1798-1874
Holttum = Richard Eric Holttum, 1895-1990
Holub = Josef Ludwig Holub, 1930-1999
Hombr. = Jacques Bernard Hombron, 1800-1852
Honda = Masaji(Masazi) Honda, 1897-1984
Hoogland = Ruurd Dirk Hoogland, 1922-1994
Hook. = William Jackson Hooker, 1785-1865
Hook. f. = Joseph Dalton Hooker, 1817-1911
Hoppe = David Heinrich Hoppe, 1760-1846
Horák = Bonslaw Horák, 1877-1942
Horkel = Johann Horkel, 1769-1846
Hornem. = Jens Wilken Hornemann, 1770-1841
Horny = Radvan Horny, fl. 1974
Host = Nicolaus Thomas Host, 1761-1834
Houllet = R.J.B. Houllet, 1811~15-1890
Houtt. = Maarten(Martin) Houttuyn, 1720-1798
Houz. = Jean Charles Houzeau de Lehaie, 1820-1888
Howell = Thomas Jefferson Howell, 1842-1912
Hoyle = Arthur Clague Hoyle, 1904-1986
Hu = Hsen Hsu Hu, 1894-1968
Hub.-Mor. = Arthur Huber-Morath, 1901-1990
Huber = Jakob ('Jacques') E. Huber, 1867-1914
Huds. = William Hudson, 1730-1793
Hultén = Oskar Eric Gunnar Hultén, 1894-1981
Humb. = Friedrich Wilhelm Heinrich Alexander von Humboldt, 1769-1859
Humbert = Jean-Henri Humbert, 1887-1967
Humphries = Christopher John Humphries, 1947-
Hutch. = John Hutchinson, 1884-1972
Hutchison = Paul Clifford Hutchison, 1924-
Huter = Rupert Huter, 1834-1919
Hyl. = Nils Hylander, 1904-1970
Hylmö = David Einar Hylmö, 1883-1940
Irish = Henry Clay Irish, 1868-1960
Irmsch. = Edgar Irmscher, 1887-1968
Irwin = James Bruce Irwin, 1921-
J. Allen = James Allen, c.1830-1906
J. Fisch. = Jacob Benjamin Fischer, 1730-1793
J. Forbes = James Forbes, 1773-1861
J. Garden = Joy Garden, 1923-
J. Gay = Jacques Étienne Gay, 1786-1864
J. Groves = James Groves, 1858-1933
J. Jacq. = Joseph Franz von Jacquin, 1766-1839
J. Jeffrey = John Jeffrey, 1826-1854
J. Kern. = Johann Simon von Kerner, 1755-1830
J. König = Johann Gerhard König, 1728-1785
J. Mackay = James Townsend Mackay, 1775-1862
J. Mitch. = John Mitchell, 1762-
J. Presl = Jan Svatopluk (Swatopluk) Presl, 1791-1849
J. Rousseau = (Joseph Jules Jean) Jacques Rousseau, 1905-1970
J. Sm. = John Smith, 1798-1888
J. Willm. = John Willmott, 1775-1834
J. Woods = Joseph Woods, 1776-1864
J.C. Mikan = Johann Christian Mikan, 1769-1844
J.C. Wendl. = Johann Christoph Wendland, 1755-1828
J.D. Sm. = J.Drew Smith, fl. 1979
J.F. Gmel. = Johann Friedrich Gmelin, 1748-1804
J.F. Lehm. = Johann Friedrich Lehmann, fl. 1809
J.F. Macbr. = James Francis Macbride, 1892-1976
J.G. Cooper = James Graham Cooper, 1830-1902
J.G. Ortega = Jesús González Ortega, 1876-1936
J.H. Veitch = James Herbert Veitch, 1868-1907
J.J. Li = Jia Jue Li, 1938-
J.L. Drumm. = James Lawson Drummond, 1783-1853

J.M. Coult. = John Merle Coulter, 1851-1928
J.M. Wood = John Medley Wood, 1827-1915
J.O.E. Perrier = Jean Octave Edmond Perrier de la Bâthie, 1843-1916
J.R. Drumm. = James Ramsay Drummond, 1851-1921
J.R. Forst. = Johann Reinhold Forster, 1729-1798
J.S. Thomson = John Scott Thomson, 1882-1943
J.W. Ingram = John William Ingram, 1924-
J.W. Mathews = Joseph ('Jimmy') William Mathews, 1871-1949
Jack = William Jack, 1795-1822
Jacks. = George Jackson, 1790-1811
Jacob-Makoy = Lambert Jacob-Makoy, 1790-1873
Jacobi = Georg Albano von Jacobi, 1805-1874
Jacobsen = Hans Jacobsen, 1815-1891
Jacq. = Nicolaus (Nicolaas) Joseph von Jacquin, 1727-1817
Jacquem. = Venceslas Victor Jacquemont, 1801-1832
Jacquinot = Honoré Jacquinot, 1814-1887
Jalas = Arvo Jaakko Juhanni Jalas, 1920-
James = Thomas Potts James, 1803-1882
Jan = Georg(Giorgio) Jan, 1791-1866
Janch. = Erwin Emil Alfred Janchen, 1882-1970
Jansen = Pieter Jansen, 1882-1955
Játiva = Carlos D. Játiva, fl. 1963
Jaub. = Hippolyte François Jaubert, 1798-1874
Jeffrey = John Frederick Jeffrey, 1866-1943
Jenman = George Samuel Jenman, 1845-1902
Jeps. = Willis Linn Jepson, 1867-1946
Jermy = Anthony Clive Jermy, 1932-
Jess. = Karl Friedrich Wilhelm Jessen, 1821-1889
Jeswiet = Jacob Jeswiet, 1879-1966
Jirasek = Jon (Johann) Jirasek, 1754-1797
Jord. = Claude Thomas Alexis Jordan, 1814-1897
Joriss. = G. Jorissenne, fl. 1882
Jourd. = (Claude) Pascal Jourdan, 1835-1881
Jum. = Henri Lucien Jumelle, 1866-1935
Jungh. = (Friedrich) Franz Wilhelm Junghuhn, 1809-1864
Juss. = Antoine Laurent de Jussieu, 1748-1836
Juz. = Sergei Vasilievich Juzepczuk, 1893-1959
K. Bremer = Kare (Kaare) Bremer, 1948-
K. Heyne = Karel Heyne, 1877-1947
K. Hoffm. = Käthe(Kaethe) Hoffmann, 1883-c.1931
K. Koch = Karl (Carl) Heinrich Emil (Ludwig) Koch, 1809-1879
K. Krause = Kurt Krause, 1883-1963
K. Schum. = Karl Moritz Schumann, 1851-1904
Kabath = Hermann Kabath, 1816-1888
Kanitz = August (Agoston) Kanitz, 1843-1896
Kar. = Grigorij Silyc (Gregor Silitsch) Karelin, 1801-1872
Karw. = Wilhelm Friedrich von Karwinsky von Karwin, 1780-1855
Kaulf. = Georg Friedrich Kaulfuss, 1786-1830
Keay = Ronald William John Keay, 1920-
Keller = Johann Christoph Keller, 1737-1796
Kellerer = Johann Kellerer, 1859-
Kellerm. = William Ashbrook Kellerman, 1850-1908
Kellogg = Albert Kellogg, 1813-1887
Kelsey = Francis Duncan Kelsey, 1849-1905
Kent = William Saville Kent, 1845-1908
Ker-Gawl. = John Bellenden Ker-Gawler, 1764-1842
Kikuchi = Akio Kikuchi, 1883-1951
Kill. = Charles Killian, 1887-1957
Kimnach = Myron William Kimnach, 1922-
King = George King, 1840-1909
Kingdon-Ward = Francis Kingdon-Ward, 1885-1958
Kir. = Ivan Petrovich ('Johann') Kirilov, 1821-1842
Kirk = Thomas Kirk, 1828-1898
Kit. = Pál (Paul) Kitaibel, 1757-1817
Kitam. = Siro Kitamura, 1906-
Kladiwa = Leo Kladiwa, 1920-
Klatt = Friedrich Wilhelm Klatt, 1825-1897
Klein = Jacob Theodor Klein, 1685-1759
Klett = Gustav Theodor Klett, -1827
Klokov = Michail Vasiljevich (Mikhail Vasilevich) Klokov, 1896-1981
Klotzsch = Johann Friedrich Klotzsch, 1805-1860
Knight = Joseph Knight, 1777?-1855
Knowles = George Beauchamp Knowles, fl.

1820-1852
Knuth = Paul Erich Otto Wilhelm Knuth, 1854-1899
Koch = Johann Friedrich Wilhelm Koch, 1759-1831
Köhler = Johann Christian Gottlieb Köhler, 1759-1833
Koehne = Bernhard Adalbert Emil Koehne, 1848-1918
Koell. = Rudolf Albert von Koelliker, 1817-1905
Koelle = Johann Ludwig Christian Koelle, 1763-1797
Körn. = Friedrich August Körnicke, 1828-1908
Körner = Heinz Körner
Körte = Heinrich Friedrich Franz (Ernst) Körte, 1782-1845
Koidz. = Gen'ichi (Geniti) Koidzumi, 1883-1953
Korth. = Pieter Willem Korthals, 1807-1892
Kostina = Klaudia Fedorovna Kostina, 1900-
Kotschy = Carl(Karl) Georg Theodor Kotschy, 1813-1866
Kovalev = Nikolai Vasilevich Kovalev, 1888-
Kraenzl. = Friedrich (Fritz) Wilhelm Ludwig Kraenzlin, 1847-1934
Krainz = Hans Krainz, 1906-1980
Krajina = Vladimir Joseph Krajina, 1905-
Kralik = Jean-Louis Kralik, 1813-1892
Kramer = Wilhelm Heinrich Kramer, -1765
Krasch. = Ippolit (Hippolit) Mikhailovich Krascheninnikov, 1884-1947
Krauss = Johan Carl Krauss, 1759-1826
Krecz. = Lev Melkhisedekovich Kreczetowicz, 1878-
Kress = Alarich Alban Herwig Ludwig Kress, 1932-
Kreuz. = Kurt G. Kreuzinger, 1905-1989
Kühlew. = Paul Eduard Kühlewein, 1798-1870
Kündig = Jakob Kündig, 1863-1933
Künkele = Siegfried Künkele, 1931-
Kütz. = Friedrich Traugott Kützing, 1807-1893
Kuhn = Friedrich Adalbert Maximilian ('Max') Kuhn, 1842-1894
Kumm. = Ferdinand Kummer, 1820-1870
Kunth = Karl (Carl) Sigismund Kunth, 1788-1850
Kuntze = Carl (Karl) Ernst (Eduard) Otto Kuntze, 1843-1907
Kurtz = Fritz (Federico) Kurtz, 1854-1920
Kurz = Wilhelm Sulpiz Kurz, 1834-1878
Kusn. = Nicolai Ivanowicz Kusnezow, 1864-1932
L'Hér. = Charles Louis L'Héritier de Brutelle, 1746-1800
L. = Carl von Linnaeus, 1707-1778
L. Bolus = Harriet Margaret Louisa Bolus, 1877-1970
L. f. = Carl von Linnaeus, 1741-1783
L. Henry = Louis Henry, 1853-1903
L. Preiss = Johann August Ludwig Preiss, 1811-1883
L.A.S. Johnson = Lawrence Alexander Sidney Johnson, 1925
L.B. Sm. = Lyman Bradford Smith, 1904-1997
L.D. Gómez = Luis Diego Gómez, 1944-
L.H. Bailey = Liberty Hyde Bailey, 1858-1954
L.K. Fu = Li Kuo Fu, 1934-
L.M. Perry = Lily May Perry, 1895-1992
La Llave = Pablo de La Llave, 1773-1833
Labill. = Jacques Julien Houtton de Labillardière, 1755-1834
Labour. = J. Labouret, fl. 1853-58
Labroy = Labroy, fl. 1903-1924
Lace = John Henry Lace, 1857-1918
Lachen. = Werner de Lachenal, 1736-1800
Länger = R. Länger
Laest. = Lars Levi Laestadius, 1800-1861
Lag. = Mariano Lagasca y Segura, 1776-1839
Lahaie = D.G. Lahaie, fl. 1978
Laharpe = Jean Jacques Charles de Laharpe, 1802-1877
Laing = Robert Malcolm Laing, 1865-1941
Lam. = Jean Baptiste Antoine Pierre de Monnet de Lamarck, 1744-1829
Lamb. = Aylmer Bourke Lambert, 1761-1842
Lambertye = Léonce de Lambertye, 1810-1877
Lamotte = Martial Lamotte, 1820-1883
Lancaster = Charles Roy Lancaster, 1937-
Landolt = Elias Landolt, 1926-
Laness. = Jean Marie Antoine de Lanessan, 1843-1919
Lange = Johan Martin Christian Lange, 1818-1898
Langsd. = Georg Heinrich von Langsdorff, 1774-1852
Lapeyr. = Philippe Picot de Lapeyrouse, 1744-1818
Lat.-Marl. = Joseph (Bory) Latour-Marliac,

1830-1911
Lauche = (Friedrich) Wilhelm (Georg) Lauche, 1827-1883
Lauener = Lucien André (Andrew) Lauener, 1918-1991
Lauterb. = Carl(Karl) Adolf Georg Lauterbach, 1864-1937
Lavallée = Pierre Alphonse Martin Lavallée, 1836-1884
Layens = Georges de Layens, 1834-1897
Leandri = Jacques Désiré Leandri, 1903-1982
Lecoq = Henri Lecoq, 1802-1871
Ledeb. = Carl(Karl) Friedrich von Ledebour, 1785-1851
Lehm. = Johann Georg Christian Lehmann, 1792-1860
Leichtlin = Maximilian Leichtlin, 1831-1910
Leight. = William Allport Leighton, 1805-1889
Lej. = Alexandre Louis (Alexander Ludwig) Simon Lejeune, 1779-1858
Lelong = Michel G. Lelong, 1932-
Lem. = (Antoine) Charles Lemaire, 1801-1871
Léman = Dominique Sébastien Léman, 1781-1829
Lemée = Albert Marie Victor Lemée, 1872-1900
Lemoine = (Pierre Louis) Victor Lemoine, 1823-1911
Lenné = Peter Joseph Lenné, 1789-1866
Leresche = Louis François Jules Rodolphe Leresche, 1808-1885
Lesc. = O.H. Lescuyer, fl. 1855-72
Lesp. = Jean Martial Gustave Lespinasse, 1807-1876
Less. = Christian Friedrich Lessing, 1809-1862
Lév. = Joseph-Henri Léveillé, 1796-1870
Levier = Emile(Emilio) Levier, 1839-1911
Lex. = Juan José Martinez de Lexarza, 1785-1824
Libon = Joseph Libon, 1821-1861
Libosch. = Joseph Liboschitz, 1783-1824
Liebm. = Frederik Michael Liebmann, 1813-1856
Liede = Siegrid Liede, 1957-
Lillo = Miguel Lillo, 1862-1931
Lindau = Gustav Lindau, 1866-1923
Lindem. = Eduard Emanuilovitch von Lindemann, 1825-1900
Linden = Jean Jules Linden, 1817-1898
Lindl. = John Lindley, 1799-1865
Lingelsh. = Alexander von Lingelsheim, 1874-1937
Link = Johann Heinrich Friedrich Link, 1767-1851
Linke = August Linke, fl. 1853-57
Linton = William James Linton, 1812-1898
Lipsch. = Sergej Julievitsch Lipschitz, 1905-1983
Lodd. = Conrad (L.) Loddiges, 1738-1826
Loefgr. = (Johan) Albert(o) (Constantin) Loefgren, 1854-1918
Loefl. = Pehr Loefling, 1729-1756
Loes. = Ludwig Eduard Theodor Loesener, 1865-1941
Loisel. = Jean Louis August(e) Loiseleur-Deslongchamps, 1774-1849
Loos = C.A. Loos, fl. 1950
Looser = Gualterio Looser, 1898-1982
Loret = Henri Loret, 1811-1888
Loudon = John Claudius Loudon, 1783-1843
Louis = Jean Laurent Prosper Louis, 1903-1947
Lour. = Joao de Loureiro, 1717-1791
Lowe = Richard Thomas Lowe, 1802-1874
Lowry = Porter Peter Lowry, 1956-
Lüdi = Werner Lüdi, 1888-1968
Lynch = Richard Irwin Lynch, 1850-1924
M. Bieb. = Friedrich August Marschall von Bieberstein, 1766-1826
M. Brandt = Max Brandt, 1884-1914
M. Martens = Martin Martens, 1797-1863
M. Schulze = Carl Theodor Maximilian Schulze, 1841-1915
M.A. Curtis = Moses Ashley Curtis, 1808-1872
M.C. Chang = Mei Chen Chang, 1933-
M.E. Berg = Maria Elizabeth van den Berg, fl. 1970
M.L. Green = Mary Letitia Green, 1886-1978
M.R. Lewis = Margaret Ruth Ensign Lewis, 1919-
M.S. Evans = Maurice Smethurst Evans, 1854-1920
M.W. Wood = Mark W. Wood, fl. 1973
Maack = Richard Karlovich Maack, 1825-1886
MacBryde = Bruce MacBryde, 1941-
Mack. = Kenneth Kent Mackenzie, 1877-1934
Magyar = J. Magyar, 1884-1945
Maiden = Joseph Henry Maiden, 1859-1925
Maire = Réné Charles Joseph Ernest Maire,

1878-1949
Makino = Tomitarô Makino, 1862-1957
Malte = Malte Oscar Malte, 1880-1933
Manda = W. Albert Manda, fl. 1892
Manetti = Xaverio Manetti, 1723-1785
Mangelsd. = Paul Christoph Mangelsdorf, 1899-
Mansf. = Rudolf Mansfeld, 1901-1960
Manten = Jacob(Jack) Manten Manten, 1898-1958
Marchal = Élie Marchal, 1839-1923
Marcow. = Vasil Vasilevicz Marcowicz, 1865-1942
Maréchal = Robert Joseph Jean-Marie Maréchal, 1926-
Markgr. = Friedrich Markgraf, 1897-1987
Marliac = Marliac
Marloth = Hermann Wilhelm Rudolf Marloth, 1855-1931
Marnock = Robert Marnock, 1800-1889
Marshall = Humphry Marshall, 1722-1801
Mart. = Carl (Karl) Friedrich Philipp von Martius, 1794-1868
Martinovsky = Jan Otakar Martinovsky, 1903-1980
Masf. = Ramón Masferrer y Arquimbau, 1850-1884
Masson = Francis Masson, 1741-1805
Mast. = Maxwell Tylden Masters, 1833-1907
Math. = Geir Mathiassen, 1954-
Mathieu = Charles Marie Joseph Mathieu, 1791-1873
Maton = William George Maton, 1774-1835
Matsum. = Jinzô Matsumura, 1856-1928
Matthieu = C. Matthieu, fl. 1853
Maund = Benjamin Maund, 1790-1863
Mauri = Ernesto Mauri, 1791-1836
Maw = George Maw, 1832-1912
Maxim. = Carl Johann (Ivanovic) Maximowicz, 1827-1891
McAllister = H.A. McAllister
McClure = Floyd Alonzo McClure, 1897-1970
McMillan = A.J.S. McMillan, fl. 1990
McNab = William McNab, 1780-1848
Medik. = Friedrich Kasimir Medikus, 1736-1808
Medw. = Jakob Sergejevitsch Medwedew, 1847-1923
Meinsh. = Karl Friedrich Meinshausen, 1819-1899
Meisn. = Carl Daniel Friedrich Meisner, 1800-1874
Melderis = Aleksandre Melderis, 1909-1986
Menabde = Vladimir Levanovich Menabde, 1898-
Menet = André Menet
Menzel = Paul Julius Menzel, 1864-1927
Mérat = François Victor Mérat de Vaumartoise, 1780-1851
Merr. = Elmer Drew Merrill, 1876-1956
Mert. = Franz Karl (Carl) Mertens, 1764-1831
Merxm. = Hermann Merxmüller, 1920-1988
Mett. = Georg Heinrich Mettenius, 1823-1866
Metzg. = Johann Metzger, 1789-1852
Meyen = Franz Julius Ferdinand Meyen, 1804-1840
Meyrán = Octave Meyran, 1858-1944
Mez = Carl Christian Mez, 1866-1944
Michx. = André Michaux, 1746-1803
Miégev. = Joseph Miégeville, 1819-1901
Miers = John Miers, 1789-1879
Milde = Carl August Julius Milde, 1824-1871
Milk. = I. Milkovits, fl. 1987
Mill. = Philip Miller, 1691-1771
Milne-Redh. = Edgar Wolston Bertram Handsley Milne-Redhead, 1906-1996
Miq. = Friedrich Anton Wilhelm Miquel, 1811-1871
Mirb. = Charles François Brisseau de Mirbel, 1776-1854
Mitford = Algernon Bertram Freeman Mitford, 1837-1916
Mitterp. = Ludwig Mitterpacher von Mitterburg, 1734-1818
Moç. = José Mariano Moçiño, 1757-1820
Moench = Conrad Moench, 1744-1805
Moens = Jacob Carel Bernelot Moens, 1837-1886
Mohr = Nicolai (i Pedersen) Mohr, 1742-1790
Moldenke = Harold Norman Moldenke, 1909-
Molinet = Amorós Eugenio Molinet
Moq. = Christian Horace Bénédict Alfred Moquin-Tandon, 1804-1863
Moran = Reid Venable Moran, 1916-
Mord. Laun. = Jean Claude Mien Mordant de Launay, c.1750-1816
Morel = Francisque Morel, c.1849-1925
Moretti = Giuseppe L. Moretti, 1782-1853
Moritzi = Alexandre Moritzi, 1807-1850
Morren = Auguste Morren, 1804-1870

Morris = John Morris, 1810-1886
Mottet = Séraphin Joseph Mottet, 1861-1930
Mühlenb. = Viktor Mühlenbach, 1898-
Muhl. = Gotthilf Heinrich Ernest Muhlenberg, 1753-1815
Mulligan = Brian Orson Mulligan, 1907-
Munro = William Munro, 1818-1889
Murith = Laurent Joseph Murith, 1742-1816
Murray = Johan Andreas Murray, 1740-1791
Mutis = José Celestino Bruno Mutis, 1732-1808
N. Taylor = Norman Taylor, 1883-1967
N.E. Br. = Nicholas Edward Brown, 1849-1934
N.P. Taylor = Nigel Paul Taylor, 1956-
N.W. Simmonds = Norman Willison Simmonds, 1922-
Nakai = Takenoshin(Takenosin) Nakai, 1882-1952
Nath. = Alfréd Gabriel Nathorst, 1850-1921
Naudin = Charles Victor Naudin, 1815-1899
Náves = Andrés Náves, 1839-1910
Nees = Christian Gottfried Daniel Nees von Esenbeck, 1776-1858
Nestl. = Chrétien Géofroy (Christian Gottfried) Nestler, 1778-1832
Neuman = Leopold Martin Neuman, 1852-1922
Neumayer = Georg Balthasar von Neumayer, 1862-1909
Nevski = Sergei Arsenjevic Nevski, 1908-1938
Nicholls = William Henry Nicholls, 1885-1951
Nichols = George Elwood Nichols, 1882-1939
Nicolson = Dan Henry Nicolson, 1933-
Noë = Friedrich Wilhelm Noë, 18 -1858
Nois. = Louis Claude Noisette, 1772-1849
Nolte = Ernst Ferdinand Nolte, 1791-1875
Nordal = Inger Nordal, 1942-
Nordm. = Alexander (Davidovic) von Nordmann, 1803-1866
Novák = Frantisek Antonín Novák, 1892-1964
Nováková = Marcela Nováková
Nutt. = Thomas Nuttall, 1786-1859
Nyman = Carl Frederik Nyman, 1820-1893
O. Bolòs = Oriol de Bolòs, 1924-
O. Fedtsch. = Olga Alexandrowna Fedtschenko, 1845-1921
O. Lang = Otto Friedrich Lang, 1817-1847
O.F. Cook = Orator Fuller Cook, 1867-1949
O.F. Müll. = Otto Friedrich (Friderich) Müller, 1730-1784
O.R. Heine = Otto Rudolph Heine, 1920-
Oberh. = Ernst Oberholzer, fl. 1886-1950
Oberm. = Anna Amelia Obermeyer, 1907-
Oehme = Hans Oehme, fl. 1940
Oerst. = Anders Sandoe Oersted, 1816-1872
Ohashi = Hiro Ohashi, 1882-
Ohwi = Jisaburo Ohwi, 1905-1977
Oliv. = Daniel Oliver, 1830-1916
Olney = Stephen Thayer Olney, 1812-1878
Opiz = Philipp(Filip) Maximilian Opiz, 1787-1858
Orcutt = Charles Russell Orcutt, 1864-1929
Orph. = Theodhoros Georgios Orphanides, 1817-1886
Ortega = Casimiro Gómez de Ortega, 1740-1818
Ostenf. = Carl Emil Hansen Ostenfeld, 1873-1931
Otto = Christoph Friedrich Otto, 1783-1856
P. Beauv. = Ambroise Marie François Joseph Palisot de Beauvois, 1752-1820
P. Gaertn. = Philipp Gottfried Gaertner, 1754-1825
P. Silva = António Rodrigo Pinto da Silva, 1912-
P. Taylor = Peter Geoffrey Taylor, 1926-
P.B. Kenn. = Patrick Beveridge Kennedy, 1874-1930
P.D. Sell = Peter Derek Sell, 1929-
P.F. Hunt = Peter Francis Hunt, 1936-
P.H. Davis = Peter Hadland Davis, 1918-1992
P.S. Green = Peter Shaw Green, 1920-
P.W. Ball = Peter William Ball, 1932-
P.W. Richards = Paul Westmacott Richards, 1908-
Palib. = Ivan Vladimirovich Palibin, 1872-1949
Pall. = Peter (Pyotr) Simon von Pallas, 1741-1811
Pallis = M. Pallis, fl. 1938
Pancic = Joseph Pancic, 1814-1888
Pantl. = Robert Pantling, 1856-1910
Panz. = Georg Wolfgang Franz Panzer, 1755-1829
Paol. = Giulio Paoletti, 1865-1941
Pappe = Karl(Carl) Wilhelm Ludwig Pappe, 1803-1862
Paris = Jean Édouard Gabriel Narcisse

Paris, 1827-1911
Parish = Samuel Bonsall Parish, 1838-1928
Parker = W.K. Parker, 1823-1890
Parkinson = Sydney C. Parkinson, 1745-1771
Parl. = Filippo Parlatore, 1816-1877
Parm. = Antoine Auguste Parmentier, 1737-1813
Parodi = Lorenzo Raimundo Parodi, 1895-1966
Parry = Charles Christopher Parry, 1823-1890
Patzke = Erwin Patzke, 1929-
Pav. = José Antonio Pavón, 1754-1844
Pax = Ferdinand Albin Pax, 1858-1942
Paxton = Joseph Paxton, 1803-1865
Pernh. = Gustav von Pernhoffer, 1831-1899
Perr. = George (Georges Guerrard) Samuel Perrottet, 1793-1870
Perrier = Alfred Perrier, 1809-1866
Perrot = Émile Constant Perrot, 1867-1951
Perrott = P.Elizabeth Thomas Perrott, fl. 1955
Perry = Matthew Calbraith Perry, 1794-1858
Pers. = Christiaan Hendrik Persoon, 1761-1836
Petersen = Otto George Petersen, 1847-1937
Petitm. = Marcel Georges Charles Petitmengin, 1881-1908
Petrovic = Sava Petrovic, 1839-1889
Peyr. = Johann Joseph Peyritsch, 1835-1889
Pfeiff. = Louis(Ludwig) Karl Georg Pfeiffer, 1805-1877
Pfitzer = Ernst Hugo Heinrich Pfitzer, 1846-1906
Phil. = Rudolph Amandus (Rodolfo (Rudolf) Amando) Philippi, 1808-1904
Philipson = William Raymond Philipson, 1911-
Phillips = Henry Phillips, 1779-1840
Pic Serm. = Rodolfo Emilio Giuseppe Pichi Sermolli, 1912-
Pierre = Jean Baptiste Louis Pierre, 1833-1905
Pike = Nicolas Pike, 1815-1905
Piller = Mathias Piller, 1733-1788
Piper = Charles Vancouver Piper, 1867-1926
Pit. = Charles-Joseph Marie Pitard, 1873-1927
Pittier = Henri François Pittier, 1857-1950
Planch. = Jules Émile Planchon, 1823-1888
Platzm. = Julius Platzmann, 1832-1902
Plowman = Timothy Charles Plowman, 1944-1989
Podlech = Dietrich Podlech, 1931-
Poelln. = Karl von Poellnitz, 1896-1945
Poepp. = Eduard Friedrich Poeppig, 1798-1868
Poggenb. = Justus Ferdinand Poggenburg, 1840-1893
Pohl = Johann Baptist Emanuel Pohl, 1782-1834
Poir. = Jean Louis Marie Poiret, 1755-1834
Poiss. = Henri Louis Poisson, 1877-1963
Poit. = Pierre Antoine Poiteau, 1766-1854
Polatschek = Adolf Polatschek, 1932-
Pollard = Charles Louis Pollard, 1872-1945
Pomel = Auguste Nicolas Pomel, 1821-1898
Pons = Alexandre Pons, 1838-1893
Pott = Johann Friedrich Pott, 1738-1805
Potztal = Eva Hedwig Ingeborg Potztal, 1924-
Pourr. = Pierre André Pourret, 1754-1818
Pouzar = Zdenek Pouzar, 1932-
Prain = David Prain, 1857-1944
Prantl = Karl Anton Eugen Prantl, 1849-1893
Preißel = Hans-Georg Preißel
Prokudin = Juri Nikolajevi Prokudin, 1911-
Proust = Louis Proust, 1878-1959
Pulliat = Victor Pulliat, 1827-1866
Purdy = Carlton Elmer Purdy, 1861-1945
Purpus = Carl (Karl) Albert Purpus, 1851-1941
Pursh = Frederick Traugott Pursh, 1774-1820
Puschk. = B.M. Puschkarew
Quehl = Leopold Quehl, 1849-1922
R. Bauer = Robert Bauer, fl. 1990
R. Br. = Robert Brown, 1773-1858
R. Cunn. = Richard Cunningham, 1793-1835
R. Knuth = Reinhard Gustav Paul Knuth, 1874-1957
R. Pitcher = R. Pitcher
R. Vig. = René Viguier, 1880-1931
R.A. Dyer = Robert Allen Dyer, 1900-1987
R.E. Cooper = Rowland Edgar Cooper, 1890-1962
R.E. Fr. = (Klas) Robert Elias Fries, 1876-1966
R.E. Schult. = Richard Evans Schultes, 1915-
R.E. Sm. = Ralph Elliott(Eliot) Smith, 1874-1953

R.G. Wilson = Robert Gardner Wilson, 1911-
R.H. Schomb. = Robert Hermann Schomburgk, 1804-1865
R.M. King = Robert Merrill King, 1930-
R.M. Sm. = Rosemary Margaret Smith, 1933-
R.T. Baker = Richard Thomas Baker, 1854-1941
R.T. Craig = Robert T. Craig, 1847-1927
Rach = Louis Theodor Rach, 1821-1859
Racib. = Marjan (Maryan Raciborski, 1863-1917
Radde = Gustav Ferdinand Richard Johannes von Radde, 1831-1903
Raf. = Constantine Samuel Rafinesque, 1783-1840
Ramond = Louis François Elisabeth Ramond de Carbonnière, 1753-1827
Rauh = Werner Rauh, 1913-
Raym.-Hamet = Raymond-Hamet, 1890-1972
Rchb. = (Heinrich Gottlieb) Ludwig Reichenbach, 1793-1879
Rchb. f. = Heinrich Gustav Reichenbach, 1824-1889
Rebut = P. Rebut, -1898
Rech. f. = Karl Heinz Rechinger, 1906-1998
Reeves = Robert Gatlin Reeves, 1898-
Regel = Eduard August von Regel, 1815-1892
Rehder = Alfred Rehder, 1863-1949
Rehmann = Anton Rehmann, 1840-1917
Reinw. = Caspar Georg Carl Reinwardt, 1773-1854
Reis = Otto Maria Reis, 1862-1934
Reissek = Siegfried Reissek, 1819-1871
Reitz = P.Raulino Reitz, 1919-1990
Rendle = Alfred Barton Rendle, 1865-1938
Repp. = W. Reppenhagen, fl. 1980
Req. = Esprit Requien, 1788-1851
Resv.-Holms. = Hanna (Marie) Resvoll-Holmsen, 1873-1943
Reut. = George François Reuter, 1805-1872
Reyn. = Jean Louis Antoine Reynier, 1762-1824
Rich. = Louis Claude Marie Richard, 1754-1821
Richardson = John Richardson, 1787-1865
Richt. = Hermann Eberhard Friedrich Richter, 1808-1876
Rickett = Harold William Rickett, 1896-1989
Ríha = Jan Ríha, 1947-
Riley = John Riley, c.1796-1846
Risso = Joseph Antoine Risso, 1777-1845
Rivière = Marie Auguste Rivière, 1821-1877
Robbins = Charles Albert Sumner Robbins, 1874-1930
Rocha Afonso = Maria da Luz de Oliveira Tavares Monteiro Rocha Afonso, 1925-
Rochel = Anton Rochel, 1770-1847
Rodigas = Émile Rodigas, 1831-1902
Rodr. = José Demetrio Rodríguez, 1780-1846
Rodway = Leonard Rodway, 1853-1936
Roehr. = Olivier Roehrich
Roem. = Johann Jakob Roemer, 1763-1819
Roezl = Benedikt(Benito) Roezl, 1824-1885
Rohmeder = Ernst Rohmeder, 1903-1972
Rohrb. = Paul Rohrbach, 1846-1871
Rohweder = Otto Rohweder, 1919-
Rolfe = Robert Allen Rolfe, 1855-1921
Rom. Caill. = Frédéric Romanet du Caillaud, fl. 1881-1888
Ronniger = Karl (Carl) Ronniger, 1871-1954
Roscoe = William Roscoe, 1753-1831
Rose = Joseph Nelson Rose, 1862-1928
Rostk. = Friedrich Wilhelm Gottlieb Theophil Rostkovius, 1770-1848
Roth = Albrecht Wilhelm Roth, 1757-1834
Rothm. = Werner Hugo Paul Rothmaler, 1908-1962
Rothr. = Joseph Trimble Rothrock, 1839-1922
Rottler = Johan Peter Rottler, 1749-1836
Rouy = Georges C.Chr. Rouy, 1851-1924
Rovelli = Renato Rovelli, 1806-1880
Roxb. = William Roxburgh, 1751-1815
Royle = John Forbes Royle, 1798-1858
Rozeira = Arnaldo Deodata da Fonseca Rozeira, 1912-
Ruiz = Hipólito Ruiz López, 1754-1815
Runemark = Hans Runemark, 1927-
Ruppius = Heinrich Bernard Ruppius, 1688-1719
Rupr. = Franz Josef (Ivanovich) Ruprecht, 1814-1870
Rusby = Henry Hurd Rusby, 1855-1940
Ruthe = Johannes Friedrich Ruthe, 1788-1859
Rydb. = Per Axel Rydberg, 1860-1931
Rydlo = Jaroslav Rydlo, 1950-
S. Moore = Spencer Le Marchant Moore, 1850-1931
S. Schauer = Sebastian Schauer, fl. 1847
S. Watson = Sereno Watson, 1826-1892

S.C. Chen = Sing Chi Chen, 1931-
S.G. Gmel. = Samuel Gottlieb Gmelin, 1743~45-1774
S.G. Harrison = Sydney Gerald Harrison, 1924-1988
S.G. Haw = S.G. Haw, fl. 1980s-
S.H. Low = Stuart Henry Low, 1826-1890
Sabine = Joseph Sabine, 1770-1837
Sachet = Marie-Hélène Sachet, 1922-1986
Salisb. = Richard Anthony Salisbury, 1761-1829
Salm-Dyck = Joseph Franz Maria Anton Hubert Ignatz Fürst zu Salm-Reifferscheid-Dyck, 1773-1861
Salzm. = Philipp Salzmann, 1781-1851
Samp. = Gonçalo António da Silva Ferreira Sampaio, 1865-1937
Sampath = V. Sampath, fl. 1981
Samuelson = D.A. Samuelson, fl. 1985
Sánchez-Mej. = Hernando Sánchez-Mejorada, 1926-1988
Sand. = John Sanderson, 1820~21-1881
Sander = Henry Frederick Conrad Sander, 1847-1920
Sarg. = Charles Sprague Sargent, 1841-1927
Sarnth. = Ludwig von Sarnthein, 1861-1914
Sart. = Giovanni Battista Sartorelli, 1780-1853
Sauer = Friedrich (Fritz) Ludwig Ferdinand Sauer, 1852-
Saukel = J. Saukel
Saut. = Anton Eleutherius Sauter, 1800-1881
Sauv. = Camille François Sauvageau, 1861-1936
Sav. = Paul Amedée Ludovic Savatier, 1830-1891
Savi = Gaetano Savi, 1769-1844
Sch. Bip. = Carl(Karl) Heinrich 'Bipontinus' Schultz, 1805-1867
Schauer = Johannes Conrad Schauer, 1813-1848
Scheer = Friedrich (Frederick) Scheer, 1792-1868
Scheff. = Rudolph Herman Christiaan Carel Scheffer, 1844-1880
Scheidw. = Michael Joseph François Scheidweiler, 1799-1861
Schelle = Ernst Schelle, 1864-1945
Schenk = Joseph August Schenk, 1815-1891
Scherb. = Johannes Scherbius, 1769-1813
Schick = Carl Schick, 1881-1953
Schiede = Christian Julius Wilhelm Schiede, 1798-1836
Schinz = Hans Schinz, 1858-1941
Schischk. = Boris Konstantinovich Schischkin, 1886-1963
Schleich. = Johann Christoph Schleicher, 1768-1834
Schltdl. = Diederich Franz Leonhard von Schlechtendal, 1794-1866
Schltr. = Friedrich Richard Rudolf Schlechter, 1872-1925
Schmalh. = Johannes Theodor Schmalhausen, 1849-1894
Schmeil = Franz Otto Schmeil, 1860-1943
Schmid = Ernst Ehrhard Friedrich Wilhelm Schmid, 1815-1885
Schmidt = Franz Schmidt, 1751-1834
Schnittsp. = Georg Friedrich Schnittspahn, 1810-1865
Schönl. = Johann Lucas Schönlein, 1793-1864
Schoser = Gustav Schoser, 1924-
Schott = Heinrich Wilhelm Schott, 1794-1865
Schrad. = Heinrich Adolph Schrader, 1767-1836
Schrank = Franz von Paula von Schrank, 1747-1835
Schreb. = Johann Christian Daniel von Schreber, 1739-1810
Schrenk = Alexander Gustav von Schrenk, 1816-1876
Schub. = Gotthilf Heinrich von Schubert, 1780-1860
Schübl. = Gustav Schübler, 1787-1834
Schütz = Bogumil Schütz, 1903-
Schult. = Josef (Joseph) August Schultes, 1773-1831
Schult. f. = Julius Hermann Schultes, 1804-1840
Schum. = Julius (Heinrich Karl) Schumann, 1810-1868
Schumach. = Heinrich Christian Friedrich Schumacher, 1757-1830
Schummel = Theodor Emil Schummel, 1785-1848
Schur = Philipp Johann Ferdinand Schur, 1799-1878
Schwantes = Martin Heinrich Gustav (Georg) Schwantes, 1891-1960
Schweick. = Herold Georg Wilhelm Johannes Schweickerdt, 1903-1977
Schweigg. = August Friedrich Schweigger, 1783-1821
Schwein. = Lewis (Ludwig) David von

Schweinitz, 1780-1834
Schweinf. = Georg August Schweinfurth, 1836-1925
Schwer. = Fritz Kurt Alexander von Schwerin, 1856-1934
Scop. = Joannes Antonius (Giovanni Antonio) Scopoli, 1723-1788
Sealy = Joseph Robert Sealy, 1907-
Sebast. = Francesco Antonio Sebastiani, 1782-1821
Seem. = Berthold Carl Seemann, 1825-1871
Seibert = Russell Jacob Seibert, 1914-
Sello = Hermann Ludwig Sello, 1800-1876
Sendtn. = Otto Sendtner, 1813-1859
Senghas = Karlheinz Senghas, 1928-
Ser. = Nicolas Charles Seringe, 1776-1858
Sessé = Martín Sessé y Lacasta, 1751-1808
Shap. = K.K. Shaparenko, 1908-1941
Shibata = Keita Shibata, 1877-1949
Shreve = Forrest Shreve, 1878-1950
Shurly = Ernest William Shurly, 1888-1963
Sibth. = John Sibthorp, 1758-1796
Sieber = Franz(e) Wilhelm Sieber, 1789-1844
Siebert = August Siebert, 1854-1923
Siebold = Philipp Franz (Balthasar) von Siebold, 1796-1866
Silva Tar. = Ernst Emmanuel Silva Tarouca, 1860-1936
Simmonds = Joseph Henry Simmonds, 1845-1936
Simonet = Marc Simonet, 1899-1965
Simonk. = Lájos von Simonkai, 1851-1910
Sims = John Sims, 1749-1831
Sint. = Paul Ernst Emil Sintenis, 1847-1907
Sipliv. = Vladimir N. Siplivinsky, 1937-
Skalicky = Vladimír Skalicky, 1930-
Skan = Sidney Alfred Skan, 1870-1939
Skipw. = John Peyton Skipworth, 1934-
Skipwith = G.R. Skipwith, fl. 1929
Sloane = Hans Sloane, 1660-1753
Sm. = James Edward Smith, 1759-1828
Small = John Kunkel Small, 1869-1938
Snowden = Joseph Davenport Snowden, 1886-1973
Soderstr. = Thomas Robert Soderstrom, 1936-1987
Soják = Jirí Soják, 1936-
Sol. = Daniel Carl Solander, 1733-1782
Sommier = Carlo Pietro Stefano(Stephen) Sommier, 1848-1922
Sond. = Otto Wilhelm Sonder, 1812-1881
Songeon = André Songeon, 1826-1905
Soó = Károly Rezsö Soó von Bere, 1903-1980
Soulié = Joseph Auguste Soulié, 1868-1930
Spach = Édouard Spach, 1801-1879
Späth = Franz Ludwig Späth, 1838-1913
Speg. = Carlo Luigi (Carlos Luis) Spegazzini, 1858-1926
Splitg. = Frederik Louis Splitgerber, 1801-1845
Sprague = Thomas Archibald Sprague, 1877-1958
Spreng. = Curt (Kurt) Sprengel, 1766-1833
Sprenger = Carl(Charles) Ludwig Sprenger, 1846-1917
Spruce = Richard Spruce, 1817-1893
Spruner = Wilhelm von Spruner, 1805-1874
St.-Lag. = Jean Baptiste Saint-Lager, 1825-1912
Stafleu = Frans Antonie Stafleu, 1921-1997
Standl. = Paul Carpenter Standley, 1884-1963
Stapf = Otto Stapf, 1857-1933
Stearn = William Thomas Stearn, 1911-
Stechm. = Johannes(Johann) Paul Stechmann, fl. 1775
Steedman = Ellen Constance Steedman, 1859-1949
Steenis = Cornelis Gijsbert Gerrit Jan van Steenis, 1901-1986
Stef. = Boris Stefanoff, 1894-1979
Stein = Berthold Stein, 1847-1899
Stephan = Christian Friedrich Stephan, 1757-1814
Stern = Frederick Claude Stern, 1884-1967
Sternb. = Caspar(Kaspar) Maria von Sternberg, 1761-1838
Steud. = Ernst Gottlieb von Steudel, 1783-1856
Stev. = John Stevenson, 1836-1903
Steven = Christian von Steven, 1781-1863
Steyerm. = Julian Alfred Steyermark, 1909-1988
Stocks = John Ellerton Stocks, 1822-1854
Stoj. = Nikolai Andreev Stojanov, 1883-1968
Storie = James G. Storie, fl. 1880s
Subík = H. Subík
Suckow = Georg Adolph Suckow, 1751-1813
Sudw. = George Bishop Sudworth, 1864-1927
Sünd. = Franz Sündermann, 1864-1946
Suess. = Karl Suessenguth, 1893-1955
Suksd. = Wilhelm Nikolaus Suksdorf, 1850-1932
Summerh. = Victor Samuel Summerhayes,

1897-1974
Sw. = Olof (Peter) Swartz, 1760-1818
Sweet = Robert Sweet, 1783-1835
Swingle = Walter Tennyson Swingle, 1871-1952
Syrach = Carl Syrach-Larsen, 1898-
T. Anderson = Thomas Anderson, 1832-1870
T. Durand = Théophile Alexis Durand, 1855-1912
T. Hogg = Thomas Hogg, 1820-1892
T. Hong = Tao Hong, fl. 1963
T. Macbr. = Thomas Huston Macbride, 1848-1934
T. Mey. = Teodore Meyer, 1910-
T. Moore = Thomas Moore, 1821-1887
T. Stephenson = Thomas Stephenson, 1865-1948
T.A. Stephenson = Thomas Alan Stephenson, 1898-1961
T.M.C. Taylor = Thomas Mayne Cunninghame Taylor, 1904-1983
T.V. Egorova = Tatiana V. Egorova, 1930-
Tafalla = Juan José Tafalla, 1755-1811
Tagg = Harry Frank Tagg, 1874-1933
Takeda = Hisayoshi Takeda, 1883-1972
Tanaka = Tyôzaburô Tanaka, 1885-
Tate = Ralph Tate, 1840-1901
Tatew. = Misao Tatewaki, 1899-
Taub. = Paul Hermann Wilhelm Taubert, 1862-1897
Tausch = Ignaz Friedrich Tausch, 1793-1848
Tavel = (Rudolf) Franz von Tavel, 1863-1941
Taylor = Thomas Taylor, 1775-1848
Teijsm. = Johannes Elias Teijsmann, 1809-1882
Ten. = Michele Tenore, 1780-1861
Teppner = Herwig Teppner, 1941-
Terán = Manuel de Mier y Terán, -1852
Teusch. = Heinrich (Henry) Teuscher, 1891-1984
Thell. = Albert Thellung, 1881-1928
Thévenau = Antonin Victor Thévenau, 1815-1876
Thiébaut = Jean Thiébaut, -1953
Thomson = Thomas Thomson, 1817-1878
Thonn. = Peter Thonning, 1775-1848
Thore = Jean Thore, 1762-1823
Thorsrud = Arne Thorsrud, 1895-1964
Thouars = Louis Marie Aubert du Petit Thouars, 1758-1831
Thuill. = Jean Louis Thuillier, 1757-1822
Thunb. = Carl Peter Thunberg, 1743-1828
Thwaites = George Henry Kendrick Thwaites, 1812-1882
Tiegel = E. Tiegel, -1936
Tiegh. = Phillippe Édouard Léon van Tieghem, 1839-1914
Tineo = Vincenzo Tineo, 1791-1856
Tischer = Arthur Tischer, 1895-
Torr. = John Torrey, 1796-1873
Trab. = Louis (Charles) Trabut, 1853-1929
Tratt. = Leopold Trattinnick, 1764-1849
Traub = Hamilton Paul Traub, 1890-1983
Trautv. = Ernst Rudolf von Trautvetter, 1809-1889
Trel. = William Trelease, 1857-1945
Trevir. = Ludolf Christian Treviranus, 1779-1864
Triana = José Jéronimo Triana, 1834-1890
Trimen = Henry Trimen, 1843-1896
Trin. = Carl Bernhard von Trinius, 1778-1844
Tul. = Louis René ('Edmond') Tulasne, 1815-1885
Turcz. = Porphir Kiril Nicolai Stepanowitsch Turczaninow, 1796-1863
Turpin = Pierre Jean François Turpin, 1775-1840
Tutin = Thomas Gaskell Tutin, 1908-1987
U. Schneid. = Ulrike Schneider, 1936-
Uchida = Shigetaro Uchida, 1885-
Uechtr. = Maximilian(Max) Friedrich Sigismund von Uechtritz, 1785-1851
Uline = Edwin Burton Uline, 1867-1933
Underw. = Lucien Marcus Underwood, 1853-1907
Urb. = Ignatz Urban, 1848-1931
Ursch = Eugène Ursch, 1882-1962
Urum. = Ivan Kiroff Urumoff, 1857-1937
V. John = Volker John, 1952-
Valeton = Theodoric Valeton, 1855-1929
Van Houtte = Louis Benoît Van Houtte, 1810-1876
Vand. = Domingo(Domingos Vandelli, 1735-1816
Vaniot = Eugène Vaniot, -1913
Vanucchi = Vanucchi, fl. 1838
Vasc. = Joao de Carvalho e Vasconcellos, 1897-1972
Vatke = (Georg(George) Carl) Wilhelm Vatke, 1849-1889
Vaucher = Jean Pierre Étienne Vaucher, 1763-1841
Vaupel = Friedrich Karl Johann Vaupel, 1876-1927
Vauvel = Léopold Eugène Vauvel, 1848-1915

Veitch = John Gould Veitch, 1839-1870
Vell. = José Mariano da Conceiçao Vellozo, 1742-1811
Vent. = Étienne Pierre Ventenat, 1757-1808
Verl. = Jean Baptiste Verlot, 1825-1891
Verschaff. = Ambroise Colette Alexandre Verschaffelt, 1825-1886
Vest = Lorenz Chrysanth von Vest, 1776-1840
Vickery = Joyce Winifred Vickery, 1908-1979
Vict. = Joseph Louis Conrad Marie-Victorin, 1885-1944
Vieill. = Eugène (Deplanche Émile) Vieillard, 1819-1896
Vig. = L.G.Alexandre Viguier, 1790-1867
Vignolo = Ferdinando Vignolo-Lutati, 1878-1965
Vigo = Josep Vigo Bonada, 1937-
Vill. = Domínique Villars, 1745-1814
Vilm. = (Pierre) Louis (François Lévêque) de Vilmorin, 1816-1860
Vines = Sydney Howard Vines, 1849-1934
Vis. = Roberto de Visiani, 1800-1878
Vitek = Ernst Vitek, 1953-
Voigt = Joachim (Johann) Otto Voigt, 1798-1843
Voll = Otto Voll, -1959
Vollmer = Albert Michael Vollmer, 1896-1977
Voss = Andreas Voss, 1857-1924
Vrugtman = Freek Vrugtman, 1927-
W. Bartram = William Bartram, 1739-1823
W. Bull = William Bull, 1828-1902
W. Haage = Walther Haage, 1899-
W. Hill = Walter Hill, 1820-1904
W. Hochst. = Wilhelm Christian Hochstetter, 1825-1881
W. Irving = Walter Irving, 1867-1934
W. Koch = Walo Koch, 1896-1956
W. Ludw. = Wolfgang Ludwig, 1923-
W. Watson = William Watson, 1858-1925
W. Wight = William Franklin Wight, 1874-1954
W.C. Cheng = Wan Chun Cheng, 1904-1983
W.D.J. Koch = Wilhelm Daniel Joseph Koch, 1771-1849
W.H. Evans = Walter Harrison Evans, 1863-1941
W.L. Bray = William L. Bray, 1865-1953
W.L.E. Schmidt = Wilhelm Ludwig Ewald Schmidt, 1804-1843
W.T. Aiton = William Townsend Aiton, 1766-1849
W.T. Marshall = W.Taylor Marshall, fl. 1952
W.W. Sm. = William Wright Smith, 1875-1956
Wacht. = Willem Hendrik Wachter, 1882-1946
Wagenitz = Gerhard Wagenitz, 1927-
Wahlenb. = Georg (Göran) Wahlenberg, 1780-1851
Waldst. = Franz de Paula Adam von Waldstein, 1759-1823
Wall. = Nathaniel Wallich, 1786-1854
Wallr. = Carl(Karl) Friedrich Wilhelm Wallroth, 1792-1857
Walp. = Wilhelm Gerhard Walpers, 1816-1853
Walter = Thomas Walter, 1740-1789
Wangenh. = Friedrich Adam Julius von Wangenheim, 1749-1800
Wangerin = Walther (Leonhard) Wangerin, 1884-1938
Warb. = Otto Warburg, 1859-1938
Warder = John Aston Warder, 1812-1883
Warm. = Johannes Eugen(ius) Bülow Warming, 1841-1924
Warner = Richard Warner, 1711~13?-1775
Warsz. = Joseph von Rawicz Warszewicz, 1812-1866
Wassh. = Dieter Carl Wasshausen, 1938-
Watson = William Watson, 1715-1787
Weath. = Charles Alfred Weatherby, 1875-1949
Webb = Philip Barker Webb, 1793-1854
Weber = George Heinrich Weber, 1752-1828
Webr = Karel Mirko Webr, fl. 1974
Wedd. = Hugh Algernon Weddell, 1819-1877
Wehrh. = Wilhelm Wehrhahn, 1857-1926
Weick = Alphonse Weick, fl. 1863
Weidlich = E. Weidlich, fl. 1928
Weiller = Marc Weiller, 1880-1945
Weing. = Wilhelm Weingart, 1856-1936
Welw. = Friedrich Martin Josef Welwitsch, 1806-1872
Wercklé = Karl(Carl) Wercklé, 1860-1924
Werderm. = Erich Werdermann, 1892-1959
Westc. = Frederic Westcott, -1861
Wettst. = Richard Wettstein, 1863-1931
Whitehead = F.H. Whitehead, 1913-
Widder = Felix Joseph Widder, 1892-1974
Wiegand = Karl McKay Wiegand, 1873-1942

Wierzb. = Piotr Pawlus (Peter(Petrus) Paulus) Wierzbicki, 1794-1847
Wiesb. = Johann Baptist Wiesbaur, 1836-1906
Wight = Robert Wight, 1796-1872
Wilcox = Edwin (Forrest) Mead Wilcox, 1876-1931
Wilczek = Ernst Wilczek, 1867-1948
Willd. = Carl Ludwig von Willdenow, 1765-1812
Willk. = Heinrich Moritz Willkomm, 1821-1895
Wilmott = Alfred James Wilmott, 1888-1950
Wilson = William M. Wilson, 1799-1871
Wimm. = Christian Friedrich Heinrich Wimmer, 1803-1868
Wirtg. = Phillip Wilhelm Wirtgen, 1806-1870
Wissk. = Rolf Wisskirchen, 1950-
With. = William Withering, 1741-1799
Wollosz. = Jadwiga Wolloszynska, 1882-1951
Wood = William Wood, 1745-1808
Woodson = Robert Everard Woodson, 1904-1963
Wooton = Elmer Ottis Wooton, 1865-1945
Wóycicki = Zygmunt Wóycicki, 1871-1941
Woyn. = Heinrich Karl Woynar, 1865-1917
Wulfen = Franz Xavier von Wulfen, 1728-1805
Wydler = Heinrich Wydler, 1800-1883
Wyley = Andrew Wyley, 1820-
Yabuno = Tomosaburo Yabuno, 1924-
Yalt. = Faik Yaltiiriik, 1930-
Zabel = Hermann Zabel, 1832-1912
Zeiss. = H. Zeissold, fl. 1895
Zeyh. = Carl Ludwig Philip(p) Zeyher, 1799-1858
Zijp = Coenraad van Zijp, 1879-
Zimmeter = Albert Zimmeter, 1848-1897
Ziz = Johann Baptist Ziz, 1779-1829
Zoll. = Heinrich Zollinger, 1818-1859
Zucc. = Joseph Gerhard Zuccarini, 1797-1848

XI Literaturverzeichnis

XI Bibliographie

XI Références bibliographiques

- **Hauptsächlich verwendete Schriften**
  (Monographien werden nur erwähnt, wenn wichtige nomenklatorische Änderungen gemacht wurden.)

- **List of primarily used publications**
  (Monographs are mentioned only when important nomenclatural changes were made.)

- **Principales publications utilisées**
  (Les monographies ne sont mentionnées que quand d'importantes modifications de nomenclature ont été faite).

ABRAMS, L., FERRIS, R.S,(1968). Illustrated Flora of the Pacific States, Vol. 1 (2nd ed.). Stanford.
– – (1974a): Illustrated Flora of the Pacific States, Vol. 2 (2nd ed.). Stanford.
– – (1974b): Illustrated Flora of the Pacific States, Vol. 4 (2nd ed.). Stanford.
– – (1975): Illustrated Flora of the Pacific States, Vol. 3 (2nd ed.). Stanford.
ADLER, W. et al. 1994. Exkursionsflora von Österreich. Stuttgart: Verlag Eugen Ulmer.
AESCHIMANN, D., HEITZ, C. (1996): Synonymie-Index der Schweizer Flora. Géneve: Zentrum des Datenverbundnetzes der Schweizer Flora.
AICHELE, D., SCHWEGLER, H.-W. (1994a): Die Blütenpflanzen Mitteleuropas, Vol. 1. Stuttgart: Franckh-Kosmos Verlag.
– – (1994b): Die Blütenpflanzen Mitteleuropas, Vol. 2. Stuttgart: Franckh-Kosmos Verlag.
– – (1995a): Die Blütenpflanzen Mitteleuropas, Vol. 3. Stuttgart: Franckh-Kosmos Verlag.
– – (1995b): Die Blütenpflanzen Mitteleuropas, Vol. 4. Stuttgart: Franckh-Kosmos Verlag.
– – (1996): Die Blütenpflanzen Mitteleuropas, Vol. 5. Stuttgart: Franckh-Kosmos Verlag.
ALLAN, H.H. et al. (1961-1980): Flora of New Zealand (3 Vol.). Wellington.
ASCHERSON, P.F.A., GRAEBNER, K.O.R.P.P. (1896-1939): Synopsis der mitteleuropäischen Flora. Leipzig: Verlag W. Engelmann (später: Gebr. Bornträger).

BACKEBERG, C. (1958-1962): Die Cactaceae (6. Bände). Jena: Gustav Fischer Verlag.

– (1970): Das Kakteenlexikon (2. Aufl.). Jena: Gustav Fischer Verlag.

BACKER, C.A. (1936): Verklarend Woordenboek der wetenschappelijke namen van de in Nederland en Nederlandsch-Indie in het wild groeiende en in tuinen en parken gekweekte varens en planten. Batavia: Noordhoff-Kolff, Visser & Co.

BACKHUIZEN VAN DEN BRINK, R.C. (1963): Flora of Java, Vol. 1. Groningen: N.V.P. Noordhoff.

– (1963): Flora of Java, Vol. 2. Groningen: N.V.P. Noordhoff.

– (1968): Flora of Java, Vol. 3. Groningen: N.V.P. Noordhoff.

BAILEY, L.H. (1925): The Standard Cyclopedia of Horticulture (3 Vol.). New York, London.

– (1949): Manual of Cultivated Plants (2nd ed.). New York.

BAILEY, E.Z. (1976): Hortus Third. Revised and expanded by The Staff of the Liberty Hyde Bailey Hortorium. New York.

BÄRTELS, A. (1991): Gartengehölze (3. Aufl.). Stuttgart: Verlag Eugen Ulmer.

BECHTEL, H. et al. (1980): Orchideenatlas. Stuttgart: Verlag Eugen Ulmer.

BECKETT, K. (ed.) (1993): AGS Encyclopaedia of Alpines. Pershore: AGS Publications.

BERG, J., Heft, L. (1979): Rhododendron und immergrüne Laubgehölze (2. Aufl.). Stuttgart: Verlag Eugen Ulmer.

BINZ, A. (1990): Schul- und Exkursionsflora für die Schweiz (9. Aufl.). Basel: Schwabe & Co.

BISCHOFF, G.H. (1833-1844): Handbuch zur botanischen Terminologie und Systemkunde. 3 Bände. Nürnberg:Verlag J.L. Schrag.

BOERNER, F. (1989): Taschenwörterbuch der botanischen Pflanzennamen (4. Aufl.). Berlin, Hamburg: Verlag Paul Parey.

BOND, P. AND GOLDBLATT, P. (1984): Plants of the Cape flora. A descriptive catalogue. Kirstenbosch: Botanical Society of South Africa.

BOOM. B.K. (1968): Flora von Kamer- en Kasplanten. Wageningen.

– (1970): Flora de gekweekte, kruidachtige Gewassen (2. Aufl.). Wageningen.

– (1978): Nederlandse Dendrologie (10. Aufl.). Wageningen.

BREMER, K. (1994): Asteraceae (Cladistics & Classification). Portland: Timber Press.

BRICKELL, C. (ed.) (1996): The RHS A-Z Encyclopedia of Garden Plants. London, New York: Dorling Kindersley.

BRUMMITT, R.K.(1992): Vascular Plant Families and Genera. Kew: Royal Botanic Gardens

–, POWELL, C.E. (1992): Authors of Plant Names. Kew: Royal Botanic Gardens.

CASTROVIEJO et al. 1986. Flora Iberica, Vol. 1. Madrid.

– (1990): Flora Iberica, Vol. 2. Madrid.

– (1993a): Flora Iberica, Vol. 3. Madrid.

– (1993b): Flora Iberica, Vol. 4. Madrid.

– (1997a): Flora Iberica, Vol. 5. Madrid.

– (1997b): Flora Iberica, Vol. 8. Madrid.

– (1998): Flora Iberica, Vol. 6. Madrid.

CORELL, D.S., JOHNSTON, M.C. (1970): Manual of the Vascular Plants of Texas. Renner: Texas Research Foundation.

COX, P.A., COX, N.E. (1997): The Encyclopedia of Rhododendron Species. Perth: Glendoick Publishing.

CRONQUIST, A. (1981): An Integrated System of Classificationof Flowering Plants.New York: Columbia Univerity Press.

CULLEN, J. (1992): The Orchid Book. Cambridge: University Press.

DAVIS, P.H. (1965): Flora of Turkey and the East Aegean Islands, Vol. 1. Edinburgh: University Press.
– (1967): Flora of Turkey and the East Aegean Islands, Vol. 2. Edinburgh: University Press.
– (1970): Flora of Turkey and the East Aegean Islands, Vol. 3. Edinburgh: University Press.
– (1972): Flora of Turkey and the East Aegean Islands, Vol. 4. Edinburgh: University Press.
– (1975): Flora of Turkey and the East Aegean Islands, Vol. 5. Edinburgh: University Press.
– (1978): Flora of Turkey and the East Aegean Islands, Vol. 6. Edinburgh: University Press.
– (1982): Flora of Turkey and the East Aegean Islands, Vol. 7. Edinburgh: University Press.
– (1984): Flora of Turkey and the East Aegean Islands, Vol. 8. Edinburgh: University Press.
– (1985): Flora of Turkey and the East Aegean Islands, Vol. 9. Edinburgh: University Press.
– (1988): Flora of Turkey and the East Aegean Islands, Vol. 10. Edinburgh: University Press.
DELFORGE, P.: Orchids of Britain and Europe. London: Harper Collins Publishers.
DE WIT, H.C.D. (1971): Aquarienpflanzen. Stuttgart: Verlag Eugen Ulmer.
DRESSLER, R.L. (1993): Phylogeny and Classification ot the Orchid Family. Cambridge: University Press.
EGGLI, U. (1994): Sukkulenten. Stuttgart: Verlag Eugen Ulmer.
–, TAYLOR, N. (eds.). (1991): List of Cactaceae Names. Edinburgh: University Press.
EHRENDORFER, F. et al. (1973): Liste der Gefäßpflanzen Mitteleuropas (2. Aufl.). Stuttgart.
ENCKE, F. (ed.) (1958): Pareys Blumengärtnerei, Band 1. Berlin, Hamburg: Verlag Paul Parey.
– (ed.) (1960): Pareys Blumengärtnerei, Band 2. Berlin, Hamburg: Verlag Paul Parey.
– (1987): Kalt- und Warmhauspflanzen (2. Aufl.). Stuttgart: Verlag Eugen Ulmer.
ENGLER, A. (1900-1953): Das Pflanzenreich. 107 Hefte. Leipzig (zuletzt Berlin).
– (1924): Die natürlichen Pflanzenfamilien. Leipzig (ab 1940 Berlin).
– (1954): Syllabus der Pflanzenfamilien, Band 1 (12. Auflage, ed. H. Melchior et E. Werdermann). Berlin.
– (1964): Syllabus der Pflanzenfamilien, Band 2 (12. Auflage, ed. H. Melchior et E. Werdermann). Berlin.
– PRANTL, K.(1887-1915): Die natürlichen Pflanzenfamilien. Leipzig.
ERHARDT, A. & W. (1997): PPP-Index, Pflanzeneinkaufsführer für Europa (3. Aufl.). Stuttgart: Verlag Eugen Ulmer.
FERNALD, M. L. (1950): Gray's Manual of Botany. (8th ed.). New York: American Book Company.
FITSCHEN, J. (1990): Gehölzflora (8. Aufl.). Heidelberg, Wiesbaden: Quelle und Meyer.
FLORA OF NORTH AMERICA EDITORIAL COMMITTEE (1993a): Flora of North America, Vol. 1. Oxford: University Press.
– (1993b): Flora of North America, Vol. 2. Oxford: University Press.
– (1997): Flora of North America, Vol. 3. Oxford: University Press.
FOURNIER, P. (1951, 1952): Flore Illustrée des Jardins et des Parcs. Arbres, Arbustes et Fleurs de pleine terre. Paris: Paul Lechevalier.
– (1977): Les quatre flores de la France, Corse comprise. (2. Aufl.). Paris: Paul Lechevallier.

FRANKE, W. (1997): Nutzpflanzenkunde. Stuttgart, New York: Thieme Verlag.
GALLE, F.C. (1997): Hollies, The Genus Ilex. Portland: Timber Press.
GARCKE, A. (1972): Illustrierte Flora, Deutschland und angrenzende Gebiete. Berlin, Hamburg: Verlag Paul Parey.
GENAUST, H. (1996): Etymologisches Wörterbuch der botanischen Pflanzennamen (3. Aufl.). Basel, Stuttgart: Birkhäuser Verlag.
GEORGES, K. E. (1913): Ausführliches Lateinisch-Deutsches Handwörterbuch. 2 Bände. Hannover.
GIBBS RUSSEL, G.E. (1985): List of Species of South African Plants (2nd ed.). Pretoria: Botanical Research Institute.
GLEASON, H.A. (1952): The New Britton and Brown Illustrated Flora of Northeastern United States and Adjacent Canada (3 Vol.). New York.
GRAF, A.B. (1963): Exotica III. Pictoral Cyclopedia of Indoor Plants. Rutherford.
GÖTZ, E., GRÖNER, G. (1996): Kakteen (6. Aufl.). Stuttgart: Verlag Eugen Ulmer.
GOVAERTS, R. (1995): World Checklist of Seed Plants, Vol. 1. Antwerpen: Continental Publishing.
– (1996): World Checklist of Seed Plants, Vol. 2. Antwerpen: Continental Publishing
GREUTER, W. (1993): Names in Current Use for Extant Plant Genera. Königstein: Koeltz Scientific Books.
– et al. (1994): International Code of Botanical Nomenclature (Tokyo Code). Königstein: Koeltz Scientific Books.
– et al. (1995): Internationaler Code der Botanischen Nomenklatur (Tokyo Code - deutsche Übersetzung von GREUTER, W., HIEPKO, P.). Königstein: Koeltz Scientific Books.
–, BURDET, H.M., LONG, G. (1984): Med-Checklist, Vol. 1 (2nd ed.). Genéve.
– – –1986. Med-Checklist, Vol. 3. Genéve.
– – –1989. Med-Checklist, Vol. 4. Genéve.
GRIFFITHS, M. (1994): Index of Garden Plants. London, Basingstoke: The Macmillan Press.
GUNN, C.R. et al. (1992): Families and Genera od Spermatophytes Recognized by the Agricultural Research Service. U.S. Department of Agriculture.
HAEUPLER, H., SCHÖNFELDER, P. (1989): Atlas der Farn- und Blütenpflanzen Deutschlands (2. Aufl.). Stuttgart: Verlag Eugen Ulmer.
HANSEN, R., MÜSSEL, H. SIEBER, J. (1970): Namen der Stauden. Weihenstephan-Freising: Internationale Stauden Union.
HEEGER, E.F. (1956): Handbuch des Arznei- und Gewürzpflanzenbaues. Drogengewinnung. Berlin.
HEGI, G. (1906-1931): Illustrierte Flora von Mitteleuropa. München: J.F. Lehmanns Verlag
– (1936) -*: Illustrierte Flora von Mitteleuropa (2. Aufl.). München: Carl Hanser Verlag, ab 1975: Berlin, Hamburg: Verlag Paul Parey.
– (1966) -*: Illustrierte Flora von Mitteleuropa in 6 Bänden und 23 Teilbänden (3. Aufl. - noch nicht vollständig erschienen). Jetzt Berlin: Blackwell Verlag.
HERMANN, F. (1956): Flora von Nord- und Mitteleuropa. Stuttgart: Gustav Fischer Verlag
HESS, H.E., LANDOLD, E., HIRZEL, R. (1976): Flora der Schweiz und angrenzender Gebiete, Band 1 (2. Aufl.). Basel, Stuttgart: Birkhäuser Verlag.
– – – (1977): Flora der Schweiz und angrenzender Gebiete, Band 2 (2. Aufl.). Basel, Stuttgart: Birkhäuser Verlag.
– – – (1980): Flora der Schweiz und angrenzender Gebiete, Band 3 (2. Aufl.). Basel, Stuttgart: Birkhäuser Verlag.
HEYWOOD, V.H. (ed.) (1982): Blütenpflanzen der Welt. Basel, Stuttgart: Birkhäuser Verlag.

HITCHCOCK, A.S. (1971): Manual of the Grasses of the United States (2nd revised ed.), 2 Vol. New York: Dover Publications.

HOHENESTER, A., WEIß, W. (1993): Exkursionsflora für die Kanarischen Inseln. Stuttgart: Verlag Eugen Ulmer.

HOPPE, H. A. (1958): Drogenkunde. 7. Auflage. Hamburg.

HUXLEY, A.J. (ed.) (1992): New Royal Horticultural Society Dictionary of Gardening (4 Vol.). London: Macmillan.

HUTCHINSON, J., DALZIEL, J.M. (1963): Flora of West Tropical Africa, Vol. 2 (2nd ed.). London: Crown Agents for Overseas Governments and Administration.

– – (1966): Flora of West Tropical Africa, Vol. 1/1 (3rd ed.). London: Crown Agents for Overseas Governments and Administration.

– – (1972): Flora of West Tropical Africa, Vol. 3 (2nd ed.). London: Crown Agents for Overseas Governments and Administration.

– – (1973): Flora of West Tropical Africa, Vol. 1/2 (3rd ed.). London: Crown Agents for Overseas Governments and Administration.

ICONOGRAPHIA CORMOPHYTORUM SINICORUM. (1972-1976): Vol. 1-5. Peking.

– (1982): Supplementa Vol. 1. Peking.

– (1983): Supplementa Vol. 2. Peking.

INDEX KEWENSIS. (1895-1995): 22 Bände. Oxford 1895-1991. (Verzeichnis aller bis 1995 veröffentlichter Namen für Blütenpflanzen-Arten und -Gattungen).

ISTA (INTERNATIONAL SEED TESTING ASSOCIATION) (1988): List of stabilized plant names (3. Aufl.) Zürich.

JACOBSEN, H. (1981): Das Sukkulentenlexikon (2. Aufl.). Stuttgart, New York: Gustav Fischer Verlag.

JONES, D.L. (1987): Encyclopaedia of Ferns. Portland: Timber Press.

KARTESZ, J.T. (1994): A Synonymized Checklist of the Vascular Flora of the United States Canada, and Greenland (2 Vol., 2nd ed.). Portland: Timber Press.

KASSELMANN, C. (1995): Aquarienpflanzen. Stuttgart: Verlag Eugen Ulmer.

KAWOLLEK, W. (1995): Kübelpflanzen. Stuttgart: Verlag Eugen Ulmer.

KINGTON, S. (ed.) (1998): The International Daffodil Register and Classified List 1998. London: The Royal Horticultural Society.

KOLOC, K. (1961): So heißen die Werkhölzer. Handelsnamen - Botanische Namen. Leipzig.

KOMAROV, V.L. (1968-1994): Flora of the U. S. S. R. Vol. I – XXX. Jerusalem: Israel Program for Scientific Translation.

KRÜSSMANN, G. (1983): Handbuch der Nadelgehölze (2. Aufl.). Berlin, Hamburg: Verlag Paul Parey.

– (1976-1978): Handbuch der Laubgehölze (3 Bände). Berlin und Hamburg: Verlag Paul Parey.

KUBITZKI, K (ed.) (1990): The Families and Genera of Vascular Plants, Vol. I: Pteridophytes and Gymnosperms. Berlin, Heidelberg: Springer Verlag.

– (ed.) (1993): The Families and Genera of Vascular Plants, Vol. II: Magnoliid, Hamamelid and Caryophyllid Families. Berlin, Heidelberg: Springer Verlag.

– (ed.) (1998a): The Families and Genera of Vascular Plants, Vol. III: Lilianae (except Orchidaceae). Berlin, Heidelberg: Springer Verlag.

– (ed.) (1998b): The Families and Genera of Vascular Plants, Vol. IV: Alismatanae and Commelinanae (except Gramineae). Berlin, Heidelberg: Springer Verlag.

LANGENSCHEIDT VERLAG. (1967): Langenscheidts Taschenwörterbuch, Lateinisch-Deutsch (6. Aufl.). Berlin, München, Zürich.

LAUBER, K., WAGNER, G. (1998) Flora Helvetica (2. Aufl.). Bern, Stuttgart, Wien: Verlag Paul Haupt.

LEUNIS, J., FRANK, A.B. (1883-1886): Synopsis der Pflanzenkunde. 3 Bände (3. Aufl.). Hannover: Hahnsche Hofbuchhandlung.

LEWIS, J. (ed.) (1987): The International Conifer Register, Part 1. London: The Royal Horticultural Society.
– (ed.) (1989): The International Conifer Register, Part 2. London: The Royal Horticultural Society.
– (ed.) (1992): The International Conifer Register, Part 3. London: The Royal Horticultural Society.
–(ed.) (1998). The International Conifer Register, Part 4. London: The Royal Horticultural Society.
LID, J. (1985): Norsk, svensk, finsk Flora. Oso: Det Norske Samlaget.
LIDÉN, M., ZETTERLUND, H. (1997): Corydalis. Pershore: AGS Publications.
LITTLE, E.L. (1979): Checklist of United States trees (native and naturalized). Washington.
– (1971-1978): Atlas of United States trees (5 Vol.). Washington.
LORD, T. (ed.) (1998): The RHS Plant Finder 1998-99. London, New York: Dorling Kindersley.
MAATSCH, R. (ed.) (1956): Pareys Illustriertes Gartenbaulexikon (5. Aufl.). Berlin, Hamburg: Verlag Paul Parey.
MABBERLEY, D.J. (1997): The Plant Book (2nd ed.). Cambridge: University Press.
MANSFELD, R. (1986): Verzeichnis landwirtschaftlicher und gärtnerischer Kulturpflanzen (2. Aufl. herausgegeben von Schultze-Motel, 4 Bände). Berlin.
MITTEILUNGEN DER DEUTSCHEN DENDROLOGISCHEN GESELLSCHAFT (1981, 1982): Nr. 73, 74. Erhebung über das Vorkommen winterharter Freilandgehölze. Stuttgart: Verlag Eugen Ulmer.
MOORE JR., H. E. (1957): African Violets, Gloxinias and their relatives. New York: Macmillan Company.
MOSIG, A. (1961): Kurze Systematik der Arzneipflanzen (5. Aufl.). Dresden, Leipzig.
OBERDORFER, E. (1994): Pflanzensoziologische Exkursionsflora (7. Aufl.). Stuttgart: Verlag Eugen Ulmer.
OHWI, J. (1965): Flora of Japan. Washington D.C.
PASCHER, A. (1980-1981): Süßwasserflora von Mitteleuropa. Band 23-24. Pteridophyta und Anthophyta, von S.J. CASPER U. H.-D. KRAUSCH. Jena.
PICHI-SERMOLLI, R. (1958): Uppsala Universitets Ärsskrift 1958 (6): 70-90.
PIGNATTI, S. (1982): Flora d'Italia (3 Vol.). Bologna: Edagricola.
POLUNIN, O. (1980): Flowers of Greece and the Balkans. Oxford: University Press.
–, STAINTON, A. (1984): Flowers of the Himalaya. Oxford: University Press.
PRESTON MAFHAM, R. & K. (1992): Kakteen-Atlas. Stuttgart. Verlag Eugen Ulmer.
PRITZEL, G. A. (1871-1877):Thesaurus Literaturae Botanicae ... (2. Aufl.). Nachdruck Milano 1950; weiterer Nachdruck Koenigstein-Ts. 1972.
PURSEGLOVE, J.W. (1968): Tropical Crops. Dicotyledons. London: Longman.
PURSEGLOVE, J.W. (1975): Tropical Crops. Monocototyledons. London: Longman.
RAUH, W. (1979): Die großartige Welt der Sukkulenten (2. Aufl.). Berlin, Hamburg: Verlag Paul Parey.
– (1990): Bromelien (3. Aufl.). Stuttgart: Verlag Eugen Ulmer.
RASCHIG, W. (1971): Die botanischen Kakteennamen. Ingelheim/Rhein: Stachelpost.
REHDER, A. (1940): Manual of Cultivated Trees and Shrubs (2nd ed.). New York.
– (1949): Bibliography of Cultivated Trees and Shrubs. Jamaica Plain (Mass.).
REHM, S., ESPIG, G. (1996): Die Kulturpflanzen der Tropen und Subtropen. Stuttgart: Verlag Eugen Ulmer.
ROLOFF, A, BÄRTELS, A. (1996): Gehölze. Stuttgart: Verlag Eugen Ulmer.

ROTHMALER, W. et al. (1990): Exkursionsflora für die Gebiete der DDR und der BRD, Band 4 (8. Aufl.). Stuttgart: Verlag Gustav Fischer.
– (1995a): Exkursionsflora für die Gebiete der DDR und der BRD, Band 2 (9. Aufl.). Stuttgart: Verlag Gustav Fischer.
– (1995b): Exkursionsflora für die Gebiete der DDR und der BRD, Band 3 (17. Aufl.). Stuttgart: Verlag Gustav Fischer.
SCHACHT, W., FEßLER, A. (ed.) (1985): Die Freiland-Schmuckstauden (3. Aufl.). Stuttgart: Verlag Eugen Ulmer.
SCHLECHTER, R. (1971) -*: Die Orchideen (3. Aufl.). Berlin, Hamburg: Verlag Paul Parey.
SCHMEIL-FITSCHEN (1996): Flora von Deutschland (90. Aufl. VON SENGHAS, K., SEYBOLD, S.) Wiesbaden: Quelle und Meyer.
SCHMID, W.G. (1991): The Genus Hosta. Portland: Timber Press.
SCHNEIDER, W., FREY, A. (1970): Drogenkunde (4. Aufl.). Darmstadt.
SCHULTZE-MOTEL, J. (1966). Verzeichnis forstlich kultivierter Pflanzenarten. Die Kulturpflanze, Beiheft 4. Berlin.
SCOGGAN, H.J. (1978): Flora of Canada (4 Vol.). Ottawa.
SCHUBERT, R., WAGNER, G. (1979): Pflanzennamen und botanische Fachwörter. Melsungen, Berlin: Verlag J. Neumann-Neudamm.
SEBALD, O., SEYBOLD, S., PHILIPPI, G. (ed.) (1993a): Die Farn- und Blütenpflanzen Baden-Württembergs, Band 1 (2. Aufl.). Stuttgart: Verlag Eugen Ulmer.
– – – (ed.) (1993b): Die Farn- und Blütenpflanzen Baden-Württembergs, Band 2 (2. Aufl.). Stuttgart: Verlag Eugen Ulmer.
– – – (ed.) (1992a): Die Farn- und Blütenpflanzen Baden-Württembergs, Band 3. Stuttgart: Verlag Eugen Ulmer.
– – – (ed.) (1992b): Die Farn- und Blütenpflanzen Baden-Württembergs,Band 4. Stuttgart: Verlag Eugen Ulmer.
– – – (ed.) (1996a): Die Farn- und Blütenpflanzen Baden-Württembergs, Band 5. Stuttgart: Verlag Eugen Ulmer.
– – – (ed.) (1996b): Die Farn- und Blütenpflanzen Baden-Württembergs, Band 6. Stuttgart: Verlag Eugen Ulmer.
– – – (ed.) (1998a): Die Farn- und Blütenpflanzen Baden-Württembergs, Band 7. Stuttgart: Verlag Eugen Ulmer
– – – (ed.) (1998b): Die Farn- und Blütenpflanzen Baden-Württembergs, Band 8. Stuttgart: Verlag Eugen Ulmer.
SELL. P., MURRELL, G. (1996): Flora of Great Britain and Irleand, Vol. 5. Cambridge: University Press.
SHETLER, S.G., SKOG, L.E. (1978): A provisional Checklist of Species for Flora North America. Missouri: Botanical Garden.
SILVA TAROUCA, E., SCHNEIDER, C.(1922): Unsere Freiland-Laubgehölze (2. Aufl.). Leipzig.
– – 1923. Unsere Freiland-Nadelgehölze (2. Aufl.). Leipzig.
– – 1934. Unsere Freilandstauden (5. Aufl.). Leipzig.
SMALL, J.K. (1933): Manual of the South Eastern Flora. University of North Carolina Press.
SMITH, A. W. (1963): A gardener's dictionary of plants names. A handbook on the origin and meaning of some plant names. New York: St. Martin's Press.
SPECIES GROUP OF THE BRITISH IRIS SOCIETY, (1997): A Guide to Species Irises. Cambridge: University Press.
STACE, C. (1997): New Flora of the British Isles (2nd ed.) Cambridge: University Press.
STAFLEU, F.A., COWAN, R.S. (1976-1989): Taxonomic Literature (7 Vol., 2nd ed.). Den Haag.
STEARN, W. T. (1983): Botanical Latin (3rd ed.). Newton Abbot, London: David & Charles.

STRASBURGER, E. et al. (1991): Lehrbuch der Botanik für Hochschulen. Stuttgart, Jena, New York: Gustav Fischer Verlag.

TERRELL, E. E. et al. (1986): A checklist of names for 3000 vascular plants of economic importance. Washington, D. C.:United States Department of Agriculture.

TREHANE, P. (1989): Index Hortensis, Vol. 1: Perennials. Wimborne: Quarterjack Publishing.

– et al. (1995): International Code of Nomenclature for Cultivated Plants. Wimbourne: Quarterjack Publishing.

TUTIN, T.G. (1968): Flora Europaea, Vol. 2. Cambridge: University Press.

– (1972): Flora Europaea, Vol. 3. Cambridge: University Press.

– (1976): Flora Europaea, Vol. 4. Cambridge: University Press.

– (1980): Flora Europaea, Vol. 5. Cambridge: University Press.

– (1993):. Flora Europaea, Vol. 1 (2nd ed.). Cambridge: University Press.

UPHOF, J.C.T. (1968): Dictionary of Economic Plants (2nd ed.). Lehre: Verlag von J. Cramer.

VERORDNUNG ZUM SCHUTZ WILDLEBENDER TIER- UND PFLANZENARTEN (Bundesartenschutzverordnung - BArtSchV) vom 19. Dezember 1986. In: Bundesgesetzblatt (1986),1 Nr. 70.

WALTERS, S.M. et al. (1986): The European Garden Flora, Vol. 1. Cambridge: University Press.

– et al. (1984): The European Garden Flora, Vol. 2. Cambridge: University Press.

– et al. (1989):. The European Garden Flora, Vol. 3. Cambridge: University Press.

– et al. (1995): The European Garden Flora, Vol. 4. Cambridge: University Press.

– et al. (1997): The European Garden Flora, Vol. 5. Cambridge: University Press.

WELCH, H., HADDOW, G. (1993): The World Checklist of Conifers. Combe Martin: Landman's Bookshop.

WILLIS, J.C. (1973): A Dictionary of the Flowering Plants and Ferns (8th ed., neubearbeitet von Airy Shaw, K. H.) Cambridge: University Press.

WISSKIRCHEN, R., HAEUPLER, H. (1998): Standardliste der Farn- und Blütenpflanzen Deutschlands. Stuttgart: Verlag Eugen Ulmer.

WRIGLEY, J.W., FAGG, M. (1979): Australian Native Plants. Sydney, London: Collins.

YEO, P.F. (1988): Geranium. Stuttgart: Verlag Eugen Ulmer.

ZANDER, R., ENCKE, F., BUCHHEIM, G. (1964): Handwörterbuch der Pflanzennamen (9. Aufl.). Stuttgart: Verlag Eugen Ulmer.

ZEVEN, A.C., DE WIT, J.M.J. (1975): Dictionary of cultivated plants and their regions of diversity. Wageningen: Centre for Agricultural Publishing and Documentation.

Fachliteratur für den Gärtner.

Dieser Farbatlas ermöglicht die rasche Diagnose von Pflanzenkrankheiten. Dabei hilft eine einzigartig reiche Fotosammlung. Hobbygärtner und Gartenprofis, Pflanzenproduzenten und Studierende gleichermaßen werden ihren Nutzen daraus ziehen. Dargestellt werden die Krankheitsbilder aller wichtigen Pflanzengruppen: Zimmerpflanzen, Beetpflanzen, Sommerblumen, Stauden, Ziergehölze, Obst und Gemüse. Die Schadbilder und Beschreibungen geben einen präzisen Überblick über die Schadursachen. Abschließend sind Krankheiten und Schädlinge aufgelistet, die seltener vorkommen.

Farbatlas Krankheiten und Schädlinge an Zierpflanzen, Obst und Gemüse. *Dr. B. Böhmer u.a. 1999. 240 S., 574 Farbf. ISBN 3-8001-5290-8.*

In diesem Farbatlas werden die Krankheitsbilder dargestellt, die an Garten-Ziergehölzen, aber auch an Park- und Straßenbäumen auftreten können. Das Buch zeigt die Vielzahl von Symptomen, die durch Schädlinge, Mikroorganismen und Viren oder auch abiotische Faktoren hervorgerufen werden können. Für die Differentialdiagnostik findet sich als Hilfsmittel eine Übersicht der verschiedenen Schadbilder bei jeder der rund 20 Pflanzengattungen.

Farbatlas Gehölzkrankheiten. *Prof. Dr. F. Nienhaus u.a. 2. Aufl. 1996. 287 S., 429 Farbf. ISBN 3-8001-4122-1.*

Der Garten als Komposition, die Pflanzen als Noten. Das Ziel: Kontraste und Spannung schaffen, ein kleines Kunstwerk realisieren. Dieses Buch – eine Gartenbuch-Delikatesse – zeigt, wie man optisch starke Pflanzen mit eher zarten so spannungsreich einsetzt, daß sie wirken wie Harfe und Pauke in einem Orchester. Es zeigt, wie innerhalb begrünter Flächen farbige Akzente gesetzt und damit Höhepunkte geschaffen werden.

Pflanzenkompositionen. *Die Kunst der Pflanzenverwendung. W. Borchardt. 1998. 320 S., 157 Farbf., 91 Zeichn. ISBN 3-8001-6642-9.*

Das Ziel der Autoren ist der Garten nach der Natur: ein Garten, der so aussieht, als wäre alles natürlich gewachsen und in dem die natürlichen Ressourcen geschont, Arbeitsaufwand und finanzielle Mittel gespart werden und trotzdem eine hohe ästhetische Wirkung erreicht wird. Neu und faszinierend ist der Blick auf die grossen Landschaften der Erde mit ihren unterschiedlichen klimatischen Bedingungen und auf beispielhafte Gartenanlagen und Parks in Amerika, Süd- und Mitteleuropa: Waldland im Winter oder im feuchten Küstenklima, Gehölzrabatte als Standort für Wildstauden, Freiflächen mit Steppencharakter sowie die schönsten Blumenwiesen auf den unterschiedlichsten Böden.

Pflanzen in ihren Lebensbereichen. *P. Hobhouse. 1999. 192 S., 148 Farbf. ISBN 3-8001-6660-7.*

Kompetente Nachschlagewerke erleichtern die Arbeit.

Die „Standardliste" ist ein Verzeichnis der wissenschaftlichen und deutschen Namen aller wildwachsenden und eingebürgerten Farn- und Blütenpflanzen Deutschlands. Das Werk enthält die gültigen Namen von etwa 4000 Pflanzensippen (mit Chromosomenzahlen) und ist mit einer ausführlichen Synonymie und einer synoptischen Gegenüberstellung ihres Gebrauchs in den maßgeblichen Florenwerken versehen. Standardisierte Autorennamen, Zitate der Originalbeschreibungen, Typusausgaben, erläuternde Texte und eine umfangreiche Bibliographie sind weitere Ausstattungsmerkmale.
Standardliste der Farn- und Blütenpflanzen Deutschlands *– mit Chromosomenatlas von F. Albers u.a. 1998. 765 S. ISBN 3-8001-3360-1.*

Mit diesem Buch können über 650 Gehölze im Winter allein nach ihren Knospen- und Zweigmerkmalen bestimmt werden. Die große Zahl heißt schlicht: alle einheimischen und häufiger gepflanzten Gehölze sind in diesem Buch vertreten. Kurze einführende Kapitel geben Auskunft zur Systematik, Nomenklatur, Morphologie und zu den Bestimmungsmerkmalen. Rund 1370 farbige, herausragend gute Aquarellzeichnungen sowie rund 80 kolorierte Federzeichnungen (alle vom Autor selbst) zeigen alle Details, die für die Bestimmung wichtig sind.
Gehölzbestimmung im Winter. *B. Schulz. 1999. 329 S., 1450 Zeichn. ISBN 3-8001-5074-3.*

Mit etwa 80.000 Pflanzenarten und 1.230 europäischen Anbietern mausert sich der PPP Index zum Standardwerk. Enthalten sind auch Adressen von über 200 europäischen Pflanzen-Liebhabergesellschaften. Buch und CD-ROM sind sechssprachig nutzbar (deutsch, französisch, englisch, italienisch, spanisch, holländisch). Auf der CD-ROM wurde die Benutzeroberfläche optimiert. Einheitliche Suchfunktionen erschließen die Bereiche Pflanzen, Anbieter, Gesellschaften und Bücher.
PPP Index. *Anne und Walter Erhardt. 3. Auflage 1997. Buch mit CD-ROM. 812 Seiten. ISBN 3-8001-6621-6.*

Mit dieser völlig neuartigen, umfassenden Gehölzflora wird die Bestimmung der fast 2.000 in Mitteleuropa winterharten einheimischen und fremdländischen Baum- und Straucharten ermöglicht. Besonderes Gewicht erfährt die Darstellung jeder Art in einer detaillierten Abbildung mit hervorgehobenen vegetativen Kennzeichen, einfach handzuhabenden Bestimmungsschlüsseln, einer steckbriefartigen Kurzcharakteristik jeder Art sowie die Verwendungsmöglichkeiten (Lebensbereich, Standort, Winterhärte).
Gartenflora Band 1: Gehölze. *Bestimmung, Herkunft und Lebensbereiche, Eigenschaften und Verwendung. Prof. Dr. A. Roloff, Dipl.-Ing. A. Bärtels. 1996. 694 S., 1900 Zeichn. von Andreas Roloff. ISBN 3-8001-3479-9.*